Anglais

français - anglais • anglais - français

DICTIONNAIRE DE POCHE

LAROUSSE

21, rue du Montparnasse 75283 Paris Cedex 06

© Larousse, 2012
21, rue du Montparnasse 75283 Paris Cedex 06, France
www.larousse.fr
Poche ISBN 978-2-03-591574-0 / Poche Plus ISBN 978-2-03-591582-5

**Direction du département
Dictionnaires et Encyclopédies**
Carine Girac-Marinier

Direction éditoriale
Claude Nimmo

pour cette édition

Suivi éditorial
Marc Chabrier

Rédaction et traduction
Rozenn Etienne, Leila Gaafar, Laurence Larroche,
Sinda Lopez, Anne Marsaleix, Marie Ollivier-Caudray,
Mathilde Pyskir, Marie-Victoire Tousch

Lecture
Luca Basili, David Tarradas, Isabelle Trévinal

Conception graphique
Sophie Rivoire

Informatique éditoriale
Ivo Kulev, Dalila Abdelkader, Monika Al Mourabit

Texte largement augmenté et enrichi à partir du
Larousse de Poche français-anglais, anglais-français 2008

pour les éditions précédentes

Suivi éditorial
Giovanni Picci, Beata Assaf

Rédaction et traduction
Lucy Bove, Leslie Bry, Marie Chochon, Nathalie Da Silva, Rozenn Etienne,
Christy Johnson, Verena Mair, Mery Martinelli, Marie Ollivier-Caudray, Mathilde Pyskir,
Donald Watt, Garret White

pour la grammaire
Keith Wycherley

Préface

Cette nouvelle édition du dictionnaire Larousse français-anglais, anglais-français a été réalisée pour répondre aux besoins spécifiques des utilisateurs francophones. Le texte a été augmenté de 45 000 mots, expressions et traductions. Parmi les ajouts figurent un grand nombre de termes français et anglais qui ont enrichi ces deux langues au cours des dernières années. Une large part a été ainsi faite à l'anglais américain.

Aboutissement d'un travail collectif visant à rendre toute la richesse de la langue, à l'écrit comme à l'oral, ce nouveau dictionnaire privilégie les expressions les plus courantes d'aujourd'hui et vous aide à fixer les bases de l'anglais au niveau du vocabulaire et de la grammaire. La contribution d'enseignants d'anglais en contexte francophone a été précieuse, car elle a permis de prendre en compte les difficultés spécifiques de l'apprenant francophone.

Avec ses 180 000 mots, expressions et traductions, ses exemples de constructions grammaticales, ses tournures idiomatiques, ses indications de sens et collocations soulignant la ou les traductions appropriées, ce dictionnaire couvre le vocabulaire général ainsi que certains domaines très présents dans la vie de tous les jours, tels que les nouvelles technologies, la cuisine, le sport... Grâce à ses nombreux encadrés et à sa riche contextualisation, il vous deviendra vite indispensable dès que vous voudrez parler ou écrire en anglais. Il vous permettra de vous exprimer de manière simple et sans hésitation, et vous ne risquerez plus de faire des contresens.

Ce dictionnaire ne jette pas seulement un pont entre les deux langues, il vous offre aussi une passerelle entre les civilisations : exemples, noms propres et explications de fond mettent en lumière les spécificités culturelles et historiques du Royaume-Uni et des États-Unis.

Sa nouvelle présentation graphique rend sa consultation plus aisée et plus efficace.

Offrant à la fois richesse lexicale, apport grammatical et information culturelle, cet ouvrage constitue un vrai dictionnaire de référence pour tout francophone intéressé par la langue anglaise.

N'hésitez pas à nous faire part de vos observations, questions ou critiques éventuelles : cet ouvrage n'en sera que meilleur !

L'éditeur

Sommaire

Table phonétique

	anglais	français	commentaires
[æ]	pat/bag/mad		son entre le a et le e
[ɑː]	barn/car/laugh	lac/papillon	
[aɪ]	buy/light/aisle	paille/aïe	
[aʊ]	now/shout/town		se prononce comme ao
[b]	bottle/bib	bateau/rosbif	
[d]	dog/did	dalle/ronde	
[dʒ]	jig/fridge	gin/jeans	
[e]	pet, bet	pays, année	
[ə]	mother/suppose	cheval/je	
[ɜː]	burn/learn/bird	ailleurs	
[eə]	pair/bear/share	fer/mer	
[eɪ]	bay/late/great	paye	
[f]	fib/physical	fort/physique	
[g]	gag/great	garder/épilogue	
[h]	how/perhaps		son h aspiré
[ɪ]	pit/big/rid		son i bref
[iː]	bean/weed	riz, fille/île	
[ɪə]	peer/fierce/idea	mieux	son i long
[j]	you/spaniel	yeux/yaourt	
[k]	come/kitchen	coq/quatre	
[kv]	quarter		se prononce comme kw
[l]	little/help	halle/lit	
[m]	metal/comb	mât/drame	
[ŋ]	song/finger	parking/camping	
[ɒ]	dog/sorry	poche/roc/sol	
[ɔː]	lawn	drôle/aube	
[aʊ]	no/road/blow	sot/pot	
[ɔɪ]	boy/foil	coyote	
[ʊ]	put/full	outil/goût	
[uː]	loop/moon		son ou long
[ʊə]	poor/sure/tour	touriste/pour	
[p]	pop/people	papa/prendre	
[r]	right/carry	arracher/sabre	
[s]	seal/peace	cela/savant	
[ʃ]	sheep/machine	charrue/schéma	
[t]	train/tip	théâtre/temps	
[tʃ]	chain/wretched	tchèque/tchador	
[θ]	think/fifth		se prononce comme un s, mais en pointant la langue contre les incisives.
[ð]	this/with		se prononce comme un z, mais en pointant la langue contre les incisives.
[ʌ]	cut/sun		son o tirant sur le a
[v]	vine/livid	voir/rive	
[w]	wet/why/twin	ouest/oui	
[z]	zip/his	zébu/zéro	
[ʒ]	usual/measure	bijou/rouge	

abr	abréviation	*excl*	exclamatif
adj	adjectif, adjectival	*f*	féminin
ADMIN	administration	*fam*	familier
adv	adverbe, adverbial	*fig*	figuré
AÉRON	aeronautique	FIN	finance
AGRIC	agriculture	*gén*	généralement
ANAT	anatomie	GÉOGR	geographie
ARCHÉOL	archeologie	GÉOL	géologie
ARCHIT	architecture	GÉOM	géometrie
arg crime	argot milieu	GRAMM	grammaire
arg drogue	argot drogue	HIST	histoire
arg scol	argot scolaire	*hum*	humoristique
art	article	*impers*	impersonnel
ASTROL	astrologie	*indéf*	indéfini
ASTRON	astronomie	*indén*	indénombrable
att	attributif	INDUST	industrie
AUTO	automobile	INFORM	informatique
aux	auxiliaire	*injur*	injurieux
BIOL	biologie	*insép*	inséparable
BOT	botanique	*interj*	interjection
CHIM	chimie	*interr*	interrogatif
CINÉ	cinéma	*inv*	invariable
COMM	commerce	*iron*	ironique
compar	comparatif	LING	linguistique
conj	conjonction, conjonctif	*litt*	sens propre
CONSTR	construction	LITTÉR	littérature
COUT	couture	*loc*	locution
CULIN	cuisine	*m*	masculin
déf	défini	*m ou f*	masculin ou féminin
dém	démonstratif		- nom dont le genre est flottant : ex. un arobase ou une arobase
DR	droit		
ÉCON	économie		
ÉLECTR	électricite	MATH	mathématiques
ÉLECTRON	électronique	MÉD	médecine
euphém	euphémisme	MÉTÉOR	météorologie

mf	masculin et féminin - même forme pour le masculin et le féminin : ex. démocrate		*PSYCHO*	psychologie
			qqch	quelque chose
			qqn	quelqu'un
MIL	militaire		*recomm off*	mot officiel
MUS	musique		*rel*	relatif
MYTHOL	mythologie		*RELIG*	religion
n	nom		*s.o.*	someone
NAUT	nautique		*sb*	somebody
nm ou nf	nom dont le genre est flottant : ex. un arobase ou une arobase		*SCOL*	scolaire
			sép	séparable
nm, f	nom masculin, nom féminin - avec une désinence féminine : ex. menteur, euse		*sing*	singulier
			sout	soutenu
			sthg	something
nmf	nom masculin et féminin - même forme pour le masculin et le féminin : ex. démocrate		*superl*	superlatif
			TECHNOL	technologie
			TÉLÉCOM	télécommunications
npr	nom propre		*tfam*	très familier
num	numéral		*TV*	télévision
o.s.	oneself		*TYPO*	typographie
péj	péjoratif		*UK*	anglais du Royaume Uni
pers	personnel		*UNIV*	université
PHILO	philosophie		*US*	anglais des États Unis
PHOTO	photographie		*v*	verbe
PHYS	physique		*vi*	verbe intransitif
pl	pluriel		*vp*	verbe pronominal
POLIT	politique		*vpi*	verbe pronominal intransitif
poss	possessif			
pp	participe passé		*vpt*	verbe pronominal transitif
p prés	participe présent			
préf	préfixe		*vt*	verbe transitif
prép	préposition, prépositionnel		*vulg*	vulgaire
prés	présent		*ZOOL*	zoologie
pron	pronom			
prov	proverbe			

Comment utiliser ce dictionnaire

mot d'entrée

sigles et abréviations

classement des signes et des chiffres dans l'ordre alphabétique

transcriptions dans l'alphabet phonétique international

signalisation des catégories grammaticales

mots homographes

vocabulaire britannique et américain

structuration claire de l'article

pluriels ayant leur sens propre

mise en relief des « phrasal verbs »

formes irrégulières des verbes

renvois à l'entrée principale

explications lorsqu'il n'y a pas de traduction directe

renvois à l'infinitif

signalisation claire des sens et du contexte

équivalences culturelles

rubriques

alphabet ['ælfəbet] *n* alphabet *m*.

B4 *SMS* abrév de **before**.

B&B *n* abrév de **bed and breakfast**.

BA *n* abrév de **Bachelor of Arts**.

bend [bend] *n* **1.** courbe *f*, virage *m* **2.** coude *m* (d'une rivière) **3.** (location) • **round** (UK) *ou* **around** (US) **the bend** *fam* dingue, fou, folle *f*. ▭ *vt* (prét & pp **bent**) **1.** plier **2.** tordre, courber. ▭ *vi* (prét & pp **bent**) **1.** se baisser, se courber **2.** plier. ▪ **bend down** *vi* se baisser, se pencher.

combine *vt* [kəm'baɪn] **1.** rassembler **2.** combiner • **to combine sthg with sthg a)** mélanger qqch avec *ou* à qqch **b)** *fig* allier qqch à qqch. ▭ *vi* [kəm'baɪn] *COMM & POLIT* • **to combine (with)** fusionner (avec). ▭ *n* ['kɒmbaɪn] cartel *m*.

crossways ['krɒsweɪz] = **crosswise**.

DSS (abrév de Department of Social Security) *n* ministère britannique de la sécurité sociale.

dove[1] [dʌv] *n* colombe *f*.

dove[2] [dəʊv] (US) passé → **dive**.

honour (UK), **honor** (US) ['ɒnə'] *n* honneur *m*. ▭ *vt* honorer.

outgoing ['aʊt,gəʊɪŋ] *adj* **1.** (président, directeur) sortant **2.** (courrier) à expédier **3.** (train) en partance **4.** (personne) ouvert. ▪ **outgoings** *npl* (UK) dépenses *fpl*.

shepherd's pie ['ʃepədz-] *n* ≃ hachis *m* Parmentier.

throw-in *n* (UK) *FOOTBALL* rentrée *f* en touche.

wake [weɪk] *n* sillage *m*. ▭ *vt* (prét **woke** *ou* **waked**, pp **woken** *ou* **woked**) réveiller. ▭ *vi* (prét **woke** *ou* **waked**, pp **woken** *ou* **woked**) se réveiller. ▪ **wake up** *vt sép* réveiller • **can you wake me up in the morning?** peux-tu me réveiller demain matin ? ▭ *vi* se réveiller • **I woke up at seven** je me suis réveillé à sept heures.

notes pour aider à expliquer en anglais des spécificités culturelles françaises

variantes

mise en relief des mots composés et des locutions

formes féminines

informations sur le niveau de langue et sur l'usage

canadianismes, belgicismes et helvétismes

indications des différentes traductions d'un exemple

équivalences en anglais britannique et américain

agrégation *nf* il n'y a pas d'équivalent en Grande-Bretagne ou aux États-Unis. Si vous voulez expliquer de quoi il s'agit à un anglophone, vous pouvez dire it is a competitive examination for secondary school teachers and university lecturers.

berceuse *nf* **1.** (chanson) lullaby **2.** (QUÉBEC) (fauteuil) rocking chair.

cacahouète, cacahuète *nf* peanut.

contraire *nm* • **le contraire** the opposite • **je n'ai jamais dit le contraire** I have never denied it. ▭ *adj* opposite • **contraire à a)** (non conforme à) contrary to **b)** (nuisible à) harmful to, damaging to. ▪ **au contraire** *loc adv* on the contrary. ▪ **au contraire de** *loc prép* unlike.

patineur, euse *nm, f* skater.

radin, e *fam & péj adj* stingy. ▭ *nm, f* skinflint.

trottoir *nm* pavement (UK), sidewalk (US).

8

Français
Anglais

A

a¹, A *nm inv* a, A • **de A à Z** from A to Z.
a² *(unité de mesure)* (abrév de are) a.

à

■ à *prép*

1. INTRODUIT UN COMPLÉMENT D'OBJET INDIRECT
• **elle a donné de l'argent à son fils** she gave her son some money *ou* she gave some money to her son

2. INDIQUE LE LIEU OÙ L'ON EST
• **nous sommes à la maison/au bureau** we are at home/at the office • **il habite à Paris/à la campagne** he lives in Paris/in the country

3. INDIQUE LE LIEU OÙ L'ON VA
• **ce week-end, je vais à Paris/à la campagne/ en Italie** this weekend, I'm going to Paris/ to the country/to Italy

4. INTRODUIT UN COMPLÉMENT DE TEMPS
• **je t'appelle à onze heures** I'll call you at eleven o'clock • **je vous verrai au mois de février** I'll see you in February *ou* in the month of February • **à lundi !** see you (on) Monday! • **à plus tard !** see you later! • **de huit à dix heures** from eight to ten o'clock

5. EXPRIME LA DISTANCE
• **notre maison se situe à une heure/à 10 kilomètres de l'aéroport** our house is (situated) an hour/10 kilometres (away) from the airport • **Londres est à 400 km de Paris** London is 400 km from Paris • **c'est à 3 km d'ici** it's 3 km away (from here)

6. INDIQUE L'APPARTENANCE
• **c'est à moi/toi/lui/elle** it's mine/yours/ his/hers *ou* it belongs to me/your/him/ her • **ce vélo est à ma sœur** this bike is my sister's *ou* belongs to my sister • **une amie à moi** a friend of mine

7. EXPRIME LA MANIÈRE, LE MOYEN
• **elle lisait à haute voix** she was reading out loud *ou* aloud • **je l'ai entendu rire aux éclats** I heard him roar with laughter • **elle agit toujours à son gré** she always does as she pleases • **je n'aime pas acheter à crédit** I

don't like buying on credit • **ils y sont allés à pied/à cheval** they went there on foot/ on horseback

8. INDIQUE UNE CARACTÉRISTIQUE
• **c'est une fille aux cheveux longs** she's a girl with long hair *ou* she's a long-haired girl • **j'ai encore vu l'homme à l'imperméable** I saw the man with the raincoat again • **je me suis acheté une robe à manches courtes** I bought a short-sleeved dress

9. INDIQUE UNE APPROXIMATION
• **il te faut 4 à 5 pommes pour faire ce gâteau** you need 4 to 5 apples to make this cake

10. INTRODUIT UN CHIFFRE
• **ils sont venus à dix** ten of them came • **un livre à 10 euros** a 10-euro book, a book costing 10 euros • **la vitesse est limitée à 50 km à l'heure** the speed limit is 50 km per *ou* an hour

11. INDIQUE LE BUT
• **il nous faut des coupes à champagne** we need champagne glasses • **le courrier à poster est sur la table** the mail to be posted is on the table • **appartement à vendre/louer** flat for sale/to let

à À PROPOS DE

À peut se traduire différemment selon le verbe qu'il suit :
• *Je pense souvent à Thomas.* **I often think about Thomas.**
• *Elle croit encore au Père Noël.* **She still believes in Father Christmas.**

Parfois, à ne se traduit pas :
• *Tu devrais téléphoner à Sophie.* **You should phone Sophie.**
• *Tu as montré tes photos à Yves ?* **Have you shown Yves your photographs?**

AB¹ (abrév de assez bien) SCOL fair grade ; ≃ B-.
AB² (abrév de agriculture biologique) *si vous voulez expliquer de quoi il s'agit à un anglophone, vous pouvez dire* it is an official label guaranteeing that

a product conforms to national standards for organic food.

abaisser vt **1.** (rideau, voile) to lower **2.** (levier, manette) to push ou pull down **3.** (diminuer) to reduce, to lower. ■ **s'abaisser** vp **1.** (descendre -rideau) to fall, to come down ; (-terrain) to fall away **2.** (s'humilier) to demean o.s. • **s'abaisser à faire qqch** to lower o.s. to do sthg.

abandon nm **1.** (désertion, délaissement) desertion • **à l'abandon** (jardin, maison) neglected, in a state of neglect **2.** (renonciation) abandoning, giving up **3.** (nonchalance, confiance) abandon.

abandonner vt **1.** (quitter - femme, enfants) to abandon, to desert ; (-voiture, propriété) to abandon **2.** (renoncer à) to give up, to abandon **3.** (se retirer de - course, concours) to withdraw from **4.** (céder) • **abandonner qqch à qqn** to leave sthg to sb, to leave sb sthg.

abasourdi, e adj stunned.

abat-jour nm lampshade.

abats nmpl **1.** (d'animal) offal (indén) **2.** (de volaille) giblets.

abattement nm **1.** (faiblesse physique) weakness **2.** (désespoir) dejection **3.** (déduction) reduction • **abattement fiscal** tax allowance (UK), tax exemption (US).

abattis nmpl giblets.

abattoir nm abattoir (UK), slaughterhouse.

abattre vt **1.** (faire tomber - mur) to knock down ; (-arbre) to cut down, to fell ; (-avion) to bring down **2.** (tuer - gén) to kill ; (-dans un abattoir) to slaughter **3.** (épuiser) to wear out **4.** (démoraliser) to demoralize.

abattu, e pp ➤ **abattre**. ❑ adj **1.** (déprimé) demoralized, dejected **2.** (affaibli) very weak.

abbaye nf abbey.

abbé nm **1.** (prêtre) priest **2.** (de couvent) abbot.

abc nm basics pl.

abcès nm abscess.

abdiquer vt (renoncer à) to renounce. ❑ vi (roi) to abdicate.

abdomen nm abdomen.

abdominal, e adj abdominal. ■ **abdominaux** nmpl **1.** (muscles) abdominal ou stomach muscles **2.** (exercices) • **faire des abdominaux** to do stomach exercises.

abdos nmpl **1.** (muscles) abs, stomach muscles **2.** (exercices) stomach exercises, abs (exercises) • **faire des abdos** to do abs ou stomach exercises.

abécédaire nm ABC (book).

abeille nf bee.

aberrant, e adj absurd.

abîme nm abyss, gulf.

abîmer vt (détériorer - objet) to damage ; (-partie du corps, vue) to ruin. ■ **s'abîmer** vp **1.** (gén) to be damaged • **le classeur s'est abîmé dans mon**

cartable the ring binder got damaged in my schoolbag **2.** (fruits) to go bad.

abject, e adj despicable, contemptible.

aboiement nm bark, barking (indén).

abolir vt to abolish.

abominable adj appalling, awful.

abondance nf **1.** (profusion) abundance **2.** (opulence) affluence.

abondant, e adj **1.** (gén) plentiful **2.** (végétation, chevelure) luxuriant **3.** (pluie) heavy.

abonder vi to abound, to be abundant • **abonder en qqch** to be rich in sthg • **abonder dans le sens de qqn** to be entirely of sb's opinion.

abonné, e nm, f **1.** (à un journal, à une chaîne de télé) subscriber **2.** (à un théâtre) season-ticket holder **3.** (à un service public) consumer.

abonnement nm **1.** (à un journal, à une chaîne de télé) subscription • **l'abonnement au journal coûte cent euros** the newspaper subscription costs a hundred euros **2.** (à un théâtre) season ticket • **Luc a pris un abonnement au théâtre** Luc bought a season ticket for the theatre (UK) ou theater (US) **3.** (au téléphone) rental **4.** (au gaz, à l'électricité) standing charge.

abonner ■ **s'abonner** vp • **s'abonner à qqch a)** (journal, chaîne de télé) to subscribe to sthg, to take out a subscription to sthg **b)** (service public) to get connected to sthg **c)** (théâtre) to buy a season ticket for sthg.

abord nm • **être d'un abord facile/difficile** to be very/not very approachable. ■ **abords** nmpl **1.** (gén) surrounding area sing **2.** (de ville) outskirts. ■ **d'abord** loc adv **1.** (en premier lieu) first **2.** (avant tout) first **•** (tout) **d'abord** first (of all), in the first place.

abordable adj **1.** (lieu) accessible **2.** (personne) approachable **3.** (de prix modéré) affordable.

abordage nm boarding.

aborder vi to land • **le bateau a abordé à Brest** the boat landed in Brest. ❑ vt **1.** (personne, lieu) to approach **2.** (question) to tackle, to deal with • **le prof n'a pas abordé ce problème** the teacher didn't deal with this problem.

aborigène adj aboriginal. ■ **Aborigène** nmf (Australian) aborigine.

abouti, e adj (projet, démarche) successful.

aboutir vi **1.** (chemin) • **aboutir à/dans** to end at/in **2.** (négociation) to be successful • **aboutir à qqch** to result in sthg • **tu aboutiras au même résultat** you'll arrive at ou get the same result.

aboyer vi to bark.

abrasif, ive adj abrasive.

abrégé, e adj abridged.

abréger vt **1.** (visite, réunion) to cut short **2.** (discours) to shorten **3.** (mot) to abbreviate • **tu peux abréger « Madame » en « Mme »** you can abbreviate "Madame" to "Mme".

abreuvoir *nm* **1.** *(lieu)* watering place **2.** *(installation)* drinking trough.

abréviation *nf* abbreviation.

abri *nm* shelter • **se mettre à l'abri** to shelter, to take shelter • **abri de jardin** garden shed. ■ **à l'abri de** *loc prép* **1.** *(pluie)* sheltered from **2.** *fig* safe from.

Abribus ® *nm* bus shelter.

abricot *nm & adj inv* apricot.

abricotier *nm* apricot tree.

abriter *vt* **1.** *(protéger)* • **abriter qqn/qqch (de)** to shelter sb/sthg (from) **2.** *(héberger)* to accommodate. ■ **s'abriter** *vp + prép* • **s'abriter (de)** to shelter (from).

abroger *vt* to repeal.

abrupt, e *adj* **1.** *(raide)* steep **2.** *(rude)* abrupt, brusque.

abruti, e *fam nm, f* moron.

abrutir *vt* **1.** *(abêtir)* • **abrutir qqn** to deaden sb's mind **2.** *(accabler)* • **abrutir qqn de travail** to work sb into the ground.

abrutissant, e *adj* **1.** *(bruit, travail)* stupefying **2.** *(jeu, feuilleton)* moronic.

absence *nf* **1.** *(de personne)* absence **2.** *(carence)* lack.

absent, e *adj* **1.** *(personne)* • **absent (de) a)** *(gén)* away (from) **b)** *(pour maladie)* absent (from) **2.** *(regard, air)* vacant, absent **3.** *(manquant)* lacking. ❑ *nm, f* absentee.

absenter ■ **s'absenter** *vp* • **s'absenter (de la pièce)** to leave (the room).

absinthe *nf* **1.** *(plante)* wormwood **2.** *(boisson)* absinth.

absolu, e *adj* **1.** *(gén)* absolute **2.** *(décision, jugement)* uncompromising.

absolument *adv* absolutely.

absorbant, e *adj* **1.** *(matière)* absorbent **2.** *(occupation)* absorbing.

absorber *vt* **1.** *(gén)* to absorb **2.** *(manger)* to take.

abstenir ■ **s'abstenir** *vp* **1.** *(ne rien faire)* • **s'abstenir (de qqch/de faire qqch)** to refrain (from sthg/from doing sthg) **2.** *(ne pas voter)* to abstain.

abstention *nf* abstention.

abstentionnisme *nm* abstaining.

abstinence *nf* abstinence.

abstraction *nf* abstraction • **faire abstraction de** to disregard.

abstrait, e *adj* abstract.

absurde *adj* absurd.

absurdité *nf* absurdity • **dire des absurdités** to talk nonsense *(indén)*.

abus *nm* abuse • **abus de confiance** breach of trust • **abus de pouvoir** abuse of power.

abuser *vi* **1.** *(dépasser les bornes)* to go too far **2.** *(user)* • **abuser de a)** *(autorité, pouvoir)* to over-

step the bounds of **b)** *(femme)* to take advantage of **c)** *(temps)* to take up too much of • **abuser de ses forces** to overexert o.s.

abusif, ive *adj* **1.** *(excessif)* excessive **2.** *(fautif)* improper.

acabit *nm* • **du même acabit** *péj* of the same type.

acacia *nm* acacia.

académicien, enne *nm, f* **1.** academician **2.** *(de l'Académie française)* member of the French Academy.

académie *nf* **1.** *SCOL & UNIV* ≃ regional education authority (**uk**) ; ≃ school district (**us**) **2.** *(institut)* academy • **l'Académie française** the French Academy *(learned society of leading men and women of letters)*.

acadien, enne *adj* Acadian. ■ **Acadien, enne** *nm, f* Acadian. ■ **acadien** *nm* *LING* Acadian.

acajou *nm & adj inv* mahogany.

acariâtre *adj* bad-tempered, cantankerous.

acarien *nm* **1.** *(gén)* acarid **2.** *(de poussière)* dust mite.

accablant, e *adj* **1.** *(soleil, chaleur)* oppressive **2.** *(preuve, témoignage)* overwhelming.

accabler *vt* **1.** *(surcharger)* • **accabler qqn de** *(travail)* to overwhelm sb with • **accabler qqn d'injures** to shower sb with abuse **2.** *(accuser)* to condemn.

accalmie *nf litt & fig* lull.

accéder ■ **accéder à** *vt* **1.** *(pénétrer dans)* to reach, to get to **2.** *(parvenir à)* to attain **3.** *(consentir à)* to comply with.

accélérateur *nm* accelerator.

accélération *nf* **1.** *(de voiture, machine)* acceleration **2.** *(de projet)* speeding up.

accélérer *vt* to accelerate, to speed up. ❑ *vi* *AUTO* to accelerate. ■ **s'accélérer** *vpi* *(pouls, cœur)* to beat faster • **son débit s'accélère** he's talking faster and faster.

accent *nm* **1.** *(signe graphique)* accent • **accent aigu/grave/circonflexe** acute/grave/circumflex (accent) **2.** *(intonation)* tone • **il a l'accent américain** he has an American accent • **mettre l'accent sur a)** *litt* to stress.

accentuation *nf* **1.** *(à l'écrit)* accenting **2.** *(en parlant)* stress.

accentuer *vt* **1.** *(insister sur, souligner)* to emphasise, to accentuate **2.** *(intensifier)* to intensify **3.** *(à l'écrit)* to put the accents on **4.** *(en parlant)* to stress. ■ **s'accentuer** *vp* to become more pronounced.

acceptable *adj* acceptable.

acceptation *nf* acceptance.

accepter *vt* to accept • **accepter de faire qqch** to agree to do sthg • **accepter que** (+ subjonctif) : **accepter que qqn fasse qqch** to agree to sb doing sthg • **je n'accepte pas qu'il me parle ainsi** I won't have him talking to me like that.

acception nf sense.

accès nm **1.** (entrée) entry • **avoir/donner accès à** to have/to give access to • **'accès interdit'** 'no entry' **2.** (voie d'entrée) entrance **3.** (crise) bout • **accès de colère** fit of anger.

accessible adj **1.** (lieu, livre) accessible **2.** (personne) approachable **3.** (prix, équipement) affordable.

accession nf • **accession à a)** (trône, présidence) accession to **b)** (indépendance) attainment of.

accessoire nm **1.** (gén) accessory **2.** (de théâtre, cinéma) prop. ❏ adj secondary.

accident nm accident • **par accident** by chance, by accident • **accident de la route/ de voiture/du travail** road/car/industrial accident.

accidenté, e adj **1.** (terrain, surface) uneven **2.** (voiture) damaged. ❏ nm, f (gén pl) • **accidenté de la route** accident victim.

accidentel, elle adj accidental.

accidentellement adv **1.** (rencontrer) by chance, accidentally **2.** (mourir) in an accident.

acclamation nf (gén pl) cheers pl, cheering (indén).

acclamer vt to cheer.

acclimatation nf acclimatization, acclimation (us).

acclimater vt **1.** to acclimatize, to acclimate (us) **2.** fig to introduce. ■ **s'acclimater** vp • **s'acclimater à** to become acclimatized ou acclimated (us) to.

accolade nf **1.** TYPO brace **2.** (embrassade) embrace.

accommodant, e adj obliging.

accommodement nm compromise.

accommoder vt CULIN to prepare. ■ **s'accommoder** vp • **s'accommoder de** to put up with • **s'accommoder à** to adapt to.

accompagnateur, trice nm, f **1.** MUS accompanist **2.** (guide) guide.

accompagnement nm MUS accompaniment.

accompagner vt **1.** (personne) to go with, to accompany **2.** (agrémenter) • **accompagner qqch de** to accompany sthg with **3.** MUS to accompany.

accompli, e adj accomplished.

accomplir vt to carry out. ■ **s'accomplir** vp to come about.

accomplissement nm **1.** (d'apprentissage) completion **2.** (de travail) fulfilment (UK), fulfillment (US).

accord nm **1.** (gén) agreement **2.** LING agreement, concord **3.** MUS chord **4.** (acceptation) approval • **donner son accord à qqch** to approve sthg. ■ **d'accord** loc adv OK, all right. ❏ loc adj • **être d'accord (avec)** to agree (with) • **tomber** ou **se mettre d'accord** to come to an agreement, to agree.

accordéon nm accordion • **Louis joue de l'accordéon** Louis plays the accordion.

accorder vt **1.** (donner) • **accorder qqch à qqn** to grant sb sthg **2.** (attribuer) • **accorder qqch à qqch** to accord sthg to sthg • **accorder de l'importance à** to attach importance to **3.** (harmoniser) to match **4.** GRAMM • **accorder qqch avec qqch** to make sthg agree with sthg **5.** MUS to tune. ■ **s'accorder** vp **1.** (gén) • **s'accorder (pour faire qqch)** to agree (to do sthg) • **s'accorder à faire qqch** to be unanimous in doing sthg **2.** (être assorti) to match **3.** GRAMM to agree.

accoster vt **1.** NAUT to come alongside **2.** (personne) to accost. ❏ vi NAUT to dock.

accotement nm (de route) shoulder.

accouchement nm childbirth • **accouchement sans douleur** natural childbirth.

accoucher vi • **accoucher (de)** to give birth (to).

accouder ■ **s'accouder** vp to lean on one's elbows • **s'accouder à** to lean one's elbows on.

accoudoir nm armrest.

accouplement nm mating, coupling.

accourir vi to run up, to rush up.

accoutré, e adj péj • **être bizarrement accoutré** to be strangely got up.

accoutrement nm péj getup.

accoutumer vt • **accoutumer qqn à qqn/qqch** to get sb used to sb/sthg • **accoutumer qqn à faire qqch** to get sb used to doing sthg. ■ **s'accoutumer** vp • **s'accoutumer à qqn/qqch** to get used to sb/sthg • **s'accoutumer à faire qqch** to get used to doing sthg.

accréditer vt (rumeur) to substantiate • **accréditer qqn auprès de** to accredit sb to.

accro fam adj • **accro à** hooked on. ❏ nmf • **c'est une accro de la planche à voile** she's a windsurfing freak.

accroc nm **1.** (déchirure) tear **2.** (incident) hitch.

accrochage nm **1.** (accident) collision **2.** fam (dispute) row.

accroche nf COMM catch line.

accrocher vt **1.** (suspendre) • **accrocher qqch (à)** to hang sthg up (on) **2.** (déchirer) • **accrocher qqch (à)** to catch sthg (on) **3.** (attacher) • **accrocher qqch (à)** to hitch sthg (to). ■ **s'accrocher** vp **1.** (s'agripper) • **s'accrocher (à)** to hang on (to) • **s'accrocher à qqn** fig to cling to sb **2.** fam (se disputer) to row, to have a row **3.** fam (persévérer) to stick at it.

accrocheur, euse adj **1.** (qui retient l'attention) eye-catching **2.** (opiniâtre) tenacious.

accroissement nm increase, growth.

accroître vt to increase. ■ **s'accroître** vp to increase, to grow.

accroupir ■ **s'accroupir** vp to squat.

accu nm • **recharger ses accus** fam & fig to recharge one's batteries.

accueil nm **1.** (lieu) reception **2.** (action) welcome, reception.

accueillant, e adj welcoming, friendly.

accueillir vt **1.** (gén) to welcome **2.** (loger) to accommodate.

accumulateur nm **1.** BANQUE & INFORM accumulator **2.** ÉLECTR (storage) battery.

accumulation nf accumulation.

accumuler vt **1.** to accumulate **2.** fig to store up. ■ **s'accumuler** vp to pile up.

accusateur, trice adj accusing. ❏ nm, f accuser.

accusation nf **1.** (reproche) accusation **2.** DR charge • **mettre en accusation** to indict • **l'accusation** the prosecution.

accusé, e nm, f accused, defendant. ■ **accusé de réception** nm acknowledgement (of receipt).

accuser vt **1.** (porter une accusation contre) • **accuser qqn (de qqch)** to accuse sb (of sthg) **2.** DR • **accuser qqn de qqch** to charge sb with sthg.

acerbe adj acerbic.

acéré, e adj sharp.

achalandé, e adj (en marchandises) • **bien achalandé** well-stocked.

acharné, e adj **1.** (combat) fierce **2.** (travail) unremitting.

acharnement nm relentlessness.

acharner ■ **s'acharner** vp **1.** (combattre) • **s'acharner contre** ou **après** ou **sur qqn a)** (ennemi, victime) to hound sb **b)** (sujet : malheur) to dog sb **2.** (s'obstiner) • **s'acharner (à faire qqch)** to persist (in doing sthg).

achat nm purchase • **achat en ligne** online shopping, cybershopping.

acheminer vt to dispatch. ■ **s'acheminer** vp • **s'acheminer vers a)** (lieu, désastre) to head for **b)** (solution, paix) to move towards (UK) ou toward (US).

acheter vt litt & fig (cadeau, objet, produit) to buy • **acheter qqch à qqn a)** (pour soi) to buy sthg from sb **b)** (pour le lui offrir) to buy sb sthg, to buy sthg for sb • **acheter qqch pour qqn** to buy sthg for sb, to buy sb sthg.

acheter

• acheter qqch à/pour qqn **buy sthg for sb** ou **buy sb sthg**

Il faut noter la construction à double complément qui, en anglais, peut prendre deux formes sans différence de sens :
1. une structure identique à celle du français : verbe + COD + préposition + COI **buy sthg for sb**
2. une structure qui diffère de celle du français, sans préposition, et dans laquelle l'ordre des compléments est inversé : verbe + COI + COD **buy sb sthg**

• Thomas a acheté un livre à/pour son ami Gabriel. **Thomas** bought **a book for his friend Gabriel** ou **Thomas** bought **his friend Gabriel a book**.

acheteur, euse nm, f buyer, purchaser.

achevé, e adj sout • **d'un ridicule achevé** utterly ridiculous.

achèvement nm completion.

achever vt **1.** (terminer) to complete, to finish (off) **2.** (tuer, accabler) to finish off. ■ **s'achever** vp to end, to come to an end.

achever

Attention à ne pas traduire le verbe achever par **to achieve**, qui signifie accomplir, réaliser (she achieved her ambition, elle a réalisé son ambition). Lorsque achever a le sens de finir, on le traduit le plus souvent par **to finish**. Par exemple : Laisse-le achever sa phrase, **Let him** finish **what he's saying**. Dans le sens de tuer, achever se traduit par **to destroy** ou **to finish off** : Ils décidèrent d'achever la pauvre bête, **They decided to** destroy **the poor animal**.

achoppement → pierre.

acide adj **1.** (saveur) sour **2.** (propos) sharp, acid **3.** CHIM acid. ❏ nm CHIM acid.

acidité nf **1.** CHIM acidity **2.** (saveur) sourness **3.** (de propos) sharpness.

acidulé, e adj slightly acid.

acier nm steel • **acier inoxydable** stainless steel.

aciérie nf steelworks sing.

acné nf acne • **elle a de l'acné** she has acne.

acolyte nm péj henchman.

acompte nm deposit.

à-côté nm **1.** (point accessoire) side issue **2.** (gain d'appoint) extra.

à-coup nm jerk • **par à-coups** in fits and starts.

acoustique nf **1.** (science) acoustics (indén) **2.** (d'une salle) acoustics pl.

acquéreur nm buyer.

acquérir vt (gén) to acquire.

acquiescement nm approval.

acquiescer vi to acquiesce • **acquiescer à** to agree to.

acquis, e adj **1.** (caractère) acquired **2.** (droit, avantage) established. ■ **acquis** nmpl (connaissances) knowledge (indén).

acquisition nf acquisition.

acquit nm receipt • **pour acquit** COMM received • **faire qqch par acquit de conscience** fig to do sthg to set one's mind at rest.

acquittement nm **1.** (d'obligation) settlement **2.** DR acquittal.

acquitter vt **1.** DR to acquit **2.** (régler) to pay **3.** (libérer) • **acquitter qqn de** to release sb from.

âcre adj **1.** (saveur) bitter **2.** (fumée) acrid.

acrobate nmf acrobat.

acrobatie nf acrobatics (indén).

acrylique adj & nm acrylic.

acte nm **1.** (action) act, action • **faire acte d'autorité** to exercise one's authority • **faire acte de candidature** to submit an application **2.** THÉÂTRE act • **une pièce en cinq actes** a play in five acts **3.** DR deed • **acte d'accusation** charge • **acte de naissance/de mariage/de décès** birth/marriage/death certificate • **acte de vente** bill of sale **4.** RELIG certificate **5.** (locution) • **faire acte de présence** to put in an appearance • **prendre acte de** to note, to take note of. ■ **actes** nmpl (de colloque) proceedings.

acteur, trice nm, f actor, actress f.

actif, ive adj (gén) active • **la population active** the working population. ■ **actif** nm **1.** FIN assets pl **2.** (locution) • **avoir qqch à son actif** to have sthg to one's credit.

action nf **1.** (gén) action • **sous l'action de** under the effect of **2.** (acte) action, act • **bonne/mauvaise action** good/bad deed **3.** DR action, lawsuit **4.** FIN share.

actionnaire nmf FIN shareholder (UK), stockholder (US).

actionner vt to work, to activate.

activement adv actively.

activer vt to speed up. ■ **s'activer** vp to bustle about.

activiste adj & nmf activist.

activité nf (gén) activity • **en activité** (volcan) active.

actualisation nf (d'un texte) updating.

actualiser vt to update, to bring up to date.

actualité nf **1.** (d'un sujet) topicality **2.** (événements) • **l'actualité sportive/politique/littéraire** the current sports/political/literary scene. ■ **actualités** nfpl • **les actualités** the news sing.

actuel, elle adj (contemporain, présent) current, present • **à l'heure actuelle** at the present time.

actuellement adv at present, currently.

acuité nf acuteness.

acuponcteur, trice, acupuncteur, trice nm, f acupuncturist.

acuponcture, acupuncture nf acupuncture.

adage nm adage, saying.

adaptateur, trice nm, f adapter. ■ **adaptateur** nm ÉLECTR adapter.

adaptation nf adaptation.

adapter vt **1.** (gén) to adapt **2.** (fixer) to fit. ■ **s'adapter** vp • **s'adapter (à)** to adapt (to).

additif nm **1.** (supplément) rider, additional clause **2.** (substance) additive.

addition nf **1.** (ajout, calcul) addition • **faire une addition** to do a sum **2.** (note) bill, check (US) • **l'addition, s'il vous plaît** can I have the bill, please?

additionner vt **1.** (mélanger) • **additionner une poudre d'eau** to add water to a powder **2.** (chiffres) to add up.

adepte nmf follower.

adéquat, e adj suitable, appropriate.

adhérence nf (de pneu) grip.

adhérent, e nm, f • **adhérent (de)** member (of).

adhérer vi **1.** (coller) to stick, to adhere • **adhérer à a)** (se fixer sur) to stick ou adhere to **b)** fig (être d'accord avec) to support, to adhere to **2.** (être membre) • **adhérer à** to become a member of, to join.

adhésif, ive adj sticky, adhesive. ■ **adhésif** nm adhesive.

adhésion nf **1.** (à une idée) • **adhésion (à)** support (for) **2.** (à un parti) • **adhésion (à)** membership (of).

adieu interj goodbye!, farewell! • **dire adieu à quelqu'un** to say goodbye to somebody • **dire adieu à qqch** fig to say goodbye to sthg. ❑ nm (gén pl) farewell • **faire ses adieux à qqn** to say one's farewells to sb.

adipeux, euse adj **1.** (tissu) adipose **2.** (personne) fat.

adjectif nm GRAMM adjective.

adjoint, e adj deputy (avant nom), assistant (avant nom). ❑ nm, f deputy, assistant • **adjoint au maire** deputy mayor.

adjonction *nf* addition.

adjudant *nm (dans la marine)* warrant officer.

adjuger *vt* • **adjuger qqch (à qqn) a)** *(aux enchères)* to auction sthg (to sb) **b)** *(décerner)* to award sthg (to sb) • **adjugé ! sold!**

admettre *vt* **1.** *(tolérer, accepter)* to allow, to accept **2.** *(autoriser)* to allow **3.** *(accueillir, reconnaître)* to admit.

administrateur, trice *nm, f* **1.** *(gérant)* administrator • **administrateur judiciaire** receiver **2.** *(de conseil d'administration)* director **3.** INFORM • **administrateur de site (Web)** webmaster.

administratif, ive *adj* administrative.

administration *nf* **1.** *(service public)* • **l'Administration** ≃ the Civil Service **2.** *(gestion)* administration.

administrer *vt* **1.** *(gérer)* to manage, to administer **2.** *(médicament, sacrement)* to administer.

admirable *adj* **1.** *(personne, comportement)* admirable **2.** *(paysage, spectacle)* wonderful.

admirateur, trice *nm, f* admirer.

admiratif, ive *adj* admiring.

admiration *nf* admiration.

admirer *vt* to admire.

admissible *adj* **1.** *(attitude)* acceptable **2.** SCOL eligible.

admission *nf* admission.

ADN (abrév de acide désoxyribonucléique) *nm* DNA • **test ADN** DNA test.

ado (abrév de adolescent) *nmf fam* teen, teenager.

adolescence *nf* adolescence.

adolescent, e *nm, f* adolescent, teenager.

adonner ■ **s'adonner** *vp* • **s'adonner à à)** *(sport, activité)* to devote o.s. to **b)** *(vice)* to take to.

adopter *vt* **1.** *(gén)* to adopt **2.** *(loi)* to pass • **le projet de loi a été adopté** the bill went through.

adoptif, ive *adj* **1.** *(famille)* adoptive **2.** *(pays, enfant)* adopted.

adoption *nf* adoption • **d'adoption a)** *(pays, ville)* adopted **b)** *(famille)* adoptive.

adorable *adj* adorable, delightful.

adoration *nf* **1.** *(amour)* adoration **2.** RELIG worship.

adorer *vt* **1.** *(personne, chose)* to love, to adore **2.** RELIG to worship.

adosser *vt* • **adosser qqch à qqch** to place sthg against sthg. ■ **s'adosser** *vp* • **s'adosser à ou contre qqch** to lean against sthg.

adoucir *vt* **1.** *(gén)* to soften **2.** *(chagrin, peine)* to ease, to soothe. ■ **s'adoucir** *vp* **1.** *(temps)* to become ou get milder **2.** *(personne)* to mellow.

adoucissant, e *adj* soothing. ■ **adoucissant** *nm* softener.

adoucisseur *nm* • **adoucisseur d'eau** water softener.

adrénaline *nf* adrenalin.

adresse *nf* **1.** *(gén)* INFORM address • **adresse électronique** e-mail address **2.** *(habileté)* skill.

adresser *vt* **1.** *(faire parvenir)* • **adresser qqch à qqn** to address sthg to sb **2.** *(envoyer)* • **adresser qqn à qqn** to refer sb to sb. ■ **s'adresser** *vp* • **s'adresser à a)** *(parler à)* to speak to **b)** *(être destiné à)* to be aimed at, to be intended for.

Adriatique *nf* • **l'Adriatique** the Adriatic.

adroit, e *adj* skilful *(us)*, skillful *(us)*.

ADSL (abrév de asymmetric digital subscriber line) *nm* ADSL • **passer à l'ADSL** to switch ou upgrade ou go over to ADSL.

aduler *vt* to adulate.

adulte *nmf & adj* adult.

adultère *nm (acte)* adultery. ❏ *adj* adulterous.

adultérin, e *adj* illegitimate.

advenir *v impers* to happen • **qu'advient-il de…** ? what is happening to…? • **qu'est-il advenu de…** ? what has happened to ou become of…?

advenu *pp* → **advenir.**

adverbe *nm* adverb.

adversaire *nmf* adversary, opponent.

adverse *adj (opposé)* opposing ; → **parti.**

adversité *nf* adversity.

aération *nf* **1.** *(circulation d'air)* ventilation **2.** *(action)* airing.

aéré, e *adj* **1.** *(pièce)* well-ventilated • **mal aéré** stuffy **2.** fig *(présentation)* well-spaced.

aérer *vt* **1.** *(pièce, chose)* to air **2.** fig *(présentation, mise en page)* to improve. ■ **s'aérer** *vp (sortir)* to get some fresh air.

aérien, enne *adj* **1.** *(câble)* overhead *(avant nom)* **2.** *(transports, attaque)* air *(avant nom)* • **compagnie aérienne** airline (company).

aérobic *nm* aerobics *(indén)*.

aéro-club *nm* flying club.

aérodrome nm airfield.

aérodynamique adj streamlined, aerodynamic.

aérogare nf 1. (aéroport) airport 2. (gare) air terminal.

aéroglisseur nm hovercraft.

aérogramme nm aerogramme (UK), aerogram (US), air letter.

aéronautique nf aeronautics (indén).

aéronaval, e adj air and sea (avant nom).

aérophagie nf abdominal wind.

aéroport nm airport.

aéroporté, e adj airborne.

aérosol nm & adj inv aerosol.

aérospatial, e adj aerospace (avant nom). ■ aérospatiale nf aerospace industry.

affable adj 1. (personne) affable, agreeable 2. (parole) kind.

affaiblir vt litt & fig to weaken. ■ s'affaiblir vp litt & fig to weaken, to become weaker.

affaire nf 1. (question) matter 2. (situation, polémique) affair 3. (marché) deal • faire une affaire to get a bargain ou a good deal 4. (entreprise) business 5. (procès) case 6. (locution) • avoir affaire à qqn to deal with sb • vous aurez affaire à moi ! you'll have me to deal with! • faire l'affaire to do nicely. ■ affaires nfpl 1. COMM business (indén) 2. (objets personnels) things, belongings 3. (activités) affairs.

affairé, e adj busy.

affairer ■ s'affairer vp to bustle about.

affairisme nm racketeering.

affaisser ■ s'affaisser vp 1. (se creuser) to subside, to sink 2. (tomber) to collapse.

affaler ■ s'affaler vp to collapse.

affamé, e adj starving.

affectation nf 1. (attribution) • affectation de qqch à allocation of sthg to 2. (nomination) appointment, posting 3. (manque de naturel) affectation.

affecté, e adj (personne) affected, mannered • parler d'une manière affectée to speak affectedly.

affecter vt 1. (consacrer) • affecter qqch à to allocate sthg to 2. (nommer) • affecter qqn à to appoint sb to 3. (feindre) to feign 4. (émouvoir) to affect, to move.

affectif, ive adj emotional.

affection nf 1. (sentiment) affection • avoir de l'affection pour to be fond of 2. (maladie) complaint.

affectionner vt to be fond of.

affectueusement adv affectionately.

affectueux, euse adj affectionate.

affermir ■ s'affermir vp 1. (matière) to be strengthened 2. (chair) to be toned up 3. (pouvoir) to be consolidated.

affichage nm 1. (d'un poster, d'un avis) putting up, displaying 2. ÉLECTRON • affichage à cristaux liquides LCD, liquid crystal display.

affiche nf 1. (gén) poster 2. (officielle) notice.

afficher vt 1. (liste, poster) to put up 2. (vente, réglementation) to put up a notice about 3. (laisser transparaître) to display, to exhibit.

afficheur nm 1. (entreprise) billposter 2. ÉLECTRON display.

affilée ■ d'affilée loc adv • trois jours d'affilée three days running.

affiler vt to sharpen.

affilié, e adj • affilié à affiliated to.

affiner vt litt & fig to refine.

affinité nf affinity.

affirmatif, ive adj 1. (réponse) affirmative 2. (personne) positive. ■ affirmative nf • nous aimerions savoir si vous serez libre mercredi ; dans l'affirmative, nous vous prions de... we'd like to know if you are free on Wednesday; if you are ou if so, please... • répondre par l'affirmative to reply in the affirmative.

affirmation nf assertion.

affirmer vt 1. (certifier) to maintain, to claim 2. (exprimer) to assert.

affliction nf affliction.

affligeant, e adj 1. (désolant) saddening, distressing 2. (lamentable) appalling.

affliger vt sout 1. (attrister) to sadden, to distress 2. (de défaut, de maladie) • être affligé de to be afflicted with.

affluence nf crowd, crowds pl.

affluent nm tributary.

affluer vi 1. (choses) to pour in, to flood in 2. (personnes) to flock 3. (sang) • affluer (à) to rush (to).

afflux nm 1. (de liquide, dons, capitaux) flow 2. (de personnes) flood.

affolant, e adj 1. (inquiétant) frightening 2. (troublant) disturbing.

affolement nm panic.

affoler vt (inquiéter) to terrify. ■ s'affoler vp (paniquer) to panic.

affranchi, e adj 1. (lettre - avec timbre) stamped ; (- à la machine) franked 2. (personne, esclave) liberated.

affranchir vt 1. (lettre - avec timbre) to stamp ; (- à la machine) to frank 2. (esclave) to set free, to liberate.

affréter vt to charter.

affreux, euse adj 1. (repoussant) horrible 2. (effrayant) terrifying 3. (détestable) awful, dreadful.

affriolant, e adj enticing.

affront nm insult, affront.

affrontement nm confrontation.

affronter vt to confront.

affubler vt péj • être affublé de to be got up in.

affût *nm* ■ **être à l'affût (de) a)** to be lying in wait (for) **b)** *fig* to be on the lookout (for).

affûter *vt* to sharpen.

Afghanistan *nm* ■ **l'Afghanistan** Afghanistan.

afin ■ **afin de** *loc prép* in order to. ■ **afin que** *loc conj* (+ *subjonctif*) so that.

a fortiori *adv* all the more.

AFP (*abrév de* Agence France-Presse) *nf si vous voulez expliquer de quoi il s'agit à un anglophone, vous pouvez dire* it is the French press agency.

africain, e *adj* African. ■ **Africain, e** *nm, f* African.

> En anglais, les adjectifs se rapportant à un continent s'écrivent avec une majuscule.

afrikaner, afrikaander *adj* Afrikaner. ■ **Afrikaner, Afrikaander** *nmf* Afrikaner.

Afrique *nf* ■ **l'Afrique** Africa. ■ **l'Afrique du Nord** North Africa. ■ **l'Afrique du Sud** South Africa.

> En anglais, il n'y a pas d'article devant les noms de continents.

after-shave *nm inv & adj inv* aftershave.

AFU (*abrév de* assistance ou aide au freinage d'urgence) *nm inv ou nf inv* AUTO power-assisted braking.

agaçant, e *adj* irritating.

agacer *vt* to irritate.

âge *nm* age ● **quel âge as-tu ?** how old are you? ● **prendre de l'âge** to age ● **l'âge adulte** adulthood ● **l'âge ingrat** the awkward *ou* difficult age ● **âge d'or** golden age ● **le troisième âge** (*personnes*) the over-sixties, senior citizens.

âgé, e *adj* **1.** (*vieux*) old ● **elle est plus âgée de moi** she's older than I am **2.** (*de tel âge*) ● **être âgé de 20 ans** to be 20 years old *ou* of age ● **un enfant âgé de 3 ans** a 3-year-old child.

agence *nf* agency ● **agence immobilière** estate agent's (UK), real estate agency (US) ● **agence matrimoniale** marriage bureau ● **agence de publicité** advertising agency ● **agence de voyages** travel agency, travel agent's (UK).

agencer *vt* **1.** to arrange **2.** *fig* to put together.

agenda *nm* diary ● **agenda électronique** electronic organizer.

agenouiller ■ **s'agenouiller** *vp* to kneel.

agent *nm* agent ● **agent de change** stockbroker ● **agent de police** police officer ● **agent secret** secret agent.

agglomération *nf* (*ville*) conurbation.

aggloméré *nm* chipboard.

agglomérer *vt* to mix together.

agglutiner *vt* to stick together. ■ **s'agglutiner** *vp* (*foule*) to gather, to congregate.

aggravation *nf* worsening, aggravation.

aggraver *vt* to make worse. ■ **s'aggraver** *vp* to get worse, to worsen.

agile *adj* agile, nimble.

agilité *nf litt & fig* agility.

agios *nmpl* FIN bank charges.

agir *vi* **1.** (*faire, être efficace*) to act **2.** (*se comporter*) to behave **3.** (*influer*) ● **agir sur** to have an effect on. ■ **s'agir** *v impers* ● **il s'agit de…** it's a matter of… ● **de quoi s'agit-il ?** what's it about?

agissements *nmpl péj* schemes, intrigues.

agitateur, trice *nm, f* POLIT agitator.

agitation *nf* **1.** agitation **2.** (*politique, sociale*) unrest.

agité, e *adj* **1.** (*gén*) restless **2.** (*enfant, classe*) restless, fidgety **3.** (*journée, atmosphère*) hectic **4.** (*mer*) rough.

agiter *vt* **1.** (*remuer - flacon, objet*) to shake ; (*- drapeau, bras*) to wave **2.** (*énerver*) to perturb. ■ **s'agiter** *vp* **1.** (*personne*) to move about, to fidget **2.** (*mer*) to stir **3.** (*population*) to get restless.

agneau *nm* **1.** (*animal, viande*) lamb **2.** (*cuir*) lambskin.

agnosticisme *nm* agnosticism.

agnostique *adj & nmf* agnostic.

agonie *nf* **1.** (*de personne*) mortal agony **2.** *fig* death throes *pl*.

agoniser *vi* **1.** (*personne*) to be dying **2.** *fig* to be on its last legs.

agrafe *nf* **1.** (*de bureau*) staple **2.** MÉD clip.

agrafer *vt* (*attacher*) to fasten.

agrafeuse *nf* stapler.

agraire *adj* agrarian.

agrandir *vt* **1.** (*gén*) PHOTO to enlarge **2.** (*rue, écart*) to widen **3.** *fig* (*développer*) to expand. ■ **s'agrandir** *vp* **1.** (*s'étendre*) to grow **2.** *fig* (*se développer*) to expand.

agrandissement *nm* **1.** (*gén*) PHOTO enlargement **2.** *fig* (*développement*) expansion.

agréable *adj* pleasant, nice.

agréé, e *adj* (*concessionnaire, appareil*) authorized.

agréer *vt sout* **1.** (*accepter*) ● **veuillez agréer mes salutations distinguées** *ou* **l'expression de mes sentiments distingués** yours faithfully **2.** (*convenir*) ● **agréer à qqn** to suit *ou* please sb.

agrégation *nf il n'y a pas d'équivalent en Grande-Bretagne ou aux États-Unis. Si vous voulez expliquer de quoi il s'agit à un anglophone, vous pouvez dire* it is a competitive examination for secondary school teachers and university lecturers.

agrégé, e *nm, f* holder of the *agrégation*.

agrément *nm* **1.** (*caractère agréable*) attractiveness **2.** (*approbation*) consent, approval.

agrès *nm* SPORT gym apparatus (*indén*).

agresser *vt* **1.** (*sujet : personne*) to attack **2.** *fig* (*sujet : bruit, pollution*) to assault.

agresseur *nm* attacker.

agressif, ive *adj* aggressive.

agression nf **1.** attack **2.** MIL & PSYCHO aggression • **agression sexuelle** sexual assault.

agressivité nf aggressiveness.

agricole adj agricultural.

agriculteur, trice nm, f farmer.

agriculture nf agriculture, farming.

agripper vt **1.** (personne) to cling ou hang on to **2.** (objet) to grip, to clutch.

agroalimentaire adj • **industrie agroalimentaire** food-processing industry • **les produits agroalimentaires** processed foods ou foodstuffs. ❑ nm • **l'agroalimentaire** the food-processing industry.

agronomie nf agronomy.

agrotourisme nm agrotourism.

agrume nm citrus fruit.

aguets ■ **aux aguets** loc adv • **être/rester aux aguets** to be ou keep on the lookout.

aguicher vt to entice, to allure.

ah interj oh!, ah! • **ah bon ?** really? • **ah, quelle bonne surprise !** what a nice surprise!

ahuri, e adj • **être ahuri (par qqch)** to be taken aback (by sthg).

ahurissant, e adj astounding.

aide nf **1.** (gén) help • **appeler (qqn) à l'aide** to call (to sb) for help • **venir en aide à qqn** to come to sb's aid, to help sb • **aide ménagère** home help (UK), home helper (US) **2.** (secours financier) aid • **aide sociale** social security (UK), welfare (US). ■ **à l'aide de** loc prép with the help ou aid of.

aide-éducateur, trice nm, f SCOL teaching assistant.

aide-mémoire nm inv **1.** aide-mémoire **2.** (pour examen) revision notes pl (UK).

aider vt to help • **aider qqn à faire qqch** to help sb to do sthg. ■ **s'aider** vp **1.** (s'assister mutuellement) to help each other **2.** (avoir recours) • **s'aider de** to use, to make use of.

aide-soignant, e nm, f nursing auxiliary (UK), nurse's aide (US).

aïe interj (exprime la douleur) ow!, ouch!

aïeul, e nm, f sout grandparent, grandfather, grandmother f.

aïeux nmpl ancestors.

aigle nm eagle.

aigre adj **1.** (gén) sour **2.** (propos) harsh.

aigre-doux, aigre-douce adj **1.** CULIN sweet-and-sour **2.** (propos) bittersweet.

aigrelet, ette adj **1.** (vin) vinegary **2.** (voix) sharpish.

aigreur nf **1.** (d'un aliment) sourness **2.** (d'un propos) harshness. ■ **aigreurs d'estomac** nfpl heartburn (indén).

aigri, e adj embittered.

aigu, uë adj **1.** (son, voix) high-pitched **2.** (objet, lame) sharp **3.** (angle) acute **4.** (douleur) sharp, acute **5.** (intelligence, sens) acute, keen. ■ **aigu** nm high note.

aiguillage nm (RAIL - manœuvre) shunting, switching (US) ; (- dispositif) points pl (UK), switch (US).

aiguille nf **1.** (gén) needle • **aiguille à tricoter** knitting needle • **aiguille de pin** pine needle **2.** (de pendule) hand.

aiguiller vt **1.** RAIL to shunt, to switch (US) **2.** (personne, conversation) to steer, to direct.

aiguillette nf • **aiguillettes de canard** strips of duck breast.

aiguilleur nm **1.** RAIL pointsman (UK), switchman (US) **2.** AÉRON • **aiguilleur du ciel** air-traffic controller.

aiguiser vt litt & fig to sharpen.

ail nm **1.** garlic (indén) **2.** • **ail des bois** (QUÉBEC) wild leek.

aile nf (gén) wing.

aileron nm **1.** (de requin) fin **2.** (d'avion) aileron.

ailier nm winger.

ailleurs adv elsewhere, somewhere ou someplace (US) else • **nulle part ailleurs** nowhere ou noplace (US) else • **partout ailleurs** everywhere ou everyplace (US) else. ■ **d'ailleurs** loc adv moreover, besides. ■ **par ailleurs** loc adv moreover.

aimable adj kind, nice.

aimablement adv kindly.

aimant[1]**, e** adj loving.

aimant[2] nm magnet.

3. POUR EXPRIMER UNE PRÉFÉRENCE

• **le bleu n'est pas mal, mais j'aime mieux le vert** the blue one isn't bad but I prefer the green one • **j'aime mieux lire que regarder la télévision** I prefer reading to watching television • **j'aime mieux rester ici** I'd rather stay here ou I prefer to stay here

4. ÉPROUVER DE L'AMOUR POUR

• **Amélie dit qu'elle aime Cédric** Amélie says she loves Cédric

■ **s'aimer** *vp*

EMPLOI RÉCIPROQUE

• **ils s'aiment depuis des années** they've been in love for years ou they've loved each other for years • **ils s'aiment bien** they like each other

aine *nf* groin.

aîné,e *adj* **1.** *(plus âgé)* elder, older **2.** *(le plus âgé)* eldest, oldest. ❏ *nm, f* **1.** *(plus âgé)* older ou eldest child, older ou eldest son/daughter • **elle est mon aînée de deux ans** she is two years older than me **2.** *(le plus âgé)* oldest ou eldest child, oldest ou eldest son/daughter.

ainsi *adv* **1.** *(manière)* in this way, like this **2.** *(valeur conclusive)* thus• **et ainsi de suite** and so on, and so forth• **pour ainsi dire** so to speak. ■ **ainsi que** *loc conj (et)* as well as.

aïoli,ailloli *nm* garlic mayonnaise.

air *nm* **1.** *(gén)* air • **en plein air** (out) in the open air, outside • **en l'air a)** *(projet)* (up) in the air **b)** *(paroles)* empty • **air conditionné** air-conditioning **2.** *(apparence, mine)* air, look• **il a l'air triste** he looks sad • **il a l'air de bouder** it looks as if he's sulking• **il a l'air de faire beau** it looks like being a nice day **3.** *MUS* tune **4.** *(à l'opéra)* aria.

airbag *nm* airbag.

aire *nf* *(gén)* area • **aire d'atterrissage** landing strip• **aire de jeu** playground• **aire de repos** lay-by (UK), rest area (US) • **aire de stationnement** parking area.

airelle *nf* bilberry.

aisance *nf* **1.** *(facilité)* ease **2.** *(richesse)* • **il vit dans l'aisance** he has an affluent lifestyle.

aise *nf sout* pleasure • **être à l'aise** ou **à son aise a)** *(confortable)* to feel comfortable **b)** *(financièrement)* to be comfortably off • **mettez-vous à l'aise** make yourself comfortable • **mettre qqn mal à l'aise** to make sb feel ill at ease ou uneasy. ■ **aises** *nfpl* • **aimer ses aises** to like one's (home) comforts • **prendre ses aises** to make o.s. comfortable.

aisé,e *adj* **1.** *(facile)* easy **2.** *(riche)* well-off.

aisément *adv* easily.

aisselle *nf* armpit.

ajonc *nm* gorse (indén).

ajourner *vt* **1.** *(reporter - décision)* to postpone ; *(- réunion, procès)* to adjourn **2.** *(candidat)* to refer.

ajout *nm* addition.

ajouter *vt* to add • **ajouter foi à qqch** *sout* to give credence to sthg. ■ **s'ajouter** *vp* • **s'ajouter à qqch** to be in addition to sthg.

ajusté,e *adj (coupé)* fitted, tailored.

ajuster *vt* **1.** *(monter)* • **ajuster qqch (à)** to fit sthg (to) **2.** *(régler)* to adjust **3.** *(vêtement)* to alter **4.** *(tir, coup)* to aim. ■ **s'ajuster** *vp* to be adaptable.

alaise,alèse *nf* undersheet.

alarmant,e *adj* alarming.

alarme *nf* alarm • **donner l'alarme** to give ou raise the alarm.

alarmer *vt* to alarm. ■ **s'alarmer** *vp* to get ou become alarmed.

alarmiste *nmf* scaremonger. ❏ *adj* alarmist.

albanais,e *adj* Albanian. ■ **albanais** *nm (langue)* Albanian. ■ **Albanais,e** *nm, f* Albanian.

Albanie *nf* • **l'Albanie** Albania.

albâtre *nm* alabaster.

albatros *nm* albatross.

albinos *nmf & adj inv* albino.

album *nm* album • **album (de) photos** photo album • **album de bandes dessinées** comic book.

alchimiste *nmf* alchemist.

alcool *nm* alcohol • **alcool à brûler** methylated spirits *pl* • **alcool à 90 degrés** surgical spirit.

alcoolique *nmf & adj* alcoholic.

alcoolisé,e *adj* alcoholic.

alcoolisme *nm* alcoholism.

Alc(o)otest ® *nm* ≃ Breathalyser® (UK) ; ≃ Breathalyzer® (US).

alcôve *nf* recess.

aléa *nm (gén pl)* *sout* hazard.

aléatoire *adj* **1.** *(avenir)* uncertain **2.** *(choix)* random.

alentour *adv* around, around about. ■ **alentours** *nmpl* surroundings • **aux alentours de a)** *(spatial)* in the vicinity of **b)** *(temporel)* around.

alerte *adj* **1.** *(personne, esprit)* agile, alert **2.** *(style, pas)* lively. ❏ *nf* alarm, alert • **donner l'alerte** to sound ou give the alert• **alerte à la bombe** bomb scare • **en alerte** on the alert.

alerter *vt* to warn, to alert.

alexandrin *nm* alexandrine.

algèbre *nf* algebra.

Alger *npr* Algiers.

Algérie *nf* • **l'Algérie** Algeria.

En anglais, à de rares exceptions près, il n'y a pas d'article devant les noms de pays.

algérien,enne *adj* Algerian. ■ **Algérien,enne** *nm, f* Algerian.

En anglais, les adjectifs se rapportant à un pays ou une région s'écrivent avec une majuscule.

algue *nf* seaweed (indén) • **algues brunes/vertes/rouges** brown/green/red algae.

alias *adv* alias. ❏ *nm* INFORM (dans un mail, sur le bureau) alias.

alibi *nm* alibi.

aliénation *nf* alienation • **aliénation mentale** insanity.

aliéné, e *adj* **1.** MÉD insane **2.** DR alienated. ❏ *nm, f* MÉD insane person.

aliéner *vt* to alienate.

alignement *nm* alignment, lining up.

aligner *vt* **1.** (disposer en ligne) to line up, to align **2.** (adapter) • **aligner qqch sur** to align sthg with, to bring sthg into line with. ■ **s'aligner** *vp* to line up • **s'aligner sur** POLIT to align o.s. with.

aliment *nm* (nourriture) food (indén).

'**Food**' s'utilise le plus souvent au singulier.

alimentaire *adj* **1.** (gén) food (avant nom) • **c'est juste un travail alimentaire** I'm doing this job just for the money **2.** DR maintenance (avant nom).

alimentation *nf* **1.** (nourriture) diet • **magasin d'alimentation** grocer's (UK), food store (US) **2.** (approvisionnement) • **alimentation (en)** supply *ou* supplying (indén) (of) • **alimentation en papier** paper feed.

alimenter *vt* **1.** (nourrir) to feed **2.** (approvisionner) • **alimenter qqch en** to supply sthg with. ■ **s'alimenter** *vp* to eat.

alinéa *nm* **1.** (retrait de ligne) indent **2.** (dans un document officiel) paragraph.

aliter *vt* • **être alité** to be bedridden. ■ **s'aliter** *vp* to take to one's bed.

allaitement *nm* **1.** (d'enfant) breast-feeding **2.** (d'animal) suckling.

allaiter *vt* **1.** (enfant) to breast-feed **2.** (animal) to suckle.

alléchant, e *adj* mouth-watering, tempting.

allécher *vt* • **il a été alléché par l'odeur/la perspective** the smell/prospect made his mouth water.

allée *nf* **1.** (dans un jardin) path **2.** (dans une ville) avenue **3.** (trajet) • **allées et venues** comings and goings **4.** (QUÉBEC) (golf) fairway.

allégé, e *adj* (régime, produit) low-fat.

alléger *vt* **1.** (fardeau) to lighten **2.** (douleur) to relieve.

allégorie *nf* allegory.

allègre *adj* **1.** (ton) cheerful **2.** (démarche) jaunty.

allégresse *nf* elation.

alléguer *vt* • **alléguer une excuse** to put forward an excuse • **alléguer que** to plead (that).

Allemagne *nf* • **l'Allemagne** Germany • **l'(ex-)Allemagne de l'Est** (the former) East Germany • **l'(ex-)Allemagne de l'Ouest** (the former) West Germany.

En anglais, à de rares exceptions près, il n'y a pas d'article devant les noms de pays.

allemand, e *adj* German. ■ **allemand** *nm* (langue) German. ■ **Allemand, e** *nm, f* German • **un Allemand de l'Est/l'Ouest** an East-/a West German.

En anglais, les adjectifs se rapportant à un pays ou une région s'écrivent avec une majuscule.

aller

■ aller *nm*

1. TRAJET
• **l'aller m'a paru plus long que le retour** the outward journey seemed longer that the return journey

2. BILLET
• **un aller pour Londres, s'il vous plaît** a single ticket for London, please • **un aller pour New York, s'il vous plaît** a one-way ticket for New York, please

■ aller *vi*

1. SE DÉPLACER
• **où allez-vous pour les vacances ?** where are you going for the holidays? • **il est allé deux fois en Italie** he's been to Italy twice • **je vais à la piscine tous les dimanches** I go to the swimming pool every Sunday • **ce bus va au centre-ville** this bus goes to the town centre • **allons-y !** let's go! • **allez !** come on! • **vas-y !** go on!

2. EXPRIME UN ÉTAT
• **comment vas-tu ?** how are you? • **je vais bien** I'm very well, I'm fine • **comment ça va ?** how are you?, how are things? • **ça va** fine *ou* all right • **il va mieux maintenant** he's better now

3. SUIVI D'UN INFINITIF, EXPRIME LE BUT
• **peux-tu aller chercher les enfants à l'école, s'il te plaît ?** can you go and pick up the children from school, please? • **il est allé se renseigner** he went to get some information • **il est allé se promener** he went for a walk

4. CONVENIR
• **ce climat ne me va pas du tout** the climate here doesn't suit me at all *ou* doesn't agree with me at all • **cette robe te va très bien** this dress really suits you *ou* fits you perfectly • **ces chaussures ne vont pas avec cette robe** these shoes don't go with this dress • **ces couleurs ne vont pas ensemble** these colours don't go well together • **ce type**

de clou ne va pas pour ce travail this kind of nail won't do**ou** isn't suitable for this job

5. ROULER, POUR LES VOITURES
• **cette voiture va à 200 km/h** this car goes up to 300 mph

6. DANS DES EXPRESSIONS
• **cela va de soi**ou **cela va sans dire** that goes without saying• **il en va de même pour lui** the same goes for him

■ **aller** *v aux*

SUIVI D'UN INFINITIF, EXPRIME LE FUTUR PROCHE
• **je vais arriver en retard** I'm going to arrive late, I'll arrive late• **nous allons bientôt avoir fini** we'll soon have finished

■ **s'en aller** *vp*

1. PARTIR
• **allez-vous-en !** go away!• **bon, je m'en vais** I'm off*ou* I'm going

2. DISPARAÎTRE
• **cette tache s'en ira au lavage** this stain will wash out*ou* will come out in the wash

3. MOURIR
• **il s'en est allé paisiblement** he passed away peacefully

aller

Be going to sert à exprimer le futur, mais d'une manière un peu particulière. Il peut exprimer l'intention ; dans ce cas, le sujet est presque toujours une personne, et la phrase décrit ce que cette personne a l'intention de faire (*we're going to have a party*). *Be going to* peut également indiquer un événement auquel on s'attend parce que les causes en sont déjà présentes. Il est probable qu'un tel événement se produise dans un avenir proche (*you're going to drop those plates!*).

aller faire

Il faut noter l'emploi de *go and do sthg* qui sert à insister sur l'accomplissement de l'action.
• *J'irai le voir demain.* **I'll go and see him tomorrow.**
Au passé, les deux verbes sont au prétérit :
• *Il est allé chercher de la peinture.* **He went and got some paint.**
La construction *go and do sthg* correspond à un registre plutôt oral.

allergénique *adj* allergenic.
allergie *nf* allergy.
allergique *adj*• **allergique (à)** allergic (to).

aller-retour *nm* return(UK) *ou* round-trip (US) (ticket)• **un aller-retour pour Chartres** a return ticket to Chartres.
alliage *nm* alloy.
alliance *nf***1.** *(union-stratégique)* alliance ;*(-par le mariage)* union, marriage• **cousin par alliance** cousin by marriage**2.** *(bague)* wedding ring.
allié,e *adj*• **allié (à)** allied (to).❑ *nm,f* ally. ■ Alliés *nmpl*• **les Alliés** the Allies.
allier *vt (associer)* to combine.■ **s'allier** *vp* to become allies• **s'allier qqn** to win sb over as an ally• **s'allier à qqn** to ally with sb.
alligator *nm* alligator.
allitération *nf* alliteration.
allô *interj* hello!
alloc (abrév de allocation)*nf fam* benefit. ■ **allocs** *nfpl fam*• **les allocs** benefit *(indén)* (UK), welfare *(indén)*(US) .
allocation *nf***1.** *(attribution)* allocation**2.** *(aide financière)*• **allocation chômage** unemployment benefit*(indén)*(UK) *ou* compensation *(indén)*(US) • **allocation logement** housing benefit *(indén)* (UK), rent subsidy *(indén)* (US) • **allocations familiales** family credit *(indén)* (UK), welfare *(indén)*(US) .
allocs (abrév de allocations familiales)*fam nfpl*• **les allocs** family credit *(indén)* (UK), welfare *(indén)*(US) .
allocution *nf* short speech.
allongé,e *adj***1.** *(position)*• **être allongé** to be lying down *ou* stretched out**2.** *(forme)* elongated.
allonger *vt***1.** *(gén)* to lengthen, to make longer**2.** *(jambe, bras)* to stretch (out)**3.** *(personne)* to lay down.■ **s'allonger** *vp***1.** *(gén)* to get longer**2.** *(se coucher)* to lie down.
allopathique *adj* allopathic.
allumage *nm***1.** *(de feu)* lighting**2.** *(d'appareil électrique)* switching*ou* turning on**3.** *(de moteur)* ignition.
allumé,e *fam adj* crazy.❑ *nm,f* nutter*fam* .
allume-cigare(s) *nm* cigar lighter.
allume-gaz *nm inv* gas lighter.
allumer *vt***1.** *(lampe, radio, télévision)* to turn *ou* switch on• **allume dans la cuisine** turn the kitchen light on**2.** *(gaz)* to light**3.** *(cigarette)* to light (up)**4.** *fam (personne)* to turn on.
allumette *nf* match• **une boîte d'allumettes** a box of matches.
allumeuse *nf fam &péj* tease.
allure *nf***1.** *(vitesse)* speed• **à toute allure** at top*ou* full speed**2.** *(prestance)* presence• **avoir de l'allure** to have style **3.** *(apparence générale)* appearance.
allusion *nf* allusion• **faire allusion à** to refer *ou* allude to.
almanach *nm* almanac.
aloe vera *nm inv (plante, produit)* aloe vera.

aloi nm • **de bon aloi** (qualité) of real worth • **de mauvais aloi a)** (gaîté) not genuine **b)** (plaisanterie) in bad taste.

alors

■ **alors** adv

1. FAIT RÉFÉRENCE À UNE PÉRIODE PASSÉE, SOUVENT TRÈS ÉLOIGNÉE DU PRÉSENT

• **les femmes d'alors n'avaient pas le droit de divorcer** women in those days ou in ou of that time were not allowed to divorce • **il était alors soldat** he was a soldier then ou at that time ou in those days

2. EXPRIME LA CONSÉQUENCE

• **j'étais fatigué, alors j'ai décidé de rester à la maison** I was tired so I decided to stay at home

3. DANS DES EXPRESSIONS

• **et alors, qu'est-ce qui s'est passé ?** so what happened? • **alors, qu'est-ce qu'on fait ?** well, what are we doing? • **il va se mettre en colère — et alors ?** he'll be angry — so what? • **ça alors !** well fancy that!

■ **alors que** loc conj

1. EXPRIME LA SIMULTANÉITÉ

• **le téléphone a sonné alors que je prenais un bain** the phone rang while ou when I was having a bath

2. EXPRIME L'OPPOSITION

• **elle est sortie alors que c'était interdit** she went out even though it was forbidden • **ils aiment le café alors que nous, nous buvons du thé** they like coffee, whereas we drink tea

alouette nf lark.

alourdir vt **1.** (gén) to weigh down, to make heavy **2.** fig (impôts) to increase.

aloyau nm sirloin.

alpage nm high mountain pasture.

Alpes nfpl • **les Alpes** the Alps.

alphabet nm alphabet.

alphabétique adj alphabetical • **par ordre alphabétique** in alphabetical order.

alphabétiser vt • **alphabétiser qqn** to teach sb (how) to read and write • **alphabétiser un pays** to eliminate illiteracy from a country.

alpin, e adj alpine.

alpinisme nm mountaineering • **faire de l'alpinisme** to go mountaineering.

alpiniste nmf mountaineer.

Alsace nf • **l'Alsace** Alsace.

alsacien, enne adj Alsatian. ■ **alsacien** nm (dialecte) Alsatian. ■ **Alsacien, enne** nm, f Alsatian.

altérer vt **1.** (détériorer) to spoil **2.** (santé) to harm, to affect **3.** (vérité, récit) to distort. ■ **s'al-**

térer vp **1.** (matière - métal) to deteriorate ; (- aliment) to go off, to spoil **2.** (santé) to deteriorate.

altermondialisme nm alterglobalism.

altermondialiste adj & nmf alterglobalist.

alternance nf **1.** (succession) alternation • **en alternance** alternately **2.** POLIT change of government party.

alternatif, ive adj **1.** (périodique) alternating **2.** (mouvement, musique) alternative. ■ **alternative** nf alternative.

alternativement adv alternately.

alterner vi (se succéder) • **alterner (avec)** to alternate (with).

altesse nf • **Son Altesse** His/Her Highness.

altier, ère adj haughty.

altitude nf altitude, height • **en altitude** at (high) altitude.

alto nm (MUS - voix) alto ; (- instrument) viola.

alu fam nm **1.** (métal) aluminium (UK), aluminum (US) **2.** (papier) aluminium (UK) ou aluminum (US) foil, tinfoil. ❏ adj • **papier alu** aluminium (UK) ou aluminum (US) foil, tinfoil.

aluminium nm aluminium (UK), aluminum (US).

alvéole nf **1.** (cavité) cavity **2.** (de ruche, poumon) alveolus.

Alzheimer npr • **la maladie d'Alzheimer** Alzheimer's disease.

amabilité nf kindness • **avoir l'amabilité de faire qqch** to be so kind as to do sthg.

amadouer vt **1.** (adoucir) to tame, to pacify **2.** (persuader) to coax.

amaigrir vt to make thin ou thinner.

amaigrissant, e adj slimming (avant nom) (UK), reducing (avant nom) (US).

amaigrissement nm loss of weight.

amalgame nm **1.** TECHNOL amalgam **2.** (de styles) mixture **3.** (d'idées, de notions) • **il ne faut pas faire l'amalgame entre ces deux questions** the two issues must not be confused.

amalgamer vt to combine.

amande nf almond.

amandier nm almond tree.

amant nm (male) lover.

amarre nf rope, cable.

amarrer vt **1.** NAUT to moor **2.** (fixer) to tie down.

amas nm pile.

amasser vt **1.** (objets) to pile up **2.** (argent) to accumulate.

amateur nm **1.** (connaisseur - d'art, de bon café) • **amateur de** lover of **2.** (non-professionnel) amateur • **faire qqch en amateur** to do sthg as a hobby **3.** péj (dilettante) amateur.

amazone nf horsewoman • **monter en amazone** to ride sidesaddle.

Amazonie nf • l'Amazonie the Amazon (Basin).

amazonien,enne adj Amazonian • la forêt amazonienne the Amazon rain forest.

ambassade nf embassy.

ambassadeur,drice nm,f ambassador.

ambiance nf atmosphere.

ambiant,e adj • température ambiante room temperature.

ambidextre adj ambidextrous.

ambigu,uë adj ambiguous.

ambiguïté nf ambiguity.

ambitieux,euse adj ambitious.

ambition nf 1. péj (arrivisme) ambitiousness 2. (désir) ambition • avoir l'ambition de faire qqch to have an ambition to do sthg.

ambivalent,e adj ambivalent.

ambre nm 1. (couleur) amber 2. (matière) • ambre (gris) ambergris.

ambré,e adj (couleur) amber.

ambulance nf ambulance.

ambulancier,ère nm,f ambulanceman, ambulancewoman f.

ambulant,e adj travelling (UK), traveling (US) (avant nom).

âme nf 1. (esprit) soul • avoir une âme de comédien to be a born actor 2. (personne) • âme sœur soulmate 3. (caractère) spirit, soul.

amélioration nf improvement.

améliorer vt to improve. ■ s'améliorer vp to improve.

amen adv amen.

aménagement nm 1. (de lieu) fitting out 2. (de programme) planning, organizing.

aménager vt 1. (pièce) to fit out 2. (programme) to plan, to organize.

amende nf fine.

amendement nm POLIT amendment.

amender vt 1. POLIT to amend 2. AGRIC to enrich. ■ s'amender vp to mend one's ways.

amener vt 1. (mener) to bring 2. (inciter) • amener qqn à faire qqch a) (sujet : circonstances) to lead sb to do sthg b) (sujet : personne) to get sb to do sthg 3. (occasionner, préparer) to bring about.

amenuiser vt (réduire) to diminish, to reduce. ■ s'amenuiser vp to dwindle, to diminish.

amer,ère adj bitter.

américain,e adj American. ■ américain nm (langue) American English. ■ Américain,e nm,f American.

En anglais, les adjectifs se rapportant à un pays ou une région s'écrivent avec une majuscule.

américanisme nm Americanism.

amérindien,enne adj Native American. ■ Amérindien,enne nm,f Native American.

Amérique nf • l'Amérique America • l'Amérique centrale Central America • l'Amérique du Nord North America • l'Amérique du Sud South America • l'Amérique latine Latin America.

En anglais, il n'y a pas d'article devant les noms de continents.

amertume nf bitterness.

améthyste nf amethyst.

ameublement nm 1. (meubles) furniture 2. (action de meubler) furnishing.

ameuter vt 1. (curieux) to draw a crowd of 2. (quartier, voisins) to bring out.

ami,e adj friendly. ❑ nm,f 1. (camarade) friend • petit ami boyfriend • petite amie girlfriend 2. (partisan) supporter, friend. ■ faux ami LING false friend.

amiable adj (accord) friendly, informal. ■ à l'amiable loc adv & loc adj out of court.

amiante nm asbestos.

amibe nf amoeba, ameba (US).

amical,e adj friendly. ■ amicale nf association, club.

amicalement adv 1. (de façon amicale) amicably, in a friendly way 2. (dans une lettre) yours (ever), (with) best wishes.

amidon nm starch.

amidonner vt to starch.

amincissant adj slimming.

amiral nm admiral.

amitié nf **1.** (affection) affection • **prendre qqn en amitié** to befriend sb **2.** (rapports amicaux) friendship • **faire ses amitiés à qqn** to give sb one's good ou best wishes.

ammoniac, aque adj CHIM ammoniac. ■ **ammoniac** nm ammonia. ■ **ammoniaque** nf ammonia (water).

amnésie nf amnesia.

amnésique adj amnesic. ❑ nmf amnesic, amnesiac.

amniocentèse nf amniocentesis.

amnistie nf amnesty.

amnistier vt to amnesty.

amoindrir vt to diminish.

amonceler vt to accumulate.

amont nm upstream • **en amont de a)** (rivière) upriver ou upstream from **b)** fig prior to.

amoral, e adj **1.** (qui ignore la morale) amoral **2.** fam (débauché) immoral.

amorce nf **1.** (d'explosif) priming **2.** (de cartouche, d'obus) cap **3.** (à la pêche) bait **4.** fig (commencement) beginnings pl, germ.

amorcer vt **1.** (explosif) to prime **2.** (à la pêche) to bait **3.** fig (commencer) to begin, to initiate.

amorphe adj (personne) lifeless.

amorti nm **1.** FOOTBALL • **faire un amorti** to trap the ball **2.** TENNIS drop shot.

amortir vt **1.** (atténuer - choc) to absorb ; (- bruit) to deaden, to muffle **2.** (dette) to pay off **3.** (achat) to write off.

amortisseur nm AUTO shock absorber.

amour nm (gén) love • **faire l'amour** to make love. ■ **amours** nfpl (vie sentimentale) love-life.

amoureux, euse adj **1.** (personne) in love • **être/tomber amoureux (de)** to be/fall in love (with) **2.** (regard, geste) loving. ❑ nm, f **1.** (prétendant) suitor **2.** (passionné) • **amoureux de** lover of • **un amoureux de la nature** a nature lover.

amour-propre nm pride, self-respect.

amovible adj (déplaçable) detachable, removable.

ampère nm amp, ampere.

amphétamine nf amphetamine.

amphi nm fam lecture hall ou theatre (UK) • **cours en amphi** lecture.

amphibie adj amphibious.

amphithéâtre nm **1.** HIST amphitheatre (UK), amphitheater (US) **2.** (d'université) lecture hall ou theatre (UK).

ample adj **1.** (vêtement - gén) loose-fitting, baggy ; (- jupe) full **2.** (projet) extensive • **pour de plus amples informations** for further details **3.** (geste) broad, sweeping.

amplement adv (largement) fully, amply.

ampleur nf **1.** (de vêtement) fullness **2.** (d'événement, de dégâts) extent.

ampli (abrév de amplificateur) nm fam amp.

amplificateur, trice adj ÉLECTR amplifying • **un phénomène amplificateur de la croissance** fig a phenomenon which increases growth. ■ **amplificateur** nm **1.** (gén) amplifier **2.** PHOTO enlarger.

amplifier vt **1.** (mouvement, son) to amplify **2.** (image) to magnify, to enlarge **3.** (scandale) to increase **4.** (événement, problème) to highlight.

amplitude nf **1.** (de geste) fullness **2.** (d'onde) amplitude **3.** (de température) range.

ampoule nf **1.** (de lampe) bulb **2.** (sur la peau) blister **3.** (médicament) ampoule, vial, phial (UK).

amputation nf MÉD amputation.

amputer vt **1.** MÉD to amputate **2.** fig (couper) to cut (back ou down) • **son article a été amputé d'un tiers** his article was cut by a third.

amulette nf amulet.

amusant, e adj **1.** (drôle) funny **2.** (distrayant) amusing • **c'est très amusant** it's great fun.

amuse-gueule nm inv fam cocktail snack, (party) nibble.

amusement nm amusement (indén).

amuser vt to amuse, to entertain. ■ **s'amuser** vp to have fun, to have a good time • **s'amuser à faire qqch** to amuse o.s. (by) doing sthg.

amygdale nf tonsil.

an nm year • **avoir sept ans** to be seven (years old) • **en l'an 2000** in the year 2000 • **le nouvel an** the New Year.

anabolisant nm anabolic steroid.

anachronique adj anachronistic.

anagramme nf anagram.

anal, e adj anal.

analgésique nm & adj analgesic.

anallergique adj hypoallergenic.

analogie nf analogy.

analogique adj analog, analogue (UK).

analogue adj analogous, comparable.

analphabète nmf & adj illiterate.

analyse nf **1.** (étude) analysis **2.** CHIM & MÉD test, analysis • **analyse de sang** blood test **3.** (psychanalyse) analysis (indén) **4.** INFORM analysis.

analyser vt **1.** (étudier, psychanalyser) to analyse (UK), to analyze (US) **2.** CHIM & MÉD to test, to analyse (UK), to analyze (US).

analyste nmf analyst.

analyste-programmeur, euse nm, f systems analyst.

analytique adj analytical.

ananas nm pineapple.

anarchie nf **1.** POLIT anarchy **2.** (désordre) chaos, anarchy.

anarchique adj anarchic.

anarchiste nmf & adj anarchist.

anatomie nf anatomy.

anatomique adj anatomical.

ancestral,**e** adj ancestral.

ancêtre nmf **1.** (aïeul) ancestor **2.** fig (forme première) forerunner, ancestor **3.** fig (initiateur) father, mother f.

anchois nm anchovy.

ancien,**enne** adj **1.** (gén) old **2.** (avant nom) (précédent) former, old **3.** (qui a de l'ancienneté) senior **4.** (du passé) ancient.

anciennement adv formerly, previously.

ancienneté nf **1.** (d'une tradition) oldness **2.** (d'un employé) seniority.

ancre nf NAUT anchor • **jeter l'ancre** to drop anchor• **lever l'ancre a)** to weigh anchor **b)**fam (partir) to make tracks.

ancrer vt **1.** (bateau) to anchor **2.** fig (idée, habitude) to root.

Andes nfpl • **les Andes** the Andes.

Andorre nf • **(la principauté d')Andorre** (the principality of) Andorra.

andouille nf **1.** (charcuterie) si vous souhaitez expliquer de quoi il s'agit à un anglophone, vous pouvez dire it is a type of sausage made of pig's intestines. You usually eat it cold. **2.** fam (imbécile) dummy.

andouillette nf si vous souhaitez expliquer de quoi il s'agit à un anglophone, vous pouvez dire : it is a type of grilled sausage made of pig's intestines.

androgyne nmf androgynous person. ❑ adj androgynous.

âne nm **1.** ZOOL ass, donkey **2.** fam (imbécile) ass.

anéantir vt **1.** (détruire) to annihilate **2.** fig to ruin, to wreck **3.** (démoraliser) to crush, to overwhelm.

anecdote nf anecdote.

anecdotique adj anecdotal.

anémie nf **1.** MÉD anaemia (UK), anemia (US) **2.** fig enfeeblement.

anémié,**e** adj anaemic (UK), anemic (US).

anémique adj anaemic (UK), anemic (US).

anémone nf anemone.

ânerie nf fam (parole, acte) • **dire/faire une ânerie** to say/do something stupid.

ânesse nf she-ass, she-donkey.

anesthésie nf anaesthesia, anesthesia (US) • **anesthésie locale** local anaesthetic ou anesthetic (US) • **anesthésie générale** general anaesthetic ou anesthetic (US).

anesthésier vt to anaesthetize, to anesthetize (US).

anesthésique nm & adj anaesthetic, anesthetic (US).

anesthésiste nmf anaesthetist, anesthetist (US), anesthesiologist (US).

aneth nm dill.

anévrysme,**anévrisme** nm **1.** MÉD aneurism **2.** (locution) • **rupture d'anévrysme** aneurysmal rupture.

anfractuosité nf crevice.

ange nm angel • **ange gardien** guardian angel • **être aux anges** fig to be in seventh heaven.

angélique adj angelic.

angélus nm (sonnerie) angelus (bell).

angine nf **1.** (pharyngite) pharyngitis, throat infection **2.** (amygdalite) tonsillitis.

anglais,**e** adj English.■ **anglais** nm (langue) English.■ **Anglais**,**e** nm, f Englishman, Englishwoman f• **les Anglais** the English.■ **anglaises** nfpl ringlets.■ **à l'anglaise** loc adv CULIN boiled • **filer à l'anglaise** fig to make ou sneak off.

> En anglais, les adjectifs se rapportant à un pays ou une région s'écrivent avec une majuscule.

angle nm **1.** (coin) corner **2.** MATH angle • **angle droit/aigu/obtus** right/acute/obtuse angle **3.** (aspect) angle, point of view.

Angleterre nf • **l'Angleterre** England.

> En anglais, à de rares exceptions près, il n'y a pas d'article devant les noms de pays.

anglican,**e** adj & nm, f Anglican • **il est anglican** he is an Anglican.

anglicanisme nm Anglicanism.

> En anglais, les adjectifs et les noms se rapportant à une religion s'écrivent avec une majuscule.

anglo-normand adj GÉOGR of the Channel islands • **les îles anglo-normandes** the Channel Islands.

anglophone nmf English-speaker. ❑ adj English-speaking, anglophone.

anglo-saxon,**onne** adj Anglo-Saxon. ■ **anglo-saxon** nm (langue) Anglo-Saxon, Old English. ■ **Anglo-Saxon**,**onne** nm, f Anglo-Saxon.

angoissant,**e** adj **1.** agonizing, harrowing **2.** (sens affaibli) • **j'ai trouvé l'attente très angoissante** the wait was a strain on my nerves.

angoisse nf anguish.

angoisser vt (effrayer) to cause anxiety to. ■ **s'angoisser** vp **1.** (être anxieux) to be overcome with anxiety **2.** fam (s'inquiéter) to fret.

anguille nf eel.

anguleux,**euse** adj angular.

anicroche nf hitch.

animal,**e** adj **1.** (propre à l'animal) animal (avant nom) **2.** (instinctif) instinctive.■ **animal** nm (bête) animal • **animal sauvage/domestique** wild/domestic animal.

les animaux

LEXIQUE

l'âne	the donkey
la baleine	the whale
le canard	the duck
le cerf	the stag
le chat	the cat

LEXIQUE (suite)

la chauve-souris the bat
le cheval the horse
la chèvre the goat
le chien the dog
le cochon the pig
le crocodile the crocodile
le dauphin the dolphin
l'écureuil the squirrel
l'éléphant the elephant
la girafe the giraffe
la grenouille the frog
l'hippopotame the hippopotamus
le kangourou the kangaroo
le lama the lama
le lapin the rabbit
le lion the lion
le loup the wolf
le mouton the sheep
l'oiseau the bird
l'ours the bear
le perroquet the parrot
le pingouin the penguin
le poisson the fish
la poule the hen
le requin the shark
le rhinocéros the rhinoceros
le serpent the snake
le singe the monkey
la souris the mouse
le tigre the tiger
la tortue the tortoise (UK), the turtle (US)
la tortue marine the turtle
la vache the cow
le zèbre the zebra

animalerie *nf* pet shop.

animateur, trice *nm, f* **1.** *RADIO & TV* host, presenter (UK) **2.** *(socioculturel, sportif)* activities organizer.

animation *nf* **1.** *(de rue)* activity, life **2.** *(de conversation, visage)* animation **3.** *(activités)* activities *pl* **4.** *CINÉ* animation.

animé, e *adj* **1.** *(rue)* lively **2.** *(conversation, visage)* animated **3.** *(objet)* animate.

animer *vt* **1.** *(mettre de l'entrain dans)* to animate, to liven up **2.** *(présenter)* to host, to present (UK) **3.** *(organiser des activités pour)* to organize activities for. ■ **s'animer** *vp* **1.** *(visage)* to light up **2.** *(rue)* to come to life, to liven up.

animisme *nm* animism.

animiste *adj* animistic. ❏ *nmf* animist.

animosité *nf* animosity.

anis *nm* **1.** *BOT* anise. **2.** *CULIN* aniseed.

ankylosé, e *adj* **1.** *(paralysé)* stiff **2.** *(engourdi)* numb. ■ **s'ankyloser** *vpi* **1.** *MÉD* to ankylose **2.** *(devenir raide - bras, jambe)* to become numb ; *(- personne)* to go stiff.

annales *nfpl* **1.** *(d'examen)* past papers (UK) **2.** *(chronique annuelle)* chronicle *sing*, annals.

anneau *nm* **1.** *(gén)* ring **2.** *(maillon)* link.

année *nf* year • **souhaiter la bonne année à qqn** to wish sb a Happy New Year • **année bissextile** leap year • **année scolaire** school year.

année-lumière *nf* light year.

annexe *nf* **1.** *(de dossier)* appendix, annexe (UK), annex (US) **2.** *(de bâtiment)* annexe (UK), annex (US). ❏ *adj* related, associated.

annexer *vt* **1.** *(incorporer)* • **annexer qqch (à qqch)** to append *ou* annex sthg (to sthg) **2.** *(pays)* to annex.

annexion *nf* annexation.

annihiler *vt* *(réduire à néant)* to destroy, to wreck.

anniversaire *nm* **1.** *(de mariage, mort, événement)* anniversary **2.** *(de naissance)* birthday • **bon** *ou* **joyeux anniversaire !** happy birthday! ❏ *adj* anniversary *(avant nom)*.

annonce *nf* **1.** *(déclaration)* announcement **2.** *fig* sign, indication **3.** *(texte)* advertisement • **petite annonce** classified advertisement, small ad (UK), want ad (US).

annoncer *vt* **1.** *(faire savoir)* to announce **2.** *(prédire)* to predict. ■ **s'annoncer** *vp* • **s'annoncer bien/mal** to look/not to look promising • **la crise s'annonce** there is a crisis looming.

annonceur, euse *nm, f* advertiser.

annonciateur, trice *adj* • **annonciateur de qqch** heralding sthg.

annotation *nf* **1.** *(note explicative)* annotation **2.** *(note personnelle)* note.

annoter *vt* to annotate.

annuaire *nm* annual, yearbook • **annuaire téléphonique** telephone directory, phone book.

annuel, elle *adj* **1.** *(tous les ans)* annual, yearly **2.** *(d'une année)* annual.

annuité *nf* **1.** *(paiement)* annual payment, annual instalment (UK) *ou* installment (US) **2.** *(année de service)* year (of service).

annulaire *nm* ring finger.

annulation *nf* **1.** *(de rendez-vous, réservation)* cancellation **2.** *(de mariage)* annulment.

annuler *vt* **1.** *(rendez-vous, réservation)* to cancel **2.** *(mariage)* to annul **3.** *INFORM* to undo. ■ **s'annuler** *vp* to cancel each other out.

anoblir *vt* to ennoble.

anodin, e *adj* **1.** *(blessure)* minor **2.** *(propos)* harmless **3.** *(détail, personne)* insignificant.

anomalie *nf* anomaly.

ânon *nm* young donkey *ou* ass.

ânonner *vt & vi* to recite in a drone.

anonymat *nm* anonymity.

anonyme *adj* anonymous.

anorak *nm* anorak.

anorexie *nf* anorexia • **anorexie mentale** anorexia nervosa.

anorexique *adj & nmf* anorexic.

anormal, e adj **1.** *(inhabituel)* abnormal, not normal **2.** *(intolérable, injuste)* wrong, not right **3.** *(handicapé)* mentally handicapped. ❑ nm, f mentally handicapped person.

anse nf **1.** *(d'ustensile)* handle **2.** GÉOGR cove.

antagoniste adj antagonistic.

antan ■ **d'antan** loc adj littéraire of old, of yesteryear.

antarctique adj Antarctic • **le cercle polaire antarctique** the Antarctic Circle. ■ **Antarctique** nm **1.** *(continent)* • **l'Antarctique** Antarctica **2.** *(océan)* • **l'Antarctique** the Antarctic (Ocean).

antécédent nm *(gén pl) (passé)* history sing. ■ **antécédents** nmpl MÉD case history.

antenne nf **1.** *(d'insecte)* antenna, feeler **2.** *(de télévision, de radio)* aerial (UK), antenna (US) • **antenne parabolique** dish aerial ou antenna (US), satellite dish • **passer à l'antenne** to go on the air **3.** *(succursale)* branch, office.

antenne-relais nf TÉLÉCOM mobile phone mast (UK).

antérieur, e adj **1.** *(dans le temps)* earlier, previous • **antérieur à** previous ou prior to **2.** *(dans l'espace)* front *(avant nom)*.

antérieurement adv earlier, previously • **antérieurement à** prior to.

anthologie nf anthology.

anthracite nm anthracite. ❑ adj inv charcoal grey (UK) ou gray (US).

anthropologie nf anthropology.

anthropophage nmf cannibal.

antiacarien adj antimite • **traitement** ou **shampooing antiacarien** antimite treatment ou shampoo. ❑ nm antimite treatment.

anti-âge adj inv & nm inv anti-aging • **crème anti-âge** anti-aging cream.

antialcoolique adj • **ligue antialcoolique** temperance league.

antibactérien, enne adj antibacterial.

antibiotique nm & adj antibiotic • **elle est sous antibiotiques** she's on antibiotics.

antibrouillard nm & adj inv • **(phare** ou **feu) antibrouillard** fog light, fog lamp (UK).

anticalcaire adj antiliming *(avant nom)*, antiscale *(avant nom)*.

anticancéreux, euse adj **1.** *(centre, laboratoire)* cancer *(avant nom)* **2.** *(médicament)* anticancer *(avant nom)*.

antichambre nf antechamber • **faire antichambre** fig to wait patiently *(to see somebody)*.

anticipation nf LITTÉR • **roman d'anticipation** science fiction novel.

anticipé, e adj early.

anticiper vt to anticipate. ❑ vi • **anticiper (sur) qqch** to anticipate (sthg).

anticonformiste adj & nmf *(gén)* nonconformist.

anticorps nm antibody.

anticyclone nm anticyclone.

antidater vt to backdate.

antidémarrage adj inv • **système antidémarrage** immobilizer.

antidépresseur nm & adj m antidepressant.

antidérapant, e adj **1.** *(pneu)* non-skid **2.** *(semelle, surface)* non-slip. ■ **antidérapant** nm *(pneu)* anti-skid tyre (UK) ou tire (US).

antidiarrhéique adj MÉD anti-diarrhoea.

antidopage adj inv • **contrôle antidopage** drugs test.

antidote nm antidote.

antieuropéen, enne adj & nm, f antiEuropean.

antigel nm inv & adj inv antifreeze.

antillais, e adj West Indian. ■ **Antillais, e** nm, f West Indian.

Antilles nfpl • **les Antilles** the West Indies.

antilope nf antelope.

antimilitariste nmf & adj antimilitarist.

antimite adj inv • **boule antimite** mothball.

anti-mondialisation adj inv anti-globalization.

antimondialiste adj antiglobalization.

antipathie nf antipathy, hostility.

antipathique adj unpleasant • **elle m'est antipathique** I dislike her, I don't like her.

antipelliculaire adj • **shampooing antipelliculaire** antidandruff shampoo.

antiperspirant, e adj antiperspirant.

antipode nm • **être à l'antipode** ou **aux antipodes (de) a)** *(lieu)* to be on the other side of the world (from) **b)** fig to be diametrically opposed (to).

antiquaire nmf antique dealer.

antique adj **1.** *(de l'antiquité - civilisation)* ancient ; *(- vase, objet)* antique **2.** *(vieux)* antiquated, ancient.

antiquité nf **1.** *(époque)* • **l'Antiquité** antiquity **2.** *(objet)* antique.

antirabique adj • **vaccin antirabique** rabies vaccine.

antiraciste adj & nmf antiracist.

antireflet adj inv *(surface)* non-reflecting.

antirides adj inv antiwrinkle.

antirouille adj inv **1.** *(traitement)* rust *(avant nom)* **2.** *(revêtement, peinture)* rustproof.

antisèche nf arg scol crib (sheet), cheat sheet (US), pony (US).

antisémite nmf anti-Semite. ❑ adj antiSemitic.

antiseptique nm & adj antiseptic.

antisismique adj earthquake-proof.

antislash nm INFORM backslash.

antiterrorisme nm anti-terrorism.

antithèse nf antithesis.

antitranspirant, e *adj* antiperspirant.

antitussif, ive *adj* cough *(avant nom)*. ■ **antitussif** *nm* cough mixture (UK) *ou* syrup (US).

antiviral *nm* antivirus.

antivirus *nm* INFORM antivirus software.

antivol *nm inv* antitheft device.

antre *nm* den, lair.

anus *nm* anus.

anxiété *nf* anxiety.

anxieux, euse *adj* anxious, worried ● **être anxieux de qqch** to be worried *ou* anxious about sthg ● **être anxieux de faire qqch** to be anxious to do sthg. ❑ *nm, f* worrier.

anxiolytique *adj* anxiolytic. ❑ *nm* tranquillizer (UK), tranquilizer (US).

aorte *nf* aorta.

août *nm* August. Voir aussi **septembre**.

En anglais, les mois de l'année s'écrivent avec une majuscule.

aoûtat *nm* harvest tick.

apaisement *nm* **1.** *(moral)* comfort **2.** *(de douleur)* alleviation **3.** *(de tension, de crise)* calming.

apaiser *vt* **1.** *(personne)* to calm down, to pacify **2.** *(conscience)* to salve **3.** *(douleur)* to soothe **4.** *(soif)* to slake, to quench **5.** *(faim)* to assuage. ■ **s'apaiser** *vp* **1.** *(personne)* to calm down **2.** *(besoin)* to be assuaged **3.** *(tempête)* to subside, to abate **4.** *(douleur)* to die down **5.** *(scrupules)* to be allayed.

apanage *nm sout* privilege ● **être l'apanage de qqn/qqch** to be the prerogative of sb/sthg.

aparté *nm* **1.** THÉÂTRE aside **2.** *(conversation)* private conversation ● **prendre qqn en aparté** to take sb aside.

apartheid *nm* apartheid.

apathie *nf* apathy.

apathique *adj* apathetic.

apatride *nmf* stateless person.

apercevoir *vt (voir)* to see, to catch sight of. ■ **s'apercevoir** *vp* ● **s'apercevoir de qqch** to notice sthg ● **s'apercevoir que** to notice (that).

aperçu, e *e pp* → apercevoir. ■ **aperçu** *nm* general idea.

apéritif, ive *adj* whetting the appetite. ■ **apéritif** *nm* aperitif ● **prendre l'apéritif** to have an aperitif, to have drinks *(before a meal)*.

apesanteur *nf* weightlessness.

à-peu-près *nm inv* approximation.

aphone *adj* voiceless.

aphorisme *nm* aphorism.

aphrodisiaque *nm & adj* aphrodisiac.

aphte *nm* mouth ulcer.

apiculteur, trice *nm, f* beekeeper.

apitoyer *vt* to move to pity. ■ **s'apitoyer** *vp* to feel pity ● **s'apitoyer sur** to feel sorry for.

ap. J.-C. (abrév de après Jésus-Christ) AD.

aplanir *vt* **1.** *(aplatir)* to level **2.** *fig (difficulté, obstacle)* to smooth away, to iron out.

aplatir *vt* **1.** *(gén)* to flatten **2.** *(couture)* to press flat **3.** *(cheveux)* to smooth down.

aplomb *nm* **1.** *(stabilité)* balance **2.** *(audace)* nerve, cheek (UK). ■ **d'aplomb** *loc adv* steady.

APN *nm* abrév de appareil photo numérique.

apnée *nf* ● **plonger en apnée** to dive without breathing apparatus.

apocalypse *nf* apocalypse.

apocalyptique *adj* apocalyptic.

apogée *nm* **1.** ASTRON apogee **2.** *fig* peak.

apolitique *adj* apolitical, unpolitical.

apologie *nf* justification, apology.

apoplexie *nf* apoplexy.

apostrophe *nf (signe graphique)* apostrophe.

apostropher *vt* ● **apostropher qqn** to speak rudely to sb.

apothéose *nf* **1.** *(consécration)* great honour (UK) *ou* honor (US) **2.** *(point culminant - d'un spectacle)* grand finale ; *(- d'une carrière)* crowning glory.

apôtre *nm* apostle, disciple.

apparaître *vi* **1.** *(gén)* to appear **2.** *(se dévoiler)* to come to light. ❑ *v impers* ● **il apparaît que** it seems *ou* appears that.

apparat *nm* pomp ● **d'apparat** *(dîner, habit)* ceremonial.

appareil *nm* **1.** *(gén)* device **2.** *(électrique)* appliance **3.** *(dentaire)* brace ● **Jérôme porte un appareil** Jérôme wears a brace **4.** *(téléphone)* phone, telephone ● **qui est à l'appareil ?** who's speaking? **5.** *(avion)* aircraft. ■ **appareil digestif** *nm* digestive system. ■ **appareil photo** *nm* camera ● **appareil photo numérique** digital camera.

appareillage *nm* **1.** *(équipement)* equipment **2.** NAUT getting under way.

appareiller *vt (assortir)* to match up. ❑ *vi* NAUT to get under way.

apparemment *adv* apparently.

apparence *nf* appearance. ■ **en apparence** *loc adv* seemingly, apparently.

apparent, e *adj* **1.** *(superficiel, illusoire)* apparent **2.** *(visible)* visible.

apparenté, e *adj* ● **apparenté à a)** *(personne)* related to **b)** *fig (ressemblant)* similar to **c)** *(affilié)* affiliated to. ■ **s'apparenter à** *vp + prép (ressembler à)* to be like.

appariteur *nm* porter (UK), campus policeman (US).

apparition *nf* **1.** *(gén)* appearance **2.** *(vision - RELIG)* vision ; *(- de fantôme)* apparition.

appart (abrév de appartement) *nm fam* flat (UK), apartment (US).

appartement nm flat(UK), apartment(US).

appartenir vi **1.** (être la propriété de) **appartenir à qqn** to belong to sb **2.** (faire partie de) **appartenir à qqch** to belong to sthg, to be a member of sthg **3.** fig (dépendre de) • **il ne m'appartient pas de faire...** sout it's not up to me to do....

appartenu pp inv→ appartenir.

apparthôtel nm apartment hotel.

apparu ,e pp→ apparaître.

appâter vt litt &fig to lure.

appauvrir vt to impoverish.■ **s'appauvrir** vp to grow poorer, to become impoverished.

appel nm **1.** (gén) call• **faire appel à qqn** to appeal to sb • **faire appel à qqch a)** (nécessiter) to call for sthg **b)** (avoir recours à) to call on sthg • **appel (téléphonique)** (phone) call **2.** DR appeal• **faire appel** to appeal• **sans appel** final **3.** (pour vérifier - gén) roll-call ; (- SCOL) registration **4.** COMM • **appel d'offres** invitation to tender **5.** (signe)• **faire un appel de phares** to flash ou blink(US) one's headlights.

appelé nm conscript, draftee(US).

appeler vt **1.** (gén) to call **2.** (téléphoner) to ring (UK), to call **3.** (faire venir) to call for.■ **s'appeler** vp **1.** (se nommer) to be called• **comment cela s'appelle-t-il ?** what is it called?• **il s'appelle Patrick** his name is Patrick, he's called Patrick **2.** (se téléphoner)• **on s'appelle demain ?** shall we talk tomorrow?

appellation nf designation, name• **appellation contrôlée** si vous voulez expliquer de quoi il s'agit à un anglophone, vous pouvez dire it is a government certification guaranteeing the quality of a French wine• **appellation d'origine** DR label of origin.

appendice nm appendix.

appendicite nf appendicitis• **je me suis fait opérer de l'appendicite** I've had my appendix removed.

appentis nm lean-to.

appesantir vt (démarche) to slow down.■ **s'appesantir** vp **1.** (s'alourdir) to become heavy **2.** (insister)• **s'appesantir sur qqch** to dwell on sthg.

appétissant ,e adj (nourriture) appetizing.

appétit nm appetite• **bon appétit !** enjoy your meal!

applaudir vt to applaud.◻ vi to clap, to applaud• **applaudir à qqch** fig to applaud sthg • **les gens applaudissaient à tout rompre** there was thunderous applause.

applaudissements nmpl applause (indén), clapping (indén).

applicable adj• **applicable (à)** applicable (to).

application nf (gén) INFORM application.

applique nf wall lamp.

appliqué ,e adj **1.** (élève) hardworking **2.** (écriture) careful.

appliquer vt **1.** (gén) to apply **2.** (loi) to enforce.■ **s'appliquer** vp **1.** (s'étaler, se poser)

• **cette peinture s'applique facilement** this paint goes on easily **2.** (se concentrer)• **s'appliquer (à faire qqch)** to apply o.s. (to doing sthg).

appoint nm **1.** (monnaie) change• **faire l'appoint** to give the right money **2.** (aide) help, support • **d'appoint** (salaire, chauffage) extra• lit d'appoint spare bed.

appointements nmpl salary sing.

apport nm **1.** (gén) FIN contribution **2.** (de chaleur) input.

apporter vt **1.** (gén) to bring• **ça m'a beaucoup apporté** fig I got a lot from it **2.** (raison, preuve) to provide, to give **3.** (mettre -soin) to exercise ; (- attention) to give.

À PROPOS DE

apporter

• apporter qqch à qqn **bring/take sthg to sb** ou **bring/take sb sthg**
Bring si le COI est **me** ou **us** et **take** si le COI est **you, her/him, them,** etc.
On doit noter la construction à double complément que l'anglais peut prendre deux formes dont le sens est le même :
1. une structure identique à celle du français : verbe + COD + préposition + COI **bring/take sthg to sb**
2. une structure qui diffère de celle du français, sans préposition, et dans laquelle l'ordre des compléments est inversé : verbe + COI + COD **bring/take sb sthg**
• J'ai apporté les journaux de ce matin à mon père. **I took the morning papers to my father** ou **I took my father the morning papers.**
Il faut faire attention :
• Apporte-le-nous/moi. **Bring it to us/me** (et non) bring us/me it.

apposer vt **1.** (affiche) to put up **2.** (signature) to append.

apposition nf GRAMM apposition.

appréciable adj **1.** (notable) appreciable **2.** (précieux)• **un grand jardin, c'est appréciable !** I/we really appreciate having a big garden.

appréciation nf **1.** (de valeur) valuation **2.** (de distance, poids) estimation **3.** (jugement) judgment **4.** SCOL assessment.

apprécier vt **1.** (gén) to appreciate **2.** (évaluer) to estimate, to assess.

appréhender vt **1.** (arrêter) to arrest **2.** (craindre)• **appréhender qqch/de faire qqch** to dread sthg/doing sthg.

appréhension nf apprehension.

apprendre vt **1.** (étudier) to learn• **apprendre à faire qqch** to learn (how) to do sthg **2.** (enseigner) to teach• **apprendre qqch à qqn** to teach sb sthg• **apprendre à qqn à faire qqch** to teach sb (how) to do sthg **3.** (nouvelle) to hear of, to learn of• **apprendre que** to hear that, to learn that• **apprendre qqch à qqn** to tell sb of sthg.

À PROPOS DE

apprendre

• *apprendre qqch à qqn* **teach sthg to sb** ou **teach sb sthg**

Il faut noter la construction à double complément qui, en anglais, peut prendre deux formes dont le sens est le même :
1. une structure identique à celle du français : verbe + COD + préposition + COI **teach sthg to sb**
2. une structure qui diffère de celle du français, sans préposition et dans laquelle l'ordre des compléments est inversé : verbe + COI + COD **teach sb sthg**

• *Lara a appris des chansons algériennes à ses amies.* **Lara taught some Algerian songs to her friends** ou **Lara taught her friends some Algerian songs**.

apprenti, e nm, f **1.** *(élève)* apprentice **2.** *fig* beginner.

apprentissage nm **1.** *(de métier)* apprenticeship • **il est en apprentissage dans une boulangerie** he is serving his apprenticeship at a baker's **2.** *(formation)* learning.

apprêter vt to prepare. ■ **s'apprêter** vp **1.** *(être sur le point)* • **s'apprêter à faire qqch** to get ready to do sthg **2.** *(s'habiller)* • **s'apprêter pour qqch** to dress up for sthg.

appris, e pp → apprendre

apprivoiser vt to tame.

approbateur, trice adj approving.

approbation nf approval.

approchant, e adj similar.

approche nf *(arrivée)* approach • **à l'approche des fêtes** as the Christmas holidays draw near • **il a pressé le pas à l'approche de la maison** he quickened his step as he approached the house.

approcher vt **1.** *(mettre plus près)* to move near, to bring near • **approcher qqch de qqn/qqch** to move sthg near (to) sb/sthg **2.** *(aborder)* to go up to, to approach. ◻ vi to approach, to go/come near • **approchez !** come nearer! • **n'approchez pas !** keep ou stay away! • **approcher de** *(moment, fin)* to approach. ■ **s'approcher** vp to come/go near, to approach • **s'approcher de qqn/qqch** to approach sb/sthg.

approfondi, e adj thorough, detailed • **traiter qqch de façon approfondie** to go into sthg thoroughly.

approfondir vt **1.** *(creuser)* to make deeper **2.** *(développer)* to go further into. ■ **s'approfondir 1.** *(mystère)* to become greater **2.** *(crise, récession)* to worsen.

approprié, e adj • **approprié (à)** appropriate (to).

approprier vt **1.** *(adapter)* to adapt **2.** *(BELGIQUE)* to clean. ■ **s'approprier** vp *(s'adjuger)* to appropriate.

approuver vt *(gén)* to approve of.

S'EXPRIMER

approuver quelqu'un

• *Yes, exactly!* Oui, exactement !
• *I think so too!* C'est aussi ce que je pense !
• *That's what I believe too!* C'est aussi ce que je crois !
• *Good idea!* Bonne idée !
• *That's a really good idea!* C'est une excellente idée !
• *Fantastic!* Merveilleux !

approvisionnement nm supplies pl, stocks pl.

approvisionner vt **1.** *(compte en banque)* to pay money into **2.** *(magasin, pays)* to supply. ■ **s'approvisionner** vp • **s'approvisionner chez/à a)** *(sujet : particulier)* to shop at/in **b)** *(sujet : commerçant)* to get one's stock from.

approximatif, ive adj approximate, rough.

approximation nf approximation.

approximativement adv approximately, roughly.

appt abrév de **appartement**

appui nm *(soutien)* support.

appui-tête nm headrest.

appuyer vt **1.** *(poser)* • **appuyer qqch sur/contre qqch** to lean sthg on/against sthg, to rest sthg on/against sthg **2.** *(presser)* • **appuyer sur/contre** to press sthg on/against **3.** *fig (soutenir)* to support. ◻ vi **1.** *(reposer)* • **appuyer sur** to lean ou rest on **2.** *(presser)* to push • **appuyer sur** *(bouton)* to press **3.** *fig (insister)* • **appuyer sur** to stress **4.** *(se diriger)* • **appuyer sur la** ou **à droite** to bear right. ■ **s'appuyer** vp **1.** *(se tenir)* • **s'appuyer contre/sur** to lean against/on, to rest against/on **2.** *(se baser)* • **s'appuyer sur** to rely on.

âpre adj **1.** *(goût, discussion, combat)* bitter **2.** *(ton, épreuve, critique)* harsh **3.** *(concurrence)* fierce.

après prép **1.** *(gén)* after • **après avoir mangé, ils...** after having eaten ou after they had eaten, they... • **après cela** after that • **après quoi** after which **2.** *fam (indiquant l'attirance, l'attachement, l'hostilité)* • **soupirer après qqn** to yearn for sb • **aboyer après qqn** to bark at sb. ◻ adv **1.** *(temps)* afterwards **{UK}** afterward **{US}** • **un mois après** one month later • **le mois d'après** the following ou next month **2.** *(lieu, dans un ordre, dans un rang)* • **la rue d'après** the next street • **c'est ma sœur qui vient après** my sister's next. ■ **après coup** loc adv afterwards **{UK}** afterward **{US}** ■ **après que** loc conj (+ indicatif) after • **je le verrai après qu'il aura fini** I'll see him after ou when he's finished • **après qu'ils eurent dîné,...** after dinner*ou* after they had dined,....■ **après tout** *loc adv* after all.■ **d'après** *loc prép* according to• **d'après moi** in my opinion• **d'après lui** according to him.■ **et après** *loc adv (employée interrogativement)***1.** *(questionnement sur la suite)* and then what?**2.** *(exprime l'indifférence)* so what?

après-demain *adv* the day after tomorrow.

après-guerre *nm ou nf* post-war years *pl* • d'après-guerre post-war.

après-midi *nm invou* nf inv afternoon.

après-rasage *nm & adj inv* aftershave.

après-shampooing ,après-shampoing *nm* (hair) conditioner.

après-ski *nm (chaussure)* snow-boot.

après-soleil *adj inv* after-sun *(avant nom)*.

après-vente → service .

à-propos *nm inv (de remarque)* aptness• **faire preuve d'à-propos** to show presence of mind.

APS (abrév deAdvanced Photo System) *nm* APS.

apte *adj*• **apte à qqch/à faire qqch** capable of sthg/of doing sthg• **apte (au service)** MIL fit (for service).

aptitude *nf*• **aptitude (à**ou **pour qqch)** aptitude (for sthg)• **aptitude à**ou **pour faire qqch** ability to do ou for doing sthg.

Aquagym ® *nf* aquarobics *(indén)*.

aquarelle *nf* watercolour(**UK**) , watercolor (**US**) .

aquarium *nm* aquarium.

aquatique *adj***1.** *(plante, animal)* aquatic**2.** *(milieu, paysage)* watery, marshy.

aqueduc *nm* aqueduct.

aqueux ,euse *adj* watery.

aquilin → nez .

arabe *adj***1.** *(peuple)* Arab**2.** *(désert)* Arabian. ❑ *nm (langue)* Arabic.■ **Arabe** *nmf* Arab.

arabesque *nf***1.** *(ornement)* arabesque**2.** *(ligne sinueuse)* flourish.

Arabie *nf*• **l'Arabie** Arabia• **l'Arabie Saoudite** Saudi Arabia.

arabophone *adj* Arabic-speaking.❑ *nmf* Arabic speaker.

arachide *nf* peanut, groundnut.

araignée *nf* spider.■ **araignée de mer** *nf* spider crab.

arbalète *nf* crossbow.

arbitrage *nm***1.** *(SPORT - gén)* refereeing ; *(- au tennis, cricket)* umpiring**2.** DR arbitration.

arbitraire *adj* arbitrary.

arbitre *nmf***1.** *(SPORT - gén)* referee ; *(- au tennis, cricket)* umpire**2.** *(conciliateur)* arbitrator.

arbitrer *vt***1.** *(SPORT - gén)* to referee ; *(- au tennis, cricket)* to umpire**2.** *(conflit)* to arbitrate.

arbre *nm***1.** *fig BOT* tree• **arbre généalogique** family tree**2.** *(axe)* shaft.

les arbres

LEXIQUE

l'abricotier the apricot tree
le bambou the bamboo
le cerisier the cherry tree
le chêne the oak tree
l'érable the maple
le hêtre the beech tree
l'olivier the olive tree
l'oranger the orange tree
le palmier the palm tree
le pêcher the peach tree
le pin the pine
le platane the plane tree
le poirier the pear tree
le pommier the apple tree
le sapin the fir tree

arbrisseau *nm* shrub.

arbuste *nm* shrub.

arc *nm***1.** *(arme)* bow**2.** *(courbe)* arc• **arc de cercle** arc of a circle**3.** ARCHIT arch.

arcade *nf***1.** ARCHIT arch• **arcades** arcade *sing* **2.** ANAT• **arcade sourcilière** arch of the eyebrows.

arc-bouter ■ **s'arc-bouter** *vp* to brace o.s.

arceau *nm***1.** ARCHIT arch**2.** *(objet métallique)* hoop.

arc-en-ciel *nm* rainbow.

archaïque *adj* archaic.

arche *nf* ARCHIT arch.

archéologie *nf* archaeology.

archéologique *adj* archaeological.

archéologue *nmf* archaeologist.

archet *nm* MUS bow.

archétype *nm* archetype.

archevêque *nm* archbishop.

archi *fam* *préf* extremely• **archiconnu** extremely well-known• **archiplein** jam-packed.

archipel *nm* archipelago.

architecte *nmf* architect• **architecte d'intérieur** interior designer• **mon père est architecte** my father is an architect.

architecture *nf***1.** architecture**2.** *fig* structure.

archiver *vt* to archive.

archives *nfpl***1.** *(de bureau)* records**2.** *(de musée)* archives.

archiviste *nmf* archivist.

arctique *adj* Arctic• **le cercle polaire arctique** the Arctic Circle.■ **Arctique** *nm*• **l'Arctique** the Arctic.

ardemment *adv* fervently, passionately.

ardent ,e *adj***1.** *(soleil)* blazing**2.** *(soif, fièvre)* raging**3.** *(passion)* burning.

ardeur nf **1.** *(vigueur)* fervour (UK), fervor (US), enthusiasm **2.** *littéraire (chaleur)* blazing heat.

ardoise nf slate.

ardu, e adj **1.** *(travail)* arduous **2.** *(problème)* difficult.

are nm 100 square metres.

arène nf arena. ■ **arènes** nfpl **1.** *(romaines)* amphitheatre sing (UK), amphitheater sing (US) **2.** *(pour corridas)* bullring sing.

arête nf **1.** *(de poisson)* bone **2.** *(du nez)* bridge.

argan nm argan • **huile d'argan** argan oil.

argent nm **1.** *(métal, couleur)* silver **2.** *(monnaie)* money • **argent liquide** (ready) cash • **argent de poche** pocket money (UK), allowance (US).

argenté, e adj silvery, silver.

argenterie nf silverware.

Argentine nf • **l'Argentine** Argentina.

argentique adj *(photographie)* traditional, non-digital.

argile nf clay.

argileux, euse adj clayey.

argot nm slang.

argotique adj slang, slangy.

argument nm argument.

argumentation nf argumentation.

argumenter vi to argue • **argumenter en faveur de/contre qqch** to argue for/against sthg.

argus nm ≃ Glass's Motoring Guide (UK); ≃ Blue Book (US) • **coté à l'argus** listed in the guide to secondhand car prices.

aride adj **1.** *litt & fig* arid **2.** *(travail)* thankless.

aristocrate nmf aristocrat.

aristocratie nf aristocracy.

aristocratique adj aristocratic.

arithmétique nf arithmetic.

armateur nm ship owner.

armature nf **1.** *fig CONSTR* framework **2.** *(de parapluie)* frame **3.** *(de soutien-gorge)* underwiring.

arme nf *litt & fig* weapon • **arme blanche** blade • **arme à feu** firearm. ■ **armes** nfpl **1.** *(armée)* • **les armes** the army **2.** *(blason)* coat of arms sing **3.** *(locution)* • **partir avec armes et bagages** to leave taking everything.

armé, e adj armed • **être armé de** to be armed with.

armée nf army • **l'armée de l'air** the air force • **l'armée de terre** the army. ■ **Armée du salut** nf • **l'Armée du salut** the Salvation Army.

armement nm *(MIL - de personne)* arming ; *(- de pays)* armament ; *(- ensemble d'armes)* arms pl • **la course aux armements** the arms race.

Arménie nf • **l'Arménie** Armenia.

armer vt **1.** *(pourvoir en armes)* to arm • **être armé pour qqch/pour faire qqch** *fig (préparé)* to be equipped for sthg/to do sthg **2.** *(fusil)* to cock **3.** *(appareil photo)* to wind on **4.** *(navire)* to fit out.

armistice nm armistice.

armoire nf **1.** *(gén)* cupboard (UK), closet (US) **2.** *(garde-robe)* wardrobe • **c'est une armoire à glace !** *fam & fig* he's built like a house! • **armoire à pharmacie** medicine cabinet.

armoiries nfpl coat of arms sing.

armure nf armour (UK), armor (US).

armurier nm **1.** *(d'armes à feu)* gunsmith **2.** *(d'armes blanches)* armourer (UK), armorer (US).

arnaque nf fam rip-off.

arnaquer vt fam to rip off • **se faire arnaquer** to be had.

arobase nm INFORM "at", @ • **l'arobase** the "at" symbol ou sign.

aromate nm **1.** *(épice)* spice **2.** *(fines herbes)* herb.

aromatisé, e adj flavoured (UK), flavored (US) • **aromatisé à la vanille** vanilla-flavoured.

arôme nm **1.** *(gén)* aroma **2.** *(de fleur, parfum)* fragrance **3.** *(goût)* flavour (UK), flavor (US) • **yaourt arôme vanille** vanilla-flavoured yoghurt (UK), vanilla-flavored yogurt (US).

arpège nm arpeggio.

arpenter vt *(marcher)* to pace up and down.

arqué, e adj **1.** *(objet)* curved **2.** *(jambe)* bow *(avant nom)*, bandy **3.** *(nez)* hooked **4.** *(sourcil)* arched.

arr. abrév de **arrondissement**.

arrache-pied ■ **d'arrache-pied** loc adv • **travailler d'arrache-pied** to work away furiously.

arracher vt **1.** *(extraire - plante)* to pull up ou out ; *(- dent)* to extract **2.** *(déchirer - page)* to tear off ou out ; *(- chemise, bras)* to tear off **3.** *(prendre)* • **arracher qqch à qqn** to snatch sthg from sb **4.** *(susciter)* • **arracher qqch à qqn** to wring sthg from sb **5.** *(soustraire)* • **arracher qqn à a)** *(milieu, lieu)* to drag sb away from **b)** *(lit, sommeil)* to drag sb from **c)** *(habitude, torpeur)* to force sb out of **d)** *(mort, danger)* to snatch sb from.

arrangeant, e adj obliging.

arrangement nm **1.** *(gén)* arrangement **2.** *(accord)* agreement, arrangement.

arranger vt **1.** *(gén)* to arrange **2.** *(convenir à)* to suit **3.** *(régler)* to settle **4.** *(améliorer)* to sort out **5.** *(réparer)* to fix. ■ **s'arranger** vp to come to an agreement • **s'arranger pour faire qqch** to manage to do sthg • **arrangez-vous pour être là à cinq heures** make sure you're there at five o'clock • **cela va s'arranger** things will work out.

arrdt. abrév de **arrondissement**.

arrestation nf arrest • **être en état d'arrestation** to be under arrest.

arrêt nm **1.** *(d'un mouvement)* stopping • **à l'arrêt a)** *(véhicule)* stationary **b)** *(machine)* (switched) off • **tomber en arrêt devant qqch** to stop dead in front of sthg **2.** *(interruption)* interruption • **sans arrêt a)** *(sans interruption)* non-stop **b)** *(sans* *relâche)* constantly, continually • **être en arrêt maladie** to be on sick leave • **arrêt du travail** stoppage **3.** *(station)* • **arrêt (d'autobus)** (bus) stop **4.** *DR* decision, judgment.

arrêté *nm ADMIN* order, decree.

arrêter *vt* **1.** *(gén)* to stop **2.** *INFORM (ordinateur)* to shut down **3.** *(cesser)* • **arrêter de faire qqch** to stop doing sthg • **arrêter de fumer** to stop smoking **4.** *(voleur)* to arrest. ❏ *vi* to stop. ■ **s'arrêter** *vp* to stop • **s'arrêter à qqch : il ne s'arrête pas à ces détails** he's not going to dwell on these details • **s'arrêter de faire** to stop doing.

arrhes *nfpl* deposit *sing.*

arrière *adj inv* back, rear • **roue arrière** rear *ou* back wheel • **marche arrière** reverse gear. ❏ *nm* **1.** *(partie postérieure)* back • **à l'arrière** at the back **(UK)**, in back **(US) 2.** *SPORT* back. ■ **en arrière** *loc adv* **1.** *(dans la direction opposée)* back, backwards • **faire un pas en arrière** to take a step back *ou* backwards **2.** *(derrière, à la traîne)* behind • **rester en arrière** to lag behind.

arriéré,e *adj (mentalité, pays)* backward. ■ **arriéré** *nm* arrears *pl.*

arrière-boutique *nf* back shop.

arrière-garde *nf* rearguard.

arrière-goût *nm* aftertaste.

arrière-grand-mère *nf* great-grandmother.

arrière-grand-père *nm* great-grandfather.

arrière-grands-parents *nmpl* great-grand-parents.

arrière-pays *nm inv* hinterland.

arrière-pensée *nf (raison intéressée)* ulterior motive.

arrière-plan *nm* background.

arrière-saison *nf* late autumn.

arrière-train *nm* hindquarters *pl.*

arrimer *vt* **1.** *(attacher)* to secure **2.** *NAUT* to stow.

arrivage *nm (de marchandises)* consign-ment, delivery.

arrivée *nf* **1.** *(venue)* arrival **2.** *TECHNOL* inlet.

arriver *vi* **1.** *(venir)* to arrive • **j'arrive !** (I'm) coming! • **arriver à Paris** to arrive in *ou* reach Paris • **l'eau m'arrivait aux genoux** the water came up to my knees **2.** *(parvenir)* • **arriver à**

faire qqch to manage to do sthg, to succeed in doing sthg • **il n'arrive pas à faire ses devoirs** he can't do his homework **3.** *(se produire)* to happen. ❏ *v impers* to happen • **il arrive que (+ subjonctif) : il arrive qu'il soit en retard** he is sometimes late • **il arrive à tout le monde de se décourager** we all get fed up sometimes • **il arrive à tout le monde de se tromper** anyone can make a mistake • **il lui arrive d'oublier quel jour on est** he sometimes forgets what day it is • **quoi qu'il arrive** whatever happens.

arrivisme *nm péj* ambition.

arriviste *adj* self-seeking, careerist. ❏ *nmf* careerist.

arrobas ,arobas *nf* = arobase .

arrogance *nf* arrogance.

arrogant,e *adj* arrogant.

arroger ■ **s'arroger** *vp* • **s'arroger le droit de faire qqch** to take it upon o.s. to do sthg.

arrondi *nm (de jupe)* hemline.

arrondir *vt* **1.** *(forme)* to make round **2.** *(chiffre -au-dessus)* to round up ; *(-en dessous)* to round down.

arrondissement *nm ADMIN* arrondissement (administrative division of a département or city).

arrosage *nm* **1.** *(de jardin)* watering **2.** *(de rue)* spraying.

arroser *vt* **1.** *(jardin)* to water **2.** *(rue)* to spray **3.** *fam (célébrer)* to celebrate.

arrosoir *nm* watering can.

arsenal ,aux *nm* **1.** *(de navires)* naval dockyard **2.** *(d'armes)* arsenal.

arsenic *nm* arsenic.

art *nm* art • **le septième art** the cinema. ■ **arts** *nmpl* • **les arts et métiers** *si vous souhaitez expliquer à un anglophone de quoi il s'agit, vous pouvez dire* it is a higher education institution that provides courses in commerce, manufacturing, construction and design • **arts martiaux** martial arts.

art. abrév de **article** .

artère *nf* **1.** *ANAT* artery **2.** *(rue)* arterial road **(UK)** , main road **(US)** .

artériel,elle *adj* arterial.

artériosclérose *nf* arteriosclerosis.

arthrite *nf* arthritis.

arthrose *nf* osteoarthritis.

artichaut *nm* artichoke.

article *nm* **1.** *(gén)* article • **article de fond** feature **2.** *(sujet)* point **3.** *(locution)* • **à l'article de la mort** at death's door.

articulation *nf* **1.** *ANAT & TECHNOL* joint **2.** *(pro-nonciation)* articulation.

articulé,e *adj* jointed.

articuler *vt* **1.** *(prononcer)* to articulate **2.** *ANAT & TECHNOL* to articulate, to joint.

artifice *nm* **1.** *(moyen astucieux)* clever device *ou* trick **2.** *(tromperie)* trick.

artificiel, elle *adj* artificial.

artificier *nm* **1.** *(en pyrotechnie)* fireworks expert **2.** MIL *(soldat)* blaster **3.** *(spécialiste)* bomb disposal expert.

artillerie *nf* MIL artillery.

artisan, e *nm, f* craftsman, craftswoman f.

artisanal, e *adj* craft *(avant nom)*.

artisanat *nm* **1.** *(métier)* craft **2.** *(classe)* craftsmen.

artiste *nmf* **1.** *(créateur)* artist • **artiste peintre** painter **2.** *(interprète)* performer.

artistique *adj* artistic.

as¹ → avoir.

as² *nm* **1.** *(carte)* ace **2.** *(champion)* star, ace.

ascendant, e *adj* rising. ■ **ascendant** *nm* **1.** *(influence)* influence, power **2.** ASTROL ascendant.

ascenseur *nm* **1.** *(in a building)* lift (UK), elevator (US) **2.** INFORM scroll bar.

ascension *nf* **1.** *(de montagne)* ascent **2.** *(progression)* rise. ■ **Ascension** *nf* • **l'Ascension** Ascension (Day).

ascensionnel, elle *adj* upward.

ascète *nmf* ascetic.

aseptisé, e *adj* **1.** MÉD sterilized **2.** *fig (ambiance)* impersonal **3.** *(discours, roman, univers)* sanitized.

asiatique *adj* **1.** *(de l'Asie en général)* Asian **2.** *(d'Extrême-Orient)* oriental. ■ **Asiatique** *nmf* Asian.

> En anglais, les adjectifs se rapportant à un pays ou une région s'écrivent avec une majuscule.

Asie *nf* • **l'Asie** Asia • **l'Asie du Sud-Est** Southeast Asia.

> En anglais, les adjectifs se rapportant à un continent s'écrivent avec une majuscule.

asile *nm* **1.** *(refuge)* refuge **2.** POLIT • **demander/accorder l'asile politique** to seek/to grant political asylum **3.** *vieilli (psychiatrique)* asylum.

asocial, e *adj* antisocial. ❑ *nm, f* social misfit.

aspect *nm* **1.** *(apparence)* appearance • **d'aspect agréable** nice-looking • **cette couleur donne à la pièce un aspect terne** this colour makes the room look dull **2.** LING aspect.

asperge *nf* *(légume)* asparagus.

asperger *vt* • **asperger qqch de qqch** to spray sthg with sthg • **asperger qqn de qqch a)** *(arroser)* to spray sb with sthg **b)** *(éclabousser)* to splash sb with sthg.

aspérité *nf* *(du sol)* bump.

asphalte *nm* asphalt.

asphyxier *vt* **1.** MÉD to asphyxiate, to suffocate **2.** *fig (économie)* to paralyse (UK), to paralyze (US). ■ **s'asphyxier** *vp* to suffocate.

aspic *nm* *(vipère)* asp.

aspirant, e *adj* • **hotte aspirante** cooker hood (UK), extractor hood • **pompe aspirante** suc-tion pump. ❑ *nm, f* **1.** *(armée)* ≃ officer cadet **2.** *(marine)* ≃ midshipman.

aspirateur *nm* Hoover® (UK), vacuum cleaner • **passer l'aspirateur** to do the vacuuming *ou* hoovering (UK).

aspiration *nf* **1.** *(souffle)* inhalation **2.** TECHNOL suction. ■ **aspirations** *nfpl* aspirations.

aspirer *vt* **1.** *(air)* to inhale **2.** *(liquide)* to suck up **3.** TECHNOL to suck up, to draw up. ❑ *vi (désirer)* • **aspirer à qqch/à faire qqch** to aspire to sthg/to do sthg.

aspirine *nf* aspirin.

assagir *vt* to quieten down.

assaillant, e *nm, f* assailant, attacker.

assaillir *vt* to attack, to assault • **assaillir qqn de qqch** *fig* to assail *ou* bombard sb with sthg.

assainir *vt* **1.** *(logement)* to clean up **2.** *(eau)* to purify **3.** ÉCON to rectify, to stabilize.

assaisonnement *nm* **1.** *(sauce)* dressing **2.** *(condiments)* seasoning.

assaisonner *vt* **1.** *(salade)* to dress **2.** *(viande, plat)* to season.

assassin, e *adj* provocative. ■ **assassin** *nm* **1.** *(gén)* murderer **2.** POLIT assassin.

assassinat *nm* **1.** *(gén)* murder **2.** POLIT assassination.

assassiner *vt* *(tuer - gén)* to murder ; *(- POLIT)* to assassinate.

assaut *nm* *(attaque)* assault, attack • **prendre d'assaut** *(lieu)* to storm.

assécher *vt* to drain. ■ **s'assécher** *vp* to become dry, to dry up.

ASSEDIC, Assedic *(abrév de Association pour l'emploi dans l'industrie et le commerce)* *nfpl* *pour expliquer à un anglophone de quoi il s'agit, vous pouvez utiliser cette définition :* it is the national agency that runs the French unemployment insurance system • **toucher les ASSEDIC** to get unemployment benefit (UK) *ou* welfare (US).

assemblage *nm* *(gén)* assembly.

assemblée *nf* **1.** *(réunion)* meeting **2.** *(public)* gathering **3.** ADMIN & POLIT assembly • **l'Assemblée nationale** the French National Assembly ; ≃ the House of Commons (UK); ≃ the House of Representatives (US).

assembler *vt* **1.** *(monter)* to put together **2.** *(réunir - objets)* to gather (together) **3.** *(personnes - gén)* to bring together, to assemble. ■ **s'assembler** *vp* to gather.

asséner, assener *vt* • **assener un coup à qqn** *(frapper)* to strike sb, to deal sb a blow.

assentiment *nm* assent.

asseoir *vt* **1.** *(sur un siège)* to put **2.** *(fondations)* to lay **3.** *fig (réputation)* to establish. ❑ *vi* • **faire asseoir qqn** to seat sb, to ask sb to take a seat. ■ **s'asseoir** *vp* to sit (down).

assermenté, e *adj* *(fonctionnaire, expert)* sworn.

assertion *nf* assertion.

assesseur nm assessor.

assez adv **1.** (suffisamment) enough • **assez grand pour qqch/pour faire qqch** big enough for sth/to do sthg• **assez de** enough• **assez de lait/chaises** enough milk/chairs• **en avoir assez de qqn/qqch** to have had enough of sb/sthg, to be fed up with sb/sthg**2.** (plutôt) quite, rather.

assidu,e adj**1.** (élève) diligent**2.** (travail) painstaking**3.** (empressé)• **assidu (auprès de qqn)** attentive (to sb).

assiduité nf**1.** (zèle) diligence**2.** (fréquence) • **avec assiduité** regularly.■ **assiduités** nfpl péj &sout attentions.

assiéger vtlitt &fig to besiege.

assiette nf**1.** (vaisselle) plate• **assiette creuse**ou **à soupe** soup plate• **assiette à dessert** dessert plate• **assiette plate** dinner plate**2.** (d'impôt) base**3.** CULIN• **assiette anglaise** assorted cold meats pl(UK), cold cuts pl(US).

assigner vt DR• **assigner qqn en justice** to issue a writ against sb.

assimiler vt**1.** (aliment, connaissances) to assimilate**2.** (confondre)• **assimiler qqch (à qqch)** to liken sthg (to sthg)• **assimiler qqn à qqn** to compare sb to sb.

assis,e pp → **asseoir**.□ adj sitting, seated • **place assise** seat.■ **assise** nf (base) seat, seating.■ **assises** nfpl**1.** DR• **(cour d')assises** crown court(UK), circuit court(US) **2.** (congrès) conference sing.

assistance nf**1.** (aide) assistance• **l'Assistance publique** si vous voulez expliquer à un anglophone de quoi il s'agit, vous pouvez dire it is the body that runs social services and state-owned hospitals in France**2.** (auditoire) audience.

assistant,e nm,f**1.** (auxiliaire) assistant• **assistante sociale** social worker**2.** UNIV assistant lecturer.

assister vi• **assister à qqch** to be at sthg, to attend sthg.□ vt to assist.

FAUX AMIS

assister

Le verbe assister se traduit en anglais par **to assist**, **to aid** ou parfois **to attend** assister à a pour traduction également **to attend** ou **to be at**, par exemple : Sinatra **attended the charity gala**.Sinatra a assisté au gala de bienfaisance. En anglais, le verbe **to assist** signifie aider, comme dans la phrase suivante : I assisted him **during the operation** Je l'ai aidé pendant l'opération.

association nf**1.** (gén) association**2.** (union) society, association• **association humanitaire** charity organization• **association sportive** sports club**3.** COMM partnership.

associé,e adj associated.□ nm,f**1.** (collaborateur) associate**2.** (actionnaire) partner.

associer vt**1.** (personnes) to bring together **2.** (idées) to associate**3.** (faire participer)• **associer qqn à qqch a)** (inclure) to bring sb in on sthg **b)** (prendre pour partenaire) to make sb a partner in sthg.■ **s'associer** vp**1.** (prendre part)• **s'associer à qqch a)** (participer) to join**ou** participate in sthg **b)** (partager) to share sthg**2.** (collaborer) • **s'associer à**ou **avec qqn** to join forces with sb.

assoiffé,e adj**1.** thirsty**2.** • **assoiffé de pouvoir**fig power-hungry.

assombrir vt**1.** (plonger dans l'obscurité) to darken**2.** fig (attrister) to cast a shadow over. ■ **s'assombrir** vp**1.** (devenir sombre) to grow dark **2.** fig (s'attrister) to darken.

assommant,e adjpéj deadly boring.

assommer vt**1.** (frapper) to knock out**2.** (ennuyer) to bore stiff.

Assomption nf• **l'Assomption** the Assumption.

assorti,e adj (accordé)• **bien assorti** wellmatched• **mal assorti** ill-matched• **une cravate assortie au costume** a tie which matches the suit.

assortiment nm assortment, selection.

assortir vt (objets)• **assortir qqch à qqch** to match sthg to**ou** with sthg.

assoupi,e adj (endormi) dozing.

assoupir vtsout (enfant) to send to sleep. ■ **s'assoupir** vp (s'endormir) to doze off.

assouplir vt**1.** (corps) to make supple**2.** (matière) to soften**3.** (règlement) to relax.

assouplissant nm (fabric) softener.

assourdir vt**1.** (rendre sourd) to deafen**2.** (amortir) to deaden, to muffle.

assouvir vtlittéraire to satisfy.

assujettir vt**1.** (peuple) to subjugate**2.** (soumettre)• **assujettir qqn à qqch** to subject sb to sthg.

assumer vt**1.** (fonction - exercer) to carry out **2.** (risque, responsabilité) to accept**3.** (condition) to come to terms with**4.** (frais) to meet.

assurance nf**1.** (gén) assurance**2.** (contrat) insurance• **assurance maladie** health insurance• **assurance vieillesse** retirement pension • **assurance tous risques** AUTO comprehensive insurance• **assurance-vie** life assurance (UK), life insurance(US).

assuré,e nm,f policy holder• **assuré social** National Insurance contributor(UK), Social Security contributor(US).

assurément advsout certainly.

assurer vt**1.** (promettre)• **assurer à qqn que** to assure sb (that)• **assurer qqn de qqch** to assure sb of sthg**2.** (permanence, liaison) to provide**3.** COMM to insure.■ **s'assurer** vp**1.** (vérifier) • **s'assurer que** to make sure (that)• **s'assurer de qqch** to ensure sthg, to make sure of sthg **2.** COMM• **s'assurer (contre qqch)** to insure o.s.

(against sthg) **3.** (obtenir) • **s'assurer qqch** to secure sthg.

astérisque *nm* asterisk.

asthmatique *nmf & adj* asthmatic.

asthme *nm MÉD* asthma • **une crise d'asthme** an asthma attack.

asticot *nm* maggot.

astigmate *nmf & adj* astigmatic.

astiquer *vt* to polish.

astre *nm* star.

astreignant, e *adj* demanding.

astreindre *vt* • **astreindre qqn à qqch** to subject sb to sthg • **astreindre qqn à faire qqch** to compel sb to do sthg.

astreint, e *pp* → astreindre.

astringent, e *adj* astringent.

astrologie *nf* astrology.

astrologique *adj* astrological.

astrologue *nm, f* astrologer.

astronaute *nmf* astronaut • **elle est astronaute** she's an austronaut.

astronautique *nf* astronautics (indén).

astronome *nmf* astronomer.

astronomie *nf* astronomy.

astronomique *adj* astronomical.

astrophysicien, enne *nm, f* astrophysicist.

astrophysique *nf* astrophysics (indén).

astuce *nf* **1.** (ruse) (clever) trick **2.** (ingéniosité) shrewdness (indén).

astucieux, euse *adj* **1.** (idée) clever **2.** (personne) shrewd.

asymétrique *adj* asymmetric, asymmetrical.

atelier *nm* **1.** (d'artisan) workshop **2.** (de peintre) studio.

athée *nmf* atheist. ❏ *adj* atheistic.

athéisme *nm* atheism.

Athènes *npr* Athens.

athlète *nmf* athlete.

athlétique *adj* athletic.

athlétisme *nm* athletics (indén) (UK), track and fields (us).

> Malgré le '**s**' à la fin, '*athletics*' s'utilise comme un nom au singulier.

atlantique *adj* Atlantic. ■ **Atlantique** *nm* • **l'Atlantique** the Atlantic (Ocean).

> En anglais, les adjectifs se rapportent à un océan s'écrivent avec une majuscule.

atlas *nm* atlas.

atmosphère *nf* atmosphere.

atmosphérique *adj* atmospheric.

atome *nm* atom.

atomique *adj* **1.** (gén) nuclear **2.** CHIM & PHYS atomic • **la bombe atomique** the atomic bomb.

atomiseur *nm* spray.

atone *adj* (inexpressif) lifeless.

atout *nm* **1.** (carte) trump • **l'atout est à pique** spades are trumps **2.** fig (ressource) asset, advantage.

âtre *nm* littéraire hearth.

atroce *adj* **1.** (crime) atrocious, dreadful **2.** (souffrance) horrific, atrocious.

atrocité *nf* **1.** (horreur) atrocity **2.** (calomnie) insult.

atrophier ■ **s'atrophier** *vp* to atrophy.

attabler ■ **s'attabler** *vp* to sit down (at the table).

attachant, e *adj* lovable.

attache *nf* (lien) fastening. ■ **attaches** *nfpl* fig links, connections.

attaché, e *nm, f* attaché • **attaché de presse a)** (diplomatique) press attaché **b)** (d'organisme, d'entreprise) press officer.

attaché-case *nm* attaché case.

attachement *nm* attachment.

attacher *vt* **1.** (lier) • **attacher qqch (à) a)** to fasten *ou* tie sthg (to) **b)** fig (associer) to attach sthg (to) **2.** (paquet) to tie up **3.** (lacet) to do up **4.** (ceinture de sécurité) to fasten. ❏ *vi* CULIN • **attacher (à)** to stick (to). ■ **s'attacher** *vp* **1.** (émotionnellement) • **s'attacher à qqn/qqch** to become attached to sb/sthg **2.** (se fermer) to fasten • **s'attacher avec** *ou* **par qqch** to do up *ou* fasten with sthg **3.** (s'appliquer) • **s'attacher à qqch/à faire qqch** to devote o.s. to sthg/to doing sthg, to apply o.s. to sthg/to doing sthg.

attaquant, e *nm, f* attacker.

attaque *nf* **1.** (gén) MÉD attack **2.** fig • **attaque contre qqn/qqch** attack on sb/sthg.

attaquer *vt* **1.** (gén) to attack **2.** (DR - personne) to take to court ; (- jugement) to contest **3.** fam (plat) to tuck into. ■ **s'attaquer** *vp* **1.** (combattre) • **s'attaquer à qqn** to attack sb **2.** fig • **s'attaquer à qqch** (tâche) to tackle sthg.

attardé, e *adj* **1.** (idées) outdated **2.** (passants) late **3.** vieilli (enfant) backward.

attarder ■ **s'attarder** *vp* • **s'attarder sur qqch** to dwell on sthg • **s'attarder à faire qqch** to stay on to do sthg, to stay behind to do sthg.

atteindre *vt* **1.** (situation, objectif) to reach **2.** (toucher) to hit **3.** (affecter) to affect.

atteint, e *pp* → atteindre. ❏ *adj* (malade) • **être atteint de** to be suffering from. ■ **atteinte** *nf* **1.** (préjudice) • **porter atteinte à** to undermine • **hors d'atteinte a)** (hors de portée) out of reach **b)** (inattaquable) beyond reach **2.** (effet) effect.

attelage *nm* (chevaux) team.

atteler vt **1.** (animaux, véhicules) to hitch up **2.** (wagons) to couple. ■ **s'atteler** vp • **s'atteler à** to get down to.

attelle nf splint.

attenant,e adj • **attenant (à qqch)** adjoining (sthg).

attendre vt **1.** (gén) to wait for • **le déjeuner nous attend** lunch is ready • **attendre que** (+ subjonctif) : **attendre que la pluie s'arrête** to wait for the rain to stop • **faire attendre qqn** (personne) to keep sb waiting **2.** (espérer) • **attendre qqch (de qqn/qqch)** to expect sthg (from sb/sthg) **3.** (sujet : surprise, épreuve) to be in store for. ❑ vi to wait • **attends !** hang on! ■ **s'attendre** vp • **s'attendre à** to expect. ■ **en attendant** loc adv **1.** (pendant ce temps) meanwhile, in the meantime **2.** (quand même) all the same.

FAUX AMIS

attendre

Il faut faire attention à ne pas traduire le verbe *attendre* par **to attend**, qui signifie *assister à* ou *être au service de*. *Attendre* se traduit en effet par **to wait for, to await** ou bien **to expect**.
Exemples : *Can you wait for me? Peux-tu m'attendre ?* ; *I'm expecting a phone call J'attends un coup de téléphone.*

---

attendrir vt **1.** (viande) to tenderize **2.** (personne) to move. ■ **s'attendrir** vp • **s'attendrir (sur qqn/qqch)** to be moved (by sb/sthg).

attendrissant,e adj moving, touching.

attendu,e pp → attendre. ■ **attendu que** loc conj since, considering that.

attentat nm attack • **attentat à la bombe** bomb attack, bombing.

attentat-suicide nm **1.** suicide attack **2.** (à la bombe) suicide bombing.

attente nf **1.** (fait d'attendre) wait • **en attente** in abeyance **2.** (espoir) expectation • **répondre aux attentes de qqn** to live up to sb's expectations.

attenter vi • **attenter à** (liberté, droit) to violate • **attenter à ses jours** to attempt suicide • **attenter à la vie de qqn** to make an attempt on sb's life.

attentif,ive adj (auditoire) • **attentif (à qqch)** attentive (to sthg).

attention nf **1.** (concentration) attention • **faire attention à** to pay attention to **2.** (prudence) attention • **à l'attention de** for the attention of • **faire attention à** to be careful of. ❑ interj watch out!, be careful!

attentionné,e adj thoughtful.

attentivement adv attentively, carefully.

atténuer vt **1.** (douleur) to ease **2.** (propos, ton) to tone down **3.** (lumière) to dim, to subdue **4.** (bruit) to quieten. ■ **s'atténuer** vp **1.** (lumière) to dim, to fade **2.** (bruit) to fade **3.** (douleur) to ease.

atterrer vt to stagger.

atterrir vi to land • **atterrir dans qqch** fig to land up in sthg.

atterrissage nm landing.

attestation nf (certificat) certificate.

attester vt **1.** (confirmer) to vouch for, to testify to **2.** (certifier) to attest.

attirail nm fam (équipement) gear.

attirance nf attraction.

attirant,e adj attractive.

attirer vt **1.** (gén) to attract **2.** (amener vers soi) • **attirer qqn à/vers soi** to draw sb to/towards one **3.** (provoquer) • **attirer des ennuis à qqn** to cause trouble for sb. ■ **s'attirer** vp • **s'attirer qqch** to bring sthg on o.s.

attiser vt **1.** (feu) to poke **2.** fig (haine) to stir up.

attitré,e adj **1.** (habituel) usual **2.** (titulaire - fournisseur) by appointment ; (- représentant) accredited.

attitude nf **1.** (comportement, approche) attitude **2.** (posture) posture.

attouchement nm caress.

attractif,ive adj **1.** (force) magnetic **2.** (prix) attractive.

attraction nf **1.** (gén) attraction **2.** (force) • **attraction magnétique** magnetic force. ■ **attractions** nfpl **1.** (jeux) amusements **2.** (spectacle) attractions.

attrait nm **1.** (séduction) appeal **2.** (intérêt) attraction.

attrape-nigaud nm con.

attraper vt **1.** (gén) to catch **2.** fam (gronder) to tell off **3.** fam (avoir) to get.

attrayant,e adj attractive.

attribuer vt **1.** (tâche, part) • **attribuer qqch à qqn a)** to assign ou allocate sthg to sb, to assign ou allocate sb sthg **b)** (privilège) to grant sthg to sb, to grant sb sthg **c)** (récompense) to award sthg to sb, to award sb sthg **2.** (faute) • **attribuer qqch à qqn** to attribute sthg to sb, to put sthg down to sb. ■ **s'attribuer** vp **1.** (s'approprier) to appropriate (for o.s.) **2.** (revendiquer) to claim (for o.s.).

attribut nm **1.** (gén) attribute **2.** GRAMM complement.

attribution nf **1.** (de prix) awarding, award **2.** (de part, tâche) allocation, assignment **3.** (d'avantage) bestowal. ■ **attributions** nfpl (fonctions) duties.

attrister vt to sadden. ■ **s'attrister** vp to be saddened.

attroupement nm crowd.

attrouper ■ **s'attrouper** vp to form a crowd, to gather.

au → à.

aubade nf dawn serenade.

aubaine nf piece of good fortune • **quelle aubaine !** what a godsend!

aube nf (aurore) dawn, daybreak • **à l'aube** at dawn.

aubépine nf hawthorn.

auberge nf (hôtel) inn • **auberge de jeunesse** youth hostel.

À PROPOS DE

auberge de jeunesse

Les auberges de jeunesse (AJ) représentent une solution idéale pour les petits budgets. Les chambres peuvent être individuelles ou à partager. La carte internationale est recommandée et vous permet de payer moins cher (**FUAJ ou Fédération unie des auberges de jeunesse**, www.fuaj.org). Rendez-vous sur les sites *Youth Hostels Association*, (www.yha.org.uk, ou www.anoige.ie pour l'Irlande). Le site de *I Hostlels*, www.hihostels.com, permet de réserver une chambre dans le monde entier six mois à l'avance.

---

aubergine nf **1.** BOT aubergine (UK), eggplant (US) **2.** péj (contractuelle) traffic warden (UK), meter maid (US).

aubergiste nmf innkeeper.

auburn adj inv auburn.

aucun, e adj indéf **1.** (sens négatif) • **ne… aucun** no • **il n'y a aucune voiture dans la rue** there aren't any cars in the street, there are no cars in the street • **sans faire aucun bruit** without making a sound **2.** (sens positif) any • **il lit plus qu'aucun autre enfant** he reads more than any other child. ❑ pron indéf **1.** (sens négatif) none • **aucun des enfants** none of the children • **aucun d'entre nous** none of us • **aucun (des deux)** neither (of them) **2.** (sens positif) • **plus qu'aucun de nous** more than any of us.

aucunement adv not at all, in no way.

audace nf **1.** (hardiesse) daring, boldness **2.** (insolence) audacity **3.** (innovation) daring innovation.

audacieux, euse adj **1.** (projet) daring, bold **2.** (personne, geste) bold.

au-dedans loc adv inside. ■ **au-dedans de** loc prép inside.

au-dehors loc adv outside. ■ **au-dehors de** loc prép outside.

au-delà loc adv **1.** (plus loin) beyond **2.** (davantage, plus) more. ❑ nm • **l'au-delà** the hereafter, the afterlife. ■ **au-delà de** loc prép beyond.

au-dessous loc adv below, underneath. ■ **au-dessous de** loc prép below, under(neath).

au-dessus loc adv above, over. ■ **au-dessus de** loc prép above, over.

au-devant loc adv ahead. ■ **au-devant de** loc prép • **aller au-devant de** to go to meet • **aller au-devant du danger** to court danger.

audible adj audible.

audience nf **1.** (public, entretien) audience **2.** DR hearing.

Audimat® nm audience rating ; ≈ Nielsen® ratings (US).

audio adj inv (matériel, fichier, livre) audio.

audioguide nf audio guide, headset.

audionumérique adj digital audio.

audiovisuel, elle adj audiovisual. ■ **audiovisuel** nm TV and radio.

audit nm audit.

auditeur, trice nm, f listener. ■ **auditeur** nm **1.** UNIV • **auditeur libre** auditor (US) ; si vous voulez expliquer à un Britannique de quoi il s'agit, vous pouvez dire it is someone who is allowed to go to lectures without being registered as a student **2.** FIN auditor.

auditif, ive adj **1.** (appareil) hearing (avant nom) **2.** (mémoire) auditory.

audition nf **1.** (fait d'entendre) hearing **2.** DR examination **3.** THÉÂTRE audition **4.** MUS recital.

auditionner vt & vi to audition.

auditoire nm (public) audience.

auditorium nm **1.** (de concert) auditorium **2.** (d'enregistrement) studio.

auge nf (pour animaux) trough.

augmentation nf • **augmentation (de)** increase (in) • **augmentation (de salaire)** rise (UK) ou raise (US) (in salary).

augmenter vt **1.** to increase **2.** (prix, salaire) to raise **3.** (personne) to give a rise (UK) ou raise (US) to. ❑ vi to increase, to rise • **le froid augmente** it's getting colder • **la douleur augmente** the pain is getting worse.

augure nm (présage) omen • **être de bon/mauvais augure** to be a good/bad sign.

aujourd'hui adv today.

aumône nf • **faire l'aumône à qqn** to give alms to sb.

aumônier nm RELIG chaplain.

auparavant adv **1.** (tout d'abord) first (of all) **2.** (avant) before, previously.

auprès ■ **auprès de** loc prép **1.** (à côté de) beside, next to **2.** (comparé à) compared with **3.** (en s'adressant à) to.

aurai, auras etc → avoir.

auréole nf **1.** ASTRON & RELIG halo **2.** (trace) ring.

auriculaire nm little finger.

aurore nf dawn.

ausculter vt MÉD to sound.

auspice nm (gén pl) sign, auspice • **sous les auspices de qqn** under the auspices of sb.

---

aussi

■ **aussi** adv

1. PAREILLEMENT

• **je suis fatigué et lui aussi** I am tired and he is too ou so is he • **j'étais en retard — Fabien**

aussi I was late — so was Fabien • **lui aussi parle allemand** he speaks German too *ou* as well • **moi aussi** me too • **j'y vais aussi** I'm going too *ou* as well

2. EN PLUS

• **elle parle aussi chinois** she also speaks Chinese • **est-ce que tu veux aussi de la salade ?** do you want some salad too? *ou* do you want some salad as well?

3. À CE POINT

• **je n'ai jamais rien vu d'aussi beau** I've never seen anything so *ou* as beautiful • **aussi incroyable que cela puisse paraître** incredible though *ou* as it may seem

4. INTRODUIT UNE COMPARAISON

• **maintenant, elle est aussi grande que sa sœur** she is as tall as her mother now • **il n'est pas aussi intelligent que son frère** he's not as clever as his brother • **viens aussi vite que tu peux !** come as soon as you can!

■ **aussi** *conj*

EXPRIME LA CONSÉQUENCE

• **il est très fatigué, aussi a-t-il besoin de dormir beaucoup** he is very tired, therefore he needs to sleep a lot • **cet appartement est très bien situé, aussi est-il très cher** this flat is very well located, consequently it is very expensive

■ **(tout) aussi bien** *loc adv*

just as easily, just as well • **j'aurais pu (tout) aussi bien refuser** I could just as easily have said no

■ **aussi bien... que** *loc conj*

as well... as • **tu le sais aussi bien que moi** you know as well as I do

aussi

Aussi au sens d'*également* peut être rendu par *too*, *as well* et *also*, mais il convient de faire attention à leur place dans la phrase.

As well (fréquent en anglais parlé) se place toujours en fin de phrase, tandis que *also* se place le plus souvent entre le sujet et le verbe (à l'exception du verbe *to be*) :

• *Il parle russe aussi.* **He speaks Russian as well** *ou* **He also speaks Russian.**

En anglais américain, *also* se place parfois en fin de phrase :

• *Elle est traductrice aussi.* **She's a translator also.**

Also se place après le modal :

• *Ses parents peuvent venir aussi.* **His parents can also come.**

Too se place soit en fin de phrase, soit directement après le sujet. Lorsque *too* est

employé en fin de phrase, celle-ci peut être ambiguë ; il en va de même lorsqu'on emploie *as well* :

• *C'est aussi un bon cuisinier.* (*comme une autre personne qu'on a évoquée ou c'est une de ses qualités*) **He's a good cook too** *ou* **as well.**

En plaçant *too* directement après le sujet, on évite cette ambiguïté :

• *Lui aussi est un bon cuisinier.* **He too is a good cook.**

aussitôt *adv* immediately. ■ **aussitôt que** *loc conj* as soon as • **aussitôt que possible** as soon as possible.

austère *adj* **1.** (*personne, vie*) austere **2.** (*vêtement*) severe **3.** (*paysage*) harsh.

austérité *nf* **1.** (*de personne, vie*) austerity **2.** (*de vêtement*) severeness **3.** (*de paysage*) harshness.

austral, e *adj* southern.

Australie *nf* • **l'Australie** Australia.

En anglais, à de rares exceptions près, il n'y a pas d'article devant les noms de pays.

australien, enne *adj* Australian. ■ **Australien, -enne** *nm, f* Australian.

En anglais, les adjectifs se rapportant à un pays ou une région s'écrivent avec une majuscule.

autant

■ **autant** *adv*

1. INTRODUIT UNE COMPARAISON

• **ce livre coûte autant que l'autre** this book costs as much as the other one • **il y a autant de neige que l'année dernière** there is as much snow as last year • **il a dépensé autant d'argent que moi** he spent as much money as I did • **il y a autant de femmes que d'hommes** there are as many women as men

2. MARQUE L'INTENSITÉ, LE NOMBRE ÉLEVÉ

• **je ne savais pas qu'il y avait autant de travail à faire** I had no idea there was so much work to do • **tu ne devrais pas travailler autant** you shouldn't work so much *ou* so hard • **il peut pleurer autant qu'il veut, je ne l'aiderai pas** he can cry as much as he likes, I won't help him • **je n'ai jamais vu autant de gens ici** I've never seen so many people here

3. IL VAUT MIEUX

• **autant dire la vérité** we/you may as well tell the truth

4. DANS DES EXPRESSIONS

• **j'aimerais bien en faire autant** I wouldn't mind doing the same • **il ne peut pas en dire autant** he can't say the same

■ **autant... autant** *loc corrélative*

● **autant l'histoire la passionne, autant la géographie l'ennuie** she is as passionate about history as she is bored by geography

■ **d'autant mieux... que** *loc adv*

all the better● **il a d'autant mieux compris qu'elle le lui avait déjà expliqué** he understood all the better given that she had already explained it to him once before

■ **d'autant plus... que** *loc adv*

● **il est d'autant plus content qu'il ne s'attendait pas à une telle nouvelle** he was all the happier as he hadn't been expecting such good news

■ **d'autant que** *loc conj*

● **je ne comprends pas cet accident, d'autant que la voiture était neuve** I don't understand this accident, especially seeing as the car was new

■ **pour autant** *loc adv*

● **il a eu beau m'expliquer, je n'ai pas compris sa réaction pour autant** for all his explanations I still don't understand

■ **pour autant que** *loc conj*

● **(pour) autant que je sache, il n'est pas encore arrivé** as far as I know he hasn't arrived yet

autarcie *nf* autarky.

autel *nm* altar.

auteur *nm* **1.** *(d'œuvre)* author **2.** *(responsable)* perpetrator.

authentique *adj* authentic, genuine.

autiste *adj* autistic.

auto *nf* car.

autobiographie *nf* autobiography.

autobronzant,e *adj* self-tanning. ■ **autobronzant** *nm* self-tanning product.

autobus *nm* bus.

autocar *nm* coach(UK), bus(US).

autochtone *nmf & adj* native.

autocollant,e *adj* self-adhesive, sticky. ■ **autocollant** *nm* sticker.

autocouchettes *adj inv* ● **train autocouchettes** car-sleeper train.

autocritique *nf* self-criticism.

autocuiseur *nm* pressure cooker.

autodéfense *nf* self-defence (UK), self-defense(US).

autodérision *nf* self-mockery.

autodétruire ■ **s'autodétruire** *vp (machine, personne)* to self-destruct.

autodidacte *nmf* self-taught person.

autodiscipline *nf* self-discipline.

auto-école *nf* driving school.

autofinancement *nm* self-financing.

autofocus *nm & adj inv* autofocus.

autogestion *nf* (workers') self-management.

autographe *nm* autograph● **je lui ai demandé un autographe** I asked for his autograph.

automate *nm (robot)* automaton.

automatique *nm* **1.** *(pistolet)* automatic **2.** TÉLÉCOM≃ direct dialling(UK) *ou* dialing(US). ❑ *adj* automatic.

automatiquement *adv* automatically.

automatisation *nf* automation.

automatisme *nm* **1.** *(de machine)* automatic operation **2.** *(réflexe)* automatic reaction, automatism.

automédication *nf* self-medication.

automne *nm* autumn, fall(US). ● **en automne** in the autumn, in the fall(US).

automobile *nf* car, automobile (US). ❑ *adj* **1.** *(industrie, accessoires)* car *(avant nom)*, automobile *(avant nom)* (US) **2.** *(véhicule)* motor *(avant nom)*.

automobiliste *nmf* driver, motorist.

autonettoyant,e *adj* self-cleaning.

autonome *adj* **1.** *(gén)* autonomous, independent **2.** *(appareil)* self-contained.

autonomie *nf* **1.** *(indépendance)* autonomy, independence **2.** AUTO *(aviation)* range **3.** POLIT autonomy, self-government.

autonomiste *nmf & adj* separatist.

autoportrait *nm* self-portrait.

autopsie *nf* post-mortem, autopsy.

autoradio *nm* car radio.

autorail *nm* railcar.

autorisation *nf* **1.** *(permission)* permission, authorization● **avoir l'autorisation de faire qqch** to be allowed to do sthg ● **autorisation d'accès** INFORM access permission **2.** *(attestation)* pass, permit.

autorisé,e *adj (personne)* in authority● **milieux autorisés** official circles.

autoriser *vt* to authorize, to permit● **autoriser qqn à faire qqch a)** *(permission)* to give sb permission to do sthg **b)** *(possibilité)* to permit *ou* allow sb to do sthg.

autoritaire *adj* authoritarian.

autorité *nf* authority ● **faire autorité a)** *(ouvrage)* to be authoritative **b)** *(personne)* to be an authority.

autoroute *nf* **1.** motorway(UK), freeway(US) **2.** ● **autoroute de l'information** INFORM information highway *ou* superhighway.

autoroutier,ère *adj* motorway *(avant nom)* (UK), freeway *(avant nom)* (US).

auto-stop *nm* hitchhiking, hitching.

auto-stoppeur,euse *nm,f* hitchhiker, hitcher.

autour *adv* around, round (**UK**). ■ **autour de** *loc prép* **1.** *(sens spatial)* around, round (**UK**) **2.** *(sens temporel)* about, around.

autre *adj indéf* **1.** *(distinct, différent)* other, different • **je préfère une autre marque de café** I prefer another *ou* a different brand of coffee • **l'un et l'autre projets** both projects • **autre chose** something else **2.** *(supplémentaire)* other • **tu veux une autre tasse de café ?** would you like another cup of coffee? **3.** *(qui reste)* other, remaining • **les autres passagers ont été rapatriés en autobus** the other *ou* remaining passengers were bussed home. ❑ *pron indéf* • **l'autre** the other (one) • **un autre** another (one) • **les autres a)** *(personnes)* the others **b)** *(objets)* the others, the other ones • **l'un à côté de l'autre** side by side • **d'une semaine à l'autre** from one week to the next • **aucun autre, nul autre, personne d'autre** no one else, nobody else • **quelqu'un d'autre** somebody else, someone else • **rien d'autre** nothing else • **l'un et l'autre sont venus** they both came, both of them came • **l'un ou l'autre ira** one or other (of them) will go • **ni l'un ni l'autre n'est venu** neither (of them) came.

autrefois *adv* in the past, formerly.

autrement *adv* **1.** *(différemment)* otherwise, differently • **je n'ai pas pu faire autrement que d'y aller** I had no choice but to go • **autrement dit** in other words **2.** *(sinon)* otherwise.

Autriche *nf* • **l'Autriche** Austria.

autrichien, enne *adj* Austrian. ■ **Autrichien, enne** *nm, f* Austrian.

autruche *nf* ostrich.

autrui *pron indéf inv* others, other people.

auvent *nm* canopy.

aux → à.

auxiliaire *nmf (assistant)* assistant. ❑ *nm* GRAMM auxiliary (verb). ❑ *adj* **1.** *(secondaire)* auxiliary **2.** ADMIN assistant *(avant nom)*.

av. abrév de **avenue**.

avachi, e *adj* **1.** *(gén)* misshapen **2.** *(personne)* listless • **il était avachi dans un fauteuil** he was slumped in an armchair.

aval, als *nm* backing *(indén)*, endorsement. ■ **en aval** *loc adv* litt & fig downstream.

avalanche *nf* litt & fig avalanche.

avaler *vt* **1.** *(gén)* to swallow **2.** fig *(supporter)* to take • **dur à avaler** difficult to swallow.

avance *nf* **1.** *(progression, somme d'argent)* advance **2.** *(distance, temps)* lead • **le train a dix minutes d'avance** the train is ten minutes early • **le train a une avance de dix minutes sur l'horaire** the train is running ten minutes ahead of schedule • **prendre de l'avance (dans qqch)** to get ahead (in sthg). ■ **avances** *nfpl* • **faire des avances à qqn** to make advances towards sb. ■ **à l'avance** *loc adv* in advance. ■ **d'avance** *loc adv* in advance. ■ **en avance** *loc adv* • **être en avance** to be early • **être en avance sur qqch** to be ahead of sthg. ■ **par avance** *loc adv* in advance.

avancé, e *adj* **1.** *(dans le temps)* late • **à une heure avancée** late at night • **la saison est avancée** it's very late in the season • **arriver à un âge avancé** to be getting on in years **2.** *(développé - intelligence, économie)* advanced • **un enfant avancé pour son âge** a child who's mature for his years • **à un stade peu avancé** at an early stage • **te voilà bien avancé !** iron a (fat) lot of good that's done you! ■ **avancée** *nf* **1.** *(progression)* progress **2.** *(d'un toit)* overhang.

avancement *nm* **1.** *(développement)* progress **2.** *(promotion)* promotion.

avancer *vt* **1.** *(objet, tête)* to move forward **2.** *(date, départ)* to bring forward **3.** *(main)* to hold out **4.** *(projet, travail)* to advance **5.** *(montre, horloge)* to put forward **6.** *(argent)* • **avancer qqch à qqn** to advance sb sthg. ❑ *vi* **1.** *(approcher)* to move forward **2.** *(progresser)* to advance • **avancer dans qqch** to make progress in sthg **3.** *(faire saillie)* • **avancer (dans/sur)** to jut out (into/over), to project (into/over) **4.** *(montre, horloge)* • **ma montre avance de dix minutes** my watch is ten minutes fast **5.** *(servir)* • **ça n'avance à rien** that won't get us/you anywhere. ■ **s'avancer** *vp* **1.** *(s'approcher)* to move forward • **s'avancer vers qqn/qqch** to move towards sb/sthg **2.** *(s'engager)* to commit o.s.

avant *prép* before. ❑ *adv* before • **quelques jours avant** a few days earlier *ou* before • **tu vois le cinéma ? ma maison se situe un peu avant** do you know the cinema? my house is just this side of it. ❑ *adj inv* front • **les roues avant** the front wheels. ❑ *nm* **1.** *(partie antérieure)* front **2.** SPORT forward. ■ **avant de** *loc prép* • **avant de faire qqch** before doing sthg • **avant de partir** before leaving. ■ **avant que** *loc conj* (+ subjonctif) • **je dois te parler avant que tu partes** I must speak to you before you leave. ■ **avant tout** *loc adv* above all • **sa carrière passe avant**

tout his career comes first.■ **en avant** *loc adv* forward, forwards.

avantage *nm* advantage● **se montrer à son avantage** to look one's best● **avantage fiscal** tax benefit.

avantager *vt* 1. *(favoriser)* to favour(UK), to favor(US) 2. *(mettre en valeur)* to flatter.

avantageusement *adv* favourably(UK), favorably(US).

avantageux, euse *adj* 1. *(profitable)* profitable, lucrative 2. *(flatteur)* flattering.

avant-bras *nm inv* forearm.

avant-centre *nm* centre(UK) *ou* center(US) forward.

avant-coureur → **signe**.

avant-dernier, ère *adj* second to last, penultimate.

avant-garde *nf* 1. MIL vanguard 2. *(idées)* avant-garde.

avant-goût *nm* foretaste.

avant-hier *adv* the day before yesterday.

avant-première *nf* preview.

avant-projet *nm* pilot study.

avant-propos *nm inv* foreword.

avant-veille *nf* ● **l'avant-veille** two days earlier.

avare *nmf* miser.❑ *adj* miserly● **être avare de qqch** *fig* to be sparing with sthg.

avarice *nf* avarice.

avarie *nf* damage (indén).

avarié, e *adj* *(aliment)* rotting, bad.

avatar *nm* *(transformation)* metamorphosis. ■ **avatars** *nmpl fam* *(mésaventures)* misfortunes.

AVC (abrév de *accident vasculaire cérébral*) *nm* CVA.

avec *prép* 1. *(gén)* with● **avec respect** with respect, respectfully● **c'est fait avec du cuir** it's made from leather● **et avec ça ?, et avec ceci ?** *fam* *(dans un magasin)* anything else? 2. *(vis-à-vis de)* to, towards (UK), towards (US).❑ *adv fam* with it/him *etc*● **tiens mon sac, je ne peux pas courir avec !** hold my bag: I can't run with it!

Ave (Maria) *nm inv* Hail Mary.

avenant, e *adj* pleasant. ■ **avenant** *nm* DR additional clause.■ **à l'avenant** *loc adv* in the same vein.

avènement *nm* 1. *(d'un roi)* accession 2. *fig (début)* advent.

avenir *nm* future● **avoir de l'avenir** to have a future● **d'avenir** *(profession, concept)* with a future, with prospects. ■ **à l'avenir** *loc adv* in future.

Avent *nm* ● **l'Avent** Advent.

aventure *nf* 1. *(gén)* adventure 2. *(liaison amoureuse)* affair.

aventurer *vt* *(risquer)* to risk.■ **s'aventurer** *vp* to venture (out)● **s'aventurer à faire qqch** *fig* to venture to do sthg.

aventureux, euse *adj* 1. *(personne, vie)* adventurous 2. *(projet)* risky.

aventurier, ère *nm, f* adventurer.

avenu, e *adj* ● **nul et non avenu** DR null and void.

avenue *nf* avenue.

avéré, e *adj* *(fait, information)* known, established● **c'est un fait avéré que…** it is a known fact that….

avérer ■ **s'avérer** *vp* ● **il s'est avéré (être) à la hauteur** he proved (to be) up to it● **il s'est avéré (être) un musicien accompli** he proved to be an accomplished musician.

averse *nf* downpour● **averse de neige** snowflurry.

averti, e *adj* 1. *(expérimenté)* experienced 2. *(initié)* ● **averti (de)** (well-)informed (about).

avertir *vt* 1. *(mettre en garde)* to warn 2. *(prévenir)* to inform● **avertissez-moi dès que possible** let me know as soon as possible.

avertissement *nm* 1. *(gén)* warning 2. *(avis)* notice, notification.

---

avertissement

Bien qu'*avertissement* et **advertisement** soient très proches en apparence, ils possèdent des sens très différents, et il faudra bien faire attention à ne pas traduire l'un par l'autre. Par exemple, si l'on dit **there are too many advertisements on television**, cela signifie qu'il y a trop de **publicité(s)** à la télévision. En revanche, si l'on veut traduire une phrase telle que *le professeur lui a donné un avertissement*, il faudra dire **she got a warning from the teacher.**

---

avertisseur, euse *nm* 1. *(Klaxon)* horn 2. *(d'incendie)* alarm.

aveu *nm* confession.

aveuglant, e *adj* 1. *(lumière)* blinding 2. *fig (vérité)* blindingly obvious.

aveugle *nmf* blind person● **les aveugles** the blind.❑ *adj litt &fig* blind.

aveuglement *nm* blindness.

aveuglément *adv* blindly.

aveugler *vt litt &fig (priver de la vue)* to blind.

aveuglette ■ **à l'aveuglette** *loc adv* ● **marcher à l'aveuglette** to grope one's way● **avancer à l'aveuglette** *fig* to be in the dark.

aviateur, trice *nm, f* aviator.

aviation *nf* 1. *(transport aérien)* aviation 2. MIL airforce.

aviculture *nf* 1. *(gén)* bird-breeding 2. *(de volailles)* poultry farming.

avide adj **1.** *(vorace, cupide)* greedy **2.** *(désireux)* • avide (de qqch/de faire qqch) eager (for sthg/ to do sthg).

avidité nf **1.** *(voracité, cupidité)* greed **2.** *(passion)* eagerness.

avilir vt *(personne)* to degrade. ■ **s'avilir** vp *(personne)* to demean o.s.

aviné, e adj **1.** *(personne)* inebriated **2.** *(haleine)* smelling of alcohol.

avion nm plane, aeroplane (UK), airplane (US) • en avion by plane, by air • par avion *(courrier)* airmail • avion à réaction jet (plane).

aviron nm **1.** *(rame)* oar **2.** SPORT • l'aviron rowing.

avis nm **1.** *(opinion)* opinion • changer d'avis to change one's mind • être d'avis que to think that, to be of the opinion that • à mon avis in my opinion **2.** *(conseil)* advice *(indén)* **3.** *(notification)* notification, notice • sauf avis contraire unless otherwise informed • avis de recherche **a)** *(d'un criminel)* wanted poster **b)** *(d'un disparu)* missing person poster.

avis

Étant donné la ressemblance orthographique entre ces deux mots, il serait tentant de traduire *avis* par ***advice***, d'autant qu'il existe aussi une certaine similitude de sens. En effet, ***advice*** se traduit par *conseils*, ou *conseil* pris dans son sens général : *he asked his father for advice, il a demandé* ***conseil*** *à son père.* Pour traduire *avis* au sens d'*opinion*, on utilisera justement le mot anglais ***opinion*** : *quel est ton avis sur la question ?,* ***what's your opinion on the matter?*** Si *avis* a le sens d'*annonce*, son équivalent est ***notice, announcement*** : *tous les vols sont suspendus jusqu'à nouvel avis,* ***all flights are suspended until further*** **notice.**

avisé, e adj *(sensé)* sensible • être bien/mal avisé de faire qqch to be well-advised/ill-advised to do sthg.

aviser vt *(informer)* • aviser qqn de qqch to inform sb of sthg. ❏ vi to reassess the situation. ■ **s'aviser** vp **1.** sout *(s'apercevoir)* • s'aviser de qqch to notice sthg **2.** *(oser)* • s'aviser de faire qqch to take it into one's head to do sthg • ne t'avise pas de répondre ! don't you dare answer me back!

av. J.-C. (abrév de *avant Jésus-Christ*) BC.

avocat¹, e nm, f DR barrister (UK), attorney-at-law (US) • avocat de la défense counsel for the defence (UK), defense counsel (US) • avocat général ≃ counsel for the prosecution (UK); ≃ prosecuting attorney (US).

avocat² nm *(fruit)* avocado.

avoine nf oats pl • des flocons d'avoine porridge oats.

avoir nm **1.** *(fortune, biens)* • il a investi tout son avoir dans cette affaire he invested all his assets in this business **2.** *(document)* • vous pouvez me faire un avoir ? can you give me a credit note?

avoir

■ **avoir** v aux

• j'ai fini I have finished • il a attendu pendant deux heures he waited for two hours • il lui a parlé de son problème he talked to her about his problem

■ **avoir** vt

1. POSSÉDER

• il a une nouvelle voiture he has got a new car • as-tu un vélo ? have you got a bike? ou do you have a bike? • il a deux enfants he has (got) two children • je n'ai pas beaucoup d'amis I haven't got many friends ou I don't have many friends • la maison a un grand jardin the house has (got) a large garden

2. INDIQUE UNE CARACTÉRISTIQUE

• il a les cheveux bruns he has (got) brown hair • il a de l'ambition he has (got) ambition ou he is ambitious

3. ÊTRE ÂGÉ DE

• il a 20 ans he is 20 (years old) • il a deux ans de plus que son frère he is two years older than his brother

4. OBTENIR

• il a eu son permis de conduire he got his driver's licence • il a eu une montre pour son anniversaire he got a watch for his birthday

5. ÉPROUVER

• j'ai faim/soif I'm hungry/thirsty • j'ai de la sympathie pour cet homme I have a liking for this man • j'ai sommeil I feel sleepy ou I'm sleepy

6. PORTER, EN PARLANT D'UN VÊTEMENT

• aujourd'hui, elle a une jupe grise et un pull noir today she's wearing a grey skirt and a black pullover

7. EN PARLANT D'UNE MALADIE

• il a la rougeole he's got measles • Delphine a la grippe Delphine has (got) flu

8. FAIRE

• il eut un geste d'agacement he made an irritated gesture • elle eut un sourire timide she smiled shyly ou she gave a shy smile

9. DANS DES EXPRESSIONS

• se faire avoir to be had ou conned • en avoir assez (de qqch/de faire qqch) to have had enough (of sthg/of doing sthg)

• j'en ai pour cinq minutes it'll take me five minutes• en avoir après qqn to have (got) it in for sb

■ **avoir à** *v + prép*

DEVOIR

• tu n'avais pas à lui parler sur ce ton there was no need to speak to him like that, you shouldn't have spoken to him like that • tu n'avais qu'à me demander you only had to ask me• tu n'as qu'à y aller toi-même just go (there) yourself, why don't you just go (there) yourself?

■ **il y a** *v impers*

1. PRÉSENTATIF

• il y a un problème there's a problem• il y avait des problèmes there were (some) problems• qu'est-ce qu'il y a ? what's the matter?, what is it?

2. TEMPOREL

• il est mort il y a trois ans he died three years ago • il y a longtemps de cela that was a long time ago• il y a longtemps qu'il est parti he left a long time ago

À PROPOS DE — il y a

Les expressions **there is** et **there are** correspondent toutes deux à *il y a*. N'oubliez pas, toutefois, que **there is** s'utilise uniquement avec les noms au singulier (**there's a large white cat in the window**) et **there are** avec les noms au pluriel (**there are only four cookies left**). Cette règle est valable pour tous les temps (**there have been** *a few changes recently*).

À PROPOS DE — avoir

Le verbe *avoir* se traduit généralement par **to have**. En anglais britannique, on emploie très fréquemment **have + got**, notamment à l'oral :

• Il a une voiture. **He has a car** ou **He's got a car.**

Have + got s'emploie généralement au présent, mais peut s'employer au passé :

• Il avait une voiture. **He had a car** (had got est impossible ici).

Notez l'emploi de **to be** avec certains adjectifs lorsque *avoir* introduit une caractéristique, un état :

• J'ai sommeil / faim / soif / peur / raison / tort. **I'm sleepy / hungry / thirsty / afraid / right / wrong**

Notez également l'emploi de **to be** avec le mot **shape** :

• Ces pièces peuvent avoir différentes formes. **These parts can be different shapes.**

À PROPOS DE — former le passé avec avoir

Avoir sert à former le passé composé. Si il s'agit d'une action qui n'est pas encore terminée ou sans indication de temps, il est traduit par **to have** : Je n'ai pas encore fini **I haven't finished yet.** Si l'action est complétement terminée, on traduira *avoir* + participe passé par un prétérit en anglais : On a joué au basket hier **We played basketball yesterday.** Pourquoi tu as dit ça ? **Why did you say that?**

avoisinant ,e *adj***1.** *(lieu, maison)* neighbouring (UK), neighboring(US) **2.** *(sens, couleur)* similar.

avortement *nm MÉD* abortion.

avorter *vi***1.** *MÉD*• **(se faire) avorter** to have an abortion**2.** *(échouer)* to fail.

avorton *nm péj (nabot)* runt.

avouer *vt***1.** *(confesser)* to confess (to)**2.** *(reconnaître)* to admit.■ **s'avouer** *vp* to admit (to being)• **s'avouer vaincu** to admit defeat.

avril *nm* April• **en avril** in April Voir aussi **septembre** .

En anglais, les mois de l'année s'écrivent avec une majuscule.

axe *nm***1.** *GÉOM & PHYS* axis**2.** *(de roue)* axle**3.** *(prolongement)*• **dans l'axe de** directly in line with.

axer *vt*• **axer qqch sur qqch** to centre(UK) ou center(US) sthg on sthg• **axer qqch autour de qqch** to centre(UK) ou center(US) sthg around sthg.

axiome *nm* axiom.

azalée *nf* azalea.

azimut ■ **tous azimuts** *loc adj (défense, offensive)* all-out.

azote *nm* nitrogen.

azur *nm littéraire* **1.** *(couleur)* azure**2.** *(ciel)* skies *pl*.

b, **B** *nm inv* b, B. ■ **B** (abrév de **bien**) ≃ B+.

BA (abrév de **bonne action**) *nf fam* good deed.

baba *nm* **1.** *CULIN* • **baba (au rhum)** rum baba **2.** *(hippie)* si vous voulez expliquer de quoi il s'agit à un anglophone, vous pouvez dire it is a person who practises new Age, hippie lifestyle and values. ❏ *adj inv fam* • **en rester baba** to be flabbergasted.

babiller *vi* to babble.

babines *nfpl* chops.

babiole *nf* **1.** *(objet)* knick-knack **2.** *(broutille)* trifling matter.

bâbord *nm* port • **à bâbord** to port, on the port side.

babouche *nf* (oriental) slipper.

babouin *nm* baboon.

baby boom *nm* baby boom.

baby-foot *nm inv* table football (UK), foosball (US).

baby-sitter *nmf* baby-sitter.

baby-sitting *nm* baby-sitting • **faire du baby-sitting** to baby-sit.

bac *nm* **1.** *fam SCOL* ≃ A levels (UK); ≃ high school diploma (US) • **bac +** *pour expliquer à un anglophone de quoi il s'agit*, vous pouvez dire this indicates how many years of higher education you have completed after leaving school. For example, bac + 2 means you have done 2 years at college or university **2.** *(bateau)* ferry **3.** *(de réfrigérateur)* • **bac à glace** ice-cube tray • **bac à légumes** vegetable drawer **4.** *(d'imprimante, de photocopieuse)* • **bac à papier** paper tray.

baccalauréat *nm* ≃ A levels (UK); ≃ high school diploma (US).

bâche *nf (toile)* tarpaulin.

bachelier, ère *nm, f* si vous voulez expliquer de quoi il s'agit à un anglophone, vous pouvez dire it is someone who holds the baccalauréat.

bachotage *nm fam* cramming (UK).

bacille *nm* bacillus.

bâcler *vt* to botch.

bacon *nm* bacon.

bactérie *nf* bacterium.

badaud, e *nm, f* **1.** *(curieux)* curious onlooker **2.** *(promeneur)* stroller.

badge *nm* **1.** *(insigne)* badge **2.** *(document d'identité)* swipe card.

badgeuse *nf* swipe card reader.

badigeonner *vt (mur)* to whitewash.

badiner *vi sout* to joke • **ne pas badiner avec qqch** not to treat sthg lightly.

badminton *nm* badminton • **jouer au badminton** to play badminton.

baffe *nf fam* slap.

baffle *nm* speaker.

bafouiller *vi & vt* to mumble.

bâfrer *vi fam* to guzzle. ■ **se bâfrer** *vp fam* to stuff oneself.

bagage *nm* **1.** *(gén pl) (valises, sacs)* luggage *(indén)*, baggage *(indén)* • **faire ses bagages** to pack • **bagages à main** hand luggage **2.** *(connaissances)* (fund of) knowledge • **bagage intellectuel/culturel** intellectual/cultural baggage.

bagagerie *nf* luggage room.

bagagiste *nmf* **1.** *(chargement des avions)* baggage handler **2.** *(à l'hôtel)* porter **3.** *(fabricant)* travel goods manufacturer.

bagarre *nf* brawl, fight.

bagarrer *vi* to fight. ■ **se bagarrer** *vp* to fight.

bagatelle *nf* **1.** *(objet)* trinket **2.** *(somme d'argent)* • **acheter qqch pour une bagatelle** to buy sthg for next to nothing • **la bagatelle de X euros** *iron* a mere X euros **3.** *(chose futile)* trifle.

baggy *nm* baggy pants *pl*.

bagnard *nm* convict.

bagne *nm (prison)* labour(UK) *ou* labor(US) camp.

bagnole *nffam* car.

bague *nf***1.** *(bijou, anneau)* ring• **bague de fian-çailles** engagement ring**2.** TECHNOL• **bague de serrage** clip.

baguer *vt (oiseau, arbre)* to ring.

baguette *nf***1.** *(pain)* baguette, French stick (UK) **2.** *(petit bâton)* stick• **baguette magique** magic wand• **baguette de tambour** drumstick • **mener qqn à la baguette** to rule sb with a rod of iron**3.** *(pour manger)* chopstick**4.** *(de chef d'orchestre)* baton.

bahut *nm***1.** *(buffet)* sideboard**2.** *arg scol (lycée)* secondary school.

baie *nf***1.** *(fruit)* berry**2.** GÉOGR bay**3.** *(fenêtre)* • **baie vitrée** picture*ou* bay window.

baignade *nf (action)* swimming *(indén)*, bathing *(indén)*• 'baignade interdite' 'no swimming/ bathing'.

baigner *vt***1.** *(donner un bain à)* to bath(UK), to bathe(US) **2.** *(tremper, remplir)* to bathe• **baigné de soleil** bathed in sunlight.❑ *vi* • **baigner dans son sang** to lie in a pool of blood• **les tomates baignaient dans l'huile** the tomatoes were swimming in oil.■ **se baigner** *vp***1.** *(dans la mer)* to go swimming, to swim**2.** *(dans une baignoire)* to have(UK) *ou* take a bath.

baigneur,euse *nm, f* swimmer, bather. ■ **baigneur** *nm (poupée)* baby doll.

baignoire *nf* bath(UK), bathtub(US).

bail *nm* DR lease.

bâillement *nm* yawning *(indén)*, yawn.

bâiller *vi***1.** *(personne)* to yawn**2.** *(vêtement)* to gape.

bailleur,eresse *nm, f* lessor• **bailleur de fonds** backer.

bâillon *nm* gag.

bâillonner *vt* to gag.

bain *nm***1.** *(gén)* bath• **prendre un bain** to have (UK) *ou* take a bath• **bain moussant** foaming bath oil• **bain à remous** spa bath, whirlpool bath• **bains-douches** public baths**2.** *(dans mer, piscine)* swim• **bain de mer** swimming*ou* bathing in the sea**3.** *(bronzer)* • **prendre un bain de soleil** to sunbathe.

bain-marie *nm*• **au bain-marie** in a bain-marie.

baïonnette *nf***1.** *(arme)* bayonet**2.** ÉLECTR bayonet fitting.

baiser *nm* kiss.

baisse *nf***1.** *(gén)*• **baisse (de)** drop (in), fall (in)• **en baisse** falling**2.** ÉCON falling off• **la tendance est à la baisse** there is a downward trend.

baisser *vt***1.** *(gén)* to lower**2.** *(radio)* to turn down.❑ *vi***1.** *(descendre)* to go down• **le jour**

baisse it's getting dark**2.** *(santé, vue)* to fail **3.** *(prix)* to fall.■ **se baisser** *vp* to bend down.

bajoues *nfpl* jowls.

bal *nm* ball• **bal masqué/costumé** masked/ fancy-dress ball• **bal musette** dance with accordion music.

balade *nffam* stroll• **faire une balade** to go for a walk.

balader *vt***1.** *fam (traîner avec soi)* to trail around **2.** *(emmener en promenade)* to take for a walk. ■ **se balader** *vpfam (se promener - à pied)* to go for a walk ; *(- en voiture)* to go for a drive.

baladeur,euse *adj* wandering.■ **baladeur** *nm* personal stereo.

balafre *nf***1.** *(blessure)* gash**2.** *(cicatrice)* scar.

balafré,e *adj* scarred.

balai *nm***1.** *(de nettoyage)* broom, brush• **j'ai passé le balai dans l'entrée** I swept the hall **2.** *fam (an)*• **il a 50 balais** he's 50 years old.

balai-brosse *nm (long-handled)* scrubbing (UK) *ou* scrub(US) brush.

balance *nf***1.** *(instrument)* scales *pl***2.** COMM & POLIT balance.■ **Balance** *nf* ASTROL Libra.

balancer *vt***1.** *(bouger)* to swing**2.** *fam (lancer)* to chuck**3.** *fam (jeter)* to chuck out.■ **se balan-cer** *vp***1.** *(sur une chaise)* to rock backwards and forwards**2.** *(sur une balançoire)* to swing**3.** *tfam* • **s'en balancer** not to give a damn.

balancier *nm***1.** *(de pendule)* pendulum**2.** *(de funambule)* pole.

balançoire *nf***1.** *(suspendue)* swing**2.** *(bascule)* seesaw.

balayage *nm***1.** *(gén)* sweeping**2.** TECHNOL scanning.

balayer *vt***1.** *(nettoyer)* to sweep**2.** *(chasser)* to sweep away**3.** *(sujet : radar)* to scan**4.** *(sujet : projecteurs)* to sweep (across).

balayette *nf* small brush.

balayeur,euse *nm, f* roadsweeper(UK), street cleaner.■ **balayeuse** *nf (machine)* roadsweeper (UK), street cleaner.

balbutier *vi (bafouiller)* to stammer. ❑ *vt (bafouiller)* to stammer (out).

balcon *nm***1.** *(de maison - terrasse)* balcony ; *(- ba-lustrade)* parapet**2.** *(de théâtre, de cinéma)* circle.

balconnet *nm*• **soutien-gorge à balconnet** half-cup bra.

baldaquin *nm* → **lit**.

baleine *nf***1.** *(mammifère)* whale**2.** *(de corset)* whalebone**3.** *(de parapluie)* rib.

balise *nf***1.** NAUT marker (buoy)**2.** AÉRON run-way light**3.** AUTO road sign**4.** INFORM tag.

baliser *vt* to mark out.

balivernes *nfpl* nonsense *(indén)*.

Balkans *nmpl*• **les Balkans** the Balkans

ballade *nf* ballad.

ballant, e adj •les bras ballants arms dangling.

ballast nm 1.(chemin de fer) ballast 2.NAUT ballast tank.

balle nf 1.(d'arme à feu) bullet •balle perdue stray bullet 2.(de jeu) ball 3.(de marchandises) bale.

ballerine nf 1.(danseuse) ballerina 2.(chaussure de danse) ballet shoe 3.(chaussure de ville) pump.

ballet nm 1.(gén) ballet 2. fig (activité intense) to-ing and fro-ing.

ballon nm 1.(jeux) SPORT ball •ballon de football football (UK), soccer ball (US) 2.(montgolfière, de fête) balloon 3.AÉRON (hot-air) balloon 4.CHIM round-bottomed flask.

ballonné, e adj •avoir le ventre ballonné, être ballonné to be bloated.

ballot nm 1.(de marchandises) bundle 2. vieilli (imbécile) twit.

ballottage nm POLIT second ballot •en ballottage standing for a second ballot (UK), running in the second round (US).

ballotter vt to toss about. ◻vi (chose) to roll around.

ballottine nf •ballottine de foie gras si vous souhaitez expliquer à un anglophone de quoi il s'agit, vous pouvez dire it is a meat roll made with foie gras.

ball-trap nm clay pigeon shooting.

balluchon = baluchon.

balnéaire adj •station balnéaire seaside resort.

balourd, e adj clumsy.

balsamique adj BOT & MÉD balsamic •vinaigre balsamique balsamic vinegar.

balte adj Baltic. ■ **Balte** nmf person from the Baltic states.

Baltique nf •la Baltique the Baltic (Sea).

baluchon, balluchon nm bundle •faire son baluchon fam to pack one's bags (and leave).

balustrade nf 1.(de terrasse) balustrade 2.(rambarde) guardrail.

bambin nm kiddie.

bambou nm (plante) bamboo.

ban nm 1.(de mariage) •publier ou afficher les bans to publish ou display the banns 2.(locution) •être/mettre qqn au ban de la société to be outlawed/to outlaw sb (from society) •le ban et l'arrière-ban the whole lot of them.

banal, e adj commonplace, banal.

banalisé, e adj 1.(véhicule) unmarked 2.INFORM general-purpose.

banaliser vt (véhicule) to remove the markings from. ■ **se banaliser** vp to become commonplace.

banalité nf 1.(caractère banal) banality 2.(cliché) commonplace.

banane nf 1.(fruit) banana 2.(sac) bum-bag (UK), fanny pack (US) 3.(coiffure) quiff (UK).

bananier, ère adj banana (avant nom). ■ **bananier** nm 1.(arbre) banana tree 2.(cargo) banana boat.

banc nm (siège) bench •le banc des accusés DR the dock •banc d'essai test-bed •être au banc d'essai fig to be at the test stage •banc de sable sandbank •banc (d'église) pew.

bancaire adj bank (avant nom), banking (avant nom).

bancal, e adj 1.(meuble) wobbly 2.(théorie, idée) unsound.

bandage nm (de blessé) bandage.

bande nf 1.(de tissu, de papier) strip •bande dessinée comic strip 2.(bandage) bandage •bande Velpeau® crepe bandage 3.(de billard) cushion •par la bande fig by a roundabout route 4.(groupe) band •en bande in a group 5.(pellicule de film) film 6.(d'enregistrement) tape •bande magnétique (magnetic) tape •bande originale CINÉ original soundtrack •bande vidéo video(tape) 7.(voie) •bande d'arrêt d'urgence hard shoulder (UK), shoulder (US) 8.RADIO •bande de fréquence waveband 9.NAUT •donner de la bande to list.

bande-annonce nf trailer.

bandeau nm 1.(sur les yeux) blindfold 2.(dans les cheveux) headband.

bandelette nf strip (of cloth).

bander vt 1.MÉD to bandage •bander les yeux de qqn to blindfold sb 2.(arc) to draw back 3.(muscle) to flex. ◻vi vulg to have a hard-on.

banderole nf streamer.

bande-son nf soundtrack.

bandit nm (voleur) bandit.

banditisme nm serious crime.

bandoulière nf bandolier •en bandoulière across the shoulder.

banjo nm banjo.

banlieue nf suburbs pl.

banlieusard, e nm, f suburbanite.

bannière nf (étendard) banner.

bannir vt •bannir qqn/qqch (de) to banish sb/sthg (from).

banque nf 1.(activité) banking 2.(établissement, au jeu) bank •Banque centrale européenne European Central Bank 3.INFORM •banque de données data bank 4.MÉD •banque d'organes/ du sang/du sperme organ/blood/sperm bank.

banqueroute nf bankruptcy •faire banqueroute to go bankrupt.

banquet nm 1.(celebration) dinner 2.(de gala) banquet.

banquette nf seat •la banquette arrière de la voiture the back seat of the car.

banquier, ère nm, f banker.

banquise nf ice field.

baobab nm baobab.

baptême nm **1.** *RELIG* christening, baptism **2.** *(première fois)* • **baptême de l'air** maiden flight.

baptiser vt to baptize, to christen• **je ne suis pas baptisé** I wasn't baptized.

baquet nm *(cuve)* tub.

bar nm **1.** *(café, unité de pression)* bar **2.** *(poisson)* bass.

baraque nf **1.** *(cabane)* hut **2.** fam *(maison)* house **3.** *(de forain)* stall, stand.

baraqué ,e adjfam well-built.

baraquement nm camp *(of huts for refugees, workers, etc)*.

baratin nmfam smooth talk• **faire du baratin à qqn** to sweet-talk sb.

baratiner fam vt **1.** *(femme)* to chat up(UK) , to sweet-talk **2.** *(client)* to give one's sales pitch to.■ vi to be a smooth talker.

barbant ,e adjfam deadly dull• boring.

barbare nm barbarian.◻ adj **1.** péj *(non civilisé)* barbarous **2.** *(cruel)* barbaric.

barbarisme nm GRAMM barbarism.

barbe nf beard• **se laisser pousser la barbe** to grow a beard• **barbe à papa** candyfloss (UK) , cotton candy(US) • **quelleou la barbe !** fam what a drag!

barbecue nm barbecue.

barbelé ,e adj barbed.■ **barbelé** nm barbed wire *(indén)*.

barber vtfam to bore stiff.■ **se barber** vp fam to be bored stiff.

barbiche nf goatee *(beard)*.

barbiturique nm barbiturate.

barboter vi to paddle.

barboteuse nf rompers pl, romper suit(UK) .

barbouillé ,e adj• **être barbouillé, avoir l'estomac barbouillé** to feel sick(UK) ou nauseous (US) .

barbouiller vt *(salir)*• **barbouiller qqch (de)** to smear sthg (with).

barbu ,e adj bearded.■ **barbu** nm bearded man.

bardé ,e adj• **il est bardé de diplômes** he's got heaps of diplomas.

barder vt CULIN to bard.◻ vifam• **ça va barder** there'll be trouble.

barème nm **1.** *(de référence)* table **2.** *(de salaires)* scale.

barge nf *(bateau)* barge.

baril nm barrel.

barillet nm *(de revolver, de serrure)* cylinder.

bariolé ,e adj multicoloured(UK) , multicolored(US) .

barjo(t) adj invfam nuts.

barmaid nf barmaid.

barman nm barman(UK) , bartender(US) .

baromètre nm barometer.

baron ,onne nm, f baron, baroness f.

baroque adj **1.** *(style)* baroque **2.** *(bizarre)* weird.

barque nf small boat.

barquette nf **1.** *(tartelette)* pastry boat **2.** *(récipient - de fruits)* basket, punnet(UK) ; *(- de crème glacée)* tub.

barrage nm **1.** *(de rue)* roadblock **2.** CONSTR dam.

barre nf **1.** *(gén)* DR bar• **barre fixe** *(gymnastique)* high bar• **barre des témoins** DR witness box (UK) , stand(US) • **barre de céréales** muesli bar **2.** NAUT helm **3.** *(trait)* stroke **4.** INFORM• **barre d'espacement** space bar• **barre de défilement** scroll bar• **barre d'état** status bar.

barré ,e adj **1.** *(chèque)* crossed **2.** *(locution)*• **c'est mal barré** fam it's got off to a bad start• **on est mal barré pour y être à 8 h** we haven't got a hope in hell of being there at 8.■ **barré** nm barré.

barreau nm bar• **le barreau** DR the Bar.

barrer vt **1.** *(rue, route)* to block **2.** *(mot, phrase)* to cross out **3.** *(bateau)* to steer.■ **se barrer** vpfam to clear off.

barrette nf **1.** *(pince à cheveux)* (hair) slide (UK) , barrette(US) **2.** INFORM• **barrette de mémoire** memory module.

barreur ,euse nm, f **1.** NAUT helmsman **2.** *(à l'aviron)* cox.

barricade nf barricade.

barrière nf litt &fig barrier.

barrique nf barrel.

bar-tabac nm si vous voulez expliquer de quoi il s'agit à un anglophone, vous pouvez dire it is a bar that also sells cigarettes and tobacco.

baryton nm baritone.

bas ,basse adj **1.** *(gén)* low **2.** péj *(vil)* base, low **3.** MUS bass.■ **bas** nm **1.** *(partie inférieure)* bottom, lower part **2.** *(locution)*• **avoir/connaître des hauts et des bas** to have/go through ups and downs.◻ adv low• **à bas…!** down with…! • **parler bas** to speak in a low voice, to speak softly• **mettre bas** *(animal)* to give birth.■ **en bas** loc adv **1.** at the bottom **2.** *(dans une maison)* downstairs.■ **en bas de** loc prép at the bottom of• **attendre qqn en bas de chez lui** to wait for sb downstairs• **bas de gamme** adj downmarket.◻ nm bottom of the range.

bas nm *(vêtement)* stocking• **des bas avec/ sans couture** seamed/seamless stockings • **bas fins** sheer stockings• **bas de laine a)** litt woollen(UK) ou woolen(US) stocking **b)** fig savings, nest egg• **bas (de)** Nylon® nylon stockings• **bas résille** fishnet stockings• **bas de soie** silk stockings• **bas à varices** support stockings.

basalte nm basalt.

basané ,e adj tanned(UK) , tan(US) .

bas-côté nm *(de route)* verge(UK) , shoulder (US) .

bascule nf *(balançoire)* seesaw.

basculer *vi* **1.** *(benne)* to fall over, to overbalance **2.** *(benne)* to tip up • **basculer dans qqch** *fig* to tip over into sthg. ❏ *vt* to tip up, to tilt.

base *nf* **1.** *(partie inférieure)* base **2.** *(principe fondamental)* basis • **à base de** to be based on • **une boisson à base d'orange** an orange-based drink • **sur la base de** on the basis of **3.** INFORM • **base de données** database • **base de connaissances** knowledge base • **base de loisir** *nf* (outdoor) leisure *ou* sports complex.

base-ball *nm* baseball.

baser *vt* to base. ■ **se baser** *vp* • **sur quoi vous basez-vous pour affirmer cela ?** what are you basing this statement on?

bas-fond *nm (de l'océan)* shallow. ■ **bas-fonds** *nmpl fig* **1.** *(de la société)* dregs **2.** *(quartiers pauvres)* slums.

basilic *nm (plante)* basil.

basilique *nf* basilica.

basique *adj* basic.

basket *nm* = **basket-ball**. ❏ *nf (chaussure)* trainer (UK), sneaker (US) • **lâche-moi les baskets !** *fam & fig* get off my back!

basket-ball *nm* basketball.

basque *adj* Basque • **le Pays basque** the Basque country. ❏ *nm (langue)* Basque. ❏ *nf (vêtement)* tail *(of coat)* • **être toujours pendu aux basques de qqn** *fam & fig* to be always tagging along after sb. ■ **Basque** *nmf* Basque.

En anglais, les adjectifs se rapportant à un pays ou une région s'écrivent avec une majuscule.

bas-relief *nm* bas-relief.

basse *nf* MUS bass.

basse-cour *nf* **1.** *(volaille)* poultry **2.** *(partie de ferme)* farmyard.

bassement *adv* despicably.

basset *nm* basset hound.

bassin *nm* **1.** *(cuvette)* bowl **2.** *(pièce d'eau)* (ornamental) pond **3.** *(de piscine)* • **petit/grand bassin** children's/main pool **4.** ANAT pelvis **5.** GÉOL basin • **bassin houiller** coalfield • **le Bassin parisien** the Paris basin.

bassine *nf* bowl, basin.

bassiste *nmf* bass player.

basson *nm* **1.** *(instrument)* bassoon **2.** *(personne)* bassoonist.

bastide *nf* **1.** *(maison)* si vous souhaitez expliquer à un anglophone de quoi il s'agit, vous pouvez dire it is a traditional farmhouse or country house in southern France **2.** HIST si vous souhaitez expliquer à un anglophone de quoi il s'agit, vous pouvez dire it is a walled town in south-west France.

bastingage *nm* (ship's) rail.

bastion *nm litt & fig* bastion.

baston *nf tfam* punch-up (UK), brawl.

bas-ventre *nm* lower abdomen.

bataille *nf* **1.** MIL battle **2.** *(bagarre)* fight **3.** *(jeu)* • **la bataille** ≃ beggar-my-neighbour (UK) **4.** *(locution)* • **en bataille** *(cheveux)* dishevelled (UK), disheveled (US).

bataillon *nm* **1.** MIL battalion **2.** *fig* horde.

bâtard, e *adj* **1.** *(enfant)* illegitimate **2.** *péj (style, solution)* hybrid. ❏ *nm, f* illegitimate child. ■ **bâtard** *nm* **1.** *(pain)* small loaf **2.** *(chien)* mongrel.

batavia *nf* Webb lettuce (UK), iceberg lettuce.

bateau, e *nm* **1.** *(embarcation - gén)* boat ; *(- plus grand)* ship • **bateau à moteur** motor boat • **bateau à voile** sailing boat (UK), sailboat (US) • **bateau de pêche** fishing boat • **mener qqn en bateau** *fig* to take sb for a ride **2.** *(de trottoir)* driveway entrance *(low kerb)* **3.** *(en apposition inv) (sujet, thème)* well-worn • **c'est bateau !** it's the same old stuff!

bateau-bus *nm* riverbus • **prendre le bateau-bus** to take the riverbus.

Bateau-Mouche® *nm* riverboat *(on the Seine)*.

bâti, e *adj* **1.** *(terrain)* developed **2.** *(personne)* • **bien bâti** well-built. ■ **bâti** *nm* **1.** COUT tacking **2.** CONSTR frame, framework.

batifoler *vi* to frolic.

bâtiment *nm* **1.** *(édifice)* building **2.** *(dans l'industrie)* • **le bâtiment** the building trade **3.** NAUT ship, vessel.

bâtir *vt* **1.** CONSTR to build **2.** *fig (réputation, fortune)* to build (up) **3.** *(théorie, phrase)* to construct **4.** COUT to tack.

bâtisse *nf* house.

bâton *nm* **1.** *(gén)* stick • **bâton de ski** ski pole • **bâton de colle** glue stick **2.** *(locution)* • **mettre des bâtons dans les roues à qqn** to put a spoke in sb's wheel • **à bâtons rompus** *(conversation)* rambling • **parler à bâtons rompus** to talk of this and that.

bâtonnet *nm* rod.

batracien *nm* amphibian.

battage *nm* • **battage (publicitaire** *ou* **médiatique)** (media) hype, ballyhoo (US).

battant, e *adj* • **sous une pluie battante** in the pouring *ou* driving rain • **le cœur battant** with beating heart. ❏ *nm, f* fighter. ■ **battant** *nm* **1.** *(de porte)* door **2.** *(de fenêtre)* half **3.** *(de cloche)* clapper.

batte *nf* SPORT bat.

battement *nm* **1.** *(mouvement - d'ailes)* flap, beating *(indén)* ; *(- de cœur, pouls)* beat, beating *(indén)* ; *(- de cils, paupières)* flutter, fluttering *(indén)* **2.** *(intervalle de temps)* break • **une heure de battement** an hour free.

batterie *nf* **1.** ÉLECTR & MIL battery • **recharger ses batteries** *fig* to recharge one's batteries **2.** *(attirail)* • **batterie de cuisine** kitchen utensils *pl* **3.** MUS drums *pl* **4.** *(série)* • **une batterie de** a string of.

batteur, euse *nm, f* **1.** MUS drummer **2.** CULIN beater, whisk **3.** (SPORT - de cricket) batsman ; (-de base-ball) batter.

battre *vt* **1.** (gén) to beat • **battre en neige** (blancs d'œufs) to beat until stiff **2.** (cartes) to shuffle. ◻ *vi* (gén) to beat • **battre des cils** to blink • **battre des mains** to clap (one's hands). ■ **se battre** *vp* to fight • **se battre contre qqn** to fight sb.

battu, e *adj* **1.** (sol tassé) hard-packed • **jouer sur terre battue** TENNIS to play on clay **2.** (fatigué) • **avoir les yeux battus** to have shadows under one's eyes. ■ **battue** *nf* **1.** (chasse) beat **2.** (chasse à l'homme) manhunt.

baume *nm* litt & fig balm • **mettre du baume au cœur de qqn** to comfort sb.

bavard, e *adj* talkative. ◻ *nm, f* **1.** chatterbox **2.** péj gossip.

bavardage *nm* **1.** (papotage) chattering **2.** (gén pl) (racontar) gossip (indén).

bavarder *vi* **1.** to chatter **2.** péj to gossip.

bave *nf* **1.** (salive) dribble **2.** (d'animal) slaver **3.** (de limace) slime.

baver *vi* **1.** (personne) to dribble **2.** (animal) to slaver **3.** (limace) to leave a slime trail **4.** (stylo) to leak **5.** (locution) • **en baver** fam to have a hard ou rough time of it.

bavette *nf* **1.** (bavoir, de tablier) bib **2.** (viande) flank **3.** (locution) • **tailler une bavette (avec qqn)** fam to have a chat (with sb).

baveux, euse *adj* **1.** (bébé) dribbling **2.** (omelette) runny.

bavoir *nm* bib.

bavure *nf* **1.** (tache) smudge **2.** (erreur) blunder.

bayer *vi* • **bayer aux corneilles** to stand gazing into space.

bazar *nm* **1.** (boutique) general store **2.** fam (désordre) jumble, clutter • **quel bazar dans cette chambre !** what a mess in this bedroom!

bazarder *vt* fam to chuck out, to get rid of.

BCBG (abrév de bon chic bon genre) *nmf* ≃ Sloane (Ranger) (UK) ; ≃ preppie (US). ◻ *adj* ≃ Sloaney (UK) ; ≃ preppie (US).

BCE (abrév de Banque centrale européenne) *nf* ECB.

BCG (abrév de bacille Calmette-Guérin) *nm* BCG.

bcp abrév de **beaucoup**.

bd abrév de **boulevard**.

BD, bédé (abrév de bande dessinée) *nf* • **une BD** a comic strip.

beach-volley *nm* beach volleyball • **jouer au beach-volley** to play beach volleyball.

béant, e *adj* **1.** (plaie, gouffre) gaping **2.** (yeux) wide open.

béat, e *adj* (heureux) blissful.

beau, belle *adj* (**bel** devant voyelle ou **h** muet) **1.** (joli - femme) beautiful, good-looking ; (- homme) handsome, good-looking ; (- chose) beautiful

2. (temps) fine, good **3.** (toujours avant le nom) (important) fine, excellent • **une belle somme** a tidy sum (of money) **4.** iron (mauvais) • **une belle grippe** a nasty dose of the flu • **c'est du beau travail !** a fine mess this is! **5.** (sens intensif) • **un beau jour** one fine day **6.** (locution) • **elle a beau jeu de dire ça** it's easy ou all very well for her to say that. ■ **beau** *adv* • **il fait beau** the weather is good ou fine • **j'ai beau essayer...** however hard I try..., try as I may... • **j'ai beau dire...** whatever I say.... ◻ *nm* • **être au beau fixe** to be set fair • **avoir le moral au beau fixe** fig to have a sunny disposition • **faire le beau** (chien) to sit up and beg. ■ **belle** *nf* **1.** (femme) lady friend **2.** (dans un jeu) decider. ■ **de plus belle** loc adv more than ever.

beaucoup

■ **beaucoup** *adv*

1. INDIQUE UN GRAND NOMBRE
• **beaucoup de gens sont venus à la fête** a lot of ou many people came to the party • **il y en a beaucoup** there are many ou a lot (of them)

2. INDIQUE UNE GRANDE QUANTITÉ
• **ce travail demande beaucoup d'énergie** this work requires a lot of energy • **il n'a pas beaucoup de temps** he hasn't a lot of ou much time • **il n'en a pas beaucoup** he doesn't have much ou a lot (of it)

3. MODIFIE UN VERBE
• **il boit beaucoup** he drinks a lot ou a great deal • **il ne parle pas beaucoup** he doesn't talk much ou a lot ou a great deal • **le film ne m'a pas beaucoup plu** I didn't like the film very much

4. MODIFIE UN ADJECTIF COMPARATIF
• **c'est beaucoup mieux** it's much ou a lot better • **c'est beaucoup plus rapide en avion** it's a lot faster by plane

■ **beaucoup** *pron inv*
• **nous sommes beaucoup à penser que...** many of us think that...

■ **de beaucoup** loc adv
by far • **il est de beaucoup le plus jeune** he is the youngest by far

À PROPOS DE | beaucoup

Pour modifier un verbe, *beaucoup* peut être rendu par **a lot**, **very much** ou **a great deal**. Attention toutefois à leur place dans la phrase.

A lot et, en anglais britannique, **a great deal** sont employés lorsqu'il s'agit de rendre le sens quantitatif, ou de fréquence, de *beaucoup* et se placent toujours en fin de proposition :

• *Il parle beaucoup de sa femme.* **He talks about his wife a lot** ou **He talks about his wife a great deal.**

Pas beaucoup peut se traduire par **not... (very) much.**

• *Elle ne sort pas beaucoup.* **She doesn't go out (very) much** ou **a lot.**

Very much est employé pour signifier l'idée qualitative contenue dans *beaucoup* et se place lui aussi toujours en fin de proposition :

• *Elle aime beaucoup voyager.* **She likes travelling very much.**

D'autres traductions de *beaucoup* + verbe s'imposent dans certains cas :

• *J'ai beaucoup apprécié son honnêteté.* **I really appreciated his honesty.**

beauf nm **1.** *péj pour expliquer cette expression à un anglophone, vous pouvez dire* it is a typical narrow-minded, lower-middle-class French man **2.** *fam (beau-frère)* brother-in-law.

beau-fils nm **1.** *(gendre)* son-in-law **2.** *(de remariage)* stepson.

beau-frère nm brother-in-law.

beau-père nm **1.** *(père du conjoint)* father-in-law **2.** *(de remariage)* stepfather.

beauté nf beauty • **de toute beauté** absolutely beautiful • **en beauté a)** *(magnifiquement)* in great style **b)** *sout (femme)* ravishing.

beaux-arts nmpl fine art (indén). ■ **Beaux-Arts** nmpl • **les Beaux-Arts** *pour expliquer à un anglophone de quelle école il s'agit, vous pouvez dire it* is the French national art college in Paris.

beaux-parents nmpl **1.** *(parents de l'homme)* husband's parents, in-laws **2.** *(parents de la femme)* wife's parents, in-laws.

bébé nm baby.

bébé-bulle nm bubble baby.

bébé-éprouvette nm test-tube baby.

bébête adj fam silly.

bec nm **1.** *(d'oiseau)* beak **2.** *(d'instrument de musique)* mouthpiece **3.** *(de casserole)* lip • **bec verseur** spout **4.** *fam (bouche)* mouth • **ouvrir le bec** to open one's mouth • **clouer le bec à qqn** to shut sb up.

bécane nf fam **1.** *(moto, vélo)* bike **2.** *(machine, ordinateur)* machine.

bécasse nf **1.** *(oiseau)* woodcock **2.** *fam (femme sotte)* silly goose.

bec-de-lièvre nm harelip.

bêche nf spade.

bêcher vt to dig.

bécoter vt fam to snog (UK) ou smooch with. ■ **se bécoter** vp to snog (UK), to smooch.

becquée nf • **donner la becquée à** to feed.

becqueter, béqueter vt to peck at.

bedaine nf potbelly.

bédé = BD.

bedonnant, e adj potbellied.

bée adj • **bouche bée** open-mouthed.

bégaiement nm stammering.

bégayer vi to have a stutter ou stammer. ❏ vt to stammer (out).

bégonia nm begonia.

bègue adj • **être bègue** to have a stutter ou stammer. ❏ nmf stutterer, stammerer.

béguin nm fam • **avoir le béguin pour qqn** to have a crush on sb.

beige adj & nm beige.

beignet nm fritter.

bêler vi to bleat.

belette nf weasel.

belge adj Belgian. ■ **Belge** nmf Belgian.

> En anglais, les adjectifs se rapportant à un pays ou une région s'écrivent avec une majuscule.

Belgique nf • **la Belgique** Belgium.

> En anglais, à de rares exceptions près, il n'y a pas d'article devant les noms de pays.

bélier nm **1.** *(animal)* ram **2.** *(poutre)* battering ram. ■ **Bélier** nm ASTROL Aries.

belladone nf deadly nightshade.

belle-famille nf **1.** *(parents de l'homme)* husband's family, in-laws pl **2.** *(parents de la femme)* wife's family, in-laws pl.

belle-fille nf **1.** *(épouse du fils)* daughter-in-law **2.** *(de remariage)* stepdaughter.

belle-mère nf **1.** *(mère du conjoint)* mother-in-law **2.** *(de remariage)* stepmother.

belle-sœur nf sister-in-law.

belligérant, e adj & nm, f belligerent.

belliqueux, euse adj **1.** *(peuple)* warlike **2.** *(humeur, tempérament)* aggressive.

belote nf *si vous voulez expliquer de quoi il s'agit à un anglophone, vous pouvez dire* it is a French card game for 2-4 players.

belvédère nm **1.** *(construction)* belvedere **2.** *(terrasse)* viewpoint.

bémol adj & nm MUS flat.

bénédiction nf blessing.

bénéfice nm **1.** *(avantage)* advantage, benefit • **au bénéfice de** in aid of **2.** *(profit)* profit.

bénéficiaire nmf **1.** *(gén)* beneficiary **2.** *(de chèque)* payee. ❏ adj **1.** *(marge)* profit *(avant nom)* **2.** *(résultat, société)* profit-making.

bénéficier vi • **bénéficier de a)** *(profiter de)* to benefit from **b)** *(jouir de)* to have, to enjoy **c)** *(obtenir)* to have, to get.

bénéfique adj beneficial.

Benelux nm • **le Benelux** Benelux.

benêt nm clod.

bénévole *adj* voluntary. ❑ *nmf* volunteer, voluntary worker.

bénévole

L'adjectif français *bénévole* et l'adjectif anglais **benevolent** ont, malgré leur ressemblance orthographique, des sens différents, et il faut veiller à ne pas les confondre. **Benevolent** signifie *bienveillant* (**she had a warm and benevolent smile**, *elle avait un sourire chaleureux et bienveillant*). Pour traduire, par exemple, *elle fait du travail bénévole pour la Croix-Rouge*, on dira **she does voluntary work for the Red Cross**. Quant au nom *bénévole*, il se traduit par **volunteer** ou **voluntary worker**, comme dans : *l'association compte deux cents bénévoles*, **the association counts two hundred volunteers** ou **voluntary workers**.

bénin, igne *adj* **1.** *(maladie, accident)* minor • **une forme bénigne de rougeole** a mild form of measles **2.** *(cancer)* benign.

bénir *vt* **1.** *(gén)* to bless **2.** *(se réjouir de)* to thank God for.

bénit, e *adj* consecrated • **eau bénite** holy water.

bénitier *nm* holy water font.

benjamin, e *nm, f* **1.** *(de famille)* youngest child **2.** *(de groupe)* youngest member.

benne *nf* **1.** *(de camion)* tipper **2.** *(de téléphérique)* car **3.** *(pour déchets)* skip (UK), Dumpster® (US).

benzine *nf* benzine.

béotien, enne *nm, f* philistine.

BEP, Bep (abrév de brevet d'études professionnelles) *nm pour expliquer à un anglophone ce qu'est le BEP, vous pouvez dire* it is a school-leaving certificate in technical subjects. You take it at the age of 18.

BEPC, Bepc (abrév de brevet d'études du premier cycle) *nm pour expliquer ce qu'était le BEPC à un anglophone, vous pouvez dire* it was former a school-leaving certificate that you took at the age of 16.

béquille *nf* **1.** *(pour marcher)* crutch **2.** *(d'un deux-roues)* stand.

berceau *nm* cradle.

bercer *vt* *(bébé, bateau)* to rock.

berceuse *nf* **1.** *(chanson)* lullaby **2.** (QUÉBEC) *(fauteuil)* rocking chair.

béret *nm* beret.

bergamote *nf* bergamot orange.

berge *nf* **1.** *(bord)* bank **2.** *fam (an)* • **il a plus de 50 berges** he's over 50.

berger, ère *nm, f* shepherd, shepherdess *f*. ■ **berger allemand** *nm* German shepherd, Alsatian (UK).

bergerie *nf* sheepfold.

berk *interj fam* ugh, yuk.

Berlin *npr* Berlin.

berline *nf* saloon (car) (UK), sedan (US).

berlingot *nm* **1.** *(de lait)* carton **2.** *(bonbon)* boiled sweet.

berlue *nf* • **j'ai la berlue !** I must be seeing things!

bermuda *nm* bermuda shorts *pl*.

bernard-l'ermite *nm inv* hermit crab.

berne *nf* • **en berne** ≃ at half-mast.

berner *vt* to fool.

besace *nf* pouch.

besogne *nf* job, work *(indén)*.

besoin *nm* need • **avoir besoin de qqch/de faire qqch** to need sthg/to do sthg • **au besoin** if necessary, if need *ou* needs be. ■ **besoins** *nmpl* **1.** *(exigences)* needs **2.** *(locution)* • **faire ses besoins** to relieve o.s.

bestial, e *adj* bestial, brutish.

bestiole *nf* (little) creature.

bétail *nm* cattle *pl*.

bête *nf* **1.** *(animal)* animal **2.** *(insecte)* insect • **bête de somme** beast of burden. ❑ *adj (stupide)* stupid.

bêtise *nf* **1.** *(stupidité)* stupidity **2.** *(action, remarque)* stupid thing • **faire/dire une bêtise** to do/say something stupid.

béton *nm (matériau)* concrete • **béton armé** reinforced concrete.

bétonnière *nf* cement mixer.

bette, blette *nf* Swiss chard.

betterave *nf* beetroot (UK), beet (US) • **betterave sucrière** *ou* **à sucre** sugar beet.

beugler *vi (bovin)* to moo, to low.

beur *nmf fam si vous voulez expliquer de quoi il s'agit à un anglophone, vous pouvez dire* it is someone born in France of North African immigrant parents. ❑ *adj si vous voulez expliquer de quoi il s'agit à un anglophone, vous pouvez dire* pertaining to a person born in France of North African immigrant parents.

beurk *fam* = **berk**.

beurre *nm (aliment)* butter.

beurré, e *adj* **1.** *(couvert de beurre)* buttered **2.** *fam (ivre)* plastered.

beurrer *vt* to butter.

beurrier *nm* butter dish.

beuverie *nf* drinking session.

bévue *nf* blunder.

Beyrouth *npr* Beirut.

bi *adj inv (bisexuel)* bi.

biais *nm* **1.** *(ligne oblique)* slant • **en** *ou* **de biais a)** *(de travers)* at an angle **b)** *fig* indirectly **2.** COUT bias **3.** *(moyen détourné)* expedient • **par le biais de** by means of.

biaiser *vi fig* to dodge the issue.

bibande *adj* dual-band.

bibelot *nm* trinket, curio.

biberon *nm* baby's bottle.

bible *nf* bible.

bibliographie *nf* bibliography.

bibliophile *nmf* book lover.

bibliothécaire *nmf* librarian.

bibliothèque *nf* 1. *(meuble)* bookcase 2. *(édifice, collection)* library • **la Bibliothèque nationale de France** the French national library.

biblique *adj* biblical.

bicarbonate *nm* • **bicarbonate (de soude)** bicarbonate of soda.

bicentenaire *adj* two-hundred-year-old *(avant nom)*. ❑ *nm* bicentenary (UK), bicentennial (US).

biceps *nm* biceps.

biche *nf* ZOOL hind, doe.

bichonner *vt (choyer)* to cosset, to pamper. ■ **se bichonner** *vp* 1. to spruce o.s. up 2. *(femme)* to doll o.s. up.

bicolore *adj* two-coloured (UK), two-colored (US).

bicoque *nf péj* house.

bicorne *nm* cocked hat.

bicyclette *nf* bicycle • **rouler à bicyclette** to cycle.

bide *nm fam* 1. *(ventre)* belly 2. *(échec)* flop.

bidet *nm* 1. *(sanitaire)* bidet 2. *hum (cheval)* nag.

bidon *adj inv fam (faux)* phony, phoney (UK). ❑ *nm* 1. *(récipient)* can • **bidon d'essence** petrol can • **bidon d'huile** oilcan 2. *fam (ventre)* belly.

bidonville *nm* shantytown.

bidule *nm fam* thing, thingy.

bielle *nf* connecting rod.

bien

■ **bien** *adj inv*

mieux est le comparatif et le superlatif de bien

1. SATISFAISANT

• **il est bien comme prof** he's a good teacher • **il est bien, ce dictionnaire** this is a good dictionary

2. À L'AISE

• **tu es bien dans ce fauteuil ?** are you comfortable in that armchair? • **il est bien partout** he is *ou* feels at home anywhere

3. POUR PARLER DE L'APPARENCE PHYSIQUE good-looking • **tu ne trouves pas qu'elle est bien, comme ça ?** don't you think she looks good *ou* nice like that? • **il était très bien quand il était jeune** he was very attractive *ou* handsome *ou* good-looking when he was young

4. POUR PARLER DE LA SANTÉ

• **je ne me sens pas bien** I am not feeling well • **Anna n'est pas très bien en ce moment**

Anna isn't very well at the moment • **est-ce que tu te sens bien ?** are you feeling OK?

5. POUR INDIQUER QUE QQCH EST MORALEMENT BIEN

• **c'est bien de l'avoir aidé** it was nice *ou* good of you to help him • **ce n'est pas bien de dire des gros mots !** it's not nice *ou* right to swear!

■ **bien** *nm*

1. SENS MORAL

• **il faut savoir discerner le bien du mal** one must be able to tell good from evil *ou* right from wrong

2. INTÉRÊT

• **je te dis ça pour ton bien** I'm telling you this for your own good

3. RICHESSE, PROPRIÉTÉ

• **il a des biens aux États-Unis** he has property in the United States • **dans son testament, il a légué tous ses biens à sa femme** in his will, he left all his goods *ou* possessions to his wife

4. DANS DES EXPRESSIONS

• **faire du bien à qqn** to do sb good • **dire du bien de qqn/qqch** to speak well of sb/sthg

■ **bien** *adv*

1. DE MANIÈRE SATISFAISANTE

• **on mange bien ici** the food's good here • **cette porte n'est pas bien fermée** this door isn't shut properly • **le lave-vaisselle ne fonctionne pas bien** the dish-washer isn't working properly *ou* right • **elle parle bien anglais** she speaks English well

2. DE MANIÈRE CONFORME À LA MORALE, AUX CONVENANCES

• **il ne s'est pas bien conduit** he didn't behave well • **tu as bien fait** you did the right thing • **vous avez bien fait de me le dire !** you did well to tell me! *ou* it's a good thing you've told me! • **tu ferais bien d'y aller** you would be wise to go

3. AVEC UN SENS INTENSIF

• **on a bien ri** we had a good laugh • **en es-tu bien sûr ?** are you quite sure (about it)? • **nous sommes bien contents d'être en vacances** we're very *ou* awfully happy to be on holiday • **j'espère bien qu'il viendra** I *do* hope he will come • **il y a bien trois heures que j'attends** I've been waiting for at least three hours • **c'est bien aimable à vous** it's very kind *ou* good of you

4. RENFORCE UN COMPARATIF

• **il est parti bien plus tard** he left much later • **on était bien moins riches** we were a lot worse off *ou* poorer

5. RENFORCE UN JUGEMENT
• **c'est bien lui** it really *is* him • **c'est bien ce que je disais** that's just what I said • **je savais bien qu'il viendrait** I knew perfectly well that he would come • **c'est bien une erreur** it's certainly *ou* definitely a mistake

6. EXPRIME UN SOUHAIT
• **j'irais bien au Mexique** I would love to go to Mexico • **je l'aiderais bien mais je n'ai pas le temps** I would like to help him but I haven't got time

7. DANS DES EXPRESSIONS
• **c'est bien fait !** it serves him/her *etc* right!

■ **bien** *interj*
• **eh bien !** oh well! • **eh bien, qu'en penses-tu ?** well, what do you think? • **bien, je t'écoute** well, I'm listening • **bien, où en étions-nous ?** right, where were we? • **bien, alors on se retrouve demain à cinq heures** so, we'll meet up tomorrow at five

■ **bien de, bien des** *loc adj*
• **il a bien de la chance** he's very *ou* really lucky • **il a eu bien de la peine à me convaincre** he had quite a lot of trouble convincing me • **bien des gens sont venus** quite a lot of people came

■ **bien entendu** *loc adv*
of course • **tu viens avec nous ? — bien entendu !** are you coming with us? — of course!

■ **bien que** *loc conj*
• **je vais accepter, bien que je ne sois pas convaincue** I'll accept though *ou* although I'm not convinced

■ **biens** *nmpl*
property *(indén)* • **biens de consommation** consumer goods

■ **bien sûr** *loc adv*
of course, certainly • **tu peux m'aider ? — bien sûr !** can you help me? — of course!

À PROPOS DE

bien

Il faut remarquer que, à la différence de *bien*, *well* ne précède jamais le complément d'objet :
• *Il a bien traité ses enfants.* **He treated his children well.**
Bien précédé d'un verbe se traduit souvent par *good* suivi d'un nom.
• *Elle chante bien.* **She is a good singer.**
• *On s'est bien amusés.* **We had a good time.**

---

bien-aimé,e *adj & nm,f* beloved.
bien-être *nm inv (physique)* wellbeing.
bienfaisance *nf* charity.

bienfaisant,e *adj* beneficial.

bienfait *nm* **1.** *(effet bénéfique)* benefit **2.** *(faveur)* kindness.

bienfaiteur,trice *nm,f* benefactor.

bien-fondé *nm* validity.

bienheureux,euse *adj* **1.** RELIG blessed **2.** *(heureux)* happy.

bientôt *adv* soon • **à bientôt !** see you soon!

bienveillance *nf* kindness.

bienveillant,e *adj* kindly.

bienvenu,e *adj (qui arrive à propos)* welcome. ❑ *nm,f* • **être le bienvenu/la bienvenue** to be welcome • **soyez le bienvenu !** welcome! ■ **bienvenue** *nf* welcome • **souhaiter la bienvenue à qqn** to welcome sb.

bière *nf* **1.** *(boisson)* beer • **bière blonde** lager • **bière brune** brown ale • **bière pression** draught *(UK) ou* draft *(US)* beer **2.** *(cercueil)* coffin.

bifidus *nm* bifidus • **yaourt au bifidus** bio *ou* bifidus yoghurt.

bifteck *nm* steak.

bifurcation *nf* **1.** *(embranchement)* fork **2.** *fig* new direction.

bifurquer *vi* **1.** *(route, voie ferrée)* to fork **2.** *(voiture)* to turn off **3.** *fig (personne)* to branch off.

bigame *adj* bigamous. ❑ *nmf* bigamist.

bigamie *nf* bigamy.

bigarreau *nm* cherry.

bigorneau *nm* winkle.

bigoudi *nm* curler.

bijou *nm* **1.** *(joyau)* jewel **2.** *fig (chef-d'œuvre)* gem.

bijouterie *nf (magasin)* jeweller's *(UK) ou* jeweler's *(US)* (shop).

bijoutier,ère *nm,f* jeweller *(UK)*, jeweler *(US)*.

Bikini ® *nm* bikini.

bilan *nm* **1.** FIN balance sheet • **déposer son bilan** to declare bankruptcy **2.** *(état d'une situation)* state of affairs • **faire le bilan (de)** to take stock (of) • **bilan de santé** checkup.

bilatéral,e *adj* **1.** *(stationnement)* on both sides (of the road) **2.** *(contrat, accord)* bilateral.

bile *nf* bile • **se faire de la bile** *fam* to worry.

biliaire *adj* biliary • **calcul biliaire** gallstone • **vésicule biliaire** gall bladder.

bilingue *adj* bilingual.

billard *nm* **1.** *(jeu)* billiards *(indén)* • **jouer au billard** to play billiards **2.** *(table de jeu)* billiard table.

bille *nf* **1.** *(d'enfant)* marble • **jouer aux billes** to play marbles **2.** *(de bois)* block of wood.

billet *nm* **1.** *(lettre)* note **2.** *(argent)* • **billet (de banque)** (bank) note, bill *(US)* • **un billet de 100 euros** a 100-euro note **3.** *(ticket)* ticket • **billet de train/d'avion** train/plane ticket • **billet de loterie** lottery ticket.

billetterie nf **1.** (à l'aéroport) ticket desk **2.** (à la gare) booking office ou hall **3.** BANQUE ATM, cash dispenser (UK).

billion nm billion (UK), trillion (US).

bimensuel, elle adj fortnightly (UK), twice monthly. ■ **bimensuel** nm fortnightly review (UK), semimonthly (US).

bimestriel, elle adj two-monthly.

bimoteur nm twin-engined plane.

binaire adj binary.

biner vt to hoe.

bingo nm (jeu) bingo. ❑ interj bingo!

binôme nm binomial.

bin's, binz nm fam **1.** (désordre) mess **2.** (situation compliquée) hassle.

bio adj inv organic • **aliments bio** organic food.

biocarburant nm biofuel.

biochimie nf biochemistry.

biodégradable adj biodegradable.

biographie nf biography.

bio-industrie nf bioindustry.

biologie nf biology.

biologique adj **1.** (sciences) biological **2.** (naturel) organic.

biométrique adj biometric.

biopsie nf biopsy.

biorythme nm biorhythm.

biosciences nfpl bioscience.

bioterrorisme nm bioterrorism.

bip nm **1.** (signal) tone, beep • **parlez après le bip (sonore)** please speak after the beep ou tone **2.** (appareil) beeper, bleeper (UK).

bipède nm & adj biped.

biper vt to page.

biréacteur nm twin-engined jet.

bis¹, e adj greyish-brown (UK), grayish-brown (US) • **pain bis** brown bread.

bis² adv **1.** (dans adresse) • **5 bis** 5a **2.** (à la fin d'un spectacle) encore.

bisannuel, elle adj biennial.

biscornu, e adj **1.** (difforme) irregularly shaped **2.** (bizarre) weird.

biscotte nf pour expliquer de quoi il s'agit à un anglophone, vous pouvez dire it is a piece of toasted bread that you buy in packets. French people often have them for breakfast.

biscuit nm **1.** (sec) biscuit (UK), cookie (US) **2.** (salé) cracker **3.** (gâteau) sponge.

bise nf **1.** (vent) north wind **2.** fam (baiser) kiss • **faire la bise à quelqu'un** to kiss somebody • **grosses bises** love and kisses.

biseau nm bevel • **en biseau** bevelled (UK), beveled (US).

bisexuel, elle adj bisexual.

bison nm bison.

bisou nm fam kiss • **faire un bisou à quelqu'un** to give somebody a kiss.

bissextile adj → **année**.

bistouri nm lancet.

bistrot, bistro nm fam cafe, bar.

bit nm INFORM bit.

bitume nm **1.** (revêtement) asphalt **2.** CHIM bitumen.

bivouac nm bivouac.

bivouaquer vi to bivouac.

bizarre adj strange, odd.

bizutage nm ≃ ragging (UK); ≃ hazing (US).

black-out nm blackout.

blafard, e adj pale.

blague nf (plaisanterie) joke.

blaguer fam vi to joke.

blagueur, euse fam adj jokey. ❑ nm, f joker.

blaireau nm **1.** (animal) badger **2.** (de rasage) shaving brush **3.** fam & péj (homme) ≃ Essex man (UK); ≃ Joe Sixpack (US); (femme) ≃ Essex girl (UK).

blâme nm **1.** (désapprobation) disapproval **2.** (sanction) reprimand.

blâmer vt **1.** (désapprouver) to blame **2.** (sanctionner) to reprimand.

blanc, blanche adj **1.** (gén) white **2.** (non écrit) blank **3.** (pâle) pale. ■ **blanc** nm **1.** (couleur) white **2.** (personne) white (man) **3.** (linge de maison) • **le blanc** the (household) linen **4.** (sur page) blank (space) **5.** (de volaille) white meat **6.** (vin) white (wine). ■ **blanche** nf **1.** (personne) white (woman) **2.** MUS minim (UK), half note (US). ■ **blanc d'œuf** nm egg white.

blanchâtre adj whitish.

blancheur nf whiteness.

blanchir vt **1.** (mur) to whitewash **2.** (linge, argent) to launder **3.** (légumes) to blanch **4.** (sucre) to refine **5.** (décolorer) to bleach. ❑ vi (d'émotion) • **blanchir (de)** to go white (with).

blanchissage nm (de linge) laundering.

blanchisserie nf laundry.

blanquette nf **1.** CULIN si vous voulez expliquer de quoi il s'agit à un anglophone, vous pouvez dire it is a stew of veal, lamb or chicken served in a white sauce • **blanquette de veau** veal blanquette **2.** (vin) • **blanquette de Limoux** si vous voulez expliquer de quoi il s'agit à un anglophone, vous pouvez dire it is a kind of sparkling wine from Limoux.

blasé, e adj blasé.

blason nm coat of arms.

blasphème nm blasphemy.

blasphémer vt & vi to blaspheme.

blatte nf cockroach.

blazer nm blazer.

blé nm **1.** (céréale) wheat, corn (UK) **2.** fam (argent) dough.

blême adj • **blême (de)** pale (with).

blennorragie nf gonorrhoea (UK), gonorrhea (US).

blessant,e *adj* hurtful.

blessé,e *nm,f* wounded *ou* injured person• **il y a eu trois blessés** three people were injured.

blesser *vt* **1.** *(physiquement - accidentellement)* to injure, to hurt; *(- par arme)* to wound• **ses chaussures lui blessent les pieds** his shoes make his feet sore**2.** *(moralement)* to hurt.■ **se blesser** *vp* to injure o.s., to hurt o.s.• **elle s'est blessée au bras** she injured *ou* hurt her arm.

blessure *nf litt & fig* wound, injury• **une blessure légère** a slight injury.

blet,blette *adj* overripe.

bleu,e *adj* **1.** *(couleur)* blue**2.** *(viande)* very rare. ❑ *nm, f fam (novice - gén)* newcomer; *(- à l'armée)* raw recruit; *(- à l'université)* fresher(UK), freshman(US).■ **bleu** *nm* **1.** *(couleur)* blue**2.** *(meurtrissure)* bruise**3.** *(fromage)* blue cheese**4.** *(vêtement)* • **bleu de travail** overalls *pl* (UK), coveralls *pl* (US).

bleuet *nm* **1.** cornflower **2.** (QUÉBEC) *(fruit)* blueberry.

bleuir *vt & vi* to turn blue.

bleuté,e *adj* bluish.

blindé,e *adj* **1.** *(véhicule)* armoured (UK), armored (US) **2.** *(porte, coffre)* armour-plated (UK), armor-plated (US).■ **blindé** *nm* armoured (UK) *ou* armored (US) car.

blinder *vt* **1.** *(véhicule)* to armour (UK), to armor (US) **2.** *(porte, coffre)* to armour-plate (UK), to armor-plate (US).

bling-bling *adj fam* bling-bling, bling.

blini *nm* blini.

blizzard *nm* blizzard.

bloc *nm* **1.** *(gén)* block• **faire bloc avec/contre qqn** to stand (together) with/against sb **2.** *(assemblage)* unit• **bloc opératoire a)** *(salle)* operating theatre(UK) *ou* room(US) **b)** *(locaux)* surgical unit• **bloc sanitaire** toilet block**3.** *(de papier)* pad• **un bloc de papier à lettres** a writing pad.

blocage *nm* **1.** ÉCON freeze, freezing *(indén)* **2.** *(de roue)* locking**3.** PSYCHO *(mental)* block.

blockhaus *nm* blockhouse.

bloc-notes *nm* notepad, scratchpad(US).

blocus *nm* blockade.

blog *nm* blog.

blogueur,euse *nm, f* blogger.

blond,e *adj* fair, blond. ❑ *nm, f* fair-haired *ou* blond man, fair-haired *ou* blonde woman. ■ **blond** *nm* • **blond cendré/vénitien/platine** ash/strawberry/platinum blond.■ **blonde** *nf* **1.** *(cigarette)* Virginia cigarette**2.** *(bière)* lager.

blondeur *nf* blondness, fairness.

bloquer *vt* **1.** *(porte, freins)* to jam **2.** *(roues)* to lock**3.** *(route, chemin)* to block**4.** *(personne)* • **être bloqué** to be stuck**5.** *(prix, salaires, crédit)* to freeze**6.** PSYCHO • **être bloqué** to have a (mental) block.■ **se bloquer** *vp (se coincer)* to jam.

blottir ■ **se blottir** *vp* • **se blottir (contre)** to snuggle up (to).

blouse *nf* **1.** *(de travail, d'écolier)* smock **2.** *(de chimiste)* white coat• **ils portent des blouses blanches pour le cours de chimie** they wear white coats for their chemistry lessons.

blouson *nm* bomber jacket, blouson• **un blouson en cuir** a leather jacket.

blue-jean *nm* jeans *pl.*

blues *nm inv* blues.

bluff *nm* bluff.

bluffer *fam vi & vt* to bluff.

blush *nm* blusher.

BNF *nf abrév de* **Bibliothèque nationale de France.**

BO (abrév de *bande originale*) *nf* soundtrack.

boa *nm* boa.

bobard *nm fam* fib.

bobine *nf* **1.** *(cylindre)* reel, spool**2.** ÉLECTR coil.

bobo *nm langage enfantin* • **se faire bobo** to hurt o.s.• **j'ai bobo à la tête** my head hurts.

bobo (abrév de *Bourgeois bohème*)*fam nm f pour expliquer de qui il s'agit à un anglophone, vous pouvez dire* left-leaning yuppie.

bobsleigh *nm* bobsleigh(UK), bobsled(US).

bocage *nm* GÉOGR bocage.

bocal *nm* jar.

body *nm* body(suit).

body-building *nm* • **le body-building** body building *(indén).*

bœuf *nm* **1.** *(animal)* ox**2.** *(viande)* beef• **bœuf bourguignon** boeuf *ou* beef bourguignon.

bof *interj* **1.** *fam (exprime le mépris)* so what?**2.** *fam (exprime la lassitude)* I don't really care.

bogue,bug *nm* INFORM bug.

bohème *adj* bohemian.

bohémien,enne *nm, f* **1.** *(tsigane)* gipsy**2.** *(nonconformiste)* bohemian.

boire *vt* **1.** *(s'abreuver)* to drink **2.** *(absorber)* to soak up, to absorb.❑ *vi* to drink.

bois *nm* wood• **en bois** wooden.❑ *nmpl* **1.** MUS woodwind *(indén)* **2.** *(cornes)* antlers.

boisé,e *adj* wooded.

boiserie *nf* panelling *(indén)* (UK), paneling *(indén)* (US).

boisson *nf (breuvage)* drink.

boîte *nf* **1.** *(récipient)* box• **boîte de conserve** can, tin (UK) • **boîte aux lettres a)** *(pour la réception)* letterbox **b)** *(pour l'envoi)* postbox (UK), mailbox (US) • **boîte à musique** musical box (UK), music box (US) • **boîte postale** post office box• **en boîte** canned, tinned (UK) **2.** AUTO • **boîte à gants** glove compartment, glove box• **boîte de vitesses** gearbox (UK), transmission (US) **3.** INFORM • **boîte aux lettres électronique** electronic mailbox • **boîte vocale** voice mail **4.** *fam (entreprise)* company, firm **5.** *fam (lycée)* school **6.** *fam (discothèque)* • **boîte (de nuit)** nightclub, club.

boiter *vi (personne)* to limp.

boiteux, euse *adj* **1.** *(personne)* lame **2.** *(meuble)* wobbly **3.** *fig (raisonnement)* shaky.

boîtier *nm* **1.** *(boîte)* case **2.** *TECHNOL* casing.

boitiller *vi* to limp slightly.

bol *nm* **1.** *(récipient)* bowl **2.** *(contenu)* bowl, bowlful **3.** *(locution)* • **prendre un bol d'air** to get some fresh air.

bolet *nm* boletus.

bolide *nm (véhicule)* racing (**UK**) *ou* race (**US**) car.

Bolivie *nf* • **la Bolivie** Bolivia.

bombance *nf* • **faire bombance** *fam* to have a feast.

bombardement *nm* bombardment, bombing *(indén)*.

bombarder *vt* **1.** *MIL* to bomb **2.** *(assaillir)* • **bombarder qqn/qqch de** to bombard sb/ sthg with.

bombardier *nm* **1.** *(avion)* bomber **2.** *(aviateur)* bombardier.

bombe *nf* **1.** *(projectile)* bomb • **bombe atomique** atom *ou* atomic bomb • **bombe à retardement** time bomb **2.** *fig* bombshell **3.** *(équitation)* riding hat **4.** *(atomiseur)* spray, aerosol • **bombe lacrymogène** teargas grenade.

bombé, e *adj* bulging, rounded.

bomber *nm* bomber jacket.

bombonne *nf* = **bonbonne**.

bon, bonne *adj* **1.** *(gén)* good **2.** *(généreux)* good, kind **3.** *(utilisable - billet, carte)* valid **4.** *(correct)* right **5.** *(dans l'expression d'un souhait)* • **bonne année !** Happy New Year! • **bonne chance !** good luck! • **bonnes vacances !** have a nice holiday (**UK**) *ou* vacation (**US**) **6.** *(locution)* • **être bon pour qqch/pour faire qqch** *fam* to be fit for sthg/for doing sthg • **tu es bon pour une contravention** you'll end up with *ou* you'll get a parking ticket • **bon à** (+ *infinitif*) fit to • **c'est bon à savoir** that's worth knowing. ■ **bon** *adv* • **il fait bon** the weather's fine, it's fine • **sentir bon** to smell good • **tenir bon** to stand firm. ❏ *interj* **1.** *(marque de satisfaction)* good! **2.** *(marque de surprise)* • **ah bon !** really? ❏ *nm* **1.** *(constatant un droit)* voucher • **bon de commande** order form **2.** *FIN* • **bon du Trésor** *FIN* treasury bill *ou* bond **3.** *(gén pl) (personne)* • **les bons et les méchants** good people and wicked people. ■ **pour de bon** *loc adv* seriously, really.

bonbon *nm* **1.** *(friandise)* sweet (**UK**), piece of candy (**US**) • **un bonbon à la fraise** a strawberry-flavoured sweet (**UK**), a strawberry-flavored sweet (**US**) **2.** (**BELGIQUE**) *(gâteau)* biscuit.

bonbonne *nf* demijohn.

bonbonnière *nf (boîte)* sweet-box (**UK**), candy box (**US**).

bond *nm* **1.** *(d'animal, de personne)* leap, bound **2.** *(de balle)* bounce • **faire un bond** to leap (forward).

bonde *nf* **1.** *(d'évier)* plug **2.** *(trou)* bunghole **3.** *(bouchon)* bung.

bondé, e *adj* packed.

bondir *vi* **1.** *(sauter)* to leap, to bound • **bondir sur qqn/qqch** to pounce on sb/sthg **2.** *(s'élancer)* to leap forward.

bonheur *nm* **1.** *(félicité)* happiness **2.** *(chance)* (good) luck, good fortune • **par bonheur** happily, fortunately • **porter bonheur** to be lucky, to bring good luck.

bonhomme *nm* **1.** *fam & péj (homme)* fellow, guy (**US**) **2.** *(représentation)* man • **bonhomme de neige** snowman.

bonification *nf* **1.** *(de terre, de vin)* improvement **2.** *SPORT* bonus points *pl*.

bonjour *nm* **1.** hello **2.** *(avant midi)* good morning **3.** *(après midi)* good afternoon.

> En anglais, pour dire bonjour le matin on dit *'hello'* ou *'good morning'*, l'après-midi on dit *'hello'* ou *'good afternoon'*.

bonne *nf* maid.

bonne-maman *nf* granny, grandma.

bonnet *nm* **1.** *(coiffure)* (woolly) hat (**UK**), (wolly) hat (**US**) • **bonnet de bain** swimming cap **2.** *(de soutien-gorge)* cup.

bonneterie *nf (commerce)* hosiery (business *ou* trade).

bon-papa *nm* grandad, grandpa.

bonsoir *nm* **1.** *(en arrivant)* hello, good evening **2.** *(en partant)* goodbye, good evening **3.** *(en se couchant)* good night.

bonté *nf* **1.** *(qualité)* goodness, kindness • **avoir la bonté de faire qqch** *sout* to be so good *ou* kind as to do sthg **2.** *(gén pl) littéraire (acte)* act of kindness.

bonus *nm (prime d'assurance)* no-claims bonus.

bookmaker *nm* bookmaker.

booléen, enne *adj* Boolean.

boomerang *nm* boomerang.

booster *vt* to boost.

bord *nm* **1.** *(de table, de vêtement)* edge **2.** *(de verre, de chapeau)* rim • **à ras bords** to the brim **3.** *(de rivière)* bank **4.** *(de lac)* edge, shore • **au bord de la mer** at the seaside **5.** *(de bois, jardin)* edge **6.** *(de route)* edge, side **7.** *(d'un moyen de transport)* • **passer par-dessus bord** to fall overboard. ■ **à bord de** *loc prép* • **à bord de qqch** on board sthg. ■ **au bord de** *loc prép* **1.** *litt* at the edge of **2.** *fig* on the verge of.

bordeaux *nm* **1.** *(vin)* Bordeaux **2.** *(couleur)* claret. ❏ *adj inv* claret.

bordel *nm vulg* **1.** *(maison close)* brothel **2.** *(désordre)* shambles *sing*.

border *vt* **1.** *(vêtement)* • **border qqch de** to edge sthg with **2.** *(être en bordure de)* to line **3.** *(couverture, personne)* to tuck in

bordereau nm **1.** (liste) schedule **2.** (facture) invoice **3.** (relevé) slip.

bordure nf **1.** (bord) edge • **en bordure de** on the edge of **2.** (de fleurs) border.

boréal,e adj northern.

borgne adj (personne) one-eyed.

borne nf **1.** (marque) boundary marker **2.** (limite) limit, bounds pl • **dépasser les bornes** to go too far • **sans bornes** boundless **3.** fam (kilomètre) kilometre(UK), kilometer(US) **4.** INFORM • **borne interactive** ou **multimédia** electronic ou interactive kiosk, interactive terminal.

borné,e adj **1.** (personne) narrow-minded **2.** (esprit) narrow.

borner vt **1.** (terrain) to limit **2.** (projet, ambition) to limit, to restrict. ■ **se borner** vp • **se borner à qqch/à faire qqch** (sujet : personne) to confine o.s. to sthg/to doing sthg.

boskoop nf Boskoop apple.

bosniaque adj Bosnian. ■ **Bosniaque** nmf Bosnian.

Bosnie nf • **la Bosnie** Bosnia.

bosquet nm copse.

bossa-nova nf bossa nova.

bosse nf **1.** (sur tête, sur route) bump **2.** (de bossu, chameau) hump.

bosser vi fam to work hard.

bosseur,euse fam adj hard-working. ❏ nm,f hard worker.

bossu,e adj hunchbacked. ❏ nm,f hunchback.

bot → **pied**.

botanique adj botanical. ❏ nf • **la botanique** botany.

botte nf **1.** (chaussure) boot **2.** (de légumes) bunch **3.** (en escrime) thrust, lunge.

botter vt **1.** (chausser) • **être botté de cuir** to be wearing leather boots **2.** fam (donner un coup de pied à) to boot **3.** fam &vieilli (plaire à) • **ça me botte** I dig it.

bottier nm **1.** (de bottes) bootmaker **2.** (de chaussures) shoemaker.

Bottin ® nm phone book.

bottine nf (ankle) boot.

bouc nm **1.** (animal) (billy) goat • **bouc émissaire** fig scapegoat **2.** (barbe) goatee.

boucan nm fam row, racket.

bouche nf **1.** ANAT mouth **2.** (orifice) • **bouche d'incendie** fire hydrant • **bouche de métro** metro entrance ou exit.

bouché,e adj **1.** (en bouteille) bottled **2.** fam (personne) dumb, thick.

bouche-à-bouche nm inv • **faire du bouche-à-bouche à qqn** to give sb mouth-to-mouth resuscitation.

bouchée nf mouthful.

boucher¹ vt **1.** (fermer - bouteille) to cork ; (- trou) to fill (in ou up) **2.** (passage, vue) to block.

boucher²,ère nm,f butcher.

boucherie nf **1.** (magasin) butcher's (shop) **2.** fig (carnage) slaughter.

bouche-trou nm **1.** (personne) • **servir de bouche-trou** to make up (the) numbers **2.** (objet) stopgap.

bouchon nm **1.** (pour obturer - gén) top ; (- de réservoir) cap ; (- de bouteille) cork **2.** (de canne à pêche) float **3.** (embouteillage) traffic jam.

boucle nf **1.** (de ceinture, soulier) buckle **2.** (bijou) • **boucle d'oreille** earring **3.** (de cheveux) curl **4.** (de fleuve, d'avion) INFORM loop.

bouclé,e adj **1.** (cheveux) curly • **elle a les cheveux bouclés** she has curly hair **2.** (personne) curly-haired.

boucler vt **1.** (attacher) to buckle **2.** (ceinture de sécurité) to fasten **3.** (fermer) to shut **4.** fam (enfermer - voleur) to lock up ; (- malade) to shut away **5.** (encercler) to seal off **6.** (terminer) to finish.

bouclier nm litt &fig shield.

bouddhisme nm Buddhism.

bouddhiste nmf & adj Buddhist.

> En anglais, les adjectifs et les noms se rapportant à une religion s'écrivent avec une majuscule.

bouder vi to sulk. ❏ vt **1.** (chose) to dislike **2.** (personne) to shun • **elle me boude depuis que je lui ai fait faux bond** she has cold-shouldered me ever since I let her down.

boudeur,euse adj sulky.

boudin nm CULIN blood pudding(UK) ou sausage(US).

boudoir nm **1.** (salon) boudoir **2.** (biscuit) sponge finger(UK), ladyfinger(US).

boue nf mud.

bouée nf **1.** (balise) buoy **2.** (pour flotter) rubber ring • **bouée de sauvetage** lifebelt.

boueux,euse adj muddy.

bouffant,e adj **1.** (manche, jupe) full **2.** (cheveux) bouffant.

bouffe nf fam grub.

bouffée nf **1.** (de fumée) puff **2.** (de parfum) whiff **3.** (d'air) breath **4.** (accès) surge • **bouffées délirantes** mad fits.

bouffer vt fam (manger) to eat.

bouffeur,euse nm,f fam (mangeur) eater.

bouffi,e adj **bouffi (de)** swollen (with).

bouffon,onne adj farcical. ■ **bouffon** nm **1.** HIST jester **2.** (pitre) clown.

bouge nm péj **1.** (taudis) hovel **2.** (café) dive.

bougeoir nm candlestick.

bougeotte nf • **avoir la bougeotte** to have itchy feet.

bouger vt (déplacer) to move. ❏ vi **1.** (remuer) to move **2.** (changer) to change **3.** (s'agiter) • **ça bouge partout dans le monde** there is unrest all over the world.

bougie nf **1.** (chandelle) candle **2.** (de moteur) spark plug, sparking plug (UK).

bougon, onne adj grumpy.

bougonner vt & vi to grumble.

bouillant, e adj **1.** (qui bout) boiling **2.** (très chaud) boiling hot.

bouillie nf baby's cereal • **réduire en bouillie** (légumes) to puree • **réduire en bouillie** (personne) to reduce to a pulp.

bouillir vi (aliments) to boil • **faire bouillir** to boil.

bouilloire nf kettle.

bouillon nm **1.** (soupe) stock **2.** (bouillonnement) bubble • **faire bouillir à gros bouillons** to bring to a rolling boil.

bouillonner vi **1.** (liquide) to bubble **2.** (torrent) to foam **3.** fig (personne) to seethe.

bouillotte nf hot-water bottle.

boul. abrév de **boulevard**.

boulanger, ère nm, f baker.

boulangerie nf **1.** (magasin) bakery, baker's (shop) (UK) • **je vais à la boulangerie acheter du pain** I'm going to the baker's to buy bread **2.** (commerce) bakery trade.

boule nf **1.** (gén) ball • **boule de neige** snowball **2.** (de loto) counter **3.** (de pétanque) bowl **4.** (de glace) scoop • **une glace à deux boules** two scoops of ice cream. ■ **boules** nfpl **1.** (jeux) boules **2.** tfam • **avoir les boules a)** (être effrayé) to be scared stiff **b)** (être furieux) to be pissed off tfam **c)** (être déprimé) to be feeling down.

bouleau nm silver birch.

bouledogue nm bulldog.

boulet nm **1.** (munition) • **boulet de canon** cannonball **2.** (de forçat) ball and chain **3.** fig (fardeau) millstone (around one's neck).

boulette nf **1.** (petite boule) pellet **2.** (de viande) meatball.

boulevard nm **1.** (rue) boulevard **2.** THÉÂTRE light comedy (indén).

bouleversant, e adj distressing.

bouleversement nm disruption.

bouleverser vt **1.** (objets) to turn upside down **2.** (modifier) to disrupt **3.** (émouvoir) to distress.

boulgour nm bulgar ou bulgur wheat.

boulier nm abacus.

boulimie nf bulimia.

boulon nm bolt.

boulonner vt to bolt. ❏ vi fam to slog (away).

boulot nm fam **1.** (travail) work **2.** (emploi) job.

boum nf fam & vieilli party.

bouquet nm **1.** (de fleurs - gén) bunch (of flowers) **2.** (de vin) bouquet **3.** (de feu d'artifice) crowning piece **4.** TV • **bouquet de programmes** multi-channel package • **bouquet numérique** channel package, channel bouquet.

bouquin nm fam book.

bouquiner vi & vt fam to read.

bouquiniste nmf secondhand bookseller.

bourbier nm **1.** (lieu) quagmire, mire **2.** fig mess.

bourde nf fam (erreur) blunder.

bourdon nm (insecte) bumblebee.

bourdonnement nm (d'insecte, de voix, de moteur) buzz (indén).

bourdonner vi **1.** (insecte, machine, voix) to buzz **2.** (oreille) to ring.

bourg nm market town.

bourgeois, e adj **1.** (valeur) middle-class **2.** (cuisine) plain **3.** péj (personne) bourgeois. ❏ nm, f bourgeois.

bourgeoisie nf ≃ middle classes pl.

bourgeon nm bud.

bourgeonner vi to bud.

Bourgogne nf • **la Bourgogne** Burgundy.

bourlinguer vi fam (voyager) to bum around the world.

bourrade nf thump.

bourrage nm **1.** (de coussin) stuffing **2.** (d'imprimante, de photocopieur) paper jam. ■ **bourrage de crâne** nm fam (propagande) brainwashing.

bourrasque nf gust of wind.

bourratif, ive adj stodgy.

bourré, e adj fam **1.** (plein) • **bourré (de) a)** (salle) packed (with) **b)** fig chock-full (of) **2.** (ivre) plastered.

bourreau nm HIST executioner.

bourrelet nm (de graisse) roll of fat.

bourrer vt **1.** (remplir - coussin) to stuff ; (- sac, armoire) • **bourrer qqch (de)** to cram sthg full (of) **2.** fam (gaver) • **bourrer qqn (de)** to stuff sb (with).

bourrique nf **1.** (ânesse) she-ass **2.** fam (personne) pigheaded person.

bourru, e adj (peu aimable) surly.

bourse nf **1.** (porte-monnaie) purse **2.** (d'études) grant **3.** (au mérite) scholarship. ■ **Bourse** nf (marché) stock exchange, stock market • **la Bourse de Paris** the Paris Stock Exchange • **jouer en Bourse** to speculate on the stock exchange ou stock market • **Bourse de commerce** commodity market.

boursier, ère adj **1.** (élève) on a grant ou scholarship **2.** FIN stock-exchange (avant nom), stock-market (avant nom).

boursouflé, e adj (enflé) swollen.

bousculade *nf* **1.** *(cohue)* crush **2.** *(agitation)* rush.

bousculer *vt* **1.** *(faire tomber)* to knock over **2.** *(presser)* to rush **3.** *(modifier)* to overturn.

bouse *nf* • **bouse de vache** cow dung.

bousiller *vt fam (abîmer)* to ruin, to knacker (UK).

boussole *nf* compass.

bout *nm* **1.** *(extrémité, fin)* end • **au bout de a)** *(temps)* after **b)** *(espace)* at the end of • **d'un bout à l'autre a)** *(de ville)* from one end to the other **b)** *(de livre)* from beginning to end **2.** *(morceau)* bit **3.** *(locution)* • **être à bout** to be exhausted • **à bout portant** at point-blank range • **pousser qqn à bout** to drive sb to distraction • **venir à bout de a)** *(personne)* to get the better of **b)** *(difficulté)* to overcome.

boutade *nf (plaisanterie)* jest.

boute-en-train *nm inv* live wire • **il était le boute-en-train de la soirée** he was the life and soul of the party.

bouteille *nf* bottle.

boutique *nf* **1.** *(gén)* shop **2.** *(de mode)* boutique.

bouton *nm* **1.** COUT button • **bouton de manchette** cuff link **2.** *(sur la peau)* pimple, spot (UK) **3.** *(de porte)* knob **4.** *(commutateur)* switch • **bouton de réglage** dial **5.** *(bourgeon)* bud.

bouton-d'or *nm* buttercup.

boutonner *vt* to button (up).

boutonneux, euse *adj* pimply, spotty (UK).

boutonnière *nf (de vêtement)* buttonhole.

bouton-pression *nm* press-stud (UK), snap fastener (US).

bouture *nf* cutting.

bouvier *nm* **1.** *(personne)* herdsman **2.** *(chien)* sheepdog.

bovin, e *adj* bovine. ■ **bovins** *nmpl* cattle.

bowling *nm* **1.** *(jeu)* bowling • **on va faire un bowling ?** shall we go bowling? **2.** *(lieu)* bowling alley.

box *nm* **1.** *(d'écurie)* loose box **2.** *(compartiment)* cubicle • **le box des accusés** the dock **3.** *(parking)* lockup garage (UK).

boxe *nf* boxing • **boxe américaine** full contact.

boxer[1] *vi* to box. ❑ *vt fam* to thump.

boxer[2] *nm (chien)* boxer.

boxeur, euse *nm, f* SPORT boxer.

boyau *nm* **1.** *(chambre à air)* inner tube **2.** *(corde)* catgut **3.** *(galerie)* narrow gallery. ■ **boyaux** *nmpl (intestins)* guts.

boycott *nm* boycott.

boycotter *vt* to boycott.

boy-scout *nm vieilli* boy scout.

BP (abrév de *boîte postale*) *nf* PO Box.

bracelet *nm* **1.** *(bijou)* bracelet • **bracelet électronique** *(pour un condamné)* electronic tag **2.** *(de montre)* strap.

bracelet-montre *nm* wristwatch.

braconner *vi* to go poaching, to poach.

braconnier *nm* poacher.

brader *vt* **1.** *(solder)* to sell off **2.** *(vendre à bas prix)* to sell for next to nothing.

braderie *nf* clearance sale.

braguette *nf* fly, flies *pl* (UK).

braille *nm* Braille.

brailler *vi* to bawl.

braire *vi (âne)* to bray.

braise *nf* embers *pl.*

bramer *vi (cerf)* to bell.

brancard *nm* **1.** *(civière)* stretcher **2.** *(de charrette)* shaft.

brancardier, ère *nm, f* stretcher-bearer.

branchage *nm* branches *pl.*

branche *nf* **1.** *(gén)* branch • **branche (d'activité)** field **2.** *(de lunettes)* arm.

branché, e *adj* ÉLECTR plugged in, connected **2.** *fam (à la mode)* trendy.

branchement *nm (raccordement)* connection, plugging in.

brancher *vt* **1.** *(raccorder)* INFORM to connect • **brancher qqch sur** ÉLECTR to plug sthg into **2.** *fam (orienter)* to steer • **brancher qqn sur qqch** to start sb off on sthg **3.** *fam (plaire)* to appeal to.

branchies *nfpl (de poisson)* gills.

brandade *nf* • **brandade de morue** *si vous voulez expliquer de quoi il s'agit à un anglophone, vous pouvez dire* it is a dish made with creamed salted cod which is then baked in the oven.

brandir *vt* to wave.

branlant, e *adj* **1.** *(escalier, mur)* shaky **2.** *(meuble, dent)* wobbly.

branle-bas *nm inv* pandemonium *(indén).*

braquage *nm* **1.** AUTO lock **2.** *(attaque)* holdup.

braquer *vt* **1.** *(diriger)* • **braquer qqch sur a)** *(arme)* to aim sthg at **b)** *(regard)* to fix sthg on **2.** *fam (attaquer)* to hold up. ❑ *vi* to turn (the wheel). ■ **se braquer** *vp (personne)* to take a stand.

bras *nm* **1.** *(gén)* arm • **bras droit** right-hand man *ou* woman • **bras de fer a)** *(jeu)* arm wrestling **b)** *fig* trial of strength • **avoir le bras long** *(avoir de l'influence)* to have pull **2.** *(de cours d'eau)* branch • **bras de mer** arm of the sea.

brasier *nm (incendie)* blaze, inferno.

bras-le-corps ■ **à bras-le-corps** *loc adv* bodily.

brassage *nm* **1.** *(de bière)* brewing **2.** *fig (mélange)* mixing.

brassard *nm* armband.

brasse nf (nage) breaststroke • **nager la brasse** to swim breaststroke • **brasse papillon** butterfly (stroke).

brassée nf armful.

brasser vt 1. (bière) to brew 2. (mélanger) to mix 3. fig (manier) to handle.

brasserie nf 1. (usine) brewery 2. (café-restaurant) brasserie.

brasseur, euse nm, f (de bière) brewer.

brassière nf 1. (de bébé) (baby's) vest (UK) ou undershirt (US) 2. (QUÉBEC) (soutien-gorge) bra.

bravade nf • **par bravade** out of bravado.

brave adj 1. (après un nom) (courageux) brave 2. (avant nom) (honnête) decent 3. (naïf et gentil) nice. ❑ nmf • **mon brave** my good man.

braver vt 1. (parents, règlement) to defy 2. (transgresser) to brave.

bravo interj bravo! ■ **bravos** nmpl cheers.

bravoure nf bravery.

break nm 1. (voiture) estate (car) (UK), station wagon (US) 2. fam (pause) break • **faire un break** to take a break 3. SPORT • **faire le break a)** (tennis) to break service **b)** fig to pull away.

brebis nf ewe • **brebis galeuse** black sheep.

brèche nf 1. (de mur) gap 2. MIL breach.

bredouille adj • **être/rentrer bredouille** to be/to return empty-handed.

bredouiller vi to stammer.

bref, brève adj 1. (gén) short, brief • **soyez bref !** make it brief! 2. LING short. ■ **bref** adv in short, in a word. ■ **brève** nf PRESSE brief news item.

brelan nm • **un brelan** three of a kind • **un brelan de valets** three jacks.

Brésil nm • **le Brésil** Brazil.

Bretagne nf • **la Bretagne** Brittany.

bretelle nf 1. (d'autoroute) access road, slip road (UK) 2. (de pantalon) • **bretelles** braces (UK), suspenders (US) 3. (de bustier) strap.

breuvage nm (boisson) beverage.

brevet nm 1. (certificat) certificate • **brevet de secouriste** first-aid certificate 2. (diplôme) diploma • **brevet des collèges** ≃ GCSE (UK) ; *pour expliquer de quoi il s'agit à un anglophone, vous pouvez dire* it is a school certificate that you take after four years of secondary education 3. (d'invention) patent.

breveter vt to patent.

bréviaire nm breviary.

bribe nf 1. (fragment) scrap, bit 2. fig snippet • **bribes de conversation** snatches of conversation.

bric ■ **de bric et de broc** loc adv any old how.

bric-à-brac nm inv bric-a-brac.

bricolage nm 1. (travaux) do-it-yourself, DIY (UK) 2. (réparation provisoire) patching up.

bricole nf 1. (babiole) trinket 2. (chose insignifiante) trivial matter.

bricoler vi to do odd jobs (around the house). ❑ vt 1. (réparer) to fix, to mend (UK) 2. (fabriquer) to make, to knock up (UK).

bricoleur, euse nm, f do-it-yourselfer, home handyman, handywoman f.

bride nf 1. (de cheval) bridle 2. (de chapeau) string 3. COUT bride, bar 4. TECHNOL flange.

bridé → œil.

brider vt 1. (cheval) to bridle 2. fig to rein (in).

bridge nm (jeu) MÉD bridge.

brie nm (fromage) Brie.

briefer vt to brief.

briefing nm briefing.

brièvement adv briefly.

brièveté nf brevity, briefness.

brigade nf 1. (d'ouvriers, de soldats) brigade 2. (détachement) squad • **brigade volante** flying squad (UK).

brigadier, ière nm, f 1. MIL corporal 2. (de police) sergeant.

brigand nm (bandit) bandit.

brillamment adv 1. (gén) brilliantly 2. (réussir un examen) with flying colours (UK) ou colors (US).

brillant, e adj 1. (qui brille - gén) sparkling ; (- cheveux) glossy ; (- yeux) bright 2. (remarquable) brilliant. ■ **brillant** nm (diamant) brilliant. ■ **brillant à lèvres** nm (cosmétique) lip gloss.

briller vi to shine.

brimer vt 1. (tracasser) to victimize, to bully 2. arg scol to rag (UK), to haze (US).

brin nm 1. (tige) twig • **brin d'herbe** blade of grass 2. (fil) strand 3. (petite quantité) • **un brin (de)** a bit (of) • **faire un brin de toilette** to have a quick wash.

brindille nf twig.

bringuebaler, brinquebaler vi (voiture) to jolt along.

brio nm (talent) • **avec brio** brilliantly.

brioche nf 1. (pâtisserie) brioche 2. fam (ventre) paunch.

brioché, e adj (pain) brioche-style.

brique nf 1. (pierre) brick • **une maison en briques** a brick house 2. (emballage) carton.

briquer vt to scrub.

briquet nm (cigarette) lighter.

briquette nf (conditionnement) carton.

brisant nm (écueil) reef. ■ **brisants** nmpl (récif) breakers.

brise nf breeze.

brise-glace(s) nm inv (navire) icebreaker.

brise-lames nm inv breakwater.

briser vt 1. (gén) to break 2. fig (carrière) to ruin 3. (conversation) to break off 4. (espérances) to shatter. ■ **se briser** *vp* **1.** *(gén)* to break **2.** *fig (espoir)* to be dashed **3.** *(efforts)* to be thwarted.

briseur, euse *nm, f* • **briseur de grève** strike-breaker.

britannique *adj* British. ■ **Britannique** *nmf* British person, Briton • **les Britanniques** the British.

En anglais, les adjectifs se rapportant à un pays ou une région s'écrivent avec une majuscule.

broc *nm* jug.

brocante *nf* **1.** *(commerce)* secondhand trade **2.** *(objets)* secondhand goods *pl*.

brocanteur, euse *nm, f* dealer in second-hand goods.

broche *nf* **1.** *(bijou)* brooch **2.** CULIN spit • **cuire à la broche** to spit-roast **3.** ÉLECTR & MÉD pin.

broché, e *adj* **1.** *(tissu)* brocade *(avant nom)*, brocaded **2.** TYPO • **livre broché** paperback (book).

brochet *nm* pike.

brochette *nf* **1.** *(ustensile)* skewer **2.** *(plat)* kebab • **des brochettes d'agneau** lamb kebab **3.** *fam & fig (groupe)* string, row.

brochure *nf* *(imprimé)* brochure, booklet.

brocoli *nm* broccoli *(indén)*.

broder *vt & vi* to embroider.

broderie *nf* **1.** *(art)* embroidery **2.** *(ouvrage)* (piece of) embroidery.

bromure *nm* bromide.

bronche *nf* bronchus • **j'ai des problèmes de bronches** I've got chest problems.

broncher *vi* • **sans broncher** without complaining, uncomplainingly.

bronchiolite *nf* bronchiolitis.

bronchite *nf* bronchitis *(indén)*.

broncho-pneumonie, broncho-pneumopathie *nf* bronchopneumonia.

bronzage *nm* *(de peau)* tan, suntan.

bronze *nm* bronze.

bronzé, e *adj* tanned (UK), tan (US), sun-tanned.

bronzer *vi* **1.** *(peau)* to tan **2.** *(personne)* to get a tan.

brosse *nf* brush • **brosse à cheveux** hairbrush • **brosse à dents** toothbrush • **avoir les cheveux en brosse** to have a crew cut.

brosser *vt* **1.** *(habits, cheveux)* to brush **2.** *(paysage, portrait)* to paint. ■ **se brosser** *vp* • **se brosser les cheveux/les dents** to brush one's hair/teeth.

brouette *nf* wheelbarrow.

brouhaha *nm* hubbub.

brouillard *nm* **1.** *(léger)* mist **2.** *(dense)* fog • **brouillard givrant** freezing fog • **être dans le brouillard** *fig* to be lost.

brouille *nf* quarrel.

brouillé, e *adj* **1.** *(fâché)* • **être brouillé avec qqn** to be on bad terms with sb • **être brouillé avec qqch** *fig* to be hopeless *ou* useless at sthg **2.** *(teint)* muddy **3.** → **œuf**.

brouiller *vt* **1.** *(désunir)* to set at odds, to put on bad terms **2.** *(vue)* to blur **3.** *(RADIO - accidentellement)* to cause interference to ; *(- délibérément)* to jam **4.** *(rendre confus)* to muddle (up). ■ **se brouiller** *vp* **1.** *(se fâcher)* to fall out • **se brouiller avec qqn (pour qqch)** to fall out with sb (over sthg) **2.** *(se troubler)* to become blurred **3.** MÉTÉOR to cloud over.

brouillon, onne *adj* careless, untidy. ■ **brouillon** *nm* rough copy, draft.

broussaille *nf* • **les broussailles** the undergrowth • **en broussaille a)** *fig (cheveux)* untidy **b)** *(sourcils)* bushy.

brousse *nf* GÉOGR scrubland, bush.

brouter *vt* to graze on. ❑ *vi* **1.** *(animal)* to graze **2.** TECHNOL to judder, to shudder.

broutille *nf* trifle.

broyer *vt* to grind, to crush.

bru *nf* *sout* daughter-in-law.

brugnon *nm* nectarine.

bruine *nf* drizzle.

bruissement *nm* **1.** *(de feuilles, d'étoffe)* rustle, rustling *(indén)* **2.** *(d'eau)* murmur, murmuring *(indén)*.

bruit *nm* **1.** *(son)* noise, sound • **bruit de fond** background noise **2.** *(vacarme)* TECHNOL noise • **faire du bruit** to make a noise • **sans bruit** silently, noiselessly **3.** *(rumeur)* rumour (UK), rumor (US) **4.** *fig (retentissement)* fuss • **faire du bruit** to cause a stir.

bruitage *nm* sound effects *pl*.

brûlant, e *adj* **1.** *(gén)* burning (hot) **2.** *(liquide)* boiling (hot) **3.** *(plat)* piping hot **4.** *fig (amour, question)* burning.

brûlé, e *adj (calciné)* burnt. ❑ *nm, f* badly burnt person • **un grand brûlé** a patient suffering from third-degree burns • **service pour les grands brûlés** burns unit. ■ **brûlé** *nm* **1.** burnt part • **un goût de brûlé** a burnt taste **2.** *(locution)* • **ça sent le brûlé a)** *(odeur)* there's a smell of burning **b)** *fam & fig* there's trouble brewing.

brûle-pourpoint ■ **à brûle-pourpoint** *loc adv* point-blank, straight out.

brûler *vt* **1.** *(gén)* to burn **2.** *(sujet : eau bouillante)* to scald • **la fumée me brûle les yeux** the smoke is making my eyes sting **3.** *(feu rouge)* to drive through **4.** *(étape)* to miss out, to skip. ❑ *vi* **1.** *(gén)* to burn **2.** *(maison, forêt)* to be on fire **3.** *(être brûlant)* to be burning (hot) • **brûler de** *fig* to be consumed with • **brûler de faire qqch** to be longing *ou* dying to do sthg • **brûler de fièvre** to be running a high temperature. ■ **se brûler** *vp* to burn o.s.

brûlure *nf* **1.** *(lésion)* burn • **brûlure au premier/second/troisième degré** first-degree/second-degree/third-degree burn **2.** *(sensation)* burning (sensation) • **avoir des brûlures d'estomac** to have heartburn.

brume *nf* mist • **il y a de la brume** there's a mist, it's misty.

brumeux, euse *adj* **1.** misty **2.** *fig* hazy.

brun, e *adj* **1.** brown **2.** *(cheveux)* dark. ❏ *nm, f* dark-haired man, woman *f.* ■ **brun** *nm (couleur)* brown. ■ **brune** *nf* **1.** *(cigarette)* cigarette made of dark tobacco **2.** *(bière)* brown ale.

bruncher *vi* to have brunch.

brunir *vi* **1.** *(personne)* to get a tan **2.** *(peau)* to tan.

Brushing® *nm* • **faire un Brushing à qqn** to give sb a blow-dry, to blow-dry sb's hair.

brusque *adj* abrupt.

brusquement *adv* abruptly.

brusquer *vt* **1.** to rush **2.** *(élève)* to push.

brusquerie *nf* abruptness.

brut, e *adj* **1.** *(pierre précieuse, bois)* rough **2.** *(sucre)* unrefined **3.** *(métal, soie)* raw **4.** *(champagne)* extra dry • *(pétrole)* **brut** crude (oil) **5.** *fig (fait, idées)* crude, raw **6.** ECON gross. ■ **brute** *nf* brute.

brutal, e *adj* **1.** *(violent)* violent, brutal **2.** *(soudain)* sudden **3.** *(manière)* blunt.

brutaliser *vt* to mistreat.

brutalité *nf* **1.** *(violence)* violence, brutality **2.** *(caractère soudain)* suddenness.

Bruxelles *npr* Brussels.

bruyamment *adv* noisily.

bruyant, e *adj* noisy.

bruyère *nf* *(plante)* heather • **(racine de) bruyère** briar.

BT *nm* (abrév de brevet de technicien) *pour expliquer de quoi il s'agit à un anglophone, vous pouvez dire* it is a vocational training certificate that you take at the age of 18.

BTP (abrév de bâtiment et travaux publics) *nmpl* construction and civil engineering.

BTS (abrév de brevet de technicien supérieur) *nm pour expliquer de quoi il s'agit à un anglophone, vous pouvez dire* it is an advanced vocational training certificate. You take it at the end of a 2-year higher-education course.

buanderie *nf* laundry.

buccal, e *adj* buccal.

bûche *nf* *(bois)* log • **bûche de Noël** Yule log • **prendre** *ou* **ramasser une bûche** *fam* to fall flat on one's face.

bûcher[1] *nm* **1.** *(supplice)* • **le bûcher** the stake **2.** *(funéraire)* pyre.

bûcher[2] *fam vi* to swot (UK), to grind (US). ❏ *vt* to swot up (UK), to grind (US).

bûcheron, onne *nm, f* forestry worker.

bûcheur, euse *fam adj* hard-working. ❏ *nm, f* swot (UK), grind (US).

bucolique *adj* pastoral.

budget *nm* budget.

budgétaire *adj* budgetary • **année budgétaire** fiscal *ou* financial (UK) year.

buée *nf* *(sur vitre)* condensation.

buffet *nm* **1.** *(meuble)* sideboard **2.** *(repas)* buffet **3.** *(café-restaurant)* • **buffet de gare** station buffet.

buffle *nm* *(animal)* buffalo.

bug = **bogue**.

buis *nm* box(wood).

buisson *nm* bush.

buissonnière → **école**.

bulbe *nm* bulb.

bulgare *adj* Bulgarian. ■ **bulgare** *nm (langue)* Bulgarian. ■ **Bulgare** *nmf* Bulgarian.

En anglais, les adjectifs se rapportant à un pays ou une région ainsi que le nom désignant la langue de ce pays ou cette région, s'écrivent avec une majuscule.

Bulgarie *nf* • **la Bulgarie** Bulgaria.

En anglais, à de rares exceptions près, il n'y a pas d'article devant les noms de pays.

bulldozer *nm* bulldozer.

bulle *nf* **1.** *(gén)* bubble • **bulle de savon** soap bubble • **bulle d'air** *(dans un tuyau)* airlock **2.** *(de bande dessinée)* speech balloon **3.** INFORM • **bulle d'aide** pop-up text, tooltip.

bulletin *nm* **1.** *(communiqué)* bulletin • **bulletin (de la) météo** weather forecast • **bulletin de santé** medical bulletin **2.** *(imprimé)* form • **bulletin de vote** ballot paper **3.** SCOL report (UK), report card **4.** *(certificat)* certificate • **bulletin de salaire** *ou* **de paye** pay slip.

bulletin-réponse *nm* reply form.

bungalow *nm* **1.** *(maison)* bungalow **2.** *(de vacances)* chalet.

buraliste *nmf* *(d'un bureau de tabac)* tobacconist.

bureau *nm* **1.** *(gén)* office • **bureau d'aide sociale** social security (UK) *ou* welfare (US) office • **bureau de change a)** *(banque)* bureau de change, foreign exchange office **b)** *(comptoir)* bureau de change, foreign exchange counter • **bureau d'études** design office • **bureau de poste** post office • **bureau de tabac** tobacconist's • **bureau de vote** polling station **2.** *(meuble)* desk **3.** INFORM desktop.

le bureau

LEXIQUE

l'atlas the atlas
le bureau the desk
le cahier the notebook
la chaise the chair
les ciseaux the scissors
le classeur the ring binder
le clavier the keyboard
la colle the glue

LEXIQUE (suite)

le compas the compass
le crayon à papier the pencil
l'écran the screen
l'équerre the set square
la gomme the rubber (UK), the eraser (US)
la lampe the lamp
le livre the book
l'ordinateur the computer
la règle the ruler
la souris the mouse
le stylo bille the pen
le stylo plume the fountain pen
le taille-crayon the pencil sharpener
le tapis de souris the mousepad
le tiroir the drawer
la trousse the pencil case
l'unité centrale the central processing unit

bureaucrate *nmf* bureaucrat.

bureaucratie *nf* bureaucracy.

bureaucratique *adj péj* bureaucratic.

Bureautique® *nf* office automation.

burette *nf (de mécanicien)* oilcan.

burin *nm (outil)* chisel.

buriné, e *adj* **1.** engraved **2.** *(visage, traits)* lined.

burlesque *adj* **1.** *(comique)* funny **2.** *(ridicule)* ludicrous, absurd **3.** THÉÂTRE burlesque.

bus *nm* bus.

busqué → nez.

buste *nm* **1.** *(torse)* chest **2.** *(poitrine de femme, sculpture)* bust.

bustier *nm* **1.** *(corsage)* bustier **2.** *(soutien-gorge)* strapless bra.

but *nm* **1.** *(point visé)* target **2.** *(objectif)* goal, aim, purpose • **errer sans but** to wander aimlessly • **il touche au but** he's nearly there • **à but non lucratif** DR non-profit, non-profit-making (UK) • **aller droit au but** to go straight to the point • **dans le but de faire qqch** with the aim *ou* intention of doing sthg **3.** SPORT goal • **marquer un but** to score a goal **4.** *(locution)* • **de but en blanc** point-blank, straight out.

butane *nm* • *(gaz)* butane **a)** butane **b)** *(domestique)* butane, Calor gas® (UK).

buté, e *adj* stubborn.

buter *vi (se heurter)* • **buter sur/contre qqch a)** to stumble on/over sthg, to trip on/over sthg **b)** *fig* to run into/come up against sthg. ❑ *vt tfam (tuer)* to do in, to bump off. ■ **se buter** *vp* to dig one's heels in • **se buter contre** *fig* to refuse to listen to.

butin *nm* **1.** *(de guerre)* booty **2.** *(de vol)* loot **3.** *(de recherche)* finds *pl.*

butiner *vi* to collect nectar.

butte *nf (colline)* mound, rise • **être en butte à** *fig* to be exposed to.

buvard *nm* **1.** *(papier)* blotting-paper **2.** *(sous-main)* blotter.

buvette *nf (café)* refreshment room, buffet.

buveur, euse *nm, f* drinker.

C

c¹, C *nm inv* c, C. ■ **C** (abrév de celsius, centigrade) C.

c² abrév de **centime**.

CA *nm* abrév de **chiffre d'affaires**.

ça *pron dém* **1.** *(désignant un objet - éloigné)* that ; *(- proche)* this **2.** *(sujet indéterminé)* it, that • **comment ça va ?** how are you?, how are things? • **ça ira comme ça** that will be fine • **ça y est** that's it • **c'est ça** that's right **3.** *(renforcement expressif)* • **où ça ?** where? • **qui ça ?** who?

çà *adv* • **çà et là** here and there.

caban *nm* **1.** *(abri)* reefer jacket (UK), reefer (US) **2.** *(d'officier)* pea jacket.

cabane *nf* **1.** *(abri)* cabin, hut **2.** *(remise)* shed • **cabane à lapins** hutch.

cabanon *nm* **1.** *(à la campagne)* cottage **2.** *(sur la plage)* chalet **3.** *(cellule)* padded cell **4.** *(de rangement)* shed.

cabaret *nm* cabaret.

cabas *nm* shopping bag.

cabillaud *nm* (fresh) cod.

cabine *nf* **1.** *(de navire, d'avion, de véhicule)* cabin **2.** *(compartiment, petit local)* cubicle • **cabine d'essayage** fitting room • **cabine téléphonique** phone booth, phone box (UK).

cabinet *nm* **1.** *(pièce)* • **cabinet de toilette** ≃ bathroom **2.** *(local professionnel)* office • **cabinet dentaire/médical** dentist's/doctor's surgery (UK), dentist's/doctor's office (US) **3.** *(gouvernement)* cabinet **4.** *(de ministre)* advisers *pl*. ■ **cabinets** *nmpl* toilet *sing* • **il est aux cabinets** he's in the toilet.

câble *nm* cable • **(télévision par) câble** cable television.

câblé, e *adj* TV equipped with cable TV.

cabosser *vt* to dent.

cabotage *nm* coastal navigation.

caboteur *nm* *(navire)* coaster.

cabrer ■ **se cabrer** *vp* **1.** *(cheval)* to rear (up) **2.** *(avion)* to climb steeply **3.** *fig (personne)* to take offence (UK) *ou* offense (US).

cabri *nm* kid.

cabriole *nf* **1.** *(bond)* caper **2.** *(pirouette)* somersault.

cabriolet *nm* convertible.

CAC, Cac (abrév de Compagnie des agents de change) *nm inv* • **l'indice CAC-40** the CAC-40 index.

caca *nm fam* pooh (UK), poop (US) • **faire caca** to do a pooh (UK) *ou* poop (US) • **caca d'oie** greeny-yellow.

cacahouète, cacahuète *nf* peanut.

cacao *nm* **1.** *(poudre)* cocoa (powder) **2.** *(boisson)* cocoa.

cachalot *nm* sperm whale.

cache *nf* *(cachette)* hiding place. ❏ *nm (masque)* card *(for masking text)*.

cache-cache *nm inv* • **jouer à cache-cache** to play hide-and-seek.

cache-col *nm inv* scarf.

cachemire *nm* **1.** *(laine)* cashmere **2.** *(dessin)* paisley.

cache-nez *nm inv* scarf.

cache-pot *nm inv* pot holder.

cacher *vt* **1.** *(gén)* to hide • **je ne vous cache pas que...** to be honest,... **2.** *(vue)* to mask. ■ **se cacher** *vp* • **se cacher (de qqn)** to hide (from sb).

cachet *nm* **1.** *(comprimé)* tablet, pill **2.** *(marque)* postmark **3.** *(style)* style, character • **avoir du cachet** to have character **4.** *(rétribution)* fee.

cacheter *vt* to seal.

cachette *nf* hiding place • **en cachette** secretly.

cachot *nm* *(cellule)* cell.

cachotterie *nf* little secret • **faire des cachotteries (à qqn)** to hide things (from sb).

cachottier, ère *nm, f* secretive person.

cactus *nm* cactus.

c.-à-d. (abrév de c'est-à-dire) i.e.

cadastre *nm* **1.** *(registre)* ≃ land register **2.** *(service)* ≃ land registry (UK) ; ≃ land office (US).

cadavérique *adj* deathly.

cadavre *nm* corpse, (dead) body.

Caddie® *nm (chariot)* (shopping) trolley **(UK)**, shopping cart **(US)**.

caddie *nm (golf)* caddie.

cadeau *nm* present, gift • **faire cadeau de qqch à qqn** to give sthg to sb (as a present). ❑ *adj inv* • **idée cadeau** gift idea.

cadenas *nm* padlock.

cadenasser *vt* to padlock.

cadence *nf* **1.** *(rythme musical)* rhythm • **en cadence** in time **2.** *(de travail)* rate.

cadencé, e *adj* rhythmical.

cadet, ette *nm, f* **1.** *(de deux enfants)* younger **2.** *(de plusieurs enfants)* youngest • **il est mon cadet de deux ans** he's two years younger than me **3.** *SPORT* junior.

cadran *nm* dial • **cadran solaire** sundial.

cadre *nm* **1.** *(de tableau, de porte)* frame **2.** *(contexte)* context **3.** *(décor, milieu)* surroundings *pl* **4.** *(responsable)* • **cadre moyen/supérieur** middle/senior manager **5.** *(sur formulaire)* box.

cadrer *vi* to agree, to tally. ❑ *vt CINÉ, PHOTO & TV* to frame.

cadreur, euse *nm, f* cameraman, camerawoman *f*.

caduc, caduque *adj* **1.** *(feuille)* deciduous **2.** *(qui n'est plus valide)* obsolete.

cafard *nm* **1.** *(insecte)* cockroach **2.** *fam & fig (mélancolie)* • **avoir le cafard** to feel low *ou* down.

café *nm* **1.** *(plante, boisson)* coffee • **café allongé** *ou* **long** *si vous voulez expliquer de quoi il s'agit à un anglophone, vous pouvez dire* it is an espresso coffee diluted with extra hot water • **café crème** latte • **café en grains** coffee beans • **café au lait** white coffee **(UK)**, coffee with milk **(US)** *(with hot milk)* • **café moulu** ground coffee • **café noir** black coffee • **café en poudre** *ou* **soluble** instant coffee **2.** *(lieu)* bar, café.

caféine *nf* caffeine.

cafétéria *nf* cafeteria.

café-théâtre *nm* ≃ cabaret.

cafetière *nf* **1.** *(récipient)* coffeepot **2.** *(électrique)* coffeemaker **3.** *(italienne)* percolator.

cafouiller *vi fam* **1.** *(s'embrouiller)* to get into a mess **2.** *(moteur)* to misfire **3.** *TV* to be on the blink.

cafter *vi fam* to sneak, to snitch.

cafteur, euse *nm, f fam* sneak, snitch.

cage *nf* **1.** *(pour animaux)* cage • **je n'aime pas voir les animaux en cage** I don't like to see animals in cages **2.** *(dans une maison)* • **cage d'escalier** stairwell **3.** *ANAT* • **cage thoracique** rib cage.

cageot *nm (caisse)* crate.

cagibi *nm* boxroom **(UK)**, storage room **(US)**.

cagneux, euse *adj* • **avoir les genoux cagneux** to be knock-kneed.

cagnotte *nf* **1.** *(caisse commune)* kitty **2.** *(économies)* savings *pl*.

cagoule *nf* **1.** *(passe-montagne)* balaclava **2.** *(de voleur, de pénitent)* hood.

cahier *nm* **1.** *(de notes)* exercise book **(UK)**, notebook • **cahier de brouillon** rough book **(UK)**, notebook **(US)** • **cahier de textes** homework book **2.** *COMM* • **cahier des charges** specification.

cahin-caha *adv* • **aller cahin-caha** to be jogging along.

cahot *nm* bump, jolt.

cahoter *vi* to jolt around.

cahute *nf* shack.

caïd *nm* **1.** *(chef de bande)* leader **2.** *fam (homme fort)* big shot.

caille *nf* quail.

caillé, e *adj* **1.** *(lait)* curdled **2.** *(sang)* clotted.

caillot *nm* clot.

caillou *nm* **1.** *(pierre)* stone, pebble **2.** *fam (crâne)* head.

caillouteux, euse *adj* stony.

caïman *nm* cayman.

Caire *npr* • **Le Caire** Cairo.

caisse *nf* **1.** *(boîte)* crate, box • **caisse à outils** toolbox **2.** *TECHNOL* case **3.** *(guichet)* cash desk, till **4.** *(de supermarché)* checkout, till • **elle travaille à la caisse au supermarché** she works on the checkout in the supermarket • **caisse enregistreuse** cash register **5.** *(recette)* takings *pl* **6.** *(organisme)* • **caisse d'allocation** ≃ social security **(UK)** *ou* welfare **(US)** office • **caisse d'épargne a)** *(fonds)* savings fund **b)** *(établissement)* savings bank • **caisse de retraite** pension fund.

caissier, ère *nm, f* cashier.

caisson *nm* **1.** *MIL & TECHNOL* caisson **2.** *ARCHIT* coffer.

cajoler *vt* to cuddle.

cajou → **noix**.

cake *nm* fruitcake.

cal *nm* callus.

calamar, calmar *nm* squid.

calamité *nf* disaster.

calandre *nf* **1.** *(de voiture)* radiator grill **2.** *(machine)* calender.

calanque *nf* rocky inlet.

calcaire *adj* **1.** *(eau)* hard **2.** *(sol)* chalky **3.** *(roche)* limestone. ❑ *nm* limestone.

calciner *vt* to burn to a cinder.

calcium *nm* calcium.

calcul *nm* **1.** *(opération)* • **le calcul** arithmetic • **calcul mental** mental arithmetic **2.** *(compte)* calculation **3.** *fig (plan)* plan **4.** *MÉD* • **calcul (rénal)** kidney stone.

calculateur, trice *adj péj* calculating. ■ **calculateur** *nm* computer. ■ **calculatrice** *nf* calculator • **calculatrice de poche** pocket calculator.

calculer *vt* **1.** *(déterminer)* to calculate, to work out • **elle a tout calculé de tête** she worked

everything out in her head **2.***(prévoir)* to plan • **mal/bien calculer qqch** to judge sthg badly/well. ❏ *vi (dépenser avec parcimonie)* to budget carefully, to count the pennies *péj.*

calculette*nf* pocket calculator.

cale*nf* **1.***(de navire)* hold • **cale sèche** dry dock **2.***(pour immobiliser)* wedge.

calé, e*adj fam (personne)* clever, brainy • **être calé en** to be good at.

calèche*nf* (horse-drawn) carriage.

caleçon *nm* **1.***(sous-vêtement masculin)* boxer shorts *pl*, pair of boxer shorts **2.***(vêtement féminin)* leggings *pl*, pair of leggings.

calembour*nm* pun, play on words.

calendrier *nm* **1.***(système, agenda, d'un festival)* calendar **2.***(emploi du temps)* timetable **(UK)**, schedule **(US) 3.***(d'un voyage)* schedule.

cale-pied*nm* toe-clip.

calepin*nm* notebook.

caler *vt* **1.***(avec cale)* to wedge **2.** *(stabiliser, appuyer)* to prop up **3.** *fam (remplir)* • **ça cale (l'estomac)** it's filling. ❏ *vi* **1.***(moteur, véhicule)* to stall **2.** *fam (personne)* to give up.

calfeutrer*vt* to draughtproof **(UK).** ■ **se calfeutrer***vp* to shut o.s. up *ou* away.

calibre*nm* **1.***(de tuyau)* diameter, bore **2.***(de fusil)* calibre **(UK)**, caliber **(US) 3.***(de fruit, d'œuf)* size **4.***fam & fig (envergure)* calibre **(UK)**, caliber **(US).**

calibrer*vt* **1.***(machine, fusil)* to calibrate **2.***(fruit, œuf)* to grade.

Californie*nf* • **la Californie** California.

californien, enne*adj* Californian. ■ **Californien, enne***nm, f* Californian.

califourchon ■ **à califourchon** *loc adv* astride • **être (assis) à califourchon sur qqch** to sit astride sthg.

câlin, e*adj* affectionate. ■ **câlin** *nm* cuddle • **fais-moi un câlin** give me a cuddle.

câliner*vt* to cuddle. ■ **se câliner** *vp (emploi réciproque)* to cuddle.

calleux, euse*adj* calloused.

call-girl*nf* call girl.

calligraphie*nf* calligraphy.

calmant, e*adj* soothing. ■ **calmant***nm* **1.***(pour la douleur)* painkiller **2.***(pour l'anxiété)* tranquillizer **(UK)**, tranquilizer **(US)**, sedative.

calmar → **calamar.**

calme*adj* quiet, calm • **restez calmes, il n'y a pas de danger** keep calm, there's no danger. ❏ *nm* **1.***(gén)* calm, calmness **2.***(absence de bruit)* peace (and quiet).

calmer*vt* **1.***(apaiser)* to calm (down) **2.***(réduire -douleur)* to soothe ; *(-inquiétude)* to allay. ■ **se calmer***vp (s'apaiser - personne, discussion)* to calm down ; *(-tempête)* to abate ; *(-mer)* to become calm **2.***(diminuer - douleur)* to ease ; *(-fièvre, inquiétude, désir)* to subside.

calomnie*nf* **1.***(écrits)* libel **2.***(paroles)* slander.

calorie*nf* calorie.

calorique*adj* calorific.

calot*nm (bille)* (large) marble.

calotte*nf* **1.***(bonnet)* skullcap **2.***GÉOGR* • **calotte glaciaire** ice cap.

calque*nm* **1.***(dessin)* tracing **2.***(papier)* • **(papier) calque** tracing paper **3.** *fig (imitation)* (exact) copy.

calquer*vt* **1.***(carte)* to trace **2.***(imiter)* to copy exactly • **calquer qqch sur qqch** to model sthg on sthg.

calvaire*nm* **1.***(croix)* wayside cross **2.** *fig (épreuve)* ordeal.

calvitie*nf* baldness.

camaïeu*nm* monochrome.

camarade *nmf* **1.***(compagnon, ami)* friend • **camarade de classe** classmate • **camarade d'école** schoolfriend **2.***POLIT* comrade.

camaraderie *nf* **1.***(familiarité, entente)* friendship **2.***(solidarité)* comradeship, camaraderie.

Cambodge*nm* • **le Cambodge** Cambodia.

cambouis*nm* dirty grease.

cambré, e*adj* arched.

cambriolage*nm* burglary.

cambrioler *vt* to burgle **(UK)**, to burglarize **(US).**

cambrioleur, euse*nm, f* burglar.

camée*nm* cameo.

caméléon *nm litt & fig* chameleon.

camélia*nm* camellia.

camelote *nf (marchandise de mauvaise qualité)* junk, rubbish **(UK).**

camembert *nm* **1.***(fromage)* Camembert **2.***(graphique)* pie chart.

caméra *nf* **1.***CINÉ & TV* camera • **caméra vidéo** video camera **2.***(d'amateur)* cinecamera.

cameraman*nm* cameraman.

Cameroun*nm* • **le Cameroun** Cameroon.

Caméscope® *nm* camcorder.

camion *nm* truck, lorry **(UK)** • **camion de déménagement** removal van **(UK)**, moving van **(US).**

camion-citerne *nm* tanker **(UK)**, tanker truck **(US).**

camionnage *nm* road haulage **(UK)**, trucking **(US).**

camionnette*nf* van.

camionneur *nm* **1.***(conducteur)* lorry-driver **(UK)**, truckdriver **(US) 2.***(entrepreneur)* road haulier **(UK)**, trucker **(US).**

camion-poubelle nm dustcart (UK), (dust) bin lorry (UK), garbage truck (US).

camisole ■ camisole de force nf straitjacket.

camomille nf 1. (plante) camomile 2. (tisane) camomile tea.

camouflage nm 1. (déguisement) camouflage 2. fig (dissimulation) concealment.

camoufler vt 1. (déguiser) to camouflage 2. fig (dissimuler) to conceal, to cover up.

camp nm 1. (gén) camp • camp de concentration concentration camp • camp de vacances holiday (UK) ou vacation (US) camp 2. SPORT half (of the field) 3. (parti) side • passer dans l'autre camp to go over to the other side.

campagnard, e adj 1. (de la campagne) country (avant nom) 2. (rustique) rustic.

campagne nf 1. (habitat) country 2. (paysage) countryside • à la campagne in the country 3. MIL campaign 4. (publicité) POLIT campaign • faire campagne to campaign • campagne d'affichage poster campaign • campagne électorale election campaign • campagne de presse press campaign • campagne publicitaire ou de publicité advertising campaign • campagne de vente sales campaign.

campement nm camp, encampment.

camper vi to camp. ◇ vt 1. (poser solidement) to place firmly 2. fig (esquisser) to portray.

campeur, euse nm, f camper.

camphre nm camphor.

camping nm 1. (activité) camping • faire du camping to go camping 2. (terrain) campsite.

camping-car nm camper, camper-van (UK), Dormobile® (UK).

campus nm campus.

Canada nm • le Canada Canada.

En anglais, à de rares exceptions près, il n'y a pas d'article devant les noms de pays.

canadien, enne adj Canadian. ■ canadienne nf (veste) sheepskin jacket. ■ Canadien, enne nm, f Canadian.

En anglais, les adjectifs se rapportant à un pays ou une région s'écrivent avec une majuscule.

canaille adj 1. (coquin) roguish 2. (vulgaire) crude. ◇ nf 1. (scélérat) scoundrel 2. hum (coquin) little devil.

canal nm 1. (gén) channel • par le canal de qqn fig (par l'entremise de) through sb 2. (voie d'eau) canal 3. ANAT canal, duct. ■ Canal nm • Canal+ pour expliquer de quoi il s'agit à un anglophone, vous pouvez dire it is a French pay-TV channel.

canalisation nf (conduit) pipe.

canaliser vt 1. (cours d'eau) to canalize 2. fig (orienter) to channel.

canapé nm 1. (siège) sofa 2. (apéritif) canapé.

canapé-lit nm sofa bed.

canaque = kanak.

canard nm 1. (oiseau) duck 2. (fausse note) wrong note 3. fam (journal) rag.

canari nm canary.

cancan nm 1. péj (ragot) piece of gossip 2. (danse) cancan.

cancer nm MÉD cancer • M. Lubat a un cancer Mr Lubat has cancer • elle a un cancer du foie she has liver cancer. ■ Cancer nm ASTROL Cancer • être (un) Cancer to be (a) Cancer.

cancéreux, euse adj 1. (personne) suffering from cancer 2. (tumeur) cancerous. ◇ nm, f (personne) cancer sufferer.

cancérigène adj carcinogenic.

cancre nm fam dunce.

cancrelat nm cockroach.

candélabre nm candelabra.

candeur nf ingenuousness.

candi adj • sucre candi (sugar) candy.

candidat, e nm, f • candidat (à) candidate (for).

candidature nf 1. (à un poste) application • poser sa candidature pour qqch to apply for sthg 2. (à une élection) candidacy, candidature (UK).

candide adj ingenuous.

cane nf (female) duck.

caneton nm (male) duckling.

canette nf (petite cane) (female) duckling.

canevas nm COUT canvas.

caniche nm poodle.

canicule nf heatwave.

canif nm penknife.

canin, e adj canine • exposition canine dog show.

canine nf canine (tooth).

caniveau nm gutter.

cannabis nm cannabis.

canne nf 1. (bâton) walking stick • canne à pêche fishing rod 2. fam (jambe) pin. ■ canne à sucre nf sugar cane.

cannelle nf (aromate) cinnamon.

cannelure nf (de colonne) flute.

can(n)ette nf 1. (de fil) spool 2. (de boisson - bouteille) bottle ; (- boîte) can.

cannibale nmf & adj cannibal.

canoë nm canoe.

canoë-kayak nm kayak.

canon nm 1. (arme) gun 2. HIST cannon 3. (tube d'arme) barrel 4. MUS • chanter en canon to sing in canon 5. (norme) RELIG canon.

canoniser vt to canonize.

canopée nf (écologie) canopy.

canot nm dinghy • canot pneumatique inflatable dinghy • canot de sauvetage lifeboat.

cantatrice nf 1. (d'opéra) (opera) singer 2. (de concert) (concert) singer.

cantine nf **1.** (réfectoire) cafeteria, canteen (UK) **2.** (malle) trunk.

cantique nm hymn • **cantique de Noël** Christmas carol.

canton nm **1.** (en France) ≃ district **2.** (en Suisse) canton.

cantonade ■ à la cantonade loc adv • **parler à la cantonade** to speak to everyone (in general).

cantonais, e adj Cantonese • **riz cantonais** egg fried rice. ■ **cantonais** nm (langue) Cantonese.

cantonner vt **1.** MIL to quarter, to billet **2.** (maintenir) to confine • **cantonner qqn à** ou **dans** to confine sb to.

cantonnier nm roadman.

canular nm fam hoax.

canyon, cañon nm canyon.

canyoning nm canyoning.

caoutchouc nm **1.** (substance) rubber **2.** (plante) rubber plant.

caoutchouteux, euse adj rubbery.

cap nm **1.** GÉOGR cape • **le cap de Bonne-Espérance** the Cape of Good Hope • **le cap Horn** Cape Horn • **passer le cap de qqch** fig to get through sthg • **passer le cap de la quarantaine** fig to turn forty **2.** (direction) course • **changer de cap** to change course • **mettre le cap sur** to head for. ■ **Cap** nm • **Le Cap** Cape Town.

CAP (abrév de certificat d'aptitude professionnelle) nm pour expliquer de quoi il s'agit à un anglophone, vous pouvez dire it is a vocational training certificate that you take at secondary school.

capable adj **1.** (apte) capable (de qqch/de faire qqch) capable (of sthg/of doing sthg) **2.** (à même) • **capable de faire qqch** likely to do sthg.

capacité nf **1.** (de récipient) capacity **2.** (de personne) ability **3.** UNIV • **capacité en droit** (diplôme) pour expliquer de quoi il s'agit à un anglophone, vous pouvez dire it is a basic qualification in law that you get after 2 years' study.

cape nf (vêtement) cloak • **rire sous cape** fig to laugh up one's sleeve.

CAPES, Capes (abrév de certificat d'aptitude au professorat de l'enseignement du second degré) nm si vous voulez expliquer à un anglophone de quoi il s'agit, vous pouvez dire it is a competitive examination for secondary school teachers.

capharnaüm nm mess.

capillaire adj **1.** (lotion) hair (avant nom) **2.** ANAT & BOT capillary. ❑ nm **1.** BOT maidenhair fern **2.** ANAT capillary.

capillarité nf PHYS capillarity.

capitaine nmf captain.

capitainerie nf harbour (UK) ou harbor (US) master's office.

capital, e adj **1.** (décision, événement) major **2.** DR capital. ■ **capital** nm FIN capital • **capital santé** fig reserves pl of health • **capital social** author-

ized ou share capital. ■ **capitale** nf (ville, lettre) capital. ■ **capitaux** nmpl capital (indén).

capitaliser vt **1.** FIN to capitalize **2.** fig to accumulate. ❑ vi to save. ■ **capitaliser sur** v + prép to cash in on, to capitalize on.

capitalisme nm capitalism.

capitaliste nmf & adj capitalist.

capiteux adj **1.** (vin) intoxicating **2.** (parfum) heady.

capitonné, e adj padded.

capituler vi to surrender • **capituler devant qqn/qqch** to surrender to sb/sthg.

caporal, e nm, f **1.** MIL lance corporal **2.** (tabac) Caporal tobacco.

capot nm **1.** (de voiture) bonnet (UK), hood (US) **2.** (de machine) (protective) cover.

capote nf **1.** (de voiture) hood (UK), top (US) **2.** fam (préservatif) condom • **capote anglaise** vieilli condom, French letter (UK).

câpre nf caper.

caprice nm whim.

capricieux, euse adj **1.** (changeant) capricious **2.** (coléreux) temperamental. ❑ nm, f temperamental person.

capricorne nm ZOOL capricorn beetle. ■ **Capricorne** nm ASTROL Capricorn • **être (un) Capricorne** to be (a) Capricorn.

capsule nf **1.** (de bouteille) cap **2.** ASTRON, BOT & MÉD capsule.

capter vt **1.** (recevoir sur émetteur) to pick up **2.** (source, rivière) to harness **3.** fig (attention, confiance) to gain, to win.

captif, ive adj captive. ❑ nm, f prisoner.

captivant, e adj **1.** (livre, film) enthralling **2.** (personne) captivating.

captiver vt to captivate.

captivité nf captivity.

capture nf **1.** (action) capture **2.** (prise) catch **3.** INFORM • **capture d'écran a)** (image) screenshot **b)** (action) screen capture.

capturer vt to catch, to capture.

capuche nf (detachable) hood.

capuchon nm **1.** (bonnet - d'imperméable) hood **2.** (bouchon) cap, top.

capucine nf (fleur) nasturtium.

caquelon nm fondue dish.

caqueter vi **1.** (poule) to cackle **2.** péj (personne) to chatter.

car[1] nm bus, coach (UK) • **en car** by coach.

car[2] conj because, for.

carabine nf rifle.

caraco nm loose blouse.

caractère nm (gén) character • **avoir du caractère** to have character • **avoir mauvais caractère** to be bad-tempered • **en petits/gros**

caractères in small/large print • **caractères d'imprimerie** block capitals.

FAUX AMIS

caractère

Character peut se traduire par *caractère*, mais il signifie aussi *personnage* (de film, de roman). *Caractère* se traduit en anglais par *character*, *nature* ou différemment selon les contextes : *She's a woman of great character* C'est une femme de caractère ; *He's bad-tempered* Il a mauvais caractère.

---

caractériel, elle adj **1.** (troubles) emotional **2.** (personne) emotionally disturbed.

caractérisé, e adj (net) clear.

caractériser vt to be characteristic of. ■ **se caractériser** vp • **se caractériser par qqch** to be characterized by sthg.

caractéristique nf characteristic, feature. ❑ adj • **caractéristique (de)** characteristic (of).

carafe nf **1.** (pour vin, eau) carafe **2.** (pour alcool) decanter.

caraïbe adj Caribbean. ■ **Caraïbes** nfpl • **les Caraïbes** the Caribbean.

carambolage nm pileup.

caramel nm **1.** CULIN caramel **2.** (bonbon - dur) caramel, toffee, taffy (US); (- mou) fudge.

carapace nf **1.** shell **2.** fig protection, shield.

carapater ■ **se carapater** vp fam to hop it, to skedaddle, to scarper (UK).

carat nm carat, karat (US) • **or à 9 carats** 9-carat gold.

caravane nf (de camping, de désert) caravan • **nous partons en vacances en caravane** we're going on holiday in the caravan.

caravaning nm caravanning (UK).

caravelle nf NAUT caravel.

carbone nm carbon • **(papier) carbone** carbon paper.

carbonique adj • **gaz carbonique** carbon dioxide • **neige carbonique** dry ice.

carboniser vt to burn to a cinder.

carburant nm fuel.

carburateur nm carburettor (UK), carburetor (US).

carcan nm **1.** HIST iron collar **2.** fig yoke.

carcasse nf **1.** (d'animal) carcass **2.** (de bâtiment, navire) framework **3.** (de véhicule) shell.

carcéral, e adj prison (avant un nom).

cardiaque adj cardiac • **être cardiaque** to have a heart condition • **crise cardiaque** heart attack.

cardigan nm cardigan.

cardinal, e adj cardinal. ■ **cardinal** nm **1.** RELIG cardinal **2.** (nombre) cardinal number.

cardiologue nmf heart specialist, cardiologist.

cardio-vasculaire adj cardiovascular.

Carême nm • **le Carême** Lent.

carence nf (manque) • **carence (en)** deficiency (in).

carène nf NAUT hull.

caressant, e adj affectionate.

caresse nf caress.

caresser vt **1.** (personne) to caress **2.** (animal, objet) to stroke **3.** fig (espoir) to cherish.

cargaison nf (transports) cargo.

cargo nm **1.** (navire) freighter **2.** (avion) cargo plane.

caricature nf (gén) caricature.

carie nf MÉD caries (indén).

carillon nm **1.** (cloches) bells pl **2.** (d'horloge, de porte) chime.

carlingue nf **1.** (d'avion) cabin **2.** (de navire) keelson.

carmin adj inv crimson.

carnage nm slaughter, carnage.

carnaval nm carnival.

carnet nm **1.** (petit cahier) notebook • **carnet d'adresses** address book • **carnet de notes** SCOL report (UK), report card (US) **2.** (bloc de feuilles) book • **carnet de chèques** chequebook (UK), checkbook (US) • **carnet de tickets** book of tickets • **carnet de timbres** book of stamps.

carnivore adj carnivorous. ❑ nm carnivore.

carotide adj ANAT carotid. ❑ nf ANAT carotid artery.

carotte nf carrot.

carpe nf carp.

carpette nf **1.** (petit tapis) rug **2.** fam & péj (personne) doormat.

carquois nm quiver.

carré, e adj (gén) square • **20 mètres carrés** 20 square metres. ■ **carré** nm **1.** (quadrilatère) square • **élever un nombre au carré** MATH to square a number **2.** (jeux de cartes) • **un carré d'as** four aces **3.** (petit terrain) patch, plot.

carreau nm **1.** (carrelage) tile **2.** (vitre) window pane **3.** (motif carré) check • **à carreaux a)** (tissu) checked **b)** (papier) squared **4.** (cartes à jouer) diamond • **le trois de carreau** the three of diamonds.

carrefour nm (de routes, de la vie) crossroads sing.

carrelage nm (surface) tiles pl.

carrément adv **1.** (franchement) bluntly **2.** (complètement) completely, quite **3.** (sans hésiter) straight.

carrière nf **1.** (profession) career • **faire carrière dans qqch** to make a career (for o.s.) in sthg **2.** (gisement) quarry.

carriériste nmf péj careerist.

carriole nf **1.** (petite charrette) cart **2.** (QUÉBEC) (traîneau) sleigh.

carrossable adj suitable for vehicles.

carrosse nm (horse-drawn) coach.

carrosserie nf (de voiture) bodywork, body.

carrossier nm coachbuilder (UK).

carrousel nm (équitation) carousel.

carrure nf 1. (de personne) build 2. fig stature.

cartable nm schoolbag.

carte nf 1. (gén) card • **carte d'abonnement** season ticket • **carte d'anniversaire** birthday card • **carte d'électeur** polling card (UK), voter registration card (US) • **carte d'étudiant** student card • **carte à gratter** scratch card • **carte grise** ≃ logbook (UK) ; ≃ car registration papers (US) • **carte d'identité** identity card • **carte postale** postcard • **carte à puce** smart card • **carte de séjour** residence permit • **Carte Senior** si vous voulez expliquer à un anglophone de quoi il s'agit, vous pouvez dire it is a card that entitles senior citizens to reduced rates in cinemas, on public transport, etc • **carte de vœux** New Year's greeting card • **carte de visite** visiting card (UK), calling card (US) • **donner carte blanche à qqn** fig to give sb a free hand 2. BANQUE & COMM • **carte bancaire** bank card, cash card (UK) • **carte de crédit** credit card 3. INFORM & TÉLÉCOM card • **carte graphique** graphics card • **carte à mémoire** memory card • **carte son** soundcard • **carte téléphonique** phonecard 4. (de jeu) • **carte (à jouer)** (playing) card • **jouer aux cartes** to play cards 5. GÉOGR map • **carte d'état-major** ≃ Ordnance Survey map (UK) ; ≃ US Geological Survey map (US) • **carte routière** road map 6. (au restaurant) menu • **à la carte a)** (menu) à la carte **b)** (horaires) flexible • **carte des vins** wine list.

cartel nm 1. ÉCON cartel 2. POLIT coalition.

Carterie® nf card shop.

cartilage nm cartilage.

cartomancien, enne nm, f fortune-teller (using cards).

carton nm 1. (matière) cardboard 2. (emballage) cardboard box • **carton à dessin** portfolio 3. FOOTBALL • **carton jaune** yellow card • **carton rouge** red card.

cartonné, e adj (livre) hardback.

carton-pâte nm pasteboard.

cartouche nf 1. (gén) INFORM cartridge 2. (de cigarettes) carton.

cas nm case • **au cas où** in case • **en aucun cas** under no circumstances • **en tout cas** in any case, anyway • **en cas de** in case of • **en cas de besoin** if need be • **le cas échéant** if the need arises, if need be • **cas de conscience** matter of conscience • **cas limite** borderline case • **cas social** person with social problems.

casanier, ère adj & nm, f stay-at-home.

casaque nf 1. (veste) overblouse 2. (équitation) blouse.

cascade nf 1. (chute d'eau) waterfall 2. fig stream, torrent 3. CINÉ stunt.

cascadeur, euse nm, f CINÉ stuntman, stuntwoman f.

case nf 1. (habitation) hut 2. (de boîte, tiroir) compartment 3. (d'échiquier) square 4. (sur un formulaire) box.

caser vt 1. fam (trouver un emploi pour) to get a job for 2. fam (marier) to marry off 3. (placer) to put. ■ **se caser** vp fam 1. (trouver un emploi) to get (o.s.) a job 2. (se marier) to get hitched.

caserne nf barracks sing.

cash nm cash • **payer cash** to pay (in) cash.

casier nm 1. (compartiment) compartment 2. (pour le courrier) pigeonhole 3. (meuble - à bouteilles) rack ; (- à courrier) set of pigeonholes 4. (à la pêche) lobster pot. ■ **casier judiciaire** nm (police) record • **casier judiciaire vierge** clean (police) record.

casino nm casino.

casque nm 1. (de protection) helmet 2. (à écouteurs) headphones pl • **tu pourrais écouter ta musique au casque** you could use headphones to listen to your music. ■ **Casques bleus** nmpl • **les Casques bleus** the UN peace-keeping force, the Blue Berets.

casquette nf cap.

cassant, e adj 1. (fragile - verre) fragile ; (- cheveux) brittle 2. (dur) brusque.

cassation nf → cour.

casse nf 1. fam (violence) aggro (UK) 2. fam (de voitures) scrapyard. □ nm fam (cambriolage) break-in.

casse-cou nmf inv (personne) daredevil.

casse-croûte nm inv snack.

casse-noisettes, casse-noix nm inv nutcracker.

casse-pieds fam adj inv annoying. □ nmf pain (in the neck).

casser vt 1. (briser) to break 2. DR to quash 3. COMM • **casser les prix** to slash prices. □ vi to break. ■ **se casser** vp 1. (se briser) to break 2. (membre) • **se casser un bras** to break one's arm 3. (locution) • **se casser la figure** fam ou **gueule** & tfam **a)** (personne) to take a tumble, to come a cropper (UK) **b)** (livre, carafe) to crash to the ground **c)** (projet) to bite the dust, to take a dive.

casserole nf (ustensile) saucepan.

cas

Il faut noter que **in case** n'est pas suivi de **would** :

• *Au cas où ils auraient envie de rester dîner, j'ai prévu large.* **I've made extra in case they want to stay for dinner.**

• *Il avait une canne à la main pour le cas où il aurait à se défendre.* **He carried a stick in case he had to defend himself.**

casse-tête nm inv **1.** fig (problème) headache **2.** (jeu) puzzle.

cassette nf **1.** (coffret) casket **2.** (de musique, vidéo) cassette.

casseur, euse nm, f **1.** (cambrioleur) burglar **2.** (manifestant) rioting demonstrator.

cassis nm **1.** (fruit) blackcurrant **2.** (arbuste) blackcurrant bush **3.** (liqueur) blackcurrant liqueur **4.** (sur la route) dip.

cassonade nf brown sugar.

cassoulet nm si vous voulez expliquer de quoi il s'agit à un anglophone, vous pouvez dire it is a stew made with haricot beans and meat.

cassure nf break.

caste nf caste.

casting nm **1.** (acteurs) cast **2.** (sélection) casting • **aller à un casting** to go to an audition.

castor nm beaver.

castrer vt **1.** to castrate **2.** (chat) to neuter **3.** (chatte) to spay.

cataclysme nm cataclysm.

catacombes nfpl catacombs.

catadioptre, Cataphote® nm **1.** (sur la route) Catseye® (UK), highway reflector (US) **2.** (de véhicule) reflector.

catalogue nm catalogue, catalog (US) • **catalogue raisonné** ART catalogue raisonné.

cataloguer vt **1.** (classer) to catalogue, to catalog (US) **2.** péj (juger) to label.

catalyseur nm fig CHIM catalyst.

catalytique → **pot.**

catamaran nm (voilier) catamaran.

Cataphote® = **catadioptre.**

catapulter vt to catapult.

cataracte nf cataract.

catastrophe nf disaster, catastrophe • **catastrophe naturelle a)** natural disaster **b)** (assurances) act of God.

catastrophé, e adj shocked, upset.

catastrophique adj disastrous, catastrophic.

catch nm wrestling.

catéchisme nm catechism.

catégorie nf **1.** (gén) category **2.** (de personnel) grade **3.** (de viande, fruits) quality **4.** ÉCON • **catégorie socio-professionnelle** socioprofessional group.

catégorique adj categorical.

cathédrale nf cathedral.

cathodique → **tube.**

catholicisme nm Catholicism.

catholique adj Catholic • **elle est catholique** she's a Catholic.

En anglais, les adjectifs et les noms se rapportant à une religion s'écrivent avec une majuscule.

catimini ■ **en catimini** loc adv secretly.

catogan nm **1.** (coiffure) ponytail **2.** (ruban) ribbon (securing hair at the back of the neck).

cauchemar nm litt & fig nightmare • **faire un cauchemar** to have a nightmare.

cauchemardesque adj nightmarish.

cause nf **1.** (gén) cause • **à cause de** because of • **pour cause de** on account of, because of **2.** DR case **3.** (locution) • **être en cause a)** (intérêts) to be at stake **b)** (honnêteté) to be in doubt ou in question • **remettre en cause** to challenge, to question.

causer vt • **causer qqch à qqn** to cause sb sthg. ❏ vi (bavarder) • **causer (de)** to chat (about).

causerie nf talk.

caustique adj & nm caustic.

cautériser vt to cauterize.

caution nf **1.** (somme d'argent) guarantee **2.** (personne) guarantor • **se porter caution pour qqn** to act as guarantor for sb.

cautionner vt **1.** (se porter garant de) to guarantee **2.** fig (appuyer) to support, to back.

cavalcade nf **1.** (de cavaliers) cavalcade **2.** (d'enfants) stampede.

cavalerie nf MIL cavalry.

cavalier, ère nm, f **1.** (à cheval) rider **2.** (partenaire) partner. ■ **cavalier** nm (aux échecs) knight.

cavalièrement adv in an offhand manner.

cave nf **1.** (sous-sol) cellar • **cave à vin** wine cellar **2.** (de vins) (wine) cellar. ❏ adj **1.** (joues) hollow **2.** (yeux) sunken.

caveau nm **1.** (petite cave) small cellar **2.** (sépulture) vault.

caverne nf cave.

caviar nm caviar.

caviste nmf cellarman.

cavité nf cavity.

CB (abrév de citizen's band, canaux banalisés) nf CB.

cc (abrév de charges comprises) inclusive.

CCP (abrév de compte chèque postal, compte courant postal) nm ≃ National Girobank account (UK); ≃ Post Office checking account (US).

CD nm (abrév de compact disc) CD.

CDD nm (abrév de contrat à durée déterminée) fixed-term contract.

CDI nm **1.** (abrév de centre de documentation et d'information) school library **2.** (abrév de contrat à durée indéterminée) permanent contract.

ce

■ **ce, cette** adj dém

1. DÉSIGNE UN OBJET OU UNE PERSONNE PROCHE DU LOCUTEUR OU DÉJÀ ÉVOQUÉ PAR LUI

• **j'aime beaucoup ce chapeau** I like this hat a lot • **cette année, je prends des cours de judo** I'm doing judo classes this year

• **j'aime beaucoup ce film** I like this film a lot

2. DÉSIGNE UN OBJET OU UNE PERSONNE ÉLOIGNÉ DU LOCUTEUR OU ÉVOQUÉ PAR UN AUTRE LOCUTEUR

• **à cette époque, j'habitais à Toulouse** at that time, I lived in Toulouse • **d'ici, je n'arrive pas à lire ce panneau** I can't read that sign from here • **j'aime beaucoup ce film** I like that film a lot

3. POUR RENFORCER

• **ce mois-ci** this month • **cette année-là** that year

■ **ce, cette** *pron dém inv*

c' devant le verbe être » 3ᵉ personne singulier

1. DEVANT LE VERBE ÊTRE, POUR PRÉSENTER QQN OU QQCH

• **ce sont mes enfants** these are my children, they're my children • **c'est mon bureau** this is my office, it's my office • **c'est une prof très sévère** she's a very strict teacher • **c'est à Paris** it's in Paris

2. DEVANT UN PRONOM RELATIF

• **ce que j'aime, c'est ton enthousiasme** what I like is your enthusiasm • **ce qui est dommage, c'est que notre appartement soit si petit** our flat is so small, that's a pity • **ils ont eu ce qui leur revenait** they got what they deserved • **vous savez bien ce à quoi je pense** you know exactly what I'm thinking about • **faites donc ce pour quoi on vous paie** do what you're paid to do

3. POUR FAIRE UNE REPRISE

• **il n'est jamais revenu, ce qui est très étonnant** he never came back, which is very surprising • **elle m'a humilié, et ce, devant tout le monde** she humiliated me and did so in front of everyone

À PROPOS DE

ce

Quand *ce* s'applique à une personne, il faut utiliser le pronom personnel correspondant en anglais.

• *C'est un américain.* **He is an American.**
• *Ce sont des gens très sympas.* **They're nice people.**

Pour désigner une personne ou une chose qui est proche, *ce* se traduit par **this**.

• *Il habite dans ce quartier.* **He lives in this area.**

Pour désigner une personne ou une chose éloignée, *ce* se traduit par **that**.

• *L'homme là-bas, c'est mon oncle.* **That man over there is my uncle.**

CE *nm* **1.** abrév de **comité d'entreprise 2.** (abrév de cours élémentaire) • **CE1** ≃ Year 2 (UK); ≃ second grade (US) • **CE2** ≃ Year 3 (UK); ≃ third grade (US). ❏ *nf* (abrév de Communauté européenne) EC.

ceci *pron dém inv* this • **à ceci près que** with the exception that, except that.

cécité *nf* blindness.

céder *vt* **1.** (donner) to give up • '**cédez le passage**' 'give way (UK)', yield (US) • **céder le passage à qqn** to let sb through, to make way for sb **2.** (revendre) to sell. ❏ *vi* **1.** (personne) • **céder (à)** to give in (to), to yield (to) **2.** (chaise, plancher) to give way.

cédérom *nm* INFORM CD-ROM.

CEDEX, Cedex (abrév de courrier d'entreprise à distribution exceptionnelle) *nm* si vous voulez expliquer à un anglophone de quoi il s'agit, vous pouvez dire it is an express postal service for companies and organizations that get and send large amounts of mail.

cédille *nf* cedilla.

cèdre *nm* cedar.

CEI (abrév de Communauté des États Indépendants) *nf* CIS.

ceinture *nf* **1.** (gén) belt • **ceinture de sécurité** seat ou safety belt **2.** ANAT waist.

ceinturon *nm* belt.

cela *pron dém inv* that • **cela ne vous regarde pas** it's ou that's none of your business • **il y a des années de cela** that was many years ago • **c'est cela** that's right • **cela dit...** having said that... • **malgré cela** in spite of that, nevertheless.

célèbre *adj* famous.

célébrer *vt* **1.** (gén) to celebrate **2.** (faire la louange de) to praise.

célébrité *nf* **1.** (renommée) fame **2.** (personne) celebrity.

céleri *nm* celery.

céleste *adj* heavenly.

célibat *nm* celibacy.

célibataire *adj* single, unmarried • **père** ou **mère célibataire** single parent. ❏ *nmf* single person, single man, woman f.

cellier *nm* storeroom.

Cellophane® *nf* Cellophane®.

cellulaire *adj* **1.** BIOL & TÉLÉCOM cellular **2.** (destiné aux prisonniers) • **régime cellulaire** solitary confinement • **voiture cellulaire** prison van.

cellule *nf* **1.** (gén) INFORM cell **2.** (groupe) unit.

cellulite *nf* cellulite.

celte *adj* Celtic. ■ **Celte** *nmf* Celt.

celui, celle *pron dém* **1.** (suivi d'un complément prépositionnel) the one • **celle de devant** the one in front • **ceux d'entre vous qui...** those of you who... **2.** (suivi d'un pronom relatif) • **celui qui a)** (personne) the one who **b)** (objet) the one which ou that • **c'est celle qui te va le mieux**

that's the one which *ou* that suits you best • **celui que vous voyez** the one (which *ou* that) you can see, the one (whom) you can see • **ceux que je connais** those I know • **celui dont tu parlais** the one you were talking about.

celui-ci, celle-ci *pron dém* this one, these ones *pl*.

celui-là, celle-là *pron dém* that one, those ones *pl* • **celui-là... celui-ci** the former... the latter.

cendre *nf* ash.

cendré, e *adj* (chevelure) • **blond cendré** ash blond.

cendrier *nm* **1.** (de fumeur) ashtray **2.** (de poêle) ashpan.

cène *nf* (Holy) Communion. ■ **Cène** *nf* • **la Cène** the Last Supper.

censé, e *adj* • **être censé faire qqch** to be supposed to do sthg.

censeur *nm* **1.** *SCOL* ≃ deputy head (UK); ≃ vice-principal (US) **2.** *CINÉ & PRESSE* censor.

censure *nf* **1.** (CINÉ & PRESSE - contrôle) censorship; (- censeurs) censors *pl* **2.** *POLIT* censure **3.** *PSYCHO* censor.

censurer *vt* **1.** *CINÉ, PRESSE & PSYCHO* to censor **2.** (juger) to censure.

cent *adj num inv* one hundred, a hundred • **deux cent cinquante** two hundred and fifty. ❑ *nm* **1.** (nombre) a hundred **2.** (mesure de proportion) • **pour cent** percent. Voir aussi **six**.

centaine *nf* **1.** (cent unités) hundred **2.** (un grand nombre) • **une centaine de** about a hundred • **des centaines (de)** hundreds (of) • **plusieurs centaines de** several hundred • **par centaines** in hundreds.

centenaire *adj* hundred-year-old (avant nom) • **être centenaire** to be a hundred years old. ❑ *nmf* centenarian. ❑ *nm* (anniversaire) centenary (UK), centennial (US).

centiare *nm* square metre (UK) *ou* meter (US).

centième *adj num inv, nm & nmf* hundredth. Voir aussi **sixième**.

centigrade → **degré**.

centilitre *nm* centilitre (UK), centiliter (US).

centime *nm* cent.

centimètre *nm* **1.** (mesure) centimetre (UK), centimeter (US) **2.** (ruban, règle) tape measure.

central, e *adj* central. ■ **central** *nm* (de réseau) • **central téléphonique** telephone exchange. ■ **centrale** *nf* **1.** (usine) power plant *ou* station (UK) • **centrale hydroélectrique** hydroelectric power plant *ou* station (UK) • **centrale nucléaire** nuclear power plant *ou* station (UK) **2.** *ÉCON* • **centrale d'achat a)** *COMM* buying group **b)** (dans une entreprise) central purchasing department.

centraliser *vt* to centralize.

centre *nm* (gén) centre (UK), center (US) • **centre aéré** outdoor centre (UK) *ou* center (US) • **centre antipoison** poison centre (UK) *ou* center (US) • **centre d'appels** call centre (UK) *ou* center (US) • **centre commercial** shopping centre (UK) *ou* mall (US) • **centre culturel** arts centre (UK) *ou* center (US) • **centre de gravité** centre (UK) *ou* center (US) of gravity • **centre nerveux** nerve centre (UK) *ou* center (US).

centrer *vt* to centre (UK), to center (US).

centre-ville *nm* city centre (UK) *ou* center (US), town centre (UK) *ou* downtown (US).

centrifuge → **force**.

centrifugeuse *nf* **1.** *TECHNOL* centrifuge **2.** *CULIN* juice extractor.

centuple *nm* • **être le centuple de qqch** to be a hundred times sthg • **au centuple** a hundredfold.

cep *nm* stock.

cépage *nm* (type of) vine.

cèpe *nm* cep.

cependant *conj* however, yet.

céramique *nf* (matière, objet) ceramic.

cerceau *nm* hoop.

cercle *nm* circle • **cercle vicieux** vicious circle.

cerclé, e *adj* ringed • **des lunettes cerclées d'écaille** horn-rimmed glasses.

cercueil *nm* coffin.

céréale *nf* cereal • **je mange des céréales au petit déjeuner** I eat cereal for breakfast.

cérébral, e *adj* **1.** (anatomie) cerebral **2.** *MÉD* brain **3.** (personne, activité) intellectual. ❑ *nm, f* intellectual.

cérémonial *nm* ceremonial.

cérémonie *nf* ceremony.

cérémonieux, euse *adj* ceremonious.

cerf *nm* stag.

cerfeuil *nm* chervil.

cerf-volant *nm* (jouet) kite.

cerise *nf* cherry. ❑ *adj inv* cherry.

cerisier *nm* **1.** (arbre) cherry (tree) **2.** (bois) cherry (wood).

cerne *nm* ring.

cerné → **œil**.

cerner *vt* **1.** (encercler) to surround **2.** *fig* (sujet) to define.

certain, e *adj* certain • **être certain de qqch** to be certain *ou* sure of sthg • **je suis pourtant certain d'avoir mis mes clés là** but I'm certain *ou* sure I left my keys there. ❑ *adj indéf* (avant nom) certain • **il a un certain talent** he has some talent *ou* a certain talent • **un certain temps** for a while • **avoir un certain âge** to be getting on, to be past one's prime • **c'est un monsieur d'un certain âge** he's getting on a bit • **un certain M. Lebrun** a Mr Lebrun • **à certains endroits** in some places. ■ **certains**

pron indéf pl some • **certains d'entre eux** some of them • **certains pensent que c'est normal** some people think it's normal.

certainement *adv* **1.** *(probablement)* most probably, most likely **2.** *(bien sûr)* certainly.

certes *adv* of course.

certificat *nm (attestation, diplôme)* certificate • **certificat de mariage** marriage certificate • **certificat médical** medical certificate.

certifié, e *adj* • **professeur certifié** qualified teacher.

certifier *vt* **1.** *(assurer)* • **certifier à qqn que** to assure sb (that) **2.** *(authentifier)* to certify.

certitude *nf* certainty, certitude.

cerveau *nm* brain.

cervelas *nm* saveloy.

cervelle *nf* **1.** *ANAT* brain **2.** *(facultés mentales, aliment)* brains *pl.*

cervical, e *adj* cervical.

césarienne *nf* caesarean (UK) *ou* cesarean (US) (section).

cessation *nf* suspension.

cesse *nf* • **n'avoir de cesse que** (+ subjonctif) *sout* not to rest until. ■ **sans cesse** *loc adv* continually, constantly.

cesser *vi* to stop, to cease. ❏ *vt* to stop • **cesser de faire qqch** to stop doing sthg.

cessez-le-feu *nm inv* cease-fire.

cession *nf* transfer.

c'est-à-dire *conj* **1.** *(en d'autres termes)* • **c'est-à-dire (que)** that is (to say) **2.** *(introduit une restriction, précision, réponse)* • **c'est-à-dire que** well…, actually…

cétacé *nm* cetacean.

cf. (abrév de confer) cf.

CFC (abrév de chlorofluorocarbone) *nm* CFC.

chacal *nm* jackal.

chacun, e *pron indéf* **1.** each (one) **2.** *(tout le monde)* everyone, everybody • **chacun de nous/de vous/d'eux** each of us/you/them • **chacun pour soi** every man for himself • **tout un chacun** every one of us/them.

chagrin, e *adj* **1.** *(personne)* grieving **2.** *(caractère, humeur)* morose. ■ **chagrin** *nm* grief • **avoir du chagrin** to grieve.

chagriner *vt* **1.** *(peiner)* to grieve, to distress **2.** *(contrarier)* to upset.

chahut *nm* uproar.

chahuter *vi* to cause an uproar. ❏ *vt* **1.** *(importuner - professeur)* to rag, to tease ; *(- orateur)* to heckle **2.** *(bousculer)* to jostle.

chaîne *nf* **1.** *(gén)* chain • **chaîne de montagnes** mountain range **2.** *(dans l'industrie)* • **chaîne de fabrication/de montage** production/assembly line • **travail à la chaîne** production-line work • **produire qqch à la chaîne** to mass-produce sthg **3.** *TV* channel • **chaîne câblée** cable channel • **chaîne cryptée** pay channel *(for which one* *needs a special decoding unit)* • **une chaîne payante** a subscription TV channel • **chaîne à péage** *ou* **à la séance** pay-TV channel • **chaîne de télévision** television channel, TV channel • **chaîne thématique** specialized channel **4.** *(appareil)* stereo (system) • **chaîne hi-fi** hi-fi system. ■ **chaînes** *nfpl* **1.** *AUTO* (snow) chains **2.** *fig* chains, bonds.

chaînon *nm litt & fig* link.

chair *nf* flesh • **couleur chair** flesh-coloured (UK), flesh-colored (US) • **avoir la chair de poule** to have goose pimples *ou* gooseflesh, to have goosebumps *ou fig*.

chaire *nf* **1.** *(estrade - de prédicateur)* pulpit ; *(- de professeur)* rostrum **2.** *UNIV* chair.

chaise *nf* chair • **chaise longue a)** *(d'extérieur)* deckchair **b)** *(d'intérieur)* chaise longue.

chaland *nm (bateau)* barge.

châle *nm* shawl.

chalet *nm* **1.** *(de montagne)* chalet **2.** (QUÉBEC) *(maison de campagne)* (holiday) cottage (UK), (vacation) cottage (US).

chaleur *nf* **1.** heat **2.** *(agréable)* warmth • **quelle chaleur !** it's so hot!

chaleureux, euse *adj* warm.

challenge *nm* **1.** *SPORT* tournament **2.** *fig (défi)* challenge.

chaloupe *nf* rowing boat (UK), rowboat (US).

chalumeau *nm TECHNOL* blowtorch, blowlamp (UK).

chalut *nm* trawl • **pêcher au chalut** to trawl.

chalutier *nm (bateau)* trawler.

chamade *nf* • **battre la chamade** *(cœur)* to pound.

chamailler ■ **se chamailler** *vp fam* to squabble.

chambranle *nm* **1.** *(de porte, fenêtre)* frame **2.** *(de cheminée)* mantelpiece.

chambre *nf* **1.** *(où l'on dort)* • **chambre (à coucher)** bedroom • **chambre à un lit, chambre pour une personne** single room • **chambre pour deux personnes** double room • **chambre à deux lits** twin-bedded room • **chambre d'amis** spare room • **chambre d'hôte** bed and breakfast **2.** *(local)* room • **chambre forte** strongroom • **chambre froide** cold store • **chambre noire** darkroom **3.** *DR* division • **chambre d'accusation** court of criminal appeal **4.** *POLIT* chamber, house • **Chambre des députés** ≃ House of Commons (UK) ; ≃ House of Representatives (US) **5.** *TECHNOL* chamber • **chambre à air** *(de pneu)* inner tube.

chambrer *vt* **1.** *(vin)* to bring to room temperature **2.** *fam (se moquer)* • **chambrer qqn** to pull sb's leg, to wind sb up (UK).

chameau *nm (mammifère)* camel.

chamois *nm* **1.** chamois **2.** *(peau)* chamois (leather).

champ nm **1.** (gén) field • **champ de bataille** battlefield • **champ de courses** racecourse **2.** (étendue) area. ■ **sur le champ** loc adv immediately, at once, right away.

champagne nm champagne.

champêtre adj rural.

champignon nm **1.** BOT & MÉD fungus **2.** (comestible) mushroom • **champignon vénéneux** toadstool.

champion, onne nm, f champion • **il est champion du monde de natation** he's the world swimming champion. ❏ adj fam brilliant.

championnat nm championship • **le championnat du monde de football** the world football championship.

chance nf **1.** (bonheur) luck (indén) • **avoir de la chance** to be lucky • **ne pas avoir de chance** to be unlucky • **porter chance** to bring good luck **2.** (probabilité, possibilité) chance, opportunity • **avoir des chances de faire qqch** to have a chance of doing sth.

chancelant, e adj **1.** (titubant, bancal) unsteady **2.** fig (mémoire, santé) shaky.

chanceler vi **1.** (personne, gouvernement) to totter **2.** (meuble) to wobble.

chancelier, ière nm, f (premier ministre) chancellor. ■ **chancelier** nm (de consulat, d'ambassade) secretary.

chanceux, euse adj lucky.

chancre nm **1.** MÉD chancre **2.** BOT canker.

chandail nm (thick) sweater.

Chandeleur nf Candlemas.

chandelier nm **1.** (pour une bougie) candlestick **2.** (à plusieurs branches) candelabra.

chandelle nf (bougie) candle.

change nm **1.** (troc) FIN exchange **2.** (couche de bébé) disposable nappy (UK) ou diaper (US).

changeant, e adj **1.** (temps, humeur) changeable **2.** (reflet) shimmering.

changement nm change.

changer vt **1.** (gén) to change • **changer qqch contre** to change ou exchange sthg for • **changer qqn en** to change sb into **2.** (modifier) to change, to alter • **ça me/te changera** that will be a (nice) change for me/you **3.** ÉCON • **changer des euros en dollars** to change euros into dollars, to exchange euros for dollars **4.** (locution) • **changer son fusil d'épaule** to have a change of heart. ❏ vi **1.** (gén) to change • **changer d'avis** to change one's mind • **ça changera !** that'll make a change! • **changer de direction** to change direction • **changer de place (avec qqn)** to change places (with sb) • **changer de train (à)** to change trains (at) • **pour changer** for a change **2.** (modifier) to change, to alter • **changer de comportement** to alter one's behaviour (UK) ou behavior (US).

chanoine nm canon.

chanson nf song • **c'est toujours la même chanson** fig it's the same old story.

chansonnier, ère nm, f cabaret singer-songwriter.

chant nm **1.** (chanson) song, singing (indén) **2.** (sacré) hymn **3.** (art) singing (indén).

chantage nm litt & fig blackmail • **faire du chantage** to use ou resort to blackmail • **faire du chantage à qqn** to blackmail sb.

chanter vt **1.** (chanson) to sing **2.** littéraire (célébrer) to sing ou tell of • **chanter les louanges de qqn** to sing sb's praises. ❏ vi **1.** (gén) to sing **2.** (locution) • **faire chanter qqn** to blackmail sb • **si ça vous chante !** fam if you feel like ou fancy it (UK).

chanterelle nf (champignon) chanterelle.

chanteur, euse nm, f singer.

chantier nm **1.** CONSTR (building) site **2.** (sur la route) roadworks pl (UK), roadwork (indén) (US) • **chantier naval** shipyard, dockyard **3.** fam & fig (désordre) shambles sing, mess.

Chantilly nf • **(crème) Chantilly** Chantilly cream.

chantonner vt & vi to hum.

chanvre nm hemp.

chaos nm chaos.

chaotique adj chaotic.

chap. (abrév de chapitre) ch.

chaparder vt fam to steal.

chapeau nm **1.** (coiffure) hat **2.** PRESSE introductory paragraph **3.** (bravo) • **tu as tout fini ? chapeau !** you've finished? well done!

chapeauter vt **1.** (service) to head **2.** (personnes) to supervise.

chapelet nm **1.** RELIG rosary **2.** fig (d'injures) string, torrent.

chapelle nf **1.** (petite église) chapel **2.** (partie d'église) choir.

chapelure nf (dried) breadcrumbs pl.

chapiteau nm (de cirque) big top.

chapitre nm (de livre) RELIG chapter.

chapon nm (volaille) capon.

chaque adj indéf each, every • **chaque personne** each person, everyone • **j'ai payé ces livres 100 euros chaque** I paid 100 euros each for these books.

À PROPOS DE

chaque

Chaque a deux traductions possibles : **every** ou **each**. **Every** implique que l'on considère un groupe donné dans son entier, et insiste sur le fait que l'on parle de tous les membres de ce groupe, sans exception (**the company gave every worker a bonus**).

Each, en revanche, désigne tous les éléments d'un groupe, mais d'un point de vue individuel (**each child is given individual attention**). **Each** et **every** s'utilisent tous deux avec des noms dénombrables au singulier, et le verbe correspondant se met aussi au singulier.

Le plus souvent **each** et **every** ont le même sens. On emploie **each** si on veut mettre l'accent sur tous les éléments du groupe dont on parle, avec le sens de *chacun des*, et on emploie **every** si on veut insister sur le groupe dans son ensemble, avec le sens de *tous les*.

---

char nm **1.** MIL • **char (d'assaut)** tank **2.** (de carnaval) float **3.** (QUÉBEC) (voiture) car.

charabia nm gibberish.

charade nf charade.

charbon nm (combustible) coal • **charbon de bois** charcoal.

charcuter vt fam & péj to butcher.

charcuterie nf **1.** (magasin) pork butcher's **2.** (produits) pork meat products.

charcutier, ère nm, f (commerçant) pork butcher.

chardon nm (plante) thistle.

chardonneret nm goldfinch.

charge nf **1.** (fardeau) load **2.** (fonction) office **3.** (responsabilité) responsibility • **être à la charge de** (personne) to be dependent on • **les travaux sont à la charge du propriétaire** the owner is liable for the cost of the work • **prendre qqch en charge a)** (payer) to pay (for) sthg **b)** (s'occuper de) to take charge of sthg • **prendre qqn en charge** to take charge of sb **4.** ÉLECTR, DR & MIL charge **5.** DR charge, accusation. ■ **charges** nfpl **1.** (d'appartement) service charge **2.** ÉCON expenses, costs • **charges patronales** employer's contributions • **charges sociales** ≃ employer's contributions.

chargé, e adj **1.** (véhicule, personne) • **chargé (de)** loaded (with) **2.** (responsable) • **chargé (de)** responsible (for) **3.** (occupé) full, busy. ❏ nm, f • **chargé d'affaires** chargé d'affaires • **chargé de mission** head of mission.

chargement nm **1.** (action) loading **2.** (marchandises) load.

charger vt **1.** (gén) INFORM to load **2.** ÉLECTR, DR & MIL to charge **3.** (donner une responsabilité) • **charger qqn de faire qqch** to put sb in charge of doing sthg. ■ **se charger** vp • **se charger de qqn/qqch** to take care of sb/sthg • **se charger de faire qqch** to undertake to do sthg.

chargeur nm **1.** ÉLECTR charger **2.** (d'arme) magazine.

chariot nm **1.** (charrette) handcart **2.** (à bagages, dans un hôpital) trolley (UK), cart (US) **3.** (de machine à écrire) carriage.

charismatique adj charismatic.

charisme nm charisma.

charitable adj **1.** charitable **2.** (conseil) friendly.

charité nf **1.** (aumône) RELIG charity **2.** (bonté) kindness.

charlatan nm péj charlatan.

charmant, e adj charming.

charme nm **1.** (séduction) charm **2.** (enchantement) spell **3.** (arbre) ironwood, hornbeam.

charmer vt to charm • **être charmé de faire qqch** to be delighted to do sthg.

charmeur, euse adj charming. ❏ nm, f charmer • **charmeur de serpents** snake charmer.

charnel, elle adj carnal.

charnier nm mass grave.

charnière nf **1.** hinge **2.** fig turning point. ❏ adj (période) transitional.

charnu, e adj fleshy.

charognard nm litt & fig vulture.

charogne nf (d'animal) carrion (indén).

charpente nf **1.** (de bâtiment, de roman) framework **2.** (ossature) frame.

charpentier nm carpenter.

charretier, ère nm, f carter.

charrette nf cart.

charrier vt **1.** (personne, fleuve) to carry **2.** fam (se moquer de) • **charrier qqn** to take sb for a ride. ❏ vi fam (exagérer) to go too far.

charrue nf plough (UK), plow (US).

charte nf charter.

charter nm chartered plane.

chartreuse nf **1.** RELIG Carthusian monastery **2.** (liqueur) Chartreuse.

chas nm eye (of needle).

chasse nf **1.** (action) hunting • **aller à la chasse** to go hunting • **chasse à courre** hunting (on horseback with hounds) **2.** (période) • **la chasse est ouverte/fermée** it's the open/close season **3.** (domaine) • **chasse gardée a)** private hunting ou shooting preserve **b)** fig preserve **4.** (poursuite) chase • **faire la chasse à qqn/qqch** fig to hunt (for) sb/sthg, to hunt sb/sthg down • **prendre qqn/qqch en chasse** to give chase to sb/sthg **5.** (des cabinets) • **chasse (d'eau)** flush • **tirer la chasse** to flush the toilet. ■ **chasse au trésor** nf treasure hunt.

chassé-croisé nm toing and froing.

chasse-neige nm inv snowplough (UK), snowplow (US).

chasser vt **1.** (animal) to hunt **2.** (faire partir - personne) to drive ou chase away ; (- odeur, souci) to dispel.

chasseur, euse nm, f hunter. ■ **chasseur** nm **1.** (d'hôtel) page, messenger, bellhop (US) **2.** MIL • **chasseur alpin** si vous voulez expliquer à un anglophone de quoi il s'agit, vous pouvez dire it is a soldier who is specially trained for operating in mountainous areas **3.** (avion) fighter.

châssis nm **1.** (de fenêtre, de porte, de machine) frame **2.** (de véhicule) chassis.

chaste adj chaste.

chasteté nf chastity.

chasuble nf chasuble.

chat[1], **chatte** nm, f cat.

chat[2] nm INFORM chat.

châtaigne nf **1.** (fruit) chestnut **2.** fam (coup) clout.

châtaignier nm **1.** (arbre) chestnut (tree) **2.** (bois) chestnut.

châtain adj & nm chestnut, chestnut-brown.

château nm **1.** (forteresse) • **château (fort)** castle **2.** (résidence - seigneuriale) mansion ; (- de monarque, d'évêque) palace • **château gonflable** (- jeu de plage, attraction) bouncy castle (UK) • **château de sable** sandcastle • **les châteaux de la Loire** the Châteaux of the Loire **3.** (réservoir) • **château d'eau** water tower.

châtelain, e nm, f lord, lady f of the manor.

chatière nf **1.** (pour chat) cat-flap **2.** (d'aération) air vent.

châtiment nm punishment.

chaton nm **1.** (petit chat) kitten **2.** BOT catkin.

chatouiller vt **1.** (faire des chatouilles à) to tickle **2.** fig (titiller) to titillate.

chatoyant, e adj **1.** (reflet, étoffe) shimmering **2.** (bijou) sparkling.

châtrer vt **1.** to castrate **2.** (chat) to neuter **3.** (chatte) to spay.

chatter vi INFORM to chat.

chatterton nm ÉLECTR insulating tape (UK), friction tape (US).

chatteur, euse, tchatteur, euse nm, f INFORM chatter.

chaud, e adj **1.** (gén) warm **2.** (de température très élevée, sensuel) hot **3.** fig (enthousiaste) • **être chaud pour qqch/pour faire qqch** to be keen on sthg/ on doing sthg. ■ **chaud** adv • **avoir chaud** to be warm ou hot • **il fait chaud** it's warm ou hot • **manger chaud** to have something hot (to eat). ❏ nm heat • **rester au chaud** to stay in the warm.

chaudement adv warmly.

chaudière nf boiler.

chaudron nm cauldron.

chauffage nm (appareil) heating (system) • **chauffage central** central heating.

chauffant, e adj heating • **plaque chauffante** hotplate.

chauffard nm péj reckless driver.

chauffe-biberon nm bottle-warmer.

chauffe-eau nm inv waterheater.

chauffe-plat nm hotplate, chafing dish.

chauffer vt (rendre chaud) to heat (up) • **faire chauffer quelque chose** to heat something up. ❏ vi **1.** (devenir chaud) to heat up **2.** (moteur) to overheat **3.** fam (barder) • **ça va chauffer** there's going to be trouble.

chauffeur nm AUTO driver.

chaume nm (paille) thatch.

chaumière nf cottage.

chaussée nf road, roadway • **'chaussée déformée'** 'uneven road surface'.

chausse-pied nm shoehorn.

chausser vt (chaussures, lunettes, skis) to put on. ❏ vi • **chausser du 39** to take size 39 (shoes). ■ **se chausser** vp to put one's shoes on.

chaussette nf sock.

chausson nm **1.** (pantoufle) slipper **2.** (de danse) ballet shoe **3.** (de bébé) bootee **4.** CULIN turnover • **chausson aux pommes** apple turnover.

chaussure nf **1.** (soulier) shoe • **chaussure basse** low-heeled shoe, flat shoe • **chaussure de marche a)** (de randonnée) hiking ou walking boot **b)** (confortable) walking shoe • **chaussure à scratch** shoe with Velcro® fastenings • **chaussure de ski** ski boot • **chaussures à talon** (shoes with) heels **5.** (industrie) footwear industry.

chauve adj (sans cheveux) bald.

chauve-souris nf bat.

chauvin, e adj chauvinistic.

chaux nf lime • **blanchi à la chaux** white-washed.

chavirer vi **1.** (bateau) to capsize **2.** fig (tourner) to spin.

chef nm **1.** (d'un groupe) head, leader **2.** (au travail) boss • **en chef** in chief • **chef d'entreprise** company head • **chef d'État** head of state • **chef de famille** head of the family • **chef de file a)** POLIT (party) leader **b)** (catégorie, produit)

category leader • **chef de gare** stationmaster • **chef d'orchestre** conductor • **chef de rayon** departmental manager *ou* supervisor • **chef de service** ADMIN departmental manager **3.** **chef (cuisinier)** chef. ■ **chef d'accusation** *nm* charge, count.

chef-d'œuvre *nm* masterpiece.

chef-lieu *nm* ≃ county town (UK); ≃ county seat (US).

cheik *nm* sheikh.

chemin *nm* **1.** *(voie)* path • **chemin d'accès** path • **chemin vicinal** byroad, minor road **2.** *(parcours)* way **3.** *fig* road • **en chemin** on the way. ■ **chemin de fer** *nm* railway (UK), railroad (US).

cheminée *nf* **1.** *(foyer)* fireplace **2.** *(conduit d'usine)* chimney **3.** *(encadrement)* mantelpiece **4.** *(de paquebot, locomotive)* funnel.

cheminement *nm* **1.** *(progression)* advance **2.** *fig (d'idée)* development.

cheminer *vi* **1.** *(avancer)* to make one's way **2.** *fig (idée)* to develop.

cheminot *nm* railwayman (UK), railroad man (US).

chemise *nf* **1.** *(d'homme)* shirt • **chemise de nuit** *(de femme)* nightdress, nightgown **2.** *(dossier)* folder.

chemisette *nf* **1.** *(d'homme)* short-sleeved shirt **2.** *(de femme)* short-sleeved blouse.

chemisier *nm* *(vêtement)* blouse.

chenal *nm* *(canal)* channel.

chêne *nm* **1.** *(arbre)* oak (tree) **2.** *(bois)* oak.

chenet *nm* firedog.

chenil *nm* *(pour chiens)* kennel.

chenille *nf* **1.** *(insecte)* caterpillar **2.** *(courroie)* caterpillar track.

cheptel *nm* *(bétail)* livestock *(indén)*.

chèque *nm* cheque (UK), check (US) • **faire un chèque** to write a cheque (UK) *ou* check (US) • **toucher un chèque** to cash a cheque (UK) *ou* check (US) • **chèque (bancaire)** (bank) cheque (UK) *ou* check (US) • **chèque barré** crossed cheque (UK) *ou* check (US) • **chèque postal** post office cheque (UK) *ou* check (US) • **chèque sans provision** bad cheque (UK) *ou* check (US) • **chèque de voyage** traveller's cheque (UK), traveler's check (US).

chèque-cadeau *nm* gift token (UK), gift voucher (UK), gift certificate (US).

chèque-repas®, **chèque-restaurant®** *nm* luncheon voucher.

chèque-vacances® *nm si vous voulez expliquer à un anglophone de quoi il s'agit, vous pouvez dire it is a voucher that you can use to pay for holiday accommodation, activities, meals, etc.*

chéquier *nm* chequebook (UK), checkbook (US).

cher, chère *adj* **1.** *(aimé)* • **cher (à qqn)** dear (to sb)* • **Cher Monsieur** *(au début d'une lettre)* Dear Sir • **Chère Madame** *(au début d'une lettre)* Dear Madam **2.** *(produit, vie, commerçant)* expensive • **peu cher** inexpensive. ❏ *nm, f hum* • **mon cher** dear. ■ **cher** *adv* • **valoir cher, coûter cher** to be expensive, to cost a lot • **payer cher** to pay a lot • **je l'ai payé cher** *litt & fig* it cost me a lot.

chercher *vt* **1.** *(gén)* to look for **2.** *(prendre)* • **aller/venir chercher qqn** *(à un rendez-vous)* to (go/come and) meet sb **b)** *(en voiture)* to (go/come and) pick sb up • **aller/venir chercher qqch** to (go/come and) get sthg. ❏ *vi* • **chercher à faire qqch** to try to do sthg.

chercheur, euse *nm, f (scientifique)* researcher.

chère *nf* • **aimer la bonne chère** *sout* to like to eat well.

chéri, e *adj* dear. ❏ *nm, f* darling.

chérir *vt* **1.** *(personne)* to love dearly **2.** *(chose, idée)* to cherish.

chétif, ive *adj (malingre)* sickly, weak.

cheval *nm* **1.** *(animal)* horse • **à cheval** on horseback • **être à cheval sur qqch a)** *(être assis)* to be sitting astride sthg **b)** *fig (siècles)* to straddle sthg **c)** *fig (tenir à)* to be a stickler for sthg • **cheval d'arçons** horse *(in gymnastics)* • **cheval de course** racehorse **2.** *(équitation)* riding, horseriding • **faire du cheval** to ride.

chevalerie *nf* **1.** *(qualité)* chivalry **2.** HIST knighthood.

chevalet *nm* *(de peintre)* easel.

chevalier *nm* knight.

chevalière *nf* *(bague)* signet ring.

chevauchée *nf* *(course)* ride, horse-ride.

chevaucher *vt* *(être assis)* to sit *ou* be astride. ■ **se chevaucher** *vp* to overlap.

chevelu, e *adj* hairy.

chevelure *nf* *(cheveux)* hair.

chevet *nm* head *(of bed)* • **être au chevet de qqn** to be at sb's bedside.

cheveu *nm* *(chevelure)* hair • **se faire couper les cheveux** to have one's hair cut.

cheville *nf* **1.** ANAT ankle **2.** *(pour fixer une vis)* Rawlplug® (UK), (wall) anchor (US).

chèvre *nf (animal)* goat. ❏ *nm (fromage)* goat's cheese.

chevreau *nm* kid.

chèvrefeuille *nm* honeysuckle.

chevreuil *nm* **1.** *(animal)* roe deer **2.** CULIN venison.

chevron *nm* **1.** CONSTR rafter **2.** *(motif décoratif)* chevron.

chevronné, e *adj (expérimenté)* experienced.

chevrotant, e *adj* tremulous.

chevrotine *nf* buckshot.

chewing-gum *nm* chewing gum *(indén)*.

chez *prép* **1.** *(dans la maison de)* • **il est chez lui** he's at home • **il rentre chez lui** he's going home • **il va venir chez nous** he is going to come to our place ou house • **il habite chez nous** he lives with us **2.** *(en ce qui concerne)* • **chez les jeunes** among young people • **chez les Anglais** in England **3.** *(dans les œuvres de)* • **chez Proust** in (the works of) Proust **4.** *(dans le caractère de)* • **ce que j'apprécie chez lui, c'est sa gentillesse** what I like about him is his kindness.

À PROPOS DE

chez

La préposition *chez* est rendue de différentes manières en anglais selon le contexte :

Si *chez* signifie *(dans) la demeure de* et est suivi du nom de la personne ou d'un pronom personnel, on emploie ***at*** + possessif + ***place***. *Place* peut être remplacé par ***house, flat***, etc

• *On va se retrouver chez Marie.* **We're going to meet at Marie's place / house / flat.**

Dans un registre familier, on peut omettre ***place***.

• *On a dîné chez Anne.* **We had dinner at Anne's.**

Chez soi est rendu par ***at my / his / their***, etc, ***place, at home***, ou (surtout en anglais américain) simplement ***home*** :

• *Je suis resté chez moi toute la journée.* **I stayed at my place all day** ou **I stayed at home all day** ou **I stayed home all day (us)**.

Lorsqu'on parle de se rendre *chez qqn*, on emploie ***to*** + possessif + ***place / house / flat***, etc :

• *C'est la première fois que je viens chez toi.* **It's the first time I've been to your place.**

Lorsque *chez soi* est associé à un verbe de mouvement, on emploie verbe + ***home*** :

• *Je vais rentrer chez moi à pied / en voiture.* **I'll walk / drive home.**

Si l'on veut dire que l'on se trouve *chez* un commerçant, *chez le médecin*, etc, on emploie ***at*** + possessif :

• *Thomas est chez le coiffeur.* **Thomas is at the hairdresser's.**

Lorsqu'on se rend *chez* un commerçant, *le médecin*, etc, on emploie verbe + ***to*** + possessif :

• *Elle va chez le boucher une fois par semaine.* **She goes to the butcher's once a week.**

Si *chez* signifie *parmi*, on emploie ***in*** ou ***among*** :

• *C'est assez répandu chez les adolescents.* **It's quite common among teenagers.**

• *Une maladie courante chez le chien.* **A common illness in dogs.**

Si c'est d'une seule personne que l'on parle, on emploie ***about*** :

• *Ce que j'apprécie le plus chez elle, c'est son humour.* **What I like about her the most is her sense of humour.**

chez-soi *nm inv* home, place of one's own.

chic *adj (inv en genre)* **1.** *(élégant)* smart, chic **2.** *vieilli (serviable)* nice. ❑ *nm* style. ❑ *interj* • **chic (alors)** ! great!

chiche-kebab *nm* kebab, shish kebab.

chicorée *nf* **1.** *(salade)* endive **(uk)**, chicory **(us) 2.** *(à café)* chicory.

chien *nm* **1.** *(animal)* dog • **chien de chasse** *(d'arrêt)* gundog • **chien de garde** guard dog **2.** *(d'arme)* hammer **3.** *(locution)* • **avoir un mal de chien à faire qqch** to have a lot of trouble doing sthg • **en chien de fusil** curled up.

chiendent *nm* couch grass.

chien-loup *nm* German shepherd, Alsatian (dog) **(uk)**.

chienne *nf* (female) dog, bitch.

chiffe *nf* • **c'est une chiffe molle** he's spineless.

chiffon *nm (linge)* rag.

chiffonné, e *adj (visage, mine)* worn.

chiffonner *vt* **1.** *(vêtement)* to crumple, to crease **2.** *(papier)* to crumple **3.** *fam & fig (contrarier)* to bother.

chiffre *nm* **1.** *(caractère)* figure, number • **chiffre arabe/romain** Arabic/Roman numeral **2.** *(montant)* sum • **chiffre d'affaires** *comm* turnover, sales revenue, volume of sales • **chiffre rond** round number • **chiffre de ventes** sales figures *pl*.

chiffrer *vt* **1.** *(évaluer)* to calculate, to assess **2.** *(coder)* to encode. ❑ *vi fam* to mount up.

chignole *nf* drill.

chignon *nm* bun *(in hair)* • **se crêper le chignon** *fam & fig* to scratch each other's eyes out.

chikungunya *nm* chikungunya.

Chili *nm* • **le Chili** Chile.

chimère *nf* **1.** *mythol* chimera **2.** *(illusion)* illusion, dream.

chimie *nf* chemistry.

chimio (abrév de *chimiothérapie*) *nf fam* chemo.

chimiothérapie *nf* chemotherapy.

chimique *adj* chemical.

chimiste *nmf* chemist.

chimpanzé *nm* chimpanzee.

Chine *nf* • **la Chine** China.

En anglais, à de rares exceptions près, il n'y a pas d'article devant les noms de pays.

chiné, e *adj* mottled.

chiner *vi* to look for bargains.

chinois, e adj Chinese. ■ **chinois** nm **1.** *(langue)* Chinese **2.** *(passoire)* conical sieve. ■ **Chinois, e** nm, f Chinese person • **les Chinois** the Chinese.

En anglais, les adjectifs se rapportant à un pays ou une région ainsi que le nom désignant la langue, s'écrivent avec une majuscule.

chiot nm puppy.

chipie nf vixen *péj.*

chips nfpl • **(pommes) chips** (potato) crisps (uk), (potato) chips (us).

chiquenaude nf flick.

chiquer vt to chew. ❏ vi to chew tobacco.

chiropraticien, enne nm, f chiropractor.

chirurgical, e adj surgical.

chirurgie nf surgery • **chirurgie esthétique** plastic surgery.

chirurgien, enne nm, f surgeon.

chirurgien-dentiste nm dental surgeon.

chiure nf • **chiure (de mouche)** flyspecks pl.

chlore nm chlorine.

chloroforme nm chloroform.

chlorophylle nf chlorophyll.

chlorure nm chloride.

choc nm **1.** *(heurt, coup)* impact **2.** *(conflit)* clash **3.** *(émotion)* shock **4.** *(en apposition)* • **images-chocs** shock pictures • **prix-choc** amazing bargain.

chocolat nm chocolate • **chocolat au lait/noir** milk/plain chocolate • **chocolat à cuire/à croquer** cooking/eating chocolate • **chocolat en poudre** drinking chocolate. ❏ adj inv chocolate (brown). ■ **chocolatière** nf *(récipient)* chocolate pot.

chœur nm **1.** *(chorale)* choir **2.** fig *(d'opéra)* chorus • **en chœur** fig all together **3.** *(d'église)* choir, chancel.

choisi, e adj **1.** selected **2.** *(termes, langage)* carefully chosen.

choisir vt • **choisir (de faire qqch)** to choose (to do sthg). ❏ vi to choose.

choix nm **1.** *(gén)* choice • **le livre de ton choix** any book you like • **au choix** as you prefer • **avoir le choix** to have the choice **2.** *(qualité)* • **de premier choix** grade ou class one • **articles de second choix** seconds.

choléra nm cholera.

cholestérol nm cholesterol.

chômage nm unemployment • **au chômage** unemployed • **être mis au chômage technique** to be laid off.

chômeur, euse nm, f unemployed person • **les chômeurs** the unemployed.

chope nf tankard.

choper vt fam **1.** *(voler, arrêter)* to pinch, to nick (uk) **2.** *(attraper)* to catch.

choquant, e adj shocking.

choquer vt **1.** *(scandaliser)* to shock **2.** *(traumatiser)* to shake (up).

choral, e adj choral. ■ **chorale** nf *(groupe)* choir.

chorégraphie nf choreography.

choriste nmf chorister.

chose nf thing • **c'est (bien) peu de chose** it's nothing really • **c'est la moindre des choses** it's the least I/we can do • **de deux choses l'une** (it's got to be) one thing or the other • **parler de choses et d'autres** to talk of this and that.

chou nm **1.** *(légume)* cabbage • **chou chinois** Chinese cabbage ou leaves **2.** *(pâtisserie)* choux bun. ❏ adj inv sweet, cute.

choucas nm jackdaw.

chouchou, oute nm, f fam **1.** favourite (uk), favorite (us) **2.** *(élève)* teacher's pet. ■ **chouchou** nm *(pour les cheveux)* scrunchy, scrunchie.

chouchouter fam vt to pet.

choucroute nf sauerkraut.

chouette nf *(oiseau)* owl. ❏ adj fam great. ❏ interj • **chouette (alors) !** great!

chou-fleur nm cauliflower.

chouiner vi fam to whine.

choyer vt sout to pamper.

chrétien, enne adj & nm, f Christian • **il est chrétien** he's a Christian.

En anglais, les adjectifs et les noms se rapportant à une religion s'écrivent avec une majuscule.

chrétien-démocrate, chrétienne-démocrate adj & nm, f Christian Democrat.

chrétienté nf Christendom.

Christ nm Christ.

christianisme nm Christianity.

chrome nm CHIM chromium.

chromé, e adj chrome-plated • **acier chromé** chrome steel.

chromosome nm chromosome.

chronique nf **1.** *(annales)* chronicle **2.** PRESSE • **chronique sportive** sports section. ❏ adj chronic.

chronologie nf chronology.

chronologique adj chronological.

chronomètre nm SPORT stopwatch.

chronométrer vt to time.

chrysalide nf chrysalis.

chrysanthème nm chrysanthemum.

CHU (abrév de centre hospitalo-universitaire) nm *si vous voulez expliquer de quoi il s'agit à un anglophone, vous pouvez dire* it is a teaching hospital linked to a university medical faculty.

chuchotement nm whisper.

chuchoter vt & vi to whisper.

chut interj sh!, hush!

chute nf **1.** (gén) fall • **faire une chute** to have a fall • **chute d'eau** waterfall • **chute de neige** snowfall • **la chute du mur de Berlin** the fall of the Berlin Wall **2.** (de tissu) scrap.

Chypre nf Cyprus • **à Chypre** in Cyprus.

> En anglais, à de rares exceptions près, il n'y a pas d'article devant les noms de pays.

chypriote, cypriote adj Cypriot. ■ **Chypriote, Cypriote** nmf Cypriot.

> En anglais, les adjectifs se rapportant à un pays ou une région s'écrivent avec une majuscule.

ci adv (après un nom) • **ce livre-ci** this book • **ces jours-ci** these days.

ci-après adv below.

cible nf litt & fig target.

cibler vt to target.

ciboulette nf chives pl.

cicatrice nf scar.

cicatriser litt & fig vt to heal.

ci-contre adv opposite.

ci-dessous adv below.

ci-dessus adv above.

cidre nm cider (UK), hard cider (US).

Cie (abrév de compagnie) Co.

ciel nm **1.** (firmament) sky • **à ciel ouvert** open-air **2.** (paradis, providence) heaven. ■ **cieux** nmpl heaven sing.

cierge nm RELIG (votive) candle.

cigale nf cicada.

cigare nm cigar.

cigarette nf cigarette.

ci-gît adv here lies.

cigogne nf stork.

ci-inclus, e adj enclosed. ■ **ci-inclus** adv enclosed.

ci-joint, e adj enclosed. ■ **ci-joint** adv • **veuillez trouver ci-joint...** please find enclosed....

cil nm ANAT eyelash, lash.

ciller vi to blink (one's eyes).

cimaise nf (de salle d'exposition) gallery wall.

cime nf **1.** (d'arbre, de montagne) top **2.** fig height.

ciment nm cement.

cimenter vt to cement.

cimetière nm cemetery.

ciné nm fam cinema (UK), movies pl (US).

cinéaste nmf film-maker.

ciné-club nm film club.

cinéma nm **1.** (salle, industrie) cinema (UK), movies pl (US) **2.** (art) cinema (UK), film (UK), movies pl (US) • **un acteur de cinéma** a film star.

cinémathèque nf film (UK) ou movie (US) library.

cinématographique adj cinematographic.

cinéphile nmf film (UK) ou movie (US) buff.

cinglant, e adj **1.** litt & fig biting **2.** (pluie) driving.

cinglé, e fam adj nuts, nutty.

cingler vt to lash.

cinq adj num inv five. ❏ nm five. Voir aussi **six**.

cinquantaine nf **1.** (nombre) • **une cinquantaine de** about fifty **2.** (âge) • **avoir la cinquantaine** to be in one's fifties.

cinquante adj num inv & nm fifty. Voir aussi **six**.

cinquantième adj num inv, nm & nmf fiftieth. Voir aussi **sixième**.

cinquième adj num inv, nm & nmf fifth. ❏ nf SCOL ≃ Year 2 (UK) ; ≃ seventh grade (US). Voir aussi **sixième**.

cintre nm (pour vêtements) coat hanger.

cintré, e adj COUT waisted.

cirage nm (produit) shoe polish.

circoncision nf circumcision.

circonférence nf **1.** GÉOM circumference **2.** (pourtour) boundary.

circonflexe → **accent**.

circonscription nf district.

circonscrire vt **1.** (incendie, épidémie) to contain **2.** fig (sujet) to define.

circonspect, e adj cautious.

circonstance nf **1.** (occasion) occasion **2.** (gén pl) (contexte, conjoncture) circumstance • **circonstances atténuantes** DR mitigating circumstances.

circonstancié, e adj detailed.

circonstanciel, elle adj GRAMM adverbial.

circuit nm **1.** (chemin) route **2.** (parcours touristique) tour **3.** SPORT & TECHNOL circuit • **en circuit fermé a)** (en boucle) closed-circuit (avant nom) **b)** fig within a limited circle.

circulaire nf & adj circular.

circulation nf **1.** (mouvement) circulation • **mettre en circulation** to circulate • **circulation (du sang)** circulation **2.** (trafic) traffic.

circuler vi **1.** (sang, air, argent) to circulate • **faire circuler qqch** to circulate sthg **2.** (aller et venir) to move (along) • **on circule mal en ville** the traffic is bad in town **3.** (train, bus) to run **4.** fig (rumeur, nouvelle) to spread.

cire nf **1.** (matière) wax **2.** (encaustique) polish.

ciré, e adj **1.** (parquet) polished **2.** → **toile**. ■ **ciré** nm oilskin.

cirer vt **1.** (chaussures) to polish **2.** (locution) • **j'en ai rien à cirer** fam I don't give a damn.

cireux, euse adj **1.** (pâle) waxen **2.** (matière) waxy. ■ **cireuse** nf floor polisher.

cirque nm **1.** (gén) circus **2.** GÉOL cirque **3.** fam & fig (désordre, chahut) chaos (indén).

cirrhose nf cirrhosis (indén).

cisaille nf shears pl.

cisailler vt **1.** (métal) to cut **2.** (branches) to prune.

ciseau *nm* chisel. ■ **ciseaux** *nmpl* scissors.

ciseler *vt* **1.** *(pierre, métal)* to chisel **2.** *(bijou)* to engrave.

Cisjordanie *nf* • **la Cisjordanie** the West Bank.

citadelle *nf litt & fig* citadel.

citadin, e *adj* city *(avant nom)*, urban. ❏ *nm, f* city dweller.

citation *nf* **1.** *DR* summons *sing* **2.** *(extrait)* quote, quotation.

cité *nf* **1.** *(ville)* city **2.** *(lotissement)* housing estate **(UK)** *ou* project **(US)** • **cité universitaire** halls *pl* of residence **(UK)**, dormitory **(US)**.

citer *vt* **1.** *(exemple, propos, auteur)* to quote **2.** *DR (convoquer)* to summon **3.** *MIL* • **être cité à l'ordre du jour** to be mentioned in dispatches.

citerne *nf* **1.** *(d'eau)* water tank **2.** *(cuve)* tank.

cité U *nf fam* abrév de **cité universitaire**.

citoyen, enne *nm, f* citizen.

citoyenneté *nf* citizenship.

citron *nm* lemon • **citron pressé** fresh lemon juice • **citron vert** lime.

citronnade *nf* (still) lemonade.

citronnelle *nf (plante)* lemon balm.

citronnier *nm* lemon tree.

citrouille *nf* pumpkin.

civet *nm* stew • **civet de lièvre** jugged hare.

civière *nf* stretcher.

civil, e *adj* **1.** *(gén)* civil **2.** *(non militaire)* civilian. ❏ *nm, f* civilian. ❏ *nm* • **dans le civil** in civilian life • **policier en civil** plain-clothes policeman, policewoman *f* • **soldat en civil** soldier in civilian clothes.

civilement *adv* • **se marier civilement** to get married at a registry office **(UK)** *ou* in a civil ceremony **(US)**.

civilisation *nf* civilization.

civilisé, e *adj* civilized.

civiliser *vt* to civilize.

civilité *nf* civility. ■ **civilités** *nfpl sout* compliments.

civique *adj* civic • **instruction civique** civics *(indén)*.

civisme *nm* sense of civic responsibility.

cl (abrév de centilitre) cl.

clafoutis *nm (gâteau) si vous voulez expliquer de quoi il s'agit à un anglophone, vous pouvez dire it is a kinf of flan made with fruit, usually cherries.*

claie *nf* **1.** *(treillis)* rack **2.** *(clôture)* hurdle.

clair, e *adj* **1.** *(précis, évident)* clear • **c'est clair et net** there's no two ways about it **2.** *(lumineux)* bright **3.** *(pâle - couleur, teint)* light ; *(- tissu, cheveux)* light-coloured **(UK)**, light-colored **(US)**. ■ **clair** *adv* • **voir clair (dans qqch)** *fig* to have a clear understanding (of sthg). ❏ *nm* • **mettre** *ou* **tirer qqch au clair** to shed light upon sthg.

■ **clair de lune** *nm* moonlight *(indén)*. ■ **en clair** *loc adv TV* unscrambled *(esp of a private TV channel)*.

clairement *adv* clearly.

claire-voie ■ **à claire-voie** *loc adv* openwork *(avant nom)*.

clairière *nf* clearing.

clairon *nm* bugle.

claironner *vt fig (crier)* • **claironner qqch** to shout sthg from the rooftops.

clairsemé, e *adj* **1.** *(cheveux)* thin **2.** *(arbres)* scattered **3.** *(population)* sparse.

clairsemer ■ **se clairsemer** *vp* **1.** *(foule)* to disperse **2.** *(cheveux)* to thin.

clairvoyant, e *adj* perceptive.

clamer *vt* to proclaim.

clameur *nf* clamour **(UK)**, clamor **(US)**.

clan *nm* clan.

clandestin, e *adj* **1.** *(journal, commerce)* clandestine **2.** *(activité)* covert. ❏ *nm, f* **1.** *(étranger)* illegal immigrant *ou* alien **2.** *(voyageur)* stowaway.

clapet *nm* **1.** *TECHNOL* valve **2.** *fam & fig (bouche)* trap.

clapier *nm (à lapins)* hutch.

clapoter *vi (vagues)* to lap.

claquage *nm MÉD* strain • **se faire un claquage** to pull *ou* to strain a muscle.

claque *nf* **1.** *(gifle)* slap **2.** *THÉÂTRE* claque.

claquement *nm* **1.** *(de porte - qui se ferme)* slam, slamming *(indén)* ; *(- mal fermée)* banging *(indén)* **2.** *(de doigts)* snap, snapping *(indén)*.

claquer *vt* **1.** *(fermer)* to slam • **faire claquer a)** *(langue)* to click **b)** *(doigts)* to snap **c)** *(fouet)* to crack **3.** *fam (gifler)* to slap **4.** *fam (dépenser)* to blow. ❏ *vi (porte, volet)* to bang.

claquettes *nfpl (danse)* tap dancing *(indén)*.

clarifier *vt litt & fig* to clarify.

clarinette *nf (instrument)* clarinet.

clarté *nf* **1.** *(lumière)* brightness **2.** *(netteté)* clarity.

classe *nf* **1.** *(gén)* class • **classe touriste** economy class, coach **(US)** **2.** *SCOL* • **aller en classe** to go to school • **classe de neige** skiing trip *(with school)* • **classes préparatoires** *il n'y a pas d'équivalent en Grande-Bretagne ou aux États-Unis. Si vous voulez expliquer à un anglophone de quoi il s'agit, vous pouvez dire* these are two years of intensive study for students preparing for Grandes Écoles entrance exams • **classe verte** field trip *(with school)* **3.** *MIL* rank **4.** *(locution)* • **faire ses classes** *MIL* to do one's training.

classé, e *adj (monument)* listed **(UK)**.

classement *nm* **1.** *(rangement)* filing **2.** *(classification)* classification **3.** *(rang - SCOL)* position ; *(- SPORT)* placing **4.** *(liste - SCOL)* class list ; *(- SPORT)* final placings *pl*.

classer *vt* **1.** *(ranger)* to file **2.** *(plantes, animaux)* to classify **3.** *(cataloguer)* • **classer qqn (parmi)** to label sb (as) **4.** *(attribuer un rang à)* to rank. ■ **se**

classer *vp* to be classed, to rank • **se classer troisième** to come third.

classeur *nm* **1.** *(meuble)* filing cabinet **2.** *(d'écolier)* ring binder.

classieux, euse *adj fam* classy.

classification *nf* classification.

classique *nm* **1.** *(auteur)* classical author **2.** *(œuvre)* classic. ❑ *adj* **1.** ART & MUS classical **2.** *(sobre)* classic **3.** *(habituel)* classic • **ça, c'est l'histoire classique !** it's the usual story!

clause *nf* clause.

claustrophobie *nf* claustrophobia.

clavecin *nm* harpsichord.

clavicule *nf* collarbone.

clavier *nm* keyboard.

clé, clef *nf* **1.** *(gén)* key • **la clé du mystère** the key to the mystery • **mettre qqn/qqch sous clé** to lock sb/sthg up • **clé de contact** AUTO ignition key **2.** *(outil)* • **clé anglaise** *ou* **à molette** adjustable spanner (UK) *ou* wrench (US), monkey wrench **3.** MUS *(signe)* clef • **clé de sol/fa** treble/bass clef **4.** INFORM • **clé USB** USB key, USB stick (UK). ❑ *adj* • **industrie/ rôle clé** key industry/role. ◼ **clé de voûte** *nf litt & fig* keystone.

clef = clé.

clément, e *adj* **1.** *(indulgent)* lenient **2.** *fig (température)* mild.

clémentine *nf* clementine.

cleptomane = kleptomane.

clerc *nm (assistant)* clerk.

clergé *nm* clergy.

clic *nm* INFORM click • **clic droit** right-click • **clic gauche** left-click • **d'un clic de souris** at the click of a mouse.

Clic-Clac ® *nm* pull-out sofa bed.

cliché *nm* **1.** PHOTO negative **2.** *(banalité)* cliché.

client, e *nm, f* **1.** *(de notaire, d'agence)* client **2.** *(de médecin)* patient **3.** *(acheteur)* customer **4.** *(habitué)* regular (customer).

clientèle *nf* **1.** *(ensemble des clients)* customers *pl* **2.** *(de profession libérale)* clientele **3.** *(fait d'être client)* • **accorder sa clientèle à** to give one's custom to.

cligner *vi* • **cligner de l'œil** to wink • **cligner des yeux** to blink.

clignotant, e *adj (lumière)* flickering. ◼ **clignotant** *nm* AUTO indicator (UK), turn signal (US).

clignoter *vi* **1.** *(yeux)* to blink **2.** *(lumière)* to flicker.

clim (*abrév de* climatisation) *nf fam* air conditioning, AC.

climat *nm litt & fig* climate.

climatique *adj* climatic.

climatisation *nf* air-conditioning.

climatisé, e *adj* air-conditioned.

clin ◼ **clin d'œil** *nm* • **faire un clin d'œil (à)** wink (at) • **en un clin d'œil** in a flash.

clinique *nf* clinic. ❑ *adj* clinical.

clinquant, e *adj litt & fig* flashy. ◼ **clinquant** *nm* **1.** *(faux bijou)* imitation jewellery *(indén)* (UK) *ou* jewelry *(indén)* (US) **2.** *fig (éclat)* gloss.

clip *nm* **1.** *(vidéo)* pop video **2.** *(boucle d'oreilles)* clip-on earring.

cliquable *adj* clickable • **plan cliquable** sensitive map.

cliquer *vi* INFORM to click ; *(bouton gauche)* to left-click ; *(bouton droit)* to right-click.

cliqueter *vi* **1.** *(pièces, clés, chaînes)* to jingle, to jangle **2.** *(verres)* to clink.

cliquetis *nm* **1.** *(de pièces, clés, chaînes)* jingling *(indén)*, jangling *(indén)* **2.** *(de verres)* clinking *(indén)*.

clitoris *nm* clitoris.

clivage *nm fig (division)* division.

clochard, e *nm, f* tramp.

cloche *nf* **1.** *(d'église)* bell **2.** *fam (idiot)* idiot. ❑ *adj fam* • **ce qu'elle peut être cloche, celle-là !** she can be such an idiot!

cloche-pied ◼ **à cloche-pied** *loc adv* hopping • **sauter à cloche-pied** to hop.

clocher[1] *nm (d'église)* church tower.

clocher[2] *vi fam* • **il y a quelque chose qui cloche** there's something wrong here • **qu'est-ce qui cloche ?** what's wrong *ou* up?

clochette *nf* **1.** *(petite cloche)* (little) bell **2.** *(de fleur)* bell.

clodo *nmf fam* tramp.

cloison *nf (mur)* partition.

cloisonner *vt* **1.** *(pièce, maison)* to partition (off) **2.** *fig* to compartmentalize.

cloître *nm* cloister.

cloîtrer *vt* **1.** RELIG to cloister **2.** *(enfermer)* to shut away (from the outside world). ◼ **se cloîtrer** *vp* **1.** *(s'enfermer)* to shut o.s. away • **se cloîtrer dans** *fig* to retreat into **2.** *(RELIG -sœur)* to enter a convent ; *(-moine)* to enter a monastery.

clonage *nm* cloning • **clonage thérapeutique** therapeutic cloning.

clone *nm* clone.

clope *nm & nf fam* cigarette, fag (UK).

clopiner *vi* to hobble along.

cloporte *nm* woodlouse.

cloque *nf* blister.

clore *vt* **1.** to close **2.** *(négociations)* to conclude.

clos, e *pp* → clore. ❑ *adj* closed.

clôture *nf* **1.** *(haie)* hedge **2.** *(de fil de fer)* fence **3.** *(fermeture)* closing, closure **4.** *(fin)* end, conclusion.

clôturer *vt* **1.** *(terrain)* to enclose **2.** *(négociation)* to close, to conclude.

clou *nm* **1.** *(pointe)* nail • **clou de girofle** CULIN clove **2.** *(attraction)* highlight.

clouer vt **1.** (fixer - couvercle, planche) to nail (down); (- tableau, caisse) to nail (up) **2.** fig (immobiliser) • **rester cloué sur place** to be rooted to the spot.

clouté, e adj (vêtement) studded.

clown nm clown • **faire le clown** to clown around, to act the fool.

club nm club.

cm (abrév de centimètre) cm.

CM nm (abrév de cours moyen) • **CM1** ≃ Year 4 (UK); ≃ fourth grade (US) • **CM2** ≃ Year 5 (UK); ≃ fifth grade (US).

CNAM (abrév de Conservatoire national des arts et métiers) nm si vous voulez expliquer à un anglophone de quoi il s'agit, vous pouvez dire it is the national school for science and technology in Paris.

CNRS (abrév de Centre national de la recherche scientifique) nm si vous voulez expliquer à un anglophone de quoi il s'agit, vous pouvez dire it is the French national centre for scientific research.

coacher vt to coach.

coaguler vi **1.** (sang) to clot **2.** (lait) to curdle.

coalition nf coalition.

coasser vi (grenouille) to croak.

cobaye nm litt & fig guinea pig.

cobra nm cobra.

co-branding nm co-branding.

Coca® nm (boisson) Coke®.

cocaïne nf cocaine.

cocaïnomane nmf cocaine addict.

cocarde nf **1.** (insigne) roundel **2.** (distinction) rosette.

cocardier, ère adj (chauvin) jingoistic.

cocasse adj funny.

coccinelle nf **1.** (insecte) ladybird (UK), ladybug (US) **2.** (voiture) Beetle.

coccyx nm coccyx.

cocher[1] nm coachman.

cocher[2] vt to tick (off) (UK), to check (off) (US).

cochon, onne adj dirty, smutty. ❑ nm, f fam & péj pig • **un tour de cochon** a dirty trick. ■ se **cochonner** vp pig.

cochonnaille nf fam (charcuterie) pork.

cochonnerie nf fam **1.** (nourriture) muck (indén) **2.** (chose) rubbish (indén) (UK), trash (indén) (US) **3.** (saleté) mess (indén) **4.** (obscénité) dirty joke, smut (indén).

cochonnet nm (jeux) jack.

cocker nm cocker spaniel.

cockpit nm cockpit.

cocktail nm **1.** (réception) cocktail party **2.** (boisson) cocktail **3.** fig (mélange) mixture.

coco nm **1.** → noix **2.** péj (communiste) commie.

cocon nm fig ZOOL cocoon.

cocooning nm • **faire du cocooning** to cocoon o.s.

cocorico nm (du coq) cock-a-doodle-doo.

cocotier nm coconut tree.

cocotte nf **1.** (marmite) casserole (dish) **2.** (poule) hen **3.** péj (courtisane) tart.

Cocotte-Minute® nf pressure cooker.

cocu, e nm, f & adj fam cuckold.

code nm **1.** (gén) code • **code-barres** bar code • **code postal** postcode (UK), zip code (US) **2.** BANQUE & ÉCON • **code secret** PIN number **3.** (phares) dipped headlights pl (UK), dimmed headlights pl (US) **4.** DR • **code pénal** penal code • **code de la route** highway code (UK), motor vehicle laws pl (US). ■ **codes** nmpl (phares) dipped headlights pl (UK), low beams pl (US).

codé, e adj encoded, coded • **message codé** cryptogram • **langage codé** secret language.

coder vt to code.

codétenu, e nm, f (fellow) prisoner.

coefficient nm coefficient.

coéquipier, ère nm, f teammate.

cœur nm heart • **au cœur de l'hiver** in the depths of winter • **au cœur de l'été** at the height of summer • **au cœur du conflit** at the height of the conflict • **de bon cœur** willingly • **de tout son cœur** with all one's heart • **apprendre par cœur** to learn by heart • **avoir bon cœur** to be kind-hearted • **avoir mal au cœur** to feel sick • **s'en donner à cœur joie** (prendre beaucoup de plaisir) to have a whale of a time • **manquer de cœur, ne pas avoir de cœur** to be heartless • **soulever le cœur à qqn** to make sb feel sick.

coexister vi to coexist.

coffre nm **1.** (meuble) chest **2.** (de voiture) boot (UK), trunk (US) **3.** (coffre-fort) safe.

coffre-fort nm safe.

coffret nm **1.** (petit coffre) casket • **coffret à bijoux** jewellery (UK) ou jewelry (US) box **2.** (de disques) boxed set.

cognac nm cognac, brandy.

cogner vi **1.** (heurter) to bang **2.** fam (donner des coups) to hit **3.** (soleil) to beat down. ■ se **cogner** vp (se heurter) to bump o.s. • **se cogner à** ou **contre qqch** to bump into sthg • **se cogner la tête/le genou** to hit one's head/knee.

cohabiter vi **1.** (habiter ensemble) to live together **2.** POLIT to cohabit.

cohérence nf consistency, coherence.

cohérent, e adj **1.** (logique) consistent, coherent **2.** (unifié) coherent.

cohésion nf cohesion.

cohorte nf (groupe) troop.

cohue nf **1.** (foule) crowd **2.** (bousculade) crush.

coi, coite adj • **rester coi** sout to remain silent.

coiffage nm • **mousse/gel de coiffage** styling mousse/gel.

coiffant, e adj • **gel coiffant** styling gel.

coiffe nf headdress.

coiffé,e *adj* • **être bien/mal coiffé** to have tidy/untidy hair • **être coiffé d'une casquette** to be wearing a cap.

coiffer *vt* **1.** *(mettre sur la tête)* • **coiffer qqn de qqch** to put sthg on sb's head **2.** *(les cheveux)* • **coiffer qqn** to do sb's hair. ■ **se coiffer** *vp* **1.** *(les cheveux)* to do one's hair **2.** *(mettre sur sa tête)* • **se coiffer de** to wear, to put on.

coiffeur,euse *nm,f* hairdresser. ■ **coiffeuse** *nf (meuble)* dressing table.

coiffure *nf* **1.** *(chapeau)* hat **2.** *(cheveux)* hairstyle.

coin *nm* **1.** *(angle)* corner • **au coin du feu** by the fireside **2.** *(parcelle, endroit)* place, spot • **dans le coin** in the area • **un coin de ciel bleu** a patch of blue sky • **coin cuisine** kitchen area • **le petit coin** *fam* the little boys'/girls' room **3.** *(outil)* wedge.

coincé,e *adj fam (personne)* hung up.

coincer *vt* **1.** *(bloquer)* to jam **2.** *fam (prendre)* to nab **3.** *fam & fig (catch out* (UK) **4.** *(acculer)* to corner, to trap.

coïncidence *nf* coincidence.

coïncider *vi* to coincide.

coing *nm (fruit)* quince.

coït *nm* coitus.

col *nm* **1.** *(de vêtement)* collar • **col roulé** polo neck (UK), turtleneck (US) **2.** *(partie étroite)* neck **3.** ANAT • **col du fémur** neck of the thighbone *ou* femur • **col de l'utérus** cervix, neck of the womb **4.** GÉOGR pass.

colchique *nm (plante)* autumn crocus.

coléoptère *nm* beetle.

colère *nf* **1.** *(irritation)* anger • **être/se mettre en colère** to be/get angry **2.** *(accès d'humeur)* fit of anger *ou* rage • **piquer une colère** to fly into a rage.

coléreux,euse,colérique *adj* **1.** *(tempérament)* fiery **2.** *(personne)* quick-tempered.

colimaçon • **en colimaçon** *loc adv* spiral.

colin-maillard *nm* blind man's buff.

colique *nf* **1.** *(gén pl) (douleur)* colic *(indén)* **2.** *(diarrhée)* diarrhoea (UK), diarrhea (US).

colis *nm* parcel (UK), package (US).

collaborateur,trice *nm,f* **1.** *(employé)* colleague **2.** HIST collaborator.

collaboration *nf* collaboration.

collaborer *vi* **1.** *(coopérer, sous l'Occupation)* to collaborate **2.** *(participer)* • **collaborer à** to contribute to.

collage *nm* **1.** *(action)* sticking, gluing **2.** ART collage.

collant,e *adj* **1.** *(substance)* sticky **2.** *fam (personne)* clinging, clingy. ■ **collant** *nm* tights *pl* (UK), panty hose *pl* (US).

collation *nf (repas)* snack.

colle *nf* **1.** *(substance)* glue **2.** *fam (question)* poser **3.** *arg scol (interrogation)* test ; *(retenue)* detention.

collecte *nf* collection.

collectif,ive *adj* **1.** *(responsabilité, travail)* collective **2.** *(billet, voyage)* group *(avant nom)*. ■ **collectif** *nm* **1.** *(équipe)* team **2.** LING collective noun **3.** FIN • **collectif budgétaire** collection of budgetary measures.

collection *nf* **1.** *(d'objets, de livres, de vêtements)* collection **2.** COMM line.

collectionner *vt litt & fig* to collect.

collectionneur,euse *nm,f* collector.

collectivité *nf* community • **les collectivités locales** ADMIN the local communities • **collectivité territoriale** ADMIN (partially) autonomous region.

collector *nm* collector's edition • **coffret collector** boxed collector's set.

collège *nm* **1.** SCOL ≃ secondary school **2.** *(de personnes)* college.

collégien,enne *nm,f* schoolboy, schoolgirl *f*.

collègue *nmf* colleague.

coller *vt* **1.** *(fixer - affiche)* to stick (up) ; *(- timbre)* to stick **2.** *(appuyer)* to press **3.** INFORM to paste **4.** *fam (mettre)* to stick, to dump **5.** *arg scol* to give (a) detention to, to keep behind. ❑ *vi* **1.** *(adhérer)* to stick **2.** *(être adapté)* • **coller à qqch a)** *(vêtement)* to cling to sthg **b)** *fig* to fit in with sthg, to adhere to sthg. ■ **se coller** *vp (se plaquer)* • **se coller contre qqn/qqch** to press o.s. against sb/sthg.

collerette *nf (de vêtement)* ruff.

collet *nm* **1.** *(de vêtement)* collar • **être collet monté** *(affecté, guindé)* to be straitlaced **2.** *(piège)* snare.

collier *nm* **1.** *(bijou)* necklace **2.** *(d'animal)* collar **3.** *(barbe)* beard *(along the jawline)*.

collimateur *nm* • **avoir qqn dans le collimateur** *fam* to have sb in one's sights.

colline *nf* hill.

collision *nf (choc)* collision, crash • **entrer en collision avec** to collide with.

colloque *nm* colloquium.

collyre *nm* eye lotion.

colmater *vt* **1.** *(fuite)* to plug, to seal off **2.** *(brèche)* to fill, to seal.

colo *nf fam* children's holiday camp (UK), summer camp (US).

colocataire *nmf* **1.** ADMIN co-tenant **2.** flatmate (UK).

colombage *nm* half-timbering • **à colombages** half-timbered.

colombe *nf* dove.

Colombie *nf* • **la Colombie** Colombia.

colon *nm* settler.

côlon *nm* colon.

colonel,elle *nm,f* colonel.

colonial,e *adj* colonial.

colonialisme *nm* colonialism.

colonie *nf* **1.** *(territoire)* colony **2.** *(d'expatriés)* community • **colonie de vacances** children's holiday (UK) *ou* summer camp (US).

colonisation *nf* colonization.

coloniser *vt litt & fig* to colonize.

colonne *nf* column. ■ **colonne vertébrale** *nf* spine, spinal column.

colorant, e *adj* colouring (UK), coloring (US). ■ **colorant** *nm* colouring (UK), coloring (US).

colorer *vt (teindre)* to colour (UK), to color (US).

coloriage *nm* **1.** *(action)* colouring (UK), coloring (US) **2.** *(dessin)* colouring-in picture.

colorier *vt* to colour in (UK), to color in (US).

coloris *nm* shade.

colorisation *nf* CINÉ colourization (UK), colorization (US).

coloriser *vt* CINÉ to colourize (UK) to colorize (US).

colossal, e *adj* colossal, huge.

colosse *nm* **1.** *(homme)* giant **2.** *(statue)* colossus.

colporter *vt* **1.** *(marchandise)* to hawk **2.** *(information)* to spread.

coltiner ■ **se coltiner** *vp fam* to be landed with.

colza *nm* rape(seed).

coma *nm* coma • **être dans le coma** to be in a coma.

comateux, euse *adj* comatose.

combat *nm* **1.** *(bataille)* battle, fight **2.** *fig (lutte)* struggle **3.** SPORT fight.

combatif, ive *adj* **1.** *(humeur)* fighting *(avant nom)* **2.** *(troupes)* willing to fight.

combattant, e *nm, f* **1.** *(en guerre)* combatant **2.** *(dans bagarre)* fighter • **ancien combattant** veteran.

combattre *vt litt & fig* to fight (against). ❑ *vi* to fight.

combien *conj* how much • **combien de a)** *(nombre)* how many **b)** *(quantité)* how much • **combien de temps ?** how long? • **ça fait combien ? a)** *(prix)* how much is that? **b)** *(longueur, hauteur, etc)* how long/high *etc* is it? ❑ *adv* how (much). ❑ *nm inv fam* • **le combien sommes-nous ?** what date is it? • **tous les combien ?** how often?

combinaison *nf* **1.** *(d'éléments)* combination **2.** *(de femme)* slip **3.** *(vêtement - de mécanicien)* boiler suit (UK), overalls *pl* (UK), overall (US) ; *(- de ski)* ski suit • **combinaison spatiale** space suit **4.** *(de coffre)* combination.

combine *nf fam* trick.

combiné *nm* receiver.

combiner *vt* **1.** *(arranger)* to combine **2.** *(organiser)* to devise. ■ **se combiner** *vp* to turn out.

comble *nm* height • **c'est un** *ou* **le comble !** that beats everything! ❑ *adj* packed. ■ **combles** *nmpl* attic *sing*, loft *sing*.

combler *vt* **1.** *(gâter)* • **combler qqn de** to shower sb with **2.** *(boucher)* to fill in **3.** *(déficit)* to make good **4.** *(lacune)* to fill.

combustible *nm* fuel. ❑ *adj* combustible.

combustion *nf* combustion.

comédie *nf* **1.** CINÉ & THÉÂTRE comedy • **comédie musicale** musical **2.** *(complication)* palaver.

comédien, enne *nm, f* **1.** *(acteur)* actor, actress *f* **2.** *fig & péj* phony, phoney (UK).

comestible *adj* edible.

comète *nf* comet.

coming out *nm inv* coming-out.

comique *nmf* THÉÂTRE comic, comedian, comedienne *f* • **c'est un grand comique** he's a great comic actor. ❑ *adj* **1.** *(style)* comic **2.** *(drôle)* comical, funny.

comité *nm* committee • **comité d'entreprise** works council (UK).

commandant, e *nm, f* commander.

commande *nf* **1.** *(de marchandises)* order • **passer une commande** to place an order • **sur commande** to order • **disponible sur commande** available on request **2.** TECHNOL control **3.** INFORM command • **commande numérique** digital control.

---

commande

FAUX AMIS

Il faut traduire le nom *commande* dans son sens commercial par **order** ou dans son sens technique par **mechanism**. Exemples : *Le garçon a pris la commande.* **The waiter took the order**. *La commande des essuie-glaces ne fonctionne plus.* **The wiper mechanism is no longer working**. En anglais, le nom **command** signifie *ordre, commandement* ou *maîtrise*.

---

commander *vt* **1.** MIL to command **2.** *(contrôler)* to operate, to control **3.** COMM to order. ❑ *vi* to be in charge • **commander à qqn de faire qqch** to order sb to do sthg.

commanditaire *nmf* DR backer. ❑ *adj* DR • **(associé) commanditaire** sleeping partner (UK), silent partner (US).

commanditer *vt* **1.** *(entreprise)* to finance **2.** *(meurtre)* to put up the money for **3.** *(tournoi)* to sponsor.

commando *nm* commando (unit).

comme

■ **comme** *conj*

1. INTRODUIT UNE COMPARAISON

• **il est médecin comme son père** he's a doctor (just) like his father • **elle s'habille exactement comme sa sœur** she dresses just like her sister

2. EXPRIME LA MANIÈRE
• **fais comme il te plaira** do as you wish
• **comme prévu/convenu, la réunion a commencé à six heures** as planned/agreed, the meeting started at six • **faites comme bon vous semble** do as you think best • **ça va ? — comme ci comme ça** how are things? — so-so

3. INTRODUIT LA CAUSE
• **comme il pleuvait, nous sommes rentrés** as it was raining, we went back (home) • **comme tu es fatigué, tu devrais rester à la maison** since you're tired, you should stay at home

4. INDIQUE UNE SIMILITUDE
• **l'un comme l'autre sont très gentils** the one is as kind as the other, they are equally kind • **les filles, comme les garçons, iront jouer au foot** both girls and boys will play football

5. INDIQUE UNE FONCTION
• **nous l'avons eu comme professeur** we had him as teacher • **comme peintre, il est assez médiocre** as a painter, he is rather mediocre

6. TEL QUE
• **les auteurs romantiques comme Musset ou Vigny adoptèrent cette même position** Romantic writers such as ou like Musset or Vigny adopted the same position

■ **comme** adv excl

MARQUE L'INTENSITÉ
• **comme tu as grandi !** how you've grown!
• **comme c'est difficile !** it's so difficult!
• **regarde comme il nage bien !** (just) look what a good swimmer he is!, (just) look how well he swims!

commémoration nf commemoration.
commémorer vt to commemorate.
commencement nm beginning, start.
commencer vt **1.** (entreprendre) to begin, to start **2.** (être au début de) to begin. ■ vi to start, to begin • **commencer à faire qqch** to begin ou start to do sthg, to begin ou start doing sthg • **commencer par faire qqch** to begin ou start by doing sthg.
comment adv interr how • **comment ?** what? • **comment ça va ?** how are you? • **comment cela ?** how come?

comment

Attention à ne pas confondre **how is he?** (comment va-t-il ? ; réponse : **he's fine** = il va bien) et **what's he like?** (il est comment ? ; réponse : **he's tall and good-looking** = il est grand et beau).

commentaire nm **1.** (explication) commentary **2.** (observation) comment.
commentateur, trice nm, f RADIO & TV commentator.
commenter vt to comment on.
commérage nm péj gossip (indén).
commerçant, e adj **1.** (rue) shopping (avant nom) **2.** (quartier) commercial **3.** (personne) business-minded. ❏ nm, f shopkeeper (UK).
commerce nm **1.** (achat et vente) trade, commerce • **commerce de gros/détail** wholesale/retail trade • **commerce électronique** electronic commerce, electronic trade, e-commerce • **commerce équitable** fair ou equitable trade • **commerce extérieur** foreign trade **2.** (magasin) business • **le petit commerce** small shopkeepers pl.
commercial, e adj **1.** (entreprise, valeur) commercial **2.** (politique) trade (avant nom). ❏ nm, f marketing man, woman f.
commercialiser vt to market.
commère nf péj gossip.
commettre vt to commit.
commis, e pp → commettre. ■ **commis** nm assistant • **commis voyageur** commercial traveller (UK) ou traveler (US).
commisération nf sout commiseration.
commissaire nmf commissioner • **commissaire de police** (police) superintendent (UK), (police) captain (US).
commissaire-priseur nm auctioneer.
commissariat nm • **commissariat de police** police station.
commission nf **1.** (délégation) commission, committee **2.** (message) message. ■ **commissions** nfpl shopping (indén) • **faire les commissions** to do the shopping.
commissure nf • **la commissure des lèvres** the corner of the mouth.
commode nf chest of drawers. ❏ adj **1.** (pratique - système) convenient ; (- outil) handy **2.** (aimable) • **pas commode** awkward.
commodité nf convenience. ■ **commodités** nfpl (éléments de confort) comforts.
commotion nf MÉD shock • **commotion cérébrale** concussion.
commun, e adj **1.** (gén) common **2.** (décision, effort) joint **3.** (salle, jardin) shared • **avoir qqch en commun** to have sthg in common • **faire qqch en commun** to do sthg together **4.** (courant) usual, common. ■ **commune** nf town.
communal, e adj **1.** (école) local **2.** (bâtiments) council (avant nom).
communauté nf **1.** (groupe) community **2.** (de sentiments, d'idées) identity **3.** POLIT • **la Communauté européenne** the European Community.
communément adv commonly.

communiant, e nm, f communicant • **premier communiant** child taking his/her first communion.

communicant, e adj • **deux chambres communicantes** two connecting (UK) ou adjoining (US) rooms. ■ **communicant** nm communicator.

communicatif, ive adj **1.** (rire, éternuement) infectious **2.** (personne) communicative.

communication nf **1.** (gén) communication **2.** TÉLÉCOM • **communication (téléphonique)** (phone) call • **être en communication avec qqn** to be talking to sb • **obtenir la communication** to get through • **recevoir/prendre une communication** to receive/take a (phone) call • **communication interurbaine** long-distance (phone) call.

communier vi RELIG to take communion.

communion nf RELIG communion.

communiqué nm communiqué • **communiqué de presse** press release.

communiquer vt • **communiquer qqch à a)** (information, sentiment) to pass on ou communicate sthg to **b)** (chaleur) to transmit sthg to **c)** (maladie) to pass sthg on to.

communisme nm communism.

communiste nmf & adj communist.

commutateur nm switch • **commutateur de données** data switch.

compact, e adj **1.** (épais, dense) dense **2.** (petit) compact. ■ **compact** nm (disque laser) compact disc, CD.

compagne → compagnon.

compagnie nf **1.** (gén) COMM company • **tenir compagnie à qqn** to keep sb company • **en compagnie de** in the company of **2.** (assemblée) gathering.

compagnon, compagne nm, f companion. ■ **compagnon** nm HIST journeyman.

comparable adj comparable.

comparaison nf (parallèle) comparison • **en comparaison de, par comparaison avec** compared with, in ou by comparison with.

faire des comparaisons

S'EXPRIMER
- **It's as hot as yesterday.** Il fait aussi chaud qu'hier.
- **It's not as hot as in May.** Il fait moins chaud qu'au mois de mai.
- **We're the same age.** Nous avons le même âge.
- **The red bike is half the price of the blue one.** Le vélo rouge coûte moitié moins que le bleu.
- **Compared with you, your sister's short.** Par rapport à toi, ta sœur est petite.
- **She sings better than me.** Elle chante mieux que moi.

comparaître vi DR • **comparaître (devant)** to appear (before).

comparatif, ive adj comparative. ■ **comparatif** nm GRAMM comparative.

comparé, e adj **1.** comparative **2.** (mérites) relative.

comparer vt **1.** (confronter) • **comparer (avec)** to compare (with) **2.** (assimiler) • **comparer qqch à** to compare ou liken sthg to.

comparse nmf péj stooge.

compartiment nm compartment.

compartimenter vt **1.** (meuble) to partition **2.** fig (administration) to compartmentalize.

comparu, e pp → comparaître.

comparution nf DR appearance.

compas nm **1.** (de dessin) pair of compasses, compasses pl **2.** NAUT compass.

compassion nf sout compassion.

exprimer sa compassion

S'EXPRIMER
- **That's really bad luck!** C'est vraiment pas de chance !
- **I'm really sorry.** Je suis vraiment désolé.
- **You poor thing!** Mon pauvre, ma pauvre !
- **Please accept my deepest sympathy.** Toutes mes condoléances.

compatible adj • **compatible (avec)** compatible (with) • **compatible Mac/PC** Mac-/PC-compatible.

compatir vi • **compatir (à)** to sympathize (with).

compatriote nmf compatriot, fellow countryman, countrywoman f.

compensation nf (dédommagement) compensation • **compensation carbone** carbon offset.

compensé, e adj built-up.

compenser vt (perte) to compensate ou make up for.

compétence nf **1.** (qualification) skill, ability **2.** DR competence • **cela n'entre pas dans mes compétences** that's outside my scope.

compétent, e adj **1.** (capable) capable, competent **2.** ADMIN & DR competent • **les autorités compétentes** the relevant authorities.

compétitif, ive adj competitive.

compétition nf competition • **faire de la compétition** to go in for competitive sport.

compil nf fam compilation album.

compilation nf compilation.

complainte nf lament.

complaisant, e adj **1.** (aimable) obliging, kind **2.** (indulgent) indulgent.

complément nm **1.** (gén) GRAMM complement **2.** (reste) remainder.

complémentaire adj **1.** *(supplémentaire)* supplementary **2.** *(caractères, couleurs)* complementary.

complet, ète adj **1.** *(gén)* complete **2.** *(plein)* full. ■ **complet(-veston)** nm suit.

complètement adv **1.** *(vraiment)* absolutely, totally **2.** *(entièrement)* completely.

compléter vt **1.** *(gén)* to complete, to complement **2.** *(somme d'argent)* to make up. ■ **se compléter** vp to complement one another.

complexe nm **1.** PSYCHO complex • **complexe d'infériorité/de supériorité** inferiority/ superiority complex **2.** *(ensemble)* complex • **complexe multisalle** multiplex (cinema). ❑ adj complex, complicated.

complexé, e adj hung up, mixed up.

complexifier vt to make (more) complex.

complexité nf complexity.

complication nf intricacy, complexity. ■ **complications** nfpl complications.

complice nmf accomplice. ❑ adj *(sourire, regard, air)* knowing.

complicité nf complicity.

compliment nm compliment.

complimenter vt to compliment.

compliqué, e adj **1.** *(problème)* complex, complicated **2.** *(personne)* complicated.

compliquer vt to complicate.

complot nm plot.

comploter vt & vi litt & fig to plot.

comportement nm behaviour (UK), behavior (US).

comportemental, e adj behavioural (UK), behavioral (US).

comporter vt **1.** *(contenir)* to include, to contain **2.** *(être composé de)* to consist of, to be made up of. ■ **se comporter** vp to behave.

composant, e adj constituent, component. ■ **composant** nm component. ■ **composante** nf component.

composé, e adj compound. ■ **composé** nm **1.** *(mélange)* combination **2.** CHIM & LING compound.

composer vt **1.** *(constituer)* to make up, to form **2.** *(créer - musique)* to compose, to write **3.** *(numéro de téléphone)* to dial **4.** *(code)* to key in. ❑ vi to compromise. ■ **se composer** vp *(être constitué)* • **se composer de** to be composed of, to be made up of.

composite adj **1.** *(disparate - mobilier)* assorted, of various types ; *(- foule)* heterogeneous **2.** *(matériau)* composite.

compositeur, trice nm, f **1.** MUS composer **2.** TYPO typesetter.

composition nf **1.** *(gén)* composition **2.** SCOL test **3.** *(caractère)* • **être de bonne composition** to be good-natured.

compost nm compost.

composter vt *(ticket, billet)* to date-stamp.

compote nf compote • **compote de pommes** stewed apples, apple sauce.

compréhensible adj **1.** *(texte, parole)* comprehensible **2.** fig *(réaction)* understandable.

compréhensif, ive adj understanding.

compréhension nf **1.** *(de texte)* comprehension, understanding **2.** *(indulgence)* understanding.

comprendre vt **1.** *(gén)* to understand • **je comprends !** I see! • **se faire comprendre** to make o.s. understood • **mal comprendre** to misunderstand **2.** *(comporter)* to comprise, to consist of **3.** *(inclure)* to include.

compresse nf compress.

compresser vt **1.** *(gén)* to pack (tightly) in, to pack in tight **2.** INFORM to compress.

compresseur → **rouleau**.

compression nf **1.** *(de gaz)* compression **2.** fig cutback, reduction.

comprimé, e adj compressed. ■ **comprimé** nm tablet • **comprimé effervescent** effervescent tablet.

comprimer vt **1.** *(gaz, vapeur)* to compress **2.** *(personnes)* • **être comprimés dans** to be packed into.

compris, e adj **1.** *(situé)* lying, contained **2.** *(inclus)* • **service (non) compris** (not) including service, service (not) included • **tout compris** all inclusive, all in • **y compris** including.

compromettre vt to compromise.

compromis nm compromise.

compromission nf péj base action.

comptabilité nf **1.** *(comptes)* accounts pl **2.** *(service)* • **la comptabilité** accounts, the accounts department.

comptable nmf accountant.

comptant adv • payer ou régler comptant to pay cash. ■ au comptant loc adv • payer au comptant to pay cash.

compte nm 1. (action) count, counting (indén) 2. (total) number • faire le compte (de) a) (personnes) to count (up) b) (dépenses) to add up • compte à rebours countdown 3. BANQUE & COMM account • ouvrir un compte to open an account • compte bancaire ou en banque bank account • compte courant current account (UK), checking account (US) • compte créditeur account in credit • compte de dépôt deposit account • compte d'épargne savings account • compte d'exploitation operating account • compte joint joint account • compte postal post office account 4. INFORM & INTERNET account • compte utilisateur user account • compte de courrier électronique e-mail account 5. (locution) • avoir son compte to have had enough • être/se mettre à son compte to be/become self-employed • prendre qqch en compte, tenir compte de qqch to take sthg into account • se rendre compte de qqch to realize sthg • s'en tirer à bon compte to get off lightly • tout compte fait all things considered. ■ comptes nmpl accounts • comptes de résultats courants above-the-line accounts • faire ses comptes to do one's accounts.

compte-chèques, compte chèques nm current account (UK), checking account (US).

compte-gouttes nm inv dropper. ■ au compte-gouttes loc adv fam very sparingly • payer qqn au compte-gouttes to pay sb off in dribs and drabs • distribuer qqch au compte-gouttes to dole sthg out • ils les prêtent au compte-gouttes, leurs vidéos ! they don't like lending out too many videos at a time!

compter vt 1. (dénombrer) to count 2. (avoir l'intention de) • compter faire qqch to intend to do sthg, to plan to do sthg. ❏ vi 1. (calculer) to count 2. (être important) to count, to matter • compter parmi (faire partie de) to be included amongst, to rank amongst • compter pour to count for • compter avec (tenir compte de) to reckon with, to take account of • compter sur (se fier à) to rely ou count on. ■ sans compter que loc conj besides which.

compte rendu, compte-rendu nm report, account.

compteur nm meter.

comptine nf nursery rhyme.

comptoir nm 1. (de bar) bar 2. (de magasin) counter 3. (dans un hôtel, un aéroport) desk • comptoir de la réception reception desk • comptoir d'enregistrement check-in desk ou counter 4. HIST trading post 5. (SUISSE) (foire) trade fair.

compulser vt to consult.

compulsif, ive adj PSYCHO compulsive.

comte nm count.

comté nm 1. (fromage) si vous voulez expliquer de quoi il s'agit à un anglophone, vous pouvez dire it is a type of cheese similar to Gruyère 2. ADMIN (au Canada) county 3. HIST earldom.

comtesse nf countess.

con, conne tfam adj damned ou bloody (UK) stupid. ❏ nm, f stupid bastard, bitch f.

concassé, e adj (poivre) coarse-ground • blé concassé cracked wheat.

concaténer vt to concatenate • concaténer des fichiers to concatenate files.

concave adj concave.

concéder vt • concéder qqch à a) (droit, terrain) to grant sthg to b) (point, victoire) to concede sthg to • concéder que to admit (that), to concede (that).

concentration nf concentration.

concentré, e adj 1. (gén) concentrated 2. (personne) • elle était très concentrée she was concentrating hard 3. → lait. ■ concentré nm concentrate • concentré de tomates CULIN tomato purée.

concentrer vt to concentrate. ■ se concentrer vp 1. (se rassembler) to be concentrated 2. (personne) to concentrate.

concentrique adj concentric.

concept nm concept.

conception nf 1. (gén) conception 2. (d'un produit, d'une campagne) design, designing (indén).

concernant prép regarding, concerning.

concerner vt to concern • être/se sentir concerné par qqch to be/feel concerned by sthg • en ce qui me concerne as far as I'm concerned.

concert nm MUS concert.

concertation nf consultation.

concerter vt (organiser) to devise (jointly). ■ se concerter vp to consult (each other).

concerto nm concerto.

concession nf 1. (compromis) GRAMM concession 2. (autorisation) rights pl, concession.

concessionnaire nmf 1. (automobile) (car) dealer 2. (qui possède une franchise) franchise holder.

concevable adj conceivable.

concevoir vt 1. (enfant, projet) to conceive 2. (comprendre) to conceive of • je ne peux pas concevoir comment/pourquoi I cannot conceive how/why.

concierge nmf caretaker (UK), superintendent (US), concierge.

conciliant, e adj conciliating.

conciliation nf 1. (règlement d'un conflit) reconciliation, reconciling 2. (accord) DR conciliation.

concilier vt (mettre d'accord, allier) to reconcile • concilier qqch et ou avec qqch to reconcile sthg with sthg.

concis, e *adj* **1.** *(style, discours)* concise **2.** *(personne)* terse.

concision *nf* conciseness, concision.

concitoyen, enne *nm, f* fellow citizen.

conclu, e *pp* → **conclure.**

concluant, e *adj (convaincant)* conclusive.

conclure *vt* to conclude • **en conclure que** to deduce (that). ❏ *vi* • **les experts ont conclu à la folie** the experts concluded he/she was mad.

conclusion *nf* **1.** *(gén)* conclusion **2.** *(partie finale)* close.

concocter *vt* to concoct.

concombre *nm* cucumber.

concordance *nf (conformité)* agreement • **concordance des temps** GRAMM sequence of tenses.

concorder *vi* **1.** *(coïncider)* to agree, to coincide **2.** *(être en accord)* • **concorder (avec)** to be in accordance (with).

concourir *vi* **1.** *(contribuer)* • **concourir à** to work towards (UK) *ou* toward (US) **2.** *(participer à un concours)* to compete.

concours *nm* **1.** *(examen)* competitive examination **2.** *(compétition)* competition, contest **3.** *(coïncidence)* • **concours de circonstances** combination of circumstances.

concret, ète *adj* concrete.

concrètement *adv (en réalité)* in real *ou* practical terms.

concrétiser *vt* **1.** *(projet)* to give shape to **2.** *(rêve, espoir)* to give solid form to. ■ **se concrétiser** *vp* **1.** *(projet)* to take shape **2.** *(rêve, espoir)* to materialize.

conçu, e *pp* → **concevoir.**

concubin, e *nm, f* partner, common-law husband, wife *f*.

concubinage *nm* living together, cohabitation.

concupiscent, e *adj* lustful.

concurremment *adv* jointly.

concurrence *nf* **1.** *(rivalité)* rivalry **2.** ÉCON competition.

concurrent, e *adj* rival, competing. ❏ *nm, f* competitor.

concurrentiel, elle *adj* competitive.

condamnable *adj* reprehensible.

condamnation *nf* **1.** DR sentence **2.** *(dénonciation)* condemnation.

condamné, e *nm, f* convict, prisoner.

condamner *vt* **1.** DR • **condamner qqn (à)** to sentence sb (to) • **condamner qqn à une amende** to fine sb **2.** *fig (obliger)* • **condamner qqn à qqch** to condemn sb to sthg **3.** *(malade)* • **être condamné** to be terminally ill **4.** *(interdire)* to forbid **5.** *(blâmer)* to condemn **6.** *(fermer)* to fill in, to block up.

condensation *nf* condensation.

condensé *nm* summary. ❏ *adj* → **lait.**

condenser *vt* to condense.

condescendant, e *adj* condescending.

condiment *nm* condiment.

condisciple *nm* fellow student.

condition *nf* **1.** *(gén)* condition • **se mettre en condition** *(physiquement)* to get into shape **2.** *(place sociale)* station • **la condition des ouvriers** the workers' lot. ■ **conditions** *nfpl* **1.** *(circonstances)* conditions • **conditions de vie** living conditions • **conditions météo** weather conditions **2.** *(de paiement)* terms. ■ **à condition de** *loc prép* providing *ou* provided (that). ■ **à condition que** *loc conj (+ subjonctif)* providing *ou* provided (that). ■ **sans condition(s)** *loc adj* unconditional. ❏ *loc adv* unconditionally.

conditionné, e *adj* **1.** *(emballé)* • **conditionné sous vide** vacuum-packed **2.** → **air.**

conditionnel, elle *adj* conditional. ■ **conditionnel** *nm* GRAMM conditional.

conditionnement *nm* **1.** *(action d'emballer)* packaging, packing **2.** *(emballage)* package **3.** PSYCHO & TECHNOL conditioning.

conditionner *vt* **1.** *(déterminer)* to govern **2.** PSYCHO & TECHNOL to condition **3.** *(emballer)* to pack.

condoléances *nfpl* condolences.

conducteur, trice *adj* conductive. ❏ *nm, f (de véhicule)* driver. ■ **conducteur** *nm* ÉLECTR conductor.

conduire *vt* **1.** *(voiture, personne)* to drive **2.** PHYS *(transmettre)* to conduct **3.** *fig (diriger)* to manage **4.** *fig (à la ruine, au désespoir)* • **conduire qqn à qqch** to drive sb to sthg. ❏ *vi* **1.** AUTO to drive **2.** *(mener)* • **conduire à** to lead to. ■ **se conduire** *vp* to behave.

conduit, e *pp* → **conduire.** ■ **conduit** *nm* **1.** *(tuyau)* conduit, pipe **2.** ANAT duct, canal.

conduite *nf* **1.** *(pilotage d'un véhicule)* driving • **avec conduite à droite/gauche** right-hand/left-hand drive **2.** *(comportement)* behaviour *(indén)* (UK), behavior *(indén)* (US) **3.** *(canalisation)* • **conduite de gaz/d'eau** gas/water main, gas/water pipe.

cône *nm* GÉOM cone.

confection *nf* **1.** *(réalisation)* making **2.** *(industrie)* clothing industry.

confectionner *vt* to make.

confédération *nf* **1.** *(d'états)* confederacy **2.** *(d'associations)* confederation.

conférence *nf* **1.** *(exposé)* lecture **2.** *(réunion)* conference • **conférence de presse** press conference • **conférences en ligne** *ou* web **conférences** web conferencing.

conférencier, ère *nm, f* lecturer.

conférer *vt (accorder)* • **conférer qqch à qqn** to confer sthg on sb.

confesser vt **1.** (avouer) to confess **2.** RELIG • **confesser qqn** to hear sb's confession. ■ **se confesser** vp to go to confession.

confession nf confession.

confessionnal nm confessional.

confetti nm confetti (indén).

confiance nf (foi) confidence • **avoir confiance en** to have confidence ou faith in • **avoir confiance en soi** to be self-confident • **en toute confiance** with complete confidence • **de confiance** trustworthy • **faire confiance à qqn/qqch** to trust sb/sthg.

confiant, e adj (sans méfiance) trusting.

confidence nf confidence.

confident, e nm, f confidant, confidante f.

confidentiel, elle adj confidential.

confier vt **1.** (donner) • **confier qqn/qqch à qqn** to entrust sb/sthg to sb **2.** (dire) • **confier qqch à qqn** to confide sthg to sb. ■ **se confier** vp • **se confier à qqn** to confide in sb.

configuration nf **1.** TECHNOL configuration **2.** INFORM • **configuration par défaut** default setting **3.** (conception) layout.

configurer vt INFORM to configure.

confiné, e adj **1.** (air) stale **2.** (atmosphère) enclosed **3.** (enfermé) shut away.

confins nmpl • **aux confins de** on the borders of.

confirmation nf confirmation.

confirmer vt (certifier) to confirm. ■ **se confirmer** vp to be confirmed.

confiscation nf confiscation.

confiserie nf **1.** (magasin) sweet shop (UK), candy store (US), confectioner's **2.** (sucreries) sweets pl (UK), candy (indén) (US), confectionery (indén).

confiseur, euse nm, f confectioner.

confisquer vt to confiscate.

confit nm conserve.

confiture nf jam.

conflit nm **1.** (situation tendue) clash, conflict **2.** (entre États) conflict.

confluent nm confluence • **au confluent de** at the confluence of.

confondre vt **1.** (ne pas distinguer) to confuse **2.** (accusé) to confound **3.** (stupéfier) to astound.

confondu, e pp → confondre.

conformation nf structure.

conforme adj • **conforme à** in accordance with.

conformément ■ **conformément à** loc prép in accordance with.

conformer vt • **conformer qqch à** to shape sthg according to. ■ **se conformer** vp • **se conformer à a)** (s'adapter) to conform to **b)** (obéir) to comply with.

conformiste nmf conformist. ❑ adj **1.** (traditionaliste) conformist **2.** (Anglican) Anglican.

conformité nf (accord) • **être en conformité avec** to be in accordance with.

confort nm comfort • **tout confort** with all mod cons (UK), with all modern conveniences (US).

confortable adj comfortable.

confrère, consœur nm, f colleague.

confrérie nf brotherhood.

confrontation nf (face à face) confrontation.

confronter vt **1.** (mettre face-à-face) to confront **2.** fig • **être confronté à** to be confronted ou faced with.

confucianisme nm Confucianism.

confus, e adj **1.** (indistinct, embrouillé) confused **2.** (gêné) embarrassed.

confusion nf **1.** (gén) confusion **2.** (embarras) confusion, embarrassment.

congé nm **1.** (arrêt de travail) leave (indén) • **congé (de) maladie** sick leave • **congé de maternité** maternity leave **2.** (vacances) holiday (UK), vacation (US) • **en congé** on holiday (UK) ou vacation (US) • **congés payés** paid holiday (indén) ou holidays ou leave (indén) (UK), paid vacation (US) • **une journée/semaine de congé** a day/week off **3.** (renvoi) notice • **donner son congé à qqn** to give sb his/her notice • **prendre congé (de qqn)** sout to take one's leave (of sb).

congédier vt to dismiss.

congé-formation nm training leave.

congélateur nm freezer.

congeler vt to freeze.

congénital, e adj congenital.

congère nf snowdrift.

congestion *nf* congestion • **congestion pulmonaire** pulmonary congestion.

Congo *nm* **1.** *(pays)* • **le Congo** the Congo • **la République démocratique du Congo** the Democratic Republic of Congo **2.** *(fleuve)* • **le Congo** the Congo.

congratuler *vt* to congratulate.

congrégation *nf* congregation.

congrès *nm (colloque)* assembly.

conifère *nm* conifer.

conjecture *nf* conjecture.

conjecturer *vt & vi* to conjecture.

conjoint, e *adj* joint. ❑ *nm, f* spouse.

conjonction *nf* conjunction.

conjonctivite *nf* conjunctivitis *(indén)*.

conjoncture *nf ÉCON* situation, circumstances *pl*.

conjugaison *nf* **1.** *(union)* uniting **2.** GRAMM conjugation.

conjugal, e *adj* conjugal.

conjuguer *vt* **1.** *(unir)* to combine **2.** GRAMM to conjugate. ■ **se conjuguer** *vp (emploi passif)* GRAMM to conjugate, to be conjugated. ❑ *vpi (s'unir)* to work together, to combine.

conjuration *nf* **1.** *(conspiration)* conspiracy **2.** *(exorcisme)* exorcism.

connaissance *nf* **1.** *(savoir)* knowledge *(indén)* • **à ma connaissance** to (the best of) my knowledge • **en connaissance de cause** with full knowledge of the facts • **prendre connaissance de qqch** to study sthg, to examine sthg **2.** *(personne)* acquaintance • **faire connaissance (avec qqn)** to become acquainted (with sb) • **faire la connaissance de** to meet **3.** *(conscience)* • **perdre/reprendre connaissance** to lose/regain consciousness.

connaissance

Attention ! Le mot **knowledge** est indénombrable. Il ne s'emploie ni au pluriel, ni avec l'article indéfini **a** :
• *Cela demande une bonne connaissance de l'outil informatique.* **It requires sound knowledge of computing.**
• *Ses connaissances en la matière sont époustouflantes.* **His knowledge of the subject is astounding.**

connaisseur, euse *adj* expert *(avant nom)*. ❑ *nm, f* connoisseur.

connaître *vt* **1.** *(gén)* to know • **connaître qqn de nom/de vue** to know sb by name/sight **2.** *(éprouver)* to experience. ■ **se connaître** *vp* **1.** • **s'y connaître en** *(être expert)* to know about • **il s'y connaît** he knows what he's talking about/doing **2.** *(soi-même)* to know o.s. **3.** *(se rencontrer)* to meet (each other) • **ils se connaissent** they've met each other.

connecter *vt* to connect. ■ **se connecter** *vp* to log on, to log in • **se connecter à (l')Internet** to log on to the Internet.

connexion *nf* connection • **connexion (à) Internet** Internet connection.

connu, e *pp* → **connaître**. ❑ *adj (célèbre)* well-known, famous.

conquérant, e *adj* conquering. ❑ *nm, f* conqueror.

conquérir *vt* to conquer.

conquête *nf* conquest.

conquis, e *pp* → **conquérir**.

consacrer *vt* **1.** RELIG to consecrate **2.** *(employer)* • **consacrer qqch à** to devote sthg to. ■ **se consacrer** *vp* • **se consacrer à** to dedicate o.s. to, to devote o.s. to.

consanguin, e *adj* • **frère consanguin** half-brother • **sœur consanguine** half-sister. Voir aussi **mariage**.

consciemment *adv* knowingly, consciously.

conscience *nf* **1.** *(connaissance)* PSYCHO consciousness • **avoir conscience de qqch** to be aware of sthg **2.** *(morale)* conscience • **bonne/mauvaise conscience** clear/guilty conscience • **conscience professionnelle** professional integrity, conscientiousness.

consciencieux, euse *adj* conscientious.

conscient, e *adj* conscious • **être conscient de qqch** *(connaître)* to be conscious of sthg.

conscription *nf* conscription, draft (US).

conscrit *nm* conscript, recruit, draftee (US).

consécration *nf* **1.** *(reconnaissance)* recognition **2.** *(de droit, coutume)* establishment **3.** RELIG consecration.

consécutif, ive *adj* **1.** *(successif)* GRAMM consecutive **2.** *(résultant)* • **consécutif à** resulting from.

conseil *nm* **1.** *(avis)* piece of advice, advice *(indén)* • **donner un conseil** *ou* **des conseils (à qqn)** to give (sb) advice **2.** *(personne)* • **conseil (en) consultant** (in) **3.** *(assemblée)* council • **conseil d'administration** board of directors • **conseil de classe** staff meeting • **conseil de discipline** disciplinary committee.

donner et demander un conseil

• **What should I do?** Qu'est ce que je dois faire ?
• **What do you think?** Qu'en penses-tu ?
• **If I were you, I'd call the doctor.** Si j'étais toi, j'appellerais le médecin.
• **You'd be better off staying at home.** Tu ferais mieux de rester à la maison.

conseiller[1] *vt* **1.** *(recommander)* to advise • **conseiller qqch à qqn** to recommend sthg to sb **2.** *(guider)* to advise, to counsel. ❑ *vi (donner un conseil)* • **conseiller à qqn de faire qqch** to advise sb to do sthg.

À PROPOS DE

conseil

Attention ! Le mot **advice** est indénombrable. Il ne s'emploie ni au pluriel, ni avec l'article indéfini **an** :

• *Il m'a donné quelques conseils de jardinage.* **He gave me some gardening advice.**

• *Puis-je vous donner un petit conseil ?* **Can I give you some advice?** ou **Can I give you a piece of advice?**

conseiller², **ère** *nm, f* **1.** *(guide)* counsellor (UK), counselor (US) **2.** *(d'un conseil)* councillor (UK), councilor (US) • **conseiller municipal** town councillor (UK), city councilman, councilwoman *f* (US).

consensuel, **elle** *adj* • **politique consensuelle** consensus politics.

consensus *nm* consensus.

consentement *nm* consent.

consentir *vi* • **consentir à qqch** to consent to sthg.

conséquence *nf* consequence, result • **ne pas tirer à conséquence** to be of no consequence.

conséquent, **e** *adj* **1.** *(cohérent)* consistent **2.** *fam (important)* sizeable, considerable. ■ **par conséquent** *loc adv* therefore, consequently.

conservateur, **trice** *adj* conservative. ❑ *nm, f* **1.** *POLIT* conservative **2.** *(administrateur)* curator. ■ **conservateur** *nm* preservative.

conservation *nf* **1.** *(état, entretien)* preservation **2.** *(d'aliment)* preserving.

conservatoire *nm* academy • **conservatoire de musique** music college.

conserve *nf* canned *ou* tinned (UK) food • **en conserve a)** *(en boîte)* canned, tinned (UK) **b)** *(en bocal)* preserved, bottled.

conserver *vt* **1.** *(garder, entretenir)* to keep **2.** *(entreposer - en boîte)* to can ; *(- en bocal)* to bottle.

considérable *adj* considerable.

considération *nf* **1.** *(réflexion, motivation)* consideration • **prendre qqch en considération** to take sthg into consideration **2.** *(estime)* respect.

considérer *vt* to consider • **tout bien considéré** all things considered.

consigne *nf* **1.** *(gén pl) (instruction)* instructions *pl* **2.** *(entrepôt de bagages)* left-luggage office (UK), checkroom (US), baggage room (US) • **consigne automatique** left-luggage lockers *pl* (UK) **3.** *(somme d'argent)* deposit.

consigné, **e** *adj* returnable.

consistance *nf* **1.** *(solidité)* consistency **2.** *fig* substance.

consistant, **e** *adj* **1.** *(épais)* thick **2.** *(nourrissant)* substantial **3.** *(fondé)* sound.

consister *vi* • **consister en** to consist of • **consister à faire qqch** to consist in doing sthg.

conso *nf fam* drink.

consœur → **confrère**.

consolation *nf* consolation.

console *nf* **1.** *(table)* console (table) **2.** *INFORM* • **console de jeux** games console • **console de visualisation** VDU, visual display unit.

consoler *vt* *(réconforter)* • **consoler qqn (de qqch)** to comfort sb (in sthg).

consolider *vt litt & fig* to strengthen. ■ **se consolider** *vp* **1.** *(parti, régime)* to strengthen, to consolidate its position **2.** *(fracture)* to knit • **en rachetant son concurrent, l'entreprise se consolide dans sa position de leader du secteur** by buying out its competitor, the company has consolidated its position as market leader • **l'euro se consolide** the euro is consolidating.

consommateur, **trice** *nm, f* **1.** *(acheteur)* consumer **2.** *(d'un bar)* customer.

consommation *nf* **1.** *(utilisation)* consumption • **faire une grande** *ou* **grosse consommation de** to use (up) a lot of **2.** *(boisson)* drink.

consommé, **e** *adj sout* consummate. ■ **consommé** *nm* consommé.

consommer *vt* **1.** *(utiliser)* to use (up) **2.** *(manger)* to eat **3.** *(énergie)* to consume, to use. ❑ *vi* **1.** *(boire)* to drink **2.** *(voiture)* • **cette voiture consomme beaucoup** this car uses a lot of fuel.

consonance *nf* consonance.

consonne *nf* consonant.

conspirateur, **trice** *nm, f* conspirator.

conspiration *nf* conspiracy.

conspirer *vt (comploter)* to plot. ❑ *vi* to plot, to conspire.

constamment *adv* constantly.

constant, **e** *adj* constant.

constat *nm* **1.** *(procès-verbal)* report **2.** *(constatation)* established fact.

constatation *nf* **1.** *(révélation)* observation **2.** *(fait retenu)* finding.

constater *vt* **1.** *(se rendre compte de)* to see, to note **2.** *(consigner - fait, infraction)* to record ; *(- décès, authenticité)* to certify.

constellation *nf* *ASTRON* constellation.

consternation *nf* dismay.

consterner *vt* to dismay.

constipation *nf* constipation.

constipé, **e** *adj* **1.** *MÉD* constipated **2.** *fam & fig (manière, air)* ill at ease.

constituer *vt* **1.** *(élaborer)* to set up **2.** *(composer)* to make up **3.** *(représenter)* to constitute.

constitution *nf* **1.** *(création)* setting up **2.** *(de pays, de corps)* constitution.

constructeur nm **1.** (fabricant) manufacturer **2.** (de navire) shipbuilder **3.** (bâtisseur) builder.

constructif, ive adj **1.** (positif) constructive **2.** (créateur) creative.

construction nf **1.** (dans l'industrie) building, construction • **construction navale** shipbuilding **2.** (édifice) structure, building **3.** fig GRAMM construction.

construire vt **1.** (bâtir, fabriquer) to build **2.** (théorie, phrase) to construct.

construit, e pp → construire.

consul, e nm, f consul • **consul honoraire** honorary consul.

consulat nm (résidence) consulate.

consultant, e adj • **médecin consultant** consultant. ❏ nm, f consultant • **consultant en gestion** management consultant.

consultation nf **1.** (d'ouvrage) • **de consultation aisée** easy to use **2.** MÉD & POLIT consultation.

consulter vt **1.** (compulser) to consult **2.** (interroger, demander conseil à) to consult, to ask **3.** (spécialiste) to consult, to see. ❏ vi **1.** (médecin) to see patients, to take ou hold surgery (UK) **2.** (avocat) to be available for consultation. ■ **se consulter** vp to confer.

contact nm **1.** (gén) contact • **le contact du marbre est froid** marble is cold to the touch • **au contact de** on contact with **2.** (relations) contact • **prendre contact avec** to make contact with • **rester en contact (avec)** to stay in touch (with) **3.** AUTO ignition • **mettre/couper le contact** to switch on/off the ignition.

contacter vt to contact.

contagieux, euse adj **1.** MÉD contagious **2.** fig infectious.

contagion nf **1.** MÉD contagion **2.** fig infectiousness.

container → conteneur.

contaminer vt **1.** (infecter) to contaminate **2.** fig to contaminate, to infect.

conte nm story • **conte de fées** fairy tale ou story.

contemplation nf contemplation.

contempler vt to contemplate.

contemporain, e nm, f contemporary.

contenance nf **1.** (capacité volumique) capacity **2.** (attitude) • **se donner une contenance** to give an impression of composure • **perdre contenance** to lose one's composure.

conteneur, container nm (freight) container.

contenir vt to contain, to hold, to take. ■ **se contenir** vp to contain o.s., to control o.s.

content, e adj (satisfait) • **content (de qqn/qqch)** happy (with sb/sthg), content (with sb/sthg) • **content de faire qqch** happy to do sthg.

contentement nm satisfaction.

contenter vt to satisfy. ■ **se contenter** vp • **se contenter de qqch/de faire qqch** to content o.s. with sthg/with doing sthg.

contentieux nm **1.** (litige) dispute **2.** (service) legal department.

contenu, e pp → contenir. ■ **contenu** nm **1.** (de récipient) contents pl **2.** (de texte, discours) content.

conter vt to tell.

contestable adj questionable.

contestation nf **1.** (protestation) protest, dispute **2.** POLIT • **la contestation** anti-establishment activity.

conteste ■ **sans conteste** loc adv unquestionably.

contester vt to dispute, to contest. ❏ vi to protest.

conteur, euse nm, f storyteller.

contexte nm context.

contigu, uë adj • **contigu (à)** adjacent (to).

continent nm continent.

continental, e adj continental.

contingence nf MATH & PHILO contingency.

contingent nm **1.** MIL national service conscripts pl (UK), draft (US) **2.** COMM quota.

continu, e adj (ininterrompu) continuous.

continuation nf continuation.

continuel, elle adj **1.** (continu) continuous **2.** (répété) continual.

continuellement adv continually.

continuer vt (poursuivre) to carry on with, to continue (with). ❏ vi to continue, to go on • **continuer à** ou **de faire qqch** to continue to do ou doing sthg.

continuité nf continuity.

contondant, e adj blunt.

contorsionner ■ **se contorsionner** vp to contort (o.s.), to writhe.

contour nm **1.** (limite) outline **2.** (gén pl) (courbe) bend.

contourner vt litt & fig to bypass, to get around.

contraceptif, ive adj contraceptive. ■ **contraceptif** nm contraceptive.

contraception nf contraception.

contracter vt **1.** (muscle) to contract, to tense **2.** (visage) to contort **3.** (maladie) to contract, to catch **4.** (engagement) to contract **5.** (assurance) to take out.

contraction nf **1.** contraction **2.** (d'un muscle) tenseness.

contractuel, elle nm, f traffic warden (UK).

contradiction nf contradiction.

contradictoire adj contradictory • **débat contradictoire** open debate.

contraignant, e adj restricting.

contraindre *vt* • **contraindre qqn à faire qqch** to compel *ou* force sb to do sthg • **être contraint de faire qqch** to be compelled *ou* forced to do sthg.

contrainte *nf* constraint • **contrainte budgétaire** budget constraint • **sans contrainte** freely.

contraire *nm* • **le contraire** the opposite • **je n'ai jamais dit le contraire** I have never denied it. ❏ *adj* opposite • **contraire à a)** *(non conforme à)* contrary to **b)** *(nuisible à)* harmful to, damaging to. ■ **au contraire** *loc adv* on the contrary. ■ **au contraire de** *loc prép* unlike.

contrairement ■ **contrairement à** *loc prép* contrary to.

contrarier *vt* **1.** *(contrecarrer)* to thwart, to frustrate **2.** *(irriter)* to annoy.

contrariété *nf* annoyance.

contraste *nm* contrast.

contraster *vt & vi* to contrast.

contrat *nm* contract, agreement • **contrat d'apprentissage** apprenticeship contract • **contrat à durée déterminée/indéterminée** fixed-term/permanent contract • **contrat de location a)** *(de local)* tenancy agreement (UK), rental agreement (US) **b)** *(de voiture)* rental agreement.

contravention *nf* *(amende)* fine • **contravention pour stationnement interdit** parking ticket • **dresser une contravention à qqn** to fine sb.

contre *prép* **1.** *(juxtaposition, opposition)* against **2.** *(proportion, comparaison)* • **élu par 15 voix contre 9** elected by 15 votes to 9 **3.** *(échange)* (in exchange) for. ❏ *adv* *(juxtaposition)* • **prends la rampe et appuie-toi contre** take hold of the rail and lean against it. ■ **par contre** *loc adv* on the other hand.

contre-allée *nf* **1.** *(d'une avenue)* service *ou* frontage (US) road **2.** *(d'une promenade)* side track *ou* path.

contre-attaque *nf* counterattack.

contre-attaquer *vt* to counterattack, to strike back *(sép).*

contrebalancer *vt* to counterbalance, to offset.

contrebande *nf* **1.** *(activité)* smuggling **2.** *(marchandises)* contraband.

contrebandier, ère *nm, f* smuggler.

contrebas ■ **en contrebas** *loc adv* (down) below.

contrebasse *nf* *(instrument)* (double) bass.

contrecarrer *vt* to thwart, to frustrate.

contrecœur ■ **à contrecœur** *loc adv* grudgingly.

contrecoup *nm* consequence.

contre-courant ■ **à contre-courant** *loc adv* *(d'un cours d'eau)* against the current.

contredire *vt* to contradict. ■ **se contredire** *vp* **1.** *(emploi réciproque)* to contradict (each other) **2.** *(emploi réfléchi)* to contradict o.s.

contredit, e *pp* → **contredire**.

contrée *nf* **1.** *(pays)* land **2.** *(région)* region.

contre-espionnage *nm* counterespionage.

contre-exemple *nm* example to the contrary.

contre-expertise *nf* second (expert) opinion.

contrefaçon *nf* **1.** *(activité)* counterfeiting **2.** *(produit)* forgery.

contrefaire *vt* **1.** *(signature, monnaie)* to counterfeit, to forge **2.** *(voix)* to disguise.

contrefort *nm* **1.** *(pilier)* buttress **2.** *(de chaussure)* back. ■ **contreforts** *nmpl* foothills.

contre-indication *nf* contraindication.

contre-indiqué, e *adj* MÉD contraindicated.

contre-jour ■ **à contre-jour** *loc adv* against the light.

contremaître, esse *nm, f* foreman, forewoman *f.*

contremarque *nf* *(pour sortir d'un spectacle)* passout ticket (UK).

contre-offensive *nf* counteroffensive.

contre-ordre = **contrordre**.

contrepartie *nf* **1.** *(compensation)* compensation **2.** *(contraire)* opposing view. ■ **en contrepartie** *loc adv* in return.

contre-performance *nf* disappointing performance.

contrepèterie *nf* spoonerism.

contre-pied *nm* • **prendre le contre-pied de** to do the opposite of.

contreplaqué *nm* plywood.

contre-plongée *nf* low-angle shot. ■ **en contre-plongée** *loc adv* from below • **prends-la en contre-plongée** get a low-angle shot of her, shoot her from below.

contrepoids *nm* *litt & fig* counterbalance, counterweight.

contre-pouvoir *nm* counterbalance.

contrer *vt* **1.** *(s'opposer à)* to counter **2.** *(jeux de cartes)* to double.

contresens *nm* **1.** *(erreur - de traduction)* mistranslation ; *(- d'interprétation)* misinterpretation **2.** *(absurdité)* nonsense *(indén).* ■ **à contresens** *loc adv* *(traduire, comprendre, marcher)* the wrong way.

contresigner *vt* to countersign.

contretemps *nm* hitch, mishap. ■ **à contretemps** *loc adv* **1.** MUS out of time **2.** *fig* at the wrong moment.

contrevenir *vi* • **contrevenir à** to contravene, to infringe.

contribuable *nmf* taxpayer.

contribuer *vi* • **contribuer à** to contribute to *ou* towards.

contribution *nf* • **contribution (à)** contribution (to) • **mettre qqn à contribution** to call on sb's services • **contribution sociale généralisée** *si vous voulez expliquer de quoi il s'agit à un anglophone, vous pouvez dire* it is a supplementary social security contribution to help the underprivileged. ■ **contributions** *nfpl* taxes • **contributions directes/indirectes** direct/indirect taxation.

contrit, e *adj* contrite.

contrôle *nm* **1.** *(vérification - de déclaration)* check, checking *(indén)* ; *(- de documents, billets)* inspection • **contrôle d'identité** identity check • **contrôle parental** parental control **2.** *(maîtrise, commande)* control • **perdre le contrôle de qqch** to lose control of sthg • **contrôle des naissances** birth control • **contrôle des prix** price control **3.** *SCOL* test.

contrôler *vt* **1.** *(vérifier - documents, billets)* to inspect ; *(- déclaration)* to check ; *(- connaissances)* to test **2.** *(maîtriser, diriger)* to control **3.** *TECHNOL* to monitor, to control.

contrôleur, euse *nm, f* **1.** *(de train)* ticket inspector **2.** *(d'autobus)* (bus) conductor • **contrôleur aérien** air traffic controller.

contrordre *nm* countermand • **sauf contrordre** unless otherwise instructed.

controverse *nf* controversy.

controversé, e *adj (personne, décision)* controversial.

contumace *nf DR* • **condamné par contumace** sentenced in absentia.

contusion *nf* bruise, contusion.

convaincant, e *adj* convincing.

convaincre *vt* **1.** *(persuader)* • **convaincre qqn (de qqch)** to convince sb (of sthg) • **convaincre qqn (de faire qqch)** to persuade sb (to do sthg) **2.** *DR* • **convaincre qqn de** to find sb guilty of, to convict sb of.

convaincre quelqu'un (S'EXPRIMER)
• **Trust me!** Fais-moi confiance !
• **Believe me!** Croyez-moi !
• **You won't regret it!** Tu ne le regretteras pas !/Vous ne le regretterez pas !
• **Forget it!** Laisse tomber !
• **Don't be so pig-headed!** Ne sois pas si têtu !

convaincu, e *pp* → **convaincre**. ❑ *adj (partisan)* committed • **d'un ton convaincu, d'un air convaincu** with conviction.

convalescence *nf* convalescence • **être en convalescence** to be convalescing *ou* recovering.

convalescent, e *adj & nm, f* convalescent.

convenable *adj* **1.** *(manières, comportement)* polite **2.** *(tenue, personne)* decent, respectable **3.** *(acceptable)* adequate, acceptable.

convenance *nf* • **à ma/votre convenance** as suits me/you best. ■ **convenances** *nfpl* proprieties.

convenir *vi* **1.** *(décider)* • **convenir de qqch/de faire qqch** to agree on sthg/to do sthg **2.** *(plaire)* • **convenir à qqn** to suit sb, to be convenient for sb **3.** *(être approprié)* • **convenir à** *ou* **pour** to be suitable for **4.** *sout (admettre)* • **convenir de qqch** to admit to sthg • **convenir que** to admit (that).

convention *nf* **1.** *(règle, assemblée)* convention **2.** *(accord)* agreement • **convention collective** collective agreement.

conventionné, e *adj* ≃ National Health *(avant nom)* (UK).

conventionnel, elle *adj* conventional.

convenu, e *pp* → **convenir**. ❑ *adj (décidé)* • **comme convenu** as agreed.

convergent, e *adj* convergent.

converger *vi* • **converger (vers)** to converge (on).

conversation *nf* conversation.

engager la conversation (S'EXPRIMER)
• **Listen,...** Écoute,...
• **Hey,...** Dis donc,...
• **Do you have a minute?** Vous avez un moment ?
• **Sorry, but I've got a question.** Excusez-moi, mais j'ai une question.

converser *vi sout* • **converser (avec)** to converse (with).

conversion *nf (gén)* • **conversion (à/en)** conversion (to/into).

convertible *nm (canapé-lit)* sofa bed.

convertir *vt* • **convertir qqn (à)** to convert sb (to) • **convertir qqch (en)** to convert sthg (into). ■ **se convertir** *vp* • **se convertir (à)** to be converted (to).

convertisseur *nm* **1.** *(métallurgie, électricité)* converter • **convertisseur d'images** *INFORM & TV* image converter **2.** *INFORM* • **convertisseur numérique** digitizer • **convertisseur série-parallèle** staticizer.

convexe *adj* convex.

conviction *nf* conviction.

convier *vt* • **convier qqn à** to invite sb to.

convive *nmf* guest *(at a meal)*.

convivial, e *adj* **1.** *(réunion)* convivial **2.** *INFORM* user-friendly.

convocation *nf (avis écrit)* summons *sing*, notification to attend.

convoi *nm* **1.** *(de véhicules)* convoy **2.** *(train)* train.

convoiter *vt* to covet.

convoitise nf covetousness.

convoquer vt **1.** (assemblée) to convene **2.** (pour un entretien) to invite **3.** (subalterne, témoin) to summon **4.** (à un examen) • **convoquer qqn** to ask sb to attend.

convoyer vt to escort.

convoyeur, euse nm, f escort • **convoyeur de fonds** security guard.

convulsion nf convulsion.

cookie nm **1.** (petit gâteau) biscuit (UK), cookie (US) **2.** INFORM cookie.

cool adj inv fam (décontracté) laid-back, cool.

coopération nf **1.** (collaboration) cooperation **2.** (aide) • **la coopération** ≃ overseas development.

coopérer vi • **coopérer (à)** to cooperate (in).

coordination nf coordination.

coordonnée nf LING coordinate clause. ■ **coordonnées** nfpl **1.** GÉOGR & MATH coordinates **2.** (adresse) address and phone number, details.

coordonner vt to coordinate.

copain, ine adj matey (UK) • **être très copains** to be great friends. ❏ nm, f **1.** (ami) friend, mate (UK) **2.** (petit ami) boyfriend, girlfriend f.

copeau nm (de bois) (wood) shaving.

Copenhague npr Copenhagen.

copie nf **1.** (double, reproduction) copy **2.** (SCOL - de devoir) clean ou fair (UK) copy ; (- d'examen) paper, script **3.** INFORM copy • **fais une copie du fichier** make a copy of the file • **copie d'écran** screenshot.

copier vt (gén) INFORM to copy. ❏ vi • **copier sur qqn** to copy from sb.

copier-coller vt INFORM copy and paste. ❏ nm inv INFORM copy and paste.

copieux, euse adj copious.

copilote nmf copilot.

copine → copain.

coproduction nf coproduction.

copropriétaire nmf co-owner, joint owner.

copropriété nf **1.** (statut) co-ownership, joint ownership, condominium (US) **2.** (immeuble) (jointly owned) apartment building.

coq nm cock (UK), rooster (US) • **coq au vin** coq au vin • **sauter** ou **passer du coq à l'âne** to jump from one subject to another.

coque nf **1.** (de noix) shell **2.** (de navire) hull.

coquelicot nm poppy.

coqueluche nf whooping cough.

coquet, ette adj **1.** (vêtements) smart, stylish **2.** (ville, jeune fille) pretty **3.** (avant nom) hum (important) • **la coquette somme de 100 livres** the tidy sum of £100. ■ **coquette** nf flirt.

coquetier nm eggcup.

coquetterie nf (désir de plaire) coquettishness.

coquillage nm **1.** (mollusque) shellfish **2.** (coquille) shell.

coquille nf **1.** (de mollusque, noix, œuf) shell • **coquille de noix** (embarcation) cockleshell **2.** TYPO misprint.

coquillettes nfpl pasta shells.

coquin, e adj **1.** (sous-vêtement) sexy, naughty **2.** (regard, histoire) saucy. ❏ nm, f rascal.

cor nm **1.** (instrument) horn **2.** (au pied) corn. ■ **à cor et à cri** loc adv • **réclamer qqch à cor et à cri** to clamour (UK) ou clamor (US) for sthg.

corail nm **1.** (gén) coral **2.** RAIL • **train corail** ≃ express train.

Coran nm • **le Coran** the Koran.

corbeau nm **1.** (oiseau) crow **2.** (délateur) writer of poison-pen letters.

corbeille nf **1.** (panier) basket • **corbeille à linge** washing basket, hamper (US) • **corbeille à papier** wastepaper basket, waste basket (US) **2.** INFORM trash (can) **3.** THÉÂTRE (dress) circle.

corbillard nm hearse.

cordage nm **1.** (de bateau) rigging (indén) **2.** (de raquette) strings pl.

corde nf **1.** (filin) rope • **corde à linge** clothesline, washing line (UK) • **corde à sauter** skipping rope (UK), jump rope (US) **2.** (d'instrument, arc) string **3.** ANAT • **cordes vocales** vocal cords **4.** (équitation) rails pl **5.** (athlétisme) inside (lane).

cordée nf roped party (of mountaineers).

cordial, e adj warm, cordial.

cordialement adv **1.** (saluer) warmly, cordially **2.** (en fin de lettre) kind regards.

cordillère nf **1.** mountain range **2.** GÉOGR cordillera • **la cordillère des Andes** the Andes (cordillera).

cordon nm string, cord • **cordon ombilical** umbilical cord • **cordon de police** police cordon.

cordon-bleu nm cordon bleu cook.

cordonnerie nf (magasin) shoe repairer's, cobbler's vieilli.

cordonnier, ère nm, f shoe repairer, cobbler vieilli.

Corée nf Korea.

coriace adj litt & fig tough.

coriandre nf coriander.

cormoran nm cormorant.

corne nf **1.** (gén) horn **2.** (de cerf) antler **3.** (callosité) hard skin (indén), callus.

cornée nf cornea.

corneille nf crow.

cornemuse nf bagpipes pl.

corner[1] vt (page) to turn down the corner of.

corner[2] nm FOOTBALL corner (kick).

cornet nm **1.** (d'aliment) cone, cornet (UK) vieilli **2.** (de jeu) (dice) shaker.

cornflakes nmpl cornflakes.

corniaud, **corniot** nm **1.** (chien) mongrel **2.** fam (imbécile) idiot.

corniche nf **1.** (route) cliff road **2.** (moulure) cornice.

cornichon nm **1.** (condiment) gherkin, pickle (US) **2.** fam (imbécile) idiot.

corniot = corniaud.

Cornouailles nf • la Cornouailles Cornwall.

corollaire nm corollary.

corolle nf corolla.

coron nm (village) mining village.

corporation nf corporate body.

corporel, **elle** adj (physique - besoin) bodily ; (-châtiment) corporal.

corps nm **1.** (gén) body **2.** (groupe) • corps d'armée (army) corps • corps enseignant **a)** (profession) teaching profession **b)** (d'école) teaching staff.

corpulent, **e** adj corpulent, stout.

correct, **e** adj **1.** (exact) correct, right **2.** (honnête) correct, proper **3.** (acceptable) decent **4.** (travail) fair.

correctement adv **1.** (sans faute) accurately **2.** (décemment) properly.

correcteur, **trice** adj corrective. ❑ nm, f **1.** (d'examen) examiner, marker (UK), grader (US) **2.** TYPO proofreader. ■ correcteur orthographique nm spell-checker.

correction nf **1.** (d'erreur) correction **2.** (punition) punishment **3.** TYPO proofreading **4.** (notation) marking **5.** (bienséance) propriety.

corrélation nf correlation.

correspondance nf **1.** (gén) correspondence • cours par correspondance correspondence course **2.** (transports) connection • assurer la correspondance avec to connect with.

correspondant, **e** adj corresponding. ❑ nm, f **1.** (par lettres) correspondent, pen pal, pen-friend (UK) **2.** (par téléphone) • je vous passe votre correspondant I'll put you through **3.** PRESSE correspondent.

correspondre vi **1.** (être conforme) • correspondre à to correspond to **2.** (par lettres) • correspondre avec to correspond with.

corrida nf bullfight.

corridor nm corridor.

corrigé nm correct version.

corriger vt **1.** TYPO to correct, to proofread **2.** (noter) to mark **3.** (guérir) • corriger qqn de to cure sb of **4.** (punir) to give a good hiding to. ■ se corriger vp (d'un défaut) • se corriger de to cure o.s. of.

corroborer vt to corroborate.

corroder vt **1.** (ronger) to corrode **2.** fig to erode.

corrompre vt **1.** (soudoyer) to bribe **2.** (dépraver) to corrupt.

LEXIQUE — le corps humain

l'artère the artery
la bouche the mouth
le bras the arm
le cerveau the brain
les cheveux hair
la cheville the ankle
le cil the eyelash
le cœur the heart
la colonne vertébrale the spine
la côte the rib
le cou the neck
le coude the elbow
le crâne the skull
la cuisse the thigh
la dent the tooth
le doigt the finger
le dos the back
l'épaule the shoulder
l'estomac the stomach
les fesses bottom (UK), buttocks (US)
le foie the liver
le front the forehead
le genou the knee
la hanche the hip
l'intestin the intestine
la jambe the leg
la joue the cheek
la langue the tongue
la mâchoire the jaw
la main the hand
le menton the chin
le mollet the calf
le nez the nose
le nombril the navel, the belly button
l'œil the eye
l'œsophage the œsophagus
l'ongle the fingernail, the nail
l'oreille the ear
l'orteil the toe
la paupière the eyelid
le pied the foot
le poignet the wrist
la poitrine the chest
le poumon the lung
le rein the kidney
le sourcil the eyebrow
la taille the waist
le talon the heel
la tête the head
la veine the vein
le ventre the stomach
la vertèbre the vertebra

corrompu, **e** pp → corrompre. ❑ adj (fonctionnaire, âme) corrupt.

corrosif, **ive** adj **1.** (acide) corrosive **2.** fig (ironie) biting. ■ corrosif nm corrosive.

corrosion nf corrosion.

corruption nf **1.** (subornation) bribery **2.** (dépravation) corruption.

corsage nm **1.** (chemisier) blouse **2.** (de robe) bodice.

corsaire nm **1.** (navire, marin) corsair, privateer **2.** (pantalon) pedal-pushers pl.

corse adj Corsican. ❑ nm (langue) Corsican. ■ **Corse** nmf Corsican. ❑ nf • **la Corse** Corsica.

corsé, e adj **1.** (café) strong **2.** (vin) full-bodied **3.** (plat, histoire) spicy.

corset nm corset.

cortège nm procession • **cortège (de voitures)** motorcade.

corvée nf **1.** MIL fatigue (duty) **2.** (activité pénible) chore.

cosinus nm cosine.

cosmétique nm & adj cosmetic.

cosmique adj cosmic.

cosmonaute nmf cosmonaut.

cosmopolite adj cosmopolitan.

cosmos nm **1.** (univers) cosmos **2.** (espace) outer space.

cossu, e adj (maison) opulent.

Costa Rica nm • **le Costa Rica** Costa Rica.

costaud, e adj sturdily built.

costume nm **1.** (folklorique, de théâtre) costume **2.** (vêtement d'homme) suit.

costumé, e adj fancy-dress (avant nom).

costumier, ère nm, f THÉÂTRE wardrobe master, mistress f.

cotation nf FIN quotation • **cotation électronique** e-listing.

cote nf **1.** (marque de classement) classification mark **2.** (marque numérale) serial number **3.** FIN (valeur) quotation **4.** (popularité) rating **5.** (niveau) level • **cote d'alerte a)** (de cours d'eau) danger level **b)** fig crisis point.

côte nf **1.** (de bœuf) rib **2.** (de porc, mouton, agneau) chop • **côte à côte** side by side **3.** (pente) hill **4.** (littoral) coast • **la Côte d'Azur** the French Riviera.

côté nm **1.** (gén) side • **être couché sur le côté** to be lying on one's side • **être aux côtés de qqn** fig to be by sb's side • **d'un côté..., de l'autre côté...** on the one hand..., on the other hand... • **et côté finances, ça va ?** fam how are things moneywise? **2.** (endroit, direction) direction, way • **de quel côté est-il parti ?** which way did he go? • **de l'autre côté de** on the other side of • **de tous côtés** from all directions • **du côté de a)** (près de) near **b)** (direction) towards (UK), toward (US) **c)** (provenance) from. ■ **à côté** loc adv **1.** (lieu -gén) nearby ; (- dans la maison adjacente) next door **2.** (cible) • **tirer à côté** to shoot wide (of the target). ■ **à côté de** loc prép **1.** (proximité) beside, next to **2.** (en comparaison avec) beside, compared to **3.** (en dehors de) • **être à côté du sujet** to be off the point. ■ **de**

côté loc adv **1.** (se placer, marcher) sideways **2.** (en réserve) aside.

coteau nm **1.** (colline) hill **2.** (versant) slope.

Côte-d'Ivoire nf • **la Côte-d'Ivoire** the Ivory Coast.

côtelé, e adj ribbed • **velours côtelé** corduroy.

côtelette nf **1.** (de porc, mouton, d'agneau) chop **2.** (de veau) cutlet.

coter vt **1.** (marquer, noter) to mark **2.** FIN to quote.

côtier, ère adj coastal.

cotisation nf **1.** (à club, parti) subscription **2.** (à la Sécurité sociale) contribution • **cotisation salariale** employees' contribution • **cotisation patronale** employer's contribution.

cotiser vi **1.** (à un club, un parti) to subscribe **2.** (à la Sécurité sociale) to contribute. ■ **se cotiser** vp to club together.

coton nm cotton • **coton (hydrophile)** (absorbent) cotton, cotton wool (UK).

Coton-Tige® nm cotton bud (UK), Q-tip® (US).

côtoyer vt fig (fréquenter) to mix with.

cou nm (de personne, bouteille) neck.

couchant adj → **soleil**. ❑ nm west.

couche nf **1.** (de peinture, de vernis) coat, layer **2.** (de poussière) film, layer **3.** (épaisseur) layer • **couche d'ozone** ozone layer **4.** (de bébé) nappy (UK), diaper (US) **5.** (classe sociale) stratum. ■ **fausse couche** nf miscarriage.

couché, e adj • **être couché a)** (étendu) to be lying down **b)** (au lit) to be in bed.

couche-culotte nf disposable nappy (UK) ou diaper (US).

coucher¹ vt **1.** (enfant) to put to bed **2.** (objet, blessé) to lay down. ■ vi **1.** (passer la nuit) to spend the night **2.** fam (avoir des rapports sexuels) • **coucher avec** to sleep with. ■ **se coucher** vp **1.** (s'allonger) to lie down **2.** (se mettre au lit) to go to bed **3.** (astre) to set.

coucher² nm **1.** (d'astre) setting • **au coucher du soleil** at sunset **2.** (de personne) going to bed.

couchette nf **1.** (de train) couchette **2.** (de navire) berth.

coucou nm **1.** (oiseau) cuckoo **2.** (pendule) cuckoo clock **3.** péj (avion) crate. ❑ interj peekaboo!

coude nm **1.** (de personne, de vêtement) elbow **2.** (courbe) bend.

cou-de-pied nm instep.

coudre vt (bouton) to sew on.

couenne nf (de lard) rind.

couette nf **1.** (édredon) duvet (UK), comforter (US) **2.** (coiffure) bunches pl (UK), pigtails pl (UK).

couffin nm (berceau) Moses basket (UK), bassinet (US).

couilles nfpl vulg balls.

couiner vi **1.** (animal) to squeal **2.** (pleurnicher) to whine.

coulée nf **1.** (de matière liquide) • **coulée de lave** lava flow • **coulée de boue** mudslide **2.** (de métal) casting.

couler vi **1.** (liquide) to flow • **faire couler un bain** to run a bath **2.** (beurre, fromage, nez) to run **3.** (navire, entreprise) to sink. ❑ vt **1.** (navire) to sink **2.** (métal, bronze) to cast.

couleur nf **1.** (teinte, caractère) colour (UK), color (US) **2.** (linge) coloureds (pl) (UK), coloreds (pl) (US) **3.** (jeux de cartes) suit. ❑ adj inv (télévision, pellicule) colour (avant nom) (UK), color (avant nom) (US).

LEXIQUE	les couleurs	
	blanc	white
	bleu	blue
	bleu ciel	sky blue
	bordeaux	burgundy
	gris	grey
	jaune	yellow
	marron	brown
	mauve	mauve
	noir	black
	orange	orange
	rose	pink
	rose vif	bright pink
	rouge	red
	vert	green
	vert clair	light green
	vert foncé	dark green
	violet	purple

couleuvre nf grass snake.

coulisse nf (glissière) • **fenêtre/porte à coulisse** sliding window/door. ■ **coulisses** nfpl THÉÂTRE wings.

coulisser vi to slide.

couloir nm **1.** (corridor) corridor **2.** GÉOGR gully **3.** SPORT (transports) lane • **couloir d'autobus** bus lane.

coup nm **1.** (choc - physique, moral) blow • **coup de couteau** stab (with a knife) • **un coup dur** fig a heavy blow • **donner un coup de fouet à qqn** fig to give sb a shot in the arm • **coup de grâce** litt & fig coup de grâce, death blow • **coup de pied** kick • **coup de poing** punch **2.** (action nuisible) trick **3.** (SPORT - au tennis) stroke ; (- en boxe) blow, punch ; (- au football) kick • **coup franc** free kick **4.** (d'éponge, de chiffon) wipe • **un coup de crayon** a pencil stroke **5.** (bruit) noise • **coup de feu** shot, gunshot • **coup de tonnerre** thunderclap **6.** (action spectaculaire) • **coup d'État** coup (d'état) • **coup de théâtre** fig dramatic turn of events **7.** fam (fois) time **8.** (locution) • **avoir un coup de barre/de pompe** fam to feel shattered (UK) ou pooped (US) • **boire un coup** to have a drink • **tenir le coup** to hold out • **valoir le coup** to be well worth it. • **à coup sûr** loc adv definitely. ■ **coup de fil** nm fam phone call. ■ **coup de foudre** nm love at first sight. ■ **coup de main** nm **1.** (raid) smash-and-grab (attack) **2.** MIL coup de main **3.** (aide) • **donner**

un coup de main à qqn to give ou to lend sb a hand **4.** (savoir-faire) • **avoir le coup de main** to have the knack ou the touch. ■ **coup d'œil** nm **1.** (regard) look, glance • **au premier coup d'œil** straight away ou immediately ou at a glance • **d'un coup d'œil, il embrassa le tableau** he took in the situation at a glance • **jeter un petit coup d'œil à** to have a quick look ou glance at **2.** (appréciation) • **avoir le coup d'œil** to have a good eye • **valoir le coup d'œil** to be worth seeing **3.** (panorama) view. ■ **coup de soleil** nm sunburn (indén). ■ **coup de téléphone** nm telephone ou phone call • **donner** ou **passer un coup de téléphone à qqn** to telephone ou phone sb. ■ **coup de vent** nm gust of wind • **partir en coup de vent** to rush off. ■ **coup du lapin** nm fam AUTO whiplash (indén). ■ **coup sur coup** loc adv one after the other. ■ **du coup** loc adv as a result. ■ **sous le coup de** loc prép **1.** (sous l'action de) • **tomber sous le coup de la loi** to be a statutory offence (UK) ou offense (US) **2.** (sous l'effet de) in the grip of. ■ **sur le coup** loc adv **1.** (mourir) instantly **2.** (à ce moment-là) straightaway, there and then • **je n'ai pas compris sur le coup** I didn't understand immediately ou straightaway. ■ **tout à coup** loc adv suddenly.

À PROPOS DE

coup

Lorsque *coup* s'applique à un objet ménager, sa traduction varie selon l'objet. On utilise généralement un verbe pour traduire *donner un coup de…* ou *passer un coup de…*
• *Donner un coup de balai dans la cuisine.* **To give the kitchen a sweep.**
• *Passer un coup d'éponge sur la table.* **To give the table a wipe.**

coupable adj **1.** (personne, pensée) guilty **2.** (action, dessein) culpable, reprehensible **3.** (négligence, oubli) sinful. ❑ nmf guilty person ou party.

coupant, e adj **1.** (tranchant) cutting **2.** fig (sec) sharp.

coupe nf **1.** (verre) glass **2.** (à fruits) dish **3.** SPORT cup **4.** (de vêtement, aux cartes) cut • **coupe (de cheveux)** haircut **5.** (plan, surface) (cross) section **6.** (réduction) cut, cutback.

coupé, e adj • **bien/mal coupé** well/badly cut.

coupe-faim nm inv appetite suppressant.

coupe-légumes nm inv vegetable cutter, vegetable slicer.

coupe-ongles nm inv nail clippers pl.

coupe-papier nm paper knife.

couper vt **1.** (gén) INFORM to cut **2.** (arbre) to cut down **3.** (pain) to slice **4.** (rôti) to carve **5.** (envie, appétit) to take away **6.** (vin) to dilute **7.** (jeux de cartes - avec atout) to trump ; (- paquet) to cut **8.** (interrompre, trancher) to cut off **9.** (traverser) to cut across. ❑ vi (gén) to cut. ■ **se couper** vp **1.** (se blesser) to cut o.s. **2.** (se croiser) to cross **3.** (s'isoler) • **se couper de** to cut o.s. off from.

couper-coller nm inv INFORM • **faire un couper-coller** to cut and paste.

couperet nm **1.** *(de boucher)* cleaver **2.** *(de guillotine)* blade.

couperosé, e adj blotchy.

coupe-vent nm inv *(vêtement)* windcheater, windbreaker (US).

couple nm **1.** *(de personnes)* couple **2.** *(d'animaux)* pair.

coupler vt *(objets)* to couple.

couplet nm verse.

coupole nf ARCHIT dome, cupola.

coupon nm **1.** *(d'étoffe)* remnant **2.** *(billet)* ticket.

coupon-réponse nm reply coupon.

coupure nf **1.** *(gén)* cut **2.** *(billet de banque)* • **petite coupure** small denomination note (UK) ou bill (US) • **coupure de courant a)** *ELECTR* power cut **b)** *INFORM* blackout **3.** fig *(rupture)* break.

cour nf **1.** *(espace)* courtyard, yard **2.** *(du roi, tribunal)* court **3.** fig & hum following • **Cour de cassation** final Court of Appeal (UK) ou Appeals (US) • **cour martiale** court-martial.

courage nm courage • **bon courage !** good luck! • **je n'ai pas le courage de faire mes devoirs** I can't bring myself to do my homework.

courageux, euse adj **1.** *(brave)* brave **2.** *(audacieux)* bold.

couramment adv **1.** *(parler une langue)* fluently **2.** *(communément)* commonly.

courant, e adj **1.** *(habituel)* everyday *(avant nom)* **2.** *(en cours)* present. ■ **courant** nm **1.** *(marin, atmosphérique, électrique)* current • **courant d'air** draught (UK), draft (US) **2.** *(d'idées)* current **3.** *(laps de temps)* • **dans le courant du mois/de l'année** in the course of the month/the year. ■ **au courant** loc adv • **être au courant** to know (about it) • **mettre qqn au courant (de)** to tell sb (about) • **tenir qqn au courant (de)** to keep sb informed (about) • **se mettre/se tenir au courant (de)** to get/keep up to date (with).

courbature nf ache.

courbaturé, e adj aching.

courbe nf curve • **courbe de niveau** *(sur une carte)* contour (line) • **courbe de température** temperature curve. ❑ adj curved.

courber vt **1.** *(tige)* to bend **2.** *(tête)* to bow. ❑ vi to bow. ■ **se courber** vp **1.** *(chose)* to bend **2.** *(personne)* to bow, to bend down.

courbette nf fam *(révérence)* bow • **faire des courbettes** fig to bow and scrape.

coureur, euse nm,f SPORT runner • **coureur cycliste** racing cyclist.

courge nf **1.** *(légume)* marrow (UK), squash (US) **2.** fam *(imbécile)* dimwit.

courgette nf courgette (UK), zucchini (US).

courir vi **1.** *(aller rapidement)* to run **2.** SPORT to race **3.** *(se précipiter, rivière)* to rush **4.** *(se propager)* • **le bruit court que...** rumour (UK)

ou rumor (US) has it that... • **faire courir un bruit** to spread a rumour (UK) ou rumor (US). ❑ vt **1.** SPORT to run in **2.** *(parcourir)* to roam (through) **3.** *(fréquenter : bals, musées)* to do the rounds of.

couronne nf **1.** *(ornement, autorité)* crown **2.** *(de fleurs)* wreath **3.** *(monnaie : de Suède, d'Islande)* krona ; *(- du Danemark, de Norvège)* krone ; *(- de la République tchèque)* crown.

couronnement nm **1.** *(de monarque)* coronation **2.** fig *(apogée)* crowning achievement.

couronner vt **1.** *(monarque)* to crown **2.** *(récompenser)* to give a prize to.

courre → chasse.

courriel nm *(QUÉBEC)* ADMIN INFORM email.

courrier nm mail, letters pl, post (UK) • **courrier du cœur** agony column (UK) ou advice column (US).

courroie nf **1.** belt **2.** *(attache)* strap • **courroie de transmission** driving belt • **courroie de ventilateur** fanbelt.

courroucer vt littéraire to anger.

cours nm **1.** *(écoulement)* flow • **cours d'eau** waterway • **donner** ou **laisser libre cours à** fig to give free rein to **2.** *(déroulement)* course • **au cours de** during, in the course of • **en cours a)** *(année, dossier)* current **b)** *(affaires)* in hand • **en cours de route** on the way **3.** FIN *(de devises)* rate • **avoir cours** *(monnaie)* to be legal tender • **cours des actions** share price **4.** *(leçon)* class, lesson • **donner des cours (à qqn)** to teach (sb) • **cours particuliers** private lessons **5.** *(classe)* • **cours élémentaire** ≃ second-year infants (UK) ; ≃ first grade (US) • **cours moyen** ≃ third-year infants (UK) ; ≃ second grade (US) • **cours préparatoire** ≃ first-year infants (UK) ; ≃ nursery school (US).

course nf **1.** *(action)* running *(indén)* • **au pas de course** at a run **2.** *(compétition)* race **3.** *(en taxi)* journey **4.** *(mouvement)* flight, course **5.** *(commission)* errand • **faire des courses** to go shopping.

---

course

Course, dans ses sens les plus fréquents, n'est jamais traduit par *course*, qui équivaut, selon les contextes, à *cours* (*we offer courses in a number of subjects*, nous proposons des *cours* dans plusieurs domaines), *plat* (*the main course is fish*, le *plat* principal est du poisson) ou encore *route* ou *cap* (*the plane set a course for Marseilles*, l'avion a mis le *cap* sur Marseille). Quant au mot français *course*, il a lui aussi différentes traductions : il a gagné la course, *he won the race* ; je fais mes courses au supermarché, *I do my shopping at the supermarket* ; j'ai une course à faire, *I've got to go and get something*.

coursier, ère nm,f messenger.

court, e adj **1.** (dans l'espace) short • **la jupe est trop courte de trois centimètres** the skirt is three centimetres too short **2.** (dans le temps) short, brief • **pendant un court instant** for a brief ou fleeting moment • **à court terme** short-term **3.** (faible, insuffisant) small, slender • **avoir la respiration courte** ou **le souffle court** to be short of breath ou wind • **avoir la mémoire courte** to have a short memory. ■ **court** v → **courir**. ❏ adv • **être à court d'argent/d'idées/d'arguments** to be short of money/ideas/arguments • **nous étions presque à court d'eau** we were low on ou running short of water • **prendre qqn de court** to catch sb unawares • **tourner court** to stop suddenly • **appelez-moi Jeanne, tout court** just call me Jeanne. ❏ nm • **court de tennis** tennis court.

court-bouillon nm court-bouillon.

court-circuit nm short circuit.

courtier, ère nm,f broker.

courtisan, e nm,f **1.** HIST courtier **2.** (flatteur) sycophant. ■ **courtisane** nf courtesan.

courtiser vt **1.** (femme) to woo, to court **2.** péj (flatter) to flatter.

court-métrage nm short (film).

courtois, e adj courteous.

courtoisie nf courtesy.

couru, e pp → **courir**. ❏ adj popular.

couscous nm couscous.

cousin, e nm,f cousin • **cousin germain** first cousin.

coussin nm **1.** (de siège) cushion **2.** (baseball) base.

coussinet nm **1.** (coussin) small cushion **2.** (de patte d'animal) pad.

coût nm cost.

couteau nm **1.** (gén) knife • **couteau à cran d'arrêt** flick knife, switchblade (UK) **2.** (coquillage) razor shell (UK), razor clam (US).

coûter vi **1.** (valoir) to cost • **ça coûte combien ?** how much is it? • **coûter cher à qqn a)** to cost sb a lot **b)** fig to cost sb dear ou dearly **2.** fig (être pénible) to be difficult. ❏ vt fig to cost. ■ **coûte que coûte** loc adv at all costs, no matter what.

coûteux, euse adj costly, expensive.

coutume nf (gén) DR custom.

couture nf **1.** (action) sewing **2.** (points) seam **3.** (activité) dressmaking • **haute couture** (haute) couture, designer fashion.

couturier, ère nm,f couturier.

couvée nf **1.** (d'œufs) clutch **2.** (de poussins) brood.

couvent nm **1.** (de sœurs) convent **2.** (de moines) monastery.

couver vt **1.** (œufs) to sit on **2.** (dorloter) to mollycoddle **3.** (maladie) to be coming down

with, to be sickening for (UK). ❏ vi **1.** (poule) to brood **2.** fig (complot) to hatch.

couvercle nm (de casserole, boîte) lid, cover.

couvert, e pp → **couvrir**. ❏ adj **1.** (submergé) covered • **couvert de** covered with **2.** (habillé) dressed • **être bien couvert** to be well wrapped up **3.** (nuageux) overcast. ■ **couvert** nm **1.** (abri) • **se mettre à couvert** to take shelter **2.** (place à table) place (setting) • **mettre** ou **dresser le couvert** to set ou lay (UK) the table. ■ **couverts** nmpl cutlery (indén) (UK), silverware (indén) (US).

couverture nf **1.** (gén) cover • **couverture médicale** health ou medical cover **2.** (de lit) blanket • **couverture chauffante** electric blanket **3.** (toit) roofing (indén).

couveuse nf **1.** (poule) sitting hen **2.** (machine) incubator.

couvre-chef nm hum hat.

couvre-feu nm curfew.

couvre-lit nm bedspread.

couvre-pieds nm inv quilt, eiderdown (UK).

couvreur nm roofer.

couvrir vt **1.** (gén) to cover • **couvrir qqn/qqch de** litt & fig to cover sb/sthg with **2.** (protéger) to shield. ■ **se couvrir** vp **1.** (se vêtir) to wrap up **2.** (se recouvrir) • **se couvrir de feuilles/de fleurs** to come into leaf/blossom **3.** (ciel) to cloud over **4.** (se protéger) to cover o.s.

covoiturage nm car sharing, car pooling • **pratiquer le covoiturage** to belong to a car pool.

coyote nm coyote.

CP nm abrév de **cours préparatoire**.

CQFD (abrév de ce qu'il fallait démontrer) QED.

crabe nm crab.

crachat nm spit (indén).

cracher vi **1.** (personne) to spit **2.** fam (dédaigner) • **ne pas cracher sur qqch** not to turn one's nose up at sthg. ❏ vt **1.** (sang) to spit (up) **2.** (lave, injures) to spit (out).

crachin nm drizzle.

crachoir nm spittoon.

crack nm **1.** (cheval) top horse **2.** fam (as) star (performer) • **c'est un crack en maths** he's a whiz at maths (UK) ou math (US) **3.** (drogue) crack.

craie nf chalk.

craindre vt **1.** (redouter) to fear, to be afraid of • **craindre de faire qqch** to be afraid of doing sthg • **je crains d'avoir oublié mes papiers** I'm afraid I've forgotten my papers • **craindre que** (+ subjonctif) to be afraid • **je crains qu'il n'oublie** I'm afraid he may forget **2.** (être sensible à) to be susceptible to.

craint, e pp → **craindre**.

crainte nf fear • **de crainte de faire qqch** for fear of doing sthg • **de crainte que** (+ subjonctif) for fear that • **il a fui de crainte qu'on ne le voie**

he fled for fear that he might be seen *ou* for fear of being seen.

craintif, ive *adj* timid.

cramoisi, e *adj* crimson.

crampe *nf* cramp.

crampon *nm (crochet - gén)* clamp ; *(- pour alpiniste)* crampon.

cramponner ■ **se cramponner** *vp (s'agripper)* to hang on • **se cramponner à qqn/qqch** *litt & fig* to cling to sb/sthg.

cran *nm* **1.** *(entaille, degré)* notch, cut **2.** *(indén) (audace)* guts *pl*.

crâne *nm* skull.

crâner *vi fam* to show off.

crâneur, euse *fam adj* boastful. □ *nm, f* show-off.

crânien, enne *adj* • **boîte crânienne** skull • **traumatisme crânien** head injury.

crapaud *nm* toad.

crapule *nf* scum *(indén)*.

craquelure *nf* crack.

craquement *nm* crack, cracking *(indén)*.

craquer *vi* **1.** *(produire un bruit)* to crack **2.** *(plancher, chaussure)* to creak **3.** *(se déchirer)* to split **4.** *(s'effondrer - personne)* to crack up **5.** *fam (être séduit par)* • **craquer pour** to fall for. ◊ *vt (allumette)* to strike.

crash *nm* **1.** *(atterrissage forcé)* crash landing **2.** *(accident)* crash.

crasse *nf* **1.** *(saleté)* dirt, filth **2.** *fam (mauvais tour)* dirty trick.

crasseux, euse *adj* filthy.

cratère *nm* crater.

cravache *nf* riding crop.

cravate *nf* tie, necktie *(us)*.

crawl *nm* crawl.

crayon *nm* **1.** *(gén)* pencil • **crayon à bille** ballpoint (pen) • **crayon de couleur** crayon **2.** TECHNOL pen • **crayon optique** light pen.

crayon-feutre *nm* felt-tip (pen).

créancier, ère *nm, f* creditor.

créateur, trice *adj* creative. □ *nm, f* creator. ■ **Créateur** *nm* • **le Créateur** the Creator.

créatif, ive *adj* creative.

création *nf* creation.

créationnisme *nm* creationism.

créativité *nf* creativity.

créature *nf* creature.

crécelle *nf* rattle.

crèche *nf* **1.** *(de Noël)* crib *(UK)*, crèche *(US)* **2.** *(garderie)* crèche *(UK)*, day-care center *(US)*.

crédible *adj* credible.

crédit *nm* **1.** COMM credit • **crédit municipal** pawnshop • **faire crédit à qqn** to give sb credit • **accorder/obtenir un crédit** to grant/to obtain credit • **acheter/vendre qqch à crédit** to buy/ sell sthg on credit • **crédit hypothécaire** mortgage **2.** *fig & sout* influence.

crédit-bail *nm* leasing.

créditeur, trice *adj* in credit. □ *nm, f* creditor.

credo *nm* creed, credo.

crédule *adj* credulous.

crédulité *nf* credulity.

créer *vt* **1.** RELIG *(inventer)* to create **2.** *(fonder)* to found, to start up.

crémaillère *nf* **1.** *(de cheminée)* trammel • **pendre la crémaillère** *fig* to have a house-warming (party) **2.** TECHNOL rack.

crémation *nf* cremation.

crématoire → four.

crématorium *nm* crematorium, crematory *(us)*.

crème *nf* **1.** *(produit de beauté)* cream • **crème hydratante** moisturizer **2.** CULIN cream • **crème anglaise** custard *(UK)*. □ *adj inv* cream.

crémerie *nf* dairy.

crémeux, euse *adj* creamy.

crémier, ère *nm, f* dairyman, dairywoman *f*.

créneau *nm* **1.** *(de fortification)* crenel **2.** *(pour se garer)* • **faire un créneau** to reverse into a parking space **3.** *(de marché)* niche **4.** *(horaire)* window, gap.

créole *adj & nm* creole.

crêpe *nf* CULIN pancake. □ *nm (tissu)* crepe.

crêperie *nf* pancake restaurant.

crépi *nm* roughcast.

crépir *vt* to roughcast.

crépiter *vi* **1.** *(feu, flammes)* to crackle **2.** *(pluie)* to patter.

crépon *adj* → papier. □ *nm* seersucker.

crépu, e *adj* frizzy.

crépuscule *nm* **1.** *(du jour)* dusk, twilight **2.** *fig* twilight.

crescendo *adv* crescendo • **aller crescendo a)** *fig (bruit)* to get *ou* grow louder and louder **b)** *(dépenses, émotion)* to grow apace. □ *nm inv fig* MUS crescendo.

cresson *nm* watercress.

Crète *nf* • **la Crète** Crete.

crête *nf* **1.** *(de coq)* comb **2.** *(de montagne, vague, oiseau)* crest.

crétin, e *fam adj* cretinous, idiotic. □ *nm, f* cretin, idiot.

creuser *vt* **1.** *(trou)* to dig **2.** *(objet)* to hollow out **3.** *fig (approfondir)* to go into deeply.

Creutzfeldt-Jacob *npr* • **maladie de Creutzfeldt-Jacob** Creutzfeldt-Jacob disease.

creux, creuse *adj* **1.** *(vide, concave)* hollow **2.** *(période - d'activité réduite)* slack ; *(- à tarif réduit)* off-peak **3.** *(paroles)* empty. ■ **creux** *nm* **1.** *(concavité)* hollow **2.** *(période)* lull.

crevaison *nf* puncture *(UK)*, flat tyre *(UK)*, flat (tire) *(us)*.

crevant, e adj fam (fatigant) exhausting, knackering (UK).

crevasse nf 1. (de mur) crevice, crack 2. (de glacier) crevasse 3. (sur la main) crack.

crève nf fam attraper la crève to catch one's death (of cold).

crevé, e adj 1. (pneu) burst, punctured, flat 2. fam (fatigué) dead, shattered (UK).

crève-cœur nm inv heartbreak.

crever vi 1. (éclater) to burst 2. t fam (mourir) to die • crever de fig (jalousie, orgueil) to be bursting with. ❏ vt 1. (percer) to burst 2. fam (épuiser) to wear out.

crevette nf • crevette (grise) shrimp • crevette (rose) prawn.

cri nm 1. (de personne) cry, shout 2. (perçant) scream 3. (d'animal) cry • pousser un cri to cry (out) • pousser un cri de douleur to cry out in pain 4. (appel) cry • le dernier cri fig the latest thing.

les cris des animaux

l'âne brait the donkey brays
le canard cancane the duck quacks
le cerf brame the stag bells
le chat miaule the cat miaows
le cheval hennit the horse whinnies
la chèvre béguète the goat bleats
le chien aboie the dog barks
le cochon grogne the pig grunts
l'éléphant barrit the elephant trumpets
la grenouille coasse the frog croaks
l'hirondelle gazouille the swallow chirps
le lion rugit the lion roars
le loup hurle the wolf howls
le mouton bêle the sheep bleats
l'oiseau chante the bird sings
la poule glousse the hen cackles
le serpent siffle the snake hisses
la vache mugit the cow lows

criant, e adj (injustice) blatant.

criard, e adj 1. (voix) strident, piercing 2. (couleur) loud.

crible nm (instrument) sieve • passer qqch au crible fig to examine sthg closely.

criblé, e adj riddled • être criblé de dettes to be up to one's eyes in debt.

cric nm jack.

cricket nm cricket.

crier vi 1. (pousser un cri) to shout (out), to yell 2. (parler fort) to shout 3. (protester) • crier contre ou après qqn to nag sb, to go on at sb. ❏ vt to shout (out).

crier

Il existe un verbe anglais, **to cry**, dont la forme est très semblable au français crier. D'ailleurs, dans certains contextes soutenus, il est possible que **to cry** ait le sens de crier. La plupart du temps, la traduction correcte est pleurer, comme dans **he made her cry**, il l'a fait pleurer. Toutefois, si l'on cherche à faire une traduction dans le sens inverse, il faut éviter de rendre crier par **to cry**, et utiliser à la place **to shout** ou **to yell**. Par exemple, il n'arrête pas de crier équivaut à he's always **yelling**.

crime nm 1. (délit) crime 2. (meurtre) murder • crimes contre l'humanité crime against humanity.

criminalité nf crime.

criminel, elle adj criminal. ❏ nm, f criminal • criminel de guerre war criminal.

crin nm (d'animal) hair.

crinière nf mane.

crique nf creek.

criquet nm 1. locust 2. (sauterelle) grasshopper.

crise nf 1. MÉD attack • crise cardiaque heart attack • crise de foie bilious attack 2. (accès) fit • crise de nerfs attack of nerves 3. (phase critique) crisis.

crispation nf 1. (contraction) contraction 2. (agacement) irritation.

crispé, e adj tense, on edge.

crisper vt 1. (contracter-visage) to tense ; (-poing) to clench 2. (agacer) to irritate. ■ se crisper vp 1. (se contracter) to tense (up) 2. (s'irriter) to get irritated.

crisser vi 1. (pneu) to screech 2. (étoffe) to rustle.

cristal nm crystal • cristal de roche quartz.

cristallin, e adj 1. (limpide) crystal clear, crystalline 2. (roche) crystalline. ■ cristallin nm crystalline lens.

critère nm criterion.

critiquable adj 1. (décision) debatable 2. (personne) open to criticism.

critique adj critical. ❏ nmf critic. ❏ nf criticism.

critiquer vt to criticize.

croasser vi to croak, to caw.

croate adj Croat, Croatian. ■ Croate nmf Croat, Croatian.

> En anglais, les adjectifs se rapportant à un pays ou une région s'écrivent avec une majuscule.

Croatie nf • la Croatie Croatia.

> En anglais, à de rares exceptions près, il n'y a pas d'article devant les noms de pays.

croc *nm (de chien)* fang.

croche *nf* quaver (UK), eighth (note) (US).

croche-pied *nm* • **faire un croche-pied à qqn** to trip sb up.

crochet *nm* **1.** *(de métal)* hook • **vivre aux crochets de qqn** to live off sb **2.** *(tricot)* crochet hook **3.** TYPO square bracket **4.** *(boxe)* • **crochet du gauche/du droit** left/right hook.

crochu, e *adj* **1.** *(doigts)* claw-like **2.** *(nez)* hooked.

crocodile *nm* crocodile.

croire *vt* **1.** *(chose, personne)* to believe **2.** *(penser)* to think • **tu crois ?** do you think so? • **il te croyait parti** he thought you'd left • **croire que** to think (that). ❏ *vi* • **croire à** to believe in • **croire en** to believe in, to have faith in.

croisade *nf fig* HIST crusade.

croisé, e *adj (veste)* double-breasted. ■ **croisé** *nm* HIST crusader. ■ **croisée** *nf* **1.** *(fenêtre)* casement, window **2.** *(croisement)* • **à la croisée des chemins** *litt & fig* at a crossroads.

croisement *nm* **1.** *(intersection)* junction, intersection **2.** BIOL crossbreeding.

croiser *vt* **1.** *(jambes)* to cross **2.** *(bras)* to fold **3.** *(passer à côté de)* to pass **4.** *(chemin)* to cross, to cut across **5.** *(métisser)* to interbreed. ❏ *vi* NAUT to cruise. ■ **se croiser** *vp* **1.** *(chemins)* to cross, to intersect **2.** *(personnes)* to pass **3.** *(lettres)* to cross **4.** *(regards)* to meet.

croisière *nf* cruise.

croisillon *nm* • **à croisillons** lattice *(avant nom)*.

croissance *nf* growth, development • **croissance économique** economic growth *ou* development.

croissant, e *adj* increasing, growing. ■ **croissant** *nm* **1.** *(de lune)* crescent **2.** CULIN croissant.

croître *vi* **1.** *(grandir)* to grow **2.** *(augmenter)* to increase.

croix *nf* cross • **en croix** in the shape of a cross • **croix gammée** swastika.

Croix-Rouge *nf* • **la Croix-Rouge** the Red Cross.

crooner *nm* crooner.

croquant, e *adj* crisp, crunchy.

croque-madame *nm inv si vous voulez expliquer de quoi il s'agit à un anglophone, vous pouvez dire* it is a toasted cheese and ham sandwich with a fried egg on top.

croque-mitaine *nm* bogeyman.

croque-monsieur *nm inv* toasted cheese and ham sandwich.

croque-mort *nm fam* undertaker's assistant.

croquer *vt* **1.** *(manger)* to crunch **2.** *(dessiner)* to sketch. ❏ *vi* to be crunchy.

croquette *nf* croquette.

croquis *nm* sketch.

cross *nm* **1.** *(exercice)* cross-country (running) **2.** *(course)* cross-country race.

crosse *nf* **1.** *(d'évêque)* crozier **2.** *(de fusil)* butt **3.** *(hockey)* hockey stick.

crotte *nf* **1.** *(de lapin, etc)* droppings *pl* **2.** *(de chien)* dirt.

crottin *nm (de cheval)* (horse) manure.

crouler *vi* to crumble • **crouler sous** *litt & fig* to collapse under.

croupe *nf* rump • **monter en croupe** to ride pillion.

croupier *nmf* croupier.

croupir *vi litt & fig* to stagnate.

croustillant, e *adj (croquant - pain)* crusty ; *(- biscuit)* crunchy.

croûte *nf* **1.** *(du pain, terrestre)* crust **2.** *(de fromage)* rind **3.** *(de plaie)* scab **4.** *fam & péj (tableau)* daub.

croûton *nm* **1.** *(bout du pain)* crust **2.** *(pain frit)* crouton **3.** *fam & péj (personne)* fuddy-duddy.

croyance *nf* belief.

croyant, e *adj* • **être croyant** to be a believer. ❏ *nm, f* believer.

CRS *(abrév de Compagnie républicaine de sécurité) nm* French riot police officer • **les CRS** the French riot police.

cru¹, e *adj* **1.** *(non cuit)* raw **2.** *(violent)* harsh **3.** *(direct)* blunt **4.** *(grivois)* crude.

cru² *nm* **1.** *(vin)* vintage, wine **2.** *(vignoble)* vineyard • **du cru** *fig* local • **de son propre cru** *fig* of one's own devising.

cruauté *nf* cruelty.

cruche *nf* **1.** *(objet)* jug (UK), pitcher (US) **2.** *fam & péj (personne niaise)* idiot.

crucial, e *adj* crucial.

crucifix *nm* crucifix.

cruciverbiste *nmf* crossword enthusiast.

crudité *nf* crudeness. ■ **crudités** *nfpl* crudités.

crue *nf* rise in the water level.

cruel, elle *adj* cruel.

crumble *nm* crumble.

crustacé *nm* shellfish, crustacean • **crustacés** shellfish *(indén)*.

crypte *nf* crypt.

crypter *vt* to encrypt • **chaîne cryptée** encrypted channel.

Cuba *npr* Cuba.

cubain, e *adj* Cuban. ■ **Cubain, e** *nm, f* Cuban.

cube *nm* cube • **4 au cube = 64** 4 cubed is 64 • **mètre cube** cubic metre (UK) *ou* meter (US).

cueillette *nf* picking, harvesting.

cueilli, e *pp* → cueillir.

cueillir *vt (fruits, fleurs)* to pick.

cuillère, cuiller *nf (instrument)* spoon • **cuillère à café a)** coffee spoon **b)** CULIN teaspoon • **cuillère à dessert** dessertspoon • **cuillère à soupe a)** soup spoon **b)** CULIN tablespoon.

cuillerée *nf* spoonful • **cuillerée à café** CULIN teaspoonful • **cuillerée à soupe** CULIN tablespoonful.

cuir nm **1.** leather **2.** (non tanné) hide • **cuir chevelu** ANAT scalp.

cuirasse nf **1.** (de chevalier) breastplate **2.** fig armour (UK), armor (US).

cuirassé nm battleship.

cuire vt **1.** (viande, œuf) to cook **2.** (tarte, gâteau) to bake. ❏ vi **1.** (viande, œuf) to cook **2.** (tarte, gâteau) to bake • **faire cuire qqch** to cook/bake sthg **3.** fig (personne) to roast, to be boiling.

cuiseur nm cooker.

cuisine nf **1.** (pièce) kitchen • **cuisine américaine** open-plan kitchen **2.** (art) cooking, cookery (UK) • **faire la cuisine** to do the cooking, to cook.

cuisiné, e adj • **plat cuisiné** ready-cooked meal.

cuisiner vt **1.** (aliment) to cook **2.** fam (personne) to grill. ❏ vi to cook • **bien/mal cuisiner** to be a good/bad cook.

cuisinier, ère nm, f cook. ■ **cuisinière** nf cooker (UK), stove (US) • **cuisinière électrique/à gaz** electric/gas cooker (UK) ou stove (US).

cuisiniste nmf **1.** (fabricant) kitchen manufacturer **2.** (installateur) kitchen installer.

cuisse nf **1.** ANAT thigh **2.** CULIN leg.

cuisson nf cooking.

cuissot nm haunch • **cuissot de chevreuil** haunch of venison.

cuit, e pp → cuire. ❏ adj • **bien cuit** (steak) well-done.

cuivre nm (métal) • **cuivre (rouge)** copper • **cuivre jaune** brass. ■ **cuivres** nmpl • **les cuivres** MUS the brass.

cuivré, e adj **1.** (couleur, reflet) coppery **2.** (teint) bronzed.

cul nm **1.** tfam (postérieur) bum (UK), ass (US) **2.** (de bouteille) bottom.

culasse nf **1.** (d'arme à feu) breech **2.** AUTO cylinder head.

culbute nf **1.** (saut) somersault **2.** (chute) tumble, fall.

cul-de-sac nm dead end.

culinaire adj culinary.

culminant → point.

culot nm **1.** fam (toupet) nerve, cheek (UK) • **avoir du culot** to have a lot of nerve **2.** (de cartouche, ampoule) cap.

culotte nf (sous-vêtement féminin) panties pl, knickers pl (UK), pair of panties ou of knickers (UK).

culotté, e adj fam (effronté) • **elle est culottée** she's got a nerve.

culpabiliser vt • **culpabiliser qqn** to make sb feel guilty. ❏ vi to feel guilty.

culpabilité nf guilt.

culte nm **1.** (vénération, amour) worship **2.** (religion) religion.

cultivateur, trice nm, f farmer.

cultivé, e adj (personne) educated, cultured.

cultiver vt **1.** (terre, goût, relation) to cultivate **2.** (plante) to grow.

culture nf **1.** AGRIC cultivation, farming • **les cultures** cultivated land **2.** (savoir) culture, knowledge • **culture physique** physical training **3.** (civilisation) culture.

culturel, elle adj cultural.

culturisme nm bodybuilding.

cumin nm cumin.

cumuler vt **1.** (fonctions, titres) to hold simultaneously **2.** (salaires) to draw simultaneously.

cumulus nm cumulus.

cupide adj greedy.

cure nf (course of) treatment • **faire une cure de fruits** to go on a fruit-based diet • **cure de désintoxication a)** (gén) rehab **b)** (d'alcool) drying-out treatment **c)** (de drogue) detoxification treatment • **cure de sommeil** sleep therapy • **cure de thalassothérapie** course of thalassotherapy • **faire une cure thermale** to undergo treatment at a spa.

curé nm parish priest.

cure-dents nm inv toothpick.

cure-pipes nm inv pipe cleaner.

curer vt to clean out.

curieux, euse adj **1.** (intéressé) curious • **curieux de qqch/de faire qqch** curious about sthg/ to do sthg **2.** (indiscret) inquisitive **3.** (étrange) strange, curious. ❏ nm, f busybody.

curiosité nf curiosity.

curriculum vitae nm inv curriculum vitae (UK), résumé (US).

curry, carry, cari nm **1.** (épice) curry powder **2.** (plat) curry.

curseur nm cursor.

cursus nm degree course.

customiser vt to customize.

cutané, e adj cutaneous, skin (avant nom).

cuti nf **1.** MÉD skin test **2.** • **virer sa cuti** fam & fig to throw off one's shackles.

cutiréaction, cuti-réaction nf skin test.

cutter nm Stanley knife®.

cuve nf **1.** (citerne) tank **2.** (à vin) vat.

cuvée nf (récolte) vintage.

cuvette nf **1.** (récipient) basin, bowl **2.** (de lavabo) basin **3.** (de W.-C.) bowl **4.** GÉOGR basin.

CV nm **1.** (abrév de curriculum vitae) CV (UK), résumé (US) **2.** (abrév de cheval-vapeur) hp.

cyanure nm cyanide.

cybercafé nm cybercafé, Internet café.

cybercommerce nm e-commerce.

cybercrime nm INFORM e-crime.

cybercriminalité nf cybercrime.

cyberespace, cybermonde *nm* cyberspace.

cybernaute *nm* (net) surfer, cybersurfer, cy-bernaut.

cyclable → piste.

cyclamen *nm* cyclamen.

cycle *nm* **1.** *(série)* cycle • **cycle menstruel** menstrual cycle **2.** *(formation)* cycle • **second cycle a)** *UNIV* ≃ final year (UK) ; ≃ senior year (US) **b)** *SCOL* upper school (UK), high school (US) • **troisième cycle** *UNIV* ≃ postgraduate year *ou* years.

cyclique *adj* cyclic, cyclical.

cyclisme *nm* cycling.

cycliste *nmf* cyclist.

cyclomoteur *nm* moped.

cyclone *nm* cyclone.

cygne *nm* swan.

cylindre *nm* **1.** *AUTO & GÉOM* cylinder **2.** *(rouleau)* roller.

cymbale *nf* cymbal.

cynique *adj* cynical.

cynisme *nm* cynicism.

cyprès *nm* cypress.

cypriote = chypriote.

Cypriote = Chypriote.

cyrillique *adj* Cyrillic.

cystite *nf* cystitis *(indén)*.

D

d, D *nm inv* d, D.

d' → de.

DAB (abrév de distributeur automatique de billets) *nm* ATM.

d'abord → abord.

d'accord *loc adv* • **d'accord !** all right!, OK! • **être d'accord avec** to agree with.

dactylo *nf* 1. *(personne)* typist 2. *(procédé)* typing.

dactylographier *vt* to type.

dada *nm* 1. *(cheval)* horsie, gee-gee *(UK)* 2. *fam (occupation)* hobby 3. *fam (idée)* hobbyhorse 4. *ART* Dadaism.

dahlia *nm* dahlia.

daigner *vi* to deign.

daim *nm* 1. *(animal)* fallow deer 2. *(peau)* suede.

dallage *nm* 1. *(action)* paving 2. *(dalles)* pavement.

dalle *nf* 1. *(de pierre)* slab 2. *(de lino)* tile.

dalmatien, enne *nm,f* dalmatian.

daltonien, enne *adj* colour-blind *(UK)*, color-blind *(US)*.

dame *nf* 1. *(femme)* lady 2. *(cartes à jouer)* queen. ■ **dames** *nfpl* draughts *(UK)*, checkers *(US)*.

damier *nm* 1. *(de jeu)* draughtboard *(UK)*, checkerboard *(US)* 2. *(motif)* • **à damier** checked.

damné, e *adj fam* damned.

damner *vt* to damn.

dancing *nm* dance hall.

dandiner ■ **se dandiner** *vp* to waddle.

dandy *nm* dandy.

Danemark *nm* • **le Danemark** Denmark.

En anglais, à de rares exceptions près, il n'y a pas d'article devant les noms de pays.

danger *nm* danger • **en danger** in danger • **courir un danger** to run a risk.

dangereux, euse *adj* dangerous.

danois, e *adj* Danish. ■ **danois** *nm* 1. *(langue)* Danish 2. *(chien)* Great Dane. ■ **Danois, e** *nm,f* Dane.

En anglais, les adjectifs se rapportant à un pays ou une région ainsi que le nom désignant la langue de ce pays ou cette région, s'écrivent avec une majuscule.

dans *prép* 1. *(dans le temps)* in • **je reviens dans un mois** I'll be back in a month *ou* in a month's time 2. *(dans l'espace)* in • **dans une boîte** in *ou* inside a box 3. *(avec mouvement)* into • **entrer dans une chambre** to come into a room, to enter a room 4. *(indiquant un état, une manière)* in • **vivre dans la misère** to live in poverty • **il est dans le commerce** he's in business 5. *(environ)* • **dans les...** about... • **ça coûte dans les 30 euros** it costs about 30 euros.

dansant, e *adj litt & fig* dancing • **soirée dansante** dance • **thé dansant** tea dance.

danse *nf* 1. *(art)* dancing • **faire de la danse** to go to dancing classes 2. *(musique)* dance.

danser *vi* 1. *(personne)* to dance 2. *(bateau)* to bob 3. *(flammes)* to flicker. ❑ *vt* to dance.

danseur, euse *nm,f* dancer.

dard *nm (d'animal)* sting.

darne *nf (de poisson)* steak.

date *nf* 1. *(jour + mois + année)* date • **date de naissance** date of birth 2. *(moment)* event.

dater *vt* to date. ❑ *vi* 1. *(marquer)* to be *ou* mark a milestone 2. *fam (être démodé)* to be dated. ■ **à dater de** *loc prép* as of *ou* from. ■ **dater de** *v + prép* to date from, to go back to • **un livre qui date du XVIIᵉ siècle** a book dating back to the 17th century • **de quand date votre dernière visite ?** when was your last visit ? • **notre amitié ne date pas d'hier** we go *ou* our friendship goes back a long way • **voilà une idée qui ne date pas d'hier** this idea's been around for quite some time.

datif *nm GRAMM* dative.

datte *nf* date.

dattier *nm* date palm.

daube *nf CULIN* ≃ stew.

dauphin¹, e *nm,f (successeur)* heir apparent.

dauphin² *nm* 1. *(mammifère)* dolphin 2. *HIST* • **le dauphin** the dauphin.

daurade nf sea bream.

davantage adv **1.** (plus) more • davantage de more **2.** (plus longtemps) (any) longer.

de

■ **de** prép

1. EXPRIME L'ORIGINE, LA PROVENANCE
• mes voisins viennent du Pakistan my neighbours are from Pakistan • il revient de Paris demain he's coming back ou returning from Paris tomorrow • l'avion de Londres est arrivé il y a dix minutes the plane from London ou the London plane arrived ten minutes ago

2. AVEC « À »
• leur première expédition les a menés de Paris à Tokyo en trois ans their first expedition led them from Paris to Tokyo in three years • nous avons travaillé de dix heures à midi we worked from ten o'clock to ou till midday • il y avait de quinze à vingt mille spectateurs there were between fifteen and twenty thousand spectators

3. INDIQUE LA LOCALISATION
• les magasins de cette rue sont très bon marché the shops in this street are very cheap • de nombreux élèves de son école ont des difficultés en mathématiques many pupils in his school have problems with maths

4. EXPRIME L'APPARTENANCE
• je ne connais pas le frère de Pierre I don't know Pierre's brother • la voiture de nos amis est très chère our friends' car is very expensive

5. INTRODUIT UN COMPLÉMENT DU NOM
• peux-tu fermer la porte du salon ? can you close the door of the sitting room ou the sitting room door? • c'est de qui ? who is it by? • c'est un film de Jim Jarmusch it's a film by Jim Jarmusch ou a Jim Jarmusch film

6. EXPRIME LA CAUSE
• Paul tremble de froid Paul is shivering with cold • quand j'ai appris la nouvelle, j'ai sauté de joie when I heard the news I jumped for joy • des millions d'enfants meurent de faim millions of children die of hunger

7. EXPRIME LA MANIÈRE
• il lui parla d'une voix tendre he spoke tenderly to her ou he spoke to her in a tender voice • il l'a simplement touché du doigt he simply touched it with his finger

8. INDIQUE UNE CARACTÉRISTIQUE
• donne-moi un verre d'eau, s'il te plaît give me a glass of water, please • elle porte un peignoir de soie she's wearing a silk dressing gown • ils ont acheté un appartement de 60 m² they bought a 60 square metre flat • c'est un bébé de trois jours it's a three-day-old baby • c'est une ville de 500 000 habitants it's a town with ou of 500,000 inhabitants • j'attends le train de 9 h 30 I'm waiting for the 9.30 train

9. POUR EXPRIMER UN RATIO
• il gagne dix euros de l'heure he earns ten euros per hour ou an hour

■ **de** art partitif

1. DANS UNE PHRASE AFFIRMATIVE OU INTERROGATIVE
• je voudrais du vin/du lait I'd like (some) wine/(some) milk • voulez-vous du thé ? would you like some tea? • avez-vous du pain ? do you have any bread?, have you got any bread? • peux-tu acheter des légumes ? can you buy some vegetables?

2. DANS UNE PHRASE NÉGATIVE
• ils n'ont pas d'enfants they don't have any children, they have no children

de

La marque du possessif 's équivaut dans certains cas à une tournure commençant par **of** (the company's profits = the profits of the company). Toutefois, avec les noms de personnes, seule la forme en **-'s** est possible (Bill's clothes).

Il est plus naturel d'utiliser **of** lorsque l'on fait allusion à des objets (the front of the house ; the corner of the room), ou lorsque la construction est longue et complexe (I know the son of the teacher who's taking you for English et non pas I know the teacher who's taking you for English's son).

Soyez attentif à faire la distinction entre **-'s** et **-s'** dans les tournures possessives. Comparez, par exemple, **my sister's friends** (= il y a une seule sœur) et **my sisters' friends** (= il y a plusieurs sœurs).

de

Dans de nombreux cas, de ne se traduit pas.
• Les clés de la voiture. **The car keys.**
Il ne se traduit pas dans les phrases indiquant une habitude ou une alternative.
• Je ne mange pas de viande. **I don't eat meat.**
Lorsque de indique la cause, il se traduit par différentes prépositions en anglais.
• Il tremble de froid. **He is shivering with cold.**
• Il sautait de joie. **He was jumping for joy.**

En règle générale, on utilise **any** dans les interrogations, surtout lorsqu'on ne sait pas si la réponse sera affirmative ou négative.

Est-ce que vous avez du travail ? ***Do you have** any work?*

Si l'on s'attend à une réponse affirmative, par exemple lorsqu'on demande à quelqu'un s'il veut quelque chose à boire ou à manger, on utilise **some**.

• *Est-ce que tu veux du thé ?* *Would you like* **some** *tea?*

dé nm 1. (à jouer) dice, die 2. COUT • **dé (à coudre)** thimble.

DEA (abrév de diplôme d'études approfondies) nm postgraduate diploma.

dealeur, euse nm, f = dealer.

dealer[1] vt to deal.

dealer[2] nmf fam dealer.

déambuler vi to stroll (around).

débâcle nf 1. (débandade) rout 2. fig collapse.

déballer vt 1. to unpack 2. fam & fig to pour out.

débandade nf dispersal.

débarbouiller vt • **débarbouiller qqn** to wash sb's face. ■ **se débarbouiller** vp to wash one's face.

débarcadère nm landing stage.

débardeur nm 1. (ouvrier) docker 2. (vêtement) slipover.

débarquement nm (de marchandises) unloading.

débarquer vt 1. (marchandises) to unload 2. (passagers) MIL to land. ❑ vi 1. (d'un bateau) to disembark 2. MIL to land 3. fam (arriver à l'improviste) to turn up 4. fam & fig (ne rien savoir) to know nothing.

débarras nm junk room • **bon débarras !** fig good riddance!

débarrasser vt 1. (pièce) to clear up 2. (table) to clear 3. (ôter) • **débarrasser qqn de qqch** to take sthg from sb. ■ **se débarrasser** vp • **se débarrasser de** to get rid of.

débat nm debate.

débattre vt to debate, to discuss. ■ **se débattre** vp to struggle.

débattu, e pp → **débattre**.

débauche nf debauchery.

débaucher vt 1. (corrompre) to debauch, to corrupt 2. (licencier) to make redundant (UK), to lay off (US).

débile nmf fam (idiot) moron. ❑ adj fam stupid.

débit nm 1. (de marchandises) (retail) sale 2. (magasin) • **débit de boissons** bar • **débit de tabac** tobacconist's, tobacco shop (US) 3. (coupe) sawing up, cutting up 4. (de liquide) (rate of) flow 5. (élocution) delivery 6. FIN debit • **avoir un**

débit de 100 euros to be 100 euros overdrawn 7. INFORM rate.

débiter vt 1. (marchandises) to sell 2. (arbre) to saw up 3. (viande) to cut up 4. (sujet : robinet) to have a flow of 5. fam & fig (prononcer) to spout 6. FIN to debit.

débiteur, trice adj 1. (personne) debtor (avant nom) 2. FIN debit (avant nom), in the red. ❑ nm, f debtor.

déblayer vt (dégager) to clear • **déblayer le terrain** fig to clear the ground.

débloquer vt 1. (machine) to get going again 2. (crédit) to release 3. (compte, salaires, prix) to unfreeze. ❑ vi fam to talk nonsense ou rubbish (UK).

déboguer vt to debug.

déboires nmpl 1. (déceptions) disappointments 2. (échecs) setbacks 3. (ennuis) trouble (indén), problems.

déboiser vt 1. (région) to deforest 2. (terrain) to clear (of trees).

déboîter vt 1. (objet) to dislodge 2. (membre) to dislocate. ❑ vi AUTO to pull out. ■ **se déboîter** vp 1. (se démonter) to come apart 2. (porte) to come off its hinges 3. (membre) to dislocate.

débonnaire adj good-natured, easy-going.

déborder vi 1. (fleuve, liquide) to overflow 2. fig to flood • **déborder de** (vie, joie) to be bubbling with.

débouché nm 1. (issue) end 2. (gén pl) COMM outlet 3. (de carrière) prospect, opening.

déboucher vt 1. (bouteille) to open 2. (conduite, nez) to unblock. ❑ vi • **déboucher sur a)** (arriver) to open out into **b)** fig to lead to, to achieve.

débourser vt to pay out.

déboussoler vt fam to throw, to disorient, to disorientate (UK).

debout adv 1. (gén) • **être debout** (sur ses pieds) to be standing (up) 2. (réveillé) to be up 3. (objet) to be standing up ou upright • **mettre qqch debout** to stand sthg up • **se mettre debout** to stand up • **debout !** get up!, on your feet! 4. (locution) • **tenir debout a)** (bâtiment) to remain standing **b)** (argument) to stand up • **il ne tient pas debout** he's asleep on his feet.

déboutonner vt to unbutton, to undo.

débraillé, e adj dishevelled (UK), disheveled (US).

débrancher vt 1. (appareil) to unplug 2. (téléphone) to disconnect.

débrayage nm (arrêt de travail) stoppage.

débrayer vi AUTO to disengage the clutch, to declutch (UK).

débriefing nm debrief.

débris nm piece, fragment. ❑ nmpl (restes) leftovers.

débrouillard, e fam adj resourceful.

débrouiller vt 1. (démêler) to untangle 2. fig (résoudre) to unravel, to solve. ■ **se débrouiller** vp fam • **se débrouiller (pour faire qqch)** to manage (to do sthg) • **se débrouiller en anglais/math** to get by in English/maths • **débrouille-toi !** you'll have to sort it out (by) yourself!

débroussailler vt 1. (terrain) to clear 2. fig to do the groundwork for.

débroussailleuse nf edge trimmer, weed eater (US).

début nm beginning, start • **au début** at the start ou beginning • **au début de** at the beginning of • **dès le début** (right) from the start.

débutant, e nm, f beginner.

débuter vi 1. (commencer) • **débuter (par)** to begin (with), to start (with) 2. (faire ses débuts) to start out.

déca nm fam decaff.

deçà ■ **en deçà de** loc prép 1. (de ce côté-ci de) on this side of 2. (en dessous de) short of.

décacheter vt to open.

décadence nf 1. (déclin) decline 2. (débauche) decadence.

décadent, e adj decadent.

décaféiné, e adj decaffeinated. ■ **décaféiné** nm decaffeinated coffee.

décalage nm 1. gap 2. fig gulf, discrepancy • **décalage horaire a)** (entre zones) time difference **b)** (après un vol) jet lag.

décalcomanie nf transfer (adhesive) (UK), decal (US).

décaler vt 1. (dans le temps - avancer) to bring forward ; (- retarder) to put back 2. (dans l'espace) to move, to shift.

décalquer vt to trace.

décamper vi fam to clear off.

décant, e adj 1. (nettoyant) stripping 2. fig (incisif) cutting, caustic. ■ **décapant** nm (paint) stripper.

décaper vt 1. (en grattant) to sand 2. (avec un produit chimique) to strip.

décapiter vt 1. (personne - volontairement) to behead ; (- accidentellement) to decapitate 2. (arbre) to cut the top of 3. fig (organisation, parti) to remove the leader ou leaders of.

décapotable nf & adj convertible.

décapsuler vt to take the top off, to open.

décapsuleur nm bottle opener.

décédé, e adj deceased.

décéder vi to die.

déceler vt (repérer) to detect.

décembre nm December. Voir aussi **septembre**.

En anglais, les mois de l'année s'écrivent avec une majuscule.

décemment adv 1. (convenablement) properly 2. (raisonnablement) reasonably.

décence nf decency.

décennie nf decade.

décent, e adj decent.

décentralisation nf decentralization.

décentrer vt to move off-centre (UK) ou off-center (US).

déception nf disappointment.

S'EXPRIMER | **exprimer sa déception**

• **What a shame!** Quel dommage !
• **It's a shame the concert's been cancelled.** Dommage que le concert soit annulé.
• **That's really bad luck!** C'est vraiment pas de chance !
• **I wasn't expecting that.** Je ne m'attendais pas à ça.
• **I'd never have believed that of him.** Je n'aurais jamais cru ça de lui.

décerner vt • **décerner qqch à** to award sthg to.

décès nm death.

décevant, e adj disappointing.

décevoir vt to disappoint.

déchaîné, e adj 1. (vent, mer) stormy, wild 2. (personne) wild.

déchaîner vt 1. (passion) to unleash 2. (rires) to cause an outburst of. ■ **se déchaîner** vp 1. (éléments naturels) to erupt 2. (personne) to fly into a rage. ■ **se déchaîner** vpi 1. (tempête, vent) to rage 2. (hilarité, applaudissements) to break ou to burst out 3. (instincts) to be unleashed • **sa colère s'est déchaînée contre nous** he unleashed his anger on us • **se déchaîner contre** to rave at ou against • **la presse s'est déchaînée contre le gouvernement** the press railed at the government • **elle s'est déchaînée contre son frère** she lashed out ou let fly at her brother.

déchanter vi to become disillusioned.

décharge nf 1. DR discharge 2. ÉLECTR discharge • **décharge électrique** electric (UK) ou electrical (US) shock 3. (dépotoir) rubbish tip (UK), rubbish dump (UK), garbage dump (US).

déchargement nm unloading.

décharger vt 1. (véhicule, marchandises) to unload 2. (arme - tirer) to fire, to discharge ; (- enlever la charge de) to unload 3. (soulager - cœur) to unburden ; (- conscience) to salve ; (- colère) to vent 4. (libérer) • **décharger qqn de** to release sb from.

décharné, e adj (maigre) emaciated.

déchausser vt • **déchausser qqn** to take sb's shoes off. ■ **se déchausser** vp 1. (personne) to take one's shoes off 2. (dent) to come loose.

déchéance nf (déclin) degeneration, decline.

déchet nm *(de matériau)* scrap. ■ **déchets** nmpl refuse *(indén)*, waste *(indén)*.

Déchetterie® nf recycling centre *(uk)* ou center *(us)*.

déchiffrer vt **1.** *(inscription, hiéroglyphes)* to decipher **2.** *(énigme)* to unravel **3.** MUS to sight-read.

déchiqueter vt to tear to shreds.

déchiqueteur nm shredder.

déchirant, e adj heartrending.

déchirement nm *(souffrance morale)* heartbreak, distress.

déchirer vt *(papier, tissu)* to tear up, to rip up. ■ **se déchirer** vp **1.** *(personnes)* to tear each other apart **2.** *(matériau, muscle)* to tear.

déchirure nf **1.** tear **2.** fig wrench • **déchirure musculaire** MÉD torn muscle.

déchu, e adj **1.** *(homme, ange)* fallen **2.** *(souverain)* deposed **3.** DR • **être déchu de** to be deprived of.

décibel nm decibel.

décidé, e adj **1.** *(résolu)* determined **2.** *(arrêté)* settled.

décidément adv really.

décider vt **1.** *(prendre une décision)* • **décider (de faire qqch)** to decide (to do sthg) **2.** *(convaincre)* • **décider qqn à faire qqch** to persuade sb to do sthg. ■ **se décider** vp **1.** *(personne)* • **se décider (à faire qqch)** to make up one's mind (to do sthg) **2.** *(choisir)* • **se décider pour** to decide on, to settle on.

décilitre nm decilitre *(uk)* deciliter *(us)*.

décimal, e adj decimal. ■ **décimale** nf decimal.

décimer vt to decimate.

décimètre nm **1.** *(dixième de mètre)* decimetre *(uk)* decimeter *(us)* **2.** *(règle)* ruler • **double décimètre** ≃ foot rule.

décisif, ive adj decisive.

décision nf decision.

décisionnaire nmf decision-maker.

déclamer vt to declaim.

déclaration nf **1.** *(orale)* declaration, announcement **2.** *(écrite)* report, declaration **3.** *(d'assurance)* claim • **déclaration de naissance/de décès** registration of birth/death • **déclaration d'impôts** tax return • **déclaration de revenus** statement of income.

déclarer vt **1.** *(annoncer)* to declare **2.** *(signaler)* to report • **rien à déclarer** nothing to declare • **déclarer une naissance** to register a birth. ■ **se déclarer** vp **1.** *(se prononcer)* • **se déclarer pour/contre qqch** to come out in favour *(uk)* ou favor *(us)* of/against sthg **2.** *(se manifester)* to break out.

déclenchement nm **1.** *(de mécanisme)* activating, setting off **2.** fig launching.

déclencher vt **1.** *(mécanisme)* to activate, to set off **2.** fig to launch. ■ **se déclencher** vp **1.** *(mécanisme)* to go off, to be activated **2.** fig to be triggered off.

déclic nm **1.** *(mécanisme)* trigger **2.** *(bruit)* click.

déclin nm **1.** *(de civilisation, population, santé)* decline **2.** *(fin)* close.

déclinaison nf GRAMM declension.

décliner vi *(santé, population, popularité)* to decline. ❑ vt **1.** *(offre, honneur)* to decline **2.** GRAMM to decline **3.** fig *(gamme de produits)* to develop.

déco *(abrév de décoration)* nf fam • **je vais refaire la déco de mon appartement** I'm going to redo the interior design of my flat.

décoder vt to decode.

décodeur nm decoder.

décoiffer vt *(cheveux)* to mess up.

décoincer vt **1.** *(chose)* to loosen **2.** *(mécanisme)* to unjam **3.** fam *(personne)* to loosen up.

décollage nm litt & fig takeoff.

décoller vt **1.** *(étiquette, timbre)* to unstick **2.** *(papier peint)* to strip (off). ❑ vi litt & fig to take off • **on a regardé les avions décoller** we watched the planes take off.

décolleté, e adj *(vêtement)* low-cut. ■ **décolleté** nm **1.** *(de personne)* neck and shoulders pl **2.** *(de vêtement)* neckline, neck • **décolleté en V** V-neck.

décolonisation nf decolonization.

décolorer vt **1.** *(par décolorant)* to bleach, to lighten **2.** *(par usure)* to fade.

décombres nmpl debris *(indén)*.

décommander vt to cancel. ■ **se décommander** vp to cancel (one's appointment).

décompacter vt INFORM *(données)* to unpack.

décomposé, e adj **1.** *(pourri)* decomposed **2.** *(visage)* haggard **3.** *(personne)* in shock.

décomposer vt *(gén)* • **décomposer (en)** to break down (into). ■ **se décomposer** vp **1.** *(se putréfier)* to rot, to decompose **2.** *(se diviser)* • **se décomposer en** to be broken down into.

décomposition nf **1.** *(putréfaction)* decomposition **2.** fig *(analyse)* breakdown, analysis.

décompresser vt TECHNOL to decompress, to uncompress. ❑ vi to unwind.

décompression nf decompression.

décompte nm *(calcul)* breakdown (of an amount).

déconcentrer vt *(distraire)* to distract. ■ **se déconcentrer** vp to be distracted.

déconcertant, e adj disconcerting.

déconcerter vt to disconcert.

déconfiture nf collapse, ruin.

décongeler vt to defrost.

décongestionner vt to relieve congestion in.

déconnecter vt to disconnect. ■ **se déconnecter** vp INFORM to disconnect, to log off.

déconseillé, e *adj* • c'est fortement déconseillé it's extremely inadvisable.

déconseiller *vt* • déconseiller qqch à qqn to advise sb against sthg • déconseiller à qqn de faire qqch to advise sb against doing sthg.

déconsidérer *vt* to discredit.

décontaminer *vt* to decontaminate.

décontenancer *vt* to put out.

décontracté, e *adj* **1.** *(muscle)* relaxed **2.** *(détendu)* casual, laid-back.

décontracter *vt* to relax. ■ **se décontracter** *vp* to relax.

décor *nm* **1.** *(environs)* setting **2.** THÉÂTRE scenery *(indén)* **3.** CINÉ sets *pl.*

décorateur, trice *nm, f* CINÉ & THÉÂTRE designer • décorateur d'intérieur interior decorator.

décoratif, ive *adj* decorative.

décoration *nf* decoration.

décorer *vt* to decorate.

décortiquer *vt* **1.** *(noix)* to shell **2.** *(graine)* to husk **3.** *fig* to analyse (UK) *ou* analyze (US) in minute detail.

découcher *vi* to stay out all night.

découdre *vt* COUT to unpick. ■ **se découdre** *vp* to come unstitched.

découler *vi* • découler de to follow from.

découpage *nm* **1.** *(action)* cutting out • faire des découpages to cut pictures out **2.** *(résultat)* paper cutout **3.** ADMIN • découpage (électoral) division into constituencies (UK) *ou* districts (US).

découper *vt* **1.** *(couper)* to cut up **2.** *fig (diviser)* to cut out.

découpure *nf (bord)* indentations *pl,* jagged outline.

décourageant, e *adj* discouraging.

découragement *nm* discouragement.

décourager *vt* to discourage • décourager qqn de qqch to put sb off sthg • décourager qqn de faire qqch to discourage sb from doing sthg. ■ **se décourager** *vp* to lose heart.

décousu, e *adj fig (conversation)* disjointed.

découvert, e *adj* **1.** *(tête)* bare **2.** *(terrain)* exposed. ■ **découvert** *nm* BANQUE overdraft • être à découvert (de 1 000 euros) to be (1,000 euros) overdrawn. ■ **découverte** *nf* discovery • aller à la découverte de to explore.

découvrir *vt* **1.** *(trouver, surprendre)* to discover **2.** *(ôter ce qui couvre, mettre à jour)* to uncover.

décrasser *vt* to scrub.

décret *nm* decree.

décréter *vt (décider)* • décréter que to decide that.

décrire *vt* to describe.

À PROPOS DE

décrire

Le verbe **to describe** n'est jamais suivi immédiatement d'un complément d'objet indirect :
• *Décris-moi ta nouvelle maison.* **Describe your new house.**
• *Pouvez-vous nous décrire la personne ?* **Can you describe the person?**
Généralement, **to us, to me,** etc, ne sont pas exprimés.

décrochement *nm* **1.** GÉOL thrust fault **2.** *(action)* unhooking **3.** *(partie en retrait)* recess.

décrocher *vt* **1.** *(enlever)* to take down **2.** *(téléphone)* to pick up **3.** *fam (obtenir)* to land. ❏ *vi fam (abandonner)* to drop out.

décroître *vi* **1.** to decrease, to diminish **2.** *(jours)* to get shorter.

décrue *nf* drop in the water level.

décrypter *vt* to decipher.

déçu, e *pp* → decevoir. ❏ *adj* disappointed.

déculotter *vt* • déculotter qqn to take sb's trousers (UK) *ou* pants (US) off.

déculpabiliser *vt* • déculpabiliser qqn to free sb from guilt. ■ **se déculpabiliser** *vp* to free o.s. from guilt.

dédaigner *vt* **1.** *(mépriser - personne)* to despise ; *(- conseils, injures)* to scorn **2.** *(refuser)* • dédaigner de faire qqch *sout* to disdain to do sthg • ne pas dédaigner qqch/de faire qqch not to be above sthg/above doing sthg.

dédaigneux, euse *adj* disdainful.

dédain *nm* disdain, contempt.

dédale *nm litt & fig* maze.

dedans *adv & nm* inside. ■ **de dedans** *loc adv* from inside, from within. ■ **en dedans** *loc adv* inside, within. ■ **en dedans de** *loc prép* inside, within. Voir aussi **là-dedans.**

dédicace *nf* dedication.

dédicacer *vt* • dédicacer qqch (à qqn) to sign *ou* autograph sthg (for sb).

dédier *vt* • dédier qqch (à qqn/à qqch) to dedicate sthg (to sb/to sthg).

dédire ■ **se dédire** *vp sout* to go back on one's word.

dédommagement *nm* compensation.

dédommager *vt* **1.** *(indemniser)* to compensate **2.** *fig (remercier)* to repay.

dédouaner *vt (marchandises)* to clear through customs.

dédoubler *vt* **1.** to halve, to split **2.** *(fil)* to separate.

déductible *adj* deductible.

déduction *nf* deduction.

déduire *vt* • déduire qqch (de) **a)** *(ôter)* to deduct sthg (from) **b)** *(conclure)* to deduce sthg (from).

déesse *nf* goddess.

défaillance *nf* **1.** *(incapacité-de-machine)* failure ; *(- de personne, organisation)* weakness **2.** *(malaise)* blackout, fainting fit.

défaillant, e *adj* *(faible)* failing.

défaillir *vi* *(s'évanouir)* to faint.

défaire *vt* **1.** *(détacher)* to undo **2.** *(valise)* to unpack **3.** *(lit)* to strip. ■ **se défaire** *vp* **1.** *(ne pas tenir)* to come undone **2.** *sout (se séparer)* • **se défaire de** to get rid of.

défait, e *pp* → **défaire**. ❑ *adj fig (épuisé)* haggard. ■ **défaite** *nf* defeat.

défaitiste *nmf & adj* defeatist.

défaut *nm* **1.** *(imperfection)* flaw • **défaut de fabrication** manufacturing fault **2.** *(de personne)* fault, shortcoming **3.** *(manque)* lack • **à défaut de** for lack *ou* want of • **l'eau fait (cruellement) défaut** there is a (serious) water shortage.

défaveur *nf* disfavour (UK), disfavor (US) • **être en défaveur** to be out of favour (UK) *ou* favor (US) • **tomber en défaveur** to fall out of favour (UK) *ou* favor (US).

défavorable *adj* unfavourable (UK), unfavorable (US).

défavorisé, e *adj* disadvantaged, underprivileged.

défavoriser *vt* to handicap, to penalize.

défection *nf* **1.** *(absence)* absence **2.** *(abandon)* defection.

défectueux, euse *adj* faulty, defective.

défendeur, eresse *nm, f DR* defendant.

défendre *vt* **1.** *(personne, opinion, client)* to defend **2.** *(interdire)* to forbid • **défendre qqch à qqn** to forbid sb sthg • **défendre à qqn de faire qqch** to forbid sb to do sthg • **défendre que qqn fasse qqch** to forbid sb to do sthg. ■ **se défendre** *vp* **1.** *(se battre, se justifier)* to defend o.s. **2.** *(nier)* • **se défendre de faire qqch** to deny doing sthg **3.** *(thèse)* to stand up.

défendu, e *pp* → **défendre**. ❑ *adj* • **'il est défendu de jouer au ballon'** 'no ball games'.

défense *nf* **1.** *(d'éléphant)* tusk **2.** *(interdiction)* prohibition, ban • **'défense de fumer/de stationner/d'entrer'** 'no smoking/parking/entry' • **'défense d'afficher'** 'stick (UK) *ou* post no bills' **3.** *(protection)* defence (UK), defense (US) • **prendre la défense de** to stand up for • **légitime défense** *DR* self-defence (UK), self-defense (US).

défenseur *nm* *(partisan)* champion.

défensif, ive *adj* defensive. ■ **défensive** *nf* • **être sur la défensive** to be on the defensive.

déféquer *vi* to defecate.

déférence *nf* deference.

déferlement *nm* **1.** *(de vagues)* breaking **2.** *fig* surge, upsurge.

déferler *vi* **1.** *(vagues)* to break **2.** *fig* to surge.

défi *nm* challenge.

défiance *nf* distrust, mistrust.

déficience *nf* deficiency.

déficit *nm FIN* deficit • **être en déficit** to be in deficit.

déficitaire *adj* in deficit.

défier *vt* *(braver)* • **défier qqn de faire qqch** to defy sb to do sthg.

défigurer *vt* **1.** *(blesser)* to disfigure **2.** *(enlaidir)* to deface.

défilé *nm* **1.** *(parade)* parade **2.** *(couloir)* defile, narrow pass.

défiler *vi* **1.** *(dans une parade)* to march past **2.** *(se succéder)* to pass. ■ **se défiler** *vp fam* to back out.

défini, e *adj* **1.** *(précis)* clear, precise **2.** *GRAMM* definite.

définir *vt* to define.

définitif, ive *adj* definitive, final • **à titre définitif** permanently. ■ **en définitive** *loc adv* in the end.

définition *nf* definition • **la haute définition** high definition • **à haute définition** high-definition.

définitivement *adv* for good, permanently.

---

définitivement

Attention à ne pas confondre *définitivement* avec **definitely** qui, du point de vue du sens, n'a pas grand-chose à voir avec l'adverbe français, pourtant si ressemblant. L'idée contenue dans **definitely** est celle de certitude. Par exemple, *definitely not!* signifie **certainement** *pas !* et *it's definitely him* se traduit par *il n'y a pas de doute*, c'est lui. Comment, dans ce cas, traduire *définitivement* ? Les exemples suivants le montrent : *ils sont partis définitivement*, **they've gone for good** ; *elle est nommée définitivement à Chartres*, **she's been given a permanent post in Chartres**.

---

défiscaliser *vt* to exempt from taxation.

déflagration *nf* explosion.

déflationniste *adj* deflationary, deflationist.

défoncer *vt* **1.** *(caisse, porte)* to smash in • **défoncer la porte** to break the door down **2.** *(route)* to break up **3.** *(mur)* to smash down **4.** *(chaise)* to break.

déformation *nf* **1.** *(d'objet, de théorie)* distortion **2.** *MÉD* deformity • **déformation professionnelle** *si vous voulez expliquer à un anglophone de quoi il s'agit, vous pouvez dire* it is a way of thinking that is produced by the job you do.

déformer *vt* to distort. ■ **se déformer** *vp* **1.** *(changer de forme)* to be distorted, to be deformed **2.** *(se courber)* to bend.

défouler *fam* vt to unwind. ■ **se défouler** *vp* to let off steam, to unwind.

défragmenter vt INFORM to defragment, to defrag *fam*.

défricher vt 1. (terrain) to clear 2. fig (question) to do the groundwork for.

défunt, e adj (décédé) late. ❏ nm, f deceased.

dégagé, e adj 1. (ciel, vue) clear 2. (partie du corps) bare 3. (désinvolte) casual, airy 4. (libre) • **dégagé de** free from.

dégager vt 1. (odeur) to produce, to give off 2. (délivrer - blessé) to free, to extricate 3. (bénéfice) to show 4. (pièce) to clear 5. (libérer) • **dégager qqn de** to release sb from. ❏ vi *fam* (partir) to clear off • **dégage, tu m'énerves !** clear off, you're annoying me! ■ **se dégager** vp 1. (se délivrer) • **se dégager de qqch a)** to free o.s. from sthg **b)** fig to get out of sthg 2. (émaner) to be given off 3. (émerger) to emerge.

dégainer vt (épée, revolver) to draw.

dégarnir vt to strip, to clear. ■ **se dégarnir** vp 1. (vitrine) to be cleared 2. (arbre) to lose its leaves • **sa tête se dégarnit, il se dégarnit** he's going bald.

dégât nm litt & fig damage (indén.) • **dégâts matériels** structural damage • **faire des dégâts** to cause damage.

dégel nm (fonte des glaces) thaw.

dégeler vt (produit surgelé) to thaw. ❏ vi to thaw.

dégénéré, e adj & nm, f degenerate.

dégénérer vi to degenerate • **dégénérer en** to degenerate into.

dégivrer vt 1. (pare-brise) to de-ice 2. (réfrigérateur) to defrost.

dégonflé, e adj (pneu, roue) flat. ❏ nm, f *fam* (personne) chicken, yellow-belly.

dégonfler vt to deflate, to let down (UK). ❏ vi to go down. ■ **se dégonfler** vp 1. (objet) to go down 2. *fam* (personne) to chicken out.

dégouliner vi to trickle.

dégourdi, e adj clever.

dégourdir vt 1. (membres - ankylosés) to restore the circulation to 2. fig (déniaiser) • **dégourdir qqn** to teach sb a thing or two. ■ **se dégourdir** vp 1. (membres) • **se dégourdir les jambes** to stretch one's legs 2. fig (acquérir de l'aisance) to learn a thing or two.

dégoût nm disgust, distaste.

dégoûtant, e adj 1. (sale) filthy, disgusting 2. (révoltant, grossier) disgusting.

dégoûter vt to disgust • **ce type me dégoûte** that guy disgusts me.

dégoutter vi • **dégoutter (de qqch)** to drip (with sthg).

dégradation nf 1. (de bâtiment) damage 2. (du sol) erosion 3. (de moral) decline 4. (de personne) degradation 5. (de situation) deterioration.

dégradé, e nm 1. (technique) shading off 2. (résultat) gradation • **un dégradé de bleu** a blue shading. ■ **en dégradé** loc adv (cheveux) layered.

dégrader vt 1. (officier) to degrade 2. (abîmer - bâtiment) to damage 3. fig (avilir) to degrade, to debase. ■ **se dégrader** vp 1. (bâtiment, santé) to deteriorate 2. fig (personne) to degrade o.s.

dégrafer vt to undo, to unfasten.

dégraissage nm 1. (de vêtement) dry-cleaning 2. (de personnel) trimming, cutting back.

degré nm 1. (gén) degree • **degrés centigrades** ou **Celsius** degrees centigrade ou Celsius • **il fait trois degrés** it's three degrees • **l'eau bout à 100 degrés Celsius** water boils at 100 degrees Celsius 2. (locution) • **prendre qqn/qqch au premier degré** to take sb/sthg at face value.

dégressif, ive adj • **tarif dégressif** decreasing price scale.

dégriffé, e adj ex-designer label (avant nom). ■ **dégriffé** nm ex-designer label garment.

dégringoler vi 1. *fam* (tomber) to tumble 2. fig to crash.

déguenillé, e adj ragged.

déguerpir vi to clear off.

dégueulasse t*fam* adj 1. (très sale, grossier) filthy 2. (très mauvais - plat) disgusting ; (- temps) lousy. ❏ nmf scum (indén.).

dégueuler vi *fam* to throw up.

déguisé, e adj 1. disguised 2. (pour s'amuser) in fancy dress.

déguisement nm 1. disguise 2. (pour bal masqué) fancy dress.

déguiser vt to disguise. ■ **se déguiser** vp • **se déguiser en a)** (pour tromper) to disguise o.s. as **b)** (pour s'amuser) to dress up as.

dégustation nf tasting, sampling • **dégustation de vin** wine tasting.

déguster vt (savourer) to taste, to sample. ❏ vi *fam* (subir) • **il va déguster !** he'll be in for it.

déhancher ■ **se déhancher** vp 1. (en marchant) to swing one's hips 2. (en restant immobile) to put all one's weight on one leg.

dehors adv outside • **aller dehors** to go outside • **dormir dehors** to sleep out of doors, to sleep out • **jeter** ou **mettre qqn dehors** to throw sb out. ❏ nm outside. ❏ nmpl • **les dehors** (les apparences) appearances. ■ **en dehors** loc adv 1. (à l'extérieur) outside 2. (vers l'extérieur) outwards (UK), outward (US). ■ **en dehors de** loc prép (excepté) apart from.

■ **déjà** adv

1. EXPRIME LA RAPIDITÉ DANS L'EXÉCUTION D'UNE ACTION

• **elle a déjà fini !** she has already finished! ou she has finished already!

2. EXPRIME UNE ACTION RÉALISÉE PRÉCÉDEMMENT
• **es-tu déjà allé aux États-Unis ?** have you ever been to the United States? • **je suis sûr d'être déjà venu ici** I'm sure I've been here before *ou* I'm sure I've already been here • **est-ce que Charlotte est déjà arrivée ?** has Charlotte arrived yet?

3. POUR DEMANDER UNE CONFIRMATION
• **quel est ton nom, déjà ?** what did you say your name was?

4. RENFORCE UNE AFFIRMATION
• **ce n'est déjà pas si mal** that's not bad at all • **il est déjà bien payé** he is paid well enough as he is

déjeuner vi **1.** *(le matin)* to have breakfast **2.** *(à midi)* to have lunch. ❑ nm **1.** *(repas de midi)* lunch **2.** (QUÉBEC) *(dîner)* dinner.

déjouer vt to frustrate • **déjouer la surveillance de qqn** to elude sb's surveillance.

délabré, e adj ruined.

délacer vt to unlace, to undo.

délai nm **1.** *(temps accordé)* period • **sans délai** immediately • **délai de livraison** delivery time, lead time • **quels sont les délais ?** what's the time limit? • **respecter les délais** to meet the deadline **2.** *(sursis)* extension (of deadline) • **demander un délai d'une semaine** I to ask for a week's extension.

délai

Certes, *délai* et l'anglais **delay** ont tous les deux un rapport avec la notion de temps, c'est pourquoi il est facile de les confondre. Attention toutefois à ne jamais traduire l'un par l'autre : un *delay* est un *retard*, alors que *délai* se traduit par **extension**, **time**, etc, selon les contextes. Comparez, par exemple, **there's a two-hour delay on all international flights**, *il y a un* **retard** *de deux heures sur tous les vols internationaux*, et *laissez-moi un délai de réflexion*, **give me time to think**, ou encore *ils lui ont accordé un délai*, **they granted him an extension**.

délaisser vt **1.** *(abandonner)* to leave **2.** *(négliger)* to neglect.

délassement nm relaxation.

délasser vt to refresh. ■ **se délasser** vp to relax.

délation nf informing.

délavé, e adj faded.

délayer vt *(diluer)* • **délayer qqch dans qqch** to mix sthg with sthg.

délecter ■ **se délecter** vp • **se délecter de qqch/à faire qqch** to delight in sthg/in doing sthg.

délégation nf delegation • **agir par délégation** to be delegated to act.

délégué, e adj *(personne)* delegated. ❑ nm,f *(représentant)* • **délégué (à)** delegate (to) • **elle est notre déléguée de classe** she is our class representative.

déléguer vt • **déléguer qqn (à qqch)** to delegate sb (to sthg).

délester vt **1.** *(circulation routière)* to set up a diversion on, to divert, to detour (US) **2.** *fig & hum (voler)* • **délester qqn de qqch** to relieve sb of sthg.

délibération nf deliberation.

délibéré, e adj **1.** *(intentionnel)* deliberate **2.** *(résolu)* determined.

délibérer vi • **délibérer (de** *ou* **sur)** to deliberate (on *ou* over).

délicat, e adj **1.** *(gén)* delicate **2.** *péj (exigeant)* fussy, difficult **3.** *(problème)* tricky.

délicatement adv delicately.

délicatesse nf **1.** *(gén)* delicacy **2.** *(tact)* delicacy, tact.

délice nm delight.

délicieux, euse adj **1.** *(savoureux)* delicious **2.** *(agréable)* delightful.

délié, e adj *(doigts)* nimble.

délier vt to untie.

délimiter vt **1.** *(frontière)* to fix **2.** *fig (question, domaine)* to define, to demarcate.

délinquance nf delinquency.

délinquant, e nm,f delinquent.

délirant, e adj **1.** MÉD delirious **2.** *(excité, exalté)* frenzied **3.** *fam (extravagant)* crazy.

délire nm MÉD delirium • **en délire** *fig* frenzied.

délirer vi **1.** MÉD to be *ou* become delirious **2.** *fam & fig* to rave.

délit nm crime, offence (UK), offense (US) • **en flagrant délit** red-handed, in the act.

délivrance nf **1.** *(libération)* freeing, release **2.** *(soulagement)* relief **3.** *(accouchement)* delivery.

délivrer vt **1.** *(prisonnier)* to free, to release • **délivrer un prisonnier** to set a prisoner free **2.** *(pays)* to deliver, to free • **délivrer de a)** to free from **b)** *fig* to relieve from **3.** *(remettre)* • **délivrer qqch (à qqn)** to issue sthg (to sb) **4.** *(marchandise)* to deliver.

déloger vt • **déloger (de)** to dislodge (from).

déloyal, e adj **1.** *(infidèle)* disloyal **2.** *(malhonnête)* unfair.

delta nm delta.

deltaplane, delta-plane nm hang glider.

déluge nm **1.** RELIG • **le Déluge** the Flood **2.** *(pluie)* downpour, deluge • **un déluge de** *fig* a flood of.

déluré, e adj **1.** *(malin)* quick-witted **2.** *péj (dévergondé)* saucy.

démagogie nf demagogy, demagoguery.

demain adv **1.** (le jour suivant) tomorrow • **demain matin** tomorrow morning **2.** fig (plus tard) in the future. ❏ nm tomorrow • **à demain!** see you tomorrow!

demande nf **1.** (souhait) request **2.** (démarche) proposal • **demande en mariage** proposal of marriage **3.** (candidature) application • **demande d'emploi** job application • **'demandes d'emploi'** 'situations wanted' • **une demande de bourse** an application for a grant **4.** ÉCON demand.

demandé, e adj in demand.

demander vt **1.** (réclamer, s'enquérir) to ask for • **demander qqch à qqn** to ask sb for sthg **2.** (appeler) to call • **on vous demande à la réception/au téléphone** you're wanted at reception/on the telephone **3.** (désirer) to ask, to want • **je ne demande pas mieux** I'd be only too pleased (to), I'd love to **4.** (exiger) • **tu m'en demandes trop** you're asking too much of me **5.** (nécessiter) to require. ❏ vi **1.** (réclamer) • **demander à qqn de faire qqch** to ask sb to do sthg • **ne demander qu'à...** to be ready to... **2.** (nécessiter) • **ce projet demande à être étudié** this project requires investigating ou needs investigating. ■ **se demander** vp • **se demander (si)** to wonder (if ou whether).

demandeur, euse nm, f (solliciteur) • **demandeur d'asile** asylum-seeker, asylee (us) • **demandeur d'emploi** job-seeker.

démangeaison nf **1.** (irritation) itch, itching (indén) **2.** fam & fig urge.

démanger vi (gratter) to itch • **ça me démange de...** fig I'm itching ou dying to....

démanteler vt **1.** (construction) to demolish **2.** fig to break up.

démaquillant, e adj make-up-removing (avant nom) • **lait démaquillant** cleansing milk. ■ **démaquillant** nm make-up remover.

démaquiller vt to remove make-up from. ■ **se démaquiller** vp to remove one's make-up.

démarcation nf **1.** (frontière) demarcation **2.** fig separation.

démarche nf **1.** (manière de marcher) gait, walk **2.** (raisonnement) approach, method **3.** (requête) step • **faire les démarches pour faire qqch** to take the necessary steps to do sthg.

démarcheur, euse nm, f (représentant) door-to-door salesman, saleswoman f.

démarque nf (solde) markdown.

démarquer vt **1.** (solder) to mark down **2.** SPORT not to mark. ■ **se démarquer** vp **1.** SPORT to shake off one's marker **2.** fig (se distinguer) • **se démarquer (de)** to distinguish o.s. (from).

démarrage nm starting, start • **démarrage en côte** hill start.

démarrer vi **1.** (gén) to start **2.** (véhicule) to start (up) • **la mobylette ne veut pas démarrer** the moped won't start **3.** (conducteur) to drive off **4.** fig (affaire, projet) to get off the ground. ❏ vt **1.** (véhicule) to start (up) **2.** fam & fig (commencer) • **démarrer qqch** to get sthg going.

démarreur nm starter.

démasquer vt **1.** (personne) to unmask **2.** fig (complot, plan) to unveil.

démêlant, e adj conditioning (avant nom). ■ **démêlant** nm conditioner.

démêlé nm quarrel • **avoir des démêlés avec la justice** to get into trouble with the law.

démêler vt **1.** (cheveux, fil) to untangle • **brosse-toi les cheveux pour les démêler** brush your hair to get rid of the tangles **2.** fig to unravel. ■ **se démêler** vp • **se démêler de** litt & fig to extricate o.s. from.

déménagement nm **1.** (de meubles) removal **2.** (changement de domicile) move • **c'est leur troisième déménagement** it's their third move.

déménager vt to move • **quand est-ce que vous déménagez ?** when are you moving? ❏ vi to move, to move house.

déménageur nm removal man (UK), mover (US).

démence nf **1.** MÉD dementia **2.** (bêtise) madness.

démener ■ **se démener** *vp litt & fig* to struggle.

dément, e *adj* **1.** MÉD demented **2.** *fam (extraordinaire, extravagant)* crazy. ❑ *nm,f* demented person.

démenti *nm* denial.

démentiel, elle *adj* **1.** MÉD demented **2.** *fam (incroyable)* crazy.

démentir *vt* **1.** *(réfuter)* to deny **2.** *(contredire)* to contradict.

démesure *nf* excess, immoderation.

démettre *vt* **1.** MÉD to put out (of joint) **2.** *(congédier)* • **démettre qqn de** to dismiss sb from. ■ **se démettre** *vp* **1.** MÉD • **se démettre l'épaule** to put one's shoulder out (of joint) **2.** *(démissionner)* • **se démettre de ses fonctions** to resign.

demeurant ■ **au demeurant** *loc adv* all things considered.

demeure *nf sout (domicile, habitation)* residence. ■ **à demeure** *loc adv* permanently.

demeuré, e *adj* simple, half-witted. ❑ *nm,f* half-wit.

demeurer *vi* **1.** *(habiter)* to live **2.** *(rester)* to remain.

demi, e *adj* half • **un demi-sandwich** half a sandwich • **un kilo et demi** one and a half kilos • **il est une heure et demie** it's half past one • **à demi** half • **dormir à demi** to be half-asleep • **ouvrir à demi** to half-open • **faire les choses à demi** to do things by halves. ■ **demi** *nm* **1.** *(bière)* beer ; ≃ half-pint (UK) **2.** FOOTBALL midfielder. ■ **demie** *nf* • **à la demie** on the half-hour.

demi-cercle *nm* semicircle.

demi-douzaine *nf* half-dozen • **une demi-douzaine (de)** half a dozen.

demi-écrémé, e *adj* semi-skimmed.

demi-finale *nf* semifinal • **être en demi-finale** to be in the semifinal.

demi-frère *nm* half-brother.

demi-gros *nm* • **(commerce de) demi-gros** cash and carry.

demi-heure *nf* half an hour, half-hour • **dans une demi-heure** in half an hour • **toutes les demi-heures** every half an hour, every half-hour.

demi-journée *nf* half a day, half-day • **une demi-journée de travail** half a day's work, a half-day's work.

démilitariser *vt* to demilitarize.

demi-litre *nm* half a litre (UK) *ou* liter (US), half-litre (UK), half-liter (US).

demi-mesure *nf* **1.** *(quantité)* half a measure **2.** *(compromis)* half-measure.

demi-mot ■ **à demi-mot** *loc adv* • **comprendre à demi-mot** to understand without things having to be spelled out.

déminer *vt* to clear of mines.

demi-pension *nf* **1.** *(d'hôtel)* half-board (UK), modified American plan (US) **2.** *(d'école)* • **être en demi-pension** to take school lunches *ou* dinners (UK).

demi-sœur *nf* half-sister.

démission *nf* resignation.

démissionner *vi* **1.** *(d'un emploi)* to resign **2.** *fig* to give up.

demi-tarif *adj* half-price. ❑ *nm* **1.** *(tarification)* half-fare **2.** *(billet)* half-price ticket.

demi-tour *nm* **1.** *(gén)* half-turn **2.** MIL about-turn • **faire demi-tour** to turn back.

démocrate *nmf* democrat.

démocratie *nf* democracy.

démocratique *adj* democratic.

démocratiser *vt* to democratize.

démodé, e *adj* old-fashioned.

démographie *nf* demography.

démographique *adj* demographic.

demoiselle *nf (jeune fille)* maid • **demoiselle d'honneur** bridesmaid.

démolir *vt (gén)* to demolish.

démolition *nf* demolition.

démon *nm (diable, personne)* devil, demon • **le démon** RELIG the Devil.

démoniaque *adj (diabolique)* diabolical.

démonstratif, ive *adj (personne)* GRAMM demonstrative. ■ **démonstratif** *nm* GRAMM demonstrative.

démonstration *nf (gén)* demonstration.

démonter *vt* **1.** *(appareil)* to dismantle, to take apart **2.** *(troubler)* • **démonter qqn** to put sb out. ■ **se démonter** *vp* to be put out.

démontrer *vt* **1.** *(prouver)* to prove, to demonstrate **2.** *(témoigner de)* to show, to demonstrate.

démoralisant, e *adj* demoralizing.

démoraliser *vt* to demoralize. ■ **se démoraliser** *vp* to lose heart.

démordre *vt* • **ne pas démordre de** to stick to.

démotiver *vt* to demotivate.

démouler *vt* to turn out of *ou* remove from a mould (UK) *ou* mold (US).

démunir *vt* to deprive. ■ **se démunir** *vp* • **se démunir de** to part with.

dénaturer *vt* **1.** *(goût)* to impair, to mar **2.** TECHNOL to denature **3.** *(déformer)* to distort.

dénégation *nf* denial.

dénicher *vt fig* **1.** *(personne)* to flush out **2.** *(objet)* to unearth.

dénigrer *vt* to denigrate, to run down.

dénivelé *nm* difference in level *ou* height.

dénivellation *nf* **1.** *(différence de niveau)* difference in level *ou* height **2.** *(pente)* slope.

dénombrer vt **1.** (compter) to count **2.** (énumérer) to enumerate.

dénominateur nm denominator.

dénomination nf name.

dénommé, e adj • **un dénommé Robert** someone by the name of Robert.

dénoncer vt **1.** (gén) to denounce • **dénoncer qqn à qqn** to denounce sb to sb, to inform on sb **2.** fig (trahir) to betray.

dénonciation nf denunciation.

dénoter vt to show, to indicate.

dénouement nm **1.** (issue) outcome **2.** (d'un film, d'un livre) denouement.

dénouer vt **1.** (nœud) to untie, to undo **2.** fig to unravel.

dénoyauter vt (fruit) to stone (UK) or to pit (US).

denrée nf (produit) produce (indén) • **denrées alimentaires** foodstuffs.

dense adj **1.** (gén) dense **2.** (style) condensed.

densité nf density.

dent nf **1.** (de personne, d'objet) tooth • **faire ses dents** to cut one's teeth, to teethe • **dent de lait** baby ou milk (UK) tooth • **dent de sagesse** wisdom tooth **2.** GÉOGR peak.

dentaire adj dental.

dentelé, e adj serrated, jagged.

dentelle nf lace (indén).

dentier nm (dents) dentures pl.

dentifrice nm toothpaste • **un tube de dentifrice** a tube of toothpaste.

dentiste nmf dentist • **le père de Daniel est dentiste** Daniel's father is a dentist • **aller chez le dentiste** to go to the dentist's.

dentition nf teeth pl, dentition.

dénuder vt **1.** to leave bare **2.** (fil électrique) to strip.

dénué, e adj sout • **dénué de** devoid of.

dénuement nm destitution (indén).

déodorant, e adj deodorant. ■ **déodorant** nm deodorant • **un déodorant en stick** a stick deodorant.

déontologie nf professional ethics pl.

dépannage nm repair • **service de dépannage** AUTO breakdown service.

dépanner vt **1.** (réparer) to repair, to fix **2.** fam (aider) to bail out • **je n'ai plus d'argent, tu peux me dépanner ?** I haven't got any money left, can you help me out?

dépanneur, euse nm, f repairman, repairwoman f. ■ **dépanneuse** nf (véhicule) breakdown truck (UK), breakdown lorry (UK), tow truck (US), wrecker (US).

dépareillé, e adj **1.** (ensemble) non-matching **2.** (paire) odd.

départ nm **1.** (de personne) departure, leaving • **le hall des départs** the departure lounge • **les grands départs** the holiday exodus **2.** (de véhicule) departure **3.** fig SPORT start. ■ **au départ** loc adv to start with.

départager vt **1.** (concurrents, opinions) to decide between **2.** (séparer) to separate.

département nm **1.** (territoire) département, department, department **2.** (service) department.

départemental, e adj (route) ≃ B (road). ■ **départementale** nf secondary road ; ≃ B road (UK).

dépassé, e adj **1.** (périmé) old-fashioned **2.** (déconcerté) • **dépassé par** overwhelmed by.

dépassement nm (en voiture) overtaking (UK), passing (US).

dépasser vt **1.** (doubler) to pass, to overtake (UK) **2.** (être plus grand que) to be taller than **3.** (excéder) to exceed, to be more than **4.** (durer plus longtemps que) • **dépasser une heure** to go on for more than an hour **5.** (aller au-delà de) to exceed **6.** (franchir) to pass • **zut, on a dépassé la rue Montpensier !** blast, we've gone past rue Montpensier! ❏ vi • **dépasser (de)** to stick out (from).

dépayser vt **1.** (désorienter) to disorient, to disorientate (UK) **2.** (changer agréablement) to make a change of scene for.

dépecer vt **1.** (découper) to chop up **2.** (déchiqueter) to tear up.

dépêche nf dispatch.

dépêcher vt sout (envoyer) to dispatch. ■ **se dépêcher** vp to hurry up • **se dépêcher de faire qqch** to hurry to do sthg.

dépeindre vt to depict, to describe.

dépeint, e pp → dépeindre.

dépénaliser vt to decriminalize.

dépendance nf **1.** (de personne) dependence • **être sous la dépendance de** to be dependent on **2.** (à la drogue) dependency **3.** (de bâtiment) outbuilding.

dépendant, e adj • **dépendant (de)** dependent (on).

dépendre vt **1.** (être soumis) • **dépendre de** to depend on • **ça dépend** it depends **2.** (appartenir) • **dépendre de** to belong to.

dépens nmpl DR costs • **aux dépens de qqn** at sb's expense • **je l'ai appris à mes dépens** I learned that to my cost.

dépense nf **1.** (frais) expense **2.** fig FIN expenditure (indén) • **les dépenses publiques** public spending (indén).

dépenser vt **1.** (argent) to spend **2.** fig (énergie) to expend. ■ **se dépenser** vp litt & fig to exert o.s.

dépensier, ère adj extravagant.

déperdition nf loss.

dépérir vi **1.** (personne) to waste away **2.** (santé, affaire) to decline **3.** (plante) to wither.

dépeupler vt **1.** (pays) to depopulate **2.** (étang, rivière, forêt) to drive the wildlife from.

déphasé, e adj **1.** ÉLECTR out of phase **2.** fam & fig out of touch.

dépilatoire adj • **crème dépilatoire** depilatory cream.

dépistage nm (de maladie) screening • **dépistage du cancer** screening for cancer • **dépistage précoce** early screening • **dépistage du SIDA** AIDS testing.

dépister vt **1.** (gibier, voleur) to track down **2.** (maladie) to screen for.

dépit nm pique, spite. ■ **en dépit de** loc prép in spite of.

dépité, e adj cross, annoyed.

déplacé, e adj **1.** (propos, attitude, présence) out of place **2.** (personne) displaced.

déplacement nm **1.** (d'objet) moving **2.** (voyage) travelling (indén) (UK), traveling (indén) (US).

déplacer vt **1.** (objet) to move, to shift **2.** fig (problème) to shift the emphasis of **3.** (muter) to transfer. ■ **se déplacer** vp **1.** (se mouvoir - animal) to move (around) ; (- personne) to walk **2.** (voyager) to travel **3.** MÉD • **se déplacer une vertèbre** to slip a disc (UK) ou disk (US).

déplaire vt **1.** (ne pas plaire) • **cela me déplaît** I don't like it **2.** (irriter) to displease.

déplaisant, e adj sout unpleasant.

dépliant nm leaflet • **dépliant touristique** tourist brochure.

déplier vt to unfold.

déploiement nm **1.** MIL deployment **2.** (d'ailes) spreading **3.** fig (d'efforts) display.

déplorer vt (regretter) to deplore.

déployer vt **1.** (déplier - gén) to unfold ; (- plan, journal) to open **2.** (ailes) to spread **3.** MIL to deploy **4.** (mettre en œuvre) to expend.

dépolluant, e adj depolluting, anti-pollutant.

déportation nf **1.** (exil) deportation **2.** (internement) transportation to a concentration camp.

déporté, e nm, f **1.** (exilé) deportee **2.** (en camp de concentration) concentration camp prisoner.

déporter vt **1.** (dévier) to carry off course **2.** (exiler) to deport **3.** (interner) to send to a concentration camp.

déposé, e adj • **marque déposée** registered trademark • **modèle déposé** patented design.

déposer vt **1.** (poser) to put down **2.** (personne, paquet) to drop • **elle l'a déposé à la gare** she dropped him at the station **3.** (argent, sédiment) to deposit **4.** DR to file • **déposer son bilan** FIN to go into liquidation **5.** (monarque) to depose. ❏ vi DR to testify, to give evidence. ■ **se déposer** vp to settle.

dépositaire nmf **1.** COMM agent **2.** (d'objet) bailee • **dépositaire de** fig person entrusted with.

déposition nf deposition.

déposséder vt • **déposséder qqn de** to dispossess sb of.

dépôt nm **1.** (d'objet, d'argent, de sédiment) deposit, depositing (indén) • **verser un dépôt (de garantie)** to put down a deposit • **dépôt d'ordures** rubbish dump (UK), garbage dump (US) **2.** ADMIN registration • **dépôt légal** copyright registration **3.** (garage) depot **4.** (entrepôt) store, warehouse **5.** (prison) ≃ police cells pl.

dépotoir nm **1.** (décharge) rubbish dump (UK), garbage dump (US) **2.** fam & fig dump, tip (UK).

dépouille nf **1.** (peau) hide, skin **2.** (humaine) remains pl.

dépouillement nm (sobriété) austerity, sobriety.

dépouiller vt **1.** (priver) • **dépouiller qqn (de)** to strip sb (of) **2.** (examiner) to peruse • **dépouiller le scrutin** to count the votes.

dépourvu, e adj • **dépourvu de** without, lacking in. ■ **au dépourvu** loc adv • **prendre qqn au dépourvu** to catch sb unawares.

dépoussiérer vt to dust (off).

dépravé, e adj depraved. ❏ nm, f degenerate.

dépréciation nf depreciation.

déprécier vt **1.** (marchandise) to reduce the value of **2.** (œuvre) to disparage. ■ **se déprécier** vp **1.** (marchandise) to depreciate **2.** (personne) to put o.s. down.

dépressif, ive adj depressive.

dépression nf depression • **faire une dépression** to suffer from depression • **dépression nerveuse** nervous breakdown.

déprimant, e adj depressing.

déprime nf fam • **faire une déprime** to be (feeling) down.

déprimé, e adj depressed.

déprimer vt to depress • **il déprime facilement** he gets depressed easily. ❏ vi fam to be (feeling) down.

déprogrammer vt **1.** to remove from the schedule **2.** TV to take off the air.

dépuceler vt fam • **dépuceler qqn** to take sb's virginity.

depuis

■ **depuis** prép

1. INDIQUE UN POINT DE DÉPART DANS LE TEMPS • **je ne l'ai pas vu depuis son mariage** I haven't seen him since his wedding ou he got married • **il est parti depuis hier** he's been away since yesterday • **depuis quand le connaissez-vous ?** how long have you known him? • **depuis quelle date êtes-vous ici ?** since when have you been here? ou when did you arrive? • **il aime la musique depuis sa plus tendre enfance** he has loved music since his earliest childhood

2. EXPRIME UNE DURÉE

• **il est malade depuis une semaine** he has been ill for a week • **on se connaît depuis 10 ans/longtemps** we've known each other for 10 years/a long time • **quand je suis arrivé, ils discutaient depuis des heures** when I arrived, they had been chatting for hours • **ils sont amis depuis toujours** they've always been friends

3. INDIQUE UN POINT DE DÉPART DANS L'ESPACE

from • **depuis la route, on pouvait voir la mer** you could see the sea from the road

■ **depuis** *adv*

since (then) • **depuis, nous ne l'avons pas revu** we haven't seen him since (then)

■ **depuis que** *loc conj*

since • **je ne l'ai pas revu depuis qu'il s'est marié** I haven't seen him since he got married

député, e *nm, f* POLIT (*au parlement*) member of parliament (UK), representative (US) ; (*en France*) deputy ; (*en Grande-Bretagne*) member of parliament ; (*aux États-Unis*) Congressman, Congresswoman *f* ; (*dans l'UE*) • **un député européen** a Euro-MP, a MEP.

déraciner *vt litt & fig* to uproot.

déraillement *nm* derailment.

dérailler *vi* **1.** (*train*) to leave the rails, to be derailed **2.** *fam & fig* (*mécanisme*) to go on the blink **3.** *fam & fig* (*personne*) to go to pieces **4.** *fam & fig* (*discours*) • **tu dérailles (complètement) !** you're talking (complete) nonsense!

dérailleur *nm* (*de bicyclette*) derailleur.

déraisonnable *adj* unreasonable.

dérangement *nm* trouble • **en dérangement** out of order.

déranger *vt* **1.** (*personne*) to disturb, to bother • **ça vous dérange si je fume ?** do you mind if I smoke? **2.** (*plan*) to disrupt **3.** (*maison, pièce*) to make untidy. □ *vi* to be disturbing. ■ **se déranger** *vp* **1.** (*se déplacer*) to move **2.** (*se gêner*) to put o.s. out • **ne te dérange pas** don't bother.

dérapage *nm* **1.** (*glissement*) skid **2.** *fig* excess.

déraper *vi* **1.** (*glisser*) to skid **2.** *fig* to get out of hand.

déréglementer *vt* to deregulate.

dérégler *vt* **1.** (*mécanisme*) to put out of order **2.** *fig* to upset. ■ **se dérégler** *vp* **1.** (*mécanisme*) to go wrong • **ma montre s'est déréglée** my watch has gone wrong **2.** *fig* to be upset *ou* unsettled.

dérembourser *vt* (*les médicaments*) to no longer reimburse (the cost of).

dérider *vt fig* • **dérider qqn** to cheer sb up.

dérision *nf* derision • **tourner qqch en dérision** to hold sthg up to ridicule.

dérisoire *adj* derisory.

dérivatif, ive *adj* derivative. ■ **dérivatif** *nm* distraction.

dérive *nf* (*mouvement*) drift, drifting (*indén*) • **aller** *ou* **partir à la dérive** *fig* to fall apart.

dérivé *nm* CHIM & LING derivative.

dériver *vt* (*détourner*) to divert (UK), to detour (US). □ *vi* **1.** (*aller à la dérive*) to drift **2.** *fig* (*découler*) • **dériver de** to derive from.

dériveur *nm* sailing dinghy (*with centreboard*).

dermatologie *nf* dermatology.

dermatologue *nmf* dermatologist • **aller chez le dermatologue** to go to the dermatologist's.

dernier, ère *adj* **1.** (*gén*) last • **l'année dernière** last year **2.** (*ultime*) last, final **3.** (*plus récent*) latest. □ *nm, f* last • **tu veux le dernier ?** do you want the last one? • **ce dernier** the latter. ■ **en dernier** *loc adv* last.

dernièrement *adv* recently, lately.

dernier-né, dernière-née *nm, f* (*bébé*) youngest (child).

dérobade *nf* evasion, shirking (*indén*).

dérobé, e *adj* **1.** (*volé*) stolen **2.** (*caché*) hidden. ■ **à la dérobée** *loc adv* surreptitiously.

dérober *vt sout* to steal. ■ **se dérober** *vp* **1.** (*se soustraire*) • **se dérober à qqch** to shirk sthg **2.** (*s'effondrer*) to give way.

dérogation *nf* **1.** (*action*) dispensation **2.** (*résultat*) exception.

déroulant *adj m* • **menu déroulant** INFORM pull-down menu.

déroulement *nm* **1.** (*de bobine*) unwinding **2.** *fig* (*d'événement*) development.

dérouler *vt* **1.** (*fil*) to unwind **2.** (*papier, tissu*) to unroll. ■ **se dérouler** *vp* to take place.

déroute *nf* **1.** MIL rout **2.** *fig* collapse.

dérouter *vt* **1.** (*déconcerter*) to disconcert, to put out **2.** (*dévier*) to divert (UK), to detour (US).

derrière *prép & adv* behind • **derrière l'école** behind the school • **les autres sont restés derrière** the others stayed behind. □ *nm* **1.** (*partie arrière*) back • **la porte de derrière** the back door • **le derrière de la maison** the back of the house **2.** (*partie du corps*) bottom, behind.

dès *prép* from • **dès son arrivée** the minute he arrives/arrived, as soon as he arrives/arrived • **dès l'enfance** since childhood • **dès 1900** as far back as 1900, as early as 1900 • **dès maintenant** from now on • **dès demain** starting *ou* from tomorrow. ■ **dès que** *loc conj* as soon as.

désabusé, e *adj* disillusioned.

désaccord *nm* disagreement.

désaccordé, e *adj* out of tune.

désaffecté, e *adj* disused.

désaffection *nf* disaffection.

désagréable *adj* unpleasant.

désagréger vt to break up. ■ **se désagréger** vp to break up.

désagrément nm annoyance.

désaltérant, e adj thirst-quenching.

désaltérer ■ **se désaltérer** vp to quench one's thirst.

désamorcer vt 1. *(arme)* to remove the primer from 2. *(bombe)* to defuse 3. *fig (complot)* to nip in the bud.

désappointer vt to disappoint.

désapprobation nf disapproval.

désapprouver vt to disapprove of. ❑ vi to disapprove.

désarmement nm disarmament.

désarmer vt 1. to disarm 2. *(fusil)* to unload.

désarroi nm confusion.

désastre nm disaster.

désastreux, euse adj disastrous.

désavantage nm disadvantage • **avoir un désavantage** to be at a disadvantage.

désavantager vt to disadvantage.

désavantageux, euse adj unfavourable (UK), unfavorable (US).

désaveu nm 1. *(reniement)* denial 2. *(désapprobation)* disapproval.

désavouer vt to disown.

désaxé, e adj *(mentalement)* disordered, unhinged. ❑ nm, f unhinged person.

descendance nf *(progéniture)* descendants pl.

descendant, e nm, f *(héritier)* descendant.

descendre vt 1. *(escalier, pente)* to go/come down • **descendre la rue en courant** to run down the street 2. *(rideau, tableau)* to lower 3. *(apporter)* to bring/take down 4. *fam (personne, avion)* to shoot down. ❑ vi 1. *(gén)* to go/come down 2. *(température, niveau)* to fall 3. *(passager)* to get off • **descendre d'un bus** to get off a bus • **descendre d'une voiture** to get out of a car 4. *(être issu)* • **descendre de** to be descended from 5. *(marée)* to go out.

descendu, e pp → descendre.

descente nf 1. *(action)* descent • **la descente a été plus facile que la montée** coming down was easier than going up 2. *(pente)* downhill

manifester son désaccord

• *I (completely) disagree with you.* Je ne suis (absolument) pas d'accord avec toi.
• *I don't agree.* Je suis d'un autre avis.
• *Whatever!* N'importe quoi !
• *You can't be serious!* Tu n'es/Vous n'êtes quand même pas sérieux ?
• *I don't believe it.* Ce n'est pas vrai.
• *I'm afraid you can't compare the two cases.* J'ai bien peur que l'on ne puisse pas comparer ces deux cas.

slope *ou* stretch • **ne vas pas trop vite dans la descente** don't go too fast downhill 3. *(irruption)* raid 4. *(tapis)* • **descente de lit** bedside rug.

descriptif, ive adj descriptive. ■ **descriptif** nm 1. *(de lieu)* particulars pl 2. *(d'appareil)* specification.

description nf description.

description physique

le mari / la femme the husband / the wife
le fils / la fille the son / the daughter
les yeux bleus / verts blue-eyed / green-eyed
les yeux marron brown-eyed
les yeux noirs / gris dark-eyed / grey-eyed
les cheveux longs / courts long / short hair
blond(e) blonde (UK), blond (US)
brun(e) dark-haired
châtain light brown-haired
roux (rousse) red-haired
chauve bald
petit(e) *(corpulence)* small
grand(e) *(corpulence)* big
petit(e) *(taille)* short
grand(e) *(taille)* tall
gros(se) fat
maigre thin

désemparé, e adj 1. *(personne)* helpless 2. *(avion, navire)* disabled.

désendettement nm degearing (UK), debt reduction.

désenfler vi to go down, to become less swollen.

désensibiliser vt to desensitize.

déséquilibre nm imbalance.

déséquilibré, e nm, f unbalanced person.

déséquilibrer vt 1. *(physiquement)* • **déséquilibrer qqn** to throw sb off balance 2. *(perturber)* to unbalance.

désert, e adj 1. *(désertique - île)* desert *(avant nom)* 2. *(peu fréquenté)* deserted. ■ **désert** nm desert.

déserter vt & vi to desert.

déserteur nm 1. MIL deserter 2. *fig & péj* traitor.

désertion nf desertion.

désertique adj desert *(avant nom)*.

désespéré, e adj 1. *(regard)* desperate 2. *(situation)* hopeless.

désespérément adv 1. *(sans espoir)* hopelessly 2. *(avec acharnement)* desperately.

désespérer vt 1. *(décourager)* • **désespérer qqn** to drive sb to despair 2. *(perdre espoir)* • **désespérer que qqch arrive** to give up hope of sthg happening. ❑ vi • **désespérer (de)** to despair (of). ■ **se désespérer** vp to despair.

désespoir *nm* despair • **en désespoir de cause** as a last resort.

déshabillé *nm* negligee.

déshabiller *vt* to undress. ■ **se déshabiller** *vp* to undress, to get undressed.

désherbant, e *adj* weed-killing. ■ **désherbant** *nm* weedkiller.

désherber *vt & vi* to weed.

déshérité, e *adj* **1.** *(privé d'héritage)* disinherited **2.** *(pauvre)* deprived. ❑ *nm, f (pauvre)* deprived person.

déshériter *vt* to disinherit.

déshonneur *nm* disgrace.

déshonorer *vt* to disgrace, to bring disgrace on.

déshydrater *vt* to dehydrate. ■ **se déshydrater** *vp* to become dehydrated.

design *adj inv* modern. ❑ *nm inv* modernism.

désigner *vt* **1.** *(choisir)* to appoint **2.** *(signaler)* to point out • **désigner quelqu'un du doigt** to point at somebody **3.** *(nommer)* to designate.

désillusion *nf* disillusion.

désincarné, e *adj* **1.** RELIG disembodied **2.** *(éthéré)* unearthly.

désindustrialiser *vt* to deindustrialize.

désinence *nf* LING ending.

désinfectant, e *adj* disinfectant. ■ **désinfectant** *nm* disinfectant.

désinfecter *vt* to disinfect.

désinflation *nf* disinflation.

désinstallation *nf* INFORM uninstalling, deinstalling.

désinstaller *vt* INFORM to uninstall.

désintégrer *vt* to break up. ■ **se désintégrer** *vp* to disintegrate, to break up.

désintéressé, e *adj* disinterested.

désintéresser ■ **se désintéresser** *vp* • **se désintéresser de** to lose interest in.

désintoxication *nf* detoxification.

désintoxiquer *vt* **1.** MÉD to detoxify • **se faire désintoxiquer** to be weaned off drugs **2.** *(informer)* to counteract.

désinvolte *adj* **1.** *(à l'aise)* casual **2.** *péj (sans-gêne)* offhand.

désinvolture *nf* **1.** *(légèreté)* casualness **2.** *péj (sans-gêne)* offhandedness.

désir *nm* **1.** *(souhait)* desire, wish **2.** *(charnel)* desire.

désirable *adj* desirable.

désirer *vt* **1.** *sout (chose)* • **désirer faire qqch** to wish to do sthg • **vous désirez ? a)** *(dans un magasin)* can I help you? **b)** *(dans un café)* what can I get you? **2.** *(sexuellement)* to desire.

désistement *nm* • **désistement (de)** withdrawal (from).

désister ■ **se désister** *vp (se retirer)* to withdraw, to stand down.

désobéir *vi* • **désobéir (à qqn)** to disobey (sb) • **mon petit frère a encore désobéi** my little brother has been disobedient again.

désobéissant, e *adj* disobedient.

désobligeant, e *adj sout* offensive.

désodorisant, e *adj* deodorizing. ■ **désodorisant** *nm* deodorizer, air freshener.

désœuvré, e *adj* idle.

désolant, e *adj* disappointing.

désolation *nf* **1.** *(destruction)* desolation **2.** *sout (affliction)* distress.

désolé, e *adj* **1.** *(ravagé)* desolate **2.** *(contrarié)* very sorry.

désoler *vt* **1.** *(affliger)* to sadden **2.** *(contrarier)* to upset, to make sorry. ■ **se désoler** *vp (être contrarié)* to be upset.

désolidariser *vt* **1.** *(choses)* • **désolidariser qqch (de)** to disengage *ou* disconnect sthg (from) **2.** *(personnes)* to estrange. ■ **se désolidariser** *vp* • **se désolidariser de** to dissociate o.s. from.

désopilant, e *adj* hilarious.

désordonné, e *adj* **1.** *(maison, personne)* untidy **2.** *fig (vie)* disorganized.

désordre *nm* **1.** *(fouillis)* untidiness • **en désordre** untidy • **quel désordre !** what a mess! **2.** *(agitation)* disturbances *pl*, disorder *(indén)*.

désorganiser *vt* to disrupt.

désorienté, e *adj* disoriented, disorientated (UK).

désormais *adv* from now on, in future.

désosser *vt* to bone.

despote nm **1.** (chef d'État) despot **2.** fig & péj tyrant.

despotisme nm **1.** (gouvernement) despotism **2.** fig & péj tyranny.

DESS (abrév de diplôme d'études supérieures spécialisées) nm ≃ master's (degree).

dessécher vt **1.** (peau) to dry (out) **2.** fig (cœur) to harden. ■ **se dessécher** vp **1.** (peau, terre) to dry out **2.** (plante) to wither **3.** fig to harden.

desserrer vt **1.** to loosen **2.** (poing, dents) to unclench **3.** (frein) to release.

dessert nm dessert.

desserte nf **1.** (transports) (transport) service (UK), (transportation) service (US) **2.** (meuble) sideboard.

desservir vt **1.** (transports) to serve **2.** (table) to clear **3.** (désavantager) to do a disservice to.

dessin nm **1.** (graphique) drawing • **dessin animé** cartoon (film) • **dessin humoristique** cartoon (drawing) **2.** fig (contour) outline.

dessinateur, **trice** nm, f artist, draughtsman, draughtswoman f (UK), draftsman, draftswoman f (US).

dessiner vt **1.** (représenter) to draw **2.** fig to outline. ❏ vi to draw.

dessous adv underneath • **il porte un pull sans rien dessous** he's wearing a sweater and nothing underneath. ❏ nm (partie inférieure - gén) underside • **il y a des chewing-gums collés sur le dessous de la table** there is chewing-gum stuck on the underside of the table ; (- d'un tissu) wrong side • **dessous de verre** ou **de bouteille** coaster. ❏ nmpl (sous-vêtements féminins) underwear (indén) • **des dessous en soie** silk underwear. ■ **en dessous** loc adv **1.** underneath **2.** (plus bas) below • **ils habitent l'appartement d'en dessous** the flat below ou downstairs.

dessous-de-plat nm inv tablemat.

dessus adv on top • **faites attention à ne pas marcher dessus** be careful not to walk on it. ❏ nm **1.** (partie supérieure) top **2.** (étage supérieur) upstairs • **les voisins du dessus** the upstairs neighbours **3.** (locution) • **avoir le dessus** to have the upper hand • **reprendre le dessus** to get over it. ■ **en dessus** loc adv on top.

dessus-de-lit nm inv bedspread.

déstabiliser vt to destabilize.

destin nm fate, destiny.

destinataire nmf addressee.

destination nf **1.** (direction) destination • **un avion à destination de Paris** a plane to ou for Paris **2.** (rôle) purpose.

destinée nf destiny.

destiner vt **1.** (consacrer) • **destiner qqch à** to intend sthg for, to mean sthg for **2.** (vouer) • **destiner qqn à qqch/à faire qqch a)** (à un métier) to destine sb for sthg/to do sthg **b)** (sort) to mark sb out for sthg/to do sthg.

destituer vt to dismiss.

déstockage nm COMM destocking • **destockage massif** clearance sale.

déstresser vi & vt to relax.

destructeur, **trice** adj destructive. ❏ nm, f destroyer.

destruction nf destruction.

désuet, **ète** adj **1.** (expression, coutume) obsolete **2.** (style, tableau) outmoded.

désuni, **e** adj divided.

détachable adj detachable, removable.

détachant, **e** adj stain-removing. ■ **détachant** nm stain remover.

détaché, **e** adj detached.

détachement nm **1.** (d'esprit) detachment **2.** (de fonctionnaire) temporary assignment, secondment (UK) **3.** MIL detachment.

détacher vt **1.** (enlever) • **détacher qqch (de) a)** (objet) to detach sthg (from) **b)** fig to free sthg (from) **2.** (nettoyer) to remove stains from, to clean **3.** (délier) to undo **4.** (cheveux) to untie • **les cheveux détachés** with loose hair **5.** ADMIN • **détacher qqn auprès de** to send sb on temporary assignment to, to second sb to (UK). ■ **se détacher** vp **1.** (tomber) • **se détacher (de)** to come off **2.** (se défaire) to come undone **3.** (ressortir) • **se détacher sur** to stand out on **4.** (s'éloigner) • **se détacher de qqn** to drift apart from sb.

détail nm **1.** (précision) detail **2.** COMM • **le détail** retail. ■ **au détail** loc adj & loc adv retail. ■ **en détail** loc adv in detail.

détaillant, **e** nm, f retailer.

détaillé, **e** adj detailed.

détailler vt **1.** (expliquer) to give details of **2.** (vendre) to retail.

détaler vi **1.** (personne) to clear out **2.** (animal) to bolt.

détartrant, **e** adj descaling. ■ **détartrant** nm descaling agent.

détaxe nf • **détaxe (sur) a)** (suppression) removal of tax (from) **b)** (réduction) reduction in tax (on).

détecter vt to detect.

détecteur, **trice** adj detecting (avant nom), detector (avant nom). ■ **détecteur** nm detector.

détection nf detection.

détective nmf detective • **détective privé** private detective.

déteindre vi to fade.

déteint, **e** pp → **déteindre**.

dételer vt (cheval) to unharness.

détendre vt **1.** (corde) to loosen, to slacken **2.** fig to ease **3.** (personne) to relax. ■ **se détendre** vp **1.** (se relâcher) to slacken **2.** fig (situation) to ease **3.** (atmosphère) to become more relaxed **4.** (se reposer) to relax.

détendu, e adj **1.** (corde) loose, slack **2.** (personne) relaxed.

détenir vt **1.** (objet) to have, to hold **2.** (personne) to detain, to hold.

détente nf **1.** (de ressort) release **2.** (d'une arme) trigger **3.** (repos) relaxation **4.** POLIT détente.

détenteur, trice nm, f **1.** (d'objet, de secret) possessor **2.** (de prix, record) holder.

détention nf **1.** (possession) possession **2.** (emprisonnement) detention.

détenu, e pp → détenir. ◻ adj detained. ◻ nm, f prisoner.

détergent, e adj detergent (avant nom). ■ détergent nm detergent.

détérioration nf **1.** (de bâtiment) deterioration **2.** (de situation) worsening.

détériorer vt **1.** (abîmer) to damage **2.** (altérer) to ruin. ■ se détériorer vp **1.** (bâtiment) to deteriorate **2.** (situation) to worsen **3.** (s'altérer) to be spoiled.

déterminant, e adj decisive, determining. ■ déterminant nm LING determiner.

détermination nf (résolution) determination, decision.

déterminé, e adj **1.** (quantité) given (avant nom) • une quantité déterminée d'argent a given amount of money **2.** (expression) determined.

déterminer vt **1.** (préciser) to determine, to specify **2.** (provoquer) to bring about.

déterrer vt to dig up.

détestable adj dreadful.

détester vt to detest.

détonateur nm **1.** TECHNOL detonator **2.** fig trigger.

détonation nf detonation.

détoner vi to detonate.

détonner vi **1.** MUS to be out of tune **2.** (couleur) to clash **3.** (personne) to be out of place.

détour nm **1.** (crochet) detour **2.** (méandre) bend • sans détour fig directly.

détourné, e adj **1.** (dévié) indirect **2.** fig roundabout (avant nom).

détournement nm diversion, detour • détournement d'avion hijacking • détournement de fonds embezzlement • détournement de mineur corruption of a minor.

détourner vt **1.** (dévier - gén) to divert, to detour (us) ; (- avion) to hijack **2.** (écarter) • détourner qqn de to distract sb from, to divert sb from **3.** (la tête, les yeux) to turn away **4.** (argent) to embezzle. ■ se détourner vp to turn away • se détourner de fig to move away from.

détracteur, trice nm, f detractor.

détraquer vt **1.** fam (dérégler) to break **2.** fig to upset. ■ se détraquer vp fam **1.** (se dérégler) to go wrong **2.** fig to become unsettled.

détresse nf distress.

détriment ■ au détriment de loc prép to the detriment of.

détritus nm detritus.

détroit nm strait • le détroit de Bering the Bering Strait • le détroit de Gibraltar the Strait of Gibraltar.

détromper vt to disabuse.

détrôner vt **1.** (souverain) to dethrone **2.** fig to oust.

détruire vt **1.** (démolir, éliminer) to destroy **2.** fig (anéantir) to ruin.

dette nf debt.

deuil nm **1.** (douleur, mort) bereavement **2.** (vêtements, période) mourning (indén) • porter le deuil to be in ou wear mourning.

deux adj num inv two • ses deux fils his two sons, both his sons • tous les deux jours every two days, every second day, every other day. ◻ nm two • les deux both • par deux in pairs. Voir aussi six.

deuxième adj num inv, nm & nmf second. Voir aussi sixième.

deux-pièces nm inv **1.** (appartement) two-room flat (UK) ou apartment (US) **2.** (bikini) two-piece (swimsuit).

deux-points nm inv colon.

deux-roues nm inv two-wheeled vehicle.

dévaler vt to run down.

dévaliser vt **1.** (cambrioler - maison) to ransack ; (- personne) to rob • fig to strip bare.

dévaloriser vt **1.** (monnaie) to devalue **2.** (personne) to run ou put down. ■ se dévaloriser vp **1.** (monnaie) to fall in value **2.** fig (personne) to run ou put o.s. down.

dévaluation nf devaluation.

dévaluer vt to devalue. ■ se dévaluer vp to devalue.

devancer vt **1.** (précéder) to arrive before **2.** (anticiper) to anticipate.

devant prép **1.** (en face de) in front of **2.** (en avant de) ahead of, in front of • aller droit devant soi to go straight ahead ou on **3.** (en présence de, face à) in the face of. ◻ adv **1.** (en face) in front **2.** (en avant) in front, ahead. ◻ nm front • prendre les devants to make the first move, to take the initiative. ■ de devant loc adj (pattes, roues) front (avant nom).

devanture nf shop (UK) ou store (US) window.

dévaster vt to devastate.

développement nm **1.** development • le développement d'un enfant the development of a child • développement durable sustainable development **2.** PHOTO developing • le développement des photos developing the photographs.

développer vt **1.** (gén) to develop **2.** to expand **3.** PHOTO to develop **4.** • faire développer des photos to have some photos developed.

■ **se développer** *vp* **1.** *(s'épanouir)* to spread **2.** *ÉCON* to grow, to expand.

développeur *nm* (*INFORM - entreprise*) software development *ou* design company ; (*-personne*) software developer *ou* designer.

devenir *vi* to become ● **que devenez-vous ?** *fig* how are you doing?

devenu, e *pp* → **devenir**.

dévergondé, e *adj* shameless, wild. ❑ *nm, f* shameless person.

déverrouiller *vt* **1.** *(porte)* to unbolt **2.** *(arme)* to release the catch of.

déverser *vt* **1.** *(liquide)* to pour out **2.** *(ordures)* to tip (out) **3.** *fig (injures)* to pour out.

déviation *nf* **1.** *(gén)* deviation **2.** *(d'itinéraire)* diversion, detour.

dévier *vi* ● **dévier de** to deviate from. ❑ *vt* to divert, to detour (us).

devin, devineresse *nm, f* soothsayer ● **je ne suis pas devin !** I'm not psychic *ou* a mind-reader!

deviner *vt* to guess.

devinette *nf* riddle ● **pose-moi une devinette** ask me a riddle.

devis *nm* estimate ● **faire un devis** to (give an) estimate.

dévisager *vt* to stare at.

devise *nf* **1.** *(formule)* motto **2.** *(monnaie)* currency. ■ **devises** *nfpl (argent)* currency (*indén*).

dévisser *vt* to unscrew. ❑ *vi (alpinisme)* to fall (off).

dévoiler *vt* **1.** to unveil **2.** *fig* to reveal.

---

devoir

■ **devoir** *nm*

1. OBLIGATION
● **tu n'as pas le choix, c'est ton devoir** you have no choice, it's your duty

2. TRAVAIL ÉCRIT
● **ce professeur donne beaucoup de devoirs** this teacher gives a lot of homework

■ **devoir** *vt*

1. POUR PARLER D'UNE DETTE
● **je lui dois 5 euros** I owe her *ou* him five euros

2. INDIQUE QUE L'ON EST REDEVABLE DE QQCH
● **je crois que tu lui dois des excuses** I think you owe her an apology ● **je dois à mes professeurs d'avoir réussi** I owe my success to my teachers *ou* I have my teachers to thank for my success ● **elle ne veut rien devoir à personne** she doesn't want to be indebted to anybody ● **cette découverte ne doit rien au hasard** this discovery has nothing to do with luck

3. INDIQUE L'OBLIGATION
● **je dois partir à l'heure ce soir** I have to *ou* must leave on time tonight ● **il a dû s'arrêter de fumer** he had to stop smoking

4. AU CONDITIONNEL, EXPRIME UN CONSEIL OU UN REGRET
● **tu devrais faire attention** you should be *ou* ought to be careful ● **il n'aurait pas dû mentir** he shouldn't have lied, he ought not to have lied

5. INDIQUE LA PROBABILITÉ
● **il doit faire chaud là-bas** it must be hot over there ● **il a dû oublier** he must have forgotten

6. INDIQUE UNE PRÉVISION
● **elle doit arriver à 6 heures** she's due to arrive at 6 o'clock ● **elle devait arriver à six heures** she was supposed to arrive at six ● **je dois voir mes parents ce week-end** I'm seeing *ou* going to see my parents this weekend

7. INDIQUE UNE FATALITÉ
● **cela devait arriver** it had to happen, it was bound to happen ● **nos chemins devaient se croiser tôt ou tard** our paths were bound to *ou* had to cross sooner or later

■ **se devoir** *vp*
● **se devoir de faire qqch** to be duty-bound to do sthg ● **comme il se doit** as is proper

---

devoir

● *devoir qqch à qqn* owe sthg to sb *ou* owe sb sthg
Il faut noter la construction à double complément qui, en anglais, peut prendre deux formes dont le sens est le même :
1. une structure identique à celle du français : verbe + COD + préposition + COI *owe sthg to sb*
2. une structure qui diffère de celle du français, sans préposition, et dans laquelle l'ordre des compléments est inversé : verbe + COI + COD *owe sb sthg*
● *Il doit encore beaucoup d'argent à son associé.* **He still owes a lot of money to his business partner** *ou* **He still owes his business partner a lot of money.**

---

l'expression du devoir

Must indique ce qui est bien du point de vue moral, de la santé, etc, qu'il s'agisse d'une obligation ou d'une recommandation. *Must* n'a pas de forme infinitive et ne peut se mettre au passé (*J'ai dû le faire* se traduit par **I had to do it**). Au présent, il ne prend pas de **s** à la 3e personne du singulier. **Have to** indique une obligation imposée par les circonstances.

dévolu, e adj sout • **dévolu à** allotted to. ■ **dévolu** nm • **jeter son dévolu sur** to set one's sights on.

dévorer vt to devour.

dévotion nf devotion • **avec dévotion a)** (prier) devoutly **b)** (soigner, aimer) devotedly.

dévoué, e adj devoted.

dévouement nm devotion.

dévouer ■ **se dévouer** vp **1.** (se consacrer) • **se dévouer à** to devote o.s. to **2.** fig (se sacrifier) • **se dévouer pour qqch/pour faire qqch** to sacrifice o.s. for sthg/to do sthg.

dévoyé, e adj & nm, f delinquent.

devrai, devras etc → **devoir**.

dextérité nf dexterity, skill.

dézipper vt to unzip.

diabète nm diabetes (indén).

diabétique nmf & adj diabetic.

diable nm devil.

diabolique adj diabolical.

diabolo nm (boisson) fruit cordial and lemonade • **diabolo menthe** mint (cordial) and lemonade.

diacre nm RELIG deacon.

diadème nm diadem.

diagnostic nm MÉD diagnosis.

diagnostiquer vt fig MÉD to diagnose.

diagonale nf diagonal.

diagramme nm graph • **diagramme à bâtons** bar graph ou chart (UK).

dialecte nm dialect.

dialogue nm **1.** discussion **2.** CINÉ dialogue.

dialoguer vi **1.** (converser) to converse **2.** INFORM to interact.

diamant nm (pierre) diamond.

diamètre nm diameter.

diapason nm (instrument) tuning fork.

diaphragme nm diaphragm.

diapositive nf slide.

diarrhée nf diarrhoea (UK), diarrhea (US).

dictateur nm dictator.

dictature nf dictatorship.

dictée nf dictation.

dicter vt to dictate.

diction nf diction.

dictionnaire nm dictionary • **dictionnaire électronique** electronic dictionary • **un dictionnaire bilingue** a bilingual dictionary.

dicton nm saying, maxim.

didactique adj didactic.

dièse adj sharp • **do/fa dièse** C/F sharp. ❑ nm **1.** sharp **2.** (symbole) hash (UK), pound sign (US) • **appuyez sur la touche dièse** press the hash key (UK) ou pound key (US).

diesel adj inv diesel.

diète nf **1.** diet **2.** (jeûne) to be fasting.

diététicien, enne nm, f dietician.

diététique nf dietetics (indén). ❑ adj **1.** (considération, raison) dietary **2.** (produit, magasin) health (avant nom).

dieu nm god. ■ **Dieu** nm God • **mon Dieu !** my God!

diffamation nf **1.** (écrite) libel **2.** (orale) slander.

différé, e adj recorded. ■ **différé** nm • **en différé a)** TV recorded **b)** INFORM off-line.

différence nf (distinction) difference, dissimilarity.

différencier vt • **différencier qqch de qqch** to differentiate sthg from sthg. ■ **se différencier** vp • **se différencier de** to be different from.

différend nm (désaccord) difference of opinion.

différent, e adj • **différent (de)** different (from).

différent de

À PROPOS DE

• différent de **différent from** ou **different than** (us)

• Il a des opinions politiques très différentes de celles de son frère. **His political opinions are very different from his brother's** ou **His political opinions are very different than his brother's** (us).

Attention, on ne dit pas **different of**. La forme **different to**, souvent employée à l'oral en anglais britannique, est également à éviter car il s'agit d'un usage critiqué.

différer vt (retarder) to postpone. ❑ vi • **différer de** to differ from, to be different from.

difficile adj difficult, hard.

difficilement adv with difficulty.

difficulté nf **1.** (complexité, peine) difficulty • **avoir des difficultés à faire qqch** to have difficulty doing sthg **2.** (obstacle) problem.

difforme adj deformed.

diffuser vt **1.** (lumière) to diffuse **2.** (émission) to broadcast **3.** (livres) to distribute **4.** INFORM • **diffuser sur Internet** to webcast.

diffuseur nm **1.** (appareil) diffuser **2.** (de livres) distributor.

diffusion nf **1.** (d'émission, d'onde) broadcast **2.** (de livres) distribution.

digérer vi to digest. ❑ vt **1.** (repas, connaissance) to digest **2.** fam & fig (désagrément) to put up with.

digestif, ive adj digestive. ■ **digestif** nm liqueur.

digestion nf digestion.

digital, e adj **1.** fam TECHNOL digital **2.** → **empreinte**.

digne adj **1.** (honorable) dignified **2.** (méritant) • **digne de** worthy of.

dignitaire nm dignitary • **haut dignitaire** mandarin.

dignité nf dignity.

digression nf digression.

digue nf dike.

dilapider vt to squander.

dilater vt to dilate.

dilemme nm (gén) dilemma.

dilettante nmf dilettante • **faire qqch en dilettante** to dabble in sthg.

diligence nf sout HIST diligence.

diluant nm thinner.

diluer vt to dilute. ■ **se diluer** vp litt & fig to be diluted.

diluvien, enne adj torrential.

dimanche nm Sunday. Voir aussi **samedi**.

En anglais les noms de jour s'écrivent avec une majuscule.

dimension nf 1. (mesure) dimension 2. (taille) **dimensions** pl, size • **quelles sont les dimensions de la pièce ?** what are the dimensions of the room? 3. fig (importance) magnitude 4. (science fiction) • **la troisième/quatrième dimension** the third/fourth dimension. ■ **à deux dimensions** loc adj two-dimensional. ■ **à trois dimensions** loc adj three-dimensional.

diminuer vt (réduire) to diminish, to reduce. ❏ vi (intensité) to diminish, to decrease.

diminutif, ive adj diminutive. ■ **diminutif** nm diminutive • **Pat est le diminutif de Patricia** Pat is short for Patricia.

diminution nf diminution.

dinde nf 1. (animal) turkey 2. péj (femme) stupid woman.

dindon nm turkey • **être le dindon de la farce** fig & fam to be made a fool of.

dîner vi to dine. ❏ nm dinner • **mon correspondant anglais dîne à six heures et demie** my English penfriend has dinner at six thirty • **un dîner aux chandelles** a candlelit dinner.

dingue fam adj 1. (personne) crazy 2. (histoire) incredible. ❏ nmf loony.

dinosaure nm dinosaur • **les dinosaures ont disparu il y a 65 millions d'années** dinosaurs became extinct 65 million years ago.

diphtongue nf diphthong.

diplômant, e adj (cursus, formation) that leads to a qualification.

diplomate nmf (ambassadeur) diplomat. ❏ adj diplomatic.

diplomatie nf diplomacy.

diplomatique adj diplomatic.

diplôme nm diploma • **un diplôme d'ingénieur** an engineering diploma.

diplômé, e adj • **être diplômé de/en** to be a graduate of/in. ❏ nm, f graduate.

dire vt • **dire qqch (à qqn)** a) (parole) to say sthg (to sb) b) (vérité, mensonge, secret) to tell (sb) sthg • **dire à qqn de faire qqch** to tell sb to do sthg • **il m'a dit que...** he told me (that)... • **c'est vite dit** fam that's easy (for you/him etc) to say • **c'est beaucoup dire** that's saying a lot • **la ville proprement dite** the actual town • **dire du bien/du mal (de)** to speak well/ill (of) • **que dirais-tu de... ?** what would you say to...? • **qu'en dis-tu ?** what do you think (of it)? • **on dirait que...** it looks as if... • **on dirait de la soie** it looks like silk, you'd think it was silk • **et dire que je n'étais pas là !** and to think I wasn't there! • **ça ne me dit rien** a) (pas envie) I don't feel like it, I don't fancy that (UK) b) (jamais entendu) I've never heard of it. ■ **à vrai dire** loc adv to tell the truth. ■ **cela dit** loc adv having said that. ■ **dis donc** loc adv 1. fam so 2. fam (au fait) by the way 3. fam (à qqn qui exagère) look here! ■ **pour ainsi dire** loc adv so to speak. ■ **se dire** vp 1. (penser) to think (to o.s.). 2. (s'employer) • **ça ne se dit pas** a) (par décence) you mustn't say that b) (par usage) people don't say that, nobody says that 3. (se traduire) • **« chat » se dit « gato » en espagnol** the Spanish for "cat" is "gato".

À PROPOS DE dire

Le verbe **to say** s'emploie quand on dit quelque chose sans s'adresser à quelqu'un en particulier (**he hasn't said anything all evening** il n'a rien dit de toute la soirée) ou lorsqu'on rapporte exactement les paroles de quelqu'un.

Le verbe **to tell** s'utilise avec une personne en complément d'objet (**to tell somebody**) et s'emploie souvent lorsqu'on rapporte les paroles de quelqu'un dans le discours indirect (**to tell somebody that...**).

direct, e adj direct. ■ **direct** nm 1. (boxe) jab 2. (train) nonstop train • **un train direct pour Nîmes** a direct train to Nîmes 3. RADIO & TV • **le direct live transmission** (indén) • **en direct** live.

directement adv directly • **on est rentrés directement à la maison** we went straight home.

directeur, trice adj 1. (dirigeant) leading (avant nom) • **comité directeur** steering committee 2. (central) guiding (avant nom). ❏ nm, f director, manager • **directeur général** general manager, managing director (UK), chief executive officer (US) • **le directeur de l'école** the headteacher of the school.

direction nf 1. (gestion, ensemble des cadres) management • **sous la direction de** under the management of 2. (orientation) direction • **en ou dans la direction de** in the direction of 3. AUTO steering.

LEXIQUE

les directions

l'est	the east
le sud	the south
l'ouest	the west
le nord	the north
devant	in front
derrière	behind
gauche	left
droite	right
le centre	the centre
en haut	upstairs, at the top
en bas	downstairs, at the bottom

directive nf directive.

directrice → directeur.

dirigeable nm • (ballon) dirigeable airship.

dirigeant, e adj ruling (avant nom). ❏ nm, f 1. (de pays) leader 2. (d'entreprise) manager.

diriger vt 1. (mener-entreprise) to run, to manage ; (-orchestre) to conduct ; (-film, acteurs) to direct ; (-recherches, projet) to supervise 2. (conduire orienter) to steer 3. (pointer) • diriger qqch sur to aim sthg at • diriger qqch vers to aim sthg towards (UK) ou toward (US). ■ se diriger vp • se diriger vers to go towards (UK) ou toward (US), to head towards (UK) ou toward (US).

discernement nm (jugement) discernment.

discerner vt 1. (distinguer) • discerner qqch de to distinguish sthg from 2. (deviner) to discern.

disciple nmf disciple.

disciplinaire adj disciplinary.

discipline nf discipline.

discipliner vt 1. (personne) to discipline 2. (cheveux) to control.

disco nm disco (music).

discontinu, e adj 1. (ligne) broken 2. (bruit, effort) intermittent.

discordant, e adj discordant.

discorde nf discord.

discothèque nf 1. (boîte de nuit) night club 2. (de prêt) record library.

discount nm discount.

discourir vi to talk at length.

discours nm (allocution) speech • faire un discours to make a speech.

discréditer vt to discredit.

discret, ète adj 1. (gén) discreet 2. (réservé) reserved.

discrètement adv discreetly.

discrétion nf (réserve, tact, silence) discretion.

discrimination nf discrimination • sans discrimination indiscriminately • discrimination positive positive discrimination.

discriminatoire adj discriminatory.

disculper vt to exonerate. ■ se disculper vp to exonerate o.s.

discussion nf 1. (conversation, examen) discussion 2. (contestation, altercation) argument.

discutable adj (contestable) questionable.

discuter vt 1. (débattre) • discuter (de) qqch to discuss sthg 2. (contester) to dispute. ❏ vi 1. (parlementer) to discuss 2. (converser) to talk 3. (contester) to argue.

diseur, euse nm, f • diseur de bonne aventure fortune-teller.

disgracieux, euse adj 1. (sans grâce) awkward, graceless 2. (laid) plain.

disjoncter vi 1. ÉLECTR to short-circuit 2. fam (perdre la tête) to flip, to crack up.

disjoncteur nm trip switch, circuit breaker.

disloquer vt 1. MÉD to dislocate 2. (machine, empire) to dismantle. ■ se disloquer vp 1. (machine) to fall apart ou to pieces 2. fig (empire) to break up.

disparaître vi 1. (gén) to disappear, to vanish • Isa a disparu, personne ne sait où elle est Isa has disappeared, nobody knows where she is • faire disparaître a) (personne) to get rid of b) (obstacle) to remove • disparais, tu m'énerves ! go away, you're annoying me ! 2. (mourir) to die • cette espèce de papillon a disparu this type of butterfly has become extinct.

disparité nf (différence - d'éléments) disparity ; (- de couleurs) mismatch.

disparition nf 1. (gén) disappearance 2. (d'espèce) extinction • en voie de disparition endangered 3. (mort) passing.

disparu, e pp → disparaître. ❏ nm, f dead person, deceased • il y a plusieurs disparus several people went missing.

dispatcher vt to dispatch, to despatch.

dispensaire nm community clinic (UK), free clinic (US).

dispense nf (exemption) exemption.

dispenser vt 1. (distribuer) to dispense 2. (exempter) • dispenser qqn de qqch (corvée) to excuse sb sthg, to let sb off sthg • je te dispense de tes réflexions ! fig spare us the comments!, keep your comments to yourself!

disperser vt 1. to scatter (around) 2. (collection, brume, foule) to break up 3. fig (efforts, forces) to dissipate, to waste. ■ se disperser vp 1. (feuilles, cendres) to scatter 2. (brume) to break up, to clear 3. (foule) to break up, to disperse 4. (personne) to take on too much at once, to spread o.s. too thin.

dispersion nf 1. scattering 2. (de collection, brume, foule) breaking up 3. fig (d'efforts, de forces) waste, squandering.

disponibilité nf 1. (de choses) availability 2. (de fonctionnaire) leave of absence 3. (d'esprit) alertness, receptiveness.

disponible adj (place, personne) available, free.

disposé, e adj • être disposé à faire qqch to be prepared ou willing to do sthg • être bien dis-

posé envers qqn to be well-disposed towards (UK) *ou* toward (US) sb.

disposer vt *(arranger)* to arrange. ❑ vi • **disposer de a)** *(moyens, argent)* to have available (to one), to have at one's disposal **b)** *(chose)* to have the use of **c)** *(temps)* to have free *ou* available.

dispositif nm *(mécanisme)* device, mechanism.

disposition nf **1.** *(arrangement)* arrangement **2.** *(disponibilité)* • **à la disposition de** at the disposal of, available to. ■ **dispositions** nfpl **1.** *(mesures)* arrangements, measures **2.** *(dons)* • **avoir des dispositions pour** to have a gift for.

disproportionné, e adj out of proportion.

dispute nf argument, quarrel.

disputer vt **1.** *(SPORT - course)* to run ; *(- match)* to play **2.** *(lutter pour)* to fight for. ■ **se disputer** vp **1.** *(se quereller)* to quarrel, to fight • **arrêtez de vous disputer !** stop arguing! **2.** *(lutter pour)* to fight over *ou* for.

disquaire nmf record dealer.

disqualifier vt to disqualify.

disque nm **1.** MUS record • **un magasin de disques** a record shop **2.** *(vidéo)* videodisc (UK) *ou* videodisk (US) • **disque compact** *ou* **laser** compact disc **3.** ANAT disc (UK), disk (US) **4.** INFORM disk • **disque dur** hard disk • **disque de démarrage** boot disk **5.** SPORT discus • **le lancer du disque** throwing the discus.

disquette nf diskette, floppy disk • **disquette système** system diskette.

dissection nf dissection.

dissemblable adj dissimilar.

disséminer vt **1.** *(graines, maisons)* to scatter, to spread (out) **2.** fig *(idées)* to disseminate, to spread.

disséquer vt litt & fig to dissect.

dissert' *(abrév de dissertation)* nf arg scol essay.

dissertation nf essay.

dissident, e adj & nm, f dissident.

dissimulation nf **1.** *(hypocrisie)* duplicity **2.** *(de la vérité)* concealment.

dissimuler vt to conceal. ■ **se dissimuler** vp **1.** *(se cacher)* to conceal o.s., to hide **2.** *(refuser de voir)* • **se dissimuler qqch** to close one's eyes to sthg.

dissipation nf **1.** *(dispersion)* dispersal, breaking up **2.** fig *(de malentendu)* clearing up **3.** *(de craintes)* dispelling **4.** *(indiscipline)* indiscipline, misbehaviour (UK), misbehavior (US).

dissipé, e adj **1.** *(turbulent)* unruly, badly behaved **2.** *(frivole)* dissipated, dissolute.

dissiper vt **1.** *(chasser)* to break up, to clear **2.** fig to dispel **3.** *(distraire)* to lead astray. ■ **se dissiper** vp **1.** *(brouillard, fumée)* to clear **2.** *(élève)* to misbehave **3.** fig *(malaise, fatigue)* to go away **4.** *(doute)* to be dispelled.

dissocier vt *(séparer)* to separate, to distinguish.

dissolution nf **1.** DR dissolution **2.** *(mélange)* dissolving.

dissolvant, e adj solvent. ■ **dissolvant** nm **1.** *(solvant)* solvent **2.** *(pour vernis à ongles)* nail polish *ou* varnish (UK) remover.

dissoudre vt • **(faire) dissoudre** to dissolve. ■ **se dissoudre** vp *(substance)* to dissolve.

dissous, oute pp → dissoudre.

dissuader vt to dissuade.

dissuasif, ive adj deterrent.

dissuasion nf dissuasion • **force de dissuasion** deterrent (effect).

distance nf **1.** *(éloignement)* distance • **à distance a)** at a distance **b)** *(télécommander)* by remote control • **à une distance de 300 mètres** 300 metres away **2.** *(intervalle)* interval **3.** *(écart)* gap.

distancer vt to outstrip.

distant, e adj **1.** *(éloigné)* • **une ville distante de 10 km** a town 10 km away • **des villes distantes de 10 km** towns 10 km apart **2.** *(froid)* distant.

distendre vt **1.** *(ressort, corde)* to stretch **2.** *(abdomen)* to distend. ■ **se distendre** vp to distend.

distendu, e pp → distendre.

distiller vt **1.** *(alcool)* to distil (UK), to distill (US) **2.** *(pétrole)* to refine **3.** *(miel)* to secrete **4.** fig & littéraire to exude.

distillerie nf **1.** *(industrie)* distilling **2.** *(lieu)* distillery.

distinct, e adj distinct.

distinctement adv distinctly, clearly.

distinctif, ive adj distinctive.

distinction nf distinction.

distingué, e adj distinguished.

distinguer vt **1.** *(différencier)* to tell apart, to distinguish **2.** *(percevoir)* to make out, to distinguish **3.** *(rendre différent)* • **distinguer de** to distinguish from, to set apart from. ■ **se distinguer** vp **1.** *(se différencier)* • **se distinguer (de)** to stand out (from) **2.** *(s'illustrer)* to distinguish o.s.

distraction nf **1.** *(inattention)* inattention, absent-mindedness **2.** *(passe-temps)* leisure activity • **sa seule distraction est la philatélie** his only pastime is stamp-collecting.

distraire vt **1.** *(déranger)* to distract **2.** *(divertir)* to amuse, to entertain. ■ **se distraire** vp to amuse o.s.

distrait, e pp → distraire. ❑ adj **1.** *(gén)* absent-minded • **elle est très distraite** she is very absent-minded • **d'un air distrait** abstractedly, absent-mindedly • **avoir l'air distrait** to look preoccupied **2.** *(élève)* inattentive • **excusez-moi, j'étais distrait** sorry, I wasn't paying attention.

distrayant, e adj entertaining.

distribuer vt **1.** to distribute • **Sarah a distribué des bonbons à tout le monde** Sarah handed out sweets to everybody **2.** *(courrier)* to deliver **3.** *(ordres)* to give out **4.** *(cartes)* to deal **5.** *(coups, sourires)* to dispense.

distributeur, trice nm, f distributor. ■ **distributeur** nm **1.** AUTO & COMM distributor **2.** *(machine)* • **distributeur (automatique) de billets a)** BANQUE ATM, cash machine, cash dispenser (UK) **b)** *(transports)* ticket machine • **distributeur de boissons** drinks machine.

distribution nf **1.** *(répartition, diffusion, disposition)* distribution • **distribution des prix** SCOL prize-giving (UK) **2.** *(par des grandes surfaces)* retail • **la grande distribution** supermarkets and hypermarkets **3.** CINÉ & THÉÂTRE cast.

dit, dite adj **1.** *(appelé)* known as **2.** DR said, above **3.** *(fixé)* • **à l'heure dite** at the appointed time.

diurétique nm & adj diuretic.

diva nf prima donna, diva.

divagation nf wandering.

divaguer vi to ramble.

divan nm divan *(seat)*.

divergence nf **1.** divergence, difference **2.** *(d'opinions)* difference.

diverger vi **1.** to diverge **2.** *(opinions)* to differ.

divers, e adj **1.** *(différent)* different, various • **à usages divers** multipurpose *(avant nom)* **2.** *(disparate)* diverse **3.** *(avant nom)* *(plusieurs)* several, various • **en diverses occasions** on several ou various occasions. ❑ adj indéf pl POLIT others • **les divers droite-gauche** other right/left-wing parties.

diversifier vt to vary, to diversify. ■ **se diversifier** vp to diversify.

diversion nf diversion.

diversité nf diversity.

divertir vt *(distraire)* to entertain, to amuse. ■ **se divertir** vp to amuse o.s., to entertain o.s.

divertissant, e adj entertaining, amusing.

divertissement nm *(passe-temps)* form of relaxation • **c'est son divertissement préféré** it's her favourite distraction.

divin, e adj divine.

divinité nf divinity.

diviser vt **1.** *(gén)* to divide, to split up **2.** MATH to divide • **diviser 8 par 4** to divide 8 by 4.

division nf **1.** MATH division **2.** *(fragmentation)* splitting, division, partition **3.** *(désaccord)* division, rift **4.** FOOTBALL division **5.** MIL division.

divorce nm **1.** DR divorce • **demander le divorce** to ask for a divorce **2.** fig *(divergence)* gulf, separation.

divorcé, e adj divorced. ❑ nm, f divorcee, divorced person.

divorcer vi to divorce • **ils ont divorcé l'année dernière** they got divorced last year.

divulguer vt to divulge.

dix adj num inv & nm ten. Voir aussi **six**.

dix-huit adj num inv & nm eighteen. Voir aussi **six**.

dix-huitième adj num inv, nm & nmf eighteenth. Voir aussi **sixième**.

dixième adj num inv, nm & nmf tenth. Voir aussi **sixième**.

dix-neuf adj num inv & nm nineteen. Voir aussi **six**.

dix-neuvième adj num inv, nm & nmf nineteenth. Voir aussi **sixième**.

dix-sept adj num inv & nm seventeen. Voir aussi **six**.

dix-septième adj num inv, nm & nmf seventeenth. Voir aussi **sixième**.

dizaine nf **1.** MATH ten **2.** *(environ dix)* • **une dizaine de** about ten • **par dizaines** *(en grand nombre)* in their dozens.

DJ (abrév de disc-jockey) nmf inv DJ.

DM (abrév de deutsche Mark) DM.

do nm inv **1.** MUS C **2.** *(chanté)* doh (UK), do (US).

doberman nm Doberman (pinscher).

doc¹ (abrév de documentation) nf fam literature, brochures pl.

doc.² (abrév de document) doc.

docile adj *(obéissant)* docile.

dock nm **1.** *(bassin)* dock **2.** *(hangar)* warehouse.

docker nm docker (UK), longshoreman (US), stevedore (US).

docteur nm **1.** *(médecin)* doctor • **aller chez le docteur** to go to the doctor's • **être chez le docteur** to be at the doctor's **2.** UNIV • **docteur ès lettres/sciences** ≃ PhD.

doctorant, e nm, f doctoral student.

doctorat nm *(grade)* doctorate, PhD.

doctrine nf doctrine.

document nm document.

documentaire nm & adj documentary.

documentaliste nmf **1.** *(d'archives)* archivist **2.** PRESSE & TV researcher.

documentation nf **1.** *(travail)* research **2.** *(documents)* paperwork, papers pl **3.** *(brochures)* documentation.

documenter vt to document. ■ **se documenter** vp to do some research.

dodo nm fam beddy-byes *(indén)* • **faire dodo** to sleep.

dodu, e adj **1.** fam *(enfant, joue, bras)* chubby **2.** fam *(animal)* plump.

dogme nm dogma.

dogue nm mastiff.

doigt nm finger • **un doigt de** (just) a drop ou finger of • **montrer qqch du doigt** to point at sthg • **doigt de pied** toe.

doigté nm delicacy, tact.

dois → **devoir**.

doive → devoir.

dollar nm dollar.

domaine nm **1.** *(propriété)* estate **2.** *(secteur, champ d'activité)* field, domain.

dôme nm **1.** ARCHIT dome **2.** GÉOGR rounded peak.

domestique nmf *(domestic)* servant. ❑ adj **1.** family *(avant nom)* **2.** *(travaux)* household *(avant nom)*.

domestiquer vt **1.** *(animal)* to domesticate **2.** *(éléments naturels)* to harness.

domicile nm **1.** *(gén)* (place of) residence • **travailler à domicile** to work from ou at home • **ils livrent à domicile** they do deliveries **2.** ADMIN & DR domicile *sout* • **son domicile principal** his main place of residence.

domicilier vt **1.** ADMIN to domicile • **je me suis fait domicilier chez mon frère** I gave my brother's place as an accommodation address **2.** BANQUE & COMM to domicile.

dominant, e adj *(qui prévaut)* dominant.

domination nf **1.** *(autorité)* domination, dominion **2.** *(influence)* influence.

dominer vt **1.** *(surplomber, avoir de l'autorité sur)* to dominate **2.** *(surpasser)* to outclass **3.** *(maîtriser)* to control, to master **4.** fig *(connaître)* to master. ❑ vi **1.** *(régner)* to dominate, to be dominant **2.** *(prédominer)* to predominate **3.** *(triompher)* to be on top, to hold sway. ■ **se dominer** vp to control o.s.

Dominique nf • **la Dominique** Dominica.

domino nm domino • **jouer aux dominos** to play dominoes.

dommage nm **1.** *(préjudice)* harm *(indén)* • **dommages et intérêts, dommages-intérêts** damages • **quel dommage !** what a shame! • **c'est dommage que** (+ subjonctif) it's a pity ou shame (that) **2.** *(dégâts)* damage *(indén)*.

dompter vt **1.** *(animal, fauve)* to tame **2.** fig *(maîtriser)* to overcome, to control.

dompteur, euse nm, f *(de fauves)* tamer.

DOM-TOM *(abrév de départements d'outre-mer-territoires d'outre-mer)* nmpl French overseas départments and territories.

don nm **1.** *(cadeau)* gift **2.** *(aptitude)* knack • **il a un don pour les langues** he has a gift for languages.

donateur, trice nm, f donor.

donation nf settlement.

donc conj so • **je disais donc...** so as I was saying... • **allons donc !** come on! • **tais-toi donc !** will you be quiet!

donjon nm keep.

donné, e adj given • **étant donné que** given that, considering (that). ■ **donnée** nf **1.** IN-FORM & MATH datum, piece of data • **données numériques** numerical data **2.** *(élément)* fact, particular.

donner vt **1.** *(gén)* to give • **donner qqch à qqn** to give sb sthg, to give sthg to sb • **donner qqch à faire à qqn** to give sb sthg to do, to give sthg to sb to do • **donner sa voiture à réparer** to leave one's car to be repaired • **quel âge lui donnes-tu ?** how old do you think he is? **2.** *(se débarrasser de)* to give away **3.** *(occasionner)* to give, to cause. ❑ vi **1.** *(s'ouvrir)* • **donner sur** to look (out) onto **2.** *(produire)* to produce, to yield.

---

donner

À PROPOS DE

• *donner qqch à qqn* **give sthg to sb** ou **give sb sthg**

Il faut noter la construction à double complément qui, en anglais, peut prendre deux formes dont le sens est le même :

1. une structure identique à celle du français : verbe + COD + préposition + COI **give sthg to sb**

2. une structure qui diffère de celle du français, sans préposition, et dans laquelle l'ordre des compléments est inversé : verbe + COI + COD **give sb sthg**

• *Elle a donné tous ses tableaux à ses petits-enfants.* **She gave all her paintings to her grandchildren** ou **She gave her grandchildren all her paintings**.

---

donneur, euse nm, f **1.** MÉD donor **2.** *(jeux de cartes)* dealer.

---

dont

■ **dont** pron rel

1. COMPLÉMENT DU VERBE

• **la personne dont tu parles est ma sœur** the person you're speaking about is my sister ou the person about whom you are speaking is my sister • **la façon dont elle s'habille est très étrange** the way she dresses is very peculiar ou her way of dressing is very peculiar • **c'est quelqu'un dont on dit le plus grand bien** he's someone about whom people speak highly *(la traduction varie selon la préposition anglaise utilisée avec le verbe ou l'adjectif)*

2. COMPLÉMENT DE L'ADJECTIF

• **l'accident dont il est responsable** the accident for which he is responsible • **c'est la fille dont il est amoureux** she's the girl (that) he's in love with

3. COMPLÉMENT DU NOM

• **prends la boîte dont le couvercle est jaune** take the box whose lid is yellow ou the box with the yellow lid • **c'est quelqu'un dont j'apprécie l'honnêteté** he's someone whose honesty I appreciate • **celui dont les parents sont divorcés** the one whose parents are divorced

4. COMPLÉMENT D'UN PRONOM NUMÉRAL OU INDÉFINI

• **il y a trois piscines, dont deux sont couvertes** there are three swimmingpools, two of which are indoors • **ils ont trois fils, dont deux habitent en Espagne** they have three sons, two of whom live in Spain *ou* of whom two live in Spain • **plusieurs personnes ont téléphoné, dont ton frère** several people phoned, one of whom was your brother *ou* including your brother

Notez que '**whose**' est immédiatement suivi du nom, sans article.

dopage *nm* doping.

doper *vt* to dope. ■ **se doper** *vp* to take stimulants.

dorade = **daurade**.

doré, e *adj* **1.** (couvert de dorure) gilded, gilt **2.** (couleur) golden.

dorénavant *adv* from now on, in future.

dorer *vt* **1.** (couvrir d'or) to gild **2.** (peau) to tan **3.** CULIN to glaze.

dorloter *vt* to pamper, to cosset. ■ **se dorloter** *vp* (emploi réfléchi) to pamper o.s.

dormir *vi* **1.** (sommeiller) to sleep • **bien dormir** to sleep **2.** (rester inactif - personne) to slack, to stand around (doing nothing) ; (- capitaux) to lie idle.

dortoir *nm* dormitory.

dorure *nf* **1.** (couche d'or) gilt • **un bureau couvert de dorures** a desk covered in gilding **2.** (artificielle) gold-effect finish **3.** (ce qui est doré) golden *ou* gilt decoration.

dos *nm* back • **j'ai mal au dos** my back hurts • **de dos** from behind • **'voir au dos'** 'see over' • **dos crawlé** backstroke.

DOS, Dos (abrév de Disk Operating System) *nm* DOS.

dosage *nm* **1.** (de médicament) dose **2.** (d'ingrédient) amount.

dos-d'âne *nm inv* bump.

dose *nf* **1.** (quantité de médicament) dose **2.** (quantité) share • **forcer la dose** *fam & fig* to overdo it • **une (bonne) dose de bêtise** *fam & fig* a lot of silliness.

doser *vt* **1.** (médicament, ingrédient) to measure out **2.** *fig* to weigh, to weigh up (UK).

dosette *nf* capsule • **café en dosette** coffee capsule.

dossard *nm* number (on competitor's back).

dossier *nm* **1.** (de fauteuil) back **2.** (documents) file, dossier **3.** (classeur) file, folder **4.** INFORM folder **5.** UNIV • **dossier d'inscription** registration forms pl **6.** *fig* (question) question.

dot *nf* dowry.

doter *vt* (pourvoir) • **doter de a)** (talent) to endow with **b)** (machine) to equip with.

douane *nf* **1.** (service, lieu) customs pl • **passer la douane** to go through customs **2.** (taxe) (import) duty.

douanier, ère *adj* customs (avant nom). ❑ *nm,f* customs officer.

doublage *nm* **1.** (renforcement) lining **2.** (de film) dubbing **3.** (d'acteur) understudying.

double *adj & adv* double • **double faute** double fault. ❑ *nm* **1.** (quantité) • **le double** double • **trente est le double de quinze** thirty is the double of fifteen **2.** (copie) copy • **faire un double** (d'un document) to make a copy • **en double** in duplicate **3.** TENNIS doubles sing • **le double messieurs** the men's doubles.

doublé *nm* (réussite double) double.

double-clic *nm* INFORM double-click.

double-cliquer *vt* INFORM to double-click on • **double-cliquer sur l'image** to double-click on the picture.

doublement *adv* doubly.

doubler *vt* **1.** (multiplier) to double **2.** (plier) to (fold) double **3.** (renforcer) • **doubler (de)** to line (with) **4.** (dépasser) to pass, to overtake (UK) **5.** (film, acteur) to dub **6.** (augmenter) to double. ❑ *vi* **1.** (véhicule) to pass, to overtake (UK) **2.** (augmenter) to double.

doublure *nf* **1.** (renforcement) lining **2.** CINÉ stand-in.

douce → **doux**.

doucement *adv* **1.** (descendre) carefully **2.** (frapper) gently **3.** (traiter) gently **4.** (parler) softly • **vous pourriez parler plus doucement ?** could you speak more quietly? **5.** (vitesse) slowly.

douceur *nf* **1.** (de saveur, parfum) sweetness **2.** (d'éclairage, de peau, de musique) softness **3.** (de climat) mildness **4.** (de caractère) gentleness. ■ **douceurs** *nfpl* (friandises) sweets (UK), candy (indén) (US).

douche *nf* **1.** (appareil, action) shower • **prendre une douche** to have a shower, to take a shower **2.** *fam & fig* (déception) letdown.

doucher *vt* **1.** (donner une douche à) • **doucher qqn** to give sb a shower **2.** *fam & fig* (décevoir) to let down. ■ **se doucher** *vp* to take *ou* have (UK) a shower, to shower.

douchette *nf* bar-code reader *ou* scanner (for bulky items).

doudou *nm fam* (langage enfantin) security blanket.

doudoune *nf* quilted jacket.

doué, e *adj* talented • **être doué pour** to have a gift for.

douille *nf* **1.** (d'ampoule) socket **2.** (de cartouche) cartridge.

douillet, ette *adj* **1.** (confortable) snug, cosy (UK), cozy (US) **2.** (sensible) soft. ❑ *nm,f* wimp.

douleur *nf litt & fig* pain.

douloureux, euse adj 1. (physiquement) painful 2. (moralement) distressing 3. (regard, air) sorrowful.

doute nm doubt. ■ **sans doute** loc adv no doubt • **sans aucun doute** without (a) doubt.

exprimer le doute

S'EXPRIMER

- **It's not at all sure.** Ce n'est pas si sûr.
- **We still don't know anything for certain.** Nous n'avons encore aucune certitude.
- **I doubt that he'll succeed.** Je doute qu'il réussisse.
- **I'd be surprised if it worked.** Ça m'étonnerait que ça marche.
- **She may call you.** Il se peut qu'elle vous rappelle.

douter vt (ne pas croire) • **douter que** (+ subjonctif) to doubt (that). ❑ vi (ne pas avoir confiance) • **douter de qqn/de qqch** to doubt sb/sthg, to have doubts about sb/sthg • **j'en doute** I doubt it. ■ **douter de** v + prép 1. (ne pas croire à - succès, victoire) to be doubtful of ; (- fait, éventualité) to doubt • **douter de l'existence/ la véracité de qqch** to doubt the existence/ truth of sthg • **je n'ai jamais douté de ton talent** I never doubted your talent • **elle semble douter de mes sentiments** she seems to doubt my feelings • **tu viendras ? — j'en doute fort** will you come? — I very much doubt it • **je doute que ce soit possible** I doubt it's possible • **je doute que le projet voie le jour** I have (my) doubts about the future of the project, I doubt whether the project will ever be realized 2. (traiter avec défiance - ami, motivation) to have doubts about • **ils doutent de son honnêteté** they have doubts about his honesty • **elle ne doute de rien** she has no doubt about anything • **on peut douter de la sécurité du système** the safety of the system is open to doubt • **douter de la parole de qqn** to doubt sb's word • **j'étais prête à me marier, mais maintenant je doute** I was going to get married, but now I've got doubts • **douter de soi a)** habituellement) to have doubts about ou to lack confidence in o.s. **b)** (à un moment) to have doubts about o.s. • **tu doutes trop de toi** you don't have enough confidence in yourself 3. RELIG to have doubts about. ■ **se douter** vp • **se douter de qqch** to suspect sthg • **je m'en doutais** I thought so.

douteux, euse adj 1. (incertain) doubtful 2. (contestable) questionable 3. péj (mœurs) dubious 4. péj (silhouette, personne) dubious-looking.

douves nfpl (de château) moat sing.

Douvres npr Dover.

doux, douce adj 1. (éclairage, peau, musique) soft 2. (saveur, parfum) sweet 3. (climat, condiment) mild 4. (pente, regard, caractère) gentle. ■ **en douce** loc adv fam secretly.

douzaine nf 1. (douze) dozen 2. (environ douze) • **une douzaine de** about twelve.

douze adj num inv & nm twelve. Voir aussi **six**.

douzième adj num inv, nm & nmf twelfth. Voir aussi **sixième**.

doyen, enne nm, f (le plus ancien) most senior member.

Dr (abrév de Docteur) Dr.

draconien, enne adj draconian.

dragée nf 1. (confiserie) sugared almond 2. (comprimé) pill.

dragon nm 1. (monstre, personne autoritaire) dragon • **une histoire de chevalier et de dragon** a story about a knight and a dragon 2. ÉCON tiger • **les dragons asiatiques** the Asian tiger economies 3. (soldat) dragoon.

draguer vt 1. (nettoyer) to dredge 2. fam (personne) to try to pick up, to chat up (UK), to get off with (UK).

dragueur, euse nm, f fam • **c'est un dragueur** he's always on the pull (UK) ou on the make (US) • **quelle dragueuse !** she's always chasing after men!

drainage nm draining.

drainer vt 1. (terrain, plaie) to drain 2. fig (attirer) to drain off.

dramatique nf play. ❑ adj 1. THÉÂTRE dramatic 2. (grave) tragic.

dramatiser vt (exagérer) to dramatize.

dramaturge nmf playwright, dramatist.

drame nm 1. (catastrophe) tragedy • **faire un drame de qqch** fig to make a drama of sthg 2. LITTÉR drama.

drap nm 1. (de lit) sheet 2. (tissu) woollen (UK) ou woolen (US) cloth.

drapeau nm flag • **le drapeau tricolore** the French flag • **être sous les drapeaux** fig to be doing military service.

draper vt to drape.

draperie nf (tenture) drapery.

drap-housse nm fitted sheet.

dressage nm (d'animal) training, taming.

dresser vt 1. (lever) to raise 2. (faire tenir) to put up 3. sout (construire) to erect 4. (acte, liste, carte) to draw up 5. (procès-verbal) to make out 6. (dompter) to train 7. fig (opposer) • **dresser qqn contre qqn** to set sb against sb. ■ **se dresser** vp 1. (se lever) to stand up 2. (s'élever) to rise (up) 3. fig to stand • **se dresser contre qqch** to rise up against sthg.

dresseur, euse nm, f trainer.

dressing nm dressing room (near a bedroom).

DRH nf (abrév de direction des ressources humaines) personnel department. ❑ nm (abrév de directeur des ressources humaines) personnel manager.

dribbler vi SPORT to dribble. ❑ vt SPORT • **dribbler qqn** to dribble past sb.

driver *nm* **1.** *(golf)* driver **2.** *INFORM* driver. ❑ *vi* *(golf)* to drive.

drogue *nf (stupéfiant)* drug • **une drogue douce** a soft drug • **une drogue dure** a hard drug • **la drogue** drugs *pl.*

drogué, e *adj* drugged. ❑ *nm, f* drug addict.

droguer *vt (victime)* to drug. ■ **se droguer** *vp (de stupéfiants)* to take drugs.

droguerie *nf* hardware shop **(UK)** *ou* store **(US)**.

droguiste *nmf* • **chez le droguiste** at the hardware shop **(UK)** *ou* store **(US)**.

droit, e *adj* **1.** *(du côté droit)* right **2.** *(rectiligne, vertical, honnête)* straight. ■ **droit** *adv* straight • **tout droit** straight ahead. ❑ *nm* **1.** *DR* law **2.** *(prérogative)* right • **avoir droit à** to be entitled to • **avoir le droit de faire qqch** to be allowed to do sthg • **être en droit de faire qqch** to have a right to do sthg • **droit de vote** right to vote • **droits de l'homme** human rights. ■ **droite** *nf* **1.** *(gén)* right, right-hand side • **à droite** on the right • **à droite de** to the right of **2.** *POLIT* • **la droite** the right *(wing)* • **de droite** right-wing.

droitier, ère *adj* right-handed. ❑ *nm, f* right-handed person, right-hander.

drôle *adj* **1.** *(amusant)* funny **2.** • **drôle de a)** *(bizarre)* funny **b)** *fam (remarquable)* amazing.

drôlement *adv* **1.** *fam (très)* tremendously **2.** *(bizarrement)* in a strange way **3.** *(de façon amusante)* in a funny way.

dromadaire *nm* dromedary.

dru, e *adj* thick.

druide *nm* druid.

ds abrév de **dans**.

dû, due *pp* → **devoir**. ❑ *adj* due, owing. ■ **dû** *nm* due.

dubitatif, ive *adj* doubtful.

Dublin *npr* Dublin.

duc *nm* duke.

duché *nm* duchy.

duchesse *nf* duchess.

duel *nm* duel.

dûment *adv* duly.

dune *nf* dune.

duo *nm* **1.** *MUS* duet **2.** *(couple)* duo.

dupe *nf* dupe. ❑ *adj* gullible.

duper *vt sout* to dupe, to take sb in.

duplex *nm* **1.** *(appartement)* split-level flat **(UK)**, maisonette **(UK)**, duplex **(US)** **2.** *RADIO & TV* link-up.

duplicata *nm inv* duplicate.

dupliquer *vt (document)* to duplicate.

dur, e *adj* **1.** *(matière, personne, travail)* hard **2.** *(carton)* stiff **3.** *(viande)* tough **4.** *(climat, punition, loi)* harsh. ❑ *nm, f fam* • **dur (à cuire)** tough nut. ■ **dur** *adv* hard.

durable *adj* lasting.

durant *prép* **1.** *(pendant)* for • **ils ont parlé durant des heures** they talked for hours **2.** *(au cours de)* during.

durcir *vt litt & fig* to harden. ❑ *vi* to harden, to become hard.

durée *nf (période)* length • **quelle est la durée du film ?** how long is the film? • **un séjour d'une durée d'une semaine** a week-long stay • **pendant toute la durée du vol** throughout the flight.

durement *adv* **1.** *(violemment)* hard, vigorously **2.** *(péniblement)* severely **3.** *(méchamment)* harshly.

durer *vi* to last • **ça fait deux jours que ça dure** it's been going on for two days.

dureté *nf* **1.** *(de matériau, de l'eau)* hardness **2.** *(d'époque, de climat, de personne)* harshness **3.** *(de punition)* severity.

durillon *nm* **1.** *(sur le pied)* corn **2.** *(sur la main)* callus.

dus, dut *etc* → **devoir**.

DUT (abrév de diplôme universitaire de technologie) *nm si vous voulez expliquer à un anglophone de quoi il s'agit, vous pouvez dire* it is a diploma in technology that you get after two years at a technical college.

duvet *nm* **1.** *(plumes, poils fins)* down **2.** *(sac de couchage)* sleeping bag.

DVD-ROM (abrév de Digital Video ou Versatile Disc Read Only Memory) *nm* DVD-ROM.

dynamique *adj* dynamic.

dynamisme *nm* dynamism.

dynamite *nf* dynamite.

dynamo *nf* dynamo.

dynastie *nf* dynasty.

dysenterie *nf* dysentery.

dysfonctionnement *nm* malfunction, malfunctioning.

dysfonctionner *vi* **1.** *(personne, groupe)* to become dysfunctional **2.** *(machine, système)* to go wrong.

dyslexique *adj* dyslexic.

E

e, E *nm inv* e, E. ■ **E** (*abrév de est*) E.

eau *nf* water • **eau douce/salée/de mer** fresh/salt/sea water • **eau gazeuse/plate** fizzy/still water • **eau courante** running water • **eau minérale** mineral water • **eau oxygénée** hydrogen peroxide • **eau du robinet** tap water • **eau de toilette** toilet water • **tomber à l'eau** *fig* to fall through. ■ **eaux** *nfpl* 1. (*masse*) water • **eaux grasses a)** ÉCOLOGIE swill **b)** (*pour les porcs*) slops • **eaux ménagères** waste water • **eaux usées** sewage • **hautes/basses eaux** GÉOGR high/low water • **grandes eaux : les grandes eaux de Versailles** the fountains of Versailles • **on a eu droit aux grandes eaux (de Versailles)** *fam & fig* she turned on the waterworks 2. NAUT (*zone*) waters • **eaux internationales/territoriales** international/territorial waters • **eaux côtières** inshore waters • **dans les eaux de** in the wake of 3. (*d'une accouchée*) waters 4. (*thermes*) • **les eaux de Brouckke sont bonnes pour le foie** the waters at Brouckke are good for the liver • **prendre les eaux** to take the waters, to stay at a spa (*for one's health*).

eau-de-vie *nf* brandy.

ébahi, e *adj* staggered, astounded.

ébats *nmpl littéraire* frolics • **ébats amoureux** lovemaking (*indén*).

ébattre ■ **s'ébattre** *vp littéraire* to frolic.

ébauche *nf* 1. (*esquisse*) sketch 2. *fig* outline • **l'ébauche d'un sourire** the ghost of a smile.

ébaucher *vt* 1. (*esquisser*) to rough out 2. *fig (commencer)* • **ébaucher un geste** to start to make a gesture.

ébène *nf* ebony.

ébéniste *nm* cabinet-maker.

éberlué, e *adj* flabbergasted.

éblouir *vt* to dazzle.

éblouissant, e *adj* dazzling.

éblouissement *nm* 1. (*aveuglement*) glare, dazzle 2. (*vertige*) dizziness 3. (*émerveillement*) amazement.

ébonite *nf* vulcanite, ebonite.

e-book *nm* e-book.

éborgner *vt* • **éborgner qqn** to put sb's eye out.

éboueur *nm* dustman (UK), garbage collector (US).

ébouillanter *vt* to scald. ■ **s'ébouillanter** *vp* to scald o.s.

éboulement *nm* cave-in, fall.

éboulis *nm* mass of fallen rocks.

ébouriffer *vt* (*cheveux*) to ruffle.

ébranler *vt* 1. (*bâtiment, opinion*) to shake 2. (*gouvernement, nerfs*) to weaken. ■ **s'ébranler** *vp* (*train*) to move off.

ébrécher *vt* 1. (*assiette, verre*) to chip 2. *fam & fig* to break into.

ébriété *nf* drunkenness.

ébrouer ■ **s'ébrouer** *vp* (*animal*) to shake o.s.

ébruiter *vt* to spread. ■ **s'ébruiter** *vp* to become known.

ébullition *nf* 1. (*de liquide*) boiling point 2. (*effervescence*) • **en ébullition** *fig* in a state of agitation.

écaille *nf* 1. (*de poisson, reptile*) scale 2. (*de tortue*) shell 3. (*de plâtre, peinture, vernis*) flake 4. (*matière*) tortoiseshell • **en écaille** (*lunettes*) horn-rimmed.

écailler *vt* 1. (*poisson*) to scale 2. (*huîtres*) to open. ■ **s'écailler** *vp* to flake *ou* peel off.

écailler, ère *nm, f* oyster seller.

écarlate *adj & nf* scarlet.

écarquiller *vt* • **écarquiller les yeux** to stare wide-eyed.

écart *nm* 1. (*espace*) space 2. (*temps*) gap 3. (*différence*) difference • **écart de prix** price differential 4. (*déviation*) • **faire un écart a)** (*personne*) to step aside **b)** (*cheval*) to shy • **être à l'écart** to be in the background.

écarteler *vt fig* to tear apart.

écartement *nm* • **écartement entre** space between.

écarter *vt* 1. (*bras, jambes*) to open, to spread • **écarter qqch de** to move sthg away from 2. (*obstacle, danger*) to brush aside 3. (*foule, rideaux*) to push aside 4. (*solution*) to dismiss • **écarter**

qqn de to exclude sb from. ■ **s'écarter** vp **1.** *(se séparer)* to part **2.** *(se détourner)* • **s'écarter de** to deviate from.

ecchymose nf bruise.

ecclésiastique nm clergyman. ❑ adj ecclesiastical.

écervelé, e adj scatty, scatterbrained. ❑ nm,f scatterbrain.

échafaud nm scaffold.

échafaudage nm **1.** CONSTR scaffolding **2.** *(amas)* pile.

échafauder vt *(élaborer)* to construct. ❑ vi to put up scaffolding.

échalas nm **1.** *(perche)* stake, pole **2.** péj *(personne)* beanpole.

échalote nf shallot.

échancré, e adj **1.** *(vêtement)* low-necked **2.** *(côte)* indented.

échancrure nf **1.** *(de robe)* low neckline **2.** *(de côte)* indentation.

échange nm *(de choses)* exchange • **en échange (de)** in exchange (for) • **échange de fichiers** file sharing.

échanger vt **1.** *(troquer)* to swap, to exchange • **je t'échange ce stylo contre ta casquette** I'll swap you this pen for your baseball cap **2.** *(marchandise)* • **échanger qqch (contre)** to change sthg (for) **3.** *(communiquer)* to exchange.

échangeur nm interchange.

échangisme nm *(de partenaires sexuels)* partner-swapping.

échantillon nm **1.** *(de papier peint, de population)* sample **2.** fig example.

échappatoire nf way out.

échappé, e nm,f si vous voulez expliquer à un anglophone de quoi il s'agit vous pouvez dire it is competitor who has broken away • **les échappés du peloton** runners who have broken away from the rest of the field. ■ **échappée** nf **1.** SPORT breakaway **2.** *(espace ouvert à la vue)* vista, view.

échappement nm AUTO exhaust ; → **pot.**

échapper vi **1.** *(éviter)* • **échapper à a)** *(personne, situation)* to escape from **b)** *(danger, mort)* to escape **c)** *(sujet : détail, parole, sens)* to escape **2.** *(glisser)* • **laisser échapper** to let slip. ■ **s'échapper** vp • **s'échapper (de)** to escape (from).

écharde nf splinter.

écharpe nf scarf • **en écharpe** in a sling.

écharper vt to rip to pieces ou shreds.

échasse nf *(de berger, oiseau)* stilt.

échassier nm wader.

échauffement nm SPORT warm-up.

échauffer vt **1.** *(chauffer)* to overheat **2.** *(exciter)* to excite **3.** *(énerver)* to irritate. ■ **s'échauffer** vp **1.** SPORT to warm up **2.** fig *(s'animer)* to become heated.

échauffourée nf brawl, skirmish.

échéance nf **1.** *(délai)* expiry • **à longue échéance** in the long term **2.** *(date)* payment date • **arriver à échéance** to fall due.

échéancier nm bill-book (UK), tickler (US) • **échéancier (de paiement)** payment schedule.

échéant adj • **le cas échéant** if necessary, if need be.

échec nm **1.** *(insuccès)* failure • **être en situation d'échec scolaire** to have learning difficulties **2.** *(jeux)* • **échec et mat** checkmate. ■ **échecs** nmpl chess *(indén).*

échelle nf **1.** *(objet)* ladder **2.** *(ordre de grandeur)* scale.

échelon nm **1.** *(barreau)* rung **2.** fig *(niveau)* level.

échelonner vt *(espacer)* to spread out.

écheveau nm skein.

échevelé, e adj **1.** *(ébouriffé)* dishevelled (UK), disheveled (US) **2.** *(frénétique)* wild.

échine nf ANAT spine.

échiquier nm *(jeux)* chessboard.

écho nm echo • **il y a de l'écho ici** there's an echo in here.

échographie nf *(examen)* ultrasound (scan).

échoir vi **1.** *(être dévolu)* • **échoir à** to fall to **2.** *(expirer)* to fall due.

échoppe nf stall.

échouer vi *(ne pas réussir)* to fail • **échouer à un examen** to fail an exam. ■ **s'échouer** vp *(navire)* to run aground.

éclabousser vt **1.** *(sujet : liquide)* to spatter **2.** fig *(compromettre)* to compromise.

éclaboussure nf **1.** *(de liquide)* splash **2.** fig blot (on one's reputation).

éclair nm **1.** *(de lumière)* flash of lightning **2.** fig *(instant)* • **éclair de** flash of... ❑ adj inv • **visite éclair** flying visit • **guerre éclair** blitzkrieg.

éclairage nm **1.** *(lumière)* lighting **2.** fig *(point de vue)* light.

éclairagiste nmf **1.** CINÉ, THÉÂTRE & TV lighting engineer **2.** COMM dealer in lights and lamps.

éclaircie nf bright interval, sunny spell.

éclaircir vt **1.** *(rendre plus clair)* to lighten **2.** *(rendre moins épais)* to thin **3.** fig *(clarifier)* to clarify. ■ **s'éclaircir** vp **1.** *(devenir plus clair)* to clear **2.** *(devenir moins épais)* to thin **3.** *(se clarifier)* to become clearer.

éclaircissement nm *(explication)* explanation.

éclairer vt **1.** *(de lumière)* to light up **2.** *(expliquer)* to clarify. ■ **s'éclairer** vp **1.** *(personne)* to light one's way **2.** *(regard, visage)* to light up **3.** *(rue, ville)* to light up.

éclaireur nm scout.

éclat nm **1.** *(de verre, d'os)* splinter **2.** *(de pierre)* chip **3.** *(de lumière)* brilliance **4.** *(de couleur)* vividness **5.** *(beauté)* radiance **6.** *(faste)* splendour (UK), splendor (US) **7.** *(bruit)* burst • **éclat de rire** burst of laughter • **éclats de voix** shouts • **faire**

un éclat to cause a scandal **8.** *(locution)* • **rire aux éclats** to roar *ou* shriek with laughter.

éclatant, e *adj* **1.** *(brillant, resplendissant)* brilliant, bright **2.** *(teint, beauté)* radiant • **éclatant de** bursting with **3.** *(triomphe, victoire)* resounding **4.** *(perçant)* loud.

éclater *vi* **1.** *(exploser - pneu)* to burst ; *(- verre)* to shatter ; *(- obus)* to explode • **faire éclater a)** *(ballon)* to burst **b)** *(bombe)* to explode **c)** *(pétard)* to let off **2.** *(incendie, rires)* to break out **3.** *(joie)* to shine • **laisser éclater** to give vent to **4.** *fig (nouvelles, scandale)* to break. ■ **s'éclater** *vp fam* to have a great time.

éclectique *adj* eclectic.

éclipse *nf* ASTRON eclipse • **éclipse de lune/soleil** eclipse of the moon/sun.

éclipser *vt* to eclipse. ■ **s'éclipser** *vp* **1.** ASTRON to go into eclipse **2.** *fam (s'esquiver)* to slip away.

éclopé, e *adj* lame. ❑ *nm, f* lame person.

éclore *vi* *(s'ouvrir - fleur)* to open out, to blossom ; *(- œuf)* to hatch.

éclos, e *pp* → **éclore**.

écluse *nf* lock.

écluser *vt* **1.** *(NAUT - fleuve)* to construct locks on ; *(- bateau)* to take through a lock **2.** *fam (boire)* to knock back.

écocitoyen, enne *adj* eco-responsible.

écœurant, e *adj* **1.** *(gén)* disgusting **2.** *(démoralisant)* sickening.

écœurer *vt* **1.** *(dégoûter)* to sicken, to disgust **2.** *fig (indigner)* to sicken **3.** *(décourager)* to discourage.

écolabel *nm* eco-label.

école *nf* **1.** *(gén)* school • **école maternelle** nursery school • **école militaire** military academy • **école normale** ≃ teacher training college (UK) ; ≃ teachers college (US) • **École normale supérieure** *si vous voulez expliquer à un anglophone de quoi il s'agit, vous pouvez dire* it is a prestigious higher-education institution that provides training for secondary-school teachers and university lecturers • **école primaire/secondaire** primary/secondary school (UK), grade/high school (US) • **école publique** state school (UK), public school (US) • **grande école** *si vous voulez expliquer à un anglophone de quoi il s'agit, vous pouvez dire* it is a prestigious higher-education institution that provides specialist training. It is considered superior to an ordinary university and the entrance exams are extremely difficult • **faire l'école buissonnière** to play truant (UK) *ou* hooky (US) • **faire école** to attract a following **2.** *(éducation)* schooling • **l'école privée** private education.

écolier, ère *nm, f* **1.** *(garçon)* schoolboy ; *(fille)* schoolgirl • **les écoliers** schoolchildren **2.** *(élève)* pupil.

écolo *nmf fam* ecologist • **les écolos** the Greens.

écologie *nf* ecology.

écologique *adj* ecological.

écologiste *nmf* **1.** *(expert)* ecologist **2.** *(défenseur de l'environnement)* Green • **les écologistes ont gagné des voix** the Greens have won votes. ❑ *adj* • **le parti écologiste** the green party.

écomusée *nm* museum of the environment.

éconduire *vt* *(repousser - demande)* to dismiss ; *(- visiteur, soupirant)* to show to the door.

économe *nmf* bursar. ❑ *adj* careful, thrifty.

économie *nf* **1.** *(science)* economics *(indén)* **2.** POLIT economy • **économie de marché** market economy **3.** *(parcimonie)* economy, thrift. ■ **économies** *nfpl (pécule)* savings *pl* • **économies d'énergie** energy savings • **faire des économies** to save up • **économies d'échelle** economies of scale.

économique *adj* **1.** ÉCON economic **2.** *(avantageux)* economical.

économiser *vt litt & fig* to save. ❑ *vi* to save up.

économiste *nmf* economist.

écoparticipation *nf* eco-participation.

écoper *vt* **1.** NAUT to bale out **2.** *fam (sanction)* • **écoper (de) qqch** to get sthg.

écoproduit *nm* green product.

écorce *nf* **1.** *(d'arbre)* bark **2.** *(d'agrume)* peel **3.** GÉOL crust • **l'écorce terrestre** the earth's crust.

écorcher *vt* **1.** *(lapin)* to skin **2.** *(bras, jambe)* to scratch **3.** *fig (langue, nom)* to mispronounce. ■ **s'écorcher** *vp* to graze o.s.

écorchure *nf* graze, scratch.

écorecharge *nf* ecorefill.

écorner *vt* *(endommager - meuble)* to damage ; *(- page)* to dog-ear.

écossais, e *adj* **1.** *(de l'Écosse)* Scottish **2.** *(whisky)* Scotch **3.** *(tissu)* tartan. ■ **écossais** *nm* *(langue)* Scots. ■ **Écossais, e** *nm, f* Scot, Scotsman, Scotswoman *f*.

Écosse *nf* • **l'Écosse** Scotland.

écosser *vt* to shell.

écosystème *nm* ecosystem.

écotaxe *nf* green tax.

écotourisme *nm* ecotourism.

écoulement *nm* **1.** *(gén)* flow **2.** *(du temps)* passing **3.** *(de marchandises)* selling.

écouler *vt* to sell. ■ **s'écouler** *vp* **1.** *(eau)* to flow **2.** *(personnes)* to flow out **3.** *(temps)* to pass.

écourter *vt* to shorten.

écoute *nf* **1.** *(action d'écouter)* listening • **restez à l'écoute de nos programmes de nuit** stay tuned to our late night programmes • **il est toujours à l'écoute (des autres)** *fig* he's always ready to listen (to others) **2.** *(audience)* audience • **heures d'écoute a)** RADIO listening time **b)** TV viewing hours • **heure de grande écoute a)** RADIO prime time, peak listening time **b)** TV prime time, peak viewing time **3.** *(surveillance)* • **les écoutes téléphoniques** phone tapping *(indén)* • **être sur table d'écoute** ou **sur écoute(s)** to have one's phone tapped.

écouter *vt* **1.** to listen to **2.** *(faire attention)* • **écoutez, on entend le tonnerre** listen, you can hear thunder **3.** *(à l'impératif)* • **écoute, ça suffit maintenant !** listen, that's enough now !

écouteur *nm (de téléphone)* earpiece. ■ **écouteurs** *nmpl (de radio)* headphones.

écoutille *nf* hatchway.

écran *nm* **1.** CINÉ, TV & INFORM screen • **téléviseur à écran plat** flat-screen TV • **le petit écran** the small screen, television • **écran de contrôle** monitor (screen) • **écran (à) plasma** plasma screen • **écran tactile** touch screen, tactile screen **2.** *(de protection)* shield.

écrasant, e *adj fig (accablant)* overwhelming.

écraser *vt* **1.** *(comprimer - cigarette)* to stub out ; *(- pied)* to tread on ; *(- insecte, raisin)* to crush **2.** *(accabler)* • **écraser qqn (de)** to burden sb (with) **3.** *(vaincre)* to crush **4.** *(renverser)* to run over. ■ **s'écraser** *vp (avion, automobile)* • **s'écraser (contre)** to crash (into).

écrémer *vt (lait)* to skim.

écrevisse *nf* crayfish.

écrier ■ **s'écrier** *vp* to cry out.

écrin *nm* case.

écrire *vt* **1.** *(phrase, livre)* to write **2.** *(orthographier)* to spell. ■ **s'écrire** *vp (s'épeler)* to be spelled.

> ### À PROPOS DE
> # écrire
>
> • **écrire qqch à qqn** *write sthg to sb* ou *write sb sthg*
> Il faut noter la construction à double complément qui en anglais peut prendre deux formes dont le sens est le même :
> 1. une structure identique à celle du français : verbe + COD + préposition + COI *write sthg to sb*
> 2. une structure qui diffère de celle du français, sans préposition, et dans laquelle l'ordre des compléments est inversé : verbe + COI + COD *write sb sthg*
> • *Elle a écrit une très belle lettre d'adieu à ses collègues.* **She wrote a lovely farewell letter to her colleagues** ou **She wrote her colleagues a lovely farewell letter.**

écrit, e *pp* → **écrire**. ❏ *adj* written. ■ **écrit** *nm* **1.** *(ouvrage)* writing **2.** *(examen)* written exam **3.** *(document)* piece of writing. ■ **par écrit** *loc adv* in writing.

écriteau *nm* notice.

écriture *nf (gén)* writing.

écrivain *nm* writer, author.

écrou *nm* TECHNOL nut.

écrouer *vt* to imprison.

écrouler ■ **s'écrouler** *vp litt & fig* to collapse.

écru, e *adj* **1.** *(naturel)* unbleached **2.** *(blanc cassé)* off-white.

ecsta *(abrév de* ecstasy*)* *nm* E, ecstasy.

ecstasy *nm (drogue)* ecstasy.

écu *nm* **1.** *(bouclier, armoiries)* shield **2.** *(monnaie ancienne)* crown.

écueil *nm* **1.** *(rocher)* reef **2.** *fig (obstacle)* stumbling block.

écuelle *nf (objet)* bowl.

éculé, e *adj* **1.** *(chaussure)* down-at-heel **2.** *fig (plaisanterie)* hackneyed.

écume *nf (mousse, bave)* foam.

écumer *vt* **1.** *(confiture)* to skim **2.** *fig (mer, ville)* to scour. ❏ *vi* **1.** *(mer)* to foam, to boil **2.** *(animal)* to foam at the mouth **3.** *fig (être furieux)* • **écumer (de)** to boil (with).

écumoire *nf* skimmer.

écureuil *nm* squirrel.

écurie *nf (pour chevaux)* SPORT stable.

écusson *nm* **1.** *(d'armoiries)* coat-of-arms **2.** MIL badge.

écuyer, ère *nm, f (de cirque)* rider. ■ **écuyer** *nm (de chevalier)* squire.

eczéma *nm* eczema.

éden *nm* • **un éden** a garden of Eden • **l'Éden** the garden of Eden.

édenté, e *adj* toothless.

EDF, Edf *(abrév de* Électricité de France*)* *nf* French national electricity company.

édifice *nm* **1.** *(construction)* building **2.** *fig (institution)* • **l'édifice social** the fabric of society.

édifier *vt* **1.** *(ville, église)* to build **2.** *fig (théorie)* to construct **3.** *(personne)* to edify **4.** *iron* to enlighten.

Édimbourg *npr* Edinburgh.

éditer *vt* to publish.

éditeur, trice *nm, f* publisher.

édition *nf* **1.** *(profession)* publishing **2.** *(de journal, livre)* edition • **édition électronique** electronic publishing.

éditorial *nm* editorial, leader (UK).

éditorialiste *nmf* editorialist, leader writer (UK).

édredon *nm* eiderdown (UK), comforter (US).

éducateur, trice *nm, f* teacher • **éducateur spécialisé** special needs teacher.

éducatif, ive *adj* educational.

éducation *nf* **1.** *(apprentissage)* education • **l'Éducation nationale** ≃ the Department for Education (UK) ; ≃ the Department of Education (US) **2.** *(parentale)* upbringing **3.** *(savoir-vivre)* breeding.

édulcorant *nm* • **édulcorant (de synthèse)** (artificial) sweetener.

édulcorer *vt* **1.** *sout (tisane)* to sweeten **2.** *fig (propos)* to tone down.

éduquer vt **1.** (enfant) to bring up **2.** (élève) to educate.

effacé, e adj **1.** (teinte) faded **2.** (modeste - rôle) unobtrusive ; (- personne) self-effacing.

effacer vt **1.** (mot) to erase, to rub out **2.** IN-FORM to delete **3.** (souvenir) to erase **4.** (réussite) to eclipse. ■ **s'effacer** vp **1.** (s'estomper) to fade (away) **2.** sout (s'écarter) to move aside **3.** fig (s'incliner) to give way.

effaceur nm ● **effaceur (d'encre)** ink eraser ou rubber (UK).

effarant, e adj frightening.

effarer vt to frighten, to scare.

effaroucher vt **1.** (effrayer) to scare off **2.** (inti-mider) to overawe.

effectif, ive adj **1.** (remède) effective **2.** (aide) positive. ■ **effectif** nm **1.** MIL strength **2.** (de groupe) total number.

effectivement adv **1.** (réellement) effectively **2.** (confirmation) indeed ● **effectivement, tu as raison** indeed you're right.

effectuer vt (réaliser - manœuvre) to carry out ; (- trajet, paiement) to make. ■ **s'effectuer** vp to be made.

efféminé, e adj effeminate.

effervescence nf **1.** PHYS effervescence **2.** (agi-tation) turmoil ● **en effervescence** in turmoil.

effervescent, e adj **1.** (boisson) effervescent **2.** fig (pays) in turmoil.

effet nm **1.** (gén) effect ● **effet secondaire** MÉD side-effect ● **effets spéciaux** CINÉ special effects ● **sous l'effet de a)** under the effects of **b)** (alcool) under the influence of ● **effet de serre** green-house effect **2.** (impression recherchée) impression **3.** COMM (titre) bill. ■ **à cet effet** loc adv with this end in view. ■ **en effet** loc adv in fact, indeed.

effeuiller vt **1.** (arbre) to remove the leaves from **2.** (fleur) to remove the petals from.

efficace adj **1.** (remède, mesure) effective **2.** (per-sonne, machine) efficient.

efficacité nf **1.** (de remède, mesure) effectiveness **2.** (de personne, machine) efficiency.

effigie nf effigy.

effilé, e adj **1.** (doigt, silhouette) slim, slender **2.** (lame) sharp **3.** (voiture) streamlined.

effiler vt **1.** (tissu) to fray **2.** (lame) to sharpen **3.** (cheveux) to thin.

effilocher vt to fray. ■ **s'effilocher** vp to fray.

efflanqué, e adj emaciated.

effleurer vt **1.** (visage, bras) to brush (against) **2.** fig (problème, thème) to touch on **3.** fig (sujet : pensée, idée) ● **effleurer qqn** to cross sb's mind.

effluve nm **1.** exhalation **2.** fig (d'enfance, du passé) breath.

effondrement nm litt & fig collapse.

effondrer ■ **s'effondrer** vp litt & fig to collapse.

efforcer ■ **s'efforcer** vp ● **s'efforcer de faire qqch** to make an effort to do sthg.

effort nm **1.** (de personne) effort ● **faire un effort** to make an effort **2.** TECHNOL stress.

effraction nf breaking in ● **entrer par effrac-tion dans** to break into.

effrayant, e adj **1.** (cauchemar) terrifying **2.** fam (appétit, prix) tremendous, awful.

effrayer vt to frighten, to scare.

effréné, e adj (course) frantic.

effriter vt to cause to crumble. ■ **s'effriter** vp (mur) to crumble.

effroi nm fear, dread.

effronté, e adj insolent. ❑ nm, f insolent person.

effronterie nf insolence.

effroyable adj **1.** (catastrophe, misère) appalling **2.** (laideur) hideous.

effusion nf **1.** (de liquide) effusion **2.** (de senti-ments) effusiveness.

égal, e adj **1.** (équivalent) equal **2.** (régulier) even. ❑ nm, f equal.

également adv **1.** (avec égalité) equally **2.** (aussi) as well, too.

égaler vt **1.** MATH to equal **2.** (beauté) to match, to compare with.

égaliser vt (haie, cheveux) to trim. ❑ vi SPORT to equalize (UK), to tie (US).

égalitaire adj egalitarian.

égalité nf **1.** (gén) equality **2.** (d'humeur) even-ness **3.** SPORT ● **être à égalité** to be level, to be tied **4.** (au tennis) deuce.

égard nm consideration ● **à cet égard** in this respect. ■ **à l'égard de** loc prép with regard to, towards (UK), toward (US). ■ **à certains égards** loc adv in some respects.

égarement nm **1.** (de jeunesse) wildness **2.** (de raisonnement) aberration.

égarer vt **1.** (objet) to mislay, to lose **2.** (per-sonne) to mislead **3.** fig & sout (sujet : passion) to lead astray. ■ **s'égarer** vp **1.** (lettre) to get lost, to go astray **2.** (personne) to get lost, to lose one's way **3.** fig & sout (personne) to stray from the point.

égayer vt **1.** (personne) to cheer up **2.** (pièce) to brighten up.

égide nf protection ● **sous l'égide de** littéraire under the aegis of.

églantier nm wild rose (bush).

églantine nf wild rose.

églefin, aiglefin nm haddock.

église nf church. ■ **Église** nf ● **l'Église** the Church.

ego nm inv ego.

égocentrique adj self-centred (UK), self-centered (US), egocentric.

égoïsme nm selfishness, egoism.

égoïste nmf selfish person. ❑ adj selfish, ego-istic.

égorger vt (animal, personne) to cut the throat of. ■ **s'égorger** vp (s'entre-tuer) to kill each other • **empêchez-les de se battre, ils vont s'égorger!** stop them fighting, they'll kill each other!

égosiller ■ **s'égosiller** vp fam **1.** (crier) to bawl, to shout **2.** (chanter) to sing one's head off.

égout nm sewer.

égoutter vt **1.** (vaisselle) to leave to drain **2.** (légumes, fromage) to drain. ■ **s'égoutter** vp to drip, to drain.

égouttoir nm **1.** (à légumes) colander, strainer **2.** (à vaisselle) draining rack.

égratigner vt **1.** to scratch **2.** fig to have a go ou dig at. ■ **s'égratigner** vp • **s'égratigner la main** to scratch one's hand.

égratignure nf **1.** scratch, graze **2.** fig dig.

égrener vt **1.** (détacher les grains de - épi, cosse) to shell ; (-grappe) to pick grapes from **2.** (chapelet) to tell **3.** fig (marquer) to mark.

égrillard, e adj ribald, bawdy.

Égypte nf • l'**Égypte** Egypt.

En anglais, à de rares exceptions près, il n'y a pas d'article devant les noms de pays.

égyptien, enne adj Egyptian. ■ **égyptien** nm (langue) Egyptian. ■ **Égyptien, enne** nm,f Egyptian.

En anglais, les adjectifs se rapportant à un pays ou une région s'écrivent avec une majuscule.

égyptologie nf Egyptology.

eh interj hey! • **eh bien** well.

éhonté, e adj shameless.

Eiffel npr • **la tour Eiffel** the Eiffel Tower.

éjaculation nf ejaculation.

éjectable adj • **siège éjectable** ejector (UK) ou ejection (US) seat.

éjecter vt **1.** (douille) to eject **2.** fam (personne) to kick out.

élaboration nf (de plan, système) working out, development.

élaboré, e adj elaborate.

élaborer vt (plan, système) to work out, to develop.

élaguer vt litt & fig to prune.

élan nm **1.** ZOOL elk **2.** (athlétisme) run-up • **prendre son élan** to take a run-up, to gather speed **3.** (QUÉBEC) (golf) swing **4.** fig (de joie) outburst.

élancé, e adj slender.

élancer vi MÉD to give shooting pains. ■ **s'élancer** vp **1.** (se précipiter) to rush, to dash **2.** SPORT to take a run-up **3.** fig (s'envoler) to soar.

élargir vt **1.** to widen **2.** (vêtement) to let out **3.** fig to expand. ■ **s'élargir** vp **1.** (s'agrandir) to widen **2.** (vêtement) to stretch **3.** fig to expand.

élasthanne nm Spandex®.

élasticité nf PHYS elasticity.

élastique nm **1.** (pour attacher) rubber ou elastic (UK) band **2.** (matière) elastic. ❏ adj **1.** PHYS elastic **2.** (corps) flexible **3.** fig (conscience) accommodating.

élastomère nm elastomer.

eldorado nm El Dorado.

électeur, trice nm,f voter, elector.

élection nf (vote) election • **élections municipales** local elections • **élection présidentielle** presidential election.

électoral, e adj **1.** electoral **2.** (campagne, réunion) election (avant nom).

électorat nm electorate.

électricien, enne nm,f electrician.

électricité nf electricity.

électrifier vt to electrify.

électrique adj litt & fig electric.

électroaimant nm electro-magnet.

électrocardiogramme nm electrocardiogram.

électrochoc nm electroshock therapy.

électrocuter vt to electrocute. ■ **s'électrocuter** vp (emploi réfléchi) to electrocute o.s., to be electrocuted • **il a failli s'électrocuter** he nearly electrocuted himself.

électrode nf electrode.

électroencéphalogramme nm electroencephalogram.

électrogène adj • **groupe électrogène** generating unit.

électrolyse nf electrolysis.

électromagnétique adj electromagnetic.

électroménager nm household electrical appliances pl.

électron nm electron.

électronicien, enne nm,f electronics specialist.

électronique nf (sciences) electronics (indén). ❏ adj **1.** electronic **2.** (microscope) electron (avant nom).

électrophone nm record player.

élégance nf (de personne, style) elegance.

élégant, e adj **1.** (personne, style) elegant **2.** (délicat - solution, procédé) elegant ; (-conduite) generous.

élément nm **1.** (gén) element • **être dans son élément** to be in one's element **2.** (de machine) component **3.** • **éléments de cuisine** kitchen units.

élémentaire adj **1.** (gén) elementary **2.** (installation, besoin) basic.

éléphant nm elephant • **éléphant d'Afrique/d'Asie** African/Indian elephant.

élevage nm **1.** breeding, rearing • **faire l'élevage de moutons** to breed sheep **2.** (installation) farm.

élévateur, trice adj elevator (avant nom).

élève nmf (écolier, disciple) pupil.

élevé, e adj **1.** (haut) high **2.** fig (sentiment, âme) noble **3.** (enfant) • **bien/mal élevé** well/badly brought up.

élever vt **1.** (gén) to raise **2.** (statue) to put up, to erect **3.** (à un rang supérieur) to elevate **4.** (esprit) to improve **5.** (enfant) to bring up **6.** (poulets) to rear, to breed. ■ **s'élever** vp **1.** (gén) to rise **2.** (montant) • **s'élever à** to add up to **3.** (protester) • **s'élever contre qqn/qqch** to protest against sb/sthg.

éleveur, euse nm, f breeder.

elfe nm elf.

éligible adj eligible.

élimé, e adj threadbare.

élimination nf elimination.

éliminatoire nf (gén pl) SPORT qualifying heat ou round. ❏ adj qualifying (avant nom).

éliminer vt **1.** to eliminate **2.** (en usage absolu) • **il faut boire de l'eau pour éliminer** you must drink lots of water to clean out your system.

élire vt to elect.

élision nf elision.

élite nf elite • **d'élite** choice, select.

élitiste nmf & adj elitist.

élixir nm elixir.

elle pron pers **1.** (sujet - personne) she ; (- animal) it, she ; (- chose) it **2.** (complément - personne) her ; (- animal) it, her ; (- chose) it. ■ **elles** pron pers pl **1.** (sujet) they **2.** (complément) them. ■ **elle-même** pron pers **1.** (personne) herself **2.** (animal) itself, herself **3.** (chose) itself. ■ **elles-mêmes** pron pers pl themselves.

ellipse nf **1.** GÉOM ellipse **2.** LING ellipsis.

élocution nf delivery • **défaut d'élocution** speech defect.

éloge nm (louange) praise • **faire l'éloge de qqn/ qqch** (louer) to speak highly of sb/sthg • **couvrir qqn d'éloges** to shower sb with praise.

élogieux, euse adj laudatory.

éloigné, e adj distant.

éloignement nm **1.** (mise à l'écart) removal **2.** (séparation) absence **3.** (dans l'espace, le temps) distance.

éloigner vt **1.** (écarter) to move away • **éloigner qqch de** to move sthg away from **2.** (détourner) to turn away **3.** (chasser) to dismiss. ■ **s'éloigner** vp **1.** (partir) to move ou go away **2.** fig • **s'éloigner du sujet** to stray from the point **3.** (se détacher) to distance o.s.

élongation nf MÉD • **élongation de muscle** pulled muscle • **se faire une élongation** tu pull a muscle.

éloquence nf (d'orateur, d'expression) eloquence.

éloquent, e adj **1.** (avocat, silence) eloquent **2.** (données) significant.

élu, e pp → **élire**. ❏ adj POLIT elected. ❏ nm, f **1.** POLIT elected representative **2.** RELIG chosen one • **l'élu de son cœur** hum & sout one's heart's desire.

élucider vt to clear up.

éluder vt to evade.

Élysée nm • **l'Élysée** the Élysée.

émacié, e adj littéraire emaciated.

e-mail nm e-mail, E-mail.

émail nm enamel • **en émail** enamel, enamelled (UK), enameled (US).

émanation nf emanation • **être l'émanation de** fig to emanate from.

émanciper vt to emancipate. ■ **s'émanciper** vp 1. (se libérer) to become free ou liberated 2. fam (se dévergonder) to become emancipated.

émaner vi • **émaner de** to emanate from.

émarger vt (signer) to sign.

émasculer vt to emasculate.

emballage nm packaging • **emballage recyclable** (alimentation) recyclable packaging.

emballer vt 1. (objet) to pack (up), to wrap (up) 2. fam (plaire à) to thrill. ■ **s'emballer** vp 1. (moteur) to race 2. (cheval) to bolt 3. fam (personne - s'enthousiasmer) to get carried away ; (-s'emporter) to lose one's temper.

embarcadère nm landing stage.

embarcation nf small boat.

embardée nf swerve • **faire une embardée** to swerve.

embargo nm embargo.

embarquement nm 1. (de marchandises) loading 2. (de passagers) boarding.

embarquer vt 1. (marchandises) to load 2. (passagers) to (take on) board 3. fam (arrêter) to pick up 4. fam & fig (engager) • **embarquer qqn dans** to involve sb in 5. fam (emmener) to cart off. ❏ vi • **embarquer (pour)** to sail (for). ■ **s'embarquer** vp 1. (sur un bateau) to (set) sail 2. fam & fig (s'engager) • **s'embarquer dans** to get involved in.

embarras nm 1. (incertitude) (state of) uncertainty • **avoir l'embarras du choix** to be spoilt for choice 2. (situation difficile) predicament • **être dans l'embarras** to be in a predicament • **mettre qqn dans l'embarras** to place sb in an awkward position • **tirer qqn d'embarras** to get sb out of a tight spot 3. (gêne) embarrassment 4. (souci) difficulty, worry.

embarrassant, e adj 1. (encombrant) cumbersome 2. (délicat) embarrassing.

embarrassé, e adj 1. (encombré - pièce, bureau) cluttered • **avoir les mains embarrassées** to have one's hands full 2. (gêné) embarrassed 3. (confus) confused.

embarrasser vt 1. (encombrer - pièce) to clutter up ; (-personne) to hamper 2. (gêner) to put in an awkward position. ■ **s'embarrasser** vp (se charger) • **s'embarrasser de qqch a)** to burden o.s. with sthg **b)** fig to bother about sthg.

embauchage nm = embauche.

embauche nf hiring, employment.

embaucher vt 1. (employer) to employ, to take on 2. fam (occuper) • **je t'embauche !** I need your help!

embaumer vt 1. (cadavre) to embalm 2. (parfumer) to scent. ❏ vi to be fragrant.

embellie nf 1. (éclaircie) bright ou clear spell 2. fig (temporary) improvement.

embellir vt 1. (agrémenter) to brighten up 2. fig (enjoliver) to embellish. ❏ vi 1. (devenir plus beau)

to become more attractive 2. fig & hum to grow, to increase.

embêtant, e adj fam annoying.

embêtement nm fam trouble.

embêter vt fam (contrarier, importuner) to annoy. ■ **s'embêter** vp fam (s'ennuyer) to be bored.

emblée ■ **d'emblée** loc adv right away.

emblématique adj emblematic.

emblème nm emblem.

emboîter vt • **emboîter qqch dans qqch** to fit sthg into sthg. ■ **s'emboîter** vp to fit together • **des tables/poupées qui s'emboîtent les unes dans les autres** a nest of tables/dolls.

embolie nf embolism.

embonpoint nm stoutness.

embouché, e adj fam • **mal embouché** foul-mouthed.

embouchure nf (de fleuve) mouth.

embourber ■ **s'embourber** vp 1. (s'enliser) to get stuck in the mud 2. fig to get bogged down.

embourgeoiser vt 1. (personne) to instil (UK) ou instill (US) middle-class values in 2. (quartier) to gentrify. ■ **s'embourgeoiser** vp 1. (personne) to adopt middle-class values 2. (quartier) to become gentrified.

embout nm 1. (protection) tip 2. (extrémité d'un tube) nozzle.

embouteillage nm (circulation) traffic jam.

emboutir vt 1. fam (voiture) to crash into 2. TECHNOL to stamp.

embranchement nm 1. (carrefour) junction 2. (division) branching (out) 3. fig branch.

embraser vt 1. (incendier, éclairer) to set ablaze 2. fig (d'amour) to (set on) fire, to inflame. ■ **s'embraser** vp 1. (prendre feu, s'éclairer) to be ablaze 2. fig & littéraire to be inflamed.

embrassade nf embrace.

embrasser vt 1. (donner un baiser à) to kiss 2. (étreindre) to embrace 3. fig (du regard) to take in. ■ **s'embrasser** vp to kiss (each other).

embrasure nf • **dans l'embrasure de la fenêtre** in the window.

embrayage nm (mécanisme) clutch.

embrayer vi AUTO to engage the clutch.

embrigader vt to recruit. ■ **s'embrigader** vp to join.

embrocher *vt* to skewer.

embrouillamini *nm fam* muddle.

embrouille *nf fam* shenanigans *pl*.

embrouiller *vt* **1.** *(mélanger)* to mix (up), to muddle (up) **2.** *fig (compliquer)* to confuse.

embruns *nmpl* spray *(indén)*.

embryon *nm litt &fig* embryo.

embûche *nf* pitfall.

embuer *vt* **1.** *(de vapeur)* to steam up **2.** *(de larmes)* to mist (over).

embuscade *nf* ambush.

éméché, e *adj fam* tipsy, merry (UK).

émeraude *nf* emerald.

émerger *vi* **1.** *(gén)* to emerge **2.** *fig* NAUT to surface.

émeri *nm* • **papier** *ou* **toile émeri** emery paper.

émérite *adj* distinguished, eminent.

émerveiller *vt* to fill with wonder. ■ **s'émerveiller** *vp* • **s'émerveiller (de)** to marvel (at).

émetteur, trice *adj* transmitting *(avant nom)* • **poste émetteur** transmitter. ■ **émetteur** *nm (appareil)* transmitter.

émettre *vt* **1.** *(rayon, son)* to emit **2.** *(onde, signal)* to send out **3.** *(à la radio, la télé)* to transmit, to broadcast **4.** *(billets, timbres)* to issue **5.** *(doute, réserve)* to express.

émeute *nf* riot.

émietter *vt* **1.** *(du pain)* to crumble **2.** *(morceler)* to divide up.

émigrant, e *adj & nm, f* emigrant.

émigration *nf* **1.** *(de personnes)* emigration **2.** ZOOL migration.

émigré, e *adj* migrant. □ *nm, f* emigrant.

émigrer *vi* **1.** *(personnes)* to emigrate **2.** *(animaux)* to migrate.

émincé, e *adj* thinly sliced. ■ **émincé** *nm si vous voulez expliquer à un anglophone de quoi il s'agit, vous pouvez dire* it is a dish of thin slices of meat served in a sauce.

éminemment *adv* eminently.

éminence *nf* hill.

éminent, e *adj* eminent, distinguished.

émir *nm* emir.

émirat *nm* emirate. ■ **Émirat** *nm* • **les Émirats arabes unis** the United Arab Emirates.

émis, e *pp* → **émettre**.

émissaire *nm (envoyé)* emissary, envoy. □ *adj* → **bouc**.

émission *nf* **1.** *(de gaz, de son)* emission **2.** *(RADIO & TV-transmission)* transmission, broadcasting ; *(-programme)* programme (UK), program (US) **3.** *(mise en circulation)* issue.

emmagasiner *vt* **1.** *(stocker)* to store **2.** *fig (accumuler)* to store up.

emmaillotter *vt* to wrap up.

emmanchure *nf* armhole.

emmêler *vt* **1.** *(fils)* to tangle up **2.** *fig (idées)* to muddle up, to confuse. ■ **s'emmêler** *vp* **1.** *(fils)* to get into a tangle **2.** *fig (personne)* to get mixed up.

emménagement *nm* moving in.

emménager *vi* to move in.

emmener *vt* to take.

emmerder *vt fam* to piss off. ■ **s'emmerder** *vp tfam (s'embêter)* to be bored stiff.

emmitoufler *vt* to wrap up. ■ **s'emmitoufler** *vp* to wrap o.s. up.

émoi *nm* **1.** *sout (agitation)* agitation, commotion • **en émoi** in turmoil **2.** *(émotion)* emotion.

emoticon *nm* INFORM emoticon.

émotif, ive *adj* emotional.

émotion *nf* **1.** *(sentiment)* emotion **2.** *(peur)* fright, shock • **faire une émotion à qqn** to give sb a fright.

émotionnel, elle *adj* emotional.

émousser *vt litt & fig* to blunt.

émouvant, e *adj* moving.

émouvoir *vt* **1.** *(troubler)* to disturb, to upset **2.** *(susciter la sympathie de)* to move, to touch. ■ **s'émouvoir** *vp* to show emotion, to be upset.

empailler *vt* **1.** *(animal)* to stuff **2.** *(chaise)* to upholster (with straw).

empaler *vt* to impale.

empaqueter *vt* to pack (up), to wrap (up).

emparer ■ **s'emparer** *vp* • **s'emparer de a)** *(sujet : personne)* to seize **b)** *(sujet : sentiment)* to take hold of.

empâter *vt* **1.** *(visage, traits)* to fatten out **2.** *(bouche, langue)* to coat, to fur up. ■ **s'empâter** *vp* to put on weight.

empêchement *nm* obstacle • **j'ai un empêchement** something has come up.

empêcher *vt* to prevent • **empêcher qqn/ qqch de faire qqch** to prevent sb/sthg from doing sthg • **empêcher que qqn (ne) fasse qqch** to prevent sb from doing sthg • **(il) n'empêche que** nevertheless, all the same.

empeigne *nf* upper.

empereur *nm* emperor.

empesé, e *adj* **1.** *(linge)* starched **2.** *fig (style)* stiff.

empester *vi* to stink.

empêtrer *vt* • **être empêtré dans** to be tangled up in. ■ **s'empêtrer** *vp* • **s'empêtrer (dans)** to get tangled up (in).

emphase *nf péj* pomposity.

empiéter *vi* • **empiéter sur** to encroach on.

empiffrer ■ **s'empiffrer** *vp fam* to stuff o.s.

empiler *vt (entasser)* to pile up, to stack up.

empire *nm* **1.** *fig* HIST empire **2.** *sout (contrôle)* influence.

empirer *vi & vt* to worsen.

empirique *adj* empirical.

emplacement *nm* **1.** *(gén)* site, location **2.** *(dans un camping)* place.

emplette *nf (gén pl)* purchase.

emplir *vt sout* • **emplir (de)** to fill (with). ■ **s'emplir** *vp* • **s'emplir (de)** to fill (with).

emploi *nm* **1.** *(utilisation)* use • **emploi du temps** *SCOL* timetable **(UK)**, schedule **(US)** • **mode d'emploi** instructions *pl (for/use)* **2.** *(travail)* job • **il est sans emploi** he is unemployed *ou* out of a job • **emploi saisonnier** seasonal job.

employé, e *nm, f* employee • **employé de bureau** office worker.

employer *vt* **1.** *(utiliser)* to use **2.** *(salarier)* to employ.

employeur, euse *nm, f* employer.

empocher *vt fam* to pocket.

empoignade *nf* row.

empoigner *vt (saisir)* to grasp. ■ **s'empoigner** *vp fig* to come to blows.

empoisonnant, e *adj* **1.** *(ennuyeux)* boring **2.** *(insupportable)* irritating.

empoisonnement *nm (intoxication)* poisoning.

empoisonner *vt* **1.** *(gén)* to poison **2.** *fam (ennuyer)* to annoy, to bug.

emporté, e *adj* short-tempered.

emportement *nm* anger.

emporter *vt* **1.** *(emmener)* to take (away) • **à emporter** *(plats)* to take away **(UK)**, to take out **(US)**, to go **(US)** **2.** *(entraîner)* to carry along **3.** *(arracher)* to tear off, to blow off **4.** *(faire mourir)* to carry off **5.** *(surpasser)* • **l'emporter sur** to get the better of. ■ **s'emporter** *vp* to get angry, to lose one's temper.

empoté, e *fam adj* clumsy. ❏ *nm, f* clumsy person.

empreinte *nf* **1.** *(trace)* print **2.** *fig* mark, trace • **empreintes digitales** fingerprints.

empressement *nm* **1.** *(zèle)* attentiveness **2.** *(enthousiasme)* eagerness.

empresser ■ **s'empresser** *vp* • **s'empresser de faire qqch** to hurry to do sthg • **s'empresser auprès de qqn** to be attentive to sb.

emprise *nf (ascendant)* influence.

emprisonnement *nm* imprisonment.

emprisonner *vt (voleur)* to imprison.

emprunt *nm* **1.** *FIN* loan • **faire un emprunt** to take out a loan **2.** *fig LING* borrowing.

emprunté, e *adj* awkward, self-conscious.

emprunter *vt* **1.** *(gén)* to borrow • **emprunter qqch à** to borrow sthg from **2.** *(route)* to take.

ému, e *pp* → **émouvoir.** ❏ *adj* **1.** *(personne)* moved, touched **2.** *(regard, sourire)* emotional.

émulation *nf* **1.** *(concurrence)* rivalry **2.** *(imitation)* emulation.

émule *nmf* **1.** *(imitateur)* emulator **2.** *(concurrent)* rival.

émulsion *nf* emulsion.

en

■ **en** *prép*

1. EXPRIME LE TEMPS
• **ils sont allés au Japon en 1994** they went to Japan in 1994 • **ils iront en vacances en hiver/septembre** they will go on holiday in winter/September

2. INDIQUE LE LIEU OÙ L'ON EST
• **ma sœur habite en Sicile/ville** my sister lives in Sicily/town

3. INDIQUE LE LIEU OÙ L'ON VA
• **elle va en Sicile/ville** she's going to Sicily/town

4. INDIQUE LA MATIÈRE
• **c'est en métal** it's (made of) metal • **cette théière est en porcelaine** this teapot is made of china

5. INDIQUE UN ÉTAT
• **ils sont en vacances** they are on holiday **(UK)** *ou* vacation **(US)** • **les arbres sont en fleurs** the trees are in blossom

6. INDIQUE LA MANIÈRE
• **ils y vont en groupe** they are going in a group • **tu devrais le dire en anglais** you should say it in English • **vous devriez compter en dollars** you should calculate in dollars

7. INDIQUE UN RÔLE
• **il a agi en traître** he behaved treacherously • **il a parlé en expert** he spoke as an expert

8. INDIQUE UN DOMAINE
• **elle est forte en physique** she's good at physics • **un devoir en anglais** English exercices *ou* homework • **je n'y connais rien en musique classique** I don't know anything about classical music

9. INDIQUE UN MOYEN DE TRANSPORT
• **nous irons là-bas en avion/bateau/train** we'll go there by plane/boat/train • **c'est plus rapide en avion** it's quicker by plane

10. INDIQUE UNE TRANSFORMATION
• **la citrouille se changea en un magnifique carrosse** the pumpkin changed into a beautiful carriage • **elle a traduit ce texte en italien pour moi** she translated this text into Italian for me

11. INDIQUE LA FORME, LA TAILLE
• **les Français utilisent du sucre en morceaux** the French use sugar cubes • **le lait en poudre est très pratique** powdered milk is very convenient • **vous l'avez en 38 ?** do you have it in a 38? • **est-ce que vous l'avez en**

plus grand ? do you have it in a bigger size? • **je la préfère en vert** I prefer it in green

12. DEVANT UN PARTICIPE PRÉSENT
• **en arrivant à Paris, on a été pris dans un embouteillage** on arriving in Paris *ou* as we *ou* when we arrived in Paris, we got caught in a traffic jam • **elle répondit en souriant** she replied with a smile • **il a monté l'escalier en courant** he ran upstairs • **en faisant un effort, tu y arriveras** by making an effort, you'll manage *ou* you'll manage if you make an effort

■ **en** *pron pers*

1. REMPLACE UN NOM PRÉCÉDÉ DE LA PRÉPOSITION « DE »
• **il s'en est souvenu** he remembered it • **nous en avons déjà parlé** we've already spoken about it • **je m'en porte garant** I'll vouch for it • **est-ce que tu connais la Bretagne ? — bien sûr, j'en viens !** do you know Brittany? — of course, I come from there!

2. REMPLACE UN NOM PRÉCÉDÉ DES ARTICLES PARTITIFS « DU », « DE LA » ET « DES »
• **j'ai du chocolat, tu en veux ?** I've got some chocolate, do you want some? • **tu en as ? have you got any?, do you have any?** • **il y en a plusieurs** there are several (of them)

À PROPOS DE

en

Dans certains cas, *en* ne se traduit pas.
Lorsque *en* indique une quantité, il se traduit par *some* dans les phrases affirmatives ainsi que dans les phrases interrogatives si l'on s'attend à une réponse positive.
• *Tu en veux ?* **Do you want some?**
• *Il y en a plusieurs.* **There are several of them.**
• *J'en voudrais deux.* **I'd like two of them.**
En se traduit par **of it** ou **of them** dans les phrases où il est associé à *plusieurs, beaucoup, certains* ou à un chiffre.
En se traduit par **any** dans les phrases négatives ainsi que dans les phrases interrogatives lorsque l'on ne sait pas quelle sera la réponse.
• *Je n'en veux plus, merci.* **I don't want any more, thank you.**

ENA, Ena (abrév de École nationale d'administration) *nf* si vous voulez expliquer à un anglophone de quoi il s'agit, vous pouvez dire it is a prestigious higher-education institution that provides training for future senior civil servants.

encadrement *nm* **1.** *(de tableau, porte)* frame **2.** *(dans une entreprise)* managerial staff **3.** *(à l'armée)* officers *pl* **4.** *(à l'école)* staff **5.** *(du crédit)* restriction.

encadrer *vt* **1.** *(photo, visage)* to frame **2.** *(employés)* to supervise **3.** *(soldats)* to be in command of **4.** *(élèves)* to teach.

encaissé, e *adj* **1.** *(vallée)* deep and narrow **2.** *(rivière)* steep-banked.

encaisser *vt* **1.** *(argent, coups, insultes)* to take **2.** *(chèque)* to cash.

encart *nm* insert.

en-cas, encas *nm inv* snack.

encastrable *adj* able to be fitted (in).

encastrer *vt* to fit. ■ **s'encastrer** *vp* **1.** *(mécanisme, pierre)* to fit • **la pièce s'encastre parfaitement dans le boîtier** the component fits perfectly into the casing **2.** *(voiture)* • **la voiture est venue s'encastrer sous le camion** the car jammed itself under the lorry.

encaustique *nf* *(cire)* polish.

enceinte *adj f* pregnant • **enceinte de 4 mois** 4 months pregnant. □ *nf* **1.** *(muraille)* wall **2.** *(espace)* • **dans l'enceinte de** within (the confines of) **3.** *(baffle)* • **enceinte (acoustique)** speaker.

encens *nm* incense.

encenser *vt* **1.** *(brûler de l'encens dans)* to burn incense in **2.** *fig (louer)* to flatter.

encensoir *nm* censer.

encercler *vt* **1.** *(cerner, environner)* to surround **2.** *(entourer)* to circle.

enchaînement *nm* **1.** *(succession)* series **2.** *(liaison)* link.

enchaîner *vt* **1.** *(attacher)* to chain up **2.** *fig (asservir)* to enslave **3.** *(coordonner)* to link. □ *vi* • **enchaîner (sur)** to move on (to). ■ **s'enchaîner** *vp* **1.** *(idées)* to follow on (from one another) (UK), to be connected **2.** *(images, épisodes)* to form a (logical) sequence **3.** *(événements)* to be linked together • **tes paragraphes s'enchaînent mal** your paragraphs don't hang together well *ou* are a bit disjointed.

enchanté, e *adj* **1.** *(ravi)* delighted • **enchanté de faire votre connaissance** pleased to meet you **2.** *(ensorcelé)* enchanted.

enchantement *nm* **1.** *(sortilège)* magic spell • **comme par enchantement** as if by magic **2.** *sout (ravissement)* delight **3.** *(merveille)* wonder.

enchanter *vt* **1.** *(ensorceler, charmer)* to enchant **2.** *(ravir)* to delight.

enchâsser *vt* **1.** *(encastrer)* to fit **2.** *(sertir)* to set.

enchère *nf bid* • **vendre qqch aux enchères** to sell sthg at *ou* by auction.

enchevêtrer *vt* **1.** *(emmêler)* to tangle up **2.** *fig* to muddle, to confuse.

enclave *nf* enclave.

enclencher *vt* *(mécanisme)* to engage. ■ **s'enclencher** *vp* **1.** TECHNOL to engage **2.** *fig (commencer)* to begin.

enclin, e *adj* **enclin à qqch/à faire qqch** inclined to sthg/to do sthg.

enclore *vt* to fence in, to enclose.

enclos, e *pp* → enclore. ■ **enclos** *nm* enclosure.

enclume *nf* anvil.

encoche *nf* notch.

encoignure *nf (coin)* corner.

encolure *nf* neck.

encombrant, e *adj* **1.** cumbersome **2.** *fig (personne)* undesirable.

encombre ■ **sans encombre** *loc adv* without a hitch.

encombré, e *adj* **1.** *(lieu)* busy, congested **2.** *fig* saturated.

encombrement *nm* **1.** *(d'une pièce)* clutter **2.** *(d'un objet)* overall dimensions *pl* **3.** *(embouteillage)* traffic jam **4.** INFORM footprint.

encombrer *vt* to clutter (up).

encontre ■ **à l'encontre de** *loc prép* • **aller à l'encontre de** to go against, to oppose.

encore

■ **encore** *adv*

1. TOUJOURS

• **il est onze heures et elle dort encore** it's eleven o'clock and she's still sleeping • **il l'aime encore** he still loves her • **elle ne travaille pas encore** she's not working yet • **elle n'était jamais venue ici** she had never come here before

2. DE NOUVEAU

• **il m'a encore menti** he's lied to me again • **quoi encore ?** what now? • **l'ascenseur est en panne — encore !** the lift's out of order — not again! • **encore une fois, il est en retard** once more *ou* once again, he's late • **elle a encore acheté une nouvelle robe** she has bought yet another new dress

3. EN PLUS

• **j'en veux encore** I want some more • **encore de la glace ?** some more ice cream? • **encore une tasse ?** another cup? • **on a encore besoin de deux volontaires** we need two more volunteers • **encore un mois** one more month • **qu'est-ce que j'oublie encore ?** what else have I forgotten?

4. MARQUE LE RENFORCEMENT

• **c'est encore mieux/pire** it's even better/worse • **c'est encore plus cher ici !** it's even more expensive here!

■ **encore que** *loc conj*

although • **ce n'est pas mal, encore que ce ne soit pas parfait** although it's not perfect, it's not bad

■ **et encore** *loc adv*

• **j'ai eu le temps de prendre un sandwich, et encore !** I had time for a sandwich, but only just!

■ **si encore** *loc adv*

if only • **si encore il montrait un peu de bonne volonté !** if only he showed a little effort!

encourageant, e *adj* encouraging.

encouragement *nm (parole)* (word of) encouragement.

encourager *vt* to encourage • **encourager qqn à faire qqch** to encourage sb to do sthg.

encourir *vt sout* to incur.

encouru, e *pp* → encourir.

encrasser *vt* **1.** TECHNOL to clog up **2.** *fam (salir)* to make dirty *ou* filthy. ■ **s'encrasser** *vp* **1.** TECHNOL to clog up **2.** *fam (se salir)* to get dirty *ou* filthy.

encre *nf* ink • **encre indélébile** indelible ink.

encrer *vt* to ink.

encrier *nm* inkwell.

encroûter ■ **s'encroûter** *vp fam* to get into a rut • **s'encroûter dans ses habitudes** to become set in one's ways.

encyclopédie *nf* encyclopedia.

encyclopédique *adj* encyclopedic.

endémique *adj* endemic.

endetter ■ **s'endetter** *vp* to get into debt.

endeuiller *vt* to plunge into mourning.

endiablé, e *adj (frénétique)* frantic, frenzied.

endiguer *vt* **1.** *(fleuve)* to dam **2.** *fig (réprimer)* to stem.

endimanché, e *adj* in one's Sunday best.

endive *nf* chicory *(indén)* (UK), endive (US).

endoctriner *vt* to indoctrinate.

endolori, e *adj* painful, aching • **le corps tout endolori** aching all over • **mon pied était endolori** my foot hurt *ou* was aching.

endommager *vt* to damage.

endormi, e *adj* **1.** *(personne)* sleeping, asleep **2.** *fig (village)* sleepy **3.** *(jambe)* numb **4.** *(passion)* dormant **5.** *fam (apathique)* sluggish.

endormir *vt* **1.** *(assoupir, ennuyer)* to send to sleep **2.** *(anesthésier - patient)* to anaesthetize, anesthetize (US); *(- douleur)* to ease **3.** *fig (tromper)* to allay. ■ **s'endormir** *vp (s'assoupir)* to fall asleep.

endosser *vt* **1.** *(vêtement)* to put on **2.** FIN & DR to endorse • **endosser un chèque** to endorse a cheque (UK) *ou* check (US) **3.** *fig (responsabilité)* to take on.

endroit *nm* **1.** *(lieu, point)* place • **à quel endroit ?** where? **2.** *(passage)* part **3.** *(côté)* right side • **à l'endroit** the right way around.

enduire *vt* • **enduire qqch (de)** to coat sthg (with).

enduit,e *pp* → **enduire**. ◼ **enduit** *nm* coating.

endurance *nf* endurance.

endurant,e *adj* tough, resilient.

endurcir *vt* to harden. ◼ **s'endurcir** *vp* • **s'endurcir à** to become hardened to.

endurer *vt* to endure.

énergétique *adj* **1.** *(ressource)* energy *(avant nom)* **2.** *(aliment)* energy-giving.

énergie *nf* energy • **énergie renouvelable** renewable energy.

énergique *adj* **1.** *(gén)* energetic **2.** *(remède)* powerful **3.** *(mesure)* drastic.

énergumène *nmf* rowdy character.

énervant,e *adj* annoying, irritating.

énervé,e *adj* **1.** *(irrité)* annoyed, irritated **2.** *(surexcité)* overexcited.

énerver *vt* to irritate, to annoy. ◼ **s'énerver** *vp* **1.** *(être irrité)* to get annoyed **2.** *(être excité)* to get worked up *ou* excited.

enfance *nf* **1.** *(âge)* childhood **2.** *(enfants)* children **3.** *fig (débuts)* infancy **4.** *(de civilisation, de l'humanité)* dawn.

enfant *nmf (gén)* child • **attendre un enfant** to be expecting a baby. ◼ **bon enfant** *loc adj* good-natured.

enfanter *vt littéraire* to give birth to.

enfantillage *nm* childishness *(indén)*.

enfantin,e *adj* **1.** *(propre à l'enfance)* childlike **2.** *péj* childish **3.** *(jeu, chanson)* children's *(avant nom)* **4.** *(facile)* childishly simple.

enfer *nm fig RELIG* hell. ◼ **Enfers** *nmpl* • **les Enfers** the Underworld *sing*.

enfermer *vt (séquestrer, ranger)* to shut away. ◼ **s'enfermer** *vp* to shut o.s. away *ou* up • **s'enfermer dans** *fig* to retreat into.

enfilade *nf* row.

enfiler *vt* **1.** *(aiguille, sur un fil)* to thread **2.** *(vêtements)* to slip on.

enfin *adv* **1.** *(en dernier lieu)* finally, at last **2.** *(dans une liste)* lastly **3.** *(avant une récapitulation)* in a word, in short **4.** *(introduit une rectification)* that is, well **5.** *(introduit une concession)* anyway, still, however.

enflammer *vt* **1.** *(bois)* to set fire to **2.** *fig (exalter)* to inflame. ◼ **s'enflammer** *vp* **1.** *(bois)* to catch fire **2.** *fig (s'exalter)* to flare up.

enflé,e *adj (style)* turgid.

enfler *vi* to swell (up).

enfoncer *vt* **1.** *(faire pénétrer)* to drive in • **enfoncer qqch dans qqch** to drive sthg into sthg **2.** *(enfouir)* • **enfoncer ses mains dans ses poches** to thrust one's hands into one's pockets **3.** *(défoncer)* to break down. ◼ **s'enfoncer** *vp* **1.** • **s'enfoncer dans a)** *(eau, boue)* to sink into **b)** *(bois, ville)* to disappear into **2.** *(s'affaisser)* to

give way **3.** *(aggraver son cas)* to get into deep *ou* deeper waters, to make matters worse.

enfouir *vt* **1.** *(cacher)* to hide **2.** *(ensevelir)* to bury.

enfourcher *vt* to get on, to mount.

enfourner *vt* **1.** *(pain)* to put in the oven **2.** *fam (avaler)* to gobble up.

enfreindre *vt* to infringe.

enfreint,e *pp* → **enfreindre**.

enfuir *vp* **s'enfuir** *(fuir)* to run away.

enfumer *vt* to fill with smoke.

engagé,e *adj* committed.

engageant,e *adj* engaging.

engagement *nm* **1.** *(promesse)* commitment **2.** *DR* contract **3.** *(MIL - de soldats)* enlistment ; *(- combat)* engagement **4.** *(football, rugby)* kickoff.

engager *vt* **1.** *(lier)* to commit **2.** *(embaucher)* to take on, to engage **3.** *(faire entrer)* • **engager qqch dans** to insert sthg into **4.** *(commencer)* to start **5.** *(impliquer)* to involve **6.** *(encourager)* • **engager qqn à faire qqch** to urge sb to do sthg. ◼ **s'engager** *vp* **1.** *(promettre)* • **s'engager à qqch/à faire qqch** to commit o.s. to sthg/to doing sthg **2.** *MIL* • **s'engager (dans)** to enlist (in) **3.** *(pénétrer)* • **s'engager dans** to enter.

engelure *nf* chilblain.

engendrer *vt* **1.** *littéraire* to father **2.** *fig (produire)* to cause, to give rise to **3.** *(sentiment)* to engender.

engin *nm* **1.** *(machine)* machine • **engin de terrassement** earthmover **2.** *MIL* missile **3.** *fam & péj (objet)* thing.

englober *vt* to include.

engloutir *vt* **1.** *(dévorer)* to gobble up **2.** *(faire disparaître)* to engulf **3.** *fig (dilapider)* to squander.

engorger *vt* **1.** *(obstruer)* to block, to obstruct **2.** *MÉD* to engorge. ◼ **s'engorger** *vp* **1.** *(tuyau)* to become blocked, to get blocked **2.** *(route)* to get congested.

engouement *nm (enthousiasme)* infatuation.

engouffrer *vt fam (dévorer)* to wolf down. ◼ **s'engouffrer** *vp* • **s'engouffrer dans** to rush into.

engourdi,e *adj* **1.** numb **2.** *fig* dull.

engourdir *vt* **1.** to numb **2.** *fig* to dull. ◼ **s'engourdir** *vp* to go numb.

engrais *nm* fertilizer • **engrais chimiques** chemical fertilizers.

engraisser *vt* **1.** *(animal)* to fatten **2.** *(terre)* to fertilize. ❑ *vi* to put on weight.

engrenage *nm* **1.** *TECHNOL* gears *pl* **2.** *fig (circonstances)* • **être pris dans l'engrenage** to be caught up in the system.

engueulade *nf fam* bawling out.

engueuler *vt fam* • **engueuler qqn** to bawl sb out. ◼ **s'engueuler** *vp fam* to have a row, to have a slanging match (*UK*).

enhardir vt to make bold. ■ **s'enhardir** vp to pluck up one's courage.

énième adj fam • **la énième fois** the nth time.

énigmatique adj enigmatic.

énigme nf **1.** (mystère) enigma **2.** (jeu) riddle.

enivrant, e adj litt & fig intoxicating.

enivrer vt **1.** litt to get drunk **2.** fig to intoxicate. ■ **s'enivrer** vp • **s'enivrer (de) a)** litt to get drunk (on) **b)** fig to become intoxicated (with).

enjambée nf stride.

enjamber vt **1.** (obstacle) to step over **2.** (cours d'eau) to straddle.

enjeu nm **1.** (ce que l'on peut gagner ou perdre) stake • **l'enjeu d'une guerre** the stakes of war • **c'est un enjeu important** the stakes are high • **quel est l'enjeu de cet accord ?** what's at stake in this agreement? • **il n'y a pas vraiment d'enjeu dans cette élection** there's not much at stake in this election • **mesurer l'enjeu** to be aware of what is at stake **2.** (défi) challenge • **c'est un enjeu de taille pour l'entreprise** it's a major challenge for the company.

enjoindre vt littéraire • **enjoindre à qqn de faire qqch** to enjoin sb to do sthg.

enjoint pp inv → enjoindre.

enjôler vt to coax.

enjôleur, euse adj wheedling. ❑ nm, f wheedler.

enjoliver vt to embellish.

enjoliveur nm **1.** (de roue) hubcap **2.** (de calandre) badge.

enjoué, e adj cheerful.

enlacer vt (prendre dans ses bras) to embrace, to hug. ■ **s'enlacer** vp (s'embrasser) to embrace, to hug.

enlaidir vt to make ugly. ❑ vi to become ugly.

enlèvement nm **1.** (action d'enlever) removal **2.** (rapt) abduction.

enlever vt **1.** (gén) to remove **2.** (vêtement) to take off **3.** (prendre) • **enlever qqch à qqn** to take sthg away from sb **4.** (kidnapper) to abduct.

enliser ■ **s'enliser** vp **1.** (s'embourber) to sink, to get stuck **2.** fig (piétiner) • **s'enliser dans qqch** to get bogged down in sthg.

enluminure nf illumination.

enneigé, e adj snow-covered.

ennemi, e adj enemy (avant nom). ❑ nm, f enemy.

ennui nm **1.** (lassitude) boredom **2.** (contrariété) annoyance • **l'ennui, c'est que...** the annoying thing is that... **3.** (problème) problem • **avoir des ennuis** to have problems.

ennuyer vt **1.** (agacer, contrarier) to annoy • **cela t'ennuierait de venir me chercher ?** would you mind picking me up? **2.** (lasser) to bore **3.** (inquiéter) to bother. ■ **s'ennuyer** vp **1.** (se morfondre) to be bored **2.** (déplorer l'absence) • **s'ennuyer de qqn/qqch** to miss sb/sthg.

ennuyeux, euse adj **1.** (lassant) boring **2.** (contrariant) annoying.

énoncé nm (libellé) wording.

énoncer vt **1.** (libeller) to word **2.** (exposer) to expound **3.** (théorème) to set forth.

énorme adj **1.** litt & fig (immense) enormous **2.** fam & fig (incroyable) far-fetched.

énormément adv enormously • **énormément de** a great deal of.

énormité nf **1.** (gigantisme) enormity **2.** (absurdité) • **dire des énormités** to say the most stupid things.

enquête nf **1.** (de police, recherches) investigation **2.** (sondage) survey.

enquêter vi **1.** (police, chercheur) to investigate • **enquêter sur un meurtre** to investigate a murder **2.** (sonder) to conduct a survey.

enquiquiner fam vt **1.** (ennuyer) to bore (stiff) **2.** (irriter) to bug **3.** (importuner) • **se faire enquiquiner** to be hassled. ■ **s'enquiquiner** vpi **1.** (s'ennuyer) to be bored (stiff) **2.** (se donner du mal) • **s'enquiquiner à : je ne vais pas m'enquiquiner à tout recopier** I don't feel like copying it out again.

enraciner vt **1.** (planter) to dig in **2.** fig (idée, préjugé) to implant. ■ **s'enraciner** vp **1.** (plante, idée) to take root **2.** (personne) to put down roots.

enragé, e adj **1.** (chien) rabid, with rabies **2.** fig (invétéré) keen.

enrager vi to be furious • **faire enrager qqn** to infuriate sb.

enrayer vt **1.** (épidémie) to check, to stop **2.** (mécanisme) to jam. ■ **s'enrayer** vp (mécanisme) to jam.

enregistrement nm **1.** (de son, d'images, d'informations) recording **2.** (inscription) registration **3.** (à l'aéroport) check-in • **enregistrement des bagages** baggage registration.

enregistrer vt **1.** (son, images, informations) to record • **n'oublie pas d'enregistrer le documentaire** don't forget to record the documentary • **ils sont en train d'enregistrer** they're doing ou making a recording • **musique enregistrée** taped ou recorded music **2.** INFORM to save • **'enregistrer sous'** 'save as' • **j'ai dû enregistrer le fichier sur ma clé** I had to save the file on my flash drive **3.** (inscrire) to register **4.** (à l'aéroport) to check in **5.** fam (mémoriser) to make a mental note of.

enrhumé, e adj • **je suis enrhumé** I have a cold.

enrhumer ■ **s'enrhumer** vp to catch (a) cold.

enrichir vt **1.** (financièrement) to make rich **2.** fig (terre) to enrich. ■ **s'enrichir** vp **1.** (financièrement) to grow rich **2.** fig (sol) to become enriched.

enrichissant, e adj enriching.

enrobé, e adj (recouvert) • **enrobé de** coated with **2.** fam (grassouillet) plump.

enrober vt (recouvrir) • **enrober qqch de** to coat sthg with. ■ **s'enrober** vp to put on weight.

enrôler vt **1.** to enrol (UK), to enroll (US) **2.** MIL to enlist. ■ **s'enrôler** vp **1.** to enrol (UK), to enroll (US) **2.** MIL to enlist.

enroué,e adj hoarse.

enrouler vt to roll up • **enrouler qqch autour de qqch** to wind sthg around sthg. ■ **s'enrouler** vp **1.** (entourer) • **s'enrouler sur** ou **autour de qqch** to wind around sthg **2.** (se pelotonner) • **s'enrouler dans qqch** to wrap o.s. up in sthg.

ensabler vt to silt up. ■ **s'ensabler** vp to silt up.

enseignant,e adj teaching (avant nom). ❏ nm,f teacher.

enseigne nf **1.** (de commerce) sign • **enseigne lumineuse** neon sign **2.** (drapeau, soldat) ensign.

enseignement nm **1.** (métier) teaching • **il est dans l'enseignement** he's a teacher **2.** (instruction) education • **enseignement primaire** primary education • **enseignement privé** private education • **enseignement secondaire** secondary education **3.** (leçon) lesson.

enseigner vt litt & fig to teach • **enseigner qqch à qqn** to teach sb sthg, to teach sthg to sb.

ensemble adv together • **aller ensemble** to go together. ❏ nm **1.** (totalité) whole • **idée d'ensemble** general idea • **dans l'ensemble** on the whole **2.** (harmonie) unity **3.** (vêtement) outfit **4.** (série) collection **5.** MATH set **6.** MUS ensemble **7.** (d'immeubles) • **grand ensemble** housing estate (UK) ou project (US).

ensemencer vt **1.** (terre) to sow **2.** (rivière) to stock.

enserrer vt **1.** (entourer) to encircle **2.** fig to imprison.

ensevelir vt litt & fig to bury.

ensoleillé,e adj sunny.

ensoleillement nm sunshine.

ensommeillé,e adj sleepy.

ensorceler vt to bewitch.

ensuite adv **1.** (après, plus tard) after, afterwards, later **2.** (puis) then, next, after that • **et ensuite ?** what then?, what next?

ensuivre ■ **s'ensuivre** vp to follow • **il s'ensuit que** it follows that.

entaille nf cut.

entailler vt to cut.

entame nf first slice.

entamer vt **1.** (gâteau, fromage) to start (on) **2.** (bouteille, conserve) to start, to open **3.** (capital) to dip into **4.** (cuir, réputation) to damage **5.** (courage) to shake.

entartrer vt to scale, to fur up. ■ **s'entartrer** vp to scale, to fur up.

entasser vt **1.** (accumuler, multiplier) to pile up **2.** (serrer) to squeeze. ■ **s'entasser** vp **1.** (objets) to pile up **2.** (personnes) • **s'entasser dans** to squeeze into.

entendement nm understanding.

entendre vt **1.** (percevoir, écouter) to hear • **entendre parler de qqch** to hear of ou about sthg **2.** sout (comprendre) to understand • **laisser entendre que** to imply that **3.** sout (vouloir) • **entendre faire qqch** to intend to do sthg **4.** (vouloir dire) to mean. ■ **s'entendre** vp **1.** (sympathiser) • **s'entendre avec qqn** to get on with sb **2.** (s'accorder) to agree.

entendu,e pp → entendre. ❏ adj **1.** (compris) agreed, understood **2.** (complice) knowing.

entente nf **1.** (harmonie) understanding **2.** (accord) agreement.

entériner vt to ratify.

enterrement nm burial.

enterrer vt litt & fig to bury • **enterrer sa vie de garçon** to have a stag party.

entêtant,e adj heady.

en-tête nm heading. ■ **à en-tête** loc adj (papier, bristol) headed • **papier à en-tête de la compagnie** company notepaper.

entêté, e *adj* stubborn.

entêter ■ **s'entêter** *vp* to persist • **s'entêter à faire qqch** to persist in doing sthg.

enthousiasme *nm* enthusiasm.

enthousiasmer *vt* to fill with enthusiasm. ■ **s'enthousiasmer** *vp* • **s'enthousiasmer pour** to be enthusiastic about.

enthousiaste *nmf* enthusiast. ❑ *adj* enthusiastic.

enticher ■ **s'enticher** *vp* • **s'enticher de qqn/qqch** to become obsessed with sb/sthg.

entier, ère *adj* whole, entire. ■ **en entier** *loc adv* in its/their entirety.

entièrement *adv* 1. *(complètement)* fully 2. *(pleinement)* wholly, entirely.

entité *nf* entity.

entonner *vt (chant)* to strike up.

entonnoir *nm* 1. *(instrument)* funnel 2. *(cavité)* crater.

entorse *nf MÉD* sprain • **se faire une entorse à la cheville/au poignet** to sprain one's ankle/wrist.

entortiller *vt* 1. *(entrelacer)* to twist 2. *(envelopper)* • **entortiller qqch autour de qqch** to wrap sthg around sthg 3. *fam & fig (personne)* to sweet-talk.

entourage *nm (milieu)* entourage.

entourer *vt* 1. *(enclore, encercler)* • **entourer (de)** to surround (with) 2. *fig (soutenir)* to rally round.

entourloupette *nf fam* dirty trick.

entournure *nf* • **être gêné aux entournures** a) *fig (financièrement)* to feel the pinch b) *(être mal à l'aise)* to feel awkward.

entracte *nm* 1. interval *(UK)*, intermission *(US)* • **à l'entracte** in the interval 2. *fig* interlude.

entraide *nf* mutual assistance.

entrailles *nfpl* 1. *(intestins)* entrails 2. *sout (profondeurs)* depths.

entrain *nm* drive.

entraînant, e *adj* 1. *(chanson)* catchy, swinging 2. *(rythme)* swinging, lively 3. *(style, éloquence)* rousing, stirring.

entraînement *nm* 1. *(préparation)* practice 2. *SPORT* training.

entraîner *vt* 1. *TECHNOL* to drive 2. *(tirer)* to pull 3. *(susciter)* to lead to 4. *SPORT* to coach 5. *(emmener)* to take along 6. *(séduire)* to influence • **entraîner qqn à faire qqch** to talk sb into sthg. ■ **s'entraîner** *vp* 1. *(gén)* to practise *(UK)*, to practice *(US)* • **s'entraîner à faire qqch** to practise *(UK)* ou practice *(US)* doing sthg 2. *SPORT* to train • **je m'entraîne tous les matins** I train every morning • **s'entraîner pour les** ou **en vue des jeux Olympiques** to be in training ou to train for the Olympic Games • **s'entraîner**

au saut à la perche to be in training ou to train for the pole vault.

entraîneur, euse *nm, f* trainer, coach.

entrave *nf* 1. hobble 2. *fig* obstruction.

entraver *vt* 1. to hobble 2. *fig* to hinder.

entre *prép* 1. *(gén)* between 2. *(parmi)* among • **entre nous** between you and me, between ourselves • **l'un d'entre nous ira** one of us will go • **généralement ils restent entre eux** they tend to keep themselves to themselves • **ils se battent entre eux** they're fighting among ou amongst themselves. ■ **entre autres** *loc prép* • **entre autres (choses)** among other things.

entrebâiller *vt* to open slightly.

entrechat *nm* 1. *(danse)* entrechat 2. *(saut)* leap • **faire des entrechats** to leap around.

entrechoquer *vt* to bang together. ■ **s'entrechoquer** *vp* to bang into each other.

entrecôte *nf* entrecôte.

entrecouper *vt* to intersperse.

entrecroiser *vt* to interlace. ■ **s'entrecroiser** *vp* to intersect.

entrée *nf* 1. *(arrivée, accès)* entry, entrance • **'entrée interdite'** 'no admittance' • **'entrée libre'** a) *(dans un musée)* 'admission free' b) *(dans une boutique)* 'browsers welcome' 2. *(porte)* entrance 3. *(vestibule)* (entrance) hall 4. *(billet)* ticket 5. *(plat)* starter, first course.

entrefaites *nfpl* • **sur ces entrefaites** just at that moment.

entrefilet *nm* paragraph.

entrejambe *nm* crotch.

entrelacer *vt* to intertwine.

entrelarder *vt* 1. *CULIN* to lard 2. *fig (discours)* • **entrelarder de** to lace with.

entremêler *vt* to mix • **entremêler de** to mix with.

entremets *nm* dessert.

entremettre ■ **s'entremettre** *vp* • **s'entremettre (dans)** to mediate (in).

entremise *nf* intervention • **par l'entremise de** through.

entrepont *nm* steerage.

entreposer *vt* to store.

entrepôt *nm* warehouse.

entreprendre *vt* 1. to undertake 2. *(commencer)* to start • **entreprendre de faire qqch** to undertake to do sthg.

entrepreneur, euse *nm, f (de services)* *CONSTR* contractor.

entrepris, e *pp* → entreprendre.

entreprise *nf* 1. *(travail, initiative)* enterprise 2. *(société)* company.

entrer *vi* 1. *(pénétrer)* to enter, to go/come in • **entrer dans** a) *(gén)* to enter b) *(pièce)* to go/come into c) *(bain, voiture)* to get into 2. *fig (sujet)* to go into • **entrer par** to go in ou enter by

• **faire entrer** qqn to show sb in • **faire entrer qqch** to bring sthg in **3.** *(faire partie)* • **entrer dans** to go into, to be part of **4.** *(être admis, devenir membre)* • **entrer à** *(club, parti)* to join • **entrer dans a)** *(les affaires, l'enseignement)* to go into **b)** *(la police, l'armée)* to join • **entrer à l'université** to go to university **(UK)** *ou* college **(US)** • **entrer à l'hôpital** to go into hospital **(UK)**, to enter the hospital **(US)**. ❑ *vt* **1.** *(gén)* to bring in **2.** INFORM to enter, to input.

entresol *nm* mezzanine.

entre-temps *adv* meanwhile.

entretenir *vt* **1.** *(faire durer)* to keep alive **2.** *(cultiver)* to maintain **3.** *(soigner)* to look after **4.** *(personne, famille)* to support **5.** *(parler à)* • **entretenir qqn de qqch** to speak to sb about sthg. ■ **s'entretenir** *vp (se parler)* • **s'entretenir (de)** to talk (about).

entretien *nm* **1.** *(de voiture, jardin)* maintenance, upkeep • **il est chargé de l'entretien du parc** he's in charge of park maintenance **2.** *(conversation)* discussion • **entretien d'embauche** job interview **3.** *(colloque)* debate.

entre-tuer, entretuer ■ **s'entre-tuer, s'entretuer** *vp* to kill each other.

entrevoir *vt* **1.** *(distinguer)* to make out **2.** *(voir rapidement)* to see briefly **3.** *fig (deviner)* to glimpse.

entrevue *nf* meeting.

entrouvert, e *adj* half-open.

entrouvrir *vt* to open partly. ■ **s'entrouvrir** *vp* to open partly.

énumération *nf* enumeration.

énumérer *vt* to enumerate.

env. (abrév de environ) approx.

envahir *vt* **1.** *(gén)* MIL to invade **2.** *fig (sujet : sommeil, doute)* to overcome **3.** *fig (déranger)* to intrude on.

envahissant, e *adj* **1.** *(herbes)* invasive **2.** *(personne)* intrusive.

envahisseur *nm* invader.

enveloppe *nf* **1.** *(de lettre)* envelope • **enveloppe timbrée** stamped addressed envelope **(UK)**, self-addressed stamped envelope **(US)** **2.** *(d'emballage)* covering **3.** *(membrane)* membrane **4.** *(de graine)* husk.

envelopper *vt* **1.** *(emballer)* to wrap (up) **2.** *(sujet : brouillard)* to envelop **3.** *(déguiser)* to mask. ■ **s'envelopper** *vp* • **s'envelopper dans** to wrap o.s. up in.

envenimer *vt* **1.** *(blessure)* to infect **2.** *fig (querelle)* to poison. ■ **s'envenimer** *vp* **1.** *(s'infecter)* to become infected **2.** *fig (se détériorer)* to become poisoned.

envergure *nf* **1.** *(largeur)* span **2.** *(d'oiseau, d'avion)* wingspan **3.** *fig (qualité)* calibre **(UK)** *ou* caliber **(US)** **4.** *fig (importance)* scope • **prendre de l'envergure** to expand.

envers[1] *prép* towards **(UK)**, toward **(US)**.

rédiger une enveloppe

Le titre de la personne à laquelle le courrier est destiné doit être indiqué avant son prénom et son nom (**Mr Oliver Twayne**, **Mrs Amanda Sutton**, **Dr James Parker**, **Professor John Taylor**, etc).

Le nom des sociétés doit être mentionné en totalité et les numéros d'appartement ou de rues précèdent l'adresse (**Flat 4, Hereford Road**). Les abréviations sont courantes : **Rd** (Road), **St** (Street), **Ave** (Avenue), **Tce** (Terrace), **Gdns** (Gardens), **Sq** (Square).

Le nom des villes est suivi, sur la ligne suivante, par celui de la région (en Angleterre) ou de l'État (aux États-Unis) : les régions anglaises sont couramment abrégées (**N Yorks** pour North Yorkshire ou **Hants** pour Hampshire). Les codes postaux sont toujours mentionnés après, par exemple (**Burke / Virginia 22051 / USA**).

---

envers[2] *nm* **1.** *(de tissu)* wrong side **2.** *(de feuillet)* back **3.** *(de médaille)* reverse **4.** *(face cachée)* other side. ■ **à l'envers** *loc adv* **1.** *(vêtement)* inside out **2.** *(portrait, feuille)* upside down **3.** *fig* the wrong way.

envi ■ **à l'envi** *loc adv littéraire* trying to outdo each other.

envie *nf* **1.** *(désir)* desire • **avoir envie de qqch/de faire qqch** to feel like sthg/like doing sthg, to want sthg/to do sthg **2.** *(convoitise)* envy • **ce tailleur me fait envie** I'd love to buy that suit.

envier *vt* to envy.

envieux, euse *adj* envious. ❑ *nm, f* envious person • **faire des envieux** to make other people envious.

environ *adv (à peu près)* about.

environnement *nm* **1.** environment **2.** INFORM environment, platform.

environnemental, e *adj* environmental.

environs *nmpl* (surrounding) area *sing* • **aux environs de a)** *(lieu)* near **b)** *(époque)* around, round about **(UK)**.

envisageable *adj* conceivable • **ce n'est guère envisageable** it hardly seems possible.

envisager *vt* to consider • **envisager de faire qqch** to be considering doing sthg.

envoi *nm* **1.** *(action)* sending, dispatch **2.** *(colis)* parcel **(UK)**, package **(US)** **3.** INTERNET • **envoi multiple** crossposting • **faire un envoi multiple** to cross-post.

envol *nm* takeoff.

envolée *nf* **1.** *(d'oiseaux)* flight **2.** *(augmentation)* • **l'envolée du dollar** the rapid rise in the value of the dollar.

envoler ■ **s'envoler** *vp* **1.** *(oiseau)* to fly away **2.** *(avion)* to take off **3.** *(disparaître)* to disappear into thin air.

envoûtant, e *adj* spellbinding, bewitching, entrancing.

envoûter *vt* to bewitch.

envoyé, e *adj* • **bien envoyé** well-aimed. ❑ *nm, f* envoy.

envoyer *vt* to send • **envoyer qqch à qqn a)** *(expédier)* to send sb sthg, to send sthg to sb **b)** *(jeter)* to throw sb sthg, to throw sthg to sb • **envoyer qqn faire qqch** to send sb to do sthg • **envoyer chercher qqn/qqch** to send for sb/sthg • **envoyer qqn par terre** to knock sb to the ground.

À PROPOS DE

envoyer

• envoyer qqch à qqn **send sthg to sb** ou **send sb sthg**
Il faut noter la construction à double complément qui en anglais peut prendre deux formes dont le sens est le même :
1. une structure identique à celle du français : verbe + COD + préposition + COI **send sthg to sb**
2. une structure qui diffère de celle du français, sans préposition, et dans laquelle l'ordre des compléments est inversé : verbe + COI + COD **send sb sthg**
• Marie envoie toujours des cartes postales à ses parents lorsqu'elle est en voyage. **Marie always sends postcards to her parents when she's travelling** ou **Marie always sends her parents postcards when she's travelling**.

enzyme *nmf* enzyme.

éolien *nm* • **l'éolien** wind power • **l'éolien va se développer dans les années à venir** wind power will develop over the coming years.

éolienne *nf* windmill *(for generating power)*, wind turbine.

épagneul *nm* spaniel.

épais, aisse *adj* **1.** *(large, dense)* thick **2.** *(grossier)* crude.

épaisseur *nf* **1.** *(largeur, densité)* thickness • **ça fait un centimètre d'épaisseur** it's one centimetre thick **2.** *fig (consistance)* depth.

épaissir *vt & vi* to thicken. ■ **s'épaissir** *vp* **1.** *(liquide)* to thicken **2.** *fig (mystère)* to deepen.

épanchement *nm* **1.** *(effusion)* outpouring **2.** *MÉD* effusion.

épancher *vt* to pour out. ■ **s'épancher** *vp (se confier)* to pour one's heart out.

épanoui, e *adj* **1.** *(fleur)* in full bloom **2.** *(expression)* radiant **3.** *(corps)* fully formed • **aux formes épanouies** well-rounded.

épanouir *vt (personne)* to make happy. ■ **s'épanouir** *vp* **1.** *(fleur)* to open **2.** *(visage)* to light up **3.** *(corps)* to fill out **4.** *(personnalité)* to blossom.

épanouissement *nm* **1.** *(de fleur)* blooming, opening **2.** *(de visage)* brightening **3.** *(de corps)* filling out **4.** *(de personnalité)* flowering.

épargnant, e *nm, f* saver.

épargne *nf* **1.** *(action, vertu)* saving **2.** *(somme)* savings *pl* • **épargne logement** savings account *(to buy property)* • **épargne salariale** employee savings.

épargner *vt* **1.** *(gén)* to spare • **épargner qqch à qqn** to spare sb sthg **2.** *(économiser)* to save.

éparpiller *vt* **1.** *(choses, personnes)* to scatter **2.** *fig (forces)* to dissipate. ■ **s'éparpiller** *vp* **1.** *(se disperser)* to scatter **2.** *fig (perdre son temps)* to lack focus.

épars, e *adj sout* **1.** *(objets)* scattered **2.** *(végétation, cheveux)* sparse.

épatant, e *adj fam* great.

épaté, e *adj* **1.** *(nez)* flat **2.** *fam (étonné)* amazed.

épaule *nf* shoulder.

épauler *vt* to support, to back up.

épaulette *nf* **1.** *MIL* epaulet **2.** *(rembourrage)* shoulder pad.

épave *nf* wreck.

épée *nf* sword.

épeler *vt* to spell.

éperdu, e *adj (sentiment)* passionate • **éperdu de** *(personne)* overcome with.

éperon *nm* **1.** *(de cavalier, de montagne)* spur **2.** *(de navire)* ram.

éperonner *vt* to spur on.

épervier *nm* sparrowhawk.

éphèbe *nm hum* Adonis.

éphémère *adj (bref)* ephemeral, fleeting. ❑ *nm ZOOL* mayfly.

éphéméride *nf* tear-off calendar.

épi *nm* **1.** *(de céréale)* ear **2.** *(cheveux)* tuft.

épice *nf* spice.

épicé, e *adj* spicy.

épicéa *nm* spruce.

épicer *vt (plat)* to spice.

épicerie *nf* **1.** *(magasin)* grocer's (shop) (UK), grocery (store) (US) **2.** *(denrées)* groceries *pl*.

épicier, ère *nm, f* grocer.

épidémie *nf* epidemic.

épiderme *nm* epidermis.

épier *vt* **1.** *(espionner)* to spy on **2.** *(observer)* to look for.

épilateur *nm* hair remover.

épilation *nf* hair removal • **épilation à la cire** waxing.

épilepsie *nf* epilepsy.

épiler *vt* **1.** *(jambes)* to remove hair from **2.** *(sourcils)* to pluck. ■ **s'épiler** *vp* **1.** • **s'épiler les jambes** to remove the hair from one's legs **2.** *(à la cire)* to wax one's legs **3.** • **s'épiler les sourcils** to pluck one's eyebrows.

épilogue nm **1.** (de roman) epilogue **2.** (d'affaire) outcome.

épinards nmpl spinach (indén).

épine nf (piquant - de rosier) thorn ; (- de hérisson) spine.

épineux, euse adj thorny.

épingle nf (instrument) pin • **épingle à cheveux** hairpin • **épingle à nourrice** safety pin.

épingler vt **1.** (fixer) to pin (up) **2.** fam & fig (arrêter) to nab, to nick (UK).

épinière → **moelle**.

Épiphanie nf Epiphany.

épique adj epic.

épiscopal, e adj episcopal.

épisode nm episode.

épisodique adj **1.** (occasionnel) occasional **2.** (secondaire) minor.

épistolaire adj **1.** (échange) of letters • **être en relations épistolaires avec qqn** to be in (regular) correspondence with sb **2.** (roman) epistolary.

épitaphe nf epitaph.

épithète nf **1.** GRAMM attribute **2.** (qualificatif) term. ◻ adj attributive.

épître nf epistle.

éploré, e adj **1.** (personne) in tears **2.** (visage, air) tearful.

épluche-légumes nm inv potato peeler.

éplucher vt **1.** (légumes) to peel **2.** (textes) to dissect **3.** (comptes) to scrutinize.

épluchure nf peelings pl.

éponge nf sponge • **passer l'éponge** fig to let bygones be bygones.

éponger vt **1.** (liquide, déficit) to mop up **2.** (visage) to mop, to wipe.

épopée nf epic.

époque nf **1.** (de l'année) time • **à l'époque j'habitais Paris** at the time I lived in Paris **2.** (de l'histoire) period.

épouiller vt to delouse.

époumoner ■ **s'époumoner** vp to shout o.s. hoarse.

épouse → **époux**.

épouser vt **1.** (personne) to marry **2.** (forme) to hug **3.** fig (idée, principe) to espouse.

épousseter vt to dust.

époustouflant, e adj fam amazing.

épouvantable adj dreadful.

épouvantail nm **1.** (à moineaux) scarecrow **2.** fig bogeyman.

épouvante nf terror, horror • **film d'épouvante** horror film (UK) ou movie (US).

épouvanter vt to terrify.

époux, épouse nm, f spouse.

éprendre ■ **s'éprendre** vp sout • **s'éprendre de** to fall in love with.

épreuve nf **1.** (essai, examen) test • **à l'épreuve du feu** fireproof • **à l'épreuve des balles** bulletproof • **épreuve de force** fig trial of strength **2.** (malheur) ordeal **3.** SPORT event **4.** TYPO proof **5.** PHOTO print.

épris, e pp → **éprendre**. ◻ adj sout • **épris de** in love with.

éprouvant, e adj testing, trying.

éprouver vt **1.** (tester) to test **2.** (ressentir) to feel **3.** (faire souffrir) to distress • **être éprouvé par** to be afflicted by **4.** (difficultés, problèmes) to experience.

éprouvette nf **1.** (tube à essai) test tube **2.** (échantillon) sample.

EPS (abrév de éducation physique et sportive) nf PE.

épuisant, e adj exhausting.

épuisé, e adj **1.** (personne, corps) exhausted **2.** (marchandise) sold out, out of stock **3.** (livre) out of print.

épuisement nm exhaustion.

épuiser vt to exhaust.

épuisette nf landing net.

épuration nf **1.** (des eaux) purification **2.** POLIT purge.

épurer vt **1.** (eau, huile) to purify **2.** POLIT purge.

équarrir vt **1.** (animal) to cut up **2.** (poutre) to square.

équateur nm equator • **sous l'équateur** on the equator.

Équateur nm • **l'Équateur** Ecuador.

équation nf equation.

équatorial, e adj equatorial.

équerre nf **1.** (instrument) set square (UK), triangle (US) **2.** (en T) T-square.

équestre adj equestrian.

équilatéral, e adj equilateral.

équilibre nm **1.** (gén) balance • **il a perdu l'équilibre** he lost his balance **2.** (psychique) stability.

équilibré, e adj **1.** (personne) well-balanced **2.** (vie) stable **3.** ARCHIT • **aux proportions équilibrées** well-proportioned.

équilibrer vt to balance. ■ **s'équilibrer** vp to balance each other out.

équilibriste nmf tightrope walker.

équinoxe nm equinox • **équinoxe de printemps/d'automne** spring/autumn ou fall (US) equinox.

équipage nm crew.

équipe nf team • **l'équipe de handball** the handball team.

équipé, e adj • **cuisine équipée** fitted kitchen.

équipement nm **1.** (matériel) equipment • **équipement électroménager** electrical appliances **2.** (aménagement) facilities pl • **équipe-**

ments sportifs/scolaires sports/educational facilities.

équiper *vt* **1.** *(navire, armée)* to equip **2.** *(personne, local)* to equip, to fit out • **équiper qqn/qqch de** to equip sb/sthg with, to fit sb/sthg out with. ■ **s'équiper** *vp* • **s'équiper (de)** to equip o.s. (with).

équipier, ère *nm, f* team member.

équitable *adj* fair.

équitation *nf* riding, horse-riding (UK), horseback riding (US).

LEXIQUE — **équitation**

la bombe	the riding cap
la brosse	the brush
le cure-pieds	the hoof pick
la couverture	the blanket
la cravache	the horsewhip
la culotte de cheval	the riding breeches
l'étrier	the stirrup
le fer	the horseshoe
le filet	the bridle
le licol	the halter
la martingale	the martingale
le mors	the bit
la selle	the saddle
le poney	the pony
la pouliche	the filly
l'étalon	the stallion
le naseau	the nostril
le sabot	the hoof
la jambe	the leg

équité *nf* fairness.

équivalent, e *adj* equivalent. ■ **équivalent** *nm* equivalent.

équivaloir ■ **équivaloir à** *v + prép (être égal à)* to be equal *ou* equivalent to.

équivoque *adj* **1.** *(ambigu)* ambiguous **2.** *(mystérieux)* dubious. ❑ *nf* ambiguity • **sans équivoque** unequivocal *(adj)*, unequivocally *(adv)*.

érable *nm* maple.

éradiquer *vt* to eradicate.

érafler *vt* **1.** *(peau)* to scratch **2.** *(mur, voiture)* to scrape.

éraflure *nf* **1.** *(de peau)* scratch **2.** *(de mur, voiture)* scrape.

éraillé, e *adj (voix)* hoarse.

ère *nf* era.

érection *nf* erection.

éreintant, e *adj* exhausting.

éreinter *vt* **1.** *(fatiguer)* to exhaust **2.** *fam (critiquer)* to pull to pieces. ■ **s'éreinter** *vpi* to wear o.s. out • **s'éreinter à faire qqch** to wear o.s. out doing sthg.

ergonomique *adj* ergonomic.

ériger *vt* **1.** *(monument)* to erect **2.** *(tribunal)* to set up **3.** *fig (transformer)* • **ériger qqn en** to set sb up as.

ermite *nm* hermit.

éroder *vt* to erode.

érogène *adj* erogenous.

érosion *nf* erosion.

érotique *adj* erotic.

érotisme *nm* eroticism.

errance *nf* wandering.

errant, e *adj (chien, chat)* stray *(avant nom)*.

erratum *nm* erratum.

errer *vi* to wander.

erreur *nf* mistake • **par erreur** by mistake.

erroné, e *adj* wrong.

ersatz *nm inv* ersatz.

éructer *vi* to belch.

érudit, e *adj* erudite, learned. ❑ *nm, f* learned person, scholar.

éruption *nf* **1.** *MÉD* rash **2.** *(de volcan)* eruption.

érythème *nm* erythema • **érythème fessier** nappy (UK) *ou* diaper (US) rash.

es → **être**.

ès *prép* of *(in certain titles)* • **docteur ès lettres** ≃ PhD, doctor of philosophy.

ESB (abrév de encéphalopathie spongiforme bovine) *nf* BSE.

escabeau *nm* **1.** *(échelle)* stepladder • **monter sur un escabeau** to climb onto a stepladder **2.** *vieilli (tabouret)* stool.

escadre *nf* **1.** *(navires)* fleet **2.** *(avions)* wing.

escadrille *nf* **1.** *(navires)* flotilla **2.** *(avions)* flight.

escadron *nm* squadron.

escalade *nf* **1.** *(de montagne, grille)* climbing **2.** *(des prix, de violence)* escalation.

escalader *vt* to climb.

escale *nf* **1.** *(lieu - pour navire)* port of call ; *(- pour avion)* stopover **2.** *(arrêt - de navire)* call ; *(- d'avion)* stopover, stop • **faire escale à a)** *navire* to put in at, to call at **b)** *(avion)* to stop over at.

escalier *nm* stairs *pl* • **descendre/monter l'escalier** to go downstairs/upstairs • **escalier roulant** *ou* **mécanique** escalator.

escalope *nf* escalope.

escamotable *adj* **1.** *(train d'atterrissage)* retractable **2.** *(antenne)* telescopic **3.** *(table)* folding.

escamoter *vt* **1.** *(faire disparaître)* to make disappear **2.** *(rentrer)* to retract **3.** *(phrase, mot)* to swallow **4.** *(éluder - question)* to evade ; *(- objection)* to get around.

escapade *nf* **1.** *(voyage)* outing **2.** *(fugue)* escapade.

escarbille *nf* cinder.

escargot *nm* snail.

escarmouche *nf* skirmish.

escarpé, e *adj* steep.

escarpement *nm* **1.** *(de pente)* steep slope **2.** GÉOGR escarpment.

escarpin *nm* court shoe (UK), pump (US).

escarre *nf* bedsore, pressure sore.

escient *nm* • **à bon escient** advisedly • **à mauvais escient** ill-advisedly.

esclaffer ■ **s'esclaffer** *vp* to burst out laughing.

esclandre *nm* scene.

esclavage *nm* slavery.

esclave *nmf* slave. ❑ *adj* • **être esclave de** to be a slave to.

escompte *nm* discount.

escompter *vt* **1.** *(prévoir)* to count on **2.** FIN to discount.

escorte *nf* escort.

escorter *vt* to escort.

escouade *nf* squad.

escrime *nf* fencing.

escrimer ■ **s'escrimer** *vp* • **s'escrimer à faire qqch** to work (away) at doing sthg.

escroc *nm* swindler.

escroquer *vt* to swindle • **escroquer qqch à qqn** to swindle sb out of sthg.

escroquerie *nf* swindle, swindling *(indén)*.

espace *nm* space • **espace disque** INFORM disk space • **espace vert** green space, green area.

espacer *vt* **1.** *(dans l'espace)* to space out **2.** *(dans le temps - visites)* to space out ; *(- paiements)* to spread out. ■ **s'espacer** *vp* to become less frequent.

espadon *nm* *(poisson)* swordfish.

espadrille *nf* espadrille.

Espagne *nf* • **l'Espagne** Spain.

En anglais, à de rares exceptions près, il n'y a pas d'article devant les noms de pays.

espagnol, e *adj* Spanish. ■ **espagnol** *nm* *(langue)* Spanish. ■ **Espagnol, e** *nm, f* Spaniard • **les Espagnols** the Spanish.

En anglais, les adjectifs se rapportant à un pays ou une région ainsi que le nom désignant la langue de ce pays ou cette région, s'écrivent avec une majuscule.

espagnolette *nf* latch *(for window or shutter)*.

espalier *nm* **1.** *(arbre)* espalier **2.** SPORT wall bars *pl*.

espèce *nf* **1.** BIOL, BOT & ZOOL species • **espèce en voie de disparition** endangered species **2.** *(sorte)* kind, sort • **espèce d'idiot !** you stupid fool! ■ **espèces** *nfpl* cash • **payer en espèces** to pay (in) cash.

espérance *nf* hope • **espérance de vie** life expectancy.

espérer *vt* to hope for • **espérer que** to hope (that) • **espérer faire qqch** to hope to do sthg. ❑ *vi* to hope • **espérer en qqn/qqch** to trust in sb/sthg.

espiègle *adj* mischievous.

espion, onne *nm, f* spy.

espionnage *nm* spying • **espionnage industriel** industrial espionage.

espionner *vt* to spy on.

esplanade *nf* esplanade.

espoir *nm* hope.

esprit *nm* **1.** *(entendement, personne, pensée)* mind • **reprendre ses esprits** to recover **2.** *(attitude)* spirit • **esprit de compétition** competitive spirit • **esprit critique** critical acumen **3.** *(humour)* wit **4.** *(fantôme)* spirit, ghost.

esquif *nm* littéraire skiff.

Esquimau® *nm inv* • **Esquimau (glacé)** choc-ice *(on a stick)* (UK), Eskimo (US).

esquimau, aude *adj* Eskimo. ■ **Esquimau, aude, Eskimo** *nm, f* Eskimo *(attention : le terme « Esquimau », comme son équivalent anglais, est souvent considéré comme injurieux en Amérique du Nord. On préférera le terme « Inuit »).*

esquinter *vt fam* **1.** *(abîmer)* to ruin **2.** *(critiquer)* to pan, to slate (UK). ■ **s'esquinter** *vp* • **s'esquinter à faire qqch** to kill o.s. doing sthg.

esquisse *nf* **1.** *(croquis)* sketch **2.** *fig (de projet)* outline **3.** *fig (de geste, sourire)* trace.

esquiver *vt* to dodge. ■ **s'esquiver** *vp* to slip away.

essai *nm* **1.** *(vérification)* test, testing *(indén)* • **à l'essai** on trial • **essais nucléaires** nuclear tests **2.** *(tentative)* attempt **3.** *(rugby)* try • **marquer un essai** to score a try.

essaim *nm* litt & fig swarm.

essayage *nm* fitting.

essayer *vt* to try • **essayer de faire qqch** to try to do sthg.

À PROPOS DE
essayer de faire

Il faut noter l'emploi de *try to do sthg* qui a le même sens que *try to do sthg* mais qui est d'un registre plus familier :

• *Essaie de deviner ce qu'il y a dans mon sac.* **Try and guess what's in my bag.**

La construction *try and do sthg* ne peut pas être employée au prétérit :

• *J'ai essayé de lui en parler.* **I tried to talk to him about it.**

essence *nf* **1.** *(fondement, de plante)* essence • **par essence** *sout* in essence **2.** *(carburant)* petrol (UK), gas (US) **3.** *(d'arbre)* species.

essentiel, elle *adj* **1.** *(indispensable)* essential **2.** *(fondamental)* basic. ■ **essentiel** *nm* **1.** *(point)* • **l'essentiel a)** *(le principal)* the essential *ou* main thing b) *(objets)* the essentials pl **2.** *(quantité)* • **l'essentiel de** the main *ou* greater part of.

essentiellement adv **1.** *(avant tout)* above all **2.** *(par essence)* essentially.

esseulé, e adj *littéraire* forsaken.

essieu nm axle.

essor nm flight, expansion, boom • **prendre son essor a)** to take flight **b)** *fig* to take off.

essorage nm **1.** *(manuel)* wringing (out) **2.** *(à la machine)* drying, spin-drying (UK).

essorer vt **1.** *(à la main)* to wring out **2.** *(à la machine)* to dry, to spin-dry (UK), to tumble-dry (UK) **3.** *(salade)* to spin, to dry.

essoreuse nf **1.** *(électrique)* dryer, spin-dryer (UK), tumble-dryer (UK) **2.** *(à salade)* salad spinner.

essouffler vt to make breathless. ■ **s'essouffler** vp **1.** to be breathless *ou* out of breath **2.** *fig* to run out of steam.

essuie-glace nm windscreen wiper (UK), windshield wiper (US).

essuie-mains nm inv hand towel.

essuie-tout nm inv paper towels pl, kitchen roll (UK).

essuyer vt **1.** *(sécher)* to dry **2.** *(nettoyer)* to wipe **3.** *fig (subir)* to suffer. ■ **s'essuyer** vp to dry o.s.

est¹ nm east • **un vent d'est** an easterly wind • **à l'est** in the east • **à l'est (de)** to the east (of). ❑ adj inv **1.** *(gén)* east **2.** *(province, région)* eastern • **la côte est des États-Unis** the east coast of the United States.

est² → être.

estafette nf **1.** dispatch rider **2.** MIL liaison officer.

estafilade nf slash, gash.

est-allemand, e adj HIST East German.

estampe nf print.

estampille nf stamp.

est-ce que adv interr • **est-ce qu'il fait beau ?** is the weather good? • **est-ce que vous aimez l'accordéon ?** do you like the accordion? • **où est-ce que tu es ?** where are you?

esthète nmf aesthete, esthete (US).

esthétique adj **1.** *(relatif à la beauté)* aesthetic, esthetic (US) **2.** *(harmonieux)* attractive.

estimation nf estimate, estimation.

estime nf respect, esteem.

estimer vt **1.** *(expertiser)* to value **2.** *(évaluer)* to estimate • **j'estime la durée du voyage à 2 heures** I reckon the journey time is 2 hours **3.** *(respecter)* to respect **4.** *(penser)* • **estimer que** to feel (that).

estival, e adj summer *(avant nom)*.

estivant, e nm,f (summer) holiday-maker (UK) *ou* vacationer (US).

estomac nm ANAT stomach.

estomper vt **1.** to blur **2.** *fig (douleur)* to lessen. ■ **s'estomper** vp **1.** to become blurred **2.** *fig (douleur)* to lessen.

Estonie nf • **l'Estonie** Estonia.

> En anglais, à de rares exceptions près, il n'y a pas d'article devant les noms de pays.

estonien, enne adj Estonian. ■ **estonien** nm *(langue)* Estonian. ■ **Estonien, enne** nm,f Estonian.

> En anglais, les adjectifs se rapportant à un pays ou une région ainsi que le nom désignant la langue de ce pays ou cette région, s'écrivent avec une majuscule.

estrade nf dais.

estragon nm tarragon.

estropié, e adj crippled. ❑ nm,f cripple.

estuaire nm estuary.

esturgeon nm sturgeon.

et conj **1.** *(gén)* and • **et moi ?** what about me? **2.** *(dans les fractions et les nombres composés)* • **vingt et un** twenty-one • **il y a deux ans et demi** two and a half years ago • **à deux heures et demie** at half past two.

et

À PROPOS DE

Lorsqu'il figure dans les heures et dans les nombres entiers jusqu'à cent, *et* ne se traduit pas en anglais.
• *Il est neuf heures et quart.* **It's quarter past nine.**
• *quarante et un* **forty-one**
• *cent quatre* **one hundred and four**

ét. (abrév de *étage*) fl.

ETA (abrév de *Euskadi ta Askatasuna*) nf ETA.

étable nf cowshed.

établi nm workbench.

établir vt **1.** *(gén)* to establish **2.** *(record)* to set **3.** *(dresser)* to draw up. ■ **s'établir** vp **1.** *(s'installer)* to settle **2.** *(s'instaurer)* to become established.

établissement nm *(institution)* establishment • **établissement hospitalier** hospital • **établissement (scolaire)** school.

étage nm **1.** *(de bâtiment)* floor, storey (UK), story (US) • **à l'étage** upstairs • **un immeuble de quatre étages** a four-storey block of flats (UK), a five-story block of apartments (US) • **au premier étage** on the first floor (UK), on the second floor (US) **2.** *(de fusée)* stage.

étagère nf **1.** *(rayon)* shelf **2.** *(meuble)* shelves pl, set of shelves.

étain nm **1.** *(métal)* tin **2.** *(alliage)* pewter.

étais, était etc → être.

étal nm **1.** *(éventaire)* stall **2.** *(de boucher)* butcher's block.

étalage nm 1. *(action, ensemble d'objets)* display • **faire étalage de** fig to flaunt 2. *(devanture)* window display.

étalagiste nmf 1. *(décorateur)* window dresser 2. *(vendeur)* stallholder (UK).

étaler vt 1. *(exposer)* to display 2. *(étendre)* to spread out 3. *(dans le temps)* to stagger 4. *(mettre une couche de)* to spread 5. *(exhiber)* to parade. ■ **s'étaler** vp 1. *(s'étendre)* to spread 2. *(dans le temps)* • **s'étaler (sur)** to be spread (over) 3. fam *(tomber)* to fall flat on one's face, to come a cropper (UK).

étalon nm 1. *(cheval)* stallion 2. *(mesure)* standard.

étamine nf *(de fleur)* stamen.

étanche adj 1. watertight 2. *(montre)* waterproof.

étancher vt 1. *(sang, larmes)* to stem (the flow of) 2. litt *(assouvir)* to quench.

étang nm pond.

étant p prés → être.

étape nf 1. *(gén)* stage 2. *(halte)* stop • **faire étape à** to break one's journey at.

état nm 1. *(manière d'être)* state • **être en état/hors d'état de faire qqch** to be in a/in no fit state to do sthg • **en bon/mauvais état** in good/poor condition • **en état de marche** in working order • **état d'âme** mood • **état d'esprit** state of mind • **état de santé** (state of) health • **être dans tous ses états** to be in a state 2. *(métier, statut)* status • **état civil** ADMIN ≃ marital status 3. *(inventaire - gén)* inventory ; *(- de dépenses)* statement • **état des lieux** inventory *(of fixtures)*. ■ **État** nm *(nation)* state • **l'État** the State • **État membre** member state.

état-major nm 1. ADMIN & MIL staff 2. *(de parti)* leadership 3. *(lieu)* headquarters sing.

États-Unis nmpl • **les États-Unis (d'Amérique)** the United States (of America).

États-Unis

À PROPOS DE

Attention, l'expression **the United States** se comporte comme un nom singulier ; le verbe qui lui est associé est par conséquent toujours au singulier :
• *Les États-Unis ont décidé d'abandonner le projet.* **The United States has decided to abandon the project.**

étau nm vice (UK), vise (US).

étayer vt 1. to prop up 2. fig to back up.

etc. *(abrév de et cætera)* etc.

et cetera, et cætera loc adv et cetera, and so on (and so forth).

été pp inv → être. ❑ nm summer • **en été** in (the) summer.

éteindre vt 1. *(incendie, bougie, cigarette)* to put out 2. *(radio, chauffage, lampe)* to turn off, to switch off 3. INFORM to shut down. ■ **s'éteindre** vp 1. *(feu, lampe)* to go out 2. *(bruit, souvenir)* to fade (away) 3. fig & littéraire *(personne)* to pass away 4. *(race)* to die out.

étendard nm standard.

étendre vt 1. *(déployer)* to stretch 2. *(journal)* to spread (out) 3. *(coucher)* to lay 4. *(appliquer)* to spread 5. *(accroître)* to extend 6. *(diluer)* to dilute 7. *(sauce)* to thin. ■ **s'étendre** vp 1. *(se coucher)* to lie down 2. *(s'étaler au loin)* • **s'étendre (de/jusqu'à)** to stretch (from/as far as) 3. *(croître)* to spread 4. *(s'attarder)* • **s'étendre sur** to elaborate on.

étendu, e pp → étendre. ❑ adj 1. *(bras, main)* outstretched 2. *(plaine, connaissances)* extensive. ■ **étendue** nf 1. *(surface)* area, expanse 2. *(durée)* length 3. *(importance)* extent 4. MUS range.

éternel, elle adj eternal • **ce ne sera pas éternel** this won't last for ever.

éterniser vt *(prolonger)* to drag out. ■ **s'éterniser** vp 1. *(se prolonger)* to drag out 2. fam *(rester)* to stay for ever.

éternité nf eternity • **il y a une éternité que je ne t'ai pas vu** fam I haven't seen you for ages.

éternuement nm sneeze.

éternuer vi to sneeze.

êtes → être.

étêter vt to cut the head off.

éther nm ether.

Éthiopie nf • **l'Éthiopie** Ethiopia.

éthique nf ethics *(indén ou pl)*. ❑ adj ethical.

ethnie nf ethnic group.

ethnique adj ethnic.

ethnologie nf ethnology.

ethnologue nmf ethnologist.

éthylisme nm alcoholism.

éthylotest nm Breathalyser (UK), Breathalyzer (US).

étiez, étions etc → être.

étincelant, e adj sparkling.

étinceler vi to sparkle.

étincelle nf spark • **le feu faisait des étincelles** the fire was throwing off sparks.

étioler ■ **s'étioler** vp 1. *(plante)* to wilt 2. *(personne)* to weaken 3. *(mémoire)* to go.

étiqueter vt litt & fig to label.

étiquette nf 1. *(marque)* label • **étiquette électronique** electronic label 2. *(protocole)* etiquette.

étirer vt to stretch. ■ **s'étirer** vp to stretch.

étoffe nf fabric, material.

étoile nf star • **étoile filante** shooting star • **à la belle étoile** fig under the stars. ■ **étoile de mer** nf starfish.

étoilé, e adj 1. *(ciel, nuit)* starry • **la bannière étoilée** the Star-Spangled Banner 2. *(vitre, pare-brise)* shattered.

étole nf stole.

étonnant, e adj surprising.

étonné, e adj astonished, surprised.
étonnement nm surprise, astonishment.

S'EXPRIMER

exprimer son étonnement

- **What a surprise!** Quelle surprise !
- **Who'd have thought it?** Qui l'eût cru ?
- **What a coincidence!** Quelle coïncidence !
- **I'm amazed.** Ça m'étonne.
- **That's really strange!** Comme c'est curieux !
- **I'd never have believed that.** Jamais je n'aurais cru ça.

étonner vt to astonish, to surprise. ■ **s'étonner** vp ● **s'étonner (de)** to be surprised (by) ● **s'étonner que** (+ subjonctif) to be surprised (that).

étouffant, e adj stifling.

étouffée ● **à l'étouffée** loc adv **1.** steamed **2.** (viande) braised.

étouffer vt **1.** (gén) to stifle **2.** (asphyxier) to suffocate **3.** (feu) to smother **4.** (scandale, révolte) to suppress. □ vi to suffocate. ■ **s'étouffer** vp (s'étrangler) to choke.

étourderie nf **1.** (distraction) thoughtlessness **2.** (bévue) careless mistake **3.** (acte irréfléchi) thoughtless act.

étourdi, e adj scatterbrained. □ nm, f scatterbrain.

étourdir vt (assommer) to daze.

étourdissant, e adj **1.** (fatigant) wearing **2.** (sensationnel) stunning.

étourdissement nm dizzy spell.

étourneau nm starling.

étrange adj strange.

étrangement adv strangely.

étranger, ère adj **1.** (gén) foreign **2.** (différent, isolé) unknown, unfamiliar ● **être étranger à qqn** to be unknown to sb ● **être étranger à qqch** to have no connection with sthg ● **se sentir étranger** to feel like an outsider. □ nm, f **1.** (de nationalité différente) foreigner **2.** (inconnu) stranger **3.** (exclu) outsider. ■ **étranger** nm ● **à l'étranger** abroad.

étrangeté nf strangeness.

étranglement nm **1.** (strangulation) strangulation **2.** (rétrécissement) constriction.

étrangler vt **1.** (gén) to choke **2.** (étrangler) to strangle **3.** (réprimer) to stifle **4.** (serrer) to constrict. ■ **s'étrangler** vp (s'étouffer) to choke.

étrave nf stem.

être

■ **être** nm

BIOL & PHILO ● **les êtres humains/vivants** human/living beings

1. PERSONNE
● **c'était un être merveilleux** she was a wonderful person

2. ÂME, CŒUR
● **il la chérissait de tout son être** he cherished her with all his heart

■ **être** v aux

1. POUR FORMER LES TEMPS COMPOSÉS
● **il est parti hier** he left yesterday ● **il est déjà arrivé** he has already arrived ● **il est né en 1952** he was born in 1952

2. POUR FORMER LE PASSIF
● **la maison a été vendue** the house has been ou was sold ● **l'école sera construite l'an prochain** the school will be built next year

■ **être** v att

1. INDIQUE UNE CARACTÉRISTIQUE, UNE PROFESSION, UN ÉTAT
● **la maison est blanche** the house is white ● **il est médecin** he's a doctor ● **je suis toujours fatiguée** I'm always tired ● **sois sage !** be good! ● **si j'étais vous, je ne dirais pas de telles choses** if I were you, I wouldn't say such things

2. INDIQUE L'APPARTENANCE
● **elle est à vous, cette voiture ?** is this your car?, is this car yours?, does this car belong to you? ● **cette maison est à lui/eux** this house is his/theirs, this is his/their house

■ **être** v impers

1. EXPRIME L'HEURE
● **quelle heure est-il ?** what time is it?, what's the time? ● **il est dix heures dix** it's ten past ten, it's ten after ten (US)

2. SUIVI D'UN ADJECTIF
● **il est inutile de crier, j'ai entendu** there's no need to shout, I heard you ● **il serait bon de partir tout de suite** it would be good to leave straight away

■ **être** vi

1. EXISTER
● **être ou ne pas être...** to be or not to be...

2. INDIQUE UNE SITUATION DANS LE TEMPS OU DANS L'ESPACE
● **nous sommes au printemps/en été** it's spring/summer ● **il est à Paris** he's in Paris

3. INDIQUE L'ORIGINE
● **il est de Paris** he's from Paris

■ **être à** v + prép

INDIQUE UNE OBLIGATION
● **c'est à vérifier** it needs to be checked
● **c'est à voir** that remains to be seen

être

À PROPOS DE

Être sert à former le passif : *être* + participe passé en français se traduit par *to be* + participe passé en anglais.

• *La maison a été vendue.* ***The house has been sold.***

Lorsqu'il sert à former le passé composé, *être* se traduit par *to have* si l'on parle d'une action qui n'est pas encore terminée ou qui se situe imprécisément dans le passé.

• *Elle n'est pas encore partie.* ***She hasn't left yet.***

Être + participe passé se traduit par un prétérit en anglais si l'action est complètement terminée et lorsqu'on précise le moment où l'action a eu lieu.

• *Il est parti il y a une heure.* ***He left an hour ago.***

étreindre *vt* **1.** *(embrasser)* to hug, to embrace **2.** *fig (tenailler)* to grip, to clutch. ■ **s'étreindre** *vp* to embrace each other.

étreinte *nf* **1.** *(enlacement)* embrace **2.** *(pression)* stranglehold.

étrenner *vt* to use for the first time.

étrennes *nfpl* Christmas box *(sing)* (UK).

étrier *nm* stirrup.

étriller *vt* **1.** *(cheval)* to curry **2.** *(personne)* to wipe the floor with **3.** *(film)* to tear to pieces.

étriper *vt* **1.** *(animal)* to disembowel **2.** *fam & fig (tuer)* to murder. ■ **s'étriper** *vp fam* to tear each other to pieces.

étriqué, e *adj* **1.** *(vêtement)* tight **2.** *(appartement)* cramped **3.** *(esprit)* narrow.

étroit, e *adj* **1.** *(gén)* narrow **2.** *(intime)* close **3.** *(serré)* tight. ■ **à l'étroit** *loc adj* • **être à l'étroit** to be cramped.

étroitesse *nf* narrowness.

étude *nf* **1.** *(gén)* ÉCON study • **à l'étude** under consideration • **étude de marché** market research *(indén)* **2.** *(de notaire - local)* office ; *(- charge)* practice **3.** MUS étude. ■ **études** *nfpl* studies • **faire des études** to study.

étudiant, e *nm,f* student • **des étudiants en droit** law students.

étudié, e *adj* studied.

étudier *vt* *(apprendre - gén)* to study ; *(- leçon)* to learn ; *(- piano)* to learn (to play), to study ; *(- auteur, période)* to study.

étui *nm* case • **étui à cigarettes/lunettes** cigarette/glasses case.

étuve *nf* **1.** *(local)* steam room **2.** *fig* oven **3.** *(appareil)* sterilizer.

étuvée ■ **à l'étuvée** *loc adv* braised.

étymologie *nf* etymology.

eu, e *pp* → avoir.

E-U, E-U A (abrév de États-Unis (d'Amérique)) *nmpl* US, USA.

eucalyptus *nm* eucalyptus.

euh *interj* er.

eunuque *nm* eunuch.

euphémisme *nm* euphemism.

euphorie *nf* euphoria.

euphorique *adj* euphoric.

euphorisant, e *adj* exhilarating. ■ **euphorisant** *nm* antidepressant.

eurent → avoir.

euro *nm* euro • **zone euro** euro zone, euro area.

eurodéputé *nm* Euro MP.

eurodevise *nf* Eurocurrency.

Europe *nf* • **l'Europe** Europe.

En anglais, il n'y a pas d'article devant les noms de continents.

européen, enne *adj* European. ■ **Européen, enne** *nm,f* European. ■ **européennes** *nfpl* POLIT European elections, Euro-elections, elections for the European Parliament.

En anglais, les adjectifs se rapportant à un continent s'écrivent avec une majuscule.

Eurostar® *npr m* Eurostar®.

eus, eut *etc* → avoir.

eût → avoir.

euthanasie *nf* euthanasia.

euthanasier *vt* **1.** *(animal)* to put down, to put to sleep **2.** *(personne)* to practise (UK) *ou* practice (US) euthanasia on, to help to die.

eux *pron pers* **1.** *(sujet)* they • **ce sont eux qui me l'ont dit** they're the ones who told me **2.** *(complément)* them. ■ **eux-mêmes** *pron pers* themselves.

évacuation *nf* **1.** *(gén)* evacuation **2.** *(de liquide)* draining.

évacuer *vt* **1.** *(gén)* to evacuate **2.** *(liquide)* to drain.

évadé, e *nm,f* escaped prisoner.

évader ■ **s'évader** *vp* • **s'évader (de)** to escape (from).

évaluation *nf* **1.** *(action)* valuation **2.** *(résultat)* estimate.

évaluer *vt* **1.** *(distance)* to estimate **2.** *(tableau)* to value **3.** *(risque)* to assess.

évangélique *adj* evangelical.

évangéliser *vt* to evangelize.

évangile *nm* gospel.

évanouir ■ **s'évanouir** *vp* **1.** *(défaillir)* to faint **2.** *(disparaître)* to fade.

évanouissement *nm* *(syncope)* fainting fit.

évaporer ■ **s'évaporer** *vp* to evaporate.

évasé, e *adj* flared.

évasif, ive adj evasive.

évasion nf escape.

évêché nm **1.** *(territoire)* diocese **2.** *(résidence)* bishop's palace.

éveil nm awakening • **en éveil** on the alert.

éveillé, e adj **1.** *(qui ne dort pas)* wide awake **2.** *(vif, alerte)* alert.

éveiller vt **1.** to arouse **2.** *(intelligence, dormeur)* to awaken. ■ **s'éveiller** vp **1.** *(dormeur)* to wake, to awaken **2.** *(curiosité)* to be aroused **3.** *(esprit, intelligence)* to be awakened **4.** *(s'ouvrir)* • **s'éveiller à qqch** to discover sthg.

événement nm event.

événementiel, elle adj *(histoire)* factual.

éventail nm **1.** *(objet)* fan • **en éventail** fan-shaped **2.** *(choix)* range.

éventaire nm **1.** *(étalage)* stall, stand **2.** *(corbeille)* tray.

éventé, e adj stale.

éventer vt **1.** *(rafraîchir)* to fan **2.** *(divulguer)* to give away. ■ **s'éventer** vp **1.** *(se rafraîchir)* to fan o.s. **2.** *(parfum, vin)* to go stale.

éventrer vt **1.** *(étriper)* to disembowel **2.** *(fendre)* to rip open.

éventualité nf **1.** *(possibilité)* possibility **2.** *(circonstance)* eventuality • **dans l'éventualité de** in the event of.

éventuel, elle adj possible.

éventuellement adv possibly.

évêque nmf bishop.

évertuer ■ **s'évertuer** vp • **s'évertuer à faire qqch** to strive to do sthg.

évidemment adv **1.** *(manifestement)* obviously **2.** *(bien sûr)* of course.

évidence nf **1.** *(caractère)* evidence **2.** *(fait)* obvious fact. ■ **en évidence** loc adv *(chose, personne)* • **ses décorations bien en évidence sur le buffet** his medals lying conspicuously *ou* there for all to see on the sideboard • **mettre en évidence a)** *(exposer)* to display **b)** *(détail, talent)* to bring out • **les chercheurs ont mis en évidence l'influence du virus** the researchers showed clearly the influence of the virus • **se mettre en évidence** *(se faire remarquer)* to make o.s. conspicuous.

évident, e adj obvious.

évider vt to hollow out.

évier nm sink.

évincer vt • **évincer qqn (de)** to oust sb (from).

éviter vt **1.** *(esquiver)* to avoid **2.** *(s'abstenir)* • **éviter de faire qqch** to avoid doing sthg **3.** *(épargner)* • **éviter qqch à qqn** to save sb sthg.

évocateur, trice adj *(geste, regard)* meaningful.

évocation nf evocation.

évolué, e adj **1.** *(développé)* developed **2.** *(libéral, progressiste)* broad-minded.

évoluer vi **1.** *(changer)* to evolve **2.** *(personne)* to change **3.** *(se mouvoir)* to move around.

évolution nf **1.** *(transformation)* development **2.** BIOL evolution **3.** MÉD progress.

évoquer vt **1.** *(souvenir)* to evoke **2.** *(problème)* to refer to **3.** *(esprits, démons)* to call up.

exacerber vt to exacerbate.

exact, e adj **1.** *(calcul)* correct **2.** *(récit, copie)* exact **3.** *(ponctuel)* punctual.

exactement adv exactly.

exaction nf extortion.

exactitude nf **1.** *(de calcul, montre)* accuracy **2.** *(ponctualité)* punctuality.

ex æquo adj inv & nmf equal. □ adv equal • **troisième ex æquo** third equal, tied for third.

exagération nf exaggeration.

exagéré, e adj exaggerated.

exagérer vt & vi to exaggerate • **cette fois, tu exagères !** you're going too far this time!

exaltant, e adj exhilarating.

exalté, e adj **1.** *(sentiment)* elated **2.** *(tempérament)* over-excited **3.** *(imagination)* vivid. □ nm, f fanatic.

exalter vt to excite. ■ **s'exalter** vp to get carried away.

examen nm **1.** examination **2.** SCOL exam, examination **3.** MÉD • **examen médical** medical (examination) (UK), physical (examination) (US) • **examen de santé** medical check up **4.** DR • **mise en examen** indictment • **mettre qqn en examen** to indict sb.

examinateur, trice nm, f examiner.

examiner vt to examine.

exaspérant, e adj exasperating.

exaspération nf exasperation.

exaspérer vt to exasperate.

exaucer vt to grant • **exaucer qqn** to answer sb's prayers.

excédent *nm* surplus • **en excédent** surplus *(avant nom)* • **excédent commercial** trade surplus.

excéder *vt* **1.** *(gén)* to exceed **2.** *(exaspérer)* to exasperate.

excellence *nf* excellence • **par excellence** par excellence.

excellent, e *adj* excellent.

exceller *vi* • **exceller en** *ou* **dans qqch** to excel at *ou* in sthg • **exceller à faire qqch** to excel at doing sthg.

excentré, e *adj* • **c'est très excentré** it's quite a long way out.

excentrique *nmf* eccentric. ❑ *adj* **1.** *(gén)* eccentric **2.** *(quartier)* outlying.

excepté, e *adj* • **tous sont venus, lui excepté** everyone came except (for) him. ■ **excepté** *prép* apart from, except.

exception *nf* *(hors norme)* exception • **à l'exception de** except for.

exceptionnel, elle *adj* exceptional.

excès *nm* excess • **excès de zèle** overzealousness. ❑ *nmpl* excesses.

excessif, ive *adj* **1.** *(démesuré)* excessive **2.** *(extrême)* extreme.

excision *nf* excision.

excitant, e *adj* *(stimulant, passionnant)* exciting. ■ **excitant** *nm* stimulant.

excitation *nf* **1.** *(énervement)* excitement **2.** *(stimulation)* encouragement **3.** *MÉD* stimulation.

excité, e *adj* *(énervé)* excited. ❑ *nm, f* hothead.

exciter *vt* **1.** *(gén)* to excite **2.** *(inciter)* • **exciter qqn (à qqch/à faire qqch)** to incite sb (to sthg/to do sthg) **3.** *MÉD* to stimulate.

exclamation *nf* exclamation.

exclamer ■ **s'exclamer** *vp* • **s'exclamer (devant)** to exclaim (at *ou* over).

exclu, e *pp* → **exclure**. ❑ *adj* excluded. ❑ *nm, f* outsider.

exclure *vt* **1.** to exclude **2.** *(expulser)* to expel.

exclusion *nf* expulsion • **à l'exclusion de** to the exclusion of.

exclusivement *adv* **1.** *(uniquement)* exclusively **2.** *(non inclus)* exclusive.

exclusivité *nf* **1.** *CINÉ* sole screening rights *pl* • **en exclusivité** exclusively **2.** *(de sentiment)* exclusiveness.

excommunier *vt* to excommunicate.

excrément *nm* *(gén pl)* excrement *(indén)*.

excroissance *nf* excrescence.

excursion *nf* excursion, trip • **faire une excursion** to go on a trip.

excursionniste *nmf* day-tripper.

excusable *adj* excusable.

excuse *nf* excuse.

excuser *vt* to excuse • **excusez-moi a)** *(pour réparer)* I'm sorry **b)** *(pour demander)* excuse me. ■ **s'excuser** *vp* *(demander pardon)* to apologize • **s'excuser de qqch/de faire qqch** to apologize for sthg/for doing sthg.

exécrable *adj* atrocious.

exécrer *vt* to loathe.

exécutable *adj* **1.** *(faisable)* possible, feasible • **ce n'est pas exécutable en trois jours** it can't possibly be done in three days **2.** *INFORM* executable.

exécutant, e *nm, f* **1.** *(personne)* underling **2.** *MUS* performer.

exécuter *vt* **1.** *(réaliser)* to carry out **2.** *(tableau)* to paint **3.** *MUS* to play, to perform **4.** *(mettre à mort)* to execute. ■ **s'exécuter** *vp* to comply.

exécutif, ive *adj* executive. ■ **exécutif** *nm* • **l'exécutif** the executive.

exécution *nf* **1.** *(réalisation)* carrying out **2.** *(de tableau)* painting **3.** *MUS* performance **4.** *(mise à mort)* execution.

exemplaire *adj* exemplary. ❑ *nm* copy.

exemple *nm* example • **par exemple** for example, for instance.

exempté, e *adj* • **exempté (de)** exempt (from).

exempter *vt* to exempt • **il a été exempté du service militaire** he has been exempted from doing military service • **exempter qqn d'impôts** to exempt sb from tax.

exercer *vt* **1.** *(entraîner, mettre en usage)* to exercise **2.** *(autorité, influence)* to exert **3.** *(métier)* to carry on **4.** *(médecine)* to practise (UK), to practice (US). ■ **s'exercer** *vp* **1.** *(s'entraîner)* to practise (UK), to practice (US) • **s'exercer à qqch/à faire qqch** to practise (UK) *ou* to practice (US) sthg/doing sthg **2.** *(se manifester)* • **s'exercer (sur** *ou* **contre)** to be exerted (on).

exercice *nm* **1.** *(gén)* exercise **2.** *(entraînement)* practice **3.** *(de métier, fonction)* carrying out • **en exercice** in office.

exergue *nm* inscription • **mettre qqch en exergue** *fig* to emphasize sthg.

exfoliant, e *adj* exfoliating *(avant nom).* ■ **exfoliant** *nm* exfoliant.

exhaler *vt* **1.** *sout (odeur)* to give off **2.** *sout (plainte, soupir)* to utter. ■ **s'exhaler** *vp* **1.** *(odeur)* to rise **2.** *sout (plainte, soupir)* • **s'exhaler de** to rise from.

exhaustif, ive *adj* exhaustive.

exhiber *vt* **1.** *(présenter)* to show **2.** *(faire étalage de)* to show off. ■ **s'exhiber** *vp* to make an exhibition of o.s.

exhibitionniste *nmf* exhibitionist.

exhorter *vt* • **exhorter qqn à qqch/à faire qqch** to urge sb to sthg/to do sthg.

exhumer *vt* **1.** to exhume **2.** *fig* to unearth, to dig up.

exigeant, e *adj* demanding.

exigence *nf (demande)* demand.

exiger *vt* **1.** *(demander)* to demand • **exiger que** *(+ subjonctif)* to demand that • **exiger qqch de qqn** to demand sthg from sb **2.** *(nécessiter)* to require.

exigible *adj* payable.

exigu, ë *adj* cramped.

exil *nm* exile • **en exil** exiled.

exilé, e *nm, f* exile.

exiler *vt* to exile. ■ **s'exiler** *vp* **1.** POLIT to go into exile **2.** *fig (partir)* to go into seclusion.

existence *nf* existence.

exister *vi* to exist. ❑ *v impers* • **il existe** *(il y a)* there is/are.

exode *nm* exodus.

exonération *nf* exemption • **exonération d'impôts** tax exemption.

exonérer *vt* • **exonérer qqn de qqch** to exempt sb from sthg.

exorbitant, e *adj* exorbitant.

exorbité, e → œil.

exorciser *vt* to exorcize.

exotique *adj* exotic.

exotisme *nm* exoticism.

expansif, ive *adj* expansive.

expansion *nf* expansion.

expansionniste *nmf & adj* expansionist.

expatrié, e *adj & nm, f* expatriate.

expatrier *vt* to expatriate. ■ **s'expatrier** *vp* to leave one's country.

expectorant, e *adj* expectorant. ■ **expectorant** *nm* expectorant.

expédier *vt* **1.** *(lettre, marchandise)* to send, to dispatch **2.** *(personne)* to get rid of **3.** *(question)* to dispose of **4.** *(travail)* to dash off.

expéditeur, trice *nm, f* sender.

expéditif, ive *adj* quick, expeditious.

expédition *nf* **1.** *(envoi)* sending **2.** *(voyage, campagne militaire)* expedition.

expérience *nf* **1.** *(pratique)* experience • **avoir de l'expérience** to have experience, to be experienced **2.** *(essai)* experiment.

expérimental, e *adj* experimental.

expérimenté, e *adj* experienced.

expérimenter *vt* to test.

expert, e *adj* expert. ❑ *nm, f* expert.

expert-comptable, experte-comptable *nm, f* chartered accountant (UK), certified public accountant (US).

expertise *nf* **1.** *(examen)* expert appraisal **2.** *(estimation)* (expert) valuation **3.** *(compétence)* expertise.

expertiser *vt* **1.** to value **2.** *(dégâts)* to assess.

expiation *nf* atonement.

expier *vt* to pay for.

expiration *nf* **1.** *(d'air)* exhalation **2.** *(de contrat)* expiry (UK), expiration (US) • **arriver à expiration** to expire • **date d'expiration** expiry (UK) *ou* expiration (US) date.

expirer *vt* to breathe out. ❑ *vi (contrat)* to expire.

explicatif, ive *adj* explanatory.

explication *nf* explanation • **explication de texte** (literary) criticism.

explicite *adj* explicit.

expliciter *vt* to make explicit.

expliquer *vt* **1.** *(gén)* to explain **2.** *(texte)* to criticize. ■ **s'expliquer** *vp* **1.** *(se justifier)* to explain o.s. **2.** *(comprendre)* to understand **3.** *(discuter)* to have it out **4.** *(devenir compréhensible)* to be explained.

expliquer

Il faut noter que le verbe **to explain** n'est jamais suivi immédiatement d'un complément d'objet indirect :

• *Explique-nous comment ça marche.* **Explain how it works.**

• *Pouvez-vous m'expliquer comment cela s'est passé ?* **Can you explain how it happened?**

Généralement, **to us**, **to me**, etc, ne sont pas exprimés.

exploit *nm* **1.** exploit, feat **2.** *iron (maladresse)* achievement.

exploitant, e *nm, f* farmer.

exploitation *nf* **1.** *(mise en valeur)* running **2.** *(de mine)* working **3.** *(entreprise)* operation, concern • **exploitation agricole** farm **4.** *(d'une personne)* exploitation.

exploiter *vt* **1.** *(gén)* to exploit **2.** *(entreprise)* to operate, to run.

explorateur, trice *nm, f* explorer.

exploration *nf* exploration.

explorer *vt* to explore.

exploser *vi* to explode.

explosif, ive *adj* explosive. ∎ **explosif** *nm* explosive.

explosion *nf* **1.** explosion **2.** *(de colère, joie)* outburst.

expo *nf fam* exhibition.

exponentiel, elle *adj* exponential.

exportateur, trice *adj* exporting. ❑ *nm, f* exporter.

exportation *nf* export.

exporter *vt* to export.

exposant, e *nm, f* exhibitor. ∎ **exposant** *nm* exponent.

exposé, e *adj* **1.** *(orienté)* • **bien exposé** facing the sun **2.** *(vulnérable)* exposed. ∎ **exposé** *nm* **1.** account **2.** *SCOL* talk.

exposer *vt* **1.** *(orienter, mettre en danger)* to expose **2.** *(présenter)* to display **3.** *(tableaux)* to show, to exhibit **4.** *(expliquer)* to explain, to set out. ∎ **s'exposer** *vp* • **s'exposer à qqch** to expose o.s. to sthg.

exposition *nf* **1.** *(présentation)* exhibition **2.** *(orientation)* aspect.

exposition-vente *nf* exhibition *(where purchases can be made)*.

exprès¹, esse *adj* *(formel)* formal, express. ∎ **exprès** *adj inv* *(urgent)* express.

exprès² *adv* on purpose • **faire exprès de faire qqch** to do sthg deliberately *ou* on purpose.

express *nm inv* **1.** *(train)* express **2.** *(café)* espresso. ❑ *adj inv* express.

expressément *adv* expressly.

expressif, ive *adj* expressive.

expression *nf* expression.

expresso *nm* espresso ; = express.

exprimer *vt* *(pensées, sentiments)* to express. ∎ **s'exprimer** *vp* to express o.s.

expropriation *nf* expropriation.

exproprier *vt* to expropriate.

expulser *vt* • **expulser (de) a)** to expel (from) **b)** *(locataire)* to evict (from) • **se faire expulser** to be thrown out.

expulsion *nf* **1.** expulsion **2.** *(de locataire)* eviction.

expurger *vt* to expurgate.

exquis, e *adj* **1.** *(délicieux)* exquisite **2.** *(distingué, agréable)* delightful.

exsangue *adj* *(blême)* deathly pale.

extase *nf* ecstasy.

extasier ∎ **s'extasier** *vp* • **s'extasier devant** to go into ecstasies over.

extensible *adj* **1.** stretchable **2.** *(tissu)* stretch.

extension *nf* **1.** *(étirement)* stretching **2.** *(élargissement)* extension • **par extension** by extension.

exténuant, e *adj* exhausting.

exténuer *vt* to exhaust.

extérieur, e *adj* **1.** *(au dehors)* outside **2.** *(étranger)* external **3.** *(apparent)* outward **4.** *ÉCON & POLIT* foreign. ∎ **extérieur** *nm* **1.** *(dehors)* outside **2.** *(de maison)* exterior • **à l'extérieur de qqch** outside sthg.

extérieurement *adv* **1.** *(à l'extérieur)* on the outside, externally **2.** *(en apparence)* outwardly.

extérioriser *vt* to show.

extermination *nf* extermination.

exterminer *vt* to exterminate.

externaliser *vt* to outsource.

externat *nm* **1.** *SCOL* day school **2.** *MÉD* non-resident medical studentship.

externe *nmf* **1.** *SCOL* day pupil **2.** *MÉD* non-resident medical student ; ≃ extern (us). ❑ *adj* outer, external.

extincteur *nm* (fire) extinguisher.

extinction *nf* **1.** *(action d'éteindre)* putting out, extinguishing **2.** *fig (disparition)* extinction • **extinction de voix** loss of one's voice.

extirper *vt* • **extirper (de) a)** *(épine, racine)* to pull out (of) **b)** *(plante)* to uproot (from) **c)** *(réponse, secret)* to drag (out of) **d)** *(erreur, préjugé)* to root out (of). ∎ **s'extirper** *vp* • **s'extirper de qqch** to struggle out of sthg.

extorquer *vt* • **extorquer qqch à qqn** to extort sthg from sb.

extorsion *nf* extortion • **extorsion de fonds** extortion of money.

extra *nm inv* **1.** *(employé)* extra help *(indén)* **2.** *(chose inhabituelle)* (special) treat. ❑ *adj inv* **1.** *(de qualité)* top-quality **2.** *fam (génial)* great, fantastic.

extraction *nf* extraction.

extrader *vt* to extradite.

extradition *nf* extradition.

extrafin, e *adj* **1.** *(haricots)* extra(-)fine **2.** *(collants)* sheer **3.** *(chocolats)* superfine.

extraire *vt* *(ôter)* to extract, to remove, to pull out. ∎ **s'extraire** *vp* *(emploi réfléchi)* • **s'extraire de qqch** to climb out of sthg • **s'extraire d'une voiture** *(rescapé d'un accident)* to extricate o.s. from (the wreckage of) a car.

extrait, e *pp* → **extraire**. ∎ **extrait** *nm* extract • **extrait de baptême** baptismal certificate • **extrait de naissance** birth certificate.

extralucide → **voyant**.

extraordinaire *adj* extraordinary.

extrapoler *vt & vi* to extrapolate.

extraterrestre *nmf & adj* extraterrestrial.

extravagance *nf* extravagance.

extravagant, e *adj* **1.** extravagant **2.** *(idée, propos)* wild.

extraverti, e *nm, f & adj* extrovert.

extrême *nm* extreme • **d'un extrême à l'autre** from one extreme to the other.

□ *adj* **1.** extreme **2.** *(limite)* furthest ● **les sports extrêmes** extreme sports.

extrêmement *adv* extremely.

extrême-onction *nf* last rites *pl*, extreme unction.

Extrême-Orient *nm* ● **l'Extrême-Orient** the Far East.

extrémiste *nmf & adj* extremist.

extrémité *nf* **1.** *(bout)* end **2.** *(situation critique)* straits *pl*.

exubérant, e *adj* **1.** *(personne)* exuberant **2.** *(végétation)* luxuriant.

exulter *vi* to exult.

eye-liner *nm* eyeliner.

F

f, F *nm inv* f, F • **F3** three-room flat (UK) *ou* apartment (US). ■ **F 1.** (abrév de Fahrenheit) F **2.** (abrév de franc) F, Fr.

fa *nm inv* **1.** F. **2.** (chanté) fa, fah (UK).

fable *nf* fable.

fabricant, e *nm, f* manufacturer.

fabrication *nf* manufacture, manufacturing.

fabrique *nf* (usine) factory.

fabriquer *vt* **1.** (confectionner) to manufacture, to make **2.** *fam* (faire) • **qu'est-ce que tu fabriques ?** what are you up to? **3.** (inventer) to fabricate.

fabulation *nf* fabrication.

fabuleux, euse *adj* fabulous.

fac *nf fam* college, uni (UK) • **être en fac** *ou* **à la fac** to be at college (UK), to be in college (US).

façade *nf litt & fig* facade.

face *nf* **1.** (visage) face • **faire face à qqch** *fig* (affronter) to face up to sthg **2.** (côté) side • **faire face à qqch** (maison) to face sthg, to be opposite sthg • **de face** from the front • **en face de qqn/ qqch** opposite sb/sthg **3.** MUS • **la face B d'une cassette** the B-side of a tape.

face-à-face *nm inv* debate.

facétie *nf* practical joke.

facette *nf litt & fig* facet.

fâché, e *adj* **1.** (en colère) angry **2.** (contrarié) annoyed **3.** (brouillé) on bad terms.

fâcher *vt* **1.** (mettre en colère) to anger, to make angry **2.** (contrarier) to annoy, to make annoyed. ■ **se fâcher** *vp* **1.** (se mettre en colère) • **se fâcher (contre qqn)** to get angry (with sb) **2.** (se brouiller) • **se fâcher (avec qqn)** to fall out (with sb).

fâcheux, euse *adj* unfortunate.

facial, e *adj* facial.

facile *adj* **1.** (aisé) easy • **facile à faire/prononcer** easy to do/pronounce **2.** (peu subtil) facile **3.** (conciliant) easy-going.

facilement *adv* easily.

facilité *nf* **1.** (de tâche, problème) easiness **2.** (capacité) ease **3.** (dispositions) aptitude. ■ **facilités** *nfpl* **1.** (capacités) ability, aptitude • **avoir des facilités** to have ability *ou* aptitude • **votre enfant a des facilités** your child shows some aptitude **2.** FIN facilities • **facilités de caisse** overdraft facilities • **facilités de crédit** credit facilities • **facilités de paiement** payment facilities.

faciliter *vt* to make easier.

façon *nf* **1.** (manière) way **2.** (travail) work **3.** COUT making-up **4.** (imitation) • **façon cuir** imitation leather. ■ **de façon à** *loc prép* so as to. ■ **de façon que** *loc conj* so that. ■ **de toute façon** *loc adv* anyway, in any case.

façonner *vt* **1.** (travailler, former) to shape **2.** (fabriquer) to manufacture, to make.

fac-similé *nm* facsimile.

facteur, trice *nm, f* (des postes) postman, postwoman f (UK), mailman (US), mail *ou* letter carrier (US). ■ **facteur** *nm* (élément) MATH factor.

factice *adj* artificial.

faction *nf* **1.** (groupe) faction **2.** MIL • **être en** *ou* **de faction** to be on guard (duty) *ou* on sentry duty.

facturation *nf* **1.** (action) invoicing **2.** (bureau) invoice office.

facture *nf* **1.** COMM invoice **2.** (de gaz, d'électricité) bill • **facture de téléphone** phone bill **3.** ART technique.

facturer *vt* COMM to invoice.

facturette *nf* (credit card sales) receipt, record of charge form.

facultatif, ive *adj* optional.

faculté *nf* **1.** (don) UNIV faculty • **faculté de lettres/de droit/de médecine** Faculty of Arts/ Law/Medicine **2.** (possibilité) freedom **3.** (pouvoir) power. ■ **facultés** *nfpl* (mental) faculties.

fadaises *nfpl* drivel (indén).

fade *adj* **1.** (sans saveur) bland **2.** (sans intérêt) insipid.

fagot *nm* bundle of sticks.

fagoté, e *adj fam* dressed.

faible *adj* 1. *(gén)* weak • être faible en maths to be not very good at maths (UK) *ou* math (US) 2. *(petit - montant, proportion)* small ; *(-revenu)* low 3. *(lueur, bruit)* faint. □ *nmf* weak person • faible d'esprit feeble-minded person. □ *nm* weakness.

faiblement *adv* 1. *(mollement)* weakly, feebly 2. *(imperceptiblement)* faintly 3. *(peu)* slightly.

faiblesse *nf* 1. *(gén)* weakness 2. *(petitesse)* smallness.

faiblir *vi* 1. *(personne, monnaie)* to weaken 2. *(forces)* to diminish, to fail 3. *(tempête, vent)* to die down.

faïence *nf* earthenware.

faignant, e = fainéant.

faille → falloir. □ *nf* 1. GÉOL fault 2. *(défaut)* flaw.

faillible *adj* fallible.

faillir *vi* 1. *(manquer)* • faillir à a) *(promesse)* not to keep b) *(devoir)* not to do 2. *(être sur le point de)* • faillir faire qqch to nearly *ou* almost do sthg.

faillite *nf* FIN bankruptcy • faire faillite to go bankrupt • en faillite bankrupt.

faim *nf* hunger • avoir faim to be hungry • faire une grève de la faim to go on a hunger strike • mourir de faim to die of starvation.

fainéant, e, feignant, e, faignant, e *fam adj* lazy, idle. □ *nm, f* lazybones.

faire

■ **faire** *vt*

1. FABRIQUER, PRÉPARER
• il fait une tarte/du café/un film he's making a tart/coffee/a film • il déteste faire son lit he hates making his bed

2. TRANSFORMER
• il veut en faire une maison de vacances he wants to turn it into a holiday home

3. S'OCCUPER À
• qu'est-ce qu'il fait dans la vie ? what does he do (for a living)? • que fais-tu dimanche ? what are you doing on Sunday?

4. ÉTUDIER
• elle a fait de l'anglais/des maths/du droit à l'université she did English/maths/law at university

5. SPORT, MUSIQUE
• il fait du football/de la clarinette he plays football/the clarinet

6. EFFECTUER
• faire une sieste to have a snooze • faire une promenade to go for a walk • je n'aime pas faire la vaisselle I don't like doing the washing-up • je préfère faire les courses I prefer doing the shopping • faire le ménage

to do the housework • son mari fait parfois la cuisine her husband sometimes cooks *ou* does the cooking

7. CAUSER, OCCASIONNER
• je suis désolé, je ne voulais pas lui faire de la peine I'm sorry, I didn't want to hurt her • arrête de faire du bruit ! stop making noise! • ça ne fait rien it doesn't matter

8. IMITER
• arrête de faire le clown stop acting the clown • ne fais pas l'innocent don't pretend you're innocent

9. CHERCHER DANS
• j'ai fait tous les musées de New York mais je n'ai pas trouvé la peinture que je cherchais I went round all the museums in New York but I didn't find the painting I was looking for

10. DANS DES CALCULS, DES MESURES
• un et un font deux one and one are *ou* make two • la table fait 2 mètres de long the table is 2 metres (UK) *ou* meters (US) long • faire du 38 to take a size 38 • ça fait combien (de kilomètres) jusqu'à la mer ? how far is it to the sea?

11. COÛTER
• ça vous fait 10 euros en tout that'll be 10 euros altogether *ou* it'll cost you 10 euros altogether

12. EN TANT QUE VERBE SUBSTITUTIF
• je lui ai dit de prendre une échelle mais il ne l'a pas fait I told him to use a ladder but he didn't

13. DIRE
• « tiens », fit-elle "really", she said

14. DANS DES EXPRESSIONS
• je ne fais que passer I've just popped in • elle ne fait que bavarder she does nothing but gossip, she's always gossiping

■ **faire** *vi*

AGIR
• fais vite ! hurry up! • que faire ? what is to be done? • tu ferais bien d'aller voir ce qui se passe you ought to *ou* you'd better go and see what's happening • fais comme chez toi ! make yourself at home!

■ **faire** *v att*

AVOIR L'AIR, PARAÎTRE
• ça fait démodé/joli it looks old-fashioned/ pretty • ça fait jeune it makes you look young • elle ne fait pas son âge she doesn't look her age

■ faire *v impers*

1. POUR DÉCRIRE L'ATMOSPHÈRE
• **il fait beau/froid** it's fine/cold • **il fait 20 degrés** it's 20 degrees • **il fait jour/nuit** it's light/dark

2. POUR EXPRIMER LA DURÉE, LA DISTANCE
• **ça fait six mois que je ne l'ai pas vu** it's been six months since I last saw him • **ça fait deux mois que je fais du portugais** I've been doing Potuguese *ou* going to Portuguese classes for two months • **ça fait 30 kilomètres qu'on roule sans phares** we've been driving without lights for 30 kilometres (UK) *ou* kilometers (US)

■ faire *v aux*

1. À L'ACTIF
• **je n'arrive pas à faire démarrer la voiture** I can't start the car • **il a fait tomber ses clés** he dropped his keys

2. AU PASSIF
• **j'ai fait réparer ma voiture/nettoyer mes vitres** I had my car repaired/my windows cleaned

■ se faire *vp*

1. AVOIR LIEU
• **les choses finissent toujours par se faire** things always get done in the end • **rien ne peut se faire sans confiance** nothing gets done without trust

2. ÊTRE CONVENABLE
• **ça ne se fait pas (de faire qqch)** it's not done (to do sthg)

3. DEVENIR
• **il se fait tard** it's getting late • **essaie de te faire beau !** try to make yourself look good!

4. À LA MODE
• **les jupes courtes se font beaucoup cette année** short skirts are in this year *ou* are being worn a lot this year • **ça se fait encore, ce style de manteau ?** are people still wearing this style of coats?

5. SUIVI D'UN NOM
• **elle ne connaît personne dans cette école, il faut qu'elle se fasse des amis** she doesn't know anybody in that schools, she needs to make friends • **il faut que je me fasse une idée là-dessus** I must get some idea about it

6. SUIVI D'UN INFINITIF
• **je ne veux pas que mon chat se fasse écraser** I don't want my cat to get run over • **je dois me faire opérer le mois prochain** I need to have an operation next month • **elle devrait se faire aider (par qqn)** she should get help (from sb) • **se faire faire qqch** to

have sthg made • **il voudrait se faire faire un costume** he'd like to have a suit made

7. DANS DES EXPRESSIONS
• **comment se fait-il que... ?** how is it that...?, how come...? • **s'en faire** to worry • **ne vous en faites pas !** don't worry!

■ se faire à *vp + prép*

to get used to • **il faut que je m'y fasse** I'll have to get used to it

---

À PROPOS DE
faire

To do et *to make* servent tous deux à traduire *faire*, mais ils interviennent dans des contextes différents.
To do s'utilise lorsque l'on ne donne pas de précisions sur l'activité (*what are you doing?* ; *she never knows what to do at weekends*), ou lorsque l'on parle de tâches ménagères, de sport ou de travail en général (*I hate doing the washing up* ; *you should do some swimming* ; *you must do your homework before watching television*).
To make rend l'idée de création ou d'exécution (*I'm making some soup for dinner* ; *let's make a plan of the area*). Il s'emploie aussi dans les situations où quelqu'un ou quelque chose oblige une personne à effectuer une action (*she'll make you finish your homework first* ; *that book made me understand a lot about history*).
Voir aussi *do* dans la partie anglais-français du dictionnaire.

À PROPOS DE
faire

• **faire qqch pour/à qqn** make sthg for sb *ou* make sb sthg
Notez la construction à double complément qui en anglais peut prendre deux formes dont le sens est le même :
une structure proche de celle du français : verbe + COD + préposition + COI *make sthg for sb*
une structure qui diffère de celle du français, sans préposition, et dans laquelle l'ordre des compléments est inversé : verbe + COI + COD *make sb sthg*
• **Elle a fait un superbe gâteau d'anniversaire pour Vincent.** She made *a lovely birthday cake for Vincent ou* She made *Vincent a lovely birthday cake.*
• **Avec le tissu qu'il lui restait elle a fait une robe à Léa.** With the remaining fabric she made *a dress for Léa ou* With the remaining fabric she made *Léa a dress.*

À PROPOS DE

cela fait... que

Ago sert à parler du moment où s'est passé quelque chose (*Ça fait trois ans qu'ils ont déménagé* **They moved house three years ago**), tandis que *for* insiste sur la durée écoulée (*Ça fait une heure que je t'attends* **I've been waiting for you for an hour**).

faire-part *nm inv* announcement.

fair-play *adj inv* sporting • **se montrer fair-play** to be sporting.

fais, fait *etc* → faire.

faisable *adj* feasible.

faisan, e *nm, f* pheasant.

faisandé, e *adj* CULIN high.

faisceau *nm (rayon)* beam.

faisons → faire.

faisselle *nf* **1.** *(récipient)* cheese basket **2.** *(fromage)* fromage frais *(packaged in its own draining basket).*

fait, e *pp* → faire. ❏ *adj* **1.** *(fabriqué)* made • **il n'est pas fait pour mener cette vie** he's not cut out for this kind of life **2.** *(physique)* • **bien fait** well-built **3.** *(fromage)* ripe **4.** *(locution)* • **c'est bien fait pour lui** (it) serves him right • **c'en est fait de nous** we're done for. ■ **au fait** *loc adv* by the way. ■ **du fait de** *loc prép* because of. ■ **en fait** *loc adv* in (actual) fact. ■ **en fait de** *loc prép* by way of. ■ **fait** *nm* **1.** *(acte)* act • **mettre qqn devant le fait accompli** to present sb with a fait accompli • **prendre qqn sur le fait** to catch sb in the act • **faits et gestes** doings, actions **2.** *(événement)* event • **faits divers** news in brief **3.** *(réalité)* fact • **c'est un fait** it's a fact.

faîte *nm* **1.** *(de toit)* ridge **2.** *(d'arbre)* top **3.** *fig (sommet)* pinnacle.

faites → faire.

fait-tout, faitout *nm* stewpan.

fakir *nm* fakir.

falafel *nm* CULIN falafel.

falaise *nf* cliff.

fallacieux, euse *adj* **1.** *(promesse)* false **2.** *(argument)* fallacious.

falloir

■ **falloir** *v impers*

1. EXPRIME UN BESOIN, UNE NÉCESSITÉ
• **il me faut du temps** I need (some) time • **il me faudrait deux kilos de pommes, s'il vous plaît** I'd like two kilos of apples, please • **il faut deux heures pour aller à Oxford** it takes two hours to get to Oxford • **il m'a fallu trois jours pour terminer ce travail** it took me three days to finish this work

2. EXPRIME UNE OBLIGATION
• **il faut que tu partes** you must go *ou* leave, you'll have to go *ou* leave • **il faut**

faire attention we/you *etc* must be careful, we'll/you'll *etc* have to be careful • **s'il le faut** if necessary

3. EXPRIME UN CONSEIL, UNE SUGGESTION
• **il faut que tu ailles voir ce film** you must go and see this film • **il faut que nous partions en vacances ensemble** we must go on holiday together • **il faudrait que je leur écrive** I should write to them

4. POUR EXPRIMER L'AGACEMENT
• **il faut toujours qu'elle intervienne !** she always has to interfere!

5. POUR EXPRIMER L'ADMIRATION
• **il faut la voir danser !** you should see her dance!

6. INDIQUE UNE FATALITÉ
• **il fallait bien que cela arrive** it was bound to happen • **il a fallu qu'elle découvre ce secret** she would have to discover that secret

■ **s'en falloir** *v impers*
• **il s'en faut de peu qu'il puisse acheter cette maison** he can almost afford to buy the house • **il s'en faut de 20 cm que l'armoire tienne dans le coin** the cupboard is 20 cm too big to fit into the corner • **il s'en faut de beaucoup qu'il ait l'examen** it'll take a lot for him to pass the exam • **peu s'en est fallu qu'il démissionne** he very nearly resigned *ou* he came close to resigning

À PROPOS DE

falloir

Must indique ce qui est bien du point de vue moral, de la santé, etc, qu'il s'agisse d'une obligation ou d'une recommandation. **Have to** indique une obligation imposée par les circonstances.

fallu *pp inv* → falloir.

falot, e *adj* dull.

falsifier *vt (document, signature, faits)* to falsify.

famé, e *adj* • **mal famé** *ou* **malfamé** with a (bad) reputation.

famélique *adj* half-starved.

fameux, euse *adj* **1.** *(célèbre)* famous **2.** *fam (remarquable)* great.

familial, e *adj* family *(avant nom)* • **une réunion familiale** a family gathering.

familiariser *vt* • **familiariser qqn avec** to familiarize sb with. ■ **se familiariser** *vp* • **se familiariser avec** to get used to.

familiarité *nf* familiarity. ■ **familiarités** *nfpl* liberties.

familier, ère *adj (connu)* familiar. ■ **familier** *nm* regular (customer).

famille *nf* **1.** family **2.** *(ensemble des parents)* relatives, relations • **famille d'accueil a)** *(lors d'un séjour linguistique)* host family **b)** *(pour enfant en* *difficulté)* foster home • **famille monoparentale** single-parent *ou* lone-parent *ou* one-parent (UK) family • **famille recomposée** blended family.

la famille

l'arrière-grand-mère the great-grandmother
l'arrière-grand-père the great-grandfather
le beau-frère the brother-in-law
le beau-père (mari de la mère) the father-in-law
la belle-mère (femme du père) the mother-in-law
la belle-sœur the sister-in-law
le cousin the cousin
la cousine the cousin
le demi-frère the half-brother
le demi-sœur the half-sister
la famille recomposée the recomposed family
la fille the daughter
le fils the son
le frère the brother
la grand-mère the grandmother
le grand-père the grandfather
la mère the mother
l'oncle the uncle
le père the father
la sœur the sister
la tante the aunt

famine *nf* famine.

fan *nmf fam* fan • **un fan de jazz** a jazz fan.

fanal *nm* **1.** *(de phare)* beacon **2.** *(lanterne)* lantern.

fanatique *nmf* fanatic. ❏ *adj* fanatical.

fanatisme *nm* fanaticism.

fan-club *nm* **1.** *(d'un artiste)* fan club **2.** *hum* admirers, supporters, fan club *fig*.

faner *vt (altérer)* to fade. ❏ *vi* **1.** *(fleur)* to wither **2.** *(beauté, couleur)* to fade. ■ **se faner** *vp* **1.** *(fleur)* to wither **2.** *(beauté, couleur)* to fade.

fanfare *nf* **1.** *(orchestre)* brass band **2.** *(musique)* fanfare.

fanfaron, onne *adj* boastful. ❏ *nm, f* braggart.

fange *nf littéraire* mire.

fanion *nm* pennant.

fantaisie *nf* **1.** *(caprice)* whim **2.** *(indén) (goût)* fancy **3.** *(imagination)* imagination. ❏ *adj inv* • **chapeau fantaisie** fancy hat • **bijoux fantaisie** fake/costume jewellery (UK) *ou* jewelry (US).

fantaisiste *nmf* entertainer. ❏ *adj (bizarre)* fanciful.

fantasme *nm* fantasy.

fantasmer *vi* to fantasize.

fantasque *adj* **1.** *(personne)* whimsical **2.** *(humeur)* capricious.

fantassin *nm* infantryman.

fantastique *adj* fantastic. ❏ *nm* • **le fantastique** the fantastic.

fantoche *adj* puppet *(avant nom)*. ❏ *nm* puppet.

fantôme *nm* ghost. ❏ *adj (inexistant)* phantom • **croire aux fantômes** to believe in ghosts.

faon *nm* fawn.

faramineux, euse *adj fam* **1.** *(prix)* astronomical **2.** *(génial)* fantastic.

farandole *nf* farandole.

farce *nf* **1.** CULIN stuffing **2.** *(blague)* (practical) joke • **farces et attrapes** jokes and novelties.

farceur, euse *nm, f* (practical) joker.

farci, e *adj* **1.** CULIN stuffed **2.** *fig (plein)* stuffed, crammed.

farcir *vt* **1.** CULIN to stuff **2.** *(remplir)* • **farcir qqch de** to stuff *ou* cram sthg with.

fard *nm* make-up.

fardeau *nm* **1.** *(poids)* load **2.** *fig* burden.

farder *vt (maquiller)* to make up. ■ **se farder** *vp* to make o.s. up, to put on one's make-up.

farfelu, e *fam adj* weird. ❏ *nm, f* weirdo.

farfouiller *vi fam* to rummage.

farine *nf* flour • **farine animale** animal flour • **de la farine de blé** wheat flour • **farine de manioc** cassava.

farniente *nm* idleness.

farouche *adj* **1.** *(animal)* wild, not tame **2.** *(personne)* shy, withdrawn **3.** *(sentiment)* fierce.

fart *nm* (ski) wax.

fascicule *nm* part, instalment (UK), installment (US).

fascinant, e *adj* **1.** *(regard)* alluring, captivating **2.** *(personne, histoire)* fascinating.

fascination *nf* fascination.

fasciner *vt* to fascinate.

fascisme *nm* fascism.

fasse, fassions *etc* → faire.

faste *nm* splendour (UK), splendor (US). ❏ *adj (favorable)* lucky.

fastidieux, euse *adj* boring.

fastueux, euse *adj* luxurious.

fatal, e *adj* **1.** *(mortel, funeste)* fatal **2.** *(inévitable)* inevitable.

fataliste *adj* fatalistic.

fatalité *nf* **1.** *(destin)* fate **2.** *(inéluctabilité)* inevitability.

fatidique *adj* fateful.

fatigant, e *adj* **1.** *(épuisant)* tiring **2.** *(ennuyeux)* tiresome.

fatiguant *p prés* → fatiguer.

fatigue *nf* tiredness.

fatigué, e *adj* **1.** tired **2.** *(cœur, yeux)* strained.

fatiguer vt 1. (épuiser) to tire 2. (cœur, yeux) to strain 3. (ennuyer) to wear out. ❏ vi 1. fam (personne) to grow tired 2. (moteur) to strain. ■ se fatiguer vp to get tired • se fatiguer de qqch to get tired of sthg • se fatiguer à faire qqch to wear o.s. out doing sthg.

fatras nm jumble.

faubourg nm suburb.

fauché, e adj fam broke, hard-up.

faucher vt 1. (couper - herbe, blé) to cut 2. fam (voler) • faucher qqch à qqn to steal ou pinch (UK) sthg from sb 3. (piéton) to run over 4. fig (sujet : mort, maladie) to cut down.

faucille nf sickle.

faucon nm hawk.

faudra → falloir.

faufiler vt to tack, to baste. ■ se faufiler vp • se faufiler dans to slip into • se faufiler entre to thread one's way between.

faune nf 1. (animaux) fauna • la faune et la flore the flora and fauna 2. fam & péj (personnes) • la faune qui fréquente ce bar the sort of people who hang around that bar. ❏ nm MYTHOL faun.

faussaire nmf forger.

faussement adv 1. (à tort) wrongly 2. (prétendument) falsely.

fausser vt 1. (déformer) to bend 2. (rendre faux) to distort.

fausseté nf 1. (hypocrisie) duplicity 2. (de jugement, d'idée) falsity.

faute nf 1. (erreur) mistake, error • faute de frappe a) (à la machine à écrire) typing error b) (à l'ordinateur) keying error • faute d'orthographe spelling mistake 2. (méfait, infraction) offence (UK), offense (US) • prendre qqn en faute to catch sb out (UK) • faute professionnelle professional misdemeanour (UK) ou misdemeanor (US) 3. TENNIS fault 4. FOOTBALL foul 5. (responsabilité) fault • de ma/ta etc faute my/your etc fault • par la faute de qqn because of sb. ■ faute de loc prép for want ou lack of • faute de mieux for want ou lack of anything better. ■ sans faute loc adv without fail.

fauteuil nm 1. (siège) armchair • fauteuil roulant wheelchair • un fauteuil en cuir a leather armchair 2. (de théâtre) seat 3. (de président) chair 4. (d'académicien) seat.

fautif, ive adj 1. (coupable) guilty 2. (défectueux) faulty. ❏ nm, f guilty party.

fauve nm 1. (animal) big cat 2. (couleur) fawn 3. ART Fauve. ❏ adj 1. (animal) wild 2. (cuir, cheveux) tawny 3. ART Fauvist.

fauvette nf warbler.

faux, fausse adj 1. (incorrect) wrong 2. (postiche, mensonger, hypocrite) false • faux témoignage DR perjury 3. (monnaie, papiers) forged, fake 4. (bijou, marbre) imitation, fake 5. (injustifié) • fausse alerte false alarm • c'est un faux problème that's not an issue (here). ■ faux nm (docu-

ment, tableau) forgery, fake. ❏ nf scythe. ❏ adv • chanter/jouer faux MUS to sing/play out of tune • sonner faux fig to ring true. ■ faux ami nm false friend. ■ faux pas nm 1. (en marchant) • faire un faux pas to trip, to stumble 2. (maladresse) faux pas, gaffe.

faux-filet nm sirloin.

faux-fuyant nm excuse.

faux-monnayeur nm counterfeiter.

faux-sens nm inv mistranslation.

faveur nf favour (UK), favor (US). ■ à la faveur de loc prép thanks to. ■ en faveur de loc prép in favour (UK) ou favor (US) of • se décider en faveur de qqch to decide in favour of sthg.

favorable adj • favorable (à) favourable (UK) ou favorable (US) (to).

favori, ite adj & nm, f favourite (UK), favorite (US). ■ favoris nmpl side whiskers.

favoriser vt 1. (avantager) to favour (UK), to favor (US) 2. (contribuer à) to promote.

fax nm fax • envoyer un fax to send a fax.

faxer vt to fax.

fayot, te nm, f fam (personne) creep, crawler.

fayotage nm fam bootlicking.

fayoter vi fam to lick sb's boots • il est toujours à fayoter he's always bootlicking.

fébrile adj feverish.

fécond, e adj 1. (femelle, terre, esprit) fertile 2. (écrivain) prolific.

fécondation nf fertilization • fécondation in vitro in vitro fertilization.

féconder vt 1. (ovule) to fertilize 2. (femme, femelle) to impregnate.

fécondité nf 1. (gén) fertility 2. (d'écrivain) productiveness.

fécule nf starch.

féculent, e adj starchy. ■ féculent nm starchy food.

fédéral, e adj federal.

fédération nf federation.

fée nf fairy • un conte de fées a fairy tale.

féerique adj (enchanteur) enchanting.

feignant, e = fainéant.

feindre vt to feign • feindre de faire qqch to pretend to do sthg. ❏ vi to pretend.

feint, e pp → feindre.

feinte nf 1. (ruse) ruse 2. (football) dummy 3. (boxe) feint.

fêlé, e adj 1. (assiette) cracked 2. fam (personne) nutty, loony.

fêler vt to crack.

félicitations nfpl congratulations.

féliciter vt to congratulate. ■ se féliciter vp • se féliciter de to congratulate o.s. on.

S'EXPRIMER

féliciter quelqu'un

- *I'd like to congratulate you on doing so well in* (uk) *ou* on (us) *your exam.* Tu permets/vous permettez que je te/vous félicite pour ton/votre examen ?
- *Congratulations on getting your licence* (uk) *ou* license (us)! Félicitations pour ton permis !

félin, e *adj* feline. ■ **félin** *nm* big cat.

fêlure *nf* crack.

femelle *nf & adj* female • **une femelle éléphant** a female elephant.

féminin, e *adj* 1. *(gén)* feminine 2. *(revue, équipe)* women's *(avant nom)*. ■ **féminin** *nm* GRAMM feminine.

féminiser *vt* 1. *(efféminer)* to make effeminate 2. BIOL to feminize. ■ **se féminiser** *vp* 1. *(institution)* to attract more women 2. *(homme)* to become effeminate.

féminisme *nm* feminism.

féminité *nf* femininity.

femme *nf* 1. *(personne de sexe féminin)* woman • **femme de chambre** chambermaid • **femme de ménage** cleaning woman 2. *(épouse)* wife.

fémur *nm* femur.

fendre *vt* 1. *(bois)* to split 2. *(foule, flots)* to cut through. ■ **se fendre** *vp (se crevasser)* to crack.

fendu, e *pp* → fendre.

fenêtre *nf (gén)* window.

fennec *nm* fennec.

fenouil *nm* fennel.

fente *nf* 1. *(fissure)* crack 2. *(interstice, de vêtement)* slit.

féodal, e *adj* feudal.

féodalité *nf* feudalism.

fer *nm* iron • **fer à cheval** horseshoe • **fer forgé** wrought iron • **fer à repasser** iron • **fer à souder** soldering iron.

ferai, feras *etc* → faire.

fer-blanc *nm* tinplate, tin.

ferblanterie *nf* 1. *(commerce)* tin industry 2. *(ustensiles)* tinware.

férié, e → jour.

férir *vt* • **sans coup férir** without meeting any resistance *ou* obstacle.

ferme[1] *nf* farm • **vivre dans une ferme** to live on a farm.

ferme[2] *adj* firm • **être ferme sur ses jambes** to be steady on one's feet. □ *adv* 1. *(beaucoup)* a lot 2. *(définitivement)* • **acheter/vendre ferme** to make a firm purchase/sale.

fermement *adv* firmly.

ferment *nm* 1. *(levure)* ferment 2. *fig (germe)* seed, seeds *pl*.

fermentation *nf* 1. CHIM fermentation 2. *fig* ferment.

fermer *vt* 1. *(porte, tiroir, yeux)* to close, to shut 2. *(store)* to pull down 3. *(enveloppe)* to seal 4. *(bloquer)* to close • **fermer son esprit à qqch** to close one's mind to sthg 5. *(gaz, lumière)* to turn off 6. *(vêtement)* to do up 7. *(entreprise)* to close down 8. *(interdire)* • **fermer qqch à qqn** to close sthg to sb. □ *vi* 1. *(gén)* to shut, to close 2. *(vêtement)* to do up 3. *(entreprise)* to close down. ■ **se fermer** *vp* 1. *(porte, partie du corps)* to close, to shut 2. *(plaie)* to close up 3. *(vêtement)* to do up.

fermeté *nf* firmness.

fermeture *nf* 1. *(de porte)* closing 2. *(de vêtement, sac)* fastening • **fermeture Éclair®** zip (uk), zipper (us) 3. *(d'établissement - temporaire)* closing ; *(- définitive)* closure • **fermeture hebdomadaire/annuelle** weekly/annual closing.

fermier, ère *nm, f* farmer.

fermoir *nm* clasp.

féroce *adj* 1. *(animal, appétit)* ferocious 2. *(personne, désir)* fierce.

ferraille *nf* 1. *(vieux fer)* scrap iron *(indén)* • **bon à mettre à la ferraille** fit for the scrap heap 2. *fam (monnaie)* loose change.

ferronnerie *nf* 1. *(objet, métier)* ironwork *(indén)* 2. *(atelier)* ironworks *sing*.

ferroutage *nm* piggyback traffic.

ferroviaire *adj* rail *(avant nom)*.

ferry-boat *nm* ferry.

fertile *adj* litt & fig fertile • **fertile en** *fig* filled with, full of.

fertiliser *vt* to fertilize.

fertilité *nf* fertility.

féru, e *adj sout (passionné)* • **être féru de qqch** to have a passion for sthg.

fervent, e *adj* 1. *(chrétien)* fervent 2. *(amoureux, démocrate)* ardent.

ferveur *nf (dévotion)* fervour (uk), fervor (us).

fesse *nf* buttock • **un coup de pied aux fesses** a kick up the bottom.

fessée *nf* spanking, smack (on the bottom).

festif, ive *adj* festive.

festin *nm* banquet, feast.

festival *nm* festival.

festivités *nfpl* festivities.

feston *nm* 1. ARCHIT festoon 2. COUT scallop.

festoyer *vi* to feast.

fêtard, e *nm, f* fam fun-loving person.

fête *nf* 1. *(congé)* holiday • **les fêtes (de fin d'année)** the Christmas holidays • **fête nationale** national holiday 2. *(réunion, réception)* celebration 3. *(kermesse)* fair • **fête foraine** funfair (uk), carnival (us) 4. *(jour de célébration - de personne)* name-day, saint's day ; *(- de saint)* feast (day) 5. *(soirée)* party 6. *(locution)* • **faire la fête** to have a good time • **faire fête à qqn** to make a fuss of sb. ■ **fêtes** *nfpl* 1. *(gén)* holidays 2. *(de Noël et du jour de l'an)* the Christmas and New York celebrations • **les fêtes juives/catholiques** the Jewish/Catholic holidays **3.** *(locution)* • **fêtes galantes** ART fêtes galantes.

fêter *vt* **1.** *(événement)* to celebrate **2.** *(personne)* to have a party for.

fétiche *nm* **1.** *(objet de culte)* fetish **2.** *(mascotte)* mascot.

fétichisme *nm* *(culte, perversion)* fetishism.

fétide *adj* fetid.

fétu *nm* • **fétu (de paille)** wisp (of straw).

feu¹, e *adj* • **feu M. X** the late Mr X • **feu mon mari** my late husband.

feu² *nm* **1.** *(flamme, incendie)* fire • **au feu!** fire! • **en feu** *litt & fig* on fire • **avez-vous du feu?** have you got a light? • **faire feu** MIL to fire • **mettre le feu à qqch** to set fire to sthg, to set sthg on fire • **prendre feu** to catch fire • **feu de camp** camp fire • **feu de cheminée** chimney fire • **feu follet** will-o'-the-wisp **2.** *(signal)* light • **feu rouge/vert** red/green light • **feux de croisement** dipped (UK) *ou* dimmed (US) headlights • **feux de position** sidelights • **feux de route** headlights on full beam (UK) *ou* high beams (US) • **à feu doux/vif** on a low/high flame • **à petit feu** gently **4.** CINÉ & THÉÂTRE light *(indén)*. ■ **feu d'artifice** firework.

feuillage *nm* foliage.

feuille *nf* **1.** *(d'arbre)* leaf • **feuille morte** dead leaf • **feuille de vigne** BOT vine leaf **2.** *(page)* sheet • **feuille de papier** sheet of paper **3.** *(document)* form • **feuille de soins** *si vous voulez expliquer à un anglophone de quoi il s'agit, vous pouvez dire* it is a claim form that you fill in so that you can be reimbursed for medical expenses • **feuille d'heures** time sheet.

feuillet *nm* page.

feuilleté, e *adj* **1.** CULIN • **pâte feuilletée** puff pastry **2.** GÉOL foliated. ■ **feuilleté** *nm* pastry.

feuilleter *vt* to flick through.

feuilleton *nm* serial • **un feuilleton télévisé** a TV series.

feutre *nm* **1.** *(étoffe)* felt **2.** *(chapeau)* felt hat **3.** *(crayon)* felt-tip pen.

feutré, e *adj* **1.** *(garni de feutre)* trimmed with felt **2.** *(qui a l'aspect du feutre)* felted **3.** *(bruit, cri)* muffled.

feutrine *nf* lightweight felt.

fève *nf* broad bean.

février *nm* February. Voir aussi **septembre**.

En anglais, les mois de l'année s'écrivent avec une majuscule.

fg abrév de **faubourg**.

fi *interj littéraire* • **faire fi de** to scorn.

fiable *adj* reliable.

fiacre *nm* (horse-drawn) carriage.

fiançailles *nfpl* engagement *sing*.

fiancé, e *nm, f* fiancé, fiancée f.

fiancer ■ **se fiancer** *vp* • **se fiancer (avec)** to get engaged (to).

fiasco *nm* *fam* fiasco • **faire fiasco** to be a fiasco.

fibre *nf* ANAT, BIOL & TECHNOL fibre (UK), fiber (US) • **fibre de verre** fibreglass (UK) *ou* fiberglass (US), glass fibre (UK) *ou* fiber (US).

fibrome *nm* fibroma.

ficelé, e *adj* *fam* dressed.

ficeler *vt* *(lier)* to tie up.

ficelle *nf* **1.** *(fil)* string **2.** *(pain)* *si vous voulez expliquer à un anglophone de quoi il s'agit, vous pouvez dire* it is a very thin baguette **3.** *(gén pl)* *(truc)* trick.

fiche *nf* **1.** *(document)* card • **fiche de paie** pay slip (UK), paystub (US) **2.** ÉLECTR & TECHNOL pin.

ficher *vt* **1.** *(participe passé* **fiché)** *(enfoncer)* • **ficher qqch dans** to stick sthg into **2.** *(participe passé* **fiché)** *(inscrire)* to put on file **3.** *(participe passé* **fichu)** *fam (faire)* • **qu'est-ce qu'il fiche?** what's he doing? **4.** *(participe passé* **fichu)** *fam (mettre)* to put • **ficher qqch par terre** *fig* to mess *ou* muck (UK) sthg up. ■ **se ficher** *vp* *fam* **1.** *(s'enfoncer - sujet: clou, pique)* • **se ficher dans** to go into **2.** *(se moquer)* • **se ficher de** to make fun of **3.** *(ne pas tenir compte)* • **se ficher de** not to give a damn about • **je m'en fiche** I don't care.

fichier *nm* file.

fichu¹ *nm* scarf.

fichu², e *adj* *fam* **1.** *(cassé, fini)* done for **2.** *(avant nom) (désagréable)* nasty **3.** *(locution)* • **être mal fichu a)** *(personne)* to feel rotten **b)** *(objet)* to be badly made • **il n'est même pas fichu de faire son lit** he can't even make his own bed.

fictif, ive *adj* **1.** *(imaginaire)* imaginary **2.** *(faux)* false.

fiction *nf* **1.** LITTÉR fiction **2.** *(monde imaginaire)* dream world.

ficus *nm* ficus.

fidèle *nmf* **1.** RELIG believer **2.** *(adepte)* fan. ❏ *adj* **1.** *(loyal, exact, semblable)* • **fidèle (à)** faithful (to) • **il est resté fidèle à son équipe** he remained loyal to his team • **fidèle à la réalité** accurate **2.** *(habitué)* regular.

fidéliser *vt* to attract and keep.

fidélité *nf* faithfulness.

fief *nm* **1.** fief **2.** *fig* stronghold.

fiel *nm* *litt & fig* gall.

fiente *nf* droppings *pl*.

fier¹, fière *adj* **1.** *(gén)* proud • **fier de qqn/qqch** proud of sb/sthg • **fier de faire qqch** proud to be doing sthg **2.** *(noble)* noble.

fier² ■ **se fier** *vp* • **se fier à** to trust, to rely on.

fierté *nf* **1.** *(satisfaction, dignité)* pride **2.** *(arrogance)* arrogance.

fièvre *nf* **1.** MÉD fever • **avoir de la fièvre** to have a fever, to have a temperature • **avoir 40 de fièvre** to have a temperature of 105 (degrees)

2. *(vétérinaire)* • **fièvre aphteuse** foot and mouth disease **3.** *fig (excitation)* excitement.

fiévreux, euse *adj litt & fig* feverish.

fig. abrév de **figure**.

figé, e *adj* fixed.

figer *vt* to paralyse (UK), to paralyze (US). ■ **se figer** *vp* **1.** *(s'immobiliser)* to freeze **2.** *(se solidifier)* to congeal.

fignoler *vt* to put the finishing touches to.

figue *nf* fig.

figuier *nm* fig tree.

figurant, e *nm, f* extra.

figuratif, ive *adj* figurative.

figuration *nf* CINÉ & THÉÂTRE • **faire de la figuration** to work as an extra.

figure *nf* **1.** *(gén)* figure • **faire figure de** to look like **2.** *(visage)* face.

figuré, e *adj (sens)* figurative. ■ **figuré** *nm* • **au figuré** in the figurative sense.

figurer *vt* to represent. ❏ *vi* • **figurer dans/parmi** to figure in/among.

figurine *nf* figurine.

fil *nm* **1.** *(brin)* thread • **du fil et une aiguille** a needle and thread • **fil à plomb** plumb line • **perdre le fil (de qqch)** *fig* to lose the thread (of sthg) **2.** *(câble)* wire • **fil de fer** wire **3.** *(cours)* course • **au fil de** in the course of **4.** *(tissu)* linen **5.** *(tranchant)* edge.

filaire *adj* telegraphic.

filament *nm* **1.** ANAT & ÉLECTR filament **2.** *(végétal)* fibre (UK), fiber (US) **3.** *(de colle, bave)* thread.

filandreux, euse *adj (viande)* stringy.

filasse *nf* tow. ❏ *adj inv* flaxen.

filature *nf* **1.** *(usine)* mill **2.** *(fabrication)* spinning **3.** *(poursuite)* tailing.

file *nf* **1.** *(gén)* line • **à la file** in a line • **file d'attente** queue (UK), line (US) **2.** *(voie)* lane • **rouler sur la file de gauche** to drive in the left lane • **se garer en double file** to double-park.

filer *vt* **1.** *(soie, coton)* to spin **2.** *(personne)* to tail **3.** *fam (donner)* • **filer qqch à qqn** to slip sthg to sb, to slip sb sthg. ❏ *vi* **1.** *(bas)* to ladder (UK), to run (US) **2.** *(aller vite - temps, véhicule)* to fly (by) **3.** *fam (partir)* to dash off **4.** *(locution)* • **filer doux** to behave nicely.

filet *nm* **1.** *(à mailles)* net • **filet de pêche** fishing net • **filet à provisions** string bag **2.** CULIN fillet, filet (US) • **filet de sole** fillet *ou* filet (US) of sole **3.** *(de liquide)* drop, dash **4.** *(de lumière)* shaft.

filial, e *adj* filial. ■ **filiale** *nf* ÉCON subsidiary.

filiation *nf* *(lien de parenté)* line.

filière *nf* **1.** *(voie)* • **suivre la filière** *(professionnelle)* to work one's way up **2.** *(réseau)* network.

filiforme *adj* skinny.

filigrane *nm* *(dessin)* watermark • **en filigrane** *fig* between the lines.

filin *nm* rope.

fille *nf* **1.** *(enfant)* daughter **2.** *(femme)* girl • **jeune fille** girl • **vieille fille** *péj* spinster.

fillette *nf* little girl.

filleul, e *nm, f* godchild.

film *nm* **1.** *(gén)* film (UK), movie (US) • **film catastrophe** disaster film (UK) *ou* movie (US) • **film d'épouvante** horror film (UK) *ou* movie (US) • **film policier** detective film (UK) *ou* movie (US) **2.** *fig (déroulement)* course.

filmer *vt* to film.

filmographie *nf* filmography, films *pl* (UK), movies *pl* (US).

filon *nm* **1.** *(de mine)* vein **2.** *fam & fig (possibilité)* cushy number.

filou *nm* rogue.

fils *nm* son • **fils de famille** boy from a privileged background.

filtrant, e *adj (verre)* tinted.

filtre *nm* **1.** filter • **filtre à café** coffee filter **2.** INFORM • **filtre parental** Internet filter, parental control filter.

filtrer *vt* **1.** to filter **2.** *fig* to screen. ❏ *vi* **1.** to filter **2.** *fig* to filter through.

fin[1], fine *adj* **1.** *(gén)* fine **2.** *(partie du corps)* slender **3.** *(couche, papier)* thin **4.** *(subtil)* shrewd **5.** *(ouïe, vue)* keen. ❏ *adv* finely • **fin prêt** quite ready.

fin[2] *nf* end • **fin mars** at the end of March • **mettre fin à** to put a stop *ou* an end to • **prendre fin** to come to an end • **tirer** *ou* **toucher à sa fin** to draw to a close • **arriver** *ou* **parvenir à ses fins** to achieve one's ends *ou* aims. ■ **à la fin** *loc adv* • **tu vas m'écouter, à la fin ?** will you listen to me? ■ **à la fin de** *loc prép* at the end of. ■ **fin de série** *nf* oddment. ■ **sans fin** *loc adj* endless.

final, e *adj* final. ■ **finale** *nf* SPORT final. ■ **final(e)** *nm* MUS finale.

finalement *adv* finally • **finalement, ils ont décidé de rester** they finally decided to stay.

finaliser *vt* to finalize.

finaliste *nmf & adj* finalist.

finalité *nf* *sout (fonction)* purpose.

finance *nf* finance. ■ **finances** *nfpl* finances.

financement *nm* financing, funding.

financer *vt* to finance, to fund.

financier, ère *adj* financial. ■ **financier** *nm* financier.

finaud, e *adj* wily, crafty.

finesse *nf* **1.** *(gén)* fineness **2.** *(minceur)* slenderness **3.** *(perspicacité)* shrewdness **4.** *(subtilité)* subtlety.

fini, e *adj* **1.** *péj (fieffé)* • **un crétin fini** a complete idiot **2.** *fam (usé, diminué)* finished **3.** *(limité)* finite. ■ **fini** *nm (d'objet)* finish.

finir *vt* **1.** *(gén)* to finish, to end **2.** *(vider)* to empty. ❏ *vi* **1.** *(gén)* to finish, to end • **finir par faire qqch** to do sthg eventually • **tu vas finir**

par tomber ! you're going to fall! • **mal finir** to end badly **2.** *(arrêter)* • **finir de faire qqch** to stop doing sthg • **en finir (avec)** to finish (with).

A PROPOS DE

finir de

Il faut noter la différence entre les constructions française et anglaise :
– *finir de* + infinitif
– *finish* + verbe en *-ing*
• *Je dois finir de ranger mon bureau avant de partir.* **I've got to finish tidying up my desk before I leave.**

finition *nf (d'objet)* finish.

finlandais, e *adj* Finnish. ■ **Finlandais, e** *nm, f* Finn.

En anglais, les adjectifs se rapportant à un pays ou une région s'écrivent avec une majuscule.

Finlande *nf* • **la Finlande** Finland.

En anglais, à de rares exceptions près, il n'y a pas d'article devant les noms de pays.

finnois, e *adj* Finnish. ■ **finnois** *nm (langue)* Finnish. ■ **Finnois, e** *nm, f* Finn.

En anglais, les adjectifs se rapportant à la langue d'un pays, s'écrivent avec une majuscule.

fiole *nf* flask.

fioriture *nf* flourish.

fioul = **fuel**.

firmament *nm* firmament.

firme *nf* firm.

fis, fit *etc* → **faire**.

fisc *nm* ≃ Inland Revenue (UK) ; ≃ Internal Revenue Service (US).

fiscal, e *adj* tax *(avant nom)*, fiscal.

fiscaliser *vt* to (make) subject to tax.

fiscalité *nf* tax system.

fissure *nf litt & fig* crack.

fissurer *vt* **1.** *litt (fendre)* to crack **2.** *fig* to split. ■ **se fissurer** *vpt & vpi* to crack.

fiston *nm fam* son.

FIV (abrév de *fécondation in vitro*) *nf* IVF.

fivete (abrév de *fécondation in vitro et transfert d'embryon*) *nf* GIFT • **une fivete** a test-tube baby.

fixation *nf* **1.** *(action de fixer)* fixing **2.** *(attache)* fastening, fastener **3.** *(de ski)* binding **4.** PSYCHO fixation.

fixe *adj* **1.** fixed **2.** *(encre)* permanent. ■ **fixe** *nm* fixed salary.

fixement *adv* fixedly • **regarder fixement** to stare at.

fixer *vt* **1.** *(gén)* to fix **2.** *(règle)* to set • **fixer son choix sur** to decide on **3.** *(monter)* to hang **4.** *(regarder)* to stare at **5.** *(renseigner)* • **fixer qqn sur qqch** to put sb in the picture about sthg

• **être fixé sur qqch** to know all about sthg. ■ **se fixer** *vp* to settle • **se fixer sur a)** *(sujet : choix, personne)* to settle on **b)** *(sujet : regard)* to rest on.

fjord *nm* fjord.

flacon *nm* small bottle • **flacon à parfum** perfume bottle.

flageller *vt (fouetter)* to flagellate.

flageoler *vi* to tremble.

flageolet *nm* **1.** *(haricot)* flageolet bean **2.** MUS flageolet.

flagrant, e *adj* flagrant ; → **délit**.

flair *nm* sense of smell.

flairer *vt* **1.** to sniff, to smell **2.** *fig* to scent.

flamand, e *adj* Flemish. ■ **flamand** *nm (langue)* Flemish. ■ **Flamand, e** *nm, f* Flemish person, Fleming.

flamant *nm* flamingo • **flamant rose** pink flamingo.

flambeau *nm* **1.** torch **2.** *fig* flame.

flambée *nf* **1.** *(feu)* blaze **2.** *fig (de colère)* outburst **3.** *(de violence)* outbreak • **il y a eu une flambée des prix** prices have sky-rocketed.

flamber *vi* **1.** *(brûler)* to blaze **2.** *fam (jeux)* to play for high stakes. □ *vt* **1.** *(crêpe)* to flambé **2.** *(volaille)* to singe.

flamboyant, e *adj* **1.** *(ciel, regard)* blazing **2.** *(couleur)* flaming **3.** ARCHIT flamboyant.

flamboyer *vi* to blaze.

flamiche *nf* leek pie *ou* quiche.

flamme *nf* **1.** flame **2.** *fig* fervour (UK), fervor (US), fire. ■ **en flammes** *loc adj* burning, blazing. □ *loc adv* • **l'avion est tombé en flammes** the plane went down in flames • **descendre un auteur en flammes** *fam* to pan an author.

flan *nm* baked custard.

flanc *nm* **1.** *(de personne, navire, montagne)* side **2.** *(d'animal, d'armée)* flank.

flancher *vi fam* to give up.

flanelle *nf* flannel.

flâner *vi (se promener)* to stroll.

flanquer *vt* **1.** *fam (jeter)* • **flanquer qqch par terre** to fling sthg to the ground • **flanquer qqn dehors** to chuck *ou* fling sb out **2.** *fam (donner)* • **flanquer une gifle à qqn** to smack *ou* slap sb • **flanquer la frousse à qqn** to scare the pants off sb, to put the wind up sb (UK) **3.** *(accompagner)* • **être flanqué de** to be flanked by.

flapi, e *adj fam* dead beat.

flaque *nf* pool • **une flaque d'eau** a puddle.

flash *nm* **1.** PHOTO flash **2.** RADIO & TV • **flash (d'information)** newsflash • **flash de publicité** commercial.

flash-back *nm inv* CINÉ flashback.

flashball *nm* **1.** *(arme)* ≃ baton gun **2.** *(projectile)* ≃ baton round.

flasher *vi* **1.** *fam* • **flasher sur qqn/qqch** to be turned on by sb/sthg **2.** *fam (craquer)* • **elle**

me fait flasher, cette nana ! that girl really turns me on!

flashy *adj inv* flashy.

flasque *nf* flask. ❑ *adj* flabby, limp.

flatter *vt* **1.** *(louer)* to flatter **2.** *(caresser)* to stroke. ■ **se flatter** *vp* to flatter o.s. • **je me flatte de le convaincre** I flatter myself that I can convince him • **se flatter de faire qqch** to pride o.s. on doing sthg.

flatterie *nf* flattery.

flatteur, euse *adj* flattering. ❑ *nm, f* flatterer.

flatulence *nf* flatulence, wind.

fléau *nm* **1.** *litt &fig (calamité)* scourge **2.** *(instrument)* flail.

flèche *nf* **1.** *(gén)* arrow • **flèche lumineuse** *(pour projection)* pointer **2.** *(d'église)* spire **3.** *fig (critique)* shaft.

fléchette *nf* dart. ■ **fléchettes** *nfpl* darts *sing* • **jouer aux fléchettes** to play darts.

fléchir *vt* **1.** to bend, to flex **2.** *fig* to sway. ❑ *vi* **1.** to bend **2.** *fig* to weaken.

fléchissement *nm* **1.** bending, flexing **2.** *fig* weakening.

flegmatique *adj* phlegmatic.

flegme *nm* composure.

flemmard, e *fam adj* lazy. ❑ *nm, f* lazybones *sing*.

flemme *nf fam* laziness • **j'ai la flemme (de sortir)** I can't be bothered (to go out) (UK).

flétan *nm* halibut.

flétrir *vt* *(fleur, visage)* to wither. ■ **se flétrir** *vp* to wither.

fleur *nf fig* BOT flower • **en fleur, en fleurs** *(arbre)* in flower, in blossom • **à fleurs** *(motif)* flowered.

LEXIQUE — les fleurs

le chardon	the thistle
le coquelicot	the poppy
le géranium	the geranium
l'iris	the iris
le lilas	the lilac
la marguerite	the daisy
le muguet	the lily of the valley
l'œillet	the carnation
l'orchidée	the orchid
la rose	the rose
le tournesol	the sunflower
la tulipe	the tulip
la violette	the violet

---

fleuret *nm* foil.

fleuri, e *adj* **1.** *(jardin, pré)* in flower **2.** *(vase)* of flowers **3.** *(tissu)* flowered **4.** *(table, appartement)* decorated with flowers **5.** *fig (style)* flowery.

fleurir *vi* **1.** to blossom **2.** *fig* to flourish. ❑ *vt* **1.** *(maison)* to decorate with flowers **2.** *(tombe)* to lay flowers on.

fleuriste *nmf* florist • **aller chez le fleuriste** to go to the florist's.

fleuron *nm fig* jewel.

fleuve *nm* **1.** *(cours d'eau)* river **2.** *(en apposition) (interminable)* lengthy, interminable.

flexible *adj* flexible.

flexion *nf* **1.** *(de genou, de poutre)* bending **2.** LING inflexion.

flibustier *nm* buccaneer.

flic *nmf fam* cop.

flinguer *vt fam* to gun down. ■ **se flinguer** *vp fam* to blow one's brains out.

flipper *nm* pinball machine.

flirt *nm* **1.** *(amourette)* flirtation **2.** *(personne)* boyfriend, girlfriend *f*.

flirter *vi* • **flirter (avec qqn)** to flirt (with sb) • **flirter avec qqch** *fig* to flirt with sthg.

flocon *nm* flake • **flocon de neige** snowflake.

flonflon *nm* *(gén pl)* blare.

flop *nm fam (échec)* flop, failure.

flopée *nf fam* • **une flopée de** heaps of, masses of.

floraison *nf litt &fig* flowering, blossoming.

floral, e *adj* floral.

flore *nf* flora.

Floride *nf* • **la Floride** Florida.

florilège *nm* anthology.

florissant, e *adj* **1.** *(santé)* blooming **2.** *(économie)* flourishing.

flot *nm* flood, stream • **être à flot a)** *(navire)* to be afloat **b)** *fig* to be back to normal. ■ **flots** *nmpl littéraire* waves.

flottaison *nf* floating.

flottant, e *adj* **1.** *(gén)* floating **2.** *(esprit)* irresolute **3.** *(robe)* loose-fitting.

flotte *nf* **1.** AÉRON & NAUT fleet **2.** *fam (eau)* water **3.** *fam (pluie)* rain.

flottement *nm* **1.** *(indécision)* hesitation, wavering **2.** *(de monnaie)* floating.

flotter *vi* **1.** *(sur l'eau)* to float **2.** *(drapeau)* to flap **3.** *(brume, odeur)* to drift **4.** *(dans un vêtement)* • **tu flottes dedans** it's baggy on you. ❑ *v impers fam* • **il flotte** it's raining.

flotteur *nm* **1.** *(de ligne de pêche, d'hydravion)* float **2.** *(de chasse d'eau)* ballcock.

flou, e *adj* **1.** *(couleur, coiffure)* soft **2.** *(photo)* blurred, fuzzy **3.** *(pensée)* vague, woolly (UK) *ou* wooly (US). ■ **flou** *nm* **1.** *(de photo)* fuzziness **2.** *(de décision)* vagueness.

flouer *vt fam* to swindle, to do (UK).

fluctuer *vi* to fluctuate.

fluet, ette *adj* **1.** *(personne)* thin, slender **2.** *(voix)* thin.

fluide *nm* **1.** *(matière)* fluid **2.** *fig (pouvoir)* (occult) power. ❑ *adj* **1.** *(matière)* fluid **2.** *(circulation)* flowing freely.

fluidifier *vt (trafic)* to improve the flow of.

fluidité nf **1.** (gén) fluidity **2.** (de circulation) easy flow.

fluo adj fluorescent, Day-Glo®.

fluor nm fluorine.

fluorescent, e adj fluorescent.

flûte nf **1.** MUS flute **2.** (verre) flute (glass). ❑ interj fam darn!, bother! (UK).

flûtiste nmf flautist (UK), flutist (US).

fluvial, e adj **1.** (eaux, pêche) river (avant nom) **2.** (alluvions) fluvial.

flux nm **1.** (écoulement) flow **2.** (marée) flood tide **3.** PHYS flux **4.** (sociologie) • **flux migratoire** massive population movement **5.** ÉCON • **travailler en flux tendus** to use just-in-time methods ou planning.

FM (abrév de frequency modulation) nf FM.

FMI (abrév de Fonds monétaire international) nm IMF.

FN (abrév de Front national) nm French National Front.

foc nm jib.

focal, e adj focal.

focaliser vt to focus. ■ **se focaliser** vp fig • **se focaliser sur qqch** to focus on sthg.

fœtal, e adj foetal (UK), fetal (US).

fœtus nm foetus (UK), fetus (US).

foi nf **1.** RELIG faith • **avoir la foi** to have faith **2.** (confiance) trust • **avoir foi en qqn/qqch** to trust sb/sthg, to have faith in sb/sthg **3.** (locution) • **être de bonne/mauvaise foi** to be in good/bad faith.

foie nm ANAT & CULIN liver • **du foie de veau** calf's liver.

foin nm hay • **le rhume des foins** hay fever.

foire nf **1.** (fête) funfair (UK), carnival (US) **2.** (exposition, salon) trade fair • **foire agricole** agricultural show • **la foire du livre** the book fair.

fois nf time • **une fois** once • **deux fois** twice • **trois/quatre fois** three/four times • **deux fois plus long** twice as long • **neuf fois sur dix** nine times out of ten • **deux fois trois** two times three • **cette fois** this time • **il était une fois…** once upon a time there was… • **une (bonne) fois pour toutes** once and for all. ■ **à la fois** loc adv at the same time, at once. ■ **des fois** loc adv (parfois) sometimes • **non, mais des fois!** fam look here! • **si des fois** loc conj fam if ever. ■ **une fois que** loc conj once.

foison ■ **à foison** loc adv in abundance.

foisonner vi to abound.

folâtrer vi to romp (around).

folie nf litt & fig madness.

folklore nm (de pays) folklore.

folklorique adj **1.** (danse) folk **2.** fig (situation, personne) bizarre, quaint.

folle → **fou**.

follement adv madly, wildly.

follet → **feu**.

fomenter vt littéraire to foment.

foncé, e adj dark • **bleu foncé** dark blue.

foncer vi **1.** (teinte) to darken **2.** (se ruer) • **foncer sur** to rush at **3.** fam (se dépêcher) to get a move on.

foncier, ère adj **1.** (impôt) land (avant nom) • **propriétaire foncier** landowner **2.** (fondamental) basic, fundamental.

foncièrement adv basically.

fonction nf **1.** (gén) function • **faire fonction de** to act as **2.** (profession) post • **entrer en fonction** to take up one's post ou duties. ■ **en fonction de** loc prép according to. ■ **de fonction** loc adj • **appartement** ou **logement de fonction** tied accommodation (UK), accommodations that go with the job (US).

fonctionnaire nmf **1.** (de l'État) state employee **2.** (dans l'administration) civil servant • **haut fonctionnaire** senior civil servant.

fonctionnel, elle adj functional.

fonctionnement nm working, functioning.

fonctionner vi to work, to function • **je ne sais pas comment ça fonctionne** I don't know how it works • **je n'arrive pas à faire fonctionner la radio** I can't get the radio to work.

fond nm **1.** (de récipient, puits, mer) bottom **2.** (de pièce) back • **sans fond** bottomless **3.** (substance) heart, root • **le fond de ma pensée** what I really think • **le fond et la forme** content and form **4.** (arrière-plan) background. ■ **à fond** loc adv **1.** (entièrement) thoroughly • **se donner à fond** to give one's all **2.** (très vite) at top speed. ■ **au fond, dans le fond** loc adv basically. ■ **au fond de** loc prép • **au fond de moi-même/lui-même** etc at heart, deep down. ■ **fond d'artichaut** nm artichoke heart. ■ **fond de teint** nm foundation.

fondamental, e adj fundamental • **une notion fondamentale** a basic notion.

fondamentaliste nmf & adj fundamentalist.

fondant, e adj **1.** (neige, glace) melting **2.** (aliment) melting in the mouth. ■ **fondant** nm (gâteau) fondant.

fondateur, trice nm, f founder.

fondation nf foundation. ■ **fondations** nfpl CONSTR foundations.

fondé, e adj (craintes, reproches) justified, well-founded • **non fondé** unfounded. ■ **fondé de pouvoir** nm authorized representative.

fondement nm (base, motif) foundation • **sans fondement** groundless, without foundation.

fonder vt **1.** (créer) to found **2.** (baser) • **fonder qqch sur** to base sthg on • **fonder de grands espoirs sur qqn** to pin one's hopes on sb. ■ **se fonder** vp • **se fonder sur a)** (sujet : personne) to base o.s. on **b)** (sujet : argument) to be based on.

fonderie nf (usine) foundry.

fondre vt **1.** (beurre, neige) to melt **2.** (sucre, sel) to dissolve **3.** (métal) to melt down **4.** (mouler) to cast **5.** (mêler) to blend. ❏ vi **1.** (beurre, neige) to melt **2.** (sucre, sel) to dissolve **3.** fig to melt away **4.** (maigrir) to lose weight **5.** (se ruer) • **fondre sur** to swoop down on.

fonds nm **1.** (ressources) fund • **fonds commun de placement** unit trust (UK), mutual fund (US) • **le Fonds monétaire international** the International Monetary Fund **2.** (bien immobilier) • fonds (de commerce) business. ❏ nmpl **1.** (ressources) funds **2.** ÉCON & FIN • **fonds de pension** (private) pension fund.

fondu, e pp → **fondre**. ■ **fondue** nf fondue • **fondue bourguignonne** meat fondue • **fondue savoyarde** cheese fondue.

font → faire.

fontaine nf **1.** (naturelle) spring **2.** (publique) fountain.

fontanelle nf fontanelle.

fonte nf **1.** (de glace, beurre) melting **2.** (de métal) melting **3.** (alliage) cast iron.

foot fam = football.

football nm soccer, football (UK) • **jouer au football** to play football (UK).

footballeur, euse nm, f soccer player, footballer (UK).

footing nm jogging • **faire du footing** to go jogging.

for nm • **dans son for intérieur** in his/her heart of hearts.

forage nm drilling.

forain, e adj → fête. ■ **forain** nm stallholder (UK).

forçat nm convict.

force nf **1.** (vigueur) strength • **c'est ce qui fait sa force** that's where his strength lies **2.** (violence, puissance) MIL & PHYS force • **faire faire qqch à qqn de force** to force sb to do sthg • **avoir force de loi** to have force of law • **obtenir qqch par la force** to obtain sthg by force • **force centrifuge** PHYS centrifugal force. ■ **forces** nfpl (physique) strength (indén) • **de toutes ses forces** with all one's strength. ■ **à force de** loc prép by dint of.

forcément adv inevitably • **elle acceptera forcément** she's bound to say yes • **pas forcément** not necessarily.

forcené, e nm, f maniac.

forceps nm forceps pl.

forcer vt **1.** (gén) to force • **forcer qqn à qqch/à faire qqch** to force sb into sthg/to do sthg **2.** (admiration, respect) to compel, to command **3.** (talent, voix) to strain. ❏ vi • **ça ne sert à rien de forcer, ça ne passe pas** there's no point in forcing it: it won't go through • **forcer sur qqch** to overdo sthg. ■ **se forcer** vp (s'obliger) • **se forcer à faire qqch** to force o.s. to do sthg.

forcir vi to put on weight.

forer vt to drill.

forestier, ère adj forest (avant nom).

forêt nf forest • **une forêt de chênes** an oak forest.

foreuse nf drill.

forfait nm **1.** (prix fixe) fixed price • **c'est moins cher si tu achètes un forfait** it's cheaper if you buy a pass **2.** (séjour) package deal **3.** SPORT • **déclarer forfait a)** (abandonner) to withdraw **b)** fig to give up **4.** littéraire (crime) heinous crime.

forfaitaire adj inclusive.

forge nf forge.

forger vt **1.** (métal) to forge **2.** fig (caractère) to form. ■ **se forger** vpt • **se forger une réputation** to earn o.s. a reputation • **se forger le caractère** to build up one's character.

forgeron nm blacksmith.

formaliser vt to formalize. ■ **se formaliser** vp • **se formaliser (de)** to take offence (UK) ou offense (US) (at).

formalisme nm formality.

formaliste nmf formalist. ❏ adj **1.** (milieu) conventional **2.** (personne) • **être formaliste** to be a stickler for the rules.

formalité nf formality.

format nm (dimension) size.

formatage nm INFORM formatting.

formater vt INFORM to format.

formateur, trice adj formative. ❏ nm, f trainer.

formation nf **1.** (gén) formation **2.** (apprentissage) training • **formation en alternance** sandwich course (UK).

forme nf **1.** (aspect) shape, form • **en forme de** in the shape of **2.** (état) form • **être en (pleine) forme** to be in (great) shape, to be on (UK) ou in (US) (top) form. ■ **formes** nfpl figure sing.

formel, elle adj **1.** (définitif, ferme) positive, definite **2.** (poli) formal.

formellement adv **1.** (refuser) positively **2.** (promettre) definitely **3.** (raisonner) formally.

former vt **1.** (gén) to form **2.** (personnel, élèves) to train **3.** (goût, sensibilité) to develop. ■ **se former** vp **1.** (se constituer) to form **2.** (s'instruire) to train o.s.

Formica ® nm inv Formica ®.

formidable adj **1.** (épatant) great, tremendous **2.** (incroyable) incredible.

formol nm formalin.

formulaire nm form • **remplir un formulaire** to fill in a form (UK), fill out the form (US).

formule nf **1.** (expression) expression • **une formule toute faite** a ready-made phrase • **formule de politesse a)** (orale) polite phrase **b)** (épistolaire) letter ending **2.** CHIM & MATH formula **3.** (méthode) way, method.

formuler vt to formulate, to express.

forsythia nm forsythia.

fort, e adj **1.** (gén) strong • **et le plus fort, c'est que...** and the most amazing thing about it is... • **c'est plus fort que moi** I can't help it **2.** (corpulent) heavy, big **3.** (doué) gifted • **être fort en qqch** to be good at sthg **4.** (puissant - voix) loud ; (- vent, lumière, accent) strong **5.** (considérable) large • **il y a de fortes chances qu'il gagne** there's a good chance he'll win. ❑ adv **1.** (frapper, battre) hard **2.** (sonner, parler) loud, loudly **3.** sout (très) very. ❑ nm **1.** (château) fort **2.** (spécialité) • **ce n'est pas mon fort** it's not my forte ou strong point.

fortement adv **1.** (avec force) hard **2.** (très - intéressé, ému) deeply **3.** (beaucoup - bégayer, loucher) badly.

forteresse nf fortress.

fortifiant, e adj fortifying. ■ **fortifiant** nm tonic.

fortification nf fortification.

fortifier vt (personne, ville) to fortify • **fortifier qqn dans qqch** fig to strengthen sb in sthg.

fortuit, e adj chance (avant nom), fortuitous.

fortune nf **1.** (richesse) fortune • **faire fortune** to make a fortune • **valoir une fortune** to be worth a fortune **2.** (hasard) luck, fortune.

fortuné, e adj **1.** (riche) wealthy **2.** (chanceux) fortunate, lucky.

forum nm forum.

fosse nf **1.** (trou) pit **2.** (tombe) grave.

fossé nm **1.** ditch **2.** fig gap.

fossette nf dimple.

fossile nm **1.** (de plante, d'animal) fossil **2.** fig & péj (personne) fossil, fogey.

fossoyeur, euse nm, f gravedigger.

fou, folle adj (**fol** devant voyelle ou h muet) **1.** mad, insane • **devenir fou** to go mad • **rendre qqn fou/folle** to drive sb mad **2.** (prodigieux) tremendous • **il y avait un monde fou** there was a huge crowd. ❑ nm, f madman, madwoman f.

foudre nf lightning • **la foudre est tombée tout près** lightning struck very near.

foudroyant, e adj **1.** (progrès, vitesse) lightning (avant nom) **2.** (succès) stunning **3.** (nouvelle) devastating **4.** (regard) withering.

foudroyer vt **1.** (sujet : foudre) to strike • **l'arbre a été foudroyé** the tree was struck by lightning **2.** fig (abattre) to strike down, to kill • **foudroyer qqn du regard** to glare at sb.

fouet nm **1.** (en cuir) whip **2.** CULIN whisk.

fouetter vt **1.** (gén) to whip **2.** (sujet : pluie) to lash (against) **3.** (stimuler) to stimulate **4.** CULIN to whisk.

fougasse nf si vous voulez expliquer à un anglophone de quoi il s'agit, vous pouvez dire it is a type of unleavened bread.

fougère nf fern.

fougue nf ardour (UK), ardor (US).

fougueux, euse adj ardent, spirited.

fouille nf **1.** (de personne, maison) search **2.** (du sol) dig, excavation.

fouiller vt **1.** (gén) to search **2.** fig (approfondir) to examine closely. ❑ vi • **fouiller dans** to go through.

fouillis nm jumble, muddle.

fouine nf stone-marten.

fouiner vi fam to ferret around.

foulard nm scarf.

foule nf (de gens) crowd.

foulée nf (de coureur) stride.

fouler vt **1.** (raisin) to press **2.** (sol) to walk on. ■ **se fouler** vp **1.** MÉD • **se fouler le poignet/la cheville** to sprain one's wrist/ankle **2.** (se donner du mal) to strain o.s.

foulure nf sprain.

four nm **1.** (de cuisson) oven • **four électrique/à micro-ondes** electric/microwave oven • **mettez au four 40 minutes** put in the oven for 40 minutes • **four crématoire** HIST oven **2.** THÉÂTRE flop.

fourbe adj treacherous, deceitful.

fourbu, e adj tired out, exhausted.

fourche nf **1.** (outil) pitchfork **2.** (de vélo, route) fork **3.** (BELGIQUE) SCOL free period.

fourchette nf **1.** (couvert) fork **2.** (écart) range, bracket.

fourchu, e adj forked.

fourgon nm **1.** (camionnette) van • **fourgon cellulaire** police van (UK), patrol wagon (US) **2.** (ferroviaire) • **fourgon à bestiaux** cattle truck • **fourgon postal** mail van (UK), mail truck (US).

fourgonnette nf small van.

fourmi nf **1.** (insecte) ant • **des fourmis rouges** red ants **2.** fig hard worker.

fourmilière nf anthill.

fourmillement nm **1.** (d'insectes, de personnes) swarming **2.** (picotement) pins and needles pl.

fourmiller vi (pulluler) to swarm • **fourmiller de** fig to be swarming with.

fournaise nf furnace.

fourneau nm **1.** (cuisinière, poêle) stove **2.** (de fonderie) furnace.

fournée nf batch.

fourni, e adj (barbe, cheveux) thick.

fournil nm bakery.

fournir vt **1.** (procurer) • **fournir qqch à qqn** to supply ou provide sb with sthg **2.** (produire) • **fournir un effort** to make an effort **3.** (approvisionner) • **fournir qqn (en)** to supply sb (with).

fournisseur, euse nm, f supplier.

fourniture nf supply, supplying (indén). ■ **fournitures** nfpl • **fournitures de bureau** office supplies • **fournitures scolaires** school supplies.

fourrage nm fodder.

fourré nm thicket.

fourreau nm **1.** (d'épée) sheath **2.** (de parapluie) cover **3.** (robe) sheath dress.

fourrer vt **1.** CULIN to stuff, to fill **2.** fam (mettre) • **fourrer qqch (dans)** to stuff sthg (into). ■ **se fourrer** vp fam • **se fourrer une idée dans la tête** to get an idea into one's head • **je ne savais plus où me fourrer** I didn't know where to put myself.

fourre-tout nm inv **1.** (pièce) lumber room (UK), junk room (US) **2.** (sac) holdall (UK), carryall (US).

fourreur nm furrier.

fourrière nf pound.

fourrure nf fur • **un manteau en fourrure** ou **un manteau de fourrure** a fur coat • **une fausse fourrure** a fake fur.

fourvoyer : **se fourvoyer** vp sout **1.** (s'égarer) to lose one's way **2.** (se tromper) to go off on the wrong track.

foutre vt tfam **1.** (mettre) to shove, to stick • **foutre qqn dehors** ou **à la porte** to chuck sb out **2.** (donner) • **foutre la trouille à qqn** to scare the pants off sb, to put the wind up sb (UK) • **il lui a foutu une baffe** he thumped him one **3.** (faire) to do • **ne rien foutre de la journée** to not do a damn thing all day • **j'en ai rien à foutre** I don't give a damn ou toss (UK). ■ **se foutre** vp tfam **1.** (se mettre) to get o.s. into **2.** (se moquer) • **se foutre de (la gueule de) qqn** to laugh at sb, to take the mickey out of sb (UK) **3.** (ne pas s'intéresser) • **je m'en fous** I don't give a damn ou toss (UK) about it.

foutu, e adj fam **1.** (maudit) damned, bloody (UK) **2.** (caractère) nasty **3.** (fait, conçu) • **bien foutu** (projet, maison) great • **elle est bien foutue, celle-là** (femme) she's a real stunner **4.** (perdu) • **il est foutu** he's/it's/that shad it **5.** (capable) • **être foutu de faire qqch** to be liable ou quite likely to do sthg.

foyer nm **1.** (maison) home **2.** (résidence) home, hostel • **un foyer de jeunes travailleurs** a hostel for young workers **3.** (point central) centre (UK), center (US) **4.** (de lunettes) focus • **verres à double foyer** bifocals.

frac nm tails pl.

fracas nm roar.

fracassant, e adj **1.** (bruyant) thunderous **2.** fig staggering, sensational.

fracasser vt to smash, to shatter.

fraction nf fraction • **une fraction de seconde** a fraction of a second, a split second.

fractionner vt to divide (up), to split up.

fracture nf MÉD fracture • **il a une fracture du crâne** his skull is fractured, he has a fractured skull.

fracturer vt **1.** MÉD to fracture **2.** (coffre, serrure) to break open.

fragile adj **1.** (gén) fragile **2.** (peau, santé) delicate.

fragiliser vt to weaken.

fragilité nf fragility.

fragment nm **1.** (morceau) fragment **2.** (extrait -d'œuvre) extract ; (-de conversation) snatch.

fragmenter vt to fragment, to break up.

fraîcheur nf **1.** (d'air, d'accueil) coolness **2.** (de teint, d'aliment) freshness.

frais, fraîche adj **1.** (air, accueil) cool • **boisson fraîche** cold drink **2.** (récent - trace) fresh ; (- encre) wet **3.** (teint) fresh, clear. ■ **frais** nm • **mettre qqch au frais** to put sthg in a cool place. ❑ nmpl (dépenses) expenses, costs • **frais fixes** fixed costs. ❑ adv • **il fait frais** it's cool.

fraise nf **1.** (fruit) strawberry • **une glace à la fraise** a strawberry ice cream **2.** (de dentiste) drill **3.** (de menuisier) bit.

fraiser vt to countersink.

fraiseuse nf milling machine.

fraisier nm **1.** (plante) strawberry plant **2.** (gâteau) strawberry sponge.

framboise nf **1.** (fruit) raspberry • **confiture à la framboise** raspberry jam **2.** (liqueur) raspberry liqueur.

franc, franche adj **1.** (sincère) frank **2.** (net) clear, definite. ■ **franc** nm franc • **franc français** si vous voulez expliquer à un anglophone de quoi il s'agit, vous pouvez dire it was the former French currency • **franc suisse** Swiss franc.

français, e adj French. ■ **français** nm (langue) French. ■ **Français, e** nm, f Frenchman, Frenchwoman f • **les Français** the French.

En anglais, les adjectifs se rapportant à un pays ou une région ainsi que le nom désignant la langue de ce pays ou de cette région, s'écrivent avec une majuscule.

France nf • **la France** France • **France 2, France 3** TV si vous voulez expliquer à un anglophone de quoi il s'agit, vous pouvez dire these are two French television channels that are owned by the state.

En anglais, à de rares exceptions près, il n'y a pas d'article devant les noms de pays.

franche → **franc.**

franchement adv **1.** (sincèrement) frankly **2.** (nettement) clearly **3.** (tout à fait) completely, downright.

franchir vt **1.** (obstacle) to get over **2.** (porte) to go through **3.** (seuil) to cross • **franchir la barre des dix mille** to pass the ten thousand mark **4.** (distance) to cover.

franchise nf **1.** (sincérité) frankness **2.** COMM franchise **3.** (d'assurance) excess **4.** (détaxe) exemption.

franchiser vt to franchise.

francilien, enne adj of/from the Île-de-France. ■ **Francilien, enne** nm, f person from the Île-de-France.

franciscain, e adj & nm, f Franciscan.

franciser vt to frenchify.

franc-jeu nm • **jouer franc-jeu** to play fair.

franc-maçon, onne adj masonic. ■ **franc-maçon** nm freemason.

franc-maçonnerie nf freemasonry (indén).

franco adv COMM • **franco de port** carriage paid.

francophile nmf & adj francophile.

francophone adj French-speaking. ❏ nmf French speaker.

francophonie nf • **la francophonie** French-speaking nations pl.

franc-parler nm • **avoir son franc-parler** to speak one's mind.

franc-tireur nm MIL irregular.

frange nf fringe.

frangin, e nm, f fam brother, sister f.

frangipane nf almond paste.

franglais nm Franglais.

franquette ■ **à la bonne franquette** loc adv informally, without ceremony.

frappant, e adj striking.

frapper vt 1. (gén) to strike 2. (boisson) to chill. ❏ vi to knock.

frasques nfpl pranks, escapades.

fraternel, elle adj fraternal, brotherly.

fraterniser vi to fraternize.

fraternité nf brotherhood.

fratricide nmf fratricide.

fratrie nf siblings pl, brothers and sisters pl.

fraude nf fraud.

frauder vt & vi to cheat.

frauduleux, euse adj fraudulent.

frayer ■ **se frayer** vp • **se frayer un chemin (à travers une foule)** to force one's way through (a crowd).

frayeur nf fright, fear.

fredaines nfpl pranks.

fredonner vt & vi to hum.

free-lance adj freelance. ❏ nmf freelance, freelancer. ❏ nm freelancing, freelance work • **travailler** ou **être en free-lance** to work on a freelance basis ou as a freelancer.

freezer nm freezer compartment.

frégate nf (bateau) frigate.

frein nm 1. AUTO brake • **frein à main** handbrake • **mets le frein à main** put the handbrake on • **donner un grand coup de frein** to brake sharply 2. fig (obstacle) brake, check.

freinage nm braking.

freiner vt 1. (mouvement, véhicule) to slow down 2. (inflation, dépenses) to curb 3. (personne) to restrain. ❏ vi to brake.

frelaté, e adj 1. (vin) adulterated 2. fig corrupt.

frêle adj (enfant, voix) frail.

frelon nm hornet.

frémir vi 1. (corps, personne) to tremble 2. (eau) to simmer.

frémissement nm 1. (de corps, personne) shiver, trembling (indén) 2. (d'eau) simmering.

frêne nm ash.

frénésie nf frenzy.

frénétique adj frenzied.

fréquemment adv frequently.

fréquence nf frequency.

fréquent, e adj frequent • **peu fréquent** infrequent.

fréquentable adj respectable.

fréquentation nf 1. (d'endroit) frequenting 2. (de personne) association. ■ **fréquentations** nfpl company (indén).

fréquenté, e adj • **très fréquenté** busy • **c'est très bien/mal fréquenté** the right/wrong sort of people go there.

fréquenter vt 1. (endroit) to frequent 2. (personne) to associate with • **je n'aime pas les gens que tu fréquentes** I don't like the people you mix with.

frère nm brother • **mon grand frère** my big brother. ❏ adj (parti, pays) sister (avant nom).

fresque nf fresco.

fret nm freight.

frétiller vi (poisson, personne) to wriggle.

fretin nm • **le menu fretin** the small fry.

friable adj crumbly.

friand, e adj • **être friand de** to be partial to. ■ **friand** nm si vous voulez expliquer à un anglophone de quoi il s'agit, vous pouvez dire it is a kind of meat pie baked in puff pastry.

friandise nf delicacy.

fric nm fam cash • **je n'ai plus de fric** I haven't got any cash left.

fricassée nf fricassee.

friche nf fallow land • **en friche** fallow.

friction nf 1. (massage) massage 2. fig (désaccord) friction.

frictionner vt to rub.

Frigidaire® nm fridge (UK), refrigerator.

frigide adj frigid.

frigo nm fam fridge (UK).

frigorifié, e adj fam frozen.

frileux, euse adj 1. (craignant le froid) sensitive to the cold • **je suis très frileux** I really feel the cold 2. (prudent) unadventurous.

frimas nm littéraire foggy winter weather.

frime nf fam showing off.

frimer vi fam 1. (bluffer) to pretend 2. (se mettre en valeur) to show off.

frimousse nf fam dear little face.

fringale nf fam • **avoir la fringale** to be starving.

fringant, e adj high-spirited.

fringues nfpl fam clothes.

fripe nf • **la fripe, les fripes** secondhand clothes.

fripon, onne nm, f fam & vieilli rogue, rascal. ❑ adj mischievous, cheeky.

fripouille nf fam scoundrel • **petite fripouille** little devil.

frire vt to fry. ❑ vi to fry.

frise nf ARCHIT frieze.

frisé, e adj 1. (cheveux) curly 2. (personne) curly-haired.

frisée nf (salade) frisée, curly endive.

friser vt 1. (cheveux) to curl 2. fig (ressembler à) to border on. ❑ vi to curl.

frisquet, ette adj fam • **il fait frisquet** it's chilly.

frisson nm 1. (gén) shiver • **donner des frissons** to give the shivers • **avoir des frissons** to be shivering 2. (de dégoût) shudder.

frissonner vi 1. (trembler) to shiver • **frissonner de froid** to be shivering with cold 2. (de dégoût) to shudder 3. (s'agiter - eau) to ripple ; (- feuillage) to tremble.

frite nf chip (UK), (French) fry (US).

friterie nf ≃ chip shop (UK).

friteuse nf deep-fat fryer.

friture nf 1. (poisson) fried fish 2. fam RADIO crackle.

frivole adj frivolous.

frivolité nf frivolity.

froid, froide adj litt & fig cold • **rester froid** to be unmoved. ■ **froid** nm 1. (température) cold • **prendre froid** to catch (a) cold 2. (tension) coolness. ❑ adv • **il fait froid** it's cold • **avoir froid** to be cold.

froidement adv 1. (accueillir) coldly 2. (écouter, parler) coolly 3. (tuer) cold-bloodedly.

froisser vt 1. (tissu, papier) to crumple, to crease 2. fig (offenser) to offend. ■ **se froisser** vp 1. (tissu) to crumple, to crease 2. MÉD • **se froisser un muscle** to strain a muscle 3. (se vexer) to take offence (UK) ou offense (US).

frôler vt 1. to brush against 2. fig to have a brush with, to come close to.

fromage nm cheese • **fromage de brebis** sheep's milk cheese • **fromage de chèvre** goat's cheese • **fromage blanc battu** smooth fromage frais.

fromager, ère nm, f (fabricant) cheesemaker.

fromagerie nf cheese shop (UK) ou store (US).

froment nm wheat.

froncer vt 1. COUT to gather 2. (plisser) • **froncer les sourcils** to frown.

frondaison nf 1. (phénomène) foliation 2. (feuillage) foliage.

fronde nf 1. (arme) sling 2. (jouet) catapult (UK), slingshot (US) 3. (révolte) rebellion • **La Fronde** the Fronde rebellion.

front nm 1. ANAT forehead 2. fig (audace) nerve, cheek (UK) 3. (avant) (gén) front ; (de bâ-

timent) front, façade • **front de mer** (sea) front 4. MÉTÉOR, MIL & POLIT front.

frontal, e adj 1. ANAT frontal 2. (collision, attaque) head-on.

frontalier, ère adj frontier (avant nom) • **travailleur frontalier** cross-border commuter. ❑ nm, f person from a border area.

frontière adj border (avant nom). ❑ nf 1. frontier, border • **passer la frontière** to cross the border 2. fig frontier.

fronton nm ARCHIT pediment.

frottement nm 1. (action) rubbing 2. (contact, difficulté) friction.

frotter vt 1. to rub 2. (parquet) to scrub. ❑ vi to rub, to scrape.

frottis nm smear.

froufrou nm rustle, swish. ■ **froufrous** nmpl (de robe) frills.

frousse nf fam fright • **avoir la frousse** to be scared stiff.

fructifier vi 1. (investissement) to give ou yield a profit 2. (terre) to be productive 3. (arbre, idée) to bear fruit.

fructose nm fructose.

fructueux, euse adj fruitful, profitable.

frugal, e adj frugal.

fruit nm litt & fig fruit • **fruits de mer** seafood (indén).

LEXIQUE	les fruits	
	l'abricot	the apricot
	l'airelle	the cranberry
	l'ananas	the pineapple
	l'avocat	the avocado
	la banane	the banana
	le cassis	the blackcurrant
	la cerise	the cherry
	le citron	the lemon
	le citron vert	the lime
	la clémentine	the clementine
	la figue	the fig
	la fraise	the strawberry
	la framboise	the raspberry
	le fruit de la passion	the passion fruit
	la goyave	the guava
	la grenade	the pomegranate
	la groseille	the redcurrant
	le kiwi	the kiwi
	la mangue	the mango
	le melon	the melon
	la mûre	the blackberry
	la myrtille	the blueberry
	la noix de coco	the coconut
	l'orange	the orange
	la pastèque	the watermelon
	la pêche	the peach
	la poire	the pear
	la pomme	the apple
	la prune	the plum
	le raisin	grapes

fruité, e *adj* fruity.

fruitier, ère *adj (arbre)* fruit *(avant nom).* □ *nm, f* fruit seller, fruiterer *(UK).*

fruste *adj* uncouth.

frustrant, e *adj* frustrating.

frustration *nf* frustration.

frustrer *vt* **1.** *(priver)* • **frustrer qqn de** to deprive sb of **2.** *(décevoir)* to frustrate.

fuchsia *nm* fuchsia.

fuel, fioul *nm* **1.** *(de chauffage)* fuel **2.** *(carburant)* fuel oil.

fugace *adj* fleeting.

fugitif, ive *adj* fleeting. □ *nm, f* fugitive.

fugue *nf* **1.** *(de personne)* flight • **faire une fugue** to run off *ou* away **2.** *MUS* fugue.

fui *pp inv* → **fuir.**

fuir *vi* **1.** *(détaler)* to flee **2.** *(tuyau)* to leak **3.** *fig (s'écouler)* to fly by. □ *vt (éviter)* to avoid, to shun.

fuite *nf* **1.** *(de personne)* escape, flight • **prendre la fuite** to take flight, to run away **2.** *(écoulement, d'information)* leak • **une fuite de gaz** a gas leak.

fulgurant, e *adj* **1.** *(découverte)* dazzling **2.** *(vitesse)* lightning *(avant nom)* **3.** *(douleur)* searing.

fulminer *vi (personne)* • **fulminer (contre)** to fulminate (against).

fumé, e *CULIN* smoked **2.** *(verres)* tinted.

fumée *nf (de combustion)* smoke • **il y a trop de fumée dans ce pub** there's too much smoke in this pub, it's too smoky in this pub.

fumer *vi* **1.** *(personne, cheminée)* to smoke **2.** *(bouilloire, plat)* to steam. □ *vt* **1.** *(cigarette, aliment)* to smoke • **arrêter de fumer** to stop smoking **2.** *AGRIC* to spread manure on.

fumet *nm* **1.** *(odeur)* aroma **2.** *CULIN* greatly reduced stock.

fumette *nf fam* marijuana smoking • **se faire une fumette** to get stoned.

fumeur, euse *nm, f* smoker • **compartiment fumeurs** smoking compartment.

fumeux, euse *adj* confused, woolly *(UK) ou* wooly *(US).*

fumier *nm AGRIC* dung, manure.

fumiste *nmf péj* shirker, skiver *(UK).*

fumisterie *nf fam* shirking, skiving *(UK).*

fumoir *nm* **1.** *(pour aliments)* smokehouse **2.** *(pièce)* smoking room.

funambule *nmf* tightrope walker.

funèbre *adj* **1.** *(de funérailles)* funeral *(avant nom)* **2.** *(lugubre)* funereal **3.** *(sentiments)* dismal.

funérailles *nfpl* funeral *sing.*

funéraire *adj* funeral *(avant nom).*

funeste *adj* **1.** *(accident)* fatal **2.** *(initiative, erreur)* disastrous **3.** *(présage)* of doom.

funiculaire *nm* funicular railway.

fur ■ **au fur et à mesure** *loc adv* as I/you *etc* go along • **au fur et à mesure des besoins** as (and when) needed. ■ **au fur et à mesure que** *loc conj* as (and when).

furet *nm (animal)* ferret.

fureter *vi (fouiller)* to ferret around.

fureur *nf (colère)* fury.

furibond, e *adj* furious.

furie *nf* **1.** *(colère, agitation)* fury • **en furie a)** *(personne)* infuriated **b)** *(éléments)* raging **2.** *fig (femme)* shrew.

furieux, euse *adj* **1.** *(personne)* furious • **être furieux contre qqn** to be furious with sb **2.** *(énorme)* tremendous.

furoncle *nm* boil.

furtif, ive *adj* furtive.

fus, fut *etc* → **être.**

fusain *nm* **1.** *(crayon)* charcoal **2.** *(dessin)* charcoal drawing.

fuseau *nm* **1.** *(outil)* spindle **2.** *(pantalon)* ski pants *pl.* ■ **fuseau horaire** *nm* time zone.

fusée *nf (pièce d'artifice) AÉRON* rocket • **la fusée a décollé** the rocket has taken off.

fuselage *nm* fuselage.

fuselé, e *adj* **1.** *(doigts)* tapering **2.** *(jambes)* slender.

fuser *vi (cri, rire)* to burst forth *ou* out.

fusible *nm* fuse • **les fusibles ont grillé** the fuses have blown.

fusil *nm (arme)* gun • **fusil à pompe** pump-action rifle.

fusillade *nf (combat)* gunfire *(indén),* fusillade.

fusiller *vt (exécuter)* to shoot.

fusion *nf* **1.** *(gén)* fusion **2.** *(fonte)* smelting **3.** *ÉCON & POLIT* merger.

fusionnel, elle *adj* **1.** *(couple)* inseparable **2.** *(relation)* intense.

fusionner *vt & vi* to merge.

fustiger *vt* to castigate.

fut → **être.**

fût *nm* **1.** *(d'arbre)* trunk **2.** *(tonneau)* barrel, cask **3.** *(d'arme)* stock **4.** *(de colonne)* shaft.

futaie *nf* wood.

futé, e *fam adj* cunning. □ *nm, f* smart cookie.

futile *adj* **1.** *(insignifiant)* futile **2.** *(frivole)* frivolous.

futon *nm* futon.

futur, e *adj* future *(avant nom).* □ *nm, f vieilli & hum (fiancé)* intended. ■ **futur** *nm* future.

futuriste *adj* futuristic.

fuyant, e *adj* **1.** *(perspective, front)* receding *(avant nom)* **2.** *(regard)* evasive.

fuyard, e *nm, f* runaway.

g, G nm inv g, G.

gabardine nf gabardine.

gabarit nm (dimension) size.

Gabon nm • **le Gabon** Gabon.

gâcher vt 1. (gaspiller) to waste 2. (gâter) to spoil 3. CONSTR to mix.

gâchette nf trigger • **appuyer sur la gâchette** to pull the trigger.

gâchis nm (gaspillage) waste (indén).

gadget nm gadget.

gadoue nf fam 1. (boue) mud 2. (engrais) sludge.

gaélique adj Gaelic. ◻ nm Gaelic.

gaffe nf 1. fam (maladresse) boo-boo, clanger (UK) • **faire une gaffe** to blunder, to put one's foot in it 2. (outil) boat hook.

gaffer vi fam to put one's foot in it.

gag nm gag.

gage nm 1. (dépôt) pledge • **mettre qqch en gage** to pawn sthg 2. (assurance, preuve) proof 3. (dans jeu) forfeit.

gager vt littéraire • **gager que** to bet (that).

gageure nf challenge.

gagnant, e adj winning (avant nom). ◻ nm, f winner.

gagne-pain nm inv livelihood.

gagner vt 1. (salaire, argent, repos) to earn • **gagner sa vie** to earn one's living 2. (course, prix, affection) to win 3. (obtenir, économiser) to gain, to save • **gagner du temps/de la place** to gain time/space • **ça nous fera gagner du temps** it will save us time • **qu'est-ce que j'y gagne ?** what do I get out of it? 4. (atteindre -gén) to reach ; (- sujet : feu, engourdissement) to spread to ; (- sujet : sommeil, froid) to overcome. ◻ vi 1. (être vainqueur) to win 2. (bénéficier) to gain • **gagner à faire qqch** to be better off doing sthg 3. (s'améliorer) • **gagner en** to increase in.

gai, e adj 1. (joyeux) cheerful, happy 2. (vif, plaisant) bright.

gaieté nf 1. (joie) cheerfulness 2. (vivacité) brightness.

gaillard, e adj 1. (alerte) sprightly, spry 2. (licencieux) ribald. ◻ nm, f strapping individual.

gain nm 1. (profit) gain, profit 2. (succès) winning 3. (économie) saving. ■ **gains** nmpl earnings.

gaine nf 1. (étui, enveloppe) sheath 2. (sous-vêtement) girdle, corset.

gainer vt to sheathe.

gala nm gala, reception.

galant, e adj 1. (courtois) gallant • **il est très galant** he's a gentleman 2. (amoureux) flirtatious. ■ **galant** nm admirer.

galanterie nf 1. (courtoisie) gallantry, politeness 2. (flatterie) compliment.

galaxie nf galaxy.

galbe nm curve.

gale nf MÉD scabies (indén).

galère nf NAUT galley • **quelle galère !** fam & fig what a hassle!, what a drag!

galérer vi fam to have a hard time.

galerie nf 1. (gén) gallery • **galerie marchande** ou **commerciale** shopping arcade (UK) ou mall (US) • **une galerie d'art** an art gallery 2. THÉÂTRE circle 3. (porte-bagages) roof (UK) ou luggage (US) rack.

galeriste nmf gallery owner.

galet nm 1. (caillou) pebble 2. TECHNOL wheel, roller.

galette nf CULIN pancake (made from buckwheat flour).

galipette nf fam somersault.

Galles → pays.

gallicisme nm 1. (expression) French idiom 2. (dans une langue étrangère) gallicism.

gallois, e adj Welsh. ■ **gallois** nm (langue) Welsh. ■ **Gallois, e** nm, f Welshman, Welshwoman f • **les Gallois** the Welsh.

> En anglais, les adjectifs se rapportant à un pays ou à une région ainsi que le nom désignant la langue de ce pays ou de cette région, s'écrivent avec une majuscule.

galoche nf clog.

galon nm 1. COUT braid (indén) 2. MIL stripe.

galop nm (allure) gallop • **au galop a)** (cheval) at a gallop **b)** fig at the double (UK), on the double (US).

galoper vi **1.** (cheval) to gallop **2.** (personne) to run around **3.** (imagination) to run riot.

galopin nm fam brat.

galvaniser vt litt & fig to galvanize.

galvauder vt (ternir) to tarnish.

gambader vi **1.** (sautiller) to leap around **2.** (agneau) to gambol.

gamelle nf **1.** (plat) mess tin (UK) ou kit (US) **2.** (d'un chien) bowl.

gamin, e adj fam (puéril) childish. ❏ nm,f fam (enfant) kid.

gamme nf **1.** (série) range • **notre nouvelle gamme de parfums** our new range of perfumes **2.** MUS scale • **faire des gammes au piano** to practise scales on the piano.

ganglion nm ganglion.

gangrène nf **1.** gangrene **2.** fig corruption, canker.

gangue nf **1.** (de minerai) gangue **2.** fig (carcan) straitjacket.

gant nm glove • **gant de toilette** facecloth, flannel (UK), washcloth (US) • **des gants de boxe** boxing gloves.

garage nm garage.

garagiste nmf **1.** (propriétaire) garage owner **2.** (réparateur) garage mechanic.

garant, e nm,f (responsable) guarantor • **se porter garant de** to vouch for. ■ **garant** nm (garantie) guarantee.

garantie nf (gén) guarantee. ■ **sous garantie** loc adj under guarantee • **un appareil sous garantie** an appliance under guarantee.

garantir vt **1.** (assurer) COMM & FIN to guarantee, to collateralize (US) • **c'est garanti un an** it's guaranteed for one year • **garantir à qqn que** to assure ou guarantee sb that **2.** (protéger) • **garantir qqch (de)** to protect sthg (from).

garce nf péj bitch.

garçon nm **1.** (enfant) boy • **un petit garçon** a little boy **2.** (célibataire) • **vieux garçon** confirmed bachelor **3.** (serveur) • **garçon (de café)** waiter.

garçonnet nm little boy.

garçonnière nf bachelor flat (UK) ou apartment (US).

garde nf **1.** (surveillance) protection **2.** (veille) duty, emergency **3.** • **garde alternée** shared custody • **garde partagée** (avec nourrice à domicile) shared childcare **4.** MIL guard • **monter la garde** to go on guard **5.** (locution) • **être/se tenir sur ses gardes** to be/stay on one's guard • **mettre qqn en garde contre qqch** to put sb on their guard about sthg • **mise en garde** warning. ❏ nmf keeper • **garde du corps** bodyguard • **garde d'enfants** babysitter, child-

minder (UK). ■ **de garde** loc adj **1.** → chien **2.** (qui se conserve) • **fromage de (bonne) garde** cheese that keeps well **3.** MÉD duty (modificateur) • **médecin de garde** duty doctor, doctor on duty • **pharmacie de garde** duty chemist (UK), emergency drugstore (US).

garde-à-vous nm inv attention • **se mettre au garde-à-vous** to stand to attention.

garde-boue nm inv mudguard.

garde-chasse nm gamekeeper.

garde-fou nm railing, parapet.

garde-malade nmf nurse.

garde-manger nm inv **1.** (pièce) pantry, larder **2.** (armoire) meat safe (UK), cooler (US).

garde-meuble(s) nm warehouse.

garde-pêche nm (personne) water bailiff (UK), fishwarden (US).

garder vt **1.** (gén) to keep **2.** (vêtement) to keep on **3.** (surveiller) to mind, to look after **4.** (défendre) to guard **5.** (protéger) • **garder qqn de qqch** to save sb from sthg. ■ **se garder** vp **1.** (se conserver) to keep • **ce gâteau peut se garder longtemps** this cake will keep for a long time **2.** (se méfier) • **se garder de qqn/qqch** to beware of sb/sthg **3.** (s'abstenir) • **se garder de faire qqch** to take care not to do sthg.

garderie nf crèche (UK), day nursery (UK), day-care center (US).

garde-robe nf wardrobe.

gardien, enne nm,f **1.** (surveillant) guard, keeper • **gardien de but** goalkeeper • **gardien de nuit** night watchman • **un gardien d'immeuble** a caretaker **2.** fig (défenseur) protector, guardian **3.** (agent) • **gardien de la paix** police officer.

gardiennage nm caretaking (UK), job of janitor (US).

gare¹ nf station • **gare routière a)** (de marchandises) road haulage depot (UK) **b)** (pour passagers) coach (UK) ou bus station.

gare² interj (attention) watch out! • **gare aux voleurs** watch out for pickpockets.

garer vt **1.** (ranger) to park **2.** (mettre à l'abri) to put in a safe place. ■ **se garer** vp **1.** (stationner) to park **2.** (se ranger) to pull over.

gargariser ■ **se gargariser** vp **1.** (se rincer) to gargle **2.** péj (se délecter) • **se gargariser de** to delight ou revel in.

gargouiller vi **1.** (eau) to gurgle **2.** (intestins) to rumble.

garnement nm rascal, pest.

garni nm **1.** • **le poisson est garni d'haricots verts** the fish comes with green beans **2.** vieilli furnished accommodation (indén) (UK) ou accommodations (pl) (US).

garnir vt **1.** (équiper) to fit out, to furnish **2.** (remplir) to fill **3.** (orner) • **garnir qqch de a)** to decorate sthg with **b)** COUT to trim sthg with.

garnison *nf* garrison.

garniture *nf* **1.** *(ornement)* trimming **2.** *(de lit)* bed linen **3.** *(CULIN - pour accompagner)* garnish, fixings *pl*(us) ; *(- pour remplir)* filling.

garrigue *nf* scrub.

garrot *nm* **1.** *(de cheval)* withers *pl* **2.** *MÉD* tourniquet.

gars *nm fam* **1.** *(garçon, homme)* lad **2.** *(type)* guy, bloke(UK).

gas-oil ,gazole *nm* diesel oil.

gaspillage *nm* waste.

gaspiller *vt* to waste.

gastrique *adj* gastric.

gastro-entérite *nf* gastroenteritis *(indén.)*

gastro-entérologue *nmf* gastroenterologist.

gastronome *nmf* gourmet.

gastronomie *nf* gastronomy.

gâteau *nm* cake • **gâteau sec** biscuit (UK), cookie (US) • **un gâteau d'anniversaire** a birthday cake.

gâter *vt* **1.** *(gén)* to spoil **2.** *(vacances, affaires)* to ruin, to spoil **3.** *iron (combler)* to be too good to • **on est gâté !** just marvellous! ■ **se gâter** *vp* **1.** *(temps)* to change for the worse **2.** *(situation)* to take a turn for the worse **3.** *(s'abimer)* to go bad • **les fruits se sont gâtés** the fruit has gone bad.

gâteux ,euse *adj fam* senile.

gauche *nf* **1.** *(côté)* left, left-hand side • **à gauche (de)** on the left (of) • **tournez à gauche** turn left **2.** *POLIT* • **la gauche** the left (wing) • **de gauche** left-wing. ❑ *adj* **1.** *(côté)* left **2.** *(personne)* clumsy.

gaucher ,ère *adj* left-handed. ❑ *nm, f* left-handed person.

gauchiste *nmf* leftist.

gaufre *nf* waffle.

gaufrer *vt* to emboss.

gaufrette *nf* wafer.

gaule *nf* **1.** *(perche)* pole **2.** *(canne à pêche)* fishing rod.

gauler *vt* to bring *ou* shake down.

gaulliste *nmf & adj* Gaullist.

gaulois ,e *adj (de Gaule)* Gallic. ■ **Gaulois ,e** *nm, f* Gaul.

gaver *vt* **1.** *(animal)* to force-feed **2.** *fam (personne)* • **gaver qqn de** to feed sb full of.

gay *adj inv & nm* gay.

gaz *nm inv* gas.

gaze *nf* gauze.

gazelle *nf* gazelle.

gazer *vt* to gas.

gazette *nf* newspaper, gazette.

gazeux ,euse *adj* **1.** *CHIM* gaseous **2.** *(boisson)* fizzy • **eau gazeuse** sparkling water.

gazinière *nf* gas stove, gas cooker(UK).

gazoduc *nm* gas pipeline.

gazole = gas-oil.

gazon *nm* **1.** *(herbe)* grass **2.** *(terrain)* lawn • **tondre le gazon** to mow the lawn.

gazouiller *vi* **1.** *(oiseau)* to chirp, to twitter **2.** *(bébé)* to gurgle.

GB ,G-B *(abrév de Grande-Bretagne)* *nf* GB.

gd *abrév de grand*.

GDF ,Gdf *(abrév de Gaz de France)* French national gas company.

geai *nm* jay.

géant ,e *adj* gigantic, giant. ❑ *nm, f* giant.

geindre *vi* **1.** *(gémir)* to moan **2.** *fam (pleurnicher)* to whine.

gel *nm* **1.** *MÉTÉOR* frost **2.** *(d'eau)* freezing **3.** *(cosmétique)* gel.

gélatine *nf* gelatine.

gelée *nf* **1.** *MÉTÉOR* frost **2.** *CULIN* jelly.

geler *vt & vi* **1.** *(gén)* to freeze • **on gèle dans cette maison !** it's freezing in this house! **2.** *(projet)* to halt. ■ **se geler** *vp* to freeze • **je me gèle** I'm freezing.

gélule *nf* capsule.

Gémeaux *nmpl* *ASTROL* Gemini • **elle est Gémeaux** she's a Gemini.

gémir *vi* **1.** *(gén)* to moan **2.** *(par déception)* to groan.

gémissement *nm* **1.** *(gén)* moan **2.** *(du vent)* moaning *(indén.)* **3.** *(de déception)* groan.

gemme *nf* gem, precious stone.

gênant ,e *adj* **1.** *(encombrant)* in the way **2.** *(embarrassant)* awkward, embarrassing **3.** *(énervant)* • **être gênant** to be a nuisance.

gencive *nf* gum.

gendarme *nmf* policeman *m*, -woman *f*.

gendarmerie *nf* **1.** *(corps)* police force **2.** *(lieu)* police station.

gendre *nm* son-in-law.

gène *nm* gene.

gêne *nf* **1.** *(physique)* difficulty **2.** *(psychologique)* embarrassment **3.** *(financière)* difficulty.

généalogie *nf* genealogy.

généalogique *adj* genealogical • **arbre généalogique** family tree.

gêner *vt* **1.** *(physiquement - gén)* to be too tight for ; *(- sujet : chaussures)* to pinch **2.** *(moralement)* to embarrass **3.** *(incommoder)* to bother **4.** *(encombrer)* to hamper. ■ **se gêner** *vp* • **ne te gêne pas, sers-toi** go ahead, help yourself • **ne pas se gêner pour** don't hesitate to.

général ,e *adj* general • **en général** generally, in general • **répétition générale** dress rehearsal. ■ *nm MIL* general. ■ **générale** *nf THÉÂTRE* dress rehearsal.

généralement *adv* generally.

généralisation *nf* generalization.

généraliser *vt & vi* to generalize. ■ **se généraliser** *vp* to become general *ou* widespread.

généraliste *nmf* family doctor, GP. ❏ *adj* general.

généralité *nf* **1.** *(idée)* generality **2.** *(universalité)* general nature. ■ **généralités** *nfpl* generalities.

générateur, trice *adj* generating *(avant nom)*. ■ **générateur** *nm* TECHNOL generator.

génération *nf* generation.

générationnel, elle *adj* generational • **le fossé générationnel** the generation gap.

générer *vt* to generate.

généreux, euse *adj* **1.** generous **2.** *(terre)* fertile.

générique *adj* generic • **médicament générique** MÉD generic drug. ❏ *nm* **1.** CINÉ & TV credits *pl* **2.** MÉD generic drug.

générosité *nf* generosity.

genèse *nf* *(création)* genesis. ■ **Genèse** *nf* *(bible)* Genesis.

genêt *nm* broom.

génétique *adj* genetic. ❏ *nf* genetics *(indén)*.

Genève *npr* Geneva.

génial, e *adj* **1.** *(personne)* of genius **2.** *(idée, invention)* inspired **3.** *fam (formidable)* • **c'est génial !** that's great!, that's terrific!

génie *nm* **1.** *(personne, aptitude)* genius **2.** MYTHOL spirit, genie **3.** TECHNOL engineering • **le génie** MIL ≃ the Royal Engineers (UK); ≃ the (Army) Corps of Engineers (US).

genièvre *nm* juniper.

génisse *nf* heifer.

génital, e *adj* genital.

géniteur, trice *nm, f* **1.** parent **2.** *(d'animal)* sire, dam *f*.

génitif *nm* genitive (case).

génocide *nm* genocide.

génome *nm* genome *m*.

génotype *nm* genotype.

genou *nm* knee • **à genoux** on one's knees, kneeling.

genouillère *nf* **1.** *(bandage)* knee bandage **2.** SPORT kneepad.

genre *nm* **1.** *(type)* type, kind **2.** LITTÉR genre **3.** *(style de personne)* style **4.** GRAMM gender.

gens *nmpl* people • **de nos jours les gens vivent plus longtemps** people live longer nowadays.

gentiane *nf* gentian.

gentil, ille *adj* **1.** *(agréable)* nice **2.** *(aimable)* nice, kind.

gentillesse *nf* kindness.

gentiment *adv* **1.** *(sagement)* nicely **2.** *(aimablement)* nicely, kindly **3.** (SUISSE) *(tranquillement)* calmly, quietly.

génuflexion *nf* genuflexion.

géo *nf* fam & arg scol geography.

géographie *nf* geography.

geôlier, ère *nm, f* jailer, gaoler (UK).

géologie *nf* geology.

géologue *nmf* geologist.

géomètre *nmf* **1.** *(spécialiste)* geometer, geometrician **2.** *(technicien)* surveyor.

géométrie *nf* geometry.

gérance *nf* management.

géranium *nm* geranium.

gérant, e *nm, f* manager.

gerbe *nf* **1.** *(de blé)* sheaf **2.** *(de fleurs)* spray **3.** *(d'étincelles, d'eau)* shower.

gercé, e *adj* chapped.

gérer *vt* to manage.

gériatrie *nf* geriatrics *(indén)*.

germain, e → **cousin**.

germanique *adj* Germanic.

germe *nm* **1.** BOT & MÉD germ **2.** *(de pomme de terre)* eye **3.** *fig (origine)* seed, cause.

germer *vi* to germinate.

gérondif *nm* **1.** *(latin)* gerundive **2.** *(français)* gerund.

gésier *nm* gizzard.

gésir *vi* littéraire to lie.

gestation *nf* gestation.

geste *nm* **1.** *(mouvement)* gesture • **faire un geste de la main** to wave • **il a fait un geste brusque** he made a sudden move **2.** *(acte)* act, deed.

gesticuler *vi* to gesticulate.

gestion *nf* **1.** *(activité)* management **2.** DR administration **3.** INFORM • **gestion de fichiers** file management.

gestionnaire *nmf (personne)* manager. ❏ *adj* management *(avant nom)*. ❏ *nm* INFORM • **gestionnaire de données** data manager.

Ghana *nm* • **le Ghana** Ghana.

ghetto *nm* litt & fig ghetto.

gibet *nm* gallows *sing*, gibbet.

gibier *nm* **1.** game **2.** *fam & fig (personne)* prey.

giboulée *nf* sudden shower.

gicler *vi* to squirt, to spurt.

gifle *nf* slap.

gifler *vt* **1.** to slap **2.** *fig (sujet : vent, pluie)* to whip, to lash.

gigantesque *adj* gigantic.

giga-octet *nm* INFORM gigabyte.

gigolo *nm* fam gigolo.

gigot *nm* CULIN leg.

gigoter *vi* fam to squirm, to wriggle.

gilet *nm* **1.** *(cardigan)* cardigan **2.** *(sans manches)* waistcoat (UK), vest (US).

gin *nm* gin.

gingembre *nm* ginger.

gingivite *nf* inflammation of the gums, gingivitis *(indén)*.

girafe *nf* giraffe.

giratoire *adj* gyrating • **sens giratoire** roundabout (UK), traffic circle (US).

girofle → **clou**.

girolle *nf* chanterelle.

girouette *nf* weathercock.

gisement *nm* deposit.

gitan,e *adj* Gipsy *(avant nom)*. ■ **Gitan,e** *nm,f* Gipsy.

gîte *nm* **1.** *(logement)* • **gîte (rural)** gîte ; *si vous voulez expliquer à un anglophone de quoi il s'agit, vous pouvez dire* it is a self-catering holiday cottage in the country **2.** *(du bœuf)* shank, shin (UK).

givre *nm* frost.

glabre *adj* hairless.

glace *nf* **1.** *(eau congelée)* ice • **glace à l'eau** water ice (UK), sherbet (US) **2.** *(crème glacée)* ice cream • **glace à la crème** dairy ice-cream (UK), iced-milk icecream (US) **3.** *(vitre)* pane **4.** *(de voiture)* window **5.** *(miroir)* mirror.

glacé,e *adj* **1.** *(gelé)* frozen **2.** *(très froid)* freezing **3.** *fig (hostile)* cold **4.** *(dessert)* iced **5.** *(viande)* glazed **6.** *(fruit)* glacé **7.** *(boisson)* • **servir glacé** best served chilled.

glacer *vt* **1.** *(geler, paralyser)* to chill **2.** *(étoffe, papier)* to glaze **3.** *(gâteau)* to ice (UK), to frost (US).

glacial,e *adj litt* &*fig* icy.

glacier *nm* **1.** GÉOGR glacier **2.** *(marchand)* ice cream seller *ou* man.

glacière *nf* icebox.

glaçon *nm* **1.** *(dans boisson)* ice cube **2.** *(sur toit)* icicle **3.** *fam* &*fig (personne)* iceberg.

gladiateur *nm* gladiator.

glaïeul *nm* gladiolus.

glaire *nf* MÉD phlegm.

glaise *nf* clay.

glaive *nm* sword.

glamour *adj inv* glamorous.

gland *nm* **1.** *(de chêne)* acorn **2.** *(ornement)* tassel **3.** ANAT glans.

glande *nf* gland.

glaner *vt* to glean.

glapir *vi* to yelp, to yap.

glas *nm* knell.

glauque *adj* **1.** *(couleur)* bluey-green **2.** *fam (lugubre)* gloomy **3.** *fam (sordide)* sordid.

glissade *nf* slip.

glissant,e *adj* slippery.

glissement *nm* **1.** *(action de glisser)* gliding, sliding **2.** *fig (électoral)* swing, shift.

glisser *vi* **1.** *(se déplacer)* • **glisser (sur)** to glide (over), to slide (over) **2.** *(déraper)* • **glisser (sur)** to slip (on) **3.** *fig (passer rapidement)* • **glisser sur** to skate over **4.** *(surface)* to be slippery **5.** *(progresser)* to slip • **glisser dans** to slip into, to

slide into • **glisser vers** to slip towards (UK) *ou* toward (US), to slide towards (UK) *ou* toward (US) **6.** INFORM to drag. ❏ *vt* to slip • **glisser un regard à qqn** *fig* to give sb a sidelong glance. ■ **se glisser** *vp* to slip • **se glisser dans a)** *(lit)* to slip *ou* slide into **b)** *fig* to slip *ou* creep into.

glissière *nf* runner.

global,e *adj* **1.** global **2.** *(somme)* total.

globalement *adv* on the whole.

globe *nm* **1.** *(sphère, terre)* globe **2.** *(de verre)* glass cover.

globe-trotter *nmf* globetrotter.

globule *nm* corpuscle, blood cell • **globule blanc/rouge** white/red corpuscle.

globuleux → **œil**.

gloire *nf* **1.** *(renommée)* glory **2.** *(de vedette)* fame, stardom **3.** *(mérite)* credit.

glorieux,euse *adj* **1.** *(mort, combat)* glorious **2.** *(héros, soldat)* renowned.

gloss *nm* lipgloss.

glossaire *nm* glossary.

glotte *nf* glottis.

glousser *vi* **1.** *(poule)* to cluck **2.** *fam (personne)* to chortle, to chuckle.

glouton,onne *adj* greedy. ❏ *nm,f* glutton.

glu *nf* *(colle)* glue.

gluant,e *adj* sticky.

glucide *nm* glucide.

glycémie *nf* glycaemia (UK) *ou* glycemia (US).

glycérine *nf* glycerine.

glycine *nf* wisteria.

gnome *nm* gnome.

go ■ **tout de go** *loc adv* straight.

GO (abrév de grandes ondes) *nfpl* LW.

goal *nm* goalkeeper.

gobelet *nm* beaker, tumbler.

gober *vt* **1.** *(avaler)* to gulp down **2.** *fam (croire)* to swallow.

godet *nm* **1.** *(récipient)* jar, pot **2.** COUT flare.

godiller *vi* **1.** *(rameur)* to scull **2.** *(skieur)* to wedeln.

goéland *nm* gull, seagull.

goélette *nf* schooner.

goguenard,e *adj* mocking.

goinfre *nmf fam* pig.

goitre *nm* goitre.

golf *nm* **1.** *(sport)* golf • **jouer au golf** to play golf **2.** *(terrain)* golf course.

golfe *nm* gulf, bay • **le golfe de Gascogne** the Bay of Biscay • **le golfe Persique** the (Persian) Gulf.

gommage *nm* **1.** *(d'écriture)* erasing, rubbing out **2.** *(cosmétique)* face scrub.

gommant,e *adj* exfoliating.

gomme *nf* **1.** *(substance, bonbon)* gum **2.** *(pour effacer)* eraser, rubber (UK).

gommer vt **1.** to rub out, to erase **2.** fig to erase.

gond nm hinge.

gondole nf gondola.

gondoler vi **1.** (bois) to warp **2.** (carton) to curl.

gonflable adj inflatable.

gonfler vt **1.** (ballon, pneu) to blow up, to inflate **2.** (rivière, poitrine, yeux) to swell **3.** (joues) to blow out **4.** fig (grossir) to exaggerate. ❏ vi to swell.

gonflette nf fam • **faire de la gonflette** to pump iron.

gong nm gong.

gore adj gory.

goret nm **1.** (cochon) piglet **2.** fam (garçon) dirty little pig.

gorge nf **1.** (gosier, cou) throat • **avoir mal à la gorge** to have a sore throat **2.** (gén pl) (vallée) gorge.

gorgée nf mouthful.

gorger vt • **gorger qqn de qqch a)** (gaver) to stuff sb with sthg **b)** (combler) to heap sthg on sb • **gorger qqch de** to fill sthg with.

gorille nm (animal) gorilla.

gosier nm throat, gullet.

gosse nmf fam kid.

gothique adj **1.** ARCHIT Gothic **2.** TYPO • **écriture gothique** Gothic script **3.** (mouvement) gothic, goth.

gouache nf gouache.

goudron nm tar.

goudronner vt to tar.

gouffre nm abyss • **au bord du gouffre** on the age of the abyss.

goujat nm boor.

goulet nm narrows pl.

goulot nm neck.

goulu, e adj greedy, gluttonous.

goupillon nm **1.** RELIG (holy water) sprinkler **2.** (à bouteille) bottle brush.

gourd, e adj numb.

gourde nf **1.** (récipient) flask, water bottle **2.** fam (personne) clot (UK). ❏ adj fam thick.

gourdin nm club.

gourmand, e adj greedy. ❏ nm, f glutton.

gourmandise nf **1.** (caractère) greed, greediness **2.** (sucrerie) sweet thing.

gourmet nm • **(fin) gourmet** gourmet.

gourmette nf chain bracelet.

gourou nm guru.

gousse nf pod • **gousse d'ail** clove of garlic.

gousset nm (de gilet) fob pocket.

goût nm taste • **avoir bon goût** to taste nice • **de mauvais goût** tasteless, in bad taste • **chacun ses goûts** each to his own. ■ **à mon goût, à son goût** etc loc adj & loc adv to my/his etc liking • **le décor est tout à fait à mon goût** the decor is exactly to my liking • **à mon/son goût, on est trop lents** we're not going fast enough for my/his liking.

S'EXPRIMER

parler de ses goûts

- **I like fish.** J'aime le poisson.
- **I really like trout.** J'aime beaucoup la truite.
- **I love smoked salmon.** J'adore le saumon fumé.
- **I hate raw meat.** Je déteste la viande crue.
- **It's disgusting.** Cela me dégoûte.
- **I like swimming.** J'aime (bien) nager.
- **I prefer dancing.** Je préfère danser.
- **What I like best is listening to music.** Ce que je préfère par-dessus tout, c'est écouter de la musique.
- **I hate getting up early.** Je déteste me lever tôt.

goûter vt **1.** (déguster) to taste **2.** (savourer) to enjoy. ❏ vi to have an afternoon snack • **goûter à** to taste. ❏ nm afternoon snack.

goutte nf **1.** (de pluie, d'eau) drop **2.** MÉD (maladie) gout. ■ **gouttes** nfpl MÉD drops.

goutte-à-goutte nm inv (intravenous) drip, IV (us).

gouttelette nf droplet.

gouttière nf **1.** (CONSTR - horizontale) gutter ; (- verticale) drainpipe **2.** MÉD splint.

gouvernail nm rudder.

gouvernante nf **1.** (d'enfants) governess **2.** (de maison) housekeeper.

gouvernement nm POLIT government.

gouverner vt to govern.

gouverneur nm governor.

GPS (abrév de global positioning system) nm GPS.

grabataire nmf invalid. ❏ adj bedridden.

grâce nf **1.** (charme) grace • **de bonne grâce** with good grace, willingly • **de mauvaise grâce** with bad grace, reluctantly **2.** (faveur) favour (UK), favor (us) **3.** (miséricorde) mercy. ■ **grâce à** loc prép thanks to.

gracier vt to pardon.

gracieusement adv **1.** (avec grâce) graciously **2.** (gratuitement) free (of charge).

gracieux, euse adj **1.** (charmant) graceful **2.** (gratuit) free.

gradation nf gradation.

grade nm **1.** (échelon) rank **2.** (universitaire) qualification.

gradé, e adj non-commissioned. ❏ nm, f non-commissioned officer, NCO.

gradin nm **1.** (de stade, de théâtre) tier **2.** (de terrain) terrace.

graduation nf graduation.

graduel,elle *adj* **1.** gradual **2.** *(difficultés)* increasing.

graduer *vt* **1.** *(récipient, règle)* to graduate **2.** *fig (effort, travail)* to increase gradually.

graff (abrév de graffiti) *nm* (piece of) graffiti.

graffiti *nm inv* graffiti *(indén).*

grain *nm* **1.** *(gén)* grain **2.** *(de moutarde)* seed **3.** *(de café)* bean ● **grain de raisin** grape **4.** *(point)* ● **grain de beauté** mole, beauty spot **5.** *(averse)* squall.

graine *nf BOT* seed.

graisse *nf* **1.** ANAT & CULIN fat **2.** *(pour lubrifier)* grease.

graisser *vt* **1.** *(machine)* to grease, to lubricate **2.** *(vêtements)* to get grease on.

grammaire *nf* grammar.

grammatical,e *adj* grammatical.

gramme *nm* gram, gramme (UK).

grand,e *adj* **1.** *(en hauteur)* tall **2.** *(en dimensions)* big, large **3.** *(en quantité, nombre)* large, great ● **un grand nombre de** a large ou great number of ● **en grand** *(dimension)* full-size **4.** *(âgé)* grown-up ● **les grandes personnes** grown-ups ● **grand frère** big ou older brother **5.** *(important, remarquable)* great ● **un grand homme** a great man **6.** *(intense)* ● **un grand blessé/brûlé** a person with serious wounds/burns ● **un grand buveur/fumeur** a heavy drinker/smoker. ❑ *nm, f (gén pl)* **1.** *(personnage)* great man, woman f ● **c'est l'un des grands de l'électroménager** he's one of the big names in electrical appliances **2.** *(enfant)* older ou bigger boy, girl f. ■ **grand** *adv* ● **voir grand** to think big. ■ **grande surface** *nf* hypermarket (UK), supermarket (US).

grand-angle *nm* wide-angle lens.

grand-chose ■ pas grand-chose *pron indéf* not much ● **il ne reste plus grand-chose à manger** there's not much left to eat.

Grande-Bretagne *nf* ● **la Grande-Bretagne** Great Britain.

En anglais, à de rares exceptions près, il n'y a pas d'article devant les noms de pays.

grandeur *nf* **1.** *(taille)* size **2.** *fig (apogée)* greatness ● **grandeur d'âme** *fig* magnanimity.

grandiose *adj* imposing.

grandir *vt* ● **grandir qqn a)** *(sujet : chaussures)* to make sb look taller **b)** *fig* to increase sb's standing. ❑ *vi* **1.** *(personne, plante)* to grow ● **j'ai grandi de dix centimètres en un an** I have grown ten centimetres in the last year **2.** *(obscurité, bruit)* to increase, to grow.

grand-mère *nf* **1.** grandmother **2.** *fam &fig* old biddy.

grand-père *nm* **1.** grandfather **2.** *fam &fig* grandad (UK), granddad (US), old timer (US).

grands-parents *nmpl* grandparents.

grange *nf* barn.

granit(e) *nm* granite.

granule *nm* **1.** *(grain)* granule **2.** MÉD pill.

granulé,e *adj (surface)* granular. ■ **granulé** *nm* tablet.

granuleux,euse *adj* granular.

graphique *nm* **1.** diagram **2.** *(courbe)* graph ● **faire un graphique** to draw a graph. ❑ *adj* graphic.

graphisme *nm* **1.** *(écriture)* handwriting **2.** ART style of drawing.

graphologie *nf* graphology.

grappe *nf* **1.** *(de fruits)* bunch **2.** *(de fleurs)* stem **3.** *fig (de gens)* knot.

grappiller *vt* litt & fig to gather, to pick up.

grappin *nm (ancre)* grapnel.

gras,grasse *adj* **1.** *(personne, animal)* fat **2.** *(plat, aliment)* fatty ● **matières grasses** fats **3.** *(cheveux, mains)* greasy **4.** *(sol)* clayey **5.** *(crayon)* soft **6.** *fig (rire)* throaty **7.** *(toux)* phlegmy. ■ **gras** *nm* **1.** *(du jambon)* fat **2.** TYPO bold (type) **3.** *(substance)* grease. ❑ *adv* ● **manger gras** to eat fatty foods.

gras-double *nm* tripe.

grassement *adv* **1.** *(rire)* coarsely **2.** *(payer)* a lot.

gratifier *vt* **1.** *(accorder)* ● **gratifier qqn de qqch a)** to present sb with sthg, to present sthg to sb **b)** *fig* to reward sb with sthg **2.** *(stimuler)* to gratify.

gratin *nm* **1.** CULIN *si vous voulez expliquer à un anglophone en quoi consiste ce plat, vous pouvez le définir ainsi :* it is a dish that is topped with breadcrumbs or cheese and then browned in the oven ● **gratin dauphinois** Dauphinoise potatoes **2.** *fam &fig (haute société)* upper crust.

gratiné,e *adj* **1.** CULIN au gratin **2.** *fam &fig (ardu)* stiff.

gratis *adv* free.

gratitude *nf* ● **gratitude (envers)** gratitude (to ou towards).

gratte-ciel *nm inv* skyscraper.

grattement nm scratching.

gratter vt **1.** (gén) to scratch **2.** (pour enlever) to scrape off. ❑ vi **1.** (démanger) to itch, to be itchy **2.** fam (écrire) to scribble **3.** (frapper) • **gratter à la porte** to tap at the door **4.** fam (travailler) to slave, to slog. ■ **se gratter** vp to scratch.

gratuit, e adj **1.** (entrée) free **2.** (violence) gratuitous.

gratuitement adv **1.** (sans payer) free, for nothing **2.** (sans raison) gratuitously.

gravats nmpl rubble (indén).

grave adj **1.** (attitude, faute, maladie) serious, grave • **ce n'est pas grave** (ce n'est rien) don't worry about it **2.** (voix) deep **3.** LING • **accent grave** grave accent. ❑ nm (gén pl) MUS low register.

gravement adv gravely, seriously.

graver vt **1.** (gén) to engrave **2.** (bois) to carve **3.** INFORM to burn.

graveur nm INFORM CD-RW drive, (CD-)burner • **graveur de CD** CD writer ou burner.

gravier nm gravel (indén).

gravillon nm fine gravel (indén).

gravir vt to climb.

gravité nf **1.** (importance) seriousness, gravity **2.** PHYS gravity.

graviter vi **1.** (astre) to revolve **2.** fig (évoluer) to gravitate.

gravure nf **1.** (technique) • **gravure (sur)** engraving (on) **2.** (reproduction) print **3.** (dans livre) plate.

gré nm **1.** (goût) • **à mon/son gré** for my/his taste, for my/his liking **2.** (volonté) • **bon gré mal gré** willy-nilly • **de gré ou de force** fig whether you/they etc like it or not • **de mon/son plein gré** of my/his own free will.

grec, grecque adj Greek. ■ **grec** nm (langue) Greek. ■ **Grec, Grecque** nm, f Greek.

En anglais, les adjectifs se rapportant à un pays ou à une région ainsi que le nom désignant la langue de ce pays ou cette région, s'écrivent avec une majuscule.

Grèce nf • **la Grèce** Greece.

En anglais, à de rares exceptions près, il n'y a pas d'article devant les noms de pays.

gréement nm rigging.

greffe nf **1.** MÉD transplant **2.** MÉD (de peau) graft **3.** BOT graft.

greffer vt **1.** MÉD to transplant • **greffer un rein/un cœur à qqn** to give sb a kidney/heart transplant **2.** MÉD (peau) to graft **3.** BOT to graft. ■ **se greffer** vp • **se greffer sur qqch** to be added to sthg.

greffier, ère nm, f clerk of the court.

grégaire adj gregarious.

grêle[1] nf hail.

grêle[2] adj **1.** (jambes) spindly **2.** (son) shrill.

grêler v impers to hail • **il grêle** it's hailing.

grêlon nm hailstone.

grelot nm bell.

grelotter vi • **grelotter (de)** to shiver (with).

grenade nf **1.** (fruit) pomegranate **2.** MIL grenade.

grenadine nf grenadine (pomegranate syrup).

grenat adj inv dark red.

grenier nm **1.** (de maison) attic **2.** (à foin) loft.

grenouille nf frog.

grès nm **1.** (roche) sandstone **2.** (poterie) stoneware.

grésiller vi **1.** (friture) to sizzle **2.** (feu) to crackle **3.** (radio) to crackle.

grève nf **1.** (arrêt du travail) strike • **être en grève** to be on strike • **faire grève** to strike, to go on strike **2.** (rivage) shore.

grever vt **1.** to burden **2.** (budget) to put a strain on.

gréviste nmf striker.

gribouiller vt & vi **1.** (écrire) to scrawl **2.** (dessiner) to doodle.

grief nm grievance • **faire grief de qqch à qqn** to hold sthg against sb.

grièvement adv seriously.

griffe nf **1.** (d'animal) claw **2.** (BELGIQUE) (éraflure) scratch.

griffé, e adj (vêtement) designer (modificateur).

griffer vt (sujet : chat) to claw.

grignoter vt **1.** (manger) to nibble **2.** fam & fig (réduire - capital) to eat away (at) **3.** fam & fig (gagner - avantage) to gain. ❑ vi **1.** (manger) to nibble **2.** fam & fig (prendre) • **grignoter sur** to nibble away at.

gril nm grill.

grillade nf CULIN grilled meat.

grillage nm **1.** (de porte, de fenêtre) wire netting **2.** (clôture) wire fence.

grille nf **1.** (portail) gate **2.** (de four) • **la grille du four** the grill **3.** (d'orifice, de guichet) grille **4.** (de fenêtre) bars pl **5.** (de mots croisés, de loto) grid **6.** (tableau) table **7.** TV & RADIO • **grille des programmes** programme (UK) ou program (US) listings pl.

grille-pain nm inv toaster.

griller vt **1.** (viande) to grill (UK), to broil (US) **2.** (pain) to toast **3.** (café, marrons) to roast **4.** fig (au soleil - personne) to burn ; (- végétation) to shrivel **5.** fam & fig (dépasser - concurrents) to outstrip • **griller un feu rouge** to jump the lights **6.** fam & fig (compromettre) to ruin. ❑ vi **1.** (viande) to grill (UK), to broil (US) **2.** (ampoule) to blow.

grillon nm (insecte) cricket.

grimace nf grimace.

grimer vt CINÉ & THÉÂTRE to make up.

grimper vt to climb. ❑ vi to climb • **grimper à un arbre/une échelle** to climb a tree/a ladder

grincement *nm* **1.** *(de charnière)* squeaking **2.** *(de porte, plancher)* creaking.

grincer *vi* **1.** *(charnière)* to squeak **2.** *(porte, plancher)* to creak.

grincheux ,euse *adj* grumpy.□ *nm, f* moaner, grumbler.

griotte *nf* morello (cherry).

grippe *nf* MÉD flu *(indén)*• **Luc a la grippe** Luc has got flu (UK), Luc has the flu• **grippe aviaire** bird flu• **grippe A H1N1** H1N1 A influenza• **grippe porcine** swine influenza.

grippé ,e *adj (malade)*• **être grippé** to have (the) flu.

gripper *vi* **1.** *(mécanisme)* to jam **2.** *fig (processus)* to stall.

gris ,e *adj* **1.** *(couleur)* grey (UK), gray (US) **2.** *fig (morne)* dismal **3.** *(saoul)* tipsy.■ **gris** *nm (couleur)* grey (UK), gray (US).

grisaille *nf* **1.** *(de ciel)* greyness (UK), grayness (US) **2.** *fig (de vie)* dullness.

grisant ,e *adj* intoxicating.

grisé *nm* grey (UK) *ou* gray (US) shading.

griser *vt* to intoxicate.

grisonner *vi* to turn grey (UK) *ou* gray (US).

grisou *nm* firedamp.

grive *nf* thrush.

grivois ,e *adj* ribald.

Groenland *nm*• **le Groenland** Greenland.

grog *nm* (hot) toddy.

grognement *nm* **1.** *(son)* grunt **2.** *(d'ours, de chien)* growl **3.** *(protestation)* grumble.

grogner *vi* **1.** *(émettre un son)* to grunt **2.** *(ours, chien)* to growl **3.** *(protester)* to grumble.

grognon ,onne *adj* grumpy.

groin *nm* snout.

grommeler *vt & vi* to mutter.

grondement *nm* **1.** *(d'animal)* growl **2.** *(de tonnerre, de train)* rumble **3.** *(de torrent)* roar.

gronder *vi* **1.** *(animal)* to growl **2.** *(tonnerre)* to rumble.□ *vt (réprimander)* to scold• **ma mère m'a grondé** my mother told me off.

gros ,grosse *adj (gén avant un nom)* **1.** *(gén)* large, big **2.** *péj* big **3.** *(avant ou après un nom) (corpulent)* fat **4.** *(grossier)* coarse **5.** *(fort, sonore)* loud **6.** *(important, grave - ennuis)* serious ; (- *dépense*) major.■ **gros** *adv (beaucoup)* a lot.□ *nm (partie)*• **le (plus) gros (de qqch)** the main part (of sthg). ■ **en gros** *loc adv & loc adj* **1.** COMM wholesale **2.** *(en grands caractères)* in large letters **3.** *(grosso modo)* roughly.

groseille *nf* currant.

grossesse *nf* pregnancy.

grosseur *nf* **1.** *(dimension, taille)* size **2.** MÉD lump.

grossier ,ère *adj* **1.** *(matière)* coarse **2.** *(sommaire)* rough **3.** *(insolent)* rude **4.** *(vulgaire)* crude **5.** *(erreur)* crass.

grossièrement *adv* **1.** *(sommairement)* roughly **2.** *(vulgairement)* crudely.

grossir *vi* **1.** *(prendre du poids)* to put on weight • **faire grossir a)** to add pounds, to make you put on weight **b)** *(être calorique)* to be fattening • **ça fait grossir** it's fattening **2.** *(augmenter)* to grow **3.** *(s'intensifier)* to increase. □ *vt* **1.** *(sujet : microscope, verre)* to magnify **2.** *(sujet : vêtement)* • **grossir qqn** to make sb look fatter **3.** *(exagérer)* to exaggerate.

grossiste *nmf* wholesaler.

grosso modo *adv* roughly.

grotte *nf* cave.

grouiller *vi*• **grouiller (de)** to swarm (with).

groupe *nm* group• **groupe armé** armed group• **groupe de combat** section.■ **groupe sanguin** *nm* blood group.

groupement *nm* **1.** *(action)* grouping **2.** *(groupe)* group.

grouper *vt* to group.■ **se grouper** *vp* to come together.

groupie *nmf* groupie.

grue *nf* TECHNOL & ZOOL crane.

grumeau *nm* lump.

grunge *adj* grunge.

gruyère *nm* Gruyère (cheese).

guacamole *nm* guacamole.

Guadeloupe *nf*• **la Guadeloupe** Guadeloupe.

Guatemala *nm*• **le Guatemala** Guatemala.

gué *nm* ford• **traverser à gué** to ford.

guenilles *nfpl* rags.

guenon *nf* female monkey.

guépard *nm* cheetah.

guêpe *nf* wasp.

guêpier *nm* **1.** wasp's nest **2.** *fig* hornet's nest.

guère *adv (peu)* hardly• **ne (+ verbe) guère (peu)** hardly• **nous ne sortons guère** we hardly ever go out• **il ne l'aime guère** he doesn't like him/her very much.

guéridon *nm* pedestal table.

guérilla *nf* guerrilla warfare.

guérir *vt* to cure• **guérir qqn de** *litt & fig* to cure sb of.□ *vi* to recover, to get better• **la blessure ne guérit pas** the wound isn't healing.

guérison *nf* **1.** *(de malade)* recovery **2.** *(de maladie)* cure.

guérisseur ,euse *nm, f* healer.

guerre *nf* **1.** war• **faire la guerre à un pays** to make *ou* wage war on a country• **Première/ Seconde Guerre mondiale** World War I/ II, First/Second World War (UK)• **guerre atomique/nucléaire** atomic/nuclear war• **guerre de religion** war of religion• **guerre civile** civil war **2.** *(technique)* warfare *(indén)*• **guerre biologique/chimique** biological/chemical warfare • **guerre bactériologique** germ warfare.

guerrier, ère adj **1.** (de guerre) war (avant nom) **2.** (peuple) warlike. ■ **guerrier** nm warrior.

guet-apens nm **1.** ambush **2.** fig trap.

guêtre nf gaiter.

guetter vt **1.** (épier) to lie in wait for **2.** (attendre) to be on the look-out for, to watch for **3.** (menacer) to threaten.

gueule nf **1.** (d'animal, ouverture) mouth **2.** tfam (bouche de l'homme) gob (UK), yap (US) **3.** fam (visage) face.

gueuler fam vt to yell. ❑ vi **1.** (crier) to yell **2.** (protester) to kick up a stink, to scream and shout.

gueuleton nm fam blowout.

gui nm mistletoe.

guichet nm **1.** counter **2.** (de gare, de théâtre) ticket office.

guide nmf guide. ■ **guide** nm **1.** (gén) guide **2.** (livre) guidebook.

guider vt to guide.

guidon nm handlebars pl.

guignol nm **1.** (marionnette) glove puppet **2.** (théâtre) ≃ Punch and Judy show.

guillemet nm quotation mark, inverted comma (UK).

guilleret, ette adj perky.

guillotine nf **1.** (instrument) guillotine **2.** (de fenêtre) sash.

guimauve nf **1.** (confiserie, plante) marshmallow **2.** fam (sentimentalité) mush.

guindé, e adj stiff.

Guinée nf • la Guinée Guinea.

guirlande nf **1.** (de fleurs) garland **2.** (de papier) chain **3.** (de Noël) tinsel (indén).

guise nf • à ma guise as I please ou like • en guise de by way of.

guitare nf guitar.

guitariste nmf guitarist.

guttural, e adj guttural.

Guyane nf • la Guyane French Guiana.

gym nf gym (indén).

gymnastique nf fig SPORT gymnastics (indén) • faire de la gymnastique to do exercises • gymnastique aquatique aquaerobics.

gynécologie nf gynaecology (UK), gynecology (US).

gynécologue nmf gynaecologist (UK), gynecologist (US).

gyrophare nm flashing light.

H

h¹,H nm inv h, H.

h² (abrév de heure) hr.

H 1. abrév de homme **2.** (abrév de hydrogène) H.

ha (abrév de hectare) ha.

hab. abrév de habitant.

habile adj skilful(UK), skillful(US) ; (démarche) clever.

habileté nf skill.

habiliter vt to authorize • être habilité à faire qqch to be authorized to do sthg.

habiller vt **1.** (vêtir) • habiller qqn (de) to dress sb (in) **2.** (recouvrir) to cover. ■ s'habiller vp **1.** (se vêtir) to dress, to get dressed **2.** (se vêtir élégamment) to dress up.

habit nm **1.** (costume) suit **2.** RELIG habit. ■ habits nmpl (vêtements) clothes.

habitacle nm (d'avion) cockpit ; (de voiture) passenger compartment.

habitant,e nm,f **1.** (de pays) inhabitant **2.** (d'immeuble) occupant **3.** (QUÉBEC) (paysan) farmer.

habitation nf **1.** (fait d'habiter) housing **2.** (résidence) house, home.

habiter vt (résider) to live in • habiter chez des amis to be staying with friends. □ vi to live • habiter à to live in.

habitude nf (façon de faire) habit • une mauvaise habitude a bad habit • avoir l'habitude de faire qqch to be in the habit of doing sthg • d'habitude usually • par habitude out of habit.

habitué,e nm,f regular.

habituel,elle adj (coutumier) usual, customary.

habituer vt • habituer qqn à qqch/à faire qqch to get sb used to sthg/to doing sthg. ■ s'habituer vp • s'habituer à qqch/à faire qqch to get used to sthg/to doing sthg.

hache nf axe, ax(US).

hache-légumes nm vegetable chopper.

hacher vt **1.** (couper - gén) to chop finely ; (- viande) to mince(UK), to grind(US) **2.** (entre-couper) to interrupt.

hachis nm • un hachis de persil finely chopped parsley • un hachis de porc minced pork (UK), ground pork (US) • hachis Parmentier ≃ shepherd's pie ; ≃ cottage pie.

hachisch,hachich = haschisch.

hachoir nm **1.** (couteau) chopper **2.** (appareil) mincer(UK), grinder(US) **3.** (planche) chopping board(UK), cutting board(US).

hachure nf hatching.

hacker nm INFORM hacker.

haddock nm smoked haddock.

hagard,e adj haggard.

haie nf **1.** (d'arbustes) hedge **2.** (de personnes) row ; (de soldats, d'agents de police) line **3.** SPORT hurdle • **400 mètres haies** 400 metres hurdles(UK), 400 meters hurdles(US).

haillons nmpl rags.

haine nf hatred.

haïr vt to hate. ■ se haïr vp • ils se haïssent depuis toujours they've always hated each other • je me hais d'avoir pu agir de cette façon I hate myself for behaving like that.

Haïti npr Haiti.

hâle nm tan.

hâlé,e adj tanned(UK), tan(US).

haleine nf breath.

haleter vi to pant.

hall nm **1.** (vestibule, entrée) foyer, lobby **2.** (salle publique) concourse.

halle nf covered market.

hallucinant,e adj **1.** (incroyable) extraordinary **2.** (grandiose) impressive.

hallucination nf hallucination.

hallucinogène nm hallucinogen. □ adj hallucinogenic.

halo nm (cercle lumineux) halo.

halogène nm & adj halogen.

halte nf stop • c'est la dernière halte sur le parcours it's the last stop on the route. □ interj stop!

haltère nm dumbbell.

haltérophilie nf weightlifting.

hamac nm hammock.

hamburger nm hamburger.

hameau nm hamlet.

hameçon nm fishhook.

hammam nm Turkish baths pl.

hamster nm hamster.

hanche nf hip.

handball nm handball.

handicap nm handicap.

handicapé, e adj handicapped, disabled. ❏ nm, f handicapped person • **handicapé physique** physically handicapped person • **handicapé mental** mentally handicapped person • **les handicapés** the disabled.

handicaper vt to handicap.

hangar nm shed ; AÉRON hangar.

hanneton nm cockchafer.

hanter vt to haunt.

hantise nf obsession.

happer vt (attraper) to snap up.

haranguer vt to harangue.

haras nm stud (farm).

harassant, e adj exhausting.

harceler vt 1. (relancer) to harass 2. MIL to harry 3. (importuner) • **harceler qqn (de)** to pester sb (with).

hardes nfpl littéraire old clothes.

hardi, e adj bold, daring.

harem nm harem.

hareng nm herring.

hargne nf spite (indén), bad temper.

haricot nm bean • **haricots verts/blancs/rouges** green ou string/haricot/kidney beans.

harmonica nm harmonica, mouth organ.

harmonie nf 1. (gén) harmony 2. (de visage) symmetry.

harmonieux, euse adj 1. (gén) harmonious 2. (voix) melodious 3. (traits, silhouette) regular.

harmoniser vt fig MUS to harmonize ; (salaires) to bring into line.

harnacher vt (cheval) to harness.

harnais nm 1. (de cheval, de parachutiste) harness 2. TECHNOL train.

harpe nf harp.

harpon nm harpoon.

harponner vt 1. (poisson) to harpoon 2. fam (personne) to collar.

hasard nm chance • **au hasard** at random. ■ **par hasard** loc adv by chance ou accident • **si par hasard vous la voyez** if by any chance you should see her, should you happen to see her • **je suis entré par hasard et je l'ai pris la main dans le sac** I went in quite by chance and caught him red-handed • **tu ne l'as pas vu, par hasard ?** you haven't seen it by any chance, have you? • **comme par hasard !** iron that's a surprise, surprise, surprise ! • **comme par hasard, elle n'a rien entendu** surprisingly enough, she didn't hear a thing.

hasarder vt 1. (tenter) to venture 2. (risquer) to hazard. ■ **se hasarder** vp • **se hasarder à faire qqch** to risk doing sth.

haschisch, haschich, hachisch nm hashish.

hâte nf haste.

hâter vt 1. (activer) to hasten 2. (avancer) to bring forward. ■ **se hâter** vp to hurry • **se hâter de faire qqch** to hurry to do sth.

hausse nf (augmentation) rise, increase.

hausser vt to raise • **hausser le ton** to raise one's voice.

haut, e adj 1. (gén) high • **haut de 20 m** 20 m high 2. (classe sociale, pays, région) upper 3. (responsable) senior 4. INFORM & TÉLÉCOM • **haut débit** broadband. ■ **haut** adv 1. (gén) high 2. (placé) highly 3. (fort) loudly. ❏ nm 1. (hauteur) height • **faire 2 m de haut** to be 2 m high ou in height 2. (sommet, vêtement) top 3. (locution) • **avoir ou connaître des hauts et des bas** to have one's ups and downs. ■ **de haut** loc adv (avec dédain) haughtily • **le prendre de haut** to react haughtily. ■ **de haut en bas** loc adv from top to bottom. ■ **du haut de** loc prép from the top of. ■ **en haut de** loc prép at the top of.

hautain, e adj haughty.

hautbois nm oboe.

haut de gamme adj upmarket, high-end, top-of-the-line (US) • **une chaîne haut de gamme** a state-of-the-art hi-fi system. ❏ nm top of the range, top of the line (US).

haute-fidélité nf high fidelity, hi-fi.

hautement adv highly.

hauteur nf height • **à hauteur d'épaule** at shoulder level ou height.

haut-fourneau nm blast furnace.

haut-le-cœur nm inv retch • **avoir des haut-le-cœur** to retch.

haut-parleur nm loudspeaker.

havre nm (refuge) haven.

Haye npr • **La Haye** the Hague.

hayon nm hatchback.

hebdomadaire nm & adj weekly.

hébergement nm 1. accommodation (UK), accommodations (pl) (US) 2. INTERNET (d'un site Web) hosting.

héberger vt 1. (loger) to put up 2. (sujet : hôtel) to take in.

hébété, e adj dazed.

hébraïque adj Hebrew.

hébreu adj Hebrew. ■ **hébreu** nm (langue) Hebrew. ■ **Hébreu** nm Hebrew.

hécatombe nf litt & fig slaughter.

hectare nm hectare.

hectolitre nm hectolitre (UK), hectoliter (US).

hégémonie nf hegemony.

hein interj fam eh?, what? • **tu m'en veux, hein ?** you're angry with me, aren't you?

hélas *interj* unfortunately, alas.

héler *vt sout* to hail.

hélice *nf* 1. *(d'avion, de bateau)* propeller 2. MATH helix.

hélicoptère *nm* helicopter.

héliport *nm* heliport.

hélium *nm* helium.

Helsinki *npr* Helsinki.

hématome *nm* MÉD haematoma (UK), hematoma (US).

hémicycle *nm* POLIT • **l'hémicycle** the Assemblée Nationale.

hémiplégique *nmf & adj* hemiplegic.

hémisphère *nm* hemisphere.

hémophile *nmf* haemophiliac (UK), hemophiliac (US). ❏ *adj* haemophilic (UK), hemophilic (US).

hémorragie *nf* 1. MÉD haemorrhage (UK), hemorrhage (US) 2. *fig (perte, fuite)* loss.

hémorroïdes *nfpl* haemorrhoids (UK), hemorrhoids (US), piles.

henné *nm* henna.

hennir *vi* to neigh, to whinny.

hépatite *nf* MÉD hepatitis *(indén)* • **hépatite C** hepatitis C.

herbe *nf* 1. BOT grass 2. CULIN & MÉD herb 3. *fam (marijuana)* grass. ■ **herbes** *nfpl* • **fines herbes** CULIN herbs, fines herbes • **herbes (médicinales)** medicinal herbs.

herbicide *nm* weedkiller, herbicide.

herboriste *nmf* herbalist.

héréditaire *adj* hereditary.

hérédité *nf (génétique)* heredity.

hérésie *nf* heresy.

hérisson *nm* ZOOL hedgehog.

héritage *nm* 1. *(de biens)* inheritance • **faire un gros héritage** to come into a big inheritance 2. *(culturel)* heritage.

hériter *vi* to inherit • **hériter de qqch** to inherit sthg. ❏ *vt* • **hériter qqch de qqn** *litt & fig* to inherit sthg from sb.

demander l'heure

S'EXPRIMER

• *What time is it?* Quelle heure est-il ?
• *It's four o'clock.* Il est quatre heures.
• *It's five past ou after* (US) *four.* Il est quatre heures cinq.
• *It's a quarter past ou after* (US) *four.* Il est quatre heures et quart.
• *It's half past four.* Il est quatre heures et demie.
• *It's a quarter to ou of* (US) *five.* Il est cinq heures moins le quart.
• *It's four twenty-five.* Il est quatre heures vingt-cinq.
• *It's four thirty-five.* Il est quatre heures trente-cinq.

héritier, ère *nm, f* heir, heiress *f*.

hermétique *adj* 1. *(étanche)* hermetic 2. *(incompréhensible)* inaccessible, impossible to understand 3. *(impénétrable)* impenetrable.

hermine *nf* 1. *(animal)* stoat 2. *(fourrure)* ermine.

hernie *nf* hernia.

héroïne *nf* 1. *(personne)* heroine 2. *(drogue)* heroin.

héroïque *adj* heroic.

héroïsme *nm* heroism.

héron *nm* heron.

héros *nm* hero.

herpès *nm* herpes.

hertz *nm inv* hertz.

hésitant, e *adj* hesitant.

hésitation *nf* hesitation.

hésiter *vi* to hesitate • **hésiter entre/sur** to hesitate between/over • **hésiter à faire qqch** to hesitate to do sthg.

hétéroclite *adj* motley.

hétérogène *adj* heterogeneous.

hétérosexuel, elle *adj & nm, f* heterosexual.

hêtre *nm* beech.

À PROPOS DE

à quelle heure... ?

Il faut remarquer qu'on dit plus couramment *What time...?* que *At what time...?*
• *À quelle heure sors-tu du bureau ?* **What time do you leave the office?**
• *À quelle heure commence le spectacle ?* **What time does the show start?**

heure *nf* 1. *(indique un moment du jour)* • **quelle heure est-il ?** what time is it? • **à quelle heure te lèves-tu ?** when *ou* (at) what time do you get up? • **il est deux heures** it's two o'clock • **il est deux heures dix** it's ten past two • **il est deux heures moins dix** it's ten to two • **les bus passent à l'heure et à la demie** the buses come on the hour and on the half hour • **il n'est jamais à l'heure** he's never on time • **c'est l'heure d'aller à l'école** it's time to go to school • **il se lève toujours de bonne heure** he always gets up early • **heures de bureau** office hours • **heures de réception** office/surgery (UK) hours • **tu ferais mieux d'éviter les heures de pointe** you'd better avoid rush hours 2. *(indique une durée)* • **ce film dure deux heures** this film lasts two hours • **nous avons parlé pendant des heures hier après midi** we talked for hours yesterday afternoon • **c'est à deux heures de train** it's a two-hour train journey, it takes two hours by train • **il a roulé à 250 km à l'heure** he drove his car at 250 km per *ou* an hour • **elle a dû faire des heures supplémentaires** she had to to work overtime • **l'heure d'été** British Summer Time (UK), daylight (saving) time (US) • **nous sommes passés à l'heure d'été/**

d'hiver la semaine dernière we put the clocks forward/back last week **4.** *SCOL* class, period • **j'ai deux heures de maths aujourd'hui** I've two periods of maths today • **l'heure de français commence à 9 heures** the French class starts at nine.

heureusement *adv (par chance)* luckily, fortunately.

heureux, euse *adj* **1.** *(gén)* happy • **être heureux de faire qqch** to be happy to do sthg **2.** *(favorable)* fortunate **3.** *(réussi)* successful, happy.

heurt *nm* **1.** *(choc)* collision, impact **2.** *(désaccord)* clash.

heurter *vt* **1.** *(rentrer dans - gén)* to hit ; *(- sujet : personne)* to bump into **2.** *(offenser - personne, sensibilité)* to offend **3.** *(bon sens, convenances)* to go against. ■ **se heurter** *vp* **1.** *(gén)* • **se heurter (contre)** to collide (with) **2.** *(rencontrer)* • **se heurter à qqch** to come up against sthg.

hexagonal, e *adj* **1.** *GÉOM* hexagonal **2.** *(français)* French.

hexagone *nm GÉOM* hexagon. ■ **Hexagone** *nm* • **l'Hexagone** (metropolitan) France.

hiatus *nm inv* hiatus.

hiberner *vi* to hibernate.

hibou *nm* owl.

hideux, euse *adj* hideous.

hier *adv* yesterday • **hier matin** yesterday morning.

hiérarchie *nf* hierarchy.

hiéroglyphe *nm* hieroglyph, hieroglyphic.

hilare *adj* beaming.

hilarité *nf* hilarity.

Himalaya *nm* • **l'Himalaya** the Himalayas *pl.*

hindou, e *adj* Hindu. ■ **Hindou, e** *nm, f* Hindu.

hindouisme *nm* Hinduism.

En anglais, les adjectifs et les noms se rapportant à une religion s'écrivent avec une majuscule.

hindouiste *adj* Hindu.

hip-hop *adj inv & nm inv* hip-hop.

hippie, hippy *nmf & adj* hippy.

hippique *adj* horse *(avant nom)*.

hippocampe *nm* seahorse.

hippodrome *nm* racecourse, racetrack.

hippopotame *nm* hippopotamus.

hirondelle *nf* swallow.

hirsute *adj (chevelure, barbe)* shaggy.

hispanique *adj (gén)* Hispanic.

hispano-américain, e *adj* Hispanic, Spanish-American. ■ **Hispano-Américain, e** *nm, f* Hispanic, Spanish-American.

hisser *vt* **1.** *(voile, drapeau)* to hoist **2.** *(charge)* to heave, to haul. ■ **se hisser** *vp* **1.** *(grimper)* • **se hisser (sur)** to heave *ou* haul o.s. up (onto) **2.** *fig (s'élever)* • **se hisser à** to pull o.s. up to.

histoire *nf* **1.** *(science)* history • **histoire naturelle** natural history **2.** *(récit, mensonge)* story **3.** *(aventure)* funny *ou* strange thing **4.** *(gén pl) (ennui)* trouble *(indén)*.

historique *adj* **1.** *(roman, recherches)* historical **2.** *(monument, événement)* historic.

hit-parade *nm* • **le hit-parade** the charts *pl.*

hiver *nm* winter • **en hiver** in (the) winter.

HLM (abrév de habitation à loyer modéré) *nm & nf* ≃ council house/flat (UK) ; ≃ public housing unit (US).

hobby *nm* hobby.

hocher *vt* • **hocher la tête a)** *(affirmativement)* to nod (one's head) **b)** *(négativement)* to shake one's head.

hochet *nm* rattle.

hockey *nm* hockey • **hockey sur glace** ice hockey (UK), hockey (US) • **le hockey sur gazon** hockey (UK), field hockey (US).

holding *nm & nf* holding company.

hold-up *nm inv* hold-up.

hollandais, e *adj* Dutch. ■ **hollandais** *nm (langue)* Dutch. ■ **Hollandais, e** *nm, f* Dutchman, Dutchwoman *f.*

En anglais, les adjectifs se rapportant à un pays ou une région ainsi que le nom désignant la langue de ce pays ou cette région, s'écrivent avec une majuscule.

Hollande *nf* • **la Hollande** Holland.

En anglais, à de rares exceptions près, il n'y a pas d'article devant les noms de pays.

holocauste *nm* holocaust.

hologramme *nm* hologram.

holster *nm* holster.

homard *nm* lobster.

home cinéma *nm* home cinema.

homéopathie *nf* homeopathy.

homicide *nm (meurtre)* murder.

hommage *nm (témoignage d'estime)* tribute • **rendre hommage à qqn/qqch** to pay tribute to sb/sthg.

homme *nm* man • **homme d'affaires** businessman • **homme d'État** statesman • **homme politique** politician • **l'homme de la rue** the man in the street.

homme-grenouille *nm* frogman.

homogène *adj* homogeneous.

homologue *nm* counterpart, opposite number.

homonyme *nm* **1.** *LING* homonym **2.** *(personne, ville)* namesake.

homoparental, e *adj* relating to gay parenting, homoparental.

homophobe *adj* homophobic.

homosexualité *nf* homosexuality.

homosexuel, elle adj & nm, f homosexual.
Honduras nm • **le Honduras** Honduras.
Hongrie nf • **la Hongrie** Hungary.

En anglais, à de rares exceptions près, il n'y a pas d'article devant les noms de pays.

hongrois, e adj Hungarian. ■ **hongrois** nm (langue) Hungarian. ■ **Hongrois, e** nm, f Hungarian.

En anglais, les adjectifs se rapportant à un pays ou une région ainsi que le nom désignant la langue de ce pays ou cette région, s'écrivent avec une majuscule.

honnête adj **1.** (intègre) honest **2.** (correct) honourable (UK), honorable (US) **3.** (convenable - travail, résultat) reasonable.
honnêtement adv **1.** (de façon intègre, franchement) honestly **2.** (correctement) honourably (UK), honorably (US).
honnêteté nf honesty.
honneur nm honour (UK), honor (US) • **faire honneur à qqn/à qqch** to be a credit to sb/to sthg • **faire honneur à un repas** fig to do justice to a meal.
honorable adj **1.** (digne) honourable (UK), honorable (US) **2.** (convenable) respectable.
honoraire adj honorary. ■ **honoraires** nmpl fee sing, fees.
honorer vt **1.** (faire honneur à) to be a credit to **2.** (payer) to honour (UK), to honor (US).
honte nf (sentiment) shame • **avoir honte de qqn/qqch** to be ashamed of sb/sthg • **avoir honte de faire qqch** to be ashamed of doing sthg.
honteux, euse adj shameful ; (personne) ashamed.
hooligan, houligan nm hooligan.
hôpital nm hospital • **être à l'hôpital** to be in hospital (UK), to be in the hospital (US).
hoquet nm hiccup.
horaire nm **1.** (de départ, d'arrivée) timetable (UK), schedule (US) **2.** (de travail) hours pl (of work). ❏ adj hourly.
horizon nm **1.** (ligne, perspective) horizon • **à l'horizon** on the horizon **2.** (panorama) view.
horizontal, e adj horizontal. ■ **horizontale** nf MATH horizontal.
horloge nf clock.
horloger, ère adj clockmaking (avant nom), watchmaking (avant nom). ❏ nm, f clockmaker, watchmaker.
hormis prép save.
hormone nf hormone.
hormonothérapie nf MÉD hormone therapy ; MÉD (pour femmes ménopausées) hormone replacement therapy.

horodateur nm (à l'usine) clock ; (au parking) ticket machine.
horoscope nm horoscope.
horreur nf horror • **avoir horreur de qqn/qqch** to hate sb/sthg • **avoir horreur de faire qqch** to hate doing sthg • **quelle horreur !** how awful!
horrible adj **1.** (affreux) horrible **2.** fig (terrible) terrible, dreadful.
horrifier vt to horrify.
horripiler vt to exasperate.
hors prép → **service**. ■ **hors de** loc prép outside.
hors-bord nm inv speedboat.
hors-d'œuvre nm inv hors d'oeuvre, appetizer, starter (UK).
hors-jeu nm inv & adj inv offside.
hors-la-loi nmf inv outlaw.
hors-piste(s) nm off-piste skiing.
hors-série adj inv special. ❏ nm special issue ou edition.
hortensia nm hydrangea.
horticulture nf horticulture.
hospice nm home.
hospitalier, ère adj **1.** (accueillant) hospitable **2.** (relatif aux hôpitaux) hospital (avant nom).
hospitaliser vt to hospitalize.
hospitalité nf hospitality.
hostie nf host.
hostile adj • **hostile (à)** hostile (to).
hostilité nf hostility. ■ **hostilités** nfpl hostilities.
hot dog nm hot dog.
hôte, hôtesse nm, f host, hostess f • **hôtesse de l'air** stewardess, air hostess (UK). ■ **hôte** nm (invité) guest.
hôtel nm **1.** (d'hébergement) hotel **2.** (établissement public) public building • **hôtel de ville** town (UK) ou city (US) hall **3.** (demeure) • **hôtel (particulier)** (private) mansion, town house.
hôtellerie nf **1.** (métier) hotel trade **2.** (hôtel-restaurant) inn.
hot line nf hot line.
hotte nf **1.** (panier) basket **2.** (d'aération) hood.
houblon nm **1.** BOT hop **2.** (de la bière) hops pl.
houille nf coal.
houiller, ère adj coal (avant nom). ■ **houillère** nf coalmine.
houle nf swell.
houlette nf sout • **sous la houlette de qqn** under the guidance of sb.
houppe nf **1.** (à poudre) powder puff **2.** (de cheveux) tuft.
hourra, hurrah interj hurrah!, hurray!
house, house music nf house (music).
houspiller vt to tell off.

housse *nf* cover • **housse de couette** duvet (UK) *ou* comforter (US) cover.

houx *nm* holly.

HS (*abrév de* hors service) *adj fam* out of order • **je suis HS** I'm completely washed out.

hub *nm* AÉRON & INFORM hub.

hublot *nm* (*de bateau*) porthole.

huer *vt* (*siffler*) to boo.

huile *nf* **1.** (*gén*) oil • **huile d'arachide** groundnut (UK) *ou* peanut (US) oil • **huile d'olive** olive oil • **huile de bain** bath oil • **huile pour le corps** body oil • **huile solaire** suntan oil **2.** (*peinture*) oil painting **3.** *fam* (*personnalité*) bigwig.

huis *nm* *littéraire* door • **à huis clos** DR in camera.

huissier, ère *nm, f* **1.** (*appariteur*) usher **2.** DR bailiff.

huit *adj num inv* eight. ▫ *nm* eight • **lundi en huit** a week on Monday (UK), Monday week (UK), a week from Monday (US) • **aujourd'hui en huit** this time next week. Voir aussi **six**.

huitième *adj num inv & nmf* eighth. ▫ *nm* eighth • **le huitième de finale** the last sixteen • **il est arrivé huitième** he came eighth. ▫ *nf* **1.** SCOL ≃ Year 4 (UK) ; ≃ fourth grade (US) **2.** SCOL ≃ Year 5 (*at junior school*) (UK) ; ≃ fourth grade (US). Voir aussi **sixième**.

huître *nf* oyster.

humain, e *adj* **1.** (*gén*) human **2.** (*sensible*) humane. ■ **humain** *nm* (*être humain*) human (being).

humanitaire *adj* humanitarian. ▫ *nm* • **l'humanitaire** humanitarian *ou* relief work • **travailler dans l'humanitaire** to work for a humanitarian organization.

humanité *nf* humanity. ■ **humanités** *nfpl* (BELGIQUE) humanities.

humble *adj* humble.

humecter *vt* to moisten.

humer *vt* to smell.

humérus *nm* humerus.

humeur *nf* **1.** (*disposition*) mood • **être de bonne/mauvaise humeur** to be in a good/bad mood **2.** (*caractère*) nature **3.** *sout* (*irritation*) temper.

humide *adj* (*air, climat*) humid ; (*terre, herbe, mur*) wet, damp ; (*saison*) rainy ; (*front, yeux*) moist.

humidité *nf* (*de climat, d'air*) humidity ; (*de terre, mur*) dampness.

humiliation *nf* humiliation.

humilier *vt* to humiliate. ■ **s'humilier** *vp* • **s'humilier devant qqn** to grovel to sb.

humilité *nf* humility.

humoriste *nmf* humorist. ▫ *adj* humoristic.

humoristique *adj* humorous.

humour *nm* humour (UK), humor (US) • **le sens de l'humour** a sense of humour (UK), a sense of humor (US).

humus *nm* humus.

huppé, e *adj* **1.** *fam* (*société*) upper-crust **2.** (*oiseau*) crested.

hurlement *nm* howl.

hurler *vi* (*gén*) to howl.

hurrah = hourra.

hutte *nf* hut.

hybride *nm & adj* hybrid.

hydratant, e *adj* moisturizing.

hydrater *vt* **1.** CHIM to hydrate **2.** (*peau*) to moisturize.

hydraulique *adj* hydraulic.

hydravion *nm* seaplane, hydroplane.

hydrocarbure *nm* hydrocarbon.

hydrocution *nf* immersion syncope.

hydroélectrique *adj* hydroelectric.

hydrogène *nm* hydrogen.

hydroglisseur *nm* jetfoil, hydroplane.

hydrophile *adj* → coton.

hyène *nf* hyena.

hygiène *nf* hygiene.

hygiénique *adj* **1.** (*sanitaire*) hygienic **2.** (*bon pour la santé*) healthy.

hymne *nm* hymn • **hymne national** national anthem.

hype *adj inv* (*quartier, créateur*) trendy.

hypermarché *nm* hypermarket.

hypermétrope *nmf* longsighted (UK) *ou* farsighted (US) person. ▫ *adj* longsighted (UK), farsighted (US).

hypertension *nf* high blood pressure, hypertension.

hypertrophié *adj* hypertrophic ; *fig* exaggerated.

hypnose *nf* hypnosis.

hypnotiser *vt* to hypnotize ; *fig* to mesmerize.

hypoallergénique *adj* hypoallergenic.

hypocondriaque *nmf & adj* hypochondriac.

hypocrisie *nf* hypocrisy.

hypocrite *nmf* hypocrite. ▫ *adj* hypocritical.

hypoglycémie *nf* hypoglycaemia (UK), hypoglycemia (US).

hypokhâgne *nf* *si vous voulez expliquer à un anglophone de quoi il s'agit, vous pouvez dire* it is the first year of a two-year preparatory arts course taken prior to the competitive examination for entry to the École normale supérieure.

hypotension *nf* low blood pressure.

hypothèque *nf* mortgage.

hypothèse *nf* hypothesis.

hystérie *nf* hysteria.

hystérique *adj* hysterical.

i, I *nm inv* i, I • **mettre les points sur les i** to dot the i's and cross the t's.

ibérique *adj* • **la péninsule ibérique** the Iberian Peninsula.

iceberg *nm* iceberg.

ici *adv* **1.** *(lieu)* here • **viens ici** come here • **par ici a)** *(direction)* this way **b)** *(alentour)* around here **2.** *(temps)* now • **d'ici (à) une semaine** in a week's time, a week from now • **d'ici là** by then.

icône *nf* INFORM & RELIG icon.

idéal, e *adj* ideal. ■ **idéal** *nm* ideal.

idéaliste *nmf* idealist. ❏ *adj* idealistic.

idée *nf* idea • **une vague** *ou* **une petite idée** an inkling • **aucune idée !** no idea! • **à l'idée de/que** at the idea of/that • **se faire des idées** to imagine things • **cela ne m'est jamais venu à l'idée** it never occurred to me.

idem *adv* idem.

identifiant *nm* INFORM user name, login name.

identification *nf* • **identification (à)** identification (with) • **identification d'appel** caller identification, caller ID.

identifier *vt* to identify. ■ **s'identifier** *vp* • **s'identifier à qqn/qqch** to identify with sb/sthg.

identique *adj* • **identique (à)** identical (to).

identité *nf* identity • **identité culturelle** cultural identity.

idéologie *nf* ideology.

idiomatique *adj* idiomatic.

idiot, e *adj* **1.** idiotic **2.** MÉD idiot *(avant nom)*. ❏ *nm, f* idiot.

idiotie *nf* **1.** *(stupidité)* idiocy **2.** *(action, parole)* idiotic thing.

idolâtrer *vt* to idolize.

idole *nf* idol.

idylle *nf* *(amour)* romance.

idyllique *adj* *(idéal)* idyllic.

if *nm* yew.

igloo, iglou *nm* igloo.

ignare *nmf* ignoramus. ❏ *adj* ignorant.

ignifuge, ignifugeant, e *adj* fire-retardant. ■ **ignifuge, ignifugeant** *nm* fire-retardant material.

ignoble *adj* **1.** *(abject)* base **2.** *(hideux)* vile.

ignominie *nf* **1.** *(état)* disgrace **2.** *(action)* disgraceful act.

ignorance *nf* ignorance.

ignorant, e *adj* ignorant. ❏ *nm, f* ignoramus.

ignorer *vt* **1.** *(ne pas savoir)* not to know, to be unaware of **2.** *(ne pas tenir compte de)* to ignore **3.** *(ne pas connaître)* to have no experience of.

il *pron pers* **1.** *(sujet-personne)* he ; *(-animal)* it, he ; *(-chose)* it **2.** *(sujet d'un verbe impersonnel)* it • **il pleut** it's raining. ■ **ils** *pron pers pl* they. ■ **il y a** *loc impers* **1.** *(suivi d'un singulier)* • **il y a un problème** there is a problem **2.** *(suivi d'un pluriel)* • **il y a deux garçons qui t'attendent** there are two boys waiting for you **3.** *(en parlant d'un instant du passé)* • **c'est arrivé il y a trois ans** it happened three years ago • **il y a longtemps qu'il est parti** he left a long time ago **4.** *(en parlant d'une durée)* • **il y a une heure que j'attends** I've been waiting for an hour.

île *nf* island • **les îles Anglo-Normandes** the Channel Islands • **les îles Baléares** the Balearic Islands • **les îles Britanniques** the British Isles • **les îles Canaries** the Canary Islands • **l'Île-de-France** the Île-de-France • **les îles Malouines** the Falkland Islands • **l'île Maurice** Mauritius.

illégal, e *adj* illegal.

illégalité *nf* *(fait d'être illégal)* illegality.

illégitime *adj* **1.** *(enfant)* illegitimate **2.** *(union)* unlawful **3.** *(non justifié)* unwarranted.

illettré, e *adj & nm, f* illiterate.

illicite *adj* illicit.

illico *adv fam* right away, pronto.

illimité,e *adj* **1.** *(sans limites)* unlimited **2.** *(indéterminé)* indefinite.

illisible *adj* **1.** *(indéchiffrable)* illegible **2.** *(incompréhensible)* INFORM unreadable.

illogique *adj* illogical.

illumination *nf* **1.** *(éclairage)* lighting **2.** *(idée soudaine)* inspiration.

illuminer *vt* **1.** to light up **2.** *(bâtiment, rue)* to illuminate. ■ **s'illuminer** *vp* ● **s'illuminer de joie** to light up with joy.

illusion *nf* illusion.

illusionniste *nmf* conjurer.

illusoire *adj* illusory.

illustrateur,trice *nm,f* illustrator.

illustration *nf* illustration.

illustre *adj* illustrious.

illustré,e *adj* illustrated. ■ **illustré** *nm* illustrated magazine.

illustrer *vt* **1.** *(gén)* to illustrate **2.** *(rendre célèbre)* to make famous. ■ **s'illustrer** *vp* to distinguish o.s.

îlot *nm* **1.** *(île)* small island, islet **2.** *fig (de résistance)* pocket.

ils → il.

image *nf* **1.** *(vision mentale, comparaison, ressemblance)* image **2.** *(dessin)* picture ● **image de synthèse** computer-generated image *ou* picture.

imagé,e *adj* full of imagery.

imagerie *nf* MÉD ● **imagerie médicale** medical imaging ● **imagerie par résonance magnétique/par ultrasons** magnetic resonance/ultrasound imaging.

imaginaire *adj* imaginary.

imagination *nf* imagination ● **avoir de l'imagination** to be imaginative.

imaginer *vt* **1.** *(supposer, croire)* to imagine **2.** *(trouver)* to think of. ■ **s'imaginer** *vp* **1.** *(se voir)* to see o.s. **2.** *(croire)* to imagine ● **il s'imagine qu'il peut m'appeler n'importe quand** he thinks he can phone me up whenever he wants.

imam *nm* imam.

imbattable *adj* unbeatable.

imbécile *nmf* imbecile.

imbécillité *nf* **1.** *(manque d'intelligence)* imbecility **2.** *(acte, parole)* stupid thing.

imberbe *adj* beardless.

imbiber *vt* ● **imbiber qqch de qqch** to soak sthg with *ou* in sthg.

imbriqué,e *adj* overlapping.

imbroglio *nm* imbroglio.

imbu,e *adj* ● **être imbu de** to be full of.

imbuvable *adj* **1.** *(eau)* undrinkable **2.** *fam (personne)* unbearable.

imitateur,trice *nm,f* **1.** *(comique)* impersonator **2.** *péj (copieur)* imitator.

imitation *nf* imitation.

imiter *vt* **1.** *(s'inspirer de, contrefaire)* to imitate **2.** *(reproduire l'aspect de)* to look (just) like.

immaculé,e *adj* immaculate.

immangeable *adj* inedible.

immanquable *adj* **1.** impossible to miss **2.** *(sort, échec)* inevitable.

immatriculation *nf* registration.

immature *adj* immature.

immédiat,e *adj* immediate.

immédiatement *adv* immediately.

immense *adj* immense.

immensité *nf* immensity, vastness.

immerger *vt* to submerge. ■ **s'immerger** *vp* to submerge o.s.

immérité,e *adj* undeserved.

immeuble *nm* building ● **j'habite dans cet immeuble** I live in this block of flats (UK).

immigration *nf* immigration ● **immigration clandestine** illegal immigration.

immigré,e *adj & nm,f* immigrant.

immigrer *vi* to immigrate.

imminent,e *adj* imminent.

immiscer ■ **s'immiscer** *vp* ● **s'immiscer dans** to interfere in *ou* with.

immobile *adj* **1.** *(personne, visage)* motionless **2.** *(mécanisme)* fixed, stationary **3.** *fig (figé)* immovable.

immobilier,ère *adj* ● **biens immobiliers** property *(indén)* (UK), real estate *(indén)* (US). ■ **immobilier** *nm* ● **l'immobilier** property (UK), real estate (US).

immobiliser *vt* to immobilize. ■ **s'immobiliser** *vp* to stop.

immobilité *nf* **1.** immobility **2.** *(de paysage, de lac)* stillness.

immodéré,e *adj* inordinate.

immoler *vt* **1.** to sacrifice **2.** RELIG to immolate. ■ **s'immoler** *vp* to immolate o.s.

immonde *adj* **1.** *(sale)* foul **2.** *(abject)* vile.

immondices *nfpl* waste *(indén)*, refuse *(indén)*.

immoral,e *adj* immoral.

immortaliser *vt* to immortalize.

immortel,elle *adj* immortal. ■ **Immortel, elle** *nm,f fam* si vous voulez expliquer à un anglophone ce qu'est un Immortel, vous pouvez dire it is a member of the Académie française. ■ **immortelle** *nf* BOT everlasting flower.

immuable *adj* **1.** *(éternel - loi)* immutable **2.** *(constant)* unchanging.

immuniser *vt* **1.** *(vacciner)* to immunize **2.** *fig (garantir)* ● **immuniser qqn contre qqch** to make sb immune to sthg.

immunitaire *adj* immune *(avant nom)*.

immunité *nf* immunity.

207

impossibilité

impact *nm* impact • **avoir de l'impact sur** to have an impact on.

impair, e *adj* odd. ■ **impair** *nm* (faux-pas) gaffe.

imparable *adj* 1. (coup) unstoppable 2. (argument) unanswerable.

impardonnable *adj* unforgivable.

imparfait, e *adj* 1. (défectueux) imperfect 2. (inachevé) incomplete. ■ **imparfait** *nm* GRAMM imperfect (tense) • **à l'imparfait** in the imperfect.

impartial, e *adj* impartial.

impartir *vt* • **impartir qqch à qqn a)** littéraire (délai, droit) to grant sthg to sb **b)** (don) to bestow sthg upon sb **c)** (tâche) to assign sthg to sb.

impasse *nf* 1. (rue) dead end 2. fig (difficulté) impasse, deadlock.

impassible *adj* impassive.

impatience *nf* impatience.

impatient, e *adj* impatient.

impatienter *vt* to annoy. ■ **s'impatienter** *vp* • **s'impatienter (de/contre)** to get impatient (at/with).

impayable *adj* fam priceless.

impayé, e *adj* unpaid, outstanding. ■ **impayé** *nm* outstanding payment.

impeccable *adj* 1. (parfait) impeccable, faultless 2. (propre) spotless, immaculate.

impénétrable *adj* impenetrable.

impénitent, e *adj* unrepentant.

impensable *adj* unthinkable.

imper *nm* fam raincoat, mac (UK).

impératif, ive *adj* 1. (ton, air) imperious 2. (besoin) imperative, essential. ■ **impératif** *nm* GRAMM imperative • **mettez les verbes à l'impératif** put the verbs in the imperative.

impératrice *nf* empress.

imperceptible *adj* imperceptible.

imperfection *nf* imperfection.

impérial, e *adj* imperial. ■ **impériale** *nf* top deck.

impérialisme *nm* 1. POLIT imperialism 2. fig dominance.

impérieux, euse *adj* 1. (ton, air) imperious 2. (nécessité) urgent.

impérissable *adj* undying.

imperméabiliser *vt* to waterproof.

imperméable *adj* waterproof • **imperméable à a)** (étanche) impermeable to **b)** fig impervious ou immune to. ❑ *nm* raincoat.

impersonnel, elle *adj* impersonal.

impertinence *nf* impertinence (indén).

impertinent, e *adj* impertinent. ❑ *nm, f* impertinent person.

imperturbable *adj* imperturbable.

impétueux, euse *adj* (personne, caractère) impetuous.

impie littéraire *adj* impious.

impitoyable *adj* merciless, pitiless.

implacable *adj* implacable.

implant *nm* MÉD implant • **implant capillaire** hair graft.

implanter *vt* 1. (entreprise, système) to establish 2. fig (préjugé) to implant. ■ **s'implanter** *vp* 1. (entreprise) to set up 2. (coutume) to become established.

implication *nf* 1. (participation) • **implication (dans)** involvement (in) 2. (gén pl) (conséquence) implication.

implicite *adj* implicit.

impliquer *vt* 1. (compromettre) • **impliquer qqn dans** to implicate sb in 2. (requérir, entraîner) to imply. ■ **s'impliquer** *vp* • **s'impliquer dans** fam to become involved in.

implorer *vt* to beseech.

implosion *nf* implosion.

impoli, e *adj* rude, impolite.

impopulaire *adj* unpopular.

import *nm* 1. COMM import 2. (BELGIQUE) (montant) total.

importance *nf* 1. (gén) importance 2. (de problème, montant) magnitude 3. (de dommages) extent 4. (de ville) size.

important, e *adj* 1. (personnage, découverte, rôle) important 2. (événement, changement) important, significant 3. (quantité, collection, somme) considerable, sizeable 4. (dommages) extensive.

importation *nf* fig COMM import.

importer *vt* to import • **importer des pièces détachées** to import spare parts. ❑ *v impers* • **importer (à)** to matter (to) • **il importe de/que** it is important to/that • **qu'importe !, peu importe !** it doesn't matter! • **n'importe qui** anyone (at all) • **n'importe quoi** anything (at all) • **n'importe où** anywhere (at all) • **n'importe quand** at any time (at all).

import-export *nm* import-export.

importuner *vt* to irk.

imposable *adj* taxable • **non imposable** nontaxable.

imposant, e *adj* imposing.

imposé, e *adj* 1. (contribuable) taxed 2. SPORT (figure) compulsory.

imposer *vt* 1. (gén) • **imposer qqn/qqch à qqn** to impose sb/sthg on sb 2. (impressionner) • **en imposer à qqn** to impress sb 3. (taxer) to tax. ■ **s'imposer** *vp* 1. (être nécessaire) to be essential ou imperative 2. (forcer le respect) to stand out 3. (avoir pour règle) • **s'imposer de faire qqch** to make it a rule to do sthg.

imposition *nf* 1. FIN taxation • **double imposition** double taxation 2. RELIG laying on.

impossibilité *nf* impossibility • **être dans l'impossibilité de faire qqch** to find it impossible ou to be unable to do sthg.

impossible *adj* impossible • **être impossible à** to be impossible to • **être impossible de** to be impossible to. □ *nm* • **tenter l'impossible** to attempt the impossible.

imposteur *nm* impostor.

impôt *nm* tax • **impôts locaux** council tax (UK), local tax (US) • **impôt sur le revenu** income tax.

impotent,e *adj* disabled.

impraticable *adj* 1. *(inapplicable)* impracticable 2. *(inaccessible)* impassable.

imprécis,e *adj* imprecise.

imprégner *vt (imbiber)* • **imprégner qqch de qqch** to soak sthg in sthg • **imprégner qqn de qqch** *fig* to fill sb with sthg. ■ **s'imprégner** *vp* • **s'imprégner de qqch a)** *(s'imbiber)* to soak sthg up **b)** *fig* to soak sthg up, to steep o.s. in sthg.

imprenable *adj* 1. *(forteresse)* impregnable 2. *(vue)* unimpeded.

imprésario *nm* impresario.

impression *nf* 1. *(gén)* impression • **avoir l'impression que** to have the impression *ou* feeling that 2. *(de livre, tissu)* printing 3. PHOTO print.

impressionnant,e *adj* 1. *(imposant)* impressive 2. *(effrayant)* frightening.

impressionner *vt* 1. *(frapper)* to impress 2. *(choquer)* to shock, to upset 3. *(intimider)* to frighten 4. PHOTO to expose.

impressionniste *nmf & adj* impressionist.

imprévisible *adj* unforeseeable.

imprévu,e *adj* unforeseen. ■ **imprévu** *nm* unforeseen situation.

imprimante *nf* printer • **imprimante photo** photo printer • **une imprimante laser** a laser printer.

imprimé,e *adj* printed. ■ **imprimé** *nm* 1. *(mention postale)* printed matter *(indén)* 2. *(formulaire)* printed form • **remplir un imprimé** to fill in a form 3. *(tissu)* print.

imprimer *vt* 1. *(texte, tissu)* to print 2. *(mouvement)* to impart 3. *(marque, empreinte)* to leave.

imprimerie *nf* 1. *(technique)* printing 2. *(usine)* printing works *sing*.

improbable *adj* improbable.

improductif,ive *adj* unproductive.

impromptu,e *adj* impromptu.

imprononçable *adj* unpronounceable.

impropre *adj* 1. GRAMM incorrect 2. *(inadapté)* • **impropre à** unfit for.

improvisé,e *adj* 1. *(discours)* improvised, extempore *sout* 2. *(explication)* off-the-cuff, ad hoc 3. *(mesure, réforme)* makeshift, improvised • **un repas improvisé** a makeshift meal 4. *(décision)* snap *(avant nom)*.

improviser *vt* to improvise. ■ **s'improviser** *vp* 1. *(s'organiser)* to be improvised 2. *(devenir)* • **s'improviser metteur en scène** to act as director.

improviste ■ **à l'improviste** *loc adv* unexpectedly, without warning.

imprudence *nf* 1. *(de personne, d'acte)* rashness 2. *(acte)* rash act.

imprudent,e *adj* rash • **un conducteur imprudent** a careless driver. □ *nm,f* rash person.

impubère *adj (avant la puberté)* pre-pubescent.

impudent,e *adj* impudent. □ *nm,f* impudent person.

impudique *adj* shameless.

impuissant,e *adj* 1. *(incapable)* • **impuissant (à faire qqch)** powerless (to do sthg) 2. *(homme, effort)* impotent. ■ **impuissant** *nm* impotent man.

impulsif,ive *adj* impulsive. □ *nm,f* impulsive person.

impulsion *nf* 1. *(poussée, essor)* impetus 2. *(instinct)* impulse, instinct 3. *fig* • **sous l'impulsion de qqn** *(influence)* at the prompting *ou* instigation of sb • **sous l'impulsion de qqch** *(effet)* impelled by sthg.

impunément *adv* with impunity.

impunité *nf* impunity • **en toute impunité** with impunity.

impur,e *adj* impure.

impureté *nf* impurity.

imputer *vt* • **imputer qqch à qqn/qqch** to attribute sthg to sb/sthg • **imputer qqch à qqch** FIN to charge sthg to sthg.

imputrescible *adj* 1. *(bois)* rotproof 2. *(déchets)* non-degradable.

inabordable *adj* 1. *(prix)* prohibitive 2. GÉOGR inaccessible *(by boat)* 3. *(personne)* unapproachable.

inacceptable *adj* unacceptable.

inaccessible *adj* 1. *(destination, domaine, personne)* inaccessible 2. *(objectif, poste)* unattainable • **inaccessible à** *(sentiment)* impervious to.

inaccoutumé,e *adj* unaccustomed.

inachevé,e *adj* unfinished, uncompleted.

inactif,ive *adj* 1. *(sans occupation, non utilisé)* idle 2. *(sans effet)* ineffective 3. *(sans emploi)* non-working.

inaction *nf* inaction.

inactivité *nf* 1. *(oisiveté)* inactivity 2. ADMIN • **en inactivité** out of active service.

inadapté,e *adj* 1. *(non adapté)* • **inadapté (à)** unsuitable (for), unsuited (to) 2. *(asocial)* maladjusted.

inadéquation *nf* • **inadéquation (à)** inadequacy (for).

inadmissible *adj (conduite)* unacceptable.

inadvertance *nf littéraire* oversight • **par inadvertance** inadvertently.

inaliénable *adj* inalienable.

inaltérable *adj* 1. *(matériau)* stable 2. *(sentiment)* unfailing.

inamovible adj fixed.

inanimé, e adj **1.** (sans vie) inanimate **2.** (inerte, évanoui) senseless.

inanition nf • tomber/mourir d'inanition to faint with/die of hunger.

inaperçu, e adj unnoticed.

inappréciable adj (précieux) invaluable.

inapprochable adj • il est vraiment inapprochable en ce moment you can't say anything to him at the moment.

inapproprié, e adj • inapproprié à not appropriate for.

inapte adj **1.** (incapable) • inapte à qqch/à faire qqch incapable of sthg/of doing sthg **2.** MIL unfit.

inattaquable adj **1.** (imprenable) impregnable **2.** (irréprochable) irreproachable, beyond reproach **3.** (irréfutable) irrefutable.

inattendu, e adj unexpected.

inattention nf inattention • faute d'inattention careless mistake.

inaudible adj (impossible à entendre) inaudible.

inauguration nf (cérémonie) inauguration, opening (ceremony).

inaugurer vt **1.** (monument) to unveil **2.** (installation, route) to open **3.** (procédé, édifice) to inaugurate **4.** (époque) to usher in.

inavouable adj unmentionable.

inavoué, e adj unconfessed.

incalculable adj incalculable.

incandescence nf incandescence.

incantation nf incantation.

incapable nmf (raté) incompetent. ❏ adj • incapable de faire qqch a) (inapte à) unable of doing sthg b) (dans l'impossibilité de) unable to do sthg.

incapacité nf **1.** (impossibilité) • incapacité à ou de faire qqch inability to do sthg **2.** (invalidité) disability.

incarcération nf incarceration.

incarner vt **1.** (personnifier) to be the incarnation of **2.** CINÉ & THÉÂTRE to play.

incartade nf misdemeanour (UK), misdemeanor (US).

incassable adj unbreakable.

incendiaire nmf arsonist. ❏ adj **1.** (bombe) incendiary **2.** fig inflammatory.

incendie nm **1.** fire • éteindre un incendie to put a fire out **2.** fig flames pl.

incendier vt (mettre le feu à) to set alight, to set fire to.

incertain, e adj **1.** (gén) uncertain **2.** (temps) unsettled **3.** (vague - lumière) dim ; (- contour) blurred.

incertitude nf uncertainty.

S'EXPRIMER

exprimer son incertitude

• **Do you really think so?** Tu crois vraiment ?
• **I'm not so sure.** Je n'en suis pas si sûr.
• **Who knows? Maybe he changed his mind.** Qui sait, il a peut-être changé d'avis.
• **I don't really know.** Je ne sais pas vraiment.
• **I wonder whether I've done the right thing.** Je me demande si j'ai bien agi.

incessamment adv at any moment, any moment now.

incessant, e adj incessant.

inceste nm incest.

incestueux, euse adj **1.** (liaison, parent) incestuous **2.** (enfant) born of incest. ❏ nm, f incestuous person.

inchangé, e adj unchanged.

incidence nf (conséquence) effect, impact (indén).

incident, e adj (accessoire) incidental. ■ **incident** nm **1.** (gén) incident • sans incident safely **2.** (ennui) hitch.

incinération nf **1.** (de corps) cremation **2.** (d'ordures) incineration.

incinérer vt **1.** (corps) to cremate **2.** (ordures) to incinerate.

inciser vt to incise, to make an incision in.

incisif, ive adj incisive. ■ **incisive** nf incisor.

inciter vt **1.** (provoquer) • inciter qqn à qqch/à faire qqch to incite sb to sthg/to do sthg **2.** (encourager) • inciter qqn à faire qqch to encourage sb to do sthg.

incivilité nf **1.** (manque de courtoisie) rudeness, disrespect **2.** (fraude) petty crime **3.** (insultes, vandalismes) antisocial behaviour (UK) ou behavior (US).

inclassable adj unclassifiable.

inclinable adj reclinable, reclining.

inclinaison nf **1.** (pente) incline **2.** (de tête, chapeau) angle, tilt.

incliné, e adj **1.** (en pente) sloping **2.** (penché - mur) leaning ; (- dossier, siège) reclining.

incliner vt (pencher) to tilt, to lean. ■ **s'incliner** vp **1.** (se pencher) to tilt, to lean **2.** (céder) • s'incliner (devant) to give in (to), to yield (to).

inclure vt (mettre dedans) • inclure qqch dans qqch a) to include sthg in sthg b) (joindre) to enclose sthg with sthg.

inclus, e pp → inclure. ❏ adj **1.** (compris - taxe, frais) included **2.** (joint - lettre) enclosed **3.** • jusqu'à la page 10 incluse up to and including page 10 **4.** MATH • être inclus dans to be a subset of.

incoercible adj sout uncontrollable.

incognito adv incognito.

incohérent,e adj **1.** (paroles) incoherent **2.** (actes) inconsistent.

incollable adj **1.** (riz) nonstick **2.** fam (imbattable) unbeatable.

incolore adj colourless(UK), colorless(US).

incomber vi **1.** (revenir à) • **incomber à qqn** to be sb's responsibility **2.** (emploi impersonnel) • **il incombe à qqn de faire qqch** it falls to sb ou it is incumbent on sb to do sthg.

incommensurable adj (immense) immeasurable.

incommoder vt sout to trouble.

incomparable adj **1.** (différent) not comparable **2.** (sans pareil) incomparable.

incompatible adj incompatible.

incompétent,e adj (incapable) incompetent.

incomplet,ète adj incomplete.

incompréhensible adj incomprehensible.

incompressible adj **1.** TECHNOL incompressible **2.** fig (dépenses) impossible to reduce **3.** DR → peine.

incompris,e adj misunderstood, not appreciated. ❑ nm,f misunderstood person.

inconcevable adj unimaginable.

inconciliable adj irreconcilable.

inconditionnel,elle adj **1.** (total) unconditional **2.** (fervent) ardent. ❑ nm,f ardent supporter ou admirer.

inconfort nm discomfort.

inconfortable adj uncomfortable.

incongru,e adj **1.** (malséant) unseemly, inappropriate **2.** (bizarre) incongruous.

inconnu,e adj unknown. ❑ nm,f stranger. ■ **inconnue** nf **1.** MATH unknown **2.** (variable) unknown (factor).

inconsciemment adv **1.** (sans en avoir conscience) unconsciously, unwittingly **2.** (à la légère) thoughtlessly.

inconscient,e adj **1.** (évanoui, machinal) unconscious **2.** (irresponsable) thoughtless, reckless • **tu es complètement inconsciente !** you're totally reckless! ■ **inconscient** nm • **l'inconscient** the unconscious.

inconsidéré,e adj ill-considered, thoughtless.

inconsistant,e adj **1.** (aliment) thin, watery **2.** (caractère) frivolous.

inconsolable adj inconsolable.

incontestable adj unquestionable, indisputable.

incontinent,e adj MÉD incontinent.

incontournable adj unavoidable.

incontrôlable adj **1.** (personne) out of control **2.** (non vérifiable) unverifiable, unconfirmable.

inconvenant,e adj improper, unseemly.

inconvénient nm **1.** (obstacle) problem **2.** (désavantage) disadvantage, drawback **3.** (risque) risk.

incorporation nf **1.** (intégration) incorporation **2.** CULIN mixing, blending **3.** MIL enlistment.

incorporé,e adj (intégré) built-in.

incorporer vt **1.** (gén) to incorporate • **incorporer qqch dans** to incorporate sthg into • **incorporer qqch à** CULIN to mix ou blend sthg into **2.** MIL to enlist.

incorrect,e adj **1.** (faux) incorrect **2.** (inconvenant) inappropriate **3.** (impoli) rude **4.** (déloyal) unfair • **être incorrect avec qqn** to treat sb unfairly.

incorrection nf **1.** (impolitesse) impropriety **2.** (de langage) grammatical mistake **3.** (malhonnêteté) dishonesty.

incorrigible adj incorrigible.

incorruptible adj incorruptible.

incrédule adj **1.** (sceptique) incredulous, sceptical(UK), skeptical(US) **2.** RELIG unbelieving.

incrédulité nf **1.** (scepticisme) incredulity, scepticism (UK), skepticism (US) **2.** RELIG unbelief, lack of belief.

increvable adj **1.** (ballon, pneu) puncture-proof **2.** fam (personne) tireless **3.** fam (machine) able to withstand rough treatment.

incriminer vt **1.** (personne) to incriminate **2.** (conduite) to condemn.

incroyable adj incredible, unbelievable.

incroyant,e nm,f unbeliever.

incruster vt **1.** (insérer) • **incruster qqch dans qqch** to inlay sthg into sthg **2.** (décorer) • **incruster qqch de qqch** to inlay sthg with sthg **3.** (couvrir d'un dépôt) to scale, to fur up(UK). ■ **s'incruster** vp (s'insérer) • **s'incruster dans qqch** to become embedded in sthg.

incubation nf **1.** (d'œuf, de maladie) incubation **2.** fig hatching.

inculpation nf charge.

inculpé,e nm,f • **l'inculpé** the accused.

inculper vt to charge • **inculper qqn de** to charge sb with.

inculquer vt • **inculquer qqch à qqn** to instil (UK) ou instill(US) sthg in sb.

inculte adj **1.** (terre) uncultivated **2.** péj (personne) uneducated.

incurable adj incurable.

incursion nf incursion, foray.

Inde nf • **l'Inde** India.

En anglais, à de rares exceptions près, il n'y a pas d'article devant les noms de pays.

indécent, e adj **1.** *(impudique)* indecent **2.** *(immoral)* scandalous.

indéchiffrable adj **1.** *(texte, écriture)* indecipherable **2.** *fig (regard)* inscrutable, impenetrable.

indécis, e adj **1.** *(personne - sur le moment)* undecided ; *(- de nature)* indecisive **2.** *(sourire)* vague. ❑ nm, f indecisive person.

indécision nf **1.** indecision **2.** *(perpétuelle)* indecisiveness.

indécrottable adj fam **1.** *(borné)* incredibly dumb **2.** *(incorrigible)* hopeless.

indéfendable adj indefensible.

indéfini, e adj *(quantité, pronom)* indefinite.

indéfinissable adj indefinable.

indéformable adj able to retain its shape.

indélébile adj indelible.

indélicat, e adj **1.** *(mufle)* indelicate **2.** *(malhonnête)* dishonest.

indemne adj unscathed, unharmed.

indemnisation nf compensation.

indemniser vt • indemniser qqn de qqch **a)** *(perte, préjudice)* to compensate sb for sthg **b)** *(frais)* to reimburse sb for sthg.

indemnité nf **1.** *(de perte, préjudice)* compensation • indemnité de chômage unemployment benefit **2.** *(de frais)* allowance.

indémodable adj • ce style est indémodable this style doesn't date • la musique de Bob Marley est indémodable Bob Marley's music never goes out of fashion.

indéniable adj undeniable.

indépendance nf independence.

indépendant, e adj **1.** *(gén)* independent **2.** *(entrée)* separate • indépendant de ma volonté beyond my control **3.** *(travailleur)* self-employed.

indéracinable adj **1.** *(arbre)* impossible to uproot **2.** *fig* ineradicable.

indescriptible adj indescribable.

indestructible adj indestructible.

indéterminé, e adj **1.** *(indéfini)* indeterminate, indefinite **2.** *(vague)* vague **3.** *(personne)* undecided.

index nm **1.** *(doigt)* index finger **2.** *(aiguille)* pointer, needle **3.** *(registre)* index.

indexation nf indexing.

indexer vt **1.** ÉCON • indexer qqch sur qqch to index sthg to sthg **2.** *(livre)* to index.

indicateur, trice adj • poteau indicateur signpost • panneau indicateur road sign. ■ **indicateur** nm **1.** *(guide)* directory, guide • indicateur des chemins de fer railway timetable (UK), train schedule (US) **2.** TECHNOL gauge **3.** ÉCON indicator **4.** *(de police)* informer.

indicatif, ive adj indicative. ■ **indicatif** nm **1.** RADIO & TV signature tune **2.** *(code)* • indicatif *(téléphonique)* dialling code (UK), area code

(US) **3.** GRAMM • l'indicatif the indicative • le présent de l'indicatif the present indicative.

indication nf **1.** *(mention)* indication **2.** *(renseignement)* information *(indén)* **3.** *(directive)* instruction **4.** THÉÂTRE direction • sauf indication contraire unless otherwise instructed.

indice nm **1.** *(signe)* sign **2.** *(dans une enquête)* clue **3.** *(taux)* rating • indice du coût de la vie ÉCON cost-of-living index **4.** MATH index.

indicible adj inexpressible.

indien, enne adj **1.** *(d'Inde)* Indian **2.** *(d'Amérique)* Native American, American Indian. ■ **Indien, enne** nm, f **1.** *(d'Inde)* Indian **2.** *(d'Amérique)* Native American, American Indian.

> En anglais, les adjectifs se rapportant à un pays ou une région s'écrivent avec une majuscule.

indifféremment adv indifferently.

indifférence nf indifference.

> **S'EXPRIMER**
>
> ## exprimer son indifférence
>
> • *I don't mind either way.* Ça m'est égal.
> • *It's all the same to me.* Ça m'est complètement égal.
> • *It's nothing to do with me.* Mais ça ne me regarde pas !
> • *Bad luck!* C'est pas de chance !
> • *It doesn't matter.* Peu importe.
> • *That's your business.* Ça te/vous regarde.
> • *If you like.* Si tu veux/vous voulez.

indifférent, e adj *(gén)* • indifférent à indifferent to. ❑ nm, f unconcerned person.

indigence nf poverty.

indigène nmf native. ❑ adj **1.** *(peuple)* native **2.** *(faune, flore)* indigenous.

indigent, e adj **1.** *(pauvre)* destitute, poverty-stricken **2.** *fig (intellectuellement)* impoverished. ❑ nm, f poor person • les indigents the poor, the destitute.

indigeste adj indigestible.

indigestion nf **1.** *(alimentaire)* indigestion *(indén)* • avoir une indigestion to have indigestion **2.** *fig (saturation)* surfeit.

indignation nf indignation.

indigne adj • indigne (de) unworthy (of).

indigné, e adj indignant • être indigné par to be outraged by.

indigner vt to make indignant. ■ s'indigner vp • s'indigner de ou contre qqch to get indignant about sthg.

indigo nm indigo. ❑ adj inv indigo (blue).

indiquer vt **1.** *(désigner)* to indicate, to point out • indiquer qqn/qqch du regard to glance towards (UK) ou toward (US) sb/sthg **2.** *(afficher,* indirect

montrer - *sujet : carte, pendule, aiguille*) to show, to indicate **3.** (*recommander*) • **indiquer qqn/qqch à qqn** to tell sb of sb/sthg, to suggest sb/sthg to sb **4.** (*dire, renseigner sur*) to tell • **pourriez-vous m'indiquer l'heure ?** could you tell me the time? **5.** (*fixer - heure, date, lieu*) to name, to indicate.

indirect, e *adj* **1.** (*gén*) indirect • **le complément d'objet indirect** the indirect object **2.** (*itinéraire*) roundabout.

indiscipliné, e *adj* **1.** (*écolier, esprit*) undisciplined, unruly **2.** *fig* (*mèches de cheveux*) unmanageable.

indiscret, ète *adj* **1.** indiscreet **2.** (*curieux*) inquisitive. □ *nm, f* indiscreet person.

indiscrétion *nf* **1.** indiscretion **2.** (*curiosité*) curiosity.

indiscutable *adj* indisputable, unquestionable.

indispensable *adj* indispensable, essential • **indispensable à** indispensable to, essential to • **il est indispensable de faire qqch** it is essential *ou* vital to do sthg.

indisponible *adj* unavailable.

indisposer *vt* (*rendre malade*) to indispose.

indistinct, e *adj* **1.** indistinct **2.** (*souvenir*) hazy.

individu *nm* individual.

individualisme *nm* individualism.

individuel, elle *adj* individual.

indivisible *adj* indivisible.

Indochine *nf* • **l'Indochine** Indochina.

indolent, e *adj* **1.** (*personne*) indolent, lethargic **2.** (*geste, regard*) languid.

indolore *adj* painless.

indomptable *adj* **1.** (*animal*) untamable **2.** (*personne*) indomitable.

Indonésie *nf* • **l'Indonésie** Indonesia.

indu, e *adj* (*heure*) ungodly, unearthly.

indubitable *adj* indubitable, undoubted • **il est indubitable que** it is indisputable *ou* beyond doubt that.

induire *vt* to induce • **induire qqn à faire qqch** to induce sb to do sthg • **induire qqn en erreur** to mislead sb • **en induire que** to infer *ou* gather that.

induit, e *adj* **1.** (*consécutif*) resulting **2.** ÉLECTR induced.

indulgence *nf* **1.** (*de juge*) leniency **2.** (*de parent*) indulgence.

indulgent, e *adj* **1.** (*juge*) lenient **2.** (*parent*) indulgent • **elle est indulgente avec sa fille** she indulges her daughter.

indûment *adv* unduly.

industrialisation *nf* industrialization.

industrialisé, e *adj* industrialized • **pays industrialisé** industrialized country.

industrialiser *vt* to industrialize. ■ **s'industrialiser** *vp* to become industrialized.

industrie *nf* industry.

industriel, elle *adj* industrial. ■ **industriel** *nm* industrialist.

inébranlable *adj* **1.** (*roc*) solid, immovable **2.** *fig* (*conviction*) unshakeable.

inédit, e *adj* **1.** (*texte*) unpublished **2.** (*trouvaille*) novel, original.

ineffable *adj* ineffable.

ineffaçable *adj* indelible.

inefficace *adj* **1.** (*personne, machine*) inefficient **2.** (*solution, remède, mesure*) ineffective.

inefficacité *nf* **1.** (*de personne, machine*) inefficiency **2.** (*de solution, remède, mesure*) ineffectiveness.

inégal, e *adj* **1.** (*différent, disproportionné*) unequal **2.** (*irrégulier*) uneven **3.** (*changeant*) changeable **4.** (*artiste, travail*) erratic.

inégalé, e *adj* unequalled (UK), unequaled (US).

inégalité *nf* **1.** (*injustice, disproportion*) inequality **2.** (*différence*) difference, disparity **3.** (*irrégularité*) unevenness **4.** (*d'humeur*) changeability.

inélégant, e *adj* **1.** (*dans l'habillement*) inelegant **2.** *fig* (*indélicat*) discourteous.

inéligible *adj* ineligible.

inéluctable *adj* inescapable.

inénarrable *adj* very funny.

inepte *adj* inept.

ineptie *nf* **1.** (*bêtise*) ineptitude **2.** (*chose idiote*) nonsense (indén).

inépuisable *adj* inexhaustible.

inerte *adj* **1.** (*corps, membre*) lifeless **2.** (*personne*) passive, inert **3.** PHYS inert.

inertie *nf* **1.** (*manque de réaction*) apathy, inertia **2.** PHYS inertia.

inespéré, e *adj* unexpected, unhoped-for.

inesthétique *adj* unaesthetic (UK), unesthetic (US).

inestimable *adj* **1.** • **d'une valeur inestimable** priceless **2.** *fig* invaluable.

inévitable *adj* **1.** (*obstacle*) unavoidable **2.** (*conséquence*) inevitable.

inexact, e *adj* **1.** (*faux, incomplet*) inaccurate, inexact **2.** *littéraire* (*en retard*) unpunctual.

inexactitude *nf* (*erreur, imprécision*) inaccuracy.

inexcusable *adj* unforgivable, inexcusable.

inexistant, e *adj* nonexistent.

inexorable *adj* inexorable.

inexpérience *nf* lack of experience, inexperience.

inexpérimenté, e *adj* **1.** (*personne*) inexperienced **2.** (*gestes*) inexpert **3.** (*produit*) untested.

inexplicable *adj* inexplicable, unexplainable.

inexpliqué, e *adj* unexplained.

inexpressif, ive *adj* inexpressive.

inexprimable *adj* inexpressible.

inextensible *adj* **1.** *(matériau)* unstretchable **2.** *(étoffe)* non-stretch.

in extremis *adv* at the last minute.

inextricable *adj* **1.** *(fouillis)* inextricable **2.** *fig (affaire, mystère)* impossible to unravel.

infaillible *adj* **1.** *(personne, méthode)* infallible **2.** *(instinct)* unerring.

infâme *adj* **1.** *(ignoble)* despicable **2.** *hum & littéraire (dégoûtant)* vile.

infanterie *nf* infantry.

infanticide *nmf* infanticide, child-killer. ❏ *adj* infanticidal.

infantile *adj* **1.** *(maladie)* childhood *(avant nom)* **2.** *(médecine)* for children **3.** *(comportement)* infantile.

infantiliser *vt* to treat like a child.

infarctus *nm* infarction, infarct • **infarctus du myocarde** coronary thrombosis, myocardial infarction.

infatigable *adj* **1.** *(personne)* tireless **2.** *(attitude)* untiring.

infect, e *adj* *(dégoûtant)* vile.

infecter *vt* **1.** *(eau)* to contaminate **2.** *(plaie)* to infect **3.** *(empoisonner)* to poison. ■ **s'infecter** *vp* to become infected, to turn septic.

infectieux, euse *adj* infectious.

infection *nf* **1.** *MÉD* infection **2.** *fig & péj (puanteur)* stench.

inférer *vt littéraire* • **inférer qqch de qqch** to infer sthg from sthg.

inférieur, e *adj* **1.** *(qui est en bas)* lower • **les membres inférieurs** the lower limbs **2.** *(dans une hiérarchie)* inferior • **inférieur à a)** *(qualité)* inferior to **b)** *(quantité)* less than. ❏ *nm, f* inferior.

infériorité *nf* inferiority.

infernal, e *adj* **1.** *(personne)* fiendish **2.** *fig (bruit, chaleur, rythme)* infernal **3.** *(vision)* diabolical.

infester *vt* to infest • **être infesté de a)** *(rats, moustiques)* to be infested with **b)** *(touristes)* to be overrun by.

infidèle *adj* **1.** *(mari, femme, ami)* • **infidèle (à)** unfaithful (to) **2.** *(traducteur, historien)* inaccurate.

infidélité *nf (trahison)* infidelity.

infiltration *nf* infiltration.

infiltrer *vt* to infiltrate. ■ **s'infiltrer** *vp* **1.** *(pluie, lumière)* • **s'infiltrer par/dans** to filter through/into **2.** *(hommes, idées)* to infiltrate.

infime *adj* minute, infinitesimal.

infini, e *adj* **1.** *(sans bornes)* infinite, boundless **2.** *MATH, PHILO & RELIG* infinite **3.** *fig (interminable)* endless, interminable. ■ **infini** *nm* infinity. ■ **à l'infini** *loc adv* **1.** *MATH* to infinity **2.** *(discourir)* ad infinitum, endlessly.

infiniment *adv* extremely, immensely • **je vous remercie infiniment** thank you so much.

infinité *nf* infinity, infinite number.

infinitif, ive *adj* infinitive. ■ **infinitif** *nm* infinitive.

infirme *adj* **1.** *(handicapé)* disabled **2.** *(avec l'âge)* infirm. ❏ *nmf* disabled person.

infirmer *vt* **1.** *(démentir)* to invalidate **2.** *DR* to annul.

infirmerie *nf* infirmary • **l'infirmerie de l'école** the school infirmary, the sick bay.

infirmier, ère *nm, f* nurse.

infirmité *nf* **1.** *(handicap)* disability **2.** *(de vieillesse)* infirmity.

inflammable *adj* inflammable, flammable.

inflammation *nf* inflammation.

inflation *nf* **1.** *ÉCON* inflation **2.** *fig* increase.

inflationniste *adj & nmf* inflationist.

infléchir *vt fig (politique)* to modify.

inflexible *adj* inflexible.

inflexion *nf* **1.** *(de tête)* nod **2.** *(de voix)* inflection.

infliger *vt* • **infliger qqch à qqn a)** to inflict sthg on sb **b)** *(amende)* to impose sthg on sb.

influençable *adj* easily influenced.

influence *nf* **1.** influence • **avoir de l'influence sur qqn** to have influence over sb **2.** *(de médicament)* effect.

influencer *vt* to influence.

influent, e *adj* influential.

influer *vi* • **influer sur qqch** to influence sthg, to have an effect on sthg.

infogérance *nf* outsourcing.

Infographie® *nf* computer graphics *(indén)*.

infographiste *nmf* computer graphics artist.

informateur, trice *nm, f* **1.** *(qui renseigne)* informant **2.** *(de police)* informer.

informaticien, enne *nm, f* computer scientist.

information *nf* **1.** *(renseignement)* piece of information **2.** *(renseignements)* INFORM information *(indén)* **3.** *(nouvelle)* piece of news. ■ **informations** *nfpl (média)* news *sing* • **les informations passent à vingt heures** the news is on at eight.

information

FAUX AMIS

Ces deux mots sont très proches par le sens, mais on ne les emploie pas de la même façon. En anglais, ***information*** est un indénombrable, qui ne se met donc jamais au pluriel et qui se traduit par *renseignement* ou *informations*. On traduira le mot français *information* parfois par ***information***, mais pour *une information*, on dira ***a piece of information***, et on traduira *les informations* (à la télévision, à la radio) ***the news***.

Exemples : **She gave me a very interesting piece of information** Elle m'a donné une information/un renseignement très intéressant(e). **Information is mostly transmitted by the media** L'information passe essentiellement par les médias. **For further information, please contact Mrs Brown** Pour plus de renseignements, veuillez contacter Mme Brown.

informatique nf **1.** (technique) computers • **un cours d'informatique** a computing course **2.** (science) computer science, information technology. ☐ adj computer (avant nom).

informatiser vt to computerize.

informe adj (masse, vêtement, silhouette) shapeless.

informel, elle adj informal.

informer vt to inform • **informer qqn sur** ou **de qqch** to inform sb about sthg. ■ **s'informer** vp to inform o.s. • **s'informer de qqch** to ask about sthg • **s'informer sur qqch** to find out about sthg.

infortune nf misfortune.

infos (abrév de informations) nfpl fam • **les infos** the news sing.

infraction nf offence (UK) ou offense (US) • **être en infraction** to be in breach of the law.

infranchissable adj insurmountable.

infrarouge nm & adj infrared.

infrastructure nf infrastructure.

infréquentable adj **1.** (personne) • **il est infréquentable** you shouldn't mix with him **2.** (lieu) • **ce café est infréquentable** it's not the kind of café you should go to.

infroissable adj crease-resistant.

infructueux, euse adj fruitless.

infuser vi **1.** (tisane) to infuse **2.** (thé) to brew.

infusion nf infusion.

ingénier ■ **s'ingénier** vp • **s'ingénier à faire qqch** to try hard to do sthg.

ingénieur nm engineer.

ingénieux, euse adj ingenious.

ingéniosité nf ingenuity.

ingénu, e adj **1.** littéraire (candide) artless **2.** hum & péj (trop candide) naïve.

ingérable adj unmanageable.

ingérer vt to ingest. ■ **s'ingérer** vp • **s'ingérer dans** to interfere in.

ingrat, e adj **1.** (personne) ungrateful **2.** (métier) thankless, unrewarding **3.** (sol) barren **4.** (physique) unattractive. ☐ nm, f ungrateful person, ingrate.

ingratitude nf ingratitude.

ingrédient nm ingredient.

inguérissable adj incurable.

ingurgiter vt **1.** (avaler) to swallow **2.** fig (connaissances) to absorb.

inhabitable adj uninhabitable.

inhabité, e adj uninhabited.

inhabité

Inhabité et **inhabited** sont des faux amis par excellence, puisqu'ils veulent dire exactement le contraire l'un de l'autre. Ainsi, **the footprints in the sand indicated that the island was inhabited** signifie les traces de pas dans le sable indiquaient que l'île devait être **habitée**. Pour traduire inhabité, il faut faire précéder l'adjectif anglais du préfixe **un-**, comme dans : la région est complètement inhabitée, **the area is completely uninhabited**.

inhabituel, elle adj unusual.

inhalateur, trice adj • **appareil inhalateur** inhaler. ■ **inhalateur** nm inhaler.

inhalation nf inhalation.

inhérent, e adj • **inhérent à** inherent in.

inhibition nf inhibition.

inhospitalier, ère adj inhospitable.

inhumain, e adj inhuman.

inhumation nf burial.

inhumer vt to bury.

inimaginable adj incredible, unimaginable.

inimitable adj inimitable.

ininflammable adj non-flammable.

inintelligible adj unintelligible.

inintéressant, e adj uninteresting.

ininterrompu, e adj **1.** (file, vacarme) uninterrupted **2.** (ligne, suite) unbroken **3.** (travail, effort) continuous.

inique adj iniquitous.

initial, e adj (lettre) initial. ■ **initiale** nf initial.

initialiser vt INFORM to initialize.

initiateur, trice nm, f **1.** (maître) initiator **2.** (précurseur) innovator.

initiation nf • **initiation (à) a)** (discipline) introduction (to) **b)** (rituel) initiation (into).

initiative nf initiative • **prendre l'initiative de qqch/de faire qqch** to take the initiative for sthg/in doing sthg.

initié, e adj initiated. ☐ nm, f initiate.

initier vt • **initier qqn à** to initiate sb into. ■ **s'initier** vp • **s'initier à** to familiarize o.s. with.

injecté, e adj • **yeux injectés de sang** bloodshot eyes.

injecter vt to inject.

injection nf injection.

injoignable adj • **j'ai essayé de lui téléphoner mais il est injoignable** I tried to phone him but

I couldn't get through to him *ou* reach him *ou* get hold of him.

injonction *nf* injunction.

injure *nf* insult.

injurier *vt* to insult.

FAUX AMIS

injurier

Injurier ne se traduit jamais par **to injure** qui, malgré la ressemblance orthographique, a le sens de *blesser*, notamment par accident (**he was injured in a car accident**, *il a été blessé dans un accident de voiture*). Une phrase du type *il n'arrête pas de l'injurier* se traduira par **he's always insulting her**.

---

injurieux, euse *adj* abusive, insulting.

injuste *adj* unjust, unfair.

injustice *nf* injustice.

injustifié, e *adj* unjustified.

inlassable *adj* tireless.

inlassablement *adv* tirelessly.

inné, e *adj* innate.

innocence *nf* innocence.

innocent, e *adj* innocent • **elle a été déclarée innocente** she was found innocent. ❑ *nm, f* **1.** *DR* innocent person **2.** *(inoffensif, candide)* innocent **3.** *(idiot)* simpleton.

innocenter *vt DR* to clear.

innocuité *nf* harmlessness, innocuousness.

innombrable *adj* **1.** innumerable **2.** *(foule)* vast.

innovant, e *adj* innovative.

innovation *nf* innovation.

innover *vi* to innovate.

inobservation *nf* inobservance.

inoccupé, e *adj* *(lieu)* empty, unoccupied.

inoculer *vt MÉD* • **inoculer qqch à qqn a)** *(volontairement)* to inoculate sb with sthg **b)** *(accidentellement)* to infect sb with sthg.

inodore *adj* odourless (UK), odorless (US).

inoffensif, ive *adj* harmless.

inondable *adj* liable to flooding.

inondation *nf* **1.** *(action)* flooding **2.** *(résultat)* flood.

inonder *vt* to flood • **inonder de** *fig* to flood with.

inopérable *adj* inoperable.

inopérant, e *adj* ineffective.

inopiné, e *adj* unexpected.

inopportun, e *adj* inopportune.

inoubliable *adj* unforgettable.

inouï, e *adj* incredible, extraordinary.

Inox® *nm inv* & *adj inv* stainless steel.

inoxydable *adj* **1.** stainless **2.** *(casserole)* stainless-steel.

inqualifiable *adj* unspeakable.

inquiet, ète *adj* **1.** *(gén)* anxious, worried • **elle est très inquiète pour lui** she's very worried about him **2.** *(tourmenté)* feverish.

inquiétant, e *adj* disturbing, worrying.

inquiéter *vt* **1.** *(donner du souci à)* to worry **2.** *(demander des comptes)* to disturb. ■ **s'inquiéter** *vp* **1.** *(s'alarmer)* to be worried **2.** *(se préoccuper)* • **s'inquiéter de a)** *(s'enquérir de)* to enquire about **b)** *(se soucier de)* to worry about.

inquiétude *nf* anxiety, worry • **avec inquiétude** anxiously, fretfully.

inquisiteur, trice *adj* prying.

insaisissable *adj* **1.** *(personne)* elusive **2.** *fig (nuance)* imperceptible.

insalubre *adj* unhealthy.

insatiable *adj* insatiable.

insatisfait, e *adj (personne)* dissatisfied. ❑ *nm, f* malcontent.

insaturé, e *adj* unsaturated.

inscription *nf* **1.** *(action, écrit)* inscription **2.** *(enregistrement)* enrolment (UK), enrollment (US), registration.

inscrire *vt* **1.** *(écrire)* to write down **2.** *(graver)* to inscribe **3.** *(personne)* • **inscrire qqn à qqch** to enrol (UK) *ou* enroll (US) sb for sthg, to register sb for sthg • **inscrire qqn sur qqch** to put sb's name down on sthg **4.** *(inclure)* to list, to include. ■ **s'inscrire** *vp (personne)* • **s'inscrire à qqch** to enrol (UK) *ou* enroll (US) for sthg, to register for sthg • **s'inscrire sur qqch** to put one's name down on sthg.

inscrit, e *pp* → inscrire. ❑ *adj (sur liste)* registered • **être inscrit sur une liste** to have one's name on a list. ❑ *nm, f* registered person.

insecte *nm* insect.

insecticide *nm* & *adj* insecticide.

insécurité *nf* insecurity.

insémination *nf* insemination • **insémination artificielle** artificial insemination.

insensé, e *adj* **1.** *(déraisonnable)* insane **2.** *(incroyable, excentrique)* extraordinary.

insensibiliser *vt* to anaesthetize, to anesthetize (US) • **insensibiliser qqn (à)** *fig* to make sb insensitive (to).

insensible *adj* **1.** *(gén)* • **insensible (à)** insensitive (to) **2.** *(imperceptible)* imperceptible.

insensiblement *adv* imperceptibly.

inséparable *adj* • **inséparable (de)** inseparable (from).

insérer *vt* to insert • **insérer une annonce dans un journal** to put an advertisement in a newspaper. ■ **s'insérer** *vp (s'intégrer)* • **s'insérer dans** to fit into.

insertion *nf* **1.** *(d'objet, de texte)* insertion **2.** *(de personne)* integration.

insidieux, euse *adj* insidious.

insigne¹ *nm* badge.

insigne² adj **1.** littéraire (honneur) distinguished **2.** hum (maladresse) remarkable.

insignifiant, e adj insignificant.

insinuation nf insinuation, innuendo.

insinuer vt to insinuate, to imply. ■ **s'insinuer** vp • **s'insinuer dans a)** (eau, humidité, odeur) to seep into **b)** fig (personne) to insinuate o.s. into.

insipide adj **1.** (aliment) insipid, tasteless **2.** fig insipid.

insistance nf insistence.

insister vi to insist • **insister sur** to insist on • **insister pour faire qqch** to insist on doing sthg.

insolation nf (malaise) sunstroke (indén).

insolence nf insolence (indén).

insolent, e adj **1.** (personne, acte) insolent **2.** (joie, succès) unashamed, blatant. ❑ nm, f insolent person.

insolite adj unusual.

insoluble adj **1.** CHIM insoluble, insolvable (US) **2.** (problème) insoluble, insolvable (US).

insolvable adj insolvent.

insomniaque nmf & adj insomniac.

insomnie nf insomnia (indén).

insondable adj **1.** (gouffre, mystère) unfathomable **2.** (bêtise) abysmal.

insonoriser vt to soundproof.

insouciance nf (légèreté) carefree attitude.

insouciant, e adj (sans-souci) carefree.

insoumis, e adj **1.** (caractère) rebellious **2.** (peuple) unsubjugated **3.** (soldat) deserting (avant nom).

insoumission nf **1.** (caractère rebelle) rebelliousness **2.** MIL desertion.

insoupçonné, e adj unsuspected.

insoutenable adj **1.** (rythme) unsustainable **2.** (scène, violence) unbearable **3.** (théorie) untenable.

inspecter vt to inspect.

inspecteur, trice nm, f inspector.

inspection nf **1.** (contrôle) inspection **2.** (fonction) inspectorate.

inspiration nf **1.** (gén) inspiration **2.** (idée) bright idea, brainwave (UK), brainstorm (US) • **avoir de l'inspiration** to be inspired **3.** (d'air) breathing in.

inspiré, e adj inspired.

inspirer vt **1.** (gén) to inspire • **inspirer qqch à qqn** to inspire sb with sthg **2.** (air) to breathe in, to inhale. ■ **s'inspirer** vp (prendre modèle sur) • **s'inspirer de qqn/qqch** to be inspired by sb/sthg.

instable adj **1.** (gén) unstable **2.** (vie, temps) unsettled.

installateur, trice nm, f fitter (UK).

installation nf **1.** (de gaz, eau, électricité) installation **2.** (de personne - comme médecin, artisan)

setting up ; (- dans appartement) settling in **3.** (gén pl) (équipement) installations pl, fittings pl **4.** (usine) plant (indén) **5.** (de loisirs) facilities pl • **installation électrique** wiring.

installer vt **1.** (gaz, eau, électricité) to install, to put in **2.** INFORM to install **3.** (appartement) to fit out **4.** (rideaux, étagères) to put up **5.** (meubles) to put in **6.** (personne) • **installer qqn** to get sb settled, to install sb. ■ **s'installer** vp **1.** (comme médecin, artisan) to set (o.s.) up **2.** (emménager) to settle in • **s'installer chez qqn** to move in with sb **3.** (dans fauteuil) to settle down • **installez-vous, j'en ai pour une minute** take a seat, I'll be with you in a minute **4.** fig (maladie, routine) to set in.

instamment adv insistently.

instance nf **1.** (autorité) authority **2.** DR proceedings pl. ■ **instances** nfpl sout entreaties • **les instances dirigeantes** the ruling body. ■ **en instance** loc adj pending. ■ **en instance de** loc adv on the point of.

instant nm instant • **à l'instant a)** (il y a peu de temps) a moment ago **b)** (immédiatement) this minute • **à tout instant a)** (en permanence) at all times **b)** (d'un moment à l'autre) at any moment • **pour l'instant** for the moment.

instantané, e adj **1.** (immédiat) instantaneous **2.** (soluble) instant. ■ **instantané** nm snapshot.

instar ■ **à l'instar de** loc prép following the example of.

instaurer vt **1.** (instituer) to establish **2.** fig (peur, confiance) to instil (UK), to instill (US).

instigateur, trice nm, f instigator.

instigation nf instigation. ■ **à l'instigation de, sur l'instigation de** loc prép at the instigation of.

instinct nm instinct.

instinctif, ive adj instinctive. ❑ nm, f instinctive person.

instituer vt **1.** (pratique) to institute **2.** DR (personne) to appoint.

institut nm **1.** (établissement) institute • **l'Institut Pasteur** Pasteur Institute **2.** (de soins) • **institut de beauté** beauty salon.

instituteur, trice nm, f primary school teacher (UK), grade school teacher (US).

institution nf **1.** (gén) institution **2.** (école privée) private school. ■ **institutions** nfpl POLIT institutions.

instructeur, trice nm, f instructor. ❑ adj MIL • **sergent instructeur** drill sergeant.

instructif, ive adj instructive, educational.

instruction nf **1.** (enseignement, savoir) education • **l'instruction civique** civics **2.** (formation) training **3.** (directive) order **4.** DR (pre-trial) investigation. ■ **instructions** nfpl instructions.

instruire vt **1.** (éduquer) to teach, to instruct **2.** sout (informer) to inform **3.** DR (affaire) to investigate • **instruire contre qqn** to investigate sb.

■ **s'instruire** *vp* **1.** *(se former)* to learn **2.** *littéraire* *(s'informer)* • **s'instruire de qqch auprès de qqn** to find out about sthg from sb.

instruit, e *adj* educated.

instrument *nm* instrument • **instrument de musique** musical instrument • **un instrument à cordes** a stringed instrument • **un instrument à vent** a wind instrument.

LEXIQUE

les instruments de musique

la batterie	the drums
la clarinette	the clarinet
la contrebasse	the double bass
la cymbale	the cymbal
la flûte à bec	the recorder
la flûte traversière	the flute
la guitare	the guitar
l'harmonica	the harmonica
le piano	the piano
le saxophone	the saxophone
le tambourin	the tambourine
le trombone	the trombone
la trompette	the trumpet
le violoncelle	the cello
le violon	the violin
le xylophone	the xylophone

---

instrumental, e *adj* instrumental. ■ **instrumental** *nm* GRAMM instrumental.

instrumentaliser *vt* to use, to manipulate.

insu ■ **à l'insu de** *loc prép* • **à l'insu de qqn** without sb knowing • **ils ont tout organisé à mon insu** they organized it all without my knowing.

insubmersible *adj* unsinkable.

insubordination *nf* insubordination.

insuccès *nm* failure.

insuffisance *nf* **1.** *(manque)* insufficiency **2.** MÉD deficiency. ■ **insuffisances** *nfpl* *(faiblesses)* shortcomings.

insuffisant, e *adj* **1.** *(en quantité)* insufficient **2.** *(en qualité)* inadequate, unsatisfactory.

insuffler *vt* **1.** *(air)* to blow **2.** *fig (sentiment)* • **insuffler qqch à qqn** to inspire sb with sthg.

insulaire *nmf* islander. ❏ *adj* GÉOGR island *(avant nom)*.

insuline *nf* insulin.

insultant, e *adj* insulting.

insulte *nf* insult.

insulter *vt* to insult.

insupportable *adj* unbearable.

insurgé, e *adj & nm, f* insurgent, rebel.

insurger ■ **s'insurger** *vp* to rebel, to revolt • **s'insurger contre qqch** to protest against sthg.

insurmontable *adj* **1.** *(difficulté)* insurmountable **2.** *(dégoût)* uncontrollable.

insurrection *nf* insurrection.

intact, e *adj* intact.

intangible *adj* **1.** *littéraire (impalpable)* intangible **2.** *(sacré)* inviolable.

intarissable *adj* inexhaustible • **il est intarissable** he could go on talking for ever.

intégral, e *adj* **1.** *(paiement)* in full **2.** *(texte)* unabridged, complete **3.** MATH • **calcul intégral** integral calculus. ■ **intégrale** *nf* **1.** MUS complete works *pl* **2.** MATH integral.

intégralement *adv* fully, in full.

intégrant, e → **parti**.

intégration *nf* integration • **intégration latérale** ÉCON lateral integration.

intègre *adj* honest.

intégré, e *adj* *(élément)* built-in.

intégrer *vt* *(assimiler)* • **intégrer (à** ou **dans)** to integrate (into). ■ **s'intégrer** *vp* **1.** *(s'incorporer)* • **s'intégrer dans** ou **à** to fit into **2.** *(s'adapter)* to integrate.

intégrisme *nm* fundamentalism.

intégrité *nf* **1.** *(totalité)* entirety **2.** *(honnêteté)* integrity.

intellectuel, elle *adj & nm, f* intellectual.

intelligence *nf* **1.** *(facultés mentales)* intelligence • **intelligence artificielle** artificial intelligence **2.** *(compréhension, complicité)* understanding.

intelligent, e *adj* intelligent.

intelligible *adj* **1.** *(voix)* clear **2.** *(concept, texte)* intelligible.

intello *adj inv & nmf fam & péj* intellectual.

intempéries *nfpl* bad weather *(indén)*.

intempestif, ive *adj* untimely.

intemporel, elle *adj* **1.** *(sans durée)* timeless **2.** *littéraire (immatériel)* immaterial.

intenable *adj* **1.** *(chaleur, personne)* unbearable **2.** *(position)* untenable, indefensible.

intendance *nf* **1.** MIL commissariat **2.** SCOL & UNIV bursar's office **3.** *fig (questions matérielles)* housekeeping.

intendant, e *nm, f* **1.** SCOL & UNIV bursar **2.** *(de manoir)* steward. ■ **intendant** *nm* MIL quartermaster.

intense *adj* *(gén)* intense.

intensif, ive *adj* intensive.

intensifier *vt* to intensify. ■ **s'intensifier** *vp* to intensify.

intensité *nf* intensity.

intenter *vt* DR • **intenter qqch contre qqn** ou **à qqn** to bring sthg against sb.

intention *nf* intention • **avoir l'intention de faire qqch** to intend to do sthg • **intention de vote** voting intention • **les intentions de vote pour le président** those leaning towards (UK) ou toward (US) the président. ■ **à l'intention de** *loc prép* for.

intentionné, e *adj* • **bien intentionné** well-meaning • **mal intentionné** ill-disposed.

intentionnel, elle *adj* intentional.

interactif, ive *adj* interactive.

interaction *nf* interaction • **interaction médicamenteuse** medicinal interaction.

interactivité *nf* INFORM interactivity.

intercalaire *nm* insert. ❑ *adj* • **feuillet intercalaire** insert.

intercaler *vt* • **intercaler qqch dans qqch a)** *(feuillet, citation)* to insert sthg in sthg **b)** *(dans le temps)* to fit sthg into sthg.

intercéder *vi* • **intercéder pour** *ou* **en faveur de qqn auprès de qqn** to intercede with sb on behalf of sb.

intercepter *vt* **1.** *(lettre, ballon)* to intercept **2.** *(chaleur)* to block.

interchangeable *adj* interchangeable.

interclasse *nm* break (UK), recess (US).

interdiction *nf* **1.** *(défense)* • **'interdiction de stationner'** 'strictly no parking' **2.** *(prohibition, suspension)* • **interdiction de** ban (on), banning (of) • **interdiction de séjour** *si vous voulez expliquer à un anglophone de quoi il s'agit, vous pouvez dire it is an order banning someone released from prison from living in certain areas.*

S'EXPRIMER

exprimer une interdiction

- *No smoking* Interdiction de fumer
- *Running in the corridors is strictly forbidden.* Il est strictement interdit de courir dans les couloirs.
- *It's out of the question!* Il n'en est pas question !
- *I'm not having it!/That's just not on!* (UK) Ça ne marche pas avec moi !
- *I won't stand for it!* Je n'accepterai pas ça !

interdire *vt* **1.** *(prohiber)* • **interdire qqch à qqn** to forbid sb sthg • **interdire à qqn de faire qqch** to forbid sb to do sthg **2.** *(empêcher)* • **interdire à qqn de faire qqch** to prevent sb from doing sthg **3.** *(bloquer)* to block. ■ **s'interdire** *vp* • **s'interdire qqch/de faire qqch** to refrain from sthg/from doing sthg.

interdit, e *pp* → **interdire**. ❑ *adj* **1.** *(défendu)* forbidden • **'film interdit aux moins de 18 ans'** ≃ '18' *si vous voulez expliquer à un anglophone de quoi il s'agit, vous pouvez dire it is a film that is not suitable for under 18's* • **il est interdit de fumer** you're not allowed to smoke, smoking is forbidden **2.** *(ébahi)* • **rester interdit** to be stunned **3.** *(privé)* • **être interdit de chéquier** to have had one's chequebook (UK) *ou* checkbook (US) facilities withdrawn, to be forbidden to write cheques (UK) *ou* checks (US) • **interdit de séjour** banned from entering the country.

intéressant, e *adj* **1.** *(captivant)* interesting **2.** *(avantageux)* advantageous, good.

intéressé, e *adj* **1.** *(concerné)* concerned, involved **2.** *péj (cupide)* self-interested.

intéressement *nm* profit-sharing (scheme).

intéresser *vt* **1.** *(captiver)* to interest • **intéresser qqn à qqch** to interest sb in sthg **2.** COMM *(faire participer)* • **intéresser les employés (aux bénéfices)** to give one's employees a share in the profits • **intéresser qqn à** *(ou* **aux résultats de) son commerce** to give sb a financial interest in one's business **3.** *(concerner)* to concern. ■ **s'intéresser à** *vp + prép* • **s'intéresser à qqch/qqn** to be interested in sthg/sb • **elle ne s'intéresse à rien** she is not interested *ou* she takes no interest in anything • **à quoi vous intéressez-vous ?** what are your interests (in life)? • **je m'intéresse vivement à sa carrière** I take great *ou* a keen interest in her career • **elle s'intéresse énormément à mon frère** she's very interested in my brother, she shows a great deal of interest in my brother • **personne ne s'intéresse à moi !** nobody cares about me!, nobody's interested in me!

intérêt *nm* **1.** *(gén)* interest • **avec intérêt** with interest • **intérêt pour** interest in • **avoir intérêt à faire qqch** to be well advised to do sthg • **ce livre n'a aucun intérêt** this book is of no interest **2.** *(importance)* significance. ■ **intérêts** *nmpl* **1.** FIN interest *(indén)* **2.** COMM • **avoir des intérêts dans** to have a stake in.

interface *nf* INFORM interface • **interface graphique** graphic interface.

interférence *nf* **1.** PHYS & POLIT interference **2.** *fig (conjonction)* convergence.

interférer *vi* **1.** PHYS to interfere **2.** *fig (s'immiscer)* • **interférer dans qqch** to interfere in sthg.

intérieur, e *adj* **1.** *(gén)* inner **2.** *(de pays)* domestic. ■ **intérieur** *nm* **1.** *(gén)* inside • **de l'intérieur** from the inside • **à l'intérieur (de qqch)** inside (sthg) **2.** *(de pays)* interior.

intérim *nm* **1.** *(période)* interim period • **par intérim** acting *(avant nom)* **2.** *(travail temporaire)* temporary *ou* casual work **3.** *(dans un bureau)* temping.

intérimaire *adj* **1.** *(ministre, directeur)* acting *(avant nom)* **2.** *(employé, fonctions)* temporary. ❑ *nmf (employé)* temp.

intérioriser *vt* to internalize.

interjection *nf* LING interjection.

interligne *nm* (line) spacing.

interlocuteur, trice *nm, f* **1.** *(dans conversation)* speaker • **mon interlocuteur** the person to whom I am/was speaking **2.** *(dans négociation)* negotiator.

interloquer *vt* to disconcert.

interlude *nm* interlude.

intermède *nm* interlude.

intermédiaire *nmf* intermediary, go-between • **par l'intermédiaire de qqn/qqch** through sb/sthg. ❑ *adj* intermediate.

interminable *adj* never-ending, interminable.

intermittence *nf (discontinuité)* • **par intermittence** intermittently, off and on.

intermittent, e *adj* intermittent • **les intermittents du spectacle** *si vous voulez donner une définition à un anglophone, vous pouvez dire* these are people working in the performing arts. They are entitled to special social security benefits because they do not have regular employment.

internat *nm (SCOL - établissement)* boarding school ; *(- système)* boarding.

international, e *adj* international.

internaute *nmf INFORM* (net) surfer, cybersurfer, cybernaut, Internet user.

interne *nmf* **1.** *(élève)* boarder **2.** *MÉD & UNIV* houseman (UK), intern (US). ❑ *adj* **1.** *ANAT* internal **2.** *(oreille)* inner **3.** *(du pays)* domestic.

internement *nm* **1.** *POLIT* internment **2.** *MÉD* confinement *(to psychiatric hospital)*.

interner *vt POLIT* to intern.

Internet, internet *nm* • (l')**Internet** the Internet.

interpellation *nf* **1.** *(apostrophe)* call, shout **2.** *(par la police)* (arrest for) questioning • **la police a procédé à plusieurs interpellations** several people were detained *ou* taken in by the police for questioning **3.** *POLIT* question **4.** *(terme spécialisé)* interpellation.

interpeller *vt* **1.** *(apostropher)* to call *ou* shout out to **2.** *(interroger)* to take in for questioning.

Interphone® *nm* **1.** intercom **2.** *(d'un immeuble)* Entryphone®.

interposer *vt* to interpose. ■ **s'interposer** *vp* • **s'interposer entre qqn et qqn** to intervene *ou* come between sb and sb.

interpretariat *nm* interpreting.

interprétation *nf* interpretation.

interprète *nmf* **1.** *(gén)* interpreter **2.** *CINÉ, MUS & THÉÂTRE* performer.

interpréter *vt* to interpret.

interrogateur, trice *adj* inquiring.

interrogatif, ive *adj GRAMM* interrogative.

interrogation *nf* **1.** *(de prisonnier)* interrogation **2.** *(de témoin)* questioning **3.** *(question)* question **4.** *SCOL* test, quiz (US).

interrogatoire *nm* **1.** *(de police, juge)* questioning **2.** *(procès-verbal)* statement.

interrogeable *adj* • **répondeur interrogeable à distance** answering machine *ou* answerphone (UK) with remote playback facility.

interroger *vt* **1.** *(questionner)* to question **2.** *(accusé, base de données)* to interrogate • **interroger qqn (sur qqch)** to question sb (about sthg) **3.** *(faits, conscience)* to examine. ■ **s'interroger** *vp* • **s'interroger sur** to wonder about.

interrompre *vt* to interrupt. ■ **s'interrompre** *vp* to stop.

interrompu, e *pp* → interrompre.

interrupteur *nm* switch.

interruption *nf* **1.** *(arrêt)* break **2.** *(action)* interruption.

intersection *nf* intersection.

interstice *nm* chink, crack.

interurbain, e *adj* long-distance. ■ **interurbain** *nm* • **l'interurbain** the long-distance telephone service.

intervalle *nm* **1.** *(spatial)* space, gap **2.** *(temporel)* interval, period (of time) • **à 6 jours d'intervalle** after 6 days **3.** *MUS* interval.

intervenant, e *nm, f (orateur)* speaker.

intervenir *vi* **1.** *(personne)* to intervene • **intervenir auprès de qqn** to intervene with sb • **intervenir dans qqch** to intervene in sthg • **faire intervenir qqn** to bring *ou* call in sb **2.** *(événement)* to take place.

intervention *nf* **1.** *(gén)* intervention **2.** *MÉD* operation • **subir une intervention chirurgicale** to have an operation, to have surgery **3.** *(discours)* speech.

intervertir *vt* to reverse, to invert.

interview *nf* interview.

interviewer *vt* to interview.

intervieweur, euse *nm, f* interviewer.

intestin *nm* intestine.

intestinal, e *adj* intestinal.

intime *nmf* close friend. ❑ *adj* **1.** *(gén)* intimate **2.** *(vie, journal)* private.

intimidant, e *adj* intimidating.

intimider *vt* to intimidate.

intimité *nf* **1.** *(secret)* depths *pl* **2.** *(familiarité, confort)* intimacy **3.** *(vie privée)* privacy.

intitulé *nm* **1.** *(titre)* title **2.** *(de paragraphe)* heading.

intituler *vt* to call, to entitle. ■ **s'intituler** *vp (ouvrage)* to be called *ou* entitled.

intolérable *adj* intolerable.

intolérance *nf (religieuse, politique)* intolerance.

intolérant, e *adj* intolerant.

intonation *nf* intonation.

intouchable *nmf & adj* untouchable.

intoxication *nf* **1.** *(empoisonnement)* poisoning **2.** *fig (propagande)* brainwashing.

intoxiqué, e *adj* • **intoxiqué (de)** addicted (to). ❑ *nm, f* addict.

intoxiquer *vt* • **intoxiquer qqn par a)** *(empoisonner)* to poison sb with **b)** *fig* to indoctrinate sb with.

intraduisible *adj (texte)* untranslatable.

intraitable *adj* • **intraitable (sur)** inflexible (about).

intra-muros *loc adj inv* • **quartiers intra-muros** districts within the city boundaries • **Londres intra-muros** inner London. ❑ *loc adv* • **habiter intra-muros** to live in the city itself.

intranet *nm* intranet.

intransigeant,e *adj* intransigent.

intransitif,ive *adj* intransitive.

intransportable *adj* • **il est intransportable** he/it cannot be moved.

intraveineux,euse *adj* intravenous. ■ **intraveineuse** *nf* intravenous injection.

intrépide *adj* bold, intrepid.

intrigue *nf* **1.** *(manœuvre)* intrigue **2.** CINÉ, LITTÉR & THÉÂTRE plot.

intriguer *vt* to intrigue. ❏ *vi* to scheme, to intrigue.

intro *(abrév de introduction) nf fam* intro.

introduction *nf* **1.** *(gén)* • **introduction (à)** introduction (to) **2.** *(insertion)* insertion.

introduire *vt* **1.** *(gén)* to introduce **2.** *(faire entrer)* to show in • **introduire clandestinement** *(marchandises)* to smuggle in **3.** *(insérer)* to insert. ■ **s'introduire** *vp* **1.** *(pénétrer)* to enter • **s'introduire dans une maison** *(cambrioleur)* to get into *ou* enter a house **2.** *(s'implanter)* to be introduced.

introspection *nf* introspection.

introuvable *adj* nowhere *ou* no-place (US) to be found.

introverti,e *adj* introverted. ❏ *nm,f* introvert.

intrus,e *nm,f* intruder.

intrusion *nf* **1.** *(gén)* GÉOL intrusion **2.** *(ingérence)* interference.

intuitif,ive *adj* intuitive.

intuition *nf* intuition.

inusable *adj* hardwearing.

inusité,e *adj* unusual, uncommon.

in utero *loc adj & loc adv* in utero.

inutile *adj* **1.** *(objet, personne)* useless **2.** *(effort, démarche)* pointless.

inutilement *adv* needlessly, unnecessarily.

inutilisable *adj* unusable.

inutilité *nf* **1.** *(de personne, d'objet)* uselessness **2.** *(de démarche, d'effort)* pointlessness.

invaincu,e *adj* SPORT unbeaten.

invalide *nmf* disabled person • **invalide du travail** *si vous voulez donner une définition à un anglophone, vous pouvez dire* it is someone who has a disability as a result of an industrial accident. ❏ *adj* disabled.

invalidité *nf* **1.** DR invalidity **2.** MÉD disability.

invariable *adj* **1.** *(immuable)* unchanging **2.** GRAMM invariable.

invasion *nf* invasion.

invectiver *vt* to abuse. ■ **s'invectiver** *vp* to hurl abuse at each other.

invendable *adj* unsaleable, unsellable.

invendu,e *adj* unsold. ■ **invendu** *nm* remainder.

inventaire *nm* **1.** *(gén)* inventory **2.** *(COMM - activité)* stocktaking (UK), inventory (US) ; *(- liste)* list.

inventer *vt* DR *(trésor)* to discover, to find.

inventeur,trice *nm,f (de machine)* inventor.

inventif,ive *adj* inventive.

invention *nf* **1.** *(découverte, mensonge)* invention **2.** *(imagination)* inventiveness.

inventorier *vt* to make an inventory of.

inverse *nm* opposite, reverse. ❏ *adj* **1.** *(sens)* opposite **2.** *(ordre)* reverse • **en sens inverse (de)** in the opposite direction (to) **3.** *(rapport)* inverse.

inversement *adv* **1.** MATH inversely **2.** *(au contraire)* on the other hand **3.** *(vice versa)* vice versa.

inverser *vt* to reverse.

inversion *nf* reversal.

invertébré,e *adj* invertebrate. ■ **invertébré** *nm* invertebrate.

investigation *nf* investigation.

investir *vt* to invest. ■ **s'investir dans** *vp + prép* • **s'investir dans son métier** to be involved *ou* absorbed in one's job • **une actrice qui s'investit entièrement dans ses rôles** an actress who throws herself heart and soul into every part she plays • **je me suis énormément investie dans le projet** the project really meant a lot to me.

investissement *nm* investment.

investisseur,euse *nm,f* investor.

investiture *nf* investiture.

invétéré,e *adj* inveterate.

invincible *adj* **1.** *(gén)* invincible **2.** *(difficulté)* insurmountable **3.** *(charme)* irresistible.

inviolable *adj* **1.** DR inviolable **2.** *(coffre)* impregnable.

invisible *adj* invisible.

invitation *nf* • **invitation (à)** invitation (to) • **sur invitation** by invitation.

invité,e *adj* **1.** *(hôte)* invited **2.** *(professeur, conférencier)* guest *(avant nom)*. ❏ *nm,f* guest.

inviter *vt* to invite • **inviter qqn à faire qqch a)** to invite sb to do sthg **b)** *fig (sujet : chose)* to be an invitation to sb to do sthg • **je vous invite !** it's my treat!

in vitro → fécondation.

invivable *adj* unbearable.

involontaire *adj (acte)* involuntary.

invoquer *vt* **1.** *(alléguer)* to put forward **2.** *(citer, appeler à l'aide)* to invoke **3.** *(paix)* to call for.

invraisemblable *adj* **1.** *(incroyable)* unlikely, improbable **2.** *(extravagant)* incredible.

invraisemblance *nf* improbability.

invulnérable *adj* invulnerable.

iode *nm* iodine.

ion *nm* ion.

IRA *(abrév de Irish Republican Army) nf* IRA.

Irak, Iraq *nm* • **l'Irak** Iraq.

irakien, enne, iraquien, enne *adj* Iraqi.
■ **Irakien, enne, Iraquien, enne** *nm, f* Iraqi.

Iran *nm* • **l'Iran** Iran.

iranien, enne *adj* Iranian. ■ **iranien** *nm*
(langue) Iranian. ■ **Iranien, enne** *nm, f* Iranian.

Iraq = **Irak**.

iraquien = **irakien**.

irascible *adj* irascible.

iris *nm* ANAT & BOT iris.

irisé, e *adj* iridescent.

irlandais, e *adj* Irish. ■ **irlandais** *nm (langue)*
Irish. ■ **Irlandais, e** *nm, f* Irishman, Irishwoman *f* • **les Irlandais** the Irish.

En anglais, les adjectifs se rapportant à un pays
ou une région ainsi que le nom désignant la
langue de ce pays ou cette région, s'écrivent
avec une majuscule.

Irlande *nf* • **l'Irlande** Ireland • **l'Irlande du
Nord** Northern Ireland • **l'Irlande du Sud** the
Republic of Ireland, Eire.

En anglais, à de rares exceptions près, il n'y a pas
d'article devant les noms de pays.

IRM (abrév de *Imagerie par résonance magnétique*)
nm MÉD MRI.

ironie *nf* irony.

ironique *adj* ironic.

ironiser *vi* to speak ironically.

irradier *vi* to radiate • **se faire irradier** to be
exposed to radiation. ❑ *vt* to irradiate.

irraisonné, e *adj* irrational.

irrationnel, elle *adj* irrational.

irréalisable *adj* unrealizable.

irréaliste *adj* unrealistic.

irrecevable *adj* inadmissible.

irrécupérable *adj* **1.** *(irrécouvrable)* irretrievable **2.** *(irréparable)* beyond repair **3.** *(personne)*
beyond hope.

irrécusable *adj* unimpeachable.

irréductible *nmf* diehard. ❑ *adj* **1.** CHIM,
MATH & MÉD irreducible **2.** *fig (volonté)* indomitable **3.** *(personne)* implacable **4.** *(communiste)*
diehard *(before n).*

irréel, elle *adj* unreal.

irréfléchi, e *adj* unthinking.

irréfutable *adj* irrefutable.

irrégularité *nf* **1.** *(gén)* irregularity **2.** *(de terrain,
performance)* unevenness.

irrégulier, ère *adj* **1.** *(gén)* irregular • **un verbe
irrégulier** an irregular verb **2.** *(terrain, surface)*
uneven, irregular **3.** *(employé, athlète)* erratic.

irrémédiable *adj* *(irréparable)* irreparable.

irremplaçable *adj* irreplaceable.

irréparable *adj* **1.** *(objet)* beyond repair **2.** *fig
(perte, erreur)* irreparable.

irrépressible *adj* irrepressible.

irréprochable *adj* irreproachable.

irrésistible *adj* **1.** *(tentation, femme)* irresistible
2. *(amusant)* entertaining.

irrésolu, e *adj* **1.** *(indécis)* irresolute **2.** *(sans
solution)* unresolved.

irrespirable *adj* **1.** *(air)* unbreathable **2.** *fig
(oppressant)* oppressive.

irresponsable *nmf* irresponsible person.
❑ *adj* irresponsible.

irréversible *adj* irreversible.

irrévocable *adj* irrevocable.

irrigation *nf* irrigation.

irriguer *vt* to irrigate.

irritable *adj* irritable.

irritant, e *adj* **1.** *(agaçant)* irritating, annoying
2. MÉD irritant.

irritation *nf* irritation.

irriter *vt* **1.** *(exaspérer)* to irritate, to annoy
2. MÉD to irritate. ■ **s'irriter** *vp* to get irritated
• **s'irriter contre qqn/de qqch** to get irritated
with sb/at sthg.

irruption *nf* **1.** *(invasion)* invasion **2.** *(entrée
brusque)* irruption.

islam *nm* Islam.

islamique *adj* Islamic.

En anglais, les adjectifs et les noms se rapportant à une religion s'écrivent avec une
majuscule.

islamisme *nm* Islamism.

islamiste *nmf* Islamic fundamentalist.

islandais, e *adj* Icelandic. ■ **islandais** *nm
(langue)* Icelandic. ■ **Islandais, e** *nm, f* Icelander.

En anglais, les adjectifs se rapportant à un pays
ou une région ainsi que le nom désignant la
langue de ce pays ou cette région, s'écrivent
avec une majuscule.

Islande *nf* • **l'Islande** Iceland.

En anglais, à de rares exceptions près, il n'y a pas
d'article devant les noms de pays.

isocèle *adj* isoceles.

isolant, e *adj* insulating. ■ **isolant** *nm* insula-
tor, insulating material.

isolation *nf* insulation.

isolé, e *adj* isolated.

isolement *nm* **1.** *(gén)* isolation **2.** CONSTR & ÉLECTR
insulation.

isoler *vt* **1.** *(séparer)* to isolate **2.** CONSTR & ÉLECTR
to insulate • **isoler qqch du froid** to insulate
sthg (against the cold) • **isoler qqch du bruit**
to soundproof sthg. ■ **s'isoler** *vp* • **s'isoler (de)**
to isolate o.s. (from).

isoloir *nm* polling (UK) *ou* voting (US) booth.

isotherme *adj* isothermal.

isotope *adj* isotopic. ❏ *nm* isotope.
Israël *npr* Israel.

En anglais, à de rares exceptions près, il n'y a pas d'article devant les noms de pays.

israélien, enne *adj* Israeli. ■ **Israélien, enne** *nm, f* Israeli.

En anglais, les adjectifs se rapportant à un pays ou une région s'écrivent avec une majuscule.

israélite *adj* Jewish. ■ **Israélite** *nmf* Jew.
issu, e *adj* ● **être issu de a)** *(résulter de)* to emerge *ou* stem from **b)** *(personne)* to come from. ■ **issue** *nf* **1.** *(sortie)* exit ● **issue de secours** emergency exit **2.** *fig (solution)* way out, solution **3.** *(terme)* outcome.
isthme *nm* isthmus.
Italie *nf* ● **l'Italie** Italy.

En anglais, à de rares exceptions près, il n'y a pas d'article devant les noms de pays.

italien, enne *adj* Italian. ■ **italien** *nm (langue)* Italian. ■ **Italien, enne** *nm, f* Italian.

En anglais, les adjectifs se rapportant à un pays ou une région ainsi que le nom désignant la langue de ce pays ou cette région, s'écrivent avec une majuscule.

italique *nm* TYPO italics *pl* ● **en italique** in italics.
itinéraire *nm* itinerary, route ● **itinéraire bis** diversion.
itinérant, e *adj (spectacle, troupe)* itinerant.
IUT (abrév de institut universitaire de technologie) *nm* ≃ technical college.
IVG (abrév de interruption volontaire de grossesse) *nf* abortion.
ivoire *nm* ivory.
ivre *adj* drunk.
ivresse *nf* **1.** drunkenness **2.** *(extase)* rapture.
ivrogne *nmf* drunkard.

j, J *nm inv* j, J.

jabot *nm* **1.** *(d'oiseau)* crop **2.** *(de chemise)* frill.

jacasser *vi fam* to chatter, to jabber.

jachère *nf* • **en jachère** fallow.

jacinthe *nf* hyacinth.

jackpot *nm* **1.** *(combinaison)* jackpot • **toucher le jackpot** *litt & fig* to hit the jackpot **2.** *(machine)* slot machine.

Jacuzzi® *nm* Jacuzzi®.

jade *nm* jade.

jadis *adv* formerly, in former times.

jaguar *nm* jaguar.

jaillir *vi* **1.** *(liquide)* to gush **2.** *(flammes)* to leap **3.** *(cri)* to ring out **4.** *(personne)* to spring out.

jais *nm* jet.

jalon *nm* marker pole.

jalonner *vt* to mark (out).

jalousie *nf* **1.** *(envie)* jealousy • **il a fait ça par jalousie** he did it out of jealousy **2.** *(store)* blind.

jaloux, ouse *adj* • **jaloux (de)** jealous (of).

Jamaïque *nf* • **la Jamaïque** Jamaica.

jamais *adv* **1.** *(sens négatif)* never • **ne... jamais, jamais... ne** never • **je ne reviendrai jamais, jamais je ne reviendrai** I'll never come back • **(ne)... jamais plus, plus jamais (... ne)** never again • **je ne viendrai jamais plus, plus jamais je ne viendrai** I'll never come here again **2.** *(sens positif)* • **plus que jamais** more than ever • **il est plus triste que jamais** he's sadder than ever • **si jamais tu le vois** if you should happen to see him, should you happen to see him • **le plus long voyage que j'aie jamais fait** the longest journey I've ever made. ■ **à jamais** *loc adv* for ever.

jambe *nf* leg.

jambières *nfpl* **1.** *(de football)* shin pads *ou* guards **2.** *(de cricket)* pads.

jambon *nm* ham • **jambon blanc** ham • **du jambon cru** cured ham • **un jambon beurre** *fam* a ham sandwich.

jante *nf* (wheel) rim.

janvier *nm* January. Voir aussi **septembre**.

Japon *nm* • **le Japon** Japan.

japonais, e *adj* Japanese. ■ **japonais** *nm (langue)* Japanese. ■ **Japonais, e** *nm, f* Japanese (person) • **les Japonais** the Japanese.

japper *vi* to yap.

jaquette *nf* **1.** *(vêtement)* jacket **2.** *(de livre)* (dust) jacket.

jardin *nm* **1.** *(espace clos)* garden • **jardin public** park • **jardin ouvrier** allotment **2.** *(attaché à une maison)* yard.

jardinage *nm* gardening • **faire du jardinage** to do some gardening.

jardiner *vi* to garden.

jardinier, ère *nm, f* gardener. ■ **jardinière** *nf (bac à fleurs)* window box.

jargon *nm* **1.** *(langage spécialisé)* jargon **2.** *fam (charabia)* gibberish.

jarret *nm* **1.** ANAT back of the knee **2.** CULIN knuckle of veal.

jarretelle *nf* suspender (UK), garter (US).

jarretière *nf* garter.

jars *nm* gander.

jaser *vi (bavarder)* to gossip.

jasmin *nm* jasmine.

jatte *nf* bowl.

jauge *nf (instrument)* gauge.

jauger *vt* to gauge.

jaunâtre *adj* yellowish.

jaune *nm (couleur)* yellow. ❏ *adj* yellow. ■ **jaune d'œuf** *nm (egg)* yolk.

jaunir *vt & vi* to turn yellow.

jaunisse *nf* MÉD jaundice.

java *nf* java.

Javel *nf* ● **eau de Javel** bleach.

javelot *nm* javelin.

jazz *nm* jazz.

J.-C. *(abrév de Jésus-Christ)* J.C.

je, j' *pron pers* I ● **je m'appelle François** I'm called François ● **j'habite à Nice** I live in Nice ● **je suis français** I'm French ● **j'ai très faim** I'm very hungry.

jean, jeans *nm* jeans *pl*, pair of jeans.

Jeep® *nf* Jeep®.

jérémiades *nfpl fam* moaning *(indén)*, whining *(indén)*.

jerrycan, jerrican *nm* jerry can.

jersey *nm* jersey.

Jersey *npr* Jersey. ● **à Jersey** on Jersey.

jésuite *nm* Jesuit.

Jésus-Christ *nm* Jesus Christ.

jet¹ *nm* **1.** *(action de jeter)* throw **2.** *(de liquide)* jet.

jet² *nm (avion)* jet.

jetable *adj* disposable.

jeté, e *pp* → **jeter.**

jetée *nf* jetty.

jeter *vt* **1.** *(gén)* to throw **2.** *(se débarrasser de)* to throw away ● **jeter qqch à qqn a)** *(lancer)* to throw sthg to sb, to throw sb sthg **b)** *(pour faire mal)* to throw sthg at sb **3.** *(émettre - étincelle)* to throw *ou* to give out ; *(- lumière)* to cast, to shed. ■ **se jeter** *vp* ● **se jeter sur** to pounce on ● **se jeter dans** *(sujet : rivière)* to flow into.

jeton *nm (de jeu)* counter.

jet-set, jet-society *nf* jet set ● **membre de la jet-set** jet-setter.

Jet-Ski® *nm* Jet-Ski.

jeu *nm* **1.** *(divertissement)* play *(indén)*, playing *(indén)* ● **jeu de mots** play on words, pun **2.** *(régi par des règles)* game ● **mettre un joueur hors jeu** to put a player offside ● **jeu de société** parlour (UK) *ou* parlor (US) game **3.** *(d'argent)* ● **le jeu** gambling **4.** *(d'échecs, de clés)* set ● **jeu de cartes** pack (UK) *ou* deck (US) of cards **5.** *(manière de jouer)* MUS playing ; THÉÂTRE acting ; SPORT game **6.** TECHNOL play **7.** *(locution)* ● **cacher son jeu** to play one's cards close to one's chest. ■ **Jeux Olympiques** *nmpl* ● **les Jeux Olympiques** the Olympic Games.

jeudi *nm* Thursday. Voir aussi **samedi.**

> En anglais, les jours de la semaine s'écrivent avec une majuscule.

jeun ■ **à jeun** *loc adv* on an empty stomach.

jeune *adj* **1.** young ● **jeune homme/femme** young man/woman ● **jeune pousse** ÉCON start up (company) **2.** *(style, apparence)* youthful. ❏ *nm* young person ● **les jeunes** young people. ■ **jeunes** *nmpl* ● **les jeunes** youngsters, young people, the young ● **les jeunes d'aujourd'hui** today's young people, the young people of today, the young generation ● **les jeunes ont préféré manger sur la terrasse** the youngsters chose to eat out on the terrace ● **une bande de jeunes** a bunch of kids.

jeûne *nm* fast.

jeunesse *nf* **1.** *(âge)* youth **2.** *(de style, apparence)* youthfulness **3.** *(jeunes gens)* young people *pl*.

jingle *nm* jingle.

jiu-jitsu *nm* ju-jitsu, jiu-jitsu.

JO *nmpl (abrév de Jeux Olympiques)* Olympic Games.

joaillerie *nf* **1.** *(métier)* jewel trade **2.** *(magasin)* jeweller's (UK) *ou* jeweler's (US) (shop).

joaillier, ère *nm, f* jeweller (UK), jeweler (US).

job *nm fam* job.

jobard, e *adj fam* gullible.

jockey *nmf* jockey.

jogging *nm* **1.** *(activité)* jogging ● **faire du jogging** to go jogging **2.** *(vêtement)* tracksuit, jogging suit.

joie *nf* joy ● **crier de joie** to shout for joy.

S'EXPRIMER

exprimer sa joie

- **I'm glad we saw each other.** Je suis content que nous nous soyons vus.
- **I'm really looking forward to the holidays** (UK) *ou* **my vacation** (US). Je me réjouis à l'avance des vacances.
- **I'm glad you're feeling better.** Ça me fait plaisir que tu ailles mieux.
- **It's really nice to see you!** Quel plaisir de te voir !
- **What a nice surprise!** Quelle bonne surprise !

---

joignable *adj* contactable.

joindre vt **1.** *(rapprocher)* to join **2.** *(mains)* to put together **3.** *(mettre avec)* • **joindre qqch (à)** to attach sthg (to) **4.** *(ajouter)* • **joindre un fichier à un message électronique** to attach a file to an email message ; *(adjoindre)* to enclose sthg (with) **5.** *(par téléphone)* to contact, to reach. ■ **se joindre** vp • **se joindre à qqn** to join sb • **se joindre à qqch** to join in sthg.

joint, e pp → **joindre**. ■ **joint** nm **1.** *(d'étanchéité)* seal **2.** *fam (drogue)* joint. ■ **joint de culasse** nm cylinder head gasket.

joker nm joker.

joli, e adj **1.** *(femme, chose)* pretty, attractive **2.** *(somme, situation)* nice.

joliment adv **1.** *(bien)* prettily, attractively **2.** *iron* nicely **3.** *fam (beaucoup)* really.

jonc nm rush, bulrush.

joncher vt to strew • **être jonché de** to be strewn with.

jonction nf *(de routes)* junction.

jongler vi to juggle.

jongleur, euse nm,f juggler.

jonquille nf daffodil.

Jordanie nf • **la Jordanie** Jordan.

jouable adj **1.** SPORT playable **2.** *(situation)* feasible.

joue nf cheek • **tenir** ou **mettre qqn en joue** fig to take aim at sb.

jouer vi **1.** *(gén)* to play • **jouer avec qqn/qqch** to play with sb/sthg • **jouer à qqch** *(jeu, sport)* to play sthg • **jouer de** MUS to play • **à toi de jouer !** (it's) your turn! **2.** fig your move! **3.** CINÉ & THÉÂTRE to act **4.** *(parier)* to gamble. ❑ vt **1.** *(carte, partie)* to play **2.** *(somme d'argent)* to bet, to wager **3.** fig to gamble with **4.** (THÉÂTRE *-pièce)* to put on, to perform ; *(-personnage, rôle)* to play **5.** *(avoir à l'affiche)* to show **6.** MUS to perform, to play.

jouet nm toy.

joueur, euse nm,f **1.** SPORT player • **joueur de football** soccer ou football (UK) player, footballer (UK) **2.** *(au casino)* gambler.

joufflu, e adj *(personne)* chubby-cheeked.

joug nm yoke.

jouir vi **1.** *(profiter)* • **jouir de** to enjoy **2.** *(sexuellement)* to have an orgasm.

jouissance nf **1.** DR *(d'un bien)* use **2.** *(sexuelle)* orgasm.

joujou nm toy.

jour nm **1.** *(unité de temps)* day • **huit jours** a week • **quinze jours** two weeks, a fortnight (UK) • **de jour en jour** day by day • **jour après jour** day after day • **au jour le jour** from day to day • **jour et nuit** night and day • **le jour de l'an** New Year's Day • **jour chômé** public holiday • **jour de congé** day off • **jour férié** public holiday • **jour ouvrable** working day • **jour de semaine** weekday **2.** *(lumière)* daylight • **de jour**

in the daytime, by day **3.** COUT opening *(made by drawing threads)* **4.** *(locution)* • **mettre qqch à jour** to update sthg, to bring sthg up to date.

journal nm **1.** *(publication)* newspaper, paper **2.** TV • **journal télévisé** television news **3.** *(écrit)* • **journal (intime)** diary, journal • **journal électronique** electronic newspaper • **journal gratuit** free paper (UK).

journalier, ère adj daily.

journalisme nm journalism.

journaliste nmf journalist, reporter.

journalistique adj journalistic.

journée nf day.

joute nf **1.** joust **2.** fig duel.

jovial, e adj jovial, jolly.

joyau nm jewel.

joyeux, euse adj joyful, happy • **joyeux Noël !** Merry Christmas!

joystick nm joystick.

JPEG (abrév de Joint Photographic Experts Group) nm JPEG • **fichier JPEG** JPEG file.

jubilé nm jubilee.

jubiler vi fam to be jubilant.

jucher vt • **jucher qqn sur qqch** to perch sb on sthg. ■ **se jucher** vp • **se jucher sur qqch** to perch on sthg.

judaïque adj **1.** *(loi)* Judaic **2.** *(tradition, religion)* Jewish.

judaïsme nm Judaism.

judas nm *(ouverture)* peephole.

judéo-chrétien, enne adj Judaeo-Christian.

judiciaire adj judicial.

judicieux, euse adj judicious.

judo nm judo • **faire du judo** to do judo.

juge nmf judge • **juge d'instruction** examining magistrate • **juge d'enfants** children's judge, juvenile magistrate (UK) • **juge de chaise** umpire.

jugé ■ **au jugé** loc adv by guesswork • **tirer au jugé** to fire blind.

jugement nm judgment • **prononcer un jugement** to pass sentence.

jugeote nf fam common sense.

juger vt **1.** to judge **2.** *(accusé)* to try • **juger que** to judge (that), to consider (that) • **juger qqn/qqch inutile** to consider sb/sthg useless. ❑ vi to judge • **juger de qqch** to judge sthg

• **si j'en juge d'après mon expérience** judging from my experience • **jugez de ma surprise !** imagine my surprise!

juger

bon	good
mauvais	bad
bien *(adverbe)*	well
bien *(adjectif)*	good
mal *(adverbe)*	badly
mal *(adjectif)*	bad
fort	strong
faible	weak
beaucoup	a lot
peu	little
assez	enough
très	very
vite	fast

juguler *vt* **1.** *(maladie)* to halt **2.** *(révolte)* to put down **3.** *(inflation)* to curb.

juif, ive *adj* Jewish. ■ **Juif, ive** *nm, f* Jew.

> En anglais les adjectifs se rapportant aux religions s'écrivent avec une majuscule.

juillet *nm* July • **la fête du 14 juillet** the Fourteenth of July, Bastille Day. Voir aussi **septembre**.

> En anglais les noms de mois s'écrivent avec une majuscule.

juin *nm* June. Voir aussi **septembre**.

> En anglais, les mois de l'année s'écrivent avec une majuscule.

juke-box *nm inv* jukebox.

julienne *nf* • **julienne de légumes** *si vous voulez expliquer à un anglophone de quoi il s'agit, vous pouvez dire* it is a clear soup with very thin strips of vegetable.

jumeau, elle *adj* twin *(avant nom)*. ❏ *nm, f* twin. ■ **jumelles** *nfpl (en optique)* binoculars.

jumelage *nm* twinning.

jumelé, e *adj* **1.** *(villes)* twinned **2.** *(maisons)* semidetached.

jumeler *vt* to twin.

jument *nf* mare.

jungle *nf* jungle.

junior *adj & nmf* SPORT junior.

junte *nf* junta.

jupe *nf* skirt.

jupe-culotte *nf* culottes *pl*.

jupon *nm* petticoat, slip.

juré¹, e *nm, f* DR juror.

juré², e *adj* • **ennemi juré** sworn enemy.

jurer *vt* • **jurer qqch à qqn** to swear *ou* pledge sthg to sb • **jurer (à qqn) que...** to swear (to sb) that... • **jurer de faire qqch** to swear *ou* vow to do sthg • **je vous jure !** *fam* honestly! ❏ *vi* **1.** *(blasphémer)* to swear, to curse **2.** *(ne pas aller ensemble)* • **jurer (avec)** to clash (with). ■ **se jurer** *vp* • **se jurer de faire qqch** to swear *ou* vow to do sthg.

juridiction *nf* jurisdiction.

juridique *adj* legal.

jurisprudence *nf* jurisprudence.

juriste *nmf* lawyer.

juron *nm* swearword, oath.

jury *nm* **1.** DR jury **2.** *(SCOL - d'examen)* examining board ; *(- de concours)* admissions board.

jus *nm* **1.** *(de fruits, légumes)* juice • **du jus d'orange** some orange juice **2.** *(de viande)* gravy.

jusque, jusqu' ■ **jusqu'à** *loc prép* **1.** *(sens temporel)* until, till • **jusqu'à nouvel ordre** until further notice • **jusqu'à présent** up until now, so far **2.** *(sens spatial)* as far as • **jusqu'au bout** to the end **3.** *(même)* even. ■ **jusqu'à ce que** *loc conj* until, till. ■ **jusqu'en** *loc prép* up until. ■ **jusqu'ici** *loc adv* **1.** *(lieu)* up to here **2.** *(temps)* up until now, so far. ■ **jusque-là** *loc adv* **1.** *(lieu)* up to there **2.** *(temps)* up until then.

justaucorps *nm (maillot)* leotard.

juste *adj* **1.** *(équitable)* fair **2.** *(exact)* right, correct **3.** *(trop petit, trop court)* tight. ❏ *adv* **1.** *(bien)* correctly, right **2.** *(exactement, seulement)* just.

justement *adv* **1.** *(avec raison)* rightly **2.** *(précisément)* exactly, precisely.

justesse *nf* **1.** *(de remarque)* aptness **2.** *(de raisonnement)* soundness. ■ **de justesse** *loc adv* only just.

justice *nf* **1.** DR justice • **passer en justice** to stand trial • **il a eu des problèmes avec la justice** he had problems with the law **2.** *(équité)* fairness.

justicier, ère *nm, f* righter of wrongs.

justifiable *adj* justifiable.

justificatif, ive *adj* supporting *(avant nom)*. ■ **justificatif** *nm* written proof *(indén)* • **justificatif de domicile** proof of address.

justification *nf* justification.

justifier *vt (gén)* to justify. ■ **se justifier** *vp* to justify o.s.

jute *nm* jute.

juteux, euse *adj* juicy.

juvénile *adj* youthful.

juxtaposer *vt* to juxtapose, to place side by side.

K

k, K *nm inv* k, K.

K7 *(abrév de cassette)* *nf* cassette.

kaki *nm* **1.** *(couleur)* khaki **2.** *(fruit)* persimmon. ❑ *adj inv* khaki.

kaléidoscope *nm* kaleidoscope.

kamikaze *nmf* kamikaze pilot.

kanak *adj* Kanak. ■ **Kanak** *nmf* Kanak.

kangourou *nm* kangaroo.

karaoké *nm* karaoke.

karaté *nm* karate • **faire du karaté** to do karate.

karité *nm* shea.

karting *nm* go-karting (UK), go-carting (US).

kasher, cascher, cachère *adj inv* kosher.

kayak *nm* kayak • **faire du kayak** to go canoeing • **son kayak s'est retourné** his canoe capsized.

Kenya *nm* • **le Kenya** Kenya.

képi *nm* kepi.

kératine *nf* keratin.

kermesse *nf* **1.** *(foire)* fair **2.** *(fête de bienfaisance)* fête.

kérosène *nm* kerosene.

ketchup *nm* ketchup.

keuf *nm fam* cop.

keum *nm fam* guy, bloke.

kg *(abrév de kilogramme)* kg.

khâgne *nf* second year of a two-year preparatory arts course taken prior to the competitive examination for entry into the École normale supérieure.

kibboutz *nm inv* kibbutz.

kidnapper *vt* to kidnap.

kidnappeur, euse *nm, f* kidnapper.

kiffer, kifer *vt fam* to love.

kilo *nm* kilo.

kilogramme *nm* kilogram, kilogramme (UK).

kilométrage *nm* **1.** *(de voiture)* ≃ mileage **2.** *(distance)* distance.

kilomètre *nm* kilometre (UK), kilometer (US) • **faire du cent cinquante kilomètres heure** to be doing a hundred and fifty kilometres (UK) *ou* kilometers (US) an hour.

kilo-octet *nm* INFORM kilobyte.

kilowatt *nm* kilowatt.

kilt *nm* kilt.

kimono *nm* kimono.

kiné *fam nmf* *(abrév de kinésithérapeute)* physio (UK), physical therapist (US). ❑ *nmf* *(abrév de kinésithérapie)* physio (UK), physical therapy (US) • **5 séances de kiné** 5 sessions of physio (UK) *ou* physical therapy (US).

kinésithérapeute *nmf* physiotherapist (UK), physical therapist (US).

kinésithérapie *nf* physiotherapy (UK), physical therapy (US).

kiosque *nm* **1.** *(de vente)* kiosk • **un kiosque à journaux** a newspaper kiosk **2.** *(pavillon)* pavilion.

kir *nm* kir *(white wine and blackcurrant liqueur)* • **kir royal** kir royal *(champagne with blackcurrent liqueur)*.

kirsch *nm* cherry brandy.

kit *nm* kit • **en kit** in kit form • **kit mains libres** TÉLÉCOM hands-free kit • **kit auto mains libres** *(pour mobile)* car kit.

kitch *adj inv* = kitsch.

kitchenette *nf* kitchenette.

kitsch *adj inv* kitsch.

kiwi *nm* **1.** *(oiseau)* kiwi **2.** *(fruit)* kiwi, kiwi fruit *(indén)*.

Klaxon® *nm* horn • **donner un coup de Klaxon** to sound one's horn, to hoot.

klaxonner *vi* to hoot, to honk.

kleptomane *nmf* kleptomaniac.

km *(abrév de kilomètre)* km.

km/h *(abrév de kilomètre par heure)* kph.

Ko *(abrév de kilo-octet)* K.

K.-O. *nm* • **mettre qqn K.-O.** to knock sb out.

Koweït *nm* *(pays, ville)* Kuwait • **le Koweït** Kuwait.

krach *nm* crash • **krach boursier** stock market crash.

kung-fu *nm* kung fu.

kurde *adj* Kurdish. ❑ *nm* *(langue)* Kurdish. ■ **Kurde** *nmf* Kurd.

kyrielle *nf fam* **1.** stream **2.** *(d'enfants)* horde.

kyste *nm* cyst.

l, L *nm inv* l, L. ❏ (abrév de *litre*) l.

la¹ *art déf & pron pers* → le.

la² *nm inv* **1.** *MUS* A **2.** *(chanté)* la, lah **(UK)**.

là *adv* **1.** *(lieu)* there • **à 3 kilomètres de là** 3 kilometres from there • **passe par là** go that way • **c'est là que je travaille** that's where I work • **je suis là** I'm here **2.** *(temps)* then • **à quelques jours de là** a few days later, a few days after that **3.** *(avec une proposition relative)* • **là où a)** *(lieu)* where **b)** *(temps)* when. ❏ Voir aussi **ce, là-bas, là-dedans** etc.

là-bas *adv* (over) there.

label *nm* **1.** *(étiquette)* • **label de qualité** label guaranteeing quality **2.** *(commerce)* label, brand name **3.** *(maison de disques)* label.

labeur *nm sout* labour **(UK)**, labor **(US)**.

labo (abrév de *laboratoire*) *nm fam* lab.

laborantin, e *nm, f* laboratory assistant.

laboratoire *nm* laboratory • **un laboratoire d'analyses** a test laboratory.

laborieux, euse *adj (difficile)* laborious.

labourer *vt* **1.** *AGRIC* to plough **(UK)**, to plow **(US) 2.** *fig (creuser)* to make a gash in.

laboureur *nm* ploughman **(UK)**, plowman **(US)**.

labyrinthe *nm* labyrinth.

lac *nm* lake • **les Grands Lacs** the Great Lakes • **le lac Léman** Lake Geneva.

lacer *vt (chaussures)* to lace up, to tie up.

lacérer *vt* **1.** *(déchirer)* to shred **2.** *(blesser, griffer)* to slash.

lacet *nm* **1.** *(cordon)* lace **2.** *(de route)* bend **3.** *(piège)* snare.

lâche *nmf* coward. ❏ *adj* **1.** *(nœud)* loose **2.** *(personne, comportement)* cowardly.

lâcher *vt* **1.** *(libérer - bras, objet)* to let go of ; *(- animal)* to let go, to release **2.** *(émettre - son, mot)* to let out, to come out with **3.** *(desserrer)* to loosen **4.** *(laisser tomber)* • **lâcher qqch** to drop sthg. ❏ *vi* to give way.

lâcheté *nf* **1.** *(couardise)* cowardice **2.** *(acte)* cowardly act.

lacis *nm (labyrinthe)* maze.

laconique *adj* laconic.

lacrymal, e *adj* lacrimal.

lacrymogène *adj* tear *(avant nom)*.

lacté, e *adj (régime)* milk *(avant nom)*.

lacunaire *adj (insuffisant)* incomplete.

lacune *nf (manque)* gap.

lacustre *adj* **1.** *(faune, plante)* lake *(avant nom)* **2.** *(cité, village)* on stilts.

lad *nm* stable lad.

là-dedans *adv* inside, in there • **il y a quelque chose qui m'intrigue là-dedans** there's something in that which intrigues me.

là-dessous *adv* **1.** underneath, under there **2.** *fig* behind that.

là-dessus *adv* on that • **là-dessus, il partit** at that point *ou* with that, he left • **je suis d'accord là-dessus** I agree about that.

lagon *nm* lagoon.

lagune *nf* = **lagon**.

là-haut *adv* up there.

laïc, laïque *adj* **1.** lay *(avant nom)* **2.** *(juridiction)* civil *(avant nom)* **3.** *(école)* state *(avant nom)* • **l'école laïque** *(institution)* secular education. ❏ *nm, f* layman, laywoman *f*.

laid, e *adj* **1.** *(esthétiquement)* ugly **2.** *(moralement)* wicked.

laideron *nm* ugly woman.

laideur *nf* **1.** *(physique)* ugliness **2.** *(morale)* wickedness.

laie *nf ZOOL* wild sow.

lainage *nm* **1.** *(étoffe)* woollen **(UK)** *ou* woolen **(US)** material **2.** *(vêtement)* woollen **(UK)** *ou* woolen **(US)** garment, woolly **(UK)**.

laine *nf* wool • **laine polaire** polar fleece • **de la laine vierge** pure new wool.

laineux, euse *adj* woolly **(UK)**, wooly **(US)**.

laïque = **laïc**.

laisse *nf (corde)* lead **(UK)**, leash **(US)** • **tenir en laisse** *(chien)* to keep on a lead **(UK)** *ou* leash **(US)**.

laisser

■ laisser v aux

1. AUTORISER QQN À FAIRE QQCH
• **laisse-le parler !** let him talk! • **les parents de Luc ne le laissent pas sortir** Luc's parents won't let him go out • **laisse-le faire, il va y arriver** let him do it, he'll manage

2. AGIR DE FAÇON INCONTRÔLÉE
• **elle a laissé voir sa tristesse** she couldn't help showing her sadness • **il a laissé tomber le nouveau vase** he dropped the new vase

3. DANS DES EXPRESSIONS
• **laisse tomber !** drop it! • **laisse faire !** never mind! ou don't bother!

■ laisser vt

1. CONFIER
• **ils m'ont laissé leur chat pour le week-end** they left their cat with me for the week-end

2. CÉDER, DONNER
• **laisse-moi un morceau de gâteau** leave a piece of cake for me • **il m'a laissé sa casquette parce qu'elle me plaisait** he let me have his cap because I liked it

3. FAIRE DEMEURER
• **ils m'ont laissé dans l'erreur** they didn't tell me I was mistaken • **ça l'a laissé indifférent** it left him unmoved

4. PERDRE
• **Nelson a laissé son bras dans la bataille** Nelson lost his arm in the battle • **il y a laissé la vie** it cost him his life

■ se laisser vp

INDIQUE UN « RELÂCHEMENT »
• **ne te laisse pas décourager !** don't be discouraged • **laisse-toi aller** relax • **tu ne devrais pas te laisser aller** you shouldn't let yourself go • **elle s'est laissé persuader d'accorder une interview au magazine** she let herself be persuaded to grant an interview to the magazine

À PROPOS DE

laisser à

• *Laisser qqch à qqn* **Leave sthg for/to/with sb** ou **leave sb sthg**
Il faut noter la construction à double complément qui, en anglais, peut prendre deux formes dont le sens est le même :
1. une structure identique à celle du français : verbe + COD + préposition + COI **leave sthg for/to/with sb**
2. une structure qui diffère de celle du français, sans préposition, et dans laquelle

l'ordre des compléments est inversé : verbe + COI + COD **leave sb sthg**
• *Ils laissent toujours une clé de leur appartement aux voisins.* **They always leave a key to their flat with the neighbours** ou **They always leave the neighbours a key to their flat.**

laisser-aller nm inv carelessness.

laissez-passer nm inv pass.

lait nm **1.** (gén) milk • **lait concentré** ou **condensé a)** (sucré) condensed milk **b)** (non sucré) evaporated milk • **lait écrémé** skimmed ou skim (US) milk • **lait entier** whole milk **2.** (cosmétique) • **lait démaquillant** cleansing milk ou lotion. ■ **au lait** loc adj with milk.

laitage nm dairy product.

laiterie nf dairy.

laitier, ère adj dairy (avant nom). ❑ nm, f milk-man, milkwoman f.

laiton nm brass.

laitue nf lettuce.

laïus nm fam long speech.

lama nm **1.** ZOOL llama **2.** RELIG lama.

lambeau nm (morceau) shred.

lambris nm panelling (UK), paneling (US).

lame nf **1.** (fer) blade • **lame de rasoir** razor blade **2.** (lamelle) strip **3.** (vague) wave.

lamé, e adj lamé. ■ lamé nm lamé.

lamelle nf **1.** (de champignon) gill **2.** (tranche) thin slice **3.** (de verre) slide.

lamentable adj **1.** (résultats, sort) appalling **2.** (ton) plaintive.

lamentation nf **1.** (plainte) lamentation **2.** (gén pl) (jérémiade) moaning (indén).

lamenter ■ **se lamenter** vp to complain.

laminer vt **1.** (dans l'industrie) to laminate **2.** fig (personne, revenus) to eat away at.

lampadaire nm **1.** (d'intérieur) floor lamp, standard lamp (UK) **2.** (de rue) street lamp ou light.

lampe nf lamp, light • **lampe de chevet** bedside lamp • **lampe halogène** halogen light • **lampe de poche** torch (UK), flashlight (US).

lampe-tempête nf storm lamp.

lampion nm Chinese lantern.

lampiste nm (employé, subalterne) underling, dogsbody (UK).

lance nf **1.** (arme) spear **2.** (de tuyau) nozzle • **lance d'incendie** fire hose.

lance-flammes nm inv flame-thrower.

lancement nm (d'entreprise, produit, navire) launching • **le lancement de la fusée** the rocket launch.

lance-pierre(s) nm catapult (UK), slingshot (US).

lancer vt **1.** (pierre, javelot) to throw • **lancer qqch sur qqn** to throw sthg at sb **2.** (fusée, produit, *style*) to launch **3.** *(émettre)* to give off **4.** *(cri)* to let out **5.** *(injures)* to hurl **6.** *(ultimatum)* to issue **7.** *(moteur)* to start up **8.** *(INFORM - programme)* to start • **lancer une impression** to start printing ; *(- système)* to boot (up) **9.** *fam & fig (sur un sujet)* • **lancer qqn sur qqch** to get sb started on sthg **10.** *(faire connaître)* to launch. ❏ *nm* **1.** *(à la pêche)* casting **2.** *SPORT* throwing • **lancer le poids** the shotput, putting the shot. ■ **se lancer** *vp* **1.** *(débuter)* to make a name for o.s **2.** *(s'engager)* • **se lancer dans** *(dépenses, explication, lecture)* to embark on.

lance-roquettes *nm* (hand held) rocket launcher *ou* gun.

lanceur, euse *nm, f SPORT* thrower • **lanceur de javelot** javelin thrower • **lanceur de poids** shot putter. • **lanceur** *nm AÉRON* launcher.

lancinant, e *adj* **1.** *(douleur)* shooting **2.** *fig (obsédant)* haunting **3.** *(monotone)* insistent.

landau *nm (d'enfant)* pram (UK), baby carriage (US).

lande *nf* moor.

langage *nm (gén)* language.

lange *nm* nappy (UK), diaper (US).

langer *vt* to change.

langoureux, euse *adj* languorous.

langouste *nf* crayfish.

langoustine *nf* langoustine.

langue *nf* **1.** *fig ANAT* tongue **2.** *LING* language • **langue maternelle** mother tongue • **langue morte/vivante** dead/modern language • **langue officielle** official language **3.** *(forme)* tongue.

languette *nf* tongue.

langueur *nf* **1.** *(dépérissement, mélancolie)* languor **2.** *(apathie)* apathy.

languir *vi* **1.** *(dépérir)* • **languir (de)** to languish (with) **2.** *sout (attendre)* to wait • **faire languir qqn** to keep sb waiting.

lanière *nf* strip.

lanoline *nf* lanolin.

lanterne *nf* **1.** *(éclairage)* lantern **2.** *(phare)* light.

Laos *nm* • **le Laos** Laos.

laper *vt & vi* to lap.

lapidaire *nm* lapidary. ❏ *adj* **1.** lapidary **2.** *fig (style)* terse.

lapider *vt (tuer)* to stone.

lapin, e *nm, f CULIN & ZOOL* rabbit. ■ **lapin** *nm (fourrure)* rabbit fur.

Laponie *nf* • **la Laponie** Lapland.

laps *nm* • **(dans) un laps de temps** (in) a while.

lapsus *nm* slip (of the tongue/pen).

laquais *nm* lackey.

laque *nf* **1.** *(vernis, peinture)* lacquer **2.** *(pour cheveux)* hair spray, lacquer (UK).

laqué, e *adj* lacquered.

laquelle → **lequel**.

larbin *nm fam & péj* **1.** *(domestique)* servant **2.** *(personne servile)* yes-man.

larcin *nm* **1.** *(vol)* larceny, theft **2.** *(butin)* spoils *pl*.

lard *nm* **1.** *(graisse de porc)* lard **2.** *(viande)* bacon.

lardon *nm* **1.** *CULIN* bacon cube **2.** *fam (enfant)* kid.

large *adj* **1.** *(étendu, grand)* wide • **large de 5 mètres** 5 metres (UK) *ou* meters (US) wide **2.** *(important, considérable)* big **3.** *(esprit, sourire)* broad • **avoir l'esprit large** *ou* **les idées larges** to be broad-minded *ou* open-minded **4.** *(généreux - personne)* generous. ❏ *nm* **1.** *(largeur)* • **5 mètres de large** 5 metres (UK) *ou* meters (US) wide **2.** *(mer)* • **le large** the open sea • **au large de la côte française** off the French coast.

largement *adv* **1.** *(diffuser, répandre)* widely • **la porte était largement ouverte** the door was wide open **2.** *(donner, payer)* generously **3.** *(dépasser)* considerably **4.** *(récompenser)* amply • **avoir largement le temps** to have plenty of time **5.** *(au moins)* easily.

largeur *nf* **1.** *(d'avenue, de cercle)* width • **quelle est la largeur du salon ?** how wide is the living room? **2.** *fig (d'idées, d'esprit)* breadth.

larguer *vt* **1.** *(voile)* to unfurl **2.** *(bombe, parachutiste)* to drop **3.** *fam & fig (abandonner)* to dump, to chuck (UK).

larme *nf (pleur)* tear • **être en larmes** to be in tears.

larmoyant, e *adj* **1.** *(yeux, personne)* tearful **2.** *péj (histoire)* tearjerking.

larron *nm vieilli (voleur)* thief.

larve *nf* **1.** *ZOOL* larva **2.** *péj (personne)* wimp.

laryngite *nf* laryngitis *(indén)*.

larynx *nm* larynx.

las, lasse *adj littéraire (fatigué)* weary.

lascar *nm fam* **1.** *(homme louche)* shady character **2.** *(homme rusé)* rogue **3.** *(enfant)* rascal.

lascif, ive *adj* lascivious.

laser *nm* laser. ❏ *adj inv* laser *(avant nom)*.

lasser *vt* **1.** *sout (personne)* to weary **2.** *sout (patience)* to try. ■ **se lasser** *vp* to weary.

lassitude *nf* lassitude.

lasso *nm* lasso.

latent, e *adj* latent.

latéral, e *adj* lateral.

latex *nm inv* latex.

latin, e *adj* Latin. ■ **latin** *nm (langue)* Latin.

latiniste *nmf* **1.** *(spécialiste)* Latinist **2.** *(étudiant)* Latin student.

latino *adj & nmf* Latino.

latino-américain, e *adj* Latin-American, Hispanic.

latitude *nf litt & fig* latitude.

latrines *nfpl* latrines.

latte *nf* lath, slat.

lauréat, e *nm,f* prizewinner, winner.

laurier *nm* BOT laurel.

laurier-rose *nm* oleander.

lavable *adj* washable • **lavable en machine** machine-washable.

lavabo *nm* **1.** *(cuvette)* basin (UK), washbowl (US) **2.** *(gén pl) (local)* toilet (UK), washroom (US).

lavage *nm* washing.

lavande *nf* BOT lavender.

lave *nf* lava.

lave-glace *nm* windscreen washer (UK), windshield washer (US).

lave-linge *nm inv* washing machine.

lavement *nm* enema.

laver *vt* **1.** *(nettoyer)* to wash **2.** *fig (disculper)* • **laver qqn de qqch** to clear sb of sthg. ■ **se laver** *vp (se nettoyer)* to wash o.s., to have a wash (UK), to wash up (US) • **se laver les mains/les cheveux** to wash one's hands/hair.

laverie *nf (commerce)* laundry • **laverie automatique** launderette, laundrette, Laundromat®(US).

lavette *nf* **1.** *(brosse)* washing-up brush (UK), dish mop (US) **2.** *(en tissu)* dishcloth **3.** *fam (homme)* drip.

laveur, euse *nm,f* washer • **laveur de carreaux** window cleaner *(person)*.

lave-vaisselle *nm inv* dishwasher.

lave-vitre *nm* AUTO windscreen (UK) *ou* windshield (US) washer.

lavoir *nm (lieu)* laundry.

laxatif, ive *adj* laxative. ■ **laxatif** *nm* laxative.

laxisme *nm* laxity.

laxiste *adj* lax.

layette *nf* layette.

LCD *(abrév de liquid cristal display) nm* LCD.

le, la *art déf* **1.** *(gén)* the • **le lac** the lake • **la fenêtre** the window • **l'homme** the man • **les enfants** the children **2.** *(devant les noms abstraits)* • **l'amour** love • **la liberté** freedom • **la vieillesse** old age **3.** *(temps)* • **le 15 janvier 1953** 15th January 1953 (UK), January 15th, 1953 (US) • **je suis arrivé le 15 janvier 1953** I arrived on the 15th of January 1953 *ou* on January 15th, 1953 (US) • **le lundi a)** *(habituellement)* on Mondays **b)** *(jour précis)* on (the)

Monday **4.** *(possession)* • **se laver les mains** to wash one's hands • **avoir les cheveux blonds** to have fair hair **5.** *(distributif)* per, a • **2 euros le mètre** 2 euros per metre (UK) *ou* meter (US), 2 euros a metre (UK) *ou* meter (US) **6.** *(dans les fractions)* a, an **7.** *(avec un nom propre)* the. ❑ *pron pers* **1.** *(personne)* him, her *f*, them *pl* • **je le/la/les connais bien** I know him/her/them well **2.** *(chose)* it, them *pl* • **tu dois avoir la clé, donne-la moi** you must have the key: give it to me **3.** *(animal)* it, him, her *f*, them *pl* **4.** *(représente une proposition)* • **je le sais bien** I know, I'm well aware (of it) • **je te l'avais bien dit !** I told you so!

le

À PROPOS DE

Devant les noms abstraits ou généraux, l'article ne se traduit pas.
• *La liberté.* **Freedom.**
• *Les femmes.* **Women.**
Avec les parties du corps, on utilise les pronoms possessifs en anglais pour traduire l'article défini.
• *Elle se lave les cheveux.* **She's washing her hair.**
Lorsqu'on décrit le physique d'une personne, l'article ne se traduit pas.
• *Il a les cheveux blonds.* **He has blonde hair.**
Lorsqu'il s'agit d'un animal familier, on utilise souvent en anglais le pronom **him**, normalement réservé aux personnes, pour traduire le pronom le.
• *Le chat a envie de sortir, veux-tu le laisser faire ?* **The cat wants to go out, do you want to let him?**

la

À PROPOS DE

Lorsqu'il s'agit d'un animal familier, on utilise souvent en anglais le pronom **her**, normalement réservé aux personnes, pour traduire le pronom la.
• *La chatte a envie de sortir, veux-tu la laisser faire ?* **The cat wants to go out, do you want to let her?**

LEA *(abrév de langues étrangères appliquées) nfpl* applied foreign languages.

leader *nm (de parti, course)* leader.

leadership *nm* leadership.

lécher *vt* **1.** *(passer la langue sur, effleurer)* to lick **2.** *(sujet : vague)* to wash against **3.** *fam (fignoler)* to polish (up).

lèche-vitrines *nm inv* window-shopping • **faire du lèche-vitrines** to go window-shopping.

leçon *nf* **1.** *(gén)* lesson • **leçons de conduite** driving lessons • **leçons particulières** private lessons *ou* classes **2.** *(conseil)* advice *(indén)* • **faire la leçon à qqn** to lecture sb.

lecteur, trice nm, f **1.** (de livres) reader **2.** UNIV foreign language assistant. ■ **lecteur** nm **1.** (gén) head • **lecteur de CD/DVD** CD/DVD player • **lecteur MP3** MP3 player **2.** INFORM reader • **lecteur biométrique** biometric reader.

lecture nf reading.

ledit, ladite adj the said, the aforementioned.

légal, e adj legal.

légalement adv legally.

légaliser vt (rendre légal) to legalize.

légalité nf **1.** (de contrat, d'acte) legality, lawfulness **2.** (loi) law.

légataire nmf legatee.

légendaire adj legendary.

légende nf **1.** (fable) legend **2.** (de carte, de schéma) key.

léger, ère adj **1.** (objet, étoffe, repas) light **2.** (bruit, différence, odeur) slight **3.** (alcool, tabac) low-strength **4.** (femme) flighty **5.** (insouciant - ton) light-hearted ; (- conduite) thoughtless. ■ **à la légère** loc adv lightly, thoughtlessly.

légèrement adv **1.** (s'habiller, poser) lightly **2.** (agir) thoughtlessly **3.** (blesser, remuer) slightly.

légèreté nf **1.** (d'objet, de repas, de punition) lightness **2.** (de style) gracefulness **3.** (de conduite) thoughtlessness **4.** (désinvolture) flightiness.

légiférer vi to legislate.

légion nf MIL legion.

légionellose nf MÉD legionnaires' disease.

légionnaire nm legionary.

législateur, trice nm, f legislator.

législatif, ive adj legislative. ■ **législatives** nfpl • **les législatives** the legislative elections ; ≃ the general election (sing) (UK) ; ≃ the Congressional election (sing) (US).

législation nf legislation.

légiste adj **1.** (juriste) jurist **2.** → **médecin**.

légitime adj legitimate.

légitimer vt **1.** (reconnaître) to recognize **2.** (enfant) to legitimize **3.** (justifier) to justify.

légitimité nf **1.** (de pouvoir, d'enfant) legitimacy **2.** (de récompense) fairness.

legs nm legacy.

léguer vt • **léguer qqch à qqn a)** DR to bequeath sthg to sb **b)** fig to pass sthg on to sb.

légume nm vegetable.

leitmotiv nm leitmotif.

Léman → **lac**.

lendemain nm (jour) day after • **le lendemain matin** the next morning • **au lendemain de** after, in the days following.

lénifiant, e adj litt & fig soothing.

lent, e adj slow.

lente nf nit.

lentement adv slowly.

lenteur nf slowness (indén).

lentille nf **1.** BOT & CULIN lentil **2.** (d'optique) lens • **lentilles de contact** contact lenses.

léopard nm leopard.

lèpre nf MÉD leprosy.

lequel, laquelle pron rel **1.** (complément - personne) whom ; (- chose) which **2.** (sujet - personne) who ; (- chose) which. ❑ pron interr • **lequel ?** which (one)?

En anglais, le pronom relatif est souvent omis.

les → **le**.

lesbienne nf lesbian.

léser vt (frustrer) to wrong.

lésiner vi to skimp • **ne pas lésiner sur** not to skimp on.

lésion nf lesion.

lessive nf 1. (nettoyage, linge) laundry, washing (UK) • **faire deux lessives par jour** to do two washes a day 2. (produit) washing powder (UK), laundry detergent (US).

lessiver vt 1. (nettoyer) to wash 2. CHIM to leach 3. fam (épuiser) to wipe out.

lest nm ballast.

leste adj 1. (agile) nimble, agile 2. (licencieux) crude.

lester vt (garnir de lest) to ballast.

letchi = litchi.

léthargie nf litt & fig lethargy.

letton, onne adj Latvian. ■ **letton** nm (langue) Latvian. ■ **Letton, onne** nm, f Latvian.

En anglais, les adjectifs se rapportant à un pays ou une région ainsi que le nom désignant la langue de ce pays ou cette région, s'écrivent avec une majuscule.

Lettonie nf • **la Lettonie** Latvia.

En anglais, à de rares exceptions près, il n'y a pas d'article devant les noms de pays.

lettre nf 1. (gén) letter • **en toutes lettres** in words, in full • **lettre de motivation** covering (UK) ou cover (US) letter 2. (sens des mots) • **à la lettre** to the letter. ■ **lettres** nfpl 1. (culture littéraire) letters 2. UNIV arts, humanities • **lettres classiques** classics • **lettres modernes** French language and literature.

leucémie nf leukaemia (UK), leukemia (US).

leucocyte nm leucocyte.

leur pron pers inv (to) them • **je voudrais leur parler** I'd like to speak to them • **je leur ai donné la lettre** I gave them the letter, I gave the letter to them. ■ **leur** adj poss their • **c'est leur tour** it's their turn • **leurs enfants** their children. ■ **le leur, la leur** pron poss theirs • **il faudra qu'ils y mettent du leur** they've got to pull their weight.

leurre nm 1. (appât) lure 2. fig (illusion) illusion 3. fig (tromperie) deception, trap.

leurrer vt to deceive. ■ **se leurrer** vp to deceive o.s.

levain nm CULIN • **pain au levain/sans levain** leavened/unleavened bread.

levant nm east. ❏ adj → **soleil**.

lever vt 1. (objet, blocus, interdiction) to lift 2. (main, tête, armée) to raise 3. (scellés, difficulté) to remove 4. (séance) to close, to end 5. (impôts, courrier) to collect 6. (enfant, malade) • **lever qqn** to get sb up. ❏ vi 1. (plante) to come up 2. (pâte) to rise. ❏ nm 1. (d'astre) rising, rise • **lever du jour** daybreak • **lever du soleil** sunrise 2. (de personne) • il

est toujours de mauvaise humeur au lever he's always in a bad mood when he gets up. ■ **se lever** vp 1. (personne) to get up, to rise 2. (vent) to get up 3. (soleil, lune) to rise 4. (jour) to break 5. (temps) to clear.

lève-tard nmf fam late riser.

lève-tôt nmf fam early riser.

levier nm litt & fig lever • **levier de vitesses** gear stick (UK), gear lever (UK), gearshift (US).

lévitation nf levitation.

lèvre nf 1. lip 2. (de vulve) labium.

lévrier, levrette nm, f greyhound.

levure nf yeast • **levure chimique** baking powder.

lexical, e adj lexical.

lexicographie nf lexicography.

lexique nm 1. (dictionnaire) glossary 2. (vocabulaire) vocabulary.

lézard nm lizard • **un bracelet de montre en lézard** a lizardskin watch strap.

lézarder vt to crack. ❏ vi fam (paresser) to bask. ■ **se lézarder** vp to crack.

liaison nf 1. (jonction, enchaînement) connection 2. CULIN & LING liaison 3. (contact, relation) contact • **avoir une liaison** to have an affair 4. (transports) link.

liane nf creeper.

liant, e adj sociable. ■ **liant** nm (substance) binder.

liasse nf 1. bundle 2. (de billets de banque) wad.

Liban nm • **le Liban** Lebanon.

En anglais, à de rares exceptions près, il n'y a pas d'article devant les noms de pays.

libanais, e adj Lebanese. ■ **Libanais, e** nm, f Lebanese (person) • **les Libanais** the Lebanese.

En anglais, les adjectifs se rapportant à un pays ou une région s'écrivent avec une majuscule.

libeller vt 1. (chèque) to make out 2. (lettre) to word.

libellule nf dragonfly.

libéral, e adj (attitude, idée, parti) liberal. ❏ nm, f POLIT liberal.

libéraliser vt to liberalize.

libéralisme nm liberalism.

libération nf 1. (de prisonnier) release, freeing 2. (de pays, de la femme) liberation 3. (d'énergie) release.

libérer vt 1. (prisonnier, fonds) to release, to free 2. (pays, la femme) to liberate • **libérer qqn de qqch** to free sb from sthg 3. (passage) to clear 4. (énergie) to release 5. (instincts, passions) to give free rein to. ■ **se libérer** vp 1. (se rendre disponible) to get away 2. (se dégager) • **se libérer de a)** (lien) to free o.s. from **b)** (engagement) to get out of.

libertaire nmf & adj libertarian.

liberté nf **1.** (gén) freedom • **en liberté** free • **parler en toute liberté** to speak freely • **liberté d'expression** freedom of expression • **liberté d'opinion** freedom of thought **2.** DR release **3.** (loisir) free time.

libertin, e nm, f libertine.

libidineux, euse adj lecherous.

libido nf libido.

libraire nmf bookseller.

librairie nf (magasin) bookshop (UK), bookstore (US).

libre adj **1.** (gén) free • **libre de qqch** free from sthg • **être libre de faire qqch** to be free to do sthg **2.** (école, secteur) private **3.** (passage) clear.

libre-échange nm free trade (indén).

librement adv freely.

libre-service nm **1.** (magasin) self-service shop (UK) ou store (US) **2.** (restaurant) self-service restaurant.

Libye nf • **la Libye** Libya.

libyen, enne adj Libyan. ■ **Libyen, enne** nm, f Libyan.

lice nf • **en lice** fig in the fray • **entrer en lice** fig to join the fray.

licence nf **1.** (permis) permit **2.** COMM licence (UK), license (US) • **licence d'exploitation** (de logiciel, de réseau) licence **3.** UNIV (first) degree • **licence ès lettres/en droit** ≃ Bachelor of Arts/Law degree **4.** littéraire (liberté) licence (UK), license (US).

licencié, e adj **1.** UNIV graduate (avant nom) **2.** (qui a perdu son emploi) laid off ou made redundant (UK). ❏ nm, f **1.** UNIV graduate **2.** (titulaire d'un permis) permit holder **3.** COMM licence (UK) ou license (US) holder **4.** (qui a perdu son emploi) laid off ou redundant (UK) employee.

licenciement nm **1.** dismissal **2.** (économique) layoff, redundancy (UK).

licencier vt **1.** (pour faute) to dismiss, to fire **2.** (pour raison économique) to lay off, to make redundant (UK) • **se faire licencier** to be laid off, to be made redundant (UK).

lichen nm lichen.

licite adj lawful, legal.

licorne nf unicorn.

lie nf (dépôt) dregs pl, sediment.

lié, e adj **1.** (mains) bound **2.** (amis) • **être très lié avec** to be great friends with.

lie-de-vin adj inv burgundy, wine-coloured (UK), wine-colored (US).

liège nm cork.

liégeois, e adj **1.** GÉOGR of/from Liège **2.** CULIN • **café/chocolat liégeois** si vous voulez expliquer de quoi il s'agit à un anglophone, vous pouvez dire it is coffee or chocolate ice cream topped with whipped cream.

lien nm **1.** (sangle) bond **2.** (relation, affinité) bond, tie • **avoir des liens de parenté avec** to be related to **3.** fig (enchaînement) connection, link.

lier vt **1.** (attacher) to tie (up) • **lier qqn/qqch à** to tie sb/sthg to **2.** (sujet : contrat, promesse) to bind • **lier qqn/qqch par** to bind sb/sthg by **3.** (relier par la logique) to link, to connect • **lier qqch à** to link sthg to, to connect sthg with **4.** (commencer) • **lier connaissance/conversation avec** to strike up an acquaintance/a conversation with **5.** (sujet : sujet, intérêt) to unite **6.** CULIN to thicken. ■ **se lier** vp (s'attacher) • **se lier (d'amitié) avec qqn** to make friends with sb.

lierre nm ivy.

liesse nf jubilation.

lieu nm **1.** (endroit) place • **en lieu sûr** in a safe place • **lieu de naissance** birthplace **2.** (locution) • **avoir lieu** to take place. ■ **lieux** nmpl **1.** (scène) scene sing, spot sing • **sur les lieux (d'un crime/d'un accident)** at the scene (of a crime/an accident) **2.** (domicile) premises. ■ **lieu commun** nm commonplace. ■ **au lieu de** loc prép • **au lieu de qqch/de faire qqch** instead of sthg/of doing sthg. ■ **en dernier lieu** loc adv lastly. ■ **en premier lieu** loc adv in the first place.

lieu-dit nm locality, place.

lieue nf league.

lieutenant, e nm, f lieutenant.

lièvre nm hare.

lifter vt TENNIS to put topspin on.

lifting nm face-lift.

ligament nm ligament.

ligature nf MÉD (lien) ligature ; (opération) ligation, ligature • **ligature des trompes** MÉD tubal ligation.

ligaturer vt MÉD to ligature, to ligate.

ligne nf **1.** (gén) line • **à la ligne** new line ou paragraph • **en ligne a)** (personnes) in a line **b)** INFORM on line • **restez en ligne !** TÉLÉCOM hold the line! • **ligne de départ/d'arrivée** starting/finishing (UK) ou finish (US) line • **ligne aérienne** airline • **ligne de commande** INFORM command line • **ligne de conduite** line of conduct • **ligne directrice** guideline • **lignes de la main** lines of the hand • **les grandes lignes** (transports) the main lines **2.** (forme - de voiture, meuble) lines pl **3.** (silhouette) • **garder la ligne** to keep one's figure • **surveiller sa ligne** to watch one's waistline **4.** *(de pêche)* fishing line • **pêcher à la ligne** to go angling **5.** *(locution)* • **dans les grandes lignes** in outline • **entrer en ligne de compte** to be taken into account.

lignée nf *(famille)* descendants pl • **dans la lignée de** fig *(d'écrivains, d'artistes)* in the tradition of.

ligoter vt **1.** *(attacher)* to tie up • **ligoter qqn à qqch** to tie sb to sthg **2.** fig *(entraver)* to bind.

ligue nf league.

liguer ■ **se liguer** vp to form a league • **se liguer contre** to conspire against.

lilas nm & adj inv lilac.

limace nf ZOOL slug.

limaille nf filings pl.

limande nf dab.

lime nf **1.** *(outil)* file • **lime à ongles** nail file **2.** BOT lime.

limer vt **1.** *(ongles)* to file **2.** *(aspérités)* to file down **3.** *(barreau)* to file through.

limier nm **1.** *(chien)* bloodhound **2.** *(détective)* sleuth.

liminaire adj introductory.

limitation nf **1.** limitation **2.** *(de naissances)* control • **limitation de vitesse** speed limit.

limite nf **1.** *(gén)* limit • **à la limite** *(au pire)* at worst • **à la limite, j'accepterais de le voir** if pushed, I'd agree to see him **2.** *(terme, échéance)* deadline • **limite d'âge** age limit. ❑ adj *(extrême)* maximum *(avant nom)* • **cas limite** borderline case • **date limite** deadline • **date limite de vente/consommation** sell-by/use-by date.

limiter vt **1.** *(borner)* to border, to bound **2.** *(restreindre)* to limit. ■ **se limiter** vp **1.** *(se restreindre)* • **se limiter à qqch/à faire qqch** to limit o.s. to sthg/to doing sthg **2.** *(se borner)* • **se limiter à** to be limited to.

limitrophe adj **1.** *(frontalier)* border *(avant nom)* • **être limitrophe de** to border on **2.** *(voisin)* adjacent.

limoger vt to dismiss.

limon nm GÉOL alluvium, silt.

limonade nf lemonade *(UK)*.

limpide adj **1.** *(eau)* limpid **2.** *(ciel, regard)* clear **3.** *(explication, style)* clear, lucid.

lin nm **1.** BOT flax **2.** *(tissu)* linen.

linceul nm shroud.

linéaire adj *(mesure, perspective)* linear.

linge nm **1.** *(lessive)* laundry, washing *(UK)* **2.** *(de lit, de table)* linen **3.** *(sous-vêtements)* underwear **4.** *(morceau de tissu)* cloth.

lingerie nf **1.** *(sous-vêtements)* lingerie **2.** *(local)* linen room.

lingette nf wipe • **lingette antibactérienne** anti-bacterial wipe • **lingette démaquillante** eye makeup remover pad.

lingot nm ingot.

linguistique nf linguistics *(indén)*. ❑ adj linguistic.

lino, linoléum nm lino, linoleum.

lion, lionne nm, f lion, lioness f. ■ **Lion** nm ASTROL Leo.

lionceau nm lion cub.

lipide nm lipid.

liquéfier vt to liquefy. ■ **se liquéfier** vp **1.** *(matière)* to liquefy **2.** fam & fig *(personne)* to turn to jelly.

liqueur nf liqueur.

liquidation nf **1.** FIN *(de compte)* settlement **2.** *(de société, stock)* liquidation • **liquidation judiciaire** compulsory liquidation.

liquide nm **1.** *(substance)* liquid • **liquide vaisselle** washing-up liquid, dishwashing liquid *(US)*, dish soap *(US)* • **liquide de refroidissement** coolant **2.** *(argent)* cash • **en liquide** in cash. ❑ adj *(corps, consonne)* liquid.

liquider vt **1.** *(compte)* FIN to settle **2.** *(société, stock)* to liquidate **3.** arg crime *(témoin)* to liquidate, to eliminate **4.** fig *(problème)* to eliminate, to get rid of.

liquidité nf liquidity. ■ **liquidités** nfpl liquid assets.

liquoreux, euse adj syrupy.

lire[1] vt to read • **lu et approuvé** read and approved.

lire[2] nf lira.

lis, lys nm lily.

Lisbonne npr Lisbon.

liseré, liséré nm **1.** *(ruban)* binding **2.** *(bande)* border, edging.

liseron nm bindweed.

liseuse nf **1.** *(vêtement)* bedjacket **2.** *(lampe)* reading light.

lisible adj *(écriture)* legible.

lisiblement adv legibly.

lisière nf *(limite)* edge.

lisse adj *(surface, peau)* smooth.

lisser vt **1.** *(papier, vêtements)* to smooth (out) **2.** *(moustache, cheveux)* to smooth (down) **3.** *(plumes)* to preen.

liste nf list • **liste d'attente** waiting list, waitlist *(US)* • **liste de discussion** INTERNET discussion list • **liste électorale** electoral register *(UK)*, electoral roll *(UK)*, list of registered voters *(US)* • **liste de mariage** wedding (present) list • **être sur la liste rouge** to be ex-directory *(UK)*, to have an unlisted number *(US)*.

lister vt to list.

listériose nf MÉD listeriosis *(indén)*.

listing nm listing.

lit nm *(gén)* bed • **faire son lit** to make one's bed • **garder le lit** to stay in bed • **se mettre au lit** to go to bed • **lit à baldaquin** four-poster bed • **lit de camp** camp bed *(UK)*, cot *(US)*.

litanie nf litany.

litchi, letchi nm lychee.

literie nf bedding.

lithographie nf 1. (procédé) lithography 2. (image) lithograph.

litière nf litter.

litige nm 1. DR lawsuit 2. (désaccord) dispute.

litigieux, euse adj 1. DR litigious 2. (douteux) disputed.

litre nm 1. (mesure, quantité) litre (UK), liter (US) 2. (récipient) litre ou liter (US) bottle.

littéraire adj literary.

littéral, e adj 1. (gén) literal 2. (écrit) written.

littérature nf (gén) literature.

littoral, e adj coastal. ■ **littoral** nm coast, coastline.

Lituanie nf • **la Lituanie** Lithuania.

> En anglais, à de rares exceptions près, il n'y a pas d'article devant les noms de pays.

lituanien, enne adj Lithuanian. ■ **lituanien** nm (langue) Lithuanian. ■ **Lituanien, enne** nm, f Lithuanian.

> En anglais, les adjectifs se rapportant à un pays ou une région ainsi que le nom désignant la langue de ce pays ou cette région, s'écrivent avec une majuscule.

liturgie nf liturgy.

livide adj (blême) pallid.

livraison nf (de marchandise) delivery • **livraison à domicile** home delivery.

livre¹ nm (gén) book • **livre de cuisine** cookbook, cookery book (UK) • **livre électronique** e-book • **livre d'images** picture book • **livre d'or** visitors' book • **livre de poche** paperback • **livre scolaire** schoolbook, textbook.

livre² nf (argent) • **livre sterling** pound sterling.

livrée nf (uniforme) livery.

livrer vt 1. COMM to deliver • **livrer qqch à qqn** (achat) to deliver sthg to sb 2. fig to reveal • **livrer qqch à qqn** (secret) to reveal ou give away sthg to sb 3. (coupable, complice) • **livrer qqn à qqn** to hand sb over to sb 4. (abandonner) • **livrer qqch à qqch** to give sthg over to sthg • **livrer qqn à lui-même** to leave sb to his own devices. ■ **se livrer** vp 1. (se rendre) • **se livrer à a)** (police, ennemi) to give o.s. up to **b)** (amant) to give o.s. to 2. (se confier) • **se livrer à** (ami) to open up to, to confide in 3. (se consacrer) • **se**

livrer à a) (occupation) to devote o.s. to **b)** (excès) to indulge in.

livret nm 1. (carnet) booklet • **livret de caisse d'épargne** bankbook, passbook (UK) • **livret de famille** si vous voulez donner expliquer à un anglophone de quoi il s'agit, vous pouvez dire it is an official family record book. It is given to newly-weds for them to keep a record of births and deaths in the family • **livret scolaire** ≃ school report (UK) ; ≃ report card (US) 2. (catalogue) catalogue (UK), catalog (US) 3. MUS book, libretto.

livreur, euse nm, f delivery man, woman f.

lobby nm lobby.

lobe nm ANAT & BOT lobe • **le lobe de l'oreille** the earlobe.

lober vt to lob.

local, e adj 1. local 2. (douleur) localized. ■ **local** nm room, premises pl. ■ **locaux** nmpl premises, offices.

localement adv locally.

localiser vt 1. (avion, bruit) to locate 2. (épidémie, conflit, produit multimédia) to localize.

localité nf (small) town.

locataire nmf tenant.

locatif nm GRAMM locative.

location nf 1. (de propriété - par propriétaire) renting, letting (UK) ; (- par locataire) renting 2. (de machine) leasing • **location de voitures/vélos** car/bicycle hire (UK), car/bicycle rental (US) 3. (bail) lease 4. (maison, appartement) rented property, rental (US) 5. (réservation) booking. ■ **en location** loc adj • **être en location a)** (locataire) to be renting (a house) **b)** (appartement) to be available for rent, to be up for rent.

location-vente nf ≃ hire purchase (UK) ; ≃ installment plan (US).

locomotion nf locomotion.

locomotive nf 1. (machine) locomotive 2. fig (leader) pacesetter.

locuteur, trice nm, f speaker.

locution nf expression, phrase.

loft nm (converted) loft.

logarithme nm logarithm.

loge nf 1. (de concierge, de francs-maçons) lodge 2. (d'acteur) dressing room.

logement nm 1. (hébergement) accommodation (UK), accommodations (pl) (US) 2. (appar-

> ### logement
> Attention ! Le mot **accommodation** est indénombrable en anglais britannique. Il ne s'emploie jamais ni au pluriel ni avec l'article indéfini **an** :
> • Je cherche un logement provisoire. **I'm looking for** (some) **temporary accommodation.**
>
> À PROPOS DE

tement) flat (UK), apartment (US) • **logement de fonction** company flat (UK) *ou* apartment (US).

---

les différentes formes de logement

l'appartement the apartment/flat
l'appart hôtel the apartment hotel
l'auberge (de jeunesse) the hostel
la chambre chez l'habitant the bed and breakfast *(B&B)*
le gîte rural the (country) holiday home
l'hôtel (deux/trois étoiles) the two-star/three-star hotel
la location the rental
la maison the house
le studio the studio apartment

---

loger *vi (habiter)* to live. ❑ *vt* **1.** *(amis, invités)* to put up **2.** *(sujet : hôtel, maison)* to accommodate, to take. ■ **se loger** *vp* **1.** *(trouver un logement)* to find accommodation (UK) *ou* accommodations (US) **2.** *(se placer - ballon, balle)* • **se loger dans** to lodge in, to stick in.

logeur, euse *nm, f* landlord, landlady *f*.

logiciel *nm* software *(indén)* • **logiciel éducatif** courseware • **logiciel intégré** integrated software.

logique *nf* logic. ❑ *adj* logical.

logiquement *adv* logically • **logiquement, tu devrais le recevoir demain** if all goes well, you should get it tomorrow.

logis *nm littéraire* abode.

logistique *nf* logistics *pl*.

logo *nm* logo.

loi *nf (gén)* law.

loin *adv* **1.** *(dans l'espace)* far • **plus loin** farther, further **2.** *(dans le temps - passé)* a long time ago ; *(- futur)* a long way off. ■ **au loin** *loc adv* in the distance, far off. ■ **de loin** *loc adv (depuis une grande distance)* from a distance • **de plus loin** from farther *ou* further away. ■ **loin de** *loc prép* **1.** *(gén)* far from • **loin de là !** *fig* far from it ! **2.** *(dans le temps)* • **il n'est pas loin de 9 h** it's nearly 9 o'clock, it's not far off 9 o'clock.

lointain, e *adj (pays, avenir, parent)* distant.

loir *nm* dormouse.

loisir *nm* **1.** *(temps libre)* leisure **2.** *(gén pl) (distractions)* leisure activities *pl*.

lombago = lumbago.

lombaire *nf* lumbar vertebra. ❑ *adj* lumbar.

londonien, enne *adj* London *(avant nom)*. ■ **Londonien, enne** *nm, f* Londoner.

En anglais, les adjectifs se rapportant aux villes s'écrivent avec une majuscule.

Londres *npr* London.

long, longue *adj* **1.** *(gén)* long **2.** *(lent)* slow • **être long à faire qqch** to take a long time doing sthg **3.** *(qui existe depuis longtemps)* long, long-standing. ■ **long** *nm (longueur)* • **4 mètres de long** 4 metres (UK) *ou* meters (US) long *ou* in length • **de long en large** up and down, to and fro • **en long et en large** in great detail • **(tout) le long de** *(espace)* all along • **tout au long de** *(année, carrière)* throughout. ❑ *adv (beaucoup)* • **en savoir long sur qqch** to know a lot about sthg. ■ **à la longue** *loc adv* in the end.

long-courrier *adj* **1.** *(navire)* ocean-going **2.** *(vol)* long-haul.

longe *nf (courroie)* halter.

longer *vt* **1.** *(border)* to go along *ou* alongside **2.** *(marcher le long de)* to walk along **3.** *(raser)* to stay close to, to hug.

longévité *nf* longevity.

longiligne *adj* long-limbed.

longitude *nf* longitude.

longitudinal, e *adj* longitudinal.

longtemps *adv* (for) a long time • **depuis longtemps** (for) a long time • **il y a longtemps que...** it's been a long time since... • **il y a longtemps qu'il est là** he's been here a long time • **mettre longtemps à faire qqch** to take a long time to do sthg.

longue → **long**.

longuement *adv* **1.** *(longtemps)* for a long time **2.** *(en détail)* at length.

longueur *nf* length • **faire 5 mètres de longueur** to be 5 metres (UK) *ou* meters (US) long • **disposer qqch en longueur** to put sthg lengthways • **à longueur de journée/temps** the entire day/time • **à longueur d'année** all year long • **longueur d'onde** wavelength • **saut en longueur** long jump. ■ **longueurs** *nfpl (de film, de livre)* boring parts.

longue-vue *nf* telescope.

look *nm fam* look • **avoir un look** to have a style.

looping *nm* loop-the-loop.

lopin *nm* • **lopin (de terre)** patch *ou* plot of land.

loquace *adj* loquacious.

loque *nf* **1.** *(lambeau)* rag **2.** *fig (personne)* wreck.

loquet *nm* latch.

lorgner *vt fam* **1.** *(observer)* to eye **2.** *(guigner)* to have one's eye on.

lors *adv* • **depuis lors** since that time • **lors de** at the time of.

lorsque *conj* when.

losange *nm* lozenge.

loser *nm fam* loser.

lot *nm* **1.** *(part)* share **2.** *(de terre)* plot **3.** *(stock)* batch **4.** *(prix)* prize **5.** *littéraire & fig (destin)* fate, lot.

loterie nf lottery.

loti, e adj • **être bien/mal loti** to be well/badly off.

lotion nf lotion.

lotir vt to divide up.

lotissement nm **1.** (terrain à construire) plot **2.** (ensemble de maisons) housing development.

loto nm **1.** (jeu de société) lotto **2.** (loterie) the National Lottery • **le Loto sportif** the pools (UK).

lotte nf monkfish.

lotus nm lotus.

louable adj **1.** (méritoire) praiseworthy **2.** (location) • **facilement/difficilement louable** easy/difficult to rent, easy/difficult to let (UK).

louange nf praise.

louche[1] nf ladle.

louche[2] adj (personne, histoire) suspicious.

loucher vi **1.** (être atteint de strabisme) to squint **2.** fam & fig (lorgner) • **loucher sur** to have one's eye on.

louer vt **1.** (glorifier) to praise **2.** (donner en location) to rent (out), to let (out) (UK) • **à louer** for rent, to let (UK) **3.** (prendre en location) to rent **4.** (réserver) to book. ■ **se louer** vp (se féliciter) • **se louer de qqch/de faire qqch** to be very pleased about sthg/about doing sthg.

loufoque fam adj nuts, crazy.

loup nm **1.** (carnassier) wolf **2.** (poisson) bass **3.** (masque) mask.

loupe nf (optique) magnifying glass • **regarder quelque chose à la loupe** to look at something with a magnifying glass.

louper vt fam **1.** (travail) to make a mess of **2.** (train) to miss.

loup-garou nm werewolf.

lourd, e adj **1.** (gén) heavy • **lourd de** fig full of **2.** (tâche) difficult **3.** (faute) serious **4.** (maladroit) clumsy, heavy-handed **5.** MÉTÉO close. ■ **lourd** adv • **peser lourd** to be heavy, to weigh a lot • **il n'en fait pas lourd** fam he doesn't do much.

loutre nf otter.

louve nf she-wolf.

louveteau nm **1.** ZOOL wolf cub **2.** (scout) cub.

louvoyer vi **1.** NAUT to tack **2.** fig (tergiverser) to beat around ou about (UK) the bush.

Louvre npr • **le Louvre** the Louvre (museum).

lover ■ **se lover** vp (serpent) to coil up.

loyal, e adj **1.** (fidèle) loyal **2.** (honnête) fair.

loyauté nf **1.** (fidélité) loyalty **2.** (honnêteté) fairness.

loyer nm rent.

LP (abrév de lycée professionnel) nm si vous voulez expliquer à un anglophone de quoi il s'agit, vous pouvez dire it is a secondary school that teaches vocational subjects.

lubie nf fam whim.

lubrifiant, e adj lubricating. ■ **lubrifiant** nm lubricant.

lubrifier vt to lubricate.

lubrique adj lewd.

lucarne nf **1.** (fenêtre) skylight **2.** FOOTBALL top corner of the net.

lucide adj lucid.

lucidité nf lucidity.

luciole nf firefly.

lucratif, ive adj lucrative • **une association à but non lucratif** a non-profit ou not-for-profit (US) organization.

ludique adj play (avant nom).

ludo-éducatif nm edutainment.

ludothèque nf toy library.

lueur nf **1.** (de bougie, d'étoile) light • **à la lueur de** by the light of **2.** fig (de colère) gleam **3.** (de raison) spark • **lueur d'espoir** glimmer of hope.

luge nf toboggan • **faire de la luge** to go tobogganing.

lugubre adj lugubrious.

lui pron pers **1.** (complément d'objet indirect - homme) (to) him ; (- femme) (to) her ; (- animal, chose) (to) it • **je lui ai parlé** I've spoken to him/to her • **il lui a serré la main** he shook his/her hand **2.** (sujet, en renforcement de « il ») he **3.** (objet, après préposition, comparatif - personne) him ; (- animal, chose) it • **sans lui** without him • **je vais chez lui** I'm going to his place • **elle est plus jeune que lui** she's younger than him ou than he is **4.** (remplaçant « soi » en fonction de pronom réfléchi - personne) himself ; (- animal, chose) itself • **il est content de lui** he's pleased with himself. ■ **lui-même** pron pers **1.** (personne) himself **2.** (animal, chose) itself.

lui

En anglais, le ton de la voix peut servir à renforcer ce qui est dit : c'est le cas pour *he* dans les exemples ci-dessous où l'accent tonique de la phrase porte sur ce mot.
• *Lui, il dit que c'est vrai.* **He says it's true.** • *Et lui, qu'est-ce qu'il en pense ? What does he think about it?* • *C'est lui qui nous a renseignés.* **He was the one who informed us.**

luire vi **1.** (soleil, métal) to shine **2.** fig (espoir) to glow, to glimmer.

luisant, e adj gleaming.

lumbago, lombago nm lumbago.

lumière nf fig (éclairage) light.

luminaire nm light.

lumineux, euse adj **1.** (couleur, cadran) luminous **2.** fig (visage) radiant **3.** (idée) brilliant **4.** (explication) clear.

luminosité nf **1.** (du regard, ciel) radiance **2.** (sciences) luminosity.

lump *nm* • **œufs de lump** lumpfish roe.

lunaire *adj* **1.** ASTRON lunar **2.** *fig (visage)* moon *(avant nom)* **3.** *(paysage)* lunar.

lunatique *adj* temperamental.

lunch *nm* buffet lunch.

lundi *nm* Monday. Voir aussi **samedi**.

En anglais, les jours de la semaine s'écrivent avec une majuscule.

lune *nf* ASTRON moon • **pleine lune** full moon.

lunette *nf* ASTRON telescope. ■ **lunettes** *nfpl* glasses • **lunettes de ski** skiing goggles • **lunettes de soleil** sunglasses.

lunule *nf (d'ongle)* half-moon.

lurette *nf fam* • **il y a belle lurette que…** it's been ages since….

luron, onne *nm,f fam* • **un joyeux luron** a bit of a lad (UK).

lustre *nm* **1.** *(luminaire)* chandelier **2.** *(éclat)* sheen, shine **3.** *fig* reputation.

lustrer *vt* **1.** *(faire briller)* to make shine **2.** *(user)* to wear.

luth *nm* lute.

luthier, ère *nm,f* maker of stringed instruments.

lutin, e *adj* mischievous. ■ **lutin** *nm* imp.

lutrin *nm* lectern.

lutte *nf* **1.** *(combat)* fight, struggle • **la lutte des classes** the class struggle **2.** SPORT wrestling.

lutter *vi* to fight, to struggle • **lutter contre** to fight (against).

lutteur, euse *nm,f* **1.** SPORT wrestler **2.** *fig* fighter.

luxation *nf* dislocation.

luxe *nm* luxury • **de luxe** luxury.

Luxembourg *nm (pays)* • **le Luxembourg** Luxembourg.

En anglais, à de rares exceptions près, il n'y a pas d'article devant les noms de pays.

luxembourgeois, e *adj* of/from Luxembourg. ■ **Luxembourgeois, e** *nm, f* person from Luxembourg.

En anglais, les adjectifs se rapportant à un pays ou une région s'écrivent avec une majuscule.

luxer *vt* to dislocate. ■ **se luxer** *vp* • **se luxer l'épaule** to dislocate one's shoulder.

luxueux, euse *adj* luxurious.

luxure *nf littéraire* lust.

luzerne *nf* lucerne, alfalfa.

lycée *nm* ≃ secondary school (UK) ; ≃ high school (US) • **lycée professionnel** *si vous voulez expliquer à un anglophone de quoi il s'agit, vous pouvez dire* it is a secondary school that teaches vocational subjects • **lycée technique** ≃ technical college.

lycéen, enne *nm,f* secondary school pupil (UK), high school pupil (US).

lymphatique *adj* **1.** MÉD lymphatic **2.** *fig (apathique)* sluggish.

lymphe *nf* lymph.

lyncher *vt* to lynch.

lynx *nm* lynx.

Lyon *npr* Lyons.

lyre *nf* lyre.

lyrique *adj* **1.** *fig (poésie)* lyrical **2.** *(drame, chanteur, poète)* lyric.

lys = **lis**.

M

m, M *nm inv* m, M. ❏ (abrév de mètre) m. ■ **M**
1. (abrév de Monsieur) Mr (UK), Mr. (US). **2.** (abrév
de million) M.

macabre *adj* macabre.

macadam *nm* **1.** (revêtement) macadam
2. (route) road.

macaque *nm* ZOOL macaque.

macaron *nm* **1.** (pâtisserie) macaroon **2.** (autocollant) sticker.

macaronis *nmpl* CULIN macaroni (indén).

macchabée *nm* tfam stiff.

macédoine *nf* CULIN • **macédoine de fruits**
fruit salad • **macédoine de légumes** mixed
vegetables.

macérer *vt* to steep. ❏ *vi* **1.** (mariner) to steep
• **faire macérer** to steep **2.** fig & péj (personne)
to wallow.

mâche *nf* lamb's lettuce.

mâcher *vt* (mastiquer) to chew.

machiavélique *adj* Machiavellian.

machin *nm fam* (chose) thing, thingamajig.

Machin, e *nm, f fam* what's his name, what's
her name f.

machinal, e *adj* mechanical.

machinalement *adv* mechanically.

machination *nf* machination.

machine *nf* **1.** TECHNOL machine • **machine à**
calculer adding machine • **machine à coudre**
sewing machine • **machine à laver** washing
machine • **machine à laver séchante** washer-
dryer **2.** (organisation) machinery (indén) **3.** NAUT
engine.

machine-outil *nf* machine tool.

machiniste *nm* **1.** CINÉ & THÉÂTRE scene shifter
2. (transports) driver.

macho *péj nm* macho man.

mâchoire *nf* jaw.

mâchonner *vt* (mâcher, mordiller) to chew.

maçon *nm* mason. ■ **maçon, onne** *nm, f* =
franc-maçon.

maçonnerie *nf* **1.** (travaux) building **2.** (construction) masonry **3.** (franc-maçonnerie) freemasonry.

macramé *nm* macramé.

macro *nf* INFORM macro.

macrobiotique *nf* macrobiotics (indén).

maculer *vt* to stain.

madame *nf* (titre) • **madame X** Mrs X • **bon-**
jour madame ! a) good morning! **b)** (dans hôtel,
restaurant) good morning, madam! • **bonjour**
mesdames ! good morning (ladies)! • **Madame**
la Ministre n'est pas là the Minister is out.

madeleine *nf* madeleine ; si vous voulez expliquer
de quoi il s'agit à un anglophone, vous pouvez dire it is
a small sponge cake. ■ **Madeleine** *nf* • **pleurer**
comme une Madeleine to cry one's eyes out.

mademoiselle *nf* (titre) • **mademoiselle X** Miss
X • **bonjour mademoiselle ! a)** good morning!
b) (à l'école, dans hôtel) good morning, miss!
• **bonjour mesdemoiselles !** good morning
(ladies)!

madone *nf* ART & RELIG Madonna.

Madrid *npr* Madrid.

madrier *nm* beam.

maf(f)ia *nf* Mafia.

magasin *nm* **1.** (boutique) shop (UK), store (US)
• **grand magasin** department store • **faire les**
magasins fig to go around ou do the shops
(UK) ou stores (US) **2.** (d'arme, d'appareil photo)
magazine.

le magasin

LEXIQUE

l'ascenseur the lift (UK), the elevator (US)

le billet the banknote

le billet de 10 euros the 10 euro
banknote

la cabine d'essayage the fitting
room

la caisse the cash desk

le cintre the clothes hanger

la clé the key

le/la client(e) the customer

l'escalator the escalator

la monnaie the money

la pièce the coin

le portefeuille the wallet

le porte-monnaie the purse
le téléphone portable the mobile phone

magasinier, ère *nm, f* warehouseman, storeman.

magazine *nm* magazine.

mage *nm* • **les Rois mages** the Three Wise Men.

Maghreb *nm* • **le Maghreb** the Maghreb.

maghrébin, e *adj* North African. ■ **Maghrébin, e** *nm, f* North African.

En anglais, les adjectifs se rapportant à un pays ou une région s'écrivent avec une majuscule.

magicien, enne *nm, f* magician.

magie *nf* magic • **comme par magie** as if by magic.

magique *adj* **1.** *(occulte)* magic **2.** *(merveilleux)* magical.

magistral, e *adj* **1.** *(œuvre, habileté)* masterly **2.** *(dispute, fessée)* enormous **3.** *(attitude, ton)* authoritative.

magistrat, e *nm, f* magistrate.

magistrature *nf* magistracy, magistrature.

magma *nm* **1.** GÉOL magma **2.** *fig (mélange)* muddle.

magnanime *adj* magnanimous.

magnat *nm* magnate, tycoon.

magnésium *nm* magnesium.

magnet *nm* fridge magnet.

magnétique *adj* magnetic.

magnétisme *nm* PHYS *(fascination)* magnetism.

magnétoscope *nm* camcorder, video camera (UK) • **enregistrer un film au magnétoscope** to video a film.

magnificence *nf* magnificence.

magnifique *adj* magnificent.

magnolia *nm* magnolia.

magnum *nm* magnum.

magot *nm fam* tidy sum, packet.

maharadjah, maharaja *nm* maharajah, maharaja.

mai *nm* May • **le premier mai** May Day. Voir aussi **septembre**.

En anglais, les mois de l'année s'écrivent avec une majuscule.

maigre *adj* **1.** *(très mince)* thin • **maigre comme un clou** *fam* as thin as a rake **2.** *(aliment)* low-fat **3.** *(viande)* lean **4.** *(peu important)* meagre (UK), meager (US), sparse.

maigreur *nf* thinness.

maigrir *vi* to lose weight • **maigrir de trois kilos** to lose three kilos.

mail *nm* INFORM email (message), mail.

mailing *nm* mailing, mailshot (UK).

maille *nf* **1.** *(de tricot)* stitch **2.** *(de filet)* mesh.

maillet *nm* mallet.

maillon *nm* link.

maillot *nm (de sport)* shirt, jersey • **maillot de bain** swimsuit • **maillot (de bain) une pièce/deux pièces** one-piece/two-piece swimsuit • **maillot de corps** vest (UK), undershirt (US) • **le maillot jaune** the yellow jersey.

main *nf* hand • **attaque à main armée** armed attack • **mains libres** *(téléphone, kit)* hands-free • **donner la main à qqn** to take sb's hand • **haut les mains !** hands up! ❑ *adv (fabriqué, imprimé)* by hand • **fait/tricoté/trié main** hand-made/-knitted/-picked. ■ **à main droite** *loc adv* on the right-hand side. ■ **à main gauche** *loc adv* on the left-hand side. ■ **de la main** *loc adv* with one's hand • **saluer qqn de la main a)** *(pour dire bonjour)* to wave (hello) to sb **b)** *(pour dire au revoir)* to wave (goodbye) to sb, to wave sb goodbye • **de la main, elle me fit signe d'approcher** she waved me over. ■ **de la main à la main** *loc adv* directly, without any middleman • **j'ai payé le plombier de la main à la main** I paid the plumber cash in hand. ■ **de la main de** *loc prép* **1.** *(fait par)* by • **la lettre est de la main même de Proust/de ma main** the letter is in Proust's own hand/in my handwriting **2.** *(donné par)* from (the hand of) • **elle a reçu son prix de la main du président** she received her award from the President himself. ■ **de main en main** *loc adv* from hand to hand, from one person to the next. ■ **d'une main** *loc adv* **1.** *(ouvrir, faire)* with one hand **2.** *(prendre)* with *ou* in one hand • **donner qqch d'une main et le reprendre de l'autre** to give sthg with one hand and take it back with the other. ■ **en main** *loc adj* • **l'affaire est en main** the question is in hand *ou* is being dealt with • **le livre est actuellement en main** *(il est consulté)* the book is out on loan *ou* is being consulted at the moment. ❑ *loc adv* • **avoir qqch en main** to be holding sthg • **avoir *ou* tenir qqch (bien) en main** *fig* to have sthg well in hand *ou* under control • **quand tu auras la voiture bien en main** when you've got the feel of the car • **prendre qqch en main** to take control of *ou* over sthg • **prendre qqn en main** to take sb in hand • **la société a été reprise en main** the company was taken over. ■ **la main dans la main** *loc adv* **1.** *(en se tenant par la main)* hand in hand **2.** *fig* together **3.** *péj* hand in glove.

main-d'œuvre *nf* **1.** *(travail)* labour (UK), labor (US) **2.** *(personne)* workforce.

main-forte *nf sing* • **prêter main-forte à qqn** to come to sb's assistance.

mainmise *nf* seizure.

maint, e *adj littéraire* many a • **maints** many • **maintes fois** time and time again.

maintenance *nf* maintenance.

maintenant adv now. ■ **maintenant que** loc prép now that.

maintenir vt 1. (soutenir) to support • **maintenir qqn à distance** to keep sb away 2. (garder, conserver) to maintain 3. (affirmer) • **maintenir que** to maintain (that). ■ **se maintenir** vp 1. (durer) to last 2. (rester) to remain.

maintenu, e pp → maintenir.

maintien nm 1. (conservation) maintenance 2. (de tradition) upholding 3. (tenue) posture.

maire nmf mayor.

mairie nf 1. (bâtiment) town hall (UK), city hall (US) 2. (administration) town council (UK), city hall (US).

mais conj but • **mais non !** of course not! • **mais alors, tu l'as vu ou non ?** so did you see him or not? • **il a pleuré, mais pleuré !** he cried, and how! • **non mais ça ne va pas !** that's just not on! ❑ adv but • **vous êtes prêts ? — mais bien sûr !** are you ready? — but of course! ❑ nm • **il y a un mais** there's a hitch ou a snag • **il n'y a pas de mais** (there are) no buts.

maïs nm 1. maize (UK), corn (US) 2. (doux) sweetcorn.

maison nf 1. (habitation, lignée) ASTROL house • **maison individuelle** detached house 2. (foyer) home • **maison de la culture** family • **à la maison a)** (au domicile) at home **b)** (dans la famille) in my/your etc family 4. COMM company 5. (institut) • **maison d'arrêt** prison • **maison de la culture** arts centre (UK) ou center (US) • **maison de retraite** old people's home 6. (en apposition) (artisanal) homemade 7. (dans restaurant - vin) house (avant nom).

la maison

l'allée	the drive (UK), the driveway (US)
le balcon	the balcony
le bureau	the study
la cave	the cellar
la chambre	the bedroom
la cheminée (extérieure)	the chimney
la cheminée (intérieure)	the fireplace
le couloir	the corridor
la cuisine	the kitchen
la douche	the shower
l'entrée	the hall
l'entrée (extérieure)	the entrance
l'escalier	the stairs
la fenêtre	the window
le garage	the garage
le grenier	the attic
le massif de fleurs	the flower bed
le mur (extérieur)	the wall
la pelouse	the lawn
la porte	the door
la salle à manger	the dining room
la salle de bains	the bathroom
le salon	the living room (UK), the lounge (US)
le store	the blind
la terrasse	the terrace
les toilettes	the toilet (UK), the bathroom (US)
le toit	the roof
le volet	the shutter

Maison-Blanche nf • **la Maison-Blanche** the White House.

maisonnée nf household.

maisonnette nf small house.

maître, esse nm, f 1. (professeur) teacher • **maître de conférences** UNIV ≃ senior lecturer (UK) ; ≃ assistant professor (US) • **maître d'école** schoolteacher • **maître nageur** swimming instructor 2. fig (modèle, artiste) master 3. (dirigeant) ruler • **maître chanteur** blackmailer • **maître d'hôtel** head waiter • **être maître de soi** to be in control of oneself, to have self-control 4. (d'animal) master, mistress f 5. (en apposition) (principal) main, principal. ■ de **maître** loc adj 1. (qui appartient à un riche particulier) • **chauffeur de maître** (personal) chauffeur • **voiture de maître** expensive car 2. (exécuté par un grand artiste) • **un tableau** ou **une toile de maître** an old master • **un coup de maître** fig a masterstroke • **pour un coup d'essai, c'est un coup de maître** for a first attempt, it was brilliant. ■ **Maître** nm si vous voulez expliquer à un anglophone comment s'utilise ce titre, vous pouvez dire this is how you address a lawyer in French. En anglais, vous direz Mr, Mrs ou Ms, suivi du nom de famille. ■ **maîtresse** nf (amie) mistress.

maître-assistant, e nm, f ≃ lecturer (UK) ; ≃ assistant professor (US).

maître-chien nm dog trainer ou handler.

maître-nageur, euse nm, f swimming teacher ou instructor.

maîtresse → maître.

maîtrise nf 1. (sang-froid, domination) control 2. (connaissance) mastery, command 3. (habileté) skill 4. UNIV ≃ master's degree.

maîtriser vt 1. (animal, forcené) to subdue 2. (émotion, réaction) to control, to master 3. (incendie) to bring under control. ■ **se maîtriser** vp to control o.s. • **sous l'influence de l'alcool, on n'arrive plus à se maîtriser** under the influence of alcohol, one loses (all) control • **je sais que tu as du chagrin, mais il faut te maîtriser** I know you're upset, but you must get a grip on yourself.

majesté nf majesty. ■ **Majesté** nf • **Sa Majesté** His/Her Majesty.

majestueux, euse adj majestic.

majeur, e adj 1. (gén) major 2. (personne) of age. ■ **majeur** nm middle finger.

major nm 1. MIL ≃ adjutant 2. SCOL • **major (de promotion)** first in ou top of one's year.

majoration nf increase • **une majoration de** an increase in.

majordome nm majordomo.

majorer vt to increase.

majorette nf majorette.

majoritaire adj majority (avant nom) • **être majoritaire** to be in the majority.

majorité nf majority • **en (grande) majorité** the majority • **majorité absolue/relative** POLIT absolute/relative majority.

majuscule nf capital (letter). ❑ adj capital (avant nom).

making of nm inv making of.

mal nm **1.** (ce qui est contraire à la morale) evil **2.** (souffrance physique) pain • **avoir mal au bras** to have a sore arm • **avoir mal au cœur** to feel sick • **avoir mal au dos** to have backache (UK) ou a backache (US) • **avoir mal à la gorge** to have a sore throat • **avoir le mal de mer** to be seasick • **avoir mal aux dents** to have toothache (UK) ou a toothache (US) • **avoir mal à la tête** to have a headache • **avoir mal au ventre** to have (a) stomachache • **faire mal à qqn** to hurt sb • **ça fait mal** it hurts • **se faire mal** to hurt o.s. **3.** (difficulté) difficulty **4.** (douleur morale) pain, suffering (indén) • **être en mal de qqch** to long for sthg • **faire du mal (à qqn)** to hurt (sb). ■ **mal** adv **1.** (malade) ill • **aller mal** not to be well • **se sentir mal** to feel ill **2.** (respirer) with difficulty **3.** (informé, se conduire) badly • **mal prendre qqch** to take sthg badly • **mal tourner** to go wrong **4.** (locution) • **pas mal** not bad (adj), not badly (adv) • **pas mal de** quite a lot of. ■ **mal** adj inv • **être au plus mal** to be extremely ill. • **mal à l'aise** loc adj uncomfortable, ill at ease • **être/se sentir mal à l'aise** to be/feel uncomfortable ou ill at ease • **je suis mal à l'aise devant elle** I feel ill at ease with her.

malade nmf invalid, sick person • **malade mental** mentally ill person. ❑ adj **1.** (souffrant -personne) ill, sick ; (-organe) bad • **tomber malade** to fall ill ou sick **2.** fam (fou) crazy.

maladie nf **1.** MÉD illness • **maladie d'Alzheimer** Alzheimer's disease • **maladie contagieuse** contagious disease • **maladie de Creutzfeldt-Jakob** Creutzfeldt-Jakob disease • **maladie héréditaire** hereditary disease • **maladie infantile** childhood illness • **maladie orpheline** orphan disease ou illness • **maladie de Parkinson** Parkinson's disease • **maladie sexuellement transmissible** sexually transmissible ou transmitted disease • **maladie de la vache folle** mad cow disease **2.** (passion, manie) mania.

maladif, ive adj **1.** (enfant) sickly **2.** fig (pâleur) unhealthy.

maladresse nf **1.** (inhabileté) clumsiness **2.** (bévue) blunder.

maladroit, e adj clumsy.

malaise nm **1.** (indisposition) discomfort **2.** (trouble) unease (indén).

malaisé, e adj difficult.

Malaisie nf • **la Malaisie** Malaya.

malappris, e nm, f lout.

malaria nf malaria.

malaudition nf MÉD hearing loss, hardness of hearing • **souffrir de malaudition** to be hearing-impaired ou hard of hearing.

malaxer vt to knead.

malbouffe nf fam junk food, bad food.

malchance nf bad luck (indén).

malchanceux, euse adj unlucky. ❑ nm, f unlucky person.

malcommode adj **1.** inconvenient **2.** (meuble) impractical.

mâle adj **1.** (enfant, animal, hormone) male **2.** (voix, assurance) manly **3.** ÉLECTR male. ❑ nm male.

malédiction nf curse.

maléfique adj sout evil.

malencontreux, euse adj (hasard, rencontre) unfortunate.

malentendant, e nm, f person who is hard of hearing.

malentendu nm misunderstanding.

malfaçon nf defect.

malfaiteur nm criminal.

malfamé, e, mal famé, e adj rough • **il habite dans un quartier malfamé** he lives in a rough neighbourhood.

malformation nf malformation.

malfrat nm fam crook.

malgré prép in spite of • **malgré tout a)** (quoi qu'il arrive) in spite of everything **b)** (pourtant) even so, yet. ■ **malgré que** loc conj (+ subjonctif) fam although, in spite of the fact that.

malhabile adj clumsy.

malheur nm misfortune • **par malheur** unfortunately • **porter malheur à qqn** to bring sb bad luck.

malheureusement adv unfortunately.

malheureux, euse adj **1.** (triste) unhappy **2.** (désastreux, regrettable) unfortunate **3.** (malchanceux) unlucky **4.** (avant nom) (sans valeur) pathetic, miserable. ❑ nm, f **1.** (infortuné) poor soul **2.** (indigent) poor person.

malhonnête nmf dishonest person. ❑ adj **1.** (personne, affaire) dishonest **2.** hum (proposition, propos) indecent.

maladies infantiles

la coqueluche	the whooping cough
la rougeole	the measles
la rubéole	the German measles
la scarlatine	the scarlet fever
la varicelle	the chicken pox
les oreillons	the mumps

malhonnêteté nf **1.** (de personne) dishonesty **2.** (action) dishonest action.
Mali nm • **le Mali** Mali.

En anglais, à de rares exceptions près, il n'y a pas d'article devant les noms de pays.

malice nf mischief.
malicieux, euse adj mischievous.
malien, enne adj Malian. ■ **Malien, enne** nm, f Malian.

En anglais, les adjectifs se rapportant à un pays ou une région s'écrivent avec une majuscule.

malin, igne adj **1.** (rusé) crafty, cunning **2.** (regard, sourire) knowing **3.** (méchant) malicious, spiteful **4.** (intelligent) clever • **tu te crois malin ?** do you think you're clever? **5.** MÉD malignant. ❑ nm, f cunning ou crafty person.
malingre adj sickly.
malle nf **1.** (coffre) trunk **2.** (de voiture) boot (UK), trunk (US).
malléable adj malleable.
mallette nf briefcase.
mal-logé, e nm, f person living in poor accommodation.
malmener vt (brutaliser) to handle roughly, to ill-treat.
malnutrition nf malnutrition.
malodorant, e adj smelly.
malotru, e nm, f lout.
malpoli, e nm, f rude person.
malpropre adj (sale) dirty.
malsain, e adj unhealthy.
malt nm **1.** (céréale) malt **2.** (whisky) malt (whisky) (UK) ou (whiskey) (US).
Malte npr Malta.
maltraiter vt **1.** to ill-treat **2.** (en paroles) to attack, to run down.
malus nm si vous voulez expliquer de quoi il s'agit à un anglophone, vous pouvez dire it is the term for the increase in car insurance charges resulting from loss of no-claims bonus.
malveillance nf spite.
malveillant, e adj spiteful.
malversation nf embezzlement.
malvoyant, e nm, f person who is partially sighted.
maman nf mum, mummy (UK), mommy (US).
mamelle nf **1.** teat **2.** (de vache) udder.
mamelon nm (du sein) nipple.
mamie, mamy nf granny, grandma.
mammifère nm mammal.
mammographie nf mammography.
mammouth nm mammoth.
mamy = mamie.
management nm management.

manager nmf manager.
manager, euse nm, f = manager.
manche nf **1.** (de vêtement) sleeve • **manches courtes/longues** short/long sleeves • **un tee-shirt à manches courtes/longues** a short-/long-sleeved T-shirt **2.** (de jeu) round, game **3.** TENNIS set. ❑ nm **1.** (d'outil) handle • **manche à balai a)** broomstick **b)** (d'avion) joystick **2.** MUS neck.
Manche nf (mer) • **la Manche** the English Channel.
manchette nf **1.** (de chemise) cuff **2.** (de journal) headline **3.** (coup) forearm blow.
manchon nm **1.** (en fourrure) muff **2.** TECHNOL casing, sleeve.
manchot, ote adj one-armed. ❑ nm, f one-armed person. ■ **manchot** nm penguin.
mandarine nf mandarin (orange).
mandat nm **1.** (pouvoir, fonction) mandate **2.** DR warrant • **mandat de perquisition** search warrant **3.** (titre postal) money order • **mandat postal** postal order (UK), money order (US).
mandataire nmf proxy, representative.
mandater vt **1.** (personne) to appoint **2.** (somme) to pay by postal (UK) ou money (US) order.
mandibule nf mandible.
mandoline nf mandolin.
manège nm **1.** (attraction) merry-go-round, roundabout (UK), carousel (US) **2.** (de chevaux - lieu) riding school **3.** (manœuvre) scheme, game.
manette nf lever.
manga nm manga (comic).
manganèse nm manganese.
mangeable adj edible.
mangeoire nf manger.
manger vt **1.** (nourriture) to eat **2.** (fortune) to get through, to squander. ❑ vi to eat. ■ **se manger** vp (emploi passif) to be eaten • **ça se mange avec de la mayonnaise** you eat it ou it is served with mayonnaise.
mangeur, euse nm, f eater • **gros mangeur** big eater.
mangue nf mango.
maniable adj (instrument) manageable.
maniaque nmf **1.** (méticuleux) fusspot (UK), fussbudget (US) **2.** (fou) maniac. ❑ adj **1.** (méticuleux) fussy **2.** (fou) maniacal.
manie nf **1.** (habitude) funny habit • **elle a ses petites manies** she has her little habits **2.** (obsession) mania • **avoir la manie de qqch/de faire qqch** to have a mania for sthg/for doing sthg.
maniement nm handling.
manier vt **1.** (manipuler, utiliser) to handle **2.** fig (ironie, mots) to handle skilfully (UK) ou skillfully (US).
manière nf (méthode) manner, way • **de quelle manière avez-vous résolu le problème ?** how did you solve the problem? • **de toute manière** at

any rate • **d'une manière générale** generally speaking. ■ **de manière à** *loc conj* (in order) to • **de manière à ce que** (+ *subjonctif*) so that. ■ **de manière que** *loc conj* + *subjonctif*) in such a way that. ■ **manières** *nfpl* manners • **les bonnes manières** good manners.

maniéré, e *adj* affected.

manif *nf fam* demonstration, demo (**UK**).

manifestant, e *nm, f* demonstrator.

manifestation *nf* **1.** (*témoignage*) expression **2.** (*mouvement collectif*) demonstration **3.** (*apparition - de maladie*) appearance.

manifeste *nm* (*déclaration*) manifesto. ❑ *adj* obvious.

manifestement *adv* obviously.

manifester *vt* to show, to express. ❑ *vi* to demonstrate. ■ **se manifester** *vp* **1.** (*apparaître*) to show *ou* manifest itself **2.** (*se montrer*) to turn up, to appear.

manigancer *vt fam* to scheme, to plot.

manioc *nm* manioc.

manipulateur, trice *nm, f* **1.** (*opérateur*) technician **2.** *fig* (*de personnes*) manipulator. ■ **manipulateur** *nm* TÉLÉCOM key.

manipulation *nf* **1.** (*de produits, d'explosifs*) handling • **manipulations génétiques** genetic engineering **2.** *fig* (*manœuvre*) manipulation (*indén.*).

manipuler *vt* **1.** (*colis, appareil*) to handle **2.** (*statistiques, résultats*) to falsify, to rig **3.** (*personne*) to manipulate.

manique, manicle *nf* **1.** CULIN (*gant*) oven glove **2.** (*carré*) oven cloth.

manivelle *nf* crank.

manne *nf* **1.** RELIG manna **2.** *fig & littéraire* godsend.

mannequin *nm* **1.** (*forme humaine*) model, dummy **2.** (*personne*) model, mannequin.

manœuvre *nf* **1.** (*d'appareil, de véhicule*) driving, handling • **faire une manœuvre pour se garer** to manoeuvre into a parking place **2.** MIL manoeuvre (**UK**), maneuver (**US**), exercise **3.** (*machination*) ploy, scheme. ❑ *nm* labourer (**UK**), laborer (**US**).

manœuvrer *vi* to manoeuvre (**UK**), to maneuver (**US**). ❑ *vt* **1.** (*faire fonctionner*) to operate, to work **2.** (*voiture*) to manoeuvre (**UK**), to maneuver (**US**) **3.** (*influencer*) to manipulate.

manoir *nm* manor, country house.

manquant, e *adj* missing.

manque *nf* **1.** (*pénurie*) lack, shortage • **par manque de** for want of **2.** (*de toxicomane*) withdrawal symptoms *pl* **3.** (*lacune*) gap.

manqué, e *adj* **1.** (*raté*) failed **2.** (*rendez-vous, occasion*) missed.

manquer *vi* **1.** (*faire défaut*) to be lacking, to be missing • **l'argent/le temps me manque** I don't have enough money/time • **tu me manques** I miss you **2.** (*être absent*) • **manquer (à)** to be

absent (from), to be missing (from) **3.** (*ne pas avoir assez*) • **manquer de qqch** to lack sthg, to be short of sthg **4.** (*faillir*) • **il a manqué (de) se noyer** he nearly *ou* almost drowned • **ne manquez pas de lui dire** don't forget to tell him • **je n'y manquerai pas** I certainly will, I'll definitely do it **5.** (*ne pas respecter*) • **manquer à** (*devoir*) to fail in • **manquer à sa parole** to break one's word. ❑ *vt* **1.** (*gén*) to miss **2.** (*échouer à*) to bungle, to botch. ❑ *v impers* • **il manque quelqu'un** somebody is missing • **il me manque 3 euros** I'm 3 euros short.

mansarde *nf* attic.

mansardé, e *adj* attic (*avant nom*).

mansuétude *nf littéraire* indulgence.

mante *nf* HIST mantle. ■ **mante religieuse** *nf* praying mantis.

manteau *nm* (*vêtement*) coat.

manucure *nmf* manicurist.

manuel, elle *adj* manual. ■ **manuel** *nm* manual.

manufacture *nf* (*fabrique*) factory.

manuscrit, e *adj* handwritten. ■ **manuscrit** *nm* manuscript.

manutention *nf* handling.

manutentionnaire *nmf* warehouseman.

mappemonde *nf* **1.** (*carte*) map of the world **2.** (*sphère*) globe.

maquereau, elle *nm, f fam* pimp, madam *f*. ■ **maquereau** *nm* mackerel.

maquette *nf* **1.** (*ébauche*) paste-up **2.** (*modèle réduit*) model • **une maquette d'avion** a model plane.

maquettiste *nmf* model maker.

maquillage *nm* (*action, produits*) make-up.

maquiller *vt* **1.** (*farder*) to make up **2.** (*fausser -gén*) to disguise ; (- *chiffres*) to doctor ; (- *passeport*) to falsify. ■ **se maquiller** *vp* to make up, to put on one's make-up.

maquis *nm* **1.** (*végétation*) scrub, brush, maquis **2.** HIST Maquis, French Resistance.

marabout *nm* **1.** ZOOL marabou **2.** (*guérisseur*) marabout.

maraîcher, ère *adj* market garden (*avant nom*) (**UK**), truck farming (*avant nom*) (**US**). ❑ *nm, f* market gardener (**UK**), truck farmer (**US**).

marais *nm* (*marécage*) marsh, swamp • **marais salant** salt marsh.

marasme *nm* (*récession*) stagnation.

marathon *nm* marathon.

marâtre *nf vieilli* **1.** (*mauvaise mère*) bad mother **2.** (*belle-mère*) stepmother.

maraudage *nm* = maraude.

maraude *nf* pilfering.

marbre *nm* (*roche, objet*) marble.

marbré, e *adj* **1.** (*gâteau*) marble (*avant nom*) **2.** (*peau, teint*) mottled.

marc *nm* **1.** *(eau-de-vie)* marc (brandy) *(distilled from grape residue)* **2.** *(de fruits)* residue **3.** *(de thé)* leaves • **marc de café** grounds *pl*.

marcassin *nm* young wild boar.

marchand,e *adj* **1.** *(valeur)* market *(avant nom)* **2.** *(prix)* trade *(avant nom)*. ❑ *nm, f* **1.** *(commerçant)* merchant **2.** *(détaillant)* shopkeeper **(UK)**, store-keeper **(US)** • **marchand de journaux** news-agent **(UK)**, newsdealer **(US)**.

marchander *vt* **1.** *(prix)* to haggle over **2.** *(appui)* to begrudge. ❑ *vi* to bargain, to haggle.

marchandise *nf* merchandise *(indén)*, goods *pl*.

marche *nf* **1.** *(d'escalier)* step **2.** *(activité, sport)* walking • **marche à pied** walking • **marche à suivre** *fig* correct procedure **3.** *(promenade)* walk • **nous avons fait une marche de 8 km** we did an 8 km walk **4.** *(défilé)* march • **marche silencieuse/ de protestation** silent/protest march **5.** *MUS* march **6.** *(déplacement - du temps, d'astre)* course • **assis dans le sens de la marche - en train)** sitting facing the engine • **en marche arrière** in reverse • **faire marche arrière a)** to reverse **b)** *fig* to backpedal, to backtrack **7.** *(fonctionnement)* running, working • **en marche** running • **se mettre en marche** to start *(up)*.

marché *nm* **1.** *(lieu de vente)* market • **faire son marché** to go shopping, to do one's shopping • **marché aux puces** flea market • **second marché** ≃ unlisted securities market **2.** *FIN & ÉCON* • **marché noir** black market • **le marché du travail** the labour **(UK)** *ou* labor **(US)** market **3.** *(contrat)* bargain, deal • **(à) bon marché** cheap • **marché public** procurement contract. ■ **Marché commun** *nm* • **le Marché commun** the Common Market.

marchepied *nm* **1.** *(de train)* step **2.** *(escabeau)* steps *pl* **(UK)**, stepladder **3.** *fig* stepping-stone.

marcher *vi* **1.** *(aller à pied)* to walk **2.** *(poser le pied)* to step • **ne marche pas sur mes lunettes** don't step on my glasses **3.** *(fonctionner, tourner)* to work • **son affaire marche bien** his business is doing well **4.** *fam (accepter)* to agree • **ça marche pour mardi ?** is it OK for Tuesday? **5.** *(locution)* • **faire marcher qqn** *fam* to take sb for a ride.

mardi *nm* Tuesday • **mardi gras** Shrove Tuesday. Voir aussi **samedi**.

En anglais, les jours de la semaine s'écrivent avec une majuscule.

mare *nf* pool • **la mare aux canards** the duck pond.

marécage *nm* marsh, bog.

marécageux,euse *adj (terrain)* marshy, boggy.

maréchal,aux *nm* marshal.

maréchal-ferrant *nm* blacksmith.

marée *nf* **1.** *(de la mer)* tide • **(à) marée haute/ basse** (at) high/low tide **2.** *fig (de personnes)* wave, surge. ■ **marée noire** *nf* oil slick.

marelle *nf* hopscotch.

margarine *nf* margarine.

marge *nf* **1.** *(espace)* margin • **vivre en marge de la société** *fig* to live on the fringes of society **2.** *(latitude)* leeway • **marge d'erreur** margin of error **3.** *COMM* margin • **marge commerciale** gross margin.

margelle *nf* coping.

marginal,e *adj* **1.** *(gén)* marginal **2.** *(groupe)* dropout *(avant nom)*. ❑ *nm, f* dropout.

marginaliser *vt* to marginalize. ■ **se marginaliser** *vp (emploi réfléchi)* to opt out. ❑ *vpi* **1.** *(personne)* • **il se marginalise de plus en plus** he's been feeling increasingly isolated **2.** *(rôle, fonction)* to become marginalized *ou* irrelevant.

marguerite *nf BOT* daisy.

mari *nm* husband.

mariage *nm* **1.** *(union, institution)* marriage **2.** *(cérémonie)* wedding • **mariage civil/religieux** civil/church wedding **3.** *fig (de choses)* blend.

Marianne *npr si vous voulez donner une définition à un anglophone, vous pouvez dire* It is a female figure who symbolizes the French Republic.

marié,e *adj* married. ❑ *nm, f* groom, bride-groom, bride *f*.

marier *vt* **1.** *(personne)* to marry **2.** *fig (couleurs)* to blend. ■ **se marier** *vp* **1.** *(personnes)* to get married • **se marier avec qqn** to marry sb **2.** *fig (couleurs)* to blend.

marihuana,marijuana *nf* marijuana.

marin,e *adj* **1.** *(de la mer) (avant nom)* sea *(avant nom)* **2.** *(faune, biologie)* marine **3.** *NAUT (carte, mille)* nautical. ■ **marin** *nm* **1.** *(navigateur)* seafarer **2.** *(matelot)* sailor • **marin pêcheur** deep-sea fisherman. ■ **marine** *nf* **1.** *(navigation)* seamanship, navigation **2.** *(navires)* navy • **marine marchande** merchant navy **(UK)** *ou* marine **(US)** • **marine nationale** navy. ❑ *nm* **1.** *MIL* marine **2.** *(couleur)* navy (blue). ❑ *adj inv* navy.

mariner *vt* to marinate. ❑ *vi* **1.** *(aliment)* to marinate • **faire mariner qqch** to marinate sthg **2.** *fam & fig (attendre)* to hang around • **faire mariner qqn** to let sb stew.

marinier,ère *nm, f* bargee **(UK)**, bargeman **(US)**.

marinière *nf* smock.

marionnette *nf* puppet.

marital,e *adj* • **autorisation maritale** husband's permission.

maritime *adj* **1.** *(navigation)* maritime **2.** *(ville)* coastal.

marjolaine *nf* marjoram.

mark *nm HIST (monnaie)* mark.

marketing *nm* marketing • **marketing télé-phonique** telemarketing.

marmaille *nf fam* brood (of kids).

marmelade *nf* stewed fruit • **de la marme-lade d'oranges** marmalade • **les brocolis étaient en marmelade** the broccoli was cooked to a pulp.

marmite *nf (casserole)* pot.

marmonner *vt & vi* to mutter, to mumble.

marmot *nm fam* kid.

marmotte *nf* marmot.

Maroc *nm* • **le Maroc** Morocco.

> En anglais, à de rares exceptions près, il n'y a pas d'article devant les noms de pays.

marocain, e *adj* Moroccan. ■ **Marocain, e** *nm, f* Moroccan.

> En anglais, les adjectifs se rapportant à un pays ou une région s'écrivent avec une majuscule.

maroquinerie *nf (magasin)* leather-goods shop (UK) *ou* store (US).

marotte *nf fam (dada)* craze.

marquant, e *adj* outstanding.

marque *nf* **1.** *(signe, trace)* mark **2.** *fig* stamp, mark **3.** *(label, fabricant)* make, brand • **de marque a)** designer *(avant nom)* **b)** *fig* important • **marque déposée** registered trademark **4.** SPORT score • **à vos marques, prêts, partez !** on your marks, get set, go!, ready, steady, go! (UK) **5.** *(témoignage)* sign, token.

marqué, e *adj* **1.** *(net)* marked, pronounced **2.** *(personne, visage)* marked.

marquer *vt* **1.** *(gén)* to mark **2.** *(écrire)* to write down, to note down **3.** *(indiquer, manifester)* to show **4.** *(SPORT - but, point)* to score ; *(- joueur)* to mark **5.** *(impressionner)* to mark, to affect, to make an impression on. ◻ *vi* **1.** *(événement, expérience)* to leave its mark **2.** SPORT to score.

marqueterie *nf* marquetry.

marqueur *nm (crayon)* marker (pen).

marquis, e *nm, f* marquis, marchioness f.

marraine *nf* **1.** *(de filleul)* godmother **2.** *(de navire)* christener.

marrant, e *adj fam* funny.

marre *adv* • **en avoir marre (de)** *fam* to be fed up (with).

marrer ■ **se marrer** *vp fam* to split one's sides.

marron, onne *adj péj* **1.** *(médecin)* quack *(avant nom)* **2.** *(avocat)* crooked. ■ **marron 1.** *(fruit)* chestnut • **marrons chauds** roast chestnuts • **marrons glacés** candied chestnuts **2.** *(couleur)* brown. ◻ *adj inv* brown.

marronnier *nm* chestnut tree.

mars *nm* March. Voir aussi **septembre**.

> En anglais, les mois de l'année s'écrivent avec une majuscule.

Marseille *npr* Marseilles.

marsouin *nm* porpoise.

marteau *nm* **1.** *(gén)* hammer • **marteau piqueur** *ou* **pneumatique** pneumatic drill (UK), jackhammer (US) **2.** *(heurtoir)* knocker. ◻ *adj fam* nuts, barmy (UK).

marteler *vt* **1.** *(pieu)* to hammer **2.** *(table, porte)* to hammer on, to pound **3.** *(phrase)* to rap out.

martial, e *adj* martial.

martien, enne *adj & nm, f* Martian.

martinet *nm* **1.** ZOOL swift **2.** *(fouet)* whip.

martingale *nf* **1.** *(de vêtement)* half-belt **2.** *(jeux)* winning system.

Martini® *nm* Martini®.

Martinique *nf* • **la Martinique** Martinique.

martin-pêcheur *nm* kingfisher.

martyr, e *adj* martyred. ◻ *nm, f* martyr. ■ **martyre** *nm* martyrdom.

martyriser *vt* to torment.

marxisme *nm* Marxism.

mas *nm si vous voulez expliquer de quoi il s'agit à un anglophone, vous pouvez dire* it is a country house or farm in the Provence.

mascara *nm* mascara.

mascarade *nf (mise en scène)* masquerade.

mascotte *nf* mascot.

masculin, e *adj* **1.** *(apparence)* GRAMM masculine **2.** *(métier, population, sexe)* male. ■ **masculin** *nm* GRAMM masculine.

maso *fam nm* masochist. ◻ *adj* masochistic.

masochisme *nm* masochism.

masque *nm* **1.** *(gén)* mask • **masque à gaz** gas mask **2.** *fig (façade)* front, façade.

masquer *vt* **1.** *(vérité, crime, problème)* to conceal **2.** *(maison, visage)* to conceal, to hide.

massacre *nm litt & fig* massacre.

massacrer *vt* **1.** to massacre **2.** *(voiture)* to smash up.

massage *nm* massage.

masse *nf* **1.** *(de pierre)* block **2.** *(d'eau)* volume **3.** *(grande quantité)* mass • **une masse de** masses *pl ou* loads *pl* of **4.** PHYS mass **5.** ÉLECTR earth (UK), ground (US) **6.** *(maillet)* sledgehammer. ■ **en masse** *loc adv* **1.** *(venir)* en masse, all together • **arriver en masse** *(lettres, personnes)* to pour in **2.** *fam (acheter)* in bulk.

massepain *nm* marzipan.

masser *vt* **1.** *(assembler)* to assemble **2.** *(frotter)* to massage. ■ **se masser** *vp* **1.** *(s'assembler)* to assemble, to gather **2.** *(se frotter)* • **se masser le bras** to massage one's arm.

masseur, euse *nm, f (personne)* masseur, masseuse f.

massicot *nm* guillotine.

massif, ive *adj* **1.** *(monument, personne, dose)* massive **2.** *(or, chêne)* solid. ■ **massif** *nm* **1.** *(de plantes)* clump **2.** *(de montagnes)* massif.

massue *nf* club.

master *nm* UNIV master's degree.

mastère *nm* UNIV master's (degree) • **cette année, elle fait un mastère d'économie** this year she's doing a master's in economics.

mastic *nm* mastic, putty.

mastiquer *vt (mâcher)* to chew.

masturber ■ **se masturber** *vp* to masturbate.

masure *nf* hovel.

mat,e *adj* **1.** *(peinture, surface)* matt (UK), matte (US) **2.** *(peau, personne)* dusky **3.** *(bruit, son)* dull **4.** *(aux échecs)* checkmated. ■ **mat** *nm* checkmate.

mat' (abrév de matin) *nm fam* • **trois heures du mat'** three in the morning. ❑ *nf* • **faire la grasse mat'** to have a lie-in.

mât *nm* **1.** NAUT mast **2.** *(poteau)* pole, post.

match *nm* match • **(faire) match nul** (to) tie, (to) draw (UK) • **match aller/retour** first/second leg (UK).

matelas *nm inv (de lit)* mattress • **matelas pneumatique** airbed.

matelassé,e *adj* padded.

matelot *nm* sailor.

mater *vt* **1.** *(soumettre, neutraliser)* to subdue **2.** *fam (regarder)* to eye up.

matérialiser ■ **se matérialiser** *vp (aspirations)* to be realized.

matérialiste *nmf* materialist. ❑ *adj* materialistic.

matériau *nm* material. ■ **matériaux** *nmpl* CONSTR material *(indén)*, materials.

matériel,elle *adj* **1.** *(être, substance)* material, physical **2.** *(confort, avantage, aide)* material **3.** *(considération)* practical. ■ **matériel** *nm* **1.** *(gén)* equipment *(indén)* **2.** INFORM hardware *(indén)*.

maternel,elle *adj* **1.** maternal **2.** *(langue)* mother *(avant nom)*. ■ **maternelle** *nf* nursery school.

materner *vt* to mother.

maternisé,e *adj* • **lait maternisé** formula, baby milk.

maternité *nf* **1.** *(qualité)* maternity, motherhood **2.** *(hôpital)* maternity hospital.

mathématicien,enne *nm,f* mathematician.

mathématique *adj* mathematical. ■ **mathématiques** *nfpl* mathematics *(indén)*.

matheux,euse *nm,f fam* • **c'est un matheuse** she's a wizard at maths (UK) *ou* math (US).

maths *nfpl fam* maths (UK), math (US).

matière *nf* **1.** *(substance)* matter • **matières grasses** fat • **matière grise** grey (UK) *ou* gray (US) matter **2.** *(matériau)* material • **matières premières** raw materials **3.** *(discipline, sujet)* subject • **en matière de sport/littérature** as far as sport/literature is concerned.

matin *nm* morning • **le matin** in the morning • **ce matin** this morning • **à trois heures du matin** at 3 o'clock in the morning • **du matin au soir** *fig* from dawn to dusk.

matinal,e *adj* **1.** *(gymnastique, émission)* morning *(avant nom)* **2.** *(personne)* • **être matinal** to be an early riser.

matinée *nf* **1.** *(matin)* morning • **faire la grasse matinée** to sleep late, to have a lie in (UK) **2.** *(spectacle)* matinée, afternoon performance.

matou *nm* tom, tomcat.

matraquage *nm* **1.** *(bastonnade)* beating, clubbing **2.** *fig (intoxication)* bombardment • **matraquage publicitaire** bombardment with advertisements.

matraque *nf* truncheon (UK), billy club (US), nightstick (US).

matraquer *vt* **1.** *(frapper)* to beat, to club **2.** *fig (intoxiquer)* to bombard.

matriarcat *nm* matriarchy.

matrice *nf* **1.** *(moule)* mould (UK), mold (US) **2.** MATH matrix **3.** ANAT womb.

matricule *nm* • **(numéro) matricule** number.

matrimonial,e *adj* matrimonial.

matrone *nf péj* old bag.

mature *adj* mature.

mâture *nf* masts *pl*.

maturité *nf* **1.** maturity **2.** *(de fruit)* ripeness.

maudire *vt* to curse.

maudit,e *pp* → **maudire**. ❑ *adj* **1.** *(réprouvé)* accursed **2.** *(avant nom) (exécrable)* damned.

maugréer *vt* to mutter. ❑ *vi* • **maugréer (contre)** to grumble (about).

Maurice → **île**.

mausolée *nm* mausoleum.

maussade *adj* **1.** *(personne, air)* sullen **2.** *(temps)* gloomy.

mauvais,e *adj* **1.** *(gén)* bad **2.** *(moment, numéro, réponse)* wrong **3.** *(mer)* rough **4.** *(personne, regard)* nasty. ■ **mauvais** *adv* • **il fait mauvais** the weather is bad • **sentir mauvais** to smell bad.

mauve *nm* & *adj* mauve.

mauviette *nf fam* **1.** *(physiquement)* weakling **2.** *(moralement)* coward, wimp.

max (abrév de maximum) *nm fam* max • **un max de fric** loads of money.

maxillaire *nm* jawbone.

maxime *nf* maxim.

maximum *nm* maximum • **le maximum de personnes** the greatest (possible) number of people • **au maximum** at the most. ❑ *adj* maximum *(avant nom)*.

maya *adj* Mayan. ■ **Maya** *nmf* • **les Mayas** the Maya.

mayonnaise *nf* mayonnaise.

mazout *nm* fuel oil.

MDR (abrév de mort de rire) *nf* LOL.

me, m' *pron pers* **1.** *(complément d'objet direct)* me **2.** *(complément d'objet indirect)* (to) me **3.** *(réfléchi)* myself **4.** *(avec un présentatif)* • **me voici** here I am.

À PROPOS DE

me

Pour les verbes qui ne sont que pronominaux, c'est-à-dire qui ne s'utilisent qu'avec un pronom, *me* ne se traduit pas en anglais.
• *Je me suis évanouie.* **I fainted.**
Lorsque *me* a une valeur réfléchie, il se traduit par **myself** ou bien il ne se traduit pas.
• *Je me suis fait mal.* **I hurt myself.**
• *Je m'habille.* **I'm getting dressed.**
Notez qu'en anglais on utilise les adjectifs possessifs avec les parties du corps.
• *Je me suis lavé les cheveux.* **I washed my hair.**

---

méandre *nm (de rivière)* meander, bend. ■ **méandres** *nmpl (détours sinueux)* meanderings *pl*.

mec *nm fam* guy, bloke (UK).

mécanicien, enne *nm, f* **1.** *(de garage)* mechanic **2.** *(conducteur de train)* train driver (UK), engineer (US).

mécanique *nf* **1.** TECHNOL mechanical engineering **2.** MATH & PHYS mechanics *(indén)* **3.** *(mécanisme)* mechanism. ❑ *adj* mechanical.

mécanisme *nm* mechanism.

mécano *nm fam* mechanic.

mécène *nm* patron.

méchamment *adv (cruellement)* nastily.

méchanceté *nf* **1.** *(attitude)* nastiness **2.** *(rosserie)* nasty thing.

méchant, e *adj* **1.** *(malveillant, cruel)* nasty, wicked **2.** *(animal)* vicious **3.** *(désobéissant)* naughty. ❑ *nm, f (en langage enfantin)* bad boy.

mèche *nf* **1.** *(de bougie)* wick **2.** *(de cheveux)* lock **3.** *(de bombe)* fuse.

méchoui *nm* lamb barbecue on a spit *(of a whole sheep roasted on a spit)*.

méconnaissable *adj* unrecognizable.

méconnu, e *adj* unrecognized.

mécontent, e *adj* unhappy. ❑ *nm, f* malcontent.

mécontenter *vt* to displease.

Mecque *npr* • **La Mecque** Mecca.

médaille *nf* **1.** *(pièce, décoration)* medal **2.** *(bijou)* medallion **3.** *(de chien)* identification tag, identification disc (UK) *ou* disk (US).

médaillon *nm* **1.** *(bijou)* locket **2.** ART & CULIN medallion.

médecin *nmf* doctor • **médecin conventionné** ≃ National Health doctor (UK) • **médecin de famille** family doctor, GP • **médecin de garde** doctor on duty, duty doctor • **médecin**

généraliste general practitioner, GP • **médecin légiste** (forensic) pathologist (UK), medical examiner (US) • **Médecins du monde** Doctors of the World • **médecin référent** *si vous voulez expliquer de quoi il s'agit à un anglophone, vous pouvez dire* the patient as his or her usual doctor • **Médecins sans frontières** Doctors Without Borders • **votre médecin traitant** your (usual) doctor.

médecine *nf* medicine • **médecine douce** *ou* **naturelle** natural medecine.

Medef (abrév de Mouvement des entreprises de France) *nm* ≃ CBI (UK) ; *si vous voulez donner une définition à un anglophone, vous pouvez dire* it is the French employers federation.

média *nm* • **les médias** the (mass) media.

médian, e *adj* median. ■ **médiane** *nf* median.

médiateur, trice *adj* mediating *(avant nom)*. ❑ *nm, f* **1.** mediator **2.** *(dans un conflit de travail)* arbitrator. ■ **médiateur** *nm* ADMIN ombudsman. ■ **médiatrice** *nf* median.

médiathèque *nf* media library.

médiation *nf* **1.** mediation **2.** *(dans un conflit du travail)* arbitration.

médiatique *adj* media *(avant nom)*.

médiatiser *vt* to turn into a media event.

médical, e *adj* medical.

médicalisé, e *adj* • **établissement médicalisé** nursing home.

médicament *nm* medicine, drug.

médicamenteux, euse *adj* medicinal.

médicinal, e *adj* medicinal.

médico-légal, e *adj* forensic.

médiéval, e *adj* medieval.

médiocre *adj* mediocre.

médiocrité *nf* mediocrity.

médire *vi* to gossip • **médire de qqn** to speak ill of sb.

médisant, e *adj* slanderous.

méditation *nf* meditation.

méditer *vt (projeter)* to plan • **méditer de faire qqch** to plan to do sthg. ❑ *vi* • **méditer (sur)** to meditate (on).

Méditerranée *nf* • **la Méditerranée** the Mediterranean (Sea).

méditerranéen, enne *adj* Mediterranean. ■ **Méditerranéen, enne** *nm, f* person from the Mediterranean.

médium *nmf (personne)* medium.

médius *nm* middle finger.

méduse *nf* jellyfish.

méduser *vt* to dumbfound.

meeting *nm* meeting.

méfait *nm* misdemeanour (UK), misdemeanor (US), misdeed. ■ **méfaits** *nmpl (du temps)* ravages.

méfiance *nf* suspicion, distrust.

méfiant, e *adj* suspicious, distrustful.

méfier ■ se méfier *vp* to be wary *ou* careful • **se méfier de qqn/qqch** to distrust sb/sthg.

mégabit *nm* INFORM megabit.

mégalo *nmf & adj fam* megalomaniac.

mégalomane *nmf & adj* megalomaniac.

mégalomanie *nf* megalomania.

méga-octet *nm* megabyte.

mégapole *nf* megalopolis, megacity.

mégarde ■ par mégarde *loc adv* by mistake.

mégère *nf péj* shrew.

mégot *nm fam* butt, fag-end (UK).

meilleur, e *adj* **1.** *(compar)* better **2.** *(superl)* best. ❑ *nm, f* best. **■ meilleur ●** **le meilleur** the best. ❑ *adv* better.

mél *nm* INFORM email.

mélancolie *nf* melancholy.

mélancolique *adj* melancholy.

mélange *nm* **1.** *(action)* mixing **2.** *(mixture)* mixture.

mélanger *vt* **1.** *(mettre ensemble)* to mix **2.** *(déranger)* to mix up, to muddle up. **■ se mélanger** *vp* **1.** *(se mêler)* to mix **2.** *(se brouiller)* to get mixed up.

mélasse *nf* **1.** *(liquide)* treacle (UK), molasses *(indén)* (US) **2.** *fam (mélange)* mess • **être dans la mélasse** *fig* to be in a fix.

mêlée *nf* **1.** *(combat)* fray **2.** *rugby* scrum.

mêler *vt* **1.** *(mélanger)* to mix **2.** *(déranger)* to muddle up, to mix up **3.** *(impliquer)* • **mêler qqn à qqch** to involve sb in sthg. **■ se mêler** *vp* **1.** *(se joindre)* • **se mêler à** *(groupe)* to join **2.** *(s'ingérer)* • **se mêler de qqch** to get mixed up in sthg • **mêlez-vous de ce qui vous regarde !** mind your own business!

mélèze *nm* larch.

mélo *nm fam* melodrama.

mélodie *nf* melody.

mélodieux, euse *adj* melodious, tuneful.

mélodrame *nm* melodrama.

mélomane *nmf* music lover. ❑ *adj* music-loving.

melon *nm* **1.** *(fruit)* melon **2.** *(chapeau)* bowler (hat) (UK), derby (hat) (US).

membrane *nf* membrane.

membre *nm* **1.** *(du corps)* limb **2.** *(personne, pays, partie)* member. ❑ *adj* member *(avant nom)*.

même *adj indéf* **1.** *(indique une identité ou une ressemblance)* same • **il a le même âge que moi** he's the same age as me **2.** *(sert à souligner)* • **ce sont ses paroles mêmes** those are his very words • **elle est la bonté même** she's kindness itself. ❑ *pron indéf* • **le/la même** the same one • **ce sont toujours les mêmes qui gagnent** it's always the same people who win. ❑ *adv* even • **il n'est même pas diplômé** he isn't even qualified. **■ de même** *loc adv* similarly, likewise

• **il en va de même pour lui** the same goes for him. **■ de même que** *loc conj* just as. **■ tout de même** *loc adv* all the same. **■ à même** *loc prép* • **s'asseoir à même le sol** to sit on the bare ground. **■ à même de** *loc prép* • **être à même de faire qqch** to be able to do sthg, to be in a position to do sthg. **■ même si** *loc conj* even if.

mémé = mémère.

mémento *nm* **1.** *(agenda)* pocket diary **2.** *(ouvrage)* notes *(title of school textbook)*.

mémère, mémé *nf fam* **1.** *(grand-mère)* granny **2.** *péj (vieille femme)* old biddy.

mémoire *nf* (gén) INFORM memory • **de mémoire** from memory • **avoir bonne/mauvaise mémoire** to have a good/bad memory • **mettre en mémoire** INFORM to store • **mémoire tampon** INFORM buffer • **mémoire vive** INFORM random access memory • **à la mémoire de** in memory of. ❑ *nm* UNIV dissertation, paper. **■ mémoires** *nmpl* memoirs.

mémorable *adj* memorable.

mémorandum *nm* **1.** *(note diplomatique)* memorandum **2.** *(carnet)* notebook.

mémorial, aux *nm* *(monument)* memorial.

mémorisable *adj* INFORM storable.

mémoriser *vt* **1.** *(sujet : personne)* to memorize **2.** INFORM to store.

menaçant, e *adj* threatening.

menace *nf* • **menace (pour)** threat (to).

menacer *vt* to threaten • **menacer de faire qqch** to threaten to do sthg • **menacer qqn de qqch** to threaten sb with sthg. ❑ *vi* • **la pluie menace** it looks like rain.

ménage *nm* **1.** *(nettoyage)* housework *(indén)* • **faire le ménage** to do the housework **2.** *(couple)* couple **3.** ÉCON household.

ménagement *nm* *(égards)* consideration • **sans ménagement** brutally.

ménager¹, ère *adj* household *(avant nom)*, domestic. **■ ménagère** *nf* **1.** *(femme)* housewife **2.** *(de couverts)* canteen (UK).

ménager² *vt* **1.** *(bien traiter)* to treat gently **2.** *(économiser - réserves)* to use sparingly ; *(-argent, temps)* to use carefully • **ménager ses forces** to conserve one's strength • **ménager sa santé** to take care of one's health **3.** *(préparer - surprise)* to prepare. ■ **se ménager** *vp* to take care of o.s., to look after o.s.

ménagerie *nf* menagerie.

mendiant, e *nm, f* beggar.

mendier *vt (argent)* to beg for. ❏ *vi* to beg.

mener *vt* **1.** *(emmener)* to take **2.** *(sujet : escalier, route)* to take, to lead **3.** *(diriger - débat, enquête)* to conduct ; *(- affaires)* to manage, to run • **mener qqch à bonne fin** *ou* **à bien** to see sthg through, to bring sthg to a successful conclusion **4.** *(être en tête de)* to lead. ❏ *vi* to lead.

meneur, euse *nm, f (chef)* ringleader • **meneur d'hommes** born leader.

menhir *nm* standing stone.

méningite *nf* meningitis *(indén).*

ménisque *nm* meniscus.

ménopause *nf* menopause.

menotte *nf (main)* little hand. ■ **menottes** *nfpl* handcuffs • **passer les menottes à qqn** to handcuff sb.

mensonge *nm (propos)* lie.

mensonger, ère *adj* false.

menstruel, elle *adj* menstrual.

mensualiser *vt* to pay monthly.

mensualité *nf* **1.** *(traite)* monthly instalment (UK) *ou* installment (US) **2.** *(salaire)* (monthly) salary.

mensuel, elle *adj* monthly. ■ **mensuel** *nm* monthly *(magazine).*

mensuration *nf* measuring. ■ **mensurations** *nfpl* measurements.

mental, e *adj* mental. ■ **mental** *nm* • **le mental** the mind • **avoir un mental d'acier** to be a tower of strength.

mentalité *nf* mentality.

menteur, euse *nm, f* liar.

menthe *nf* mint.

mentholé, e *adj* mentholated, menthol *(avant nom).*

mention *nf* **1.** *(citation)* mention **2.** *(note)* note • **'rayer la mention inutile'** 'delete as appropriate' **3.** UNIV • **avec mention** with distinction.

mentionner *vt* to mention.

mentir *vi* • **mentir (à)** to lie (to).

menton *nm* chin.

menu¹, e *adj* **1.** *(très petit)* tiny **2.** *(mince)* thin.

menu² *nm* **1.** *(liste, carte)* menu **2.** *(repas à prix fixe)* set menu • **menu gastronomique/touristique** gourmet/tourist menu **3.** INFORM menu • **menu déroulant** pull-down menu.

menuiserie *nf* **1.** *(métier)* carpentry, joinery (UK) **2.** *(atelier)* carpenter's workshop, joinery (workshop).

menuisier *nm* carpenter, joiner (UK).

méprendre ■ **se méprendre** *vp littéraire* • **se méprendre sur** to be mistaken about.

mépris, e *pp* → **méprendre**. ■ **mépris** *nm* **1.** *(dédain)* • **mépris (pour)** contempt (for), scorn (for) **2.** *(indifférence)* • **mépris de** disregard for. ■ **au mépris de** *loc prép* regardless of.

méprisable *adj* contemptible, despicable.

méprisant, e *adj* contemptuous, scornful.

méprise *nf* mistake, error.

mépriser *vt* **1.** to despise **2.** *(danger, offre)* to scorn.

mer *nf* sea • **en mer** at sea • **prendre la mer** to put to sea • **haute** *ou* **pleine mer** open sea • **la mer d'Irlande** the Irish Sea • **la mer Morte** the Dead Sea • **la mer Noire** the Black Sea • **la mer du Nord** the North Sea.

mercantile *adj* mercenary.

mercenaire *nm & adj* mercenary.

mercerie *nf* **1.** *(articles)* haberdashery (UK), notions *(pl)* (US) **2.** *(boutique)* haberdasher's shop (UK), notions store (US).

merci *interj* thank you!, thanks! • **merci beaucoup!** thank you very much! ❏ *nm* • **merci (de** *ou* **pour)** thank you (for) • **dire merci à qqn** to thank sb, to say thank you to sb. ❏ *nf* mercy • **être à la merci de** to be at the mercy of.

dire merci

Pour remercier quelqu'un, vous pouvez utiliser **thank you** merci, **thank you very much** merci beaucoup, **thanks for...** merci pour... ou encore **it was really kind of you** c'était vraiment gentil de votre part. Si quelqu'un vous présente ses remerciements, vous pouvez répondre : **you're welcome**, **don't mention it!** ou encore **my pleasure** qui sont autant de variantes de *je vous en prie*.

mercier, ère *nm, f* haberdasher (UK), notions dealer (US).

mercredi *nm* Wednesday. Voir aussi **samedi**.

En anglais, les jours de la semaine s'écrivent avec une majuscule.

mercure *nm* mercury.

merde *tfam nf* shit.

mère *nf* **1.** *(génitrice)* mother • **mère biologique** MÉD & BIOL biological *ou* natural mother • **mère de famille** mother **2.** RELIG Mother.

merguez *nf* spicy mutton sausage.

méridien, enne *adj (ligne)* meridian. ■ **méridien** *nm* meridian.

méridional, e *adj* **1.** southern **2.** *(du sud de la France)* Southern (French).

meringue *nf* meringue.

merisier *nm* **1.** *(arbre)* wild cherry (tree) **2.** *(bois)* cherry.

mérite nm merit.

mériter vt 1. (être digne de, encourir) to deserve 2. (valoir) to be worth, to merit.

méritoire adj commendable.

merlan nm whiting.

merle nm blackbird.

merveille nf marvel, wonder • **à merveille** marvellously (UK), marvelously (US), wonderfully.

merveilleux, euse adj 1. (remarquable, prodigieux) marvellous (UK), marvelous (US), wonderful 2. (magique) magic, magical. ■ **merveilleux** nm • **le merveilleux** the supernatural.

mésalliance nf unsuitable marriage, misalliance.

mésange nf ZOOL tit.

mésaventure nf misfortune.

mésentente nf disagreement.

mesquin, e adj mean, petty.

mesquinerie nf (étroitesse d'esprit) meanness, pettiness.

mess nm mess.

message nm message • **laisser un message à qqn** to leave a message for sb • **message d'alerte** INFORM alert message • **message publicitaire** COMM commercial.

messager, ère nm, f messenger.

messagerie nf 1. (gén pl) (transport de marchandises) freight (indén) 2. INFORM • **messagerie électronique** electronic mail.

messe nf mass • **aller à la messe** to go to mass.

messie nm 1. Messiah 2. fig saviour (UK), savior (US).

mesure nf 1. (disposition, acte) measure, step • **prendre des mesures** to take measures ou steps • **mesure de sécurité** safety measure 2. (évaluation, dimension) measurement • **prendre les mesures de qqn/qqch** to measure sb/sthg 3. (étalon, récipient) measure 4. MUS time, tempo 5. (modération) moderation 6. (locution) • **dans la mesure du possible** as far as possible • **être en mesure de** to be in a position to. ■ **à la mesure de** loc prép worthy of. ■ **à mesure que** loc conj as. ■ **outre mesure** loc adv excessively. ■ **sur mesure** loc adj 1. custom-made 2. (costume) made-to-measure.

mesurer vt 1. (gén) to measure • **elle mesure 1,50 m** she's 5 feet tall • **la table mesure 1,50 m** the table is 5 feet long 2. (risques, portée, ampleur) to weigh, to weigh up (UK) • **mesurer ses paroles** to weigh one's words. ■ **se mesurer** vp • **se mesurer avec** ou **à qqn** to pit o.s. against sb.

métabolisme nm metabolism.

métal nm metal.

métallique adj 1. (en métal) metal (avant nom) 2. (éclat, son) metallic.

métallurgie nf 1. (industrie) metallurgical industry 2. (technique) metallurgy.

métamorphose nf metamorphosis.

métaphore nf metaphor.

métaphorique adj metaphorical.

métaphysique nf metaphysics (indén). ❑ adj metaphysical.

métayer, ère nm, f tenant farmer.

météo nf 1. (bulletin) weather forecast • **prévisions météo** (weather) forecast 2. (service) ≃ Met Office (UK) ; ≃ National Weather Service (US).

météore nm meteor.

météorite nm & nf meteorite.

météorologie nf (sciences) meteorology.

météorologique adj meteorological, weather (avant nom).

métèque nm vulg si vous voulez expliquer de quoi il s'agit à un anglophone, vous pouvez dire it is a racist term used with reference to people from Mediterranean countries living in France.

méthane nm methane.

méthode nf 1. (gén) method 2. (ouvrage - gén) manual ; (- de lecture, de langue) primer.

méthodique adj methodical.

méthodologie nf methodology.

méticuleux, euse adj meticulous.

métier nm (profession - manuelle) occupation, trade ; (- intellectuelle) occupation, profession • **il est du métier** he's in the same trade ou same line of work • **avoir du métier** to have experience.

les métiers

LEXIQUE

l'**acteur**/l'**actrice** the actor/the actress
l'**architecte** the architect
l'**artiste peintre** the painter
l'**avocat(e)** the lawyer
le **banquier**/la **banquière** the banker
le **coiffeur**/la **coiffeuse** the hairdresser
le **facteur**/la **factrice** the postman/the postwoman (UK), the mailman/the mailwoman (US)
l'**ingénieur** the engineer
le/la **journaliste** the journalist
le **juge** the judge
le **mécanicien**/la **mécanicienne** the mechanic
le/la **médecin** the doctor
le/la **photographe** the photographer
le **pilote** the pilot
le **policier**/la **policière** the policeman/the policewoman
le **pompier** the fireman (UK), the firefighter (US)
le/la **professeur(e)** the teacher
le **vendeur**/la **vendeuse** the salesman/the saleswoman

métis, isse nm, f person of mixed race. ■ **métis** nm (tissu) cotton-linen mix.

métissage nm (de personnes) interbreeding.

métrage nm **1.** (mesure) measurement, measuring **2.** (COUT - coupon) length **3.** CINÉ footage • **long métrage** feature film • **court métrage** short (film) (UK) ou (movie) (US).

mètre nm **1.** LITTÉR & MATH metre (UK), meter (US) • **mètre carré** square metre (UK) ou meter (US) • **mètre cube** cubic metre (UK) ou meter (US) **2.** (instrument) rule.

métrique nf LITTÉR metrics (indén). ❏ adj **1.** MATH metric **2.** LITTÉR metrical.

métro nm underground (UK), subway (US).

métronome nm metronome.

métropole nf **1.** (ville) metropolis **2.** (pays) home country.

métropolitain, e adj metropolitan • **la France métropolitaine** metropolitan ou mainland France.

mets nm CULIN dish.

metteur, euse nm, f • **metteur en scène** THÉÂTRE & CINÉ director.

mettre vt **1.** (placer) to put • **mettre de l'eau à bouillir** to put some water on to boil **2.** (revêtir) to put on • **mets ta robe noire** put your black dress on • **je ne mets plus ma robe noire** I don't wear my black dress any more **3.** (consacrer -temps) to take • **mettre longtemps à faire qqch** to take a long time to do sthg ; (-argent) to spend **4.** (allumer - radio, chauffage) to put on, to switch on **5.** (installer) to put in • **faire mettre l'électricité** to have electricity put in • **faire mettre de la moquette** to have a carpet put down ou fitted **6.** (inscrire) to put (down). ■ **se mettre** vp **1.** (se placer) • **où est-ce que ça se met ?** where does this go? • **se mettre au lit** to get into bed • **se mettre à côté de qqn** to sit/stand near to sb **2.** (devenir) • **se mettre en colère** to get angry **3.** (commencer) • **se mettre à qqch/à faire qqch** to start sthg/doing sthg **4.** (revêtir) to put on • **je n'ai rien à me mettre** I haven't got a thing to wear.

meuble nm piece of furniture • **meubles** furniture (indén). ❏ adj **1.** (terre, sol) easily worked **2.** DR movable.

À PROPOS DE | **meuble**

Attention ! Le mot **furniture** est indénombrable. Il ne s'emploie ni au pluriel, ni avec l'article indéfini **a** :
• *C'est un très joli meuble art déco.* ***It's a fine piece of art deco furniture.***
• *Je dois acheter des meubles pour mon nouvel appartement.* ***I've got to buy some furniture for my new flat.***

meublé, e adj furnished. ■ **meublé** nm furnished room/flat (UK) ou apartment (US).

meubler vt **1.** (pièce, maison) to furnish **2.** fig (occuper) • **meubler qqch (de)** to fill sthg (with). ■ **se meubler** vp to furnish one's home.

meuf nf fam woman.

meugler vi to moo.

meule nf **1.** (à moudre) millstone **2.** (à aiguiser) grindstone **3.** (de fromage) round **4.** AGRIC stack • **meule de foin** haystack.

meunier, ère nm, f miller, miller's wife f.

meurette nf CULIN • **œufs en meurette** si vous voulez expliquer de quoi il s'agit à un anglophone, vous pouvez dire it is a dish of poached eggs in red wine and bacon sauce.

meurtre nm murder.

meurtrier, ère adj **1.** (épidémie, arme) deadly **2.** (fureur) murderous **3.** (combat) bloody. ❏ nm, f murderer. ■ **meurtrière** nf ARCHIT loophole.

meurtrir vt **1.** (contusionner) to bruise **2.** fig (blesser) to wound.

meurtrissure nf (marque) bruise.

meute nf pack.

mexicain, e adj Mexican. ■ **Mexicain, e** nm, f Mexican.

En anglais, les adjectifs se rapportant à un pays ou une région s'écrivent avec une majuscule.

Mexique nm • **le Mexique** Mexico.

En anglais, à de rares exceptions près, il n'y a pas d'article devant les noms de pays.

mezzanine nf mezzanine.

mezze nmpl CULIN meze.

mezzo-soprano nm ou nf mezzo-soprano.

mi nm inv **1.** E **2.** (chanté) mi.

mi- adj inv half • **à la mi-juin** in mid-June. ❏ adv half-.

miam, miam-miam interj fam yum, yum-yum.

miasme nm (gén pl) putrid ou foul smell.

miaulement nm miaowing (UK), meowing (US).

miauler vi to miaow (UK), to meow (US).

mi-bas nm inv knee-sock.

mi-carême nf si vous voulez donner une définition à un anglophone, vous pouvez dire it is a feast day that falls on the third Thursday in Lent.

mi-chemin ■ **à mi-chemin** loc adv halfway (there).

mi-clos, e adj half-closed.

micmac nm fam **1.** (manigance) game, scheme **2.** (embrouillamini) muddle, chaos.

micro nm **1.** (microphone) mike **2.** (micro-ordinateur) micro. ❏ nf microcomputing.

microbe nm **1.** MÉD microbe, germ **2.** fam (avorton) (little) runt.

microbien, enne adj bacterial.

microclimat nm microclimate.

microcosme *nm* microcosm.

microfiche *nf* microfiche.

microfilm *nm* microfilm.

micro-ondes *nfpl* microwaves • **(four à) micro-ondes** microwave (oven).

micro-ordinateur *nm* micro, microcomputer.

microphone *nm* microphone.

microprocesseur *nm* microprocessor.

microscope *nm* microscope • **regarder quelque chose au microscope** to look at something through a microscope.

microscopique *adj* microscopic.

micro-trottoir *nm* voxpop.

midi *nm* 1. *(période du déjeuner)* lunchtime 2. *(heure)* midday, noon 3. *(sud)* south. ■ **Midi** *nm* • **le Midi** the South of France.

midinette *nf fam* starry-eyed girl.

mie *nf (de pain)* soft part, inside.

miel *nm* honey.

mielleux, euse *adj* 1. *(personne)* unctuous 2. *(paroles, air)* honeyed.

mien ■ **le mien, la mienne** *pron poss* mine.

miette *nf* 1. *(de pain)* crumb, breadcrumb 2. *(gén pl) (débris)* shreds *pl.*

mieux *adv* 1. *(comparatif)* • **mieux (que)** better (than) • **il pourrait mieux faire** he could do better • **il va mieux** he's better • **faire mieux de faire qqch** to do better to do sthg • **vous feriez mieux de vous taire** you would do better to keep quiet, you would be well-advised to keep quiet 2. *(superlatif)* best • **il est le mieux payé du service** he's the best *ou* highest paid member of the department • **le mieux qu'il peut** as best he can. □ *adj* better. □ *nm* 1. *(sans déterminant)* • **j'espérais mieux** I was hoping for something better 2. *(avec déterminant)* best • **il y a un** *ou* **du mieux** there's been an improvement • **faire de son mieux** to do one's best. ■ **au mieux** *loc adv* at best. ■ **pour le mieux** *loc adv* for the best. ■ **de mieux en mieux** *loc adv* better and better.

mièvre *adj* insipid.

mignon, onne *adj* 1. *(charmant)* sweet, cute 2. *(gentil)* nice. □ *nm, f* darling, sweetheart.

migraine *nf* 1. headache 2. *MÉD* migraine • **j'ai la migraine** I have a migraine.

migrant, e *nm, f* migrant.

migrateur, trice *adj* migratory.

migration *nf* migration.

mijoter *vt fam (tramer)* to cook up. □ *vi CULIN* to simmer.

mi-journée *nf* • **les informations de la mi-journée** the lunchtime news.

mil *nm* millet.

milan *nm* kite *(bird)*.

milice *nf* militia.

milicien, enne *nm, f* militiaman, militia-woman *f.*

milieu *nm* 1. *(centre)* middle • **au milieu de a)** *(au centre de)* in the middle of **b)** *(parmi)* among, surrounded by 2. *(stade intermédiaire)* middle course 3. *(sociologie)* environment, milieu • **milieu familial** family background 4. *BIOL* environment, habitat 5. *(pègre)* • **le milieu** the underworld 6. *FOOTBALL* • **milieu de terrain** mid-fielder, midfield player.

militaire *nmf* soldier • **militaire de carrière** professional soldier. □ *adj* military.

militant, e *adj & nm, f* militant.

militariste *nmf* militarist. □ *adj* militaristic.

militer *vi* to be active • **militer pour** to militate in favour *(UK)* ou favor *(US)* of • **militer contre** to militate against.

mille *nm inv* 1. *(unité)* a ou one thousand 2. *(de cible)* • **dans le mille** on target 3. *NAUT* • **mille marin** nautical mile 4. *(QUÉBEC) (distance)* mile. □ *adj inv* thousand • **plus de mille spectateurs** more than a thousand spectators • **c'est mille fois trop** it's far too much • **je lui ai dit mille fois** I've told him a thousand times. *Voir aussi* **six.**

mille-feuille, millefeuille *nm* ≃ vanilla slice *(UK)* ; ≃ napoleon *(US)*.

millénaire *nm* millennium, thousand years *pl.* □ *adj* thousand-year-old *(avant nom)*.

mille-pattes *nm inv* centipede, millipede.

millésime *nm* 1. *(de pièce)* date 2. *(de vin)* vintage, year.

millésimé, e *adj (vin)* vintage *(avant nom)*.

millet *nm* millet.

milliard *nm* thousand million *vieilli (UK)*, billion • **six milliards d'habitants** six billion inhabitants • **par milliards** *fig* in (their) millions.

milliardaire *nmf* multimillionaire *(UK)*, billionaire. □ *adj* • **elle est milliardaire** she's a billionaire *ou* a multimillionaire.

millier *nm* thousand • **un millier d'euros** about a thousand euros • **un millier de personnes** about a thousand people • **par milliers** in (their) thousands.

milligramme *nm* milligram, milligramme *(UK)*.

millilitre *nm* millilitre *(UK)*, milliliter *(US)*.

millimètre *nm* millimetre *(UK)*, millimeter *(US)*.

millimétrique *adj* • **papier millimétrique** graph paper.

million *nm* million • **un million d'euros** a million euros.

millionnaire *nmf* millionaire. □ *adj* • **elle est millionnaire** she's a millionaire.

mime *nm* mime.

mimer *vt* 1. *(exprimer sans parler)* to mime 2. *(imiter)* to mimic.

mimétisme *nm* mimicry.

mimique *nf* **1.** *(grimace)* face **2.** *(geste)* sign language *(indén)*.

mimosa *nm* mimosa.

min. *(abrév de minimum)* min.

minable *fam adj* **1.** *(misérable)* seedy, shabby **2.** *(médiocre)* pathetic. ❑ *nmf* loser.

minaret *nm* minaret.

minauder *vi* to simper.

mince *adj* **1.** *(maigre - gén)* thin ; *(- personne, taille)* slender, slim **2.** *fig (faible)* small, meager (UK), meager (US) **3.** *(exclamation)* blast • **mince, j'ai oublié !** blast, I've forgotten!

minceur *nf* **1.** *(gén)* thinness **2.** *(de personne)* slenderness, slimness **3.** *fig (insuffisance)* meagreness (UK), meagerness (US).

mincir *vi* to get thinner *ou* slimmer.

mine *nf* **1.** *(expression)* look • **avoir bonne/mauvaise mine** to look well/ill **2.** *(apparence)* appearance **3.** *(gisement)* mine **4.** *(exploitation)* mining • **mine de charbon** coalmine **5.** *(explosif)* mine **6.** *(de crayon)* lead.

miner *vt* **1.** MIL to mine **2.** *(ronger)* to undermine, to wear away **3.** *fig* to wear down. ■ **se miner** *vp* to worry o.s. sick.

minerai *nm* ore.

minéral, e *adj* **1.** CHIM inorganic **2.** *(eau, source)* mineral *(avant nom)*. ■ **minéral** *nm* mineral.

minéralogie *nf* mineralogy.

minéralogique *adj* **1.** AUTO • **plaque minéralogique** numberplate (UK), license plate (US) **2.** GÉOL mineralogical.

minet, ette *nm, f fam* **1.** *(chat)* pussy cat, pussy **2.** *(personne)* trendy.

mineur, e *adj* minor • **Simon est encore mineur** Simon is still a minor. ❑ *nm, f* DR minor. ■ **mineur** *nm* *(ouvrier)* miner • **mineur de fond** face worker.

miniature *nf* miniature. ❑ *adj* miniature.

miniaturiser *vt* to miniaturize.

minibar *nm* minibar.

minibus *nm* minibus.

minichaîne *nf* portable hi-fi.

minier, ère *adj* mining *(avant nom)*.

minijupe *nf* miniskirt.

minimal, e *adj* minimum *(avant nom)*.

minimalisme *nm* minimalism.

minime *nmf* SPORT ≃ junior. ❑ *adj* minimal.

minimiser *vt* to minimize.

minimum *nm* *(gén)* MATH minimum • **au minimum** at least • **le strict minimum** the bare minimum • **minima sociaux** basic welfare benefit. ❑ *adj* minimum *(avant nom)*.

ministère *nm* **1.** *(département)* department, ministry (UK) **2.** *(cabinet)* government **3.** RELIG ministry.

ministériel, elle *adj (du ministère)* departmental, ministerial (UK).

ministre *nmf* secretary, minister (UK) • **ministre d'État** secretary of state, cabinet minister (UK) • **Premier ministre** prime minister.

minois *nm* sweet (little) face.

minoritaire *adj* minority *(avant nom)* • **être minoritaire** to be in the minority.

minorité *nf* minority • **en minorité** in the minority.

minuit *nm* midnight.

minuscule *nf (lettre)* small letter. ❑ *adj* **1.** *(lettre)* small **2.** *(très petit)* tiny, minuscule.

minute *nf* minute • **dans une minute** in a minute • **d'une minute à l'autre** in next to no time. ❑ *interj fam* hang on (a minute)!

minuter *vt (chronométrer)* to time (precisely).

minuterie *nf (d'éclairage)* time switch, timer.

minuteur *nm* timer.

minutie *nf* **1.** *(soin)* meticulousness **2.** *(précision)* attention to detail • **avec minutie a)** *(avec soin)* meticulously **b)** *(dans le détail)* in minute detail.

minutieux, euse *adj* **1.** *(méticuleux)* meticulous **2.** *(détaillé)* minutely detailed • **un travail minutieux** a job requiring great attention to detail.

mioche *nmf fam* kiddy.

mirabelle *nf* **1.** *(fruit)* mirabelle (plum) **2.** *(alcool)* plum brandy.

miracle *nm* miracle • **par miracle** by some *ou* a miracle, miraculously.

miraculé, e *adj* lucky to be alive. ❑ *nm, f* si vous voulez expliquer de quoi il s'agit à un anglophone, vous pouvez dire it means someone who is lucky to be alive.

miraculeux, euse *adj* miraculous.

mirador *nm* MIL watchtower.

mirage *nm* mirage.

mire *nf* **1.** TV test card (UK), test pattern (US) **2.** *(visée)* • **ligne de mire** line of sight.

mirifique *adj fam* fabulous.

mirobolant, e *adj fam* fabulous, fantastic.

miroir *nm* mirror • **miroir déformant** distorting mirror.

miroiter *vi* to sparkle, to gleam • **faire miroiter qqch à qqn** to hold out the prospect of sthg to sb.

mis, e *pp* → **mettre**.

misanthrope *nmf* misanthropist, misanthrope. ❑ *adj* misanthropic.

mise *nf* **1.** *(action)* putting • **mise à feu a)** *(en armement)* firing **b)** *(en astronautique)* blast-off, launch **c)** TECHNOL firing, ignition • **mise à jour** updating • **mise en page** making up, composing • **mise au point a)** PHOTO focusing **b)** TECHNOL adjustment **c)** *fig* clarification • **mise en scène** production **2.** *(d'argent)* stake.

miser *vt* to bet. ❑ *vi* **1.** • **miser sur a)** *(cheval)* to bet on **b)** *(argent)* to stake • **j'ai misé 10 euros sur le numéro 29** I've staked 10 euros on number 29 **2.** *fig (compter sur - quelque chose)* to bank *ou* to count on *(insép)*; *(-quelqu'un)* to count on *(insép)* • **elle mise sur le succès de son livre pour s'acheter une maison** she's banking on her book being a success to buy a house • **il vaut mieux ne pas miser sur lui** we'd better not count on him.

misérable *adj* 1. *(pauvre)* poor, wretched 2. *(sans valeur)* paltry, miserable.

misère *nf* 1. *(indigence)* poverty 2. *fig (bagatelle)* trifle.

miséricorde *nf (clémence)* mercy.

misogyne *adj* misogynous.

misogynie *nf* misogyny.

missel *nm* missal.

missile *nm* missile.

mission *nf* mission • **en mission** on a mission.

missionnaire *nmf* missionary.

missive *nf* letter.

mistral *nm* mistral.

mitaine *nf* fingerless glove.

mite *nf (clothes)* moth.

mité, e *adj* moth-eaten.

mi-temps *nf inv (SPORT - période)* half; *(-pause)* half-time. ❏ *nm* part-time work. ■ **à mi-temps** *loc adj & loc adv* part-time.

miteux, euse *fam adj* seedy, dingy.

mitigé, e *adj* 1. *(tempéré)* lukewarm 2. *fam (mélangé)* mixed.

mitonner *vt* 1. *(faire cuire)* to simmer 2. *(préparer avec soin)* to prepare lovingly. ❏ *vi* CULIN to simmer.

mitoyen, enne *adj* 1. *(commun)* common 2. *(attenant)* adjoining • **mur mitoyen** party wall.

mitrailler *vt* 1. MIL to machinegun 2. *fam (photographier)* to click away at 3. *fam & fig (assaillir)* • **mitrailler qqn (de)** to bombard sb (with).

mitraillette *nf* submachine gun.

mitrailleuse *nf* machinegun.

mitre *nf (d'évêque)* mitre (UK), miter (US).

mi-voix ■ **à mi-voix** *loc adv* in a low voice.

mix *nm inv* MUS 1. *(morceau de musique)* mix 2. *(mélange)* mixture, combination.

mixage *nm* CINE & RADIO *(sound)* mixing.

mixer[1], mixeur *nm (food)* mixer.

mixer[2] *vt* to mix.

mixité *nf* 1. *(gén)* mixed nature 2. SCOL co-education.

mixte *adj* mixed.

mixture *nf* 1. CHIM & CULIN mixture 2. *péj (mélange)* concoction.

MJC (abrév de maison des jeunes et de la culture) *nf* si vous voulez donner une définition à un anglophone, vous pouvez dire it is a combination of a youth club and a cultural centre.

ml (abrév de millilitre) ml.

Mlle (abrév de Mademoiselle) Miss.

mm (abrév de millimètre) mm.

MM (abrév de Messieurs) Messrs.

Mme (abrév de Madame) Mrs.

MMS (abrév de multimedia message service) *nm* TÉLÉCOM MMS.

mnémotechnique *adj* mnemonic.

Mo (abrév de méga-octet) MB.

mob (abrév de Mobylette®) *nf fam* moped.

mobile *nm* 1. *(jouet, téléphone)* INFORM mobile 2. *(motivation)* motive. ❏ *adj* 1. *(gén)* movable, mobile 2. *(téléphone)* mobile 3. *(partie, pièce)* moving 4. *(population, main-d'œuvre)* mobile.

mobilier, ère *adj* DR movable. ■ **mobilier** *nm* furniture.

mobilisation *nf* mobilization.

mobiliser *vt* 1. *(gén)* to mobilize 2. *(moralement)* to rally. ■ **se mobiliser** *vp* to mobilize, to rally.

mobilité *nf* mobility.

Mobylette® *nf* moped.

mocassin *nm* moccasin.

moche *adj fam* 1. *(laid)* ugly 2. *(triste, méprisable)* lousy, rotten.

modalité *nf (convention)* form • **modalités de paiement** methods of payment.

mode *nf* 1. *(gén)* fashion • **à la mode** in fashion, fashionable 2. *(coutume)* custom, style • **à la mode de** in the style of. ❏ *nm* 1. *(manière)* mode, form • **mode de vie** way of life • **mode avion** *(sur téléphone mobile)* airplane mode 2. *(méthode)* method • **mode de cuisson** *(sur emballage)* cooking instructions • **mode d'emploi** instructions (for use) 3. GRAMM mood 4. MUS mode 5. INFORM mode.

modèle *nm* 1. *(gén)* model • **sur le modèle de** on the model of • **modèle déposé** patented design 2. *(exemplaire)* model. ❏ *adj (parfait)* model *(avant nom)*.

modeler *vt* to shape • **modeler qqch sur qqch** *fig* to model sthg on sthg.

modélisme *nm* modelling (UK) *ou* modeling (US) *(of scale models)*.

modem *nm* TÉLÉCOM modem • **modem d'appel** dial-up modem • **modem fax** fax modem • **modem RNIS** *ou* **Numéris** ISDN line.

modération *nf* moderation.

modéré, e *adj & nm, f* moderate.

modérer *vt* to moderate. ■ **se modérer** *vp* to restrain o.s., to control o.s.

moderne *adj* 1. modern 2. *(mathématiques)* new.

moderniser *vt* to modernize. ■ **se moderniser** *vp* to become (more) modern.

modernité *nf* modernity.

modeste *adj* 1. modest 2. *(origine)* humble.

modestie *nf* modesty • **fausse modestie** false modesty.

modifiable *adj* modifiable, alterable.

modification *nf* alteration, modification • **apporter une modification à qqch** to modify sthg.

modifier *vt* to alter, to modify. ■ **se modifier** *vp* to alter.

modique *adj* modest.

modiste *nmf* milliner.

modulation *nf* modulation.

module *nm* module.

moduler *vt* **1.** *(air)* to warble **2.** *(structure)* to adjust.

moelle *nf* ANAT marrow • **la moelle osseuse** bone marrow. ■ **moelle épinière** *nf* spinal cord.

moelleux, euse *adj* **1.** *(canapé, tapis)* soft **2.** *(fromage, vin)* mellow. ❑ *nm* • **moelleux au chocolat** rich chocolate cake.

moellon *nm* rubble stone.

mœurs *nfpl* **1.** *(morale)* morals **2.** *(coutumes)* customs, habits **3.** ZOOL behaviour *(indén)* **(UK)**, behavior *(indén)* **(US)**.

mohair *nm* mohair.

moi *pron pers* **1.** *(objet, après préposition, comparatif)* me • **aide-moi** help me • **il me l'a dit, à moi** he told *me* • **c'est pour moi** it's for me • **plus âgé que moi** older than me *ou* than I (am) **2.** *(sujet)* I • **moi non plus, je n'en sais rien** I don't know anything about it either • **qui est là ? — (c'est) moi** who's there? — (it's) me • **je l'ai vu hier — moi aussi** I saw him yesterday — me too • **c'est moi qui lui ai dit de venir** I was the one who told him to come. ■ **moi-même** *pron pers* myself.

À PROPOS DE

moi

En anglais, le ton de la voix peut servir à renforcer ce qui est dit : c'est le cas pour *I* dans **I told them.** *C'est moi qui leur ai dit.* ou **Moi, je crois qu'il a tort.** *I think that he's wrong.* où l'accent tonique de la phrase porte sur ce mot.

moignon *nm* stump.

moindre *adj (superl)* **le/la moindre** the least • *(avec négation)* the least *ou* slightest • **les moindres détails** the smallest details • **sans la moindre difficulté** without the slightest problem • **c'est la moindre des choses** it's the least I/you *etc* could do. ❑ *adj compar* **1.** less **2.** *(prix)* lower • **à un moindre degré** to a lesser extent.

moine *nm* monk.

moineau *nm* sparrow.

moins

■ **moins** *adv*

1. INDIQUE UNE QUANTITÉ INFÉRIEURE
• **tu devrais boire moins !** you should drink less ! • **mange moins de bonbons !** eat fewer

sweets ! *ou* don't eat so many sweets ! • **cette année, moins de gens sont venus** fewer people came this year

2. COMPARATIF
• **elle est moins sympa que Cécile** she's less nice than Cécile *ou* she's not as nice as Cécile • **il est moins enthousiaste que sa sœur** he's less enthusiastic than his sister • **il fait moins chaud à Dublin qu'à Paris** it's not as warm in Dublin as it is in Paris • **j'ai moins de courage que toi** I've got less courage than you *ou* I'm not as brave as you

3. SUPERLATIF
• **il pense être le moins riche des hommes** he thinks he is the poorest man (in the world) • **c'est lui qui travaille le moins** he works (the) least • **elle est très timide, elle parle le moins possible** she is very shy, she speaks as little as possible

4. DANS UNE CORRÉLATION
• **moins il mange, moins il travaille** the less he eats, the less he works

■ **moins** *prép*

1. POUR INDIQUER UNE TEMPÉRATURE NÉGATIVE
minus • **il fait moins vingt** it's minus twenty, it's twenty below

2. DANS UNE SOUSTRACTION
• **dix moins huit font deux** ten minus eight is two, ten less eight is two

3. POUR INDIQUER L'HEURE
• **il est 3 heures moins le quart** it's quarter to *ou* of **(US)** 3 • **il est moins dix** it's ten to *ou* it's ten of **(US)** • **il est un peu moins de 10 heures** it's nearly 10 o'clock

■ **moins** *nm*

1. SIGNE MATHÉMATIQUE
minus (sign) • **le moins est le signe de la soustraction** minus is the sign of subtraction

2. DANS DES EXPRESSIONS
• **le moins qu'on puisse dire, c'est que...** it's an understatement to say...

■ **à moins de** *loc prép*

1. POUR MOINS CHER
• **vous ne le trouverez pas à moins de 10 euros** you won't find it for less then 10 euros

2. SAUF, EXCEPTÉ
• **nous viendrons, à moins d'un imprévu** we'll be there unless sthg comes up • **à moins de battre le record** unless I/you beat the record

■ **à moins que** *loc conj*

unless • **à moins que j'y aille moi-même** unless I go myself

■ **au moins** *loc adv*

at least • **sa robe vaut au moins 300 euros** her dress is worth at least 300 euros

■ **de moins en moins** *loc adv*

less and less • **je joue de moins en moins au tennis** I am playing less and less tennis

■ **du moins** *loc adv*

at least • **ils devaient venir samedi, c'est du moins ce qu'ils nous avaient dit** they were supposed to come on Saturday, at least that's what they told us

■ **en moins** *loc adv*

• **il a une dent en moins** he's missing *ou* minus a tooth • **c'était le paradis, les anges en moins** it was heaven, minus the angels

■ **pour le moins** *loc adv*

at (the very) least • **son attitude est pour le moins surprenante** his attitude is surprising to say the least

moiré,e *adj* **1.** *(tissu)* watered **2.** *littéraire (reflet)* shimmering.

mois *nm (laps de temps)* month.

LEXIQUE

les mois de l'année

janvier January
février February
mars March
avril April
mai May
juin June
juillet July
août August
septembre September
octobre October
novembre November
décembre December

moisi,e *adj* mouldy (UK), moldy (US). ■ **moisi** *nm* mould (UK), mold (US).

moisir *vi* **1.** *(pourrir)* to go mouldy (UK) *ou* moldy (US) **2.** *fig (personne)* to rot.

moisissure *nf* mould (UK), mold (US).

moisson *nf* **1.** *(récolte)* harvest • **faire la moisson** *ou* **les moissons** to harvest, to bring in the harvest **2.** *fig (d'idées, de projets)* wealth.

moissonner *vt* **1.** to harvest, to gather (in) **2.** *fig* to collect, to gather.

moissonneuse-batteuse *nf* combine (harvester).

moite *adj* **1.** *(peau, mains)* moist, sweaty **2.** *(atmosphère)* muggy ; *(chaleur)* moist.

moiteur *nf* **1.** *(de peau, mains)* moistness **2.** *(d'atmosphère)* mugginess.

moitié *nf (gén)* half • **à moitié vide** half-empty • **faire qqch à moitié** to half-do sthg • **la moitié du temps** half the time • **à la moitié de qqch** halfway through sthg.

moka *nm* **1.** *(café)* mocha (coffee) **2.** *(gâteau)* coffee cake.

molaire *nf* molar.

moléculaire *adj* molecular.

molécule *nf* molecule.

moleskine *nf* imitation leather.

molester *vt* to manhandle.

molette *nf* **1.** *(de réglage)* toothed wheel **2.** *(outil)* glasscutter.

molle → **mou**.

mollement *adv* **1.** *(faiblement)* weakly, feebly **2.** *littéraire (paresseusement)* sluggishly, lethargically.

mollesse *nf* **1.** *(de chose)* softness **2.** *(de personne)* lethargy.

mollet *nm* calf. ❑ *adj* → **œuf**.

mollir *vi* **1.** *(physiquement, moralement)* to give way **2.** *(vent)* to drop, to die down.

mollusque *nm* ZOOL mollusc (UK), mollusk (US).

molosse *nm (chien)* watchdog.

môme *fam nmf (enfant)* kid, youngster.

moment *nm* **1.** *(gén)* moment • **au moment de l'accident** at the time of the accident, when the accident happened • **au moment de partir** just as we/you *etc* were leaving • **au moment où** just as • **dans un moment** in a moment • **d'un moment à l'autre, à tout moment** (at) any moment, any moment now • **à un moment donné** at a given moment • **par moments** at times, now and then • **en ce moment** at the moment • **pour le moment** for the moment **2.** *(durée)* (short) time • **passer un mauvais moment** to have a bad time **3.** *(occasion)* time • **ce n'est pas le moment (de faire qqch)** this is not the time (to do sthg). ■ **du moment que** *loc prép* since, as.

momentané,e *adj* temporary.

momie *nf* mummy.

mon, ma *adj poss* my.

monacal,e *adj* monastic.

Monaco *npr* • **(la principauté de) Monaco** (the principality of) Monaco.

monarchie *nf* monarchy • **monarchie absolue/constitutionnelle** absolute/constitutional monarchy • **monarchie parlementaire** parliamentary monarchy.

monarque *nm* monarch.

monastère *nm* monastery.

monceau *nm (tas)* heap.

mondain,e *adj* **1.** *(chronique, journaliste)* society *(avant nom)* **2.** *(futile)* frivolous, superficial.

mondanités *nfpl* **1.** *(événements)* society life *(indén)* **2.** *(paroles)* small talk *(indén)* **3.** *(comportements)* formalities.

monde nm **1.** (gén) world • **le/la plus… au monde, le/la plus… du monde** the most… in the world • **pour rien au monde** not for the world, not for all the tea in China • **mettre un enfant au monde** to bring a child into the world • **venir au monde** to come into the world **2.** (gens) people pl • **beaucoup/peu de monde** a lot of/not many people • **tout le monde** everyone, everybody **3.** (locution) • **c'est un monde !** that's really the limit! • **se faire un monde de qqch** to make too much of sthg • **noir de monde** packed with people.

mondial, e adj world (avant nom). ■ **mondial** nm • **le Mondial de football** the World Cup • **le Mondial de l'athlétisme** the World Athletics Championship • **le Mondial de l'automobile** the International Motor Show.

mondialement adv throughout ou all over the world.

mondialisation nf globalization.

mondialiste adj pro-globalization.

monétaire adj monetary.

Mongolie nf • **la Mongolie** Mongolia.

mongolien, enne vieilli nm, f mongol péj & vieilli.

moniteur, trice nm, f **1.** (enseignant) instructor, coach • **moniteur d'auto-école** driving instructor **2.** (de colonie de vacances) supervisor, leader. ■ **moniteur** nm (appareil) INFORM monitor.

monnaie nf **1.** (moyen de paiement) money **2.** (de pays) currency • **monnaie unique** single currency **3.** (pièces) change • **avoir de la monnaie** to have change • **avoir la monnaie** to have the change • **vous avez la monnaie de dix euros ?** do you have change for ten euros? • **faire (de) la monnaie** to get (some) change.

monnayer vt **1.** (biens) to convert into cash **2.** fig (silence) to buy.

monochrome adj monochrome, monochromatic.

monocle nm monocle.

monocoque nm & adj (bateau) monohull.

monocorde adj (monotone) monotonous.

monogamie nf monogamy.

monogramme nm monogram.

monolingue adj monolingual.

monologue nm **1.** THÉÂTRE soliloquy **2.** (discours individuel) monologue.

monologuer vi fig & péj (parler à soi-même) to talk away.

mononucléose nf • **mononucléose infectieuse** glandular fever (UK), mono (US), (infectious) mononucleosis (US).

monoparental, e adj single-parent (avant nom), lone-parent (avant nom), one-parent (avant nom) (UK).

monoplace adj single-seater (avant nom).

monopole nm monopoly • **avoir le monopole de qqch** litt & fig to have a monopoly of ou on sthg • **monopole d'État** state monopoly.

monopoliser vt to monopolize.

monoski nm **1.** (objet) monoski **2.** SPORT monoskiing • **faire du monoski** to go monoskiing.

monospace nm minivan, people carrier (UK).

monosyllabe nm monosyllable. ❏ adj monosyllabic.

monotone adj monotonous.

monotonie nf monotony.

monseigneur nm (titre - d'évêque, de duc) His Grace ; (- de cardinal) His Eminence ; (- de prince) His (Royal) Highness.

monsieur nm **1.** (titre) • **monsieur X** Mr X • **bonjour monsieur** good morning **2.** (dans hôtel, restaurant) good morning, sir • **bonjour messieurs** good morning (gentlemen) • **messieurs dames** ladies and gentlemen • **Monsieur le Ministre n'est pas là** the Minister is out **3.** (homme quelconque) gentleman.

monstre nm **1.** (gén) monster **2.** (en apposition) fam (énorme) colossal.

monstrueux, euse adj **1.** (gén) monstrous **2.** fig (erreur) terrible.

monstruosité nf monstrosity.

mont nm GÉOGR Mount • **le mont Blanc** Mont Blanc • **le mont Cervin** the Matterhorn.

montage nm **1.** (assemblage) assembly **2.** (de bijou) setting **3.** PHOTO photomontage **4.** CINÉ editing.

montagnard, e nm, f mountain dweller.

montagne nf **1.** (gén) mountain • **les montagnes Rocheuses** the Rocky Mountains **2.** (région) • **la montagne** the mountains pl • **à la montagne** in the mountains • **en haute montagne** at high altitudes. • **montagnes russes** nfpl roller coaster sing, big dipper sing (UK).

montagneux, euse adj mountainous.

montant, e adj (mouvement) rising. ■ **montant** nm **1.** (pièce verticale) upright **2.** (somme) total (amount).

monte-charge nm inv goods lift (UK), service elevator (US).

montée nf **1.** (de montagne) climb, ascent **2.** (de prix) rise **3.** (relief) slope, gradient.

monte-plats nm inv dumbwaiter.

monter vi **1.** (personne) to come/go up • **monter sur qqch** to climb onto sthg **2.** (température, niveau) to rise **3.** (route, avion) to climb **4.** (passager) to get on • **monter dans un bus** to get on a bus • **monter dans une voiture** to get into a car **5.** (cavalier) to ride • **monter à cheval** to ride **6.** (marée) to go/come in. ❏ vt **1.** (escalier, côte) to climb, to come/go up • **monter la rue en courant** to run up the street **2.** (chauffage, son) to turn up **3.** (valise) to take/bring up **4.** (meuble) to assemble **5.** COUT to assemble, to put ou sew together **6.** (tente) to put up **7.** (cheval) to mount

8. THÉÂTRE to put on **9.** *(société, club)* to set up **10.** CULIN to beat, to whisk (up). ■ **se monter** *vp* **1.** *(s'assembler)* • **se monter facilement** to be easy to assemble **2.** *(atteindre)* • **se monter à** to amount to, to add up to.

monter

> ▲ PROPOS DE
> Notez la différence de traduction selon que la personne qui parle se trouve en bas, traduction *to go up, to take up* ou déjà en haut, traduction *to come up, to bring up*.

monteur, euse *nm, f* **1.** TECHNOL fitter **2.** CINÉ editor.

monticule *nm* mound.

montre *nf* watch • **montre à quartz** quartz watch • **montre en main** to the minute, exactly • **contre la montre a)** *(sport)* time-trialling **(UK)**, time-trialing **(US) b)** *(épreuve)* time trial • **une course contre la montre** *fig* a race against time.

montre-bracelet *nf* wristwatch.

montrer *vt* **1.** *(gén)* to show • **montrer qqch à qqn** to show sb sthg, to show sthg to sb **2.** *(désigner)* to show, to point out • **montrer qqch du doigt** to point at *ou* to sthg. ■ **se montrer** *vp* **1.** *(se faire voir)* to appear **2.** *fig (se présenter)* to show o.s. **3.** *fig (se révéler)* to prove (to be).

montrer à

> ▲ PROPOS DE
> • *Montrer qqch à qqn* **Show sthg to sb** ou **show sb sthg**
> Il faut noter la construction à double complément qui en anglais peut prendre deux formes dont le sens est le même :
> 1. une structure identique à celle du français : verbe + COD + préposition + COI **show sthg to sb**
> 2. une structure qui diffère de celle du français, sans préposition, et dans laquelle l'ordre des compléments est inversé : verbe + COI + COD **show sb sthg**
> • *Marie a montré ses photos de Chine à tous ses amis.* **Marie showed her photos of China to all her friends** ou **Marie showed all her friends her photos of China.**

monture *nf* **1.** *(animal)* mount **2.** *(de lunettes)* frame.

monument *nm* *(gén)* • **monument (à)** monument (to) • **monument aux morts** war memorial.

monumental, e *adj* monumental.

moquer ■ **se moquer** *vp* • **se moquer de a)** *(plaisanter sur)* to make fun of, to laugh at **b)** *(ne pas se soucier de)* not to give a damn about.

moquerie *nf* mockery *(indén)*, jibe.

moquette *nf* wall-to-wall carpet, fitted carpet **(UK)** • **faire mettre de la moquette** to have a carpet fitted.

moqueur, euse *adj* mocking.

moral, e *adj* **1.** *(éthique - conscience, jugement)* moral • **il n'a aucun sens moral** he has no sense of morality • **se sentir dans l'obligation morale de faire qqch** to feel morally obliged *ou* a moral obligation to do sthg • **prendre l'engagement moral de faire qqch** to be morally committed to do sthg **2.** *(édifiant - auteur, conte, réflexion)* moral • **la fin de la pièce n'est pas très morale !** the end of the play is rather immoral! **3.** *(spirituel - douleur)* mental ; *(- soutien, victoire, résistance)* moral. ■ **moral** *nm* **1.** *(mental)* • **au moral comme au physique** mentally as well as physically **2.** *(état d'esprit)* morale, spirits *pl* • **avoir/ne pas avoir le moral** to be in good/bad spirits • **j'ai le moral à zéro** *fam* I feel down in the dumps *ou* really low • **remonter le moral à qqn** to cheer sb up. ■ **morale** *nf* **1.** *(science)* moral philosophy, morals *pl* **2.** *(règle)* morality **3.** *(mœurs)* morals *pl* **4.** *(leçon)* moral • **faire la morale à qqn** to preach at *ou* lecture sb.

moralisateur, trice *adj* moralizing. ❏ *nm, f* moralizer.

moraliste *nmf* moralist.

moralité *nf* **1.** *(gén)* morality **2.** *(enseignement)* morals *pl*.

moratoire *nm* moratorium.

morbide *adj* morbid.

morceau *nm* **1.** *(gén)* piece **2.** *(de poème, de film)* passage.

morceler *vt* to break up, to split up.

mordant, e *adj* biting. ■ **mordant** *nm* *(vivacité)* keenness, bite.

mordiller *vt* to nibble.

mordoré, e *adj* bronze.

mordre *vt (blesser)* to bite. ❏ *vi* **1.** *(saisir avec les dents)* • **mordre à** to bite **2.** *(croquer)* • **mordre dans qqch** to bite into sthg **3.** SPORT • **mordre sur la ligne** to step over the line.

mordu, e *pp* → **mordre**. ❏ *adj (amoureux)* hooked. ❏ *nm, f* • **mordu de foot/ski** football/ski addict.

morfondre ■ **se morfondre** *vp* to mope.

morgue *nf* **1.** *litt (attitude)* pride **2.** *(lieu)* morgue.

moribond, e *adj* dying. ❏ *nm, f* dying person.

morille *nf* morel.

mormon, e *adj & nm, f* Mormon.

morne *adj* **1.** *(personne, visage)* gloomy **2.** *(paysage, temps, ville)* dismal, dreary.

morose *adj* gloomy.

morphine *nf* morphine.

morphologie *nf* morphology.

morpion *nm* **1.** *fam* MÉD crab **2.** *fam (enfant)* brat **3.** *(jeu)* ≃ noughts and crosses *(indén)* **(UK)** ; ≃ tick-tack-toe **(US)**.

mors *nm* bit.

morse *nm* **1.** ZOOL walrus **2.** *(code)* Morse (code).

morsure *nf* bite.

mort, e *pp* → **mourir.** ❑ *adj* dead • **mort de fatigue** *fig* dead tired • **mort de peur** *fig* frightened to death. ❑ *nm, f* **1.** *(cadavre)* corpse, dead body **2.** *(défunt)* dead person. ■ **mort** *nm* **1.** *(victime)* fatality **2.** *(partie de cartes)* dummy. ❑ *nf litt & fig* death • **de mort** *(silence)* deathly • **être en danger de mort** to be in mortal danger • **condamner qqn à mort** DR to sentence sb to death • **se donner la mort** to take one's own life, to commit suicide.

À PROPOS DE

mort

Attention à ne pas confondre **to be dead** et **have died.**

Dead est la traduction de l'adjectif *mort* :
• *Il me semble que ses deux parents sont morts.* **It appears both his parents are dead.**

Died (prétérit et participe passé de *die*) sert à traduire le verbe *mourir* :
• *Sa grand-mère est morte cet été.* **His grandmother died this summer.**

Comparez les deux traductions possibles de la phrase suivante :
Toutes mes roses sont mortes. **All my roses have died.** Ici, l'emploi du verbe met l'accent sur l'action de mourir. **All my roses are dead.** Ici, l'emploi de l'adjectif met l'accent sur l'état des fleurs.

---

mortadelle *nf* mortadella.

mortalité *nf* mortality, death rate.

mort-aux-rats *nf inv* rat poison.

Morte → **mer.**

mortel, elle *adj* **1.** *(humain)* mortal **2.** *(accident, maladie)* fatal **3.** *fam & fig (ennuyeux)* deadly (dull). ❑ *nm, f* mortal.

morte-saison *nf* off-season.

mortier *nm* mortar.

mortification *nf* mortification.

mort-né, e *adj (enfant)* still-born.

mortuaire *adj* funeral *(avant nom).*

morue *nf* ZOOL cod • **morue salée** salt cod.

morve *nf* snot.

mosaïque *nf litt & fig* mosaic.

Moscou *npr* Moscow.

mosquée *nf* mosque.

mot *nm* **1.** *(gén)* word • **mots croisés** crossword (puzzle) *sing* • **gros mot** swearword **2.** *(message)* note, message. ■ **mot de passe** *nm* password • **protégé par un mot de passe** INFORM password-protected.

motard, e *nm, f* **1.** *(motocycliste)* motorcyclist **2.** *(policier)* motorcycle policeman *m,* policewoman *f.*

mot-clé, mot-clef *nm* keyword.

motel *nm* motel.

moteur, trice *adj (force, énergie)* driving *(avant nom)* • **à quatre roues motrices** AUTO with four-wheel drive. ■ **moteur** *nm* **1.** TECHNOL motor, engine **2.** *fig* driving force • **moteur à réaction** jet engine • **moteur de recherche** INFORM search engine.

motif *nm* **1.** *(raison)* motive, grounds *pl* **2.** *(dessin, impression)* motif.

motion *nf* POLIT motion • **motion de censure** censure motion.

motivation *nf* motivation • **motivation par le profit** profit motive.

motiver *vt* **1.** *(stimuler)* to motivate **2.** *(justifier)* to justify.

moto *nf* motorcycle, motorbike (UK).

motocross *nm* motocross.

motoculteur *nm* ≃ Rotavator® (UK) ; ≃ Rototiller® (US).

motocyclette *nf* motorcycle, motorbike (UK).

motocycliste *nmf* motorcyclist.

motorisé, e *adj* motorized.

motricité *nf* motor functions *pl.*

motte *nf* • **motte (de terre)** clod, lump of earth • **motte de beurre** slab of butter.

mou, molle *adj* *(mol* devant voyelle ou **h** muet) **1.** *(gén)* soft **2.** *(faible)* weak **3.** *(résistance, protestation)* half-hearted **4.** *(de caractère)* wet, wimpy. ■ **mou** *nm* **1.** *(de corde)* • **avoir du mou** to be slack **2.** *(abats)* lungs *pl,* lights *pl.*

mouchard, e *nm, f fam (personne)* sneak. ■ **mouchard** *nm fam (dans camion, train)* spy in the cab.

mouche *nf* **1.** ZOOL fly **2.** *(accessoire féminin)* beauty spot.

moucher *vt* **1.** *(nez)* to wipe • **moucher un enfant** to wipe a child's nose **2.** *(chandelle)* to snuff out **3.** *fam & fig (personne)* **moucher qqn** to put sb in his/her place. ■ **se moucher** *vp* to blow *ou* wipe one's nose.

moucheron *nm (insecte)* gnat.

moucheté, e *adj* **1.** *(laine)* flecked **2.** *(animal)* spotted, speckled.

mouchoir *nm* handkerchief.

moudre *vt* to grind.

moue *nf* pout • **faire la moue** to pull a face.

mouette *nf* seagull.

moufle *nf* mitten.

mouflon *nm* wild sheep.

mouillage *nm (NAUT - emplacement)* anchorage, moorings *pl.*

mouillé, e *adj* wet.

mouiller vt **1.** (personne, objet) to wet • **se faire mouiller** to get wet ou soaked **2.** NAUT • **mouiller l'ancre** to drop anchor **3.** fam & fig (compromettre) to involve. ■ **se mouiller** vp **1.** (se tremper) to get wet **2.** fam & fig (prendre des risques) to stick one's neck out.

moulage nm **1.** (action) moulding (UK), molding (US), casting **2.** (objet) cast.

moulant, e adj close-fitting.

moule[1] nm mould (UK), mold (US) • **moule à gâteau** cake tin (UK) ou pan (US) • **moule à tarte** flan dish.

moule[2] nf ZOOL mussel • **moules marinières** CULIN si vous voulez expliquer de quoi il s'agit à un anglophone, vous pouvez dire it is a dish of mussels cooked in white wine.

mouler vt **1.** (objet) to mould (UK), to mold (US) **2.** (forme) to make a cast of.

moulin nm mill • **moulin à café** coffee mill • **moulin à paroles** fig chatterbox.

moulinet nm **1.** (à la pêche) reel **2.** (mouvement) • **faire des moulinets** to whirl one's arms around.

Moulinette ® nf food mill.

moulu, e adj (en poudre) ground.

moulure nf moulding (UK), molding (US).

mourant, e adj **1.** (moribond) dying **2.** fig (voix) faint. ❏ nm, f dying person.

mourir vi **1.** (personne) to die • **s'ennuyer à mourir** to be bored to death **2.** (feu) to die down.

mousquetaire nm musketeer.

moussant, e adj foaming.

mousse nf **1.** BOT moss **2.** (substance) foam • **mousse à raser** shaving foam **3.** CULIN mousse **4.** (matière plastique) foam rubber. ❏ nm NAUT cabin boy.

mousseline nf muslin.

mousser vi to foam, to lather.

mousseux, euse adj **1.** (shampooing) foaming, frothy **2.** (vin, cidre) sparkling. ■ **mousseux** nm sparkling wine.

mousson nf monsoon.

moussu, e adj mossy, moss-covered.

moustache nf moustache, mustache (US). ■ **moustaches** nfpl (d'animal) whiskers.

moustachu, e adj with a moustache (UK) ou mustache (US).

moustiquaire nf mosquito net.

moustique nm mosquito.

moutarde nf mustard.

mouton nm **1.** fig ZOOL sheep **2.** (viande) mutton **3.** fam (poussière) piece of fluff, fluff (indén.).

mouture nf **1.** (de céréales, de café) grinding **2.** (de thème, d'œuvre) rehash.

mouvance nf (domaine) sphere of influence.

mouvant, e adj **1.** (terrain) unstable **2.** (situation) uncertain.

mouvement nm **1.** (gén) movement • **en mouvement** on the move **2.** (de colère, d'indignation) burst, fit.

mouvementé, e adj **1.** (terrain) rough **2.** (réunion, soirée) eventful.

mouvoir vt to move. ■ **se mouvoir** vp to move.

moyen, enne adj **1.** (intermédiaire) medium **2.** (médiocre, courant) average. ■ **moyen** nm means sing, way • **moyen de communication** means of communication • **moyen de locomotion** ou **transport** means of transport. ■ **moyenne** nf average • **en moyenne** on average • **la moyenne d'âge** the average age. ■ **moyens** nmpl **1.** (ressources) means • **avoir les moyens** to be comfortably off **2.** (capacités) powers, ability • **faire qqch par ses propres moyens** to do sthg on one's own. ■ **au moyen de** loc prép by means of.

Moyen Âge nm • **le Moyen Âge** the Middle Ages pl.

Moyen-Orient nm • **le Moyen-Orient** the Middle East.

moyeu nm hub.

MP3 (abrév de moving picture experts group audio layer 3) nm INFORM MP3 • **lecteur MP3** MP3 player.

MP4 (abrév de moving picture experts group audio layer 4) nm INFORM MP4 • **baladeur MP4** MP4 personal stereo.

MST nf **1.** (abrév de maladie sexuellement transmissible) STD **2.** (abrév de maîtrise de sciences et techniques) master's (degree) in science and technology.

mû, mue pp → mouvoir.

mucus nm mucus (indén.).

mue nf **1.** (de pelage) moulting (UK), molting (US) **2.** (de serpent) skin, slough **3.** (de voix) breaking.

muer vi **1.** (mammifère) to moult (UK), to molt (US) **2.** (serpent) to slough its skin **3.** (voix) to break **4.** (jeune homme) • **il mue** his voice is breaking.

muet, muette adj **1.** MÉD dumb **2.** (silencieux) silent • **muet d'admiration/d'étonnement** speechless with admiration/surprise **3.** LING silent, mute. ❏ nm, f dumb person, mute. ■ **muet** nm • **le muet** CINÉ silent films pl (UK) ou movies (US).

muezzin nm muezzin.

mufle nm **1.** (d'animal) muzzle, snout **2.** fig (goujat) lout.

muflerie nf loutishness.

mugir vi **1.** (vache) to moo **2.** (vent, sirène) to howl.

muguet nm **1.** (fleur) lily of the valley **2.** MÉD thrush.

mule nf mule.

mulet nm **1.** (âne) mule **2.** (poisson) mullet.

mulot nm field mouse.

multicolore adj multicoloured (UK), multi-colored (US).

multicoque adj • **(bateau) multicoque** multihull ou multihulled boat. ❑ nm multihull.

multifonction adj inv multifunction.

multilatéral, e adj multilateral.

multimédia adj INFORM multimedia.

multimillionnaire nmf & adj multimillionaire.

multinational, e adj multinational. ◼ **multinationale** nf multinational (company).

multiple nm multiple. ❑ adj 1. (nombreux) multiple, numerous 2. (divers) many, various.

multiplexe nm CINÉ multiplex (cinema), multiscreen cinema.

multiplication nf multiplication.

multiplier vt 1. (accroître) to increase 2. MATH to multiply • **X multiplié par Y égale Z** X multiplied by ou times Y equals Z. ◼ **se multiplier** vp to multiply.

multipolaire adj multipolar • **un monde multipolaire** a multipolar world.

multipropriété nf timeshare.

multiracial, e adj multiracial.

multirisque adj comprehensive.

multitude nf • **multitude (de)** multitude (of).

municipal, e adj municipal. ◼ **municipales** nfpl • **les municipales** the local government elections.

municipalité nf 1. (commune) municipality 2. (conseil) town council (UK), city council (US).

munir vt • **munir qqn/qqch de** to equip sb/sthg with. ◼ **se munir** vp • **se munir de** to equip o.s. with.

munitions nfpl ammunition (indén), munitions.

muqueuse nf mucous membrane.

mur nm 1. (gén) wall 2. fig (obstacle) barrier, brick wall • **mur du son** AÉRON sound barrier.

mûr, mûre adj 1. ripe 2. (personne) mature.

muraille nf wall.

mural, e adj wall (avant nom).

mûre nf 1. (de mûrier) mulberry 2. (de ronce) blackberry, bramble.

murène nf moray eel.

murer vt 1. (boucher) to wall up, to block up 2. (enfermer) to wall in. ◼ **se murer** vp to shut o.s. up ou away • **se murer dans** fig to retreat into.

muret nm low wall.

mûrier nm 1. (arbre) mulberry tree 2. (ronce) blackberry bush, bramble bush.

mûrir vi 1. (fruits, légumes) to ripen 2. fig (idée, projet) to develop 3. (personne) to mature.

murmure nm murmur.

murmurer vt & vi to murmur.

musaraigne nf shrew.

musarder vi to dawdle.

musc nm musk.

muscade nf nutmeg.

muscat nm 1. (raisin) muscat grape 2. (vin) Muscat, Muscatel.

muscle nm muscle.

musclé, e adj 1. (personne) muscular 2. fig (mesure, décision) forceful.

muscler vt • **muscler son corps** to build up one's muscles. ◼ **se muscler** vp to build up one's muscles.

muscu (abrév de musculation) nf fam body-building.

musculation nf • **faire de la musculation** to do muscle-building exercises.

muse nf muse.

museau nm 1. (d'animal) muzzle, snout 2. fam (de personne) face.

musée nm 1. museum 2. (d'art) art gallery.

museler vt litt & fig to muzzle.

muselière nf muzzle.

musette nf 1. knapsack 2. (d'écolier) satchel 3. (de chasseur) game bag.

muséum nm museum.

musical, e adj 1. (son) musical 2. (émission, critique) music (avant nom).

music-hall nm music hall (UK), vaudeville (US).

musicien, enne adj musical. ❑ nm, f musician.

musicologue nmf musicologist.

musique nf music • **musique de chambre** chamber music • **musique de film** film (UK) ou movie (US) score.

musqué, e adj 1. (parfum) musky 2. (animal) • **rat musqué** muskrat.

musulman, e adj & nm, f Muslim.

> En anglais les adjectifs et les noms se rapportant à une religion s'écrivent avec une majuscule.

mutant, e adj & nm, f mutant.

mutation nf 1. BIOL mutation 2. fig (changement) transformation 3. (de fonctionnaire) transfer.

muter vt to transfer.

mutilation nf mutilation.

mutilé, e nm, f disabled person.

mutiler vt to mutilate • **il a été mutilé du bras droit** he lost his right arm.

mutin, e adj littéraire impish. ◼ **mutin** nm 1. rebel 2. MIL & NAUT mutineer.

mutinerie nf 1. rebellion 2. MIL & NAUT mutiny.

mutisme nm silence.

mutualiser vt (risques, coûts, compétences) to mutualise.

mutualité *nf (assurance)* mutual insurance.

mutuel, elle *adj* mutual. ■ **mutuelle** *nf* mutual insurance company.

mutuellement *adv* mutually.

mycose *nf* mycosis, fungal infection.

myocarde *nm* myocardium.

myopathie *nf* myopathy.

myope *nmf* shortsighted (UK) *ou* nearsighted (US) person. ❑ *adj* shortsighted (UK), nearsighted (US), myopic.

myopie *nf* shortsightedness (UK), nearsightedness (US), myopia.

myosotis *nm* forget-me-not.

myriade *nf* • **une myriade de** a myriad of.

myrtille *nf* blueberry, bilberry.

mystère *nm (gén)* mystery.

mystérieux, euse *adj* mysterious.

mysticisme *nm* mysticism.

mystification *nf (tromperie)* hoax, practical joke.

mystifier *vt (duper)* to take in.

mystique *nmf* mystic. ❑ *adj* mystic, mystical.

mythe *nm* myth.

mythique *adj* mythical.

mythologie *nf* mythology.

mythomane *nmf* pathological liar.

n, N *nm inv (lettre)* n, N. ■ **N** (abrév de nord) N.

n° (abrév de numéro) no.

nacelle *nf (de montgolfière)* basket.

nacre *nf* mother-of-pearl.

nage *nf* **1.** *(natation)* swimming • **traverser à la nage** to swim across **2.** *(locution)* • **en nage** bathed in sweat.

nageoire *nf* **1.** *(de poisson)* fin **2.** *(de phoque, de dauphin)* flipper.

nager *vi* **1.** *(se baigner)* to swim **2.** *(flotter)* to float **3.** *fig (dans vêtement)* • **nager dans** to be lost in • **nager dans la joie** to be incredibly happy.

nageur, euse *nm, f* swimmer.

naguère *adv littéraire* a short time ago.

naïf, naïve *adj* **1.** *(ingénu, art)* naive **2.** *(crédule)* gullible.

nain, e *adj* dwarf *(avant nom)*. ❑ *nm, f* dwarf • **nain de jardin** garden gnome.

naissance *nf* **1.** *(de personne)* birth • **donner naissance à** to give birth to • **le contrôle des naissances** birth control **2.** *(endroit)* source **3.** *(du cou)* nape **4.** *fig (de science, nation)* birth • **donner naissance à** to give rise to.

naissant, e *adj* **1.** *(brise)* rising **2.** *(jour)* dawning **3.** *(barbe)* incipient.

naître *vi* **1.** *(enfant)* to be born • **elle est née en 1965** she was born in 1965 **2.** *(espoir)* to spring up • **naître de** to arise from • **faire naître qqch** to give rise to sthg.

---

naître

À PROPOS DE

Attention, *naître* se traduit par **to be born** :

• *Certains enfants naissent avec des dents.* **Some babies are born with teeth.**

• *Je suis né en Afrique du Nord.* **I was born in North Africa.**

---

naïveté *nf* **1.** *(candeur)* innocence **2.** *(crédulité)* gullibility.

nana *nf* **1.** *fam (jeune fille)* girl **2.** *(petite amie)* girlfriend.

nanoélectronique *nf* nanoelectronics *(sing)*.

nanoscience *nf* PHYS nanoscience.

nanti, e *nm, f* wealthy person.

nantir *vt littéraire* • **nantir qqn de** to provide sb with.

naphtaline *nf* mothballs *pl*.

nappe *nf* **1.** *(de table)* tablecloth, cloth **2.** *fig (étendue - gén)* sheet ; *(- de brouillard)* blanket **3.** *(couche)* layer.

napper *vt* CULIN to coat.

napperon *nm* tablemat.

narcisse *nm* BOT narcissus.

narcissique *nmf* narcissist. ❑ *adj* narcissistic.

narcissisme *nm* narcissism.

narcotique *nm & adj* narcotic.

narcotrafic *nm* narcotrafficking.

narcotrafiquant, e *nm, f* drug trafficker.

narguer *vt* **1.** *(danger)* to flout **2.** *(personne)* to scorn, to scoff at.

narine *nf* nostril.

narquois, e *adj* sardonic.

narrateur, trice *nm, f* narrator.

narration *nf* **1.** *(récit)* narration **2.** SCOL essay.

narrer *vt littéraire* to narrate.

nasal, e *adj* nasal.

NASDAQ (abrév de National Association of Securities Dealers Automated Quotations) *nm* NASDAQ • **l'indice NASDAQ** the NASDAQ index.

naseau *nm* nostril.

nasillard, e *adj* nasal.

nasse *nf* keep net.

natal, e *adj (d'origine)* native.

natalité *nf* birth rate.

natation *nf* swimming • **faire de la natation** to swim.

natif, ive *adj (originaire)* • **natif de** native of. ❑ *nm, f* native.

nation *nf* nation. ■ **Nations unies** *nfpl* • **les Nations unies** the United Nations.

national, e *adj* national. ■ **nationale** *nf* • **(route) nationale** ≃ A road (UK) ; ≃ state highway (US).

nationalisation *nf* nationalization.

nationaliser *vt* to nationalize.

nationalisme *nm* nationalism.

nationaliste *nmf & adj* nationalist.

nationalité *nf* nationality • **de nationalité française** of French nationality • **vous êtes de quelle nationalité ?** what nationality are you?

nativité *nf* nativity.

natte *nf* **1.** *(tresse)* plait (UK), braid (US) • **elle a des nattes** she wears plaits (UK), she wears braids (US) **2.** *(tapis)* mat.

naturalisation *nf* **1.** *(de personne, de plante)* naturalization **2.** *(taxidermie)* stuffing.

naturalisé, e *adj* **1.** *(personne, plante)* naturalized **2.** *(empaillé)* stuffed. ❑ *nm, f* naturalized person.

naturaliser *vt* **1.** *(personne, plante)* to naturalize **2.** *(empailler)* to stuff.

naturaliste *nmf* **1.** *LITTÉR & ZOOL* naturalist **2.** *(empailleur)* taxidermist. ❑ *adj* naturalistic.

nature *nf* **1.** nature **2.** countryside • **se promener dans la nature** to go for a walk in the countryside. ❑ *adj inv* **1.** *(simple)* plain • **yaourt nature** plain yoghurt (UK), plain yogurt (US) **2.** *fam (spontané)* natural. ■ **nature morte** *nf* a still life.

la nature

la campagne	the countryside
le champ	the field
la colline	the hill
la falaise	the cliff
la ferme	the farm
la forêt	the forest
l'île	the island
la mer	the sea
la montagne	the mountain
la plage	the beach
la plaine	the plain
la rivière	the river
le rocher	the rock
la vallée	the valley
le volcan	the volcano

naturel, elle *adj* natural • **c'est tout à fait naturel** it's only natural. ■ **naturel** *nm* **1.** *(tempérament)* nature • **être d'un naturel affable/sensible** to be affable/sensitive by nature **2.** *(aisance, spontanéité)* naturalness.

naturellement *adv* **1.** *(gén)* naturally **2.** *(logiquement)* rationally.

naturisme *nm* naturism.

naturiste *nmf* naturist.

naturopathe *nmf MÉD* naturopath.

naufrage *nm* **1.** *(navire)* shipwreck • **faire naufrage** to be wrecked **2.** *fig (effondrement)* collapse.

naufragé, e *adj* shipwrecked. ❑ *nm, f* shipwrecked person.

nauséabond, e *adj* nauseating.

nausée *nf* **1.** *MÉD* nausea • **avoir la nausée** to feel nauseous *ou* sick (UK) • **donner la nausée** to be nauseating **2.** *(dégoût)* disgust **3.** *(locution)* • **donner la nausée à quelqu'un** to make somebody feel sick (UK), to make somebody nauseous (US).

nautique *adj* **1.** nautical **2.** *(ski, sport)* water *(avant nom).*

naval, e *adj* naval.

navarin *nm si vous voulez expliquer de quoi il s'agit à un anglophone, vous pouvez dire* it is a kind of lamb stew.

navel *nf* navel orange.

navet *nm* **1.** *BOT* turnip **2.** *fam (œuvre)* trash *(indén).*

navette *nf* shuttle • **navette spatiale** *AÉRON* space shuttle • **faire la navette** to shuttle.

navigable *adj* navigable.

navigateur, trice *nm, f* navigator. ■ **navigateur** *nm INFORM* browser.

navigation *nf* **1.** navigation **2.** *COMM* shipping **3.** *INFORM* browsing.

naviguer *vi* **1.** *(voguer)* to sail **2.** *(piloter)* to navigate **3.** *INFORM* to browse.

navire *nm* ship • **un navire de guerre** a warship.

navrant, e *adj* **1.** *(triste)* upsetting, distressing **2.** *(regrettable, mauvais)* unfortunate.

navrer *vt* to upset • **être navré de qqch/de faire qqch** to be sorry about sthg/to do sthg.

nazi, e *nm, f* Nazi.

nazisme *nm* Nazism.

NB (abrév de Nota Bene) NB.

NDLR (abrév de note de la rédaction) editor's note.

NDT (abrév de note du traducteur), **N.d.T.** (abrév de note du traducteur) translator's note.

ne, n' *adv* **1.** → pas², plus, rien *etc* **2.** *(négation implicite)* • **il se porte mieux que je ne (le) croyais** he's in better health than I thought (he would be) **3.** *(avec verbes ou expressions marquant le doute, la crainte, etc)* • **je crains qu'il n'oublie** I'm afraid he'll forget • **j'ai peur qu'il n'en parle** I'm frightened he'll talk about it.

né, e *adj* born • **né en 1965** born in 1965 • **né le 17 juin** born on the 17th June (UK), born on June 17th (US) • **Mme X, née Y** Mrs X née Y.

néanmoins *adv* nevertheless.

néant *nm* **1.** *(absence de valeur)* worthlessness **2.** *(absence d'existence)* nothingness • **réduire à néant** to reduce to nothing.

nébuleux, euse *adj* **1.** *(ciel)* cloudy **2.** *(idée, projet)* nebulous. ■ **nébuleuse** *nf ASTRON* nebula.

nécessaire *adj* necessary • **nécessaire à** necessary for • **si nécessaire** if necessary • **il est nécessaire de faire qqch** it is necessary to do sthg • **il est nécessaire que** (+ subjonctif) : **il est nécessaire qu'elle vienne** she must come. ■ *nm*

1. *(biens)* necessities *pl* • **le strict nécessaire** the bare essentials *pl* **2.** *(mesures)* • **faire le nécessaire** to do the necessary **3.** *(trousse)* bag.

nécessité *nf (obligation, situation)* necessity • **être dans la nécessité de faire qqch** to have no choice *ou* alternative but to do sthg.

nécessiter *vt* to necessitate.

nécrologique *adj* obituary *(avant nom)*.

nectar *nm* nectar.

nectarine *nf* nectarine.

néerlandais,e *adj* Dutch. ■ **néerlandais** *nm (langue)* Dutch. ■ **Néerlandais,e** *nm, f* Dutchman, Dutchwoman *f* • **les Néerlandais** the Dutch.

En anglais, les adjectifs se rapportant à un pays ou une région s'écrivent avec une majuscule.

néerlandophone *adj* Dutch-speaking. ❏ *nmf* Dutch speaker.

nef *nf* **1.** *(d'église)* nave **2.** *littéraire (bateau)* vessel.

néfaste *adj* **1.** *(jour, événement)* fateful **2.** *(influence)* harmful.

négatif,ive *adj* negative. ■ **négatif** *nm* PHOTO negative. ■ **négative** *nf* • **répondre par la négative** to reply in the negative.

négation *nf* **1.** *(rejet)* denial **2.** GRAMM negative.

négationnisme *nm* negationism.

négationniste *adj* negationist.

négativement *adv* negatively • **répondre négativement** to say no • **influencer négativement** to have a negative effect • **juger qqch négativement** to judge sthg negatively.

négligé,e *adj* **1.** *(travail, tenue)* untidy **2.** *(ami, jardin)* neglected.

négligeable *adj* negligible.

négligemment *adv* **1.** *(sans soin)* carelessly **2.** *(avec indifférence)* casually.

négligence *nf* **1.** *(laisser-aller)* carelessness **2.** *(omission)* negligence • **par négligence** out of negligence.

négligent,e *adj* **1.** *(sans soin)* careless **2.** *(indifférent)* casual.

négliger *vt* **1.** *(ami, jardin)* to neglect • **négliger de faire qqch** to fail to do sthg **2.** *(avertissement)* to ignore. ■ **se négliger** *vp* to neglect o.s.

négoce *nm* business.

négociable *adj* negotiable.

négociant,e *nm, f* dealer.

négociateur,trice *nm, f* negotiator.

négociation *nf* negotiation • **négociations de paix** peace negotiations.

négocier *vt* to negotiate.

nègre,négresse *nm, f* Negro, negress *f*. ■ **nègre** *nm fam* ghost writer. ❏ *adj* negro *(avant nom)*.

neige *nf* **1.** *(flocons)* snow **2.** CULIN • **œufs en neige** stiffly-beaten egg whites.

neigeoter *v impers fam* • **il neigeote** it's snowing a little bit.

neiger *v impers* • **il neige** it is snowing.

neigeux,euse *adj* snowy.

nem *nm* CULIN (Vietnamese) small spring roll.

nénuphar *nm* water lily.

néo-calédonien,enne *adj* New Caledonian. ■ **Néo-Calédonien,enne** *nm, f* New Caledonian.

néologisme *nm* neologism.

néon *nm* **1.** *(gaz)* neon **2.** *(enseigne)* neon light.

néophyte *nmf* novice.

néo-zélandais,e *adj* New Zealand *(avant nom)*, of/from New Zealand. ■ **Néo-Zélandais,e** *nm, f* New Zealander.

En anglais, les adjectifs se rapportant à un pays ou une région s'écrivent avec une majuscule.

Népal *nm* • **le Népal** Nepal.

nerf *nm* **1.** ANAT nerve **2.** *fig (vigueur)* spirit. ■ **nerfs** *nmpl* nerves • **être à bout de nerfs** to be a nervous wreck.

nerveux,euse *adj* **1.** *(gén)* nervous **2.** *(viande)* stringy **3.** *(style)* vigorous **4.** *(voiture)* responsive.

nervosité *nf* nervousness.

nervure *nf (de feuille, d'aile)* vein.

n'est-ce pas *adv* • **vous me croyez, n'est-ce pas ?** you believe me, don't you? • **c'est délicieux, n'est-ce pas ?** it's delicious, isn't it? • **n'est-ce pas que vous vous êtes bien amusés ?** you enjoyed yourselves, didn't you?

net,nette *adj* **1.** *(écriture, image, idée)* clear **2.** *(propre, rangé)* clean, neat **3.** COMM & FIN net • **net d'impôt** tax-free, tax-exempt **4.** *(visible, manifeste)* definite, distinct. ■ **net** *adv* **1.** *(sur le coup)* on the spot • **s'arrêter net** to stop dead • **se casser net** to break clean off **2.** COMM & FIN net.

Net *nm fam* • **le Net** the Net, the net • **surfer sur le Net** to surf the Net.

netéconomie *nf* net economy.

nettement *adv* **1.** *(clairement)* clearly **2.** *(incontestablement)* definitely • **nettement plus/moins** much more/less.

netteté *nf* clearness.

nettoyage *nm* **1.** *(de vêtement)* cleaning • **nettoyage à sec** dry cleaning **2.** *(de maison)* cleaning • **entreprise de nettoyage** cleaning firm.

nettoyer *vt* **1.** *(gén)* to clean **2.** *fam (vider)* to clear out. ■ **se nettoyer** *vpt* • **se nettoyer les mains a)** *(gén)* to clean one's hands **b)** *(à l'eau)* to wash one's hands • **se nettoyer les ongles** to clean one's nails.

neuf¹,neuve *adj* new • **tout neuf** *ou* **flambant neuf** brand new. ■ **neuf** *nm* • **vêtu de neuf** wearing new clothes • **quoi de neuf ?** what's new? • **rien de neuf** nothing new.

neuf² *adj num inv & nm* nine. Voir aussi **six**.

neurasthénique *nmf & adj* depressive.

neurochirurgie *nf* neurosurgery.

neurodégénératif, ive *adj* MÉD neuro-degenerative.

neurologie *nf* neurology.

neutralisation *nf* neutralization.

neutraliser *vt* to neutralize.

neutralité *nf* neutrality.

neutre *nm* LING neuter. ❑ *adj* **1.** *(gén)* neutral **2.** LING neuter.

neutron *nm* neutron.

neuve → neuf 1.

neuvième *adj num inv, nm & nmf* ninth. Voir aussi **sixième**.

névé *nm* snowbank.

neveu *nm* nephew.

névralgie *nf* MÉD neuralgia.

névrose *nf* neurosis.

névrosé, e *adj & nm, f* neurotic.

new(-)wave *nf inv* new-wave.

New York *npr* **1.** *(ville)* New York (City) **2.** *(état)* New York State.

new-yorkais, e *adj* of/from New York. ■ **New-Yorkais, e** *nm, f* New Yorker.

nez *nm* nose • **saigner du nez** to have a nose-bleed • **nez aquilin** aquiline nose • **nez busqué** hooked nose • **nez à nez** face to face.

ni *conj* • **sans pull ni écharpe** without a sweater or a scarf • **je ne peux ni ne veux venir** I neither can nor want to come. ■ **ni… ni** *loc corrélative* neither… nor • **ni lui ni moi** neither of us • **ni l'un ni l'autre n'a parlé** neither of them spoke • **je ne les aime ni l'un ni l'autre** I don't like either of them.

niais, e *adj* silly, foolish. ❑ *nm, f* fool.

niaque, gnaque *nf fam* determination • **manquer de niaque** to lack drive • **avoir la niaque** to be determined to succeed • **toute l'équipe a la niaque** the whole team is determined to win.

Nicaragua *nm* • **le Nicaragua** Nicaragua.

niche *nf* **1.** *(de chien)* kennel (UK), doghouse (US) **2.** *(de statue)* niche.

nicher *vi* *(oiseaux)* to nest. ■ **se nicher** *vp* to hide.

nickel *nm* nickel. ❑ *adj inv fam* spotless, spick and span.

niçois, e *adj* of/from Nice.

nicotine *nf* nicotine.

nid *nm* nest. ■ **nid de poule** *nm* pothole.

nièce *nf* niece.

nier *vt* to deny • **nier tout** to deny it all.

nigaud, e *nm, f* halfwit.

Niger *nm* **1.** *(fleuve)* • **le Niger** the River Niger **2.** *(État)* • **le Niger** Niger.

En anglais, à de rares exceptions près, il n'y a pas d'article devant les noms de pays.

Nigeria *nm* • **le Nigeria** Nigeria.

nigérien, enne *adj* Nigerien. ■ **Nigérien, enne** *nm, f* Nigerien.

En anglais, les adjectifs se rapportant à un pays ou une région s'écrivent avec une majuscule.

night-club *nm* nightclub.

Nil *nm* • **le Nil** the Nile.

n'importe → importer.

nippon, one *adj* Japanese. ■ **Nippon, one** *nm, f* Japanese (person) • **les Nippons** the Japanese.

nirvana *nm* nirvana.

nitrate *nm* nitrate.

nitroglycérine *nf* nitroglycerine.

niveau *nm* *(gén)* level • **avoir un bon niveau en anglais** to have good English, to be good at English • **de même niveau** *fig* of the same standard • **au-dessus du niveau de la mer** above sea level • **niveau de vie** standard of living • **au niveau de a)** at the level of **b)** *fig (en ce qui concerne)* as regards.

niveler *vt* **1.** to level **2.** *fig* to level out.

nobélisable *adj* likely to win the Nobel Prize. ❑ *nmf* potential Nobel Prize winner.

noble *nmf* nobleman, noblewoman *f*. ❑ *adj* noble.

noblesse *nf* nobility.

noce *nf* **1.** *(mariage)* wedding **2.** *(invités)* wedding party. ■ **noces** *nfpl* wedding *sing* • **noces d'or/d'argent** golden/silver wedding (anniversary).

nocif, ive *adj* *(produit, gaz)* noxious.

noctambule *nmf* night bird.

nocturne *nf* *(d'un magasin)* late opening. ❑ *adj* **1.** *(émission, attaque)* night *(avant nom)* **2.** *(animal)* nocturnal.

Noël *nm* Christmas • **à Noël** at Christmas • **joyeux Noël !** Happy *ou* Merry Christmas!

nœud *nm* **1.** *(de fil, de bois)* knot • **double nœud** double knot • **faire un nœud** to tie a knot, to make a knot **2.** NAUT knot • **filer à X nœuds** NAUT to do X knots **3.** *(de l'action, du problème)* crux **4.** *(ornement)* bow • **nœud de cravate** knot *(in one's tie)* • **nœud papillon** bow tie **5.** ANAT, ASTRON, ÉLECTR & RAIL node.

noir, e *adj* **1.** *(gén)* black • **noir de** *(poussière)* black with **2.** *(pièce, couloir)* dark • **faire (déjà) noir** to be (already) dark. ■ **Noir, e** *nm, f* black • **un Noir américain** an African American. ■ **noir** *nm* **1.** *(couleur)* black • **noir sur blanc** *fig* in black and white **2.** *(obscurité)* dark **3.** *(clandestin, illegal)* • **acheter qqch au noir** to buy sthg on the black market • **travail au noir** moonlighting. ■ **noire** *nf* crotchet (UK), quarter note (US).

noirâtre *adj* blackish.

noirceur *nf fig (méchanceté)* wickedness.

noircir *vi* to darken. ❏ *vt litt & fig* to blacken.

Noire → **mer.**

noise *nf* • **chercher noise à qqn** to pick a quarrel with sb.

noisetier *nm* hazel tree.

noisette *nf (fruit)* hazelnut.

noix *nf* **1.** *(fruit)* walnut • **un gâteau aux noix** a walnut cake • **noix de cajou** cashew (nut) • **noix de coco** coconut • **noix de muscade** nutmeg **2.** *(locution)* • **à la noix** *fam* dreadful.

nom *nm* **1.** *(gén)* name • **au nom de** in the name of • **nom de code** code name • **nom déposé** trade name • **nom de famille** surname • **quel est votre nom de famille ?** what is your surname? • **nom de fichier** filename • **nom de jeune fille** maiden name **2.** *(prénom)* (first) name **3.** GRAMM noun • **nom propre/commun** proper/common noun.

nomade *nmf* nomad. ❏ *adj* nomadic.

nombre *nm* number • **nombre pair/impair** even/odd number • **un grand nombre de** many, a lot of.

nombreux, euse *adj* **1.** *(famille, foule)* large **2.** *(erreurs, occasions)* numerous • **peu nombreux** few.

nombril *nm* navel • **il se prend pour le nombril du monde** *fam* he thinks the world revolves around him.

nomenclature *nf* **1.** *(terminologie)* nomenclature **2.** *(liste)* word list.

nominal, e *adj* **1.** *(liste)* of names **2.** *(valeur, autorité)* nominal **3.** GRAMM noun *(avant nom)*.

nominatif, ive *adj (liste)* of names. ■ **nominatif** *nm* GRAMM nominative.

nomination *nf* nomination, appointment.

nommé, e *adj* **1.** *(désigné)* named **2.** *(choisi)* appointed.

nommément *adv (citer)* by name.

nommer *vt* **1.** *(appeler)* to name, to call **2.** *(qualifier)* to call **3.** *(promouvoir)* to appoint, to nominate • **être nommé proviseur** to be named headmaster **4.** *(dénoncer, mentionner)* to name. ■ **se nommer** *vp* **1.** *(s'appeler)* to be called • **elle se nomme Aurélie** she's called Aurélie **2.** *(se désigner)* to give one's name.

non *adv* **1.** *(réponse négative)* no **2.** *(se rapportant à une phrase précédente)* not • **moi non** not me • **moi non plus** (and) neither am/do etc I **3.** *(sert à demander une confirmation)* • **c'est une bonne idée, non ?** it's a good idea, isn't it? **4.** *(modifie un adjectif ou un adverbe)* not • **non loin d'ici** not far from here • **une difficulté non négligeable** a not inconsiderable problem. ❏ *nm inv* no. ■ **non (pas) que... mais** *loc corrélative* not that... but.

nonagénaire *nmf & adj* nonagenarian.

non-agression *nf* non-aggression.

nonante *adj num inv* (BELGIQUE & SUISSE) ninety.

non-appartenance *nf (à un parti)* non-partisanship.

non-assistance *nf* non-assistance • **non-assistance à personne en danger** failure to give assistance to a person in danger.

nonchalance *nf* nonchalance, casualness.

non-conformiste *nmf* nonconformist. ❏ *adj* unconventional.

non-cumul *nm* • **avoir non-cumul des peines** the sentences are to run concurrently • **le non-cumul des mandats** *vous pouvez expliquer ainsi* a rule that prevents people from holding more than one political office at the same time.

non-droit *nm* • **une zone de non-droit** a no-go area.

non-fumeur, euse *nm, f* **1.** non-smoker **2.** *(en apposition)* • **compartiment non-fumeurs** non-smoking *ou* no smoking compartment.

non-ingérence *nf* noninterference.

non-lieu *nm* DR dismissal through lack of evidence • **rendre un non-lieu** to dismiss a case for lack of evidence.

nonne *nf* nun.

non-sens *nm inv* **1.** *(absurdité)* nonsense **2.** *(contresens)* meaningless word.

non-violence *nf* non-violence.

non-voyant, e *adj* visually handicapped (UK), visually impaired (US).

nord *nm* north • **un vent du nord** a northerly wind • **au nord** in the north • **au nord (de)** to the north (of) • **la côte nord** the north coast • **le grand Nord** the frozen North. ❏ *adj inv* **1.** north **2.** *(province, région)* northern • **la banlieue nord** the northern suburbs.

nord-africain, e *adj* North African. ■ **Nord-Africain, e** *nm, f* North African.

nord-américain, e *adj* North American. ■ **Nord-Américain, e** *nm, f* North American.

nord-est *nm & adj inv* northeast.

nordique *adj* Nordic, Scandinavian. ■ **Nordique** *nmf* **1.** *(Scandinave)* Scandinavian **2.** (QUÉBEC) North Canadian.

nord-ouest *nm & adj inv* north-west.

normal, e *adj* normal • **c'est tout à fait normal** it's only natural. ■ **normale** *nf* **1.** *(moyenne)* • **la normale** the norm **2.** GOLF par.

normalement *adv* normally, usually • **normalement il devrait déjà être arrivé** he should have arrived by now.

normalien, enne *nm, f* **1.** *(élève d'une école normale)* student at teacher training college (UK) *ou* teachers college (US) **2.** *(ancien élève de l'École normale supérieure)* graduate of the École normale supérieure.

normalisation *nf* **1.** *(stabilisation)* normalization **2.** *(standardisation)* standardization.

normaliser vt **1.** *(situation)* to normalize **2.** *(produit)* to standardize.

normand, e adj Norman. ■ **Normand, e** nm, f Norman.

Normandie nf • **la Normandie** Normandy.

norme nf **1.** *(gén)* standard, norm **2.** *(critère)* criterion.

Norvège nf • **la Norvège** Norway.

> En anglais, à de rares exceptions près, il n'y a pas d'article devant les noms de pays.

norvégien, enne adj Norwegian. ■ **norvégien** nm *(langue)* Norwegian. ■ **Norvégien, enne** nm, f Norwegian.

> En anglais, les adjectifs se rapportant à un pays ou une région s'écrivent avec une majuscule.

nos → notre.

nosocomial, e adj nosocomial, hospital- ou healthcare-acquired.

nostalgie nf nostalgia.

nostalgique adj nostalgic.

notable adj noteworthy, notable. ❑ nm notable.

notaire nmf ≃ solicitor (UK) ; ≃ lawyer.

notamment adv in particular.

notation nf **1.** *(système)* notation **2.** *(remarque)* note **3.** SCOL marking, grading (US) **4.** FIN • **notation financière** credit rating, rating.

note nf **1.** *(gén)* note • **prendre des notes** to take notes • **prendre note de qqch** to make a note of sthg **2.** MUS note **3.** SCOL & UNIV mark, grade (US) • **avoir une bonne/mauvaise note** to have a good/bad mark **4.** *(facture)* bill • **note de frais** *(à remplir)* expense ou expenses claim (form) • **présenter sa note de frais** to put in for expenses • **régler sa note** to pay the bill.

noter vt **1.** *(écrire)* to note down **2.** *(constater)* to note, to notice **3.** SCOL & UNIV to mark, to grade (US) • **être noté sur 20** to be marked out of 20 (UK), to be graded out of 20 (US).

notice nf instructions pl.

notifier vt • **notifier qqch à qqn** to notify sb of sthg.

notion nf **1.** *(conscience, concept)* notion, concept **2.** *(gén pl)* *(rudiment)* smattering *(indén)* • **avoir des notions de quelque chose** to have a basic knowledge of something.

notoire adj **1.** *(fait)* well-known **2.** *(criminel)* notorious.

notoriété nf **1.** *(de fait)* notoriety • **être de notoriété publique** to be common ou public knowledge **2.** *(célébrité)* fame.

notre adj poss our • **dans notre classe** in our class • **c'est l'une de nos matières préférées** it's one of our favourite subjects.

nôtre ■ **le nôtre, la nôtre** pron poss ours • **le nôtre est plus petit** ours is smaller • **les nôtres**

our family sing • **serez-vous des nôtres demain ?** will you be joining us tomorrow?

nouer vt **1.** *(corde, lacet)* to tie **2.** *(bouquet)* to tie up **3.** fig *(gorge, estomac)* to knot. ■ **se nouer** vp **1.** *(gorge)* to tighten up **2.** *(intrigue)* to start.

noueux, euse adj **1.** *(bois)* knotty **2.** *(mains)* gnarled.

nougat nm nougat.

nouille nf fam & péj idiot. ■ **nouilles** nfpl *(pâtes)* pasta *(indén)*, noodles pl.

nounou nf nanny.

nourri, e pp → nourrir.

nourrice nf **1.** *(garde d'enfants)* nanny (UK), childminder (UK), nursemaid (US) **2.** *(qui allaite)* wet nurse.

nourrir vt **1.** *(gén)* to feed **2.** *(sentiment, projet)* to nurture. ■ **se nourrir** vp to eat • **se nourrir de qqch** littéraire & fig to live on sthg.

nourrissant, e adj nutritious, nourishing.

nourrisson nm infant.

nourriture nf food.

---

nous

■ **nous** pron

1. SUJET

we • **nous avons une autre sœur** we have another sister • **nous y sommes allés finalement** we went in the end • **nous voilà !** here we are!

2. OBJET

us, to us • **ils nous ont invités** they invited us • **il nous a regardés** he looked at us • **elle nous parle en anglais** she speaks to us in English • **c'est nous qui y sommes allés finalement** it was us who went in the end • **allez-y sans nous** go without us • **avoir plus que nous** to have more than us • **montrez-nous** show us • **rends-le-nous** give it back to us • **et nous ?** what about us?

3. POSSESSIF

• **c'est à nous** it's ours

4. COMPLÉMENT AVEC FORME PROMINALE

ourselves • **nous sommes fières de nous** we're proud of ourselves

5. DANS LES VERBES QUI NE SONT QUE PRONOMINAUX

• **nous nous souvenons** we remember

6. DANS LES VERBES PRONOMINAUX, LORSQUE « NOUS » A UNE VALEUR RÉFLÉCHIE

• **nous nous sommes habillés** we got dressed • **nous sommes allés nous promener** we went for a walk • **nous nous sommes fait mal** we hurt ourselves

7. DANS LES VERBES PRONOMINAUX À L'IMPÉRATIF

let's • **dépêchons-nous** let's hurry up

8. AVEC UNE VALEUR RÉCIPROQUE

• **nous nous appelons tous les jours** we call each other every day • **nous nous battons** we fight

■ **nous-mêmes** *pron pers*

ourselves • **nous l'avons fait nous-mêmes** we did it ourselves

---

À PROPOS DE

nous

Pour les verbes qui ne sont que pronominaux, c'est-à-dire qui ne s'utilisent qu'avec un pronom, *nous* ne se traduit pas.

• *Nous nous souvenons.* **We remember.**

Lorsque *nous* a une valeur réfléchie, soit il se traduit par **ourselves**, soit il ne se traduit pas.

• *Nous nous sommes fait mal.* **We hurt ourselves.**

• *Nous nous sommes habillés.* **We got dressed.**

Lorsque *nous* a une valeur réciproque, soit il se traduit par **each other**, soit il ne se traduit pas.

• *Nous nous appelons tous les jours.* **We call each other every day.**

• *Nous nous battons.* **We fight.**

---

nouveau, elle *adj* new • **nouveaux mariés** newlyweds. ❏ *nm, f* new boy, new girl *f.* ■ **à nouveau** *loc adv* **1.** *(encore)* again **2.** *(de manière différente)* afresh, anew. ■ **de nouveau** *loc adv* again. ■ **nouveau** *nm* • **il y a du nouveau** there's something new. ■ **nouvelle** *nf* **1.** *(information)* (piece of) news *(indén)* • **une bonne nouvelle** good news **2.** *(court récit)* short story. ■ **nouvelles** *nfpl* news • **avoir des nouvelles de quelqu'un** to hear from somebody • **les nouvelles** *(média)* the news *sing* • **il a donné de ses nouvelles** I/we *etc* have heard from him.

À PROPOS DE

nouvelle

Attention ! Le mot anglais **news** est singulier et indénombrable. Il est suivi d'un verbe au singulier et ne s'emploie jamais avec l'article indéfini **a** :

• *Les nouvelles ne sont pas bonnes.* **The news isn't very good.**

• *En voilà une bonne nouvelle !* **That's good news!**

• *Il m'a rapporté une nouvelle intéressante.* **He told me an interesting piece of** news *ou* **He told me some interesting news.**

---

nouveau-né, e *nm, f* newborn baby.

nouveauté *nf* **1.** *(actualité)* novelty **2.** *(innovation)* something new **3.** *(ouvrage)* new book/film *etc*.

nouvel, nouvelle → nouveau.

Nouvelle-Calédonie *nf* • **la Nouvelle-Calédonie** New Caledonia.

Nouvelle-Écosse *nf* • **la Nouvelle-Écosse** Nova Scotia.

Nouvelle-Guinée *nf* • **la Nouvelle-Guinée** New Guinea.

Nouvelle-Orléans *npr* • **La Nouvelle-Orléans** New Orleans.

Nouvelle-Zélande *nf* • **la Nouvelle-Zélande** New Zealand.

En anglais, à de rares exceptions près, il n'y a pas d'article devant les noms de pays.

---

novateur, trice *adj* innovative. ❏ *nm, f* innovator.

novembre *nm* November. Voir aussi **septembre**.

En anglais, les mois de l'année s'écrivent avec une majuscule.

---

novice *nmf* novice. ❏ *adj* inexperienced.

noyade *nf* drowning.

noyau *nm* **1.** *(de fruit)* stone *(UK)*, pit • **des noyaux de pêche** peach stones *(UK)*, peach pits *(US)* **2.** ASTRON, BIOL & PHYS nucleus **3.** *fig (d'amis)* group, circle **4.** *(d'opposants, de résistants)* cell • **noyau dur** hard core **5.** *fig (centre)* core.

noyauter *vt* to infiltrate.

noyé, e *adj* **1.** *(personne)* drowned **2.** *(inondé)* flooded • **yeux noyés de larmes** eyes swimming with tears. ❏ *nm, f* drowned person.

noyer¹ *nm* walnut (tree).

noyer² *vt* **1.** *(animal, personne)* to drown **2.** *(terre, moteur)* to flood **3.** *(estomper, diluer)* to swamp **4.** *(contours)* to blur. ■ **se noyer** *vp* **1.** *(personne)* to drown **2.** *fig (se perdre)* • **se noyer dans** to become bogged down in.

NPI *(abrév de nouveaux pays industrialisés) nmpl* NICs *(newly industrialised countries)*.

N/Réf *(abrév de Notre référence)* O/Ref.

nu, e *adj* **1.** *(personne)* naked • **être tout nu** to be completely naked, to be stark naked **2.** *(paysage, fil électrique)* bare **3.** *(style, vérité)* plain. ■ **nu** *nm* nude • **à nu** stripped, bare • **mettre à nu** to strip bare.

nuage *nm* **1.** *(gén)* cloud • **être dans les nuages** *fig* to have one's head in the clouds **2.** *(petite quantité)* • **un nuage de lait** a drop of milk.

nuageux, euse *adj* **1.** *(temps, ciel)* cloudy • **le temps est nuageux** it's cloudy **2.** *fig (esprit)* hazy.

nuance *nf* **1.** *(de couleur)* shade **2.** *(de son, de sens)* nuance.

nuancer *vt* **1.** *(couleurs)* to shade **2.** *(pensée)* to qualify.

nubile *adj* nubile.

nubuck *nm* nubuck • **des chaussures en nubuck** nubuck shoes.

nucléaire *nm* nuclear energy. ❑ *adj* nuclear • **l'énergie nucléaire** nuclear energy, nuclear power.

nudisme *nm* nudism, naturism.

nudiste *nmf & adj* nudist.

nudité *nf* **1.** *(de personne)* nudity, nakedness **2.** *(de lieu, style)* bareness.

nuée *nf* **1.** *(multitude)* • **une nuée de** a horde of **2.** *littéraire (nuage)* cloud.

nues *nfpl* • **tomber des nues** to be completely taken aback.

nui *pp inv* → nuire.

nuire *vi* • **nuire à** to harm, to injure.

nuisance *nf* nuisance *(indén)*, harm *(indén)*.

nuisette *nf* short nightgown, babydoll nightgown.

nuisible *adj* harmful.

nuit *nf* **1.** *(laps de temps)* night • **cette nuit a)** *(la nuit dernière)* last night **b)** *(la nuit prochaine)* tonight • **de nuit** at night • **bateau/vol de nuit** night ferry/flight • **nuit blanche** sleepless night **2.** *(obscurité)* darkness, night • **il fait nuit** it's dark.

nuitée *nf* overnight stay.

nul, nulle *adj indéf (avant nom)* littéraire no. ❑ *adj (après un nom)* **1.** *(égal à zéro)* nil **2.** *(sans valeur)* useless, hopeless • **être nul en maths** to be hopeless *ou* useless at maths **3.** *(sans résultat)* • **match nul** draw *(UK)*, tie *(US)*. ❑ *nm, f péj* nonentity. ❑ *pron indéf* sout no one, nobody. ◼ **nulle part** *loc adv* nowhere, no place *(US)* • **ne trouver nulle part** to find nowhere • **je ne le trouve nulle part** I can't find it anywhere.

nullement *adv* by no means.

nullité *nf* **1.** *(médiocrité)* incompetence **2.** *DR* invalidity, nullity.

numéraire *nm* cash.

numéral, e *adj* numeral. ◼ **numéral** *nm* numeral.

numération *nf MÉD* • **numération globulaire** blood count.

numérique *adj* **1.** *(gén)* numerical **2.** *INFORM* digital • **appareil photo numérique** digital camera. ❑ *nm* • **le numérique** digital technology.

numérisé, e *adj* digitalised.

numéro *nm* **1.** *(gén)* number • **composer** *ou* **faire un numéro** to dial a number • **faire un faux numéro** to dial a wrong number • **numéro minéralogique** *ou* **d'immatriculation** registration *(UK)* *ou* license *(US)* number • **numéro de poste** extension number • **numéro de téléphone** telephone number • **numéro vert** ≃ freefone number *(UK)* ; ≃ 800 *ou* tollfree number *(US)* **2.** *(de spectacle)* act, turn **3.** *fam (personne)* • **quel numéro !** what a character!

numéroter *vt* to number.

numerus clausus *nm si vous voulez expliquer de quoi il s'agit à un anglophone, vous pouvez dire* it is a restricted intake of students.

nu-pieds *nm inv (sandale)* sandal.

nuptial, e *adj* nuptial.

nuque *nf* nape.

nurse *nf* children's nurse, nanny *(UK)*.

nursery, nurserie *nf* **1.** *(dans un hôpital)* nursery **2.** *(dans un lieu public)* parent-and-baby clinic.

nutritif, ive *adj* nutritious.

nutritionniste *nmf* nutritionist, dietician.

Nylon® *nm* nylon.

nymphe *nf* nymph.

nymphomane *nf & adj* nymphomaniac.

o, O *nm inv (lettre)* o, O. ■ **O** *(abrév de Ouest)* W.

ô *interj* oh!, O!

oasis *nf* **1.** *(dans désert)* oasis **2.** *fig (de calme)* haven, oasis.

obéir *vi* **1.** *(personne)* • **obéir à qqn/qqch** to obey sb/sthg **2.** *(freins)* to respond.

obéissant, e *adj* obedient.

obélisque *nm* obelisk.

obèse *adj* obese.

obésité *nf* obesity.

objecter *vt* **1.** *(répliquer)* to raise as an objection • **objecter que** to object that **2.** *(prétexter)* • **objecter qqch (à qqn)** to put forward sthg as an excuse (to sb).

objecteur *nm* objector • **objecteur de conscience** conscientious objector.

objectif, ive *adj* objective. ■ **objectif** *nm* **1.** PHOTO lens **2.** *(but, cible)* objective, target • **se fixer un objectif** to set o.s. a goal.

objection *nf* objection • **faire objection à** to object to.

objectivité *nf* objectivity.

objet *nm* **1.** *(chose)* object • **objet d'art** objet d'art • **objet de valeur** valuable • **objets trouvés** lost property office (UK), lost-and-found (office) (US) • **cela fera l'objet d'une émission spéciale** this will be the subject of a special programme **3.** DR matter.

obligation *nf* **1.** *(gén)* obligation • **tu peux y aller, mais ce n'est pas une obligation** you can go, but you're not obliged to • **être dans l'obligation de faire qqch** to be obliged to do sthg **2.** FIN bond, debenture.

obligatoire *adj* **1.** *(imposé)* compulsory, obligatory **2.** *fam (inéluctable)* inevitable.

obligeance *nf sout* obligingness • **avoir l'obligeance de faire qqch** to be good *ou* kind enough to do sthg.

obliger *vt* **1.** *(forcer)* • **obliger qqn à qqch** to impose sthg on sb • **obliger qqn à faire qqch** to force sb to do sthg • **être obligé de faire qqch** to be obliged to do sthg **2.** *sout (rendre service à)* to oblige. ■ **s'obliger** *vp* • **s'obliger à faire**

qqch to impose sthg on o.s. • **s'obliger à faire qqch** to force o.s. to do sthg.

oblique *adj* oblique.

obliquer *vi* to turn off.

oblitérer *vt* **1.** *(tamponner)* to cancel **2.** MÉD to obstruct **3.** *litt (effacer)* to obliterate.

oblong, oblongue *adj* oblong.

obnubiler *vt* to obsess • **être obnubilé par** to be obsessed with *ou* by.

obole *nf* small contribution.

obscène *adj* obscene.

obscénité *nf* obscenity.

obscur, e *adj* **1.** *(sombre)* dark **2.** *(confus)* vague **3.** *(inconnu, douteux)* obscure.

obscurantisme *nm* obscurantism.

obscurcir *vt* **1.** *(assombrir)* to darken **2.** *(embrouiller)* to confuse. ■ **s'obscurcir** *vp* **1.** *(s'assombrir)* to grow dark **2.** *(s'embrouiller)* to become confused.

obscurité *nf* *(nuit)* darkness.

obsédé, e *adj* obsessed • **il est obsédé par cette idée** he's obsessed with the idea. ▢ *nm,f* obsessive • **un obsédé sexuel** a sex maniac.

obséder *vt* to obsess, to haunt.

obsèques *nfpl* funeral *sing*.

obséquieux, euse *adj* obsequious.

observateur, trice *adj* observant. ▢ *nm,f* observer.

observation *nf* **1.** *(gén)* observation • **être en observation** MÉD to be under observation **2.** *(critique)* remark.

observatoire *nm* **1.** ASTRON observatory **2.** *(lieu de surveillance)* observation post.

observer *vt* **1.** *(regarder, remarquer, respecter)* to observe **2.** *(épier)* to watch **3.** *(constater)* • **observer que** to note that • **faire observer qqch à qqn** to point sthg out to sb.

obsession *nf* obsession.

obsolète *adj* obsolete.

obstacle *nm* **1.** *(entrave)* obstacle **2.** *fig (difficulté)* hindrance • **faire obstacle à qqch/qqn** to hinder sthg/sb.

obstétricien, enne *nm,f* obstetrician.

obstétrique nf obstetrics (indén).

obstination nf stubbornness, obstinacy.

obstiné, e adj 1. (entêté) stubborn, obstinate 2. (acharné) dogged.

obstiner ■ s'obstiner vp to insist • **s'obstiner à faire qqch** to persist stubbornly in doing sthg • **s'obstiner dans qqch** to cling stubbornly to sthg.

obstruction nf 1. MÉD obstruction, blockage 2. POLIT & SPORT obstruction.

obstruer vt to block, to obstruct. ■ **s'obstruer** vp to become blocked.

obtempérer vi • **obtempérer à** to comply with.

obtenir vt to get, to obtain • **obtenir qqch de qqn** to get sthg from sb • **obtenir qqch à** ou **pour qqn** to obtain sthg for sb.

> ### À PROPOS DE **obtenir pour**
>
> • Obtenir qqch pour qqn **Get sth for sb** ou **get sb sthg**
> Il faut noter la construction à double complément qui, en anglais, peut prendre deux formes dont le sens est le même :
> 1. une structure identique à celle du français : verbe + COD + préposition + COI **get sthg for sb**
> 2. une structure qui diffère de celle du français, sans préposition, et dans laquelle l'ordre des compléments est inversé : verbe + COI + COD **get sb sthg**
> • Elle a obtenu une invitation pour Anne. **She got an invitation for Anne** ou **She got Anne an invitation**.

obtention nf obtaining.

obtenu, e pp → obtenir.

obturateur, trice adj closing (avant nom). ■ **obturateur** nm 1. (valve) stop valve 2. PHOTO shutter.

obturer vt 1. to close, to seal 2. (dent) to fill.

obtus, e adj obtuse.

obus nm shell.

OC (abrév de ondes courtes) SW.

occasion nf 1. (possibilité, chance) opportunity, chance • **saisir l'occasion (de faire qqch)** to seize ou grab the chance (to do sthg) • **rater une occasion (de faire qqch)** to miss a chance (to do sthg) • **à l'occasion a)** some time **b)** (de temps en temps) sometimes, on occasion • **à la première occasion** at the first opportunity 2. (circonstance) occasion • **à l'occasion de** on the occasion of 3. (bonne affaire) bargain. ■ **d'occasion** loc adv & loc adj second-hand.

occasionnel, elle adj (irrégulier - visite, problème) occasional ; (- travail) casual.

occasionner vt to cause.

occident nm west. ■ **Occident** nm • **l'Occident** the West.

occidental, e adj western. ■ **Occidental, e** nm, f Westerner.

occiput nm back of the head.

occlusion nf 1. MÉD blockage, obstruction 2. LING & CHIM occlusion.

occulte adj occult.

occulter vt (sentiments) to conceal.

occupation nf 1. (activité) occupation, job 2. MIL occupation.

occupé, e adj 1. (personne) busy • **être occupé à qqch** to be busy with sthg 2. (appartement, zone) occupied 3. (place) taken 4. (toilettes) engaged (UK) • **c'est occupé** (téléphone) it's engaged (UK) ou busy (US).

occuper vt 1. (gén) to occupy 2. (espace) to take up 3. (place, poste) to hold 4. (main-d'œuvre) to employ. ■ **s'occuper** vp 1. (s'activer) to keep o.s. busy • **s'occuper à qqch/à faire qqch** to be busy with sthg/doing sthg 2. • **s'occuper de qqch a)** (se charger de) to take care of sthg, to deal with sthg **b)** (s'intéresser à) to take an interest in, to be interested in • **occupez-vous de vos affaires !** mind your own business! 3. (prendre soin) • **s'occuper de qqn** to take care of sb, to look after sb.

occurrence nf 1. (circonstance) • **en l'occurrence** in this case 2. LING occurrence.

OCDE (abrév de Organisation de coopération et de développement économique) nf OECD.

océan nm ocean • **l'océan Antarctique** the Antarctic Ocean • **l'océan Arctique** the Arctic Ocean • **l'océan Atlantique** the Atlantic Ocean • **l'océan Indien** the Indian Ocean • **l'océan Pacifique** the Pacific Ocean.

Océanie nf • **l'Océanie** Oceania.

océanique adj ocean (avant nom).

océanographie nf oceanography.

ocre adj inv & nf ochre (UK), ocher (US).

octante adj num inv (BELGIQUE & SUISSE) eighty.

octave nf octave.

octet nm INFORM byte.

octobre nm October. Voir aussi **septembre**.

> En anglais, les mois de l'année s'écrivent avec une majuscule.

octogénaire nmf & adj octogenarian.

octogone nm octagon.

octroyer vt • **octroyer qqch à qqn** to grant sb sthg, to grant sthg to sb. ■ **s'octroyer** vp to grant o.s., to treat o.s. to.

oculaire nm eyepiece. ❑ adj ocular, eye (avant nom) • **témoin oculaire** eyewitness.

oculiste nmf ophthalmologist.

ode nf ode.

odeur nf smell • **odeur corporelle** body odour (UK), body odor (US).

odieux, euse adj 1. (crime) odious, abominable 2. (personne, attitude) unbearable, obnoxious.

odorant, e *adj* sweet-smelling, fragrant.

odorat *nm* (sense of) smell.

odyssée *nf* odyssey.

œdème *nm* oedema (UK), edema (US).

œil *nm* **1.** *(gén)* eye • **yeux bridés/exorbités/globuleux** slanting/bulging/protruding eyes • **avoir les yeux cernés** to have bags under one's eyes • **baisser/lever les yeux** to look down/up, to lower/raise one's eyes • **à l'œil nu** to the naked eye • **à vue d'œil** visibly **2.** *(locution)* • **avoir qqch/qqn à l'œil** to have one's eye on sthg/sb • **n'avoir pas froid aux yeux** not to be afraid of anything, to have plenty of nerve • **mon œil!** *fam* like hell! • **cela saute aux yeux** it's obvious.

œil-de-bœuf *nm* bull's-eye window.

œillade *nf* wink • **lancer une œillade à qqn** to wink at sb.

œillère *nf* eyebath. ■ **œillères** *nfpl* blinkers (UK), blinders (US).

œillet *nm* **1.** *(fleur)* carnation **2.** *(de chaussure)* eyelet.

œnologue *nmf* wine expert.

œsophage *nm* oesophagus (UK), esophagus (US).

œstrogène *nm* oestrogen (UK), estrogen (US).

œuf *nm* egg • **œuf à la coque/au plat/poché** boiled/fried/poached egg • **œuf mollet/dur** soft-boiled/hard-boiled egg • **œufs brouillés** scrambled eggs.

œuvre *nf* **1.** *(travail)* work • **être à l'œuvre** to be working *ou* at work • **se mettre à l'œuvre** to get down to work • **mettre qqch en œuvre a)** to make use of sthg **b)** *(loi, accord, projet)* to implement sthg **2.** *(artistique)* work **3.** *(ensemble de la production d'un artiste)* works *pl* • **œuvre d'art** work of art • **œuvre de bienfaisance** charity, charitable organization **4.** *(organisation)* charity.

off *adj inv* CINÉ *(voix, son)* off.

offense *nf* **1.** *(insulte)* insult **2.** RELIG trespass.

offenser *vt* **1.** *(personne)* to offend **2.** *(bon goût)* to offend against. ■ **s'offenser** *vp* • **s'offenser de** to take offence (UK) *ou* offense (US) at, to be offended by.

offensif, ive *adj* offensive. ■ **offensive** *nf* **1.** MIL offensive • **passer à l'offensive** to go on the offensive • **prendre l'offensive** to take the offensive **2.** *fig (du froid)* (sudden) onset.

offert, e *adj* → **offrir**.

office *nm* **1.** *(bureau)* office, agency • **office du tourisme** tourist office **2.** *(fonction)* • **faire office de** to act as • **remplir son office** to do its job, to fulfil its function **3.** RELIG service. ■ **d'office** *loc adv* automatically, as a matter of course • **commis d'office** officially appointed.

officialiser *vt* to make official.

officiel, elle *adj & nm, f* official.

officier[1] *vi* to officiate.

officier[2] *nm* officer.

officieux, euse *adj* unofficial.

officine *nf* **1.** *(pharmacie)* pharmacy **2.** *péj (repaire)* agency.

offrande *nf* **1.** *(don)* offering **2.** RELIG offertory.

offre *nf* **1.** *(proposition)* offer **2.** *(aux enchères)* bid **3.** *(pour contrat)* tender • **'offres d'emploi'** 'situations vacant (UK)', 'help wanted (US)', 'vacancies' • **offre d'essai** trial offer • **offre de lancement** introductory offer • **offre publique d'achat** takeover bid **4.** ÉCON supply • **la loi de l'offre et de la demande** the law of supply and demand.

offrir *vt* **1.** *(faire cadeau)* • **offrir qqch à qqn** to give sb sthg, to give sthg to sb **2.** *(proposer)* • **offrir qqch à qqn** to offer sb sthg *ou* sthg to sb **3.** *(présenter)* to offer, to present • **son visage n'offrait rien d'accueillant** his/her face showed no sign of welcome. ■ **s'offrir** *vp* **1.** *(croisière, livre)* to treat o.s. to **2.** *(se présenter)* to present itself **3.** *(se proposer)* to offer one's services, to offer o.s.

offusquer *vt* to offend. ■ **s'offusquer** *vp* • **s'offusquer (de)** to take offence (UK) *ou* offense (US) (at).

ogive *nf* **1.** ARCHIT ogive **2.** MIL *(d'obus)* head **3.** MIL *(de fusée)* nosecone • **ogive nucléaire** nuclear warhead.

OGM (abrév de *organisme génétiquement modifié*) *nm* GMO.

ogre, ogresse *nm, f* ogre, ogress *f*.

oh *interj* oh! • **oh là là!** dear oh dear!

ohé *interj* hey!

oie *nf* goose.

oignon *nm* **1.** *(plante)* onion • **soupe à l'oignon** onion soup **2.** *(bulbe)* bulb **3.** MÉD bunion.

oiseau *nm* **1.** ZOOL bird • **oiseau de proie** bird of prey **2.** *fam & péj (individu)* character.

oisif, ive *adj* idle. ■ *nm, f* man of leisure, woman of leisure *f*.

oisillon *nm* fledgling.

oisiveté *nf* idleness.

O.K. *interj fam* okay.

ola *nf* Mexican wave (UK), wave (US).

oléagineux *nm* oleaginous plant.

oléoduc *nm* (oil) pipeline.

olfactif, ive *adj* olfactory.

oligo-élément *nm* trace element.

olive *nf* olive • **olives vertes/noires** green/black olives.

oliveraie *nf* olive grove.

olivier *nm* **1.** *(arbre)* olive tree **2.** *(bois)* olive wood.

OLP (abrév de *Organisation de libération de la Palestine*) *nf* PLO.

olympique *adj* Olympic *(avant nom)* • **les Jeux olympiques** the Olympic Games, the Olympics.

ombilical, e adj umbilical.

ombrage nm shade.

ombragé, e adj shady.

ombrageux, euse adj **1.** litt (personne) touchy, prickly **2.** (cheval) nervous, skittish.

ombre nf **1.** (zone sombre) shade • **à l'ombre** in the shade • **à l'ombre de a)** (arbre) in the shade of **b)** (personne) in the shadow of • **laisser qqch dans l'ombre** fig to deliberately ignore sthg • **vivre dans l'ombre** fig to live in obscurity **2.** (forme, fantôme) shadow **3.** (trace) hint.

ombrelle nf parasol.

OMC (abrév de Organisation mondiale du commerce) nf WTO.

omelette nf omelette.

omerta nf law of silence, omertá.

omettre vt to omit • **omettre de faire qqch** to omit to do sthg.

omis, e pp → omettre.

omission nf omission • **par omission** by omission.

omnibus nm stopping (UK) ou local (US) train.

omniprésent, e adj omnipresent.

omnisports adj inv sports (avant nom).

omnivore nm omnivore. ◻ adj omnivorous.

omoplate nf **1.** (os) shoulder blade **2.** (épaule) shoulder.

OMS (abrév de Organisation mondiale de la santé) nf WHO.

---

on

■ **on** pron indéf

1. POUR DÉSIGNER L'ESPÈCE HUMAINE OU UN NOMBRE INDÉTERMINÉ DE PERSONNES

• **on vit de plus en plus vieux en Europe** people in Europe are living longer and longer • **au Japon, on mange avec des baguettes** in Japan, they eat with chopsticks

2. POUR EXPRIMER UNE GÉNÉRALITÉ

• **on n'a pas le droit de fumer ici** you're not allowed ou one isn't allowed to smoke here, smoking isn't allowed here • **on ne doit pas parler la bouche pleine** one shouldn't speak with one's mouth full

3. QUELQU'UN

• **on vous a appelé au téléphone ce matin** there was a telephone call for you this morning ou someone called you this morning • **on frappa à la porte** there was a knock on the door • **on m'a volé ma calculatrice** somebody has stolen my calculator ou my calculator's been stolen

4. NOUS

• **on s'en va** we're off, we're going • **il faut qu'on se dépêche** we must hurry up

---

À PROPOS DE

on

Lorsque *on* est utilisé pour désigner quelqu'un dont on ne veut pas ou ne peut pas spécifier l'identité, *on* se traduit souvent en anglais par un passif.
• *On m'a volé ma montre.* **My watch's been stolen.**

---

onanisme nm onanism.

oncle nm uncle.

onctueux, euse adj **1.** smooth **2.** CULIN creamy • **un yaourt onctueux** a creamy yogurt.

onde nf PHYS wave. ■ **ondes** nfpl (radio) air sing.

ondée nf shower (of rain).

on-dit nm inv rumour (UK), rumor (US), hearsay (indén).

ondoyer vi litt to ripple.

ondulation nf **1.** (mouvement) rippling **2.** (de sol, terrain) undulation **3.** (de coiffure) wave.

onduler vi **1.** (drapeau) to ripple, to wave **2.** (cheveux) to be wavy **3.** (route) to undulate.

onéreux, euse adj costly.

ongle nm **1.** (de personne) fingernail, nail • **se ronger les ongles** to bite one's nails **2.** (d'animal) claw.

onglet nm **1.** (de reliure) tab **2.** (de lame) thumbnail groove **3.** CULIN top skirt.

onguent nm ointment.

onirique adj **1.** (relatif au rêve) dream (avant nom) **2.** (semblable au rêve) dreamlike.

onomatopée nf onomatopoeia.

ont → avoir.

ONU, Onu (abrév de Organisation des Nations unies) nf UN, UNO.

onyx nm onyx.

onze adj num inv eleven. ◻ nm (chiffre) SPORT eleven. Voir aussi **six**.

onzième adj num inv, nm & nmf eleventh ; Voir aussi **sixième**.

OPA (abrév de offre publique d'achat) nf takeover bid.

opacité nf opacity.

opale nf & adj inv opal.

opaline nf opaline.

opaque adj • **opaque (à)** opaque (to).

OPEP, Opep (abrév de Organisation des pays exportateurs de pétrole) nf OPEC.

opéra nm **1.** MUS opera **2.** (théâtre) opera house.

opéra-comique nm light opera.

opérateur, trice nm, f operator.

opération nf **1.** (gén) operation **2.** COMM deal, transaction • **opération financière** financial transaction.

opérationnel, elle adj operational.

opératoire adj MÉD operating (avant nom) • **choc opératoire** post-operative shock.

opérer vt **1.** MÉD to operate on **2.** (exécuter) to carry out, to implement **3.** (choix, tri) to make. ◇ vi **1.** (agir) to take effect **2.** (personne) to operate, to proceed. ■ **s'opérer** vp to come about, to take place.

opérette nf operetta.

ophtalmo nm fam abrév de **ophtalmologiste**.

ophtalmologiste nmf ophthalmologist.

Opinel ® nm si vous voulez donner une définition à un anglophone, vous pouvez dire it is a folding knife that you use for outdoor activities, scouting, etc.

opiniâtre adj **1.** (caractère, personne) stubborn, obstinate **2.** (effort) dogged **3.** (travail) unrelenting **4.** (fièvre, toux) persistent.

opinion nf opinion • **avoir (une) bonne/mauvaise opinion de** to have a good/bad opinion of • **l'opinion publique** public opinion.

opium nm opium.

opportun,e adj opportune, timely.

opportuniste nmf opportunist. ◻ adj opportunistic.

opportunité nf **1.** (à-propos) opportuneness, timeliness **2.** (occasion) opportunity.

opposant,e adj opposing. ◻ nm, f • **opposant (à)** opponent (of).

opposé,e adj **1.** (direction, côté, angle) opposite **2.** (intérêts, opinions) conflicting **3.** (forces) opposing **4.** (hostile) **opposé à** opposed to. ■ **opposé** nm • **l'opposé** the opposite • **à l'opposé (de a)** in the opposite direction from **b)** fig unlike, contrary to.

opposer vt **1.** (mettre en opposition - choses, notions) • **opposer qqch (à)** to contrast sthg (with) **2.** (mettre en présence - personnes, armées) to oppose • **opposer deux équipes** to bring two teams together • **opposer qqn à qqn** to pit ou set sb against sb **3.** (refus, protestation, objection) to put forward **4.** (diviser) to divide. ■ **s'opposer** vp **1.** (contraster) to contrast **2.** (entrer en conflit) to clash **3.** • **s'opposer à** (se dresser contre) to oppose, to be opposed to • **s'opposer à ce que qqn fasse qqch** to be opposed to sb's doing sthg.

opposition nf **1.** (gén) opposition • **faire opposition à a)** (décision, mariage) to oppose **b)** (chèque) to stop (UK) • **entrer en opposition avec** to come into conflict with **2.** DR • **opposition (à)** objection (to) **3.** (contraste) contrast • **par opposition à** in contrast with, as opposed to.

oppressant,e adj oppressive.

oppresser vt **1.** (étouffer) to suffocate, to stifle **2.** fig (tourmenter) to oppress.

oppresseur nm oppressor.

oppressif,ive adj oppressive.

oppression nf **1.** (asservissement) oppression **2.** (malaise) tightness of the chest.

opprimé,e adj oppressed. ◻ nm, f oppressed person.

opprimer vt **1.** (asservir) to oppress **2.** (étouffer) to stifle.

opter vi • **opter pour** to opt for.

opticien,enne nm, f optician.

optimal,e adj optimal.

optimiser,optimaliser vt to optimize.

optimiste nmf optimist. ◻ adj optimistic.

option nf **1.** (gén) option • **prendre une option sur** FIN to take (out) an option on **2.** (accessoire) optional extra • **l'airbag est en option** the airbag is an optional extra **3.** (matière) optional subject • **j'ai pris latin en option** I took Latin as an optional subject.

optionnel,elle adj optional.

optique nf **1.** (science, technique) optics (indén) **2.** (perspective) viewpoint. ◻ adj **1.** (nerf) optic **2.** (verre) optical.

opulence nf **1.** (richesse) opulence **2.** (ampleur) fullness, ampleness.

opulent,e adj **1.** (riche) rich **2.** (gros) ample.

or[1] nm **1.** (métal, couleur) gold • **en or** (objet) gold (avant nom) • **une occasion en or** a golden opportunity • **une affaire en or a)** (achat) an excellent bargain **b)** (commerce) a lucrative line of business • **j'ai une femme en or** I've a wonderful wife • **or massif** solid gold **2.** (dorure) gilding.

or[2] conj **1.** (au début d'une phrase) now **2.** (pour introduire un contraste) well, but.

oracle nm oracle.

orage nm (tempête) storm.

orageux,euse adj stormy • **le temps est orageux** it's stormy.

oraison nf prayer • **oraison funèbre** funeral oration.

oral,e adj oral. ■ **oral** nm oral (examination) • **oral de rattrapage** si vous voulez expliquer à un anglophone de quoi il s'agit, vous pouvez dire it is an oral exam that you take as a resit after you have failed a written exam.

oralement adv orally.

orange nf orange. ◻ nm & adj inv (couleur) orange.

orangé,e adj orangey.

orangeade nf orange squash (UK), orangeade (US).

oranger nm orange tree.

orang-outan,orang-outang nm orangutang.

orateur,trice nm, f **1.** (conférencier) speaker **2.** (personne éloquente) orator.

orbital,e adj **1.** (mouvement) orbital **2.** (station) orbiting.

orbite nf **1.** ANAT (eye) socket **2.** fig ASTRON orbit • **mettre sur orbite a)** AÉRON to put into orbit **b)** fig to launch.

orchestre nm **1.** MUS orchestra **2.** CINÉ & THÉÂTRE stalls pl (UK), orchestra (US) • **fauteuil d'or-**

chestre seat in the stalls (UK), orchestra seat (US).

orchestrer vt littéraire & fig to orchestrate.

orchidée nf orchid.

ordinaire adj 1. (usuel, standard) ordinary, normal 2. péj (commun) ordinary, common. □ nm 1. (moyenne) • l'ordinaire the ordinary 2. (alimentation) usual diet. ■ d'ordinaire loc adv normally, usually.

ordinal, e adj ordinal. ■ ordinal nm ordinal (number).

ordinateur nm computer • ordinateur individuel personal computer, PC • ordinateur de bureau desktop (computer) • ordinateur portable laptop (computer) • ordinateur de poche palmtop.

ordonnance nf 1. MÉD prescription 2. (de gouvernement, juge) order. □ nmf MIL orderly.

ordonné, e adj (maison, élève) tidy.

ordonner vt 1. (ranger) to organize, to put in order 2. (enjoindre) to order, to tell • ordonner à qqn de faire qqch to order sb to do sthg 3. RELIG to ordain 4. MATH to arrange in order. ■ s'ordonner vp to be arranged ou put in order.

ordre nm 1. (gén) order • par ordre alphabétique/chronologique/décroissant in alphabetical/chronological/descending order • donner un ordre à qqn to give sb an order • être aux ordres de qqn to be at sb's disposal • jusqu'à nouvel ordre until further notice • l'ordre public law and order 2. MIL & RELIG order 3. (bonne organisation) tidiness, orderliness • en ordre orderly, tidy • mettre en ordre to put in order, to tidy (up) • remettre qqch en ordre to tidy sthg up 4. (catégorie) • de premier ordre first-rate • de second ordre second-rate • d'ordre privé/pratique of a private/practical nature • pouvez-vous me donner un ordre de grandeur ? can you give me some idea of the size/amount, etc? 5. (corporation) professional association • l'Ordre des médecins ≃ the British Medical Association (UK) ; ≃ the American Medical Association (US). FIN ▸ à l'ordre de payable to. ■ ordre du jour nm 1. (de réunion) agenda • à l'ordre du jour a) (de réunion) on the agenda b) fig topical 2. MIL order of the day.

ordure nf 1. fig (grossièreté) filth (indén) 2. injur (personne) scum (indén), bastard. ■ ordures nfpl (déchets) rubbish (indén) (UK), garbage (indén) (US).

ordurier, ère adj filthy, obscene.

orée nf edge.

oreille nf 1. ANAT ear 2. (ouïe) hearing 3. (de fauteuil, écrou) wing 4. (de marmite, tasse) handle.

oreiller nm pillow.

oreillette nf 1. (du cœur) auricle 2. (de casquette) earflap.

oreillons nmpl mumps sing.

ores ■ d'ores et déjà loc adv from now on.

orfèvre nmf 1. goldsmith 2. (d'argent) silversmith.

orfèvrerie nf 1. (art) goldsmith's art 2. (d'argent) silversmith's art 3. (commerce) goldsmith's trade 4. (d'argent) silversmith's trade.

organdi nm organdie.

organe nm 1. ANAT organ 2. (institution) organ, body 3. fig (porte-parole) representative.

organigramme nm 1. (hiérarchique) organization chart 2. INFORM flow chart.

organique adj organic.

organisateur, trice adj organizing (avant nom). □ nm, f organizer.

organisation nf organization • Organisation mondiale du commerce World Trade Organization.

organisé, e adj organized.

organiser vt to organize. ■ **s'organiser** vp **1.** (personne) to be ou get organized **2.** (prendre forme) to take shape.

organisme nm **1.** BIOL & ZOOL organism • **organisme génétiquement modifié** genetically modified organism **2.** (institution) body, organization.

organiste nmf organist.

orgasme nm orgasm.

orge nf barley.

orgeat nm • **sirop d'orgeat** barley water.

orgelet nm stye.

orgie nf orgy.

orgue nm organ.

orgueil nm pride.

orgueilleux, euse adj proud. ❏ nm, f proud person.

orient nm east. ■ **Orient** nm • **l'Orient** the Orient, the East.

orientable adj adjustable.

oriental, e adj **1.** (région, frontière) eastern **2.** (d'Extrême-Orient) oriental.

orientation nf **1.** (direction) orientation • **avoir le sens de l'orientation** to have a good sense of direction **2.** SCOL career **3.** (de maison) aspect **4.** fig (de politique, recherche) direction, trend.

orienté, e adj (tendancieux) biased.

orienter vt **1.** (disposer) to position **2.** (voyageur, élève, recherches) to guide, to direct. ■ **s'orienter** vp **1.** (se repérer) to find ou get one's bearings **2.** fig (se diriger) • **s'orienter vers** to move towards ou toward (us).

orifice nm orifice.

origan nm oregano.

originaire adj **1.** (natif) • **être originaire de a)** originate from **b)** (personne) to be a native of **2.** (premier) original.

original, e adj **1.** (premier, inédit) original **2.** (singulier) eccentric. ❏ nm, f (personne) (outlandish) character. ■ **original** nm (œuvre, document) original.

originalité nf **1.** (nouveauté) originality **2.** (caractéristique) original feature **3.** (excentricité) eccentricity.

origine nf **1.** (gén) origin • **d'origine a)** (originel) original **b)** (de départ) of origin • **pays d'origine** country of origin • **d'origine anglaise** of English origin • **à l'origine** originally **2.** (souche) origins pl **3.** (provenance) source.

ORL nmf (abrév de oto-rhino-laryngologiste) ENT specialist.

orme nm elm.

ornement nm **1.** (gén) MUS ornament • **d'ornement** (plante, arbre) ornamental **2.** ARCHIT embellishment.

orner vt **1.** (décorer) • **orner (de)** to decorate (with) **2.** (agrémenter) to adorn.

ornière nf rut.

ornithologie nf ornithology.

orphelin, e adj orphan (avant nom), orphaned • **il est orphelin** he's an orphan. ❏ nm, f orphan.

orphelinat nm orphanage.

orteil nm toe • **le gros orteil** the big toe.

orthodontiste nmf orthodontist.

orthodoxe adj **1.** RELIG Orthodox **2.** (conformiste) orthodox. ❏ nmf RELIG Orthodox Christian.

> En anglais, les adjectifs et les noms se rapportant à une religion s'écrivent avec une majuscule.

orthodoxie nf orthodoxy • **l'orthodoxie marxiste** marxist orthodoxy.

orthographe nf spelling • **une faute d'orthographe** a spelling mistake.

orthographier vt to spell • **mal orthographier** to misspell.

orthopédiste nmf orthop(a)edist.

orthophoniste nmf speech therapist.

ortie nf nettle.

os nm **1.** (gén) bone • **os à moelle** marrowbone **2.** fam & fig (difficulté) snag, hitch.

oscar nm CINÉ Oscar.

oscarisé, e adj CINÉ Oscar-winning.

oscariser vt to award an oscar to.

oscillation nf **1.** oscillation **2.** (de navire) rocking.

osciller vi **1.** (se balancer) to swing **2.** (navire) to rock **3.** (vaciller, hésiter) to waver.

osé, e adj daring, audacious.

oseille nf BOT sorrel.

oser vt to dare • **oser faire qqch** to dare (to) do sthg.

osier nm **1.** BOT osier **2.** (fibre) wicker.

Oslo npr Oslo.

osmose nf osmosis • **en osmose** fig in osmosis.

ossature nf **1.** ANAT skeleton **2.** fig (structure) framework.

osselet nm **1.** ANAT ossicle **2.** (élément de jeu) jack • **jouer aux osselets** to play jacks.

ossements nmpl bones.

osseux, euse adj **1.** ANAT & MÉD bone (avant nom) **2.** (maigre) bony.

ossuaire nm ossuary.

ostensible adj conspicuous.

ostentation nf ostentation.

ostéopathe nmf osteopath.

ostéoporose nf MÉD osteoporosis.

otage nmf hostage • **prendre qqn en otage** to take sb hostage.

OTAN, Otan (abrév de Organisation du traité de l'Atlantique Nord) nf NATO.

otarie nf sea lion.

ôter *vt* **1.** *(enlever)* to take off **2.** *(soustraire)* to take away **3.** *(retirer, prendre)* • **ôter qqch à qqn** to take sth away from sb.

otite *nf* ear infection.

oto-rhino-laryngologie *nf* ear, nose and throat medicine, ENT.

oto-rhino-laryngologiste *nmf* ear, nose and throat specialist.

ou *conj* **1.** *(indique une alternative, une approximation)* or **2.** *(sinon)* • **ou (bien)** or (else). ◼ **ou (bien)... ou (bien)** *loc corrélative* either... or • **ou c'est elle, ou c'est moi !** it's either her or me!

où *pron rel* **1.** *(spatial)* where • **le village où j'habite** the village where I live, the village I live in • **pose-le là où tu l'as trouvé** put it back where you found it • **partout où vous irez** wherever you go **2.** *(temporel)* that • **le jour où je suis venu** the day (that) I came. ❑ *adv* where • **je vais où je veux** I go where I please • **où que vous alliez** wherever you go. ❑ *adv interr* where? • **où vas-tu ?** where are you going? • **dites-moi où il est allé** tell me where he's gone. ◼ **d'où** *loc adv (conséquence)* hence.

À PROPOS DE **où**

Où se traduit par *where* ou *that* suivant qu'il désigne un lieu ou un moment, ou bien ne se traduit pas.

• *Le village où j'habite.* **The village where I live.**

• *Le jour où je suis venu.* **The day (that) I came.**

ouate *nf* **1.** *(pansement)* cotton wool (UK), (absorbent) cotton (US) **2.** *(rembourrage)* (cotton) wadding.

ouaté, e *adj* **1.** *(garni d'ouate)* cotton wool (UK) *(avant nom)*, cotton (US) *(avant nom)* **2.** *(vêtement)* quilted **3.** *fig (feutré)* muffled.

oubli *nm* **1.** *(acte d'oublier)* forgetting **2.** *(négligence)* omission **3.** *(étourderie)* oversight **4.** *(général)* oblivion • **tomber dans l'oubli** to sink into oblivion.

oublier *vt* **1.** to forget **2.** *(laisser quelque part)* to leave behind • **oublier de faire qqch** to forget to do sth.

oubliettes *nfpl* dungeon *sing*.

ouest *nm* west • **un vent d'ouest** a westerly wind • **à l'ouest** in the west • **à l'ouest (de)** to the west (of). ❑ *adj inv* **1.** *(gén)* west **2.** *(province, région)* western.

ouest-allemand, e *adj* West German.

ouf *interj* phew! ❑ *adj fam* nuts • **non, mais t'es ouf ou quoi ?** are you nuts? ❑ *nm fam* nutter • **j'ai eu une semaine de ouf !** I've had a crazy week! • **c'est un truc de ouf** it's crazy.

Ouganda *nm* • **l'Ouganda** Uganda.

oui *adv* yes • **tu viens ?** — **oui** are you coming? — yes (I am) • **tu viens, oui ou non ?** are you coming or not?, are you coming or aren't

you? • **je crois que oui** I think so • **faire signe que oui, faire oui de la tête** to nod • **mais oui, bien sûr que oui** yes, of course. ❑ *nm inv* yes • **pour un oui pour un non** for no apparent reason.

ouï-dire *nm inv* • **par ouï-dire** by *ou* from hearsay.

ouïe *nf* hearing • **avoir l'ouïe fine** to have excellent hearing. ◼ **ouïes** *nfpl (de poisson)* gills.

ouragan *nm* MÉTÉOR hurricane.

ourlet *nm* COUT hem.

ours *nm* bear • **ours (en peluche)** teddy (bear) • **ours polaire** polar bear.

ourse *nf* she-bear.

oursin *nm* sea urchin.

ourson *nm* bear cub.

outil *nm* tool • **boîte** *ou* **caisse à outils** toolbox • **outil de recherche** INTERNET search tool.

outillage *nm (équipement)* tools *pl*, equipment.

outrage *nm* **1.** *sout (insulte)* insult **2.** DR • **outrage à la pudeur** indecent behaviour *(indén)* (UK) *ou* behavior *(indén)* (US).

outrager *vt (offenser)* to insult.

outrance *nf* excess • **à outrance** excessively.

outrancier, ère *adj* extravagant.

outre¹ *nf* wineskin.

outre² *prép* besides, as well as. ❑ *adv* • **passer outre** to go on, to proceed further. ◼ **en outre** *loc adv* moreover, besides.

outré, e *adj* indignant.

outre-Atlantique *loc adv* across the Atlantic.

outre-Manche *loc adv* across the Channel.

outremer *nm* **1.** *(pierre)* lapis lazuli **2.** *(couleur)* ultramarine. ❑ *adj inv* ultramarine.

outre-mer *adv* overseas.

outrepasser *vt* to exceed.

outrer *vt (personne)* to outrage.

outre-Rhin *loc adv* across the Rhine.

outsider *nm* outsider.

ouvert, e *pp* → **ouvrir**. ❑ *adj* **1.** *(gén)* open • **grand ouvert** wide open **2.** *(robinet)* on, running.

ouvertement *adv* openly.

ouverture *nf* **1.** *(gén)* opening **2.** *(d'hostilités)* outbreak • **ouverture d'esprit** open-mindedness **3.** MUS overture **4.** PHOTO aperture. ◼ **ouvertures** *nfpl (propositions)* overtures.

ouvrable *adj* working • **heures ouvrables** hours of business.

ouvrage *nm* **1.** *(travail)* work *(indén)*, task • **se mettre à l'ouvrage** to start work **2.** *(objet produit)* (piece of) work **3.** COUT work *(indén)* **4.** *(livre, écrit)* work • **ouvrage de référence** reference work.

ouvragé, e *adj* elaborate.

ouvré, e *adj* • **jour ouvré** working day.

ouvre-boîtes *nm inv* tin opener (UK), can opener.

ouvre-bouteilles *nm inv* bottle opener.

ouvreur, euse *nm, f* usher, usherette f.

ouvrier, ère *adj* **1.** *(quartier, enfance)* working-class **2.** *(conflit)* industrial **3.** *(questions, statut)* labour *(avant nom)* (UK), labor *(avant un nom)* (US) • **classe ouvrière** working class. ❏ *nm, f* worker • **ouvrier agricole** farm worker • **ouvrier qualifié** skilled worker • **ouvrier spécialisé** semiskilled worker.

ouvrir *vt* **1.** *(gén)* to open **2.** *(chemin, voie)* to open up **3.** *(gaz)* to turn on. ❏ *vi* to open • **ouvrir sur qqch** to open onto sthg. ■ **s'ouvrir** *vp* **1.** *(porte, fleur)* to open **2.** *(route, perspectives)* to open up **3.** *(personne)* • **s'ouvrir (à qqn)** to confide (in sb), to open up (to sb) **4.** *(se blesser)* • **s'ouvrir le genou** to cut one's knee open • **s'ouvrir les veines** to slash *ou* cut one's wrists.

ovaire *nm* ovary.

ovale *adj & nm* oval.

ovation *nf* ovation • **faire une ovation à qqn** to give sb an ovation.

overbooking *nm* overbooking.

overdose *nf* overdose.

ovin, e *adj* ovine. ■ **ovin** *nm* sheep.

OVNI, Ovni (abrév de objet volant non identifié) *nm* UFO.

ovoïde *adj* egg-shaped.

ovuler *vi* to ovulate.

oxydation *nf* oxidation, oxidization.

oxyde *nm* oxide.

oxyder *vt* to oxidize.

oxygène *nm* oxygen.

oxygéné, e *adj* CHIM oxygenated ; → eau.

oxygéner *vt* **1.** CHIM to oxygenate **2.** *(cheveux)* to bleach, to peroxide. ■ **s'oxygéner** *vp fam* to get some fresh air.

ozone *nm* ozone • **la couche d'ozone** the ozone layer.

p¹, P *nm inv* p, P.

p² **1.** (abrév de page) p **2.** abrév de **pièce**.

pacha *nm* pasha • **mener une vie de pacha** *fam & fig* to live a life of ease.

pachyderme *nm* elephant • **les pachydermes** (the) pachyderms.

pacifier *vt* to pacify.

pacifique *adj* peaceful.

Pacifique *nm* • **le Pacifique** the Pacific (Ocean).

pacifiste *nmf & adj* pacifist.

pack *nm* pack.

pacotille *nf* shoddy goods *pl*, rubbish • **de pacotille** cheap.

PACS (abrév de **Pacte civil de solidarité**) *nm Si vous voulez expliquer à un anglophone de quoi il s'agit, vous pouvez dire* it is a civil partnership for both straight and gay couples.

pacsé, e *nm, f fam* ≃ (life) partner.

pacser ■ **se pacser** *vpi si vous voulez expliquer à un anglophone de quoi il s'agit, vous pouvez préciser :* it means to register one's relationship and have it legally recognized.

pacte *nm* pact.

pactiser *vi* • **pactiser avec a)** *(faire un pacte avec)* to make a pact with **b)** *(transiger avec)* to come to terms with.

pactole *nm* gold mine *fig*.

pagaie *nf* paddle.

pagaille, pagaye, pagaïe *nf fam* mess.

pagayer *vi* to paddle.

page *nf* **1.** *(feuillet)* page • **page blanche** blank page • **mettre en pages** *TYPO* to make up (into pages) **2.** *INFORM* page • **page d'accueil** home page • **page précédente** page up • **page suivante** page down **3.** *(locution)* • **être à la page** to be up-to-date. ❑ *nm* page (boy).

pagne *nm* loincloth.

pagode *nf* pagoda.

paie, paye *nf* pay *(indén)*, wages *pl*.

paiement, payement *nm* payment.

païen, ïenne *adj & nm, f* pagan, heathen.

paillard, e *adj* bawdy.

paillasse *nf* **1.** *(matelas)* straw mattress **2.** *(d'évier)* draining board (UK), drainboard (US).

paillasson *nm* *(tapis)* doormat.

paille *nf* **1.** *BOT* straw **2.** *(pour boire)* straw. ■ **paille de fer** *nf* steel wool.

pailleté, e *adj* sequined.

paillette *nf* *(gén pl)* **1.** *(sur vêtements)* sequin, spangle **2.** *(d'or)* grain of gold dust **3.** *(de lessive, savon)* flake • **savon en paillettes** soap flakes *pl*.

pain *nm* **1.** *(aliment)* bread • **un pain** a loaf • **petit pain** (bread) roll • **pain de campagne** ≃ farmhouse loaf • **pain complet** wholemeal (UK) *ou* whole wheat (US) bread • **pain d'épice** ≃ gingerbread • **pain de mie** sandwich loaf **2.** *(de savon, cire)* bar.

pair, e *adj* even. ■ **au pair** *loc adv* for board and lodging, for one's keep • **jeune fille au pair** au pair (girl). ■ **de pair** *loc adv* • **aller de pair avec** to go hand in hand with. ■ **hors pair** *loc adj* unrivalled (UK), unrivaled (US). ■ **pair** *nm* peer. ■ **paire** *nf* pair • **une paire de** *(lunettes, ciseaux, chaussures)* a pair of.

paisible *adj* peaceful.

paître *vi* to graze.

paix *nf* peace • **en paix a)** *(en harmonie)* at peace **b)** *(tranquillement)* in peace • **avoir la paix** to have peace and quiet • **faire la paix avec qqn** to make peace with sb.

Pakistan *nm* • **le Pakistan** Pakistan.

palace *nm* luxury hotel.

palais *nm* **1.** *(château)* palace **2.** *(grand édifice)* centre (UK), center (US) • **palais de justice** *DR* law courts *pl* • **le Grand Palais** the Grand Palais • **le Petit Palais** the Petit Palais **3.** *ANAT* palate.

palan *nm* block and tackle, hoist.

pale *nf* *(de rame, d'hélice)* blade.

pâle *adj* pale.

palefrenier, ère *nm, f* groom.

paléolithique *nm* • **le paléolithique** the Paleolithic (age). ❑ *adj* paleolithic.

paléontologie *nf* paleontology.

Palestine nf • **la Palestine** Palestine.

palet nm (hockey) puck.

palette nf (de peintre) palette.

pâleur nf (de visage) pallor.

palier nm 1. (d'escalier) landing 2. (étape) level 3. TECHNOL bearing.

pâlir vi 1. (couleur, lumière) to fade 2. (personne) to turn ou go pale.

palissade nf 1. (clôture) fence 2. (de verdure) hedge.

palissandre nm rosewood.

palliatif, ive adj palliative. ■ **palliatif** nm 1. MÉD palliative 2. fig stopgap measure.

pallier vt to make up for.

palmarès nm 1. (de lauréats) list of (medal) winners 2. SCOL list of prizewinners 3. (de succès) record (of achievements).

palme nf 1. (de palmier) palm leaf 2. (de nageur) flipper 3. (décoration, distinction) • **avec palme** MIL ≃ with bar.

palmé, e adj 1. BOT palmate 2. ZOOL web-footed 3. (patte) webbed.

palmeraie nf palm grove.

palmier nm BOT palm tree.

palmipède nm web-footed bird.

palombe nf woodpigeon.

pâlot, otte adj pale, sickly-looking.

palourde nf clam.

palpable adj palpable, tangible.

palper vt 1. (toucher) to feel, to finger 2. MÉD to palpate.

palpitant, e adj exciting, thrilling.

palpitation nf palpitation.

palpiter vi 1. (paupières) to flutter 2. (cœur) to pound.

palu nm fam malaria.

paludisme nm malaria.

pâmer ■ **se pâmer** vp littéraire (s'évanouir) to swoon (away).

pampa nf pampas pl.

pamphlet nm satirical tract.

pamplemousse nm grapefruit.

pan nm 1. (de vêtement) tail 2. (d'affiche) piece, bit • **pan de mur** section of wall. ❑ interj bang!

panache nm 1. (de plumes, fumée) plume 2. (éclat) panache.

panaché, e adj 1. (de plusieurs couleurs) multicoloured (UK), multicolored (US) 2. (mélangé) mixed. ■ **panaché** nm shandy (UK).

Panama nm (pays) • **le Panama** Panama.

panaris nm whitlow.

pancarte nf 1. (de manifestant) placard 2. (de signalisation) sign.

pancréas nm pancreas.

panda nm panda.

pandémie nf pandemic.

pandémique adj pandemic.

pané, e adj breaded, in breadcrumbs.

panel nm 1. (groupe) sample (group) 2. (jury) panel.

panier nm basket • **panier à provisions** shopping basket • **mettre au panier** fig to throw out.

panier-repas nm packed lunch.

panini nm panini.

panique nf panic. ❑ adj panicky • **être pris d'une peur panique** to be panic-stricken.

paniquer vt & vi fam to panic.

panne nf (arrêt) breakdown • **tomber en panne** to break down • **panne de courant** ou **d'électricité** power failure • **tomber en panne d'essence** ou **en panne sèche** to run out of petrol (UK) ou gas (US).

panneau nm 1. (pancarte) sign • **panneau indicateur** signpost • **panneau publicitaire** (advertising) hoarding (UK), billboard (US) • **panneau de signalisation** road sign 2. (élément) panel.

panoplie nf 1. (jouet) outfit 2. fig (de mesures) package.

panorama nm 1. (vue) view, panorama 2. fig overview.

panoramique adj panoramic. ❑ nm CINÉ pan, panning shot.

panse nf 1. (d'estomac) first stomach, rumen 2. fam (gros ventre) belly, paunch 3. (partie arrondie) bulge.

pansement nm dressing, bandage • **pansement (adhésif)** (sticking) plaster (UK), Band-Aid® (US).

panser vt 1. (plaie) to dress, to bandage 2. (jambe) to put a dressing on, to bandage 3. (avec pansement adhésif) to put a plaster (UK) ou Band-Aid® (US) on 4. (cheval) to groom.

pantacourt nm capri pants, capris, clam-diggers.

pantalon nm trousers pl (UK), pants pl (US), pair of trousers (UK) ou pants (US).

pantelant, e adj panting, gasping.

panthère nf panther.

pantin nm 1. (jouet) jumping jack 2. fam (personne) puppet.

pantomime nf (art, pièce) mime.

pantoufle nf slipper.

PAO (abrév de publication assistée par ordinateur) nf DTP.

paon nm peacock.

papa nm dad, daddy.

papauté nf papacy.

papaye nf papaya, pawpaw.

pape nm RELIG pope.

paperasse nf péj **1.** (papier sans importance) bumf (indén) (**UK**), papers pl **2.** (papiers administratifs) paperwork (indén).

papeterie nf **1.** (magasin) stationer's **2.** (fabrique) paper mill.

papetier, ère nm, f **1.** (commerçant) stationer **2.** (fabricant) paper manufacturer.

papi, papy nm grandpa, grandad.

papier nm (matière, écrit) paper • **papier alu** ou **aluminium** aluminium (**UK**) ou aluminum (**US**) foil, tinfoil • **papier carbone** carbon paper • **papier crépon** crêpe paper • **papier d'emballage** wrapping paper • **papier à en-tête** headed notepaper • **papier hygiénique** ou **toilette** toilet paper • **papier à lettres** writing paper, notepaper • **papier peint** wallpaper • **papier de verre** glasspaper (**UK**), sandpaper. ■ **papiers** nmpl • **papiers (d'identité)** (identity) papers.

papier-calque nm tracing paper.

papille nf • **papilles gustatives** taste buds.

papillon nm **1.** ZOOL butterfly **2.** (écrou) wing nut **3.** (nage) butterfly (stroke).

papillonner vi to flit about ou around.

papillote nf **1.** (de bonbon) sweet paper ou wrapper (**UK**), candy paper (**US**) **2.** (de cheveux) curl paper.

papilloter vi **1.** (lumière) to twinkle **2.** (yeux) to blink.

papoter vi fam to chatter.

paprika nm paprika.

paquebot nm liner.

pâquerette nf daisy.

Pâques nfpl Easter sing • **joyeuses Pâques** Happy Easter.

paquet nm **1.** (colis) parcel (**UK**), package (**US**) **2.** (emballage) packet (**UK**), package (**US**) • **paquet-cadeau** gift-wrapped parcel (**UK**) ou package (**US**).

paquetage nm MIL kit.

par

■ **par** prép

1. VALEUR SPATIALE

• **ils sont passés par la Suède et le Danemark** they went via Sweden and Denmark • **vous devrez passer par Reims** you'll have to go through Reims • **les voleurs sont entrés par la fenêtre** the burglars came in through the window • **mon cousin habite par ici** my cousin lives round here

2. VALEUR TEMPORELLE

• **il partit par un beau jour d'été** he left on a lovely summer's day • **par le passé, les tensions étaient très fortes dans cette région** in the past, tensions were very high in this region

3. INDIQUE LE MOYEN

• **nous y sommes allés par bateau/train/avion** we went there by boat/train/plane • **les gens communiquent beaucoup par Internet** people communicate by ou via the Internet a lot • **il obtient tout ce qu'il veut par la ruse** he obtains everything he wants by ou through cunning

4. INDIQUE LA CAUSE

• **je l'ai aidé uniquement par pitié** I helped him only out of ou from pity • **cet animal a été tué par pure bêtise** this animal got killed because of sheer stupidity • **par manque de temps, je ne pourrai pas t'aider** owing to lack of time, I won't be able to help you

5. INTRODUIT UN COMPLÉMENT D'AGENT

• **ce livre a été écrit par Hanif Kureishi** this book was written by Hanif Kureishi • **Thomas a été puni par le professeur d'espagnol** Thomas was punished by the Spanish teacher • **j'ai fait tondre la pelouse par mon voisin** I had ou got my neighbour mow the lawn

6. SENS DISTRIBUTIF

• **il regarde la télévision une heure par jour** he watches television one hour a ou per day • **il gagne 1 700 euros par mois** he earns 1, 700 euros a month • **les écoliers marchaient deux par deux** the pupils were walking in twos ou two by two

7. INTRODUIT UN ÉLÉMENT DE DÉBUT OU DE FIN

• **nous avons commencé par du foie gras** we started with foie gras ou we had foie gras to start • **il a fini par tout me dire** he finally told me everything ou he ended up telling me everything

■ **par-ci par-là** loc adv

here and there • **des livres traînaient par-ci par-là** books were lying about here and there

para (abrév de parachutiste) nm fam para (**UK**).

paraben nm paraben • **sans paraben** paraben-free.

parabole nf **1.** (récit) parable **2.** MATH parabola.

parabolique adj parabolic.

paracétamol nm paracetamol.

parachever vt to put the finishing touches to.

parachute nm parachute • **parachute ascensionnel** parachute (for parascending) • **parachute doré** golden parachute.

parachuter vt to parachute, to drop by parachute • **ils l'ont parachuté directeur** fam & fig he was unexpectedly given the job of manager.

parachutiste nmf **1.** parachutist **2.** MIL paratrooper.

parade *nf* **1.** *(spectacle)* parade **2.** *(défense)* parry **3.** *fig* riposte.

parader *vi* to show off.

paradis *nm* paradise.

paradoxal, e *adj* paradoxical.

paradoxe *nm* paradox.

parafe, paraphe *nm* initials *pl*.

parafer, parapher *vt* to initial.

paraffine *nf* **1.** paraffin (UK), kerosene (US) **2.** *(solide)* paraffin wax.

parages *nmpl* • **être** *ou* **se trouver dans les parages** *fig* to be in the area *ou* vicinity.

paragraphe *nm* paragraph.

Paraguay *nm* • **le Paraguay** Paraguay.

paraître *v att* to look, to seem, to appear. □ *vi* **1.** *(se montrer)* to appear **2.** *(être publié)* to come out, to be published. □ *v impers* • **il paraît/paraîtrait que** it appears/would appear that.

parallèle *nm* parallel • **établir un parallèle entre** *fig* to draw a parallel between. □ *nf* parallel (line). □ *adj* **1.** *(action, en maths)* parallel **2.** *(marché)* unofficial **3.** *(médecine, énergie)* alternative.

parallélépipède *nm* parallelepiped.

parallélisme *nm* **1.** parallelism **2.** *(de roues)* alignment.

paralyser *vt* to paralyse (UK), to paralyze (US).

paralysie *nf* paralysis.

paramédical, e *adj* paramedical.

paramètre *nm* parameter.

paramilitaire *adj* paramilitary.

paranoïa *nf* paranoia.

paranoïaque *adj* paranoid. □ *nmf* paranoiac.

parapente *nm* paragliding • **faire du parapente** to go paragliding.

parapet *nm* parapet.

paraphe = parafe.

parapher = parafer.

paraphrase *nf* paraphrase.

paraplégique *nmf & adj* paraplegic.

parapluie *nm* umbrella.

parascolaire *adj* extracurricular.

parasite *nm* parasite. □ *adj* parasitic. ■ **parasites** *nmpl* RADIO & TV interference *(indén)*.

parasol *nm* parasol, sunshade.

paratonnerre *nm* lightning conductor (UK) *ou* rod (US).

paravent *nm* screen.

parc *nm* **1.** *(jardin)* park **2.** *(de château)* grounds *pl* • **parc d'attractions** amusement park • **parc de loisirs** ≃ leisure park • **parc national** national park • **parc à thème** ≃ theme park **3.** *(pour l'élevage)* pen **4.** *(de bébé)* playpen **5.** *(de voitures)* fleet • **le parc automobile** the number of cars on the roads.

parcelle *nf* **1.** *(petite partie)* fragment, particle **2.** *(terrain)* parcel of land.

parce que *loc conj* because.

parchemin *nm* parchment.

parcheminé, e *adj* wrinkled.

parcimonie *nf* parsimoniousness • **avec parcimonie** sparingly, parsimoniously.

parcimonieux, euse *adj* parsimonious.

parcmètre *nm* parking meter.

parcourir *vt* **1.** *(région, route)* to cover **2.** *(journal, dossier)* to skim *ou* glance through, to scan.

parcours *nm* **1.** *(trajet, voyage)* journey **2.** *(itinéraire)* route • **parcours santé** fitness trail **3.** *(golf)* *(terrain)* course **4.** *(trajet)* round.

parcouru, e *pp* → parcourir.

par-delà *prép* beyond.

par-derrière *adv* **1.** *(par le côté arrière)* round (UK) *ou* around (US) the back **2.** *(en cachette)* behind one's back.

par-dessous *prép & adv* under, underneath.

pardessus *nm inv* overcoat.

par-dessus *prép* over, over the top of • **par-dessus tout** above all. □ *adv* over, over the top.

par-devant *prép* in front of. □ *adv* in front.

pardi *interj* of course!

pardon *nm* forgiveness • **demander pardon à qqn** to say (one is) sorry. □ *interj* **1.** *(excuses)* (I'm) sorry! **2.** *(pour attirer l'attention)* excuse me! • **pardon ?** (I beg your) pardon? (UK), pardon me? (US).

pardonner *vt* to forgive • **pardonner qqch à qqn** to forgive sb for sthg • **pardonner à qqn d'avoir fait qqch** to forgive sb for doing sthg. □ *vi* • **ce genre d'erreur ne pardonne pas** this kind of mistake is fatal.

paré, e *adj* *(prêt)* ready.

pare-balles *adj inv* bullet-proof.

pare-brise *nm inv* windscreen (UK), windshield (US).

pare-buffles *nm inv* bull bar.

pare-chocs *nm inv* bumper.

pare-feu *nm inv* **1.** *(dispositif)* fireguard **2.** *(en forêt)* firebreak.

pareil, eille *adj* **1.** *(semblable)* • **pareil (à)** similar (to) **2.** *(tel)* such • **un pareil film** such a film, a film like this • **de pareils films** such films, films like these. ■ **pareil** *adv fam* the same (way).

parent, e *adj* • **parent (de)** related (to). ❑ *nm, f* relative, relation. ■ **parents** *nmpl (père et mère)* parents, mother and father.

parenté *nf (lien, affinité)* relationship.

parenthèse *nf* **1.** *(digression)* digression, parenthesis **2.** *TYPO* bracket (UK), parenthesis • **entre parenthèses a)** in brackets (UK) **b)** *fig* incidentally, by the way • **ouvrir/fermer la parenthèse** to open/close brackets (UK) *ou* parentheses (US).

paréo *nm* pareo.

parer *vt* **1.** *(orner)* to adorn **2.** *(vêtir)* • **parer qqn de qqch a)** to dress sb up in sthg, to deck sb out in sthg **b)** *fig* to attribute sthg to sb **3.** *(contrer)* to ward off, to parry. ❑ *vi* • **parer à a)** *(faire face à)* to deal with **b)** *(pourvoir à)* to prepare for • **parer au plus pressé** to see to what is most urgent. ■ **se parer** *vp* to dress up, to put on all one's finery.

pare-soleil *nm inv* sun visor.

paresse *nf* **1.** *(fainéantise)* laziness, idleness **2.** *MÉD* sluggishness.

paresser *vi* to laze about *ou* around.

paresseux, euse *adj* **1.** *(fainéant)* lazy **2.** *MÉD* sluggish. ❑ *nm, f (personne)* lazy *ou* idle person. ■ **paresseux** *nm (animal)* sloth.

parfaire *vt* to complete, to perfect.

parfait, e *adj* perfect. ■ **parfait** *nm GRAMM* perfect (tense).

parfaitement *adv* **1.** *(admirablement, très)* perfectly **2.** *(marque l'assentiment)* absolutely.

parfois *adv* sometimes.

parfois

Il faut remarquer la position de *sometimes* dans la phrase.

Comme *parfois* et *quelquefois*, *sometimes* peut être placé en début ou en fin de phrase :
• *Parfois, il vient me voir en rentrant du travail.* **Sometimes, he comes to see me on his way back from work.**
• *Il m'agaçait parfois.* **He got on my nerves sometimes.**

Avec un verbe autre que *be* conjugué, *sometimes* peut également s'insérer ainsi : sujet + *sometimes* + verbe
• *Il m'arrive parfois de penser à elle.* **I sometimes think about her.**
Avec le verbe *be* conjugué, *sometimes* peut se placer ainsi : sujet + *be* + *sometimes*
• *Il est malade parfois lorsqu'il mange des fruits de mer.* **He's sometimes ill when he eats seafood.**

parfum *nm* **1.** *(de fleur)* scent, fragrance **2.** *(à base d'essences)* perfume, scent **3.** *(de glace)* flavour (UK), flavor (US).

parfumé, e *adj* **1.** *(fleur)* fragrant **2.** *(mouchoir)* perfumed **3.** *(femme)* • **elle est trop parfumée** she's wearing too much perfume.

parfumer *vt* **1.** *(sujet : fleurs)* to perfume **2.** *(mouchoir)* to perfume, to scent **3.** *CULIN* to flavour. ■ **se parfumer** *vp* to put perfume on.

parfumerie *nf* perfumery.

pari *nm* **1.** *(entre personnes)* bet **2.** *(jeu)* betting *(indén)*.

paria *nm* pariah.

parier *vt* • **parier (sur)** to bet (on).

parieur, euse *nm, f* punter.

Paris *npr* Paris.

parisien, enne *adj* **1.** *(vie, société)* Parisian **2.** *(métro, banlieue, région)* Paris *(avant nom)*. ■ **Parisien, enne** *nm, f* Parisian.

paritaire *adj* • **commission paritaire** joint commission *(with both sides equally represented)*.

parité *nf* parity.

parjure *nmf (personne)* perjurer. ❑ *nm (faux serment)* perjury.

parjurer ■ **se parjurer** *vp* to perjure o.s.

parka *nm & nf* parka.

parking *nm (parc)* car park (UK), parking lot (US).

parlant, e *adj* **1.** *(qui parle)* • **le cinéma parlant** talking pictures • **l'horloge parlante** *TÉLÉCOM* the speaking clock **2.** *fig (chiffres, données)* eloquent **3.** *(portrait)* vivid.

parlé, e *adj (anglais, langue)* spoken. ■ **parlé** *nm (à l'opéra)* spoken part, dialogue.

parlement *nm* parliament • **le Parlement européen** the European Parliament.

parlementaire *nmf* **1.** *(député)* member of parliament **2.** *(négociateur)* negotiator. ❑ *adj* parliamentary.

parlementer *vi* **1.** *(négocier)* to negotiate, to parley **2.** *(parler longtemps)* to talk at length.

parler *vi* **1.** *(gén)* to talk, to speak • **parler à/ avec qqn** to speak to/with sb, to talk to/with sb • **parler de qqch à qqn** to speak *ou* talk to sb about sthg • **parler de qqn/qqch** to talk about sb/sthg • **parler de faire qqch** to talk about doing sthg • **parler en français** to speak

290

in French • **sans parler de** apart from, not to mention • **à proprement parler** strictly speaking • **tu parles !** fam you can say that again! • **n'en parlons plus** we'll say no more about it **2.** (avouer) to talk. ❑ vt (langue) to speak • **parler (le) français** to speak French.

parloir nm parlour (UK), parlor (US).

parme nm & adj inv violet.

parmesan nm Parmesan (cheese).

parmi prép among.

parodie nf parody.

parodier vt to parody.

paroi nf **1.** (mur) wall **2.** (cloison) partition • **paroi rocheuse** rock face **3.** (de récipient) inner side.

paroisse nf parish.

paroissial, e adj parish (avant nom).

paroissien, enne nm, f parishioner.

parole nf **1.** (faculté de parler) • **la parole** speech **2.** (propos, discours) • **adresser la parole à qqn** to speak to sb • **couper la parole à qqn** to cut sb off • **prendre la parole** to speak **3.** (promesse, mot) word • **tenir parole** to keep one's word • **donner sa parole (d'honneur)** to give one's word of honour (UK) ou honor (US). ◼ **paroles** nfpl MUS words, lyrics.

paroxysme nm height.

parpaing nm breezeblock (UK), cinderblock (US).

parquer vt **1.** (animaux) to pen in ou up **2.** (prisonniers) to shut up ou in **3.** (voiture) to park.

parquet nm **1.** (plancher) parquet floor **2.** DR ≃ Crown Prosecution Service (UK) ; ≃ District Attorney's office (US).

parqueter vt to lay a parquet floor in.

parrain nm **1.** (d'enfant) godfather **2.** (de festival, sportif) sponsor.

parrainer vt to sponsor, to back.

parricide nm (crime) parricide.

parsemer vt • **parsemer (de)** to strew (with).

part nf **1.** (de gâteau) portion **2.** (de bonheur, d'héritage) share **3.** (partie) part **4.** (participation) • **prendre part à qqch** to take part in sthg **5.** (locution) • **de la part de a)** from **b)** (appeler, remercier) on behalf of (UK), in behalf of (US) • **c'est de la part de qui ?** (au téléphone) who's speaking ou calling? • **dites-lui de ma part que...** tell him from me that... • **ce serait bien aimable de votre part** it would be very kind of you • **pour ma part** as far as I'm concerned • **faire part à qqn de qqch** to inform sb of sthg. ◼ **à part** loc adv aside, separately. ❑ loc adj exceptional. ❑ loc prép apart from. ◼ **autre part** loc adv somewhere ou someplace (US) else. ◼ **d'autre part** loc adv besides, moreover. ◼ **de part et d'autre** loc adv on both sides. ◼ **d'une part..., d'autre part** loc corrélative on the one hand..., on the other hand. ◼ **quelque part** loc adv somewhere, someplace (US).

part. abrév de particulier.

partage nm (action) sharing (out).

partager vt **1.** (morceler) to divide (up) • **être partagé** fig to be divided **2.** (mettre en commun) • **partager qqch avec qqn** to share sthg with sb. ◼ **se partager** vp **1.** (se diviser) to be divided **2.** (partager son temps) to divide one's time **3.** (se répartir) • **se partager qqch** to share sthg between themselves/ourselves etc.

partance nf • **en partance** outward bound • **en partance pour** bound for.

partant, e adj • **être partant pour** to be ready for. ◼ **partant** nm starter.

partenaire nmf partner.

partenariat nm partnership.

parterre nm **1.** (de fleurs) (flower) bed **2.** THÉÂTRE stalls pl (UK), orchestra (US).

parti, e pp → partir. ❑ adj fam (ivre) tipsy. ◼ **parti** nm **1.** POLIT party **2.** (choix, décision) course of action • **prendre parti** to make up one's mind • **prendre le parti de faire qqch** to make up one's mind to do sthg • **en prendre son parti** to be resigned • **être de parti pris** to be prejudiced ou biased • **tirer parti de** to make (good) use of **3.** (personne à marier) match. ◼ **partie** nf **1.** (élément, portion) part • **en grande partie** largely • **en majeure partie** for the most part • **faire partie (intégrante) de qqch** to be (an integral) part of sthg **2.** (domaine d'activité) field, subject **3.** SPORT (jeux) game **4.** DR party • **la partie adverse** the opposing party **5.** (locution) • **prendre qqn à partie** to attack sb • **ce n'est que partie remise** there'll be other opportunities, I'll reschedule it, I'll take a rain check (US). ◼ **en partie** loc adv partly, in part.

partial, e adj biased.

partialité nf partiality, bias.

participant, e adj participating. ❑ nm, f **1.** (à réunion) participant **2.** SPORT competitor **3.** (à concours) entrant.

participation nf **1.** (collaboration) participation **2.** ÉCON interest • **participation aux bénéfices** profit sharing.

participe nm participle • **participe passé/présent** past/present participle.

participer vi • **participer à a)** (réunion, concours) to take part in **b)** (frais) (payer pour) to contribute to **c)** (bénéfices) to share in.

particularité nf distinctive feature.

particule nf **1.** (gén) LING particle **2.** (nobiliaire) nobiliary particle.

particulier, ère adj **1.** (personnel, privé) private **2.** (spécial) particular, special **3.** (propre) peculiar, characteristic • **particulier à** peculiar to, characteristic of **4.** (remarquable) unusual, exceptional • **cas particulier** special case **5.** (assez bizarre) peculiar. ◼ **en particulier** loc adv **1.** (seul à seul) in private **2.** (surtout) in particular, particularly **3.** *(à part)* separately. ■ **particulier** *nm (personne)* private individual.

particulièrement *adv* particularly • **tout particulièrement** especially.

partiel, elle *adj* partial. ■ **partiel** *nm* UNIV ≃ end-of-term exam (UK).

partir *vi* **1.** *(personne)* to go, to leave • **partir à** to go to • **partir pour** to leave for • **partir de a)** *(bureau)* to leave **b)** *(aéroport, gare)* to leave from **c)** *(date)* to run from **d)** *(hypothèse, route)* to start from • **la rue part de la mairie** the street starts at the town hall **2.** *(voiture)* to start **3.** *(coup de feu)* to go off **4.** *(bouchon)* to pop **5.** *(tache)* to come out, to go. ■ **à partir de** *loc prép* from.

partisan, e *adj (partial)* partisan • **être partisan de** to be in favour (UK) *ou* favor (US) of. ■ **partisan** *nm (adepte)* supporter, advocate.

partition *nf* **1.** *(séparation)* partition **2.** MUS score.

partout *adv* everywhere • **un peu partout** all over, everywhere.

paru, e *pp* → **paraître**.

parure *nf* (matching) set.

parution *nf* publication.

parvenir *vi* • **parvenir à faire qqch** to manage to do sthg • **faire parvenir qqch à qqn** to send sthg to sb.

parvenu, e *pp* → **parvenir**. ■ *nm, f péj* parvenu, upstart.

parvis *nm* square *(in front of church)*.

pas¹ *nm* **1.** *(gén)* step • **allonger le pas** to quicken one's pace • **revenir sur ses pas** to retrace one's steps • **pas à pas** step by step • **à pas de loup** *fig* stealthily • **à pas feutrés** *fig* with muffled footsteps **2.** TECHNOL thread **3.** *(locution)* • **c'est à deux pas (d'ici)** it's very near (here) • **faire les cent pas** to pace up and down • **faire un faux pas a)** to slip **b)** *fig* to make a faux pas • **faire le premier pas** to make the first move • **franchir** *ou* **sauter le pas** to take the plunge • **(rouler) au pas** *(to move)* at a snail's pace • **sur le pas de la porte** on the doorstep • **tirer qqn d'un mauvais pas** to get sb out of a tight spot.

pas² *adv* **1.** *(avec ne)* not • **elle ne vient pas** she's not *ou* she isn't coming • **elle n'a pas mangé** she hasn't eaten • **je ne le connais pas** I don't know him • **il n'y a pas de vin** there's no wine, there isn't any wine • **je préférerais ne pas le rencontrer** I would prefer not to meet him, I would rather not meet him **2.** *(sans ne)* not • **l'as-tu vu ou pas ?** have you seen him or not? • **il est très satisfait, moi pas** he's very pleased, but I'm not • **pas encore** not yet • **pas du tout** not at all **3.** *(avec pron indéf)* • **pas un** *(aucun)* none, not one • **pas un d'eux n'est venu** none of them *ou* not one of them came.

pascal, e *adj* Easter *(avant nom)*. ■ **pascal** *nm* **1.** INFORM Pascal **2.** PHYS pascal.

pashmina *nm* pashmina.

passable *adj* passable, fair.

passage *nm* **1.** *(action - de passer)* going past ; *(- de traverser)* crossing • **être de passage** to be passing through **2.** *(endroit)* passage, way • **'passage interdit'** 'no entry' • **passage clouté** *ou* **pour piétons** pedestrian crossing (UK), crosswalk (US) • **passage à niveau** level crossing (UK), grade crossing (US) • **passage protégé** right of way • **passage souterrain** underpass, subway (UK) **3.** *(extrait)* passage.

passager, ère *adj (bonheur)* fleeting, short-lived. ❑ *nm, f* passenger.

passant, e *adj* busy. ❑ *nm, f* passerby. ■ **passant** *nm (de ceinture)* (belt) loop.

passe *nm fam* passkey. ❑ *nf* **1.** *(au sport)* pass **2.** NAUT channel.

passé, e *adj* **1.** *(qui n'est plus)* past **2.** *(précédent)* • **la semaine passée** last week • **au cours de la semaine passée** in the last week • **il est trois heures passées** it's gone three (UK), it's after three **3.** *(fané)* faded. ■ **passé** *nm* past • **passé composé** perfect tense • **passé simple** past historic. ❑ *prép* after.

passe-droit *nm* privilege.

passementerie *nf* haberdashery (UK), notions *pl* (US).

passe-montagne *nm* balaclava (helmet).

passe-partout *nm inv* **1.** *(clé)* passkey **2.** *(en apposition) (tenue)* all-purpose **3.** *(phrase)* stock *(avant nom)*.

passe-passe *nm inv* • **tour de passe-passe a)** *(prestidigitation)* conjuring trick **b)** *fig (tromperie)* trick.

passeport *nm* passport • **passeport biométrique** biometric passport.

<hr>

passer

■ **passer** *vi*

aux : être

1. FAIRE UNE HALTE RAPIDE

• **peux-tu passer à la pharmacie ?** can you call into the chemist's on the way? • **ton ami est passé ce matin** your friend came by this morning • **je suis passé au bureau hier** I dropped by the office this morning • **je ne fais que passer** I can't stay long • **le facteur n'est pas encore passé** the postman (UK) *ou* mailman (US) hasn't been by yet

2. ARRIVER, EN PARLANT D'UN BUS OU D'UN TRAIN

• **le train va bientôt passer** the train will be coming along *ou* by soon

3. SE FRAYER UN CHEMIN

• **il y a trop de monde, on ne passera jamais** there are too many people, we won't get through • **laissez-moi passer !** let me go through!

passer

4. DÉFILER

• **on a regardé passer les cyclistes** we watched the cyclists go past *ou* go by

5. TRAVERSER

• **vous devrez passer par Annecy** you'll have to go *ou* pass through Annecy • **par où êtes-vous passé ?** which way did you come?

6. S'INFILTRER

• **l'eau passe par les fentes** the water gets in through the cracks

7. SYSTÈME SCOLAIRE

• **il est passé dans la classe supérieure** he has moved up (UK) he has been moved up (a class) (UK) • **je passe en cinquième** I'm moving up to year eight

8. ÊTRE ACCEPTÉ

• **une telle attitude ne passe pas dans certains milieux** such an attitude doesn't go down well *ou* isn't appreciated in some circles

9. FERMER LES YEUX

• **je vais passer sur ce mensonge** I'll pass over this lie

10. S'ÉCOULER

• **le temps est passé vite** time passed quickly *ou* went by quickly • **comme le temps passe !** how time flies!

11. DISPARAÎTRE

• **est-ce que ton mal de tête est passé ?** has your headache gone? • **cela fera passer ton mal de tête** that will get you over your headache *ou* get rid of your headache for you • **elle était très triste mais ça lui est passé** she was very sad but she got over it

12. PERDRE SON ÉCLAT

• **ce produit empêche les couleurs de passer** this product prevents colours from fading

13. AU CINÉMA, À LA TÉLÉ, À LA RADIO

• **ton émission passe à la radio/télévision ce soir** your programm is on the radio/television tonight

14. AUX CARTES

• **je passe** I pass

15. DEVENIR

• **il est passé président/directeur** he became president/director, he was appointed president/director

16. DANS DES EXPRESSIONS

• **ça passe ou ça casse** it's make or break • **passer inaperçu** to pass *ou* go unnoticed • **passons... let's move on...** • **passer pour un fou** to be regarded as a fool • **se faire passer pour qqn** to pass o.s. off as sb

■ passer vt

aux : avoir

1. FRANCHIR

• **il a passé la rivière à la nage** he swam across the river • **quand vous passerez le pont, levez la tête** when you go past the bridge, lift up your head

2. TEMPS

• **nous avons passé deux semaines en Grèce** we spent two weeks in Greece

3. FERMER LES YEUX SUR

• **je lui passe toutes ses erreurs** I overlook all his mistakes • **on lui passe tout à cet enfant !** that child gets away with anything!

4. DÉPASSER

• **tu as passé l'âge** you're too old now • **il ne passera pas la nuit** he won't last *ou* see the night

5. FILTRER

• **n'oublie pas de passer l'huile** don't forget to strain the oil

6. FILM, DISQUE

• **passe ce disque, s'il te plaît ! j'adore cette chanson** put on *ou* play this record please! I love that song

7. VÊTEMENT

• **je passe mon manteau et je suis prête** I'll slip on my coat and I'm ready

8. VITESSE

• **passe la** *ou* **en troisième** change into third (gear)

9. DONNER

• **passe-moi ton cahier** give me your exercise book • **passe-moi le sel** pass me the salt

10. ACCORD

• **il a passé un contrat avec cet homme** he had an agreement with this man

11. SYSTÈME SCOLAIRE, EXAMEN

• **mon frère passe son examen aujourd'hui** my brother is taking *ou* sitting (UK) his exam today

12. EXAMEN DE SANTÉ

• **je dois passer un scanner/une radio** I'm due to have a scan/an X-Ray

13. AU TÉLÉPHONE, TRANSMETTRE

• **je vous passe Mme Ledoux** I'll put you through to Mme Ledoux

14. AU TÉLÉPHONE, DONNER L'ÉCOUTEUR À

• **je vous passe Mme Ledoux** I'll hand you to Mme Ledoux

15. APPLIQUER SUR UNE SURFACE

• **nous devrions passer une couche de peinture sur le mur** we should give the wall a coat of paint • **j'ai passé l'aspirateur hier** I hoovered yesterday • **peux-tu passer le balai dans ta cuisine ?** can you give the kitchen floor a sweep?

■ **se passer** *vp*

1. SE DÉROULER

• **quand cela s'est-il passé ?** when did it happen? • **comment ça s'est passé ?** how did it go? • **tout s'est bien passé** everything went off smoothly • **la scène se passe dans une grande ville** the scene takes place in a big city • **ça ne se passera pas comme ça !** I'm not putting up with that!

2. S'ENDUIRE

• **elle s'est passé de la lotion solaire sur les épaules** she put some sun lotion on her shoulders

3. S'ABSTENIR

• **tu pourrais te passer de fumer** you could refrain from smoking • **je me passerais bien de t'aider maintenant** I could do without helping you now

À PROPOS DE

passer à

• *passer qqch à qqn* **pass sthg to sb** *ou* **pass sb sthg**

Il faut noter la construction à double complément qui, en anglais, peut prendre deux formes dont le sens est le même :

1. une structure identique à celle du français : verbe + COD + préposition + COI **pass sthg to sb**

2. une structure qui diffère de celle du français, sans préposition, et dans laquelle l'ordre des compléments est inversé : verbe + COI + COD **pass sb sthg**

• *Il a discrètement passé un mot à son voisin.* **He discreetly passed a note to the person sitting next to him** *ou* **He discreetly passed the person sitting next to him a note.**

passerelle *nf* **1.** *(pont)* footbridge **2.** *(passage mobile)* gangway.

passe-temps *nm inv* pastime.

passif, ive *adj* passive. ■ **passif** *nm* **1.** GRAMM passive **2.** FIN liabilities *pl.*

passion *nf* passion • **avoir la passion de qqch** to have a passion for sthg.

passionnant, e *adj* exciting, fascinating.

passionné, e *adj* **1.** *(personne)* passionate **2.** *(récit, débat)* impassioned. □ *nm, f* passionate person • **passionné de ski/d'échecs** *etc* skiing/chess *etc* fanatic.

passionnel, elle *adj* *(crime)* of passion.

passionner *vt* *(personne)* to grip, to fascinate. ■ **se passionner** *vp* • **se passionner pour** to have a passion for.

passivité *nf* passivity.

passoire *nf* **1.** *(à liquide)* sieve **2.** *(à légumes)* colander.

pastel *nm* pastel. □ *adj inv* *(couleur)* pastel *(avant nom).*

pastèque *nf* watermelon.

pasteur *nm* **1.** *littéraire (berger)* shepherd **2.** RELIG pastor, minister.

pasteuriser *vt* to pasteurize.

pastille *nf* *(bonbon)* pastille, lozenge.

pastis *nm* pastis.

patate *nf* **1.** *fam (pomme de terre)* spud **2.** *fam (imbécile)* fathead.

pataugeoire *nf* paddling pool (UK), wading pool (US).

patauger *vi* *(barboter)* to splash about.

patch *nm* MÉD patch.

patchouli *nm* patchouli.

pâte *nf* **1.** *(à tarte)* pastry **2.** *(à pain)* dough • **pâte brisée** shortcrust pastry • **pâte feuilletée** puff pastry • **pâte à frire** batter • **pâte à pain** bread dough **3.** *(mélange)* paste • **pâte d'amandes** almond paste • **pâte de fruits** fruit jelly • **pâte à modeler** modelling (UK) *ou* modeling (US) clay. ■ **pâtes** *nfpl* pasta *sing.*

À PROPOS DE

pâte

Attention ! Le mot *pasta* est indénombrable. Il est suivi d'un verbe au singulier et ne s'emploie jamais avec l'article indéfini *a* :

• *Ces pâtes sont trop cuites.* **This pasta is overcooked.**

• *Il s'est étouffé en avalant une pâte.* **He choked on a piece of pasta.**

pâté *nm* **1.** CULIN pâté • **pâté de campagne** farmhouse pâté • **pâté en croûte** pâté baked in pastry • **pâté de foie** liver pâté **2.** *(tache)* ink blot **3.** *(bloc)* • **pâté de maisons** block (of houses).

pâtée *nf* mash, feed.

patelin *nm fam* village, place.

patente *nf* licence (UK) *ou* license (US) fee (for traders and professionals).

patère *nf* *(portemanteau)* coat hook.

paternalisme *nm* paternalism.

paternel, elle *adj* **1.** *(devoir, autorité)* paternal **2.** *(amour, ton)* fatherly.

paternité *nf* **1.** paternity, fatherhood **2.** *fig* authorship, paternity.

pâteux, euse *adj* **1.** *(aliment)* doughy **2.** *(encre)* thick.

pathétique *adj* moving, pathetic.

pathologie *nf* pathology.

patibulaire *adj* sinister.

patience *nf* **1.** *(gén)* patience • **prendre son mal en patience** to put up with it **2.** *(jeu de cartes)* patience (UK), solitaire (US).

patient, e adj patient. ❏ nm, f MÉD patient.

patienter vi to wait.

patin nm SPORT skate • **patin à glace/à roulettes** ice/roller skate • **faire du patin à glace/à roulettes** to go ice-/roller-skating.

patinage nm SPORT skating • **patinage artistique/de vitesse** figure/speed skating.

patine nf patina.

patiner vi **1.** SPORT to skate **2.** (véhicule) to skid. ❏ vt **1.** (objet) to give a patina to **2.** (avec vernis) to varnish. ■ **se patiner** vp to take on a patina.

patineur, euse nm, f skater.

patinoire nf ice ou skating rink.

patio nm patio.

pâtisserie nf **1.** (gâteau) pastry **2.** (art, métier) pastry-making **3.** (commerce) ≃ cake shop (UK), bakery (US) ; ≃ bakery (US).

pâtissier, ère adj • **crème pâtissière** confectioner's custard. ❏ nm, f pastrycook.

patois nm patois.

patriarcal, e adj patriarchal.

patriarche nm patriarch.

patrie nf country, homeland.

patrimoine nm **1.** (familial) inheritance **2.** (collectif) heritage **3.** BIOL • **patrimoine génétique** gene pool.

patriote nmf patriot.

patriotique adj patriotic.

patron, onne nm, f **1.** (d'entreprise) head **2.** (chef) boss **3.** RELIG patron saint. ■ **patron** nm (modèle) pattern.

patronage nm **1.** (protection) patronage **2.** (de saint) protection **3.** (organisation) youth club.

patronal, e adj (organisation, intérêts) employers' (avant nom).

patronat nm employers.

patronyme nm patronymic.

patrouille nf patrol.

patte nf **1.** (d'animal) paw **2.** (d'oiseau) foot **3.** fam (jambe) leg **4.** fam (pied) foot **5.** fam (main) hand, paw **6.** (favori) sideburn.

patte-d'oie nf crow's foot.

pâturage nm (lieu) pasture land.

pâture nf **1.** (nourriture) food, fodder **2.** fig intellectual nourishment.

paume nf **1.** (de main) palm **2.** SPORT real tennis.

paumé, e fam adj lost. ❏ nm, f down and out.

paumer fam vt to lose. ■ **se paumer** vp to get lost.

paupière nf eyelid.

paupiette nf si vous voulez expliquer de quoi il s'agit à un anglophone, vous pouvez dire it is thin slice of meat or fish stuffed and rolled up • **paupiettes de veau** ≃ veal olives (UK).

pause nf (arrêt) break.

pause-café nf **1.** coffee-break **2.** MUS pause.

pauvre nmf poor person. ❏ adj • **pauvre en** low in.

pauvreté nf poverty.

pavaner ■ **se pavaner** vp to strut.

pavé, e adj cobbled. ■ **pavé** nm **1.** (chaussée) • **être sur le pavé** fig to be out on the streets • **battre le pavé** fig to walk the streets **2.** (de pierre) cobblestone, paving stone **3.** fam (livre) tome **4.** INFORM • **pavé numérique** numeric keypad.

pavillon nm **1.** (bâtiment) detached house (UK) **2.** (de trompette) bell **3.** (d'oreille) pinna, auricle **4.** (drapeau) flag.

pavot nm poppy.

payant, e adj **1.** (hôte) paying (avant nom) **2.** (spectacle) with an admission charge **3.** fam (affaire) profitable.

paye = **paie²**

payé, e adj • **bien/mal payé** well-/low-paid.

payement = **paiement**.

payer vt **1.** (gén) to pay **2.** (achat) to pay for • **payer qqch à qqn** to buy sthg for sb, to buy sb sthg, to treat sb to sthg **3.** (expier - crime, faute) to pay for. ❏ vi • **payer (pour)** to pay (for).

À PROPOS DE

payer

Il faut noter les différentes constructions du verbe **to pay** :

Pour dire *payer qqn* **pay sb** :

• *Elle paie sa femme de ménage 15 euros de l'heure.* **She pays her cleaner 15 euros an hour.**

Lorsque *payer qqch* signifie *donner de l'argent en échange de qqch*, il se traduit par **pay for sthg** :

• *Vous pouvez payer vos consommations à la sortie.* **You can pay for your drinks on the way out.**

Lorsque *payer qqch* signifie *régler (un montant)*, on emploie le verbe **to pay** suivi du montant, et on fait précéder le nom de ce qu'on achète par **for** :

• *J'ai payé cette voiture 20 000 euros.* **I paid 20,000 euros for this car.**

À noter également :

• *Combien l'avez-vous payé ?* **How much did you pay for it?**

pays nm **1.** (gén) country **2.** (région, province) region. ■ **pays de Galles** nm • **le pays de Galles** Wales.

paysage nm **1.** (site, vue) landscape, scenery **2.** (tableau) landscape.

paysagiste nmf **1.** (peintre) landscape artist **2.** (concepteur de parcs) landscape gardener.

paysan, anne adj **1.** (vie, coutume) country (avant nom), rural **2.** (organisation, revendication) farmers' (avant nom) **3.** péj peasant (avant nom).

❑ *nm, f* **1.** *(agriculteur)* (small) farmer **2.** *péj (rustre)* peasant.

Pays-Bas *nmpl* • **les Pays-Bas** the Netherlands.

PC *nm* **1.** (abrév de Parti communiste) Communist Party **2.** (abrév de personal computer) PC **3.** (abrév de Petite Ceinture) *si vous voulez donner une définition à un anglophone, vous pouvez dire it is the bus that serves the inner ring road in Paris.*

PCV (abrév de à percevoir) *nm* reverse-charge call (UK), collect call (US).

PDF® *nm* PDF.

P-DG (abrév de président-directeur général *ou* présidente-directrice générale) *nmf* Chairman *m* and Managing Director (UK), Chairwoman *f* and Managing Director (UK), President and Chief Executive Officer (US).

péage *nm* toll.

peau *nf* **1.** *(gén)* skin • **peau d'orange a)** orange peel **b)** MÉD ≃ cellulite **2.** *(cuir)* hide, leather *(indén)*.

peaufiner *vt fig (travail)* to polish up.

pécan *nm* • **(noix de) pécan** pecan.

pêche *nf* **1.** *(fruit)* peach **2.** *(activité)* fishing **3.** *(poissons)* catch • **aller à la pêche** to go fishing.

péché *nm* sin.

pécher *vi* to sin.

pêcher[1] *vt* **1.** *(poisson)* to catch **2.** *fam (trouver)* to dig up.

pêcher[2] *nm* peach tree.

pécheur, eresse *adj* sinful. ❑ *nm, f* sinner.

pêcheur, euse *nm, f* fisherman, fisherwoman *f*.

pectoral, e *adj (sirop)* cough *(avant nom)*. ■ **pectoraux** *nmpl* pectorals.

pécule *nm (économies)* savings *pl*.

pécuniaire *adj* financial.

pédagogie *nf* **1.** *(science)* education, pedagogy **2.** *(qualité)* teaching ability.

pédagogue *nmf* teacher. ❑ *adj* • **être pédagogue** to be a good teacher.

pédale *nf (gén)* pedal.

pédaler *vi (à bicyclette)* to pedal.

pédalier *nm* **1.** *(de vélo)* (bicycle) drive **2.** *(d'orgue)* pedals *pl*.

Pédalo® *nm* pedal boat.

pédant, e *adj* pedantic.

pédégère *nf fam* (female) managing director (UK), (female) CEO (US).

pédéraste *nm* homosexual, pederast.

pédestre *adj* • **randonnée pédestre** hike, ramble • **chemin pédestre** footpath.

pédiatre *nmf* pediatrician.

pédiatrie *nf* pediatrics *(indén)*.

pédicure *nmf* chiropodist, podiatrist (US).

pedigree *nm* pedigree.

pédophile *nm* pedophile. ❑ *adj* pedophiliac.

pédopsychiatre *nmf* child psychiatrist.

peeling *nm* face scrub.

pègre *nf* underworld.

peigne *nm* **1.** *(démêloir, barrette)* comb **2.** *(de tissage)* card.

peigner *vt* **1.** *(cheveux)* to comb **2.** *(fibres)* to card. ■ **se peigner** *vp* to comb one's hair.

peignoir *nm* dressing gown (UK), robe (US), bathrobe (US).

peindre *vt* **1.** to paint **2.** *fig (décrire)* to depict.

peine *nf* **1.** *(châtiment)* punishment, penalty **2.** DR sentence • **sous peine de qqch** on pain of sthg • **peine capitale** *ou* **de mort** capital punishment, death sentence **3.** *(chagrin)* sorrow, sadness *(indén)* • **faire de la peine à qqn** to upset sb, to distress sb **4.** *(effort)* trouble • **ça ne vaut pas** *ou* **ce n'est pas la peine** it's not worth it **5.** *(difficulté)* difficulty • **avoir de la peine à faire qqch** to have difficulty *ou* trouble doing sthg • **à grand-peine** with great difficulty • **sans peine** without difficulty, easily. ■ **à peine** *loc adv* scarcely, hardly • **à peine... que** hardly... than • **c'est à peine si on se parle** we hardly speak (to each other).

peint, e *pp* → **peindre**.

peintre *nmf* painter.

peinture *nf* **1.** *(gén)* painting **2.** *(produit)* paint • **'peinture fraîche'** 'wet paint'.

péjoratif, ive *adj* pejorative.

Pékin *npr* Peking, Beijing.

pékinois, e *adj* of/from Peking. ■ **pékinois** *nm* **1.** *(langue)* Mandarin **2.** *(chien)* pekinese. ■ **Pékinois, e** *nm, f* native *ou* inhabitant of Peking.

pelage *nm* coat, fur.

pêle-mêle *adv* pell-mell.

peler *vt & vi* to peel.

pèlerin *nm* pilgrim.

pèlerinage *nm* **1.** *(voyage)* pilgrimage **2.** *(lieu)* place of pilgrimage.

pèlerine *nf* cape.

pélican *nm* pelican.

pelle *nf* **1.** *(instrument)* shovel **2.** *(machine)* digger.

pelleter *vt* to shovel.

pelleteuse *nf* mechanical digger.

pellicule *nf* film. ■ **pellicules** *nfpl* dandruff *(indén)*.

pelote *nf (de laine, ficelle)* ball.

peloter *vt fam* to paw.

peloton *nm* **1.** *(de soldats)* squad • **peloton d'exécution** firing squad **2.** *(de concurrents)* pack.

pelotonner ■ **se pelotonner** *vp* to curl up.

pelouse *nf* **1.** *(de jardin)* lawn **2.** *(de champ de courses)* public enclosure **3.** FOOTBALL *(rugby)* field.

peluche *nf* **1.** *(jouet)* soft toy, stuffed animal **2.** *(d'étoffe)* piece of fluff.

pelure *nf (fruit)* peel.

pénal, e *adj* penal.

pénaliser *vt* to penalize.

pénalité *nf* penalty.

penalty *nm* penalty.

penaud, e *adj* sheepish.

penchant *nm* **1.** *(inclination)* tendency **2.** *(sympathie)* • **penchant pour** liking *ou* fondness for.

pencher *vi* to lean • **pencher vers** *fig* to incline towards *ou* toward (US) • **pencher pour** to incline in favour (UK) *ou* favor (US) of. □ *vt* to bend. ■ **se pencher** *vp* **1.** *(s'incliner)* to lean over **2.** *(se baisser)* to bend down • **se pencher sur qqn/qqch** to lean over sb/sthg.

pendaison *nf* hanging.

pendant[1]**, e** *adj (bras)* hanging, dangling. ■ **pendant** *nm* **1.** *(bijou)* • **pendant d'oreilles** (drop) earring **2.** *(de paire)* counterpart.

pendant[2] *prép* during. ■ **pendant que** *loc conj* while, whilst (UK) • **pendant que j'y suis,…** while I'm at it,…

pendentif *nm* pendant.

penderie *nf* wardrobe (UK), walk-in closet (US).

pendre *vi* **1.** *(être fixé en haut)* • **pendre (à)** to hang (from) **2.** *(descendre trop bas)* to hang down. □ *vt* **1.** *(rideaux, tableau)* to hang (up), to put up **2.** *(personne)* to hang. ■ **se pendre** *vp* *(se suicider)* to hang o.s.

pendule *nm* pendulum. □ *nf* clock.

pêne *nm* bolt.

pénétrant, e *adj* **1.** penetrating **2.** *(odeur)* pervasive.

pénétrer *vi* to enter. □ *vt (mur, vêtement)* to penetrate.

pénible *adj* **1.** *(travail)* laborious **2.** *(nouvelle, maladie)* painful **3.** *fam (personne)* tiresome.

péniche *nf* barge.

pénicilline *nf* penicillin.

péninsule *nf* peninsula.

pénis *nm* penis.

pénitence *nf* **1.** *(repentir)* penitence **2.** *(peine, punition)* penance.

pénitencier *nm* prison, penitentiary (US).

pénitentiaire *adj* prison *(avant nom)*.

pénombre *nf* half-light.

pense-bête *nm* reminder.

pensée *nf* **1.** *(idée, faculté)* thought **2.** *(esprit)* mind, thoughts *pl* **3.** *(doctrine)* thought, thinking **4.** BOT pansy.

penser *vi* to think • **penser à qqn/qqch a)** *(avoir à l'esprit)* to think of sb/sthg, to think about sb/sthg **b)** *(se rappeler)* to remember sb/sthg • **penser à faire qqch a)** *(avoir à l'esprit)* to think of doing sthg **b)** *(se rappeler)* to remember to do sthg • **qu'est-ce que tu en penses ?** what do you think (of it)? • **faire penser à qqn/qqch** to make one think of sb/sthg • **faire penser à qqn**

à faire qqch to remind sb to do sthg. □ *vt* to think • **je pense que oui** I think so • **je pense que non** I don't think so • **penser faire qqch** to be planning to do sthg.

pensif, ive *adj* pensive, thoughtful.

pension *nf* **1.** *(allocation)* pension • **pension alimentaire** *(dans un divorce)* alimony **2.** *(hébergement)* board and lodgings • **pension complète** full board • **demi-pension** half board **3.** *(hôtel)* guesthouse • **pension de famille** guesthouse, boarding house **4.** *(prix de l'hébergement)* ≃ rent, keep **5.** *(internat)* boarding school • **être en pension** to be a boarder *ou* at boarding school.

pensionnaire *nmf* **1.** *(élève)* boarder **2.** *(hôte payant)* lodger.

pensionnat *nm (internat)* boarding school.

pentagone *nm* pentagon.

pente *nf* slope • **en pente** sloping, inclined.

Pentecôte *nf* **1.** *(juive)* Pentecost **2.** *(chrétienne)* Whitsun.

pénurie *nf* shortage.

people *adj* • **la presse people** celebrity (gossip) magazines.

pépé *nm fam* **1.** *(grand-père)* grandad, grandpa **2.** *(homme âgé)* old man.

pépier *vi* to chirp.

pépin *nm* **1.** *(graine)* pip **2.** *fam (ennui)* hitch **3.** *fam (parapluie)* umbrella, brolly (UK).

pépinière *nf* **1.** tree nursery **2.** *fig (école, établissement)* nursery.

pépite *nf* nugget.

peps *nm (dynamisme)* energy.

péquenaud, e *nm, f fam & péj* country bumpkin.

péquenot, otte *nm, f fam & péj* = péquenaud.

perçant, e *adj* **1.** *(regard, son)* piercing **2.** *(froid)* bitter, biting.

perce-neige *nm inv & nf inv* snowdrop.

percepteur, trice *nm, f* tax collector.

perception *nf* **1.** *(d'impôts)* collection **2.** *(bureau)* tax office **3.** *(sensation)* perception.

percer *vt* **1.** *(mur, roche)* to make a hole in **2.** *(coffre-fort)* to crack **3.** *(trou)* to make **4.** *(avec perceuse)* to drill **5.** *(silence, oreille)* to pierce **6.** *(foule)* to make one's way through **7.** *fig (mystère)* to penetrate. □ *vi* **1.** *(soleil)* to break through **2.** *(abcès)* to burst • **avoir une dent qui perce** to be cutting a tooth **3.** *(réussir)* to make a name for o.s., to break through.

perceuse *nf* drill.

percevoir *vt* **1.** *(intention, nuance)* to perceive **2.** *(retraite, indemnité)* to receive **3.** *(impôts)* to collect.

perche *nf* **1.** *(poisson)* perch **2.** *(de bois, métal)* pole.

percher vi *(oiseau)* to perch. ❏ vt to perch. ■ se percher vp to perch.

perchiste nmf **1.** SPORT pole vaulter **2.** CINÉ & TV boom operator.

perchoir nm perch.

percolateur nm percolator.

perçu, e pp → percevoir.

percussion nf percussion.

percussionniste nmf percussionist.

percutant, e adj **1.** *(obus)* explosive **2.** fig *(argument)* forceful.

percuter vt to strike, to smash into. ❏ vi to explode.

perdant, e adj losing. ❏ nm, f loser.

perdre vt **1.** *(gén)* to lose **2.** *(temps)* to waste **3.** *(occasion)* to miss, to waste **4.** *(sujet : bonté, propos)* to be the ruin of. ❏ vi to lose. ■ se perdre vpi **1.** *(coutume)* to die out, to become lost **2.** *(personne)* to get lost, to lose one's way.

perdrix nf partridge.

perdu, e pp → perdre. ❏ adj **1.** *(égaré)* lost **2.** *(endroit)* out-of-the-way **3.** *(balle)* stray **4.** *(emballage)* non-returnable **5.** *(temps, occasion)* wasted **6.** *(malade)* dying **7.** *(récolte, robe)* spoilt, ruined.

père nm *(gén)* father • père de famille father. ■ père Noël nm • le père Noël Father Christmas (UK), Santa Claus.

péremption nf time limit • date de péremption best-before date.

péremptoire adj peremptory.

perfection nf *(qualité)* perfection.

perfectionné, e adj sophisticated.

perfectionner vt to perfect. ■ se perfectionner vp to improve.

perfide adj perfidious.

perforatrice nf **1.** *(perceuse)* drill **2.** *(de bureau)* hole punch.

perforer vt to perforate.

performance nf performance.

performant, e adj **1.** *(personne)* efficient **2.** *(machine)* high-performance *(avant nom)*.

perfusion nf perfusion.

pergola nf pergola.

péridurale nf epidural.

péril nm peril.

périlleux, euse adj perilous, dangerous.

périmé, e adj **1.** out-of-date • le lait est périmé the milk is past its use-by date **2.** fig *(idées)* outdated.

périmètre nm **1.** *(contour)* perimeter **2.** *(contenu)* area.

périnée nm perineum.

période nf period.

périodique nm periodical. ❏ adj periodic.

péripétie nf event.

périph nm fam abrév de périphérique.

périphérie nf **1.** *(de ville)* outskirts pl **2.** *(bord)* periphery **3.** *(de cercle)* circumference.

périphérique nm **1.** *(route)* ring road (UK), beltway (US) **2.** INFORM peripheral device. ❏ adj peripheral.

périphrase nf periphrasis.

périple nm **1.** NAUT voyage **2.** *(voyage)* trip.

périr vi to perish.

périscope nm periscope.

périssable adj **1.** *(denrée)* perishable **2.** littéraire *(sentiment)* transient.

Péritel® nf • *(prise)* Péritel® SCART socket.

péritonite nf peritonitis.

perle nf **1.** *(de nacre)* pearl **2.** *(de bois, verre)* bead **3.** *(personne)* gem.

permanence nf **1.** *(continuité)* permanence • en permanence constantly **2.** *(service)* • être de permanence to be on duty **3.** SCOL *(salle de)* permanence study room (UK), study hall (US).

permanent, e adj **1.** permanent **2.** *(cinéma)* with continuous showings **3.** *(comité)* standing *(avant nom)*. ■ permanente nf perm.

permettre vt to permit, to allow • permettre à qqn de faire qqch to permit ou allow sb to do sthg. ■ se permettre qqch • se permettre qqch a) to allow o.s sthg b) *(avoir les moyens de)* to be able to afford sthg • se permettre de faire qqch to take the liberty of doing sthg.

permis, e pp → permettre. ■ permis nm licence (UK), license (US), permit • permis de conduire driving licence (UK), driver's license (US) • permis de construire planning permission (UK), building permit (US) • permis à points *si vous voulez expliquer à un anglophone de quoi il s'agit, vous pouvez dire* it is a driving licence with a penalty points system • permis de travail work permit.

permission nf **1.** *(autorisation)* permission **2.** MIL leave.

permuter vt **1.** to change round **2.** *(mots, figures)* to transpose. ❏ vi to change, to switch.

péroné nm fibula.

pérorer vi péj to hold forth.

Pérou nm • le Pérou Peru.

perpendiculaire nf perpendicular. ❏ adj • perpendiculaire (à) perpendicular (to).

perpétrer vt to perpetrate.

perpétuel, elle adj **1.** *(fréquent, continu)* perpetual **2.** *(rente)* life *(avant nom)* **3.** *(secrétaire)* permanent.

perpétuer vt to perpetuate. ■ se perpétuer vp **1.** to continue **2.** *(espèce)* to perpetuate itself.

perpétuité nf perpetuity • à perpétuité for life • être condamné à perpétuité to be sentenced to life imprisonment.

perplexe adj perplexed.

perquisition *nf* search.

perron *nm* steps *pl* (*at entrance to building*).

perroquet *nm* (*animal*) parrot.

perruche *nf* **1.** (*petit perroquet*) budgerigar (UK), parakeet (US) **2.** (*femelle du perroquet*) female parrot.

perruque *nf* wig.

persan, e *adj* Persian. ■ **persan** *nm* (*chat*) Persian (cat).

persécuter *vt* **1.** (*martyriser*) to persecute **2.** (*harceler*) to harass.

persécution *nf* persecution.

persévérant, e *adj* persevering.

persévérer *vi* • **persévérer (dans)** to persevere (in).

persienne *nf* shutter.

persifler *vt littéraire* to mock.

persil *nm* parsley.

Persique → **golfe**.

persistant, e *adj* persistent • **arbre à feuillage persistant** evergreen (tree).

persister *vi* to persist • **persister à faire qqch** to persist in doing sthg.

perso (abrév de *personnel*) *adj fam* personal, private.

personnage *nm* **1.** THÉÂTRE character • **personnage principal** main *ou* leading character **2.** ART figure **3.** (*personnalité*) image.

personnaliser *vt* to personalize.

personnalité *nf* **1.** (*gén*) personality **2.** DR status.

personne *nf* person • **personnes** people • **en personne** in person, personally • **personne âgée** elderly person. □ *pron indéf* **1.** (*quelqu'un*) anybody, anyone **2.** (*aucune personne*) nobody, no one • **personne ne viendra** nobody will come • **il n'y a jamais personne** there's never anybody there, nobody is ever there.

personnel, elle *adj* **1.** (*gén*) personal **2.** (*égoïste*) self-centred (UK), self-centered (US). ■ **personnel** *nm* staff, personnel.

personnellement *adv* personally.

personnifier *vt* to personify.

perspective *nf* **1.** ART (*point de vue*) perspective **2.** (*panorama*) view **3.** (*éventualité*) prospect.

perspicace *adj* perspicacious.

persuader *vt* • **persuader qqn de qqch/de faire qqch** to persuade sb of sthg/to do sthg, to convince sb of sthg/to do sthg.

persuasif, ive *adj* persuasive.

persuasion *nf* persuasion.

perte *nf* **1.** (*gén*) loss **2.** (*gaspillage - de temps*) waste **3.** (*ruine, déchéance*) ruin. ■ **pertes** *nfpl* (*morts*) losses. ■ **à perte de vue** *loc adv* as far as the eye can see.

pertinent, e *adj* pertinent, relevant.

perturbation *nf* **1.** disruption **2.** ASTRON & MÉTÉOR disturbance.

perturber *vt* **1.** (*gén*) to disrupt • **perturber l'ordre public** to disturb the peace **2.** PSYCHO to disturb.

pervenche *nf* **1.** BOT periwinkle **2.** *fam* (*contractuelle*) traffic warden (UK), meter maid (US).

pervers, e *adj* **1.** (*vicieux*) perverted **2.** (*effet*) unwanted. □ *nm, f* pervert.

perversion *nf* perversion.

perversité *nf* perversity.

pervertir *vt* to pervert.

pesamment *adv* heavily.

pesant, e *adj* **1.** (*lourd*) heavy **2.** (*style, architecture*) ponderous.

pesanteur *nf* **1.** PHYS gravity **2.** (*lourdeur*) heaviness.

pesée *nf* (*opération*) weighing.

pèse-lettre *nm* letter scales.

pèse-personne *nm* scales *pl*.

peser *vt* to weigh. □ *vi* **1.** (*avoir un certain poids*) to weigh **2.** (*être lourd*) to be heavy **3.** (*appuyer*) • **peser sur qqch** to press (down) on sthg.

peseta *nf* peseta.

pessimisme *nm* pessimism.

pessimiste *nmf* pessimist. □ *adj* pessimistic.

peste *nf* **1.** MÉD plague **2.** (*personne*) pest.

pestiféré, e *adj* plague-stricken. □ *nm, f* plague victim.

pestilentiel, elle *adj* pestilential.

pesto *nm* pesto.

pet *nm fam* fart.

pétale *nm* petal.

pétanque *nf* ≃ bowls (*indén*).

pétarader *vi* to backfire.

pétard *nm* **1.** (*petit explosif*) banger (UK), firecracker **2.** *fam* (*revolver*) gun **3.** *fam* (*haschich*) joint.

péter *vi* **1.** *tfam* (*personne*) to fart **2.** *fam* (*câble, élastique*) to snap **3.** *tfam* • **péter plus haut que son cul** *tfam* to be full of oneself. □ *vt fam* to bust.

pétillant, e *adj litt & fig* sparkling.

pétiller *vi* **1.** (*vin, eau*) to sparkle, to bubble **2.** (*feu*) to crackle **3.** *fig* (*yeux*) to sparkle.

petit, e *adj* **1.** (*de taille, grandeur*) small, little • **petit frère** little *ou* younger brother • **petite sœur** little *ou* younger sister **2.** (*voyage, visite*) short, little **3.** (*faible, infime - somme d'argent*) small ; (- *bruit*) faint, slight • **c'est une petite nature** he/she is slightly built **4.** (*de peu d'importance, de peu de valeur*) minor **5.** (*médiocre, mesquin*) petty **6.** (*de rang modeste - commerçant, propriétaire, pays*) small ; (- *fonctionnaire*) minor. □ *nm, f* (*enfant*) little one, child • **bonjour, mon petit/ma petite** good morning, my dear • **pauvre petit !** poor little thing ! • **la classe des petits** SCOL the infant class. ❑ nm (jeune animal) young (indén) • faire des **petits** to have puppies/kittens etc. ■ **petit à petit** loc adv little by little, gradually.

petit déjeuner nm breakfast.

petite-fille nf granddaughter.

petitement adv 1. (chichement - vivre) poorly 2. (mesquinement) pettily.

petitesse nf 1. (de personne, de revenu) smallness 2. (d'esprit) pettiness.

petit-fils nm grandson.

petit-four nm petit four.

pétition nf petition.

petit-lait nm whey.

petit pois nm (garden) pea.

petits-enfants nmpl grandchildren.

petit-suisse nm petit-suisse (small cream cheese).

pétrifier vt litt & fig to petrify.

pétrin nm 1. (de boulanger) kneading machine 2. fam (embarras) pickle • **se fourrer/être dans le pétrin** to get into/to be in a pickle.

pétrir vt (pâte, muscle) to knead.

pétrochimie nf petrochemistry.

pétrole nm oil, petroleum • **un puits de pétrole** an oil well.

pétrolier, ère adj oil (avant nom), petroleum (avant nom). ■ **pétrolier** nm (navire) oil tanker.

pétrolifère adj oil-bearing.

pétulant, e adj exuberant.

peu adv 1. (avec verbe, adjectif, adverbe) • **il a peu dormi** he didn't sleep much, he slept little • **peu souvent** not very often, rarely • **très peu** very little 2. • **peu de** (+ nom sing) little, not much • **peu de** (+ nom pl) few, not many • **il a peu de travail** he hasn't got much work, he has little work • **il reste peu de jours** there aren't many days left • **peu de gens le connaissent** few ou not many know him. ❑ nm 1. (petite quantité) • **le peu de a)** (+ nom sing) the little **b)** (+ nom pl) the few 2. (précédé de un) a little, a bit • **je le connais un peu** I know him slightly ou a little • **un (tout) petit peu** a little bit • **elle est un peu sotte** she's a bit stupid • **un peu de** a little • **un peu de vin/patience** a little wine/patience. ■ **avant peu** loc adv soon, before long. ■ **depuis peu** loc adv recently. ■ **peu à peu** loc adv gradually, little by little. ■ **pour peu que** loc conj if ever, if only. ■ **pour un peu** loc adv nearly, almost. ■ **si peu que** loc conj however little. ■ **sous peu** loc adv soon, shortly.

peuplade nf tribe.

peuple nm 1. (gén) people • **le peuple** the (common) people 2. fam (multitude) • **quel peuple!** what a crowd!

peuplement nm 1. (action) populating 2. (population) population.

peupler vt 1. (pourvoir d'habitants - région) to populate ; (- bois, étang) to stock 2. (habiter, occuper) to inhabit 3. fig (remplir) to fill. ■ **se peupler** vp 1. (région) to become populated 2. (rue, salle) to be filled.

peuplier nm poplar.

peur nf fear • **avoir peur de qqn/qqch** to be afraid of sb/sthg • **avoir peur de faire qqch** to be afraid of doing sthg • **avoir peur que** (+ subjonctif) to be afraid that • **j'ai peur qu'il ne vienne pas** I'm afraid he won't come • **faire peur à qqn** to frighten sb • **par** ou **de peur de qqch** for fear of sthg • **par** ou **de peur de faire qqch** for fear of doing sthg.

peureux, euse adj fearful, timid. ❑ nm,f fearful ou timid person.

peut → pouvoir.

peut-être adv perhaps, maybe • **peut-être qu'ils ne viendront pas, ils ne viendront peut-être pas** perhaps ou maybe they won't come.

peux → pouvoir.

phalange nf ANAT phalanx.

phallocrate nm male chauvinist.

phallus nm phallus.

pharaon nm pharaoh.

phare nm 1. (tour) lighthouse 2. AUTO headlight • **phare antibrouillard** fog lamp (UK), fog light (US). ❑ adj landmark (avant nom) • **une industrie phare** a flagship ou pioneering industry.

pharmaceutique adj pharmaceutical.

pharmacie nf 1. (science) pharmacology 2. (magasin) chemist's (UK), drugstore (US) 3. (meuble) • **(armoire à) pharmacie** medicine cupboard (UK) ou chest (US).

pharmacien, enne nm,f chemist (UK), druggist (US).

pharyngite nf pharyngitis (indén).

pharynx nm pharynx.

phase nf phase • **être en phase avec qqn** to be on the same wavelength as sb • **phase terminale** final phase.

phénoménal, e adj phenomenal.

phénomène nm 1. (fait) phenomenon 2. (être anormal) freak 3. fam (excentrique) character.

philanthropie nf philanthropy.

philatélie nf philately, stamp collecting.

philharmonique adj philharmonic.

Philippines *nfpl* • **les Philippines** the Philippines.

philologie *nf* philology.

philosophe *nmf* philosopher. ❑ *adj* philosophical.

philosophie *nf* philosophy.

phlébite *nf* phlebitis.

phobie *nf* phobia.

phonème *nm* phoneme.

phonétique *nf* phonetics *(indén)*. ❑ *adj* phonetic.

phonographe *nm* *vieilli* gramophone (UK), phonograph (US).

phoque *nm* seal.

phosphate *nm* phosphate.

phosphore *nm* phosphorus.

phosphorescent, e *adj* phosphorescent.

photo *nf* 1. *(technique)* photography 2. *(image)* photo, picture • **prendre qqn en photo** to take a photo of sb • **photo d'identité** passport photo • **photo couleur** colour (UK) *ou* color (US) photo • **y'a pas photo** *fam* there's no comparison. ❑ *adj inv* • **appareil photo** camera.

photocomposition *nf* filmsetting (UK), photocomposition (US).

photocopie *nf* 1. *(procédé)* photocopying 2. *(document)* photocopy.

photocopier *vt* to photocopy.

photocopieur *nm* photocopier.

photocopieuse *nf* = photocopieur.

photoélectrique *adj* photoelectric.

photogénique *adj* photogenic.

photographe *nmf* 1. *(artiste, technicien)* photographer 2. *(commerçant)* camera dealer.

photographie *nf* 1. *(technique)* photography 2. *(cliché)* photograph.

photographier *vt* to photograph.

Photomaton® *nm* photo booth.

photoreportage *nm* PRESSE report *(consisting mainly of photographs)*.

phrase *nf* 1. LING sentence • **phrase toute faite** stock phrase 2. MUS phrase.

phréatique *adj* • **nappe phréatique** water table.

physicien, enne *nm, f* physicist.

physiologie *nf* physiology.

physiologique *adj* physiological.

physionomie *nf* 1. *(faciès)* face 2. *(apparence)* physiognomy.

physionomiste *adj* • **être physionomiste** to have a good memory for faces.

physiothérapeute *nmf* (QUÉBEC & SUISSE) physiotherapist.

physique *adj* physical. ❑ *nf* *(sciences)* physics *(indén)*. ❑ *nm* 1. *(constitution)* physical well-being 2. *(apparence)* physique.

physiquement *adv* physically.

phytothérapie *nf* herbal medicine.

piaffer *vi* 1. *(cheval)* to paw the ground 2. *(personne)* to fidget.

piailler *vi* 1. *(oiseaux)* to cheep 2. *fam (enfant)* to squawk.

pianiste *nmf* pianist.

piano *nm* piano. ❑ *adv* 1. MUS piano 2. *(doucement)* gently.

pianoter *vi* 1. *(jouer du piano)* to plunk away (on the piano) 2. *(sur table)* to drum one's fingers.

piaule *nf* *fam* 1. *(hébergement)* place 2. *(chambre)* room.

PIB (abrév de produit intérieur brut) *nm* GDP.

pic *nm* 1. *(outil)* pick, pickaxe (UK), pickax (US) 2. *(montagne)* peak 3. *(oiseau)* woodpecker 4. *fig (maximum)* • **pic d'audience** top (audience) ratings • **on a observé des pics de pollution** pollution levels reached a peak, pollution levels peaked. ▪ **à pic** *loc adv* 1. *(verticalement)* vertically • **couler à pic** to sink like a stone 2. *fam & fig (à point nommé)* just at the right moment.

pichenette *nf* flick (of the finger).

pichet *nm* jug (UK), pitcher (US).

pickpocket *nm* pickpocket.

picorer *vi & vt* to peck.

picotement *nm* prickling *(indén)*, prickle.

pie *nf* 1. *(oiseau)* magpie 2. *fam & fig (bavard)* chatterbox. ❑ *adj inv (cheval)* piebald.

pièce *nf* 1. *(élément)* piece • **pièce de collection** collector's item 2. *(de moteur)* part • **pièce détachée** spare part 3. *(unité)* • **deux euros pièce** two euros each *ou* apiece • **acheter/vendre qqch à la pièce** to buy/sell sthg singly, to buy/sell sthg separately • **travailler à la pièce** to do piecework 4. *(document)* document, paper • **pièce d'identité** identification papers *pl* • **pièce jointe** *(e-mail)* attachment • **pièces jointes** *(document)* enclosures • **pièce justificative** written proof *(indén)*, supporting document 5. *(œuvre littéraire ou musicale)* piece • **pièce (de théâtre)** play 6. *(argent)* • **pièce (de monnaie)** coin 7. *(de maison)* room 8. COUT patch. ▪ **pièce montée** *nf* tiered cake.

pied *nm* 1. *(gén)* foot • **à pied** on foot • **avoir pied** to be able to touch the bottom • **perdre pied** *littéraire & fig* to be out of one's depth • **être/marcher pieds nus** *ou* **nu-pieds** to be/to go barefoot • **pied bot** *(handicap)* clubfoot 2. *(base - de montagne, table)* foot ; *(- de verre)* stem ;

(- *de lampe*) base **3.** (*plant - de tomate*) stalk ; (- *de vigne*) stock **4.** CULIN • **pied de veau** calf's foot **5.** (*locution*) • **être sur pied** to be (back) on one's feet, to be up and about • **faire du pied à** to play footsie with • **mettre qqch sur pied** to get sthg on its feet, to get sthg off the ground • **je n'ai jamais mis les pieds chez lui** *fam* I've never set foot in his house • **au pied de la lettre** literally, to the letter. ■ **en pied** *loc adj* (*portrait*) full-length.

pied-de-biche *nm* (*outil*) nail claw.

piédestal *nm* pedestal.

pied-noir *nmf si vous voulez donner une définition à un anglophone, vous pouvez dire* it is a French settler in Algeria during the period of French rule.

piège *nm litt & fig* trap • **être pris au piège** to be trapped.

piéger *vt* **1.** (*animal, personne*) to trap **2.** (*colis, véhicule*) to boobytrap.

piercing *nm* body piercing.

pierraille *nf* loose stones *pl*.

pierre *nf* stone • **pierre d'achoppement** *fig* stumbling block • **pierre précieuse** precious stone.

pierreries *nfpl* precious stones, jewels.

piété *nf* piety.

piétiner *vi* **1.** (*trépigner*) to stamp (one's feet) **2.** *fig* (*ne pas avancer*) to make no progress, to be at a standstill. ❑ *vt* (*personne, parterre*) to trample.

piéton, onne *nm,f* pedestrian. ❑ *adj* pedestrian (*avant nom*).

piétonnier, ère *adj* pedestrian (*avant nom*).

piètre *adj* poor.

pieu *nm* **1.** (*poteau*) post, stake **2.** *fam* (*lit*) pit (UK), sack (US).

pieuvre *nf* **1.** octopus **2.** *fig & péj* leech.

pieux, pieuse *adj* (*personne, livre*) pious.

pif *nm fam* conk (UK), hooter (UK), schnoz(zle) (US) • **au pif** *fig* by guesswork.

pigeon *nm* **1.** (*oiseau*) pigeon **2.** *fam* (*personne*) sucker.

pigeonnant, e *adj* **1.** (*soutien-gorge*) uplift (*avant nom*) **2.** (*poitrine*) prominent.

pigeonnier *nm* (*pour pigeons*) pigeon loft, dovecote.

pigment *nm* pigment.

pignon *nm* **1.** (*de mur*) gable **2.** (*d'engrenage*) gearwheel **3.** (*de pomme de pin*) pine kernel.

pile *nf* **1.** (*de livres, journaux*) pile **2.** ÉLECTR battery • **marcher à piles** to work off batteries **3.** (*de pièce*) • **pile ou face** heads or tails. ❑ *adv fam* on the dot • **tomber/arriver pile** to come/to arrive at just the right time.

piler *vt* (*amandes*) to crush, to grind. ❑ *vi fam* AUTO to jam on the brakes.

pileux, euse *adj* hairy (*avant nom*) • **système pileux** hair.

pilier *nm* **1.** (*de construction*) pillar **2.** *fig* (*soutien*) mainstay, pillar **3.** (*rugby*) prop (forward).

pillard, e *nm,f* looter.

piller *vt* **1.** (*ville, biens*) to loot **2.** *fig* (*ouvrage, auteur*) to plagiarize.

pilon *nm* **1.** (*instrument*) pestle **2.** (*de poulet*) drumstick **3.** (*jambe de bois*) wooden leg.

pilonner *vt* to pound.

pilori *nm* pillory • **mettre** *ou* **clouer qqn au pilori** *fig* to pillory sb.

pilotage *nm* piloting • **pilotage automatique** automatic piloting.

pilote *nmf* **1.** (*d'avion*) pilot **2.** (*de voiture*) driver • **pilote de chasse** fighter pilot • **pilote de course** racing (UK) *ou* race (US) driver • **pilote d'essai** test pilot • **pilote de ligne** airline pilot. ❑ *nm* • **pilote automatique** autopilot. ❑ *adj* (*avant nom*), experimental.

piloter *vt* **1.** (*avion*) to pilot **2.** (*voiture*) to drive **3.** (*personne*) to show around.

pilotis *nm* pile.

pilule *nf* pill • **prendre la pilule** to be on the pill.

piment *nm* **1.** (*plante*) pepper, capsicum • **piment rouge** chilli pepper, hot red pepper **2.** *fig* (*piquant*) spice, pizzazz (US).

pimenté, e *adj* (*sauce*) hot, spicy.

pimpant, e *adj* smart.

pin *nm* pine • **pin parasol** umbrella pine • **pin sylvestre** Scots pine.

pince *nf* **1.** (*grande*) pliers *pl* **2.** (*petite*) • **pince (à épiler)** tweezers *pl* • **pince à linge** clothes peg (UK), clothespin (US) **3.** (*de crabe*) pincer **4.** COUT dart.

pinceau *nm* (*pour peindre*) brush.

pincée *nf* pinch.

pincer *vt* **1.** (*serrer*) to pinch **2.** MUS to pluck **3.** (*lèvres*) to purse **4.** *fam & fig* (*arrêter*) to nick (UK), to catch **5.** (*sujet: froid*) to nip. ❑ *vi fam* (*faire froid*) • **ça pince !** it's a bit nippy!

pince-sans-rire *nmf* person with a deadpan face.

pincettes *nfpl* (*ustensile*) tongs.

pinède, pineraie, pinière *nf* pinewood.

pingouin *nm* penguin.

ping-pong *nm* ping pong, table tennis.

pingre *péj nmf* skinflint. ❑ *adj* stingy.

pin's *nm inv* badge.

pinson *nm* chaffinch.

pintade *nf* guinea fowl.

pin-up *nf inv* pinup (girl).

pioche *nf* **1.** (*outil*) pick **2.** (*jeux*) pile.

piocher *vt* **1.** (*terre*) to dig **2.** (*jeux*) to take **3.** *fig* (*choisir*) to pick at random. ❑ *vi* **1.** (*creuser*) to dig **2.** (*jeux*) to pick up • **piocher dans a)** (*tas*) to delve into **b)** (*économies*) to dip into.

piolet *nm* ice axe (UK) *ou* ax (US).

pion, pionne nm, f fam SCOL supervisor.
■ **pion** nm **1.** (aux échecs) pawn **2.** (aux dames) piece • **n'être qu'un pion** fig to be just a pawn in the game.

pionnier, ère nm, f pioneer.

pipe nf pipe.

pipeau nm MUS (reed) pipe • **c'est du pipeau** fam that's nonsense.

pipeline, pipe-line nm pipeline.

pipi nm fam wee (UK), wee-wee, pee • **faire pipi** to have a wee.

piquant, e adj **1.** (barbe, feuille) prickly **2.** (sauce) spicy, hot. ■ **piquant** nm **1.** (d'animal) spine **2.** (de végétal) thorn, prickle **3.** fig (d'histoire) spice.

pique nf **1.** (arme) pike **2.** fig (mot blessant) barbed comment. ❏ nm (aux cartes) spade • **la dame de pique** the queen of spades.

pique-assiette nmf fam sponger.

pique-nique nm picnic.

piquer vt **1.** (sujet : guêpe, méduse) to sting • **se faire piquer par** to get stung by **2.** (sujet : serpent, moustique) to bite **3.** (avec pointe) to prick **4.** MED to give an injection to **5.** (animal) to put down **6.** (fleur) • **piquer qqch dans** to stick sthg into **7.** (sujet : tissu, barbe) to prickle **8.** (sujet : fumée, froid) to sting **9.** COUT to sew, to machine **10.** fam (voler) to pinch (UK) **11.** fig (curiosité) to excite, to arouse **12.** fam (voleur, escroc) to nick (UK), to catch. ❏ vi **1.** (ronce) to prick **2.** (ortie) to sting **3.** (guêpe, méduse) to sting **4.** (serpent, moustique) to bite **5.** (épice) to burn **6.** fam (voler) • **piquer (dans)** to pinch (from) **7.** (avion) to dive.

piquet nm (pieu) peg, stake. ■ **piquet de grève** nm picket.

piqûre nf **1.** (de guêpe, de méduse) sting **2.** (de serpent, de moustique) bite **3.** (d'ortie) sting **4.** (injection) jab (UK), shot • **piqûre de rappel** booster (injection ou shot).

piratage nm **1.** piracy • **piratage de musique** music piracy • **piratage téléphonique** phreaking **2.** INFORM hacking.

pirate nm (corsaire) pirate • **pirate de l'air** hijacker, skyjacker. ❏ adj pirate (avant nom).

pirater vt to pirate.

pire adj **1.** (comparatif relatif) worse • **c'est pire que ce que je pensais** it's worse than I thought **2.** (superlatif) • **le/la pire** the worst. ❏ nm • **le pire (de)** the worst (of).

pirogue nf dugout canoe.

pirouette nf **1.** (saut) pirouette **2.** fig (faux-fuyant) prevarication, evasive answer.

pis adj littéraire (pire) worse. ❏ adv worse • **de mal en pis** from bad to worse. ❏ nm udder.

pis-aller nm inv last resort.

pisciculture nf fish farming.

piscine nf swimming pool • **piscine couverte/découverte** indoor/open-air swimming pool.

pisse nf tfam pee, piss.

pissenlit nm dandelion.

pisser tfam vt **1.** (sujet : personne) • **pisser du sang** to pass blood **2.** (sujet : plaie) • **son genou pissait le sang** blood was gushing from his knee. ❏ vi to pee, to piss.

pissotière nf fam public urinal.

pistache nf (fruit) pistachio (nut).

piste nf **1.** (trace) trail **2.** (zone aménagée) • **piste d'atterrissage** runway • **piste cyclable** (bi)cycle path • **piste de danse** dance floor • **piste de ski** ski run **3.** (chemin) path, track **4.** (d'enregistrement) track **5.** (divertissement) • **jeu de piste** treasure hunt.

pistil nm pistil.

pistolet nm **1.** (arme) pistol, gun **2.** (à peinture) spray gun.

piston nm **1.** (de moteur) piston **2.** MUS (d'instrument) valve **3.** fam & fig (appui) string-pulling.

pistonner vt to pull strings for • **se faire pistonner** to have strings pulled for one.

pistou nm si vous voulez expliquer de quoi il s'agit à un anglophone, vous pouvez dire it is a dish of vegetables served with sauce made from basil.

pitance nf litt sustenance.

pitbull, pit-bull nm pitbull (terrier).

pitch nm pitch.

piteux, euse adj piteous.

pitié nf pity • **avoir pitié de qqn** to have pity on sb, to pity sb.

piton nm **1.** (clou) piton **2.** (pic) peak.

pitoyable adj pitiful.

pitre nm clown.

pitrerie nf tomfoolery.

pittoresque adj **1.** (région) picturesque **2.** (détail) colourful (UK), colorful (US), vivid.

pivoine nf peony.

pivot nm **1.** (de machine, au basket) pivot **2.** (de dent) post **3.** fig (centre) mainspring.

pivotant, e adj (fauteuil) swivel (avant nom).

pivoter vi **1.** to pivot **2.** (porte) to revolve.

pizza nf pizza • **une pizza aux champignons et aux olives** a mushroom and olive pizza.

pizzaiolo nm pizza chef.

Pl., pl. abrév de pluriel.

placage nm (de bois) veneer.

placard nm **1.** (armoire) cupboard **2.** (affiche) poster, notice.

placarder vt **1.** (affiche) to put up, to stick up **2.** (mur) to placard, to stick a notice on.

place nf **1.** (espace) space, room • **prendre de la place** to take up (a lot of) space • **faire place à** (amour, haine) to give way to **2.** (emplacement, position) position • **changer qqch de place** to put sthg in a different place, to move sthg • **prendre la place de qqn** to take sb's place • **à la place de qqn** instead of sb, in sb's place • **à ta place** if I were you, in your place **3.** (siège) seat • **place assise** seat • **est-ce que cette place est prise ?** is anybody sitting here? **4.** *(rang)* place **5.** *(de ville)* square **6.** *(emploi)* position, job **7.** MIL *(de garnison)* garrison (town) • **place forte** fortified town **8.** *(bourse)* • **place boursière** stock market. ■ **sur place** *loc adv* there, on the spot • **je serai déjà sur place** I'll already be there.

placement *nm* **1.** *(d'argent)* investment **2.** *(d'employé)* placing.

placenta *nm* ANAT placenta.

placer *vt* **1.** *(gén)* to put, to place **2.** *(invités, spectateurs)* to seat **3.** *(mot, anecdote)* to put in, to get in **4.** *(argent)* to invest. ■ **se placer** *vp* **1.** *(prendre place - debout)* to stand ; *(- assis)* to sit (down) **2.** *fig (dans une situation)* to put o.s. **3.** *(se classer)* to come, to be.

placide *adj* placid.

plafond *nm* litt & fig ceiling.

plafonner *vi* **1.** *(prix, élève)* to peak **2.** *(avion)* to reach its ceiling.

plafonnier *nm* ceiling light.

plage *nf* **1.** *(de sable)* beach **2.** *(d'ombre, de prix)* band **3.** *fig (de temps)* slot **4.** *(de disque)* track **5.** *(dans une voiture)* • **plage arrière** back shelf.

plage

la casquette	the (baseball) cap
la chaise longue	the deck chair
les chaussures de plage	the beach shoes
la crème solaire	the sun cream
l'insolation	the sunstroke
les lunettes de soleil	the sunglasses
le maillot de bain	the bathing suit
le parasol	the beach umbrella
la serviette	the towel
les tongs	flip-flops

plagiat *nm* plagiarism.

plagier *vt* to plagiarize.

plagiste *nm* beach attendant.

plaid *nm* car rug.

plaider *vt* DR to plead. □ *vi* **1.** DR to plead • **plaider contre qqn** to plead against sb • **plaider pour qqn** DR to plead for sb **2.** *(justifier)* to plead sb's cause.

plaidoirie *nf* **1.** DR speech for the defence (UK) *ou* defense (US) **2.** *fig* plea.

plaidoyer *nm* **1.** DR = **plaidoirie 2.** *(supplication)* plea.

plaie *nf* **1.** litt & fig wound • **la plaie s'est infectée** the wound became infected **2.** *fam (personne)* pest.

plaindre *vt* to pity. ■ **se plaindre** *vp* to complain • **se plaindre de qqch** to complain about sthg.

plaine *nf* plain.

plain-pied ■ **de plain-pied** *loc adv* **1.** *(pièce)* on one floor • **de plain-pied avec** litt & fig on a level with **2.** *fig (directement)* straight.

plaint, e *pp* → **plaindre**.

plainte *nf* **1.** *(gémissement)* moan, groan **2.** *fig & litt (du vent)* moan **3.** *(doléance)* DR complaint • **porter plainte** to lodge a complaint • **plainte contre X** ≃ complaint against person or persons unknown.

plaintif, ive *adj* plaintive.

plaire *vi* to be liked • **il me plaît** I like him • **ça te plairait d'aller au cinéma ?** would you like to go to the cinema? • **s'il vous/te plaît** please.

plaisance ■ **de plaisance** *loc adj* pleasure *(avant nom)* • **navigation de plaisance** sailing • **port de plaisance** marina.

plaisancier, ère *nm, f* (amateur) sailor.

plaisant, e *adj* pleasant.

plaisanter *vi* to joke • **tu plaisantes ?** you must be joking! • **en plaisantant** jokingly.

plaisanterie *nf* joke • **c'est une plaisanterie ?** iron you must be joking! • **faire des plaisanteries** to tell jokes.

plaisantin *nm* joker.

plaisir *nm* pleasure • **les plaisirs de la vie** life's pleasures • **avoir du/prendre plaisir à faire qqch** to have/to take pleasure in doing sthg • **faire plaisir à qqn** to please sb • **avec plaisir** with pleasure • **j'ai le plaisir de vous annoncer que...** I have the (great) pleasure of announcing that...

plan¹, e *adj* level, flat.

plan² *nm* **1.** *(dessin - de ville)* map ; *(- de maison)* plan **2.** *(projet)* plan • **faire des plans** to make plans • **avoir son plan** to have something in mind **3.** *(domaine)* • **sur tous les plans** in all respects • **sur le plan affectif** emotionally • **sur le plan familial** as far as the family is concerned **4.** *(surface)* • **plan d'eau** lake • **plan de travail** work surface, worktop (UK) **5.** GÉOM plane **6.** CINÉ take • **gros plan** close-up **7.** BANQUE • **plan d'épargne** savings plan **8.** *(sécurité)* • **plan vigipirate** security measures to protect against terrorist attacks **9.** ÉCON • **plan social** redundancy scheme *ou* plan (UK). ■ **à l'arrière-plan** *loc adv* in the background. ■ **au premier plan** *loc adv (dans l'espace)* in the foreground. ■ **en plan** *loc adv* • **laisser qqn en plan** to leave sb stranded, to abandon sb • **il a tout laissé en plan** he dropped everything. ■ **sur le même plan** *loc adj* on the same level.

planche *nf* **1.** *(en bois)* plank • **planche à dessin** drawing board • **planche à repasser** ironing board • **planche à voile a)** *(planche)* sailboard **b)** *(sport)* windsurfing • **planche de surf** surf borad • **faire la planche** *fig* to float **2.** *(d'illustration)* plate **3.** PHOTO • **planche contact** contact print.

plancher nm 1. (de maison, de voiture) floor 2. fig (limite) floor, lower limit.

plancton nm plankton.

planer vi 1. (avion, oiseau) to glide 2. (nuage, fumée, brouillard) to float 3. fig (danger) • **planer sur qqn** to hang over sb 4. fam & fig (personne) to be out of touch with reality.

planétaire adj 1. ASTRON planetary 2. (mondial) world (avant nom).

planétarium nm planetarium.

planète nf planet.

planeur nm glider.

planification nf ÉCON planning.

planifier vt ÉCON to plan.

planisphère nm map of the world, planisphere.

planning nm 1. (de fabrication) workflow schedule 2. (agenda personnel) schedule • **planning familial a)** (contrôle) family planning **b)** (organisme) family planning clinic.

planque nf fam 1. (cachette) hideout 2. fig (situation, travail) cushy number.

plant nm (plante) seedling.

plantage nm fam 1. (erreur) mistake • **il y a eu un plantage dans les calculs** they got the sums wrong 2. (échec total) failure 3. fam INFORM crash.

plantaire adj plantar.

plantation nf 1. (exploitation-d'arbres, de coton, de café) plantation ; (- de légumes) patch 2. (action) planting.

plante nf 1. BOT plant • **plante verte** ou **d'appartement** ou **d'intérieur** house ou pot (UK) plant 2. ANAT sole.

planter vt 1. (arbre, terrain) to plant 2. (clou) to hammer in, to drive in 3. (pieu) to drive in 4. (couteau, griffes) to stick in 5. (tente) to pitch 6. fam & fig (laisser tomber) to dump 7. fig (chapeau) to stick 8. (baiser) to plant • **planter son regard dans celui de qqn** to look sb right in the eyes. ❏ vi fam INFORM to crash.

plantureux, euse adj 1. (repas) lavish 2. (femme) buxom.

plaque nf 1. (de métal, de verre, de verglas) sheet 2. (de marbre) slab • **plaque chauffante** ou **de cuisson** hotplate • **plaque de chocolat** bar of chocolate 3. (gravée) plaque • **plaque d'immatriculation** ou **minéralogique** numberplate {UK}, license plate {US} 4. (insigne) badge 5. (sur la peau) patch 6. (dentaire) plaque.

plaqué, e adj (métal) plated • **plaqué or/argent** gold-/silver-plated. ■ **plaqué** nm (métal) • **du plaqué or/argent** gold/silver plate.

plaquer vt 1. (métal) to plate 2. (bois) to veneer 3. (aplatir) to flatten • **plaquer qqn contre qqch** to pin sb against sthg • **plaquer qqch contre qqch** to stick sthg onto sthg 4. (rugby) to tackle 5. MUS (accord) to play 6. fam (travail, personne) to chuck.

plaquette nf 1. (de métal) plaque 2. (de marbre) tablet 3. (de chocolat) bar 4. (de beurre) pat 5. (de comprimés) packet, strip 6. (gén pl) BIOL platelet 7. AUTO • **plaquette de frein** brake pad.

plasma nm plasma.

plastifié, e adj plastic-coated.

plastique adj & nm plastic.

plastiquer vt to blow up (with plastic explosives).

plat, e adj 1. (gén) flat • **des chaussures plates** flat shoes 2. (eau) still. ■ **à plat** loc adv 1. (horizontalement, dégonflé) flat 2. fam (épuisé) exhausted. ■ **plat** nm 1. (partie plate) flat 2. (récipient) dish 3. (mets) course • **plat cuisiné** ready-cooked meal ou dish • **plat du jour** today's special • **plat préparé** ready meal • **plat de résistance** ou **principal** main course 4. (plongeon) belly-flop.

platane nm plane tree.

plateau nm 1. (de cuisine) tray • **plateau de/à fromages** cheeseboard 2. (de balance) pan 3. fig GÉOGR plateau 4. THÉÂTRE stage 5. CINÉ & TV set 6. (de vélo) chain wheel.

plateau-repas nm tray (of food).

plate-bande nf flowerbed.

plate-forme nf (gén) platform • **plate-forme de forage** drilling platform.

platine adj inv platinum. ❏ nm (métal) platinum. ❏ nf (de tourne-disque) deck • **platine laser** compact disc player.

platonique adj (amour, amitié) platonic.

plâtras nm (gravats) rubble.

plâtre nm 1. CONSTR & MÉD plaster 2. (sculpture) plaster cast 3. fam (fromage) • **c'est du vrai plâtre** it's like sawdust.

plâtrer vt 1. (mur) to plaster 2. MÉD to put in plaster.

plausible adj plausible.

play-back nm inv miming • **chanter en play-back** to mime.

play-boy nm playboy.

plébiscite nm plebiscite.

plein, e adj 1. (rempli, complet) full • **c'est la pleine forme** I am/they are etc in top form • **en pleine nuit** in the middle of the night • **en plein air** outdoor, open-air 2. (non creux) solid 3. (femelle) pregnant. ■ **plein** fam adv • **il a de l'encre plein les doigts** he has ink all over his fingers • **en plein dans/sur qqch** right in/on sthg. ❏ nm (de réservoir) full tank • **le plein, s'il vous plaît** fill her up, please • **faire le plein** to fill up.

plein-air nm inv SCOL games. ■ **de plein-air, en plein-air** loc adj open-air, outdoor.

plein-temps nm full-time job.

plénitude nf fullness.

pléonasme nm pleonasm.

pleurer vi 1. (larmoyer) to cry • **pleurer de joie** to weep for joy, to cry with joy 2. péj (se plaindre) to whinge (UK) 3. (se lamenter) • **pleurer sur** to lament. ❏ vt to mourn.

pleurnicher *vi* to whine, to whinge (UK).

pleurs *nmpl* • **être en pleurs** to be in tears.

pleuvoir *v impers litt &fig* to rain • **il pleut** it is raining.

Plexiglas® *nm* Plexiglass®.

plexus *nm* plexus • **plexus solaire** solar plexus.

pli *nm* **1.** *(de tissu)* pleat **2.** *(de pantalon)* crease • **faux pli** crease **3.** *(du front)* line **4.** *(du cou)* fold **5.** *(lettre)* letter **6.** *(enveloppe)* envelope • **sous pli séparé** under separate cover **7.** *(aux cartes)* trick **8.** GÉOL fold.

pliant, e *adj* folding *(avant nom)*.

plier *vt* **1.** *(papier, tissu)* to fold **2.** *(vêtement, vélo)* to fold (up) **3.** *(branche, bras)* to bend. ❑ *vi* **1.** *(se courber)* to bend **2.** *fig (céder)* to bow. ■ **se plier** *vp* **1.** *(être pliable)* to fold (up) **2.** *fig (se soumettre)* • **se plier à qqch** to bow to sthg.

plinthe *nf* plinth.

plissé, e *adj* **1.** *(jupe)* pleated **2.** *(peau)* wrinkled.

plissement *nm* **1.** *(de front)* creasing **2.** *(d'yeux)* screwing up **3.** GÉOL fold.

plisser *vt* **1.** COUT to pleat **2.** *(front)* to crease **3.** *(lèvres)* to pucker **4.** *(yeux)* to screw up. ❑ *vi (étoffe)* to crease.

plomb *nm* **1.** *(métal, de vitrail)* lead **2.** *(de chasse)* shot **3.** ÉLECTR fuse • **les plombs ont sauté** a fuse has blown ou gone **4.** *(de pêche)* sinker.

plombage *nm* *(de dent)* filling.

plomber *vt* **1.** *(ligne)* to weight (with lead) **2.** *(dent)* to fill.

plombier *nm* plumber.

plonge *nf fam* dishwashing • **faire la plonge** to wash dishes.

plongeant, e *adj* **1.** *(vue)* from above **2.** *(décolleté)* plunging.

plongée *nf (immersion)* diving • **plongée sous-marine** scuba diving.

plongeoir *nm* diving board.

plongeon *nm (dans l'eau, au football)* dive.

plonger *vt* **1.** *(immerger, enfoncer)* to plunge • **plonger la tête sous l'eau** to put one's head under the water **2.** *fig (précipiter)* • **plonger qqn dans qqch** to throw sb into sthg • **plonger une pièce dans l'obscurité** to plunge a room into darkness. ❑ *vi* **1.** *(dans l'eau, gardien de but)* to dive **2.** *fam (échouer)* to decline, to fall off. ■ **se plonger** *vp* **1.** *(s'immerger)* to submerge **2.** *fig (s'absorber)* • **se plonger dans qqch** to immerse o.s. in sthg.

plongeur, euse *nm, f* **1.** *(dans l'eau)* diver **2.** *(dans restaurant)* dishwasher.

ployer *vt & vi litt &fig* to bend.

pluie *nf* **1.** *(averse)* rain *(indén)* • **sous la pluie** in the rain • **une pluie battante** driving rain • **une pluie fine** drizzle **2.** *fig (grande quantité)* • **une pluie de** a shower of.

plume *nf* **1.** *(d'oiseau)* feather **2.** *(pour écrire - d'oiseau)* quill pen ; *(- de stylo)* nib.

plumeau *nm* feather duster.

plumer *vt* **1.** *(volaille)* to pluck **2.** *fam (personne)* to fleece.

plumier *nm* pencil box.

plupart *nf* • **la plupart de** most of, the majority of • **la plupart du temps** most of the time, mostly • **pour la plupart** mostly, for the most part.

pluralisme *nm* pluralism.

pluriel, elle *adj* **1.** GRAMM plural **2.** *(société)* pluralist. ■ **pluriel** *nm* plural • **au pluriel** in the plural.

plus

■ **plus** *adv*

1. INDIQUE UNE QUANTITÉ SUPÉRIEURE
more • **tu devrais travailler plus** you should work more • **je ne peux pas vous en dire plus** I can't tell you anything more • **je voudrais beaucoup plus de sucre** I'd like a lot more ou much more sugar • **peux-tu me donner un peu plus de café ?** can you give me a little more coffee?

2. COMPARATIF
• **il est plus grand que sa sœur** he is taller than his sister • **c'est un joueur plus expérimenté que toi** he's a more experienced player than you • **c'est plus court par là** it's shorter that way • **c'est plus simple qu'on ne le croit** it's simpler than you think • **ce gâteau est meilleur que le mien** this cake is better than mine • **c'est plus difficile qu'avant** it's more difficult than before

3. SUPERLATIF
• **c'est lui qui travaille le plus** he's the hardest worker, he's the one who works (the) hardest • **c'est l'un de ses tableaux les plus connus** it's one of his best-known paintings • **viens le plus vite possible** come as quickly as possible • **c'est le livre le plus intéressant que j'aie jamais lu** it's the most interesting book I've ever read

4. DANS UNE NÉGATION
• **plus un mot !** not another word! • **il ne vient plus me voir** he doesn't come to see me any more, he no longer comes to see me • **je n'y vais plus du tout** I don't go there any more • **je ne t'aiderai plus jamais** I will never help you again, I'm not going to help you over again

5. DANS UNE CORRÉLATION
• **plus j'y pense, plus je me dis qu'il est responsable** the more I think about it, the more I'm sure he is responsible (for it)

■ **plus** *nm*

1. SIGNE MATHÉMATIQUE

plus (sign) • **le plus est le signe de l'addition** the plus is the sign of addition

2. ATOUT

• **ici, parler anglais est un plus indéniable** being able to speak English is definitely a plus *ou* is quite an asset here

■ **plus** *prép*

DANS UNE ADDITION

• **trois plus trois font six** three plus three is six, three and three are six

■ **au plus** *loc adv*

• **il a quarante ans au plus** he's forty at the most • **tout au plus** at the very most

■ **de plus** *loc adv*

1. EN SUPPLÉMENT

• **elle a cinq ans de plus que moi** she's five years older than me

2. EN OUTRE

• **de plus, il n'y a pas de signe de changement** what is more, there's no sign of a change • **de plus, il a menti** what's more, he lied

■ **de plus en plus** *loc adv*

• **il fait de plus en plus beau** the weather is getting nicer and nicer • **de plus en plus de gens font des sudokus** more and more people do sudokus

■ **en plus** *loc adv*

1. EN SUPPLÉMENT

• **les frais d'envoi sont en plus** the postal charges are extra *ou* are not included • **on nous a donné deux hamburgers en plus** we were given two more *ou* extra hamburgers, we were given two free hamburgers

2. EN OUTRE

• **je n'ai pas envie de sortir, en plus il ne fait pas beau** I don't feel like going out, moreover the weather is not nice

■ **en plus de** *loc prép*

• **en plus du squash, elle fait du tennis** in addition to squash, she plays tennis

■ **ni plus ni moins** *loc adv*

• **c'est ce que je dis ! ni plus ni moins** that's what I'm saying! no more, no less

■ **plus ou moins** *loc adv*

• **j'étais plus ou moins satisfaite de son travail** I was more or less satisfied with his work

■ **sans plus** *loc adv*

• **elle est gentille, sans plus** she's nice, but no more than that

plusieurs *adj indéf pl & pron indéf pl* several • **plusieurs BD** several comic books • **plusieurs d'entre eux** several of them.

plus-que-parfait *nm* GRAMM pluperfect.

plus-value *nf* **1.** (d'investissement) appreciation **2.** (excédent) surplus **3.** (bénéfice) profit **4.** (à la revente) capital gain.

plutôt *adv* rather • **elle est plutôt sympa** she's rather nice • **plutôt que de faire qqch** instead of doing sthg, rather than doing *ou* do sthg.

pluvieux, euse *adj* rainy.

PME (abrév de petite et moyenne entreprise) *nf* SME.

PMI *nf* (abrév de petite et moyenne industrie) small industrial firm.

PMU (abrév de Pari mutuel urbain) *nm* ≃ tote (UK) ; ≃ pari-mutuel (US).

PNB (abrév de produit national brut) *nm* GNP.

pneu *nm* (de véhicule) tyre (UK), tire (US) • **pneu arrière** rear tyre (UK) *ou* tire (US) • **pneu neige** winter tyre (UK) *ou* tire (US).

pneumatique *nf* PHYS pneumatics (indén). ❏ *adj* **1.** (fonctionnant à l'air) pneumatic **2.** (gonflé à l'air) inflatable.

pneumonie *nf* pneumonia.

PO (abrév de petites ondes) MW.

poche nf **1.** (de vêtement, de sac, d'air) pocket • **de poche** pocket (avant nom) **2.** (sac, sous les yeux) bag • **faire des poches** (vêtement) to bag **3.** MÉD sac.

poché, e adj **1.** (œuf) poached **2.** (meurtri) • **avoir un œil poché** to have a black eye.

pocher vt **1.** CULIN to poach **2.** (blesser) • **pocher l'œil à qqn** to give sb a black eye.

pochette nf **1.** (enveloppe) envelope **2.** (d'allumettes) book **3.** (de disque) packet **4.** (de disque) sleeve, jacket (us) **5.** (mouchoir) (pocket) handkerchief.

pochette-surprise nf lucky bag.

pochoir nm stencil.

podcast nm podcast.

podcaster vt (une émission) to podcast.

podium nm podium.

podologue nmf chiropodist, podiatrist (us).

poêle nf pan • **poêle à frire** frying pan. ◻ nm stove.

poêlée nf **1.** panful **2.** CULIN • **poêlée de champignons** panfried mushrooms.

poème nm poem.

poésie nf **1.** (genre, émotion) poetry **2.** (pièce écrite) poem.

poète nm **1.** (écrivain) poet **2.** (rêveur) dreamer.

poétique adj poetic.

pogrom(e) nm pogrom.

poids nm **1.** (gén) weight • **quel poids fait-il ?** how heavy is it/he? • **perdre/prendre du poids** to lose/gain weight • **vendre au poids** to sell by weight • **poids lourd a)** (boxe) heavyweight **b)** (camion) heavy goods vehicle (UK) • **de poids** (argument) weighty **2.** SPORT (lancer) shot.

poignant, e adj poignant.

poignard nm dagger.

poignarder vt to stab.

poignée nf **1.** (quantité, petit nombre) handful **2.** (manche) handle. ◼ **poignée de main** nf handshake.

poignet nm **1.** ANAT wrist **2.** (de vêtement) cuff.

poil nm **1.** (du corps) hair **2.** (d'animal) hair, coat **3.** (de pinceau) bristle **4.** (de tapis) strand **5.** fam (peu) • **il s'en est fallu d'un poil que je réussisse** I came within a hair's breadth of succeeding.

poilu, e adj hairy.

poinçon nm **1.** (outil) awl **2.** (marque) hallmark.

poinçonner vt **1.** (bijou) to hallmark **2.** (billet, tôle) to punch.

poing nm fist.

point nm **1.** COUT (tricot) stitch • **points de suture** MÉD stitches **2.** (de ponctuation) • **point (final)** full stop, period (us) • **point d'interrogation/ d'exclamation** question/exclamation mark • **points de suspension** suspension points **3.** (petite tache) dot • **point noir a)** (sur la peau) blackhead **b)** fig (problème) problem **4.** (endroit) spot, point **5.** fig point • **point d'appui** (support)

something to lean on • **point culminant a)** (en montagne) summit **b)** fig climax • **point de repère a)** (temporel) reference point **b)** (spatial) landmark • **point de vente** point of sale, sale outlet • **point de vue a)** (panorama) viewpoint **b)** fig (opinion, aspect) point of view • **avoir un point commun avec qqn** to have something in common with sb **6.** (degré) point • **au point que, à tel point que** to such an extent that • **je ne pensais pas que cela le vexerait à ce point** I didn't think it would make him so cross • **être... au point de faire qqch** to be so... as to do sthg **7.** fig (position) position **8.** (réglage) • **mettre au point a)** (machine) to adjust **b)** (idée, projet) to finalize • **à point** (cuisson) just right • **à point (nommé)** just in time **9.** (question, détail) point, detail • **point faible** weak point **10.** (score) point **11.** (douleur) pain • **point de côté** stitch **12.** (début) • **être sur le point de faire qqch** to be on the point of doing sthg, to be about to do sthg **13.** GÉOGR • **points cardinaux** points of the compass. ◻ adv litt & vieilli • **ne point** not (at all). ◼ **point mort** nm AUTO neutral • **au point mort a)** AUTO in neutral **b)** fig at a standstill.

pointe nf **1.** (extrémité) point **2.** (de nez) tip • **se hausser sur la pointe des pieds** to stand on tiptoe • **en pointe** pointed • **tailler en pointe** to taper • **se terminer en pointe** to taper • **pointe d'asperge** asparagus tip **3.** (clou) tack **4.** (sommet) peak, summit • **à la pointe de** fig at the peak of • **à la pointe de la technique** at the forefront ou cutting edge of technology **5.** fig (trait d'esprit) witticism **6.** fig (petite quantité) • **une pointe de** a touch of. ◼ **pointes** nfpl (danse) points • **faire des** ou **les pointes** to dance on one's points. ◼ **de pointe** loc adj **1.** (vitesse) maximum, top **2.** (industrie, secteur) leading **3.** (technique) latest.

pointer vt **1.** (cocher) to tick (off) **2.** (employés - à l'entrée) to check in ; (- à la sortie) to check out **3.** (diriger) • **pointer qqch vers** to point sthg towards ou toward (us) • **pointer qqch sur** to point sthg at. ◻ vi **1.** (à l'usine - à l'entrée) to clock in ; (- à la sortie) to clock out **2.** (à la pétanque) to get as close to the jack as possible **3.** (jour) to break.

pointillé nm **1.** (ligne) dotted line • **en pointillé a)** (ligne) dotted **b)** fig (par sous-entendu) obliquely **2.** (perforations) perforations pl.

pointilleux, euse adj • **pointilleux (sur)** particular (about).

pointu, e adj **1.** (objet) pointed **2.** (voix, ton) sharp **3.** (étude, formation) specialized.

pointure nf (shoe) size.

point-virgule nm semi-colon.

poire nf **1.** (fruit) pear **2.** MÉD • **poire à injections** syringe **3.** fam (visage) face **4.** fam (naïf) dope.

poireau nm leek.

poirier nm pear tree.

pois nm **1.** BOT pea • **pois chiche** chickpea • **petits pois** garden peas, petits pois • **pois de senteur** sweet pea **2.** fig (motif) dot, spot • **à pois** spotted, polka-dot.

poison nm (substance) poison. ❑ nmf fam & fig **1.** (personne) drag, pain **2.** (enfant) brat.

poisse nf fam bad luck • **porter la poisse** to be bad luck.

poisseux, euse adj sticky.

poisson nm fish • **poisson d'avril a)** (farce) April fool **b)** (en papier) si vous voulez expliquer à un anglophone de quoi il s'agit, vous pouvez dire it is a paper fish that you pin on someone's back as a joke on April Fools' Day • **poisson rouge** goldfish. ■ **Poissons** nmpl ASTROL Pisces sing.

poissonnerie nf (boutique) fish shop, fishmonger's (shop) (UK).

poissonnier, ère nm, f fishmonger (UK).

poitrine nf **1.** (thorax) chest **2.** (de femme) chest, bust.

poivre nm pepper • **poivre blanc** white pepper • **poivre gris, poivre noir** black pepper.

poivré, e adj **1.** CULIN peppery **2.** (parfum) peppery, spicy **3.** (chanson, histoire) spicy, racy.

poivrier nm pepper pot (UK), pepperbox (US).

poivrière nf = poivrier.

poivron nm pepper, capsicum • **poivron rouge/vert** red/green pepper.

poivrot, e nm, f fam boozer.

poker nm poker.

polaire adj polar. ❑ nf (textile) (polar) fleece.

polar nm fam thriller, whodunnit.

polarisé, e adj **1.** (personne) obsessed **2.** (en optique) polarized.

Polaroïd® nm Polaroid®.

polder nm polder.

pôle nm pole • **pôle Nord/Sud** North/South Pole.

polémique nf controversy. ❑ adj (style, ton) polemical.

poli, e adj **1.** (personne) polite **2.** (surface) polished.

police nf **1.** (force de l'ordre) police • **être de** ou **dans la police** to be in the police • **police secours** emergency services • **police technique et scientifique** si vous voulez expliquer de quoi il s'agit à un anglophone, vous pouvez dire this is the branch of the French police specialising in forensic investigation **2.** (contrat) policy • **police d'assurance** insurance policy.

police

À PROPOS DE

Attention, **police** est en anglais un nom collectif et le verbe qui lui est associé doit toujours être au pluriel :

• La police passe le quartier au peigne fin à la recherche d'indices. **The police are combing the area searching for clues.**

polichinelle nm (personnage) Punch • **secret de polichinelle** fig open secret.

policier, ère adj **1.** (de la police) police (avant nom) **2.** (film, roman) detective (avant nom). ❑ nm, f police officer, policeman m, -woman f.

poliment adv politely.

polio nf fam polio.

poliomyélite nf poliomyelitis.

polir vt to polish.

polisson, onne adj **1.** (chanson, propos) lewd, suggestive **2.** (enfant) naughty. ❑ nm, f (enfant) naughty child.

politesse nf **1.** (courtoisie) politeness **2.** (action) polite action.

politicien, enne adj péj politicking, politically unscrupulous. ❑ nm, f politician, politico.

politique nf **1.** (de gouvernement, de personne) policy **2.** (affaires publiques) politics (indén) • **faire de la politique** to be involved in politics. ❑ adj **1.** (pouvoir, théorie) political • **homme/femme politique** politician, political figure **2.** littéraire (choix, réponse) politic.

politiser vt to politicize.

pollen nm pollen.

polluer vt to pollute.

pollution nf pollution.

polo nm **1.** (sport) polo **2.** (chemise) polo shirt.

polochon nm fam bolster.

Pologne nf • **la Pologne** Poland.

En anglais, à de rares exceptions près, il n'y a pas d'article devant les noms de pays.

polonais, e adj Polish. ■ **polonais** nm (langue) Polish. ■ **Polonais, e** nm, f Pole.

En anglais, les adjectifs se rapportant à un pays ou une région ainsi que le nom désignant la langue de ce pays ou cette région, s'écrivent avec une majuscule.

poltron, onne nm, f coward. ❑ adj cowardly.

polychrome adj polychrome, polychromatic.

polyclinique nf general hospital.

polycopié, e adj duplicate (avant nom). ■ **polycopié** nm duplicated lecture notes pl.

polyester nm polyester.

polygame adj polygamous.

polyglotte nmf & adj polyglot.

polygone nm MATH polygon.

Polynésie nf • **la Polynésie** Polynesia.

polype nm polyp.

polystyrène nm polystyrene.

polytechnicien, enne nm, f student ou ex-student of the École Polytechnique.

Polytechnique npr • **l'École Polytechnique** si vous voulez donner une définition à un anglophone, vous pouvez dire it is a prestigious higher-education institution that provides specialist training in engineering.

polyvalent, e adj **1.** (salle) multi-purpose **2.** (personne) versatile.

pommade nf (médicament) ointment.

pomme nf **1.** (fruit) apple • **pomme de pin** pine ou fir cone **2.** (pomme de terre) • **pommes allumettes** very thin (French) fries ou chips (UK) • **pommes frites** (French) fries, chips (UK) • **pommes vapeur** steamed potatoes. ■ **pomme d'Adam** nf Adam's apple.

pommeau nm **1.** (de parapluie, de canne) knob **2.** (de sabre) pommel.

pomme de terre nf potato • **des pommes de terre à l'eau** boiled potatoes.

pommette nf cheekbone.

pommier nm apple tree.

pompe nf **1.** (appareil) pump • **pompe à essence** petrol pump (UK), gas pump (US) **2.** littéraire (magnificence) pomp, ceremony **3.** fam (chaussure) shoe. ■ **pompes funèbres** nfpl undertaker's sing, funeral director's (sing) (UK), mortician's (sing) (US).

pomper vt (eau, air) to pump.

pompeux, euse adj pompous.

pompier nm fireman, firefighter.

pompiste nmf petrol (UK) ou gas (US) pump attendant.

pompon nm pompom.

pomponner ■ **se pomponner** vp to get dressed up.

ponce adj • **pierre ponce** pumice (stone).

poncer vt (bois) to sand (down).

ponceuse nf sander, sanding machine.

ponction nf **1.** (MÉD - lombaire) puncture ; (- pulmonaire) tapping **2.** fig (prélèvement) withdrawal.

ponctualité nf punctuality.

ponctuation nf punctuation • **des signes de ponctuation** punctuation marks.

ponctuel, elle adj **1.** (action) specific, selective **2.** (personne) punctual.

ponctuellement adv punctually.

ponctuer vt to punctuate • **ponctuer qqch de qqch** fig to punctuate sthg with sthg.

pondéré, e adj **1.** (personne) level-headed **2.** ÉCON weighted.

pondre vt **1.** (œufs) to lay **2.** fam & fig (projet, texte) to produce.

pondu, e pp → pondre.

poney nm pony.

pont nm **1.** CONSTR bridge • **ponts et chaussées** ADMIN ≃ highways department **2.** (lien) link, connection • **pont aérien** airlift **3.** (congé) si vous voulez expliquer à un anglophone de quoi il s'agit, vous pouvez dire it is a extra day off that your employer gives you when there is a working day between a national holiday and a weekend **4.** (de navire) deck.

ponte nf **1.** (action) laying **2.** (œufs) clutch. ❑ nm fam (autorité) big shot.

pontifical, e adj papal.

pont-levis nm drawbridge.

ponton nm (plate-forme) pontoon.

pop nm ou nf pop. ❑ adj pop (avant nom).

pop-corn nm inv popcorn (indén).

populace nf péj mob.

populaire adj **1.** (du peuple - volonté) popular, of the people ; (- quartier) working-class ; (- art, chanson) folk **2.** (personne) popular.

populariser vt to popularize.

popularité nf popularity.

population nf population • **population active** working population.

porc nm **1.** (animal) pig, hog (US) **2.** fam & fig (personne) pig, swine **3.** (viande) pork **4.** (peau) pigskin.

porcelaine nf **1.** (matière) china, porcelain **2.** (objet) piece of china ou porcelain.

porc-épic nm porcupine.

porche nm porch.

porcherie nf fam & litt pigsty.

porcin, e adj **1.** (élevage) pig (avant nom) **2.** fig & péj (yeux) piggy.

pore nm pore.

poreux, euse adj porous.

porno fam adj (film, magazine, scène) porn, porno • **des photos pornos** dirty pictures. ❑ nm **1.** (activité) • **le porno a)** (genre) porn **b)** (industrie) the porn industry **2.** (film) porno film (UK), blue movie.

pornographie nf pornography.

porridge nm porridge.

port nm **1.** (lieu) port • **port de commerce/pêche** commercial/fishing port **2.** (fait de porter sur soi - objet) carrying • **port d'armes** carrying of weapons ; (- vêtement, décoration) wearing **3.** (transport) carriage • **franco de port** carriage paid **4.** INFORM port • **port parallèle/série** parallel/serial port • **port USB** USB port.

portable nm **1.** TV portable **2.** INFORM laptop, portable **3.** (téléphone) mobile. ❑ adj **1.** (vêtement) wearable **2.** (ordinateur, machine à écrire) portable, laptop.

portail nm (gén) INFORM portal.

portant, e adj • **être bien/mal portant** to be in good/poor health.

portatif, ive adj portable.

porte nf **1.** (de maison, voiture) door • **mettre qqn à la porte** to throw sb out • **claquer la porte au nez de qqn** to slammed the door in sb's face • **porte d'entrée** front door **2.** gate **3.** fig (de région) gateway.

porte-à-faux nm inv **1.** (roche) overhang **2.** CONSTR cantilever • **en porte-à-faux a)** overhanging **b)** CONSTR cantilevered **c)** fig in a delicate situation.

porte-à-porte nm inv • **faire du porte-à-porte** to sell from door to door.

porte-avions nm inv aircraft carrier.

porte-bagages nm inv **1.** luggage rack (UK) **2.** (de voiture) roof rack (UK) **3.** (de vélo) bike rack.

porte-bébé nm baby sling, papoose.

porte-bonheur nm inv lucky charm.

porte-cartes nm inv card holder.

porte-clés, porte-clefs nm inv keyring.

porte-documents nm inv attaché ou document case.

portée nf **1.** (de missile) range • **à portée de** within range of • **à portée de main** within reach • **à portée de voix** within earshot • **à portée de vue** in sight • **à la portée de qqn** fig within sb's reach **2.** (d'événement) impact, significance **3.** MUS stave, staff **4.** (de femelle) litter.

porte-fenêtre nf French window ou door (US).

portefeuille nm **1.** (pour billets) wallet **2.** FIN & POLIT portfolio • **portefeuille d'activités** business portfolio **3.** INTERNET • **portefeuille électronique** e-wallet.

porte-jarretelles nm inv suspender belt (UK), garter belt (US).

portemanteau nm **1.** (au mur) coat-rack **2.** (sur pied) coat stand.

porte-monnaie nm inv purse.

porte-parapluies nm inv umbrella stand.

porte-parole nmf inv spokesman, spokeswoman f.

porter vt **1.** (gén) to carry **2.** (vêtement, lunettes, montre) to wear **3.** (barbe) to have **4.** (nom, date, inscription) to bear **5.** (inscrire) to put down, to write down • **porté disparu** reported missing. □ vi **1.** (remarque) to strike home **2.** (voix, tir) to carry. ■ **se porter** vp (se sentir) • **se porter bien/mal** to be well/unwell. □ v att • **se porter garant de qqch** to guarantee sthg, to vouch for sthg • **se porter candidat à** to stand for election in (UK), to run for (US).

porte-savon nm soap dish.

porte-serviette nm towel rail.

porteur, euse adj • **marché porteur** COMM growth market • **mère porteuse** surrogate mother • **mur porteur** load-bearing wall. □ nm, f **1.** (de message, nouvelle) bringer, bearer **2.** (de bagages) porter **3.** (détenteur - de papiers, d'actions) holder ; (- de chèque) bearer **4.** (de maladie) carrier.

portier, ère nm, f commissionaire (UK), doorman (US).

portière nf (de voiture, train) door.

portillon nm barrier, gate.

portion nf (de gâteau) portion, helping.

portique nm **1.** ARCHIT portico **2.** SPORT crossbeam.

porto nm port.

Porto Rico, Puerto Rico npr Puerto Rico.

portrait nm **1.** portrait **2.** PHOTO photograph • **faire le portrait de qqn** fig to describe sb.

portraitiste nmf portrait painter.

portrait-robot nm Photofit® picture, Identikit® picture.

portuaire adj port (avant nom), harbour (avant nom) (UK), harbor (avant un nom) (US).

portugais, e adj Portuguese. ■ **portugais** nm (langue) Portuguese. ■ **Portugais, e** nm, f Portuguese (person) • **les Portugais** the Portuguese.

> En anglais, les adjectifs se rapportant à un pays ou une région ainsi que le nom désignant la langue de ce pays ou cette région, s'écrivent avec une majuscule.

Portugal nm • **le Portugal** Portugal.

> En anglais, à de rares exceptions près, il n'y a pas d'article devant les noms de pays.

pose nf **1.** (de pierre, moquette) laying **2.** (de papier peint, rideaux) hanging **3.** (position) pose **4.** PHOTO exposure.

posé, e adj sober, steady.

poser vt **1.** (mettre) to put down • **poser qqch sur qqch** to put sthg on sthg **2.** (installer - rideaux, papier peint) to hang ; (- étagère) to put up ; (- moquette, carrelage) to lay **3.** (donner à résoudre - problème, difficulté) to pose • **poser une question** to ask a question • **poser sa candidature a)** to apply **b)** POLIT to stand (UK) ou run (US) for election. □ vi to pose. ■ **se poser** vp **1.** (oiseau, avion) to land **2.** fig (choix, regard) • **se poser sur** to fall on **3.** (question, problème) to arise, to come up.

positif, ive adj positive.

position nf position • **prendre position** fig to take up a position, to take a stand.

positionner vt to position. ■ **se positionner** vp to position o.s.

posologie nf dosage.

posséder vt **1.** (détenir - voiture, maison) to possess, to own ; (- diplôme) to have ; (- capacités, connaissances) to possess, to have **2.** (langue, art) to have mastered **3.** fam (personne) to have.

possesseur nm **1.** (de bien) possessor, owner **2.** (de secret, diplôme) holder.

possessif, ive adj possessive. ■ **possessif** nm GRAMM possessive.

possession nf (gén) possession • **être en ma/ta** etc **possession** to be in my/your etc possession.

possibilité nf **1.** (gén) possibility **2.** (moyen) chance, opportunity.

possible adj possible • c'est/ce n'est pas possible that's possible/impossible • dès que ou aussitôt que possible as soon as possible. ❑ nm • faire tout son possible to do one's utmost, to do everything possible • dans la mesure du possible as far as possible.

postal, e adj postal.

poste nf 1. (service) post (UK), mail (US) • envoyer/recevoir qqch par la poste to send/receive sthg by post 2. (bureau) post office • poste restante poste restante (UK), general delivery (US). ❑ nm 1. (emplacement) post • poste de police police station • poste de contrôle checkpoint 2. (emploi) position, post 3. (appareil) • poste de radio radio • poste de télévision television (set) 4. TÉLÉCOM extension.

poster[1] nm poster.

poster[2] vt 1. (lettre) to post (UK), to mail (US) 2. (sentinelle) to post. ■ se poster vp to position o.s., to station o.s.

postérieur, e adj 1. (date) later, subsequent 2. (membre) hind (avant nom), back (avant nom). ■ postérieur nm fam posterior.

posteriori ■ a posteriori loc adv a posteriori.

postérité nf (générations à venir) posterity.

postface nf postscript.

posthume adj posthumous.

postiche adj false.

postier, ère nm, f post-office worker.

postillon nm (salive) droplet of saliva.

postillonner vi to splutter.

Post-it® nm inv Post-it®, Post-it® note.

post mortem loc adj inv & loc adv post mortem.

postopératoire adj postoperative.

postproduction nf CINÉ & TV postproduction.

post-scriptum nm inv postscript.

postulant, e nm, f (pour emploi) applicant.

postuler vt 1. (emploi) to apply for 2. PHILO to postulate.

posture nf posture • être ou se trouver en mauvaise posture fig to be in a difficult position.

pot nm 1. (récipient) pot, jar 2. (à eau, à lait) jug (UK), pitcher (US) • pot de chambre chamber pot • pot de fleurs flowerpot 3. AUTO • pot catalytique catalytic converter ou converter • pot d'échappement exhaust (pipe) 4. AUTO (silencieux) silencer (UK), muffler (US) 5. fam (boisson) drink • faire un pot to have a drinks party (UK).

potable adj 1. (liquide) drinkable • eau potable drinking water 2. fam (travail) acceptable.

potage nm soup.

potager, ère adj • jardin potager vegetable garden • plante potagère vegetable. ■ potager nm kitchen ou vegetable garden.

potasser vt fam 1. (cours) to swot up (UK), to bone up on (US) 2. (examen) to swot up for (UK), to bone up for (US).

potassium nm potassium.

pot-au-feu nm inv ≃ beef-and-vegetable stew.

pot-de-vin nm bribe.

pote nm fam mate (UK), buddy (US).

poteau nm post • poteau de but goalpost • poteau indicateur signpost • poteau télégraphique telegraph pole (UK), telephone pole (US).

potelé, e adj plump, chubby.

potence nf 1. CONSTR bracket 2. (de pendaison) gallows sing.

potentiel, elle adj potential. ■ potentiel nm potential.

poterie nf 1. (art) pottery 2. (objet) piece of pottery.

potiche nf (vase) vase.

potier, ère nm, f potter.

potin nm fam (bruit) din. ■ potins nmpl fam (ragots) gossip (indén).

potion nf potion.

potiron nm pumpkin.

pot-pourri nm potpourri.

pou nm louse.

poubelle nf 1. dustbin (UK), trashcan (US) 2. INFORM recycle bin.

pouce nm 1. (de main) thumb 2. (de pied) big toe 3. (mesure) inch.

poudre nf powder • prendre la poudre d'escampette fam to make off.

poudreux, euse adj powdery. ■ poudreuse nf powder (snow).

poudrier nm (boîte) powder compact.

poudrière nf 1. powder magazine 2. fig powder keg.

pouf nm pouffe. ❑ interj thud!

pouffer vi • pouffer (de rire) to snigger.

pouilleux, euse adj 1. (personne, animal) flea-ridden 2. (endroit) squalid.

poulailler nm 1. (de ferme) henhouse 2. fam THÉÂTRE gods sing.

poulain nm 1. foal 2. fig protégé.

poule nf 1. ZOOL hen 2. SPORT (compétition) round robin 3. (rugby) (groupe) pool.

poulet nm 1. ZOOL chicken • poulet fermier free-range chicken 2. fam (policier) cop.

pouliche nf filly.

poulie nf pulley.

poulpe nm octopus.

pouls nm pulse.

poumon nm lung.

poupe nf stern.

poupée nf (jouet) doll.

poupon nm 1. (bébé) little baby 2. (jouet) baby doll.

pouponner vi to play mother.

poupponnière *nf* nursery.

pour

■ **pour** *prép*

1. INDIQUE LE DESTINATAIRE
• **il ferait tout pour elle** he would do anything for her • **ce cadeau est pour lui** this gift is for him • **ce n'est pas un film pour les enfants** it is not a film for children *ou* it's not a children's film *ou* this film is not suitable for children

2. INDIQUE LA DESTINATION
• **il part pour l'étranger le mois prochain** he is going abroad next month • **il est parti pour l'Espagne hier** he left for Spain yesterday • **je voudrais un billet pour Nantes** I'd like a ticket to *ou* for Nantes

3. SUIVI D'UN INFINITIF, EXPRIME LE BUT
• **je suis venu pour vous voir** I've come to see you • **elle fait un régime pour maigrir** she's on a diet to get thinner • **j'ai fait ça pour ne pas les déranger** I did that so as not to disturb them

4. POUR DONNER SON POINT DE VUE
• **pour moi, la situation est pire qu'il y a deux ans** for my part *ou* as far as I'm concerned, the situation is worse than two years ago

5. INDIQUE LA CAUSE
• **Roland a été puni pour avoir triché** Roland was punished for cheating *ou* cheated • **pour quelle raison ?** why? *ou* for what reason? • **il est connu pour sa gentillesse** he's known for his kindness • **on l'a félicité pour son élection** he was congratulated on his election

6. INDIQUE LA DURÉE
• **il est absent pour deux jours** he's absent for two days • **le médecin lui a donné un traitement pour six mois** the doctor gave him a six-month treatment

7. INDIQUE UNE DATE LIMITE
• **sa voiture doit être prête pour demain** his car must be ready for tommorow *ou* by tomorrow

8. EN FAVEUR DE
• **je suis pour cette nouvelle mesure** I'm in favour(UK) *ou* favor(US) of this new measure • **ils manifestent pour la paix** they're demonstrating for peace

9. À L'ÉGARD DE
• **j'ai de l'affection pour lui** I'm fond of him

10. INDIQUE UNE PROPORTION
• **il y a trois filles pour deux garçons dans la classe** there are three girls for two boys in the class

11. EN ÉCHANGE DE
• **j'ai eu cette robe pour 15 euros** I got this dress for 15 euros

12. À LA PLACE DE, AU NOM DE
• **peux-tu signer pour moi ?** can you sign for me *ou* in my place? • **il a parlé pour nous tous** he spoke on behalf of all of us *ou* on our behalf *ou* for all of us

■ **pour** *adv*
• **je suis pour !** I'm (all) for it!

■ **pour** *nm*
• **le pour et le contre** the pros and cons *pl*

■ **pour que** *loc conj*
• **ils se sacrifient pour que leurs enfants puissent faire des études** they make sacrifices so that their children can go to university

pourboire *nm* tip • **trois euros de pourboire** a three-euro tip.

pourcentage *nm* percentage.

pourparlers *nmpl* talks.

pourpre *nm & adj* crimson.

pourquoi *adv* why • **pourquoi pas ?** why not? • **c'est pourquoi...** that's why... • **je ne comprends pas pourquoi** I don't understand why. ❑ *nm inv* • **le pourquoi (de)** the reason (for).

pourri,e *adj* **1.** *(fruit)* rotten **2.** *(personne, milieu)* corrupt **3.** *(enfant)* spoiled rotten, ruined.

pourrir *vt* **1.** *(matière, aliment)* to rot, to spoil **2.** *(enfant)* to ruin, to spoil rotten. ❑ *vi* **1.** *(matière)* to rot **2.** *(fruit, aliment)* to go rotten *ou* bad.

pourriture *nf* **1.** *(d'aliment)* rot **2.** *fig (de personne, de milieu)* corruption **3.** *injur (personne)* bastard.

poursuite *nf* **1.** *(de personne)* chase **2.** *(d'argent, de vérité)* pursuit **3.** *(de négociations)* continuation. ■ **poursuites** *nfpl* DR *(legal)* proceedings.

poursuivi,e *pp* → **poursuivre**.

poursuivre *vt* **1.** *(voleur)* to pursue, to chase **2.** *(gibier)* to hunt **3.** *(rêve, vengeance)* to pursue **4.** *(enquête, travail)* to carry on with, to continue **5.** DR *(criminel)* to prosecute **6.** *(voisin)* to sue. ❑ *vi* to go on, to carry on.

pourtant *adv* nevertheless, even so • **et pourtant il avait dit qu'il le ferait** and yet he said that he would do it.

pourtour *nm* perimeter.

pourvoi *nm* DR appeal.

pourvoir *vt* • **pourvoir qqn de** to provide sb with • **pourvoir qqch de** to equip *ou* fit sthg with. ❑ *vi* • **pourvoir à** to provide for.

pourvu,e *pp* → **pourvoir**. ■ **pourvu que** *loc conj* **1.** *(condition)* providing, provided (that) **2.** *(souhait)* let's hope (that).

pousse *nf* **1.** *(croissance)* growth **2.** *(bourgeon)* shoot **3.** ÉCON • **jeune pousse** start-up.

poussé, e *adj* **1.** *(travail)* meticulous **2.** *(moteur)* souped-up.

pousse-café *nm inv fam* liqueur.

poussée *nf* **1.** *(pression)* pressure **2.** *(coup)* push **3.** *(de fièvre, inflation)* rise.

pousse-pousse *nm inv* **1.** *(voiture)* rickshaw **2.** (SUISSE) *(poussette)* pushchair.

pousser *vt* **1.** *(personne, objet)* to push **2.** *(moteur, voiture)* to drive hard **3.** *(recherches, études)* to carry on, to continue **4.** *(cri, soupir)* to give **5.** *(inciter)* • **pousser qqn à faire qqch** to urge sb to do sthg **6.** *(au crime, au suicide)* • **pousser qqn à** to drive sb to. ❑ *vi* **1.** *(exercer une pression)* to push **2.** *(croître)* to grow • **tu te laisses pousser les cheveux ?** are you letting your hair grow?, are you growing your hair? **3.** *fam (exagérer)* to overdo it. ■ **se pousser** *vp* to move up.

poussette *nf* pushchair, stroller (US).

poussière *nf (gén)* dust.

poussiéreux, euse *adj* **1.** *(meuble)* dusty **2.** *fig (organisation)* old-fashioned.

poussif, ive *adj fam* wheezy.

poussin *nm* ZOOL chick. ❑ *nmf* SPORT under-11.

poutre *nf* beam.

poutrelle *nf* girder.

pouvoir *nm* **1.** *(gén)* power • **pouvoir d'achat** purchasing power • **les pouvoirs publics** the authorities **2.** DR proxy, power of attorney. ❑ *vt* **1.** *(avoir la possibilité de, parvenir à)* • **pouvoir faire qqch** to be able to do sthg • **je ne peux pas venir ce soir** I can't come tonight • **pouvez-vous... ?** can you...?, could you...? • **je n'en peux plus a)** *(exaspéré)* I'm at the end of my tether **b)** *(fatigué)* I'm exhausted • **je/tu n'y peux rien** there's nothing I/you can do about it • **tu aurais pu me le dire !** you might have *ou* could have told me! **2.** *(avoir la permission de)* • **je peux prendre la voiture ?** can I borrow the car? • **aucun élève ne peut partir** no pupil may leave **3.** *(indiquant l'éventualité)* • **il peut pleuvoir** it may rain • **vous pourriez rater votre train** you could *ou* might miss your train. ■ **se pouvoir** *v impers* • **il se peut que je me trompe** I may be mistaken • **cela se peut/pourrait bien** that's quite possible.

pragmatique *adj* pragmatic.

Prague *npr* Prague.

praire *nf* clam.

prairie *nf* **1.** meadow **2.** *(aux États-Unis)* prairie.

praline *nf* **1.** *(amande)* sugared almond **2.** (BELGIQUE) *(chocolat)* chocolate.

praliné *nm* si vous voulez expliquer de quoi il s'agit à un anglophone, vous pouvez dire it is an almond-flavoured sponge cake covered with praline.

praticable *adj* **1.** *(route)* passable **2.** *(plan)* feasible, practicable.

praticien, enne *nm, f* **1.** practitioner **2.** MÉD medical practitioner.

pratiquant, e *adj* practising (UK), practicing (US).

pratique *nf* **1.** *(expérience)* practical experience **2.** *(usage)* practice • **mettre qqch en pratique** to put sthg into practice. ❑ *adj* **1.** practical **2.** *(gadget, outil)* handy.

pratiquement *adv* **1.** *(en fait)* in practice **2.** *(quasiment)* practically.

pratiquer *vt* **1.** *(métier)* to practise (UK), to practice (US) **2.** *(sport)* to do **3.** *(jeu de ballon)* to play **4.** *(méthode)* to apply **5.** *(ouverture)* to make. ❑ *vi* RELIG to be a practising (UK) *ou* practicing (US) Christian/Jew/Muslim *etc.* ■ **se pratiquer** *vp* **1.** SPORT to be played **2.** *(politique, tradition)* to be the practice **3.** *(prix)* to apply.

pré *nm* meadow.

préalable *adj* prior, previous. ❑ *nm* precondition. ■ **au préalable** *loc adv* first, beforehand.

préambule *nm* **1.** *(introduction, propos)* preamble • **sans préambule** immediately **2.** *(prélude)* • **préambule de** prelude to.

préau *nm (d'école)* (covered) play area.

préavis *nm inv* advance notice *ou* warning.

précaire *adj (incertain)* precarious.

précariser *vt* to make (sthg) less secure *ou* stable • **précariser l'emploi** to threaten job security • **la crise a précarisé leur situation** the recession has made them more vulnerable.

précaution *nf* **1.** *(prévoyance)* precaution • **par précaution** as a precaution • **prendre des précautions** to take precautions **2.** *(prudence)* caution.

précédent, e *adj* previous. ■ **précédent** *nm* precedent • **sans précédent** unprecedented.

précéder *vt* 1. *(dans le temps - gén)* to precede; *(- sujet : personne)* to arrive before 2. *(marcher devant)* to go in front of 3. *fig (devancer)* to get ahead of.

précepte *nm* precept.

précepteur, trice *nm, f* (private) tutor.

préchauffer *vt* to preheat.

prêcher *vt & vi* to preach.

précieux, euse *adj* 1. *(pierre, métal)* precious 2. *(objet)* valuable 3. *(collaborateur)* invaluable, valued 4. *(style)* precious, affected.

précipice *nm* precipice.

précipitation *nf* 1. *(hâte)* haste 2. CHIM precipitation. ■ **précipitations** *nfpl* MÉTÉOR precipitation *(indén)*.

précipité, e *adj* 1. *(pressé - pas)* hurried; *(- fuite)* headlong 2. *(rapide - respiration)* rapid • **tout cela a été si précipité** it all happened so fast 3. *(hâtif - retour)* hurried, hasty; *(- décision)* hasty, rash. ■ **précipité** *nm* precipitate.

précipiter *vt* 1. *(objet, personne)* to throw, to hurl • **précipiter qqn/qqch du haut de** to throw sb/sthg off, to hurl sb/sthg off 2. *(départ)* to hasten. ■ **se précipiter** *vp* 1. *(se jeter)* to throw o.s., to hurl o.s. 2. *(s'élancer)* • **se précipiter (vers qqn)** to rush *ou* hurry (towards sb) 3. *(s'accélérer - gén)* to speed up; *(- choses, événements)* to move faster.

précis, e *adj* 1. *(exact)* precise, accurate 2. *(fixé)* definite, precise. ■ **précis** *nm* handbook.

précisément *adv* precisely, exactly.

préciser *vt* 1. *(heure, lieu)* to specify 2. *(pensée)* to clarify. ■ **se préciser** *vp* to become clear.

précision *nf* 1. *(de style, d'explication)* precision 2. *(détail)* detail.

précoce *adj* 1. *(plante, fruit)* early 2. *(enfant)* precocious.

préconçu, e *adj* preconceived.

préconiser *vt* to recommend • **préconiser de faire qqch** to recommend doing sthg.

précurseur *nm* precursor, forerunner. ❑ *adj m* precursory.

prédateur, trice *adj* predatory. ❑ *nm, f* predator.

prédécesseur *nm* predecessor.

prédestiner *vt* to predestine • **être prédestiné à qqch/à faire qqch** to be predestined for sthg/to do sthg.

prédicateur, trice *nm, f* preacher.

prédiction *nf* prediction.

prédilection *nf* partiality • **avoir une prédilection pour** to have a partiality *ou* liking for.

prédire *vt* to predict.

prédit, e *pp* → **prédire**.

prédominer *vt* to predominate.

préfabriqué, e *adj* 1. *(maison)* prefabricated 2. *(accusation, sourire)* false. ■ **préfabriqué** *nm* prefabricated material.

préface *nf* preface.

préfectoral, e *adj* prefectorial.

préfecture *nf* prefecture.

préférable *adj* preferable.

préféré, e *adj & nm, f* favourite (UK), favorite (US) • **elle a ses préférés** she has her favourites.

préférence *nf* preference • **de préférence** preferably.

préférentiel, elle *adj* preferential.

préférer *vt* • **préférer qqn/qqch (à)** to prefer sb/sthg (to) • **je préfère rentrer** I would rather go home, I would prefer to go home • **je préfère ça !** I like that better!, I prefer that!

préfet, ète *nm, f* prefect.

préfixe *nm* prefix.

préhistoire *nf* prehistory.

préhistorique *adj* prehistoric.

préinscription *nf* preregistration.

préjudice *nm* harm *(indén)*, detriment *(indén)* • **porter préjudice à qqn** to harm sb.

préjugé *nm* • **préjugé (contre)** prejudice (against) • **avoir des préjugés** to be prejudiced.

prélasser ■ **se prélasser** *vp* to lounge.

prélat *nm* prelate.

prélavage *nm* pre-wash.

prélèvement *nm* 1. MÉD removal 2. *(de sang)* sample 3. FIN deduction • **prélèvement automatique** direct debit (UK) • **prélèvement mensuel** monthly standing order (UK) • **prélèvements obligatoires** tax and social security contributions.

prélever *vt* 1. FIN • **prélever de l'argent (sur)** to deduct money (from) 2. MÉD to remove • **prélever du sang** to take a blood sample.

préliminaire *adj* preliminary. ■ **préliminaires** *nmpl* 1. *(de paix)* preliminary talks 2. *(de discours)* preliminaries.

prématuré, e *adj* premature. ❑ *nm, f* premature baby.

préméditation *nf* premeditation • **avec préméditation a)** *(meurtre)* premeditated **b)** *(agir)* with premeditation.

premier, ère *adj* 1. *(gén)* first 2. *(étage)* first (UK), second (US) 3. *(qualité)* top 4. *(état)* original. ❑ *nm, f* first • **jeune premier** CINÉ leading man. ■ **premier** *nm (étage)* first floor (UK), second floor (US). ■ **première** *nf* 1. CINÉ première 2. THÉÂTRE première, first night 3. *(exploit)* first 4. *(première classe)* first class 5. SCOL ≃ lower sixth year *ou* form (UK); ≃ eleventh grade (US) 6. AUTO first (gear). ■ **premier de l'an** *nm* • **le premier de l'an** New Year's Day. ■ **en premier** *loc adv* first, firstly.

premièrement *adv* first, firstly.

prémolaire *nf* premolar.

prémonition nf premonition.

prémunir vt • **prémunir qqn (contre)** to protect sb (against). ■ **se prémunir** vp to protect o.s. • **se prémunir contre qqch** to guard against sth.

prénatal, e adj **1.** antenatal, prenatal (US) **2.** (allocation) maternity (avant nom).

prendre

■ prendre vt

1. ATTRAPER, SAISIR
• **prends ça, c'est pour toi** take this, it's for you • **il l'a pris dans le placard** he took it out of the cupboard

2. EMPRUNTER, VOLER
• **il m'a pris ma montre** he took my watch off ou away from me • **un voleur lui a pris son sac** a thief has taken ou stolen her bag ou has robbed her of her bag

3. REPAS, BOISSON
• **vous prendrez quelque chose ?** would you like something to eat/drink? • **je prends mon petit déjeuner à 7 h 30** I have breakfast at 7.30

4. ALLER CHERCHER
• **prends du pain en rentrant** get some bread on your way home • **ma mère est passée me prendre à la gare** my mother collected me from ou picked me up at the station • **peux-tu passer me prendre à mon bureau ?** can you call for me at my office?

5. ATTRAPER, SURPRENDRE
• **se faire prendre** to get caught • **le voleur s'est fait prendre** the robber was ou got caught • **je l'ai pris sur le fait** I caught him red-handed ou in the act • **je vous y prends !** caught you!

6. POIDS
• **il a encore pris du poids** he has gained weight again ou put on weight again

7. TEMPS
• **ce travail prend beaucoup de temps mais il est intéressant** this work takes a lot of time but it's interesting • **le voyage a pris des heures** the trip took hours ou ages • **calme-toi ! ça ne prendra pas longtemps** calm down! it won't be long

8. INTERPRÉTER
• **il a très mal pris ma remarque** he took my remark very badly ou he didn't take my remark kindly • **si vous le prenez ainsi, nous ferions mieux de cesser notre discussion** if that's how you want it, we'd better stop our discussion

9. MANIER
• **nous savons le prendre maintenant** we know how to handle ou approach ou get round him now • **il est très agréable mais il faut savoir le prendre** he's very nice but one has to keep on the right side of him • **il n'y a qu'une façon de prendre le problème** there's only one way to deal with the problem ou to tackle the problem ou to go about the problem

■ prendre vi

1. PASSER DE L'ÉTAT LIQUIDE À L'ÉTAT PÂTEUX OU SOLIDE
• **fais attention ! le ciment prend très vite** be careful! the concrete sets very fast

2. PLANTE, GREFFE
• **la bouture a bien pris** the slip has taken well • **la greffe n'a pas pris** the graft didn't take

3. MODE
• **cette mode a pris à Paris** this fashion caught on in Paris

4. FEU, INCENDIE FEU, INCENDIE
• **la maison a pris feu** the house caught on fire • **le feu ne veut pas prendre** the fire won't start

5. SE DIRIGER
• **prends à droite après le cinéma** turn right after the cinema

■ se prendre vp

SE CONSIDÉRER
• **pour qui se prend-il ?** who does he think he is?

■ s'en prendre vp

1. PHYSIQUEMENT
• **s'en prendre à qqn** to set about sb (UK)

2. VERBALEMENT
• **s'en prendre à qqn** to take it out on sb

■ s'y prendre vp

• **je sais comment m'y prendre** I know how to do it ou go about it

prénom nm first name.

prénommer vt to name, to call. ■ **se prénommer** vp to be called.

prénuptial, e adj premarital.

préoccupant, e adj preoccupying.

préoccupation nf preoccupation.

préoccuper vt to preoccupy. ■ **se préoccuper** vp • **se préoccuper de qqch** to be worried about sth.

préparatifs nmpl preparations.

préparation nf preparation.

préparer vt **1.** (gén) to prepare **2.** (plat, repas) to cook, to prepare • **préparer qqn à qqch** to prepare sb for sth **3.** (réserver) • **préparer qqch à qqn** to have sth in store for sb **4.** (congrès) to organize. ■ **se préparer** vp **1.** (personne) • **se**

préparer à qqch/à faire qqch to prepare for sthg/to do sthg **2.** *(tempête)* to be brewing.

prépayer vt to prepay • **'port prépayé'** 'postage paid'.

prépondérant, e adj dominating.

préposé, e nm, f **1.** (minor) official **2.** *(de vestiaire)* attendant **3.** *(facteur)* postman, postwoman f (UK), mailman (US), mail ou letter carrier (US) • **préposé à qqch** person in charge of sthg.

préposition nf preposition.

prépuce nm foreskin.

préretraite nf **1.** early retirement **2.** *(allocation)* early retirement pension.

prérogative nf prerogative.

près adv near, close • **j'habite tout près** I live very nearby. ■ **à ceci près que, à cela près que** loc conj except that, apart from the fact that. ■ **à peu près** loc adv more or less, just about • **il est à peu près cinq heures** it's about five o'clock. ■ **à... près** loc adv • **à dix centimètres près** to within ten centimetres • **il n'en est pas à un ou deux jours près** a day or two more or less won't make any difference. ■ **de près** loc adv closely • **regarder qqch de près** to watch sthg closely. ■ **près de** loc prép **1.** *(dans l'espace)* near, close to **2.** *(dans le temps)* close to **3.** *(presque)* nearly, almost.

présage nm omen.

présager vt **1.** *(annoncer)* to portend **2.** *(prévoir)* to predict.

presbyte nmf longsighted person (UK), farsighted person (US). □ adj longsighted (UK), farsighted (US).

presbytère nm presbytery.

presbytie nf longsightedness (UK), farsightedness (US).

prescription nf **1.** MÉD prescription **2.** DR limitation.

prescrire vt **1.** *(mesures, conditions)* to lay down, to stipulate **2.** MÉD to prescribe.

prescrit, e pp → prescrire.

préséance nf precedence.

présélection nf **1.** preselection **2.** *(pour concours)* making a list of finalists, shortlisting (UK).

présence nf **1.** *(gén)* presence • **en présence** face to face • **en présence de** in the presence of **2.** *(compagnie)* company (indén) **3.** *(assiduité)* attendance • **feuille de présence** attendance sheet. ■ **présence d'esprit** nf presence of mind.

présent, e adj *(gén)* present • **le présent ouvrage** this work • **la présente loi** this law • **avoir qqch présent à l'esprit** to remember sthg. ■ **présent** nm **1.** *(gén)* present • **à présent** at present • **à présent que** now that • **jusqu'à présent** up to now, so far • **dès à présent** right away **2.** GRAMM • **le présent** the present tense.

présentable adj *(d'aspect)* presentable.

présentateur, trice nm, f presenter (UK), anchorman, anchorwoman f.

présentation nf **1.** *(de personne)* • **faire les présentations** to make the introductions **2.** *(aspect extérieur)* appearance **3.** *(de papiers, de produit, de film)* presentation **4.** *(de magazine)* layout.

présenter vt **1.** *(gén)* to present **2.** *(projet)* to present, to submit **3.** *(invité)* to introduce **4.** *(condoléances, félicitations, avantages)* to offer **5.** *(hommages)* to pay • **présenter qqch à qqn** to offer sb sthg. ■ **se présenter** vp **1.** *(se faire connaître)* • **se présenter (à)** to introduce o.s. (to) **2.** *(être candidat)* • **se présenter à** to stand in (UK), to run in (US) • **se présenter aux présidentielles** to run for president **3.** *(examen)* to sit (UK), to take • **se présenter pour un poste** to apply for a job **4.** *(paraître)* to appear **5.** *(occasion, situation)* to arise, to present itself **6.** *(affaire, contrat)* • **se présenter bien/mal** to look good/bad.

présentoir nm display stand.

préservatif nm condom.

préserver vt to preserve. ■ **se préserver** vp • **se préserver de** to protect o.s. from.

présidence nf **1.** *(de groupe)* chairmanship **2.** *(d'État)* presidency.

président, e nm, f **1.** *(d'assemblée)* chairman, chairwoman f **2.** *(d'État)* president • **président de la République** President (of the Republic) of France **3.** DR *(de tribunal)* presiding judge **4.** *(de jury)* foreman, forewoman f. ■ **président-directeur général, présidente-directrice générale** nm, f (Chairman ou Chairwoman and) Managing Director (UK), President and Chief Executive Officer (US).

présider vt **1.** *(réunion)* to chair **2.** *(banquet, dîner)* to preside over. □ vi • **présider à a)** to be in charge of **b)** fig to govern, to preside at.

présomption nf **1.** *(hypothèse)* presumption **2.** DR presumption • **présomption d'innocence** presumption of innocence.

présomptueux, euse adj presumptuous.

presque adv almost, nearly • **on n'a presque pas travaillé aujourd'hui** we hardly did any work today • **presque rien** next to nothing, scarcely anything • **presque jamais** hardly ever.

presqu'île nf peninsula.

pressant, e *adj* pressing.

press-book *nm* portfolio.

presse *nf* 1. *(journaux)* press 2. *(d'imprimerie)* press.

pressé, e *adj* 1. *(travail)* urgent 2. *(personne)* • **être pressé** to be in a hurry 3. *(citron, orange)* freshly squeezed.

presse-agrumes *nm* electric (orange or lemon) squeezer.

presse-citron *nm inv* lemon squeezer.

presse-fruits *nm* juicer.

pressentiment *nm* premonition.

pressentir *vt (événement)* to have a premonition of.

presse-papiers *nm inv* paperweight.

presser *vt* 1. *(écraser -olives)* to press ; *(-citron, orange)* to squeeze 2. *(bouton)* to press, to push 3. *sout (harceler)* • **presser qqn de faire qqch** to press sb to do sthg 4. *(faire se hâter)* • **presser le pas** to speed up, to walk faster. ■ **se presser** *vp* 1. *(se dépêcher)* to hurry (up) 2. *(s'agglutiner)* • **se presser (autour de)** to crowd (around) 3. *(se serrer)* to huddle.

pressing *nm (établissement)* dry cleaner's.

pression *nf* 1. *(gén)* pressure • **exercer une pression sur qqch** to exert pressure on sthg • **sous pression a)** *fig (liquide)* under pressure **b)** *(cabine)* pressurized 2. *(sur vêtement)* press stud (UK), popper (UK), snap fastener (US) 3. *(bière)* draught (UK) *ou* draft (US) beer.

pressoir *nm* 1. *(machine)* press 2. *(lieu)* press house.

pressurer *vt* 1. *(objet)* to press, to squeeze 2. *fig (contribuable)* to squeeze.

prestance *nf* bearing • **avoir de la prestance** to have presence.

prestataire *nmf* 1. *(bénéficiaire)* person in receipt of benefit, claimant 2. *(fournisseur)* provider • **prestataire de service** service provider.

prestation *nf* 1. *(allocation)* benefit (UK) • **prestation en nature** payment in kind 2. *(de comédien)* performance.

preste *adj littéraire* nimble.

prestidigitateur, trice *nm, f* conjurer.

prestige *nm* prestige.

prestigieux, euse *adj (réputé)* prestigious.

présumer *vt* to presume, to assume • **être présumé coupable/innocent** to be presumed guilty/innocent. ❑ *vi* • **présumer de qqch** to overestimate sthg.

prêt, e *adj* ready • **prêt à qqch/à faire qqch** ready for sthg/to do sthg • **prêts ? partez !** *SPORT* get set, go!, ready, steady, go! (UK). ■ **prêt** *nm* 1. *(action)* lending *(indén)* 2. *(somme)* loan • **prêt bancaire** bank loan.

prêt-à-porter *nm* ready-to-wear clothing *(indén)*.

prétendant, e *nm, f (au trône)* pretender.

prétendre *vt* 1. *(affecter)* • **prétendre faire qqch** to claim to do sthg 2. *(affirmer)* • **prétendre que** to claim (that), to maintain (that).

prétendu, e *pp* → **prétendre**. ❑ *adj (avant nom)* so-called.

prête-nom *nm* front man.

prétentieux, euse *adj* pretentious.

prétention *nf* 1. *(suffisance)* pretentiousness 2. *(ambition)* pretension, ambition • **avoir la prétention de faire qqch** to claim *ou* pretend to do sthg. ■ **prétentions** *nfpl* 1. *(exigences)* claims • **avoir des prétentions sur un héritage/une propriété** to lay claim to an inheritance/a property 2. *(financières)* • **prétentions (de salaire)** expected salary, target earnings • **vos prétentions sont trop élevées** you're asking for too high a salary • **envoyez une lettre spécifiant vos prétentions** send a letter specifying your salary expectations.

prêter *vt* 1. *(fournir)* • **prêter qqch (à qqn) a)** *(objet, argent)* to lend (sb) sthg **b)** *fig (concours, appui)* to lend (sb) sthg, to give (sb) sthg 2. *(attribuer)* • **prêter qqch à qqn** to attribute sthg to sb. ■ **se prêter** *vp* • **se prêter à a)** *(participer à)* to go along with **b)** *(convenir à)* to fit, to suit.

prétérit *nm* preterite.

prêteur, euse nm,f • **prêteur sur gages** pawnbroker.

prétexte nm pretext, excuse • **sous prétexte de faire qqch/que** on the pretext of doing sthg/that, under the pretext of doing sthg/that • **sous aucun prétexte** on no account.

prétexter vt to give as an excuse.

prétimbré, e adj prepaid.

prêtre nm priest.

preuve nf **1.** (gén) proof **2.** DR evidence **3.** (témoignage) sign, token • **faire preuve de qqch** to show sthg • **faire ses preuves** to prove o.s./itself.

prévaloir vi (dominer) • **prévaloir (sur)** to prevail (over). ■ **se prévaloir** vp • **se prévaloir de** to boast about.

prévalu pp inv → prévaloir.

prévenance nf (attitude) thoughtfulness, consideration.

prévenant, e adj considerate, attentive.

prévenir vt **1.** (employé, élève) • **prévenir qqn (de)** to warn sb (about) **2.** (police) to inform **3.** (désirs) to anticipate **4.** (maladie) to prevent.

préventif, ive adj **1.** (mesure, médecine) preventive **2.** DR • **être en détention préventive** to be on remand.

prévention nf **1.** (protection) • **prévention (contre)** prevention (of) • **prévention routière** road safety (measures) **2.** DR remand.

prévenu, e pp → prévenir. ❏ nm,f accused, defendant.

prévision nf **1.** forecast, prediction • **les prévisions météorologiques** the weather forecast **2.** (de coûts) estimate **3.** ÉCON forecast. ■ **en prévision de** loc prép in anticipation of.

prévoir vt **1.** (s'attendre à) to expect **2.** (prédire) to predict **3.** (anticiper) to foresee, to anticipate **4.** (programmer) to plan • **comme prévu** as planned, according to plan.

prévoyant, e adj provident.

prévu, e pp → prévoir.

prier vt **1.** RELIG to pray to **2.** (implorer) to beg • **(ne pas) se faire prier (pour faire qqch)** (not) to need to be persuaded (to do sthg) • **je vous en prie a)** (de grâce) please, I beg you **b)** (de rien) don't mention it, not at all **3.** (demander) • **prier qqn de faire qqch** to request sb to do sthg. ❏ vi RELIG to pray.

prière nf **1.** (RELIG - recueillement) prayer (indén), praying (indén) ; (-formule) prayer **2.** (demande) entreaty • **prière de frapper avant d'entrer** please knock before entering.

primaire adj **1.** (premier) • **études primaires** primary education (indén) **2.** péj (primitif) limited.

primate nm **1.** ZOOL primate **2.** fam (brute) gorilla.

prime nf **1.** (d'employé) bonus • **prime d'intéressement** profit-related bonus **2.** (allocation - de

déménagement, de transport) allowance (UK) ; (-à l'exportation) incentive **3.** (d'assurance) premium. ❏ adj **1.** (premier) • **de prime abord** at first glance • **de prime jeunesse** in the first flush of youth **2.** MATH prime.

primer vi to take precedence, to come first. ❏ vt **1.** (être supérieur à) to take precedence over **2.** (récompenser) to award a prize to • **le film a été primé au festival** the film won an award at the festival.

prime time nm TV prime time • **une émission diffusée en prime time** a programme broadcast in prime time.

primeur nf immediacy • **avoir la primeur de qqch** to be the first to hear sthg. ■ **primeurs** nfpl early produce (indén).

primevère nf primrose.

primitif, ive adj **1.** (gén) primitive **2.** (aspect) original. ❏ nm,f primitive.

primo adv firstly.

primo-accédant, e nm,f first-time buyer.

primordial, e adj essential.

prince nm prince • **le prince de Galles** the Prince of Wales • **le Prince Charmant** Prince Charming.

princesse nf princess.

princier, ère adj princely.

principal, e adj (gén) main, principal. ■ **principal** nm (important) • **le principal** the main thing. • **principal, e** nm,f SCOL headmaster, headmistress f (UK), principal (US).

principalement adv mainly, principally.

principauté nf principality.

principe nm principle • **par principe** on principle. ■ **en principe** loc adv theoretically, in principle.

printanier, ère adj (temps) spring-like.

printemps nm (saison) spring • **au printemps** in spring, in the spring **2.** litt (année) • **avoir 20 printemps** to be 20.

prion nm BIOL & MÉD prion.

priori ■ a priori loc adv in principle. ❏ nm inv initial reaction.

prioritaire adj **1.** (industrie, mesure) priority (avant nom) **2.** AUTO with right of way.

priorité nf **1.** (importance primordiale) priority • **en priorité** first • **donner ou accorder la priorité à qqch** to prioritize sthg, to give priority to sthg **2.** AUTO right of way • **priorité à droite** give way to the right.

pris, e pp → prendre. ❏ adj **1.** (place) taken **2.** (personne) busy **3.** (mains) full **4.** (nez) blocked **5.** (gorge) sore. ■ **prise** nf **1.** (sur barre, sur branche) grip, hold • **lâcher prise a)** to let go **b)** fig to give up **2.** (action de prendre - ville) seizure, capture • **prise en charge - par Sécurité sociale)** (guaranteed) reimbursement • **prise d'otages** hostage taking • **prise de sang** blood test • **prise de**

vue shot • **prise de vue** *ou* **vues** -action) filming, shooting **3.** *(à la pêche)* haul **4.** ÉLECTR • **prise (de courant)** a) *(mâle)* plug b) *(femelle)* socket **5.** *(de judo)* hold.

prisme *nm* prism.

prison *nf* **1.** *(établissement)* prison, jail **2.** *(réclusion)* imprisonment.

prisonnier, ère *nm, f* prisoner • **faire qqn prisonnier** to take sb prisoner, to capture sb. ❑ *adj* **1.** imprisoned **2.** *fig* trapped.

privation *nf* deprivation. ■ **privations** *nfpl* privations, hardships.

privatisation *nf* privatization.

privatiser *vt* to privatize.

privé, e *adj* private. ■ **privé** *nm* **1.** ÉCON private sector **2.** *(détective)* private eye **3.** *(intimité)* • **en privé** in private • **dans le privé** in private life.

priver *vt* • **priver qqn (de)** to deprive sb (of).

privilège *nm* privilege.

privilégié, e *adj* **1.** *(personne)* privileged **2.** *(climat, site)* favoured (UK), favored (US). ❑ *nm, f* privileged person.

privilégier *vt* to favour (UK), to favor (US).

prix *nm* **1.** *(coût)* price • **à aucun prix** on no account • **hors de prix** too expensive • **à moitié prix** at half price • **à tout prix** at all costs • **y mettre le prix** to pay a lot • **prix de revient** cost price **2.** *(importance)* value **3.** *(récompense)* prize • **prix Goncourt** *si vous voulez expliquer à un anglophone de quoi il s'agit, vous pouvez dire it is the most prestigious French literary prize. It is awarded annually.*

probabilité *nf* **1.** *(chance)* probability **2.** *(vraisemblance)* probability, likelihood • **selon toute probabilité** in all probability.

probable *adj* probable, likely • **il est probable qu'il pleuvra** it's likely to rain, it will probably rain.

probablement *adv* probably.

probant, e *adj* convincing, conclusive.

probité *nf* integrity.

problème *nm* problem • **sans problème !, (il n'y a) pas de problème !** *fam* no problem! • **ça ne lui pose aucun problème** *hum* that doesn't worry him/her.

procédé *nm* **1.** *(méthode)* process **2.** *(conduite)* behaviour *(indén)* (UK), behavior *(indén)* (US).

procéder *vi* **1.** *(agir)* to proceed **2.** *(exécuter)* • **procéder à qqch** to set about sthg.

procédure *nf* **1.** procedure **2.** *(démarche)* proceedings *pl*.

procédurier, ère *adj* quibbling. ❑ *nm, f* quibbler.

procès *nm* DR trial • **intenter un procès à qqn** to sue sb.

processeur *nm* processor.

procession *nf* procession.

processus *nm* process.

procès-verbal *nm* **1.** *(contravention - gén)* ticket ; *(- pour stationnement interdit)* parking ticket **2.** *(compte-rendu)* minutes.

prochain, e *adj* **1.** *(suivant)* next • **à la prochaine !** *fam* see you! **2.** *(imminent)* impending. ■ **prochain** *nm* *(semblable)* fellow man.

prochainement *adv* soon, shortly.

proche *adj* **1.** *(dans l'espace)* near • **proche de** a) near, close to b) *(semblable à)* very similar to, closely related to **2.** *(dans le temps)* imminent, near • **dans un proche avenir** in the immediate future **3.** *(ami, parent)* close. ■ **proches** *nmpl* • **les proches** close friends and relatives *sing*. ■ **de proche en proche** *loc adv* gradually.

Proche-Orient *nm* • **le Proche-Orient** the Near East.

proclamation *nf* proclamation.

proclamer *vt* to proclaim, to declare.

procréer *vt littéraire* to procreate.

procuration *nf* proxy • **par procuration** by proxy.

procurer *vt* • **procurer qqch à qqn** a) *(sujet : personne)* to obtain sthg for sb b) *(sujet : chose)* to give *ou* bring sb sthg. ■ **se procurer** *vp* • **se procurer qqch** to obtain sthg.

procureur *nmf* • **Procureur de la République** public prosecutor.

prodige *nm* **1.** *(miracle)* miracle **2.** *(tour de force)* marvel, wonder **3.** *(génie)* prodigy.

prodigieux, euse *adj* fantastic, incredible.

prodigue *adj* *(dépensier)* extravagant.

prodiguer *vt littéraire (soins, amitié)* • **prodiguer qqch (à)** to lavish sthg (on).

producteur, trice *nm, f* **1.** *(gén)* producer **2.** AGRIC producer, grower. ❑ *adj* • **producteur de pétrole** oil-producing *(avant nom)*.

productif, ive *adj* productive.

production *nf* **1.** *(gén)* production • **la production littéraire d'un pays** the literature of a country **2.** *(producteurs)* producers *pl*.

productivité *nf* productivity.

produire *vt* **1.** *(gén)* to produce **2.** *(provoquer)* to cause. ■ **se produire** *vp* **1.** *(arriver)* to occur, to take place **2.** *(acteur, chanteur)* to appear.

produit, e *pp* → **produire**. ■ **produit** *nm* *(gén)* product • **produits alimentaires** foodstuffs, foods • **produit de beauté** cosmetic, beauty product • **produits chimiques** chemicals • **produits d'entretien** cleaning products • **produit financier** financial product • **produit de grande consommation** mass consumption product • **produit intérieur brut/net** gross/net domestic product.

proéminent, e *adj* prominent.

prof *nmf fam* teacher.

profane *nmf* **1.** *(non religieux)* non-believer **2.** *(novice)* layman. ❑ *adj* **1.** *(laïc)* secular **2.** *(ignorant)* ignorant.

profaner vt 1. *(église)* to desecrate 2. *fig (mémoire)* to defile.

proférer vt to utter.

professeur, e nm, f 1. *(gén)* teacher 2. *(dans l'enseignement supérieur)* lecturer 3. *(titulaire)* professor.

profession nf 1. *(métier)* occupation • **sans profession** unemployed 2. *(corps de métier - libéral)* profession • **profession libérale** (liberal) profession • **être en profession libérale** to work in a liberal profession ; *(-manuel)* trade.

professionnel, elle adj 1. *(gén)* professional 2. *(école)* technical 3. *(enseignement)* vocational. ❏ nm, f professional.

professorat nm teaching.

profil nm 1. *(de personne, d'emploi)* profile 2. *(de bâtiment)* outline • **de profil a)** *(visage, corps)* in profile **b)** *(objet)* from the side 3. *(coupe)* section 4. INFORM • **profil (utilisateur)** (user) profil.

profiler vt to shape, to profile. ■ **se profiler** vp 1. *(bâtiment, arbre)* to stand out 2. *(solution)* to emerge.

profileur, euse nm, f profiler.

profit nm 1. *(avantage)* benefit • **au profit de** in aid of • **tirer profit de** to profit from, to benefit from 2. *(gain)* profit.

profitable adj profitable • **être profitable à qqn** to benefit sb, to be beneficial to sb.

profiter vi *(tirer avantage)* • **en profiter** to make the most of it. ■ **profiter de** v + prép 1. *(financièrement)* to profit from • **tous n'ont pas profité de l'expansion** not everybody gained by the expansion 2. *(jouir de)* to enjoy • **vivement Noël que je puisse profiter de mes petits-enfants !** fam I can't wait for Christmas so as I can be with my grandchildren! 3. *(tirer parti de)* to take advantage of • **profiter du soleil** to make the most of the sun • **profiter du beau temps pour aller se promener** to take advantage of the good weather to go for a walk • **il profite de ce qu'elle est absente** he's taking advantage of the fact that she's away • **profiter de la situation** to take advantage of the situation • **comme j'avais un deuxième billet, j'en ai fait profiter ma copine** since I had a second ticket, I took my girlfriend along 4. *(exploiter)* to exploit, to take advantage of, to use • **elle a profité de nous tant qu'elle a pu** she exploited us as long as she could • **tu profites de moi, c'est tout !** you're taking advantage of me ou using me, that's all!

profond, e adj 1. *(gén)* deep 2. *(pensée)* deep, profound.

profondément adv 1. *(enfoui)* deep 2. *(intensément - aimer, intéresser)* deeply ; *(- dormir)* soundly • **être profondément endormi** to be fast asleep 3. *(extrêmement - convaincu, ému)* deeply, profoundly ; *(- différent)* profoundly.

profondeur nf depth • **en profondeur** in depth.

profusion nf • **une profusion de** a profusion of • **à profusion** in abundance, in profusion.

progéniture nf offspring.

programmable adj programmable.

programmateur, trice nm, f programme (UK) ou program (US) planner. ■ **programmateur** nm automatic control unit.

programmation nf 1. INFORM programming 2. RADIO & TV programme (UK) ou program (US) planning.

programme nm 1. *(gén)* programme (UK), program (US) 2. INFORM program 3. *(planning)* schedule 4. SCOL syllabus.

programmer vt 1. *(organiser)* to plan 2. RADIO & TV to schedule 3. INFORM to program.

programmeur, euse nm, f INFORM (computer) programmer.

progrès nm progress *(indén)* • **faire des progrès** to make progress.

progrès

Attention ! Le mot **progress** est indénombrable. Il ne s'emploie jamais ni au pluriel ni avec l'article indéfini **a** :

• *Ils ont fait des progrès certains.* **They've made considerable progress.**

• *Considérez-vous cela comme un progrès ?* **Do you consider this to be a sign of progress?**

progresser vi 1. *(avancer)* to progress, to advance 2. *(maladie)* to spread 3. *(élève)* to make progress.

progressif, ive adj 1. progressive 2. *(difficulté)* increasing.

progression nf 1. *(avancée)* advance 2. *(de maladie, du nationalisme)* spread.

prohiber vt to ban, to prohibit.

prohibitif, ive adj 1. *(dissuasif)* prohibitive 2. DR prohibitory.

proie nf prey • **être la proie de qqch** fig to be the victim of sthg • **être en proie à** *(sentiment)* to be prey to • **un oiseau de proie** a bird of prey.

projecteur nm 1. *(de lumière)* floodlight 2. THÉÂTRE spotlight 3. *(d'images)* projector.

projectile nm missile.

projection nf 1. *(gén)* projection 2. *(jet)* throwing.

projectionniste nmf projectionist.

projet nm 1. *(perspective)* plan 2. *(étude, ébauche)* draft • **projet de loi** bill.

projeter vt 1. *(envisager)* to plan • **projeter de faire qqch** to plan to do sthg 2. *(missile, pierre)* to throw 3. *(film, diapositives)* to show.

prolétaire nmf & adj proletarian.

prolétariat nm proletariat.

proliférer vi to proliferate.

prolifique adj prolific.

prologue nm prologue.

prolongation nf (extension) extension, pro-longation. ■ **prolongations** nfpl SPORT extra time (indén) (UK), overtime (US) • **jouer les prolongations** to go into extra time.

prolongement nm (de mur, quai) extension • **être dans le prolongement de** to be a continu-ation of. ■ **prolongements** nmpl (conséquences) repercussions.

prolonger vt **1.** (dans le temps) • **prolonger qqch (de)** to prolong sthg (by) **2.** (dans l'espace) • **pro-longer qqch (de)** to extend sthg (by).

promenade nf **1.** (balade) walk, stroll **2.** fig trip, excursion • **promenade en voiture** drive • **promenade à vélo** (bike) ride • **faire une pro-menade** to go for a walk **3.** (lieu) promenade.

promener vt **1.** (personne, chien) to take out (for a walk) **2.** (en voiture) to take for a drive **3.** fig (regard, doigts) • **promener qqch sur** to run sthg over. ■ **se promener** vp to go for a walk.

promesse nf **1.** (serment) promise • **tenir sa promesse** to keep one's promise **2.** (engage-ment) undertaking • **promesse d'achat/de vente** DR agreement to purchase/to sell **3.** fig (espérance) • **être plein de promesses** to be very promising.

faire une promesse

• **It's a promise!** C'est promis !
• **You can count on me.** Tu peux compter sur moi.
• **I'll see to it.** Je vais m'en occuper.
• **No problem. It's OK.** Pas de problème, ça marche.

prometteur, euse adj promising.

promettre vt to promise • **promettre qqch à qqn** to promise sb sthg • **promettre de faire qqch** to promise to do sthg • **promettre à qqn que** to promise sb that. ❏ vi to be promising • **ça promet !** iron that bodes well!

promettre à

• promettre qqch à qqn **promise sthg to sb** ou **promise sb sthg**

Il faut noter la construction à double complément qui, en anglais, peut prendre deux formes dont le sens est le même :
1. une structure identique à celle du fran-çais : verbe + COD + préposition + COI **promise sthg to sb**
2. une structure qui diffère de celle du français, sans préposition, et dans laquelle l'ordre des compléments est inversé : verbe + COI + COD **promise sb sthg**

• Il a promis monts et merveilles à sa femme. **He promised the moon to his wife** ou **He promised his wife the moon.**

promis, e pp → promettre. ❏ adj promised. ❏ nm, f hum intended.

promiscuité nf overcrowding • **promiscuité sexuelle** (sexual) promiscuity.

promo nf fam **1.** MIL, SCOL & UNIV year (UK), class (US) **2.** COMM special offer.

promontoire nm promontory.

promoteur, trice nm, f **1.** (novateur) instigator **2.** (constructeur) property developer.

promotion nf **1.** (gén) promotion • **en promo-tion** (produit) on special offer **2.** MIL & SCOL year.

promouvoir vt to promote.

prompt, e adj sout • **prompt (à faire qqch)** swift (to do sthg).

promulguer vt to promulgate.

prôner vt sout to advocate.

pronom nm pronoun.

pronominal, e adj pronominal.

prononcé, e adj marked.

prononcer vt **1.** DR & LING to pronounce **2.** (dire) to utter. ■ **se prononcer** vp **1.** (se dire) to be pronounced **2.** (trancher - assemblée) to decide, to reach a decision ; (- magistrat) to deliver a verdict • **se prononcer sur** to give one's opinion of.

prononciation nf **1.** LING pronunciation **2.** DR pronouncement.

pronostic nm **1.** (gén pl) (prévision) forecast **2.** MÉD prognosis.

propagande nf **1.** (endoctrinement) propaganda **2.** fig & hum (publicité) • **faire de la propagande pour qqch** to plug sthg.

propager vt to spread. ■ **se propager** vp **1.** to spread **2.** BIOL to be propagated **3.** PHYS to propagate.

propane nm propane.

prophète, prophétesse nm, f prophet, prophetess f.

prophétie nf prophecy.

prophétiser vt to prophesy.

propice adj favourable (UK), favorable (US).

proportion nf proportion • **toutes propor-tions gardées** relatively speaking.

proportionné, e adj • **bien/mal proportionné** well-/badly-proportioned.

proportionnel, elle adj • **proportionnel (à)** proportional (to). ■ **proportionnelle** nf • **la proportionnelle** proportional representation.

propos nm **1.** (discours) talk **2.** (but) intention • **c'est à quel propos ?** what is it about? • **hors de propos** at the wrong time. ❏ nmpl (paroles) talk (indén), words • **tenir des propos racistes** to say racist things. ■ **à propos** loc adv **1.** (oppor-tunément) at (just) the right time **2.** (au fait) by the way. ■ **à propos de** loc prép about.

proposer vt **1.** (offrir) to offer, to propose • **proposer qqch à qqn** to offer sb sthg, to of-fer sthg to sb • **proposer à qqn de faire qqch**

to offer to do sthg for sb **2.** *(suggérer)* to suggest, to propose • **proposer de faire qqch** to suggest ou propose doing sthg **3.** *(loi, candidat)* to propose.

proposer

FAUX AMIS

Le verbe *to propose* possède différents sens : *proposer, suggérer, avoir l'intention de,* ou encore *demander en mariage* dans l'expression *to propose to.* *Proposer* se traduira par *to suggest, to offer* ou *to propose* selon les cas : *Je propose que nous allions tous boire un verre.* **I propose that we all go for a drink.** *Je propose qu'on aille au cinéma.* **I suggest going to the cinema.**

proposer à

À PROPOS DE

• *proposer qqch à qqn* **offer sthg to sb** ou **offer sb sthg**
Il faut noter la construction à double complément qui, en anglais, peut prendre deux formes dont le sens est le même :
1. une structure identique à celle du français : verbe + COD + préposition + COI
offer sthg to sb
2. une structure qui diffère de celle du français, sans préposition, et dans laquelle l'ordre des compléments est inversé : verbe + COI + COD **offer sb sthg**
• *Ils ont proposé un poste plutôt intéressant à Pierre.* **They offered quite an interesting job to Pierre** ou **They offered Pierre quite an interesting job.**

proposition nf **1.** *(offre)* offer, proposal **2.** *(suggestion)* suggestion, proposal **3.** GRAMM clause.

faire une proposition

S'EXPRIMER

• *Why don't we all go the cinema* (UK) ou *movies* (US) *together?* Je propose que nous allions tous ensemble au cinéma.
• *Do you feel like going to a restaurant?* As-tu/Avez-vous envie d'aller au restaurant ?
• *What about going for a swim?* Et si on allait nager ?
• *Would you like to go to the museum?* Voudrais-tu/Voudriez-vous aller au musée ?

propre adj **1.** *(nettoyé)* clean **2.** *(soigné)* neat, tidy **3.** *(éduqué - enfant)* toilet-trained ; *(- animal)* house-trained (UK), housebroken (US) **4.** *(personnel)* own **5.** *(particulier)* • **propre à** peculiar to **6.** *(de nature)* • **propre à faire qqch** capable of doing sthg. ❏ nm *(propreté)* cleanness, cleanliness • **recopier qqch au propre** to make a fair copy of sthg, to copy sthg up. ■ **au propre** loc adv LING literally.

proprement adv **1.** *(convenablement - habillé)* neatly, tidily ; *(- se tenir)* correctly **2.** *(véritablement)* completely • **à proprement parler** strictly ou properly speaking • **l'événement proprement dit** the event itself, the actual event.

propreté nf cleanness, cleanliness.

propriétaire nmf **1.** *(possesseur)* owner • **propriétaire terrien** landowner **2.** *(dans l'immobilier)* landlord.

propriété nf **1.** *(gén)* property • **propriété privée** private property **2.** *(droit)* ownership **3.** *(terres)* property *(indén)* **4.** *(convenance)* suitability **5.** *(qualité)* property, characteristic, feature.

propulser vt litt &fig to propel. ■ **se propulser** vp **1.** to move forward, to propel o.s. forward ou along **2.** fig to shoot.

prorata ■ **au prorata de** loc prép in proportion to.

prosaïque adj prosaic, mundane.

proscrit, e adj *(interdit)* banned, prohibited.

prose nf prose • **en prose** in prose.

prospecter vt **1.** *(pays, région)* to prospect **2.** COMM to canvass.

prospection nf **1.** *(de ressources)* prospecting **2.** COMM canvassing.

prospectus nm *(advertising)* leaflet.

prospère adj **1.** *(commerce)* prosperous **2.** *(santé)* blooming.

prospérer vi **1.** to prosper, to thrive **2.** *(plante, insecte)* to thrive.

prospérité nf **1.** *(richesse)* prosperity **2.** *(bien-être)* well-being.

prostate nf prostate (gland).

prosterner ■ **se prosterner** vp to bow down • **se prosterner devant a)** to bow down before **b)** fig to kowtow to.

prostituée nf prostitute.

prostituer ■ **se prostituer** vp to prostitute o.s.

prostitution nf prostitution.

prostré, e adj prostrate.

protagoniste nmf protagonist, hero, heroine f.

protecteur, trice adj protective. ❏ nm, f **1.** *(défenseur)* protector **2.** *(des arts)* patron. ❏ nm *(souteneur)* pimp.

protection nf **1.** *(défense)* protection • **prendre qqn sous sa protection** to take sb under one's wing **2.** *(des arts)* patronage **3.** • **protection sociale** social welfare.

protectionnisme nm protectionism.

protégé, e adj protected. ❏ nm, f protégé.

protège-cahier nm exercise book cover (US), notebook cover (US).

protège-poignets nm inv wrist guard, wrist protector.

protéger vt *(gén)* to protect.

protège-slip *nm* panty liner.

protéine *nf* protein • **protéineC-réactive** *MÉD* C-reactive protein.

protestant, e *adj & nm, f* Protestant • **il est protestant** he is a Protestant • **les protestants** Protestants.

protestantisme *nm* Protestantism.

> En anglais, les adjectifs et les noms se rapportant à une religion s'écrivent avec une majuscule.

protestation *nf (contestation)* protest.

protester *vi* to protest • **protester contre qqch** to protest against sthg, to protest sthg (US).

prothèse *nf* prosthesis • **prothèse dentaire** dentures *(pl)*, false teeth *pl*.

protide *nm* protein.

protocolaire *adj (poli)* conforming to etiquette.

protocole *nm* protocol.

proton *nm* proton.

prototype *nm* prototype.

protubérance *nf* bulge, protuberance.

proue *nf* bows *pl*, prow.

prouesse *nf* feat.

prouver *vt* 1. *(établir)* to prove 2. *(montrer)* to demonstrate, to show.

provenance *nf* origin • **en provenance de** from.

provençal, e *adj (de Provence)* of/from Provence. ■ **provençal** *nm (langue)* Provençal. ■ **à la provençale** *loc adv CULIN* provençale.

Provence *nf* • **la Provence** Provence • **herbes de Provence** ≃ mixed herbs.

provenir *vi* • **provenir de a)** to come from **b)** *fig* to be due to, to be caused by.

proverbe *nm* proverb.

proverbial, e *adj* proverbial.

providence *nf* providence.

providentiel, elle *adj* providential.

province *nf* 1. *(gén)* province 2. *(campagne)* provinces *pl*.

provincial, e *adj & nm, f* provincial.

proviseur *nm* ≃ head (UK); ≃ headteacher (UK); ≃ headmaster, headmistress *f* (UK); ≃ principal (US).

proviseure *nf (directrice)* headmistress.

provision *nf* 1. *(réserve)* stock, supply 2. *FIN* retainer. ■ **provisions** *nfpl* provisions.

provisoire *adj* 1. temporary 2. *DR* provisional. ❑ *nm* • **ce n'est que du provisoire** it's only a temporary arrangement.

provocant, e *adj* provocative.

provocation *nf* provocation.

provoquer *vt* 1. *(entraîner)* to cause 2. *(personne)* to provoke 3. *(réaction, explosion, changement)* to cause.

proxénète *nm* pimp.

proximité *nf (de lieu)* proximity, nearness • **à proximité de** near. ■ **de proximité** *loc adj* 1. *TECHNOL* proximity 2. *(de quartier)* • **commerces de proximité** local shops • **police de proximité** community policing • **élu de proximité a)** *(de la communauté)* local councillor, local representative **b)** *(faisant valoir ses liens avec la communauté)* local man *ou* woman • **médias de proximité** locals *ou* community media.

prude *adj littéraire* prudish.

prudence *nf* care, caution.

prudent, e *adj* careful, cautious • **sois prudent !** be careful!

prune *nf* plum.

pruneau *nm (fruit)* prune.

prunelle *nf ANAT* pupil.

prunier *nm* plum tree.

PS¹ (abrév de Parti socialiste) *nm* French Socialist Party.

PS², P-S (abrév de post-scriptum) *nm* PS.

psalmodier *vt* 1. to chant 2. *fig & littéraire* to drone. ❑ *vi* to drone.

psaume *nm* psalm.

pseudonyme *nm* pseudonym.

psy *fam nmf* (abrév de psychiatre) shrink.

psychanalyse *nf* psychoanalysis • **faire une psychanalyse** to be in analysis.

psychanalyste *nmf* psychoanalyst, analyst.

psyché *nf* cheval glass.

psychédélique *adj* psychedelic.

psychiatre *nmf* psychiatrist.

psychiatrie *nf* psychiatry.

psychique *adj* 1. psychic 2. *(maladie)* psychosomatic.

psychologie *nf* psychology.

psychologique *adj* psychological.

psychologue *nmf* psychologist. ❑ *adj* psychological.

psychose *nf* 1. *MÉD* psychosis 2. *(crainte)* obsessive fear.

psychosomatique *adj* psychosomatic.

psychothérapeute *nmf* psychotherapist.

psychothérapie *nf* psychotherapy.

Pte abrév de **porte**, abrév de **pointe**.

puant, e *adj* 1. *(fétide)* smelly, stinking 2. *fam & fig (personne)* bumptious, full of oneself.

puanteur *nf* stink, stench.

pub¹ *nf fam* 1. ad, advert (UK) 2. *(métier)* advertising.

pub² *nm* pub.

pubère *adj* pubescent.

puberté *nf* puberty.

pubis *nm (zone)* pubis.

public, ique *adj* 1. *(gén)* public 2. *(de l'état)* • **les écoles publiques** state schools (UK), public schools (US). ■ **public** *nm* 1. *(auditoire)* audience • **en public** in public 2. *(population)* public.

publication nf publication.

publicitaire adj **1.** (campagne) advertising (avant nom) **2.** (vente, film) promotional.

publicité nf **1.** (domaine) advertising • **publicité comparative** comparative advertising • **publicité mensongère** misleading advertising, deceptive advertising **2.** (réclame) advertisement, advert (UK) **3.** (autour d'une affaire) publicity (indén).

publier vt **1.** (livre) to publish **2.** (communiqué) to issue, to release.

publireportage nm free write-up (UK), special advertising section (US).

puce nf **1.** (insecte) flea **2.** INFORM (silicon) chip **3.** fig (terme affectueux) pet, love. ■ **puces** nfpl • **les puces** flea market sing.

puceau, elle nm, f & adj fam virgin.

pudeur nf **1.** (physique) modesty, decency **2.** (morale) restraint.

pudibond, e adj prudish, prim and proper.

pudique adj **1.** (physiquement) modest, decent **2.** (moralement) restrained.

puer vi to stink • **ça pue ici !** it stinks in here! ❏ vt to reek of, to stink of.

puéricultrice nf nursery nurse.

puériculture nf childcare.

puéril, e adj childish.

Puerto Rico = Porto Rico.

pugilat nm fight.

puis adv then • **et puis** (d'ailleurs) and moreover ou besides.

puiser vt (liquide) to draw • **puiser qqch dans qqch** fig to draw ou take sthg from sthg.

puisque conj (gén) since.

puissance nf power. ■ **en puissance** loc adj potential.

puissant, e adj powerful. ■ **puissant** nm • **les puissants** the powerful.

puisse, puisses etc → **pouvoir**.

puits nm **1.** (d'eau) well **2.** (de gisement) shaft • **puits de pétrole** oil well.

pull, pull-over nm jumper (UK), sweater.

pulluler vi to swarm.

pulmonaire adj lung (avant nom), pulmonary.

pulpe nf pulp.

pulpeux, euse adj **1.** (fruit) pulpy **2.** (jus) containing pulp **3.** fig (femme) curvaceous.

pulsation nf beat, beating (indén).

pulsion nf impulse.

pulvérisation nf **1.** (d'insecticide) spraying **2.** MÉD spray **3.** MÉD (traitement) spraying.

pulvériser vt **1.** (projeter) to spray **2.** (détruire) to pulverize **3.** fig to smash.

puma nm puma.

punaise nf **1.** (insecte) bug **2.** (clou) drawing pin (UK), thumbtack (US).

punch nm punch.

punching-ball nm punchball (UK), punching bag (US).

puni, e adj punished.

punir vt • **punir qqn (de)** to punish sb (with).

punition nf punishment.

pupille nf ANAT pupil. ❏ nmf (orphelin) ward • **pupille de l'État** ≃ child in care (UK) • **pupille de la Nation** war orphan (in care).

pupitre nm **1.** (d'orateur) lectern **2.** MUS stand **3.** TECHNOL console **4.** (d'écolier) desk.

pur, e adj **1.** (gén) pure **2.** fig (absolu) pure, sheer • **pur et simple** pure and simple **3.** fig (intention) honourable (UK), honorable (US) **4.** (lignes) pure, clean.

purée nf purée • **purée de pommes de terre** mashed potatoes pl.

purement adv purely • **purement et simplement** purely and simply.

pureté nf **1.** (gén) purity **2.** (de sculpture, de diamant) perfection **3.** (d'intention) honourableness (UK), honorableness (US).

purgatoire nm purgatory.

purge nf **1.** MÉD & POLIT purge **2.** (de radiateur) bleeding.

purger vt **1.** MÉD & POLIT to purge **2.** (radiateur) to bleed **3.** (peine) to serve.

purifier vt to purify.

purin nm slurry.

puritain, e adj (pudibond) puritanical. ❏ nm, f **1.** (prude) puritan **2.** RELIG Puritan.

puritanisme nm **1.** puritanism **2.** RELIG Puritanism.

En anglais, les adjectifs et les noms se rapportant à une religion s'écrivent avec une majuscule.

pur-sang nm inv thoroughbred.

purulent, e adj purulent.

pus nm pus.

pusillanime adj litt pusillanimous.

putain vulg nf **1.** péj (prostituée) whore **2.** péj (femme facile) tart, slag (UK).

pute nf vulg injur (prostituée) whore.

putréfier ■ **se putréfier** vp to putrefy, to rot.

putsch nm uprising, coup.

puzzle nm jigsaw (puzzle).

P-V nm abrév de procès-verbal.

pyjama nm pyjamas pl (UK), pajamas pl (US) • **un pyjama** (a pair of) pyjamas (UK), pajamas pl (US).

pylône nm pylon.

pyramide nf pyramid • **la Pyramide du Louvre** the Louvre pyramid.

Pyrénées nfpl • **les Pyrénées** the Pyrenees.

Pyrex® nm Pyrex®.

pyromane nmf **1.** arsonist **2.** MÉD pyromaniac.

python nm python.

Q

q, Q *nm inv (lettre)* q, Q.

QCM *(abrév de questionnaire à choix multiple) nm* multiple choice questionnaire.

QG *(abrév de quartier général) nm* HQ.

QI *(abrév de quotient intellectuel) nm* IQ.

qqch *(abrév de quelque chose)* sthg.

qqn *(abrév de quelqu'un)* s.o., sb.

qu' = que.

quad *nm* **1.** *(moto)* four-wheel motor-bike, quad bike **2.** *(rollers)* roller skate.

quadra *nm* fortysomething, babyboomer.

quadragénaire *nmf* forty year old.

quadrilatère *nm* quadrilateral.

quadrillage *nm* **1.** *(de papier, de tissu)* criss-cross pattern **2.** *(policier)* combing.

quadrillé, e *adj* squared, cross-ruled.

quadriller *vt* **1.** *(papier)* to mark with squares **2.** *(ville - sujet : rues)* to criss-cross ; *(- sujet : police)* to comb.

quadrimoteur *nm* four-engined plane.

quadrupède *nm & adj* quadruped.

quadruple *nm & adj* quadruple.

quadruplés *nmf pl* quadruplets, quads.

quai *nm* **1.** *(de gare)* platform **2.** *(de port)* quay, wharf **3.** *(de rivière)* embankment.

qualifiant, e *adj (formation, stage)* leading to a qualification.

qualificatif, ive *adj* qualifying. ▪ **qualificatif** *nm* term.

qualification *nf (gén)* qualification.

qualifier *vt* **1.** *(gén)* to qualify • **être qualifié pour qqch/pour faire qqch** to be qualified for sthg/to do sthg **2.** *(caractériser)* • **qualifier qqn/qqch de qqch** to describe sb/sthg as sthg, to call sb/sthg sthg. ▪ **se qualifier** *vp* to qualify.

qualitatif, ive *adj* qualitative.

qualité *nf* **1.** *(gén)* quality • **de bonne/mauvaise qualité** of good/poor quality • **de première qualité** top-quality, first-rate **2.** *(condition)* position, capacity.

quand *conj (lorsque, alors que)* when • **quand tu le verras, demande-lui de me téléphoner** when you see him, ask him to phone me. ❑ *adv interr* when • **quand arriveras-tu ?** when will you arrive? • **jusqu'à quand restez-vous ?** how long are you staying for? ■ **quand bien même** *loc conj sout* even though, even if. ■ **quand même** *loc adv* all the same • **je pense qu'il ne viendra pas, mais je l'inviterai quand même** I don't think he'll come but I'll invite him all the same • **tu pourrais faire attention quand même !** you might at least be careful! ❑ *interj* • **quand même, à son âge !** really, at his/her age!

À PROPOS DE

quand

Lorsque la proposition subordonnée est au futur en français, elle est au présent en anglais.

• *Quand tu auras fini, nous pourrons partir.* **When you're through with it, we can go.**

• *Tu pourras voter, quand tu auras 18 ans.* **You'll be able to vote when you're eighteen.**

quant ■ **quant à** *loc prép* as for.

quantifier *vt* to quantify.

quantitatif, ive *adj* quantitative.

quantité *nf* **1.** *(mesure)* quantity, amount **2.** *(abondance)* • **(une) quantité de** a great many, a lot of • **en quantité** in large numbers • **des exemplaires en quantité** a large number of copies.

quarantaine *nf* **1.** *(nombre)* • **une quarantaine de** about forty **2.** *(âge)* • **avoir la quarantaine** to be in one's forties **3.** *(isolement)* quarantine.

quarante *adj num inv & nm* forty. Voir aussi **six**.

quarantième *adj num inv, nm & nmf* fortieth. Voir aussi **sixième**.

quart *nm* **1.** *(fraction)* quarter • **deux heures moins le quart** (a) quarter to two, (a) quarter of two (US) • **deux heures et quart** (a) quarter past two, (a) quarter after two (US) • **il est moins le quart** it's (a) quarter to, it's a quarter of (US) • **un quart de** a quarter of • **un quart**

d'heure a quarter of an hour **2.** NAUT watch **3.** SPORT • **quart de finale** quarterfinal.

quarté nm si vous voulez expliquer de quoi il s'agit à un anglophone, vous pouvez dire it is a system of betting involving the first four horses in a race.

quartette nm jazz quartet.

quartier nm **1.** (de ville) area, district • **les beaux quartiers** the smart areas • **le quartier latin** the Latin quarter **2.** (de fruit) piece **3.** (de viande) quarter **4.** (héraldique, de lune) quarter **5.** (gén pl) MIL quarters pl • **quartier général** headquarters pl **6.** (partie d'une prison) wing.

quartier-maître nmf leading seaman m, seawoman f.

quart-monde nm • **le quart-monde** the Fourth World.

quartz nm quartz • **montre à quartz** quartz watch.

quasi adv almost, nearly.

quasi- préf near • **quasi-collision** near collision.

quasiment adv fam almost, nearly.

quaternaire adj **1.** GÉOL Quaternary • **ère quaternaire** Quaternary era **2.** CHIM & MATH quaternary. ❏ nm GÉOL Quaternary (period).

quatorze adj num inv & nm fourteen. Voir aussi **six**.

quatorzième adj num inv, nm & nmf fourteenth. Voir aussi **sixième**.

quatrain nm quatrain.

quatre adj num inv four • **monter l'escalier quatre à quatre** to take the stairs four at a time • **se mettre en quatre pour qqn** fam to bend over backwards for sb. ❏ nm four. Voir aussi **six**.

quatre-heures, quatre heures nm inv fam afternoon snack.

quatre-quarts nm inv pound cake.

quatre-vingt = quatre-vingts.

quatre-vingt-dix adj num inv & nm ninety. Voir aussi **six**.

quatre-vingt-dixième adj num inv, nm & nmf ninetieth. Voir aussi **sixième**.

quatre-vingtième adj num inv, nm & nmf eightieth. Voir aussi **sixième**.

quatre-vingts, quatre-vingt adj num inv & nm eighty. Voir aussi **six**.

quatrième adj num inv, nm & nmf fourth. ❏ nf SCOL ≃ third year ou form (UK) ; ≃ eighth grade (US). Voir aussi **sixième**.

quatuor nm quartet.

que

■ **que** conj

1. INTRODUIT UNE SUBORDONNÉE
• **il a dit qu'il viendrait** he said (that) he'd come • **il veut que tu viennes** he wants you to come

2. EXPRIME UNE ALTERNATIVE
• **que vous le vouliez ou non, vous allez devoir m'aider** whether you like it or not, you'll have to help me • **qu'elle parte ou qu'elle reste, ça m'est égal** whether she leaves or stays ou she can leave or stay, it's all the same to me

3. REPREND UNE AUTRE CONJONCTION
• **s'il fait beau et que nous avons le temps, nous irons à la plage** if the weather is good and we have time, we'll go to the beach

4. EXPRIME UN ORDRE, UN SOUHAIT
• **qu'il entre !** let him come in! • **que tout le monde sorte !** everybody out! • **qu'il me laisse tranquille !** I wish he'd leave me alone!

5. APRÈS UN PRÉSENTATIF
• **voilà/voici que ça recommence !** here we go again!

6. DANS UNE COMPARAISON
• **elle est plus jeune que moi** she's younger than I (am) ou than me • **il est moins beau que son frère** he's less handsome than his brother • **elle a la même robe que moi** she has the same dress as I do ou as me • **ma cousine est aussi grande que son père** my cousin is as tall as her father

7. POUR EXPRIMER UNE RESTRICTION
• **je n'ai qu'une sœur** I've only got one sister

■ **que** pron rel

• **le livre qu'il m'a prêté est très intéressant** the book (which ou that) he lent me is very interesting • **la femme que j'aime est devant moi** the woman (whom ou that) I love is in front of me

■ **que** pron interr

• **que savez-vous au juste ?** what exactly do you know? • **que faire ?** what can I/we/ one do? • **je me demande que faire** I wonder what I should do

■ **que** adv excl

• **qu'elle est belle !** how beautiful she is! • **que de monde !** what a lot of people!

■ **c'est que** loc conj

• **s'il insiste autant, c'est que ça doit être important** if he is insisting so much then it must be important

■ **qu'est-ce que** pron interr

• **qu'est-ce que tu veux encore ?** what else do you want?

■ **qu'est-ce qui** pron interr

• **qu'est-ce qui se passe ?** what's going on?

que

La conjonction *que* ou *qu'* introduisant une subordonnée se traduit par *that* ou ne se traduit pas.

Notez la structure dans les exemples suivants avec des verbes de souhait ou de volonté (*want*, *like*, etc.).

Si *que* représente une personne, il se traduit par *that* ou *whom* ou bien il ne se traduit pas.

Si *que* représente une chose, il se traduit par *which* ou *that* ou bien il ne se traduit pas.

Québec *nm* (*province*) • le Québec Quebec.

québécois, e *adj* Quebec (*avant nom*). ■ **québécois** *nm* (*langue*) Quebec French. ■ **Québécois, e** *nm, f* Quebecker, Québecois.

En anglais, les adjectifs se rapportant à un pays ou une région ainsi que le nom désignant la langue de ce pays ou cette région, s'écrivent avec une majuscule.

quel, quelle *adj interr* **1.** (*personne*) which • quel homme ? which man? **2.** (*chose*) what, which • quel livre voulez-vous ? what *ou* which book do you want? • de quel côté es-tu ? what *ou* which side are you on? • je ne sais quels sont ses projets I don't know what his plans are • quelle heure est-il ? what time is it?, what's the time? ❑ *adj excl* • quel idiot ! what an idiot! • quelle honte ! the shame of it! ❑ *adj indéf* • quel que (+ *subjonctif*) a) (*chose, animal*) whatever b) (*personne*) whoever • il se baigne, quel que soit le temps he goes swimming whatever the weather • il refuse de voir les nouveaux arrivants, quels qu'ils soient he refuses to see new arrivals, whoever they may be. ❑ *pron interr* which (one) • de vous trois, quel est le plus jeune ? which (one) of you three is the youngest?

quel

Dans les exclamations où l'accent est mis sur le nom, avec ou sans adjectif, on emploie *what* (*What nice friends you've got!* Quels amis sympathiques tu as !). Avec un nom dénombrable au singulier, *what* est suivi de *a* ou *an* (*What a great dress!* Quelle robe superbe ou *What a hero!* Quel héros). Avec un nom non dénombrable, il n'y a pas d'article (*What awful luck!* Quelle chance incroyable !).

On emploie '*which*' plutôt que '*what*' ou '*who*' lorsqu'on se réfère à un choix entre des choses ou des personnes bien précises.

quelconque *adj* **1.** (*n'importe lequel*) any • donner un prétexte quelconque to give any old excuse • si pour une raison quelconque... if for any reason... • une quelconque observation some remark or other **2.** (*après un nom*) (*banal*) ordinary, mediocre.

quelque

■ **quelque** *adj indéf*

1. AU SINGULIER, INDIQUE UNE DURÉE, UNE QUANTITÉ, UN DEGRÉ INDÉTERMINÉS, GÉNÉRALEMENT FAIBLES

• pendant quelque temps for a while • il habite à quelque distance de là he lives some way *ou* some distance (from there) • son attitude a suscité quelque étonnement his attitude caused some surprise

2. AU PLURIEL, INDIQUE UN PETIT NOMBRE

• j'ai quelques lettres à écrire I have some *ou* a few letters to write • mon frère ne peut rester que quelques jours my brother can only stay a few days • vous n'avez pas quelques livres à me montrer ? don't you have any books to show me? • je dois lui rendre les quelques 30 euros qu'il m'a prêtés I must give him back the 30 euros or so (that) he lent me

3. APRÈS UN NOM DE NOMBRE, INDIQUE UNE ADDITION PEU IMPORTANTE

• il est midi et quelques it's just after midday • ce livre coûte 20 euros et quelques this book costs some *ou* about 20 euros

■ **quelque** *adv*

INDIQUE UNE APPROXIMATION

• il y a quelque trente ans some thirty years ago • elle a investi quelque 2 000 euros she invested some 2, 000 euros

quelque chose *pron indéf* something • quelque chose de différent something different • quelque chose d'autre something else • tu veux boire quelque chose ? do you want something *ou* anything to drink? • apporter un petit quelque chose à qqn to give sb a little something • c'est quelque chose ! (*ton admiratif*) it's really something! • cela m'a fait quelque chose I really felt it.

quelque chose

Dans les questions, on peut employer *something* si l'on s'attend à une réponse affirmative (*Did you have something hot for dinner?* Avez-vous mangé quelque chose de chaud au dîner). Si ce n'est pas le cas, on le remplace par *anything* (*Did she tell you anything about her new job?* Est-ce qu'elle vous a dit quelque chose sur son nouveau travail ?).

quelquefois adv sometimes, occasionally • **je vais quelquefois à la piscine avec mon frère** I sometimes go to the swimming pool with my brother.

quelque part adv somewhere, someplace (US) • **l'as-tu vu quelque part ?** did you see him anywhere ou anyplace (US)?, have you seen him anywhere ou anyplace (US)?

quelques-uns, quelques-unes pron indéf some, a few • **quelques-uns d'entre eux ont refusé** some of them refused.

quelqu'un pron indéf m someone, somebody • **c'est quelqu'un d'ouvert/d'intelligent** he's/she's a frank/an intelligent person.

A PROPOS DE **quelqu'un**

Dans les questions, on peut employer *someone* ou *somebody* si l'on s'attend à une réponse affirmative (*are you going to the dance with someone/somebody nice?*). Si ce n'est pas le cas on les remplace par *anyone* ou *anybody* (*is anyone/anybody there?*).

quémander vt to beg for • **quémander qqch à qqn** to beg sb for sthg.

qu'en-dira-t-on nm inv fam tittle-tattle.

quenelle nf quenelle (oval fish or meat dumpling).

querelle nf quarrel.

quereller ■ **se quereller** vp • **se quereller (avec)** to quarrel (with).

querelleur, euse adj quarrelsome.

qu'est-ce que → **que**.

qu'est-ce qui → **que**.

question nf question • **poser une question à qqn** to ask sb a question • **il est question de faire qqch** it's a question ou matter of doing sthg • **il n'en est pas question** there is no question of it • **remettre qqn/qqch en question** to question sb/sthg, to challenge sb/sthg • **question subsidiaire** tiebreaker.

lexique des questions

Qui ?	Who?
Quel ?	What?/Which?
Où est/sont ?	Where is/are?
Pourquoi ?	Why?
Combien de temps ?	How long?
Quand ?	When?

questionnaire nm questionnaire.

questionner vt to question.

quête nf **1.** sout (d'objet, de personne) quest • **se mettre en quête de** to go in search of **2.** (d'aumône) • **faire la quête** to take a collection.

quêter vi to collect. ❑ vt fig to seek, to look for.

quetsche nf **1.** (fruit) variety of plum **2.** (eau-de-vie) si vous voulez expliquer de quoi il s'agit à un anglophone, vous pouvez dire it is a type of plum brandy.

queue nf **1.** (d'animal) tail • **faire une queue de poisson à qqn** AUTO to cut in front of sb **2.** (de fruit) stalk **3.** (de poêle) handle **4.** (de liste, de classe) bottom **5.** (de file, peloton) rear **6.** (file) queue (UK), line (US) • **faire la queue** to queue (UK), to stand in line (US) • **à la queue leu leu** in single file.

queue-de-cheval nf ponytail.

queue-de-pie nf fam tails pl.

qui

■ qui pron rel

1. SUJET

• **l'homme qui parle est allemand** the man who's talking is German • **le chien qui aboie n'est pas dangereux** the barking dog, the dog which ou that is barking is not dangerous • **je l'ai vu qui passait** I saw him pass

2. COMPLÉMENT D'OBJET DIRECT

• **tu vois qui je veux dire** you see who I mean • **invite qui tu veux** invite whoever ou anyone you like

3. COMPLÉMENT D'OBJET INDIRECT

• **la personne à qui je parle est étrange** the person I'm talking to ou the person to whom I'm talking is strange

4. INDÉFINI

• **qui que tu sois** whoever you are • **qui que ce soit** whoever it may be • **viendra qui voudra** whoever wants to come • **amenez qui vous voulez** bring along whoever you like ou anyone you like

■ qui pron interr

1. SUJET

• **qui es-tu ?** who are you? • **je voudrais savoir qui est là** I would like to know who's there

2. COMPLÉMENT D'OBJET DIRECT

• **qui demandez-vous ?** who do you want to see? • **dites-moi qui vous demandez** tell me who you want to see

3. COMPLÉMENT D'OBJET INDIRECT

• **à qui vas-tu le donner ?** who are you going to give it to?, to whom are you going to give it?

■ ce qui pron rel

• **il m'a raconté ce qui s'est passé** he told me what happened

■ n'importe qui pron indéf

• **n'importe qui pourrait le faire** anyone could do it

qui

À PROPOS DE

Dans la langue soutenue, il existe une forme particulière de *who*, qui remplit la fonction de complément d'objet : il s'agit de *whom* (**whom** *did you see?*). **Whom** n'est jamais utilisé en tant que sujet ; c'est *who* qui remplit cette fonction (**who** *saw you?*).

Whom peut être accompagné d'une préposition mais son utilisation dépend de l'ordre des mots dans la phrase. On peut par exemple rendre la phrase **Whom** *were you arguing* with? plus familière en disant **Who** *were you arguing* with? *Avec qui te disputais-tu ?* En revanche, si la préposition (**with** dans notre exemple) se place en tout début de phrase, il faut obligatoirement utiliser *whom* (**With whom** *were you arguing?*).

Voir aussi *whom* dans la partie anglais-français du dictionnaire.

'**Whom**' appartient à la langue écrite ou soutenue ; dans la langue courante *qui* ne se traduit pas.

quiche *nf* quiche • **quiche lorraine** quiche lorraine.

quiconque *pron indéf* anyone, anybody • **le sais mieux que quiconque** I know it better than anybody. ❑ *pron indéf sout* anyone who, whoever • **quiconque voudra participer devra payer dix euros** whoever wants to take part will have to pay ten euros.

quidam *nm fam* chap (UK), guy (US).

quiétude *nf* tranquillity (UK), tranquility (US).

quignon *nm fam* hunk.

quille *nf (de bateau)* keel. ■ **quilles** *nfpl (jeu)* • **(jeu de) quilles** skittles *(indén).*

quincaillerie *nf* **1.** *(magasin)* ironmonger's (shop) (UK), hardware shop **2.** *fam & fig (bijoux)* jewellery (UK), jewelry (US).

quinconce *nm* • **en quinconce** in a staggered arrangement.

quinine *nf* quinine.

quinoa *nm* quinoa.

quinqua *nmf* fiftysomething.

quinquagénaire *nmf* fifty year old.

quinquennal, e *adj* **1.** *(plan)* five-year *(avant nom)* **2.** *(élection)* five-yearly.

quinquennat *nm* five-year period of office, quinquennium, lustrum.

quintal *nm* quintal.

quinte *nf* MUS fifth. ■ **quinte de toux** *nf* coughing fit.

quintette *nm* quintet.

quintuple *nm & adj* quintuple.

quinzaine *nf* **1.** *(nombre)* fifteen (or so) • **une quinzaine de** about fifteen • **une quinzaine de jours** two weeks, a fortnight (UK) **2.** *(deux semaines)* fortnight (UK), two weeks *pl.*

quinze *adj num inv* fifteen • **dans quinze jours** in a fortnight (UK), in two weeks. ❑ *nm (chiffre)* fifteen. Voir aussi **six**.

quinzième *adj num inv, nm & nmf* fifteenth. Voir aussi **sixième**.

quiproquo *nm* misunderstanding.

quittance *nf* receipt.

quitte *adj* quits • **en être quitte pour qqch/pour faire qqch** to get off with sthg/doing sthg • **quitte à faire qqch** even if it means doing sthg.

quitter *vt* **1.** *(gén)* to leave • **ne quittez pas !** *(au téléphone)* hold the line, please! **2.** *(fonctions)* to give up **3.** INFORM to exit. ■ **se quitter** *vp* to part.

qui-vive *nm inv* • **être sur le qui-vive** to be on the alert.

quiz *nm* quiz.

quoi *pron rel (après une prép)* • **ce à quoi je me suis intéressé** what I was interested in • **c'est en quoi vous avez tort** that's where you're wrong • **après quoi** after which • **avoir de quoi vivre** to have enough to live on • **avez-vous de quoi écrire ?** have you got something to write with? • **merci — il n'y a pas de quoi** thank you — don't mention it. ❑ *pron interr* what • **à quoi penses-tu ?** what are you thinking about? • **je ne sais pas quoi dire** I don't know what to say • **à quoi bon ?** what's the point *ou* use? • **quoi de neuf ?** what's new? • **décide-toi, quoi !** *fam* make your mind up, will you? • **tu viens ou quoi ?** *fam* are you coming or what? ■ **quoi que** *loc conj* (+ *subjonctif*) whatever • **quoi qu'il arrive** whatever happens • **quoi qu'il dise** whatever he says • **quoi qu'il en soit** be that as it may.

quoique *conj* although, though.

quolibet *nm* jeer, taunt.

quota *nm* quota.

quotidien, enne *adj* daily. ■ **quotidien** *nm* **1.** *(routine)* daily life • **au quotidien** on a day-to-day basis **2.** *(journal)* daily (newspaper).

quotient *nm* quotient • **quotient intellectuel** intelligence quotient.

R

r¹, R nm inv (lettre) r, R.

r² abrév de **rue**.

rabâcher vi fam to harp on. ❏ vt fam to go over (and over).

rabais nm reduction, discount • **au rabais a)** péj (artiste) third-rate **b)** (travailler) for a pittance.

rabaisser vt 1. (réduire) to reduce 2. (orgueil) to humble 3. (personne) to belittle. ■ se rabaisser vp 1. (se déprécier) to belittle o.s. 2. (s'humilier) • se rabaisser à faire qqch to demean o.s. by doing sthg.

rabat nm (partie rabattue) flap.

rabat-joie nm inv killjoy. ❏ adj inv • être rabat-joie to be a killjoy.

rabattable adj (siège) folding.

rabattre vt 1. (col) to turn down 2. (siège) to tilt back 3. (couvercle) to shut 4. (gibier) to drive. ■ se rabattre vp 1. (siège) to tilt back 2. (couvercle) to shut 3. (voiture, coureur) to cut in 4. (se contenter) • se rabattre sur to fall back on.

rabattu, e pp → rabattre.

rabbin nm rabbi.

râble nm 1. (de lapin) back 2. CULIN saddle.

râblé, e adj stocky.

rabot nm plane.

raboter vt to plane.

rabougri, e adj 1. (plante) stunted 2. fam (personne) shrivelled, wizened.

rabrouer vt to snub.

racaille nf péj riffraff.

raccommodage nm mending.

raccommoder vt 1. (vêtement) to mend 2. fam & fig (personnes) to reconcile, to get back together. ■ se raccommoder vp (personnes) to make up • ils se sont enfin raccommodés they made it up at last.

raccompagner vt (jusqu'au domicile) to see home, to take home • je te raccompagne jusqu'au bout de la rue I'll walk you to the end of the street.

raccord nm 1. (liaison) join 2. (pièce) connector, coupling 3. CINÉ link.

raccordement nm connection, linking.

raccorder vt • raccorder qqch (à) to connect sthg (to), to join sthg (to). ■ se raccorder vp • se raccorder à a) to be connected to b) fig (faits) to tie in with.

raccourci nm shortcut • raccourci clavier keyboard shortcut.

raccourcir vt to shorten. ❏ vi to grow shorter.

raccrocher vt to hang back up. ❏ vi (au téléphone) • raccrocher (au nez de qqn) to hang up (on sb), to put the phone down (on sb). ■ se raccrocher vp • se raccrocher à to cling to, to hang on to.

À PROPOS DE

finir une conversation téléphonique

On achève couramment une conversation formelle par *Thanks for calling merci pour votre appel* et par *Speak to you soon à bientôt* en privé ou par *Lots of love* quand vous dites au revoir à vos amis ou proches.

race nf 1. (humaine) race 2. (animale) breed • **de race a)** pedigree **b)** (cheval) thoroughbred.

racé, e adj 1. (animal) purebred 2. (voiture) of distinction.

rachat nm 1. (transaction) repurchase 2. fig (de péchés) atonement.

racheter vt 1. (acheter en plus - gén) to buy another ; (- pain, lait) to buy some more 2. (acheter d'occasion) to buy 3. (acheter après avoir vendu) to buy back 4. (péché, faute) to atone for 5. fig (défaut, lapsus) to make up for 6. (prisonnier) to ransom 7. (honneur) to redeem 8. COMM (société) to buy out. ■ se racheter vp fig to redeem o.s.

rachitique adj suffering from rickets.

racial, e adj racial.

racine nf 1. root 2. (de nez) base • racine carrée/cubique MATH square/cube root.

racisme nm racism.

raciste nmf & adj racist.

racket nm racket.

racketter *vt* • **racketter qqn** to subject sb to a protection racket.

raclée *nf fam* hiding, thrashing • **mettre une raclée à qqn** to thrash sb.

racler *vt* to scrape. ■ **se racler** *vp* • **se racler la gorge** to clear one's throat.

raclette *nf* CULIN raclette.

racoler *vt fam & péj* **1.** *(sujet: commerçant)* to tout for **2.** *(sujet: prostituée)* to solicit.

racoleur, euse *adj fam & péj* **1.** *(air, sourire)* come-hither **2.** *(publicité)* strident.

racontar *nm fam & péj* piece of gossip. ■ **racontars** *nmpl fam & péj* tittle-tattle (indén).

raconter *vt* **1.** *(histoire)* to tell, to relate **2.** *(événement)* to relate, to tell about • **raconter qqch à qqn** to tell sb sthg, to relate sthg to sb **3.** *(ragot, mensonge)* to tell • **qu'est-ce que tu racontes ?** what are you (going) on about?

radar *nm* radar.

rade *nf* (natural) harbour (UK) *ou* harbor (US).

radeau *nm (embarcation)* raft.

radiateur *nm* radiator.

radiation *nf* **1.** PHYS radiation **2.** *(de liste, du barreau)* striking off.

radical, e *adj* radical. ■ **radical** *nm* **1.** *(gén)* radical **2.** LING stem.

radier *vt* to strike off.

radieux, euse *adj* **1.** radiant **2.** *(soleil)* dazzling.

radin, e *fam & péj adj* stingy. ❑ *nm, f* skinflint.

radio *nf* **1.** *(station, poste)* radio • **à la radio** on the radio • **radio locale** *ou* **privée** *ou* **libre** independent local radio station • **radio numérique** digital radio **2.** MÉD • **passer une radio** to have an X-ray, to be X-rayed. ❑ *nm* radio operator.

radioactif, ive *adj* radioactive.

radioactivité *nf* radioactivity.

radiodiffuser *vt* to broadcast.

radiographie *nf* **1.** *(technique)* radiography **2.** *(image)* X-ray.

radiologue, radiologiste *nmf* radiologist.

radioréveil, radio-réveil *nm* radio alarm, clock radio.

radiotélévisé, e *adj* broadcast on both radio and television.

radis *nm* radish.

radium *nm* radium.

radius *nm* radius.

radoter *vi* to ramble.

radoucir *vt* to soften. ■ **se radoucir** *vp* **1.** *(temps)* to become milder **2.** *(personne)* to calm down.

radoucissement *nm* **1.** *(d'attitude)* softening **2.** *(de température)* rise • **un radoucissement du temps** a spell of milder weather.

rafale *nf* **1.** *(de vent)* gust • **en rafales** in gusts *ou* bursts **2.** *(de coups de feu, d'applaudissements)* burst.

raffermir *vt* **1.** *(muscle)* to firm up **2.** *fig (pouvoir)* to strengthen.

raffermissant, e *adj (crème)* firming.

raffinage *nm* refining.

raffiné, e *adj* refined.

raffinement *nm* refinement.

raffiner *vt* to refine.

raffinerie *nf* refinery.

raffoler *vi* • **raffoler de qqn/qqch** to adore sb/sthg.

raffut *nm fam* row, racket.

rafistoler *vt fam* to patch up.

rafle *nf* raid.

rafler *vt* to swipe.

rafraîchir *vt* **1.** *(nourriture, vin)* to chill, to cool **2.** *(air)* to cool **3.** *(vêtement, appartement)* to smarten up **4.** *fig (mémoire, idées)* to refresh **5.** *(connaissances)* to brush up **6.** INFORM to refresh **7.** *(navigateur)* to reload. ■ **se rafraîchir** *vp* **1.** *(se refroidir)* to cool (down) **2.** *(en buvant)* to have a drink.

rafraîchissant, e *adj* refreshing.

rafraîchissement *nm* **1.** *(de climat)* cooling **2.** *(boisson)* cold drink.

rafting *nm* whitewater rafting • **faire du rafting** to go whitewater rafting.

ragaillardir *vt fam* to buck up, to perk up.

rage *nf* **1.** *(fureur)* rage • **faire rage** *(tempête)* to rage **2.** *(maladie)* rabies (indén). ■ **rage de dents** *nf* (raging) toothache.

rageant, e *adj fam* infuriating.

rager *vi fam* to fume.

rageur, euse *adj* bad-tempered.

raglan *adj inv* raglan *(avant nom)*.

ragot *nm (gén pl) fam* (malicious) rumour (UK) *ou* rumor (US), tittle-tattle (indén).

ragoût *nm* stew.

rai *nm littéraire (de soleil)* ray.

raid *nm* AÉRON, FIN & MIL raid • **raid aérien** air raid.

raide *adj* **1.** *(cheveux)* straight **2.** *(tendu - corde)* taut ; *(- membre, cou)* stiff **3.** *(pente)* steep **4.** *(personne - attitude physique)* stiff, starchy ; *(- caractère)* inflexible **5.** *fam (histoire)* hard to swallow, far-fetched **6.** *fam (chanson)* rude, blue **7.** *fam (sans le sou)* broke. ❑ *adv* **1.** *(abruptement)* steeply **2.** *(locution)* • **tomber raide mort** to fall down dead.

raideur *nf* **1.** *(de membre)* stiffness **2.** *(de personne - attitude physique)* stiffness, starchiness ; *(- caractère)* inflexibility.

raidillon *nm* steep (section of) road.

raidir *vt* **1.** *(muscle)* to tense **2.** *(corde)* to tighten, to tauten. ■ **se raidir** *vp* **1.** *(se contracter)* to grow stiff, to stiffen **2.** *fig (résister)* • **se raidir contre** to steel o.s. against.

raie *nf* **1.** *(rayure)* stripe • **un tee-shirt blanc à raies noires** a white T-shirt with black stripes

2. *(dans les cheveux)* parting (UK), part (US) **3.** *(des fesses)* crack **4.** *(poisson)* skate.

raifort *nm* horseradish.

rail *nm* rail.

raillerie *nf sout* mockery *(indén)*.

railleur, euse *sout adj* mocking. ❏ *nm, f* scoffer.

rainette *nf* tree frog.

rainure *nf* **1.** *(longue)* groove, channel **2.** *(courte)* slot.

raisin *nm (fruit)* grapes *pl*.

raison *nf* **1.** *(gén)* reason • **à plus forte raison** all the more (so) • **se faire une raison** to resign o.s. • **raison de plus pour faire qqch** all the more reason to do sthg **2.** *(justesse, équité)* • **avoir raison** to be right • **avoir raison de faire qqch** to be right to do sthg • **donner raison à qqn** to prove sb right. ■ **à raison de** *loc prép* at (the rate of). ■ **en raison de** *loc prép* owing to, because of.

raisonnable *adj* reasonable.

raisonnement *nm* **1.** *(faculté)* reason, power of reasoning **2.** *(argumentation)* reasoning, argument.

raisonner *vt (personne)* to reason with. ❏ *vi* **1.** *(penser)* to reason **2.** *(discuter)* • **raisonner avec** to reason with.

rajeunir *vt* **1.** *(sujet : couleur, vêtement)* • **rajeunir qqn** to make sb look younger **2.** *(sujet : personne)* • **rajeunir qqn de trois ans** to take three years off sb's age **3.** *(vêtement, canapé)* to renovate, to do up **4.** *(meubles)* to modernize **5.** *fig (parti)* to rejuvenate. ❏ *vi* **1.** *(personne)* to look younger **2.** *(se sentir plus jeune)* to feel younger *ou* rejuvenated.

rajouter *vt* to add • **en rajouter** *fam* to exaggerate.

rajuster, réajuster *vt* **1.** to adjust **2.** *(cravate)* to straighten. ■ **se rajuster** *vp* to straighten one's clothes.

râle *nm* **1.** moan **2.** *(de mort)* death rattle.

ralenti, e *adj* slow. ■ **ralenti** *nm* **1.** AUTO idling speed **2.** CINÉ slow motion. ■ **au ralenti** *loc adv* **1.** CINÉ in slow motion • **passer une scène au ralenti** to show a scene in slow motion **2.** *(à vitesse réduite)* • **tourner au ralenti** *(moteur)* to idle • **l'usine tourne au ralenti** the factory is running under capacity • **depuis qu'il est à la retraite, il vit au ralenti** now that he's retired, he doesn't do as much as he used to • **ils travaillent au ralenti a)** *(pour protester)* they're on a go-slow (UK) *ou* a slowdown (US) **b)** *(par nécessité)* they're working at a slower pace.

ralentir *vt* **1.** *(allure, expansion)* to slow (down) **2.** *(rythme)* to slacken. ❏ *vi* to slow down *ou* up.

ralentissement *nm* **1.** *(d'allure, expansion)* slowing (down) **2.** *(de rythme)* slackening **3.** *(embouteillage)* holdup **4.** PHYS deceleration.

râler *vi* **1.** *(malade)* to breathe with difficulty **2.** *fam (grogner)* to moan.

râleur, euse *fam adj* • **il est très râleur** he grumbles *ou* moans a lot. ❏ *nm, f* grumbler, moaner.

ralliement *nm* rallying.

rallier *vt* **1.** *(poste, parti)* to join **2.** *(suffrages)* to win **3.** *(troupes)* to rally. ■ **se rallier** *vp* to rally • **se rallier à a)** *(parti)* to join **b)** *(cause)* to rally to **c)** *(avis)* to come round (UK) *ou* around (US) to.

rallonge *nf* **1.** *(de table)* leaf, extension • **une table à rallonge** a table with an extension **2.** *(électrique)* extension (lead).

rallonger *vt* to lengthen • **on a pu rallonger notre séjour d'une semaine** we were able to extend our stay by a week. ❏ *vi* to lengthen, to get longer.

rallumer *vt* **1.** *(feu, cigarette)* to relight **2.** *fig (querelle)* to revive **3.** *(appareil, lumière électrique)* to switch (back) on again.

rallye *nm* rally.

ramadan *nm* Ramadan • **faire le ramadan** to observe Ramadan.

ramassage *nm* collection • **ramassage scolaire a)** *(action)* pick-up (of school children), busing (US) **b)** *(service)* school bus.

ramasse *nf* • **être à la ramasse** *fam* to be out of it.

ramasse-miettes *nm inv* crumb-brush and tray (set).

ramasser *vt* **1.** *(récolter, réunir)* to gather, to collect **2.** *fig (forces)* to gather **3.** *(prendre)* to pick up **4.** *fam (claque, rhume)* to get. ■ **se ramasser** *vp* **1.** *(se replier)* to crouch **2.** *fam (tomber, échouer)* to come a cropper.

rambarde *nf (guard)* rail.

rame *nf* **1.** *(aviron)* oar **2.** RAIL train **3.** *(de papier)* ream.

rameau *nm* branch.

ramener *vt* **1.** *(remmener)* to take back **2.** *(rapporter, restaurer)* to bring back **3.** *(réduire)* • **ramener qqch à qqch** to reduce sthg to sthg, to bring sthg down to sthg.

ramequin *nm* ramekin.

ramer *vi (rameur)* to row.

rameur, euse *nm, f* rower.

ramification *nf (division)* branch.

ramolli, e *adj* **1.** soft **2.** *fig* soft (in the head).

ramollir *vt* **1.** *(beurre)* to soften **2.** *fam & fig (ardeurs)* to cool. ■ **se ramollir** *vp* **1.** *(beurre)* to go soft, to soften **2.** *fam & fig (courage)* to weaken.

ramoner *vt* to sweep.

ramoneur *nm* (chimney) sweep.

rampant, e *adj* **1.** *(animal)* crawling **2.** *(plante)* creeping.

rampe *nf* **1.** *(d'escalier)* banister, handrail **2.** *(d'accès)* ramp • **rampe de lancement** launch pad **3.** THÉÂTRE • **la rampe** the footlights *pl*.

ramper *vi* **1.** *(animal, soldat, enfant)* to crawl **2.** *(plante)* to creep.

rance *adj (beurre)* rancid.

ranch *nm* ranch.

rancir *vi* to go rancid.

rancœur *nf* rancour (UK), rancor (US), resentment.

rançon *nf* **1.** ransom **2.** *fig* price.

rancune *nf* rancour (UK), rancor (US), spite • **garder** *ou* **tenir rancune à qqn de qqch** to hold a grudge against sb for sthg • **sans rancune !** no hard feelings!

rancunier, ère *adj* vindictive, spiteful • **être rancunier** to bear grudges.

rando *nf fam* hiking.

randonnée *nf* **1.** *(promenade - à pied)* walk ; *(- à cheval, à bicyclette)* ride ; *(- en voiture)* drive **2.** *(activité)* • **garder** • **la randonnée a)** *(à pied)* walking **b)** *(à cheval)* riding • **faire de la randonnée** to go trekking.

randonneur, euse *nm, f* walker, rambler.

rang *nm* **1.** *(d'objets, de personnes)* row • **se mettre en rang par deux** to line up in twos **2.** MIL rank **3.** *(position sociale)* station **4.** (QUÉBEC) *(peuplement rural)* rural district **5.** (QUÉBEC) *(chemin)* country road. ■ **rangs** *nmpl* **1.** ranks • **à vos rangs fixe !** MIL fall in! • **en rangs serrés** MIL in close order **2.** *(locution)* • **être** *ou* **se mettre sur les rangs** to line up • **trois candidats sont sur les rangs** three candidates are lined up for *ou* are in the running for the job • **servir dans les rangs d'une armée** to serve in the ranks of an army • **servir dans les rangs d'un parti/syndicat** to be a member *ou* to serve in the ranks of a party/union.

rangé, e *adj (sérieux)* well-ordered, well-behaved.

rangée *nf* row.

rangement *nm* tidying up.

ranger *vt* **1.** *(chambre)* to tidy **2.** *(objets)* to arrange **3.** *(voiture)* to park **4.** *fig (livre, auteur)* • **ranger parmi** to rank among. ■ **se ranger** *vp* **1.** *(élèves, soldats)* to line up **2.** *(voiture)* to pull in **3.** *(piéton)* to step aside **4.** *(s'assagir)* to settle down **5.** *fig (se rallier)* • **se ranger à** to go along with.

ranimer *vt* **1.** *(personne)* to revive, to bring round **2.** *(feu)* to rekindle **3.** *fig (sentiment)* to reawaken.

rap *nm* rap (music).

rapace *nm* bird of prey. ❏ *adj (cupide)* rapacious, grasping.

rapatrier *vt* to repatriate.

râpe *nf* **1.** *(de cuisine)* grater **2.** (SUISSE) *fam (avare)* miser, skinflint.

râpé, e *adj* **1.** CULIN grated **2.** *(manteau)* threadbare **3.** *fam (raté)* • **c'est râpé !** we've had it!

râper *vt* CULIN to grate.

râpeux, euse *adj* **1.** *(tissu)* rough **2.** *(vin)* harsh.

raphia *nm* raffia.

rapide *adj* **1.** *(gén)* rapid **2.** *(train, coureur)* fast **3.** *(musique, intelligence)* lively, quick. ❏ *nm* **1.** *(train)* express (train) **2.** *(de fleuve)* rapid.

rapidement *adv* rapidly.

rapidité *nf* rapidity.

rapiécer *vt* to patch.

rappel *nm* **1.** *(de réservistes, d'ambassadeur)* recall **2.** *(souvenir)* reminder • **rappel à l'ordre** call to order **3.** TÉLÉCOM • **rappel automatique** recall **4.** *(de paiement)* back pay **5.** *(de vaccination)* booster **6.** *(au spectacle)* curtain call, encore **7.** SPORT abseiling (UK), rappelling (US) • **descendre en rappel** to abseil (UK) *ou* rappel (US) (down).

rappeler *vt* **1.** *(gén)* to call back • **rappeler qqn à qqch** *fig* to bring sb back to sthg **2.** *(faire penser à)* • **rappeler qqch à qqn** to remind sb of sthg • **ça me rappelle les vacances** it reminds me of my holidays. ■ **se rappeler** *vp* to remember.

rappeur, euse *nm, f* rapper.

rapport *nm* **1.** *(corrélation)* link, connection **2.** *(compte-rendu)* report **3.** *(profit)* return, yield **4.** MATH ratio. ■ **rapports** *nmpl* **1.** *(relations)* relations **2.** *(sexuels)* • **rapports (sexuels)** intercourse *sing*. ■ **par rapport à** *loc prép* in comparison to, compared with.

rapporter *vt* to bring back. ■ **se rapporter** *vp* • **se rapporter à** to refer *ou* relate to.

rapporteur, euse *adj* sneaky, telltale *(avant nom)*. ❏ *nm, f* **1.** sneak, telltale **2.** *(de commission)* rapporteur. ■ **rapporteur** *nm* GÉOM protractor.

rapprochement *nm* **1.** *(d'objets, de personnes)* bringing together **2.** *(entre événements)* link, connection **3.** *(de pays, de partis)* rapprochement, coming together.

rapprocher *vt* **1.** *(mettre plus près)* • **rapprocher qqn/qqch de qqch** to bring sb/sthg nearer to sthg, to bring sb/sthg closer to sthg **2.** *fig (idée, texte)* • **rapprocher qqch (de)** to compare sthg (with). ■ **se rapprocher** *vp* **1.** *(approcher)* • **se rapprocher (de qqn/qqch)** to approach (sb/sthg) **2.** *(se ressembler)* • **se rapprocher de qqch** to be similar to sthg **3.** *(se réconcilier)* • **se rapprocher de qqn** to become closer to sb.

rapt *nm* abduction.

raquette *nf* **1.** *(de tennis, de squash)* racket **2.** *(de ping-pong)* bat (UK), paddle **3.** *(à neige)* snowshoe.

rare *adj* **1.** *(peu commun, peu fréquent)* rare • **ses rares amis** his few friends **2.** *(peu dense)* sparse **3.** *(surprenant)* unusual, surprising • **ça n'a rien de rare** there's nothing unusual about that.

raréfier *vt* to rarefy. ■ **se raréfier** *vp* to become rarefied.

rarement *adv* rarely • **je vois rarement Anaïs** I rarely see Anaïs.

rareté *nf* **1.** *(de denrées, de nouvelles)* scarcity **2.** *(de visites, de lettres)* infrequency **3.** *(objet précieux)* rarity.

rarissime *adj* extremely rare.

ras, e *adj* **1.** *(herbe, poil)* short **2.** *(mesure)* full. ■ **ras** *adv* short • **à ras de** level with • **en avoir ras le bol** *fam* to be fed up.

rasade *nf* glassful.

rasage *nm* shaving.

rasant, e *adj* **1.** *(lumière)* low-angled **2.** *fam (film, discours)* boring.

rascasse *nf* scorpion fish.

raser *vt* **1.** *(barbe, cheveux)* to shave off **2.** *(mur, sol)* to hug **3.** *(village)* to raze **4.** *fam (personne)* to bore. ■ **se raser** *vp (avec rasoir)* to shave.

ras-le-bol *nm inv fam* discontent.

rasoir *nm* razor • **rasoir électrique** electric shaver • **rasoir mécanique** safety razor. ❑ *adj inv fam* boring.

rassasié, e *adj* full (up).

rassasier *vt* to satisfy.

rassemblement *nm* **1.** *(d'objets)* collecting, gathering **2.** *(foule)* crowd, gathering **3.** *(union, parti)* union **4.** MIL parade • **rassemblement !** fall in!

rassembler *vt* **1.** *(personnes, documents)* to collect, to gather **2.** *(courage)* to summon up **3.** *(idées)* to collect. ■ **se rassembler** *vp* **1.** *(manifestants)* to assemble **2.** *(famille)* to get together.

rasseoir ■ **se rasseoir** *vp* to sit down again • **il a fait se rasseoir tous les invités** he made all the guests sit down again • **allez vous rasseoir** go back to your seat, go and sit down again.

rasséréner *vt sout* to calm down.

rassis, e *adj (pain)* stale.

rassurant, e *adj* reassuring.

rassuré, e *adj* confident, at ease.

rassurer *vt* to reassure.

---

rasta *adj inv* Rasta (inv). ❑ *nmf* Rasta.

rat *nm* rat • **petit rat** *(danseur)* young ballet pupil. ❑ *adj fam (avare)* mean, stingy.

ratatiné, e *adj (fruit, personne)* shrivelled (UK) *ou* shriveled (US).

ratatouille *nf* ratatouille.

rate *nf* **1.** *(animal)* female rat **2.** *(organe)* spleen.

raté, e *nm, f nm (personne)* failure. ■ **raté** *nm* **1.** *(gén pl)* AUTO misfiring *(indén)* • **faire des ratés** to misfire **2.** *fig (difficulté)* problem.

râteau *nm* rake.

râtelier *nm* **1.** *(à fourrage, à outils)* rack • **manger à tous les râteliers** *fig* to have a finger in every pie **2.** *fam (dentier)* false teeth *pl.*

rater *vt* **1.** *(train, occasion)* to miss **2.** *(plat, affaire)* to make a mess of **3.** *(examen)* to fail. ❑ *vi* to go wrong.

ratification *nf* ratification.

ratifier *vt* to ratify.

ration *nf fig* share • **ration alimentaire** food intake.

rationaliser *vt* to rationalize.

rationnel, elle *adj* rational.

rationnement *nm* rationing.

rationner *vt* to ration.

ratissage *nm* **1.** *(de jardin)* raking **2.** *(de quartier)* search.

ratisser *vt* **1.** *(jardin)* to rake **2.** *(quartier)* to search, to comb.

raton *nm* ZOOL young rat. ■ **raton laveur** *nm* racoon.

RATP (*abrév de* Régie autonome des transports parisiens) *nf* Paris transport authority.

rattacher *vt* **1.** *(attacher de nouveau)* to do up, to fasten again **2.** *(relier)* • **rattacher qqch à a)** to join sthg to **b)** *fig* to link sthg with **3.** *(unir)* • **rattacher qqn à** to bind sb to. ■ **se rattacher** *vp* • **se rattacher à** to be linked to.

ratte *nf* BOT & CULIN fingerling potato, (La) Ratte potato.

rattrapage *nm* **1.** SCOL • **cours de rattrapage** remedial class **2.** *(de salaires, prix)* adjustment.

rattraper *vt* **1.** *(animal, prisonnier)* to recapture **2.** *(temps)* • **rattraper le temps perdu** to make up for lost time **3.** *(rejoindre)* to catch up with **4.** *(erreur)* to correct **5.** *(personne qui tombe)* to catch. ■ **se rattraper** *vp* **1.** *(se retenir)* • **se rattraper à qqn/qqch** to catch hold of sb/sthg **2.** *(se faire pardonner)* to make amends.

rature *nf* alteration.

rauque *adj* hoarse, husky.

ravager *vt (gén)* to devastate, to ravage.

ravaler *vt* **1.** *(façade)* to clean, to restore **2.** *(personne)* • **ravaler qqn au rang de** to lower sb to the level of **3.** *fig (larmes, colère)* to stifle, to hold back.

rave *nf* BOT rape.

ravi, e *adj* • **ravi (de)** delighted (with) • **je suis ravi de l'avoir trouvé** I'm delighted that I found it, I'm delighted to have found it • **ravi de vous connaître** pleased to meet you.

ravier *nm* small dish.

ravin *nm* ravine, gully.

ravioles *nfpl* CULIN si vous voulez expliquer de quoi il s'agit à un anglophone, vous pouvez dire it is a type of small ravioli.

ravir *vt* **1.** *(charmer)* to delight • **à ravir** beautifully **2.** *littéraire (arracher)* • **ravir qqch à qqn** to rob sb of sthg.

raviser ■ **se raviser** *vp* to change one's mind.

ravissant, e *adj* delightful, beautiful.

ravisseur, euse nm, f abductor.

ravitaillement nm 1. (en denrées) resupplying 2. (en carburant) refuelling (UK), refueling (US).

ravitailler vt 1. (en denrées) to resupply 2. (en carburant) to refuel. ■ **se ravitailler** vp 1. (en denrées) to get fresh supplies 2. (en carburant) to refuel.

raviver vt 1. (feu) to rekindle 2. (couleurs) to brighten up 3. fig (douleur) to revive 4. (plaie) to reopen.

rayé, e adj 1. (tissu) striped 2. (disque, vitre) scratched.

rayer vt 1. (disque, vitre) to scratch 2. (nom, mot) to cross out.

rayon nm 1. (de lumière) beam, ray 2. fig (d'espoir) ray 3. (gén pl) (radiation) radiation • **rayon laser** laser beam • **rayons X** X-rays 4. (de roue) spoke 5. GÉOM radius • **dans un rayon de** fig within a radius of 6. (étagère) shelf 7. (dans un magasin) department.

rayonnage nm shelving.

rayonnant, e adj litt & fig radiant.

rayonnement nm 1. (gén) radiance 2. (des arts) influence 3. PHYS radiation.

rayonner vi 1. (soleil) to shine • **rayonner de joie** fig to radiate happiness 2. (culture) to be influential 3. (avenues, lignes, chaleur) to radiate 4. (touriste) to tour around (from a base).

rayure nf 1. (sur étoffe) stripe • **du tissu blanc à rayures vertes** white material with green stripes 2. (sur disque, sur meuble) scratch.

raz ■ **raz de marée** nm 1. tidal wave 2. fig POLIT landslide.

razzia nf fam raid.

RDA (abrév de République démocratique allemande) nf GDR.

RdC abrév de **rez-de-chaussée**.

ré nm inv 1. MUS D 2. (chanté) re.

réabonner vt • **réabonner qqn à** to renew sb's subscription to. ■ **se réabonner** vp • **se réabonner à** to renew one's subscription to.

réacheminer vt to forward.

réacteur nm (d'avion) jet engine • **réacteur nucléaire** nuclear reactor.

réaction nf • **réaction (à/contre)** reaction (to/against).

réactionnaire nmf & adj péj reactionary.

réactiver vt to reactivate.

réactualiser vt (moderniser) to update, to bring up to date.

réadapter vt 1. to readapt 2. (accidenté) to rehabilitate.

réagir vi • **réagir (à/contre)** to react (to/against) • **réagir sur** to affect.

réajuster = **rajuster**.

réalisable adj 1. (projet) feasible 2. FIN realizable.

réalisateur, trice nm, f CINÉ & TV director.

réalisation nf 1. (de projet) carrying out 2. CINÉ & TV production.

réaliser vt 1. (projet) to carry out 2. (ambitions, rêves) to achieve, to realize 3. CINÉ & TV to produce 4. (s'apercevoir de) to realize. ■ **se réaliser** vp 1. (ambition) to be realized 2. (rêve) to come true 3. (personne) to fulfil (UK) ou fulfill (US) o.s.

réalisme nm realism.

réaliste nmf realist. ❏ adj 1. (personne, objectif) realistic 2. ART & LITTÉR realist.

réalité nf reality • **en réalité** in reality • **réalité virtuelle** INFORM virtual reality, VR.

reality-show, reality show nm reality show.

réaménagement nm 1. (de projet) restructuring • **le réaménagement du territoire** land redevelopment 2. (de taux d'intérêt) readjustment.

réamorcer vt to start up again.

réanimation nf resuscitation • **en réanimation** in intensive care.

réanimer vt to resuscitate.

réapparaître vi to reappear.

rébarbatif, ive adj 1. (personne, visage) forbidding 2. (travail) daunting.

rebâtir vt to rebuild.

rebattu, e adj overworked, hackneyed.

rebelle adj 1. (personne) rebellious 2. (troupes) rebel (avant nom) 3. (mèche, boucle) unruly.

rebeller ■ **se rebeller** vp • **se rebeller (contre)** to rebel (against).

rébellion nf rebellion.

rebiffer ■ **se rebiffer** vp fam • **se rebiffer (contre)** to rebel (against).

reboiser vt to reafforest (UK), to reforest (US).

rebond nm bounce.

rebondi, e adj rounded.

rebondir vi 1. (objet) to bounce 2. (contre mur) to rebound 3. fig (affaire) to come to life (again).

rebondissement nm (d'affaire) new development.

rebord nm 1. (de table) edge 2. (de fenêtre) sill, ledge.

reboucher vt 1. (bouteille) to put the cork back in, to recork 2. (trou) to fill in.

rebours ■ **à rebours** loc adv 1. the wrong way 2. fig the wrong way round (UK) ou around (US), back to front.

reboutonner vt to rebutton.

rebrousse-poil ■ **à rebrousse-poil** loc adv the wrong way • **prendre qqn à rebrousse-poil** fig to rub sb up the wrong way.

rebrousser vt to brush back • **rebrousser chemin** fig to retrace one's steps.

rébus nm rebus.

rebut nm scrap • **mettre qqch au rebut** to get rid of sthg, to scrap sthg.

rebuter vt (sujet : travail) to dishearten.

recadrer vt **1.** CINÉ & PHOTO to crop **2.** fig (action, projet) to redefine.

récalcitrant, e adj recalcitrant, stubborn.

recaler vt fam to fail.

récapitulatif, ive adj summary (avant nom). ■ **récapitulatif** nm summary.

récapituler vt to recapitulate, to recap.

recel nm **1.** (action) receiving ou handling stolen goods **2.** (délit) possession of stolen goods.

receleur, euse nm, f receiver (of stolen goods).

récemment adv recently.

recensement nm **1.** (de population) census **2.** (d'objets) inventory.

recenser vt **1.** (population) to take a census of **2.** (objets) to take an inventory of.

récent, e adj recent.

recentrer vt to refocus.

récépissé nm receipt.

réceptacle nm **1.** (objet) container, vessel **2.** (lieu) receptacle, gathering place.

récepteur, trice adj receiving. ■ **récepteur** nm receiver.

réception nf **1.** (gén) reception • **donner une réception** to hold a reception **2.** (de marchandises) receipt **3.** (bureau) reception (desk), front desk (us) **4.** SPORT (de sauteur, skieur) landing **5.** (du ballon, avec la main) catch • **bonne réception de X** (avec le pied) X traps the ball.

se présenter à la réception

À PROPOS DE

Lorsque l'on se présente pour un entretien par exemple, on utilise la formule : **Hello, I'm Jenny Barton, I have an appointment with Mr Patrick Johnson** Bonjour, je suis Jenny Barton et j'ai rendez-vous avec Mr Patrick Johnson.
Dans le cas où vous représentez seul une compagnie, il faut se présenter en disant : **Hello, I'm Jenny Barton from Robinson Associates, I have an appointment with...** Bonjour, je suis Jenny Barton des Associés Robinson et j'ai rendez-vous avec...
En groupe, indiquer le nom de la société suffit.
Dans un hôtel, vous indiquez directement le nom de la personne qui a réservé la chambre : **Hello, we've booked a room for two nights under the name of Barker** Bonjour, nous avons une réservation pour deux nuits au nom de Barker.

réceptionner vt **1.** (marchandises) to take delivery of **2.** (SPORT - avec la main) to catch ; (- avec le pied) to control.

réceptionniste nmf receptionist, desk clerk (us).

récession nf recession.

recette nf **1.** COMM takings pl **2.** CULIN recipe **3.** fig (méthode) recipe, formula. ■ **recettes** nfpl **1.** (sommes touchées) income (indén), receipts, incomings **2.** (locution) • **recettes et dépenses a)** (gén) income and expenses, incomings and outgoings **b)** (en comptabilité) credit and debit • **recettes publiques** public revenue ou income.

recevable adj **1.** (excuse, offre) acceptable **2.** DR admissible.

receveur, euse nm, f **1.** ADMIN • **receveur des impôts** tax collector • **receveur des postes** postmaster, postmistress f **2.** (de bus) conductor, conductress f **3.** (de greffe) recipient.

recevoir vt **1.** (gén) to receive **2.** (coup) to get, to receive **3.** (invités) to entertain **4.** (client) to see **5.** SCOL & UNIV • **être reçu à un examen** to pass an exam. ◻ vi **1.** (donner une réception) to entertain **2.** (avocat, médecin) to be available (to see clients). ■ **se recevoir** vp SPORT to land.

rechange ■ **de rechange** loc adj **1.** spare **2.** fig alternative.

réchapper vi • **réchapper de** to survive.

recharge nf (cartouche) refill.

rechargeable adj **1.** (batterie) rechargeable **2.** (briquet) refillable.

recharger vt **1.** (batterie) to recharge **2.** (stylo, briquet) to refill **3.** (arme, camion, appareil-photo) to reload.

réchaud nm (portable) stove.

réchauffé, e adj **1.** (plat) reheated **2.** fig rehashed.

réchauffement nm warming (up).

réchauffer vt **1.** (nourriture) to reheat **2.** (personne) to warm up. ■ **se réchauffer** vp to warm up.

rêche adj rough.

recherche nf **1.** (quête) INFORM search • **être à la recherche de** to be in search of • **faire** ou **effectuer des recherches** to make inquiries **2.** (sciences) research • **faire de la recherche** to do research **3.** (raffinement) elegance. ■ **recherches** nfpl **1.** (enquête) search • **les recherches de la police pour rattraper le fuyard sont restées vaines** despite a police search, the runaway has not been found **2.** (travaux - gén) work, research ; (- de médecine) research • **une équipe d'archéologues mène déjà des recherches sur le site** a team of archeologists is already working on ou researching the site.

recherche

À PROPOS DE

Attention ! Le mot **research** est indénombrable. Il ne s'emploie ni au pluriel, ni avec l'article indéfini **a** :
• Ces recherches sont financées par le conseil général. **This research is financed by the local council.**

recherché, e adj **1.** (ouvrage) sought-after **2.** (raffiné - vocabulaire) refined ; (- mets) exquisite.

rechercher vt 1. (objet, personne) to search for, to hunt for 2. (compagnie) to seek out.

rechigner vi • rechigner à to balk at.

rechute nf relapse.

récidive nf 1. DR repeat offence (UK) ou offense (US) 2. MÉD recurrence.

récidiver vi 1. DR to commit another offence (UK) ou offense (US) 2. MÉD to recur.

récidiviste nmf repeat ou persistent offender.

récif nm reef • récif de corail coral reef.

récipient nm container.

réciproque adj reciprocal. ❑ nf • la réciproque the reverse.

réciproquement adv mutually • et réciproquement and vice versa.

récit nm story.

récital nm recital.

récitation nf recitation.

réciter vt to recite.

réclamation nf complaint • faire/déposer une réclamation to make/lodge a complaint.

réclame nf 1. (annonce) advert (UK), advertisement 2. (publicité) • la réclame advertising 3. (promotion) • en réclame on special offer.

réclamer vt 1. (demander) to ask for, to request 2. (avec insistance) to demand 3. (nécessiter) to require, to demand.

reclasser vt 1. (dossiers) to refile 2. ADMIN to regrade.

réclusion nf imprisonment • réclusion à perpétuité life imprisonment.

recoiffer ■ se recoiffer vp to do one's hair again.

recoin nm nook.

recoller vt (objet brisé) to stick back together.

récolte nf 1. (AGRIC - action) harvesting (indén), gathering (indén) ; (- produit) harvest, crop 2. fig collection.

récolter vt 1. to harvest 2. fig (informations, argent) to collect ; fam (ennuis, maladie) to get • Saïd a récolté deux heures de colle Saïd got two hours' detention.

recommandable adj commendable • peu recommandable undesirable.

recommandation nf recommendation.

recommandé, e adj 1. (envoi, lettre) registered • envoyer qqch en recommandé to send sthg by registered post (UK) ou mail (US) 2. (conseillé) advisable.

recommander vt to recommend • recommander à qqn de faire qqch to advise sb to do sthg • recommander qqn à qqn to recommend sb to sb.

recommander

A PROPOS DE

Il faut noter que le verbe **to recommend** n'est jamais suivi immédiatement d'un complément d'objet indirect :

• Ils m'ont recommandé un hôtel dans le centre. **They recommended a good hotel in the centre.**

• Pouvez-vous nous recommander un médecin ? **Can you recommend a good doctor?**

Comme le montrent ces exemples, le complément d'objet indirect (**to me, to us**) est sous-entendu et, par conséquent, omis.

recommencer vt 1. (travail) to start ou begin again 2. (erreur) to make again • recommencer à faire qqch to start ou begin doing sthg again. ❑ vi to start ou begin again • ne recommence pas ! don't do that again!

récompense nf reward.

récompenser vt to reward.

recompter vt to recount.

réconciliation nf reconciliation.

réconcilier vt to reconcile.

reconduire vt 1. (personne) to accompany, to take 2. (politique, bail) to renew.

reconduit, e pp → reconduire.

reconfigurer INFORM to reconfigure.

réconfort nm comfort.

réconfortant, e adj comforting.

réconforter vt to comfort.

réconforter quelqu'un

S'EXPRIMER

• **Don't worry!** Ne t'en fais pas !
• **Hang on in there!** Du nerf !
• **Don't give in.** Ne te laisse pas aller.
• **Don't be discouraged!** Bon courage !

reconnaissable adj recognizable.

reconnaissance nf 1. (gén) recognition • reconnaissance vocale ou de la parole speech recognition 2. MIL reconnaissance • aller/partir en reconnaissance to go out on reconnaissance 3. (gratitude) gratitude • exprimer sa reconnaissance à qqn to show ou express one's gratitude to sb.

reconnaissant, e adj grateful • je vous serais reconnaissant de m'aider I would be grateful if you would help me.

reconnaître vt 1. (gén) to recognize 2. (erreur) to admit, to acknowledge 3. MIL to reconnoitre.

reconnecter vt to reconnect. ■ se reconnecter vpi INFORM to reconnect o.s., to get back on line.

reconnu, e pp → reconnaître. ❑ adj well-known.

reconquérir *vt* to reconquer.

reconquis, e *pp* → reconquérir.

reconsidérer *vt* to reconsider.

reconstituant, e *adj* invigorating. ■ **reconstituant** *nm* tonic.

reconstituer *vt* **1.** *(puzzle)* to put together **2.** *(crime, délit)* to reconstruct.

reconstitution *nf* **1.** *(de puzzle)* putting together **2.** *(de crime, délit)* reconstruction.

reconstruction *nf* reconstruction, rebuilding.

reconstruire *vt* to reconstruct, to rebuild.

reconstruit, e *pp* → reconstruire.

reconversion *nf* **1.** *(d'employé)* redeployment **2.** *(d'usine, de société)* conversion • **reconversion économique/technique** economic/technical restructuring.

reconvertir *vt* **1.** *(employé)* to redeploy **2.** *(économie)* to restructure. ■ **se reconvertir** *vp* • **se reconvertir dans** to move into.

recopier *vt* to copy out.

record *nm* record • **détenir/améliorer/battre un record** to hold/improve/beat a record • **le record du monde** the world record. ❏ *adj inv* record *(avant nom).*

recoucher *vt* to put back to bed. ■ **se recoucher** *vp* to go back to bed.

recoudre *vt* **1.** *(ourlet, accroc)* to sew up again **2.** *(bouton)* to sew back on.

recoupement *nm* cross-check • **par recoupement** by cross-checking.

recouper *vt* **1.** *(pain)* to cut again **2.** *COUT* to recut **3.** *fig (témoignages)* to compare, to cross-check. ■ **se recouper** *vp* **1.** *(lignes)* to intersect **2.** *(témoignages)* to match up.

recourir *vi* • **recourir à a)** *(médecin, agence)* to turn to **b)** *(force, mensonge)* to resort to.

recours *nm* **1.** *(emploi)* • **avoir recours à a)** *(médecin, agence)* to turn to **b)** *(force, mensonge)* to resort to, to have recourse to **2.** *(solution)* solution, way out • **en dernier recours** as a last resort **3.** *DR* action • **recours en cassation** appeal.

recouvert, e *pp* → recouvrir.

recouvrir *vt* **1.** *(gén)* to cover **2.** *(fauteuil)* to recover **3.** *(personne)* to cover (up). ■ **se recouvrir** *vp* **1.** *(tuiles)* to overlap **2.** *(surface)* • **se recouvrir (de)** to be covered (with).

recracher *vt* to spit out.

récréatif, ive *adj* entertaining.

récréation *nf* **1.** *(détente)* relaxation, recreation **2.** *SCOL* break *(UK)*, recess *(US)* • **à la récréation** during the break.

recréer *vt* to recreate.

récrimination *nf* complaint.

récrire, réécrire *vt* to rewrite.

recroqueviller ■ **se recroqueviller** *vp* to curl up.

recru, e *adj* • **recru de fatigue** *littéraire* exhausted.

recrudescence *nf* renewed outbreak.

recrue *nf* recruit.

recrutement *nm* recruitment.

recruter *vt* to recruit.

rectal, e *adj* rectal.

rectangle *nm* rectangle.

rectangulaire *adj* rectangular.

recteur *nm* *SCOL* ≃ Chief Education Officer *(UK)* ; ≃ Superintendent of Schools *(US)*.

rectificatif, ive *adj* correcting. ■ **rectificatif** *nm* correction.

rectification *nf* **1.** *(correction)* correction **2.** *(de tir)* adjustment.

rectifier *vt* **1.** *(tir)* to adjust **2.** *(erreur)* to rectify, to correct **3.** *(calcul)* to correct.

rectiligne *adj* rectilinear.

recto *nm* right side • **recto verso** on both sides.

rectorat *nm* *SCOL* ≃ Education Offices *(UK)* ; ≃ Board of Education Offices *(US)*.

reçu, e *pp* → recevoir. ■ **reçu** *nm* receipt.

recueil *nm* collection.

recueillement *nm* meditation.

recueillir *vt* **1.** *(fonds)* to collect **2.** *(suffrages)* to win **3.** *(enfant)* to take in. ■ **se recueillir** *vp* to meditate.

recul *nm* **1.** *(mouvement arrière)* step backwards **2.** *MIL* retreat **3.** *(d'arme à feu)* recoil **4.** *(de civilisation)* decline **5.** *(d'inflation, de chômage)* • **recul (de)** downturn (in) **6.** *fig (retrait)* • **avec du recul** with hindsight.

reculé, e *adj* distant.

reculer *vt* **1.** *(voiture)* to back up **2.** *(date)* to put back, to postpone. ❏ *vi* **1.** *(aller en arrière)* to move backwards **2.** *(voiture)* to reverse • **ne reculer devant rien** *fig* to stop at nothing **3.** *(maladie, pauvreté)* to be brought under control **4.** *(faiblir - cours, valeur)* to fall, to weaken.

reculons ■ **à reculons** *adv* backwards.

récupération *nf* *(de déchets)* salvage.

récupérer *vt* **1.** *(objet, argent)* to get back **2.** *(déchets)* to salvage **3.** *(idée)* to pick up **4.** *(journée)* to make up. ❏ *vi* to recover, to recuperate.

récurer *vt* to scour.

récuser *vt* **1.** *DR* to challenge **2.** *sout (refuser)* to reject.

recyclage *nm* **1.** *(d'employé)* retraining **2.** *(de déchets)* recycling.

recycler *vt* **1.** *(employé)* to retrain **2.** *(déchets)* to recycle. ■ **se recycler** *vp* *(employé)* to retrain.

rédacteur, trice *nm, f* **1.** *(de journal)* subeditor **2.** *(d'ouvrage de référence)* editor • **rédacteur en chef** editor-in-chief.

rédaction *nf* **1.** *(de texte)* editing **2.** *SCOL* essay • **faire une rédaction** to write an essay **3.** *(personnel)* editorial staff.

reddition nf surrender.

redécouvrir vt to rediscover.

redéfinir vt to redefine.

redéfinition nf redefinition.

redemander vt 1. (demander à nouveau) to ask again for • **j'ai dû lui redemander mon stylo** I had to ask him for my pen again 2. (demander davantage) to ask for more • **je n'ai pas osé redemander du gâteau** I didn't dare ask for more cake.

redémarrer vi 1. to start again 2. fig to get going again 3. INFORM to reboot, to restart.

rédemption nf redemption.

redescendre vt 1. (escalier) to go/come down again 2. (objet d'une étagère) to take down again. ❏ vi to go/come down again.

redevable adj • **être redevable de 20 euros à qqn** to owe sb 20 euros • **être redevable à qqn de qqch** (service) to be indebted to sb for sthg.

redevance nf 1. (de radio, télévision) licence (UK) ou license (US) fee 2. (téléphonique) rental (fee).

rédhibitoire adj 1. (défaut) crippling 2. (prix) prohibitive.

rediffusion nf repeat.

rédiger vt to write.

redimensionner vt INFORM to resize.

redire vt to repeat • **avoir** ou **trouver à redire à qqch** fig to find fault with sthg.

redistribuer vt to redistribute.

redit, e pp → redire.

redite nf repetition.

redondance nf redundancy.

redonner vt 1. (rendre) to give back 2. (confiance, forces) to restore 3. (donner davantage) to give some more • **je te redonne de la soupe si tu veux** I'll give you some more soup if you want.

redoublant, e nm, f pupil who is repeating a year.

redoubler vt 1. (syllabe) to reduplicate 2. (efforts) to intensify 3. SCOL to repeat. ❏ vi 1. (froid, tempête) to intensify 2. SCOL to repeat a year.

redoutable adj formidable.

redouter vt to fear.

redoux nm thaw.

redressement nm 1. (de pays, d'économie) recovery 2. DR • **redressement fiscal** payment of back taxes.

redresser vt 1. (poteau, arbre) to put ou set upright • **redresser la tête a)** to raise one's head **b)** fig to hold up one's head 2. (situation) to set right. ❏ vi AUTO to straighten up. ■ **se redresser** vp 1. (personne) to stand ou sit straight 2. (pays) to recover.

réducteur, trice adj (limitatif) simplistic.

réduction nf 1. (gén) reduction • **réductions d'effectifs** staff cuts, downsizing 2. MÉD setting.

réduire vt 1. (gén) to reduce • **réduire en** to reduce to 2. INFORM to minimize 3. MÉD to set 4. (SUISSE) (ranger) to put away. ❏ vi CULIN to reduce • **faire réduire** to reduce.

réduit, e pp → réduire. ❏ adj reduced. ■ **réduit** nm (local) small room.

rééchelonner vt to reschedule.

réécrire = récrire.

réédition nf new edition.

rééducation nf 1. (de membre) re-education 2. (de délinquant, malade) rehabilitation, rehab (US).

réel, elle adj real. ■ **réel** nm • **le réel** reality.

réélection nf reelection.

réellement adv really.

réenregistrer vt to rerecord.

rééquilibrer vt to balance (again).

réessayer vt to try again.

réévaluer vt to revalue.

réexaminer vt to re-examine.

réexpédier vt to send back.

réf. (abrév de référence) ref.

refaire vt 1. (faire de nouveau - travail, devoir) to do again ; (- voyage) to make again 2. (mur, toit) to repair.

---

refaire

A PROPOS DE

Les deux traductions les plus courantes de *refaire* au sens de *réaliser à nouveau* sont **do again** et **make again**.

To do again s'utilise lorsqu'on parle de tâches ménagères, de sport ou de travail en général.

• *Je refuse de refaire la vaisselle !* **I refuse to do the washing-up again!**

• *J'ai dû refaire mes devoirs.* **I had to do my homework again.**

To make again rend l'idée de création ou de préparation.

• *Tu refais de la soupe ?* **Are you making soup again?**

To make again s'utilise également dans les situations où l'on oblige une personne à effectuer une action.

• *Il nous a refait traduire le texte.* **He made us translate the text again.**

---

refait, e pp → refaire.

réfection nf repair.

réfectoire nm 1. refectory 2. (à l'école) dining hall, canteen (UK), cafeteria (US).

référé nm 1. (procédure) special hearing 2. (arrêt) temporary ruling 3. (ordonnance) temporary injunction.

référence nf reference • **faire référence à** to refer to.

référendum nm referendum.

référent, e adj • **médecin référent** referral doctor.

référer vi • **en référer à qqn** to refer the matter to sb.

refermer vt to close ou shut again. ■ **se refermer** vp to shut.

réfléchi, e adj 1. (action) considered • **c'est tout réfléchi** I've made up my mind, I've decided 2. (personne) thoughtful 3. GRAMM reflexive.

réfléchir vt 1. (refléter) to reflect 2. (penser) • **réfléchir que** to think ou reflect that. ❏ vi to think, to reflect • **réfléchir à** ou **sur qqch** to think about sthg.

réfléchissant, e adj reflective.

reflet nm 1. (image) reflection 2. (de lumière) glint.

refléter vt to reflect. ■ **se refléter** vp 1. (se réfléchir) to be reflected 2. (transparaître) to be mirrored.

refleurir vi (fleurir à nouveau) to flower again.

reflex nm reflex camera. ❏ adj reflex (avant nom).

réflexe nm reflex. ❏ adj reflex (avant nom).

réflexion nf 1. (de lumière, d'ondes) reflection 2. (pensée) reflection, thought 3. (remarque) remark.

refluer vi 1. (liquide) to flow back 2. (foule) to flow back 3. (avec violence) to surge back.

reflux nm 1. (d'eau) ebb 2. (de personnes) backward surge.

refonte nf 1. (de métal) remelting 2. (d'ouvrage) recasting 3. (d'institution, de système) overhaul, re-shaping.

reforestation nf reforestation.

réformateur, trice adj reforming. ❏ nm,f 1. (personne) reformer 2. RELIG Reformer.

réforme nf reform.

réformé, e adj & nm,f Protestant. ■ **réformé** nm MIL conscript declared unfit for military service.

reformer vt to re-form.

réformer vt 1. (améliorer) to reform, to improve 2. MIL to invalid out (UK) 3. (matériel) to scrap.

réformiste adj & nmf reformist.

refoulé, e adj repressed, frustrated. ❏ nm,f repressed person.

refouler vt 1. (personnes) to repel, to repulse 2. PSYCHO to repress.

réfractaire adj 1. (rebelle) insubordinate • **réfractaire à** resistant to 2. (matière) refractory. ❏ nmf insubordinate.

refrain nm MUS refrain, chorus • **c'est toujours le même refrain** fam & fig it's always the same old story.

refréner vt to check, to hold back.

réfrigérant, e adj 1. (liquide) refrigerating, refrigerant 2. fam (accueil) icy.

réfrigérateur nm refrigerator.

refroidir vt 1. (plat) to cool 2. (décourager) to discourage 3. argot (tuer) to rub out, to do in. ❏ vi 1. (devenir moins chaud) to cool down • **laisse refroidir la soupe** leave the soup to cool down 2. (devenir froid) to get cold • **mon thé a refroidi, il n'est pas bon** my tea has got cold, it doesn't taste nice. ■ **se refroidir** vp • **le temps se refroidit** it's getting cooler.

refroidissement nm 1. (de température) drop, cooling 2. (grippe) chill.

refuge nm 1. (abri) refuge • **chercher refuge** to seek refuge 2. (de montagne) hut.

réfugié, e nm,f refugee • **réfugié politique** political refugee.

réfugier ■ **se réfugier** vp to take refuge.

refus nm inv refusal • **ce n'est pas de refus** fam I wouldn't say no.

refuser vt 1. (repousser) to refuse • **refuser de faire qqch** to refuse to do sthg 2. (contester) • **refuser qqch à qqn** to deny sb sthg 3. (clients, spectateurs) to turn away 4. (candidat) • **être refusé** to fail. ■ **se refuser** vp • **se refuser à faire qqch** to refuse to do sthg.

réfuter vt to refute.

regagner vt 1. (reprendre) to regain, to win back 2. (revenir à) to get back to.

regain nm (retour) • **un regain de** a revival of, a renewal of • **un regain de vie** a new lease of life.

régal nm treat, delight.

régaler vt to treat • **c'est moi qui régale !** fam it's my treat! ■ **se régaler** vp • **je me régale a)** (nourriture) I'm thoroughly enjoying it **b)** (activité) I'm having the time of my life.

regard nm look.

regardant, e adj 1. fam (économe) mean 2. (minutieux) • **être très/peu regardant sur qqch** to be very/not very particular about sthg.

regarder vt 1. (observer, examiner, consulter) to look at 2. (télévision, spectacle) to watch • **regarder qqn faire qqch** to watch sb doing sthg • **regarder les trains passer** to watch the trains go by 3. (considérer) to consider, to regard • **regarder qqn/qqch comme** to regard sb/sthg as, to consider sb/sthg as 4. (concerner) to concern • **cela ne te regarde pas** it's none of your business. ❏ vi 1. (observer, examiner) to look 2. (faire attention) • **sans regarder à la dépense** regardless of the expense • **y regarder à deux fois** to think twice about it.

regarnir vt to refill, to restock.

régate nf (gén pl) regatta.

régénérer vt to regenerate. ■ **se régénérer** vp to regenerate.

régent, e nm,f regent.

régenter vt • **vouloir tout régenter** péj to want to be the boss.

reggae nm & adj inv reggae.

régie nf 1. (entreprise) state-controlled company 2. RADIO & TV (pièce) control room 3. CINÉ, THÉÂTRE & TV (équipe) production team.

regimber vi to balk.

régime nm 1. (politique) regime 2. (administratif) system • régime carcéral prison regime 3. (alimentaire) diet • se mettre au/suivre un régime to go on/to be on a diet • régime amincissant slimming diet 4. (de moteur) speed 5. (de fleuve, des pluies) cycle 6. (de bananes, dattes) bunch.

régiment nm 1. MIL regiment 2. fam (grande quantité) • un régiment de masses of, loads of.

région nf region • la région parisienne the Paris area, the Paris region.

régional, e adj regional.

régir vt to govern.

régisseur, euse nm, f 1. (intendant) steward 2. (de théâtre) stage manager.

registre nm (gén) register • registre de comptabilité ledger.

réglable adj 1. (adaptable) adjustable 2. (payable) payable.

réglage nm adjustment, setting.

règle nf 1. (instrument) ruler 2. (principe, loi) rule • je suis en règle my papers are in order. ■ en règle générale loc adv as a general rule. ■ règles nfpl (menstruation) period sing.

réglé, e adj (organisé) regular, well-ordered.

règlement nm 1. (résolution) settling • règlement de comptes fig settling of scores 2. (règle) regulation 3. (paiement) settlement.

réglementaire adj 1. (régulier) statutory 2. (imposé) regulation (avant nom).

réglementation nf 1. (action) regulation 2. (ensemble de règles) regulations pl, rules pl.

régler vt 1. (affaire, conflit) to settle, to sort out 2. (appareil) to adjust 3. (payer - note) to settle, to pay ; (- commerçant) to pay.

réglisse nf liquorice (UK), licorice (US).

règne nm 1. (de souverain) reign • sous le règne de in the reign of 2. (pouvoir) rule 3. BIOL kingdom.

régner vi 1. (souverain) to rule, to reign 2. (silence) to reign.

regonfler vt 1. (pneu, ballon) to blow up again, to reinflate 2. fam (personne) to cheer up.

regorger vi • regorger de to be abundant in.

regresser vi 1. (sentiment, douleur) to diminish 2. (personne) to regress.

régression nf 1. (recul) decline 2. PSYCHO regression.

regret nm • regret (de) regret (for) • à regret with regret • sans regret with no regrets.

regrettable adj regrettable.

regretter vt 1. (époque) to miss, to regret 2. (personne) to miss 3. (faute) to regret • regretter d'avoir fait qqch to regret having done sthg 4. (déplorer) • regretter que (+ subjonctif) to

be sorry ou to regret that • je regrette de ne pas pouvoir venir I'm sorry I can't come. ❑ vi to be sorry.

regrouper vt 1. (grouper à nouveau) to regroup, to reassemble 2. (réunir) to group together. ■ se regrouper vp to gather, to assemble.

régulariser vt 1. (documents) to sort out, to put in order 2. (situation) to straighten out 3. (circulation, fonctionnement) to regulate.

régularité nf 1. (gén) regularity 2. (de travail, résultats) consistency.

régulateur, trice adj regulating.

régulation nf (contrôle) control, regulation.

régulier, ère adj 1. (gén) regular 2. (uniforme, constant) steady, regular 3. (travail, résultats) consistent 4. (légal) legal • être en situation régulière to have all the legally required documents.

régulièrement adv 1. (gén) regularly 2. (uniformément) steadily, regularly 3. (étalé, façonné) evenly.

réhabilitation nf rehabilitation.

réhabiliter vt 1. (accusé) to rehabilitate, to clear 2. fig (racheter) to restore to favour (UK) ou favor (US) 3. (rénover) to restore.

rehausser vt 1. (surélever) to heighten 2. fig (mettre en valeur) to enhance.

rehausseur nm booster seat.

réhydrater vt (peau) to moisturize, to rehydrate. ■ se réhydrater vp to drink plenty of water, to rehydrate oneself.

réimpression nf reprinting, reprint.

rein nm kidney. ■ reins nmpl small of the back sing • avoir mal aux reins to have backache (UK) ou a backache (US).

réincarnation nf reincarnation.

réincarner ■ se réincarner vpi to be reincarnated • il voulait se réincarner en oiseau he wanted to be reincarnated as a bird.

reine nf queen • la reine Élisabeth Queen Elizabeth.

reine-claude nf greengage.

reinette nf si vous voulez expliquer de quoi il s'agit à un anglophone, vous pouvez dire it is a variety of apple similar to pippin.

exprimer ses regrets

S'EXPRIMER

- **It really upsets me.** Ça me fait beaucoup de peine.
- **Unfortunately I couldn't get in touch with him.** Je n'ai malheureusement pas pu le joindre.
- **It's a real shame that we can't see each other any more.** C'est vraiment dommage que nous ne puissions plus nous voir.

réinitialiser vt INFORM to reinitialize.

réinscriptible adj 1. INFORM (re-)recordable 2. (cédérom) rewritable.

réinsertion nf 1. (de délinquant) rehabilitation 2. (dans la vie professionnelle) reintegration.

réintégrer vt 1. (rejoindre) to return to 2. DR to reinstate.

rejaillir vi to splash up • **rejaillir sur qqn** fig to rebound on sb.

rejet nm 1. (gén) rejection 2. (pousse) shoot.

rejeter vt 1. (relancer) to throw back 2. (offre, personne) to reject 3. (partie du corps) • **rejeter la tête/les bras en arrière** to throw back one's head/one's arms 4. (imputer) • **rejeter la responsabilité de qqch sur qqn** to lay the responsibility for sthg at sb's door.

rejeton nm offspring (indén).

rejoindre vt 1. (retrouver) to join 2. (regagner) to return to 3. (concorder avec) to agree with 4. (rattraper) to catch up with. ■ se rejoindre vp 1. (personnes, routes) to meet 2. (opinions) to agree.

rejoint, e pp → rejoindre.

réjoui, e adj joyful.

réjouir vt to delight. ■ se réjouir vp to be delighted • **se réjouir de qqch** to be delighted at ou about sthg.

réjouissance nf rejoicing. ■ réjouissances nfpl festivities.

réjouissant, e adj joyful, cheerful.

relâche nf 1. (pause) • **sans relâche** without respite ou a break 2. THÉÂTRE • **faire relâche** to be closed.

relâché, e adj lax, loose.

relâchement nm relaxation.

relâcher vt 1. (étreinte, cordes) to loosen 2. (discipline, effort) to relax, to slacken 3. (prisonnier) to release. ■ se relâcher vp 1. (se desserrer) to loosen 2. (faiblir - discipline) to become lax ; (-attention) to flag 3. (se laisser aller) to slacken off.

relais nm 1. (auberge) post house • **relais routier** transport cafe (UK), truck stop (US) 2. SPORT & TV • **prendre/passer le relais** to take/hand over • (course de) relais relay.

relance nf 1. (économique) revival, boost 2. (de projet) relaunch.

relancer vt 1. (renvoyer) to throw back 2. (faire reprendre - économie) to boost ; (- projet) to relaunch ; (- moteur, machine) to restart 3. INFORM to restart.

relater vt littéraire to relate.

relatif, ive adj relative • **relatif à** relating to • **tout est relatif** it's all relative. ■ relative nf GRAMM relative clause.

relation nf relationship • **mettre qqn en relation avec qqn** to put sb in touch with sb. ■ relations nfpl 1. (rapport) relationship sing • **avoir de bonnes/mauvaises relations avec qqn** to be on good/bad terms with sb • relations sexuelles sexual relations, intercourse (indén)

2. (connaissance) acquaintance • **avoir des relations** to have connections.

relationnel, elle adj (problèmes) relationship (avant nom).

relativement adv relatively.

relativiser vt to relativize.

relativité nf relativity.

relax, relaxe adj fam relaxed.

relaxant, e adj relaxing, soothing.

relaxation nf relaxation.

relaxe = relax.

relaxer vt 1. (reposer) to relax 2. DR to discharge. ■ se relaxer vp to relax.

relayer vt to relieve. ■ se relayer vp to take over from one another.

relecture nf second reading, rereading.

reléguer vt to relegate.

relent nm 1. (odeur) stink, stench 2. fig (trace) whiff.

relève nf relief • **prendre la relève** to take over.

relevé, e adj CULIN spicy. ■ relevé nm reading • **faire le relevé de qqch** to read sthg • **relevé de compte** bank statement • **relevé d'identité bancaire** bank account number.

relever vt 1. (redresser - personne) to help up ; (- pays, économie) to rebuild ; (- moral, niveau) to raise 2. (ramasser) to collect 3. (tête, col, store) to raise 4. (manches) to push up 5. (CULIN - mettre en valeur) to bring out ; (- pimenter) to season 6. fig (récit) to liven up, to spice up 7. (noter) to note down 8. (compteur) to read 9. (relayer) to take over from, to relieve 10. (erreur) to note. ❏ vi (se rétablir) • **relever de** to recover from 2. (être du domaine) • **relever de** to come under. ■ se relever vp 1. (se mettre debout) to stand up 2. (sortir du lit) to get up.

relief nm relief • **en relief** in relief, raised • **une carte en relief** relief map • **mettre en relief** fig to enhance, to bring out.

relier vt 1. (livre) to bind 2. (joindre) to connect 3. fig (associer) to link up.

religieux, euse adj 1. (vie, chant) religious 2. (mariage) religious, church (avant nom) 3. (respectueux) reverent. ■ religieux nm monk. ■ religieuse nf RELIG nun.

religion nf 1. (culte) religion 2. (croyance) religion, faith.

relique nf relic.

relire vt 1. (lire) to reread 2. (vérifier) to read over. ■ se relire vp to read what one has written.

reliure nf binding.

reloger vt to rehouse.

relooker vt 1. (personne) to give a makeover to 2. (produit, journal, site Web) to give a new look to.

reluire vi to shine, to gleam.

reluisant, e adj shining, gleaming • **peu** ou **pas très reluisant a)** fig (avenir, situation) not all that brilliant **b)** (personne) shady.

remaniement nm restructuring • **remaniement ministériel** cabinet reshuffle.

remaquiller vt to make up (sép) again. ■ **se remaquiller** vp (emploi réfléchi) **1.** (entièrement) to reapply one's make-up **2.** (partiellement) to touch up one's make-up.

remarier ■ **se remarier** vp to remarry.

remarquable adj remarkable.

remarque nf **1.** (observation) remark **2.** (critique) critical remark **3.** (annotation) note.

remarquer vt **1.** (apercevoir) to notice • **faire remarquer qqch (à qqn)** to point sthg out (to sb) • **se faire remarquer** péj to draw attention to o.s. **2.** (noter) to remark, to comment. ❏ vi • **ce n'est pas l'idéal, remarque !** it's not ideal, mind you! ■ **se remarquer** vp to be noticeable.

remarquer

Le verbe **to notice** est un équivalent du verbe français *remarquer*, mais il existe différentes possibilités de traductions selon les contextes. Le verbe **to remark** quant à lui, se traduit par *faire remarquer*. Exemples : ***"The days are getting shorter", she* remarked.** « *Les jours raccourcissent* », *fit-elle remarquer. Elle me fit remarquer à quel point l'ambiance avait changé.* ***She made me* notice *how different the atmosphere had become.***

remballer vt (marchandise) to pack up.

rembarrer vt fam to snub.

remblai nm embankment.

rembobiner vt to rewind.

rembourrer vt to stuff, to pad.

remboursement nm refund, repayment.

rembourser vt **1.** (dette) to pay back, to repay **2.** (personne) to pay back • **rembourser qqn de qqch** to reimburse sb for sthg • **tu t'es fait rembourser pour ton trajet en taxi ?** did they reimburse you for your taxi journey? **3.** (dépense, achat) • **se faire rembourser** to get a refund.

rembrunir ■ **se rembrunir** vp to cloud over, to become gloomy.

remède nm litt & fig remedy, cure.

remédier vi • **remédier à qqch** to put sthg right, to remedy sthg.

remembrement nm land regrouping.

remerciement nm thanks pl • **une lettre de remerciement** a thank-you letter.

remercier vt **1.** (dire merci à) to thank • **remercier qqn de** ou **pour qqch** to thank sb for sthg • **non, je vous remercie** no, thank you **2.** (congédier) to dismiss.

remettre vt **1.** (replacer) to put back • **remettre en question** to call into question • **remettre**

qqn à sa place to put sb in his place **2.** (enfiler de nouveau) to put back on **3.** (rétablir - lumière, son) to put back on • **remettre qqch en marche** to restart sthg • **remettre de l'ordre dans qqch** to tidy sthg up • **remettre une montre à l'heure** to put a watch right • **remettre qqch en état de marche** to put sthg back in working order **4.** (donner) • **remettre qqch à qqn a)** to hand sthg over to sb **b)** (médaille, prix) to present sthg to sb **5.** (ajourner) • **remettre qqch (à)** to put sthg off (until). ■ **se remettre** vp **1.** (recommencer) • **se remettre à qqch** to take up sthg again • **se remettre à fumer** to start smoking again **2.** (se rétablir) to get better • **se remettre de qqch** to get over sthg **3.** (redevenir) • **se remettre debout** to stand up again • **le temps s'est remis au beau** the weather has cleared up.

réminiscence nf reminiscence.

remise nf **1.** (action) • **remise en jeu** throw-in • **remise en marche** restarting • **remise en question** ou **cause** calling into question **2.** (de message, colis) handing over **3.** (de médaille, prix) presentation **4.** (réduction) discount • **la vendeuse nous a fait une remise de dix euros** the sales assistant gave us a ten-euro discount • **remise de peine** DR remission **5.** (hangar) shed.

rémission nf remission • **sans rémission a)** (sans pardon possible) without mercy **b)** (sans relâche) unremittingly.

remix nm MUS (enregistrement, disque) remix ; (technique) remixing.

remixé, e adj remastered • **remixé en numérique** digitally remastered.

remodeler vt **1.** (forme) to remodel **2.** (remanier) to restructure.

remontant, e adj (tonique) invigorating. ■ **remontant** nm tonic.

remonte-pente nm ski tow.

remonter vt **1.** (escalier, pente) to go/come back up **2.** (assembler) to put together again **3.** (manches) to turn up **4.** (horloge, montre) to wind up **5.** (ragaillardir) to put new life into, to cheer up. ❏ vi **1.** (monter à nouveau - personne) to go/come back up ; (- baromètre) to rise again ; (- prix, température) to go up again, to rise ; (- sur vélo) to get back on • **remonter dans une voiture** to get back into a car **2.** (dater) • **remonter à** to date ou go back to.

remontoir nm winder.

remontrer vt to show again • **vouloir en remontrer à qqn** to try to show sb up.

remords nm remorse • **avoir des remords** to be full of remorse.

remorque nf trailer • **être en remorque** to be on tow.

remorquer vt (voiture, bateau) to tow.

remorqueur nm tug, tugboat.

remous nm **1.** (de bateau) wash, backwash **2.** (de rivière) eddy. ❏ nmpl fig stir, upheaval.

rempailler vt to re-cane.

A PROPOS DE

remonter

Notez la différence de traduction selon que la personne qui parle se trouve en bas ou en haut.

Si la personne qui parle se trouve en bas, on traduit *remonter* par **to go back up** :
• *J'ai dû remonter l'escalier.* **I had to go back up the stairs.**

Si la personne qui parle se trouve en haut, on traduit *remonter* par **to come back up** :
• *Il est remonté nous chercher.* **He came back up to fetch us.**

rempart *nm* (*gén pl*) rampart.

rempiler *vt* to pile up again. ❑ *vi fam* MIL to sign on again.

remplaçable *adj* replaceable.

remplaçant, e *nm, f* **1.** (*suppléant*) stand-in **2.** SPORT substitute.

remplacement *nm* **1.** (*changement*) replacing, replacement **2.** (*intérim*) substitution • **faire des remplacements a)** to stand in **b)** (*docteur*) to act as a locum (UK).

remplacer *vt* **1.** (*gén*) to replace **2.** (*prendre la place de*) to stand in for **3.** SPORT to substitute.

remplir *vt* **1.** (*gén*) to fill • **remplir de** to fill with • **remplir qqn de joie/d'orgueil** to fill sb with happiness/pride **2.** (*questionnaire*) to fill in *ou* out **3.** (*mission, fonction*) to complete, to fulfil.

remplissage *nm* **1.** (*de récipient*) filling up **2.** *fig & péj* (*de texte*) padding out.

remporter *vt* **1.** (*repartir avec*) to take away again **2.** (*gagner*) to win.

remuant, e *adj* restless, overactive.

remue-ménage *nm inv* commotion, confusion.

remuer *vt* **1.** (*bouger, émouvoir*) to move **2.** (*café, thé*) to stir **3.** (*salade*) to toss. ❑ *vi* to move, to stir • **arrête de remuer comme ça** stop being so restless. ■ **se remuer** *vp* **1.** (*se mouvoir*) to move **2.** *fig* (*réagir*) to make an effort.

rémunération *nf* remuneration.

rémunérer *vt* **1.** (*personne*) to remunerate, to pay **2.** (*activité*) to pay for.

renâcler *vi fam* to make a fuss • **renâcler devant** *ou* **à qqch** to balk at sthg.

renaissance *nf* rebirth.

renaître *vi* **1.** (*ressusciter*) to come back to life, to come to life again • **faire renaître** (*passé, tradition*) to revive **2.** (*revenir - sentiment, printemps*) to return ; (*- économie*) to revive, to recover.

renard *nm* fox.

renchérir *vi* **1.** (*augmenter*) to become more expensive **2.** (*prix*) to go up **3.** (*surenchérir*) • **renchérir sur** to add to.

rencontre *nf* (*gén*) meeting • **faire une bonne rencontre** to meet somebody interesting

• **faire une mauvaise rencontre** to meet an unpleasant person • **aller/venir à la rencontre de qqn** to go/come to meet sb.

rencontrer *vt* **1.** (*gén*) to meet **2.** (*heurter*) to strike. ■ **se rencontrer** *vp* **1.** (*gén*) to meet **2.** (*opinions*) to agree.

rendement *nm* **1.** (*de machine, travailleur*) output **2.** (*de terre, placement*) yield.

rendez-vous *nm inv* **1.** (*rencontre*) appointment **2.** (*amoureux*) date • **on a tous rendez-vous au café** we're all meeting at the café • **lors de notre dernier rendez-vous** at our last meeting • **prendre rendez-vous avec qqn** to make an appointment with sb • **donner rendez-vous à qqn** to arrange to meet sb • **se donner rendez-vous** to arrange to meet **3.** (*lieu*) meeting place.

S'EXPRIMER

fixer un rendez-vous

• **What time are we meeting?** À quelle heure nous retrouvons-nous ?
• **Where are we going to meet?** Où nous donnons-nous rendez-vous ?
• **Do you want to meet up this evening?** Veux-tu/Voulez-vous qu'on se donne rendez-vous pour ce soir ?
• **Have you anything on tomorrow?** As-tu/Avez-vous déjà prévu quelque chose demain ?
• **I can't tomorrow, but I'm free all weekend.** Je ne peux pas demain, mais j'ai tout mon week-end de libre.

rendormir ■ **se rendormir** *vp* to go back to sleep.

rendre *vt* **1.** (*restituer*) • **rendre qqch à qqn** to give sthg back to sb, to return sthg to sb **2.** (*invitation, coup*) to return **3.** DR to pronounce **4.** (*produire un effet*) to produce **5.** (*vomir*) to vomit, to cough up **6.** MIL (*céder*) to surrender • **rendre les armes** to lay down one's arms **7.** (+ *adj*) (*faire devenir*) to make • **rendre qqn fou** to drive sb mad **8.** (*exprimer*) to render. ❑ *vi* **1.** (*produire - champ*) to yield **2.** (*vomir*) to vomit, to be sick (UK). ■ **se rendre** *vp* **1.** (*céder, capituler*) to give in • **j'ai dû me rendre à l'évidence** I had to face facts **2.** (*aller*) • **se rendre à** to go to **3.** (+ *adj*) (*se faire tel*) • **se rendre utile/malade** to make o.s. useful/ill.

rêne *nf* rein.

renégat, e *nm, f sout* renegade.

renégocier *vt* to renegotiate.

renfermé, e *adj* introverted, withdrawn. ■ **renfermé** *nm* • **ça sent le renfermé** it smells stuffy in here.

renfermer *vt* (*contenir*) to contain. ■ **se renfermer** *vp* to withdraw.

renflé, e *adj* bulging.

renflouer *vt* **1.** (*bateau*) to refloat **2.** *fig* (*entreprise, personne*) to bail out.

renfoncement *nm* recess.

renforcer *vt* to reinforce, to strengthen • **cela me renforce dans mon opinion** that confirms my opinion.

renfort *nm* reinforcement • **venir en renfort** to come as reinforcements.

renfrogné, e *adj* scowling.

renfrogner ■ **se renfrogner** *vp* to scowl, to pull a face.

rengaine *nf* **1.** *fam (formule répétée)* (old) story **2.** *(chanson)* (old) song.

rengorger ■ **se rengorger** *vp fig* to puff o.s. up.

renier *vt* **1.** *(famille, ami)* to disown **2.** *(foi, opinion)* to renounce, to repudiate.

renifler *vi* to sniff. ❑ *vt* to sniff • **renifler quelque chose de louche** *fam* to smell a rat.

renne *nm* reindeer *(inv)*.

renom *nm* renown, fame.

renommé, e *adj* renowned, famous. ■ **renommée** *nf* renown, fame • **de renommée internationale** world-famous, internationally renowned.

renoncement *nm* • **renoncement (à)** renunciation (of).

renoncer *vi* to give up. ■ **renoncer à** *v + prép* to give up • **renoncer à comprendre qqch** to give up trying to understand sthg • **renoncer à voir qqn** to give up *ou* abandon the idea of seeing sb • **renoncer à faire qqch** to give up doing sthg.

renoncule *nf* buttercup.

renouer *vt* **1.** *(lacet, corde)* to re-tie, to tie up again **2.** *(contact, conversation)* to resume. ❑ *vi* • **renouer avec qqn** to take up with sb again • **renouer avec sa famille** to make it up with one's family again.

renouveau *nm (transformation)* revival.

renouvelable *adj* **1.** renewable **2.** *(expérience)* repeatable.

renouveler *vt (gén)* to renew. ■ **se renouveler** *vp* **1.** *(être remplacé)* to be renewed **2.** *(changer, innover)* to have new ideas **3.** *(se répéter)* to be repeated, to recur.

renouvellement *nm* renewal.

rénovation *nf* renovation, restoration.

rénové, e *adj (quartier, bâtiment)* renovated.

rénover *vt* **1.** *(immeuble)* to renovate, to restore **2.** *(système, méthodes)* to reform.

renseignement *nm* information *(indén)* • **un renseignement** a piece of information • **prendre des renseignements (sur)** to make enquiries (about). ■ **renseignements** *nmpl (service d'information)* enquiries (UK), information.

renseigner *vt* • **renseigner qqn (sur)** to give sb information (about), to inform sb (about). ■ **se renseigner** *vp* **1.** *(s'enquérir)* to make enquiries, to ask for information **2.** *(s'informer)* to find out.

rentabiliser *vt* to make profitable.

rentabilité *nf* profitability.

rentable *adj* **1.** COMM profitable **2.** *fam (qui en vaut la peine)* worthwhile.

rente *nf* **1.** *(d'un capital)* revenue, income **2.** *(pension)* pension, annuity.

rentier, ère *nm, f* person of independent means.

rentrée *nf* **1.** *(fait de rentrer)* return **2.** *(reprise des activités)* • **la rentrée parlementaire** the reopening of parliament • **la rentrée des classes** the start of the new school year **3.** CINE & THÉÂTRE comeback **4.** *(recette)* income • **j'attends une rentrée pour la fin du mois** I've got some money coming in at the end of the month • **avoir une rentrée d'argent** to come into some money • **rentrées de fonds** income.

rentrer *vi* **1.** *(entrer de nouveau)* to go/come back in • **tout a fini par rentrer dans l'ordre** everything returned to normal **2.** *(entrer)* to go/come in **3.** *(revenir chez soi)* to go/come back, to go/come home **4.** *(recouvrer, récupérer)* • **rentrer dans** to recover, to get back • **rentrer dans ses frais** to cover one's costs, to break even **5.** *(se jeter avec violence)* • **rentrer dans** to crash into **6.** *(s'emboîter)* to go in, to fit • **rentrer les uns dans les autres** to fit together **7.** *(être perçu - fonds)* to come in. ❑ *vt* **1.** *(mettre ou remettre à l'intérieur)* to bring in **2.** *(chemise)* to tuck in **3.** *(ventre)* to pull in **4.** *(griffes)* to retract, to draw in **5.** *fig (rage, larmes)* to hold back.

À PROPOS DE

rentrer

Notez la différence de traduction selon que la personne qui parle se trouve ou non à l'endroit en question.
Si la personne qui parle est à l'endroit en question, on traduit *rentrer* par **to go back in** :
• *Je l'ai vu rentrer.* **I saw him go back in.**
Si la personne qui parle n'est pas à l'endroit en question, on traduit *rentrer* par **to come back in** :
• *Rentrez tout de suite !* **Come back in at once!**

renversant, e *adj* staggering, astounding.

renverse *nf* • **tomber à la renverse** to fall over backwards.

renversé, e *adj* **1.** *(à l'envers)* upside down **2.** *(qu'on a fait tomber)* overturned **3.** *(incliné en arrière)* tilted back **4.** *(stupéfait)* staggered.

renversement *nm* **1.** *(inversion)* turning upside down **2.** *(de situation)* reversal.

renverser *vt* **1.** *(mettre à l'envers)* to turn upside down **2.** *(faire tomber - objet)* to knock over ; *(- piéton)* to run over ; *(- liquide)* to spill **3.** *fig (obstacle)* to overcome **4.** *(régime)* to overthrow **5.** *(ministre)* to throw out of office **6.** *(tête, buste)* to tilt back **7.** *(accident)* • **se faire renverser par une voiture** to get *ou* be knocked over by a car. ■ **se renverser** *vp* **1.** *(incliner le corps en arrière)* to lean back **2.** *(tomber)* to overturn.

renvoi *nm* **1.** *(licenciement)* dismissal **2.** *(de colis, lettre)* return, sending back **3.** *(ajournement)* postponement **4.** *(référence)* cross-reference **5.** *DR* referral **6.** *(éructation)* belch.

renvoyer *vt* **1.** *(faire retourner)* to send back **2.** *(congédier)* to dismiss **3.** *(colis, lettre)* to send back, to return **4.** *(balle)* to throw back **5.** *(réfléchir - lumière)* to reflect ; *(- son)* to echo **6.** *(référer)* • **renvoyer qqn à** to refer sb to **7.** *(différer)* to postpone, to put off.

réorganisation *nf* reorganization.

réorganiser *vt* to reorganize.

réorienter *vt* to reorient, to reorientate.

réouverture *nf* reopening.

repaire *nm* den.

répandre *vt* **1.** *(verser, renverser)* to spill **2.** *(larmes)* to shed **3.** *(diffuser, dégager)* to give off **4.** *fig (bienfaits)* to pour out **5.** *(effroi, terreur, nouvelle)* to spread.

répandu, e *pp* → répandre. ❏ *adj (opinion, maladie)* widespread.

réparable *adj* **1.** *(objet)* repairable **2.** *(erreur)* that can be put right.

réparateur, trice *adj (sommeil)* refreshing. ❏ *nm, f* repairer.

réparation *nf* **1.** *(d'objet - action)* repairing ; *(- résultat)* repair • **en réparation** under repair **2.** *(de faute)* • **réparation (de)** atonement (for) **3.** *(indemnité)* reparation, compensation.

réparer *vt* **1.** *(objet)* to repair **2.** *(faute, oubli)* to make up for • **réparer ses torts** to make amends.

reparler *vi* • **reparler de qqn/qqch** to talk about sb/sthg again.

repartie *nf* retort • **avoir de la repartie** to be good at repartee.

repartir *vt littéraire* to reply. ❏ *vi* **1.** *(retourner)* to go back, to return **2.** *(partir de nouveau)* to set off again **3.** *(recommencer)* to start again.

répartir *vt* **1.** *(partager)* to share out, to divide up **2.** *(dans l'espace)* to spread out, to distribute **3.** *(classer)* to divide *ou* split up. ■ **se répartir** *vp* to divide up.

répartition *nf* **1.** *(partage)* sharing out **2.** *(de tâches)* allocation **3.** *(dans l'espace)* distribution.

repas *nm* meal • **prendre son repas** to eat.

LEXIQUE

le repas

l'assiette the plate
la bière the beer
le café the coffee
la carafe d'eau the water jug
la charcuterie pork
les couverts the cutlery
les crudités raw vegetables
le dessert dessert
l'eau du robinet tap water
l'eau gazeuse fizzy water
l'eau minérale mineral water
l'eau plate still water
l'entrée the starter
la forêt noire the Black Forest cake
le fromage cheese
les fruits fruit
le gâteau the cake
le gâteau d'anniversaire the birthday cake
le jus de pomme apple juice
le jus d'orange orange juice
les légumes vegetables
le pain the bread
le plat the main course
le plateau the tray
le plateau de fromages the cheese board
la tarte the tart
le thé tea
la tisane herb tea
le verre the glass
la viande meat
le vin wine
le yaourt the yoghurt

repassage *nm* ironing.

repasser vi 1. *(passer à nouveau)* to go/come back 2. *(film)* to be on again. ❏ vt 1. *(frontière, montagne)* to cross again, to recross 2. *(examen)* to resit (UK) 3. *(film)* to show again 4. *(linge)* to iron.

À PROPOS DE

repasser

Avec les verbes, la notion de *à nouveau*, exprimée en français par le préfixe **re-**, est souvent rendue en anglais par l'adverbe **again** (refaire = **to do again, to make again**) irrefutable 2. *(d'acteur)* line • **donner** = **to take again**).

Le préfixe **re-** est parfois employé en anglais, mais il est nettement plus rare qu'en français.

---

repayer vt to pay again.

repêchage nm *(de noyé, voiture)* recovery.

repêcher vt 1. *(noyé, voiture)* to fish out 2. *fam (candidat)* to let through.

repeindre vt to repaint.

repeint, e pp → repeindre.

repenser vt to rethink.

repentir nm repentance. ■ **se repentir** vp to repent • **se repentir de qqch/d'avoir fait qqch** to be sorry for sthg/for having done sthg.

répercussion nf repercussion.

répercuter vt 1. *(lumière)* to reflect 2. *(son)* to throw back 3. *(ordre, augmentation)* to pass on. ■ **se répercuter** vp 1. *(lumière)* to be reflected 2. *(son)* to echo 3. *(influer)* • **se répercuter sur** to have repercussions on.

repère nm 1. *(marque)* mark 2. *(objet concret)* landmark • **point de repère** point of reference.

repérer vt 1. *(situer)* to locate, to pinpoint 2. *(remarquer)* to spot • **se faire repérer** to be spotted. ■ **se repérer** vp to find one's way around.

répertoire nm 1. *(agenda)* thumb-indexed notebook 2. *(de théâtre, d'artiste)* repertoire 3. INFORM directory.

répertorier vt to make a list of.

répéter vt 1. *(gén)* to repeat 2. *(leçon)* to go over, to learn 3. *(rôle)* to rehearse. ❏ vi to rehearse. ■ **se répéter** vp 1. *(radoter)* to repeat o.s. 2. *(se reproduire)* to be repeated • **que cela ne se répète pas !** don't let it happen again!

répétitif, ive adj repetitive.

répétition nf 1. *(réitération)* repetition 2. MUS & THÉÂTRE rehearsal.

repeupler vt 1. *(région, ville)* to repopulate 2. *(forêt)* to replant 3. *(étang)* to restock.

repiquer vt 1. *(replanter)* to plant out 2. *(disque, cassette)* to tape.

répit nm respite • **sans répit** without respite.

replacer vt 1. *(remettre)* to replace, to put back 2. *(situer)* to place, to put. ■ **se replacer** vp to find new employment.

replanter vt to replant.

replet, ète adj chubby.

repli nm 1. *(de tissu)* fold 2. *(de rivière)* bend 3. *(de troupes)* withdrawal.

replier vt 1. *(plier de nouveau)* to fold up again 2. *(ramener en pliant)* to fold back 3. *(armée)* to withdraw. ■ **se replier** vp 1. *(armée)* to withdraw 2. *(personne)* • **se replier sur soi-même** to withdraw into o.s. 3. *(journal, carte)* to fold 4. *(monnaie)* to fall back.

réplique nf 1. *(riposte)* reply • **sans réplique** *(argument)* irrefutable 2. *(d'acteur)* line • **donner la réplique à qqn** to play opposite sb 3. *(copie)* replica 4. *(sosie)* double.

répliquer vt • **répliquer à qqn que** to reply to sb that. ❏ vi 1. *(répondre)* to reply 2. *(avec impertinence)* to answer back 3. *fig (riposter)* to retaliate.

replonger vt to plunge back. ❏ vi to dive back. ■ **se replonger** vp • **se replonger dans qqch** to immerse o.s. in sthg again.

répondeur nm • **répondeur (téléphonique ou automatique ou -enregistreur)** answering machine.

répondre vi • **répondre à qqn a)** *(faire connaître sa pensée)* to answer sb, to reply to sb **b)** *(riposter)* to answer sb back • **répondre à qqch a)** *(faire une réponse)* to reply to sthg, to answer sthg **b)** *(en se défendant)* to respond to sthg • **répondre au téléphone** to answer the telephone. ❏ vt to answer, to reply. ■ **répondre à** vt 1. *(correspondre à - besoin)* to answer ; *(- conditions)* to meet 2. *(ressembler à - description)* to match. ■ **répondre de** vt to answer for.

répondu, e pp → répondre.

réponse nf 1. *(action de répondre)* answer, reply • **en réponse à votre lettre...** in reply ou in answer ou in response to your letter... 2. *(solution)* answer 3. *(réaction)* response 4. TECHNOL response.

report nm 1. *(de réunion, rendez-vous)* postponement 2. COMM *(d'écritures)* carrying forward.

reportage nm *(article, enquête)* report.

reporter[1] nmf reporter • **grand reporter** international reporter.

reporter[2] vt 1. *(rapporter)* to take back 2. *(différer)* • **reporter qqch à** to postpone sthg till, to put sthg off till 3. *(somme)* • **reporter (sur)** to carry forward (to) 4. *(transférer)* • **reporter sur** to transfer to. ■ **se reporter** vp • **se reporter à a)** *(se référer à)* to refer to **b)** *(se transporter en pensée à)* to cast one's mind back to.

repos nm 1. *(gén)* rest • **prendre un jour de repos** to take a day off 2. *(tranquillité)* peace and quiet.

reposant, e adj restful.

reposé, e adj rested • **à tête reposée** with a clear head.

reposer vt 1. *(poser à nouveau)* to put down again, to put back down 2. *(remettre)* to put back **3.** *(poser de nouveau - question)* to ask again **4.** *(appuyer)* to rest **5.** *(délasser)* to rest, to relax. ❑ *vi* **1.** *(pâte)* to sit, to stand **2.** *(vin)* to stand **3.** *(théorie)* • **reposer sur** to rest on. ■ **se reposer** *vp* **1.** *(se délasser)* to rest **2.** *(faire confiance)* • **se reposer sur qqn** to rely on sb.

repositionnable *adj* repositionable, removable.

repoussant, e *adj* repulsive.

repousser *vi* to grow again, to grow back. ❑ *vt* **1.** *(écarter)* to push away, to push back **2.** *(l'ennemi)* to repel, to drive back **3.** *(éconduire)* to reject **4.** *(proposition)* to reject, to turn down **5.** *(différer)* to put back, to postpone.

répréhensible *adj* reprehensible.

reprendre *vt* **1.** *(prendre de nouveau)* to take again • **je passe te reprendre dans une heure** I'll come by and pick you up again in an hour • **reprendre la route** to take to the road again • **reprendre haleine** to get one's breath back **2.** *(récupérer - objet prêté)* to take back ; *(- prisonnier, ville)* to recapture **3.** COMM *(entreprise, affaire)* to take over **4.** *(se resservir)* • **reprendre un gâteau/ de la viande** to take another cake/some more meat **5.** *(recommencer)* to resume • **« et ainsi », reprit-il...** "and so," he continued... **6.** *(retoucher)* to repair **7.** *(jupe)* to alter **8.** *(corriger)* to correct. ❑ *vi* **1.** *(affaires, plante)* to pick up **2.** *(recommencer)* to start again.

représailles *nfpl* reprisals.

représentant, e *nm, f* representative.

représentatif, ive *adj* representative.

représentation *nf* **1.** *(gén)* representation **2.** *(spectacle)* performance.

représentativité *nf* representativeness.

représenter *vt* to represent. ■ **se représenter** *vp* **1.** *(s'imaginer)* • **se représenter qqch** to visualize sthg **2.** *(se présenter à nouveau)* • **se représenter à a)** *(aux élections)* to stand (UK) *ou* run (US) again at **b)** *(à un examen)* to resit (UK), to represent.

répressif, ive *adj* repressive.

répression *nf* **1.** *(de révolte)* repression **2.** *(de criminalité, d'injustices)* suppression.

réprimande *nf* reprimand.

réprimander *vt* to reprimand.

réprimer *vt* **1.** *(émotion, rire)* to repress, to check **2.** *(révolte, crimes)* to put down, to suppress.

repris, e *pp* → reprendre. ■ **repris** *nm* • **repris de justice** habitual criminal.

reprise *nf* **1.** *(recommencement - des hostilités)* resumption, renewal ; *(- des affaires)* revival, recovery ; *(- de pièce)* revival • **à plusieurs reprises** on several occasions, several times **2.** *(boxe)* round **3.** *(raccommodage)* mending.

repriser *vt* to mend.

réprobateur, trice *adj* reproachful.

réprobation *nf* disapproval.

reproche *nm* reproach • **faire des reproches à qqn** to reproach sb • **avec reproche** reproachfully • **sans reproche** blameless.

reprocher *vt* • **reprocher qqch à qqn** to reproach sb for sthg. ■ **se reprocher** *vp* • **se reprocher (qqch)** to blame o.s. (for sthg).

reproducteur, trice *adj* reproductive.

reproduction *nf* reproduction • **reproduction interdite** all rights (of reproduction) reserved.

reproduire *vt* to reproduce. ■ **se reproduire** *vp* **1.** BIOL to reproduce, to breed **2.** *(se répéter)* to recur.

reproduit, e *pp* → reproduire.

reprogrammer *vt* to reprogram.

réprouver *vt* *(blâmer)* to reprove.

reptile *nm* reptile.

repu, e *adj* full, sated.

républicain, e *adj & nm, f* republican.

république *nf* republic • **la République française** the French Republic • **la République populaire de Chine** the People's Republic of China • **la République tchèque** the Czech Republic.

répudier *vt* *(femme)* to repudiate.

répugnance *nf* **1.** *(horreur)* repugnance **2.** *(réticence)* reluctance • **avoir** *ou* **éprouver de la répugnance à faire qqch** to be reluctant to do sthg.

répugnant, e *adj* repugnant.

répugner *vi* • **répugner à qqn** to disgust sb, to fill sb with repugnance • **répugner à faire qqch** to be reluctant to do sthg, to be loath to do sthg.

répulsion *nf* repulsion.

réputation *nf* reputation • **avoir une réputation de** to have a reputation for • **avoir bonne/mauvaise réputation** to have a good/ bad reputation.

réputé, e *adj* famous, well-known.

requérir *vt* **1.** *(nécessiter)* to require, to call for **2.** *(solliciter)* to solicit **3.** DR *(réclamer au nom de la loi)* to demand.

requête *nf* **1.** *(prière)* petition **2.** DR appeal **3.** INFORM query.

requiem *nm inv* requiem.

requin *nm* shark.

requis, e *pp* → requérir. ❑ *adj* required, requisite.

réquisition *nf* **1.** MIL requisition **2.** DR closing speech for the prosecution.

réquisitionner *vt* to requisition.

réquisitoire *nm* DR closing speech for the prosecution • **réquisitoire (contre)** *fig* indictment (of).

RER (abrév de réseau express régional) *nm pour expliquer à un anglophone de quoi il s'agit, vous pouvez dire* it is the rail network linking central Paris with its suburbs and airports.

rescapé, e *nm, f* survivor.

rescousse ◼ à la rescousse *loc adv* • venir à la rescousse de qqn to come to sb's rescue • appeler qqn à la rescousse to call on sb for help.

réseau *nm* network • réseau ferroviaire/routier rail/road network.

réséda *nm* mignonette.

réservation *nf* reservation.

réserve *nf* 1. *(gén)* reserve • en réserve in reserve • officier de réserve MIL reserve officer 2. *(restriction)* reservation • faire des réserves (sur) to have reservations (about) • sous réserve de subject to • sans réserve unreservedly 3. *(d'animaux, de plantes)* reserve 4. *(d'Indiens)* reservation • réserve faunique (QUÉBEC) wildlife reserve • réserve naturelle nature reserve 5. *(local)* storeroom.

réservé, e *adj* reserved.

réserver *vt* 1. *(destiner)* • réserver qqch (à qqn) a) *(chambre, place)* to reserve *ou* book sthg (for sb) b) *fig (surprise, désagrément)* to have sthg in store (for sb) 2. *(mettre de côté, garder)* • réserver qqch (pour) to put sthg on one side (for), to keep sthg (for). ◼ se réserver *vp* 1. *(s'accorder)* • se réserver qqch to keep sthg for o.s. • se réserver le droit de faire qqch to reserve the right to do sthg 2. *(se ménager)* to save o.s.

réserviste *nmf* reservist.

réservoir *nm* 1. *(cuve)* tank 2. *(bassin)* reservoir.

résidant, e (QUÉBEC) *adj* resident. ❑ *nm, f* = résident.

résidence *nf* 1. *(habitation)* residence • résidence principale main residence *ou* home • résidence secondaire second home • résidence universitaire hall of residence (UK), dormitory (US) 2. *(immeuble)* block of luxury flats (UK), luxury apartment block (US). ◼ résidence surveillée *nf* • en résidence surveillée under house arrest.

résident, e *nm, f* 1. *(de pays)* • les résidents français en Écosse French nationals resident in Scotland 2. *(habitant d'une résidence)* resident.

résidentiel, elle *adj* residential.

résider *vi* 1. *(habiter)* • résider à/dans/en to reside in 2. *(consister)* • résider dans to lie in.

résidu *nm* 1. *(reste)* residue 2. *(déchet)* waste.

résignation *nf* resignation.

résigné, e *adj* resigned.

résigner ◼ se résigner *vp* • se résigner (à) to resign o.s. (to).

résilier *vt* to cancel, to terminate.

résille *nf* 1. *(pour cheveux)* hairnet 2. *(pour les jambes)* • bas résille fishnet stockings.

résine *nf* resin.

résineux, euse *adj* resinous. ◼ résineux *nm* conifer.

résistance *nf* 1. *(gén)* ÉLECTR & PHYS resistance • manquer de résistance to lack stamina • op-

poser une résistance to put up resistance 2. *(de radiateur, chaudière)* element. ◼ Résistance *nf* • la Résistance HIST the Resistance.

résistant, e *adj* 1. *(personne)* tough 2. *(tissu)* hard-wearing, tough • être résistant au froid/aux infections to be resistant to the cold/to infection. ❑ *nm, f* 1. *(gén)* resistance fighter 2. *(de la Résistance)* member of the Resistance.

résister *vi* 1. to resist • je ne peux pas lui résister, il est si gentil I can't resist him, he's so nice 2. *(en usage absolu)* • la serrure résiste the lock is sticking • la toiture/théière n'a pas résisté the roof/teapot didn't stand up to the shock • je n'ai pas pu résister I couldn't resist. ◼ résister à *v + prép* 1. *(agresseur, attaquant)* to resist, to hold out against 2. *(autorité)* to resist, to stand up to 3. *(personne)* to stand up to, to oppose • j'ai toujours résisté à ses caprices I've always stood up to *ou* opposed his whims 4. *(gendarme, huissier)* to put up resistance to • il a résisté aux officiers venus l'arrêter he resisted arrest 5. *(fatigue, faim)* to withstand, to put up with 6. *(solitude, douleur)* to stand, to withstand • résister à la tentation to resist temptation • résister à ses désirs/penchants to fight against one's desires/inclinations 7. *(à l'usure, à l'action des éléments)* to withstand, to resist, to be proof against • qui résiste au feu fireproof • qui résiste à la chaleur heatproof • qui résiste aux chocs shockproof • couleurs qui résistent au lavage fast colours • la porte a résisté à ma poussée the door wouldn't open when I pushed it • résister au temps to stand the test of time 8. *(sujet : livre, projet)* to stand up • résister à l'analyse/l'examen to stand up to analysis/investigation • son œuvre ne résistera pas à la critique his work won't stand up to criticism.

résolu, e *pp* → résoudre. ❑ *adj* resolute • être bien résolu à faire qqch to be determined to do sthg.

résolument *adv* resolutely.

résolution *nf* 1. *(décision)* resolution • prendre la résolution de faire qqch to make a resolution to do sthg 2. *(détermination)* resolve, determination 3. *(solution)* solving.

résonance *nf* 1. ÉLECTR & PHYS resonance 2. *fig (écho)* echo.

résonner *vi* 1. *(retentir)* to resound 2. *(renvoyer le son)* to echo.

résorber *vt* 1. *(déficit)* to absorb 2. MÉD to resorb. ◼ se résorber *vp* 1. *(déficit)* to be absorbed 2. MÉD to be resorbed.

résoudre *vt* *(problème)* to solve, to resolve. ◼ se résoudre *vp* • se résoudre à faire qqch to make up one's mind to do sthg, to decide *ou* resolve to do sthg.

respect *nm* respect. ◼ respects *nmpl* respects, regards.

respectable *adj* respectable.

respecter *vt* to respect • **faire respecter la loi** to enforce the law.

respectif, ive *adj* respective.

respectivement *adv* respectively.

respectueux, euse *adj* respectful • **être respectueux de** to have respect for.

respiration *nf* breathing *(indén)* • **retenir sa respiration** to hold one's breath.

respiratoire *adj* respiratory.

respirer *vi* **1.** *(inspirer-expirer)* to breathe **2.** *fig (se reposer)* to get one's breath **3.** *(être soulagé)* to be able to breathe again. ❑ *vt* **1.** *(aspirer)* to breathe in **2.** *fig (exprimer)* to exude.

resplendir *vi* **1.** *(lune)* to shine **2.** *fig (personne)* • **resplendir de joie/santé** to be radiant with joy/health.

resplendissant, e *adj* radiant.

responsabiliser *vt* • **responsabiliser qqn** to make sb aware of his/her responsibilities.

responsabilité *nf (morale)* responsibility • **avoir la responsabilité de** to be responsible for, to have the responsibility of **2.** *DR* liability.

responsable *adj* **1.** *(gén)* • **responsable (de)** responsible (for) **2.** *(légalement)* liable (for) **3.** *(chargé de)* in charge (of), responsible (for) **4.** *(sérieux)* responsible. ❑ *nmf* **1.** *(auteur, coupable)* person responsible **2.** *(dirigeant)* official **3.** *(personne compétente)* person in charge.

resquillage *nm fam* = **resquille.**

resquille *nf fam* **1.** *(au théâtre, etc)* sneaking in without paying **2.** *(dans autobus, etc)* fare-dodging.

resquiller *vi fam* **1.** *(au théâtre, etc)* to sneak in without paying **2.** *(dans autobus, etc)* to dodge paying the fare.

resquilleur, euse *nm, f fam* **1.** *(au théâtre, etc)* person who sneaks in without paying **2.** *(dans autobus, etc)* fare-dodger.

ressac *nm* undertow.

ressaisir ■ **se ressaisir** *vp* to pull o.s. together.

ressasser *vt* **1.** *(répéter)* to keep churning out **2.** *fig (mécontentement)* to dwell on.

ressemblance *nf* **1.** *(gén)* resemblance, likeness **2.** *(trait)* resemblance.

ressemblant, e *adj* lifelike.

ressembler *vi* • **ressembler à a)** *(physiquement)* to resemble, to look like **b)** *(moralement)* to be like, to resemble • **cela ne lui ressemble pas** that's not like him. ■ **ressembler à** *v + prép* **1.** *(avoir la même apparence que)* to resemble, to look like **2.** *(avoir la même nature que)* to be like • **ressembler à son père** to be like one's father • **je n'ai rien qui ressemble à une tenue de soirée** I have nothing that you could even vaguely call evening wear **3.** • **ne ressembler à rien** *fam* : **ça ne ressemble à rien** it makes no sense at all • **son tableau ne ressemble à rien** *fam* her

painting looks like nothing on earth • **ça ne ressemble à rien de ne pas vouloir venir** *fam* there's no sense in not wanting to come • **à quoi ça ressemble de…** *fam* : **à quoi ça ressemble de quitter la réunion sans même s'excuser ?** what's the idea *ou* meaning of leaving the meeting without even apologizing? • **cela ne me/te/leur ressemble pas** that's not like me/you/them • **ça lui ressemble bien de…** : **ça lui ressemble bien d'oublier mon anniversaire** it's just like him to forget my birthday. ■ **se ressembler** *vp* to look alike, to resemble each other.

ressemeler *vt* to resole.

ressentiment *nm* resentment.

ressentir *vt* to feel.

resserrer *vt* **1.** *(ceinture, boulon)* to tighten **2.** *fig* to strengthen. ■ **se resserrer** *vp* **1.** *(route)* to (become) narrow **2.** *(nœud, étreinte)* to tighten **3.** *fig (relations)* to grow stronger, to strengthen.

resservir *vt* **1.** *(plat)* to serve again **2.** *fig (histoire)* to trot out **3.** *(personne)* to give another helping to. ❑ *vi* to be used again. ■ **se resservir** *vp* • **se resservir de qqch a)** *(ustensile)* to use sthg again **b)** *(plat)* to take another helping of sthg.

ressort *nm* **1.** *(mécanisme)* spring **2.** *fig (énergie)* spirit **3.** *fig (compétence)* • **être du ressort de qqn** to be sb's area of responsibility, to come under sb's jurisdiction. ■ **en dernier ressort** *loc adv* in the last resort, as a last resort.

ressortir *vi* **1.** *(personne)* to go out again **2.** *fig (couleur)* • **ressortir (sur)** to stand out (against) • **faire ressortir** to highlight **3.** *fig (résulter de)* • **ressortir de** to emerge from. ❑ *vt* to take *ou* get *ou* bring out again.

ressortir

À PROPOS DE

Notez la différence de traduction selon que la personne qui parle se trouve à l'intérieur ou déjà dehors.
Si elle est à l'intérieur, on emploie *to go out again* :

• *Il faut que je ressorte, j'ai oublié le pain.* **I've got to go out again, I've forgotten the bread.**

Et si elle est déjà dehors *to come out again* :

• *Tu peux ressortir deux minutes ? je veux te montrer un truc.* **Can you come out again for two minutes? I want to show you something.**

ressortissant, e *nm, f* national.

ressource *nf* resort • **votre seule ressource est de…** the only course open to you is to…. ■ **ressources** *nfpl* **1.** *(financières)* means **2.** *(énergétiques, de langue)* resources • **ressources naturelles** natural resources **3.** *(de personne)* resourcefulness *(indén)*.

ressourcer ■ **se ressourcer** *vp* to recharge one's batteries.

ressurgir *vi* to reappear.

ressusciter *vi* 1. to rise (from the dead) 2. *fig* to revive.

restant, e *adj* remaining, left. ■ **restant** *nm* rest, remainder.

restaurant *nm* restaurant • **manger au restaurant** to eat out • **restaurant d'entreprise** staff canteen (UK) *ou* cafeteria (US) • **restaurant universitaire** ≃ university cafeteria *ou* refectory.

restaurateur, trice *nm, f* 1. CULIN restaurant owner 2. ART restorer.

restauration *nf* 1. CULIN restaurant business • **restauration rapide** fast food 2. ART & POLIT restoration.

restaurer *vt* to restore. ■ **se restaurer** *vp* to have something to eat.

reste *nm* 1. *(de lait, temps)* • **le reste (de)** the rest (of) 2. MATH remainder. ■ **au reste, du reste** *loc adv* besides. ■ **pour le reste** *loc adv* as for the rest. ■ **restes** *nmpl* 1. *(de repas)* leftovers 2. *(de mort)* remains.

rester *vi* 1. *(dans lieu, état)* to stay, to remain • **restez calme !** stay *ou* keep calm! • **rester sans rien faire** to sit around doing nothing 2. *(subsister)* to remain, to be left • **le seul bien qui me reste** the only thing I have left 3. *(s'arrêter)* • **en rester à qqch** to stop at sthg • **en rester là** to finish there 4. *(locution)* • **y rester** *fam (mourir)* to pop one's clogs (UK). ❏ *v impers* • **il en reste un peu** there's still a little left • **il te reste de l'argent ?** do you still have some money left?

restituer *vt* 1. *(objet volé)* to return, to restore 2. *(argent)* to refund, to return 3. *(énergie)* to release 4. *(son)* to reproduce.

resto *nm fam* restaurant • **les restos du cœur** ≃ soup kitchens • **resto-U** UNIV university refectory, cafeteria.

Restoroute® *nm* motorway cafe (UK), highway restaurant (US).

restreindre *vt* to restrict. ■ **se restreindre** *vp* 1. *(domaine, champ)* to narrow 2. *(personne)* to cut back • **se restreindre dans qqch** to restrict sthg.

restreint, e *pp* → **restreindre**.

restrictif, ive *adj* restrictive.

restriction *nf* 1. *(condition)* condition • **sans restriction** unconditionally 2. *(limitation)* restriction. ■ **restrictions** *nfpl (alimentaires)* rationing *(indén)*.

restructurer *vt* to restructure.

résultant, e *adj* resulting. ■ **résultante** *nf* 1. *(sciences)* resultant 2. *(conséquence)* consequence, outcome.

résultat *nm* 1. result 2. *(d'action)* outcome.

résulter *vi* • **résulter de** to be the result of, to result from. ❏ *v impers* • **il en résulte que...** as a result,....

résumé *nm* summary, résumé • **en résumé a)** *(pour conclure)* to sum up **b)** *(en bref)* in brief, summarized.

résumer *vt* to summarize. ■ **se résumer** *vp* *(se réduire)* • **se résumer à qqch/à faire qqch** to come down to sthg/to doing sthg.

résurgence *nf* resurgence.

résurrection *nf* resurrection.

rétablir *vt* 1. *(gén)* to restore 2. *(malade)* to restore (to health) 3. *(communications, contact)* to re-establish. ■ **se rétablir** *vp* 1. *(silence)* to return, to be restored 2. *(malade)* to recover 3. *(gymnastique)* to pull o.s. up.

rétablissement *nm* 1. *(d'ordre)* restoration 2. *(de communications)* re-establishment 3. *(de malade)* recovery 4. *(gymnastique)* pull-up.

retard *nm* 1. *(délai)* delay • **être en retard a)** *(sur heure)* to be late **b)** *(sur échéance)* to be behind • **avoir du retard** to be late *ou* delayed 2. *(de pays, peuple, personne)* backwardness.

retardataire *nmf (en retard)* latecomer.

retardement *nm* • **à retardement** belatedly. Voir aussi **bombe**.

retarder *vt* 1. *(personne, train)* to delay 2. *(sur échéance)* to put back 3. *(ajourner - rendez-vous)* to put back *ou* off ; *(- départ)* to put back *ou* off, to delay 4. *(montre)* to put back. ❏ *vi* 1. *(horloge)* to be slow 2. *fam (ne pas être au courant)* to be behind the times 3. *fam (être en décalage)* • **retarder sur** to be out of step *ou* tune with.

retenir *vt* 1. *(physiquement - objet, personne, cri)* to hold back ; *(- souffle)* to hold • **retenir qqn de faire qqch** to stop ou restrain sb from doing sthg 2. *(retarder)* to keep, to detain 3. *(montant, impôt)* to keep back, to withhold 4. *(chambre)* to reserve 5. *(leçon, cours)* to remember 6. *(projet)* to accept, to adopt **7.** *(eau, chaleur)* to retain **8.** MATH to carry **9.** *(intérêt, attention)* to hold. ■ **se retenir** *vp* **1.** *(s'accrocher)* • **se retenir à** to hold onto **2.** *(se contenir)* to hold on • **se retenir de faire qqch** to refrain from doing sthg.

rétention *nf* MÉD retention.

retentir *vi* **1.** *(son)* to ring (out) **2.** *(pièce, rue)* • **retentir de** to resound with **3.** *(fatigue, blessure)* • **retentir sur** to have an effect on.

retentissant, e *adj* resounding.

retentissement *nm (de mesure)* repercussions *pl*.

retenu, e *pp* → retenir.

retenue *nf* **1.** *(prélèvement)* deduction **2.** MATH amount carried **3.** SCOL detention **4.** *fig (de personne - dans relations)* reticence ; *(- dans comportement)* restraint • **sans retenue** without restraint.

réticence *nf (hésitation)* hesitation, reluctance • **avec réticence** hesitantly.

réticent, e *adj* hesitant, reluctant.

rétine *nf* retina.

retiré, e *adj* **1.** *(lieu)* remote, isolated **2.** *(vie)* quiet.

retirer *vt* **1.** *(vêtement, emballage)* to take off, to remove **2.** *(permis, jouet)* to take away • **retirer qqch à qqn** to take sthg away from sb **3.** *(plainte)* to withdraw, to take back **4.** *(avantages, bénéfices)* • **retirer qqch de qqch** to get *ou* derive sthg from sthg **5.** *(bagages, billet)* to collect **6.** *(argent)* to withdraw. ■ **se retirer** *vp* **1.** *(s'isoler)* to withdraw, to retreat **2.** *(des affaires)* • **se retirer (de)** to retire (from) **3.** *(refluer)* to recede.

retombées *nfpl* repercussions, fallout *sing*.

retomber *vi* **1.** *(gymnaste, chat)* to land **2.** *(redevenir)* • **retomber malade** to relapse **3.** *fig (colère)* to die away **4.** *(cheveux)* to hang down **5.** *fig (responsabilité)* • **retomber sur** to fall on **6.** *(dans un état)* to fall back, to lapse *sout*.

rétorquer *vt* to retort • **rétorquer à qqn que...** to retort to sb that...

retors, e *adj* wily.

rétorsion *nf* retaliation • **mesures de rétorsion** reprisals.

retouche *nf* **1.** *(de texte, vêtement)* alteration **2.** ART & PHOTO touching up.

retoucher *vt* **1.** *(texte, vêtement)* to alter **2.** ART & PHOTO to touch up.

retour *nm* **1.** *(gén)* return • **à mon/ton retour** when I/you get back, on my/your return • **être de retour (de)** to be back (from) • **retour en arrière** flashback • **en retour** in return **2.** *(trajet)* journey back, return journey.

retourner *vt* **1.** *(carte, matelas)* to turn over **2.** *(terre)* to turn (over) **3.** *(compliment, objet prêté)* • **retourner qqch (à qqn)** to return sthg (to sb) **4.** *(lettre, colis)* to send back, to return **5.** *fam & fig*

(personne) to shake up. ❏ *vi* to come/go back • **retourner en arrière** *ou* **sur ses pas** to retrace one's steps. ■ **se retourner** *vp* **1.** *(basculer)* to turn over **2.** *(pivoter)* to turn round *ou* around (US) **3.** *fam & fig (s'adapter)* to sort o.s. out (UK) **4.** *(rentrer)* • **s'en retourner** to go back (home) **5.** *fig (s'opposer)* • **se retourner contre** to turn against.

retracer *vt* **1.** *(ligne)* to redraw **2.** *(événement)* to relate.

rétracter *vt* to retract. ■ **se rétracter** *vp* **1.** *(se contracter)* to retract **2.** *(se dédire)* to back down.

retrait *nm* **1.** *(gén)* withdrawal • **retrait du permis** disqualification from driving **2.** BANQUE • **faire un retrait** to withdraw money **3.** *(de bagages)* collection **4.** *(des eaux)* ebbing. ■ **en retrait** *loc adj & loc adv* **1.** *(maison)* set back from the road • **rester en retrait** *fig* to hang back **2.** *(texte)* indented.

retraite *nf* **1.** *(gén)* retreat **2.** *(cessation d'activité)* retirement • **être à la retraite** to be retired • **prendre sa retraite** to retire • **retraite anticipée** early retirement **3.** *(revenu)* (retirement) pension • **retraite complémentaire** supplementary pension.

retraité, e *adj* **1.** *(personne)* retired **2.** TECHNOL reprocessed. ❏ *nm, f* retired person, pensioner (UK).

retrancher *vt* **1.** *(passage)* • **retrancher qqch (de)** to cut sthg out (from), to remove sthg (from) **2.** *(montant)* • **retrancher qqch (de)** to take sthg away (from), to deduct sthg (from). ■ **se retrancher** *vp* to entrench o.s. • **se retrancher derrière/dans** *fig* to take refuge behind/in.

retransmettre *vt* to broadcast.

retransmis, e *pp* → retransmettre.

retransmission *nf* broadcast.

retravailler *vt* • **retravailler qqch** to work on sthg again. ❏ *vi* to start work again.

rétrécir *vi (tissu)* to shrink.

rétrécissement *nm* **1.** *(de vêtement)* shrinkage **2.** MÉD stricture **3.** • **rétrécissement de la chaussée** bottleneck.

rétribuer *vt* **1.** *(employé)* to pay **2.** *(travail)* to pay for.

rétribution *nf* remuneration.

rétro *nm* **1.** *(style)* retro **2.** *fam (rétroviseur)* rearview mirror. ❏ *adj inv* old-style.

rétroactif, ive *adj* retrospective.

rétrograde *adj péj* reactionary.

rétrograder *vt* to demote. ❏ *vi* AUTO to change down (UK), to downshift (US).

rétroprojecteur *nm* overhead projector.

rétrospectif, ive *adj* retrospective. ■ **rétrospective** *nf* retrospective.

rétrospectivement *adv* retrospectively.

retroussé, e *adj* **1.** *(manches, pantalon)* rolled up **2.** *(nez)* turned up.

retrousser vt **1.** *(manches, pantalon)* to roll up **2.** *(lèvres)* to curl.

retrouvailles nfpl reunion *sing.*

retrouver vt **1.** *(gén)* to find **2.** *(appétit)* to recover, to regain **3.** *(reconnaître)* to recognize **4.** *(ami)* to meet, to see. ■ **se retrouver** vp **1.** *(entre amis)* to meet (up) again • **on se retrouve au café ?** shall we meet up *ou* see each other at the cafe? **2.** *(être de nouveau)* to find o.s. again **3.** *(par hasard)* to end up **4.** *(s'orienter)* to find one's way • **ne pas s'y retrouver** *(dans ses papiers)* to be completely lost **5.** *(erreur, style)* to be found, to crop up **6.** *(financièrement)* • **s'y retrouver** fam to break even.

rétroviseur nm rearview mirror.

réunification nf reunification.

réunifier vt to reunify.

réunion nf **1.** *(séance)* meeting **2.** *(jonction)* union, merging **3.** *(d'amis, de famille)* reunion **4.** SPORT meeting.

Réunion nf • **(l'île de) la Réunion** Réunion.

réunir vt **1.** *(fonds)* to collect **2.** *(extrémités)* to put together, to bring together **3.** *(qualités)* to combine **4.** *(personnes)* to bring together **5.** *(après séparation)* to reunite. ■ **se réunir** vp **1.** *(personnes)* to meet **2.** *(entreprises)* to combine **3.** *(États)* to unite **4.** *(fleuves, rues)* to converge.

réussi, e adj successful • **c'est réussi !** fig & iron congratulations!, well done!

réussir vi **1.** *(personne, affaire)* to succeed, to be a success • **réussir à faire qqch** to succeed in doing sthg **2.** *(convenir)* • **réussir à** to agree with. ❏ vt **1.** *(portrait, plat)* to make a success of **2.** *(examen)* to pass.

réussite nf **1.** *(succès)* success **2.** *(jeu de cartes)* patience (**UK**), solitaire (**US**).

réutilisable adj reusable • **non réutilisable** disposable, throwaway.

réutiliser vt to reuse.

revaloriser vt **1.** *(monnaie)* to revalue **2.** *(salaires)* to raise **3.** fig *(idée, doctrine)* to rehabilitate.

revanche nf **1.** *(vengeance)* revenge • **prendre sa revanche** to take one's revenge **2.** SPORT return (match). ■ **en revanche** loc adv *(par contre)* on the other hand.

rêvasser vi to daydream.

rêve nm dream • **faire un rêve** to have a dream • **fais de beaux rêves !** sweet dreams!

rêvé, e adj ideal.

revêche adj surly.

réveil nm **1.** *(de personne)* waking (up) **2.** fig awakening **3.** *(pendule)* alarm clock • **mets le réveil à sonner pour 7 heures** set the alarm clock for 7 o'clock.

réveiller vt **1.** *(personne)* to wake up **2.** *(courage)* to revive. ■ **se réveiller** vp **1.** *(personne)* to wake (up) **2.** *(ambitions)* to reawaken.

réveillon nm *(jour - de Noël)* Christmas Eve ; *(- de nouvel an)* New Year's Eve.

réveillonner vi to have a Christmas Eve/ New Year's Eve meal.

révélateur, trice adj revealing. ■ **révélateur** nm **1.** PHOTO developer **2.** fig *(ce qui révèle)* indication.

révélation nf **1.** *(gén)* revelation **2.** *(artiste)* discovery.

révéler vt **1.** *(gén)* to reveal **2.** *(artiste)* to discover. ■ **se révéler** vp **1.** *(apparaître)* to be revealed **2.** *(s'avérer)* to prove to be.

revenant nm **1.** *(fantôme)* spirit, ghost **2.** fam *(personne)* stranger.

revendeur, euse nm, f retailer.

revendication nf claim, demand.

revendiquer vt **1.** *(dû, responsabilité)* to claim **2.** *(avec force)* to demand.

revendre vt **1.** *(après utilisation)* to resell **2.** *(vendre plus de)* to sell more of.

revendu, e pp → **revendre**.

revenir vi **1.** *(gén)* to come back, to return • **revenir de** to come back from, to return from • **revenir à** to come back to, to return to • **revenir sur a)** *(sujet)* to go over again **b)** *(décision)* to go back on • **revenir à soi** to come to **2.** *(mot, sujet)* to crop up **3.** *(à l'esprit)* • **revenir à** to come back to **4.** *(impliquer)* • **cela revient au même/à dire que...** it amounts to the same thing/to saying (that)... **5.** *(coûter)* • **revenir à** to come to, to amount to • **revenir cher** to be expensive **6.** *(honneur, tâche)* • **revenir à** to fall to • **c'est à lui qu'il revient de...** it is up to him to... **7.** CULIN • **faire revenir** to brown **8.** *(locutions)* • **sa tête ne me revient pas** I don't like the look of him/her • **il n'en revenait pas** fam he couldn't get over it.

revente nf resale.

revenu, e pp → **revenir**. ■ **revenu** nm **1.** *(de pays)* revenue **2.** *(de personne)* income. ■ **revenus** nmpl incomings.

rêver vi **1.** to dream **2.** *(rêvasser)* to daydream • **rêver de/à** to dream of/about. ❏ vt to dream • **rêver que** to dream (that).

réverbération nf reverberation.

réverbère nm street lamp *ou* light.

révérence nf **1.** *(salut)* bow **2.** littéraire *(déférence)* reverence.

révérend, e adj reverend. ■ **révérend** nm reverend.

révérer vt to revere.

rêverie nf reverie.

revers nm **1.** *(de main)* back **2.** *(de pièce)* reverse **3.** *(de veste)* lapel **4.** *(de pantalon)* turn-up (**UK**), cuff (**US**) **5.** TENNIS backhand **6.** fig *(de fortune)* reversal.

reverser vt **1.** *(liquide)* to pour out more of **2.** FIN • **reverser qqch sur** to pay sthg into.

réversible adj reversible.

revêtement nm surface.

revêtir vt 1. (mur, surface) • **revêtir (de)** to cover (with) 2. (aspect) to take on, to assume 3. (vêtement) to put on 4. (personne) to dress.

rêveur, euse adj dreamy. ❑ nm, f dreamer.

revient → prix.

revigorer vt to invigorate.

revirement nm (gén) change.

réviser vt 1. (réexaminer, modifier) to revise, to review 2. SCOL to revise (UK), to review (US) 3. (machine) to check.

révision nf 1. (réexamen, modification) revision, review 2. (de machine) checkup. ■ **révisions** nfpl SCOL revision sing (UK), review sing (US).

revisser vt to screw back again.

revivre vi 1. (personne) to come back to life, to revive 2. fig (espoir) to be revived, to revive • **faire revivre** to revive. ❑ vt to relive • **faire revivre qqch à qqn** to bring sthg back to sb.

révocation nf 1. (de loi) revocation 2. (de fonctionnaire) dismissal.

revoici prép • **me revoici !** it's me again!, I'm back!

revoir vt 1. (renouer avec) to see again 2. (corriger, étudier) to revise (UK), to review (US). ■ **se revoir** vp 1. (amis) to see each other again 2. (professionnellement) to meet again. ■ **au revoir** interj & nm inv goodbye.

révoltant, e adj revolting.

révolte nf revolt.

révolter vt to disgust. ■ **se révolter** vp • **se révolter (contre)** to revolt (against).

révolu, e adj past • **avoir 15 ans révolus** ADMIN to be over 15.

révolution nf 1. (gén) revolution • **la Révolution française** the French Revolution 2. fig (effervescence) uproar.

révolutionnaire nmf & adj revolutionary.

révolutionner vt 1. (transformer) to revolutionize 2. (mettre en émoi) to stir up.

revolver nm revolver.

révoquer vt 1. (fonctionnaire) to dismiss 2. (loi) to revoke.

revue nf 1. (gén) review • **revue de presse** press review • **passer en revue** fig to review 2. (défilé) march-past 3. (magazine) magazine 4. (spectacle) revue.

révulsé, e adj (traits, visage) contorted • **révulsé de douleur** (visage) contorted with pain • **les yeux révulsés** with one's eyes rolled upwards.

rez-de-chaussée nm inv ground floor (UK), first floor (US) • **au rez-de-chaussée** on the ground floor (UK), on the first floor (US).

rez-de-jardin nm inv garden level.

RFA (abrév de République fédérale d'Allemagne) nf FRG.

rhabiller vt to dress again. ■ **se rhabiller** vp to get dressed again.

rhapsodie, rapsodie nf rhapsody.

rhéostat nm rheostat.

rhésus nm rhesus (factor) • **rhésus positif/ négatif** rhesus positive/negative.

rhétorique nf rhetoric.

Rhin nm • **le Rhin** the Rhine.

rhinocéros nm rhinoceros.

rhino-pharyngite nf throat infection.

rhododendron nm rhododendron.

Rhône nm • **le Rhône** the (River) Rhone.

rhubarbe nf rhubarb.

rhum nm rum.

rhumatisme nm rheumatism. ■ **rhumatismes** nmpl rheumatism sing • **avoir des rhumatismes** to have rheumatism.

rhumatologue nmf rheumatologist.

rhume nm cold • **attraper un rhume** to catch a cold • **rhume des foins** hay fever.

ri pp inv → rire.

riant, e adj 1. smiling 2. fig cheerful.

RIB, Rib (abrév de relevé d'identité bancaire) nm bank details (bank account identification slip).

ribambelle nf • **ribambelle de** string of.

ricaner vi to snigger.

riche adj 1. (gén) rich 2. (personne, pays) rich, wealthy • **riche en** ou **de** rich in 3. (idée) great. ❑ nmf rich person • **les riches** the rich.

richesse nf 1. (de personne, pays) wealth (indén) 2. (de faune, flore) abundance. ■ **richesses** nfpl (gén) wealth (indén).

richissime adj super-rich.

ricocher vi 1. litt & fig to rebound 2. (balle d'arme) to ricochet.

ricochet nm 1. litt & fig rebound 2. (de balle d'arme) ricochet • **par ricochet** in an indirect way.

rictus nm rictus.

ride nf 1. wrinkle 2. (de surface d'eau) ripple.

ridé, e adj wrinkled.

rideau nm curtain, drape (US) • **rideau de fer** (frontière) Iron Curtain.

rider vt 1. (peau) to wrinkle 2. (surface) to ruffle. ■ **se rider** vp to become wrinkled.

ridicule adj ridiculous. ❑ nm • **se couvrir de ridicule** to make o.s. look ridiculous • **tourner qqn/qqch en ridicule** to ridicule sb/sthg.

ridiculiser vt to ridicule. ■ **se ridiculiser** vp to make o.s. look ridiculous.

rien pron indéf 1. (en contexte négatif) • **ne... rien** nothing, not... anything • **je n'ai rien fait** I've done nothing, I haven't done anything

• **je n'en sais rien** I don't know (anything about it), I know nothing about it • **rien ne m'intéresse** nothing interests me • **il n'y a plus rien dans le réfrigérateur** there's nothing left in the fridge **2.** *(aucune chose)* nothing • **que fais-tu ? — rien** what are you doing? — nothing • **rien de nouveau** nothing new • **rien d'autre** nothing else • **rien du tout** nothing at all • **rien à faire** it's no good • **de rien !** don't mention it!, not at all! • **pour rien** for nothing **3.** *(quelque chose)* anything • **sans rien dire** without saying anything. ❏ *nm* • **pour un rien** *(se fâcher, pleurer)* for nothing, at the slightest thing • **perdre son temps à des riens** to waste one's time with trivia • **en un rien de temps** in no time at all. ■ **rien que** *loc adv* only, just • **la vérité, rien que la vérité** the truth and nothing but the truth • **rien que l'idée des vacances la comblait** just thinking about the holiday filled her with joy.

rieur, rieuse *adj* cheerful.

rigide *adj* **1.** rigid **2.** *(muscle)* tense.

rigidité *nf* **1.** rigidity **2.** *(de muscle)* tenseness **3.** *(de principes, mœurs)* strictness.

rigolade *nf fam* **1.** fun *(indén)* • **c'est de la rigolade** *fig* it's a walkover.

rigole *nf* channel.

rigoler *vi fam* **1.** *(rire)* to laugh **2.** *(plaisanter)* • **rigoler (de)** to joke (about).

rigolo, ote *fam adj* funny. ❏ *nm, f péj* phoney (UK), phony (US).

rigoureux, euse *adj* **1.** *(discipline, hiver)* harsh **2.** *(analyse)* rigorous.

rigueur *nf* **1.** *(de punition)* severity, harshness **2.** *(de climat)* harshness **3.** *(d'analyse)* rigour (UK), rigor (US), exactness. ■ **à la rigueur** *loc adv* if necessary, if need be.

rillettes *nfpl si vous voulez expliquer de quoi il s'agit à un anglophone, vous pouvez dire* it is a dish of potted pork, duck or goose.

rime *nf* rhyme.

rimer *vi* • **rimer (avec)** to rhyme (with).

Rimmel® *nm* mascara.

rinçage *nm* rinsing.

rince-doigts *nm inv* finger bowl.

rincer *vt* **1.** *(bouteille)* to rinse out **2.** *(cheveux, linge)* to rinse.

ring *nm* **1.** *(boxe)* ring **2.** (BELGIQUE) *(route)* bypass.

ringard, e *fam adj* **1.** *(chanson)* corny **2.** *(décor)* naff (UK) **3.** *(acteur)* second-rate **4.** *(personne)* nerdy. ❏ *nm, f* nerd.

riposte *nf* **1.** *(réponse)* retort, riposte **2.** *(contre-attaque)* counterattack.

riposter *vt* • **riposter que** to retort *ou* riposte that. ❏ *vi* **1.** *(répondre)* to riposte **2.** *(contre-attaquer)* to counter, to retaliate.

rire *nm* laugh • **éclater de rire** to burst out laughing. ❏ *vi* **1.** *(gén)* to laugh **2.** *(plaisanter)* • **pour rire** *fam* as a joke, for a laugh.

ris *nm* **1.** *(gén pl)* CULIN • **ris de veau** sweetbread **2.** NAUT reef.

risée *nf* ridicule • **être la risée de** to be the laughingstock of.

risette *nf fam* • **faire (une) risette à qqn a)** *(enfant)* to give sb a nice *ou* sweet smile **b)** *(sourire de commande)* to smile politely at sb.

risible *adj* *(ridicule)* ridiculous.

risotto *nm* risotto.

risque *nm* risk • **prendre des risques** to take risks • **à tes/vos risques et périls** at your own risk.

risqué, e *adj* **1.** *(entreprise)* risky, dangerous **2.** *(plaisanterie)* risqué, daring.

risquer *vt* **1.** *(vie, prison)* to risk • **risquer de faire qqch** to be likely to do sthg • **je risque de perdre tout ce que j'ai** I'm running the risk of losing everything I have • **cela ne risque rien** it will be all right **2.** *(tenter)* to venture. ■ **se risquer** *vp* to venture • **se risquer à faire qqch** to dare to do sthg.

rissoler *vi* to brown.

ristourne *nf* discount • **faire une ristourne à qqn** to give sb a discount.

rite *nm* **1.** RELIG rite **2.** *fig (cérémonial)* ritual.

ritournelle *nf* **1.** *fam & fig (rabâchage)* old story, old song **2.** MUS ritornello.

rituel, elle *adj* ritual. ■ **rituel** *nm* ritual.

rivage *nm* shore.

rival, e *adj* rival *(avant nom)*. ❏ *nm, f* rival.

rivaliser *vi* • **rivaliser avec** to compete with.

rivalité *nf* rivalry.

rive *nf (de rivière)* bank • **la rive droite** *(à Paris)* the north bank of the Seine • **la rive gauche** *(à Paris)* the south bank of the Seine.

river *vt* **1.** *(fixer)* • **river qqch à qqch** to rivet sthg to sthg **2.** *(clou)* to clinch • **être rivé à** *fig* to be riveted *ou* glued to.

riverain, e *nm, f* resident.

rivet *nm* rivet.

rivière *nf* river.

rixe *nf* fight, brawl.

riz *nm* rice.

rizière *nf* paddy (field).

RMI (abrév de revenu minimum d'insertion) *nm* ≃ income support (UK) ; ≃ welfare (US).

robe *nf* **1.** *(de femme)* dress • **robe de mariée** wedding dress **2.** *(peignoir)* • **robe de chambre** dressing gown (UK), (bath)robe (US) **3.** *(de cheval)* coat **4.** *(de vin)* colour (UK), color (US).

robinet *nm* tap (UK), faucet (US).

robinetterie *nf (installations)* taps (pl) (UK), faucets (pl) (US).

robot *nm* **1.** *(gén)* robot **2.** *(ménager)* food processor.

robotique *nf* robotics *(indén)*.

robotisation *nf* automation, robotization (US).

robuste *adj* **1.** *(personne, santé)* robust **2.** *(plante)* hardy **3.** *(voiture)* sturdy.

roc *nm* rock.

rocade *nf* bypass.

rocaille *nf* **1.** *(cailloux)* loose stones *pl* **2.** *(dans un jardin)* rockery.

rocailleux, euse *adj* **1.** *(terrain)* rocky **2.** *fig (voix)* harsh.

rocambolesque *adj* fantastic.

roche *nf* rock.

rocher *nm* rock.

rocheux, euse *adj* rocky. ■ **Rocheuses** *nfpl* • **les Rocheuses** the Rockies.

rock *nm* rock('n'roll).

rocking-chair *nm* rocking chair.

rodage *nm* **1.** *(de véhicule)* running in (UK), break in (US) • **en rodage** running in (UK) **2.** *fig (de méthode)* running-in (UK) *ou* breaking-in (US) *ou* debugging period.

rodéo *nm* **1.** rodeo **2.** *fig & iron* free-for-all.

roder *vt* **1.** *(véhicule)* to run in (UK), to break in (US) **2.** *fig (méthode)* to run in (UK), to break in (US), to debug **3.** *fam (personne)* to break in.

rôder *vi* to prowl, to wander about.

rôdeur, euse *nm, f* prowler.

rogne *nf fam* bad temper • **être/se mettre en rogne** to be in/to get into a bad mood, to be in/to get into a temper.

rogner *vt* **1.** *(ongles)* to trim **2.** *(revenus)* to eat into. ❏ *vi* • **rogner sur qqch** to cut down on sthg.

rognon *nm* kidney.

roi *nm* king • **tirer les rois** to celebrate Epiphany.

rôle *nm* role, part • **jeu de rôle** role play.

roller *nm* *(sport)* rollerblading • **les rollers** *(patins)* Rollerblades® • **faire du roller** to go rollerblading, to rollerblade.

rolleur, euse *nm, f* roller skater.

romain, e *adj* Roman. ■ **Romain, e** *nm, f* Roman. ■ **romain** *nm TYPO* roman.

> En anglais, les adjectifs se rapportant à un pays ou une région s'écrivent avec une majuscule.

roman, e *adj* **1.** *(langue)* Romance **2.** *ARCHIT* Romanesque. ■ **roman** *nm LITTÉR* novel.

romance *nf (chanson)* love song.

romancé *vt* romanced.

romancier, ère *nm, f* novelist.

romanesque *adj* **1.** *LITTÉR* novelistic **2.** *(aventure)* fabulous, storybook *(avant nom)*.

roman-feuilleton *nm* **1.** serial **2.** *fig* soap opera.

roman-fleuve *nm* saga.

romanichel, elle *nm, f* gipsy.

roman-photo *nm* story told in photographs.

romantique *nmf & adj* romantic.

romantisme *nm* **1.** *ART* Romantic movement **2.** *(sensibilité)* romanticism.

romarin *nm* rosemary.

rombière *nf fam & péj* old biddy.

rompre *vt* **1.** *sout (objet)* to break **2.** *(charme, marché)* to break **3.** *(fiançailles, relations)* to break off. ❏ *vi* to break • **rompre avec qqn** *fig* to break up with sb. ■ **se rompre** *vp* to break • **se rompre le cou/les reins** to break one's neck/back.

romsteck = **rumsteck**.

ronce *nf (arbuste)* bramble.

ronchon, onne *fam adj* grumpy. ❏ *nm, f* grumbler.

ronchonner *vi fam* • **ronchonner (après)** to grumble (at).

rond, e *adj* **1.** *(forme, chiffre)* round **2.** *(joue, ventre)* chubby, plump **3.** *fam (ivre)* tight. ■ **rond** *nm* **1.** *(cercle)* circle • **en rond** in a circle *ou* ring • **tourner en rond** *fig* to go round in circles **2.** *(anneau)* ring **3.** *fam (argent)* • **je n'ai pas un rond** I haven't got a penny *ou* bean.

rond-de-cuir *nm péj & vieilli* pen pusher.

ronde *nf* **1.** *(de surveillance)* rounds *pl* **2.** *(de policier)* beat **3.** *(danse)* round **4.** *MUS* semibreve (UK), whole note (US). ■ **à la ronde** *loc adv* • **à des kilomètres à la ronde** for miles around.

rondelet, ette *adj* **1.** *(grassouillet)* plump **2.** *fig (somme)* goodish, tidy.

rondelle *nf* **1.** *(de saucisson)* slice **2.** *(de métal)* washer.

rondement *adv (efficacement)* efficiently, briskly.

rondeur *nf* **1.** *(forme)* roundness **2.** *(partie charnue)* curve.

rondin *nm* log.

rond-point *nm* roundabout (UK), traffic circle (US).

ronflant, e *adj péj* grandiose.

ronflement *nm* **1.** *(de dormeur)* snore **2.** *(de poêle, moteur)* hum, purr.

ronfler *vi* **1.** *(dormeur)* to snore **2.** *(poêle, moteur)* to hum, to purr.

ronger *vt* **1.** *(bois, os)* to gnaw **2.** *(métal, falaise)* to eat away at **3.** *fig* to gnaw at, to eat away at. ■ **se ronger** *vp* **1.** *(grignoter)* • **se ronger les ongles** to bite one's nails **2.** *fig (se tourmenter)* to worry, to torture o.s.

rongeur, euse *adj* gnawing, rodent *(avant nom)*. ■ **rongeur** *nm* rodent.

ronron *nm* **1.** *(de chat)* purr **2.** *(de moteur)* purr, hum **3.** *fam & fig (routine)* humdrum existence.

ronronner *vi* **1.** *(chat)* to purr **2.** *(moteur)* to purr, to hum.

roquet nm **1.** (chien) nasty little dog **2.** fam & péj (personne) nasty little squirt.

ROR (abrév de rougeole oreillons rubéole) nm MMR (vaccine).

rosace nf **1.** (ornement) rose **2.** (vitrail) rose window **3.** (figure géométrique) rosette.

rosaire nm rosary.

rosbif nm (viande) roast beef.

rose nf rose. ❑ nm pink. ■ adj pink. ■ **rose des sables, rose du désert** nf gypsum flower. ■ **rose des vents** nf compass card.

rosé, e adj (teinte) rosy. ■ **rosé** nm rosé. ■ **rosée** nf dew.

roseau nm reed.

rosette nf **1.** (nœud) bow **2.** (insigne) rosette. ■ **rosette de Lyon** nf si vous voulez expliquer de quoi il s'agit à un anglophone, vous pouvez dire it is a kind if dry, cured pork salami.

rosier nm rose bush.

rosir vt & vi to turn pink.

rosser vt to thrash.

rossignol nm (oiseau) nightingale.

rot nm fam burp.

rotatif, ive adj rotary.

rotation nf rotation.

roter vi fam to burp.

rôti, e adj roast. ■ **rôti** nm roast, joint (UK).

rotin nm rattan.

rôtir vt to roast. ❑ vi CULIN to roast.

rôtisserie nf **1.** (restaurant) ≃ steakhouse **2.** (magasin) pour expliquer à un anglophone de quoi il s'agit, vous pouvez dire it is a shop that sells roast meat.

rôtissoire nf spit.

rotonde nf (bâtiment) rotunda.

rotule nf kneecap.

roturier, ère adj **1.** HIST (non noble) common **2.** (commun) plebeian. ❑ nm, f HIST commoner.

rouage nm cog, gearwheel • **les rouages de l'État** fig the wheels of State.

roublard, e fam adj cunning, crafty. ❑ nm, f cunning ou crafty devil.

rouble nm rouble.

roucouler vt **1.** to warble **2.** fig to coo. ❑ vi **1.** to coo **2.** fig to bill and coo.

roue nf **1.** (gén) wheel • **la grande roue** the big wheel (UK), the Ferris wheel (US) • **roue de secours** spare wheel • **un deux roues** a two-wheeled vehicle **2.** (de paon) • **faire la roue** to display **3.** (gymnastique) cartwheel.

rouer vt • **rouer qqn de coups** to thrash sb, to beat sb.

rouge nm **1.** (couleur) red **2.** fam (vin) red (wine) **3.** (fard) rouge, blusher • **rouge à lèvres** lipstick **4.** AUTO • **passer au rouge a)** to turn red **b)** (conducteur) to go through a red light. ❑ nmf

péj POLIT Red. ❑ adj **1.** (gén) red **2.** (fer, tison) red-hot **3.** péj POLIT Red.

rougeâtre adj reddish.

rougeaud, e adj red-faced. ❑ nm, f red-faced person.

rouge-gorge nm robin.

rougeole nf measles sing.

rougeoyer vi to turn red.

rouget nm mullet.

rougeur nf **1.** (de visage, de chaleur, d'effort) flush **2.** (de gêne) blush **3.** (sur peau) red spot ou blotch.

rougir vt **1.** (colorer) to turn red **2.** (chauffer) to make red-hot. ❑ vi **1.** (devenir rouge) to turn red **2.** (d'émotion) • **rougir (de) a)** (de plaisir, colère) to flush (with) **b)** (de gêne) to blush (with) **3.** fig (avoir honte) • **rougir de qqch** to be ashamed of sthg.

rougissant, e adj **1.** (ciel) reddening **2.** (jeune fille) blushing.

rouille nf **1.** (oxyde) rust **2.** CULIN rouille (red chilli and garlic sauce for fish soup). ❑ adj inv rust.

rouillé, e adj **1.** (grille, clef) rusty, rusted • **la serrure est complètement rouillée** the lock is rusted up **2.** fig (muscles) stiff • **être rouillé a)** (physiquement) to feel stiff **b)** (intellectuellement) to feel a bit rusty • **mes réflexes au volant sont un peu rouillés** my driving reflexes are a bit rusty **3.** BOT (blé) affected by rust, rusted **4.** (feuille) mouldy.

rouiller vt to rust, to make rusty. ❑ vi to rust.

roulade nf (galipette) roll.

rouleau nm **1.** (gén) TECHNOL roller • **rouleau compresseur** steamroller **2.** (de papier) roll **3.** (à pâtisserie) rolling pin **4.** CULIN • **rouleau de printemps** spring roll, egg roll (US).

roulement nm **1.** (gén) rolling **2.** (de personnel) rotation • **travailler par roulement** to work to a rota (UK) **3.** (de tambour, tonnerre) roll **4.** TECHNOL rolling bearing **5.** FIN circulation.

rouler vt **1.** (déplacer) to wheel **2.** (enrouler - tapis) to roll up ; (- cigarette) to roll **3.** fam (balancer) to sway **4.** LING to roll **5.** fam & fig (duper) to swindle, to do (UK). ❑ vi **1.** (ballon, bateau) to roll **2.** (véhicule) to go, to run **3.** (sujet : personne) to drive. ■ **se rouler** vp to roll about • **se rouler par terre** to roll on the ground • **se rouler en boule** to roll o.s. into a ball.

roulette nf **1.** (petite roue) castor • **une table à roulettes** a table on castors **2.** (de dentiste) drill **3.** (jeux) roulette.

roulis nm roll.

roulotte nf **1.** (de gitan) caravan **2.** (de tourisme) caravan (UK), trailer (US) **3.** DR • **vol à la roulotte** theft of goods in car.

roumain, e adj Romanian. ■ **roumain** nm (langue) Romanian. ■ **Roumain, e** nm, f Romanian.

En anglais, les adjectifs se rapportant à un pays ou une région ainsi que le nom désignant la langue de ce pays ou cette région, s'écrivent avec une majuscule.

Roumanie *nf* • **la Roumanie** Romania.

En anglais, à de rares exceptions près, il n'y a pas d'article devant les noms de pays.

rouquin, e *fam adj* redheaded. ❏ *nm, f* redhead.

rouspéter *vi fam* to grumble, to moan.

rousse → roux.

rousseur *nf* redness. ■ **taches de rousseur** *nfpl* freckles.

roussir *vt* 1. *(rendre roux)* to turn brown 2. *CULIN* to brown 3. *(brûler légèrement)* to singe. ❏ *vi* 1. to turn brown 2. *CULIN* to brown.

routage *nm* sorting and mailing.

routard, e *nm, f fam* backpacker.

route *nf* 1. *(gén)* road • **en route** on the way • **en route !** let's go! • **mettre en route a)** *(démarrer)* to start up **b)** *fig* to get under way • **route départementale** secondary road 2. *(itinéraire)* route.

routier, ère *adj* road *(avant nom)*. ❏ *nm, f (chauffeur)* long-distance lorry driver (**UK**) *ou* trucker (**US**). ■ **routier** *nm (restaurant)* ≃ transport cafe (**UK**); ≃ truck stop (**US**).

routine *nf* routine.

routinier, ère *adj* routine.

rouvert, e *pp* → rouvrir.

rouvrir *vt* to reopen, to open again. ■ **se rouvrir** *vp* to reopen, to open again.

roux, rousse *adj* 1. *(cheveux)* red 2. *(sucre)* brown. ❏ *nm, f (personne)* redhead. ■ **roux** *nm (couleur)* red, russet.

royal, e *adj* 1. *(de roi)* royal 2. *(magnifique)* princely.

royaliste *nmf & adj* royalist.

royaume *nm* kingdom.

Royaume-Uni *nm* • **le Royaume-Uni** the United Kingdom.

royauté *nf* 1. *(fonction)* kingship 2. *(régime)* monarchy.

rte abrév de **route**.

RTT (abrév de réduction du temps de travail) *nf* (statutory) reduction in working hours. ❏ *nm* (extra) day off • **poser/prendre un RTT** to book *ou* claim a day's holiday, to take a day off (**US**).

ruade *nf* kick.

ruban *nm* ribbon • **ruban adhésif** adhesive tape • **ruban correcteur** correction tape.

rubéole *nf* German measles *sing*, rubella.

rubicond, e *adj* rubicund.

rubis *nm (pierre précieuse)* ruby.

rubrique *nf* 1. *(chronique)* column 2. *(dans classement)* heading.

ruche *nf* 1. *(abri)* hive, beehive 2. *fig* hive of activity.

rude *adj* 1. *(surface)* rough 2. *(voix)* harsh 3. *(personne, manières)* rough, uncouth 4. *(hiver, épreuve)* harsh, severe 5. *(tâche, adversaire)* tough.

rudement *adv* 1. *(brutalement - tomber)* hard ; *(- répondre)* harshly 2. *fam (très)* damn.

rudesse *nf* harshness, severity.

rudimentaire *adj* rudimentary.

rudiments *nmpl* rudiments.

rudoyer *vt* to treat harshly.

rue *nf* street • **rue piétonne** *ou* **piétonnière** pedestrian area *ou* street.

ruée *nf* rush.

ruelle *nf (rue)* alley, lane.

ruer *vi* to kick. ■ **se ruer** *vp* • **se ruer sur** to pounce on.

rugby *nm* rugby.

rugir *vi* 1. to roar 2. *(vent)* to howl.

rugissement *nm* 1. roar, roaring *(indén)* 2. *(vent)* howling.

rugosité *nf* 1. *(de surface)* roughness 2. *(aspérité)* rough patch.

rugueux, euse *adj* rough.

ruine *nf* 1. *(gén, financière)* ruin 2. *(effondrement)* ruin, downfall 3. *(humaine)* wreck. ■ **ruines** *nfpl* ruins • **tomber en ruines** to fall into ruins.

ruiner *vt* to ruin. ■ **se ruiner** *vp* to ruin o.s., to bankrupt o.s.

ruineux, euse *adj* ruinous.

ruisseau, x *nm* 1. *(cours d'eau)* stream 2. *fig & litt (caniveau)* gutter.

ruisseler *vi* • **ruisseler (de)** to stream (with).

rumba *nf* rumba.

rumeur *nf* 1. *(bruit)* murmur 2. *(nouvelle)* rumour (**UK**), rumor (**US**).

ruminer *vt* 1. to ruminate 2. *fig* to mull over.

rumsteck, romsteck *nm* rump steak.

rupture *nf* 1. *(cassure)* breaking 2. *fig (changement)* abrupt change 3. *(de négociations, fiançailles)* breaking off 4. *(de contrat)* breach 5. *(amoureuse)* breakup, split.

rural, e *adj* country *(avant nom)*, rural.

ruse *nf* 1. *(habileté)* cunning, craftiness 2. *(subterfuge)* ruse.

rusé, e *adj* cunning, crafty.

russe *adj* Russian. ❏ *nm (langue)* Russian. ■ **Russe** *nmf* Russian.

En anglais, les adjectifs se rapportant à un pays ou une région ainsi que le nom désignant la langue de ce pays ou cette région, s'écrivent avec une majuscule.

Russie *nf* • **la Russie** Russia.

En anglais, à de rares exceptions près, il n'y a pas d'article devant les noms de pays.

rustine® *nf* rubber patch *(for repairing a bicycle tyre)*.
rustique *adj* rustic.

rustre *péj nmf* lout. ❑ *adj* loutish.
rut *nm* • **être en rut a)** *(mâle)* to be rutting **b)** *(femelle)* to be on (UK) *ou* in (US) heat.
rutilant, e *adj (brillant)* gleaming.
rythme *nm* **1.** MUS rhythm • **en rythme** in rhythm **2.** *(de travail, production)* pace, rate.
rythmique *adj* rhythmical.

S

s, S *nm inv* **1.** *(lettre)* s, S **2.** *(forme)* zigzag. ■ **S** (abrév de Sud) S.

s/ abrév de **sur.**

SA (abrév de société anonyme) *nf* ≃ Ltd (UK) ; ≃ Inc. (US).

sabayon *nm* zabaglione.

sabbatique *adj* **1.** *RELIG* Sabbath *(avant nom)* **2.** *(congé)* sabbatical.

sable *nm* sand • **sables mouvants** quicksand *(sing)*, quicksands.

sablé, e *adj (route)* sandy. ■ **sablé** *nm* ≃ shortbread *(indén)*.

sabler *vt* **1.** *(route)* to sand **2.** *(boire)* • **sabler le champagne** to crack a bottle of champagne.

sablier *nm* hourglass.

sablonneux, euse *adj* sandy.

saborder *vt* **1.** *(navire)* to scuttle **2.** *fig (entreprise)* to wind up **3.** *fig (projet)* to scupper (UK).

sabot *nm* **1.** *(chaussure)* clog **2.** *(de cheval)* hoof **3.** *AUTO* • **sabot de Denver** wheel clamp, Denver boot.

sabotage *nm* **1.** *(volontaire)* sabotage **2.** *(bâclage)* bungling.

saboter *vt* **1.** *(volontairement)* to sabotage **2.** *(bâcler)* to bungle.

saboteur, euse *nm, f MIL & POLIT* saboteur.

sabre *nm* sabre (UK), saber (US).

sac *nm* **1.** *(gén)* bag • **sac de couchage** sleeping bag • **sac à dos** rucksack • **sac à main** handbag • **sac (en) plastique a)** *(petit)* plastic bag **b)** *(solide et grand)* plastic carrier (bag) (UK), large plastic bag (US) • **sac poubelle a)** bin liner (UK), garbage can liner (US) **b)** *(noir)* black bag • **sac gonflable** *AUTO* airbag ® **2.** *(pour grains)* sack **3.** *(contenu)* bag, bagful, sack, sackful **4.** *fam (10 francs)* 10 francs **5.** *littéraire (pillage)* sack.

saccade *nf* jerk.

saccadé, e *adj* jerky.

saccage *nm* havoc.

saccager *vt* **1.** *(piller)* to sack **2.** *(dévaster)* to destroy.

saccharine *nf* saccharin.

sacerdoce *nm* **1.** priesthood **2.** *fig* vocation.

sacerdotal, e *adj* priestly.

sachant *p prés* → **savoir.**

sache, saches *etc* → **savoir.**

sachet *nm* **1.** *(de bonbons)* bag **2.** *(de shampooing)* sachet • **sachet de thé** teabag • **soupe en sachet** packet soup (UK), package soup (US).

sacoche *nf* **1.** *(de médecin, d'écolier)* bag **2.** *(de cycliste)* pannier.

sac-poubelle *nm* **1.** *(petit)* dustbin (UK) *ou* garbage can (US) liner **2.** *(grand)* rubbish bag (UK), garbage bag (US).

sacre *nm* **1.** *(de roi)* coronation **2.** *(d'évêque)* consecration.

sacré, e *adj* **1.** *(gén)* sacred **2.** *RELIG (ordres, écritures)* holy **3.** *(avant nom) fam (maudit)* bloody (UK) *(avant nom)*, goddam (US) *(avant nom)*.

sacrement *nm* sacrament.

sacrément *adv fam & vieilli* dashed.

sacrer *vt* **1.** *(roi)* to crown **2.** *(évêque)* to consecrate **3.** *fig (déclarer)* to hail.

sacrifice *nm* sacrifice.

sacrifié, e *adj* **1.** *(personne)* sacrificed **2.** *(prix)* giveaway *(avant nom)*.

sacrifier *vt (gén)* to sacrifice • **sacrifier qqn/ qqch à** to sacrifice sb/sthg to. ■ **se sacrifier** *vp* • **se sacrifier à/pour** to sacrifice o.s. to/for.

sacrilège *nm* sacrilege. ❑ *adj* sacrilegious.

sacristain *nm* sacristan.

sacristie *nf* sacristy.

sadique *nmf* sadist. ❑ *adj* sadistic.

sadisme *nm* sadism.

safari *nm* safari • **faire un safari** to go on a safari.

safran *nm (épice)* saffron.

saga *nf* saga.

sage *adj* **1.** *(personne, conseil)* wise, sensible **2.** *(enfant, chien)* good **3.** *(goûts)* modest **4.** *(propos, vêtement)* sober. ❑ *nm* wise man, sage.

sage-femme *nf* midwife.

sagement *adv* **1.** *(avec bon sens)* wisely, sensibly • **les enfants jouaient sagement** the children were playing quietly **2.** *(docilement)* like a good girl/boy.

sagesse nf **1.** (bon sens) wisdom, good sense **2.** (docilité) good behaviour (UK) ou behavior (US).

Sagittaire nm ASTROL Sagittarius.

Sahara nm • le Sahara the Sahara.

saharienne nf safari jacket.

saignant, e adj **1.** (blessure) bleeding **2.** (viande) rare, underdone.

saignée nf **1.** vieilli MÉD bloodletting, bleeding **2.** (pli du bras) crook of the arm **3.** (sillon - dans un sol) ditch ; (- dans un mur) groove.

saignement nm bleeding.

saigner vt **1.** (malade, animal) to bleed **2.** (financièrement) • **saigner qqn (à blanc)** to bleed sb (white). ❑ vi to bleed • **je saigne du nez** my nose is bleeding, I've got a nosebleed.

saillant, e adj **1.** (proéminent) projecting, protruding **2.** (muscles) bulging **3.** (pommettes) prominent.

saillie nf (avancée) projection • **en saillie** projecting.

saillir vi **1.** (balcon) to project, to protrude **2.** (muscles) to bulge.

sain, e adj **1.** (gén) healthy • **sain et sauf** safe and sound **2.** (lecture) wholesome **3.** (fruit) fit to eat **4.** (mur, gestion) sound.

saindoux nm lard.

saint, e adj **1.** (sacré) holy **2.** (pieux) saintly **3.** (extrême) • **avoir une sainte horreur de qqch** to detest sthg. ❑ nm, f saint.

saint-bernard nm inv **1.** (chien) St Bernard **2.** fig (personne) good Samaritan.

saintement adv • **vivre saintement** to lead a saintly life.

sainte-nitouche nf péj • **c'est une sainte-nitouche** butter wouldn't melt in her mouth.

sainteté nf holiness.

saint-glinglin ■ à la saint-glinglin loc adv fam till Doomsday.

saint-honoré nm inv si vous voulez expliquer à un anglophone de quoi il s'agit, vous pouvez dire it is a choux pastry ring filled with confectioner's custard.

Saint-Père nm Holy Father.

saint-pierre nm inv (poisson) John Dory.

sais, sait etc → savoir.

saisie nf **1.** (fiscalité) DR distraint, seizure **2.** INFORM input • **saisie de données** data capture.

saisir vt **1.** (empoigner) to take hold of **2.** (avec force) to seize **3.** FIN & DR to seize, to distrain **4.** INFORM to capture **5.** (comprendre) to grasp **6.** (sujet : sensation, émotion) to grip, to seize **7.** (surprendre) • **être saisi par** to be struck by **8.** CULIN to seal **9.** • **'à saisir'** (achat) 'a real bargain'. ■ se saisir vp • **se saisir de qqn/qqch** to seize sb/sthg, to grab sb/sthg.

saisissant, e adj **1.** (spectacle) gripping **2.** (ressemblance) striking **3.** (froid) biting.

saison nf season • **en/hors saison** in/out of season • **la haute/basse/morte saison** the high/low/off season.

saisonnier, ère adj seasonal. ❑ nm, f seasonal worker.

salace adj salacious.

salade nf **1.** (plante) lettuce **2.** (plat) (green) salad • **salade composée** mixed salad • **salade de fruits** fruit salad.

saladier nm salad bowl.

salaire nm **1.** (rémunération) salary, wage • **salaire brut/net/de base** gross/net/basic salary, gross/net/basic wage **2.** fig (récompense) reward.

salaison nf **1.** (procédé) salting **2.** (aliment) salted food.

salamandre nf (animal) salamander.

salant → marais.

salarial, e adj wage (avant nom).

salarié, e adj **1.** (personne) wage-earning **2.** (travail) paid. ❑ nm, f salaried employee.

salaud nm vulg bastard. ❑ adj m injur shitty.

sale adj **1.** (linge, mains) dirty **2.** (couleur) dirty, dingy **3.** (avant nom) (type, gueule, coup) nasty **4.** (tour, histoire) dirty **5.** (bête, temps) filthy.

salé, e adj **1.** (eau, saveur) salty **2.** (beurre) salted **3.** (viande, poisson) salt (avant nom), salted **4.** fig (histoire) spicy **5.** fam & fig (addition, facture) steep.

salement adv **1.** (malproprement) dirtily, disgustingly **2.** fam (très) bloody (UK), damn.

saler vt **1.** (gén) to salt • **as-tu salé la soupe ?** did you put salt in the soup? **2.** fam & fig (note) to bump up.

saleté nf **1.** (malpropreté) dirtiness, filthiness **2.** (crasse) dirt (indén), filth (indén) • **faire des saletés** to make a mess **3.** fam (maladie) bug **4.** (obscénité) dirty thing, obscenity • **il m'a dit des saletés** he used obscenities to me **5.** (action) disgusting thing • **faire une saleté à qqn** to play a dirty trick on sb **6.** (calomnie) (piece of) dirt **7.** fam & péj (personne) nasty piece of work (UK).

salière nf saltcellar, saltshaker (US).

salir vt **1.** (linge, mains) to (make) dirty, to soil **2.** fig (réputation, personne) to sully. ■ se salir vp to get dirty.

salissant, e adj **1.** (tissu) easily soiled **2.** (travail) dirty, messy.

salive nf saliva.

saliver vi to salivate.

salle nf **1.** (pièce) room • **en salle** (dans un café) inside • **salle d'attente** waiting room • **salle**

de bains bathroom • **salle de classe** classroom • **salle d'eau, salle de douches** shower room • **salle d'embarquement** departure lounge • **salle à manger** dining room • **salle d'opération** operating theatre (UK) *ou* room (US) • **salle de séjour** living room • **salle des ventes** saleroom (UK), salesroom (US) **2.** *(de spectacle)* auditorium • **salle de spectacle** theatre (UK), theater (US) • **salle de cinéma** cinema (UK), movie theater (US) **3.** *(public)* audience, house • **faire salle comble** to have a full house.

salon nm **1.** *(de maison)* lounge (UK), living room **2.** *(commerce)* **salon de coiffure** hairdressing salon, hairdresser's • **salon de thé** tearoom **3.** *(foire-exposition)* show, fair.

salope nf vulg & injur bitch.

saloperie nf fam **1.** *(pacotille)* rubbish *(indén)* **2.** *(maladie)* bug **3.** *(saleté)* junk *(indén)*, rubbish *(indén)* • **faire des saloperies** to make a mess **4.** *(action)* dirty trick • **faire des saloperies à qqn** to play dirty tricks on sb **5.** *(propos)* dirty comment.

salopette nf **1.** *(d'ouvrier)* overalls pl **2.** *(à bretelles)* dungarees *(pl)* (UK), overalls (US).

salpêtre nm saltpetre (UK), saltpeter (US).

salsifis nm salsify.

saltimbanque nmf acrobat.

salubrité nf healthiness.

saluer vt **1.** *(accueillir)* to greet • **elle ne m'a même pas salué** she didn't even say hello to me **2.** *(dire au revoir à)* to take one's leave of • **elle m'a salué et elle est partie** she said goodbye to me and she left **3.** fig MIL to salute. ■ **se saluer** vp to say hello/goodbye (to one another).

saluer quelqu'un

S'EXPRIMER

• **Hi!/Hey!** Salut !
• **Good morning!** Bonjour ! (le matin)
• **Hello!** Bonjour ! (après dix heures)
• **How are you?** Comment vas-tu ?/ allez-vous ?
• **Hello!/Good evening!** sout Bonsoir !

salut nm **1.** *(de la main)* wave **2.** *(de la tête)* nod **3.** *(propos)* greeting **4.** MIL salute **5.** *(sauvegarde)* safety **6.** RELIG salvation. ❑ interj fam **1.** *(bonjour)* hi! **2.** *(au revoir)* bye!, see you! • **salut, ça va ?** hi, how are you doing?

salutaire adj **1.** *(conseil, expérience)* salutary **2.** *(remède, repos)* beneficial.

salutation nf littéraire salutation, greeting. ■ **salutations** nfpl • **veuillez agréer, Monsieur, mes salutations distinguées** *ou* **mes sincères salutations** sout yours faithfully (UK), yours sincerely.

salve nf salvo.

samedi nm Saturday • **nous sommes partis samedi** we left on Saturday • **samedi 13 septembre** Saturday 13th September (UK), Sat-

urday September 13th (US) • **samedi dernier/ prochain** last/next Saturday • **samedi en huit** a week on Saturday (UK), Saturday week (US), a week from Saturday (US) • **le samedi** on Saturdays.

> En anglais, les jours de la semaine s'écrivent avec une majuscule.

samoussa, samosa nm samosa.

SAMU, Samu (abrév de Service d'aide médicale d'urgence) nm **1.** MÉD ≃ ambulance service ; ≃ EMS (US) **2.** *(aide sociale)* • **le SAMU social** *si vous voulez donner une définition à un anglophone, vous pouvez dire* it is a council service that provides help for the homeless and other people in need.

sanatorium nm sanatorium.

sanctifier vt **1.** *(rendre saint)* to sanctify **2.** *(révérer)* to hallow.

sanction nf **1.** sanction **2.** fig *(conséquence)* penalty, price • **prendre des sanctions contre** to impose sanctions on.

sanctionner vt to sanction.

sanctuaire nm **1.** *(d'église)* sanctuary **2.** *(lieu saint)* shrine.

sandale nf sandal.

sandalette nf sandal.

sandwich nm sandwich.

sandwicherie nf **1.** sandwich shop **2.** *(avec possibilité de manger sur place)* sandwich bar.

sang nm blood • **en sang** covered in blood.

sang-froid nm inv calm • **de sang-froid** in cold blood • **perdre/garder son sang-froid** to lose/ to keep one's head.

sanglant, e adj **1.** bloody **2.** fig cruel.

sangle nf **1.** strap **2.** *(de selle)* girth.

sangler vt **1.** *(attacher)* to strap **2.** *(cheval)* to girth.

sanglier nm boar.

sanglot nm sob • **éclater en sanglots** to burst into sobs.

sangloter vi to sob.

sangsue nf **1.** leech **2.** fig *(personne)* bloodsucker.

sanguin, e adj **1.** ANAT blood *(avant nom)* • **groupe sanguin** blood group **2.** *(rouge - visage)* ruddy ; *(- orange)* blood *(avant nom)* **3.** *(emporté)* quick-tempered.

sanguinaire adj **1.** *(tyran)* bloodthirsty **2.** *(lutte)* bloody.

Sanisette® nf ≃ Superloo (UK) ; *si vous voulez donner une définition à un Américain, vous pouvez dire* it is a coin-operated automatic washroom.

sanitaire adj **1.** *(service, mesure)* health *(avant nom)* **2.** *(installation, appareil)* bathroom *(avant nom)*. ■ **sanitaires** nmpl toilets and showers.

sans prép without • **sans argent** without any money • **sans faire un effort** without making an effort. ❑ adv • **passe-moi mon manteau,**

je ne veux pas sortir sans pass me my coat, I don't want to go out without it. ■ **sans que** *loc conj* (+ subjonctif) • sans que vous le sachiez without your knowing.

sans-abri *nmf* homeless person • **les sans-abri** the homeless.

sans-emploi *nmf inv* unemployed person.

sans-gêne *nm inv* (qualité) rudeness, lack of consideration. ❑ *nmf inv* (personne) rude *ou* inconsiderate person. ❑ *adj inv* rude, inconsiderate.

sans-papiers *nmf* si vous voulez expliquer à un anglophone de quoi il s'agit, vous pouvez dire it is an immigrant without proper identity or working papers.

sans-plomb *nm inv* unleaded, unleaded petrol (UK) *ou* gas (US), lead-free petrol (UK) *ou* gas (US).

santal *nm* sandalwood.

santé *nf* health • **à ta/votre santé !** cheers!, good health! • **bon/mauvais pour la santé** good/bad for one's health.

santiag *nf* cowboy boot.

santon *nm* Christmas crib (UK) *ou* crèche (US) figurine (in Provence).

saoul = **soûl**.

saouler = **soûler**.

sapeur-pompier *nm* fireman, firefighter.

saphir *nm* sapphire.

sapin *nm* **1.** (arbre) fir, firtree • **sapin de Noël** Christmas tree **2.** (bois) fir, deal (UK).

sarabande *nf* **1.** (danse) saraband **2.** fam (vacarme) din, racket.

sarbacane *nf* **1.** (arme) blowpipe, blowgun **2.** (jouet) peashooter.

sarcasme *nm* sarcasm.

sarcastique *adj* sarcastic.

sarcler *vt* to weed.

sarcophage *nm* sarcophagus.

Sardaigne *nf* • **la Sardaigne** Sardinia.

sardine *nf* sardine.

SARL, Sarl (abrév de société à responsabilité limitée) *nf* limited liability company (UK) • **Leduc, SARL** ≃ Leduc Ltd (UK) ; ≃ Leduc Inc (US).

sarment *nm* (de vigne) shoot.

sarrasin *nm* buckwheat.

sas *nm* **1.** AÉRON & NAUT airlock **2.** (d'écluse) lock **3.** (tamis) sieve.

sashimi *nm* CULIN sashimi.

satanique *adj* satanic.

satelliser *vt* **1.** (fusée) to put into orbit **2.** (pays) to make a satellite.

satellite *nm* satellite • **satellite artificiel/météorologique/de télécommunications** artificial/meteorological/communications satellite • **la télévision par satellite** satellite TV.

satiété *nf* • **à satiété a)** (boire, manger) one's fill **b)** (répéter) ad nauseam.

satin *nm* satin.

satiné, e *adj* **1.** satin (avant nom) **2.** (peau) satiny-smooth. ■ **satiné** *nm* satin-like quality.

satire *nf* satire.

satirique *adj* satirical.

satisfaction *nf* satisfaction.

satisfaire *vt* to satisfy. ■ **se satisfaire** *vp* • **se satisfaire de** to be satisfied with.

satisfaisant, e *adj* **1.** (travail) satisfactory **2.** (expérience) satisfying.

satisfait, e *pp* → **satisfaire**. ❑ *adj* satisfied • **être satisfait de** to be satisfied with.

saturation *nf* saturation.

saturé, e *adj* • **saturé (de)** saturated (with).

saturne *nm* vieilli lead. ■ **Saturne** *nm* ASTRON Saturn.

satyre *nm* **1.** satyr **2.** fig sex maniac.

sauce *nf* CULIN sauce.

saucière *nf* sauceboat.

saucisse *nf* CULIN sausage.

saucisson *nm* slicing sausage.

sauf¹, sauve *adj* **1.** (personne) safe, unharmed **2.** fig (honneur) saved, intact.

sauf² *prép* **1.** (à l'exclusion de) except, apart from **2.** (sous réserve de) barring • **sauf que** except (that).

sauf-conduit *nm* safe-conduct.

sauge *nf* CULIN sage.

saugrenu, e *adj* ridiculous, nonsensical.

saule *nm* willow • **saule pleureur** weeping willow.

saumon *nm* salmon • **saumon fumé** CULIN smoked salmon (UK), lox (US).

saumoné, e *adj* salmon (avant nom).

saumure *nf* brine.

sauna *nm* sauna • **aller au sauna** to have a sauna.

saupoudrer *vt* • **saupoudrer qqch de** to sprinkle sthg with.

saurai, sauras etc → **savoir**.

saut *nm* **1.** (bond) leap, jump • **faire un saut** to jump **2.** SPORT • **saut en hauteur** high jump • **saut en longueur** long jump, broad jump (US) • **saut à l'élastique** bungee-jumping • **faire du saut à l'élastique** to go bungee-jumping

3. *(visite)* • **faire un saut chez qqn** *fig* to pop in and see sb **4.** *INFORM* • **(insérer un) saut de page** (insert) page break.

sauté, e *adj* sautéed. ■ **sauté** *nm* • **sauté de veau** sautéed veal • **pommes de terre sautées** sautéed potatoes.

saute-mouton *nm inv* • **jouer à saute-mouton** to play leapfrog.

sauter *vi* **1.** *(bondir)* to jump, to leap • **sauter à la corde** to skip (UK), to skip *ou* jump rope (US) • **sauter d'un sujet à l'autre** *fig* to jump from one subject to another • **sauter de joie** *fig* to jump for joy • **sauter au cou de qqn** *fig* to throw one's arms around sb **2.** *(exploser)* to blow up **3.** *(fusible)* to blow **4.** *(être projeté - bouchon)* to fly out ; *(- serrure)* to burst off ; *(- bouton)* to fly off ; *(- chaîne de vélo)* to come off **5.** *fam (personne)* to get the sack (UK). □ *vt* **1.** *(fossé, obstacle)* to jump *ou* leap over **2.** *fig (page, repas)* to skip • **il a sauté une classe** he skipped a year.

sauterelle *nf ZOOL* grasshopper.

sauteur, euse *adj (insecte)* jumping *(avant nom)*. □ *nm, f (athlète)* jumper.

sautiller *vi* to hop.

sautoir *nm (bijou)* chain.

sauvage *adj* **1.** *(plante, animal)* wild **2.** *(farouche - animal familier)* shy, timid ; *(- personne)* unsociable **3.** *(conduite, haine)* savage. □ *nmf* **1.** *(solitaire)* recluse **2.** *vieilli (brute, indigène)* savage.

sauvagerie *nf* **1.** *(férocité)* brutality, savagery **2.** *(insociabilité)* unsociableness.

sauvegarde *nf* **1.** *(protection)* safeguard **2.** *INFORM* saving **3.** *INFORM (copie)* backup.

sauvegarder *vt* **1.** *(protéger)* to safeguard **2.** *INFORM* to save **3.** *INFORM (copier)* to back up.

sauve-qui-peut *nm inv (débandade)* stampede. □ *interj* every man for himself!

sauver *vt* **1.** *(gén)* to save • **sauver qqn/qqch de** to save sb/sthg from, to rescue sb/sthg from **2.** *(navire, biens)* to salvage. ■ **se sauver** *vp* **1.** *(fuir)* to run away (from) **2.** *(prisonnier)* to escape (from) **3.** *(s'en aller)* • **bon, je me sauve** right, I'm off.

sauvetage *nm* **1.** *(de personne)* rescue **2.** *(de navire, biens)* salvage.

sauveteur *nm* rescuer.

sauvette ■ **à la sauvette** *loc adv* hurriedly, at great speed.

sauveur *nm* saviour (UK), savior (US).

savamment *adv* **1.** *(avec érudition)* learnedly **2.** *(avec habileté)* skilfully (UK), skillfully (US), cleverly.

savane *nf* savanna.

savant, e *adj* **1.** *(érudit)* scholarly **2.** *(habile)* skilful, clever **3.** *(animal)* performing *(avant nom)*. ■ **savant** *nm* scientist.

savate *nf* **1.** *(pantoufle)* worn-out slipper **2.** *(soulier)* worn-out shoe **3.** *SPORT* kick boxing **4.** *fam & fig (personne)* clumsy oaf.

saveur *nf* **1.** flavour (UK), flavor (US) **2.** *fig* savour (UK), savor (US).

savoir *vt* **1.** *(gén)* to know • **je ne sais pas comment ça marche** I don't know how it works • **faire savoir qqch à qqn** to tell sb sthg, to inform sb of sthg • **si j'avais su...** had I but known..., if I had only known... • **sans le savoir** unconsciously, without being aware of it • **tu (ne) peux pas savoir** *fam* you have no idea • **pas que je sache** not as far as I know **2.** *(être capable de)* to know how to • **sais-tu conduire ?** can you drive? • **savoir s'y prendre avec les enfants** to know how to handle children, to be good with children. ■ *nm* learning. ■ **à savoir** *loc conj* namely, that is.

savoir-faire *nm inv* know-how, expertise.

savoir-vivre *nm inv* good manners *pl*.

savon *nm* **1.** *(matière)* soap **2.** *(pain)* cake *ou* bar of soap • **savon de Marseille** ≃ household soap **3.** *fam (réprimande)* telling-off.

savonner *vt (linge)* to soap. ■ **se savonner** *vp* to soap o.s.

savonnette *nf* guest soap.

savonneux, euse *adj* soapy.

savourer *vt* to savour (UK), to savor (US).

savoureux, euse *adj* **1.** *(mets)* tasty **2.** *fig (anecdote)* juicy.

saxophone *nm* saxophone.

saxophoniste *nmf* saxophonist, saxophone player.

s/c *(abrév de sous couvert de)* c/o.

scabreux, euse *adj* **1.** *(propos)* shocking, indecent **2.** *(entreprise)* risky.

scalpel *nm* scalpel.

scalper *vt* to scalp.

scandale *nm* **1.** *(fait choquant)* scandal **2.** *(indignation)* uproar • **son dernier film a fait scandale** his latest film caused a scandal **3.** *(tapage)* scene • **faire du** *ou* **un scandale** to make a scene.

scandaleux, euse *adj* scandalous, outrageous.

scandaliser *vt* to shock, to scandalize.

scander *vt* **1.** *(vers)* to scan **2.** *(slogan)* to chant.

scandinave *adj* Scandinavian. ■ **Scandinave** *nmf* Scandinavian.

Scandinavie *nf* • **la Scandinavie** Scandinavia.

scanner[1] *vt* to scan.

scanner[2] *nm* **1.** *INFORM* scanner **2.** *MÉD* scan • **passer un scanner** to have a scan.

scanneur *nm* = **scanner**.

scaphandre *nm* **1.** *(de plongeur)* diving suit **2.** *(d'astronaute)* spacesuit.

scarabée *nm* beetle, scarab.

scarlatine *nf* scarlet fever.

scarole *nf* endive.

scatologique *adj* scatological.

sceau *nm* **1.** seal **2.** *fig* stamp, hallmark.

scélérat, e adj wicked. ❑ nm, f **1.** villain **2.** péj rogue, rascal.

sceller vt **1.** (gén) to seal **2.** CONSTR (fixer) to embed.

scellés nmpl seals • **sous scellés** sealed.

scénario nm **1.** CINÉ, LITTÉR & THÉÂTRE (canevas) scenario **2.** CINÉ & TV (découpage, synopsis) screenplay, script **3.** fig (rituel) pattern.

scénariste nmf scriptwriter.

scène nf **1.** (gén) scene **2.** (estrade) stage • **entrée en scène a)** THÉÂTRE entrance **b)** fig appearance • **mettre en scène a)** THÉÂTRE to stage **b)** CINÉ to direct.

scepticisme nm scepticism (UK), skepticism (US).

sceptique nmf sceptic (UK), skeptic (US). ❑ adj **1.** (incrédule) sceptical (UK), skeptical (US) **2.** PHILO sceptic (UK), skeptic (US).

sceptre nm sceptre (UK), scepter (US).

schéma nm (diagramme) diagram • **j'ai fait un schéma** I drew a diagram.

schématique adj **1.** (dessin) diagrammatic **2.** (interprétation, exposé) simplified.

schématiser vt péj (généraliser) to oversimplify.

schisme nm **1.** RELIG schism **2.** (d'opinion) split.

schizophrène nmf & adj schizophrenic.

schizophrénie nf schizophrenia.

sciatique nf sciatica. ❑ adj sciatic.

scie nf (outil) saw.

sciemment adv knowingly.

science nf **1.** (connaissances scientifiques) science • **sciences humaines** ou **sociales** UNIV social sciences **2.** (érudition) knowledge **3.** (art) art.

science-fiction nf science fiction.

sciences-po nfpl UNIV political science sing. ■ Sciences-Po npr si vous voulez donner une définition à un anglophone, vous pouvez dire it is a prestigious higher-education institution that provides specialist training in political science.

scientifique nmf scientist. ❑ adj scientific.

scier vt (branche) to saw.

scierie nf sawmill.

scinder vt • **scinder (en)** to split (into), to divide (into). ■ **se scinder** vp • **se scinder (en)** to split (into), to divide (into).

scintiller vi to sparkle.

scission nf split.

sciure nf sawdust.

sclérose nf **1.** sclerosis **2.** fig ossification • **sclérose en plaques** multiple sclerosis.

sclérosé, e adj **1.** sclerotic **2.** fig ossified.

scolaire adj **1.** school (avant nom) **2.** péj bookish.

scolarisable adj of school age.

scolariser vt to provide with schooling.

scolarité nf schooling • **frais de scolarité a)** SCOL school fees **b)** UNIV tuition fees.

scoliose nf curvature of the spine.

scooter nm scooter • **faire du scooter** to ride a scooter.

scorbut nm scurvy.

score nm SPORT score.

scorpion nm scorpion. ■ **Scorpion** nm ASTROL Scorpio.

Scotch® nm (adhésif) ≃ Sellotape® (UK); ≃ Scotch tape® (US).

scotch nm (alcool) whisky, Scotch.

scotché, e adj • **être scotché devant la télévision** to be glued to the television.

scotcher vt to sellotape (UK), to scotch-tape (US).

scout, e adj scout (avant nom). ■ **scout** nm scout.

scoutisme nm scouting.

scribe nm HIST scribe.

script nm CINÉ & TV script.

scripte nmf CINÉ & TV continuity person.

scrupule nm scruple • **avec scrupule** scrupulously • **sans scrupules a)** (être) unscrupulous **b)** (agir) unscrupulously.

scrupuleux, euse adj scrupulous.

scrutateur, trice adj searching.

scruter vt to scrutinize.

scrutin nm **1.** (vote) ballot **2.** (système) voting system • **scrutin majoritaire** first-past-the-post system (UK) • **scrutin proportionnel** proportional representation system.

sculpter vt to sculpt.

sculpteur nm sculptor.

sculpture nf sculpture.

SDF (abrév de sans domicile fixe) nmf • **les SDF** the homeless.

se, s' pron pers **1.** (réfléchi - personne) oneself, himself, herself f, themselves • **elle se regarde dans le miroir** she looks at herself in the mirror; (-chose, animal) itself, themselves **2.** (réciproque) each other, one another • **ils se sont rencontrés hier** they met yesterday **3.** (passif) • **ce produit se vend bien/partout** this product is selling well/is sold everywhere **4.** (remplace l'adjectif possessif) • **se laver les mains** to wash one's hands • **se couper le doigt** to cut one's finger.

À PROPOS DE

se

Pour les verbes qui ne sont que pronominaux, c'est-à-dire qui ne s'utilisent qu'avec le pronom *se*, *se* ne se traduit pas en anglais.

• *Il se souvient.* **He remembers**.

Lorsque *se* représente une personne, il se traduit par **himself** (féminin **herself**, pluriel **themselves**) ou bien il ne se traduit pas.

• *Il s'est fait mal.* **He hurt himself**.

Lorsque *se* représente une chose ou un animal, il se traduit par **itself** ou bien il ne se traduit pas.

• *Le cheval s'est fait mal.* **The horse hurt itself**.

• *Cette espèce se reproduit très vite.* **This species reproduces very quickly**.

Lorsque le verbe est à l'infinitif et que *se* représente une personne indéfinie, soit il se traduit par **oneself**, soit il ne se traduit pas.

• *se faire mal* **to hurt oneself**

• *se coucher* **to go to bed**

Notez qu'en anglais, on utilise l'adjectif possessif avec les parties du corps.

• *Ils doivent se laver les mains.* **They have to wash their hands**.

Lorsque *se* a une valeur réciproque, il se traduit par **each other** ou bien il ne se traduit pas.

• *Elles se sont rencontrées dans la rue.* **They bumped into each other in the street**.

• *Ils se battent tout le temps.* **They never stop fighting**.

séance nf **1.** (réunion) meeting, sitting, session **2.** (période) session **3.** (de pose) sitting **4.** CINÉ & THÉÂTRE performance **5.** (locution) • **séance tenante** right away, forthwith.

seau nm **1.** (récipient) bucket • **un seau d'eau** a bucket of water **2.** (contenu) bucketful.

sébum nm sebum.

sec, sèche adj **1.** (gén) dry **2.** (fruits) dried **3.** (personne-maigre) lean ; (-austère) austere **4.** fig (cœur) hard **5.** (voix, ton) sharp **6.** (sans autre prestation) • **vol sec** flight only. ■ **sec** adv **1.** (beaucoup) • **boire sec** to drink heavily **2.** (démarrer) sharply. ❏ nm • **tenir au sec** to keep in a dry place.

sécable adj divisible.

sécateur nm secateurs pl.

sécession nf secession • **faire sécession (de)** to secede (from).

sèche-cheveux nm inv hairdryer.

sèche-linge nm inv tumble-dryer.

sèche-mains nm hand-dryer.

sécher vt **1.** (linge) to dry **2.** arg scol (cours) to skip, to skive off (UK). ❏ vi **1.** (linge) to dry **2.** (peau) to dry out **3.** (rivière) to dry up **4.** arg scol (ne pas savoir répondre) to dry up.

sécheresse nf **1.** (de terre, climat, style) dryness **2.** (absence de pluie) drought **3.** (de réponse) curtness.

séchoir nm **1.** (tringle) airer, clotheshorse **2.** (électrique) dryer • **séchoir à cheveux** hairdryer.

second, e adj num inv second • **dans un état second** dazed. ❏ nm, f second. Voir aussi **sixième**. ■ **seconde** nf **1.** (unité de temps) MUS second **2.** SCOL ≃ fifth year ou form (UK) ; ≃ tenth grade (US) **3.** (transports) second class **4.** AUTO second gear.

secondaire nm • **le secondaire a)** GÉOL the Mesozoic **b)** SCOL secondary education **c)** ÉCON the secondary sector. ❏ adj **1.** (gén) SCOL secondary • **effets secondaires** MÉD side effects **2.** GÉOL Mesozoic.

seconder vt to assist.

secouer vt (gén) to shake. ■ **se secouer** vp fam to snap out of it.

secourable adj helpful • **main secourable** helping hand.

secourir vt **1.** (blessé, miséreux) to help **2.** (personne en danger) to rescue.

secouriste nmf first-aid worker.

secours nm **1.** (aide) help • **appeler au secours** to call for help • **les secours** emergency services • **va chercher du secours** go and get help • **au secours !** help! **2.** (dons) aid, relief **3.** (renfort) relief, reinforcements pl **4.** (soins) aid • **les premiers secours** first aid (indén). ■ **de secours** loc adj **1.** (trousse, poste) first-aid (avant nom) **2.** (éclairage, issue) emergency (avant nom) **3.** (roue) spare.

secouru, e pp → secourir.

secousse nf **1.** (mouvement) jerk, jolt **2.** fig (bouleversement) upheaval **3.** (psychologique) shock **4.** (tremblement de terre) tremor.

secret, ète adj **1.** (gén) secret **2.** (personne) reticent. ■ **en secret** loc adv **1.** (écrire, économiser) in secret, secretly **2.** (croire, espérer) secretly, privately. ■ **secret** nm **1.** (gén) secret **2.** (discrétion) secrecy • **dans le plus grand secret** in the utmost secrecy.

secrétaire nmf (personne) secretary • **secrétaire de direction** executive secretary. ❏ nm (meuble) writing desk, secretaire.

secrétariat nm **1.** (bureau) secretary's office **2.** (d'organisation internationale) secretariat **3.** (personnel) secretarial staff **4.** (métier) secretarial work.

secret(-)défense adj inv & nm inv classified, top secret • **ce dossier est classé secret défense** this file is classified • **un document secret défense** a top secret document.

sécréter vt **1.** to secrete **2.** fig to exude.

sécrétion nf secretion.

sectaire nmf & adj sectarian.

secte nf sect.

secteur nm 1. (zone) area • **se trouver dans le secteur** fam to be somewhere ou someplace (us) around 2. ADMIN district 3. ÉCON, GÉOM & MIL sector • **secteur primaire/secondaire/tertiaire** primary/secondary/tertiary sector • **secteur privé/public** private/public sector 4. ÉLECTR mains • **sur secteur** off ou from the mains.

section nf 1. (gén) section 2. (de parti) branch 3. MIL platoon.

sectionner vt 1. fig (diviser) to divide into sections 2. (trancher) to sever.

séculaire adj (ancien) age-old.

secundo adv in the second place, secondly.

sécurisant, e adj 1. (milieu) secure 2. (attitude) reassuring.

sécurisé, e adj INFORM (transaction, paiement) secure.

sécurité nf 1. (d'esprit) security 2. (absence de danger) safety • **la sécurité routière** road safety • **en toute sécurité** safe and sound 3. (dispositif) safety catch 4. (organisme) • **la Sécurité sociale** ≃ the DSS (UK); ≃ Social Security (US).

sédatif, ive adj sedative. ■ **sédatif** nm sedative.

sédentaire adj 1. (personne, métier) sedentary 2. (casanier) stay-at-home.

sédentariser ■ **se sédentariser** vp (tribu) to settle, to become settled.

sédiment nm sediment.

sédition nf sedition.

séducteur, trice adj seductive. ❏ nm, f seducer, seductress f.

séduction nf 1. (action) seduction 2. (attrait) seductive power.

séduire vt 1. (plaire à) to attract, to appeal to 2. (attirer le client) to attract 3. (abuser de) to seduce.

séduisant, e adj attractive.

séduit, e pp → séduire.

segment nm GÉOM segment.

segmenter vt to segment.

ségrégation nf segregation.

seiche nf cuttlefish.

seigle nm rye.

seigneur nm lord. ■ **Seigneur** nm • **le Seigneur** the Lord.

sein nm 1. breast 2. fig bosom • **donner le sein (à un bébé)** to breast-feed (a baby). ■ **au sein de** loc prép within.

Seine nf • **la Seine** the (River) Seine.

séisme nm earthquake.

seize adj num inv & nm sixteen. Voir aussi **six**.

seizième adj num inv, nm & nmf sixteenth. Voir aussi **sixième**.

séjour nm 1. (durée) stay • **bon séjour !** enjoy your stay! • **interdit de séjour** ≃ banned • **séjour linguistique** stay abroad (pour perfectionner ses connaissances linguistiques) 2. (pièce) living room.

séjourner vi to stay.

sel nm 1. salt • **gros sel** coarse salt 2. fig piquancy. ■ **sels** nmpl smelling salts • **sels de bain** bath salts.

sélection nf selection.

sélectionner vt 1. to select, to pick 2. INFORM to select.

self nm fam self-service (cafeteria).

self-service nm self-service cafeteria.

selle nf 1. (gén) saddle • **il s'est mis en selle** he got on his horse.

seller vt to saddle.

selon prép 1. (conformément à) in accordance with 2. (d'après) according to. ■ **selon que** loc conj depending on whether.

Seltz → eau.

semaine nf week • **à la semaine** (être payé) by the week • **en semaine** during the week • **dans une semaine** in a week's time • **la semaine dernière/prochaine** last/next week.

semainier nm 1. (bijou) seven-band bracelet 2. (meuble) si vous voulez expliquer à un anglophone de quoi il s'agit, vous pouvez dire it is a small chest of drawers 3. (calendrier) desk diary.

sémantique adj semantic.

sémaphore nm 1. NAUT semaphore 2. RAIL semaphore, semaphore signals pl.

semblable nm (prochain) fellow man • **il n'a pas son semblable** there's nobody like him. ❏ adj 1. (analogue) similar • **semblable à** like, similar to 2. (avant nom) (tel) such.

semblant nm • **un semblant de** a semblance of • **faire semblant (de faire qqch)** to pretend (to do sthg).

sembler vi to seem. ❏ v impers • **il (me/te) semble que** it seems (to me/you) that.

semelle nf (de chaussure - dessous) sole ; (- à l'intérieur) insole.

semence nf 1. (graine) seed 2. (sperme) semen (indén).

semer vt 1. fig (planter) to sow 2. (répandre) to scatter • **semer qqch de** to scatter sthg with, to strew sthg with 3. fam (se débarrasser de) to shake off 4. fam (perdre) to lose 5. (propager) to bring.

semestre nm 1. half year, six-month period 2. SCOL semester.

semestriel, elle adj 1. (qui a lieu tous les six mois) half-yearly, six-monthly 2. (qui dure six mois) six months', six-month.

séminaire nm 1. RELIG seminary 2. UNIV (colloque) seminar.

séminariste nm seminarist.

semi-remorque *nm* articulated lorry (UK), semitrailer (US), rig (US).

semis *nm* 1. (méthode) sowing broadcast 2. (plant) seedling.

semonce *nf* 1. (réprimande) reprimand 2. MIL • **coup de semonce** warning shot.

semoule *nf* semolina.

sempiternel, elle *adj* eternal.

sénat *nm* senate • **le Sénat** the French Senate ; ≃ the House of Lords (UK) ; ≃ the Senate (US).

sénateur, trice *nm* senator.

Sénégal *nm* • **le Sénégal** Senegal.

En anglais, à de rares exceptions près, il n'y a pas d'article devant les noms de pays.

sénégalais, e *adj* Senegalese. ■ **Sénégalais, e** *nm, f* Senegalese person.

En anglais, les adjectifs se rapportant à un pays ou une région s'écrivent avec une majuscule.

sénile *adj* senile.

sénilité *nf* senility.

senior *adj & nmf* 1. SPORT senior 2. (tourisme) for the over-50s, for the young at heart 3. (menu) over 50s' • **notre clientèle senior** our over-50s customers 4. (personnes de plus de 50 ans) over-50 (gén pl).

sens *nm* 1. (fonction, instinct, raison) sense • **le sens du toucher** the sense of touch • **avoir le sens de la nuance** to be subtle • **avoir le sens de l'humour** to have a sense of humour (UK) ou (US) • **ne pas avoir le sens des réalités** to have no grasp of reality • **bon sens** good sense • **les cinq sens** the five senses 2. (direction) direction • **dans le sens de la longueur** lengthways • **dans le sens des aiguilles d'une montre** clockwise • **dans le sens contraire des aiguilles d'une montre** anticlockwise (UK), counterclockwise (US) • **sens dessus dessous** upside down • **sens interdit** ou **unique** one-way street 3. (signification) meaning • **cela n'a pas de sens !** it's nonsensical! • **ce que tu dis n'a pas de sens** (c'est inintelligible, déraisonnable) what you're saying doesn't make sense • **dans** ou **en un sens** in one sense • **porteur de sens** meaningful • **lourd** ou **chargé de sens** meaningful • **au sens propre/figuré** in the literal/figurative sense 4. fig (orientation) line.

sensation *nf* 1. (perception) sensation, feeling 2. (impression) feeling.

sensationnel, elle *adj* sensational.

sensé, e *adj* sensible.

sensibiliser *vt* 1. MÉD & PHOTO to sensitize 2. fig (public) • **sensibiliser (à)** to make aware (of).

sensibilité *nf* • **sensibilité (à)** sensitivity (to).

sensible *adj* 1. (gén) • **sensible (à)** sensitive (to) 2. (notable) considerable, appreciable.

sensiblement *adv* 1. (à peu près) more or less 2. (notablement) appreciably, considerably.

sensoriel, elle *adj* sensory.

sensualité *nf* 1. (lascivité) sensuousness 2. (charnelle) sensuality.

sensuel, elle *adj* 1. (charnel) sensual 2. (lascif) sensuous.

sentence *nf* 1. (jugement) sentence 2. (maxime) adage.

sentencieux, euse *adj* péj sententious.

senteur *nf* littéraire perfume.

senti, e *pp* → **sentir**. ❑ *adj* • **bien senti** (mots) well-chosen.

sentier *nm* path.

sentiment *nm* feeling • **un sentiment de bonheur** a feeling of happiness • **veuillez agréer, Monsieur, l'expression de mes sentiments distingués/cordiaux/les meilleurs** yours faithfully (UK)/sincerely/truly.

sentimental, e *adj* 1. (amoureux) love (avant nom) 2. (sensible, romanesque) sentimental. ❑ *nm, f* sentimentalist.

sentinelle *nf* sentry.

sentir *vt* 1. (percevoir - par l'odorat) to smell ; (- par le goût) to taste ; (- par le toucher) to feel 2. (exhaler - odeur) to smell of 3. (colère, tendresse) to feel 4. (affectation, plagiat) to smack of 5. (danger) to sense, to be aware of • **sentir que** to feel (that) 6. (beauté) to feel, to appreciate. ❑ *vi* • **sentir bon/mauvais** to smell good/bad. ■ **se sentir** *v att* • **se sentir bien/fatigué** to feel well/tired. ❑ *vp* (être perceptible) • **ça se sent !** you can really tell!

séparation *nf* separation.

séparatiste *nmf* separatist.

séparé, e *adj* 1. (intérêts) separate 2. (couple) separated.

séparer *vt* 1. (gén) • **séparer (de)** to separate (from) 2. (sujet : divergence) to divide. ■ **se séparer** *vp* 1. (se défaire) • **se séparer de** to part with 2. (conjoints) to separate, to split up • **se séparer de** to separate from, to split up with 3. (participants) to disperse 4. (route) • **se séparer (en)** to split (into), to divide (into).

sept *adj num inv & nm* seven. Voir aussi **six**.

septembre nm September • **en septembre, au mois de septembre** in September • **début septembre, au début du mois de septembre** at the beginning of September • **fin septembre, à la fin du mois de septembre** at the end of September • **d'ici septembre** by September • **(à la) mi-septembre** (in) mid-September • **le premier/deux/dix septembre** the first/second/tenth of September.

> En anglais, les mois de l'année s'écrivent avec une majuscule.

septennat nm seven-year term (of office).

septicémie nf septicaemia (UK), septicemia (US), blood poisoning.

septième adj num inv, nm & nmf seventh. Voir aussi **sixième**.

septuagénaire nmf 70-year-old. □ adj • **être septuagénaire** to be in one's seventies.

sépulcre nm sepulchre (UK), sepulcher (US).

sépulture nf 1. (lieu) burial place 2. litt & vieilli (inhumation) burial.

séquelle nf 1. (gén pl) aftermath 2. MÉD after-effect.

séquence nf 1. sequence 2. (cartes à jouer) run, sequence.

séquestre nm DR pound • **mettre** ou **placer sous séquestre** to impound.

séquestrer vt 1. (personne) to confine 2. (biens) to impound.

serai, seras etc → être.

sérail nm seraglio.

serbe adj Serbian. ■ **Serbe** nmf Serb.

Serbie nf • **la Serbie** Serbia.

serein, e adj 1. (calme) serene 2. (impartial) calm, dispassionate.

sérénade nf MUS serenade.

sérénité nf serenity.

serf, serve nm, f serf.

sergent, e nm, f sergeant.

série nf 1. (gén) series sing • **une série de questions** a series of questions 2. SPORT rank 3. (au tennis) seeding 4. COMM (dans l'industrie) • **produire qqch en série** to mass-produce sthg • **hors série a)** custom-made **b)** fig outstanding, extraordinary 5. TV series sing • **il y a une nouvelle série à la télé** there's a new series on TV.

sérieusement adv seriously.

sérieux, euse adj 1. (grave) serious 2. (digne de confiance) reliable 3. (client, offre) genuine 4. (consciencieux) responsible • **ce n'est pas sérieux** it's irresponsible 5. (considérable) considerable. ■ **sérieux** nm 1. (application) sense of responsibility 2. (gravité) seriousness • **garder son sérieux** to keep a straight face • **prendre qqn/qqch au sérieux** to take sb/sthg seriously.

serin, e nm, f (oiseau) canary.

seringue nf syringe.

serment nm 1. (affirmation solennelle) oath • **sous serment** on ou under oath 2. (promesse) vow, pledge.

sermon nm litt & fig sermon.

séronégatif, ive adj HIV-negative.

séropositif, ive adj HIV-positive.

séropositivité nf HIV infection.

serpe nf billhook.

serpent nm ZOOL snake.

serpenter vi to wind.

serpentin nm 1. (de papier) streamer 2. (tuyau) coil.

serpillière nf floor cloth (UK), mop (US).

serpolet nm wild thyme.

serre nf (bâtiment) greenhouse, glasshouse (UK). ■ **serres** nfpl ZOOL talons, claws.

serré, e adj 1. (écriture) cramped 2. (tissu) closely-woven 3. (rangs) serried 4. (vêtement, chaussure) tight 5. (discussion) closely argued 6. (match) close-fought 7. (poing, dents) clenched • **la gorge serrée** with a lump in one's throat • **j'en avais le cœur serré** fig it was heartbreaking 8. (café) strong.

serre-livres nm inv bookend • **deux serre-livres** a pair of bookends.

serrer vt 1. (saisir) to grip, to hold tight • **serrer la main à qqn** to shake sb's hand • **serrer qqn dans ses bras** to hug sb 2. fig (rapprocher) to bring together • **serrer les rangs** to close ranks 3. (poing, dents) to clench 4. (lèvres) to purse 5. fig (cœur) to wring 6. (sujet : vêtement, chaussure) to be too tight for 7. (vis, ceinture) to tighten 8. (trottoir, bordure) to hug. □ vi AUTO • **serrer à droite/gauche** to keep right/left. ■ **se serrer** vp 1. (se blottir) • **se serrer contre** to huddle up to ou against 2. (se rapprocher) to squeeze up.

serre-tête nm inv headband.

serrure nf lock.

serrurier nm locksmith.

sertir vt 1. (pierre précieuse) to set 2. TECHNOL (assujettir) to crimp.

sérum nm serum • **sérum physiologique** saline.

servage nm 1. serfdom 2. fig bondage.

servante nf (domestique) maidservant.

serveur, euse nm, f 1. (de restaurant) waiter, waitress f 2. (de bar) barman, barmaid f (UK), bartender (US). ■ **serveur** nm 1. INFORM server 2. TÉLÉCOM • **serveur vocal** voicemail service.

servi, e pp → servir.

serviable adj helpful, obliging.

service nm 1. (gén) service • **être en service** to be in use, to be set up • **hors service** out of order 2. (travail) duty • **pendant le service** while on duty 3. (département) department • **service d'ordre** police and stewards (UK) (at a demonstration) **4.** MIL • **service (militaire)** military ou national service **5.** (aide, assistance) favour (UK), favor (US) • **rendre un service à qqn** to do sb a favour (UK) ou favor (US) • **rendre service** to be helpful • **service après-vente** after-sales service **6.** (à table) • **premier/deuxième service** first/second sitting **7.** (pourboire) service (charge) • **service compris/non compris** service included/not included **8.** (assortiment - de porcelaine) service, set ; (- de linge) set **9.** SPORT service, serve **10.** ADMIN • **les services sociaux** the social services. ■ **service minimum** nm skeleton service.

serviette nf **1.** (de table) serviette, napkin **2.** (de toilette) towel • **une serviette de bain** a bath towel • **serviette de plage** beach towel **3.** (porte-documents) briefcase. ■ **serviette hygiénique** ou **périodique** nf sanitary towel (UK) ou napkin (US).

serviette-éponge nf terry towel.

servile adj **1.** (gén) servile **2.** (traduction, imitation) slavish.

servir vt **1.** (gén) to serve • **servir qqch à qqn** to serve sb sthg, to help sb to sthg **2.** (avantager) to serve (well), to help. ❏ vi **1.** (avoir un usage) to be useful ou of use • **ça peut toujours/encore servir** it may/may still come in useful **2.** (être utile) • **servir à qqch/à faire qqch** to be used for sthg/for doing sthg • **ça ne sert à rien** it's pointless **3.** (tenir lieu) • **servir de a)** (personne) to act as **b)** (chose) to serve as **4.** (domestique) to be in service **5.** MIL & SPORT to serve **6.** (jeu de cartes) to deal. ■ **se servir** vp **1.** (prendre) ou se **servir (de)** to help o.s. (to) • **servez-vous !** help yourself ! **2.** (utiliser) • **se servir de qqn/qqch** to use sb/sthg.

serviteur nm servant.

servitude nf **1.** (esclavage) servitude **2.** (gén pl) (contrainte) constraint.

sésame nm **1.** BOT sesame **2.** fig (formule magique) • **sésame ouvre-toi** open sesame.

session nf **1.** (d'assemblée) session, sitting **2.** UNIV exam session **3.** INFORM • **ouvrir une session** to log in ou on • **fermer** ou **clore une session** to log out ou off.

set nm **1.** TENNIS set **2.** (napperon) • **set (de table)** set of table ou place mats.

seuil nm litt & fig threshold.

seul, e adj **1.** (isolé) alone • **seul à seul** alone (together), privately **2.** (sans compagnie) alone, by o.s. • **parler tout seul** to talk to o.s. **3.** (sans aide) on one's own, by o.s. **4.** (unique) • **le seul...** the only... • **un seul...** a single... • **pas un seul...** not one..., not a single... **5.** (esseulé) lonely **6.** (sans partenaire, non marié) alone, on one's own. ❏ nm, f • **le seul** the only one • **un seul** a single one, only one.

seulement adv **1.** (gén) only **2.** (exclusivement) only, solely **3.** (même) even. ■ **non seule-**

ment... mais (encore) loc corrélative not only... but (also).

sève nf BOT sap.

sévère adj severe • **ses parents sont sévères avec lui** his parents are strict with him.

sévérité nf severity.

sévices nmpl sout ill treatment (indén).

sévir vi **1.** (épidémie, guerre) to rage **2.** (punir) to give out a punishment.

sevrage nm **1.** (d'enfant) weaning **2.** (de toxicomane) withdrawal.

sevrer vt to wean.

sexagénaire nmf sixty-year-old. ❏ adj • **être sexagénaire** to be in one's sixties.

sexe nm **1.** (gén) sex **2.** (organe) genitals pl.

sexiste nmf & adj sexist.

sexologue nmf sexologist.

sex-shop nm sex shop.

sex-symbol nm sex symbol.

sextant nm sextant.

sexualité nf sexuality.

sexuel, elle adj sexual.

sexy adj inv fam sexy.

seyant, e adj becoming.

SF (abrév de science-fiction) nf sci-fi.

shabbat nm = sabbat.

shampooing nm shampoo • **shampoing antipelliculaire** antidandruff shampoo.

shampouiner vt to shampoo.

shérif nm sheriff.

shiatsu nm shiatsu.

shinto, shintoïsme nm Shinto.

> En anglais, les adjectifs et les noms se rapportant à une religion s'écrivent avec une majuscule.

shintoïste adj & nmf Shintoist.

shit fam nm hash.

shopping nm shopping • **faire du shopping** to go (out) shopping.

short nm shorts pl, pair of shorts.

show-biz nm inv fam show biz.

show-business nm inv show business.

showroom nm COMM showroom.

si nm inv **1.** MUS B **2.** (chanté) ti.

si

■ si adv

1. POUR RENFORCER
• **elle est si belle** she is so beautiful • **il roulait si vite qu'il a eu un accident** he was driving so fast (that) he had an accident • **c'est un garçon si gentil que tout le monde l'aime** he's such a nice boy that everybody loves him • **ce n'est pas si facile que ça** it's not as easy as that

2. SIGNIFIE « OUI », AVEC EFFET D'INSISTANCE, DANS LES RÉPONSES À DES PHRASES INTERROGATIVES NÉGATIVES

• **tu n'aimes pas le café ? — si** don't you like coffee? — yes, I do • **je n'y arriverai jamais — mais si !** I'll never manage — of course you will!

3. INTRODUIT UNE CONCESSION

• **si vieux qu'il soit, il comprend parfaitement ce que tu dis** however old he may be ou old as he is, he understands perfectly well what you are saying • **si gentiment qu'il ait parlé, il n'a convaincu personne** for all that he spoke nicely ou however nicely he may have spoken, he didn't convince anyone

■ **si** *conj*

1. EXPRIME UNE CONDITION, UNE ÉVENTUALITÉ

• **s'il fait beau demain, nous irons à la plage** if it's fine tomorrow, we'll go to the beach • **si tu veux, on y va** we'll go if you want

2. EXPRIME UNE HYPOTHÈSE

• **si j'avais de l'argent, j'achèterais une belle maison pour mes parents** If I had money, I would buy a very nice house for my parents • **et s'il ne venait pas ?** what if he didn't come? ou supposing he didn't come? • **si j'avais su, je t'aurais téléphoné** if I had known, I would have called you

3. DANS UNE QUESTION INDIRECTE

• **dites-moi si vous venez** tell me if ou whether you're coming

4. PERMET D'EXPLICITER UN FAIT

• **s'il ne t'aide pas, c'est qu'il n'en a pas envie** if he doesn't help you, it's because he doesn't feel like it ou the reason he doesn't help you is that he doesn't feel like it • **c'est un miracle s'il est encore en vie** it's a miracle (that) he's still alive

5. PERMET D'EXPRIMER UNE OPPOSITION

• **si lui est adroit, son frère, en revanche, casse tout ce qu'il touche** while ou whilst he is skilful, his brother on the other hand breaks everything he touches!

si

Dans les questions indirectes, *if* et *whether* sont pratiquement interchangeables (*she asked me if I wanted to go out for lunch* = *she asked me whether I wanted to go out for lunch*). Notez bien, en revanche, que seul *if* sert à introduire une hypothèse (*if you have any problems, just phone me*).

SI *nm* (abrév de syndicat d'initiative) tourist office.

siamois, e *adj* • **frères siamois, sœurs siamoises a)** *MÉD* Siamese twins **b)** *fig* inseparable companions.

Sibérie *nf* • **la Sibérie** Siberia.

sibyllin, e *adj* enigmatic.

SICAV, Sicav (abrév de société d'investissement à capital variable) *nf inv* **1.** *(société)* unit trust (UK), mutual fund (US) **2.** *(action)* share in a unit trust (UK) ou mutual fund (US).

Sicile *nf* • **la Sicile** Sicily.

SIDA, Sida (abrév de syndrome immunodéficitaire acquis) *nm* AIDS • **la lutte contre le SIDA** the fight against AIDS.

side-car *nm* sidecar.

sidéen, enne *nm, f* person with AIDS.

sidérant, e *adj fam* staggering.

sidérer *vt fam* to stagger.

sidérurgie *nf* (industrie) iron and steel industry.

siècle *nm* **1.** *(cent ans)* century • **vingt-et-unième siècle** twenty-first century **2.** *(époque, âge)* age **3.** *(gén pl) fam* (longue durée) ages pl.

siège *nm* **1.** *(gén)* seat • **siège auto enfant** child car seat • **le siège avant** the front seat **2.** *MIL* siege **3.** *(d'organisme)* headquarters pl • **siège social** registered office **4.** *MÉD* • **se présenter par le siège** to be in the breech position.

siéger *vi* **1.** *(juge, assemblée)* to sit **2.** *littéraire (mal)* to have its seat **3.** *littéraire (maladie)* to be located.

sien ■ **le sien, la sienne** *pron poss* **1.** *(d'homme)* his **2.** *(de femme)* hers **3.** *(de chose, d'animal)* its • **les siens** his/her family • **faire des siennes** to be up to one's usual tricks.

sieste *nf* siesta • **faire la sieste** to have a nap.

sifflant, e *adj* **1.** *(son)* whistling **2.** *(voix)* hissing **3.** *LING* sibilant.

sifflement *nm* **1.** *(son)* whistling **2.** *(de serpent)* hissing.

siffler *vi* **1.** to whistle **2.** *(serpent)* to hiss. ❑ *vt* **1.** *(air de musique)* to whistle **2.** *(femme)* to whistle at **3.** *(chien)* to whistle (for) **4.** *(acteur)* to boo, to hiss **5.** *fam (verre)* to knock back.

sifflet *nm* whistle • **l'arbitre a donné un coup de sifflet** the referee blew his whistle. ■ **sifflets** *nmpl* hissing *(indén)*, boos.

siffloter *vi & vt* to whistle.

sigle *nm* acronym, (set of) initials.

signal *nm* **1.** *(geste, son)* signal • **signal d'alarme** alarm (signal) • **signal d'alerte** warning signal • **donner le signal (de)** to give the signal (for) **2.** *(panneau)* sign.

signalement *nm* description.

signaler *vt* **1.** *(fait)* to point out • **rien à signaler** nothing to report **2.** *(à la police)* to denounce. ■ **se signaler** *vp* • **se signaler par** to become known for, to distinguish o.s. by.

signalétique *adj* identifying.

signalisation *nf* **1.** *(panneaux)* signs *pl* **2.** *(au sol)* (road) markings *pl* **3.** NAUT signals *pl*.

signataire *nmf* signatory.

signature *nf* **1.** *(nom, marque)* signature • **signature électronique** INFORM digital signature, e-signature **2.** *(acte)* signing.

signe *nm* **1.** *(gén)* sign • **être né sous le signe de** ASTROL to be born under the sign of • **les signes du zodiaque** the signs of the zodiac • **signe avant-coureur** advance indication **2.** *(trait)* mark • **signe particulier** distinguishing mark.

signer *vt* to sign. ■ **se signer** *vp* to cross o.s.

signet *nm* bookmark • **mettre un signet sur Internet®** to bookmark.

significatif, ive *adj* significant.

signification *nf* *(sens)* meaning.

signifier *vt* **1.** *(vouloir dire)* to mean **2.** *(faire connaître)* to make known **3.** DR to serve notice of.

sikh *adj & nm* Sikh • **il est sikh** he's a Sikh.

sikhisme *nm* Sikhism.

En anglais, les adjectifs et les noms se rapportant à une religion s'écrivent avec une majuscule.

silence *nm* **1.** *(gén)* silence • **garder le silence (sur)** to remain silent (about) • **silence radio** radio silence **2.** MUS rest.

silencieux, euse *adj* **1.** *(lieu, appareil)* quiet **2.** *(personne - taciturne)* quiet ; *(- muet)* silent. ■ **silencieux** *nm* AUTO silencer (UK), muffler (US).

silex *nm* flint.

silhouette *nf* **1.** *(de personne)* silhouette **2.** *(de femme)* figure **3.** *(d'objet)* outline **4.** ART silhouette.

silicium *nm* silicon.

silicone *nf* silicone.

sillage *nm* wake.

sillon *nm* **1.** *(tranchée, ride)* furrow **2.** *(de disque)* groove.

sillonner *vt* **1.** *(champ)* to furrow **2.** *(ciel)* to crisscross.

silo *nm* silo.

simagrées *nfpl péj* • **faire des simagrées** to make a fuss.

similaire *adj* similar.

similicuir *nm* imitation leather.

similitude *nf* similarity.

simple *adj* **1.** *(gén)* simple **2.** *(ordinaire)* ordinary **3.** *(billet)* • **un aller simple** a single ticket. □ *nm* TENNIS singles *sing*.

simplement *adv* simply • **tout simplement** quite simply, just.

simplicité *nf* simplicity.

simplifier *vt* **1.** *(procédé)* to simplify **2.** *(explication)* to simplify, to make simpler.

simpliste *adj péj* simplistic.

simulacre *nm* **1.** *(semblant)* • **un simulacre de** a pretence of, a sham **2.** *(action simulée)* enactment.

simulateur, trice *nm, f* **1.** pretender **2.** *(de maladie)* malingerer. ■ **simulateur** *nm* TECHNOL simulator.

simulation *nf* **1.** *(gén)* simulation **2.** *(comédie)* shamming, feigning **3.** *(de maladie)* malingering.

simuler *vt* **1.** *(gén)* to simulate **2.** *(feindre)* to feign, to sham.

simultané, e *adj* simultaneous.

sincère *adj* sincere.

sincèrement *adv* **1.** *(franchement)* honestly, sincerely **2.** *(vraiment)* really, truly.

sincérité *nf* sincerity.

sine qua non *adj* • **condition sine qua non** prerequisite.

Singapour *npr* Singapore.

singe *nm* **1.** monkey **2.** *(de grande taille)* ape.

singer *vt* **1.** *(personne)* to mimic, to ape **2.** *(sentiment)* to feign.

singerie *nf* **1.** *(grimace)* face **2.** *(manières)* fuss *(indén)*.

singulariser *vt* to draw *ou* call attention to. ■ **se singulariser** *vp* to draw *ou* call attention to o.s.

singularité *nf* **1.** *(bizarrerie)* strangeness **2.** *(particularité)* peculiarity.

singulier, ère *adj* **1.** *sout (bizarre)* strange **2.** *sout (spécial)* uncommon **3.** GRAMM singular • **mettre les noms au singulier** put the nouns in the singular **4.** *(d'homme à homme)* • **combat singulier** single combat. ■ **singulier** *nm* GRAMM singular.

singulièrement *adv* **1.** *littéraire (bizarrement)* strangely **2.** *(beaucoup, très)* particularly.

sinistre *nm* **1.** *(catastrophe)* disaster **2.** DR damage *(indén)*. □ *adj* **1.** *(personne, regard)* sinister **2.** *(maison, ambiance)* gloomy • **un endroit sinistre** a grim place **3.** *(avant nom) fam (crétin, imbécile)* dreadful, terrible.

sinistré, e *adj* **1.** *(région)* disaster *(avant nom)*, disaster-stricken **2.** *(famille)* disaster-stricken. □ *nm, f* disaster victim.

sinon *conj* **1.** *(autrement)* or else, otherwise **2.** *(sauf)* except, apart from **3.** *(si ce n'est)* if not.

sinueux, euse *adj* **1.** winding **2.** *fig* tortuous.

sinuosité *nf* bend, twist.

sinus *nm* **1.** ANAT sinus **2.** MATH sine.

sinusite *nf* sinusitis *(indén)*.

sionisme *nm* Zionism.

siphon *nm* **1.** *(tube)* siphon **2.** *(bouteille)* soda siphon.

siphonner *vt* to siphon.

sirène *nf* siren.

sirop nm syrup • **sirop d'érable** maple syrup • **sirop de grenadine** (syrup of) grenadine • **sirop de menthe** mint cordial • **un sirop contre la toux** cough syrup.

siroter vt fam to sip.

sirupeux, euse adj syrupy.

sis, e adj DR located.

sismique adj seismic.

site nm **1.** (emplacement) site • **site archéologique/historique** archaeological/historic site **2.** (paysage) beauty spot **3.** INFORM site • **site Web** web ou Web site, website • **site FTP** FTP site.

sitôt adv • **sitôt après** immediately after • **pas de sitôt** not for some time, not for a while • **sitôt arrivé,...** as soon as I/he etc arrived,... • **sitôt dit, sitôt fait** no sooner said than done. ■ **sitôt que** loc conj as soon as.

situation nf **1.** (position, emplacement) position, location **2.** (contexte, circonstance) situation • **situation de famille** marital status **3.** (emploi) job, position **4.** FIN financial statement.

situer vt **1.** (maison) to site, to situate **2.** (sur carte) to locate. ■ **se situer** vp **1.** (scène) to be set **2.** (dans classement) to be.

six adj num inv six • **il a six ans** he is six (years old) • **il est six heures** it's six (o'clock) • **le six janvier** (on) the sixth of January (UK), (on) January sixth (US) • **daté du six septembre** dated the sixth of September (UK) ou September sixth (US) • **Charles Six** Charles the Sixth • **page six** page six. □ nm inv **1.** (gén) six • **six de pique** six of spades **2.** (adresse) (number) six. □ pron six • **ils étaient six** there were six of them • **six par six** six at a time.

sixième adj num inv sixth. □ nmf sixth • **arriver/se classer sixième** to come (in)/to be placed sixth. □ nf SCOL ≃ first year ou form (UK); ≃ sixth grade (US) • **être en sixième** to be in the first year ou form (UK), to be in sixth grade (US) • **entrer en sixième** to go to secondary school, to start attending "collège". □ nm **1.** (part) • **le/un sixième de** one/a sixth of • **cinq sixièmes** five sixths **2.** (arrondissement) sixth arrondissement **3.** (étage) sixth floor (UK), seventh floor (US).

sixièmement adv sixthly, in (the) sixth place.

skateboard nm skateboard • **faire du skateboard** to go skateboarding.

sketch nm sketch (in a revue, etc).

ski nm **1.** (objet) ski **2.** (sport) skiing • **faire du ski** to ski • **ski acrobatique/alpin/de fond** freestyle/alpine/cross-country skiing • **ski nautique** water skiing.

skier vi to ski • **j'apprends à skier** I'm learning to ski.

skieur, euse nm,f skier.

skipper nm **1.** (capitaine) skipper **2.** (barreur) helmsman.

sky-surfing, sky-surf nm SPORT sky-surfing.

slalom nm **1.** SKI slalom **2.** (zigzags) • **faire du slalom** to zigzag.

slam nm (poésie) slam.

slameur, euse nm,f slammer.

slave adj Slavonic. ■ **Slave** nmf Slav.

slip nm briefs pl, underpants pl • **slip de bain a)** (d'homme) swimming trunks pl **b)** (de femme) bikini bottoms pl.

slogan nm slogan.

slovaque adj Slovak. □ nm (langue) Slovak. ■ **Slovaque** nmf Slovak.

En anglais, les adjectifs se rapportant à un pays ou une région ainsi que le nom désignant la langue de ce pays ou cette région, s'écrivent avec une majuscule.

Slovaquie nf • **la Slovaquie** Slovakia.

En anglais, à de rares exceptions près, il n'y a pas d'article devant les noms de pays.

slovène adj Slovenian. □ nm (langue) Slovenian. ■ **Slovène** nmf Slovenian.

En anglais, les adjectifs se rapportant à un pays ou une région ainsi que le nom désignant la langue de ce pays ou cette région, s'écrivent avec une majuscule.

Slovénie nf • **la Slovénie** Slovenia.

En anglais, à de rares exceptions près, il n'y a pas d'article devant les noms de pays.

slow nm slow dance.

smasher vi TENNIS to smash (the ball).

SME (abrév de Système monétaire européen) nm EMS.

SMIC, Smic (abrév de salaire minimum interprofessionnel de croissance) nm minimum wage.

smiley nm smiley.

smoking nm dinner jacket, tuxedo (US).

SNCF (abrév de Société nationale des chemins de fer français) nf French national railway company.

sniper nm sniper.

snob nmf snob. □ adj snobbish.

snober vt to snub, to cold-shoulder.

snobisme nm snobbery, snobbishness.

snowboard nm **1.** (planche) snowboard **2.** (sport) snowboarding.

soap opera, soap nm soap (opera).

sobre adj **1.** (personne) temperate **2.** (style) sober **3.** (décor, repas) simple.

sobriété nf sobriety.

sobriquet nm nickname.

soc nm ploughshare (UK), plowshare (US).

sociable adj sociable.

social, e *adj* **1.** *(rapports, classe, service)* social **2.** COMM • **capital social** share capital • **raison sociale** company name. ■ **social** *nm* • **le social** social affairs *pl* • **les services sociaux** the social services.

socialisme *nm* socialism.

socialiste *nmf* & *adj* socialist.

sociétaire *nmf* member.

société *nf* **1.** *(communauté, classe sociale, groupe)* society • **en société** in society **2.** *(présence)* company, society **3.** COMM company, firm.

sociologie *nf* sociology.

sociologue *nmf* sociologist.

socioprofessionnel, elle *adj* socioprofessional.

socle *nm* **1.** *(de statue)* plinth, pedestal **2.** *(de lampe)* base **3.** *fig* SCOL base • **le socle commun des connaissances et compétences** the common base of knowledge and skills.

socquette *nf* ankle *ou* short sock.

soda *nm* fizzy drink.

sodium *nm* sodium.

sodomiser *vt* to sodomize.

sœur *nf* **1.** *(gén)* sister • **grande/petite sœur** big/little sister **2.** RELIG nun, sister.

sofa *nm* sofa.

Sofia *npr* Sofia.

softball *nm* SPORT softball.

software *nm* software.

soi *pron pers* oneself • **chacun pour soi** every man for himself • **ne penser qu'à soi** to always think about oneself • **cela va de soi** that goes without saying • **soi-même** *pron pers* oneself • **se connaître soi-même** to know oneself.

soi-disant *adj inv (avant nom)* so-called. ❑ *adv fam* supposedly.

soie *nf* **1.** *(textile)* silk **2.** *(poil)* bristle.

soierie *nf (gén pl) (textile)* silk.

soif *nf* thirst • **soif (de)** *fig* thirst (for), craving (for) • **avoir soif** to be thirsty • **mourir de soif** to die of thirst.

soigné, e *adj* **1.** *(travail)* meticulous **2.** *(personne)* well-groomed **3.** *(jardin, mains)* well-cared-for.

soigner *vt* **1.** *(sujet : médecin)* to treat **2.** *(sujet : infirmière, parent)* to nurse **3.** *(invités, jardin, mains)* to look after **4.** *(travail, présentation)* to take care over. ■ **se soigner** *vp* to take care of o.s., to look after o.s.

soigneusement *adv* carefully.

soigneux, euse *adj* **1.** *(personne)* tidy, neat **2.** *(travail)* careful.

soin *nm* **1.** *(attention)* care • **avoir** *ou* **prendre soin de faire qqch** to be sure to do sthg • **avec soin** carefully • **sans soin a)** *(procéder)* carelessly **b)** *(travail)* careless • **être aux petits soins pour qqn** *fig* to wait on sb hand and foot **2.** *(souci)* concern. ■ **soins** *nmpl* care *(indén)* • **les premiers soins** first aid *sing*.

soir *nm* evening • **demain soir** tomorrow evening *ou* night • **le soir** in the evening • **à ce soir !** see you tonight!

soirée *nf* **1.** *(soir)* evening **2.** *(réception)* party • **il y a une soirée chez Jérôme samedi** there's a party at Jérôme's on Saturday.

sois → **être**.

soit[1] *adv* so be it.

soit[2] *v* → **être**. ❑ *conj* **1.** *(c'est-à-dire)* in other words, that is to say **2.** MATH *(étant donné)* • **soit une droite AB** given a straight line AB. ■ **soit... soit** *loc corrélative* either... or. ■ **soit que... soit que** *loc corrélative (+ subjonctif)* whether... or (whether).

soixantaine *nf* **1.** *(nombre)* • **une soixantaine (de)** about sixty, sixty-odd **2.** *(âge)* • **avoir la soixantaine** to be in one's sixties.

soixante *adj num inv* sixty • **les années soixante** the Sixties. ❑ *nm* sixty. Voir aussi **six**.

soixante-dix *adj num inv* seventy • **les années soixante-dix** the Seventies. ❑ *nm* seventy. Voir aussi **six**.

soixante-dixième *adj num inv, nm & nmf* seventieth. Voir aussi **sixième**.

soixante-huitard, e *adj* of May 1968. ❑ *nm, f si vous voulez expliquer à un anglophone de quoi il s'agit, vous pouvez dire* it is a person who participated in the demonstrations and riots of May 1968.

soixantième *adj num inv, nm & nmf* sixtieth. Voir aussi **sixième**.

soja *nm* soya.

sol *nm* **1.** *(terre)* ground **2.** *(de maison)* floor **3.** *(territoire)* soil **4.** MUS G **5.** *(chanté)* so.

solaire *adj* **1.** *(énergie, four)* solar **2.** *(crème)* sun *(avant nom)*.

solarium *nm* solarium.

soldat *nm* **1.** soldier **2.** *(grade)* private • **le soldat inconnu** the Unknown Soldier **3.** *(jouet)* (toy) soldier.

solde *nm* **1.** *(de compte, facture)* balance • **solde créditeur/débiteur** credit/debit balance **2.** *(rabais)* • **en solde** *(acheter)* in the sale (UK), on sale (US). ❑ *nf* MIL pay. ■ **soldes** *nmpl* sales • **faire les soldes** to go round the sales.

soldé, e *adj (article)* reduced.

solder *vt* **1.** *(compte)* to close **2.** *(marchandises)* to sell off. ■ **se solder** *vp* • **se solder par a)** FIN to show **b)** *fig (aboutir)* to end in.

sole *nf* sole.

soleil *nm* **1.** *(astre, motif)* sun • **soleil couchant/levant** setting/rising sun **2.** *(lumière, chaleur)* sun, sunlight • **au soleil** in the sun • **en plein soleil** right in the sun • **il fait (du) soleil** it's sunny • **prendre le soleil** to sunbathe. ■ **Soleil** *nm (astre, motif)* sun • **Soleil couchant/levant** setting/rising sun • **le Soleil de minuit** the midnight sun.

solennel, elle *adj* **1.** *(cérémonieux)* ceremonial **2.** *(grave)* solemn **3.** *péj (pompeux)* pompous.

solennité *nf* **1.** *(gravité)* solemnity **2.** *(raideur)* stiffness, formality **3.** *(fête)* special occasion.

solfège *nm* • **apprendre le solfège** to learn the rudiments of music.

solidaire *adj* **1.** *(lié)* • **être solidaire de qqn** to be behind sb, to show solidarity with sb **2.** *(relié)* interdependent, integral.

solidariser ■ **se solidariser** *vp* • **se solidariser (avec)** to show solidarity (with).

solidarité *nf* *(entraide)* solidarity • **par solidarité** *(se mettre en grève)* in sympathy.

solide *adj* **1.** *(état, corps)* solid **2.** *(construction)* solid, sturdy **3.** *(personne)* sturdy, robust **4.** *(argument)* solid, sound **5.** *(relation)* stable, strong. ❏ *nm* solid • **il nous faut du solide** *fig* we need something solid *ou* concrete.

solidifier *vt* **1.** *(ciment, eau)* to solidify **2.** *(structure)* to reinforce. ■ **se solidifier** *vp* to solidify.

solidité *nf* **1.** *(de matière, construction)* solidity **2.** *(de mariage)* stability, strength **3.** *(de raisonnement, d'argument)* soundness.

soliloque *nm sout* soliloquy.

soliste *nmf* soloist.

solitaire *adj* **1.** *(de caractère)* solitary **2.** *(esseulé, retiré)* lonely. ❏ *nmf (personne)* loner, recluse. ❏ *nm (jeu, diamant)* solitaire. ■ **en solitaire** *loc adj* **1.** *(course, vol)* solo *(modificateur)* **2.** *(navigation)* single-handed. ❏ *loc adv* **1.** *(vivre, travailler)* on one's own **2.** *(naviguer)* single-handed • **il vit en solitaire dans sa vieille maison** he lives on his own in his old house.

solitude *nf* **1.** *(isolement)* loneliness **2.** *(retraite)* solitude.

sollicitation *nf (gén pl)* entreaty.

solliciter *vt* **1.** *(demander - entretien, audience)* to request ; *(- attention, intérêt)* to seek **2.** *(s'intéresser à)* • **être sollicité** to be in demand **3.** *(faire appel à)* • **solliciter qqn pour faire qqch** to appeal to sb to do sthg.

sollicitude *nf* solicitude, concern.

solo *nm* solo • **en solo** solo • **jouer en solo** to play a solo.

solstice *nm* • **solstice d'été/d'hiver** summer/winter solstice.

soluble *adj* **1.** *(matière)* soluble **2.** *(café)* instant **3.** *fig (problème)* solvable.

solution *nf* **1.** *(résolution)* solution, answer • **trouver la solution à un problème** to find the solution to a problem **2.** *(liquide)* solution.

solvabilité *nf* solvency.

solvable *adj* solvent, creditworthy.

solvant *nm* solvent.

Somalie *nf* • **la Somalie** Somalia.

sombre *adj* **1.** *(couleur, costume, pièce)* dark **2.** *fig (pensées, avenir)* dark, gloomy **3.** *(avant nom) fam*

(profond) • **c'est un sombre crétin** he's a prize idiot.

sombrer *vi* to sink • **sombrer dans** *fig* to sink into.

sommaire *adj* **1.** *(explication)* brief **2.** *(exécution)* summary **3.** *(installation)* basic • **un repas sommaire** a basic meal. ❏ *nm* summary.

sommation *nf* **1.** *(assignation)* summons *sing* **2.** *(ordre - de payer)* demand ; *(- de se rendre)* warning.

somme *nf* **1.** *(addition)* total, sum **2.** *(d'argent)* sum, amount **3.** *(ouvrage)* overview. ❏ *nm* nap • **faire un somme** to have a nap. • **en somme** *loc adv* in short. ■ **somme toute** *loc adv* when all's said and done.

sommeil *nm* sleep • **avoir sommeil** to be sleepy • **neuf heures de sommeil** nine hours' sleep.

sommeiller *vi* **1.** *(personne)* to doze **2.** *fig (qualité)* to be dormant.

sommelier, ère *nm, f* wine waiter, wine waitress f.

sommes → **être**.

sommet *nm* **1.** *(de montagne)* summit, top • **atteindre le sommet** to reach the summit **2.** *fig (de hiérarchie)* top **3.** *(de perfection)* height **4.** *GÉOM* apex.

sommier *nm* base, bed base.

sommité *nf (personne)* leading light.

somnambule *nmf* sleepwalker. ❏ *adj* • **être somnambule** to be a sleepwalker.

somnifère *nm* sleeping pill.

somnolent, e *adj* **1.** *(personne)* sleepy, drowsy **2.** *fig (vie)* dull **3.** *fig (économie)* sluggish.

somnoler *vi* to doze.

somptueux, euse *adj* sumptuous, lavish.

somptuosité *nf* lavishness *(indén)*.

son¹ *nm* **1.** *(bruit)* sound • **au son de** to the sound of • **son et lumière** son et lumière **2.** *(céréale)* bran • **un pain au son** a bran loaf.

son², sa *adj poss* **1.** *(possesseur défini - homme)* his ; *(- femme)* her ; *(- chose, animal)* its • **il aime son père** he loves his father • **sa femme l'a quitté** his wife left him • **elle aime ses parents** she loves her parents • **la ville a perdu de son charme** the town has lost its charm **2.** *(possesseur indéfini)* one's **3.** *(après « chacun », « tout le monde », etc)* his/her, their.

sonar *nm* sonar.

sonate *nf* sonata.

sondage *nm* **1.** *(enquête)* poll, survey • **sondage d'opinion** opinion poll • **faire un sondage** to carry out a poll, to carry out a survey **2.** *TECHNOL* drilling **3.** *MÉD* probing.

sonde *nf* **1.** *MÉTÉOR* sonde **2.** *(spatiale)* probe **3.** *MÉD* probe **4.** *NAUT* sounding line **5.** *TECHNOL* drill.

sonder vt **1.** MÉD & NAUT to sound **2.** (terrain) to drill **3.** fig (opinion, personne) to sound out.

sondeur, euse nm, f pollster. ■ **sondeur** nm TECHNOL sounder.

songe nm littéraire dream.

songer vt • **songer que** to consider that. ❏ vi • **songer à** to think about.

songeur, euse adj pensive, thoughtful.

sonnant, e adj • **à six heures sonnantes** at six o'clock sharp.

sonné, e adj **1.** (passé) • **il est trois heures sonnées** it's gone three o'clock • **il a quarante ans bien sonnés** fam & fig he's the wrong side of forty **2.** fam & fig (étourdi) groggy.

sonner vt **1.** (cloche) to ring **2.** (retraite, alarme) to sound **3.** (domestique) to ring for **4.** fam & fig (siffler) • **je ne t'ai pas sonné !** who asked you! **5.** fam (assommer) to knock out (sép), to stun **6.** fam (abasourdir) to stun, to stagger, to knock (out). ❏ vi (gén) to ring • **sonner chez qqn** to ring sb's bell.

sonnerie nf **1.** (bruit) ringing • **la sonnerie de la porte** the doorbell **2.** (mécanisme) striking mechanism **3.** (signal) call.

sonnet nm sonnet.

sonnette nf bell • **sonnette d'alarme** alarm bell.

sono nf fam **1.** (de salle) P.A. (system) **2.** (de discothèque) sound system.

sonore adj **1.** CINE & PHYS sound (avant nom) **2.** (voix, rire) ringing, resonant **3.** (salle) resonant.

sonorisation nf **1.** (action - de film) addition of the soundtrack ; (- de salle) wiring for sound **2.** (matériel - de salle) public address system, P.A. (system) ; (- de discothèque) sound system.

sonoriser vt **1.** (film) to add the soundtrack to **2.** (salle) to wire for sound.

sonorité nf **1.** (de piano, voix) tone **2.** (de salle) acoustics pl.

sont → **être**.

Sopalin ® nm kitchen roll (UK), paper towels (US).

sophistiqué, e adj sophisticated.

soporifique adj soporific. ❏ nm sleeping drug, soporific.

soprane nf = soprano (nmf).

soprano nmf soprano.

sorbet nm sorbet (UK), sherbet (US).

Sorbonne nf • **la Sorbonne** the Sorbonne (highly respected Paris university).

sorcellerie nf witchcraft, sorcery.

sorcier, ère nm, f sorcerer, witch f.

sordide adj **1.** squalid **2.** fig sordid.

sornettes nfpl nonsense (indén).

sort nm **1.** (maléfice) spell • **jeter un sort (à qqn)** to cast a spell (on sb) **2.** (destinée) fate **3.** (condi-

tion) lot **4.** (hasard) • **le sort** fate • **tirer au sort** to draw lots.

sortant, e adj **1.** (numéro) winning **2.** (président, directeur) outgoing (avant nom).

sorte nf sort, kind • **une sorte de** a sort of, a kind of • **toutes sortes de** all kinds of, all sorts of.

sortie nf **1.** (issue) exit, way out **2.** (d'eau, d'air) outlet • **sortie d'autoroute** motorway junction ou exit (UK), freeway exit (US) • **sortie de secours** emergency exit **3.** (départ) • **c'est la sortie de l'école** it's home-time (UK) • **à la sortie du travail** when work finishes, after work **4.** (de produit) launch, launching **5.** (de disque) release **6.** (de livre) publication **7.** (gén pl) (dépense) outgoings pl (UK), expenditure (indén) **8.** (excursion) outing **9.** (au cinéma, au restaurant) evening ou night out • **faire une sortie** to go out **10.** MIL sortie **11.** INFORM • **sortie imprimante** printout.

sortilège nm spell.

sortir vi **1.** (de la maison, du bureau, etc) to leave, to go/come out • **sortir de** to go/come out of, to leave **2.** (pour se distraire) to go out **3.** fig (quitter) • **sortir de** (réserve, préjugés) to shed **4.** fig • **sortir de a)** (coma) to come out of **b)** (de maladie) to get over, to recover from • **je sors d'une grippe** I'm just recovering from a bout of flu **5.** (film, livre, produit) to come out **6.** (disque) to be released **7.** (au jeu - carte, numéro) to come up **8.** (s'écarter de) • **sortir de a)** (sujet) to get away from **b)** (légalité, compétence) to be outside **9.** (locution) • **sortir de l'ordinaire** to be out of the ordinary • **d'où il sort, celui-là ?** where did he spring from? ❏ vt **1.** (gén) • **sortir qqch (de)** to take sthg out (of) **2.** (de situation difficile) to get out, to extract **3.** (produit) to launch **4.** (disque) to bring out, to release **5.** (livre) to bring out, to publish. ■ **au sortir de** loc prép (dans le temps) • **au sortir de l'hiver** as winter draws to a close • **au sortir de la guerre** towards the end of the war. ■ **se sortir** vp fig (de pétrin) to get out • **s'en sortir a)** (en réchapper) to come out of it **b)** (y arriver) to get through it.

sortir

Notez la différence de traduction selon que la personne qui parle se trouve à l'intérieur ou si elle est déjà dehors. Si elle est à l'intérieur, on emploie **to go out** :

• Ne sors pas, il fait trop froid dehors. **Don't go out, it's too cold outside.**

Et si la personne est déjà dehors **to come out** :

• Sors, je veux te dire quelque chose. **Come out, I want to tell you something.**

SOS nm SOS • **lancer un SOS** to send out an SOS • **SOS médecins/dépannage** emergency medical/repair service • **SOS-Racisme** si vous *voulez donner une définition à un anglophone, vous pouvez dire* it is a French antiracism organization.

sosie *nm* double • **être le sosie de qqn** to be the spitting image of sb.

sot, sotte *adj* silly, foolish. ❑ *nm,f* fool.

sottise *nf* stupidity *(inden)*, foolishness *(inden)* • **dire/faire une sottise** to say/do something stupid.

sou *nm* • **être sans le sou** to be penniless. ■ **sous** *nmpl fam* money *(inden)*.

soubassement *nm* base.

soubresaut *nm* **1.** *(de voiture)* jolt **2.** *(de personne)* start.

souche *nf* **1.** *(d'arbre)* stump **2.** *(de carnet)* counterfoil, stub.

souci *nm* **1.** *(tracas)* worry • **se faire du souci** to worry **2.** *(préoccupation)* concern **3.** *(fleur)* marigold.

soucier ■ **se soucier** *vp* • **se soucier de** to care about.

soucieux, euse *adj* **1.** *(préoccupé)* worried, concerned **2.** *(concerné)* • **être soucieux de qqch/de faire qqch** to be concerned about sthg/about doing sthg.

soucoupe *nf* **1.** *(assiette)* saucer **2.** *(vaisseau)* • **soucoupe volante** flying saucer.

soudain, e *adj* sudden. ■ **soudain** *adv* suddenly, all of a sudden.

Soudan *nm* • **le Soudan** the Sudan.

soude *nf* soda.

souder *vt* **1.** TECHNOL to weld, to solder **2.** MÉD to knit **3.** *fig (unir)* to bind together.

soudoyer *vt* to bribe.

soudure *nf* **1.** welding **2.** *(résultat)* weld.

souffert, e *pp* → **souffrir.**

souffle *nm* **1.** *(respiration)* breathing **2.** *(expiration)* puff, breath • **un souffle d'air** *fig* a breath of air, a puff of wind **3.** *fig (inspiration)* inspiration **4.** *(d'explosion)* blast **5.** MÉD • **souffle au cœur** heart murmur • **avoir le souffle coupé** to have one's breath taken away.

soufflé *nm* soufflé • **soufflé au fromage** cheese soufflé.

souffler *vt* **1.** *(bougie)* to blow out **2.** *(vitre)* to blow out, to shatter **3.** *(chuchoter)* • **souffler qqch à qqn** to whisper sthg to sb **4.** *(prendre)* • **souffler qqch à qqn** to pinch sthg from sb (UK) **5.** *fam (époustoufler - sujet : événement, personne)* to take aback, to stagger, to knock out *(sép)*. ❑ *vi* **1.** *(gén)* to blow • **le vent souffle fort** the wind is blowing hard • **souffler les bougies** to blow the candles out **2.** *(respirer)* to puff, to pant **3.** *(se reposer)* to have a break.

soufflet *nm* **1.** *(instrument)* bellows *sing* **2.** *(de train)* connecting corridor, concertina vestibule **3.** COUT gusset.

souffleur, euse *nm,f* THÉÂTRE prompt. ■ **souffleur** *nm (de verre)* blower.

souffrance *nf* suffering.

souffrant, e *adj* poorly.

souffre-douleur *nm inv* whipping boy.

souffrir *vi* to suffer • **souffrir de** to suffer from • **souffrir du dos/cœur** to have back/heart problems. ❑ *vt* **1.** *(ressentir)* to suffer **2.** *littéraire (supporter)* to stand, to bear.

soufre *nm* sulphur (UK), sulfur (US).

souhait *nm* wish • **à tes/vos souhaits !** bless you! • **fais un souhait** make a wish.

souhaitable *adj* desirable • **il est souhaitable que** (+ subjonctif) it is desirable that...

souhaiter *vt* • **souhaiter qqch** to wish for sthg • **souhaiter faire qqch** to hope to do sthg • **souhaiter à qqn de faire qqch** to wish sb sthg • **souhaiter à qqn de faire qqch** to hope that sb does sthg • **souhaiter que...** (+ subjonctif) to hope that...

souiller *vt littéraire* **1.** *(salir)* to soil **2.** *fig* to sully.

souillon *nf péj* slut.

soûl, e, saoul, e *adj* drunk.

soulagement *nm* relief.

soulager *vt (gén)* to relieve.

soûler, saouler *vt* **1.** *fam (enivrer)* • **soûler qqn a)** to get sb drunk **b)** *fig* to intoxicate sb **2.** *fig (de plaintes, d'éloges)* • **soûler qqn** to bore sb silly. ■ **se soûler** *vp fam* to get drunk. ■ **se soûler** *vpi* **1.** *fam (s'enivrer)* to get drunk, to booze • **je vais me soûler à mort pour oublier !** I'm going to get dead drunk to forget! **2.** *(s'étourdir)* • **se soûler de** to get intoxicated with *fig* • **il se soûle de paroles** he talks so much that it goes to his head.

soulèvement *nm* uprising.

soulever *vt* **1.** *(fardeau, poids)* to lift **2.** *(rideau)* to raise **3.** *fig (question)* to raise, to bring up **4.** *fig (enthousiasme)* to generate, to arouse **5.** *(tollé)* to stir up • **soulever qqn contre** to stir sb up against. ■ **se soulever** *vp* **1.** *(s'élever)* to raise o.s., to lift o.s. **2.** *(se révolter)* to rise up.

soulier *nm* shoe.

souligner *vt* **1.** *(par un trait)* to underline **2.** *fig (insister sur)* to underline, to emphasize **3.** *(mettre en valeur)* to emphasize.

soumettre *vt* **1.** *(astreindre)* • **soumettre qqn à** to subject sb to **2.** *(ennemi, peuple)* to subjugate **3.** *(projet, problème)* • **soumettre qqch (à)** to submit sthg (to). ■ **se soumettre** *vp* • **se soumettre (à)** to submit (to).

soumis, e pp → **soumettre**. ❑ adj (gén) submissive.

soumission nf submission.

soupape nf valve.

soupçon nm (suspicion, intuition) suspicion.

soupçonner vt (suspecter) to suspect • **soupçonner qqn de qqch/de faire qqch** to suspect sb of sthg/of doing sthg.

soupçonneux, euse adj suspicious.

soupe nf CULIN soup • **soupe populaire** soup kitchen.

souper nm supper. ❑ vi to have supper.

soupeser vt 1. (poids) to feel the weight of 2. fig (évaluer) to weigh up.

soupière nf tureen.

soupir nm 1. (souffle) sigh • **pousser un soupir** to let out ou give a sigh 2. MUS crotchet rest (UK), quarter-note rest (US).

soupirail nm barred basement window (for ventilation purposes).

soupirant nm vieilli & hum suitor.

soupirer vi (souffler) to sigh.

souple adj 1. (gymnaste) supple 2. (pas) lithe 3. (paquet, col, brosse à dents) soft 4. (tissu, cheveux) flowing 5. (tuyau, horaire, caractère) flexible.

souplesse nf 1. (de gymnaste) suppleness 2. (flexibilité - de tuyau) pliability, flexibility ; (- de matière) suppleness 3. (de personne) flexibility.

source nf 1. (gén) source 2. (d'eau) spring • **prendre sa source à** to rise in 3. (cause) source.

sourcil nm eyebrow • **froncer les sourcils** to frown.

sourcilière → **arcade**.

sourciller vi • **sans sourciller** without batting an eyelid.

sourcilleux, euse adj fussy, finicky.

sourd, e adj 1. (personne) deaf 2. (bruit, voix) muffled 3. (douleur) dull 4. (lutte, hostilité) silent. ❑ nm, f deaf person.

sourdement adv 1. (avec un bruit sourd) dully 2. fig (secrètement) silently.

sourdine nf mute • **en sourdine a)** (sans bruit) softly **b)** (secrètement) in secret.

sourd-muet, sourde-muette nm, f deafmute, deaf-and-dumb person.

sourdre vi litt to well up.

souriant, e adj smiling, cheerful.

souricière nf 1. mousetrap 2. fig trap.

sourire vi to smile • **sourire à qqn a)** to smile at sb **b)** fig (campagne) to appeal to sb **c)** (destin, chance) to smile on sb. ❑ nm smile.

souris nf INFORM & ZOOL mouse.

sournois, e adj 1. (personne) underhand 2. fig (maladie, phénomène) unpredictable.

sous prép 1. (gén) under • **nager sous l'eau** to swim underwater • **sous la pluie** in the rain • **sous cet aspect** ou **angle** from that point of view 2. (dans un délai de) within • **sous huit jours** within a week.

sous-alimentation nf malnutrition, undernourishment.

sous-alimenté, e adj malnourished, underfed.

sous-bois nm inv undergrowth.

souscription nf subscription.

souscrire vi FIN to apply for • **souscrire à** to subscribe to.

sous-développé, e adj 1. ÉCON underdeveloped 2. fig & péj backward.

sous-directeur, trice nm, f assistant manager, assistant manageress f.

sous-effectif nm understaffing • **en sous-effectif** (entreprise, usine) understaffed.

sous-ensemble nm subset.

sous-entendu nm insinuation.

sous-estimer vt to underestimate, to underrate.

sous-évaluer vt to underestimate.

sous-jacent, e adj underlying.

sous-louer vt to sublet.

sous-marin, e adj underwater (avant nom). ■ **sous-marin** nm submarine.

sous-officier nm non-commissioned officer.

sous-payer vt to underpay.

sous-préfecture nf sub-prefecture.

sous-préfet, ète nm, f sub-prefect.

sous-produit nm 1. (objet) by-product 2. fig (imitation) pale imitation.

sous-répertoire nm INFORM sub-directory.

soussigné, e adj • **je soussigné** I the undersigned. ❑ nm, f undersigned.

sous-sol nm 1. (de bâtiment) basement • **au sous-sol** in the basement 2. (naturel) subsoil.

sous-tasse nf saucer.

sous-titre nm subtitle.

sous-total nm subtotal.

soustraction nf MATH subtraction.

soustraire vt 1. (retrancher) • **soustraire qqch de** to subtract sthg from 2. sout (voler) • **soustraire qqch à qqn** to take sthg away from sb. ■ **se soustraire** vp • **se soustraire à** to escape from.

sous-traitant, e adj subcontracting. ■ **sous-traitant** nm subcontractor.

sous-traiter vt to subcontract.

sous-verre nm inv clip-frame picture.

sous-vêtement nm undergarment • **sous-vêtements** underwear (indén), underclothes.

soutane nf cassock.

soute nf hold.

soutenance nf viva (UK).

souteneur nm procurer.

soutenir vt 1. (immeuble, personne) to support, to hold up 2. (effort, intérêt) to sustain 3. (encourager) to support **4.** *POLIT* to back, to support **5.** *(affirmer)* • **soutenir que** to maintain (that) **6.** *(résister à)* to withstand **7.** *(regard, comparaison)* to bear.

soutenu, e *adj* **1.** *(style, langage)* elevated **2.** *(attention, rythme)* sustained **3.** *(couleur)* vivid.

souterrain, e *adj* underground • **un parking souterrain** an underground car park (UK), an underground parking lot (US). ■ **souterrain** *nm* underground passage.

soutien *nm* support • **apporter son soutien à** to give one's support to.

soutien-gorge *nm* bra.

soutirer *vt* *fig (tirer)* • **soutirer qqch à qqn** to extract sthg from sb.

souvenir *nm* **1.** *(réminiscence, mémoire)* memory **2.** *(objet)* souvenir. ■ **se souvenir** *vp* *(ne pas oublier)* • **se souvenir de qqch/de qqn** to remember sthg/sb • **se souvenir que** to remember (that).

souvent *adv* often.

souvenu, e *pp* → souvenir.

souverain, e *adj* **1.** *(remède, état)* sovereign **2.** *(indifférence)* supreme. ❑ *nm, f (monarque)* sovereign, monarch.

souveraineté *nf* sovereignty.

soviétique *adj* Soviet. ■ **Soviétique** *nmf* Soviet (citizen).

soyeux, euse *adj* silky.

soyez → être.

SPA (abrév de Société protectrice des animaux) *nf* ≃ RSPCA (UK) ; ≃ SPCA (US).

spacieux, euse *adj* spacious.

spaghettis *nmpl* spaghetti *(indén)*.

spam *nm* *INFORM* spam.

sparadrap *nm* sticking plaster (UK), Band-Aid® (US).

spartiate *adj (austère)* Spartan.

spasme *nm* spasm.

spasmodique *adj* spasmodic.

spatial, e *adj* space *(avant nom)*.

spatule *nf* **1.** *(ustensile)* spatula **2.** *(de ski)* tip.

speaker, speakerine *nm, f* announcer.

spécial, e *adj* **1.** *(particulier)* special **2.** *fam (bizarre)* peculiar • **il a un style un peu spécial** his style is quite particular, he has a rather odd style.

spécialisé, e *adj* **1.** *(gén)* specialized **2.** *INFORM* dedicated, special-purpose • **des chercheurs spécialisés dans l'intelligence artificielle** researchers specializing in artificial intelligence.

spécialiser *vt* to specialize. ■ **se spécialiser** *vp* • **se spécialiser (dans)** to specialize (in).

spécialiste *nmf* specialist • **un spécialiste des arts martiaux** a specialist in martial arts.

spécialité *nf* speciality (UK), specialty (US).

spécifier *vt* to specify.

spécifique *adj* specific.

spécimen *nm* **1.** *(représentant)* specimen **2.** *(exemplaire)* sample.

spectacle *nm* **1.** *(représentation)* show **2.** *(domaine)* show business, entertainment **3.** *(tableau)* spectacle, sight.

spectaculaire *adj* spectacular.

spectateur, trice *nm, f* **1.** *(témoin)* witness **2.** *(de spectacle)* spectator.

spectre *nm* **1.** *(fantôme)* spectre (UK), specter (US) **2.** *PHYS* spectrum.

spéculateur, trice *nm, f* speculator.

spéculatif, ive *adj* speculative.

spéculation *nf* speculation.

spéculer *vi* • **spéculer sur a)** *FIN* to speculate in **b)** *fig (miser)* to count on.

speech *nm* speech.

speed *adj* *fam* hyper • **il est très speed** he's really hyper.

speeder *vi* *fam* to hurry.

spéléologie *nf* **1.** *(exploration)* potholing (UK), spelunking (US) **2.** *(science)* speleology.

spermatozoïde *nm* sperm, spermatozoon.

sperme *nm* sperm, semen.

sphère *nf* sphere.

sphérique *adj* spherical.

spirale *nf* spiral.

spirituel, elle *adj* **1.** *(de l'âme, moral)* spiritual **2.** *(vivant, drôle)* witty.

spiritueux *nm* spirit.

splendeur *nf* **1.** *(beauté, prospérité)* splendour (UK), splendor (US) **2.** *(merveille)* • **c'est une splendeur !** it's magnificent!

splendide *adj* magnificent, splendid.

spongieux, euse *adj* spongy.

sponsor *nm* sponsor.

sponsorisation *nf* sponsoring, sponsorship.

sponsoriser *vt* to sponsor.

spontané, **e** *adj* spontaneous.

spontanéité *nf* spontaneity.

sporadique *adj* sporadic.

sport *nm* sport • **sports d'hiver** winter sports. ❏ *adj inv* **1.** *(vêtement)* sports *(avant nom)* **2.** *(fair play)* sporting.

LEXIQUE

les sports

l'athlétisme athletics (UK), track and field (US)
le base-ball baseball
la boxe boxing
le basket-ball basketball
la course running
l'équitation riding
l'escrime fencing
le football football (UK), soccer (US)
le football américain american football (UK), football (US)
le golf golf
le hockey sur glace ice hockey (UK), hockey (US)
le judo judo
le kayak canoeing
la natation swimming
le patinage sur glace ice-skating
la planche à voile windsurfing
le rugby rugby
le ski skiing
le tennis tennis
le tennis de table ping pong
la voile sailing
le volley-ball volleyball

---

sportif, **ive** *adj* **1.** *(association, résultats)* sports *(avant nom)* • **un commentateur sportif** a sports commentator **2.** *(personne, physique)* sporty, athletic **3.** *(fair play)* sportsmanlike, sporting. ❏ *nm, f* sportsman, sportswoman *f*.

spot *nm* **1.** *(lampe)* spot, spotlight **2.** *(publicité)* • **spot (publicitaire)** commercial, advert (UK).

sprint *nm* (SPORT - *accélération)* spurt ; *(-course)* sprint.

sprinter *nm* sprinter.

square *nm* small public garden.

squash *nm* squash • **faire du squash** *ou* **jouer au squash** to play squash.

squat *nm* squat.

squatter[1] *vt* to squat in. ❏ *vi* to squat.

squatter[2] *nm* squatter.

squelette *nm* skeleton.

squelettique *adj* *(corps)* emaciated.

St (abrév de saint) St.

stabiliser *vt* **1.** *(gén)* to stabilize **2.** *(meuble)* to steady **3.** *(terrain)* to make firm. ■ **se stabiliser** *vp* **1.** *(véhicule, prix, situation)* to stabilize **2.** *(personne)* to settle down.

stabilité *nf* stability.

stable *adj* **1.** *(gén)* stable • **un travail stable** a steady job **2.** *(meuble)* steady, stable.

stade *nm* **1.** *(terrain)* stadium **2.** *(étape)* MÉD stage • **en être au stade de/où** to reach the stage of/at which.

Stade de France *nm* Stade de France *(stadium built for the 1998 World Cup in the north of Paris)*.

stage *nm* **1.** SCOL work placement (UK), internship (US) **2.** *(sur le temps de travail)* in-service training • **faire un stage a)** *(cours)* to go on a training course **b)** *(expérience professionnelle)* to go on a work placement (UK), to undergo an internship (US).

stagiaire *nmf* trainee, intern (US). ❏ *adj* trainee *(avant nom)* • **une coiffeuse stagiaire** a trainee hairdresser.

stagnant, **e** *adj* stagnant.

stagner *vi* to stagnate.

stalactite *nf* stalactite.

stalagmite *nf* stalagmite.

stand *nm* **1.** *(d'exposition)* stand • **un stand d'exposition** an exhibition stand **2.** *(de fête)* stall.

standard *adj inv* standard. ■ *nm* **1.** *(norme)* standard • **le modèle standard** the standard model **2.** *(téléphonique)* switchboard.

standardiser *vt* to standardize.

standardiste *nmf* switchboard operator.

standing *nm* standing • **quartier de grand standing** select district.

star *nf* CINÉ star.

starter *nm* AUTO choke • **mettre le starter** to pull the choke out.

starting-block *nm* starting block.

start up *nf* start-up.

station *nf* **1.** *(de métro)* station • **à quelle station dois-je descendre ?** which stop do I get off at ? • **station de taxis** taxi stand **2.** *(installations)* station • **station d'épuration** sewage treatment plant • **une station d'essence** a petrol station (UK), a gas station (US) **3.** *(de téléphone)* • **station d'accueil** base station.

stationnaire *adj* stationary.

stationnement *nm* parking • **'stationnement interdit'** 'no parking'.

stationner *vi* to park • **'défense de stationner'** 'no parking'.

station-service *nf* service station, petrol station (UK), gas station (US).

statique *adj* static.

statisticien, **enne** *nm, f* statistician.

statistique *adj* statistical. ❏ *nf* *(donnée)* statistic.

statue *nf* statue.

statuer *vi* • **statuer sur** to give a decision on.

statuette *nf* statuette.

statu quo *nm inv* status quo.

stature nf stature.

statut nm status. ▪ **statuts** nmpl statutes, bylaws (US).

statutaire adj statutory.

Ste (abrév de sainte) St.

Sté (abrév de société) Co.

steak nm steak • **steak haché** mince (UK), ground beef (US) • **steak frites** steak and chips (UK) ou fries (US).

stèle nf stele.

sténo nmf stenographer. ❑ nf shorthand.

sténodactylo nmf shorthand typist (UK), stenographer (US).

sténodactylographie nf shorthand typing.

stentor → voix.

step nm SPORT step.

steppe nf steppe.

stéréo adj inv stereo. ❑ nf stereo • **en stéréo** in stereo.

stéréotype nm stereotype.

stérile adj 1. (personne) sterile, infertile 2. (terre) barren 3. fig (inutile - discussion) sterile ; (- efforts) futile 4. MÉD sterile.

stérilet nm IUD, intrauterine device.

stériliser vt to sterilize.

stérilité nf 1. litt & fig sterility 2. (d'efforts) futility.

sterling adj inv & nm inv sterling.

sternum nm breastbone, sternum.

stéthoscope nm stethoscope.

steward nm steward • **il est steward chez British Airways** he's a steward with British Airways.

sticker nm sticker.

stigmate nm (gén pl) mark, scar.

stimulant, e adj stimulating. ▪ **stimulant** nm 1. (remontant) stimulant 2. (motivation) incentive, stimulus.

stimulation nf stimulation.

stimuler vt to stimulate.

stipuler vt • **stipuler que** to stipulate (that).

stock nm stock • **en stock** in stock.

stocker vt 1. (marchandises) to stock 2. INFORM to store.

Stockholm npr Stockholm.

stoïque adj stoical.

stop interj stop! ❑ nm 1. (panneau) stop sign 2. (auto-stop) hitchhiking, hitching.

stopper vt (arrêter) to stop, to halt. ❑ vi to stop.

store nm 1. (de fenêtre) blind • **baisse le store** put the blind down 2. (de magasin) awning.

STP abrév de **s'il te plaît**.

strabisme nm squint.

strangulation nf strangulation.

strapontin nm (siège) fold-down seat.

strass nm paste.

stratagème nm stratagem.

stratège nm strategist.

stratégie nf strategy.

stratégique adj strategic.

stress nm stress • **dû au stress** due to stress.

stressant, e adj stressful.

stresser vt • **stresser qqn** to cause sb stress, to put sb under stress. ❑ vi to be stressed.

strict, e adj 1. (personne, règlement) strict 2. (sobre) plain 3. (absolu - minimum) bare, absolute ; (- vérité) absolute • **dans la plus stricte intimité** strictly in private • **au sens strict du terme** in the strict sense of the word.

strident, e adj strident, shrill.

strié, e adj (rayé) striped.

strier vt to streak.

strip-poker nm strip poker.

strip-tease nm striptease.

strophe nf verse.

structure nf structure.

structurel, elle adj structural.

structurer vt to structure.

studieux, euse adj 1. (personne) studious 2. (vacances) study (avant nom).

studio nm 1. CINÉ, PHOTO & TV studio • **un studio d'enregistrement** a recording studio 2. (appartement) studio flat (UK), studio apartment (US).

stupéfaction nf astonishment, stupefaction.

stupéfait, e adj astounded, stupefied.

stupéfiant, e adj astounding, stunning. ▪ **stupéfiant** nm narcotic, drug.

stupéfier vt to astonish, to stupefy.

stupeur nf 1. (stupéfaction) astonishment 2. MÉD stupor.

stupide adj 1. péj (abruti) stupid 2. (insensé - mort) senseless ; (- accident) stupid.

stupidité nf stupidity.

style nm 1. (gén) style 2. GRAMM • **style direct/indirect** direct/indirect speech.

styliste nmf COUT designer.

stylo nm pen • **un stylo (à) bille** a ballpoint pen, a Biro® (UK) • **stylo plume** fountain pen • **stylo correcteur** correction pen.

stylo-feutre nm felt-tip pen.

suave adj 1. (voix) smooth 2. (parfum) sweet.

subalterne nmf subordinate, junior. ❑ adj 1. (rôle) subordinate 2. (employé) junior.

subconscient, e adj subconscious. ▪ **subconscient** nm subconscious.

subdiviser vt to subdivide.

subir vt 1. (conséquences, colère) to suffer 2. (personne) to put up with 3. (opération, épreuve, examen) to undergo 4. (dommages, pertes) to sustain, to suffer • **subir une hausse** to be increased.

subit, e *adj* sudden.

subitement *adv* suddenly.

subjectif, ive *adj (personnel, partial)* subjective.

subjonctif *nm* subjunctive • **au subjonctif** in the subjunctive.

subjuguer *vt* to captivate.

sublime *adj* sublime.

submerger *vt* **1.** *(inonder)* to flood **2.** *(envahir)* to overcome, to overwhelm **3.** *(déborder)* to overwhelm • **être submergé de travail** to be swamped with work.

subordination *nf* subordination.

subordonné, e *adj* GRAMM subordinate, dependent. ❑ *nm, f* subordinate. ◼ **subordonnée** *nf* GRAMM subordinate clause.

subornation *nf* bribing, subornation.

subrepticement *adv* surreptitiously.

subsidiaire *adj* subsidiary.

subsistance *nf* subsistence.

subsister *vi* **1.** *(chose)* to remain **2.** *(personne)* to live, to subsist.

subsonique *adj* subsonic.

substance *nf* **1.** *(matière)* substance • **une substance nocive** a harmful substance **2.** *(essence)* gist.

substantiel, elle *adj* substantial.

substantif *nm* noun.

substituer *vt* • **substituer qqch à qqch** to substitute sthg for sthg. ◼ **se substituer** *vp* • **se substituer à a)** *(personne)* to stand in for, to substitute for **b)** *(chose)* to take the place of.

substitut *nm (remplacement)* substitute. ❑ *nmf* DR deputy public prosecutor.

substitution *nf* substitution.

subterfuge *nm* subterfuge.

subtil, e *adj* subtle.

subtiliser *vt* to steal.

subtilité *nf* subtlety.

subtropical, e *adj* subtropical.

subvenir *vi* • **subvenir à** to meet, to cover.

subvention *nf* grant, subsidy.

subventionné *adj* subsidized • **un projet subventionné par l'État** a government-funded project • **une école subventionnée (par l'État)** a grant-maintained school.

subventionner *vt* to give a grant to, to subsidize.

subversif, ive *adj* subversive.

succédané *nm* substitute.

succéder *vt* • **succéder à a)** *(suivre)* to follow **b)** *(remplacer)* to succeed, to take over from.

succès *nm* **1.** *(gén)* success • **avoir du succès** to be very successful • **sans succès a)** *(essai)* unsuccessful **b)** *(essayer)* unsuccessfully **2.** *(chanson, pièce)* hit.

successeur *nm* **1.** *(gén)* successor **2.** DR successor, heir.

successif, ive *adj* successive.

succession *nf* **1.** *(gén)* succession • **une succession de** a succession of • **prendre la succession de qqn** to take over from sb, to succeed sb **2.** DR succession, inheritance • **droits de succession** death duties (UK), inheritance tax (US).

succinct, e *adj* **1.** *(résumé)* succinct **2.** *(repas)* frugal.

succion *nf* suction, sucking.

succomber *vi* • **succomber (à)** to succumb (to).

succulent, e *adj* delicious.

succursale *nf* branch.

sucer *vt* to suck.

sucette *nf (friandise)* lolly (UK), lollipop.

sucre *nm* sugar • **sucre en morceaux** lump sugar • **sucre en poudre, sucre semoule** caster sugar (UK), finely granulated sugar (US) • **sucre roux** *ou* **brun** brown sugar.

sucré, e *adj (goût)* sweet.

sucrer *vt* **1.** *(café, thé)* to sweeten, to sugar • **je ne sucre pas mon café** I don't take sugar in my coffee **2.** *fam (permission)* to withdraw **3.** *fam (passage, réplique)* to cut • **sucrer qqch à qqn** to take sthg away from sb.

sucrerie *nf* **1.** *(usine)* sugar refinery **2.** *(friandise)* sweet (UK), candy (US).

sucrette *nf* sweetener.

sucrier *nm* sugar bowl.

sud *nm* south • **un vent du sud** a southerly wind • **au sud** in the south • **au sud (de)** to the south (of). ❑ *adj inv* **1.** *(gén)* south **2.** *(province, région)* southern • **la côte sud de l'île** the south coast of the island • **la banlieue sud** the southern suburbs.

sud-africain, e *adj* South African. ◼ **Sud-Africain, e** *nm, f* South African.

sud-américain, e *adj* South American. ◼ **Sud-Américain, e** *nm, f* South American.

> En anglais, les adjectifs se rapportant à un pays ou une région s'écrivent avec une majuscule.

sudation *nf* sweating.

sud-est *nm & adj inv* southeast.

Sudoku® *nm* Sudoku.

sud-ouest *nm & adj inv* southwest.

Suède *nf* • **la Suède** Sweden.

> En anglais, à de rares exceptions près, il n'y a pas d'article devant les noms de pays.

suédois, e *adj* Swedish. ◼ **suédois** *nm (langue)* Swedish. ◼ **Suédois, e** *nm, f* Swede.

> En anglais, les adjectifs se rapportant à un pays ou une région ainsi que le nom désignant la langue de ce pays ou cette région, s'écrivent avec une majuscule.

suer vi (personne) to sweat • **elle sue à grosses gouttes** she's dripping with sweat. ❏ vt to exude.

sueur nf sweat • **avoir des sueurs froides** fig to be in a cold sweat.

Suez npr • **le canal de Suez** the Suez Canal.

suffi pp inv → suffire.

suffire vi 1. (être assez) • **suffire pour qqch/ pour faire qqch** to be enough for sthg/to do sthg, to be sufficient for sthg/to do sthg • **ça suffit !** that's enough! 2. (satisfaire) • **suffire à** to be enough for. ❏ v impers • **il suffit de…** all that is necessary is…, all that you have to do is… • **il suffit d'un moment d'inattention pour que…** it only takes a moment of carelessness for… • **il suffit que** (+ subjonctif) : **il suffit que vous lui écriviez** all (that) you need do is write to him. ■ **se suffire** vp • **se suffire à soi-même** to be self-sufficient.

suffisamment adv sufficiently • **je n'ai pas suffisamment travaillé** I haven't done enough work.

suffisant, e adj 1. (satisfaisant) sufficient 2. (vaniteux) self-important.

suffixe nm suffix.

suffocation nf suffocation.

suffoquer vt 1. (sujet : chaleur, fumée) to suffocate 2. fig (sujet : colère) to choke 3. (sujet : nouvelle, révélation) to astonish, to stun. ❏ vi to choke.

suffrage nm vote.

suggérer vt 1. (proposer) to suggest • **suggérer qqch à qqn** to suggest sthg to sb • **suggérer à qqn de faire qqch** to suggest that sb (should) do sthg 2. (faire penser à) to evoke.

suggérer

Il faut noter que le verbe **to suggest** n'est jamais suivi immédiatement d'un complément d'objet indirect :
• *Ils nous ont suggéré plusieurs approches possibles.* **They suggested several possible approaches.**
• *Quel type d'améliorations nous suggéreriez-vous ?* **What type of improvements would you suggest?**
Dans l'usage, **to us, to me**, etc sont généralement absents.

suggestif, ive adj 1. (musique) evocative 2. (photo, geste) suggestive.

suggestion nf suggestion • **faire une suggestion** to make a suggestion.

suicidaire adj suicidal.

suicide nm suicide.

suicider ■ **se suicider** vp to commit suicide, to kill o.s.

suie nf soot.

suinter vi 1. (eau, sang) to ooze, to seep 2. (surface, mur) to sweat 3. (plaie) to weep.

suis → être.

suisse adj Swiss. ❏ nm RELIG verger. ■ **Suisse** nf (pays) • **la Suisse** Switzerland • **la Suisse allemande/italienne/romande** German-/Italian-/ French-speaking Switzerland. ❏ nmf (personne) Swiss (person) • **les Suisses** the Swiss.

En anglais, à de rares exceptions près, il n'y a pas d'article devant les noms de pays. Les adjectifs se rapportant à un pays ou une région s'écrivent avec une majuscule.

suite nf 1. (de liste, feuilleton) continuation • **je n'ai pas écouté la suite** I didn't listen to the rest 2. (série - de maisons, de succès) series ; (- d'événements) sequence 3. (succession) • **prendre la suite de a)** (personne) to succeed, to take over from **b)** (affaire) to take over • **à la suite** one after the other • **à la suite de** fig following 4. (escorte) retinue 5. MUS suite 6. CINÉ sequel 7. (appartement) suite. ■ **suites** nfpl consequences. ■ **par la suite** loc adv afterwards. ■ **par suite de** loc prép owing to, because of.

suivant, e adj next, following. ❏ nm, f next ou following one • **au suivant !** next!

suivi, e pp → suivre. ❏ adj 1. (visites) regular 2. (travail) sustained 3. (qualité) consistent. ■ **suivi** nm follow-up.

suivre vt 1. (gén) to follow • **'faire suivre'** 'please forward' • **à suivre** to be continued 2. (sujet : médecin) to treat. ❏ vi 1. SCOL to keep up 2. (venir après) to follow. ■ **se suivre** vp to follow one another.

sujet, ette adj • **être sujet à qqch** to be subject ou prone to sthg. ❏ nm, f (de souverain) subject. ■ **sujet** nm (gén) subject • **c'est à quel sujet ?** what is it about? • **sujet de conversation** topic of conversation • **au sujet de** about, concerning.

sulfate nm sulphate (UK), sulfate (US).

sulfurique adj sulphuric (UK), sulfuric (US).

super fam adj inv super, great. ❏ nm four star (petrol) (UK), premium (US).

superbe adj 1. superb 2. (enfant, femme) beautiful.

supercherie nf deception, trickery.

supérette nf mini-market, superette (US).

superficie nf 1. (surface) area 2. fig (aspect superficiel) surface.

superficiel, elle adj superficial.

superflu, e adj superfluous. ■ **superflu** nm superfluity.

super-géant, super-g nm inv SKI super-giant slalom.

supérieur, e adj 1. (étage) upper 2. (intelligence, qualité) superior • **intelligence supérieure à la moyenne** above-average intelligence • **supérieur à a)** (température) higher than, above

b) *(notation)* superior to • **une note supérieure à 10** a mark above 10 **3.** *(dominant - équipe)* superior ; *(- cadre)* senior **4.** *(SCOL - classe)* upper, senior ; *(- enseignement)* higher **5.** péj *(air)* superior. ❑ *nm, f* superior.

supériorité *nf* superiority.

superlatif *nm* superlative.

supermarché *nm* supermarket • **aller au supermarché** to go to the supermarket.

superposer *vt* to stack. ▪ **se superposer** *vp* to be stacked.

superproduction *nf* spectacular.

superpuissance *nf* superpower.

supersonique *adj* supersonic.

superstitieux, euse *adj* superstitious.

superstition *nf (croyance)* superstition.

superviser *vt* to supervise.

supplanter *vt* to supplant.

suppléant, e *adj* acting *(avant nom)*, temporary. ❑ *nm, f* substitute, deputy.

suppléer *vt* **1.** littéraire *(carence)* to compensate for **2.** *(personne)* to stand in for.

supplément *nm* **1.** *(surplus)* • **un supplément de détails** additional details, extra details **2.** PRESSE supplement **3.** *(de billet)* extra charge.

supplémentaire *adj* extra, additional.

supplication *nf* plea.

supplice *nm* **1.** torture **2.** fig *(souffrance)* torture, agony.

supplier *vt* • **supplier qqn de faire qqch** to beg ou implore sb to do sthg • **je t'en** ou **vous en supplie** I beg ou implore you.

support *nm* **1.** *(socle)* support, base **2.** fig *(de communication)* medium • **support pédagogique** teaching aid • **support publicitaire** advertising medium.

supportable *adj* **1.** *(douleur)* bearable **2.** *(conduite)* tolerable, acceptable.

supporter[1] *vt* **1.** *(soutenir, encourager)* to support **2.** *(endurer)* to bear, to stand • **supporter que** *(+ subjonctif)* : **il ne supporte pas qu'on le contredise** he cannot bear being contradicted **3.** *(résister à)* to withstand. ▪ **se supporter** *vp (se tolérer)* to bear ou stand each other.

supporter[2] *nm* supporter.

supposer *vt* **1.** *(imaginer)* to suppose, to assure • **en supposant que** *(+ subjonctif)* supposing (that) • **à supposer que** *(+ subjonctif)* supposing (that) **2.** *(impliquer)* to imply, to presuppose.

supposition *nf* supposition, assumption.

suppositoire *nm* suppository.

suppression *nf* **1.** *(de permis de conduire)* withdrawal **2.** *(de document)* suppression **3.** *(de mot, passage)* deletion **4.** *(de loi, poste)* abolition.

supprimer *vt* **1.** *(document)* to suppress **2.** *(obstacle, difficulté)* to remove **3.** *(mot, passage)* to delete **4.** *(loi, poste)* to abolish **5.** *(témoin)* to do away with, to eliminate **6.** *(permis de conduire, revenus)* • **supprimer qqch à qqn** to take sthg away from sb **7.** *(douleur)* to take away, to suppress **8.** INFORM to delete.

supranational, e *adj* supranational.

suprématie *nf* supremacy.

suprême *adj (gén)* supreme.

sur

▪ **sur** *prép*

1. INDIQUE UNE POSITION, SANS IDÉE DE MOUVEMENT

• **le livre est sur la table** the book is on the table • **il y a des crocodiles sur l'île** there are crocodiles on the island • **je n'ai pas d'argent sur moi** I haven't got any money on me

2. INDIQUE UNE POSITION, AVEC UNE IDÉE DE MOUVEMENT

• **mets un pull sur ton tee-shirt** put a jumper over your T-shirt • **mets un couvercle sur la casserole, s'il te plaît** put a lid on the saucepan, please

3. INDIQUE UNE DIRECTION

• **la cathédrale est sur votre droite/gauche** the cathedral is on your right/left, to your right/left • **il est revenu sur Paris hier** he returned to Paris yesterday

4. INDIQUE UNE DISTANCE

• **il y a des travaux sur 10 kilomètres** there are roadworks for 10 kilometres (UK) ou kilometers (US) • **la plage s'étend sur 3 kilomètres** the beach extends for 3 kilometres (UK) ou kilometers (US)

5. EN FONCTION DE, SELON

by • **on ne devrait pas juger quelqu'un sur son apparence** one shouldn't judge someone by his/her appearance

6. INDIQUE LE MOYEN

• **il vit sur les revenus de ses parents** he lives on *ou* off his parents' income

7. INDIQUE UN THÈME, UN SUJET

• **c'est un film sur l'esclavage** it's a film on slavery • **je suis allé à une conférence sur l'Inde hier** yesterday, I went to a conference about India

8. INDIQUE UN RAPPORT DE PROPORTION

• **9 élèves sur 10 ont choisi le premier sujet** 9 pupils out of 10 chose the first subject • **j'ai eu 14 sur 20** I got 14 out of 20 • **ma chambre fait trois mètres sur quatre** my bedroom is *ou* measures three metres (UK) *ou* meters (US) by four • **il travaille un jour sur deux** he works every other day • **il est en retard une fois sur deux** he is late every other time

9. INDIQUE UNE RELATION DE SUPÉRIORITÉ

• **son chef a beaucoup d'influence sur lui** his boss has a lot of influence over him *ou* on him • **les femmes doivent avoir des droits sur leur propre corps** women must have rights over their own bodies

10. INDIQUE UNE APPPROXIMATION

• **il a appelé sur les quatre heures** he called (at) about *ou* (at) around four • **il va sur la cinquantaine** he's getting on for (UK) *ou* going on (US) fifty

11. INDIQUE UNE ACCUMULATION

• **sa fille fait bêtise sur bêtise** his daughter makes one blunder after another • **elle a fumé trois cigarettes coup sur coup** she smoked three cigarettes one after another

■ **sur ce** *loc adv*

• **sur ce, je vous laisse** on that note, I leave you

sûr, e *adj* **1.** *(sans danger)* safe **2.** *(digne de confiance - personne)* reliable, trustworthy ; *(-goût)* reliable, sound ; *(-investissement)* sound **3.** *(certain)* sure, certain • **sûr de** sure of • **sûr et certain** absolutely certain • **sûr de soi** self-confident.

surabondance *nf* overabundance.

suraigu, ë *adj* high-pitched, shrill.

suranné, e *adj littéraire* old-fashioned, outdated.

surbrillance *nf* • **mettre qqch en surbrillance** INFORM to highlight sth.

surcharge *nf* **1.** *(de poids)* excess load **2.** *(de bagages)* excess weight **3.** *fig (surcroît)* • **une surcharge de travail** extra work **4.** *(surabondance)* surfeit **5.** *(de document)* alteration.

surcharger *vt* **1.** *(véhicule, personne)* • **surcharger (de)** to overload (with) **2.** *(texte)* to alter extensively.

surchauffer *vt* to overheat.

surchemise *nf* overshirt.

surclassement *nm (de voyageur aérien)* bumping up *(to business or first class)*.

surcroît *nm* • **un surcroît de travail/d'inquiétude** additional work/anxiety.

surdimensionné, e *adj* oversize(d).

surdité *nf* deafness.

surdoué, e *adj* exceptionally *ou* highly gifted • **les enfants surdoués** gifted children.

sureffectif *nm* overmanning, overstaffing.

surélever *vt* to raise, to heighten.

sûrement *adv* **1.** *(certainement)* certainly • **sûrement pas !** *fam* no way!, definitely not! **2.** *(sans doute)* certainly, surely **3.** *(sans risque)* surely, safely.

surenchère *nf* **1.** higher bid **2.** *fig* overstatement, exaggeration.

surenchérir *vi* **1.** to bid higher **2.** *fig* to try to go one better.

surendetté, e *adj* overindebted.

surendettement *nm* overindebtedness.

surestimer *vt* **1.** *(exagérer)* to overestimate **2.** *(surévaluer)* to overvalue. ■ **se surestimer** *vp* to overestimate o.s.

sûreté *nf* **1.** *(sécurité)* safety • **en sûreté** safe • **de sûreté** safety *(avant nom)* **2.** *(fiabilité)* reliability **3.** DR surety. ■ **de sûreté** *loc adj* safety *(modificateur)*.

surexcitation *nf* overexcitement.

surexcité, e *adj* overexcited.

surexposer *vt* to overexpose.

surf *nm* surfing • **faire du surf** to go surfing • **surf des neiges** snowboarding.

surface *nf* **1.** *(extérieur, apparence)* surface **2.** *(superficie)* surface area. • **grande surface** *nf* hypermarket (UK), supermarket (US). ■ **moyenne surface** *nf* high-street store (UK), superette (US).

surfait, e *adj* overrated.

surfer *vi* **1.** SPORT to go surfing **2.** INFORM to surf • **surfer sur (l')Internet** to surf the Net.

surgelé, e *adj* frozen. ■ **surgelé** *nm* frozen food.

surgir *vi* **1.** to appear suddenly **2.** *fig (difficulté)* to arise, to come up.

surhumain, e *adj* superhuman.

surimi *nm* surimi.

surimpression *nf* double exposure.

surinformer *vt* to overinform • **le public a tendance à être constamment surinformé** the public tends to be constantly overinformed.

sur-le-champ *loc adv* immediately, straightaway.

surlendemain *nm* • **le surlendemain** two days later • **le surlendemain de mon départ** two days after I left.

surligner *vt* to highlight.

surligneur *nm* highlighter (pen).

surmenage *nm* overwork.

surmener *vt* to overwork. ■ **se surmener** *vp* to overwork.

surmonter *vt* **1.** *(obstacle, peur)* to overcome, to surmount **2.** *(sujet : statue, croix)* to surmount, to top.

surnager *vi* **1.** *(flotter)* to float (on the surface) **2.** *fig (subsister)* to remain, to survive.

surnaturel, elle *adj* supernatural. ■ **surnaturel** *nm* • **le surnaturel** the supernatural.

surnom *nm* nickname.

FAUX AMIS

surnom

On traduit *surnom* par **nickname**. En anglais, *surname* signifie *nom de famille*, comme l'illustre la phrase suivante : ***His surname is Smith and his nickname is Billy*** *Son nom de famille est Smith et son surnom est Billy.*

surpasser *vt* to surpass, to outdo. ■ **se surpasser** *vp* to surpass *ou* excel o.s.

surpeuplé, e *adj* overpopulated.

surpeuplement *nm* overpopulation.

surplomb ■ **en surplomb** *loc adj* overhanging.

surplomber *vt* to overhang • **le village surplombe la mer** the village overhangs the sea. ❏ *vi* to be out of plumb.

surplus *nm (excédent)* surplus.

surprenant, e *adj* surprising, amazing.

surprendre *vt* **1.** *(voleur)* to catch (in the act) **2.** *(secret)* to overhear **3.** *(prendre à l'improviste)* to surprise, to catch unawares **4.** *(étonner)* to surprise, to amaze.

surpris, e *pp* → **surprendre**. ❏ *adj (pris au dépourvu, déconcerté)* surprised • **j'ai été surprise de le voir là** I was surprised to see him there.

surprise *nf* surprise • **par surprise** by surprise • **faire une surprise à qqn** to give sb a surprise • **quelle bonne surprise !** what a nice surprise! ❏ *adj (inattendu)* surprise *(avant nom)* • **grève surprise** lightning strike.

surproduction *nf* overproduction.

surréalisme *nm* surrealism.

surréservation *nm* = overbooking.

sursaut *nm* **1.** *(de personne)* jump, start • **en sursaut** with a start **2.** *(d'énergie)* burst, surge.

sursauter *vi* to start, to give a start.

sursis *nm fig DR* reprieve • **six mois avec sursis** six months' suspended sentence.

surtaxe *nf* surcharge.

surtout *adv* **1.** *(avant tout)* above all **2.** *(spécialement)* especially, particularly • **surtout pas** certainly not. ■ **surtout que** *loc conj fam* especially as.

survécu *pp* → **survivre**.

surveillance *nf* **1.** supervision **2.** *(de la police, de militaire)* surveillance.

surveillant, e *nm, f* **1.** supervisor **2.** *(de prison)* guard, warder (UK).

surveiller *vt* **1.** *(enfant)* to watch, to keep an eye on **2.** *(suspect)* to keep a watch on **3.** *(travaux)* to supervise **4.** *(examen)* to invigilate (UK) **5.** *(ligne, langage)* to watch. ■ **se surveiller** *vp* to watch o.s.

survenir *vi (incident)* to occur.

survêtement *nm* tracksuit.

survie *nf (de personne)* survival.

survitaminé, é *adj fam (animateur, film)* supercharged.

survivant, e *nm, f* survivor. ❏ *adj* surviving.

survivre *vi* to survive • **survivre à a)** *(personne)* to outlive, to survive **b)** *(accident, malheur)* to survive • **trois personnes ont survécu à l'accident** three people survived the accident.

survoler *vt* **1.** *(territoire)* to fly over **2.** *(texte)* to skim (through).

sus *interj* • **sus à l'ennemi !** at the enemy! ■ **en sus** *loc adv* moreover, in addition • **en sus de** over and above, in addition to.

susceptibilité *nf* touchiness, sensitivity.

susceptible *adj* **1.** *(ombrageux)* touchy, sensitive **2.** *(en mesure de)* • **susceptible de faire qqch** liable *ou* likely to do sthg • **susceptible d'amélioration, susceptible d'être amélioré** open to improvement.

susciter *vt* **1.** *(admiration, curiosité)* to arouse **2.** *(ennuis, problèmes)* to create.

sushi *nm* sushi.

suspect, e *adj* **1.** *(personne)* suspicious **2.** *(douteux)* suspect. ❏ *nm, f* suspect.

suspecter *vt* to suspect, to have one's suspicions about • **suspecter qqn de qqch/de faire qqch** to suspect sb of sthg/of doing sthg.

suspendre *vt* **1.** *(lustre, tableau)* to hang (up) **2.** *(pourparlers)* to suspend **3.** *(séance)* to adjourn **4.** *(journal)* to suspend publication of **5.** *(fonctionnaire, constitution)* to suspend **6.** *(jugement)* to postpone, to defer.

suspendu, e *pp* → **suspendre**. ❏ *adj* **1.** *(fonctionnaire)* suspended **2.** *(séance)* adjourned **3.** *(lustre, tableau)* • **suspendu au plafond/au mur** hanging from the ceiling/on the wall.

suspens ■ **en suspens** *loc adv* in abeyance.

suspense *nm* suspense.

suspension *nf* **1.** *(gén)* suspension • **en suspension** in suspension, suspended **2.** *(de combat)* halt **3.** *(d'audience)* adjournment **4.** *(lustre)* light fitting.

suspicion *nf* suspicion.

susurrer *vt & vi* to murmur.

suture *nf* suture.

svelte *adj* slender.

SVP = s'il vous plaît.

sweat-shirt *nm* sweatshirt.

syllabe *nf* syllable.

symbole *nm* symbol.

symbolique *adj* **1.** *(figure)* symbolic **2.** *(geste, contribution)* token *(avant nom)* **3.** *(rémunération)* nominal.

symboliser *vt* to symbolize.

symétrie *nf* symmetry.

symétrique *adj* symmetrical.

sympa *adj fam* **1.** *(personne)* likeable, nice **2.** *(soirée, maison)* pleasant, nice **3.** *(ambiance)* friendly.

sympathie *nf* **1.** *(pour personne, projet)* liking • **avoir de la sympathie pour quelqu'un** to like somebody • **accueillir un projet avec sympathie** to look sympathetically *ou* favourably on a project **2.** *(condoléances)* sympathy.

sympathique *adj* **1.** *(personne)* likeable, nice **2.** *(soirée, maison)* pleasant, nice **3.** *(ambiance)* friendly **4.** ANAT & MÉD sympathetic.

FAUX AMIS

sympathique

*Sympathique ne se traduit pas par **sympathetic**, du moins dans les contextes courants. **Sympathetic** veut dire compatissant, compréhensif (**he was sympathetic when I told him of my troubles**, il a compati quand je lui ai raconté mes problèmes). C'est **nice** que l'on utilise le plus souvent pour traduire sympathique (c'est un garçon vraiment sympathique, **he's a really nice boy**).*

sympathisant, e *adj* sympathizing. ❑ *nm, f* sympathizer.

sympathiser *vi* to get on well • **sympathiser avec qqn** to get on well with sb.

symphonie *nf* symphony.

symphonique *adj* **1.** *(musique)* symphonic **2.** *(concert, orchestre)* symphony *(avant nom)*.

symptomatique *adj* symptomatic.

symptôme *nm* symptom.

synagogue *nf* synagogue.

synchroniser *vt* to synchronize.

syncope *nf* **1.** *(évanouissement)* blackout **2.** MUS syncopation.

syndic *nm* *(de copropriété)* managing agent.

syndicalisme *nm* **1.** *(mouvement)* trade unionism **2.** *(activité)* (trade) union (UK) *ou* labor union (US) activity.

syndicaliste *nmf* trade unionist (UK), union activist (US). ❑ *adj* (trade) union *(avant nom)* (UK), labor union *(avant nom)* (US).

syndicat *nm* **1.** *(d'employés, d'agriculteurs)* (trade) union (UK), labor union (US) **2.** *(d'employeurs, de propriétaires)* association. ■ **syndicat d'initiative** *nm* tourist office.

syndiqué, e *adj* unionized.

syndiquer ■ **se syndiquer** *vp* **1.** *(personne)* to join (a trade (UK) *ou* labor (US) union) **2.** *(groupe)* to form (a trade (UK) *ou* labor (US) union).

syndrome *nm* syndrome • **syndrome immunodéficitaire acquis** acquired immunodeficiency syndrome.

synergie *nf* synergy, synergism.

synonyme *nm* synonym. ❑ *adj* synonymous.

syntaxe *nf* syntax.

synthé *nm fam* synth.

synthèse *nf* **1.** *(opération)* CHIM synthesis **2.** *(exposé)* overview • **faire la synthèse de qqch** to summarize sthg.

synthétique *adj* **1.** *(vue)* overall **2.** *(produit)* synthetic.

synthétiseur *nm* synthesizer.

syphilis *nf* syphilis.

Syrie *nf* • **la Syrie** Syria.

En anglais, à de rares exceptions près, il n'y a pas d'article devant les noms de pays.

syrien, enne *adj* Syrian. ■ **Syrien, enne** *nm, f* Syrian.

En anglais, les adjectifs se rapportant à un pays ou une région s'écrivent avec une majuscule.

systématique *adj* systematic.

systématiser *vt* to systematize.

système *nm* **1.** *(structure)* system • **système nerveux** nervous system • **système solaire** solar system **2.** POLIT & ÉCON • **système monétaire européen** European Monetary System **3.** INFORM • **système expert** expert system • **système d'exploitation** operating system • **système de navigation** browser.

t, T *nm inv* t, T.

tabac *nm* **1.** *(plante, produit)* tobacco • **tabac blond** *ou* Virginia tobacco • **tabac brun** dark tobacco • **tabac à priser** snuff **2.** *(magasin)* tobacconist's (UK).

tabagisme *nm* **1.** *(intoxication)* nicotine addiction **2.** *(habitude)* smoking.

tabernacle *nm* tabernacle.

table *nf (meuble)* table • **à table !** lunch/dinner *etc* is ready! • **être à table** to be at table, to be having a meal • **se mettre à table a)** to sit down to eat **b)** *fig* to come clean • **dresser** *ou* **mettre la table** to lay the table • **table de chevet** *ou* **de nuit** bedside table • **table de cuisson** hob. ■ **table des matières** *nf* contents *pl*, table of contents. ■ **table de multiplication** *nf* (multiplication) table. ■ **table ronde** *nf (conférence)* round table.

tableau *nm* **1.** *(peinture)* painting, picture • **un tableau de Seurat** a painting by Seurat **2.** *fig (description)* picture **3.** THÉÂTRE scene **4.** *(panneau)* board • **tableau d'affichage** notice board (UK), bulletin board (US) • **tableau de bord a)** AÉRON instrument panel **b)** AUTO dashboard • **tableau noir** blackboard **5.** *(de données)* table.

tabler *vi* • **tabler sur** to count *ou* bank on.

tablette *nf* **1.** *(planchette)* shelf **2.** *(de chewing-gum)* stick **3.** *(de chocolat)* bar.

tableur *nm* INFORM spreadsheet.

tablier *nm* **1.** *(de cuisinière)* apron **2.** *(d'écolier)* smock **3.** *(de pont)* roadway, deck.

tabloïd *nm* tabloid.

tabou, e *adj* taboo. ■ **tabou** *nm* taboo.

tabouret *nm* stool.

tabulateur *nm* tabulator, tab.

tac *nm* • **du tac au tac** tit for tat.

tache *nf* **1.** *(de pelage)* marking **2.** *(de peau)* mark • **tache de rousseur** *ou* **de son** freckle **3.** *(de couleur, lumière)* spot, patch **4.** *(sur nappe, vêtement)* stain • **être plein de taches** to be covered in stains.

tâche *nf* task • **les tâches administratives** administrative tasks.

tacher *vt* **1.** *(nappe, vêtement)* to stain, to mark **2.** *fig (réputation)* to tarnish.

tâcher *vi* • **tâcher de faire qqch** to try to do sthg.

tacheter *vt* to spot, to speckle.

tacite *adj* tacit.

taciturne *adj* taciturn.

tact *nm (délicatesse)* tact • **avoir du tact** to be tactful • **manquer de tact** to be tactless.

tactile *adj* tactile • **écran tactile** touch-sensitive.

tactique *adj* tactical. ❑ *nf* tactics *pl*.

taffe *nf fam* drag, puff.

tag *nm* tag.

tagliatelle *nf* tagliatelle *(indén.)*.

taguer *vt* to tag *(with graffiti)*.

tagueur, euse *nm, f* tagger.

taie *nf (enveloppe)* • **taie (d'oreiller)** pillow-case, pillowslip.

taille *nf* **1.** *(action de pierre, diamant)* cutting ; *(- d'arbre, de haie)* pruning **2.** *(stature)* height **3.** *(mesure, dimensions)* size • **vous faites quelle taille ?** what size are you?, what size do you take? • **quelle est la taille de la pièce ?** what size is the room?, how big is the room? • **de taille moyenne** medium-sized • **ce n'est pas à ma taille** it doesn't fit me • **de taille** sizeable, considerable **4.** *(milieu du corps)* waist • **avoir la taille fine** to be slim-waisted **5.** *(partie d'un vêtement)* waist.

taille-crayon *nm* pencil sharpener.

tailler *vt* **1.** *(couper - chair, pierre, diamant)* to cut ; *(- arbre, haie)* to prune ; *(- crayon)* to sharpen ; *(- bois)* to carve **2.** *(vêtement)* to cut out.

tailleur *nm* **1.** *(couturier)* tailor **2.** *(vêtement)* (lady's) suit **3.** *(de diamants, pierre)* cutter.

taillis *nm* coppice, copse.

tain *nm* silvering • **miroir sans tain** two-way mirror.

taire *vt* to conceal. ■ **se taire** *vp* **1.** *(rester silencieux)* to be silent *ou* quiet **2.** *(cesser de s'exprimer)* to fall silent • **tais-toi !** shut up!

Taiwan *npr* Taiwan.

talc *nm* talcum powder.

talent *nm* talent • **avoir du talent** to be talented, to have talent • **les jeunes talents** young talent *(indén)*.

talentueux, euse *adj* talented.

talisman *nm* talisman.

talkie-walkie *nm* walkie-talkie.

talk-show *nm* talk show, chat show *(UK)*.

talon *nm* 1. *(gén)* heel • **talons aiguilles/hauts** stiletto/high heels • **talons plats** low *ou* flat heels 2. *(de chèque)* counterfoil *(UK)*, stub 3. *(jeux de cartes)* stock.

talonner *vt* 1. *(sujet : poursuivant)* to be hard on the heels of 2. *(sujet : créancier)* to harry, to hound.

talonnette *nf (de chaussure)* heel cushion, heel-pad.

talquer *vt* to put talcum powder on.

talus *nm* embankment.

tambour *nm* 1. *(instrument, cylindre)* drum • **jouer du tambour** to play the drum 2. *(musicien)* drummer 3. *(porte à tourniquet)* revolving door 4. *(d'une machine à laver)* drum.

tambourin *nm* 1. *(à grelots)* tambourine 2. *(tambour)* tambourin.

tambouriner *vi* • **tambouriner sur** *ou* **à** to drum on • **tambouriner contre** to drum against.

tamis *nm (crible)* sieve.

Tamise *nf* • **la Tamise** the Thames.

tamisé, e *adj (éclairage)* subdued.

tamiser *vt* 1. *(farine)* to sieve 2. *(lumière)* to filter.

tampon *nm* 1. *(bouchon)* stopper, plug 2. *(éponge)* pad • **tampon à récurer** scourer 3. *(de coton, d'ouate)* pad • **tampon hygiénique** *ou* **périodique** tampon 4. *(cachet)* stamp 5. *litt & fig (amortisseur)* buffer.

tamponner *vt* 1. *(document)* to stamp 2. *(plaie)* to dab.

tam-tam *nm* tom-tom.

tandem *nm* 1. *(vélo)* tandem • **se promener en tandem** to ride a tandem 2. *(duo)* pair • **en tandem** together, in tandem.

tandis ■ **tandis que** *loc conj* 1. *(pendant que)* while 2. *(alors que)* while, whereas.

tandoori *nm* tandoori.

tangage *nm* pitching, pitch.

tangent, e *adj* • **c'était tangent** *fam & fig* it was close, it was touch and go. ■ **tangente** *nf* tangent.

tangible *adj* tangible.

tango *nm* tango.

tanguer *vi* to pitch.

tanière *nf* den, lair.

tank *nm* tank.

tanner *vt* 1. *(peau)* to tan 2. *fam (personne)* to pester, to annoy.

tant *adv* 1. *(quantité)* so much • **tant de travail** so much work 2. *(nombre)* • **tant de** so many • **tant de livres/d'élèves** so many books/pupils 3. *(tellement)* such a lot, so much • **il l'aime tant** he loves her so much 4. *(quantité indéfinie)* so much • **ça coûte tant** it costs so much 5. *(un jour indéfini)* • **votre lettre du tant** your letter of such-and-such a date 6. *(comparatif)* • **tant que** as much as 7. *(valeur temporelle)* • **tant que a)** *(aussi longtemps que)* as long as **b)** *(pendant que)* while. ■ **en tant que** *loc conj* as. ■ **tant bien que mal** *loc adv* after a fashion, somehow or other. ■ **tant mieux** *loc adv* so much the better • **tant mieux pour lui** good for him. ■ **tant pis** *loc adv* too bad • **tant pis pour lui** too bad for him.

tante *nf (parente)* aunt.

tantinet *nm* • **un tantinet exagéré/trop long** *fam* a bit exaggerated/too long.

tantôt *adv* 1. *(parfois)* sometimes 2. *vieilli (après-midi)* this afternoon.

taoïsme *nm* Taoism.

taoïste *adj & nmf* Taoist • **il est taoïste** he's a Taoist.

> En anglais, les adjectifs et les noms se rapportant à une religion s'écrivent avec une majuscule.

tapage *nm* 1. *(bruit)* row 2. *fig (battage)* fuss *(indén)*.

tapageur, euse *adj* 1. *(hôte, enfant)* rowdy 2. *(style)* flashy 3. *(liaison, publicité)* blatant.

tapas *nfpl* CULIN tapas.

tape *nf* slap.

tape-à-l'œil *adj inv* flashy.

taper *vt (personne, cuisse)* to slap • **taper (un coup) à la porte** to knock at the door • **ce n'est pas bien de taper les petits** it's not nice to hit little children. ■ *vi* 1. *(frapper)* to hit • **taper du poing sur** to bang one's fist on • **taper dans ses mains** to clap 2. *(à la machine)* to type 3. *fam (soleil)* to beat down 4. *fig (critiquer)* • **taper sur qqn** to knock sb. ■ **se taper** *vpt fam* 1. *(chocolat, vin)* to put away 2. *(corvée)* to be landed with • **je me suis tapé les cinq étages à pied** I had to walk up the five floors. ■ *vp (emploi réciproque)* to hit each other • **ils ont fini par se taper dessus** eventually, they came to blows.

tapis *nm* 1. *(gén)* carpet 2. *(de gymnase)* mat • **tapis roulant a)** *(pour bagages)* conveyor belt **b)** *(pour personnes)* travelator • **dérouler le tapis rouge** *fig* to roll out the red carpet.

tapisser *vt* • **tapisser (de)** to cover (with) • **mon père a tapissé le salon** my father wallpapered the living room.

tapisserie *nf* 1. *(de laine)* tapestry 2. *(papier peint)* wallpaper.

tapissier, ère *nm, f* 1. *(artisan)* tapestry maker 2. *(décorateur)* (interior) decorator 3. *(commerçant)* upholsterer.

tapoter *vt* 1. to tap 2. *(joue)* to pat. ■ *vi* • **tapoter sur** to tap on.

taquin, e adj teasing.

taquiner vt **1.** (sujet : personne) to tease **2.** (sujet : douleur) to worry.

tarabuster vt **1.** (sujet : personne) to badger **2.** (sujet : idée) to niggle at (UK).

tard adv late • **il est tard, je rentre** it's late, I'm going home • **plus tard** later • **au plus tard** at the latest.

tarder vi • **tarder à faire qqch a)** (attendre pour) to delay ou put off doing sthg **b)** (être lent à) to take a long time to do sthg • **le feu ne va pas tarder à s'éteindre** it won't be long before the fire goes out • **elle ne devrait plus tarder maintenant** she should be here any time now. ❑ v impers • **il me tarde de te revoir/qu'il vienne** I am longing to see you again/for him to come.

tardif, ive adj (heure) late.

tardivement adv **1.** (arriver) late **2.** (s'excuser) belatedly.

tare nf **1.** (défaut) defect **2.** (de balance) tare.

tarif nm **1.** (prix - de restaurant, café) price ; (- de service) rate, price • **demi-tarif** half rate ou price • **payer plein tarif** to pay full price • **tarif réduit a)** reduced price **b)** (au cinéma, théâtre) concession (UK) • **à tarif réduit a)** (loisirs) reduced-price **b)** (transport) reduced-fare **2.** (douanier) tariff **3.** (tableau) price list.

tarir vi to dry up • **elle ne tarit pas d'éloges sur son professeur** she never stops praising her teacher. ■ **se tarir** vp to dry up.

tarot nm tarot • **jouer au tarot** to play tarot. ■ **tarots** nmpl tarot cards.

tartare adj Tartar • **steak tartare** steak tartare.

tarte nf **1.** (gâteau) tart, pie (US) **2.** fam & fig (gifle) slap **3.** (sujet, propos) hackneyed. ❑ adj (avec ou sans accord) fam (idiot) stupid.

tartiflette nf cheese and potato gratin.

tartine nf (de pain) piece of bread and butter.

tartiner vt **1.** (pain) to spread • **chocolat/fromage à tartiner** chocolate/cheese spread **2.** fam & fig (pages) to cover.

tartre nm **1.** (de dents, vin) tartar **2.** (de chaudière) fur, scale.

tas nm heap • **un tas de** a lot of.

tasse nf cup • **tasse à café/à thé** coffee/tea cup • **tasse de café/de thé** cup of coffee/tea.

tasser vt **1.** (neige) to compress, to pack down **2.** (vêtements, personnes) • **tasser qqn/qqch dans** to stuff sb/sthg into. ■ **se tasser** vp **1.** (fondations) to settle **2.** fig (vieillard) to shrink **3.** (personnes) to squeeze up **4.** fam & fig (situation) to settle down • **les choses se sont enfin tassées** things have finally settled down.

tâter vt **1.** to feel **2.** fig to sound out. ■ **se tâter** vp fam & fig (hésiter) to be in (UK) ou of (US) two minds.

tatillon, onne adj finicky.

tâtonnement nm (gén pl) (tentative) trial and error (indén).

tâtonner vi to grope around.

tâtons ■ **à tâtons** loc adv • **marcher/procéder à tâtons** to feel one's way.

tatouage nm (dessin) tattoo • **se faire faire un tatouage** to get a tattoo.

tatouer vt to tattoo • **se faire tatouer** to get a tattoo.

taudis nm slum • **c'est un vrai taudis chez lui** his house is a real dump.

taupe nf litt & fig mole.

taureau nm (animal) bull. ■ **Taureau** nm ASTROL Taurus.

tauromachie nf bullfighting.

taux nm **1.** (proportion) rate • **taux de natalité/mortalité** birth/death rate **2.** (de cholestérol, d'alcool) level **3.** ÉCON rate • **taux zéro** zero-rating • **le taux de change** the exchange rate • **les taux d'intérêts** interest rates.

taverne nf tavern.

taxe nf tax • **hors taxe a)** COMM exclusive of tax, before tax **b)** (boutique, achat) duty-free • **taxe sur la valeur ajoutée** value-added tax • **taxe d'habitation** ≃ council tax (UK) ; ≃ local tax (US) • **toutes taxes comprises** inclusive of tax.

taxer vt (imposer) to tax.

taxi nm **1.** (voiture) taxi, cab (US) • **on prend un taxi ?** shall we take a taxi? **2.** (chauffeur) taxi driver.

TB, tb (abrév de très bien) VG.

Tchad nm • **le Tchad** Chad.

tchatche nf fam • **avoir la tchatche** to have the gift of the gab.

tchatcher vi fam to chat (away).

tchécoslovaque adj Czechoslovakian. ■ **Tchécoslovaque** nmf Czechoslovak.

Tchécoslovaquie nf • **la Tchécoslovaquie** Czechoslovakia.

tchèque adj Czech. ❑ nm (langue) Czech. ■ **Tchèque** nmf Czech.

TD (abrév de travaux dirigés) nmpl supervised practical work.

te

À PROPOS DE

Dans les verbes qui ne sont que pronominaux, c'est-à-dire qui ne s'utilisent qu'avec un pronom, *te* ne se traduit pas en anglais.
• **Tu te souviens ? Do you remember?**
Lorsque *te* a une valeur réfléchie, soit il ne se traduit pas, soit il se traduit par *yourself*.
• **Va t'habiller. Go and get dressed.**
• **Est-ce que tu t'es fait mal ? Did you hurt yourself?**

te, t' pron pers **1.** (complément d'objet direct) you **2.** (complément d'objet indirect) (to) you **3.** (réfléchi) yourself **4.** *(avec un présentatif)* • **te voici !** there you are!

technicien, enne *nm, f* **1.** *(professionnel)* technician **2.** *(spécialiste)* • **technicien (de)** expert (in).

technico-commercial, e *nm, f* sales engineer.

technique *adj* technical. ❏ *nf* technique.

techno *adj & nf* techno.

technocrate *nmf* technocrat.

technologie *nf* technology • **des technologies de pointe** state-of-the-art technology.

technologique *adj* technological.

teckel *nm* dachshund.

tee-shirt, T-shirt *nm* T-shirt • **un tee-shirt à manches longues** a long-sleeved T-shirt.

teigne *nf* **1.** *(mite)* moth **2.** *MÉD* ringworm **3.** *fam, fig & péj (femme)* cow *(UK)* **4.** *fam, fig & péj (homme)* bastard.

teindre *vt* to dye • **j'ai envie de teindre mon jean en noir** I want to dye my jeans black • **se faire teindre (les cheveux)** to have one's hair dyed • **se teindre les cheveux** *ou* **se teindre** to dye one's hair.

teint, e *pp* → **teindre**. ❏ *adj* dyed. ■ **teint** *nm (carnation)* complexion. ■ **teinte** *nf* colour *(UK)*, color *(US)*.

teinté, e *adj* tinted • **des verres teintés** tinted glasses • **teinté de** *fig* tinged with.

teinter *vt* to stain.

teinture *nf* **1.** *(action)* dyeing **2.** *(produit)* dye. ■ **teinture d'iode** *nf* tincture of iodine.

teinturerie *nf* **1.** *(pressing)* dry cleaner's **2.** *(métier)* dyeing.

teinturier, ère *nm, f (de pressing)* dry cleaner.

tel, telle *adj* **1.** *(valeur indéterminée)* such-and-such a • **tel et tel** such-and-such a • **tel jour à telle heure** such and such a day at such and such a time **2.** *(semblable)* such • **un tel homme** such a man • **de telles gens** such people • **je n'ai rien dit de tel** I never said anything of the sort **3.** *(valeur emphatique ou intensive)* such • **un tel génie** such a genius • **un tel bonheur** such happiness **4.** *(introduit un exemple ou une énumération)* • **tel (que)** such as, like **5.** *(introduit une comparaison)* like • **il est tel que je l'avais toujours rêvé** he's just like I always dreamt he would be • **tel quel** as it is/was *etc.* • **à tel point que** *loc conj* to such an extent that. • **de telle manière que** *loc conj* in such a way that. ■ **de telle sorte que** *loc conj* with the result that, so that.

tél. *(abrév de téléphone)* tel.

télé *nf fam* TV, telly *(UK)* • **regarder la télé** to watch TV • **qu'est-ce qu'il y a ce soir à la télé ?** what's on TV tonight?

téléachat *nm TV* teleshopping.

téléacteur, trice *nm, f* telesalesperson.

télébenne, télécabine *nf* cable car.

téléchargeable *adj* downloadable.

téléchargement *nm INFORM (vers un serveur)* to upload.

télécharger *vt* to download.

télécommande *nf* remote control.

télécommander *vt* **1.** to operate by remote control **2.** *fig* to mastermind.

télécommunication *nf* telecommunications *pl*.

télécoms *(abrév de télécommunications)* *nfpl fam* • **les télécoms** the telecommunications industry, telecommunications.

téléconseiller, ère *nm, f* call centre person.

télécopie *nf* fax.

télécopieur *nm* fax (machine).

télédiffusion *nf* televising.

télédistribution *nf* cable television.

téléférique *nm* = **téléphérique**.

téléfilm *nm* film made for television.

télégramme *nm* telegram, wire *(US)*, cable *(US)*.

télégraphe *nm* telegraph.

télégraphier *vt* to telegraph, to wire *(US)*, to cable *(US)*.

téléguidé, e *adj* **1.** *(missile)* guided **2.** *(piloté à distance - avion, jouet)* radiocontrolled **3.** *fig (manipulé)* manipulated.

téléguider *vt* **1.** to operate by remote control **2.** *fig* to mastermind.

télématique *nf* telematics *(indén)*.

téléobjectif *nm* telephoto lens *sing*.

téléopérateur, trice *nm, f* call centre agent.

télépaiement *nm* electronic payment.

télépathie *nf* telepathy.

téléphérique, téléférique *nm* **1.** *(cabine)* cable-car **2.** *(système)* cable-way.

téléphone *nm* telephone • **le téléphone sonne** the phone is ringing • **téléphone à carte** cardphone • **téléphone à clapet** flip phone, clamshell • **téléphone sans fil** cordless telephone • **téléphone avec appareil photo** camera phone, cam phone.

téléphoner *vi* to telephone, to phone • **téléphoner à qqn** to telephone sb, to phone sb (up) *(UK)*. ■ **se téléphoner** *vp (emploi réciproque)* to call each other • **on se téléphone, d'accord ?** we'll talk on the phone later, OK?

téléphoner

En privé, on décroche en disant *Hello* (certaines personnes énoncent également leur numéro : *Hello, 842157*).

Dans un contexte professionnel en revanche, on indique son nom et prénom : *Hello, James Taylor*.

Lorsque que quelqu'un souhaite joindre une personne (*Can I speak to… Pour-*

rais-je parler à...) et qu'il s'agit de vous, vous pouvez répondre par **Speaking** (en Grande-Bretagne) ou **This is he/she** *C'est lui-même/elle-même* (aux États-Unis) et de manière moins officielle, simplement répondre par **It's me** *C'est moi*. Lorsque que l'on souhaite joindre une autre personne en particulier, vous pouvez mentionner **Just a moment please** *Un moment s'il vous plaît* avant de transférer l'appel.
Dans le cas où vous êtes occupé, il est d'usage de dire **I have someone with me right now, can I call you back?** *Je suis en rendez-vous actuellement, puis-je vous rappeler ?*

téléphonique *adj* telephone *(avant nom)*, phone *(avant nom)*.

téléprospection *nf* telemarketing.

télé-réalité *nf* reality TV • **émission de télé-réalité** reality show.

télescope *nm* telescope • **regarder dans le télescope** to look through the telescope.

télescoper *vt (véhicule)* to crash into. ■ **se télescoper** *vp (véhicules)* to concertina (UK).

télescopique *adj (antenne)* telescopic.

téléscripteur *nm* teleprinter (UK), teletypewriter (US).

télésiège *nm* chairlift.

téléski *nm* ski tow.

téléspectateur, trice *nm, f* (television) viewer.

télésurveillance *nf* remote surveillance.

télétravail *nm* teleworking.

télétravailleur, euse *nm, f* teleworker.

télévente *nf* **1.** *(à la télévision)* television selling **2.** *(via Internet)* online selling *ou* commerce, e-commerce.

télévisé, e *adj (discours, match)* televised.

téléviseur *nm* television (set).

télévision *nf* television • **à la télévision** on television • **regarder la télévision** to watch television • **télévision numérique** digital television • **télévision par satellite** satellite television.

télévision-réalité *nf* TV reality TV, fly-on-the-wall television.

télex *nm inv* telex.

tellement *adv* **1.** *(si, à ce point)* so **2.** *(+ comparatif)* so much • **tellement plus jeune que** so much younger than • **pas tellement** not especially, not particularly **3.** *(autant)* so much • **tellement de a)** *(personnes, objets)* so many **b)** *(gentillesse, travail)* so much **4.** *(tant)* so much • **elle a tellement changé** she's changed so much • **je ne comprends rien tellement il parle vite** he talks so quickly that I can't understand a word.

téméraire *adj* **1.** *(audacieux)* bold **2.** *(imprudent)* rash. ❑ *nmf* hothead.

témérité *nf* **1.** *(audace)* boldness **2.** *(imprudence)* rashness.

témoignage *nm* **1.** DR testimony, evidence *(indén)* • **faux témoignage** perjury **2.** *(gage)* token, expression • **en témoignage de** as a token of **3.** *(récit)* account.

témoigner *vt* **1.** *(manifester)* to show, to display **2.** DR • **témoigner que** to testify that. ❑ *vi* DR to testify • **témoigner contre** to testify against.

témoin *nm* **1.** *(spectateur)* witness • **être témoin de qqch** to be a witness to sthg, to witness sthg **2.** DR • **témoin oculaire** eyewitness **3.** *littéraire (marque)* • **témoin de** evidence *(indén)* of **4.** SPORT baton. ❑ *adj (appartement)* show *(avant nom)*.

tempe *nf* temple.

tempérament *nm* temperament • **avoir du tempérament** to be hot-blooded.

température *nf* temperature • **avoir de la température** to have a temperature.

tempéré, e *adj (climat)* temperate.

tempérer *vt* **1.** *(adoucir)* to temper **2.** *fig (enthousiasme, ardeur)* to moderate.

tempête *nf* storm.

tempêter *vi* to rage.

temple *nm* **1.** HIST temple **2.** *(protestant)* church.

tempo *nm* tempo.

temporaire *adj* temporary.

temporairement *adv* temporarily.

temporel, elle *adj* **1.** *(défini dans le temps)* time *(avant nom)* **2.** *(terrestre)* temporal.

temporiser *vi* to play for time, to stall.

LEXIQUE

le temps

le brouillard	the fog
l'éclair	the lightning
la grêle	the hail
la neige	the snow
le nuage	the cloud
l'orage	the storm
la pluie	the rain
le soleil	the sun
le vent	the wind

temps *nm* **1.** *(gén)* time • **à plein temps** full-time • **à mi-temps** half-time • **à temps partiel** part-time • **un temps partiel** a part-time job • **en un temps record** in record time • **au** *ou* **du temps où** (in the days) when • **de mon temps** in my day • **ça prend un certain temps** it takes some time • **ces temps-ci, ces derniers temps** these days • **pendant ce temps** meanwhile • **en temps utile** in due course • **en temps de guerre/paix** in wartime/peacetime • **il était temps !** *iron* and about time too! • **avoir le temps de**

faire qqch to have time to do sthg • **temps libre** free time • **à temps** in time • **de temps à autre** now and then *ou* again • **de temps en temps** from time to time • **en même temps** at the same time • **tout le temps** all the time, the whole time • **avoir tout son temps** to have all the time in the world **2.** *MUS* beat **3.** *GRAMM* tense **4.** *MÉTÉOR* weather **5.** *TV & RADIO* • **temps d'antenne** air time **6.** *(sur téléphone portable)* • **temps de communication** airtime.

S'EXPRIMER

parler du temps qu'il fait

• **What's the weather like?** Quel temps fait-il ?
• **It's nice.** Il fait beau.
• **The sun's out.** Le soleil brille.
• **The weather's bad.** Il fait mauvais.
• **It's overcast and it looks like rain.** Le temps est couvert et il va sûrement pleuvoir.
• **It's warm/hot/cold** Il fait chaud/très chaud/froid.
• **What's the weather forecast?** Quelles sont les prévisions météo ?
• **The forecast's for snow tomorrow.** La météo annonce de la neige pour demain.

---

tenable *adj* bearable.

tenace *adj* **1.** *(gén)* stubborn **2.** *fig (odeur, rhume)* lingering.

ténacité *nf* **1.** *(d'odeur)* lingering nature **2.** *(de préjugé, personne)* stubbornness.

tenailler *vt* to torment.

tenailles *nfpl* pincers.

tenancier, ère *nm, f* manager, manageress *f*.

tendance *nf* **1.** *(disposition)* tendency • **avoir tendance à qqch/à faire qqch** to have a tendency to sthg/to do sthg, to be inclined to sthg/to do sthg **2.** *(économique, de mode)* trend **3.** *ÉCON* trend.

tendancieux, euse *adj* tendentious.

tendeur *nm (sangle)* elastic strap *(for fastening luggage, etc)*.

tendinite *nf* tendinitis.

tendon *nm* tendon.

tendre¹ *adj* **1.** *(gén)* tender **2.** *(matériau)* soft **3.** *(couleur)* delicate. ❑ *nmf* tender-hearted person.

tendre² *vt* **1.** *(corde)* to tighten, to stretch • **on a tendu la corde à linge entre deux arbres** we stretched the clothesline between two trees **2.** *(muscle)* to tense **3.** *(objet, main)* • **tendre qqch à qqn** to hold out sthg to sb **4.** *(bâche)* to hang **5.** *(piège)* to set (up). ■ **se tendre** *vp* **1.** to tighten **2.** *fig (relations)* to become strained.

tendresse *nf* **1.** *(affection)* tenderness **2.** *(indulgence)* sympathy.

tendu, e *adj* **1.** *(fil, corde)* taut **2.** *(personne)* tense **3.** *(atmosphère, rapports)* strained **4.** *(main)* outstretched.

ténèbres *nfpl* **1.** darkness *sing*, shadows **2.** *fig* depths.

ténébreux, euse *adj* **1.** *fig (dessein, affaire)* mysterious **2.** *(personne)* serious, solemn.

teneur *nf* **1.** content **2.** *(de traité)* terms *pl* • **teneur en alcool/cuivre** alcohol/copper content.

tenir *vt* **1.** *(objet, personne, solution)* to hold **2.** *(garder, conserver, respecter)* to keep • **tenir (sa) parole** to keep one's word **3.** *(gérer - boutique)* to keep, to run **4.** *(apprendre)* • **tenir qqch de qqn** to have sthg from sb **5.** *(considérer)* • **tenir qqn pour** to regard sb as. ❑ *vi* **1.** *(être solide)* to stay up, to hold together **2.** *(durer)* to last **3.** *(pouvoir être contenu)* to fit **4.** *(être attaché)* • **tenir à a)** *(personne)* to care about **b)** *(privilèges)* to value **5.** *(vouloir absolument)* • **tenir à faire qqch** to insist on doing sthg **6.** *(ressembler)* • **tenir de** to take after **7.** *(relever de)* • **tenir de** to have something of **8.** *(dépendre de)* • **il ne tient qu'à toi de…** it's entirely up to you to… **9.** *(locution)* • **tenir bon** to stand firm • **tiens ! a)** *(en donnant)* here! **b)** *(surprise)* well, well! **c)** *(pour attirer attention)* look! ■ **se tenir** *vp* **1.** *(réunion)* to be held **2.** *(personnes)* to hold one another • **se tenir par la main** to hold hands **3.** *(être présent)* to be **4.** *(être cohérent)* to make sense **5.** *(se conduire)* to behave (o.s.) **6.** *(se retenir)* • **se tenir (à)** to hold on (to) **7.** *(se borner)* • **s'en tenir à** to stick to.

tennis *nm (sport)* tennis • **tu sais jouer au tennis ?** can you play tennis? ❑ *nmpl* tennis shoes, sneakers *(us)*.

tennisman *nm* tennis player.

ténor *nm* **1.** *(chanteur)* tenor **2.** *fig (vedette)* • **un ténor de la politique** a political star performer.

tension *nf* **1.** *(contraction, désaccord)* tension **2.** *MÉD* pressure • **avoir de la tension** to have high blood pressure **3.** *ÉLECTR* voltage • **haute/basse tension** high/low voltage.

tentaculaire *adj fig* sprawling.

tentant, e *adj* tempting.

tentation *nf* temptation.

tentative *nf* attempt • **tentative de suicide** suicide attempt • **tentative de meurtre a)** *(gén)* murder attempt **b)** *DR* attempted murder.

tente *nf* tent • **monter la tente** to put up the tent.

tenter *vt* **1.** *(entreprendre)* • **tenter qqch/de faire qqch** to attempt sthg/to do sthg **2.** *(plaire)* to tempt • **être tenté par qqch/de faire qqch** to be tempted by sthg/to do sthg.

tenture *nf* hanging.

tenu, e *pp* → tenir. ❑ *adj* **1.** *(obligé)* • **être tenu de faire qqch** to be required *ou* obliged to do sthg **2.** *(en ordre)* • **bien/mal tenu** *(maison)* well/badly kept.

ténu, e adj **1.** (fil) fine **2.** fig (distinction) tenuous **3.** (voix) thin.

tenue nf **1.** (entretien) running **2.** (manières) good manners pl **3.** (maintien du corps) posture **4.** (costume) dress • **être en petite tenue** to be scantily dressed • **une tenue d'été** summer clothes. ■ **tenue de route** nf roadholding.

ter adv MUS three times. ❏ adj • **12 ter** 12B.

TER (abrév de Train Express Régional) nm inter-city train.

Tergal® nm ≃ Terylene®.

tergiverser vi to shilly-shally.

terme nm **1.** (fin) end • **mettre un terme à** to put an end ou a stop to **2.** (de grossesse) term • **avant terme** prematurely **3.** (échéance) time limit • **à court/moyen/long terme a)** (calculer) in the short/medium/long term **b)** (projet) short-/medium-/long-term **5.** (mot, élément) term. ■ **termes** nmpl **1.** (expressions) words **2.** (de contrat) terms.

terminaison nf GRAMM ending.

terminal, e adj **1.** (au bout) final **2.** MÉD (phase) terminal. ■ **terminal** nm terminal. ■ **terminale** nf SCOL ≃ upper sixth year ou form (UK) ; ≃ twelfth grade (US).

terminer vt **1.** to end, to finish **2.** (travail, repas) to finish. ■ **se terminer** vp to end, to finish.

---

terminologie nf terminology.

terminus nm terminus.

termite nm termite.

terne adj dull.

ternir vt **1.** to dirty **2.** (métal, réputation) to tarnish.

terrain nm **1.** (sol) soil • **vélo tout terrain** mountain bike **2.** (surface) piece of land • **terrain vague** waste ground (indén) ou land (indén) (UK), vacant lot (US) **3.** (emplacement - de football, rugby) pitch (UK) ; (- de golf) course • **terrain d'aviation** airfield • **terrain de camping** campsite **4.** fig (domaine) ground.

terrasse nf terrace.

terrassement nm (action) excavation.

terrasser vt **1.** (sujet : personne) to bring down **2.** (sujet : émotion) to overwhelm **3.** (sujet : maladie) to conquer.

terre nf **1.** (monde) world **2.** (sol) ground • **par terre** on the ground • **terre à terre** fig down-to-earth **3.** (matière) earth, soil **4.** (propriété) land (indén) **5.** (territoire, continent) land **6.** ÉLECTR earth (UK), ground (US). ■ **Terre** nf GÉOL • **la Terre** Earth.

terreau nm compost.

terre-plein nm platform.

terrer ■ **se terrer** vp to go to earth.

terrestre adj **1.** (croûte, atmosphère) of the earth **2.** (animal, transport) land (avant nom) **3.** (plaisir, paradis) earthly **4.** (considérations) worldly.

terreur nf terror.

terrible adj **1.** (gén) terrible **2.** (appétit, soif) terrific, enormous **3.** fam (excellent) brilliant.

terriblement adv terribly.

terrien, enne adj (foncier) • **propriétaire terrien** landowner. ❏ nm, f (habitant de la Terre) earthling.

terrier nm **1.** (tanière) burrow **2.** (du renard) hole **3.** (chien) terrier.

terrifier vt to terrify.

terrine nf terrine.

territoire nm **1.** (pays, zone) territory • **les territoires occupés** the occupied territories **2.** ADMIN area. ■ **territoire d'outre-mer** nm (French) overseas territory.

territorial, e adj territorial.

terroir nm **1.** (sol) soil **2.** (région rurale) country.

terroriser vt to terrorize.

terrorisme nm terrorism.

terroriste nmf terrorist.

tertiaire nm tertiary sector. ❏ adj tertiary.

tesson nm piece of broken glass.

test nm test • **test de dépistage** screening test • **test de grossesse** pregnancy test.

testament nm **1.** will **2.** fig legacy.

tester vt to test.

testicule nm testicle.

tétaniser vt **1.** to cause to go into spasm **2.** fig to paralyse (UK), to paralyze (US).

tétanos nm tetanus.

têtard nm tadpole.

tête nf **1.** (gén) head • **de la tête aux pieds** from head to foot ou toe • **la tête en bas** head down • **la tête la première** head first • **calculer qqch de tête** to calculate sthg in one's head • **tête chercheuse** homing head • **tête de lecture** INFORM read head • **tête de liste** POLIT main candidate • **être tête en l'air** fam to have one's head in the clouds • **faire la tête** fam to sulk • **tenir tête à qqn** to stand up to sb **2.** (visage) face **3.** (devant - de cortège, peloton) head, front • **en tête** SPORT in the lead • **tête de série** SPORT seeded player.

tête-à-queue nm inv spin.

tête-à-tête nm inv tête-à-tête.

tête-bêche loc adv head to tail.

tétée nf feed.

téter vi to suckle.

tétine *nf* **1.** *(de biberon, mamelle)* nipple, teat **2.** *(sucette)* dummy (UK), pacifier (US).

Tétrabrick® *nm* carton.

têtu, e *adj* stubborn.

teuf *nf fam* party, rave.

tex mex *adj* Tex Mex. ❏ *nm* Tex Mex food.

texte *nm* **1.** *(écrit)* wording **2.** *(imprimé)* text **3.** *(extrait)* passage.

textile *adj* textile *(avant nom)*. ❏ *nm* **1.** *(matière)* textile **2.** *(industrie)* • **le textile** textiles *pl*, the textile industry.

texto *adv fam* word for word, verbatim • **il a dit ça, texto** those were his very *ou* exact words. ❏ *nm TÉLÉCOM* text (message).

textuel, elle *adj* **1.** *(analyse)* textual **2.** *(citation)* exact **3.** *(traduction)* literal.

textuellement *adv* verbatim.

texture *nf* texture.

TGV (abrév de train à grande vitesse) *nm* TGV *(French high-speed train)*.

thaïlandais, e *adj* Thai. ■ **Thaïlandais, e** *nm, f* Thai.

Thaïlande *nf* • **la Thaïlande** Thailand.

thalassothérapie *nf* seawater therapy.

thé *nm* tea • **une tasse de thé** a cup of tea • **un thé au citron** tea with lemon • **un thé nature** tea without milk.

théâtral, e *adj (ton)* theatrical.

théâtre *nm* **1.** *(bâtiment, représentation)* theatre (UK), theater (US) **2.** *(art)* • **faire du théâtre** to be on the stage • **adapté pour le théâtre** adapted for the stage **3.** *(œuvre)* plays *pl* **4.** *(lieu)* scene • **théâtre d'opérations** *MIL* theatre (UK) *ou* theater (US) of operations.

théière *nf* teapot.

thématique *adj* thematic. ❏ *nf* themes *pl*.

thème *nm* **1.** *(sujet)* theme **2.** *SCOL* prose.

théologie *nf* theology.

théorème *nm* theorem.

théoricien, enne *nm, f* theoretician.

théorie *nf* theory • **en théorie** in theory.

théorique *adj* theoretical.

théoriquement *adv* theoretically.

thérapeute *nmf* therapist.

thérapie *nf* therapy • **thérapie génique** gene therapy.

thermal, e *adj* thermal.

thermes *nmpl* thermal baths.

thermique *adj* thermal.

thermomètre *nm (instrument)* thermometer • **le thermomètre indique 29°** the thermometer says 29°.

thermonucléaire *adj* thermonuclear.

Thermos® *nm & nf* Thermos® (flask).

thermostat *nm* thermostat.

thèse *nf* **1.** *(opinion)* argument **2.** *PHILO & UNIV* thesis • **thèse de doctorat** doctorate **3.** *(théorie)* theory.

thon *nm* tuna.

thorax *nm* thorax.

thym *nm* thyme.

thyroïde *nf* thyroid (gland).

Tibet *nm* • **le Tibet** Tibet.

tibia *nm* tibia.

tic *nm* tic.

ticket *nm* ticket • **ticket de caisse** (till) receipt (UK), sales slip (US) • **un carnet de tickets de métro** a book of metro tickets • **ticket-repas** ≃ luncheon voucher (UK); ≃ meal ticket (US).

tic-tac *nm inv* tick-tock.

tiède *adj* **1.** *(boisson, eau)* tepid, lukewarm **2.** *(vent)* mild **3.** *fig (accueil)* lukewarm.

tiédir *vt* to warm. ❏ *vi* to become warm • **faire tiédir qqch** to warm sthg.

tien ■ **le tien, la tienne** *pron poss* yours • **à la tienne !** cheers!

tierce *nf* **1.** *MUS* third **2.** *(cartes à jouer, escrime)* tierce. ❏ *adj* → **tiers.**

tiercé *nm si vous voulez donner une définition à un anglophone, vous pouvez dire* it is a system for betting in which you say which horses will be the first three in a race.

tiers, tierce *adj* • **une tierce personne** a third party. ■ **tiers** *nm* **1.** *(étranger)* outsider, stranger **2.** *(tierce personne)* third party **3.** *(de fraction)* • **le tiers de** one-third of.

tiers-monde *nm* • **le tiers-monde** the Third World.

tiers-mondisation *nf* • **la tiers-mondisation de ce pays** this country's economic degeneration to Third World levels.

tiers-mondiste *adj* favouring (UK) *ou* favoring (US) the Third World. ❏ *nmf* champion of the Third World.

tige *nf* **1.** *(de plante)* stem, stalk **2.** *(de bois, métal)* rod.

tignasse *nf fam* mop (of hair).

tigre *nm* tiger.

tigresse *nf* tigress.

tilleul *nm* lime (tree).

timbale *nf* **1.** *(gobelet)* (metal) cup **2.** *MUS* kettledrum.

timbre *nm* **1.** *(gén)* stamp **2.** *(de voix)* timbre **3.** *(de bicyclette)* bell.

timbré, e *adj* **1.** *(papier, enveloppe)* stamped **2.** *(voix)* resonant **3.** *fam (fou)* barmy (UK), doolally (UK). ❏ *nm, f fam* loony.

timbre(-poste) *nm* (postage) stamp.

timbrer *vt* to stamp.

timide *adj* **1.** *(personne)* shy **2.** *(protestation, essai)* timid **3.** *(soleil)* uncertain. ❏ *nmf* shy person.

timidité nf 1. (de personne) shyness 2. (de protestation) timidness.

timing nm 1. (emploi du temps) schedule 2. (organisation) timing.

timoré, e adj fearful, timorous.

tintamarre nm fam racket.

tintement nm 1. (de cloche, d'horloge) chiming 2. (de pièces) jingling.

tinter vi 1. (cloche, horloge) to chime 2. (pièces) to jingle.

Tipp-Ex® nm Tipp-Ex®.

tir nm 1. (SPORT - activité) shooting ; (- lieu) ■ (centre de) **tir** shooting range • **tir au but** penalty shoot-out 2. (trajectoire) shot 3. (salve) fire (indén) • **tir de roquette** rocket attack • **faire du tir à la carabine** to go rifle-shooting 4. (manière, action de tirer) firing.

tirage nm 1. (de journal) circulation 2. (de livre) • **à grand tirage** mass circulation 3. (du loto) draw • **tirage au sort** drawing lots 4. (de cheminée) draught (UK), draft (US).

tiraillement nm (gén pl) 1. (crampe) cramp 2. fig (conflit) conflict.

tirailler vt 1. (tirer sur) to tug (at) 2. fig (écarteler) • **être tiraillé par/entre qqch** to be torn by/between sthg. ❏ vi to fire wildly.

tiramisu nm CULIN tiramisu.

tiré, e adj (fatigué) • **avoir les traits tirés** ou **le visage tiré** to look drawn.

tire-au-flanc nm inv fam shirker, skiver (UK).

tire-bouchon nm corkscrew. ■ **en tire-bouchon** loc adv corkscrew (avant nom).

tirelire nf moneybox (UK), piggy bank (US).

tirer vt 1. (gén) to pull 2. (rideaux) to draw 3. (tiroir) to pull open 4. (tracer - trait) to draw 5. (revue, livre) to print 6. (avec arme) to fire 7. (faire sortir - vin) to draw off litt & fig to help ou get sb out of • **tirer un revolver/un mouchoir de sa poche** to pull a gun/a handkerchief out of one's pocket • **tirer la langue** to stick out one's tongue 8. (aux cartes, au loto) to draw 9. (plaisir, profit) to derive 10. (déduire - conclusion) to draw ; (- leçon) to learn. ❏ vi 1. (tendre) • **tirer sur** to pull on ou at 2. (aspirer) • **tirer sur** (pipe) to draw ou pull on 3. (couleur) • **bleu tirant sur le vert** greenish blue 4. (cheminée) to draw 5. (avec arme) to fire, to shoot 6. SPORT to shoot. ■ **se tirer** vp 1. fam (s'en aller) to push off 2. (se sortir) • **se tirer de** to get o.s. out of • **s'en tirer** fam to escape.

tiret nm dash.

tireur, euse nm, f (avec arme) gunman • **tireur d'élite** marksman, markswoman f.

tiroir nm drawer.

tiroir-caisse nm till.

tisane nf herb(al) tea.

tisonnier nm poker.

tissage nm weaving.

tisser vt 1. litt & fig to weave 2. (sujet : araignée) to spin.

tissu nm 1. (étoffe) cloth, material 2. BIOL tissue.

titiller vt to titillate.

titre nm 1. (gén) title 2. (de presse) headline 3. (universitaire) diploma, qualification 4. DR title • **titre de propriété** title deed 5. FIN security. ■ **à titre de** loc prép • **à titre d'exemple** by way of example • **à titre d'information** for information. ■ **en titre** loc adj 1. (titulaire) titular 2. (attitré) official • **le fournisseur en titre de la cour de Hollande** the official ou appointed supplier to the Dutch Court. ■ **titre de transport** nm ticket.

titrer vt 1. (œuvre) to title 2. (liquide) to titrate.

tituber vi to totter.

titulaire adj 1. (employé) permanent 2. UNIV with tenure. ❏ nmf 1. (de passeport, permis) holder 2. (de poste, chaire) occupant.

titulariser vt to give tenure to.

TNP (abrév de traité de non-prolifération) nm NPT.

TNT (abrév de Télévision numérique terrestre) nf DTTV.

toast nm 1. (pain grillé) toast (indén) 2. (discours) toast • **porter un toast à** to drink a toast to.

toboggan nm 1. (traîneau) toboggan 2. (de terrain de jeu) slide 3. (de piscine) chute. ■ **Toboggan®** nm (pont) flyover (UK), overpass (US).

toc interj • **et toc !** so there! ❏ nm fam • **c'est du toc** it's fake • **en toc** fake (avant nom).

TOC (abrév de troubles obsessionnels compulsifs) nmpl MÉD OCD.

tocsin nm alarm bell.

tofu nm CULIN tofu.

Togo nm • **le Togo** Togo.

> En anglais, à de rares exceptions près, il n'y a pas d'article devant les noms de pays.

togolais, e adj Togolese. ■ **Togolais, e** nm, f Togolese person • **les Togolais** the Togolese.

> En anglais, les adjectifs se rapportant à un pays ou une région s'écrivent avec une majuscule.

toi pron pers you. ■ **toi-même** pron pers yourself.

toile nf 1. (étoffe) cloth • **toile cirée** oilcloth 2. (de lin) linen 3. (tableau) canvas, picture • **une toile du Greco** a painting by El Greco. ■ **toile d'araignée** nf spider's web. ■ **Toile** nf • **la Toile** INFORM the Web, the web.

toilettage nm grooming.

toilette nf 1. (de personne, d'animal) washing • **faire sa toilette** to (have a) wash (UK), to wash up (US) 2. (parure, vêtements) outfit, clothes pl. ■ **toilettes** nfpl toilet(s) (UK), bathroom (US), rest room (US).

toise nf height gauge.

toiser vt to eye (up and down). ■ **se toiser** vp to eye each other up and down.

toison nf 1. (pelage) fleece 2. (chevelure) mop (of hair).

toit nm roof • **toit ouvrant** sunroof.

toiture nf roof, roofing.

tôle nf (de métal) sheet metal • **tôle ondulée** corrugated iron.

tolérance nf 1. (gén) tolerance 2. (liberté) concession.

tolérant, e adj 1. (large d'esprit) tolerant 2. (indulgent) liberal.

tolérer vt to tolerate. ■ **se tolérer** vp to put up with ou tolerate each other.

tollé nm protest.

tomate nf tomato.

tombal, e adj • **pierre tombale** gravestone.

tombant, e adj 1. (moustaches) drooping 2. (épaules) sloping.

tombe nf (fosse) grave, tomb.

tombeau nm tomb.

tombée nf fall • **à la tombée du jour** ou **de la nuit** at nightfall.

tomber vi 1. (gén) to fall • **la nuit tombe** night is falling • **faire tomber qqn** to knock sb over ou down • **tomber raide mort** to drop down dead • **tomber bien a)** (robe) to hang well **b)** fig (visite, personne) to come at a good time 2. (cheveux) to fall out 3. (nouvelle) to break 4. (diminuer - prix) to fall ; (- fièvre, vent) to drop ; (- jour) to come to an end ; (- colère) to die down 5. (devenir brusquement) • **tomber malade** to fall ill • **tomber amoureux** to fall in love • **être bien/mal tombé** to be lucky/unlucky 6. (trouver) • **tomber sur** to come across 7. (attaquer) • **tomber sur** to set about 8. (date, événement) to fall on.

tombola nf raffle.

tome nm volume.

ton[1] nm 1. (de voix) tone • **hausser/baisser le ton** to raise/lower one's voice 2. MUS key • **donner le ton a)** to give the chord **b)** fig to set the tone 3. (couleur) tone, shade.

ton[2], **ta** adj poss your.

tonalité nf 1. MUS tonality 2. (au téléphone) dialling tone (UK), dial tone (US).

tondeuse nf (à cheveux) clippers pl • **tondeuse (à gazon)** mower, lawnmower.

tondre vt 1. (gazon) to mow 2. (mouton) to shear 3. (caniche, cheveux) to clip.

tondu, e adj 1. (caniche, cheveux) clipped 2. (pelouse) mown.

tongs nfpl flip-flops (UK), thongs (US).

tonicité nf (des muscles) tone.

tonifiant, e adj 1. (climat) invigorating, bracing 2. (lecture) stimulating.

tonifier vt 1. (peau) to tone 2. (esprit) to stimulate.

tonique adj 1. (boisson) tonic (avant nom) 2. (froid) bracing 3. (lotion) toning 4. LING & MUS tonic.

tonitruant, e adj booming.

tonnage nm tonnage.

tonnant, e adj thundering, thunderous.

tonne nf (1000 kg) tonne.

tonneau nm 1. (baril) barrel, cask 2. (en voiture) roll 3. NAUT ton.

tonnelle nf bower, arbour.

tonner vi to thunder.

tonnerre nm thunder • **coup de tonnerre a)** thunderclap **b)** fig bombshell.

tonte nf 1. (de mouton) shearing 2. (de gazon) mowing 3. (de caniche, cheveux) clipping.

tonton nm uncle.

tonus nm 1. (dynamisme) energy 2. (de muscle) tone.

top nm (signal) beep.

toper vi • **tope-là !** right, you're on!

top modèle, top model nm top model.

topo nm fam spiel • **c'est toujours le même topo** fig it's always the same old story.

topographie nf topography.

toque nf 1. (de juge, de jockey) cap 2. (de cuisinier) hat.

torche nf torch • **une torche électrique** an electric torch (UK), a flashlight (US).

torcher vt fam 1. (assiette, fesses) to wipe 2. (travail) to dash off.

torchon nm 1. (serviette) cloth 2. fam (travail) mess.

tordre vt (gén) to twist • **on a tordu les draps pour les sécher** we wrung the sheets in order to dry them. ■ **se tordre** vp • **se tordre la cheville** to twist one's ankle • **se tordre de rire** fam & fig to double up with laughter.

tordu, e pp → tordre. ❑ adj fam 1. (bizarre, fou) crazy 2. (esprit) warped.

tornade nf tornado.

torpeur nf torpor.

torpille nf MIL torpedo.

torpiller vt to torpedo.

torréfaction nf roasting.

torrent nm torrent • **un torrent de a)** fig (injures) a stream of **b)** (lumière, larmes) a flood of.

torrentiel, elle adj torrential.

torride adj torrid.

torsade nf 1. (de cheveux) twist, coil 2. (de pull) cable.

torsader vt to twist.

torse nm chest.

torsion nf 1. twisting 2. PHYS torsion.

tort nm 1. (erreur) fault • **avoir tort** to be wrong • **être dans son** ou **en tort** to be in the wrong • **à tort** wrongly 2. (préjudice) wrong.

torticolis nm stiff neck.

tortiller vt **1.** (enrouler) to twist **2.** (moustache) to twirl. ■ **se tortiller** vp to writhe, to wriggle.

tortionnaire nmf torturer.

tortue nf **1.** tortoise **2.** (marine) turtle **3.** fig slowcoach (UK), slowpoke (US).

tortueux, euse adj **1.** winding, twisting **2.** fig tortuous.

torture nf torture • **avouer sous la torture** to confess under torture.

torturer vt to torture. ■ **se torturer** vp to torment o.s. • **se torturer pour** to agonize over.

tôt adv **1.** (de bonne heure) early **2.** (avant le moment prévu) soon **3.** (vite) soon, early. ■ **au plus tôt** loc adv at the earliest.

total, e adj total. ■ **total** nm total.

totalement adv totally.

totaliser vt **1.** (additionner) to add up, to total **2.** (réunir) to have a total of.

totalitaire adj totalitarian.

totalitarisme nm totalitarianism.

totalité nf (intégralité) whole. ■ **en totalité** loc adv • **somme remboursée en totalité** sum paid back in full • **le navire a été détruit en totalité** the ship was completely destroyed, the whole ship was destroyed.

totem nm totem.

Touareg, ègue, Targui, e nm,f Tuareg.

toubib nmf fam doc.

touchant, e adj touching.

touche nf **1.** (de clavier) key • **touche de fonction** function key **2.** (de peinture) stroke **3.** fig (note) • **une touche de** a touch of **4.** (à la pêche) bite **5.** (FOOTBALL - ligne) touch line ; (- remise en jeu) throw-in **6.** (rugby - ligne) touch (line) ; (- remise en jeu) line-out **7.** (escrime) hit.

touche-à-tout nmf inv fam **1.** (adulte) dabbler **2.** (enfant) • **c'est un petit touche-à-tout** he's into everything.

toucher nm • **le toucher** the (sense of) touch • **au toucher** to the touch. ❏ vt **1.** (palper, émouvoir) to touch **2.** (correspondant) to contact, to reach **3.** (cible) to hit **4.** (rivage) to reach **5.** (cible) to hit **6.** (salaire) to get, to be paid **7.** (chèque) to cash **8.** (gros lot) to win **9.** (concerner) to affect, to concern. ❏ vi • **toucher à a)** to touch **b)** (problème) to touch on **c)** (inconscience, folie) to border ou verge on **d)** (maison) to adjoin • **toucher à sa fin** to draw to a close. ■ **se toucher** vp (maisons) to be adjacent (to each other), to adjoin (each other).

touffe nf tuft.

touffu, e adj **1.** (forêt) dense **2.** (barbe) bushy.

touiller vt **1.** fam (mélanger) to stir **2.** (salade) to toss.

■ **toujours** adv

1. INDIQUE UNE RÉPÉTITION
• **Mathilde est toujours en retard** Mathilde is always late

2. INDIQUE UNE CONTINUITÉ, UNE PERSISTANCE DANS LE PRÉSENT
• **il aime toujours sa femme** he still loves his wife • **je ne sais pas s'il joue toujours pour Marseille** I don't know whether he still plays for Marseilles • **elle est partie il y a une heure et elle n'est toujours pas revenue** she left an hour ago and she still hasn't come back • **j'espère toujours qu'elle viendra** I'm still hoping ou I keep hoping she'll come • **cette rue est toujours encombrée** this street is always ou constantly jammed

3. INDIQUE UNE CONTINUITÉ, UNE PERSISTANCE DANS LE FUTUR
• **ils s'aimeront toujours** they will always love one another, they will love one another forever • **il est parti pour toujours** he's gone forever ou for good

4. DE TOUTE FAÇON
• **essayez toujours, il vous répondra peut-être** try anyway ou anyhow ou you may as well try, he might answer you

■ **de toujours** loc adj
• **ce sont des amis de toujours** they are lifelong friends

■ **toujours est-il que** loc conj
the fact remains that • **toujours est-il qu'il n'est pas venu** the fact remains, he hasn't turned up

■ **toujours moins** loc adv
• **elle est toujours moins disponible à cause de son travail** she is less and less available because of her work

■ **toujours plus** loc adv
• **il est toujours plus beau** he just keeps getting better looking

À PROPOS DE **toujours**

Il faut noter la position de **always** dans la phrase.
Avec un verbe autre que **to be** conjugué, **always** s'insère ainsi : sujet + **always** + verbe
• Il essaie toujours de me contredire. **He always tries to contradict me.**
Avec le verbe **to be** conjugué, **always** se place comme ceci : sujet + **be** + **always**
• Il est toujours très aimable avec les clients. **He's always very friendly with customers.**

Lorsqu'il signifie *encore*, *toujours* se traduit par **still**.

Avec un verbe autre que **to be** conjugué, **still** s'insère comme suit : sujet + **still** + verbe

● *Je ne comprends toujours pas.* **I** still **don't understand.**

Avec le verbe **be** conjugué, **still** se place ainsi : sujet + **be** + **still**

● *Il est toujours à Marseille ?* **Is he** still **in Marseille?**

toupet nm **1.** (de cheveux) quiff (UK), tuft of hair **2.** fam & fig (aplomb) cheek ● **avoir du toupet, ne pas manquer de toupet** to have a cheek.

toupie nf (spinning) top.

tour nm **1.** (périmètre) circumference ● **faire le tour de** to go round ● **faire un tour** to go for a walk/drive *etc* ● **tour d'horizon** survey ● **tour de piste** SPORT lap ● **tour de taille** waist measurement **2.** (rotation) turn ● **fermer à double tour** to double-lock **3.** (plaisanterie) trick **4.** (succession) turn ● **c'est à mon tour** it's my turn ● **à tour de rôle** in turn ● **tour à tour** alternately, in turn **5.** (d'événements) turn **6.** (de potier) wheel. ❑ nf **1.** (monument, de château) tower **2.** (immeuble) tower-block (UK), high rise (US) **3.** (échecs) rook, castle. ■ **tour de contrôle** nf control tower. ■ **Tour de France** npr m ● **le Tour de France** the Tour de France.

tourbe nf peat.

tourbillon nm **1.** (de vent) whirlwind **2.** (de poussière, fumée) swirl **3.** (d'eau) whirlpool **4.** fig (agitation) hurly-burly.

tourbillonner vi **1.** to whirl, to swirl **2.** fig to whirl (round).

tourelle nf turret.

tourisme nm tourism.

tourista, turista nf traveller's (UK) ou traveler's (US) tummy, t(o)urista (US).

touriste nmf tourist.

touristique adj tourist (avant nom) ● **malheureusement ce quartier est devenu très touristique** unfortunately, this area has become very touristy.

tourment nm littéraire torment.

tourmente nf littéraire **1.** (tempête) storm, tempest **2.** fig turmoil.

tourmenter vt to torment. ■ **se tourmenter** vp to worry o.s., to fret.

tournage nm CINÉ shooting.

tournant, e adj **1.** (porte) revolving **2.** (fauteuil) swivel (avant nom) **3.** (pont) swing (avant nom). ■ **tournant** nm **1.** bend **2.** fig turning point.

tourné, e adj (lait) sour, off.

tournée nf **1.** (voyage) tour **2.** fam (consommations, distribution) round ● **le facteur fait sa tournée** the postman is doing his round.

tourner vt **1.** (gén) to turn **2.** (pas, pensées) to turn, to direct **3.** (obstacle, loi) to get round (UK) ou around (US) **4.** CINÉ to shoot. ❑ vi **1.** (gén) to turn **2.** (moteur) to turn over **3.** (planète) to revolve ● **tourner autour de qqn** fig to hang around sb ● **tourner autour du pot** ou **du sujet** fig to beat about the bush **4.** fam (entreprise) to tick over (UK), to go ok **5.** (lait) to go off (UK), to go bad (US). ■ **se tourner** vp to turn (right) round (UK) ou around (US) ● **se tourner vers** to turn towards ou toward (US).

tournesol nm (plante) sunflower.

tournevis nm screwdriver.

tourniquet nm **1.** (entrée) turnstile **2.** MÉD tourniquet.

tournis nm fam ● **avoir le tournis** to feel dizzy ou giddy.

tournoi nm tournament.

tournoyer vi to wheel, to whirl.

tournure nf **1.** (apparence) turn **2.** (formulation) form ● **tournure de phrase** turn of phrase.

tour-opérateur nm tour operator.

tourteau nm (crabe) crab.

tourterelle nf turtledove.

Toussaint nf ● **la Toussaint** All Saints' Day.

tousser vi to cough.

toussotement nm coughing.

toussoter vi to cough.

tout

■ tout, toute adj

1. AVEC SUBSTANTIF SINGULIER DÉTERMINÉ
● **elle a bu tout le vin** she drank all the wine ● **il a dormi toute la journée/la nuit** he slept all day/night, the whole day/night ● **toute sa famille était fière de lui** all his family ou his whole family was proud of him ● **tout le monde le sait** everybody knows ● **tout le monde est invité** everyone is invited

2. AVEC UN PRONOM DÉMONSTRATIF
● **je sais tout ceci/cela** I know all this/that ● **tout ce que je sais, c'est que je ne peux pas lui faire confiance** all I know is that I can't trust him

■ tout, toute adj indéf

1. AVEC SUBSTANTIF PLURIEL
● **tous les gâteaux sont frais** all the cakes are fresh ● **tous les deux sont charmants** both of us/them *etc* are charming ● **tous les trois sont responsables** all three of us/them *etc* are responsible

2. EXPRIME LA FRÉQUENCE
every ● **il va à la piscine tous les jours** he goes to the swimming pool every day ● **tous les deux ans, ils vont au Japon** every two years ou every other year, they go to Japan ● **tous les combien ?** fam how often?

3. N'IMPORTE QUEL
- **toute personne susceptible de nous aider est la bienvenue** any person *ou* anyone able to help us is welcome • **à toute heure** at any time • **pour tout renseignement, appelez le numéro suivant** for all information, call the following number

■ **tout, toute** *pron indéf*
- **je t'ai tout dit** I've told you everything • **ce sera tout ?** will that be all? • **c'est tout** that's all

■ **du tout au tout** *loc adv*
completely, entirely • **en deux ans, il a changé du tout au tout** in two years, he changed entirely

■ **pas du tout** *loc adv*
not at all • **je ne suis pas du tout fatiguée** I'm not at all tired *ou* I'm not tired at all

■ **tout** *adv*

1. POUR RENFORCER
- **il est tout jeune** he's very young • **elle est tout étonnée** she's very *ou* most surprised • **c'est tout autre chose** that's quite another matter • **ils étaient tout seuls** they were all alone • **la boîte est tout en haut** the box is right at the top

2. AVEC UN GÉRONDIF, INDIQUE LA SIMULTANÉITÉ
- **il mange un sandwich tout en marchant** he's eating a sandwich while walking

3. AVEC UN GÉRONDIF, INDIQUE UNE OPPOSITION
- **tout en prétendant vouloir l'aider, il ne voulait pas qu'elle réussisse** although *ou* even though he claimed to help her, he didn't want her to succeed

4. MARQUE UNE OPPOSITION
- **tout intelligent qu'il soit, il n'est pas capable de résoudre ce problème** however intelligent he is *ou* no matter how intelligent he is, he can't solve this problem

■ **tout** *nm*
- **un tout** a whole • **le tout est de...** the main thing is to...

■ **tout à fait** *loc adv*

1. COMPLÈTEMENT
entirely • **je suis tout à fait d'accord avec toi** I entirely agree with you

2. EXACTEMENT
exactly • **c'est tout à fait ce que je cherche** it's exactly what I'm looking for

■ **tout à l'heure** *loc adv*

1. DANS LE FUTUR
in a little while • **à tout à l'heure !** see you later!

2. DANS LE PASSÉ
a little while ago • **je l'ai rencontré tout à l'heure** I met him a little while ago

■ **tout de suite** *loc adv*
immediately, at once • **j'arrive tout de suite !** I'll be right there!

À PROPOS DE

tout

all et **every** s'utilisent différemment. **all** peut s'utiliser avec des noms au pluriel **all men** ou des noms singuliers indénombrables **all the money** ; **every**, en revanche, ne peut s'utiliser qu'avec des noms indénombrables au singulier **every town in the country**.
Notez que **all the** s'emploie lorsqu'on parle de la totalité d'un groupe défini (**all the boys in the class** = *les garçons de la classe*), alors que **all** s'emploie seul lorsqu'on parle d'un groupe indéfini (**all men** = *tous les hommes du monde*).

---

tout-à-l'égout *nm inv* mains drainage.

toutefois *adv* however.

toutou *nm fam* doggie.

tout-petit *nm* toddler, tot.

tout-puissant, toute-puissante *adj* omnipotent, all-powerful.

toux *nf* cough • **un sirop contre la toux** a cough syrup.

toxicomane *nmf* drug addict.

toxine *nf* toxin.

toxique *adj* toxic.

TPE *nmpl* (abrév de travaux personnels encadrés) GIS. □ *nf* (abrév de très petite entreprise) VSB.

trac *nm* **1.** nerves *pl* **2.** THÉÂTRE stage fright • **avoir le trac a)** to get nervous **b)** THÉÂTRE to get stage fright.

traçabilité *nf* traceability.

tracas *nm* worry.

tracasser *vt* to worry, to bother. ■ **se tracasser** *vp* to worry.

tracasserie *nf* annoyance.

trace *nf* **1.** (d'animal, de fugitif) track **2.** (de brûlure, fatigue) mark **3.** (gén pl) (vestige) trace **4.** (très petite quantité) • **une trace de** a trace of.

tracé *nm* **1.** (lignes) plan, drawing **2.** (de parcours) line.

tracer *vt* **1.** (dessiner, dépeindre) to draw **2.** (route, piste) to mark out.

trachéite *nf* throat infection.

tract *nm* leaflet.

tractations *nfpl* negotiations, dealings.

tracter *vt* to tow.

tracteur *nm* tractor.

traction *nf* **1.** (action de tirer) towing, pulling • **traction avant/arrière** front-/rear-wheel drive **2.** TECHNOL tensile stress **3.** *(SPORT - au sol)* press-up **(UK)**, push-up **(US)** ; *(-à la barre)* pull-up.

trader *nm* trader.

tradition *nf* tradition.

traditionnel, elle *adj* **1.** *(de tradition)* traditional **2.** *(habituel)* usual.

traducteur, trice *nm, f* translator.

traduction *nf (gén)* translation • **une traduction de l'anglais vers le français** a translation from English into French.

traduire *vt* **1.** *(texte)* to translate • **traduire qqch en français/anglais** to translate sthg into French/English **2.** *(révéler - crise)* to reveal, to betray ; *(- sentiments, pensée)* to render, to express **3.** DR • **traduire qqn en justice** to bring sb before the courts.

trafic *nm* **1.** *(de marchandises)* traffic, trafficking **2.** *(circulation)* traffic. ■ **trafic d'influence** *nm* corruption, taking bribes.

trafiquant, e *nm, f* trafficker, dealer.

trafiquer *vt fam* **1.** *(falsifier)* to tamper with **2.** *(manigancer)* • **qu'est-ce que tu trafiques ?** what are you up to? ❏ *vi* to be involved in trafficking.

tragédie *nf* tragedy.

tragi-comédie *nf* tragicomedy.

tragique *adj* tragic.

tragiquement *adv* tragically.

trahir *vt* **1.** *(gén)* to betray • **trahir la confiance de quelqu'un** to betray somebody's trust **2.** *(sujet : moteur)* to let down **3.** *(sujet : forces)* to fail **4.** *(révéler, démasquer)* to betray, to give away *(sép).* ■ **se trahir** *vp* to give o.s. away.

trahison *nf* **1.** *(gén)* betrayal **2.** DR treason.

train *nm* **1.** *(transports)* train • **voyager en train** to travel by train **2.** *(allure)* pace **3.** *(locution)* • **être en train** *fig* to be on form. ■ **en train de** *loc prép* • **être en train de lire/travailler** to be reading/working. ■ **train de vie** *nm* lifestyle.

traînant, e *adj* **1.** *(voix)* drawling **2.** *(démarche)* dragging.

traîne *nf* **1.** *(de robe)* train **2.** *(locution)* • **être à la traîne** to lag behind.

traîneau *nm* sleigh, sledge.

traînée *nf* **1.** *(trace)* trail **2.** *tfam & injur (prostituée)* tart, whore.

traîner *vt* **1.** *(tirer, emmener)* to drag **2.** *(emmener avec soi)* to lug around, to cart around **3.** *(maladie)* to be unable to shake off **4.** *(dans la rue)* to hang around. ❏ *vi* **1.** *(personne, animal)* to dawdle **2.** *(maladie, affaire)* to drag on • **traîner en longueur** to drag **3.** *(vêtements, livres)* to lie around *ou* about. ■ **se traîner** *vp* **1.** *(personne)* to drag o.s. along **2.** *(jour, semaine)* to drag.

training *nm* **1.** *(entraînement)* training **2.** *(survêtement)* tracksuit top.

train-train *nm inv fam* routine, daily grind.

traire *vt (vache)* to milk.

trait *nm* **1.** *(ligne)* line, stroke • **trait d'union** hyphen • **trait de soulignement** underscore **2.** *(gén pl) (de visage)* feature **3.** *(caractéristique)* trait, feature **4.** *(locution)* • **avoir trait à** to have to do with, to concern. ■ **d'un trait** *loc adv (boire, lire)* in one go. ■ **trait d'union** *nm* **1.** hyphen **2.** *fig* link • **ce mot prend un trait d'union** this word is hyphenated *ou* takes a hyphen, this is a hyphenated word • **servir de trait d'union entre** *fig* to bridge the gap between, to link.

traitant, e *adj (shampooing, crème)* medicated ; → **médecin**.

traite *nf* **1.** *(de vache)* milking **2.** COMM bill, draft **3.** *(d'esclaves)* • **la traite des noirs** the slave trade • **la traite des Blanches** the white slave trade. ■ **d'une seule traite** *loc adv* without stopping, in one go.

traité *nm* **1.** *(ouvrage)* treatise **2.** POLIT treaty • **traité de non-prolifération** non-proliferation treaty.

traitement *nm* **1.** *(gén)* treatment • **mon père est sous traitement pour son cœur** my father is having treatment for his heart • **mauvais traitement** ill-treatment **2.** *(rémunération)* wage **3.** INFORM processing • **traitement de texte** word processing **4.** *(procédé)* processing **5.** *(de problème)* handling.

traiter *vt* **1.** *(gén)* to treat • **bien/mal traiter qqn** to treat sb well/badly **2.** *(qualifier)* • **traiter qqn d'imbécile/de lâche** *etc* to call sb an imbecile/a coward *etc* **3.** *(question, thème)* to deal with **4.** *(dans l'industrie)* INFORM to process. ❏ *vi* **1.** *(négocier)* to negotiate **2.** *(livre)* • **traiter de** to deal with.

traiteur *nm* caterer.

traître, esse *adj* treacherous. ❏ *nm, f* traitor.

traîtrise *nf* **1.** *(déloyauté)* treachery **2.** *(acte)* act of treachery.

trajectoire *nf* **1.** trajectory, path **2.** *fig* path.

trajet *nm* **1.** *(distance)* distance **2.** *(itinéraire)* route **3.** *(voyage)* journey.

trame *nf* **1.** weft **2.** *fig* framework.

tramer *vt sout* to plot. ■ **se tramer** *vp* to be plotted. ❏ *v impers* • **il se trame quelque chose** there's something afoot.

traminot *nm* tram(way) **(UK)** *ou* streetcar **(US)** worker.

tramontane *nf pour expliquer à un anglophone de quoi il s'agit, vous pourrez dire* it is a strong cold wind in southwest France.

trampoline *nm* trampoline.

tramway *nm* tram **(UK)**, streetcar **(US)**.

tranchant, e *adj* **1.** *(instrument)* sharp **2.** *(personne)* assertive **3.** *(ton)* curt. ■ **tranchant** *nm* edge.

tranche *nf* **1.** *(de gâteau, jambon)* slice • **tranche d'âge** *fig* age bracket **2.** *(de livre, pièce)* edge **3.** *(période)* part, section **4.** *(de revenus)* portion **5.** *(de* *paiement)* instalment (**UK**), installment (**US**) **6.** *(fiscale)* bracket.

tranchée *nf* MIL *(Travaux Publics)* trench • **creuser une tranchée** to (dig a) trench.

trancher *vt* **1.** *(couper)* to cut **2.** *(pain, jambon)* to slice • **trancher la question** *fig* to settle the question. ❑ *vi* **1.** *fig (décider)* to decide **2.** *(contraster)* • **trancher avec** *ou* **sur** to contrast with.

tranquille *adj* **1.** *(endroit, vie)* quiet • **laisser qqn/ qqch tranquille** to leave sb/sthg alone • **se tenir/rester tranquille** to keep/remain quiet **2.** *(rassuré)* at ease, easy • **soyez tranquille** don't worry.

tranquillement *adv* **1.** *(sans s'agiter)* quietly **2.** *(sans s'inquiéter)* calmly.

tranquillisant, e *adj* **1.** *(nouvelle)* reassuring **2.** *(médicament)* tranquillizing. ■ **tranquillisant** *nm* tranquillizer (**UK**), tranquilizer (**US**) • **être sous tranquillisants** to be on tranquillizers.

tranquilliser *vt* to reassure. ■ **se tranquilliser** *vp* to set one's mind at rest.

tranquillité *nf* **1.** *(calme)* peacefulness, quietness **2.** *(sérénité)* peace, tranquillity (**UK**), tranquility (**US**).

transaction *nf* transaction.

transalpin, e *adj* transalpine.

transat *nm* deckchair. ❑ *nf* transatlantic race.

transatlantique *adj* transatlantic. ❑ *nm* transatlantic liner. ❑ *nf* transatlantic race.

transcription *nf* **1.** *(de document)* MUS transcription **2.** *(dans un autre alphabet)* transliteration • **transcription phonétique** phonetic transcription.

transcrire *vt* **1.** *(document)* MUS to transcribe **2.** *(dans un autre alphabet)* to transliterate.

transcrit, e *pp* → transcrire.

transe *nf* • **être en transe** *fig* to be beside o.s.

transférer *vt* to transfer.

transfert *nm* transfer.

transfigurer *vt* to transfigure.

transformable *adj* convertible.

transformateur, trice *adj (dans l'industrie)* processing *(avant nom).* ■ **transformateur** *nm* transformer.

transformation *nf* **1.** *(de pays, personne)* transformation **2.** *(dans l'industrie)* processing **3.** *(rugby)* conversion.

transformer *vt* **1.** *(gén)* to transform **2.** *(magasin)* to convert • **transformer qqch en** to turn sthg into **3.** *(dans l'industrie, au rugby)* to convert. ■ **se transformer** *vp* • **se transformer en monstre/papillon** to turn into a monster/ butterfly.

transfuge *nmf* renegade.

transfuser *vt (sang)* to transfuse.

transfusion *nf* • **transfusion (sanguine)** (blood) transfusion • **on lui a fait une transfusion** he was given a transfusion.

transgénique *adj* transgenic.

transgresser *vt* **1.** *(loi)* to infringe **2.** *(ordre)* to disobey.

transhumance *nf* transhumance.

transi, e *adj* • **être transi de** to be paralysed (**UK**) *ou* paralyzed (**US**), to be transfixed with • **être transi de froid** to be chilled to the bone.

transiger *vi* • **transiger (sur)** to compromise (on).

transistor *nm* transistor.

transit *nm* transit.

transiter *vi* to pass in transit.

transitif, ive *adj* transitive.

transition *nf* transition • **sans transition** with no transition, without transition, abruptly.

transitivité *nf* transitivity.

transitoire *adj (passager)* transitory.

translucide *adj* translucent.

transmettre *vt* **1.** *(message, salutations)* • **transmettre qqch (à)** to pass sthg on (to) **2.** *(tradition, propriété)* • **transmettre qqch (à)** to hand sthg down (to) **3.** *(fonction, pouvoir)* • **transmettre qqch (à)** to hand sthg over (to) **4.** *(maladie)* • **transmettre qqch (à)** to transmit sthg (to), to pass sthg on (to) **5.** *(concert, émission)* to broadcast. ■ **se transmettre** *vp* **1.** *(maladie)* to be passed on, to be transmitted **2.** *(nouvelle)* to be passed on **3.** *(courant, onde)* to be transmitted **4.** *(tradition)* to be handed down.

transmis, e *pp* → transmettre.

transmissible *adj* **1.** *(patrimoine)* transferable **2.** *(maladie)* transmissible.

transmission *nf* **1.** *(de biens)* transfer **2.** *(de maladie)* transmission **3.** *(de message)* passing on **4.** *(de tradition)* handing down.

transparaître *vi* to show.

transparence *nf* transparency.

transparent, e *adj* transparent. ■ **transparent** *nm* transparency.

transpercer *vt* **1.** to pierce **2.** *fig (sujet : froid, pluie)* to go right through.

transpiration *nf (sueur)* perspiration.

transpirer *vi (suer)* to perspire, to sweat.

transplantation *nf* **1.** *(d'arbre, de population)* transplanting **2.** MÉD transplant.

transplanter *vt* to transplant.

transport *nm* transport *(indén)*, transportation *(indén)* (**US**) • **transports en commun** public transport *sing* • **le transport aérien** air transport • **les moyens de transport** means of transport.

LEXIQUE

les moyens de transports

l'avion the plane
le bateau the boat
la bicyclette/le vélo the bicycle/ the bike
le bus the bus
le camion the lorry (**UK**), the truck (**US**)

LEXIQUE (suite)

la camionnette the van
l'hélicoptère the helicopter
le métro the underground (UK), the subway (US)
la Mobylette the moped
le monospace the people carrier (UK), the minivan (US)
la moto the motorbike, the motor- cycle (US)
les rollers the rollerblades
le scooter the scooter
le train the train
le tramway the tram (UK), the streetcar (US)
la trottinette the child's scooter
la voiture the car

transportable adj 1. (marchandise) transportable 2. (blessé) fit to be moved.

transporter vt (marchandises, personnes) to transport.

transporteur nm (personne) carrier • **transporteur routier** road haulier (UK) ou hauler (US).

transposer vt 1. (déplacer) to transpose 2. (adapter) • **transposer qqch (à)** to adapt sthg (for).

transposition nf 1. (déplacement) transposition 2. (adaptation) • **transposition (à)** adaptation (for).

transsexuel, elle adj & nm, f transsexual.

transvaser vt to decant.

transversal, e adj 1. (coupe) cross (avant nom) • **coupe transversale** cross-section 2. (chemin) running at right angles, cross (avant nom) (US) 3. (vallée) transverse.

trapèze nm 1. GÉOM trapezium 2. (gymnastique) trapeze.

trapéziste nmf trapeze artist.

trappe nf 1. (ouverture) trapdoor 2. (piège) trap.

trappeur nm trapper.

trapu, e adj 1. (personne) stocky, solidly built 2. (édifice) squat.

traquenard nm 1. trap 2. fig trap, pitfall.

traquer vt 1. (animal) to track 2. (personne, faute) to track ou hunt down.

traumatiser vt to traumatize.

traumatisme nm traumatism.

travail nm 1. (gén) work (indén) • **se mettre au travail** to get down to work • **demander du travail** (projet) to require some work 2. (tâche, emploi) job • **travail intérimaire** temporary work 3. (du métal, du bois) working 4. (phénomène - du bois) warping ; (- du temps, fermentation) action 5. MÉD • **être en travail** to be in labour (UK) ou labor (US) • **entrer en travail** to go into labour (UK) ou labor (US). ■ **travaux** nmpl 1. (d'aménagement) work (indén) 2. (routiers) roadworks (UK), roadwork (US) • **travaux publics** civil engineering sing 3. SCOL • **travaux dirigés** class work

• **travaux manuels** arts and crafts • **travaux pratiques** practical work (indén).

travail

Attention ! Le mot **work** est généralement indénombrable lorsqu'il désigne le travail. Il ne s'emploie ni au pluriel, ni avec l'article indéfini **a** dans ce contexte :
• C'est un travail épuisant. **It's exhausting work.**
• Ils font des travaux sur la route. **They're doing some work on the road.**

travaillé, e adj 1. (matériau) wrought, worked 2. (style) laboured (UK), labored (US) 3. (tourmenté) • **être travaillé par** to be tormented by.

travailler vi 1. (gén) to work • **travailler chez/dans** to work at/in • **travailler à qqch** to work on sthg • **travailler à temps partiel** to work part-time • **travailler en indépendant** to be self-employed 2. (métal, bois) to warp. ❑ vt 1. (étudier) to work at ou on 2. (piano) to practise (UK), to practice (US) 3. (essayer de convaincre) to work on 4. (sujet : idée, remords) to torment 5. (matière) to work, to fashion.

travailleur, euse adj hard-working. ❑ nm, f worker.

travailliste nmf member of the Labour Party. ❑ adj Labour (avant nom).

travée nf 1. (de bâtiment) bay 2. (de sièges) row.

travelling nm (mouvement) travelling (UK) ou traveling (US) shot.

travers nm failing, fault. ■ **à travers** loc adv & loc prép through. ■ **au travers** loc adv through. ■ **au travers de** loc prép through. ■ **de travers** loc adv 1. (mal fixé - écrire) unevenly • **marcher de travers** to stagger 2. (nez, escalier) crooked 3. (obliquement) sideways 4. (mal) wrong • **aller de travers** to go wrong • **comprendre qqch de travers** to misunderstand sthg. ■ **en travers** loc adv crosswise. ■ **en travers de** loc prép across.

traverse nf 1. (de chemin de fer) sleeper (UK), tie (US) 2. (chemin) short cut.

traversée nf crossing.

traverser vt 1. (rue, mer, montagne) to cross 2. (ville) to go through 3. (peau, mur) to go through, to pierce 4. (crise, période) to go through.

traverser

L'idée rendue par le verbe traverser peut se traduire soit par **across** soit par **through**. Across suggère des surfaces planes et des espaces à deux dimensions (I ran **across** the road ; he swam **across** the lake), tandis que **through** évoque des espaces à trois dimensions, comprenant parfois un obstacle (we walked **through** the wood ; the nail went right **through** the wall).

traversin nm bolster.

travesti, e adj 1. *(pour s'amuser)* dressed up (in fancy dress) 2. *THÉÂTRE (comédien)* playing a female part. ■ **travesti** nm *(homosexuel)* transvestite.

travestir vt 1. *(déguiser)* to dress up 2. *fig (vérité, idée)* to distort. ■ **se travestir** vp 1. *(pour bal)* to wear fancy dress 2. *(en femme)* to put on drag.

trébucher vi • **trébucher (sur/contre)** to stumble *(over/against)*.

trèfle nm 1. *(plante)* clover • **un trèfle à quatre feuilles** a four-leaf clover 2. *(carte)* club 3. *(famille)* clubs pl • **le roi de trèfle** the king of clubs.

treille nf 1. *(vigne)* climbing vine 2. *(tonnelle)* trellised vines pl, vine arbour.

treillis nm 1. *(clôture)* trellis (fencing) 2. *(toile)* canvas 3. *MIL* combat uniform.

treize adj num inv & nm thirteen. Voir aussi **six**.

treizième adj num inv, nm & nmf thirteenth • **treizième mois** *pour expliquer à un anglophone de quoi il s'agit, vous pouvez dire* it is a bonus of an extra month's salary. Voir aussi **sixième**.

trekkeur, euse nm, f trekker.

trekking nm trek.

tréma nm diaeresis (UK), dieresis (US).

tremblant, e adj 1. *(personne - de froid)* shivering ; *(- d'émotion)* trembling, shaking 2. *(voix)* quavering 3. *(lumière)* flickering.

tremblement nm 1. *(de corps)* trembling • **être pris de tremblements** to start to shake 2. *(de voix)* quavering 3. *(de feuilles)* fluttering. ■ **tremblement de terre** nm earthquake.

trembler vi 1. *(personne - de froid)* to shiver ; *(- d'émotion)* to tremble, to shake • **trembler de peur** to tremble with fear, to shake with fear 2. *(voix)* to quaver 3. *(lumière)* to flicker 4. *(terre)* to shake.

trembloter vi 1. *(personne)* to tremble 2. *(voix)* to quaver 3. *(lumière)* to flicker.

trémousser ■ **se trémousser** vp to jig up and down.

trempe nf 1. *(envergure)* calibre • **de sa trempe** of his/her calibre 2. *fam (coups)* thrashing.

tremper vt 1. *(mouiller)* to soak 2. *(plonger)* • **tremper qqch dans** to dip sthg into 3. *(métal)* to harden, to quench. ❑ vi *(linge)* to soak. ■ **se tremper** vp 1. *(se mouiller)* to get soaking wet 2. *(se plonger)* to have a quick dip.

tremplin nm 1. *SKI* ski jump 2. *fig* springboard.

trentaine nf 1. *(nombre)* • **une trentaine de** about thirty 2. *(âge)* • **avoir la trentaine** to be in one's thirties.

trente adj num inv thirty. ❑ nm thirty. Voir aussi **six**.

trente-six adj num 1. *fam (pour exprimer la multitude)* umpteen, dozens of • **il n'y a pas trente-six solutions !** there aren't all that many solutions! • **j'ai trente-six mille choses**

à faire I've a hundred and one things to do 2. *(locution)* • **voir trente-six chandelles** to see stars. ❑ nm inv fam • **tous les trente-six du mois** once in a blue moon. Voir aussi **cinquante**.

trentième adj num inv, nm & nmf thirtieth. Voir aussi **sixième**.

trépasser vi littéraire to pass away.

trépidant, e adj *(vie)* hectic.

trépied nm *(support)* tripod.

trépigner vi to stamp one's feet.

très adv very • **très bien** very well • **être très aimé** to be much ou greatly liked • **j'ai très envie de...** I'd very much like to....

trésor nm treasure. ■ **Trésor** nm • **le Trésor public** the public revenue department. ■ **trésors** nmpl riches, treasures • **des trésors de** *fig* a wealth *sing* of.

trésorerie nf 1. *(service)* accounts department 2. *(gestion)* accounts pl 3. *(fonds)* finances pl, funds pl.

trésorier, ère nm, f treasurer.

tressaillement nm 1. *(de joie)* thrill 2. *(de douleur)* wince.

tressaillir vi 1. *(de joie)* to thrill 2. *(de douleur)* to wince 3. *(sursauter)* to start, to jump.

tressauter vi 1. *(sursauter)* to jump, to start 2. *(dans véhicule)* to be tossed about.

tresse nf 1. *(de cheveux)* plait 2. *(de rubans)* braid.

tresser vt 1. *(cheveux)* to plait 2. *(osier)* to braid 3. *(panier, guirlande)* to weave.

tréteau nm trestle.

treuil nm winch, windlass.

trêve nf 1. *(cessez-le-feu)* truce 2. *fig (répit)* rest, respite • **trêve de plaisanteries/de sottises** that's enough joking/nonsense. ■ **sans trêve** loc adv relentlessly, unceasingly.

tri nm 1. *(de lettres)* sorting 2. *(de candidats)* selection • **faire le tri dans qqch** *fig* to sort sthg out 3. *(dans les poubelles)* • **tri sélectif (des déchets)** *si vous voulez donner une définition à un anglophone, vous pouvez dire* it is the sorting of household waste into different types for recycling.

triage nm 1. *(de lettres)* sorting 2. *(de candidats)* selection.

triangle nm triangle • **un triangle isocèle** an isosceles triangle • **un triangle rectangle** a right-angled triangle.

triangulaire adj triangular.

triathlon nm triathlon.

tribal, e adj tribal.

tribord nm starboard • **à tribord** on the starboard side, to starboard.

tribu nf tribe.

tribulations nfpl tribulations, trials.

tribunal, aux nm *DR* court • **tribunal correctionnel** ≃ magistrates' court (UK) ; ≃ county court (US) • **tribunal de grande instance**

≃ crown court (UK); ≃ circuit court (US) • **le tribunal pour enfants** the juvenile court.

tribune nf **1.** (d'orateur) platform **2.** (gén pl) (de stade) stand.

tribut nm littéraire tribute.

tributaire adj • **être tributaire de** to depend ou be dependent on.

triceps nm triceps.

triche nf fam cheating.

tricher vi **1.** (au jeu, à un examen) to cheat **2.** (mentir) • **tricher sur** to lie about.

tricherie nf cheating.

tricheur, euse nm, f cheat.

tricolore adj **1.** (à trois couleurs) three-coloured (UK), three-colored (US) **2.** (français) French.

tricot nm **1.** (vêtement) jumper (UK), sweater **2.** (ouvrage) knitting • **faire du tricot** to knit **3.** (étoffe) knitted fabric, jersey.

tricoter vi & vt to knit.

tricycle nm tricycle.

trier vt **1.** (classer) to sort out **2.** (sélectionner) to select.

trigonométrie nf trigonometry.

trilingue adj trilingual.

trillion nm trillion.

trilogie nf trilogy.

trimer vi fam to slave away.

trimestre nm SCOL term (UK), trimester (US), quarter (US).

trimestriel, elle adj **1.** (loyer, magazine) quarterly **2.** SCOL end-of-term (avant nom) (UK).

tringle nf rod • **tringle à rideaux** curtain rod.

trinité nf littéraire trinity. ■ **Trinité** nf • **la Trinité** the Trinity.

trinquer vi (boire) to toast, to clink glasses • **trinquer à** to drink to.

trio nm trio.

triomphal, e adj **1.** (succès) triumphal **2.** (accueil) triumphant.

triomphant, e adj **1.** (équipe) winning **2.** (air) triumphant.

triomphe nm triumph.

triompher vi (gén) to triumph • **triompher de** to triumph over.

tripes nfpl **1.** (d'animal, de personne) guts **2.** CULIN tripe sing.

triple adj triple. ❏ nm • **le triple (de)** three times as much (as).

triplé nm **1.** (au turf) si vous voulez donner une définition à un anglophone, vous pouvez dire it is a bet that you place on three horses to win in three different races **2.** SPORT (trois victoires) hat-trick of victories. ■ **triplés** nmpl triplets.

tripler vt & vi to triple.

triste adj **1.** (personne, nouvelle) sad • **être triste de qqch/de faire qqch** to be sad about sthg/about doing sthg **2.** (paysage, temps) gloomy **3.** (couleur)

dull **4.** (avant nom) (lamentable) sorry • **tu es dans un triste état** you're in a sorry state.

tristement adv **1.** (d'un air triste) sadly **2.** (lugubrement) gloomily **3.** (de façon regrettable) sadly, regrettably • **tristement célèbre** notorious.

tristesse nf **1.** (de personne, nouvelle) sadness **2.** (de paysage, temps) gloominess.

triturer vt (mouchoir) to knead. ■ **se triturer** vp fam • **se triturer l'esprit** ou **les méninges** to rack one's brains.

trivial, e adj **1.** (banal) trivial **2.** (vulgaire) crude, coarse.

troc nm **1.** (échange) exchange **2.** (système économique) barter.

trois nm three. ❏ adj num inv **1.** three **2.** Voir aussi **six**.

troisième adj num inv & nmf third. ❏ nm **1.** third **2.** (étage) third floor (UK), fourth floor (US). ❏ nf SCOL ≃ fourth year ou form (UK); ≃ ninth grade (US) **2.** (vitesse) third (gear). Voir aussi **sixième**.

trois-mâts nm inv three-master.

trombe nf water spout.

trombone nm **1.** (agrafe) paper clip • **les feuilles sont attachées par un trombone** the sheets are fastened with a paper clip **2.** (instrument) trombone • **Alex joue du trombone** Alex plays the trombone.

trompe nf **1.** (instrument) trumpet **2.** (d'éléphant) trunk **3.** (d'insecte) proboscis **4.** ANAT tube.

trompe-l'œil nm inv **1.** (peinture) trompe-l'oeil • **en trompe-l'œil** done in trompe-l'oeil **2.** (apparence) deception.

tromper vt **1.** (personne) to deceive **2.** (époux) to be unfaithful to, to deceive **3.** (vigilance) to elude. ■ **se tromper** vp to make a mistake, to be mistaken • **se tromper de jour/maison** to get the wrong day/house.

tromperie nf deception.

trompette nf trumpet • **jouer de la trompette** to play the trumpet.

trompettiste nmf trumpeter.

trompeur, euse adj **1.** (personne) deceitful **2.** (calme, apparence) deceptive.

tronc nm **1.** (d'arbre, de personne) trunk **2.** (d'église) collection box. ■ **tronc commun** nm **1.** (de programmes) common element ou feature **2.** SCOL core syllabus.

tronçon nm **1.** (morceau) piece, length **2.** (de route, de chemin de fer) section.

tronçonneuse nf chain saw.

trône nm throne.

trôner vi **1.** (personne) to sit enthroned **2.** (objet) to have pride of place **3.** hum (faire l'important) to lord it.

trop

■ trop adv

1. DEVANT UN ADJECTIF

too • **je suis trop vieux maintenant** I am too old now • **cette rue est trop bruyante** this street is too noisy • **nous étions trop nombreux** there were too many of us • **j'ai trop chaud/froid** I am too hot/cold • **je suis trop stressé** I'm overstressed • **c'est trop drôle !** it's so funny *ou* it's hilarious!

2. AVEC UN VERBE

• **nous étions trop** there were too many of us • **il travaille trop** he works too much • **il conduit trop vite** he drives too fast • **je n'aime pas trop le chocolat** I don't like chocolate very much

■ trop de loc adv

• **j'ai acheté trop de pain** I've bought too much bread • **il y a trop de monde dans cette salle** there are too many people in this room *ou* this room is overcrowded

■ en trop, de trop loc adv

• **2 euros de** *ou* **en trop** 2 euros too much • **je sens que je suis de trop** I feel like a spare wheel

trophée *nm* trophy.

tropical, e *adj* tropical.

tropique *nm* tropic. ■ **tropiques** *nmpl* tropics.

trop-plein *nm* **1.** *(excès)* excess **2.** *fig* excess, surplus.

troquer *vt* • **troquer qqch (contre) a)** to barter sthg (for) **b)** *fig* to swap sthg (for).

trot *nm* trot • **au trot** at a trot.

trotter *vi* **1.** *(cheval)* to trot **2.** *(personne)* to run around.

trotteur, euse *nm,f* trotter. ■ **trotteuse** *nf* second hand.

trottiner *vi* to trot.

trottinette *nf* child's scooter.

trottoir *nm* pavement (UK), sidewalk (US).

trou *nm* **1.** *(gén)* hole • **trou d'air** air pocket **2.** *(manque, espace vide)* gap • **trou de mémoire** memory lapse **3.** *fam (endroit reculé)* (little) place, hole *péj* , one-horse-town *hum*.

troublant, e *adj* disturbing.

trouble *adj* **1.** *(eau)* cloudy **2.** *(image, vue)* blurred **3.** *(affaire)* shady. □ *nm* **1.** *(désordre)* trouble, discord **2.** *(gêne)* confusion **3.** *(émoi)* agitation **4.** *(gén pl) (dérèglement)* disorder. ■ **troubles** *nmpl (sociaux)* unrest *(indén)*.

trouble-fête *nmf* spoilsport.

troubler *vt* **1.** *(eau)* to cloud, to make cloudy **2.** *(image, vue)* to blur **3.** *(sommeil, événement)* to disrupt, to disturb **4.** *(esprit, raison)* to cloud **5.** *(inquiéter, émouvoir)* to disturb **6.** *(rendre perplexe)*

to trouble. ■ **se troubler** *vp* **1.** *(eau)* to become cloudy **2.** *(personne)* to become flustered.

trouée *nf* **1.** gap **2.** MIL breach.

trouer *vt* **1.** *(chaussette)* to make a hole in **2.** *fig (silence)* to disturb.

trouille *nf fam* fear, terror.

troupe *nf* **1.** MIL troop **2.** *(d'amis)* group, band **3.** *(de singes)* troop **4.** THÉÂTRE theatre (UK) *ou* theater (US) group.

troupeau *nm* **1.** *(de vaches, d'éléphants)* herd **2.** *(de moutons, d'oies)* flock **3.** *péj (de personnes)* herd.

trousse *nf* case, bag • **trousse de secours** first-aid kit • **trousse de toilette** toilet bag. ■ **trousses** *nfpl* • **avoir qqn à ses trousses** *fig* to have sb hot on one's heels • **être aux trousses de qqn** *fig* to be hot on the heels of sb.

trousseau *nm* **1.** *(de mariée)* trousseau **2.** *(de clés)* bunch.

trouvaille *nf* **1.** *(découverte)* find, discovery **2.** *(invention)* new idea.

trouvé, e *adj (découvert)* • **enfant trouvé** foundling • **bien trouvé** *(original)* well-chosen, apposite • **voilà une réponse bien trouvée !** that's a (pretty) good answer! • **tout trouvé** ready-made.

trouver *vt* to find • **trouver que** to feel (that) • **trouver bon/mauvais que...** to think (that) it is right/wrong that... • **trouver qqch à faire/à dire** *etc* to find sthg to do/say *etc*. □ *v impers* • **il se trouve que...** the fact is that.... ■ **se trouver** *vp* **1.** *(dans un endroit)* to be • **où se trouve le lycée ?** where is the school? **2.** *(dans un état)* to find o.s. **3.** *(se sentir)* to feel • **se trouver mal** *(s'évanouir)* to faint.

truand *nm* crook.

truc *nm fam* **1.** *(combine)* trick **2.** *fam (chose)* thing, thingamajig • **ce n'est pas son truc** it's not his thing.

trucage = **truquage**.

truculent, e *adj* colourful (UK), colorful (US).

truelle *nf* trowel.

truffe *nf* **1.** *(champignon)* truffle **2.** *(museau)* muzzle.

truffer *vt* **1.** *(volaille)* to garnish with truffles **2.** *fig (discours)* • **truffer de** to stuff with.

truie *nf* sow.

truite *nf* trout.

truquage, trucage *nm* CINÉ (special) effect.

truquer *vt* **1.** *(élections)* to rig **2.** CINÉ to use special effects in.

trust *nm* **1.** *(groupement)* trust **2.** *(entreprise)* corporation.

ts *abrév de* **tous**.

tsar, tzar *nm* tsar.

tsigane, tzigane *adj* Gypsyish. ■ **Tsigane, Tzigane** *nmf* (Hungarian) Gypsy.

TSVP (abrév de *tournez s'il vous plaît*) PTO.

tt abrév de **tout.**

tt conf. abrév de **tout confort.**

ttes abrév de **tout.**

TTX (abrév de traitement de texte) WP.

tu¹, e pp → **taire.**

tu² pron pers you.

tuant, e adj fam **1.** (épuisant) exhausting **2.** (énervant) tiresome.

tuba nm **1.** MUS tuba **2.** (de plongée) snorkel.

tube nm **1.** (gén) tube • **tube cathodique** cathode ray tube **2.** fam (chanson) hit. ■ **tube digestif** nm digestive tract.

tubercule nm BOT tuber.

tuberculose nf tuberculosis.

tuer vt to kill. ■ **se tuer** vp **1.** (se suicider) to kill o.s. **2.** (par accident) to die.

tuerie nf slaughter.

tue-tête ■ **à tue-tête** loc adv at the top of one's voice.

tueur, euse nm, f (meurtrier) killer • **tueur en série** serial killer.

tuile nf **1.** (de toit) tile **2.** fam (désagrément) blow • **il m'arrive une tuile** I'm in a bit of a fix.

tulipe nf tulip.

tulle nm tulle.

tuméfié, e adj swollen.

tumeur nf tumour (UK), tumor (US).

tumulte nm **1.** (désordre) hubbub **2.** littéraire (trouble) tumult.

tuner nm tuner.

tuning nm AUTO tuning.

tunique nf tunic.

Tunisie nf • **la Tunisie** Tunisia.

En anglais, à de rares exceptions près, il n'y a pas d'article devant les noms de pays.

tunisien, enne adj Tunisian. ■ **Tunisien, enne** nm, f Tunisian.

En anglais, les adjectifs se rapportant à un pays ou une région s'écrivent avec une majuscule.

tunnel nm tunnel • **le tunnel sous la Manche** the Channel Tunnel, the Channel.

turban nm turban.

turbine nf turbine.

turbo nm & nf turbo.

turbulence nf MÉTÉOR turbulence.

turbulent, e adj boisterous, rowdy.

turc, turque adj Turkish. ■ **turc** nm (langue) Turkish. ■ **Turc, Turque** nm, f Turk.

En anglais, les adjectifs se rapportant à un pays ou une région ainsi que le nom désignant la langue de ce pays ou cette région, s'écrivent avec une majuscule.

turf nm (activité) • **le turf** racing.

turnover nm turnover.

turque → **turc.**

Turquie nf • **la Turquie** Turkey.

En anglais, à de rares exceptions près, il n'y a pas d'article devant les noms de pays.

turquoise nf & adj inv turquoise.

tutelle nf **1.** DR guardianship **2.** (dépendance) supervision.

tuteur, trice nm, f guardian. ■ **tuteur** nm (pour plante) stake.

tutoiement nm use of tu.

tutoyer vt • **tutoyer qqn** to use the familiar "tu" form to sb • **elle tutoie son professeur** ≃ she's on first-name terms with her teacher. ■ **se tutoyer** vp to use the familiar "tu" form with each other.

À PROPOS DE tutoyer

Il n'existe pas de forme de vouvoiement en anglais. Que l'on s'adresse à un ami ou à la reine, on emploiera indifféremment **you** qui se traduira donc soit par tu, soit par vous.

tuyau nm **1.** (conduit) pipe • **tuyau d'arrosage** hosepipe **2.** fam (renseignement) tip.

tuyauterie nf (indén), piping, pipes pl.

TV (abrév de télévision) nf TV.

TVA (abrév de taxe à la valeur ajoutée) nf ≃ VAT.

tweed nm tweed.

tympan nm ANAT eardrum.

type nm **1.** (exemple caractéristique) perfect example **2.** (genre) type **3.** fam (individu) guy, bloke (UK). ❑ adj (caractéristique) typical.

typhoïde nf typhoid.

typhon nm typhoon.

typhus nm typhus.

typique adj typical.

typographie nf typography.

tyran nm tyrant.

tyrannie nf tyranny.

tyrannique adj tyrannical.

tyranniser vt to tyrannize.

tzar = tsar.

tzatziki nm CULIN tzatziki.

tzigane = tsigane.

U

u, U *nm inv* u, U.

UE (abrév de Union européenne) *nf* EU.

UFR (abrév de unité de formation et de recherche) *nf* university department.

Ukraine *nf* • **l'Ukraine** the Ukraine.

ulcère *nm* ulcer.

ulcérer *vt* **1.** *MÉD* to ulcerate **2.** *sout (mettre en colère)* to enrage.

ULM (abrév de ultra léger motorisé) *nm* microlight.

ultérieur, e *adj* later, subsequent.

ultérieurement *adv* later, subsequently.

ultimatum *nm* ultimatum.

ultime *adj* ultimate, final.

ultramoderne *adj* ultramodern.

ultrasensible *adj* **1.** *(personne)* ultra-sensitive **2.** *(pellicule)* high-speed.

ultrason *nm* ultrasound *(indén)*.

ultraviolet, ette *adj* ultraviolet. ■ **ultraviolet** *nm* ultraviolet.

UMP (abrév de Union pour un mouvement populaire) *nf POLIT* pour expliquer à un anglophone de quoi il s'agit, vous pouvez dire it is the main French right-wing political party.

un, une *art indéf* a, an *(devant voyelle)* • **un homme** a man • **un livre** a book • **une femme** a woman • **une pomme** an apple. □ *pron indéf* one • **l'un de mes amis** one of my friends • **l'un l'autre** each other • **les uns les autres** one another • **l'un..., l'autre** one..., the other • **les uns..., les autres** some..., others • **l'un et l'autre** both (of them) • **l'un ou l'autre** either (of them) • **ni l'un ni l'autre** neither one nor the other, neither (of them). □ *adj num inv* one • **une personne à la fois** one person at a time. □ *nm* one. Voir aussi **six**. ■ **une** *nf* • **faire la/être à la une** *PRESSE* to make the/to be on the front page.

unanime *adj* unanimous.

unanimité *nf* unanimity • **faire l'unanimité** to be unanimously approved • **à l'unanimité** unanimously.

UNESCO, Unesco (abrév de United Nations Educational, Scientific and Cultural Organization) *nf* UNESCO.

uni, e *adj* **1.** *(joint, réuni)* united **2.** *(famille, couple)* close **3.** *(surface, mer)* smooth **4.** *(route)* even **5.** *(étoffe, robe)* plain, self-coloured *(UK)*, self-colored *(US)*.

UNICEF, Unicef (abrév de United Nations International Children's Emergency Fund) *nm* UNICEF.

unième *adj num inv* • **cinquante et unième** fifty-first.

unifier *vt* **1.** *(régions, parti)* to unify **2.** *(programmes)* to standardize.

uniforme *adj* **1.** uniform **2.** *(régulier)* regular. □ *nm* uniform.

uniformisation *nf* standardization.

uniformiser *vt* **1.** *(couleur)* to make uniform **2.** *(programmes, lois)* to standardize.

unijambiste *adj* one-legged. □ *nmf* one-legged person.

unilatéral, e *adj* unilateral • **stationnement unilatéral** parking on only one side of the street.

union *nf* **1.** *(de couleurs)* blending **2.** *(mariage)* union • **union libre** cohabitation **3.** *(de pays)* union • **union monétaire** monetary union **4.** *(de syndicats)* confederation **5.** *(entente)* unity. ■ **Union européenne** *nf* European Union. ■ **Union soviétique** *nf* • **l'(ex-)Union soviétique** the (former) Soviet Union.

---

un

À PROPOS DE

En anglais, l'article indéfini est **a** devant un nom commun commençant par une consonne (**a** *game* ; **a** *month* ; **a** *new boat*), et **an** devant un nom commençant par une voyelle (**an** *apple* ; **an** *egg* ; **an** *old boat*). Devant une semi-consonne telle que ou, on utilise **a** (**a** *university* ; **a** *union* ; **a** *year*). Devant un h muet, on utilise **an** (**an** *hour* ; **an** *honour*).
Voir aussi **one** dans la partie anglais-français du dictionnaire.

unique adj 1.(seul - enfant, veston) only ; (- pré-occupation) sole 2.(principe, prix) single 3.(exceptionnel) unique.

uniquement adv 1.(exclusivement) only, solely 2.(seulement) only, just.

unir vt 1.(assembler - mots, qualités) to put together, to combine ; (- pays) to unite • **unir qqch à a)** pays) to unite sthg with b) (mot, qualité) to combine sthg with 2.(réunir - partis, familles) to unite 3.(marier) to unite, to join in marriage. ■ **s'unir** vp 1.(s'associer) to unite, to join together 2.(se marier) to be joined in marriage.

unisexe adj unisex.

unitaire adj (à l'unité) • **prix unitaire** unit price.

unité nf 1.(cohésion) unity 2.COMM, MATH & MIL unit • **les unités de mesure** units of measurement. ■ **unité centrale** nf INFORM central processing unit.

univers nm 1.universe 2.fig world.

universel, elle adj universal.

universitaire adj university (avant nom). ❑ nmf academic.

université nf university • **aller à l'université** to go to university (UK), to go to college (US).

uranium nm uranium.

urbain, e adj 1.(de la ville) urban • **les transports urbains** the urban transport system 2.littéraire (affable) urbane.

urbanisation nf urbanization.

urbaniser vt to urbanize. ■ **s'urbaniser** vp to become urbanized ou built up.

urbanisme nm town planning (UK), city planning (US).

urgence nf 1.(de mission) urgency 2.MÉD emergency • **en cas d'urgence** in case of emergency • **les urgences** the casualty department (sing) (UK), emergency room (US). ■ **d'urgence** loc adv immediately.

urgent, e adj urgent.

urgentiste nmf MÉD A&E doctor (UK), ER doctor (US).

urine nf urine.

uriner vi to urinate.

urinoir nm urinal.

urne nf 1.(vase) urn 2.(de vote) ballot box.

URSS (abrév de Union des républiques socialistes soviétiques) nf • **l'(ex-)URSS** the (former) USSR.

urticaire nf urticaria, hives pl.

Uruguay nm • **l'Uruguay** Uruguay.

us nmpl • **les us et coutumes** the ways and customs.

USA (abrév de United States of America) nmpl USA.

usage nm 1.(gén) use • **à usage externe/interne** for external/internal use • **hors d'usage** out of action 2.(coutume) custom 3.LING usage.

usagé, e adj worn, old.

usager, ère nm, f user.

USB (abrév de Universal Serial Bus) nm INFORM USB • **clé USB** USB key, USB stick (UK) • **port USB** USB port.

usé, e adj 1.(détérioré) worn • **eaux usées** waste water sing 2.(personne) worn-out 3.(plaisanterie) hackneyed, well-worn.

user vt 1.(consommer) to use 2.(vêtement) to wear out 3.(forces) to use up 4.(santé) to ruin 5.(personne) to wear out. ❑ vi (se servir) • **user de a)** (charme) to use b) (droit, privilège) to exercise. ■ **s'user** vp 1.(chaussure) to wear out 2.(amour) to burn itself out.

usine nf factory • **une usine de chaussures** a shoe factory.

usiner vt 1.(façonner) to machine 2.(fabriquer) to manufacture.

usité, e adj in common use • **très/peu usité** commonly/rarely used.

USP (abrév de unité de soins palliatifs) nf MÉD palliative care unit.

ustensile nm implement, tool.

usuel, elle adj common, usual.

usufruit nm usufruct.

usure nf 1.(de vêtement, meuble) wear 2.(de forces) wearing down • **avoir qqn à l'usure** fam to wear sb down 3.(intérêt) usury.

usurier, ère nm, f usurer.

usurpateur, trice nm, f usurper.

usurper vt to usurp.

ut nm inv C.

utérus nm uterus, womb.

utile adj useful • **être utile à qqn** to be useful ou of help to sb, to help sb.

utilisable adj usable.

utilisateur, trice nm, f user.

utiliser vt to use. ■ **s'utiliser** vp to be used • **je ne sais pas comment cela s'utilise** I don't know how this is used.

utilitaire adj 1.(pratique) utilitarian 2.(véhicule) commercial. ❑ nm INFORM utility (program).

utilité nf 1.(usage) usefulness 2.DR • **entreprise d'utilité publique** public utility • **organisme d'utilité publique** registered charity.

utopie nf 1.(idéal) utopia 2.(projet irréalisable) unrealistic idea.

utopiste nmf utopian.

UV nf (abrév de unité de valeur) course credit ou unit. ❑ (abrév de ultraviolet) UV.

v, V *nm inv* v, V.

v. 1. *LITTÉR* (abrév de *vers*) v. **2.** (abrév de *verset*) v. **3.** (*environ*) (abrév de *vers*) approx.

va *interj* • **courage, va !** come on, cheer up! • **va donc !** come on! • **va pour 10 euros/demain** OK, let's say 10 euros/tomorrow.

vacance *nf* vacancy. ■ **vacances** *nfpl* holiday (*sing*) **(UK)**, vacation (*sing*) **(US)** • **être/partir en vacances** to be/go on holiday • **les grandes vacances** the summer holidays.

vacancier, ère *nm, f* holiday-maker **(UK)**, vacationer **(US)**.

vacant, e *adj* **1.** (*poste*) vacant **2.** (*logement*) vacant, unoccupied.

vacarme *nm* racket, din.

vacataire *adj* (*employé*) temporary. ❑ *nmf* temporary worker, temp.

vacation *nf* **1.** (*d'expert*) session **2.** *DR* session.

vaccin *nm* vaccine • **le vaccin contre la grippe** the flu vaccine.

vaccination *nf* vaccination.

vacciner *vt* • **se faire vacciner** to get vaccinated • **vacciner qqn (contre)** a) *MÉD* to vaccinate sb (against) b) *fam & fig* to make sb immune (to).

vache *nf* **1.** *ZOOL* cow **2.** (*cuir*) cowhide **3.** *fam & péj* (*femme*) cow **(UK) 4.** *fam & péj* (*homme*) pig. ❑ *adj fam* rotten.

vachement *adv fam* bloody **(UK)**, dead **(UK)**, real **(US)**.

vaciller *vi* **1.** (*jambes, fondations*) to shake **2.** (*lumière*) to flicker • **vaciller sur ses jambes** to be unsteady on one's legs **3.** (*mémoire, santé*) to fail.

va-et-vient *nm inv* **1.** (*de personnes*) comings and goings *pl*, toing and froing **2.** (*de balancier*) to-and-fro movement **3.** *ÉLECTR* two-way switch.

vagabond, e *adj* **1.** (*chien*) stray **2.** (*vie*) vagabond (*avant nom*) **3.** (*humeur*) restless. ❑ *nm, f* **1.** (*rôdeur*) vagrant, tramp **2.** *littéraire* (*voyageur*) wanderer.

vagabondage *nm* **1.** (*délit*) vagrancy **2.** (*errance*) wandering, roaming.

vagin *nm* vagina.

vagissement *nm* cry, wail.

vague¹ *adj* **1.** (*idée, promesse*) vague **2.** (*vêtement*) loose-fitting **3.** (*avant nom*) (*quelconque*) • **il a un vague travail dans un bureau** he has some job or other in an office **4.** (*avant nom*) (*cousin*) distant.

vague² *nf* wave • **une vague de froid** a cold spell • **vague de chaleur** heatwave.

vaguement *adv* vaguely.

vaillant, e *adj* **1.** (*enfant, vieillard*) hale and hearty **2.** *littéraire* (*héros*) valiant.

vain, e *adj* **1.** (*inutile*) vain, useless • **en vain** in vain, to no avail **2.** *littéraire* (*vaniteux*) vain.

vaincre *vt* **1.** (*ennemi*) to defeat **2.** (*obstacle, peur*) to overcome.

vaincu, e *pp* → **vaincre**. ❑ *adj* defeated. ❑ *nm, f* defeated person.

vainement *adv* vainly.

vainqueur *nm* **1.** (*de combat*) conqueror, victor **2.** *SPORT* winner • **le vainqueur du 100 m** the winner of the 100 m. ❑ *adj m* victorious, conquering.

vaisseau *nm* **1.** *NAUT* vessel, ship • **vaisseau spatial** *AÉRON* spaceship **2.** *ANAT* vessel • **les vaisseaux sanguins** the blood vessels **3.** *ARCHIT* nave.

vaisselle *nf* crockery • **faire** *ou* **laver la vaisselle** to do the dishes, to wash up **(UK)**.

vaissellerie *nf* (*commerce*) tableware trade.

val *nm* valley.

valable *adj* **1.** (*passeport*) valid **2.** (*raison, excuse*) valid, legitimate • **cela reste valable** that still stands **3.** (*œuvre*) good, worthwhile.

valet *nm* **1.** (*serviteur*) servant **2.** (*cartes à jouer*) jack, knave • **le valet de cœur** the jack of hearts, the knave of hearts.

valeur *nf* **1.** (*gén*) *MUS* value • **avoir de la valeur** to be valuable • **mettre en valeur** a) (*talents*) to bring out b) (*terre*) to exploit • **de (grande) valeur** a) (*chose*) (very) valuable b) (*personne*) of (great) worth *ou* merit **2.** (*gén pl*) *FIN* stocks and shares *pl*, securities *pl* **3.** (*mérite*) worth, merit **4.** *fig* (*importance*) value, importance **5.** (*équivalent*) • **la valeur de** the equivalent of.

valide *adj* **1.** (*personne*) spry **2.** (*contrat*) valid.

valider vt to validate, to authenticate.

validité nf validity.

valise nf case (UK), suitcase • **faire sa valise/ses valises a)** litt to pack one's case/cases **b)** fam &fig (partir) to pack one's bags.

vallée nf valley.

vallon nm small valley.

vallonné, e adj undulating.

valoir vi **1.** (gén) to be worth • **ça vaut combien ?** how much is it? • **cette voiture doit valoir une fortune** that car must be worth a fortune • **que vaut ce film ?** is this film any good? • **ne rien valoir** not to be any good, to be worthless • **ça vaut mieux** fam that's best • **ça ne vaut pas la peine** it's not worth it • **faire valoir a)** (vues) to assert **b)** (talent) to show **2.** (règle) **valoir pour** to apply to, to hold good for. ❑ vt (médaille, gloire) to bring, to earn. ❑ v impers • **il vaudrait mieux que nous partions** it would be better if we left, we'd better leave. ■ **se valoir** vp to be equally good/bad.

valorisant, e adj good for one's image.

valoriser vt **1.** (immeuble, région) to develop **2.** (individu, société) to improve the image of.

valse nf waltz.

valser vi to waltz • **envoyer valser qqch** fam &fig to send sthg flying.

valu pp inv → valoir.

valve nf valve.

vampire nm **1.** (fantôme) vampire **2.** ZOOL vampire bat.

van nm (fourgon) horsebox (UK), horsecar (US).

vandalisme nm vandalism.

vanille nf vanilla.

vanité nf vanity.

vaniteux, euse adj vain, conceited.

vanne nf **1.** (d'écluse) lockgate **2.** fam (remarque) gibe.

vannerie nf basketwork, wickerwork.

vantard, e adj bragging, boastful. ❑ nm,f boaster.

vanter vt to vaunt. ■ **se vanter** vp to boast, to brag • **se vanter de faire qqch** to boast ou brag about doing sthg.

va-nu-pieds nmf inv beggar.

vapeur nf **1.** (d'eau) steam • **à la vapeur** steamed • **bateau à vapeur** steamboat, steamer • **locomotive à vapeur** steam engine **2.** (émanation) vapour (UK), vapor (US). ■ **vapeurs** nfpl **1.** (émanations) fumes **2.** (locution) • **avoir ses vapeurs** vieilli to have the vapours (UK) ou vapors (US).

vapocuiseur nm pressure cooker.

vaporisateur nm **1.** (atomiseur) spray, atomizer • **du parfum en vaporisateur** spray perfume **2.** (dans l'industrie) vaporizer.

vaporiser vt **1.** (parfum, déodorant) to spray **2.** PHYS to vaporize.

vaquer vi • **vaquer à** to see to, to attend to.

varappe nf rock climbing.

varappeur, euse nm,f (rock) climber.

variable adj **1.** (temps) changeable **2.** (distance, résultats) varied, varying **3.** (température) variable. ❑ nf variable.

variante nf variant.

variateur nm ÉLECTR dimmer switch.

variation nf variation.

varice nf varicose vein.

varicelle nf chickenpox.

varié, e adj **1.** (divers) various • **des activités variées** various activities **2.** (non monotone) varied, varying.

varier vt & vi to vary.

variété nf **1.** (gén) variety • **plusieurs variétés de chocolat** several varieties of chocolate **2.** MUS easy listening. ■ **variétés** nfpl variety show sing.

variole nf smallpox.

Varsovie npr Warsaw • **le pacte de Varsovie** the Warsaw Pact.

vase¹ nm vase.

vase² nf mud, silt.

vaseline nf Vaseline®, petroleum jelly (UK).

vaseux, euse adj **1.** (fond) muddy, silty **2.** fam (personne) under the weather **3.** fam (raisonnement, article) woolly.

vasistas nm fanlight.

vaste adj vast, immense.

Vatican nm • **le Vatican** the Vatican.

vaudou, e adj voodoo. ■ **vaudou** nm voodoo, voodooism.

vautour nm vulture.

va-vite ■ **à la va-vite** loc adv fam in a rush.

vd (abrév de vend) = **vendre**.

veau nm **1.** (animal) calf **2.** (viande) veal **3.** (peau) calfskin.

vecteur nm **1.** GÉOM vector **2.** (intermédiaire) vehicle **3.** MÉD carrier.

vécu, e pp → vivre. ❑ adj real.

vedettariat nm stardom.

vedette nf **1.** NAUT patrol boat **2.** (star) star.

végétal, e adj **1.** (huile) vegetable (avant nom) **2.** (cellule, fibre) plant (avant nom).

végétalien, enne adj & nm,f vegan.

végétarien, enne adj & nm,f vegetarian.

végétarisme nm vegetarianism.

végétation nf vegetation. ■ **végétations** nfpl adenoids.

végéter vi to vegetate.

véhémence nf vehemence.

véhicule nm vehicle • **véhicule sanitaire** ambulance.

véhiculer vt 1. to transport 2. fig to convey.

veille nf 1. (jour précédent) day before, eve • **la veille de mon anniversaire** the day before my birthday • **la veille de Noël** Christmas Eve • **la veille au soir** the previous evening, the evening before 2. (éveil) wakefulness 3. (privation de sommeil) sleeplessness.

veillée nf 1. (soirée) evening 2. (de mort) wake, vigil.

veiller vi 1. (rester éveillé) to stay up 2. (rester vigilant) • **veiller à qqch** to look after sthg • **veiller à faire qqch** to see that sthg is done • **veiller sur** to watch over. ❑ vt to sit up with • **reste avec moi pour veiller Hélène** stay with me to sit up with Hélène.

veilleur nm • **veilleur de nuit** night watchman.

veilleuse nf 1. (lampe) nightlight 2. AUTO sidelight 3. (de chauffe-eau) pilot light.

veinard, e fam adj lucky. ❑ nm, f lucky devil.

veine nf 1. (gén) vein 2. (de marbre) vein 3. (de bois) grain 4. (filon) seam, vein 5. fam (chance) luck.

veiné, e adj 1. (marbre) veined 2. (bois) grained.

veineux, euse adj 1. ANAT venous 2. (marbre) veined 3. (bois) grainy.

véliplanchiste nmf windsurfer.

velléité nf whim.

vélo nm bike • **faire du vélo** to go cycling.

---

vélo

LEXIQUE

Le VTT	the mountain bike
le cale-pied	the toe-clip
le cadre	the frame
le guidon	the handlebars
le changement de vitesse	the gear change
la potence	the support bar
le frein avant	the front brake
la fourche	the fork
le moyeu	the hub
la valve	the valve
la pédale	the pedal
le plateau	the triple crankset
le dérailleur	the derailleur
le pneu tout terrain	the all-terrain tyre
le frein arrière	the rear brake
la jante	the rim
le rayon	the spoke
la tige de selle	the saddle stem
la selle	the saddle

---

vélocité nf littéraire swiftness, speed.

vélodrome nm velodrome.

vélomoteur nm light motorcycle, moped.

velours nm velvet.

velouté, e adj velvety. ■ **velouté** nm 1. (de peau) velvetiness 2. (potage) cream soup.

velu, e adj hairy.

vénal, e adj venal.

vendange nf 1. (récolte) grape harvest, wine harvest 2. (période) • **les vendanges** (grape) harvest time sing.

vendanger vi to harvest the grapes.

vendeur, euse nm, f salesman, saleswoman f, sales assistant.

vendre vt to sell • **'à vendre'** 'for sale'. ■ **se vendre** vp 1. (maison, produit) to be sold • **ça se vend bien/mal actuellement** it is/isn't selling well at the moment • **se vendre comme des petits pains** to sell ou to go like hot cakes 2. péj (se laisser corrompre) to sell o.s. • **se vendre à l'adversaire** to sell o.s. to ou to sell out to the opposite side 3. (se trahir) to give o.s. away.

vendredi nm Friday • **Vendredi Saint** Good Friday. Voir aussi **samedi**.

En anglais, les jours de la semaine s'écrivent avec une majuscule.

vendu, e adj 1. (cédé) sold 2. (corrompu) corrupt. ❑ nm, f traitor.

vénéneux, euse adj poisonous.

vénérable adj venerable.

vénération nf veneration, reverence.

vénérer vt to venerate, to revere.

vénérien, enne adj venereal.

Venezuela nm • **le Venezuela** Venezuela.

vengeance nf vengeance.

venger vt to avenge. ■ **se venger** vp to get one's revenge • **se venger de qqn** to take revenge on sb • **se venger de qqch** to take revenge for sthg • **se venger sur** to take it out on.

vengeur, vengeresse adj vengeful. ❑ nm, f avenger.

venimeux, euse adj venomous.

venin nm venom.

---

venir

■ **venir** vi

1. INDIQUE UN DÉPLACEMENT EN DIRECTION DU LOCUTEUR
• **ma mère vient chez moi tous les samedis** my mother comes (round) to my place every Saturday • **viens voir !** come and see! • **il ne vient jamais aux fêtes** he never comes to parties

2. INDIQUE UN DÉPLACEMENT AVEC LE LOCUTEUR
• **tu viens avec moi à la piscine ?** are you coming to the swimming pool with me?

3. INDIQUE LA PROVENANCE, L'ORIGINE
• **mes voisins viennent du Guatémala** my neighbours are from Guatemala • **ce riz vient du Japon** this rice comes from Japan • **ce mot vient du suédois** this word comes from Swedish

4. POUR EXPRIMER LE PASSÉ PROCHE
• **je viens de la voir** I've just seen her • **elle venait de téléphoner à son amie** she had just phoned her friend

5. POUSSER
• **cette plante vient bien dans un sol riche** this plant does well in a rich soil

6. DANS DES EXPRESSIONS
• **où veux-tu en venir ?** what are you getting at?

■ **venir à** *vi*
• **que se passerait-il s'il venait à mourir ?** what would happen if he was to die? • **la situation empira quand l'eau vint à manquer** the situation got worse when the water started running out

venir faire

À PROPOS DE

Il faut noter l'emploi de **come and do sthg** qui sert à insister sur l'accomplissement de l'action. En anglais américain, **and** est souvent omis :
• *Viens me voir mercredi.* **Come and see me on Wednesday** ou **Come see me on Wednesday** (us).
Au passé, les deux verbes sont au prétérit. Dans ce cas, **and** ne peut pas être omis :
• *Il est venu réparer le lave-linge.* **He came and fixed the washing machine.**
À noter aussi : la construction **come and do sthg** relève d'un registre plutôt oral.

vent *nm* wind • **il fait** ou **il y a du vent** it's windy.

vente *nf* **1.** *(cession, transaction)* sale **2.** *(technique)* selling. ■ **en vente** *loc adj & loc adv* **1.** *(à vendre)* for sale • **mettre qqch en vente** *(commercialiser qqch)* to put sthg on the market • **mettre une maison en vente** to put a house up for sale **2.** *(disponible)* available, on sale • **en vente en pharmacie** on sale ou available from the chemist's • **en vente libre** sold without a prescription • **en vente sur/sans ordonnance** obtainable on prescription/without a prescription.

venteux, euse *adj* windy.

ventilateur *nm* fan.

ventilation *nf* **1.** *(de pièce)* ventilation **2.** FIN breakdown.

ventouse *nf* **1.** *(de caoutchouc)* suction pad **2.** *(d'animal)* sucker **3.** MÉD ventouse **4.** TECHNOL air vent.

ventre *nm (de personne)* stomach • **avoir/prendre du ventre** to have/be getting (a bit of) a paunch • **à plat ventre** flat on one's stomach.

ventriloque *nmf* ventriloquist.

venu, e *adj* • **bien venu** welcome • **mal venu** unwelcome • **il serait mal venu de faire cela** it would be improper to do that. ❑ *nm, f* • **nouveau venu** newcomer. ■ **venue** *nf* coming, arrival.

vépéciste *nm* mail-order company.

vêpres *nfpl* vespers.

ver *nm* **1.** *(gén)* worm **2.** *(dans un fruit)* maggot.

véracité *nf* truthfulness.

véranda *nf* veranda.

verbal, e *adj* **1.** *(promesse, violence)* verbal **2.** GRAMM verb *(avant nom)*.

verbalement *adv* verbally.

verbaliser *vt* to verbalize. ❑ *vi* to make out a report.

verbe *nm* GRAMM verb.

verdâtre *adj* greenish.

verdeur *nf* **1.** *(de personne)* vigour (UK), vigor (US), vitality **2.** *(de langage)* crudeness.

verdict *nm* verdict • **le jury a rendu son verdict** the jury returned its verdict.

verdir *vt & vi* to turn green.

verdoyant, e *adj* green.

verdure *nf (végétation)* greenery • **tu devrais manger plus de verdure** you should eat more salad.

véreux, euse *adj* **1.** worm-eaten, maggoty **2.** *fig* shady.

verge *nf* **1.** ANAT penis **2.** *littéraire (baguette)* rod, stick.

verger *nm* orchard.

vergeture *nf* stretchmark.

verglacé, e *adj* icy.

verglas *nm* (black) ice • **des plaques de verglas** patches of black ice.

véridique *adj* truthful.

vérification *nf (contrôle)* check, checking.

vérifier *vt* **1.** *(contrôler)* to check **2.** *(confirmer)* to prove, to confirm. ■ **se vérifier** *vp* to prove accurate.

véritable *adj* **1.** real **2.** *(ami)* true.

véritablement *adv* really.

vérité *nf* **1.** *(chose vraie, réalité, principe)* truth *(indén)* • **c'est la vérité, je te le jure !** it's true, I swear! **2.** *(sincérité)* sincerity. ■ **en vérité** *loc adv* actually, really.

verlan *nm* back slang.

vermeil, eille *adj* scarlet. ■ **vermeil** *nm* silver-gilt.

vermicelle *nm* vermicelli *(indén)*.

vermine *nf (parasites)* vermin.

vermoulu, e *adj* **1.** riddled with woodworm **2.** *fig* moth-eaten.

verni, e *adj* **1.** *(bois)* varnished **2.** *(souliers)* • **chaussures vernies** patent-leather shoes **3.** *fam (chanceux)* lucky.

vernir *vt* to varnish.

vernis nm **1.** varnish **2.** fig veneer • **vernis à ongles** nail polish ou varnish.

vernissage nm **1.** (de meuble) varnishing **2.** (d'exposition) private viewing.

verre nm **1.** (matière, récipient) glass • **des verres à vin** wine glasses • **verre dépoli** frosted glass **2.** (quantité) glassful, glass **3.** (optique) lens • **verres de contact** contact lenses • **verres progressifs** progressive lenses, progressives (UK) **4.** (boisson) drink • **boire un verre** to have a drink.

verrière nf (toit) glass roof.

verrine nf si vous voulez expliquer à un anglophone de quoi il s'agit, vous pouvez dire it is an appetizer or dessert served in a small glass.

verr num (abrév de verrouillage numérique) nf INFORM num lock.

verrou nm bolt • **mettre le verrou** to bolt the door.

verrouillage nm AUTO • **verrouillage centralisé** central locking.

verrouiller vt **1.** (porte) to bolt **2.** (personne) to lock up.

verrue nf wart • **verrue plantaire** verruca.

vers[1] nm line • **je n'arrive pas à me rappeler le troisième vers du poème** I can't remember the third line of the poem. ❑ nmpl • **en vers** in verse • **faire des vers** to write poetry.

vers[2] prép **1.** (dans la direction de) towards, toward (US) **2.** (aux environs de - temporel) around, about • **vers la fin du mois** towards ou toward (US) the end of the month ; (- spatial) near.

versant nm side.

versatile adj changeable, fickle.

verse ■ **à verse** loc adv • **pleuvoir à verse** to pour down.

versé, e adj • **être versé dans** to be versed ou well-versed in.

Verseau nm ASTROL Aquarius.

versement nm payment • **en trois versements** in three instalments.

verser vt **1.** (eau) to pour **2.** (larmes, sang) to shed **3.** (argent) to pay. ❑ vi to overturn, to tip over.

verset nm verse.

version nf **1.** (gén) version • **version française/originale** French/original version **2.** (traduction) translation (into mother tongue).

verso nm back.

vert, e adj **1.** (couleur, fruit, légume, bois) green **2.** fig (vieillard) spry, sprightly **3.** (réprimande) sharp **4.** (à la campagne) • **le tourisme vert** country holidays pl. ■ vert nm (couleur) green • **vert pomme** apple green. ■ **Verts** nmpl • **les Verts** POLIT the Greens.

vertébral, e adj vertebral.

vertèbre nf vertebra • **les vertèbres cervicales** the cervical vertebrae.

vertébré, e adj vertebrate. ■ **vertébré** nm vertebrate.

vertement adv sharply.

vertical, e adj vertical. ■ **verticale** nf vertical • **à la verticale a)** (descente) vertical **b)** (descendre) vertically.

vertige nm **1.** (peur du vide) vertigo • **avoir le vertige** to suffer from vertigo **2.** (étourdissement) dizziness • **ça me donne le vertige** it makes me dizzy **3.** fig intoxication • **avoir des vertiges** to suffer from ou have dizzy spells.

vertigineux, euse adj **1.** fig (vue, vitesse) breathtaking **2.** (hauteur) dizzy.

vertu nf **1.** (morale, chasteté) virtue **2.** (pouvoir) properties pl, power. ■ **en vertu de** loc prép in accordance with.

vertueux, euse adj virtuous.

verve nf eloquence.

vésicule nf vesicle.

vessie nf bladder.

veste nf (vêtement) jacket • **veste croisée/droite** double-/single-breasted jacket.

vestiaire nm **1.** (au théâtre) cloakroom **2.** (gén pl) SPORT changing room (UK), locker room (US).

vestibule nm (pièce) hall, vestibule.

vestige nm **1.** (gén pl) (de ville) remains pl **2.** fig (de civilisation, grandeur) vestiges pl, relic.

vestimentaire adj **1.** (industrie) clothing (avant nom) **2.** (dépense) on clothes • **détail vestimentaire** accessory.

veston nm jacket.

vététiste nmf hybrid bike rider.

vêtement nm garment, article of clothing • **vêtements** clothing (indén), clothes.

---

les vêtements

le blouson en cuir the leather jacket
le bonnet the woolly hat (UK), the wooly hat (US)
le bonnet de bain the swimming-cap
la botte the boot
le caleçon de bain swimming trunks
la chaussette the sock
la chaussure the shoe
la chaussure de sport the trainer (UK), the sneaker (US)
la chemise the shirt
la chemise de nuit the nightie
le chemisier the blouse
le collant tights (UK), pantyhose (US)
la culotte panties
l'écharpe the scarf
le gant the glove
le gilet the cardigan
l'imperméable the raincoat

LEXIQUE (suite)

le jean jeans
la jupe the skirt
les lunettes de soleil sunglasses
le maillot de bain (de femme) the swimming costume (UK), the bathing suit (US)
le manteau the coat
la mini-jupe the mini skirt
le pantalon trousers (UK), pants (US)
la pantoufle the slipper
le peignoir de bain the bathrobe
le pull the sweater, the jumper (UK)
le pyjama pyjamas
la robe the dress
la sandale the sandal
le short shorts
le slip underpants
le slip de bain swimming trunks
la socquette the ankle sock
le soutien-gorge the bra
le survêtement the tracksuit (UK), the sweatsuit (US)
le tee-shirt the T-shirt
la tennis the tennis shoe
la veste (d'homme) the jacket
la veste (de femme) the jacket

vétéran *nm* veteran.

vétérinaire *nmf* vet (UK), veterinary surgeon (UK), veterinarian (US).

vététiste *nmf* mountain biker.

vêtir *vt* to dress. ■ **se vêtir** *vp* to dress, to get dressed.

veto *nm inv* veto • **mettre son veto à qqch** to veto sthg.

véto *nmf fam* vet.

vêtu, e *pp* → **vêtir**. ❑ *adj* • **vêtu (de)** dressed (in).

vétuste *adj* dilapidated.

veuf, veuve *nm, f* widower, widow *f*.

veuvage *nm* **1.** (*de femme*) widowhood **2.** (*d'homme*) widowerhood.

vexant, e *adj* **1.** (*contrariant*) annoying, vexing **2.** (*blessant*) hurtful.

vexation *nf* (*humiliation*) insult.

vexer *vt* to offend. ■ **se vexer** *vp* to take offence (UK) *ou* offense (US).

VHS (abrév de Video Home System) *nm* VHS.

via *prép* via.

viabiliser *vt* to service.

viabilité *nf* **1.** (*de route*) passable state **2.** (*d'entreprise, organisme*) viability.

viable *adj* viable.

viaduc *nm* viaduct.

viager, ère *adj* life (*avant nom*). ■ **viager** *nm* life annuity.

viande *nf* meat • **de la viande rouge** red meat.

vibration *nf* vibration.

vibrer *vi* **1.** (*trembler*) to vibrate **2.** *fig* (*être ému*) • **vibrer (de)** to be stirred (with).

vibreur *nm* TÉLÉCOM VibraCall® (alert *ou* feature).

vice *nm* **1.** (*de personne*) vice **2.** (*d'objet*) fault, defect.

vice-présidence *nf* **1.** POLIT vice-presidency **2.** (*de société*) vice-chairmanship.

vice-président, e *nm, f* **1.** POLIT vice-president **2.** (*de société*) vice-chairman, vice-chairwoman *f*.

vice versa *loc adv* vice versa.

vicié, e *adj* (*air*) polluted, tainted.

vicieux, euse *adj* **1.** (*personne, conduite*) perverted, depraved **2.** (*animal*) restive **3.** (*attaque*) underhand.

victime *nf* **1.** victim **2.** (*blessé*) casualty.

victoire *nf* **1.** MIL victory **2.** POLIT & SPORT win, victory.

victorieux, euse *adj* **1.** MIL victorious **2.** POLIT & SPORT winning (*avant nom*), victorious **3.** (*air*) triumphant.

victuailles *nfpl* provisions.

vidange *nf* **1.** (*action*) emptying, draining **2.** AUTO oil change **3.** (*mécanisme*) waste outlet. ■ **vidanges** *nfpl* sewage (*indén*).

vidanger *vt* to empty, to drain.

vide *nm* **1.** (*espace*) void **2.** *fig* (*néant, manque*) emptiness **3.** (*absence d'air*) vacuum • **conditionné sous vide** vacuum-packed **4.** (*ouverture*) gap, space **5.** DR • **vide juridique** legal vacuum. ❑ *adj* empty. ■ **à vide** *loc adj & loc adv* empty.

vidéo *adj inv* video (*avant nom*). ❑ *nf* video • **vidéo à la demande** video on demand.

vidéocassette *nf* video cassette.

vidéoconférence = **visioconférence**.

vidéodisque *nm* videodisc (UK), videodisk (US).

vidéoprojecteur *nm* video projector.

vide-ordures *nm inv* rubbish chute (UK), garbage chute (US).

vidéosurveillance *nf* video surveillance.

vidéothèque *nf* video library.

vidéotransmission *nf* video transmission.

vide-poches *nm inv* (*de voiture*) glove compartment.

vider *vt* **1.** (*rendre vide*) to empty **2.** (*évacuer*) • **vider les lieux** to vacate the premises **3.** (*poulet*) to clean **4.** *fam* (*personne - épuiser*) to drain ; (*- expulser*) to chuck out. ■ **se vider** *vp* **1.** (*eaux*) • **se vider dans** to empty into, to drain into **2.** (*baignoire, salle*) to empty.

videur *nm* bouncer.

vie *nf* **1.** (*gén*) life • **sauver la vie à qqn** to save sb's life • **être en vie** to be alive • **à vie** for life • **mener la vie dure à qqn** to make s.o.'s life hell **2.** (*subsistance*) cost of living • **gagner sa vie** to earn one's living.

vieillard *nm* old man. ■ **vieillards** *nmpl (personnes âgées)* old people.

vieille → **vieux**.

vieillerie *nf (objet)* old thing.

vieillesse *nf (fin de la vie)* old age.

vieilli, e *adj (mode, attitude)* dated.

vieillir *vi* **1.** *(personne)* to grow old, to age **2.** CULIN to mature, to age **3.** *(tradition, idée)* to become dated ou outdated. ❑ *vt* • **vieillir qqn** to make sb look older • **c'est fou ce que les cheveux longs la vieillissent !** *(coiffure, vêtement)* long hair makes her look a lot older! • **ils m'ont vieilli de cinq ans** *(personne)* they said I was five years older than I actually am.

vieillissement *nm (de personne)* ageing.

Vienne *npr (en Autriche)* Vienna.

viennoiserie *nf si vous voulez expliquer à un anglophone de quoi il s'agit, vous pouvez dire* it is the term for a kind of pastry made with sweetened dough, for example croissant and brioche.

vierge *nf* virgin • **la (Sainte) Vierge** the (Blessed) Virgin, the Virgin Mary. ❑ *adj* **1.** *(personne)* virgin **2.** *(terre)* virgin **3.** *(page)* blank **4.** *(casier judiciaire)* clean. ■ **Vierge** *nf* ASTROL Virgo.

Viêt Nam *nm* • **le Viêt Nam** Vietnam.

vieux, vieille *adj (vieil devant voyelle ou h muet)* old • **vieux jeu** old-fashioned. ❑ *nm, f* **1.** *(personne âgée)* old man, old woman *f* • **les vieux** the old **2.** *fam (ami)* • **mon vieux** old chap ou boy (UK), old buddy (US) • **ma vieille** old girl.

vif, vive *adj* **1.** *(preste-enfant)* lively ; *(-imagination)* vivid **2.** *(couleur, œil)* bright • **rouge/jaune vif** bright red/yellow **3.** *(reproche)* sharp **4.** *(discussion)* bitter **5.** sout *(vivant)* alive **6.** *(douleur, déception)* acute **7.** *(intérêt)* keen **8.** *(amour, haine)* intense, deep. ■ **à vif** *loc adj (plaie)* open • **j'ai les nerfs à vif** *fig* my nerves are frayed. ■ **vif** *nm* **1.** DR living person **2.** *(à la pêche)* live bait **3.** *(locution)* • **entrer dans le vif du sujet** to get to the heart of the matter • **piquer au vif** to touch a raw nerve • **prendre qqn sur le vif** to catch sb red-handed • **une photo prise sur le vif** an action photograph.

vigie *nf (NAUT-personne)* lookout ; *(-poste)* crow's nest.

vigilance *nf* vigilance.

vigilant, e *adj* vigilant, watchful.

vigile *nm* watchman.

vigne *nf* **1.** *(plante)* vine, grapevine **2.** *(plantation)* vineyard. ■ **vigne vierge** *nf* Virginia creeper.

vigneron, onne *nm, f* wine grower.

vignette *nf* **1.** *(timbre)* label **2.** *(de médicament)* price sticker *(for reimbursement by the social security services)* **3.** AUTO tax disc (UK) **4.** *(motif)* vignette.

vignoble *nm* **1.** *(plantation)* vineyard **2.** *(vignes)* vineyards *pl*.

vigoureux, euse *adj* **1.** *(corps, personne)* vigorous **2.** *(bras, sentiment)* strong.

vigueur *nf* vigour (UK), vigor (US). ■ **en vigueur** *loc adj* in force.

VIH, V.I.H. *(abrév de virus d'immunodéficience humaine)* *nm* HIV.

vilain, e *adj* **1.** *(gén)* nasty **2.** *(laid)* ugly. ■ **vilain** *nm* **1.** HIST villein **2.** *fam (grabuge)* • **il y aura du vilain** there's going to be trouble.

vilebrequin *nm* **1.** *(outil)* brace and bit **2.** AUTO crankshaft.

villa *nf* villa.

village *nm* village.

villageois, e *nm, f* villager.

ville *nf* **1.** *(petite, moyenne)* town **2.** *(importante)* city • **les grandes villes** big cities • **aller en ville** to go into town • **habiter en ville** to live in town • **ville d'eau** spa (town).

villégiature *nf* holiday (UK), vacation (US).

vin *nm* wine • **vin blanc/rosé/rouge** white/rosé/red wine. • **vin d'honneur** *nm* reception.

vinaigre *nm* vinegar.

vinaigrette *nf* oil and vinegar dressing.

vindicatif, ive *adj* vindictive.

vingt *adj num inv & nm* twenty. Voir aussi **six**.

vingtaine *nf* • **une vingtaine de** about twenty.

vingtième *adj num inv, nm & nmf* twentieth. Voir aussi **sixième**.

vinicole *adj* wine-growing, wine-producing.

viol *nm* 1. *(de femme)* rape • **être condamné pour viol** to be sentenced for rape 2. *(de sépulture)* desecration 3. *(de sanctuaire)* violation.

violation *nf* violation, breach.

violemment *adv* 1. *(frapper)* violently 2. *(rétorquer)* sharply.

violence *nf* violence • **se faire violence** to force o.s.

violent, e *adj* 1. *(personne, tempête)* violent 2. *fig (douleur, angoisse, chagrin)* acute 3. *(haine, passion)* violent.

violer *vt* 1. *(femme)* to rape 2. *(loi, traité)* to break 3. *(sépulture)* to desecrate 4. *(sanctuaire)* to violate.

violet, ette *adj* 1. purple 2. *(pâle)* violet. ▪ **violet** *nm* 1. purple 2. *(pâle)* violet.

violette *nf* violet.

violeur *nm* rapist.

violon *nm (instrument)* violin.

violoncelle *nm (instrument)* cello.

violoniste *nmf* violinist.

vipère *nf* viper.

virage *nm* 1. *(sur route)* bend 2. *(changement)* turn.

viral, e *adj* viral.

virée *nf fam* • **faire une virée a)** *(en voiture)* to go for a spin **b)** *(dans bars)* ≃ to go on a pub crawl.

virement *nm* FIN transfer • **virement automatique** automatic transfer, standing order • **virement bancaire/postal** bank/giro (UK) transfer.

virer *vi* 1. *(tourner)* • **virer à droite/à gauche** to turn right/left 2. *(étoffe)* to change colour (UK) *ou* color (US) • **virer au blanc/jaune** to go white/yellow 3. MÉD to react positively. ❑ *vt* 1. FIN to transfer 2. *fam (renvoyer)* to kick out.

virevolte *nf* 1. *(mouvement)* twirl 2. *fig (volte-face)* about-turn (UK), about-face (US), U-turn.

virevolter *vi (tourner)* to twirl *ou* spin round (UK) *ou* around (US).

virginité *nf* 1. *(de personne)* virginity 2. *(de sentiment)* purity.

virgule *nf* 1. *(entre mots)* comma 2. *(entre chiffres)* (decimal) point.

> En anglais, les décimales s'écrivent avec un point et non avec une virgule : 5,4 s'écrit 5.4 et se lit '*five point four*'.

viril, e *adj* virile.

virilité *nf* virility.

virtuel, elle *adj* potential.

virtuellement *adv* 1. *(potentiellement)* potentially 2. *(pratiquement)* virtually.

virtuose *nmf* virtuoso.

virulence *nf* virulence.

virulent, e *adj* virulent.

virus *nm* INFORM & MÉD virus • **le virus de la grippe** the flu virus.

vis *nf* screw.

visa *nm* visa • **demander un visa** to apply for a visa.

visage *nm* face.

visagiste *nmf* beautician.

vis-à-vis *nm* 1. *(personne)* person sitting opposite 2. *(immeuble)* • **avoir un vis-à-vis** to have a building opposite. ▪ **vis-à-vis de** *loc prép* 1. *(en face de)* opposite 2. *(en comparaison de)* beside, compared with 3. *(à l'égard de)* towards, toward (US).

viscéral, e *adj* 1. ANAT visceral 2. *fam (réaction)* gut *(avant nom)* 3. *fam (haine, peur)* deep-seated.

viscère *nm (gén pl)* innards *pl*.

viscose *nf* viscose.

visé, e *adj* 1. *(concerné)* concerned • **je me suis senti visé quand il a fait cette remarque** I felt I was being got at when he made that remark 2. *(vérifié)* stamped.

visée *nf* 1. *(avec arme)* aiming 2. *(gén pl) fig (intention, dessein)* aim.

viser *vt* 1. *(cible)* to aim at 2. *fig (poste)* to aspire to, to aim for 3. *(personne)* to be directed *ou* aimed at 4. *(document)* to check, to stamp. ❑ *vi* to aim, to take aim • **viser à** to aim at • **viser à faire qqch** to aim to do sthg, to be intended to do sthg • **viser haut** *fig* to aim high.

viseur *nm* 1. *(d'arme)* sights *pl* 2. PHOTO viewfinder.

visibilité *nf* visibility.

visible *adj* 1. *(gén)* visible 2. *(personne)* • **il n'est pas visible** he's not seeing visitors.

visiblement *adv* visibly.

visière *nf* 1. *(de casque)* visor 2. *(de casquette)* peak 3. *(de protection)* eyeshade.

visioconférence, vidéoconférence *nf* videoconference.

vision *nf* 1. *(faculté)* eyesight, vision 2. *(représentation)* view, vision 3. *(mirage)* vision.

visionnaire *nmf & adj* visionary.

visionner *vt* to view.

visite *nf* 1. *(chez un ami, officielle)* visit • **rendre visite à qqn** to pay sb a visit 2. *(MÉD - à l'extérieur)* call, visit ; *(- à l'hôpital)* rounds *pl* • **passer une visite médicale** to have a medical (UK) *ou* a physical (US) 3. *(de monument)* tour • **visite audioguidée** audio guided tour 4. *(d'expert)* inspection.

visiter *vt* 1. *(en touriste)* to tour 2. *(malade, prisonnier)* to visit.

visiteur, euse *nm, f* visitor.

vison *nm* mink.

visqueux, euse *adj* 1. *(liquide)* viscous 2. *(surface)* sticky.

visser *vt* 1. *(planches)* to screw together 2. *(couvercle)* to screw down 3. *(bouchon)* to screw in 4. *(écrou)* to screw on.

visseuse nf electric screwdriver.

visualisation nf INFORM display mode.

visualiser vt 1. (gén) to visualize 2. INFORM to display 3. TECHNOL to make visible.

visuel, elle adj visual. ■ **visuel** nm INFORM visual display unit • **visuel graphique** graphical display unit.

visuellement adv visually.

vital, e adj vital.

vitalité nf vitality.

vitamine nf vitamin.

vitaminé, e adj with added vitamins, vitamin-enriched.

vite adv 1. (rapidement) quickly, fast • **vite, le prof arrive !** quick, the teacher's coming! • **fais vite !** hurry up! 2. (tôt) soon.

vitesse nf 1. (gén) speed • **à toute vitesse** at top speed 2. (de vélo, voiture) gear • **un vélo à dix vitesses** a ten-gear bike, a bike with ten gears • **changer de vitesse** to change gear.

viticole adj wine-growing.

viticulteur, trice nm, f wine-grower.

vitrage nm 1. (vitres) windows pl 2. (toit) glass roof.

vitrail nm stained-glass window.

vitre nf 1. (de fenêtre) pane of glass, windowpane 2. (de voiture, train) window.

vitré, e adj glass (avant nom).

vitreux, euse adj 1. (roche) vitreous 2. (œil, regard) glassy, glazed.

vitrification nf 1. (de parquet) sealing and varnishing 2. (d'émail) vitrification.

vitrifier vt 1. (parquet) to seal and varnish 2. (émail) to vitrify.

vitrine nf 1. (de boutique) (shop) window 2. fig showcase 3. (meuble) display cabinet.

vivable adj 1. (appartement) livable-in 2. (situation) bearable, tolerable 3. (personne) livable • **il n'est pas vivable** he's impossible to live with.

vivace adj 1. (plante) perennial 2. (arbre) hardy 3. fig (haine, ressentiment) deep-rooted, entrenched 4. (souvenir) enduring.

vivacité nf 1. (promptitude - d'une personne) liveliness, vivacity • **vivacité d'esprit** quick-wittedness 2. (d'un coloris, du teint) intensity, brightness 3. (de propos) sharpness.

vivant, e adj 1. (en vie) alive, living 2. (enfant, quartier) lively 3. (souvenir) still fresh. ■ **vivant** nm (personne) • **les vivants** the living.

vive[1] nf (poisson) weever.

vive[2] interj three cheers for • **vive le roi !** long live the King! • **vive les vacances !** three cheers for the holidays!

vivement adv 1. (agir) quickly 2. (répondre) sharply 3. (affecter) deeply. ❑ interj • **vivement les vacances !** roll on the holidays! • **vivement que l'été arrive** I'll be glad when summer comes, summer can't come quick enough.

vivifiant, e adj invigorating, bracing.

vivisection nf vivisection.

vivoter vi 1. (personne) to live from hand to mouth 2. (affaire, commerce) to struggle to survive.

vivre vi 1. to live 2. (être en vie) to be alive • **vivre de** to live on • **faire vivre sa famille** to support one's family • **être difficile/facile à vivre** to be hard/easy to get on with • **avoir vécu** to have seen life. ❑ vt 1. (passer) to spend 2. (éprouver) to experience. ■ **vivres** nmpl provisions.

vizir nm vizier.

VO (abrév de version originale) nf it is a label that indicates that a film is being displayed in its original language, usually with French subtitles • **en VO sous-titrée** in the original version with subtitles.

vocable nm term.

vocabulaire nm 1. (gén) vocabulary 2. (livre) lexicon, glossary.

vocal, e adj • **ensemble vocal** choir → **corde**.

vocatif nm vocative (case).

vocation nf 1. (gén) vocation 2. (d'organisation) mission.

vocifération nf shout, scream.

vociférer vt to shout, to scream.

vodka nf vodka.

vœu nm 1. RELIG (résolution) vow • **faire vœu de silence** to take a vow of silence 2. (souhait, requête) wish. ■ **vœux** nmpl greetings.

vogue nf vogue, fashion • **en vogue** fashionable, in vogue.

voguer vi littéraire to sail.

A PROPOS DE

voici

Les expressions **here is** et **here are** servent à annoncer l'arrivée de quelqu'un ou de quelque chose, ou le fait que l'on vient de trouver quelque chose (**here's Charlie !** ; **here are the answers**). Le sujet (**Charlie** ; **answers**) se place à la fin de la phrase, sauf s'il s'agit d'un pronom personnel tel que **I**, **you**, **he**, etc (**here's Charlie — here he is** ; **here are the answers — here they are**).

voici prép 1. (pour désigner, introduire) here is/are • **le voici** here he/it is • **les voici** here they are • **vous cherchiez des allumettes ? en voici** were you looking for matches? there are some here • **voici ce qui s'est passé** this is what happened **2.** *(il y a)* • **voici trois mois** three months ago • **voici quelques années que je ne l'ai pas vu** I haven't seen him for some years (now), it's been some years since I last saw him.

voie *nf* **1.** *(route)* road • **voie à deux voies** two-lane road • **la voie publique** the public highway • **voie sans issue** no through road • **voie privée** private road **2.** *(rails)* track, line **3.** *(quai)* platform • **voie ferrée** railway line **(UK)**, railroad line **(US)** • **voie de garage a)** siding **b)** *fig* dead-end job **4.** *(mode de transport)* route **5.** ANAT passage, tract • **par voie buccale** *ou* **orale** orally, by mouth • **par voie rectale** by rectum • **voie respiratoire** respiratory tract **6.** *fig (chemin)* way **7.** *(filière, moyen)* means *pl.* ■ **en voie de** *loc prép* on the way *ou* road to • **en voie de développement** developing. ■ **voie de fait** *nf* assault • **se livrer à des voies de fait sur qqn** to assault sb. ■ **Voie lactée** *nf* • **la Voie lactée** the Milky Way.

voilà *prép* **1.** *(pour désigner)* there is/are • **le voilà** there he/it is • **les voilà** there they are • **me voilà** that's me, there I am • **vous cherchiez de l'encre ? en voilà** you were looking for ink? there is some (over) there • **nous voilà arrivés** we've arrived **2.** *(reprend ce dont on a parlé)* that is **3.** *(introduit ce dont on va parler)* this is • **voilà ce que j'en pense** this is/that is what I think • **voilà tout** that's all • **et voilà !** there we are! **4.** *(il y a)* • **voilà dix jours** ten days ago • **voilà dix ans que je le connais** I've known him for ten years (now).

voile[1] *nf* **1.** *(de bateau)* sail **2.** *(activité)* sailing • **faire de la voile** to go sailing.

---

voile

l'amarre	the mooring
l'ancre	the anchor
la coque	the hull
la cale	the hold
la corde	the cord
le gouvernail	the rudder
le mât	the mast
la rame	the oar
le spi	the spinnaker
la voile	the sail

(LEXIQUE)

---

voile[2] *nm* **1.** *(textile)* voile **2.** *(coiffure)* veil **3.** *(de brume)* mist.

voilé, e *adj* **1.** *(visage, allusion)* veiled **2.** *(ciel, regard)* dull **3.** *(roue)* buckled **4.** *(son, voix)* muffled.

voiler *vt* **1.** *(visage)* to veil **2.** *(vérité, sentiment)* to hide **3.** *(sujet : brouillard, nuages)* to cover. ■ **se voiler** *vp* **1.** *(femme)* to wear a veil **2.** *(ciel)* to cloud over **3.** *(yeux)* to mist over **4.** *(roue)* to buckle.

voilier *nm* *(bateau)* sailing boat **(UK)**, sailboat **(US)**.

voilure *nf* *(de bateau)* sails *pl.*

voir *vt* *(gén)* to see • **je l'ai vu tomber** I saw him fall • **faire voir qqch à qqn** to show sb sthg • **ne**

rien avoir à voir avec *fig* to have nothing to do with • **voyons,...** *(en réfléchissant)* let's see,.... ❑ *vi* to see. ■ **se voir** *vp* **1.** *(se regarder)* to see o.s., to watch o.s. **2.** *(s'imaginer)* to see *ou* to imagine *ou* to picture o.s. **3.** *(se rencontrer)* to see one another *ou* each other **4.** *(se remarquer)* to be obvious, to show • **ça se voit !** you can tell!

voire *adv* even.

voirie *nf* ADMIN ≃ Department of Transport.

voisin, e *adj* **1.** *(pays, ville)* neighbouring **(UK)**, neighboring **(US)** **2.** *(maison)* next-door **3.** *(idée)* similar. ❑ *nm, f* neighbour **(UK)**, neighbor **(US)** • **voisin de palier** next-door neighbour *(in a flat).*

voisinage *nm* **1.** *(quartier)* neighbourhood **(UK)**, neighborhood **(US)** *(environs)* vicinity **3.** *(relations)* • **rapports de bon voisinage** (good) neighbourliness **(UK)** *ou* neighborliness **(US)**.

voiture *nf* **1.** *(automobile)* car • **voiture de fonction** company car • **voiture de location** hire **(UK)** *ou* rental **(US)** car • **voiture d'occasion/de sport** second-hand/sports car **2.** *(de train)* carriage **(UK)**, car **(US)**.

voix *nf* **1.** *(gén)* voice • **voix de stentor** stentorian voice • **à mi-voix** in an undertone • **à voix basse** in a low voice, quietly • **à voix haute a)** *(parler)* in a loud voice **b)** *(lire)* aloud • **de vive voix** in person **2.** *(suffrage)* vote.

vol *nm* **1.** *(d'oiseau, avion)* flight • **vol (en) charter** charter flight • **à vol d'oiseau** as the crow flies • **en plein vol** in flight **2.** *(groupe d'oiseaux)* flight, flock **3.** *(délit)* theft.

vol. *(abrév de volume)* vol.

volage *adj* fickle.

volaille *nf* • **la volaille** poultry, (domestic) fowl.

volant[1]**, e** *adj* **1.** *(qui vole)* flying **2.** *(mobile)* • **feuille volante** loose sheet.

volant[2] *nm* **1.** *(de voiture)* steering wheel **2.** *(de robe)* flounce **3.** *(de badminton)* shuttlecock.

volatiliser ■ **se volatiliser** *vp* **1.** to volatilize **2.** *fig* to vanish into thin air.

volcan *nm* **1.** volcano **2.** *fig* spitfire.

volcanique *adj* **1.** volcanic **2.** *fig (tempérament)* fiery.

volée *nf* **1.** *(de flèches)* volley • **une volée de coups** a hail of blows **2.** FOOTBALL & TENNIS volley.

voler *vi* to fly. ❑ *vt* **1.** *(personne)* to rob **2.** *(chose)* to steal.

volet *nm* **1.** *(de maison)* shutter **2.** *(de dépliant)* leaf **3.** *(d'émission)* part.

voleur, euse *nm, f* thief • **la police a arrêté les voleurs** the police arrested the thieves.

volière *nf* aviary.

volley-ball *nm* volleyball.

volontaire *nmf* volunteer. ❑ *adj* **1.** *(omission)* deliberate **2.** *(activité)* voluntary **3.** *(enfant)* strong-willed.

volontairement adv **1.** deliberately **2.** (offrir) voluntarily.

volonté nf **1.** (vouloir) will • **à volonté** unlimited, as much as you like **2.** (disposition) • **bonne volonté** willingness, good will • **mauvaise volonté** unwillingness **3.** (détermination) willpower.

volontiers adv **1.** (avec plaisir) with pleasure, gladly, willingly **2.** (affable, bavard) naturally.

volt nm volt.

voltage nm voltage.

volte-face nf inv **1.** about-turn (UK), about-face (US) **2.** fig U-turn, about-turn (UK), about-face (US).

voltige nf **1.** (au trapèze) trapeze work • **haute voltige a)** flying trapeze act **b)** mental gymnastics (indén) **2.** (à cheval) circus riding **3.** (en avion) aerobatics (indén).

voltiger vi **1.** (insecte, oiseau) to flit ou flutter about **2.** (feuilles) to flutter about.

volubile adj voluble.

volume nm **1.** (tome) volume **2.** (en acoustique) volume **3.** (quantité globale) volume, amount **4.** (poids, épaisseur) volume **5.** INFORM (unité) volume.

volumineux, euse adj voluminous, bulky.

volupté nf **1.** (sensuelle) sensual ou voluptuous pleasure **2.** (morale, esthétique) delight.

voluptueux, euse adj voluptuous.

volute nf **1.** (de fumée) wreath **2.** ARCHIT volute, helix.

vomi nm fam vomit.

vomir vt **1.** (aliments) to bring up • **j'ai envie de vomir** I feel sick **2.** (fumées) to belch, to spew (out) **3.** (injures) to spit out.

vont → aller.

vorace adj voracious.

voracité nf voracity.

votant, e nm, f voter.

vote nm vote.

voter vi to vote. ❑ vt **1.** POLIT to vote for **2.** (crédits) to vote **3.** (loi) to pass.

votre adj poss your.

vôtre ■ **le vôtre, la vôtre** pron poss yours • **les vôtres** your family • **vous et les vôtres** people like you • **à la vôtre !** your good health!

vouer vt **1.** (promettre, jurer) • **vouer qqch à qqn** to swear ou vow sthg to sb **2.** (consacrer) to devote **3.** (condamner) • **être voué à** to be doomed to.

vouloir

■ **vouloir** vt

1. EXIGER

• **je veux partir** I want to leave • **je veux qu'il se taise** I want him to be quiet

2. ACCEPTER

• **je veux bien le faire** I don't mind doing it

3. SOUHAITER, DÉSIRER

• **il veut une nouvelle montre pour son anniversaire** he wants a new watch for his birthday • **voulez-vous boire quelque chose ?** would you like something to drink? • **si tu veux** if you like, if you want • **je voudrais un verre d'eau, s'il vous plaît** I would like a glass of water, please • **je voudrais savoir si ma sœur est arrivée** I would like to know if my sister has arrrived • **il aurait voulu être là quand sa femme a accouché** he would have liked to have been there when his wife had her baby • **j'aurais voulu que vous soyez là !** I wish you had been here! • **sans le vouloir** without meaning ou wishing to, unintentionally

4. DANS DES DEMANDES POLIES

• **veuillez vous asseoir** please take a seat

5. EXPRIME UNE IMPUISSANCE

• **que voulez-vous, c'est comme ça, on n'y peut rien !** what can you do? ou what do you expect? that's the way it is and we can't do anything about it! • **qu'est-ce que tu veux que je te dise ?** what do you want me to say? ou what can I say? • **que voulez-vous que j'y fasse ?** what do you want ou expect me to do about it? • **comment voulez-vous que je sache ?** how should I know?

6. EN PARLANT DE COUTUMES

• **l'usage veut que les genoux et les épaules soient couverts** custom requires covering the knees and shoulders • **comme le veut la tradition, le gagnant du concours ira étudier trois semaines aux États-Unis** according to the tradition, the winner of the contest will go to America to study for 4 weeks

7. FAIRE UNE TENTATIVE

• **elle voulut se lever mais elle était trop faible** she tried to stand up but she was too weak • **en voulant aider sa mère, il ne réussit qu'à lui faire perdre son temps** in trying to help his mother, he only succeeded in making her lose time

8. DANS DES EXPRESSIONS

• **si on veut** more or less, if you like • **en vouloir à qqn** to have a grudge against sb

■ **se vouloir** vp

• **elle se veut différente** she thinks she's different

■ **s'en vouloir** vp

1. EMPLOI RÉFLÉCHI

• **s'en vouloir de faire qqch** to be cross with o.s. for doing sthg • **je m'en veux d'avoir été dur avec elle** I wish I hadn't been hard with her

2. EMPLOI RÉCIPROQUE

• **elles s'en veulent à mort** they really have it in for each other

voulu ,e pp → **vouloir** .□ adj **1.** (requis) requisite **2.** (délibéré) intentional.

vous pron pers **1.** (sujet, objet direct) you **2.** (objet indirect) (to) you **3.** (après préposition, comparatif) you **4.** (réfléchi) yourself, yourselves. ■ **vous-même** pron pers yourself. ■ **vous-mêmes** pron pers yourselves.

À PROPOS DE

VOUS

Vous et tu se traduisent par le même pronom en anglais : **you**.

• Je te/vous cherchais. **I was looking for you.**

Lorsque vous a une valeur réfléchie, il se traduit par **yourself**, si vous représente une personne, ou par **yourselves**, si vous représente plusieurs personnes, ou bien il ne se traduit pas• Vous ne pensez qu'à vous. (pour une personne) **You only think about** yourself.

• Vous ne pensez qu'à vous. (pour plusieurs personnes) **You only think about yourselves.**

Pour les verbes qui ne sont que pronominaux, c'est-à-dire qui ne s'utilisent qu'avec un pronom, vous ne se traduit pas en anglais.

Notez qu'avec les parties du corps, on utilise l'adjectif possessif en anglais.

• Vous vous êtes lavé les mains ? **Did you wash your hands?**

Lorsque vous a une valeur réciproque, il se traduit par **each other** ou bien il ne se traduit pas.

• Est-ce que vous vous voyez souvent ? **Do you see each other often?**

voûte nf **1.** ARCHIT vault **2.** fig arch **3.** ANAT • **voûte du palais** roof of the mouth • **voûte plantaire** arch (of the foot).

voûter vt to arch over, to vault. ■ **se voûter** vp to be ou become stooped. ■ **se voûter** vpi to stoop, to become round-shouldered.

vouvoiement nm use of the "vous" form.

vouvoyer vt • **vouvoyer qqn** to use the "vous" form to sb. ■ **se vouvoyer** vp to use the formal "vous" form with each other.

À PROPOS DE

VOUVOYER

Il n'existe pas de forme de vouvoiement en anglais. Que l'on s'adresse à un ami ou à la reine, on emploiera indifféremment **you** qui se traduira donc soit par tu, soit par vous.

voyage nm **1.** journey, trip • **les voyages** travel (sing), travelling (indén) (UK), traveling (indén) (US) • **partir en voyage** to go away, to go on a trip • **voyage d'affaires** business trip

• **voyage organisé** package tour • **voyage de noces** honeymoon **2.** (sur la mer, dans l'espace) voyage.

À PROPOS DE

voyage

Attention ! Le mot **travel** est indénombrable sauf dans l'expression idiomatique **my/your/his etc travels**. Il ne s'emploie jamais avec l'article indéfini **a** :

• J'adore les voyages. **I love to travel.**

• Je reviens d'un très beau voyage en Chine. **I've just come back from a wonderful trip to China.**

voyager vi to travel.

voyageur ,euse nm, f traveller (UK), traveler (US).

voyagiste nm tour operator.

voyance nf clairvoyance.

voyant ,e adj loud, gaudy. □ nm, f (devin) seer, clairvoyant. ■ **voyant** nm **1.** (lampe) light **2.** AUTO indicator (light) • **voyant d'essence/d'huile** petrol/oil warning light.

voyelle nf vowel.

voyeur ,euse nm, f voyeur, Peeping Tom.

voyou nm **1.** (garnement) urchin **2.** (loubard) lout.

vrac ■ **en vrac** loc adv **1.** (sans emballage) loose **2.** (en désordre) higgledy-piggledy **3.** (au poids) in bulk.

vrai ,e adj **1.** (histoire) true • **c'est** ou **il est vrai que…** it's true that… **2.** (or, perle, nom) real **3.** (personne) natural **4.** (ami, raison) real, true. ■ **vrai** nm • **à vrai dire, à dire vrai** to tell the truth.

vraiment adv really • **ce n'est vraiment pas rigolo !** it really isn't funny! • **ce n'est pas vraiment mon genre** he's not really my type.

vraisemblable adj **1.** likely, probable **2.** (excuse) plausible.

vraisemblance nf **1.** likelihood, probability **2.** (d'excuse) plausibility.

V/Réf (abrév de Votre référence) your ref.

vrille nf **1.** BOT tendril **2.** (outil) gimlet **3.** (spirale) spiral. ■ **en vrille** loc adv • **descendre en vrille** to spin downwards • **partir en vrille** fam **a)** (situation, projet) to go pear-shaped **b)** (personne) to go crazy • **se mettre en vrille** to go into a (vertical) spin.

vrombir vi to hum.

vrombissement nm humming (indén).

VTC (abrév de vélo tout chemin) nf SPORT hybrid bike.

VTT (abrév de vélo tout terrain) nm mountain bike.

vu ,e pp → **voir** .□ adj **1.** (perçu) • **être bien/mal vu** to be acceptable/unacceptable **2.** (compris) clear. ■ **en vue de** loc prép with a view to. ■ **vu** prép given, in view of • **vu tes notes habituelles…** given your usual marks…. ■ **vue**

nf **1.** *(sens, vision)* sight, eyesight **2.** *(regard)* gaze • **à première vue** at first sight • **de vue** by sight • **en vue** *(vedette)* in the public eye • **perdre qqn de vue** to lose touch with sb **3.** *(panorama, idée)* view. ■ **vues** *nfpl* plans • **avoir des vues sur qqn** to have designs on sb, to have one's eye on sb • **avoir des vues sur qqch** to covet sthg. ■ **vu que** *loc conj* given that, seeing that.

vulgaire *adj* **1.** *(grossier)* vulgar, coarse **2.** *(avant nom)* *péj (quelconque)* common.

vulgarisation *nf* popularization.

vulgariser *vt* to popularize.

vulgarité *nf* vulgarity, coarseness.

vulnérable *adj* vulnerable.

vulve *nf* vulva.

W Y
X Z

W

w, W *nm inv* w, W.

wagon *nm* carriage (UK), car (US) • **wagon de première/seconde classe** first-class/second-class carriage (UK) *ou* car (US) • **un wagon fumeurs** a smoking carriage.

wagon-lit *nm* sleeping car, sleeper.

wagon-restaurant *nm* restaurant (UK) *ou* dining (US) car.

Walkman® *nm* personal stereo, Walkman®.

wallon, onne *adj* Walloon. ■ **wallon** *nm* *(langue)* Walloon. ■ **Wallon, onne** *nm, f* Walloon.

warning *nm* AUTO hazard warning lights (UK), hazard lights (US).

Washington *npr* **1.** *(ville)* Washington DC **2.** *(État)* Washington State.

water-polo *nm* water polo.

waterproof *adj inv* waterproof.

watt *nm* watt.

W.-C. (abrév de water closet) *nmpl* WC *sing*, toilets • **où sont les W.-C. ?** where is the WC?, where are the toilets?, where is the bathroom? (US).

Web *nm* • **le Web** the Web, the web.

webcam *nf* webcam.

weblog *nm* weblog.

webmaster, webmestre *nmf* webmaster.

week-end *nm* weekend • **bon week-end !** have a nice weekend!

western *nm* western.

whisky *nm* **1.** *(écossais)* whisky, scotch **2.** *(irlandais ou américain)* whiskey.

white-spirit *nm* white spirit (UK).

Wi-Fi, wi-fi (abrév de Wireless Fidelity) *nm inv* Wi-Fi.

WWW (abrév de World Wide Web) *nf* WWW.

X

x, X *nm inv* x, X • **l'X** the École polytechnique.

xénophobie *nf* xenophobia.

xérès *nm* sherry.

XXL (abrév de extra extra large) *adj* XXL.

xylophone *nm* xylophone • **jouer du xylophone** to play the xylophone.

Y

y¹, Y *nm inv* y, Y.

y² *adv* *(lieu)* there • **j'y vais demain** I'm going there tomorrow • **mets-y du sel** put some salt in it • **va voir sur la table si les clefs y sont** go and see if the keys are on the table • **ils ont ramené des vases anciens et y ont fait pousser des fleurs exotiques** they brought back some antique vases and grew exotic flowers in them. ❑ *pron pers* **1.** *(la traduction varie selon la préposition utilisée avec le verbe)* • **pensez-y** think about it • **n'y comptez pas** don't count on it • **j'y suis !** I've got it! **2.** Voir aussi **aller, avoir** *etc.*

yacht *nm* yacht.

yachtman, yachtsman *nm* yachtsman.

yaourt, yogourt, yoghourt *nm* yoghurt • **un yaourt aux fruits** a fruit yoghurt • **des yaourts nature** plain yoghurts.

Yémen *nm* • **le Yémen** Yemen.

yen *nm* yen.

yiddish *nm inv & adj inv* Yiddish.

yoga *nm* yoga.

yoghourt = yaourt.

yogourt = yaourt.

yougoslave *adj* Yugoslav, Yugoslavian. ■ **Yougoslave** *nmf* Yugoslav, Yugoslavian.

En anglais, les adjectifs se rapportant à un pays ou une région s'écrivent avec une majuscule.

Yougoslavie *nf* • **la Yougoslavie** Yugoslavia • **l'ex-Yougoslavie** the former Yugoslavia.

En anglais, à de rares exceptions près, il n'y a pas d'article devant les noms de pays.

yoyo *nm MÉD* grommet.

Z

z, Z *nm inv* z, Z.

Zaïre *nm* • **le Zaïre** Zaïre.

zapper *vi* to zap.

zappeur, euse *nm, f* channel hopper, zapper.

zapping *nm* zapping, channel-hopping.

zèbre *nm* zebra • **un drôle de zèbre** *fam & fig* an oddball.

zébrure *nf* **1.** *(de pelage)* stripe **2.** *(marque)* weal.

zébu *nm* zebu.

zèle *nm* zeal • **faire du zèle** *péj* to be over-zealous.

zélé, e *adj* zealous.

zénith *nm* zenith.

zéro *nm* **1.** *(chiffre)* zero, nought *(UK)* **2.** *(énoncé dans un numéro de téléphone)* O *(UK)*, zero **3.** *(nombre)* nought *(UK)*, nothing **4.** *(de graduation)* freezing point, zero • **au-dessus/au-**dessous de zéro above/below (zero) **5.** *SPORT* • **trente à zéro pour Agassi** thirty love for Agassi • **deux buts à zéro** two goals to nil **6.** • **avoir le moral à zéro** *fig* to be *ou* feel down. ❏ *adj* • **zéro faute** no mistakes.

zeste *nm* peel, zest • **du zeste de citron** lemon peel, lemon zest.

zézayer *vi* to lisp.

zigzag *nm* zigzag • **en zigzag** winding.

zigzaguer *vi* to zigzag (along).

zinc *nm* **1.** *(matière)* zinc **2.** *fam (comptoir)* bar **3.** *fam (avion)* crate.

zipper *vt INFORM* to zip.

zizanie *nf* • **semer la zizanie** *fig* to sow discord.

zizi *nm fam* willy *(UK)*, peter *(US)*.

zodiaque *nm* zodiac.

zone *nf* **1.** *(région)* zone, area **2.** *(faubourg)* • **la zone** the slum belt **3.** • **zone de turbulences** *(en avion)* turbulence zone • **zone d'activités** *ÉCON* business park **4.** *TÉLÉCOM* • **zone de couverture** coverage area • **la zone euro** the euro zone.

zoner *vi fam* to hang about, to hang around.

zoo *nm* zoo.

zoologie *nf* zoology.

zoom *nm* **1.** *(objectif)* zoom (lens) **2.** *(gros plan)* zoom.

zut *interj fam* damn!

Guide
pratique

Sommaire du guide pratique

Grammaire de l'anglais

Guide de communication

Grammaire
de l'anglais

Les adjectifs

■ En anglais, l'adjectif ne change jamais de forme. Il est invariable en genre et en nombre :

a young woman → young women ;

a young man → young men.

■ L'adjectif épithète se place toujours devant le nom qu'il qualifie :

green peppers *des poivrons verts* ;

my dirty old jeans *mon vieux jean tout sale* ;

a beautiful red Italian sports car *une belle voiture de sport italienne rouge.*

■ L'adjectif attribut se place après les verbes d'état (**be, seem,** etc.) :

Your hands are dirty. *Tu as les mains sales.*

That doesn't seem right to me. *Je crois qu'il y a quelque chose qui ne va pas.*

■ Certains adjectifs sont toujours attributs (**alive, asleep, afraid, alone, awake, ill, well, fine, better, cross, glad,** etc.) :

The fish were still alive. *Les poissons étaient toujours vivants.*

The children, who were afraid, started to cry. *Les enfants, qui avaient peur, se sont mis à pleurer.*

■ S'il y a plusieurs adjectifs épithètes, l'ordre est généralement le suivant : taille, âge, couleur, origine, matière.

a large black London taxi *un grand taxi noir de Londres* ;

a small metal toy *un petit jouet en métal.*

■ Un adjectif qui exprime un jugement personnel se place en premier :

a beautiful black dress *une belle robe noire.*

Les adverbes

■ L'adverbe peut modifier le verbe, l'adjectif, la phrase entière ou un autre adverbe.

■ On peut former de nombreux adverbes, en particulier ceux de manière, en ajoutant le suffixe **-ly** à l'adjectif :

slow → slowly ; clear → clearly.

■ Attention aux changements orthographiques :

– **-y → -ily** : happily ; tidily ; speedily ;

– **-le → -ly** : gently ; nobly ;

– **-ll → -lly** : fully ;

– **-ic → -ically** : drastically ; historically mais publicly.

■ On peut également former un adverbe à partir du participe du verbe en lui ajoutant le suffixe **-ly** :

tiredly ; repeatedly ; pleasingly.

■ Lorsque l'adjectif se termine déjà par **-ly**, ce qui est le cas pour un certain nombre comme **friendly, silly, likely,** il faut utiliser l'expression **in a... way/manner** :

She smiled at him in a friendly way. *Elle lui a souri amicalement.*

Certains adverbes très courants ont la même forme que l'adjectif ou le déterminant correspondant : fast, early, wrong, right, much, either, enough, late.

Les articles

L'article indéfini

■ L'article indéfini s'écrit **a** devant une consonne, **an** devant une voyelle :
  a branch; a day; a new boat; an owl; an egg; an old boat.

■ Cependant, on emploie :
– **a** devant un nom qui commence par une voyelle se prononçant [j] ou [w] ou devant un « h » aspiré : a university; a one-way ticket; a house; a husband.
– **an** devant un « h » muet : an honour; an hour.

■ Il indique que le nom qu'il précède appartient à une classe. Il s'emploie devant un nom singulier dénombrable.
  Lend me a pencil, will you? *Prête-moi un crayon, s'il te plaît.*

■ Il précède obligatoirement un nom de métier :
  My sister is a musician. *Ma sœur est musicienne.*

■ Il s'emploie dans les indications de mesure avec un sens distributif :
  90 km an hour *90 km à l'heure* ;
  four times a day *quatre fois par jour* .

Au pluriel, on omet l'article indéfini : a little house → little houses.

L'article défini

■ L'article défini est **the**, et il précède le nom au singulier ou au pluriel :
  the book; the boy; the truth; the girls; the bicycles.

■ L'article défini indique que le nom qu'il précède renvoie à une entité spécifique, et en principe connue du co-énonciateur :
  Have you seen the keys? *As-tu vu les clés ?*

■ On emploie **the** pour désigner les entités repérées dans la situation d'énonciation ou seules représentantes de la classe :
  the Queen; the moon; the President.

■ On emploie **the** devant un adjectif substantivé ayant un sens générique. Ce procédé est très courant avec les adjectifs de nationalité ; dans ce cas, il désigne une nation entière. L'adjectif substantivé reste invariable et il est suivi d'un verbe au pluriel :
  the old and the poor *les personnes âgées et les pauvres* ;
  Do the French drink more wine than the Italians? *Est-ce que les Français boivent plus de vin que les Italiens ?*

Pour parler d'un membre de ce groupe, on doit adjoindre un nom à l'adjectif :
  the blind → a blind man *les aveugles → un aveugle* ;
  the Irish → an Irish woman *les Irlandais → une Irlandaise* .

L'absence d'article

■ Devant les **noms indénombrables*** ou les **dénombrables pluriels***, l'absence d'article souligne l'aspect « générique » ou notionnel du nom :

I love chocolate. *J'adore le chocolat.*

Books don't interest me. *Les livres ne m'intéressent pas.*

■ Il n'y a pas d'article devant des noms indiquant :

– le lieu :

to be in bed *être au lit* ;

to go to church *aller à l'église* ;

to walk to school *aller à l'école à pied* ;

from left to right *de gauche à droite.*

to travel to work *aller au travail* ;

to go into hospital *aller à l'hôpital* ;

to get home *rentrer chez soi* ;

– les repas :

to have breakfast *prendre le petit déjeuner* ;

to meet for lunch *se retrouver pour déjeuner* ;

to invite some friends to dinner *inviter des amis à dîner.*

– les moyens de transports :

to come by car *venir en voiture* ;

to go by bus/train *prendre le bus/le train* ;

to arrive on foot *arriver à pied.*

– le temps :

in spring *au printemps* ;

at night *la nuit* ;

next year *l'année prochaine,*

mais

in the evening *le soir.*

■ Les noms propres et les titres sont également employés sans article :

Doctor Allen *le docteur Allen* ;

King Louis XIV *le Roi Louis XIV* ;

President Kennedy *le président Kennedy,*

mais

the President of the United States *le président des États-Unis.*

■ Il n'y a pas d'article non plus devant les noms de pays, sauf s'ils sont formés à partir d'un nom commun :

France , England , mais the British Isles , the United States .

Les astérisques (*) renvoient à d'autres points abordés dans la grammaire de l'anglais.

Les auxiliaires

■ Les auxiliaires sont des opérateurs qui permettent d'indiquer le temps, la voix, la négation et la modalité.

– On utilise be et have pour former les temps et les formes composés :

Why are you looking at me? *Pourquoi tu me regardes ?*

I have never been to Brazil. *Je ne suis jamais allé au Brésil.*

– On utilise be pour former le **passif***.

– On utilise **do**, suivi de la base verbale, pour les phrases négatives, interrogatives ou emphatiques :

> She didn't go out at all last night. *Elle n'est pas du tout sortie hier soir.*
> Do you watch television ? *Est-ce que vous regardez la télévision ?*
> I do wish you would stop talking. *J'aimerais bien que tu arrêtes de bavarder.*

■ **Be, do** et **have** peuvent être soit auxiliaire soit verbe lexical. Il est donc tout à fait possible de les trouver utilisés dans les deux emplois dans une seule et même phrase :

> What do you do at the weekend ? *Que fais-tu le weekend ?*
> Have you had your breakfast yet ? *As-tu déjà pris ton petit déjeuner ?*
> Are you being stupid again ? *Tu es encore en train de faire l'imbécile ?*

■ Les auxiliaires modaux sont un sous-groupe des auxiliaires : **can, could, may, might, must, shall, should, will** et **would** (et quelquefois **need** et **dare**). En utilisant ces auxiliaires, l'énonciateur donne son point de vue quant à ce qui peut ou doit arriver. Selon le modal employé, l'événement est présenté, entre autres, comme possible, probable ou obligatoire en ce qui concerne le sujet grammatical :

> You must see his latest film. *Il faut que tu voies son dernier film.*
> You should stop smoking. *Tu devrais arrêter de fumer.*
> I might be a little late if there's a lot of traffic. *Il se peut que j'aie un peu de retard s'il y a beaucoup de circulation.*
> He will be there. *Il sera là.*
> Can I have some more cake ? *Est-ce que je peux reprendre du gâteau ?*

■ Les modaux, ainsi que **be, have** et **do** lorsqu'ils sont auxiliaires, et le verbe **be** ont les propriétés suivantes :

– ils peuvent se contracter, notamment à la forme négative :

> He's gone away. *Il est parti.*
> They don't know. *Ils ne savent pas.*

– ils s'antéposent au sujet dans les questions :

> Are you hungry ? *Tu as faim ?*
> Do you speak English ? *Vous parlez anglais ?*

– on les trouve seuls dans les reprises, les réponses courtes et les tags :

> I worked much harder than you did. *J'ai travaillé beaucoup plus dur que toi.*
> "Would you like some tea ? – Yes, I would." *« Voulez-vous du thé ? – Oui, volontiers. »*
> You're Eric Von Stalhiem, aren't you ? *Vous êtes Eric Von Stalhiem, n'est-ce pas ?*

– lorsqu'ils sont accentués, ce n'est pas l'auxiliaire qui est mis en avant, mais l'ensemble du prédicat :

> Don't be angry with him, he did try to call. *Ne lui en veux pas, il a essayé de t'appeler.*

■ Les auxiliaires modaux sont suivis :

– de la base verbale :

> I can see you. *Je te vois.*

- de l'infinitif passé, **have** + participe passé lorsque la phrase porte sur le passé :

  She should have taken a taxi. *Elle aurait dû prendre un taxi.*
- de l'auxiliaire de la forme progressive, **be** :

  I will be seeing him tomorrow. *Je le verrai demain.*
- de l'auxiliaire de la voix passive, **be** :

  He must be caught immediately. *Il faut l'arrêter tout de suite.*

■ Les modaux ont, au présent, une seule et unique forme :

  I can go ; you can go ; he can go ; we can go ; they can go.

■ Les modaux n'ont pas de forme en **-ing**, mais ils peuvent se combiner avec la forme **be** + **-ing**. On utilise souvent cette forme pour exprimer la probabilité :

  He can't still be working. **[fortement improbable]** *Il ne peut pas être encore en train de travailler.*

  He must be joking. **[forte probabilité]** *Il doit sûrement plaisanter.*

■ Seuls **can**, **may**, **will** et **shall** possèdent un prétérit :

  can → could ; may → might ; will → would ; shall → should.

Lorsque le prétérit des modaux a une valeur temporelle (chronologique), on constate la présence d'un repère temporel :

  Mozart could play the piano when he was four. *Mozart savait jouer du piano à l'âge de quatre ans.*

Mais la forme prétérit sert souvent à nuancer la modalité et n'a aucune valeur temporelle :

  It may rain later. *Il pourrait pleuvoir plus tard.*

  It might rain later. *Il se pourrait qu'il pleuve plus tard.*

Pour insister sur la valeur du passé, on utilise parfois un équivalent « semi-modal ». On notera aussi qu'il est impossible d'employer deux modaux ensemble :

  I can afford a car now. *J'ai maintenant les moyens de m'acheter une voiture.*

  I'll soon be able to afford a car. *J'aurai bientôt les moyens de m'acheter une voiture.*

  I wasn't able to afford a car. *Je n'avais pas les moyens de m'acheter une voiture.*

Le comparatif et le superlatif de l'adjectif

■ Le comparatif s'emploie pour comparer deux éléments. Il existe trois grandes catégories de comparatifs :

- le comparatif de supériorité (« plus... que ») se construit avec l'adjectif au comparatif, suivi de **than** :

  He's much older than you. *Il est beaucoup plus âgé que toi.*

  London is bigger than Paris. *Londres est plus étendu que Paris.*

- le comparatif d'infériorité (« moins... que ») se construit avec **less**, suivi de la forme de base de l'adjectif et de **than** :

  The film was less interesting than I'd expected. *Le film était moins intéressant que je ne pensais.*

He is less happy about his job than (he was) last year. *Son travail lui plaît moins que l'année dernière.*

– le comparatif d'égalité (« aussi... que ») se construit en employant as avant et après l'adjectif :

My uncle is as handsome as Jude Law. *Mon oncle est aussi beau que Jude Law.*

■ Cette construction est cependant beaucoup plus fréquente au négatif, elle équivaut dans ce cas à un comparatif de supériorité ou d'infériorité :

German is not as easy as English. *L'allemand n'est pas aussi facile que l'anglais.*

■ Le superlatif s'emploie pour comparer un élément à un ensemble d'éléments. On distingue deux grandes catégories de superlatifs :

– le superlatif de supériorité (« le/la plus... ») se construit avec l'adjectif au superlatif, précédé de the ou d'un autre déterminant :

She is the brightest pupil in the class. *C'est l'élève la plus brillante de la classe.*

It's the most interesting book I've read this year. *C'est le livre le plus intéressant que j'aie lu cette année.*

Lucy is my best friend. *Lucy est ma meilleure amie.*

– le superlatif d'infériorité (« le/la moins... ») se construit avec the least devant l'adjectif à la forme neutre :

This is the least interesting part of the book. *C'est la partie la moins intéressante du livre.*

■ Lorsque la relation de supériorité concerne seulement deux choses ou deux personnes, le superlatif se construit avec the, suivi de l'adjectif au comparatif de supériorité et de of :

This is the likelier of the two possibilities. *C'est la plus probable des deux possibilités.*

■ Le comparatif et le superlatif de supériorité de l'adjectif peuvent se former de deux façons. On ajoute -er pour le comparatif, et -est pour le superlatif :

– aux adjectifs courts (d'une seule syllabe) :

fast → faster → fastest ;

– aux adjectifs de deux syllabes, principalement ceux qui se terminent en -y et en -ow :

dirty → dirtier → dirtiest ; hollow → hollower → hollowest ;

– et à ces mêmes adjectifs lorsqu'ils sont précédés du préfixe un- :

unhappy → unhappier → unhappiest.

■ On emploie more pour le comparatif et most pour le superlatif :

– avec les adjectifs longs (de trois syllabes et plus) :

beautiful → more beautiful → most beautiful ;

– avec la plupart des adjectifs de deux syllabes dont ceux qui se terminent en -ful, -less, -al, -ant, -ent, -ic, -ive, -ous, ou qui commencent par a- :

graceful → more graceful → most graceful ;

– devant tous les participes :

boring → more boring → most boring ;

spoilt → more spoilt → most spoilt.

■ Beaucoup d'adjectifs de deux syllabes peuvent former leur comparatif/
superlatif des deux façons :

common ⎧ commoner → commonest
       ⎩ more common → most common

■ Dans le doute, préférez **more** et **most**, qui sonnent généralement mieux
que **-er** et **-est** mal employés.

■ Attention aux changements orthographiques :
- après une voyelle courte, la consonne finale est doublée :
  big → bigger → biggest ;
- le **-y** final devient **-i** devant **-er** et **-est** :
  silly → sillier → silliest ;
- on ajoute **-r** ou **-st** aux adjectifs se terminant en **-e** :
  rude → ruder → rudest.

Les adjectifs suivants ont un comparatif et un superlatif irréguliers :

ADJECTIF	COMPARATIF	SUPERLATIF
bad	worse	worst
far	farther/further	farthest/furthest
good	better	best
little	less	least
much/many	more	most
old	older/elder	oldest/eldest

Les dénombrables et les indénombrables

■ Les noms qui renvoient à des entités que l'on peut compter sont appelés
les dénombrables :
- ils ont un singulier et un pluriel ;
- ils peuvent être précédés de l'article indéfini **a/an** (au singulier), d'un nombre,
de **some** (au pluriel), d'un **adjectif possessif*** ou démonstratif :
  sandwich ; child ; inch ; idea ; chair ; loaf ; wish ; view.
  I want a fork. *Je veux une fourchette.*
  I want two forks. *Je veux deux fourchettes.*
  I made some sandwiches for lunch. *J'ai préparé des sandwichs pour le
  déjeuner.*

■ Les indénombrables renvoient à des ensembles d'objets, à de la matière,
à des états, à des notions abstraites :
- ils n'ont pas de pluriel, mais ils peuvent représenter plusieurs objets ;
- ils sont employés sans article ou précédés de **some**, d'un adjectif possessif
ou démonstratif :
  water ; furniture ; money ; weather ; happiness ; work ; advice.

I want some food.   *Je veux quelque chose à manger.*

Money is the biggest problem.   *Le plus gros problème, c'est l'argent.*

Quand un nom passe d'une catégorie à l'autre, il change généralement de sens :

DÉNOMBRABLE		INDÉNOMBRABLE	
Our flat has three rooms.	*Nous avons un trois pièces.*	Our flat has plenty of room.	*Notre appartement est très spacieux.*
I'm covered in cat hairs.	*Je suis couvert de poils de chat.*	She has lovely hair.	*Elle a de beaux cheveux.*

Le discours indirect

■ On emploie le discours indirect pour rapporter les paroles d'une tierce personne. Le discours indirect entraîne souvent la modification des formes verbales ainsi que des pronoms et des repères temporels.

■ On utilise un verbe introductif tel que **say** ou **tell**, mais il existe quantité d'autres verbes introductifs tels que **add, answer, declare, promise, wonder, explain.**

■ Si le verbe introductif est au présent, cela n'entraîne aucune modification de temps dans la phrase rapportée :

Fred says that he doesn't like frogs.   *Fred dit qu'il n'aime pas les grenouilles.*

■ Si le verbe introductif est au prétérit, les verbes rapportés se mettent au prétérit ou au **past perfect** :

She said she could read at the age of four.   *Elle a dit qu'elle savait lire à l'âge de quatre ans.*

They answered that they had read the book the previous year.   *Ils ont répondu qu'ils avaient lu le livre l'année précédente.*

You told me you had already seen that film.   *Tu m'as dit que tu avais déjà vu ce film.*

■ Il n'y a pas de modification de temps si le verbe renvoie à quelque chose qui est toujours valable au moment de parler, ou à un état :

He told me that this book is very good.   *Il m'a dit que ce livre est très bon.*

L'interrogation indirecte

■ L'énonciateur emploie le verbe **ask** pour rapporter des questions. **Ask** est suivi de **if** pour rapporter les **yes/no questions**, et d'une forme en **wh-** pour rapporter une **wh- question** :

She asked me if I was crazy.   *Elle m'a demandé si j'étais fou.*

Wayne asked Kathy where she lived.   *Wayne a demandé à Kathy où elle habitait.*

Les formes du verbe

■ À l'exception du verbe **be**, le verbe anglais a, au plus, cinq formes différentes :
- la base verbale : **write**
- la forme en **-s** :
    She writes letters. *Elle écrit des lettres.*
- la forme en **-ing** :
    I was writing a letter. *J'étais en train d'écrire une lettre.*
- la forme du prétérit :
    I wrote a letter. *J'écrivis/J'ai écrit une lettre.*
- la forme du participe passé :
    I have written a letter. *J'ai écrit une lettre.*

■ De plus, on distingue des formes simples et des formes composées :
- la forme simple est constituée du verbe sans auxiliaire. On la trouve au **présent simple** * et au **prétérit simple** *.
- la forme composée comporte le verbe + un ou plusieurs auxiliaires placés devant lui. Il peut s'agir de l'auxiliaire de la forme progressive, de l'auxiliaire du **present perfect** *, de celui de **la voix passive** * ou encore d'**auxiliaires modaux** *.

■ On trouve la base verbale à toutes les personnes du **présent simple** *, excepté à la troisième personne du singulier, qui prend un **-s**.

■ On la trouve aussi :
- après l'auxiliaire **do** et les **modaux** * ;
- à toutes les personnes de l'impératif.

■ On distingue trois catégories de verbes irréguliers :
- première catégorie : le prétérit et le participe passé de ces verbes ont la même forme ;
- deuxième catégorie : le prétérit et le participe passé ont des formes différentes ;
- troisième catégorie : ces verbes, d'une seule syllabe, se terminent par **-d** ou **-t**, et ont une même forme pour la base verbale, le prétérit et le participe passé.

Le futur

■ En anglais, il n'y a pas de temps grammatical futur. Cependant, l'énonciateur dispose d'un certain nombre de moyens pour dire qu'un événement va avoir lieu dans l'avenir. Selon le point de vue qu'il adopte, il choisira une forme plutôt qu'une autre en fonction de la probabilité de réalisation de l'événement, par exemple, ou du moment de sa réalisation dans l'avenir (plus ou moins proche). Voici les différentes manières d'exprimer le futur :
- **will/shall** + base verbale. Il est souvent impossible de déterminer laquelle de ces deux formes est employée, puisqu'elles ont la même forme réduite **'ll**.
    I'll start my diet on Monday. *Je me mettrai au régime lundi.*
    They'll be here soon. *Ils seront bientôt là.*
    Dans la pratique, **shall** s'emploie surtout à la première personne du singulier et du pluriel, pour faire une suggestion :
    Shall we go out for a meal tonight ? *Et si nous allions au restaurant ce soir ?*

On utilise will pour dire que l'événement aura lieu dans l'avenir. Il n'y a pas de lien précis avec la situation présente.

> I will be in London next week. *Je serai à Londres la semaine prochaine.*

– be going to + base verbale.
Cette forme exprime la certitude de la part de l'énonciateur qu'un événement aura lieu. La réalisation de cet événement est souvent liée au moment où l'énonciateur prend la parole.

> Look at those clouds! It's going to rain. *Regarde ces nuages ! Il va pleuvoir.*

– présent progressif
L'aspect « événement en cours » de cette forme présente l'événement comme s'il se déroulait déjà. C'est le complément de temps qui indique qu'il s'agit d'un futur. Cette forme s'emploie souvent pour évoquer un futur « planifié ».

> She's taking me out to dinner tonight. *Elle m'emmène dîner ce soir.*

– will/shall + be + -ing
Cette forme permet de présenter l'événement futur dans son déroulement.

> I'll be working late tomorrow. *Je travaillerai jusqu'à tard demain.*

– présent simple
L'événement futur est présenté comme un fait. Cette forme est assez fréquente pour indiquer les horaires.

> The train leaves at eight o'clock. *Le train part à huit heures.*

– be to + base verbale
Cette forme indique uniquement que l'événement est déjà prévu et planifié et doit logiquement avoir lieu.

> We're to see him on Tuesday. *Nous devons le voir mardi.*
>
> The Prime Minister is to visit the factory on Friday. *Le Premier ministre doit visiter l'usine vendredi.*

– be about to + base verbale
Cette forme indique que l'événement est sur le point d'avoir lieu.

> They're about to leave. *Ils sont sur le point de partir.*

– hope/intend/plan/want + base verbale
On emploie également des verbes dont le sens indique qu'il s'agit d'un événement futur.

> He intends to learn Greek when he has a little more time.
> *Il a l'intention d'apprendre le grec lorsqu'il aura un peu plus de temps.*

Les noms

Le genre

■ En anglais, il n'existe pas de genre grammatical. Tous les noms sont neutres et les articles définis (the) et indéfinis (a/an) sont invariables. Il existe un genre « naturel » (masculin, féminin, neutre) dont les **pronoms personnels*** et réfléchis portent obligatoirement la marque :

> She's my sister. *C'est ma sœur.*
>
> It's his fault, not mine! *C'est de sa faute, pas de la mienne !*

■ Certains noms, cependant, ont une forme féminine et une forme masculine :

> waiter → waitress ; policeman → policewoman.

Le pluriel

- La marque du pluriel est généralement **-s** :
  book → books ; bird → birds ; hat → hats ; bag → bags.

- Cependant, pour les noms se terminant par **-s**, **-sh**, **-ch**, **-x** ou par **-o**, la marque du pluriel est **-es** :
  bus → buses ; box → boxes ; kiss → kisses ; tomato → tomatoes.

- Quelques exceptions, **piano**, **photo**, prennent un **-s**.

- Pour les noms terminés en **-y**, la marque du pluriel est **-ies** :
  baby → babies ; cherry → cherries ; entry → entries ; sauf lorsque le **-y** est précédé d'une voyelle : boy → boys ; day → days.

- Pour les noms terminés en **-f** ou **-fe**, la marque du pluriel est **-ves** :
  wife → wives ; knife → knives ; leaf → leaves.

- Quelques exceptions, **belief**, **chief**, **cliff**, **proof**, **safe**, prennent un **-s**.

- Pour certains noms, le pluriel entraîne une modification à l'intérieur du nom :
  man → men ; woman → women ; child → children ; foot → feet ; tooth → teeth ; goose → geese ; mouse → mice.

- Certains noms ont la même forme au singulier et au pluriel :
  sheep ; deer ; fish ; aircraft ; series ; species.

> La terminaison en **-s** n'est pas forcément la marque du pluriel. Certains noms en **-s**, par exemple des noms de jeux, de maladies et de matières, sont des **indénombrables*** toujours suivis d'un verbe au singulier : news, mathematics, the United States, measles, politics.
>
> The news is bad. *C'est une mauvaise nouvelle.*
>
> The United States is a very big country. *Les États-Unis sont un très grand pays.*
>
> Les noms qui font référence à des groupes de personnes ou d'animaux, comme **government**, **team**, **school**, peuvent être suivis d'un verbe singulier ou d'un verbe pluriel :
>
> England is/are winning 2-0. *L'Angleterre mène 2-0.*
>
> Certains noms, qu'ils se terminent ou non par **-s**, sont suivis d'un verbe au pluriel : people, cattle, police, trousers, scissors, clothes, outskirts.
>
> Some people are never satisfied! *Il y a des gens qui ne sont jamais contents !*

Le participe passé

- Le participe passé des verbes réguliers se forme en ajoutant **-ed** à la base verbale :
  I've finished my homework. *J'ai fini mes devoirs.*

- À la forme négative, **not** se place devant le participe passé :
  The subject is not dealt with in this book. *Cet ouvrage n'aborde pas le sujet.*

- Les formes du **prétérit*** et du participe passé des verbes réguliers sont toujours les mêmes. Quand la base verbale se termine par une consonne non accentuée, on ajoute **-ed** à la base verbale :
  looked ; cheated ; failed ; seemed ; appeared ; repaired.

■ Lorsque la base verbale se termine par :
- **-e**, on ajoute **-d** :
    hoped ; liked ; judged ; debated ; invited ; agreed ;
- une consonne + **y**, le **y** disparaît et la terminaison est **-ied** :
    tried ; replied ;
- une voyelle + **y**, la terminaison est régulière, **-ed** :
    enjoyed ; played ; mais pay → paid ; lay → laid.

■ Lorsque la base verbale se termine par une voyelle accentuée simple + une consonne, la consonne est doublée :
    flopped ; banned ; knitted ; admitted ; barred ; referred.

■ Notez bien les verbes terminés par :
- **-c** → **-cked** : panic → panicked ;
- **-m** → **-mmed** : program → programmed ;
- **-p** → **-pped** : worship → worshipped ;
- **-l** → **-lled** : travel → travelled.

■ Le participe passé peut avoir différentes fonctions et places dans la phrase :
- au **present perfect** : **have** + participe passé ;
- au **past perfect** : **had** + participe passé ;
- au passif : **be/get** + participe passé ;
- comme adjectif, par exemple **bored**, **tired**, **well-known** ;
- dans les propositions en apposition :
    I found out from a letter written by a friend. *Je l'ai appris par une lettre d'un ami.*

Le « past perfect »

■ Le **past perfect** se construit avec **had** + **participe passé***. Cette structure s'emploie souvent dans les propositions subordonnées, en particulier dans le discours indirect ; elle indique qu'il y a un décalage temporel entre deux événements du passé. On parle parfois de « passé dans le passé ». Le **past perfect** sert de passé au **prétérit simple*** et au **present perfect*** :

"Have you seen her yet?" *« Est-ce que tu l'as vue ? »*

He asked me if I had seen her yet. *Il m'a demandé si je l'avais vue.*

"Did you go to the parents' meeting on Saturday?" *« Avez-vous assisté à la réunion des parents d'élèves samedi matin ? »*

He asked me if I had been to the parents' meeting on Saturday morning. *Il m'a demandé si j'avais assisté à la réunion des parents d'élèves samedi matin.*

■ Le **past perfect** s'emploie pour insister sur l'antériorité d'un événement passé par rapport à un autre événement passé.

Olivia knew where to go; she had been there before. *Olivia savait où aller ; elle y était déjà allée.*

■ Dans les propositions introduites par **when**, **after**, etc., on peut employer le prétérit simple plutôt que le **past perfect**, si le décalage temporel dans le passé n'est pas explicitement mentionné :

I saw Ben some time after I spoke to you. *J'ai vu Ben quelque temps après t'avoir parlé.*

■ Le **past perfect** peut aussi avoir une valeur modale : il sert alors à désigner « l'irréel du passé », qui constitue un décalage entre ce qui s'est réellement passé et ce qui aurait pu se passer.

If I had known you were coming I would have stayed at home. *Si j'avais su que tu venais, je serais resté chez moi.*

■ Il s'emploie également avec **if only...** et **I wish...** :

If only you could come! *Si seulement tu pouvais venir !*
I wish I could help you. *J'aimerais pouvoir t'aider.*

■ Le **past perfect** peut se combiner avec la forme progressive, et dans ce cas il est souvent associé à **for** ou à **since** :

He had been sitting there for two hours before she arrived. *Ça faisait deux heures qu'il était assis là lorsqu'elle est arrivée.*

Le possessif

Le cas possessif

■ Le cas possessif indique souvent une relation de possession :

Mary's suitcase *la valise de Mary.*

■ Mais il indique dans de nombreux cas une simple relation entre les deux noms, le premier fonctionnant comme « repère » du deuxième :

London's underground *le métro de Londres*
today's paper *le journal d'aujourd'hui*
Kennedy's assassination *l'assassinat de Kennedy*

■ Pour tous les noms singuliers et pour les pluriels qui ne se terminent pas en -s, le nom du possesseur est suivi de -'s, puis du nom de la chose possédée :

the cat's food *la pâtée du chat*
my wife's car *la voiture de ma femme*
children's clothes *les vêtements pour enfants*
James's sister *la sœur de James*
the boss's desk *le bureau du patron*

■ Pour les noms au pluriel qui se terminent par un -s, le nom du possesseur est suivi de l'apostrophe, puis du nom de la chose possédée :

boys' clothes *les vêtements pour garçons*
the countries' leaders *les dirigeants des pays*

■ Au pluriel, c'est donc l'apostrophe qui marque la relation de possession :

my sister's friend (= the friend of my sister) *l'ami(e) de ma sœur*
my sisters' friend (= the friend of my sisters) *l'ami(e) de mes sœurs*

Le -s employé seul avec le possesseur peut faire référence à **shop** ou **house** ; il est inutile de préciser ce nom, car il est sous-entendu :

> We bought some sausages at the butcher's. (= butcher's shop) *Nous avons acheté des saucisses chez le boucher.*
> I heard the news at Steve's. (= Steve's house) *J'ai appris la nouvelle chez Steve.*

Le génitif ne désigne pas forcément un objet spécifique, mais un type d'objet ; on parle alors de « génitif générique » :

> a girls' school *une école de filles.*

Les adjectifs possessifs

		SINGULIER	PLURIEL
1re personne		my	our
2e personne		your	your
3e personne	- masculin	his	their
	- féminin	her	their
	- indéfini	one's	
	- neutre	its	

■ L'adjectif possessif est un déterminant qui marque la relation d'appartenance, de possession ou de lien. Il se place devant le nom.

■ À la troisième personne, le choix de l'adjectif possessif dépend du sexe du « possesseur » :

> She's my best friend. Her father is a doctor. *C'est ma meilleure amie. Son père est médecin.*

■ À la différence du français, l'adjectif possessif peut accompagner les parties du corps dont on parle :

> I wash my hair every day. *Je me lave les cheveux tous les jours.*
> She broke her leg skiing. *Elle s'est cassé la jambe au ski.*

Les pronoms possessifs

■ On emploie les pronoms possessifs pour exprimer l'appartenance. En anglais, l'accord du pronom possessif se fait avec le genre du possesseur :

> This isn't your book, it's hers. *Ce n'est pas ton livre, c'est le sien/ son livre à elle.*

		SINGULIER	PLURIEL
1re personne		mine	ours
2e personne		yours	yours
3e personne	- masculin	his	theirs
	- féminin	hers	theirs
	- indéfini	-	
	- neutre	-	

It et one n'ont pas de pronom possessif. Si nécessaire, on peut employer **its own, one's own**

■ On emploie le pronom possessif pour remplacer le groupe « adjectif possessif + groupe nominal » lorsque le nom a déjà été mentionné ou qu'il est inutile de le répéter :

"Whose is this suitcase? Is it yours or mine?" "I think it's your brother's." *« À qui est cette valise ? Est-ce la tienne ou la mienne ? » « Je crois que c'est celle de ton frère. »*

Le « present perfect »

■ Pour former le **present perfect**, on emploie have au présent + **participe passé*** du verbe :

I've thought about it a lot and I still don't agree. *J'y ai beaucoup réfléchi et je ne suis toujours pas d'accord.*

■ À la forme interrogative, il y a inversion du sujet et de l'**auxiliaire*** :

Have you seen the new James Bond film yet? *Avez-vous vu le nouveau James Bond ?*

■ À la forme négative, la négation not se place derrière l'auxiliaire :

My pay hasn't gone up this year. *Mon salaire n'a pas été augmenté cette année.*

■ Le **present perfect** s'emploie pour désigner un événement passé qui a un lien avec le présent. Soit parce que l'événement passé a des conséquences dans le présent, soit parce qu'il s'agit d'un événement ou d'un état qui n'est pas terminé. Lorsqu'il n'y a pas de lien avec le présent, ou qu'on emploie un marqueur de temps qui n'exprime pas un lien avec le présent, on doit employer le **prétérit***.

■ On emploie le **present perfect** pour décrire des faits qui sont toujours valables au moment présent :

She's taught French for twenty years. **[present perfect]** *Ça fait vingt ans qu'elle enseigne le français.*

Mais

She taught French for twenty years before retiring. **[prétérit]** *Elle a enseigné le français pendant vingt ans avant de partir en retraite.*

■ On l'emploie pour constater à un moment donné les conséquences d'un événement passé ou d'une action accomplie dans le passé :

There's been an accident! (Can you help me?) **[present perfect]** *Il y a eu un accident ! (Pouvez-vous m'aider ?)*

Mais

There was an accident on the way to school. (but we can't do anything about it now) **[prétérit]** *Il y a eu un accident alors que j'allais à l'école. (Il n'y a plus rien à faire.)*

■ On l'emploie également pour évoquer un événement qui a eu lieu plus d'une fois et qui peut encore se produire :

Liverpool have won the European Cup five times. *Liverpool a gagné cinq fois la Coupe d'Europe.*

■ Avec le **present perfect**, on place les événements dans un passé relativement vague. En revanche, si pour l'énonciateur l'événement est repéré avec précision dans le passé, il emploie alors le prétérit :

> Have you seen the Van Gogh exhibition at the Tate Gallery? **[present perfect]** *Avez-vous vu l'exposition Van Gogh à la Tate Gallery ?*

> Did you see the Van Gogh exhibition when you were in London? **[prétérit]** *Avez-vous vu l'exposition Van Gogh lorsque vous étiez à Londres ?*

■ Le prétérit s'emploie avec des repères temporels, adverbes ou expressions de temps qui sont en rupture avec le présent. Ces repères répondent à une question introduite par when :

> a week ago *il y a une semaine* ;
> last year *l'année dernière* ;
> on Tuesday *mardi* ;
> at one o'clock *à une heure* ;
> when I was young *quand j'étais jeune* ;
> in 1947 *en 1947* ;
> We visited the museum yesterday. **[prétérit]** *Nous avons visité le musée hier.*

■ Le **present perfect** s'emploie avec des repères temporels qui englobent le moment présent. Ces repères temporels répondent à une question introduite par how long, how often : so far, until now (*jusqu'à maintenant*). Les propositions introduites par since, ou les compléments de temps introduits par since ou for peuvent également servir de repères temporels au **present perfect**, et expriment la notion de durée. For insiste davantage sur la durée elle-même, since met plutôt l'accent sur le point de départ :

> He's known Lolita for five years/since 2000. *Il connaît Lolita depuis cinq ans/depuis 2000.*

■ Cependant, si le complément de temps introduit par for désigne une durée qui renvoie exclusivement au passé, on doit utiliser le **prétérit** :

> He lived in Antibes for five years during the 1980s. *Il a vécu à Antibes pendant cinq ans dans les années 1980.*

■ Le **present perfect** est souvent employé avec des adverbes de fréquence comme always et never, mais aussi avec already, yet, not yet, recently, just, it's the first time :

> I've always wanted to go bungee jumping. *J'ai toujours voulu faire du saut à l'élastique.*

■ Dans les questions avec le **present perfect**, ever signifie « déjà » :

> Have you ever eaten haggis? *Avez-vous déjà mangé de la panse de brebis farcie ?*

On rencontre le present perfect dans les temps composés suivants :

- **present perfect** progressif
- **past perfect**
- **past perfect** progressif
- **present perfect** et futur
- **present perfect**, futur et forme progressive
- **present perfect** et modaux

Le « present perfect » progressif

■ Le **present perfect** réunit les valeurs du **present perfect simple** * et celles du présent progressif. Il ne peut pas s'employer avec les verbes qui n'acceptent pas la forme progressive, par exemple les verbes d'état.

■ Le **present perfect** progressif se construit avec le **present perfect** de be (**has/have been**) suivi de la forme verbale en **-ing** :

It's been raining for three days.   *Ça fait trois jours qu'il pleut.*

■ L'énonciateur emploie le **present perfect** progressif pour faire référence à des événements qui ont duré un certain temps et dont les conséquences sont encore visibles, constatables. Cela implique souvent que l'événement dont on parle n'est pas encore terminé au moment présent, qu'il se poursuit :

This seat's wet. It's been raining.   *Ce siège est mouillé. Il a plu.*

You've been working far too much recently.   *Tu travailles beaucoup trop ces derniers temps.*

■ L'événement dont on parle s'est souvent passé sur une courte période :

I've been working here for ten days now and I'm enjoying it. **[present perfect progressif]** *Je travaille ici depuis dix jours maintenant et ça me plaît.*

I've worked here for ten years and I don't want to leave. **[present perfect]** *Ça fait dix ans que je travaille ici et je n'ai pas l'intention de partir.*

■ Le **present perfect** progressif s'emploie souvent avec des verbes qui décrivent des états temporaires, comme **wait**, **sit**, **stand** et **stay**. Il est souvent associé à **for** et **since**, qui indiquent la durée ou le point de départ d'une action :

She's been sitting there for hours now.   *Ça fait maintenant des heures qu'elle est assise là.*

Le présent progressif

■ On emploie le présent progressif (**present progressive**) pour parler d'un événement en cours :

I'm listening to the radio. Be quiet!   *J'écoute la radio. Ne fais pas de bruit !*

■ Le présent progressif se forme avec l'auxiliaire be au présent + base verbale en **-ing**.

■ Dans la phrase interrogative, il y a inversion du sujet avec l'auxiliaire :

Is your mother making dinner?   *Est-ce que ta mère prépare le dîner ?*

■ Dans les énoncés négatifs, on place la négation not après l'**auxiliaire** *. À l'oral, on utilise généralement la forme contractée :

He isn't/He's not doing too well right now.   *Il ne va pas très bien en ce moment.*

■ L'énonciateur emploie le présent progressif pour désigner un événement en cours au moment où il parle. L'événement a commencé dans le passé, continue dans le présent et n'est pas terminé :

"What's happening?" "We're just going out."   *« Que se passe-t-il ? » « Nous sortons. »*

■ Avec les verbes d'action, le présent progressif indique que l'action se produit au moment présent :

It's raining. *Il pleut.*

■ Avec les verbes exprimant des actions brèves et rapides, le présent progressif indique que l'action qui se déroule se répète plusieurs fois de suite :

The children are jumping up and down with excitement. *Les enfants sautent de joie.*

■ Avec des verbes exprimant le passage d'un état à un autre, le présent progressif indique que ce processus est en cours d'accomplissement :

The train is leaving the station. *Le train quitte la gare.*

■ Le présent progressif peut avoir une valeur de futur, souvent pour rendre compte de projets, d'actions programmées qui ont toutes les chances de se réaliser dans un avenir proche :

I'm starting work at the bakery on Monday. *Je commence à travailler à la boulangerie lundi.*

■ Pour mettre en évidence cette valeur de futur, le présent progressif est généralement associé à des expressions et adverbes de temps comme **soon**, **later**, **next week**, **in two months**, **tomorrow**. Cette valeur se rencontre souvent avec des verbes de mouvement :

Steve's coming home tomorrow. *Steve rentre demain.*

■ Le présent progressif peut aussi avoir la valeur de prise de position ou de commentaire de la part de l'énonciateur :

You are always criticizing me in public! *Tu n'arrêtes pas de me critiquer devant les autres !*

Certains verbes ne s'emploient pas avec la forme progressive :
- les verbes de perception, comme **feel**, **hear**, **see** (souvent employés avec **can**) ;
- les verbes exprimant des attitudes intellectuelles, psychiques ou spéculatives, comme **imagine**, **know**, **suppose**, **understand** ;
- les verbes exprimant des attitudes affectives, comme **like**, **hate**, **prefer**, **want** ;
- les verbes d'état, les verbes exprimant la possession, l'appartenance, comme **have**, et la caractéristique, comme **be**, à savoir **belong to**, **own**, **consist of**, **depend on**, **matter**, **resemble**, **appear**.

En revanche, certaines constructions avec **be** décrivant des attitudes momentanées, passagères, sont compatibles avec la forme progressive :

The children are being naughty. *Les enfants sont en train de faire des bêtises.*

Le présent simple

■ On emploie le présent simple (simple present) pour parler d'événements qui se répètent, d'habitudes, de caractéristiques, de goûts, de vérités générales. Il s'emploie également avec les verbes d'état :

My brother works in an insurance company. *Mon frère travaille pour une compagnie d'assurances.*

Do you know Roger Toad? *Est-ce que vous connaissez Roger Toad ?*

■ Au présent simple, toutes les formes du verbe, sauf celle de la troisième personne du singulier, sont constituées de la base verbale. La troisième personne du singulier se termine toujours par -s :

	SINGULIER	PLURIEL
1re personne	I like music	We like music
2e personne	You like music	You like music
3e personne	He/she/it likes music	They like music

■ Les verbes se terminant par -ss, -sh, -ch et -x prennent -es à la troisième personne :

stresses ; washes ; watches ; fixes.

■ Pour les verbes se terminant par une consonne + y, le -y devient -ies :

tries ; replies.

■ Mais ceux qui se terminent par une voyelle + y prennent un -s à la troisième personne du singulier :

enjoys ; plays.

■ Les phrases interrogatives, négatives et emphatiques nécessitent toutes l'emploi d'un **auxiliaire***. Do est l'auxiliaire du présent.

■ La valeur du présent simple dépend en partie du sens du verbe conjugué :

I live in Versailles but I work in Buc. *J'habite à Versailles mais je travaille à Buc.*

Do you remember the name of her sister? *Tu te souviens du nom de sa sœur ?*

■ Le présent simple peut avoir une valeur de vérité générale : c'est vrai maintenant, ça l'a été dans le passé, ça le sera dans l'avenir. Les verbes d'état ne s'emploient jamais avec la forme progressive, mais avec le présent simple :

Jenny likes chocolate. *Jenny aime le chocolat.*

■ Pour les verbes qui décrivent des actions, des événements, le présent simple indique que cet événement est habituel ou qu'il se répète. L'action ne se déroule pas nécessairement au moment où l'énonciateur parle. Les adverbes often, sometimes, occasionally, never renforcent cette valeur :

Nick plays tennis on Saturdays. *Nick joue au tennis le samedi.*

Don't you ever eat meat? *Tu ne manges jamais de viande ?*

■ Au présent simple, certains verbes comme promise, wish, accept introduits par I ou we indiquent que l'énonciateur fait ce qu'il dit au moment même où il le dit :

We wish you every success in your exams. *Nous te souhaitons bonne chance pour tes examens.*

Le présent simple peut avoir valeur de commentaire d'événements ou d'actions au moment où ils se déroulent (commentaires sportifs, indications scéniques, mais aussi recettes de cuisine, instructions d'utilisation...) :

> Giggs passes to Rooney. Rooney shoots, and it's a goal! *Passe de Giggs à Rooney. Tir de Rooney et but !*

■ Le présent simple est employé avec une valeur de futur :
– dans les subordonnées introduites par **if**, **when** ou **after** :

> She'll see her mother when she goes to London next month. *Elle verra sa mère quand elle ira à Londres le mois prochain.*

– lorsque l'événement décrit est une vérité générale :

> Christmas Day falls on a Saturday this year. *Noël tombe un samedi cette année.*

– lorsque l'événement a été programmé, planifié :

> The plane leaves in ten minutes. *L'avion part dans dix minutes.*

Le prétérit progressif

■ Le prétérit progressif se forme avec **be** au **prétérit*** + base verbale + **-ing** :

> I was watching television when you called. *J'étais en train de regarder la télévision lorsque tu as appelé.*

■ Dans la phrase interrogative, il y a inversion du sujet et de l'auxiliaire. Dans la phrase négative, la négation se place derrière l'auxiliaire :

> Where were you going when I saw you? *Où allais-tu lorsque je t'ai rencontré ?*
>
> It wasn't raining when I left the house. *Il ne pleuvait pas lorsque je suis sorti de la maison.*

■ Le prétérit progressif associe les valeurs du prétérit et de la forme progressive. Le prétérit progressif s'emploie pour désigner un événement en cours de déroulement, mais dans un contexte passé. Le locuteur met l'accent sur le déroulement de ces événements dans le passé, sans considérer le moment où ils se terminent :

> "What were you doing on Saturday?" "We were visiting relatives." *« Qu'est-ce que vous avez fait samedi ? » « Nous sommes allés voir de la famille. »*

■ Il permet également à l'énonciateur de décrire les circonstances ou le contexte d'un événement :

> They arrived while we were washing up. *Nous faisions la vaisselle lorsqu'ils sont arrivés.*

■ Lorsque les événements ont lieu en même temps, la forme progressive peut être employée dans les deux propositions :

> You were watching the television while I was washing up. *Tu regardais la télévision pendant que je faisais la vaisselle.*

■ Lorsque le prétérit progressif est modifié par des adverbes comme **just**, **recently**, il désigne un événement passé très récent :

> My sister was just saying that there's been a fire at her school. *Ma sœur disait à l'instant qu'il y a eu un incendie dans son école.*

■ On peut l'employer pour évoquer un événement planifié qui n'a finalement pas eu lieu :

I was meeting Rupert for lunch but he can't come. *Je devais déjeuner avec Rupert mais il ne peut pas venir.*

Le prétérit simple

■ Le prétérit (**simple past**) est le seul « vrai » temps du passé. L'événement dont on parle appartient complètement au passé, il est révolu. Il y a une rupture par rapport au moment présent :

He seemed to be happy about something. *Il avait l'air content.*

We were very worried. Why didn't you phone? *Nous étions très inquiets. Pourquoi tu n'as pas téléphoné ?*

■ Les formes du prétérit et du **participe passé*** des verbes réguliers sont toujours les mêmes :

looked ; cheated ; failed ; seemed ; appeared ; repaired.

■ Dans les phrases affirmatives, le verbe au prétérit a la même forme à toutes les personnes. Les formes du verbe **be** sont :

SINGULIER	PLURIEL
I was	we were
you were	you were
he/she/it was	they were

I knew him when I was young. *Je le connaissais quand j'étais jeune.*

Jenny asked us whether we were happy. *Jenny nous a demandé si nous étions heureux.*

■ Les phrases interrogatives, négatives ou emphatiques nécessitent l'emploi de l'**auxiliaire*** did.

■ On emploie le prétérit simple pour parler d'événements passés complètement achevés. L'événement a eu lieu à un moment précis du passé, généralement explicitement mentionné par l'énonciateur. L'événement est vu dans sa totalité (début, déroulement, fin) :

The Romans invaded Britain in 44 AD. *Les Romains ont envahi la Grande-Bretagne en 44 apr. J.-C.*

In one year Jeremy sold 25 cars. *Jeremy a vendu 25 voitures en un an.*

■ Le prétérit simple est le temps du récit : histoires, contes de fées, romans, etc. :

There was once a beautiful princess who had a wicked stepmother... *Il était une fois une très belle princesse dont la belle-mère était très cruelle...*

■ Le prétérit simple est employé pour exprimer ce que l'on suppose ou ce que l'on souhaite, en particulier dans les propositions conditionnelles introduites par if, mais aussi après des expressions comme I'd rather, it's (about) time (prétérit modal) :

If you really loved me you wouldn't keep criticizing my mother. *Si tu m'aimais vraiment, tu arrêterais de critiquer ma mère.*

I'd rather you didn't come tomorrow. *Je préférerais que tu ne viennes pas demain.*

Les pronoms personnels

■ Le pronom personnel remplace les noms et les groupes nominaux. Il peut être sujet ou complément d'objet (direct ou indirect).

		PRONOM SUJET	PRONOM COMPLÉMENT D'OBJET
singulier	1re personne	I	me
	2e personne	you	you
	3e personne		
	- masculin	he	him
	- féminin	she	her
	- indéfini	one	one
	- neutre	it	it
pluriel	1re personne	we	us
	2e personne	you	you
	3e personne	they	them

■ On emploie la forme de la deuxième personne du pluriel **you** aussi bien pour le singulier que pour le pluriel de la deuxième personne (= « tu », « vous »). On l'emploie (de même que les possessifs **your, yours**) quel que soit le degré de familiarité.

■ **They, them,** etc. sont souvent utilisés en anglais courant pour renvoyer à une seule personne si son sexe est inconnu ou s'il n'est pas essentiel de le connaître :

If you find a good piano teacher, give me their details. *Si tu trouves un bon professeur de piano, donne-moi ses coordonnées.*

■ Des noms au singulier qui font référence à des groupes de personnes, comme, par exemple, les noms d'équipes sportives ou de sociétés commerciales, sont souvent considérés comme des **pluriels*** et sont repris par **they,** etc. :

The union say that they will go on strike. *Le syndicat dit qu'il va se mettre en grève.*

■ On emploie le pronom sujet quand il est sujet du verbe :

Last night I saw someone I hadn't seen for years. *Hier soir, j'ai rencontré quelqu'un que je n'avais pas vu depuis des années.*

■ On emploie le pronom complément d'objet :
- quand il est complément du verbe (il n'y a pas de différence entre le complément d'objet direct, indirect et d'attribution) :

Does Alistair know them well? *Est-ce qu'Alistair les connaît bien ?*
- après les prépositions :

Chris will be staying with us. *Chris va habiter chez nous.*

■ **He/She** portent respectivement la marque du masculin et du féminin. Ils désignent les personnes, mais peuvent être utilisés pour parler d'un animal domestique. **She** peut être utilisé pour désigner un bateau ou une voiture.

It est le pronom personnel neutre. Il désigne les objets, les choses, les notions et les animaux non domestiques :

> There's my brother. He's a postman. *Voici mon frère. Il est facteur.*
>
> There's my sister. She's a bus driver. *Voici ma sœur. Elle est conductrice d'autobus.*
>
> There's my car. It's a Ford. *Voici ma voiture. C'est une Ford.*

- Certains noms peuvent désigner indifféremment l'un ou l'autre sexe :
  doctor ; friend ; shop assistant ; dog.

- Le choix du pronom dépend alors du sexe de la personne ou de l'animal :
  > There's my boss. Do you know him/her? *Voici mon/ma responsable. Vous le/la connaissez ?*

« Some » et « any »

■ **Some** et **any** s'emploient comme déterminants devant un nom pluriel dénombrable ou indénombrable. Il s'agit de quantifieurs qui désignent une quantité (ou éventuellement une qualité) indéterminée. On emploie **some** à la forme affirmative et **any** aux formes négative et interrogative.

> There are some books on the table. *Il y a des livres sur la table.*
>
> There's some coffee in the kitchen. *Il y a du café dans la cuisine.*
>
> Are there any good films on television tonight? *Y a-t-il de bons films à la télévision ce soir ?*
>
> I don't want any sugar. *Je ne veux pas de sucre.*

■ On peut employer **some** dans une question si la réponse attendue est affirmative :

> Would you like some cake? *Tu veux du gâteau ?*

■ **Any** peut avoir le sens de « n'importe lequel ». Il s'emploie alors également à la forme affirmative.

> Any good bookshop sells this dictionary. *N'importe quelle bonne librairie vend ce dictionnaire.*

■ **Some** et **any** s'emploient également comme pronoms indéfinis. Ils peuvent, dans cet emploi, se combiner avec -body, -one, -thing et -where pour former des pronoms indéfinis composés :

> I haven't got any money. Could you lend me some? *Je n'ai pas d'argent. Pourrais-tu m'en prêter ?*
>
> Something strange happened yesterday. *Quelque chose d'étrange est arrivé hier.*
>
> Somebody called last night. *Quelqu'un a téléphoné hier soir.*
>
> She lives somewhere in Milton Keynes. *Elle habite quelque part à Milton Keynes.*

« Used to »

■ Pour insister sur l'aspect habituel ou répétitif d'un événement dans le passé, on peut employer l'expression **used to** :

> They used to live just down the road. *Ils habitaient un peu plus loin dans la même rue.*

> He used to smoke. *Autrefois, il fumait.*

■ Notez qu'en français, pour traduire cette valeur, on emploie l'imparfait.

Les verbes à particules et les verbes prépositionnels

■ De nombreux verbes anglais sont composés de la base verbale + un ou deux éléments. Cet élément peut être : une particule adverbiale (**up, down, off**) ou une préposition (**to, at, in**). On parlera donc de verbes à particules et de verbes prépositionnels. Ces éléments changent le sens du verbe :

> He told me. *Il me l'a dit.*   He told me off. *Il m'a vilipendé.*

■ Comme tous les verbes, ces verbes peuvent être intransitifs (sans complément d'objet) :

> Agnes turned up late. *Agnes est arrivée en retard.*

■ ou transitifs (suivis d'un complément d'objet) :

> She turned up the music/She turned the music up. *Elle a augmenté le volume de la musique.*

■ On remarque par ailleurs que les constructions transitive et intransitive peuvent avoir des sens très différents.

■ Il y a trois types de construction où la base verbale est suivie d'un élément et d'un complément d'objet. Lorsque le complément est un nom, les trois constructions sont très semblables :

– verbes à particules :

> He got his message over to his colleagues. *Il a réussi à faire passer le message auprès de ses collègues.*

– verbes prépositionnels :

> The company got over its financial problems. *La société a surmonté ses difficultés financières.*

– verbes suivis d'une préposition :

> The burglar got over the garden wall. *Le cambrioleur a escaladé le mur du jardin.*

■ Ces constructions ont un point commun, elles peuvent toutes être mises au **passif** * :

> The message was got over clearly to his colleagues. *Le message a été clairement communiqué à ses collègues.*

> The company's problems have been finally got over. *Les difficultés de la société ont finalement été surmontées.*

The wall is so high it cannot be got over. *Le mur est si haut qu'on ne peut pas l'escalader.*

■ Mais il y a des différences grammaticales importantes entre les verbes à particules et les autres.

> Pour distinguer les verbes à particules des verbes prépositionnels, on les met à l'impératif. Le verbe à particules ne peut se séparer de sa particule ; elle fait partie intégrante du verbe :
>
> I don't feel like getting up this morning. *Je n'ai pas envie de me lever ce matin.*
>
> Get up! *Lève-toi !*
>
> À l'inverse, les verbes prépositionnels n'ont une préposition que lorsqu'ils sont suivis d'un complément. Sinon, on a simplement la base verbale :
>
> He listened to me. *Il m'a écouté.*
>
> Listen! *Écoute !*

Les verbes à particules

■ Dans les verbes à particules, la base verbale et la particule adverbiale forment un tout. La particule modifie le sens du verbe. Ces verbes peuvent être transitifs (suivis d'un complément) ou intransitifs (sans complément) :

turn off (a light) *éteindre (une lumière)*
make up (a story) *inventer (une histoire)*
bring up (a child) *élever (un enfant)*
hold down (a job) *garder (un travail)*

■ La particule est souvent un adverbe de lieu. Elle se place immédiatement après la base verbale :

Please sit down here. *Asseyez-vous ici.*
The house blew up. *La maison a sauté.*

■ Devant certains verbes à particules transitifs, quand le complément d'objet est un nom, il peut se placer avant ou après la particule :

I made the story up. = I made up the story. *J'ai inventé cette histoire.*

■ Quand le complément d'objet est un pronom, il se place toujours devant la particule :

I made it up. *Je l'ai inventée.*

■ La particule reste derrière le verbe dans les questions et les propositions relatives :

What did you find out? *Qu'est-ce que tu as appris ?*
This is a project which you must see through. *Vous devez mener à bien ce projet.*

Les verbes à particules prépositionnels

■ Certains verbes à particules se construisent toujours avec une préposition et un complément. C'est le cas de :

put up with (discomfort) *supporter (une gêne)*
look forward to (a holiday) *attendre avec impatience (des vacances)*

check up on (a fact) *vérifier (un fait)*

look down on (poor people) *mépriser (les pauvres)*

■ La première particule suit presque toujours immédiatement le verbe. La préposition se comporte comme celle des verbes prépositionnels :

I hope you'll make up with her soon. *J'espère que tu vas bientôt te réconcilier avec elle.*

I'm looking forward greatly to their arrival. *J'ai vraiment hâte qu'ils arrivent.*

Les verbes prépositionnels

■ Les verbes prépositionnels sont formés d'une base verbale et d'une préposition. Ils sont toujours suivis d'un complément :

look at (a picture) *regarder (un tableau)*

ask for (some money) *demander (de l'argent)*

make for (the door) *se diriger vers (la porte)*

refer to (a book) *consulter (un livre)*

■ Le complément d'objet se place toujours après la préposition, qu'il soit ou non un pronom :

I looked at the picture. *J'ai regardé le tableau.*

I looked at it. *Je l'ai regardé.*

■ Dans les questions et les propositions relatives, la préposition reste derrière le verbe. La préposition ne se place devant le mot interrogatif ou le pronom relatif qu'en style soutenu :

Who are you thinking about? *À qui penses-tu ?*

About whom are you thinking? *À qui penses-tu ?*

La voix passive

■ Pour former le passif, on emploie l'**auxiliaire*** be + **participe passé*** du verbe :

Our school was opened by the Queen in 1985. *La reine a inauguré notre école en 1985.*

Have all the lights been switched off? *Est-ce que toutes les lumières sont éteintes ?*

■ La voix passive se combine avec tous les temps, aspects et modes du verbe (mais **been being** est rare) :

I wondered whether she'd been warned about the danger. *Je me demandais si elle avait été prévenue du danger.*

You will be thrown out of school if your work doesn't improve. *Tu vas être renvoyé de l'école si ton travail ne s'améliore pas.*

■ Le complément d'agent du verbe au passif est introduit par la préposition **by**, mais il n'est pas toujours mentionné :

The costumes were made by the children's mothers. *Les costumes ont été réalisés par les mères des enfants.*

She was badly injured in a car crash. *Elle a été grièvement blessée dans un accident de voiture.*

■ La plupart des verbes transitifs, c'est-à-dire susceptibles d'avoir un complément d'objet, et la plupart des **verbes prépositionnels** ou **à particules*** peuvent s'employer au passif. La préposition ou la particule se place après le verbe :

> The matter will be dealt with tomorrow. *On s'occupera de cette affaire demain.*

■ Certains verbes, comme have, get, find, peuvent avoir une valeur passive quand ils sont suivis du participe passé :

> Have you had your nose done? *Tu t'es fait refaire le nez ?*
> I'm getting my car fixed. *Je fais réparer ma voiture.*

■ Certains des verbes introducteurs peuvent être mis au passif. Mais ils se construisent alors avec to devant la base verbale (ask, allow, expect, help, make, tell, persuade, invite, remind, believe) :

> We were made to do the washing-up. *On nous a obligés à faire la vaisselle.*
> She can't be persuaded to come. *On n'arrive pas à la convaincre de venir.*

■ Pour d'autres verbes, comme see, la forme verbale au passif peut être suivie de to + base verbale ou du verbe en -ing :

> He was seen leaving/to leave the building at nine o'clock. *On l'a vu sortir de l'immeuble à neuf heures.*

■ L'énonciateur choisit la voix passive lorsqu'il veut mettre en relief le bénéficiaire ou le résultat d'une action (ils deviennent sujet du verbe au passif). Le complément d'agent (ex-sujet de la phrase active) peut être omis :

> My son has cleaned the car. *Mon fils a lavé la voiture.*
> The car has been cleaned (by my son). *La voiture a été lavée (par mon fils).*

■ Le passif s'emploie beaucoup en anglais journalistique, technique et scientifique, et correspond souvent à « on » en français :

> This printer can be used with most computers. *Cette imprimante peut s'utiliser avec la plupart des ordinateurs.*
> He was arrested yesterday. *On l'a arrêté hier.*

En anglais familier, get s'emploie plus souvent que be pour exprimer le passage d'un état à un autre ou pour désigner un événement plutôt qu'un état :

> They got married in church last Saturday. *Ils se sont mariés à l'église samedi dernier.*

Verbes irréguliers anglais

infinitif	prétérit	participe passé
arise	arose	arisen
awake	awoke	awoken
be	was, were	been
bear	bore	borne
beat	beat	beaten
become	became	become
befall	befell	befallen
begin	began	begun
behold	beheld	beheld
bend	bent	bent
beseech	besought	besought
beset	beset	beset
bet	bet, betted	bet, betted
bid [for auctions]	bid	bid
bid [say]	bade	bidden
bind	bound	bound
bite	bit	bitten
bleed	bled	bled
blow	blew	blown
break	broke	broken
breed	bred	bred
bring	brought	brought
build	built	built
burn	burnt, burned	burnt, burned
burst	burst	burst
buy	bought	bought
can	could	—
cast	cast	cast
catch	caught	caught
choose	chose	chosen
cling	clung	clung
come	came	come
cost	cost	cost
creep	crept	crept
cut	cut	cut
deal	dealt	dealt
dig	dug	dug
do	did	done
draw	drew	drawn
dream	dreamt, dreamed	dreamt, dreamed
drink	drank	drunk
drive	drove	driven
dwell	dwelt, dwelled	dwelt, dwelled

infinitif	prétérit	participe passé
eat	ate	eaten
fall	fell	fallen
feed	fed	fed
feel	felt	felt
fight	fought	fought
find	found	found
flee	fled	fled
fling	flung	flung
fly	flew	flown
forbear	forbore	forborne
forbid	forbade	forbidden
forecast	forecast	forecast
forego	forewent	foregone
foresee	foresaw	foreseen
foretell	foretold	foretold
forget	forgot	forgotten
forgive	forgave	forgiven
forsake	forsook	forsaken
freeze	froze	frozen
get	got	got (Am gotten)
give	gave	given
go	went	gone
grind	ground	ground
grow	grew	grown
hang	hung, hanged	hung, hanged
have	had	had
hear	heard	heard
hide	hid	hidden
hit	hit	hit
hold	held	held
hurt	hurt	hurt
keep	kept	kept
kneel	knelt, kneeled	knelt, kneeled
know	knew	known
lay	laid	laid
lead	led	led
lean	leant, leaned	leant, leaned
leap	leapt, leaped	leapt, leaped
learn	learnt, learned	learnt, learned
leave	left	left
lend	lent	lent
let	let	let
lie	lay	lain
light	lit, lighted	lit, lighted
lose	lost	lost

infinitif	prétérit	participe passé
make	made	made
may	might	—
mean	meant	meant
meet	met	met
mistake	mistook	mistaken
mow	mowed	mown, mowed
pay	paid	paid
put	put	put
quit	quit, quitted	quit, quitted
read	read	read
rend	rent	rent
rid	rid	rid
ride	rode	ridden
ring	rang	rung
rise	rose	risen
run	ran	run
saw	sawed	sawn, sawed
say	said	said
see	saw	seen
seek	sought	sought
sell	sold	sold
send	sent	sent
set	set	set
shake	shook	shaken
shall	should	—
shear	sheared	shorn, sheared
shed	shed	shed
shine	shone	shone
shoot	shot	shot
show	showed	shown
shrink	shrank	shrunk
shut	shut	shut
sing	sang	sung
sink	sank	sunk
sit	sat	sat
slay	slew	slain
sleep	slept	slept
slide	slid	slid
sling	slung	slung
slink	slunk	slunk
slit	slit	slit
smell	smelt, smelled	smelt, smelled
sow	sowed	sown, sowed
speak	spoke	spoken
speed	sped, speeded	sped, speeded

infinitif	prétérit	participe passé
spell	spelt, spelled	spelt, spelled
spend	spent	spent
spill	spilt, spilled	spilt, spilled
spin	spun	spun
spit	spat, spit	spat, spit
split	split	split
spoil	spoilt, spoiled	spoilt, spoiled
spread	spread	spread
spring	sprang	sprung
stand	stood	stood
steal	stole	stolen
stick	stuck	stuck
sting	stung	stung
stink	stank	stunk
stride	strode	stridden
strike	struck	struck, stricken
strive	strove	striven
swear	swore	sworn
sweep	swept	swept
swell	swelled	swollen, swelled
swim	swam	swum
swing	swung	swung
take	took	taken
teach	taught	taught
tear	tore	torn
tell	told	told
think	thought	thought
throw	threw	thrown
thrust	thrust	thrust
tread	trod	trod, trodden
upset	upset	upset
wake	woke, waked	woken, waked
wear	wore	worn
weave	wove, weaved	woven, weaved
wed	wed, wedded	wed, wedded
weep	wept	wept
wet	wet, wetted	wet, wetted
will	would	—
win	won	won
wind	wound	wound
withdraw	withdrew	withdrawn
withhold	withheld	withheld
withstand	withstood	withstood
wring	wrung	wrung
write	wrote	written

Guide de communication

À l'office du tourisme

• **Do you have a map of the town?**
Avez-vous un plan de la ville ?

• **I'd like a public transport** UK **(public transportation** US**) map.**
Je voudrais un plan des transports en commun.

• **Is there a night bus ?**
Est-ce qu'il y a un bus de nuit ?

• **Do you have a list of youth hostels / campsites** UK **(campgrounds** US**) in the area?**
Avez-vous une liste des auberges de jeunessse / des campings de la région ?

• **Do you have a restaurant guide for the town?**
Avez-vous un guide des restaurants de la ville ?

• **Do you have a listings guide?**
Auriez-vous un programme des spectacles ?

• **I'm looking for a reasonably priced hotel.**
Je cherche un hôtel pas trop cher.

• **Could you recommend a hotel that's fairly central?**
Pouvez-vous me recommander un hôtel près du centre ?

• **Can you recommend somewhere to go in the evening?**
Pouvez-vous nous conseiller un endroit pour sortir le soir ?

• **What are the museum opening times?**
Quels sont les horaires d'ouverture des musées ?

• **Are there guided visits?**
Y a-t-il des visites guidées ?

• **Where can you hire** UK **(rent** US**) a car?**
Où peut-on louer une voiture ?

L'hébergement

À l'hôtel

• **Do you have any rooms left for tonight?**
Vous reste-t-il des chambres pour la nuit ?

• **Could you recommend another hotel?**
Pourriez-vous nous conseiller un autre hôtel ?

• **Do you do half board / full board** UK **(modified American plan / American plan** US**)?**
Faites-vous la demi-pension / la pension complète ?

• **What are your rates?**
Quels sont vos tarifs ?

• **We'd like a double room / two single rooms for the night.**
Nous voudrions une chambre double / deux chambres simples pour la nuit.

• **I'd like a room with a shower / with a bath** UK **(bathtub** US**).**
Je voudrais une chambre avec douche / avec baignoire.

• **I'd like a quiet room / a room with a sea** UK **(an ocean** US**) view.**
J'aimerais une chambre tranquille / avec vue sur la mer.

• **We're intending to stay three nights.**
Nous pensons rester trois nuits.

• We'd like to stay another night.
Nous aimerions rester une nuit supplémentaire.

• I reserved a room in the name of Pignon by phone / via the Internet.
J'ai réservé une chambre au nom de Pignon par téléphone / par Internet.

• We've booked a room for two nights.
Nous avons réservé une chambre pour deux nuits.

• Is there a lift UK (an elevator US)?
Est-ce qu'il y a un ascenseur ?

• Could you have my bags sent up?
Est-ce que vous pourriez faire monter mes bagages ?

• Do you have a safe where one can put one's valuables?
Avez-vous un coffre pour déposer les objets de valeur ?

• Is there somewhere I can get Internet access in the hotel?
Y a-t-il une borne Internet dans l'hôtel ?

• Is there a car park UK (parking garage US) for hotel guests?
Y a-t-il un parking réservé aux clients de l'hôtel ?

• Could you wake me at seven o'clock?
Pourriez-vous me réveiller à sept heures ?

• What time is breakfast?
À quelle heure le petit déjeuner est-il servi ?

• The key to room 121, please.
La clé de la chambre 121, s'il vous plaît.

• Are there any messages for me?
Est-ce qu'il y a des messages pour moi ?

• The air conditioning / The television isn't working.
L'air conditionné / la télévision ne marche pas.

• There's no light in the bathroom.
Il n'y a pas de lumière dans la salle de bains.

• Is it possible to have an extra blanket?
Est-il possible d'avoir une couverture supplémentaire ?

• I'm leaving tomorrow. Could you get my bill ready, please?
Je pars demain. Pouvez-vous préparer ma note, s'il vous plaît ?

À l'auberge de jeunesse

• Here's my youth hostel card.
Voici ma carte d'adhérent des auberges de jeunesse.

• Do you have double rooms / rooms for four people?
Avez-vous des chambres doubles / pour quatre personnes ?

• Do you just have dormitories?
Vous avez uniquement des dortoirs ?

• Are the rooms mixed?
Les chambres sont-elles mixtes ?

• What's the price of a night in the dormitory?
Quel est le prix d'une nuit en dortoir ?

• Is breakfast included?
Le petit déjeuner est-il compris ?

• Is there a kitchen where you can cook your own food?
Y a-t-il une cuisine équipée pour préparer soi-même les repas ?

• Are there lockers?
Y a-t-il une consigne automatique ?

• Is there a launderette?
Y a-t-il une laverie automatique ?

• Are you open all night?
Est-ce qu'il y a un couvre-feu ?

• What time do you have to be out of your room by?
À quelle heure faut-il libérer les chambres ?

• Is it possible to get towels?
Est-il possible d'avoir des serviettes de toilette ?

Au camping

• Do you have any spaces available?
Vous reste-t-il des emplacements libres ?

• How much is a space for a tent and two people?
Combien coûte un emplacement pour une tente et deux personnes ?

• We'd like a space for two tents and a car.
Nous voudrions un emplacement pour deux tentes et une voiture.

• Is it possible to hire UK (rent US) a tent?
Est-il possible de louer une tente ?

• Do you hire out UK (rent out US) sleeping bags?
Est-ce que vous louez des sacs de couchage ?

• Where are the toilets UK (restrooms US) and showers?
Où se trouvent les sanitaires ?

• Does the campsite UK (campground US) provide any activities?
Le camping propose-t-il des activités ?

• Is there a disco at the campsite UK (campground US)?
Est-ce qu'il y a une discothèque dans le camping ?

Se renseigner en ville

• Could you help me? I think I'm lost.
Pourriez-vous m'aider ? Je crois que je me suis perdu.

• Could you show me where we are on the map?
Pourriez-vous m'indiquer où nous sommes sur le plan ?

• Can you tell me the way to the station, please?
Pouvez-vous m'indiquer la direction de la gare, s'il vous plaît ?

• Excuse me, I'm looking for the police station.
Excusez-moi, je cherche le commissariat.

• Excuse me, I'm looking for the museum of modern art.
Excusez-moi, je cherche le musée d'art moderne.

• Is it far? Can you walk there?
C'est loin ? Peut-on y aller à pied ?

• Do you have to get the bus / the underground UK (subway US)?
Faut-il prendre le bus / le métro ?

• Is there a bus stop near here?
Y a-t-il un arrêt de bus à proximité ?

• Where's the nearest underground UK (subway US) station / the nearest taxi rank UK (taxi stand US)?
Où est la station de métro / la station de taxis la plus proche ?

• Where's the nearest hospital / the nearest chemist's UK (drugstore US)?
Où se trouve l'hôpital le plus proche / la pharmacie la plus proche ?

Les transports en commun

Prendre le bus

• Where do you buy tickets?
Où peut-on acheter des tickets ?

• Can you buy tickets from the bus driver?
Peut-on acheter des tickets au chauffeur du bus ?

• Two to the station, please.
Deux tickets pour la gare, s'il vous plaît.

• What bus do you take for the airport?
Quel bus faut-il prendre pour aller à l'aéroport ?

• Excuse me, where's the stop for the number 20?
Excusez-moi, où se trouve l'arrêt du 20 ?

• How long till the next number 48 comes?
Dans combien de temps passe le 48 ?

• Does this bus go to the museum of archaeology?
Est-ce que ce bus va au musée archéologique ?

• Which station do I get off at for Princess Street?
À quel arrêt dois-je descendre pour aller à Princess Street ?

• Can you tell me when to get off?
Pourrez-vous me prévenir quand je devrai descendre ?

• Is this the terminus?
Nous sommes arrivés au terminus ?

Prendre le train

• When's the next train to Leeds?
À quelle heure part le prochain train pour Leeds ?

• Is there an earlier / a later train?
Y a-t-il un train plus tôt / tard ?

• Can I buy a ticket on the train?
Est-ce que je peux acheter le billet dans le train ?

• A single UK (one-way ticket US) to Glasgow, please.
Un aller simple pour Glasgow, s'il vous plaît.

• A return UK (round-trip ticket US) to London, please.
Un aller-retour pour Londres, s'il vous plaît.

• Do you have to change?
Est-ce qu'il y a un changement ?

• Is there a reduced fare for young people / groups?
Est-ce qu'il y a une réduction pour les jeunes / les groupes ?

• Is there a left-luggage office UK (baggage room US)?
Y a-t-il une consigne pour les bagages ?

• I'd like to reserve two first-class/second-class seats to Edinburgh.
Je voudrais réserver deux places en première / seconde classe pour Édimbourg.

• I'd like to take the sleeper.
Je voudrais voyager en train couchettes.

• Where can I date-stamp my ticket?
Où puis-je composter mon billet ?

• Which platforms do suburban trains leave from?
De quels quais partent les trains de banlieue ?

• Excuse me, is there anyone sitting here?
Excusez-moi, est-ce que cette place est libre ?

• Excuse me, I think you're in my seat.
Excusez-moi, je crois que vous êtes assis à ma place.

• Can you let me know when we arrive at Manchester?
Pourrez-vous m'avertir quand nous serons arrivés à Manchester ?

• Is there a bar / a dining car on the train?
Y a-t-il un bar / une voiture-restaurant dans le train ?

• I've missed my connection.
J'ai raté ma correspondance.

• Is there a connection for Brighton?
Y a-t-il une correspondance pour Brighton ?

Prendre l'avion

• Where is the Air France desk, please?
Où est le guichet Air France, s'il vous plaît ?

• What time is the next flight to Toulouse?
À quelle heure est le prochain vol pour Toulouse ?

• How much is a return UK (round-trip US) ticket to Paris?
Combien coûte un billet aller-retour pour Paris ?

• I'd like to book a one-way ticket to Nice.
Je voudrais réserver un aller simple pour Nice.

• Put me on standby, please.
Mettez-moi en liste d'attente, s'il vous plaît.

• I'm booked on the 9 o'clock flight to Paris.
J'ai une réservation sur le vol pour Paris de 9 h.

• I'd like an aisle / window seat.
Je voudrais une place côté couloir / côté hublot.

• Where do we check in our luggage?
Où devons-nous enregistrer nos bagages ?

• Can you tell me where Gate 2 is?
Pouvez-vous me dire où se trouve la porte 2?

• I've missed my connection to London.
J'ai raté ma correspondance pour Londres.

• My luggage hasn't arrived.
Mes bagages ne sont pas arrivés.

• Excuse me, I'm looking for a baggage trolley UK (baggage cart US).
Excusez-moi, je cherche un chariot pour mes bagages.

• Where are the buses / trains for the city centre UK (for downtown US) / the central station?
Où se trouvent les bus / trains pour se rendre au centre-ville / à la gare centrale ?

Prendre un taxi

• Could you call me a taxi?
Pourriez-vous m'appeler un taxi ?

• I'd like to book a taxi for 8 o'clock.
Je voudrais réserver un taxi pour 8 h.

• How much is a taxi from here to the town centre UK (to downtown US)?
Combien coûte un taxi d'ici au centre-ville ?

• Do you have to pay extra for luggage?
Doit-on payer un supplément pour les bagages ?

• How long does it take to the airport?
Combien de temps met-on pour aller à l'aéroport ?

• Take me to that address, please.
Conduisez-moi à cette adresse, s'il vous plaît.

• To the central station / To the airport, please.
À la gare centrale / À l'aéroport, s'il vous plaît.

• Stop here / at the lights / at the corner.
Arrêtez-vous ici / au feu / au coin de la rue.

• How much do I owe you?
Combien je vous dois ?

• Keep the change.
Vous pouvez garder la monnaie.

La restauration

Au café

• Is there table service?
Est-ce que vous servez en salle ?

• Is this table free?
Cette table est-elle libre ?

• Excuse me!
S'il vous plaît !

• Could you bring us the drinks list?
Pourriez-vous nous apporter la carte des consommations ?

• What sandwiches do you have?
Qu'avez-vous comme sandwichs ?

• What hot / cold drinks do you have?
Qu'avez-vous comme boissons chaudes / fraîches ?

• A coffee, an orange juice, and a croissant, please.
Un café, un jus d'orange et un croissant, s'il vous plaît.

• A weak espresso, a latte, and a cappuccino, please.
Un café allongé, un grand crème et un cappuccino, s'il vous plaît.

• A draught UK (draft US) beer, please.
Une bière pression, s'il vous plaît.

• I'd like a non-alcoholic aperitif / a lemonade UK (soda US).
Je voudrais un apéritif sans alcool / une limonade, s'il vous plaît.

• Can I have another glass of red wine, please?
Puis-je avoir un autre verre de vin rouge, s'il vous plaît ?

• Could I have some ice?
Pourrais-je avoir des glaçons ?

• The bill UK (check US), please!
L'addition, s'il vous plaît !

• Can I just pay the waiter?
Est-ce que je peux régler directement au serveur ?

• Keep the change.
Gardez la monnaie.

Au restaurant

• There are four of us.
Nous sommes quatre.

• I'd like to reserve a table for this evening.
Je voudrais réserver une table pour ce soir.

• We've got a reservation. The name's Lebras.
Nous avons réservé au nom de Lebras.

• Could you bring us the menu / the wine list, please?
Pouvez-vous nous apporter la carte / la carte des boissons, s'il vous plaît ?

• What are the local specialities UK (specialties US)?
Quels sont les plats typiques de la région ?

• What's today's special?
Quel est le plat du jour ?

• To drink, a bottle of mineral water, please.
Comme boisson, une bouteille d'eau minérale, s'il vous plaît.

• Can you recommend a good wine?
Est-ce que vous pouvez nous recommander un bon vin ?

• Rare / Medium rare / Well done, please!
Saignant / À point / Bien cuit, s'il vous plaît !

• Could I have a glass of water / some bread, please?
Est-ce que je pourrais avoir un verre d'eau / du pain, s'il vous plaît ?

• It's not what I ordered.
Ce n'est pas ce que j'avais commandé.

• The bill UK (check US), please!
L'addition, s'il vous plaît !

• Is service included?
Le service est-il compris ?

• Do you take credit cards?
Vous acceptez les cartes de crédit ?

• Where are the toilets UK (restrooms US), please?
Où sont les toilettes, s'il vous plaît ?

Dans les magasins

• Can I ask you something?
Je peux vous demander un renseignement ?

• No thanks, I'm just looking.
Non, merci, je ne fais que regarder.

• I'm being attended to, thanks.
On s'occupe de moi, merci.

• Can I try it on?
Est-ce que je peux l'essayer ?

• Where are the changing rooms UK (fitting rooms US)?
Où se trouvent les cabines d'essayage ?

• Have you got the next size up / down?
Avez-vous la taille au-dessus / en dessous ?

• Do you have it in another colour UK (color US)?
Est-ce que vous l'avez dans une autre couleur ?

• And how much is this one ?
Et celui-ci, combien coûte-t-il ?

• I'll take this one, thanks.
Je vais prendre celui-ci, merci.

• If it's not right, can I exchange it?
Si ça ne va pas, est-ce que je peux le changer ?

• That's everything, thanks.
Ce sera tout, merci.

• Can you gift-wrap it for me?
Pouvez-vous me faire un paquet-cadeau ?

À la pharmacie

• I've got a prescription from my doctor in France.
J'ai une ordonnance de mon médecin français.

• I'd like something for a headache / a sore throat.
Je voudrais un médicament contre les maux de tête / le mal de gorge.

• Can you recommend something for a cough / diarrhoea UK (diarrhea US)?
Pouvez-vous me recommander quelque chose contre la toux / la diarrhée ?

• Do you have a lotion for insect bites?
Auriez-vous une lotion contre les piqûres d'insectes ?

• I've been stung by a wasp.
Je me suis fait piquer par une guêpe.

• I'm allergic to aspirin.
Je suis allergique à l'aspirine.

• I'm on antibiotics.
Je suis sous antibiotiques.

• I have high blood pressure. Can I still take this medicine?
J'ai de la tension. Puis-je quand même prendre ce médicament ?

• Do you have any homeopathic medicines?
Avez-vous des médicaments homéopathiques ?

• Do I take these tablets before or after meals?
Dois-je prendre ces comprimés avant ou après les repas ?

• How long do I have to take the medicine for?
Pendant combien de temps dois-je prendre ce médicament ?

• Is there any risk of drowsiness with this medicine?
Y a-t-il des risques de somnolence avec ce médicament ?

• Could you recommend a doctor / dentist?
Pourriez-vous me recommander un médecin / dentiste ?

Chez le médecin – À l'hôpital

• I'd like to make an appointment with a GP.
Je voudrais prendre un rendez-vous avec un médecin généraliste.

• Does the doctor see people without an appointment?
Ce médecin reçoit-il sans rendez-vous ?

• I've got a very bad stomachache and this morning I had a temperature of 102.
J'ai très mal au ventre et ce matin j'avais 39 °C de fièvre.

• I think I've got the flu.
Je crois que j'ai la grippe.

• I feel sick and I'm dizzy.
J'ai mal au cœur et j'ai des vertiges.

• I spent the whole night being sick.
J'ai vomi toute la nuit.

• I fell and hurt my arm / my leg.
Je suis tombé et mon bras / ma jambe me fait très mal.

• I've twisted my ankle.
Je me suis foulé la cheville.

• I got sunburned.
J'ai attrapé un coup de soleil.

• I'm pregnant / diabetic / epileptic.
Je suis enceinte / diabétique / épileptique.

• My blood group is 0 positive.
Mon groupe sanguin est 0^+.

• Is it contagious?
C'est une maladie contagieuse ?

• When do you think I'll be well enough to travel?
Quand pensez-vous que je serai en état de voyager ?

• I'd prefer to be taken back to France.
Je préférerais me faire rapatrier en France.

• Could you fill in these forms for my insurance?
Pourriez-vous remplir ces formulaires pour mon assurance ?

• How much do I owe you, doctor?
Combien vous dois-je, docteur ?

Au commissariat

• We've been attacked.
Nous avons été agressés.

• My bag's been stolen with all my papers in it.
On m'a volé mon sac avec tous mes papiers.

• My car / My scooter's been stolen.
On m'a volé ma voiture / mon scooter.

• There's been an accident.
Il y a eu un accident.

• I've lost my identity card.
J'ai perdu ma carte d'identité.

À la banque

• Can I change my traveller's cheques
UK (traveler's checks US) here ?
*Est-ce que je peux changer mes
traveller's cheques ici ?*

• Where is there an ATM?
*Où y a-t-il un distributeur de
billets ?*

• The ATM has swallowed my credit
card.
*Le distributeur automatique a avalé
ma carte de crédit.*

• I'd like to withdraw some money.
Je voudrais retirer de l'argent.

• I'm expecting a money transfer from
France in the name of Jean Dupont.
Has it come in?
*J'attends un virement de France au
nom de Jean Dupont. Est-il arrivé ?*

• I'd like 10-pound notes UK (bills US).
Je voudrais des billets de 10 livres.

• I'd like to change 100 euros into
pounds / dollars.
*Je voudrais changer 100 euros en
livres / dollars.*

À la poste

• I'd like ten stamps for France.
*Je voudrais dix timbres pour la
France.*

• I'd like to send this letter / this parcel
UK (package US) by registered post UK
(mail US).
*Je voudrais envoyer cette lettre / ce
paquet en recommandé.*

• Where do I put the address of the
adressee and that of the sender?
*Où dois-je indiquer l'adresse du
destinataire et celle de l'expéditeur ?*

• How long will it take to get to
France?
*Ça met combien de temps pour
arriver en France ?*

• How much does it cost to send a
parcel UK (package US) by express post
UK (mail US)?
*Combien coûte l'envoi d'un paquet
par Chronopost ?*

• Is there any post UK (mail US) for
Daniel Legrand?
*Y a-t-il du courrier au nom de Daniel
Legrand ?*

• I'm expecting a money order for
Chabrier.
*J'attends un mandat au nom de
Chabrier.*

Anglais
Français

A

a (pl a's), **A** (pl A's ou As) [eɪ] n a m inv, A m inv (lettre)
• **to get from A to B** aller d'un point à un autre.
■ **A** n **1.** MUS la m inv **2.** A m inv.

---

a

■ **a** art indéf

forme non accentuée [ə], *forme accentuée* [eɪ], *devant une voyelle ou un* **h** *muet :* **an,** *forme non accentuée* [ən], *forme accentuée* [æn]

1. S'UTILISE DEVANT UN NOM LORSQU'IL Y A INDÉFINITION
• **I've bought a car** j'ai acheté une voiture
• **she ate an orange for breakfast** elle a mangé une orange pour le petit déjeuner

2. S'UTILISE DEVANT UN NOM DE PROFESSION
• **he is a doctor/lawyer/plumber** il est médecin/avocat/plombier

3. S'UTILISE EN TANT QUE NOMBRE
• **there were three men and a woman** il y avait trois hommes et une femme • **it costs a hundred/thousand pounds** cela coûte cent/mille livres

4. POUR EXPRIMER LA FRÉQUENCE, LE PRIX OU LA VITESSE
• **he plays rugby twice a week/month** il joue au rugby deux fois par semaine/mois • **it costs 20 pence a kilo** ça coûte 20 pence le kilo • **£7 a head** 7 livres *par tête* • **the speed limit is 50 miles an hour** la limite de vitesse est de 75 km à l'heure

5. S'UTILISE PARFOIS DEVANT DES NOMS DE PERSONNES QUAND ON NE LES CONNAÎT PAS
• **there's a Mrs Jones to see you** une certaine madame Jones demande à vous voir

---

A3 SMS (abrév de anytime, anywhere, anyplace) quand tu veux, où tu veux. □ n format m A3. □ adj • **A3 paper** papier m (format) A3.

A4 n (UK) format m A4.

AA n **1.** (abrév de Automobile Association) *automobile club britannique* ; ≃ ACF m ; ≃ TCF m **2.** (abrév de Alcoholics Anonymous) Alcooliques Anonymes mpl.

AAA (abrév de American Automobile Association) n *automobile club américain* ; ≃ ACF m ; ≃ TCF m.

aardvark ['ɑːdvɑːk] n oryctérope m.

aargh [ɑː] interj aargh !

AB n (US) abrév de **Bachelor of Arts.**

aback [əˈbæk] adv • **to be taken aback** être décontenancé.

abacus ['æbəkəs] (pl -cuses ou -ci) n boulier m, abaque m.

abandon [əˈbændən] vt abandonner. □ n • **with abandon** avec abandon.

abandoned [əˈbændənd] adj abandonné.

abandonment [əˈbændənmənt] n **1.** abandon m (d'un endroit, d'une personne, d'un projet) **2.** cession f (d'un droit).

abashed [əˈbæʃt] adj confus.

abate [əˈbeɪt] vi **1.** (tempête) se calmer **2.** (bruit) faiblir.

abattoir ['æbətwɑː] n abattoir m.

abbess ['æbes] n abbesse f.

abbey ['æbɪ] n abbaye f.

abbot ['æbət] n abbé m.

abbreviate [əˈbriːvɪeɪt] vt abréger.

abbreviated [əˈbriːvɪeɪtɪd] adj abrégé.

abbreviation [ə,briːvɪˈeɪʃn] n abréviation f.

ABC n **1.** alphabet m **2.** fig B.A.-Ba m, abc m.

abdicate ['æbdɪkeɪt] vt & vi abdiquer.

abdication [,æbdɪˈkeɪʃn] n abdication f.

abdomen ['æbdəmən] n abdomen m.

abdominal [æbˈdɒmɪnl] adj abdominal.

abduct [əbˈdʌkt] vt enlever.

abduction [əbˈdʌkʃn] n enlèvement m.

abductor [əbˈdʌktə] n **1.** ravisseur m, -euse f **2.** (muscle m) abducteur m.

aberration [,æbəˈreɪʃn] n aberration f.

abet [əˈbet] vt → **aid.**

abeyance [əˈbeɪəns] n • **in abeyance** en attente.

abhor [əbˈhɔː] vt abhorrer.

abhorrence [əbˈhɒrəns] n sout aversion f, horreur f • **to have an abhorrence of sthg** avoir horreur de qqch.

abhorrent [əb'hɒrənt] *adj* répugnant.

abide [ə'baɪd] *vt* supporter, souffrir • I can't abide hypocrisy je ne supporte pas l'hypocrisie. ■ **abide by** *vt insép* respecter, se soumettre à *(loi, décision)*.

abiding [ə'baɪdɪŋ] *adj (sentiment, intérêt)* constant ; *(mémoire)* éternel, impérissable.

ability [ə'bɪlətɪ] *n* **1.** aptitude *f* • children of different abilities des enfants ayant des capacités différentes **2.** talent *m*.

abject ['æbdʒekt] *adj* **1.** *(misère)* noir **2.** *(personne)* pitoyable **3.** *(comportement)* servile.

ablaze [ə'bleɪz] *adj* en feu.

able ['eɪbl] *adj* **1.** • to be able to do sthg pouvoir faire qqch **2.** compétent.

able-bodied [-,bɒdɪd] *adj* valide.

ablutions [ə'bluːʃnz] *npl sout & hum* ablutions *fpl*.

ably ['eɪblɪ] *adv* avec compétence, habilement.

ABM (abrév de anti-ballistic missile) *n* ABM *m*.

abnormal [æb'nɔml] *adj* anormal.

abnormality [,æbnɔː'mælɪtɪ] (*pl* -ies) *n* **1.** MÉD anomalie *f* **2.** anormalité *f (d'une condition)*.

abnormally [æb'nɔːməlɪ] *adv* anormalement.

aboard [ə'bɔd] *adv & prép* à bord.

abode [ə'bəʊd] *n sout* • of no fixed abode sans domicile fixe.

abolish [ə'bɒlɪʃ] *vt* abolir.

abolition [,æbə'lɪʃn] *n* abolition *f*.

A-bomb (abrév de atom bomb) *n* bombe *f* atomique.

abominable [ə'bɒmɪnəbl] *adj* abominable.

abominable snowman *n* • the abominable snowman l'abominable homme *m* des neiges.

abominably [ə'bɒmɪnəblɪ] *adv* abominablement.

abomination [ə,bɒmɪ'neɪʃn] *n* **1.** *sout (mépris)* abomination *f* • we hold such behaviour in abomination ce genre de comportement nous fait horreur *ou* nous horrifie **2.** *sout (action détestable)* abomination *f*, acte *m* abominable.

aboriginal [,æbə'rɪdʒənl] *adj* **1.** aborigène, des aborigènes **2.** *BOT & ZOOL* aborigène. ■ **Aboriginal** *adj* aborigène, des Aborigènes *(d'Australie)*.

Aborigine [,æbə'rɪdʒənɪ] *n* Aborigène *mf (d'Australie)*.

abort [ə'bɔt] *vt* **1.** interrompre *(grossesse)* **2.** *fig* abandonner, faire avorter **3.** *INFORM* abandonner.

abortion [ə'bɔʃn] *n* avortement *m*, interruption *f* volontaire de grossesse • to have an abortion se faire avorter.

abortive [ə'bɔtɪv] *adj (essai)* manqué.

abound [ə'baʊnd] *vi* abonder.

about

■ **about** [ə'baʊt] *adv*

1. INDIQUE L'APPROXIMATION
• she has got about 200 books elle a environ 200 livres • let's meet at about five o'clock retrouvons-nous vers cinq heures • I'm just about ready je suis presque prêt

2. INDIQUE LA PROXIMITÉ GÉOGRAPHIQUE OU TEMPORELLE
• he's somewhere about il est dans les parages *ou* quelque part par ici • there's no one about il n'y a personne • there's a lot of flu about il y a beaucoup de cas de grippe en ce moment

3. INDIQUE L'ÉPARPILLEMENT
• he left his books lying about il a laissé traîner ses livres partout

4. INDIQUE UN THÈME
• what is it about? de quoi s'agit-il ? • OK, what's this all about? bon, qu'est-ce qui se passe ?

5. INDIQUE QU'UNE ACTION EST IMMINENTE
• to be about to do sthg être sur le point de faire qqch

■ **about** [ə'baʊt] *prép*

1. INDIQUE UN THÈME, UN SUJET
• I'm reading a book about magic je lis un livre sur la magie • his parents worry about him ses parents s'inquiètent à son sujet

2. INDIQUE LA PROXIMITÉ DANS L'ESPACE
• I left it about here je l'ai laissé par ici

3. INDIQUE L'ÉPARPILLEMENT
• his belongings were scattered about the room ses affaires étaient éparpillées dans toute la pièce • to wander about the streets errer de par les rues

4. APRÈS « HOW » OU « WHAT », EXPRIME UNE SUGGESTION
• what about going to the movies? et si on allait au cinéma ?

about

What about et *how about* servent, en anglais parlé, à émettre une suggestion. Ils peuvent être suivis d'un nom *(what/how about a game of cards?)*, d'un pronom *(what/how about this one?)* ou d'un participe présent *(what/how about going to the cinema?)*.
On utilise *be about to* pour dire que quelque chose est sur le point de se produire *(the train's about to leave)*.

about-turn (UK), **about-face** (US) *n* **1.** *MIL* demi-tour *m* **2.** *fig* volte-face *f inv* **3.** revirement *m*.

above [ə'bʌv] adv **1.** au-dessus **2.** ci-dessus, plus haut **3.** plus • **children aged 5 and above** les enfants âgés de 5 ans et plus *ou* de plus de 5 ans. ❑ *prép* **1.** au-dessus de • **the sun is shining above the clouds** le soleil brille au-dessus des nuages **2.** plus de • **boys above the age of 7** les garçons âgés de plus de 7 ans. ■ **above all** *adv* avant tout.

aboveboard [ə,bʌv'bɔːd] *adj* honnête.

above-mentioned [-'menʃnd] *sout adj* cité plus haut. ❑ *n* (*pl inv*) • **the above-mentioned** le susmentionné, la susmentionnée.

above-named *sout adj* susnommé. ❑ *n* (*pl inv*) • **the above-named** le susnommé, la susnommée.

abracadabra [,æbrəkə'dæbrə] *interj* abracadabra !

abrasion [ə'breɪʒn] *n sout* écorchure *f*, égratignure *f*.

abrasive [ə'breɪsɪv] *adj* **1.** abrasif **2.** *fig* caustique, acerbe.

abreast [ə'brest] *adv* de front. ■ **abreast of** *prép* • **to keep abreast of** se tenir au courant de.

abridge [ə'brɪdʒ] *vt* abréger (*livre*).

abridged [ə'brɪdʒd] *adj* abrégé.

abroad [ə'brɔːd] *adv* à l'étranger • **to go abroad** aller à l'étranger.

abrupt [ə'brʌpt] *adj* **1.** soudain, brusque **2.** abrupt.

abruptly [ə'brʌptlɪ] *adv* **1.** brusquement **2.** abruptement.

abs [æbz] *npl fam* abdos *mpl* • **to have killer abs** avoir des tablettes de chocolat • **I'm working on my abs** je travaille mes abdos.

ABS (*abrév de* anti-lock braking system) *n* ABS *m*.

abscess ['æbses] *n* abcès *m*.

abscond [əb'skɒnd] *vi* s'enfuir.

abseil ['æbseɪl] *vi* (**UK**) descendre en rappel.

abseiling ['æbseɪlɪŋ] *n* (descente *f* en) rappel *m*.

absence ['æbsəns] *n* absence *f*.

absent ['æbsənt] *adj* • **absent (from)** absent (de).

absentee [,æbsən'tiː] *n* absent *m*, -e *f*.

absenteeism [,æbsən'tiːɪzm] *n* absentéisme *m*.

absent-minded [-'maɪndɪd] *adj* distrait.

absent-mindedly [-'maɪndɪdlɪ] *adv* distraitement.

absent-mindedness [-'maɪndɪdnɪs] *n* distraction *f*.

absolute ['æbsəluːt] *adj* absolu • **it's an absolute scandal** c'est un véritable scandale.

absolutely ['æbsə'luːtlɪ] *adv* absolument • **she's absolutely right** elle a tout à fait raison.

absolute majority *n* majorité *f* absolue.

absolution [,æbsə'luːʃn] *n* absolution *f*.

absolve [əb'zɒlv] *vt* • **to absolve sb (from)** absoudre qqn (de).

absorb [əb'zɔːb] *vt* **1.** absorber **2.** retenir, assimiler (*des informations*) • **to be absorbed in sthg** être absorbé dans qqch.

absorbent [əb'zɔːbənt] *adj* absorbant.

absorbing [əb'zɔːbɪŋ] *adj* captivant.

absorption [əb'zɔːpʃn] *n* absorption *f*.

abstain [əb'steɪn] *vi* • **to abstain (from)** s'abstenir (de).

abstainer [əb'steɪnər] *n* **1.** abstinent *m*, -e *f* (*personne qui ne boit pas d'alcool*) **2.** abstentionniste *mf* (*à une élection*).

abstemious [æb'stiːmjəs] *adj* **1.** *sout* (*repas*) frugal **2.** (*personne*) sobre.

abstention [əb'stenʃn] *n* abstention *f*.

abstract ['æbstrækt] *adj* (*idées, raisonnement, art*) abstrait. ❑ *n* résumé *m*, abrégé *m* • **you are asked to submit an abstract of approximately 100 words** vous devez fournir un résumé d'environ 100 mots.

abstraction [æb'strækʃn] *n* **1.** distraction *f* **2.** abstraction *f*.

abstruse [æb'struːs] *adj* abstrus.

absurd [əb'sɜːd] *adj* absurde.

absurdity [əb'sɜːdətɪ] (*pl* **-ies**) *n* absurdité *f*.

absurdly [əb'sɜːdlɪ] *adv* absurdement.

abundance [ə'bʌndəns] *n* abondance *f* • **in abundance** en abondance.

abundant [ə'bʌndənt] *adj* abondant.

abundantly [ə'bʌndəntlɪ] *adv* **1.** parfaitement, tout à fait • **it has become abundantly clear that there is no time to lose** il est devenu extrêmement clair qu'il n'y a pas de temps à perdre **2.** en abondance.

abuse *n* [ə'bjuːs] (*indén*) **1.** insultes *fpl*, injures *fpl* **2.** mauvais traitement *m* **3.** abus *m*. ❑ *vt* [ə'bjuːz] **1.** insulter, injurier **2.** maltraiter **3.** abuser de.

abuser [ə'bjuːzər] *n* **1.** • **abusers of the system** ceux qui profitent du système **2.** *personne qui a maltraité un enfant physiquement ou psychologiquement* **3.** • (**drug**) **abuser** drogué *m*, -e *f*.

abusive [ə'bjuːsɪv] *adj* grossier, injurieux.

abysmal [ə'bɪzml] *adj* épouvantable, abominable.

abysmally [ə'bɪzməlɪ] *adv* abominablement.

abyss [ə'bɪs] *n* abîme *m*, gouffre *m*.

a/c (*abrév de* account (current)) cc.

AC *n* **1.** (*abrév de* alternating current) courant *m* alternatif **2.** (*abrév de* air conditoning) climatisation *f*.

acacia [ə'keɪʃə] *n* acacia *m*.

academic [,ækə'demɪk] *adj* **1.** (*carrière, recherche, qualification*) universitaire **2.** (*personne*) intellectuel **3.** (*question, argument*) théorique. ❑ *n* universitaire *mf*.

academic year n année f scolaire ou universitaire.

academy [ə'kædəmɪ] n **1.** école f • academy of music conservatoire m **2.** académie f.

accede [æk'si:d] vi **1.** • to accede to agréer, donner suite à (une demande) **2.** • to accede to the throne monter sur le trône.

accelerate [ək'seləreɪt] vi **1.** (voiture, automobiliste) accélérer **2.** (croissance) s'accélérer.

acceleration [ək,selə'reɪʃn] n accélération f.

accelerator [ək'seləreɪtər] n accélérateur m.

accent ['æksent] n accent m • she has an English accent elle a un accent anglais.

accentuate [æk'sentjʊeɪt] vt accentuer.

accept [ək'sept] vt **1.** accepter **2.** recevoir, admettre (un membre dans un club) **3.** • to accept that... admettre que....

acceptable [ək'septəbl] adj acceptable.

acceptably [ək'septəblɪ] adv convenablement.

acceptance [ək'septəns] n **1.** acceptation f (cadeau, invitation) **2.** admission f (dans un club).

accepted [ək'septɪd] adj (idée, fait) reconnu.

access ['ækses] n accès m • to have access to sthg avoir accès à qqch.

access card n carte f d'accès.

access code n INFORM code m d'accès.

accessibility [ək,sesə'bɪlətɪ] n **1.** accessibilité f (d'un endroit) f **2.** accès m (à une personne).

accessible [ək'sesəbl] adj **1.** accessible **2.** disponible.

accession [æk'seʃn] n accession f (de monarque).

access number n numéro m d'accès.

accessorize, -ise (UK) [ək'sesəraɪz] vt accessoiriser.

accessory [ək'sesərɪ] n **1.** accessoire m **2.** DR complice mf. ■ accessories npl accessoires mpl.

access ramp n bretelle f d'accès.

access road n bretelle f d'accès (à une autoroute).

access time n INFORM temps m d'accès.

accident ['æksɪdənt] n **1.** accident m • to have an accident avoir un accident • accident and emergency department (UK) (service m des) urgences fpl **2.** (locution) • it was an accident waiting to happen c'était une bombe à retardement fig.

accidental [,æksɪ'dentl] adj accidentel.

accidentally [,æksɪ'dentəlɪ] adv **1.** par mégarde **2.** par hasard.

accident-prone adj prédisposé aux accidents.

acclaim [ə'kleɪm] n (indén) éloges mpl, acclamations fpl. ❑ vt louer • a book widely acclaimed by the critics un livre salué par un grand nombre de critiques.

acclimatize (UK), **-ise** (UK) [ə'klaɪmətaɪz], **acclimate** (US) ['ækləmeɪt] vi • to acclimatize (to) s'acclimater (à).

accolade ['ækəleɪd] n accolade f • the ultimate accolade la consécration suprême.

accommodate [ə'kɒmədeɪt] vt **1.** loger **2.** satisfaire (des souhaits).

accommodating [ə'kɒmədeɪtɪŋ] adj obligeant, arrangeant.

accommodation [ə,kɒmə'deɪʃn] n (UK) logement m.

accommodations [ə,kɒmə'deɪʃnz] npl (US) = accommodation.

accompaniment [ə'kʌmpənɪmənt] n MUS accompagnement m.

accompanist [ə'kʌmpənɪst] n MUS accompagnateur m, -trice f.

accompany [ə'kʌmpənɪ] vt accompagner.

accompanying [ə'kʌmpənɪɪŋ] adj • the accompanying documents les documents ci-joints • children will not be allowed in without an accompanying adult l'entrée est interdite aux enfants non accompagnés.

accomplice [ə'kʌmplɪs] n complice mf.

accomplish [ə'kʌmplɪʃ] vt accomplir.

accomplished [ə'kʌmplɪʃt] adj accompli.

accomplishment [ə'kʌmplɪʃmənt] n **1.** accomplissement m **2.** réussite f. ■ accomplishments npl talents mpl.

accord [ə'kɔːd] n • to do sthg of one's own accord faire qqch de son propre chef ou de soi-même.

accordance [ə'kɔːdəns] n • in accordance with conformément à.

according [ə'kɔːdɪŋ] ■ according to prép **1.** d'après • according to her d'après elle • to go according to plan se passer comme prévu **2.** suivant, en fonction de.

accordingly [ə'kɔːdɪŋlɪ] adv **1.** (agir) en conséquence **2.** par conséquent.

accordion [ə'kɔːdjən] n accordéon m.

accost [ə'kɒst] vt accoster.

account [ə'kaʊnt] n **1.** compte m • a bank account un compte bancaire **2.** compte-rendu m **3.** appui m (dans les affaires) **4.** budget m (dans la publicité) **5.** (locution) • to take account of sthg, to take sthg into account prendre qqch en compte • to be of no account n'avoir aucune importance. ■ account for vt insép **1.** justifier, expliquer **2.** représenter. ■ accounts npl comptabilité f, comptes mpl. ■ by all accounts adv d'après ce que l'on dit, au dire de tous. ■ on account adv à crédit. ■ on account of prép à cause de. ■ on no account adv en aucun cas, sous aucun prétexte.

accountability [ə,kaʊntə'bɪlətɪ] (indén) n responsabilité f.

accountable [əˈkaʊntəbl] adj • **accountable (for)** responsable (de).

accountancy [əˈkaʊntənsɪ] n comptabilité f.

accountant [əˈkaʊntənt] n comptable mf.

account balance n (statut) situation f de compte.

account charges n frais mpl de tenue de compte.

account holder n titulaire mf.

accounting [əˈkaʊntɪŋ] n comptabilité f.

account number n numéro m de compte.

accredit [əˈkredɪt] vt **1.** (attribuer) créditer • **they accredited the discovery to him** on lui a attribué cette découverte **2.** (fournir des références) accréditer • **ambassador accredited to Morocco** ambassadeur accrédité au Maroc **3.** (reconnaître comme étant authentique) agréer.

accreditation [ə,kredɪˈteɪʃn] n • **to seek accreditation** chercher à se faire accréditer ou reconnaître.

accrue [əˈkruː] vi **1.** (argent) fructifier **2.** (intérêts) courir.

accumulate [əˈkjuːmjʊleɪt] vt accumuler, amasser. ❏ vi s'accumuler.

accumulation [ə,kjuːmjʊˈleɪʃn] n **1.** (indén) (action) accumulation f **2.** (résultat) amas m.

accuracy [ˈækjʊrəsɪ] n **1.** exactitude f **2.** précision f.

accurate [ˈækjʊrət] adj **1.** exact **2.** précis.

accurately [ˈækjʊrətlɪ] adv **1.** (pour une traduction) fidèlement **2.** (pour une mesure) avec précision **3.** sans faute.

accusation [,ækjuːˈzeɪʃn] n accusation f.

accuse [əˈkjuːz] vt • **to accuse sb of sthg/of doing sthg** accuser qqn de qqch/de faire qqch.

accused [əˈkjuːzd] (pl inv) n • **the accused** l'accusé m, -e f.

accuser [əˈkjuːzə] n accusateur m, -trice f.

accusing [əˈkjuːzɪŋ] adj accusateur.

accusingly [əˈkjuːzɪŋlɪ] adv d'une manière accusatrice.

accustom [əˈkʌstəm] vt habituer, accoutumer • **to accustom sb to sthg** habituer qqn à qqch.

accustomed [əˈkʌstəmd] adj • **to be accustomed to sthg/to doing sthg** avoir l'habitude de qqch/de faire qqch.

AC/DC n abrév de **alternating current/direct current**. ❏ adj fam • **to be AC/DC a)** marcher à voile et à vapeur **b)** être bisexuel.

ace [eɪs] n as m.

acerbic [əˈsɜːbɪk] adj acerbe.

acetate [ˈæsɪteɪt] n acétate m.

ache [eɪk] n douleur f • **aches and pains** des douleurs • **I have got a stomach-ache** j'ai mal au ventre. ❏ vi faire mal • **my head aches** j'ai mal à la tête.

achieve [əˈtʃiːv] vt **1.** obtenir, remporter (une victoire) **2.** atteindre **3.** réaliser (ses ambitions) • **she achieved her ambition** elle a réalisé son ambition **4.** parvenir à.

achievement [əˈtʃiːvmənt] n réussite f.

achiever [əˈtʃiːvə] n fonceur m, -euse f.

Achilles' heel [əˈkiliːz-] n talon m d'Achille.

Achilles' tendon n tendon m d'Achille.

aching [ˈeɪkɪŋ] adj douloureux, endolori.

achy [ˈeɪkɪ] adj fam douloureux, endolori.

acid [ˈæsɪd] adj litt & fig acide. ❏ n acide m.

acidic [əˈsɪdɪk] adj acide.

acidity [əˈsɪdətɪ] n acidité f.

acid rain n (indén) pluies fpl acides.

acid test n fig épreuve f décisive.

acknowledge [əkˈnɒlɪdʒ] vt **1.** reconnaître • **to acknowledge one's mistakes** reconnaître ses erreurs **2.** • **to acknowledge (receipt of)** accuser réception de **3.** saluer • **she acknowledged him with a nod** elle le salua d'un signe de tête.

acknowledg(e)ment [əkˈnɒlɪdʒmənt] n **1.** reconnaissance f • **in acknowledgment of your letter** en réponse à votre lettre **2.** • **acknowledgment of receipt** (lettre, reçu) accusé m de réception **3.** quittance f, reçu m. ■ **acknowledg(e)ments** npl (dans un article, un livre) remerciements mpl.

acne [ˈæknɪ] n acné f.

acorn [ˈeɪkɔːn] n gland m.

acoustic [əˈkuːstɪk] adj acoustique. ■ **acoustics** npl acoustique f.

acoustic guitar n guitare f sèche.

acquaint [əˈkweɪnt] vt • **to acquaint sb with sthg** mettre qqn au courant de qqch • **to be acquainted with sb** connaître qqn.

acquaintance [əˈkweɪntəns] n connaissance f.

acquiesce [,ækwɪˈes] vi • **to acquiesce (to** ou **in sthg)** donner son accord (à qqch).

acquiescence [,ækwɪˈesns] n consentement m.

acquire [əˈkwaɪə] vt acquérir.

acquired [əˈkwaɪəd] adj acquis • **an acquired taste** un goût acquis.

acquisition [,ækwɪˈzɪʃn] n acquisition f.

acquisitive [əˈkwɪzɪtɪv] adj avide de possessions.

acquit [əˈkwɪt] vt acquitter.

acquittal [əˈkwɪtl] n acquittement m.

acre [ˈeɪkə] n ≃ demi-hectare m (= 4046,9 m²).

acrid [ˈækrɪd] adj **1.** âcre **2.** fig acerbe.

acrimonious [,ækrɪˈməʊnjəs] adj acrimonieux.

acrimoniously [,ækrɪˈməʊnjəslɪ] adv (dire) avec amertume.

acrobat [ˈækrəbæt] n acrobate mf.

acrobatic [,ækrəˈbætɪk] adj acrobatique. ■ **acrobatics** npl acrobatie f.

acronym [ˈækrənɪm] n acronyme m.

across [ə'krɒs] adv 1.en travers 2. • the river is 2 km across la rivière mesure 2 km de large 3.(dans les mots croisés) • 21 across 21 horizontalement. ❑ prép 1.d'un côté à l'autre de, en travers de • to walk across the road traverser la route 2.de l'autre côté de • the house across the road la maison d'en face. ■ across from prép en face de.

across-the-board adj général.

acrylic [ə'krɪlɪk] adj & n acrylique • acrylic paint peinture f acrylique.

act [ækt] n 1.acte m • to catch sb in the act of doing sthg surprendre qqn en train de faire qqch 2.loi f 3.THÉÂTRE acte m 4.(au cirque, au cabaret) numéro m 5.fig • to put on an act jouer la comédie 6.(locution) • to get one's act together se reprendre en main. ❑ vi 1.agir • we must act quickly il faut agir vite 2.se comporter • to act as if se conduire comme si, se comporter comme si • to act like se comporter comme 3. THÉÂTRE & CINÉ jouer 4. fig jouer la comédie 5. • to act as a) être b) servir de. ❑ vt jouer. ■ act on vt insép 1.suivre 2.exécuter 3.(médicament) agir sur. ■ act up vt insép (enfant) faire des siennes.

ACT (abrév de American College Test) n examen américain de fin d'études secondaires.

acting ['æktɪŋ] adj par intérim, provisoire • the acting President le Président par intérim. ❑ n THÉÂTRE & CINÉ interprétation f.

action ['ækʃn] n 1.action f • to take action agir, prendre des mesures • to put sthg into action mettre qqch à exécution • in action a) en action b) en marche • out of action a) hors de combat b) hors service, hors d'usage 2.DR procès m, action f.

action group n groupe m de pression.

action movie n film m d'action.

action-packed adj 1.(film) bourré d'action 2.(vacances, congé) rempli d'activités.

action replay n (UK) répétition f immédiate (au ralenti).

action stations npl MIL postes mpl de combat. ❑ interj • action stations! à vos postes !

activate ['æktɪveɪt] vt mettre en marche.

active ['æktɪv] adj 1.actif m 2.(encouragement) vif 3.(volcan) en activité.

active duty (US) = active service.

actively ['æktɪvlɪ] adv activement.

active service n • to be killed on active service mourir au champ d'honneur.

activewear ['æktɪvweər] n vêtements mpl de sport.

activist ['æktɪvɪst] n activiste mf.

activity [æk'tɪvətɪ] n activité f.

activity centre n 1.centre m d'activités 2.centre m de loisirs (en particulier pour les enfants).

activity holiday n (UK) vacances fpl actives.

act of God n catastrophe f naturelle.

actor ['æktər] n acteur m, -trice f.

actress ['æktrɪs] n actrice f.

actual ['æktʃʊəl] adj réel • what are your actual reasons? quelles sont vos raisons réelles ?

actually ['æktʃʊəlɪ] adv 1.vraiment • it's not actually raining il ne pleut pas vraiment 2.en fait • actually, I do know the answer en fait, je connais la réponse.

acumen ['ækjumen] n flair m.

acupressure ['ækjupreʃər] n MÉD acupressing m.

acupuncture ['ækjupʌŋktʃər] n acupuncture f, acuponcture f.

acupuncturist ['ækjupʌŋktʃərɪst] n acupuncteur m, -trice f.

acute [ə'kjuːt] adj 1.aigu • acute angle angle m aigu • e acute e accent aigu • an acute pain une douleur aiguë 2.sérieux, grave 3.(esprit) perspicace 4.(vue) perçant 5.(ouïe) fin 6.(odorat) développé.

acute accent n accent m aigu.

acutely [ə'kjuːtlɪ] adv extrêmement.

ad [æd] (abrév de advertisement) n 1. fam annonce f 2.pub f (à la télévision).

AD (abrév de Anno Domini) apr. J.-C.

adage ['ædɪdʒ] n adage m.

adamant ['ædəmənt] adj résolu, inflexible • he was quite adamant that I was wrong il a soutenu dur comme fer que j'avais tort.

adamantly ['ædəməntlɪ] adv résolument • he was adamantly opposed to the idea il était résolument opposé à l'idée.

Adam's apple ['ædəmz-] n pomme f d'Adam.

adapt [ə'dæpt] vt adapter. ❑ vi • to adapt (to) s'adapter (à).

adaptability [ə,dæptə'bɪlətɪ] n souplesse f fig.

adaptable [ə'dæptəbl] adj souple fig.

adaptation [,ædæp'teɪʃn] n adaptation f (d'un livre, d'une pièce).

adapter, adaptor [ə'dæptər] n 1. (UK) prise f multiple 2.adaptateur m.

add [æd] vt 1. • to add sthg (to) ajouter qqch (à) 2.additionner • she added the numbers together elle a additionné les chiffres. ■ add on vt sép • to add sthg on (to) a) ajouter qqch (à) b) rajouter qqch (à). ■ add to vt insép ajouter à, augmenter. ■ add up vt sép additionner. ■ add up to vt insép (somme, total) s'élever à.

added ['ædɪd] adj supplémentaire.

adder ['ædər] n vipère f.

addict ['ædɪkt] n drogué m, -e f • she's a TV addict c'est une mordue de la télé.

addicted [ə'dɪktɪd] adj • addicted (to) a) drogué (à) b) fig passionné (de) • he's addicted to jogging c'est un mordu de jogging.

addiction [ə'dɪkʃn] n • addiction (to) a) dépendance f (à) b) fig penchant m (pour).

addictive [ə'dıktıv] *adj* qui rend dépendant.

addition [ə'dıʃn] *n* addition *f* • **in addition (to)** en plus (de).

additional [ə'dıʃənl] *adj* supplémentaire.

additionally [ə'dıʃənəlı] *adv* **1.** davantage **2.** en outre.

additive ['ædıtıv] *n* additif *m*.

add-on *adj* INFORM supplémentaire. ❏ *n* INFORM dispositif *m* supplémentaire.

address [ə'dres] *n* **1.** adresse *f* **2.** discours *m* • **the president's address** le discours du président. ❏ *vt* **1.** adresser *(une lettre, une plainte)* **2.** prendre la parole à **3.** aborder, examiner *(un problème)*.

address book *n* carnet *m* d'adresses.

addressee [ˌædre'si:] *n* destinataire *mf*.

adenoids ['ædınɔıdz] *npl* végétations *fpl*.

adept ['ædept] *adj* • **adept (at)** doué (pour).

adequate ['ædıkwət] *adj* adéquat.

adequately ['ædıkwətlı] *adv* **1.** suffisamment **2.** de façon satisfaisante.

adhere [əd'hıə'] *vi* **1.** • **to adhere (to)** adhérer (à) *(un parti, une idée)* **2.** • **to adhere to** obéir à *(une règle, un plan)*.

adherence [əd'hıərəns] *n* • **adherence to** adhésion *f* à.

adherent [əd'hıərənt] *adj* adhérent. ❏ *n* **1.** adhérent *m*, -e *f (à un accord)* **2.** adepte *mf (d'une idée, d'une religion)*.

adhesive [əd'hi:sıv] *adj* adhésif. ❏ *n* adhésif *m*.

adhesive tape *n* ruban *m* adhésif.

ad hoc [ˌæd'hɒk] *adj* ad hoc *(inv)*.

ad infinitum [ˌædınfı'naıtəm] *adv* à l'infini.

adjacent [ə'dʒeısənt] *adj* • **adjacent (to)** adjacent (à), contigu (à).

adjective ['ædʒıktıv] *n* adjectif *m*.

adjoining [ə'dʒɔınıŋ] *adj* voisin. ❏ *prép* attenant à.

adjourn [ə'dʒɜ:n] *vt* ajourner, reporter • **let's adjourn this discussion until tomorrow** reportons cette discussion à demain. ❏ *vi* suspendre la séance • **I am afraid the meeting may not adjourn before ten o'clock** je crains que la réunion ne dure jusqu'à dix heures.

adjournment [ə'dʒɜ:nmənt] *n* ajournement *m*.

adjudicate [ə'dʒu:dıkeıt] *vi* • **to adjudicate (on** *ou* **upon)** se prononcer (sur), statuer (sur).

adjudication [əˌdʒu:dı'keıʃn] *n* jugement *m*.

adjudicator [ə'dʒu:dıkeıtə'] *n* juge *m*, arbitre *m (d'une compétition)*.

adjust [ə'dʒʌst] *vt* ajuster, régler. ❏ *vi* • **to adjust (to)** s'adapter (à).

adjustable [ə'dʒʌstəbl] *adj* réglable.

adjustment [ə'dʒʌstmənt] *n* **1.** ajustement *m* **2.** réglage *m* **3.** • **adjustment (to)** adaptation *f* (à).

ad lib [ˌæd'lıb] *adj* improvisé. ❏ *adv* à volonté. ❏ *n* improvisation *f*. ■ **ad-lib** *vi* improviser.

admin ['ædmın] *(abrév de* administration*)* *n* (UK) *fam* administration *f*.

administer [əd'mınıstə'] *vt* **1.** administrer, gérer **2.** rendre *(la justice)* **3.** administrer *(un médicament)*.

administration [ədˌmını'streıʃn] *n* administration *f*. ■ **Administration** *n* (US) • **the Administration** le gouvernement.

administrative [əd'mınıstrətıv] *adj* administratif • **administrative blunder** *ou* **error** erreur *f* administrative.

administrative costs *npl* frais *mpl* de gestion.

administrator [əd'mınıstreıtə'] *n* INFORM administrateur *m*, -trice *f*.

admirable ['ædmərəbl] *adj* admirable.

admirably ['ædmərəblı] *adv* admirablement.

admiral ['ædmərəl] *n* amiral *m*.

admiration [ˌædmə'reıʃn] *n* admiration *f* • **to be full of admiration for sb/sthg** être plein d'admiration pour qqn/qqch.

admire [əd'maıə'] *vt* admirer.

admirer [əd'maıərə'] *n* admirateur *m*, -trice *f*.

admiring [əd'maıərıŋ] *adj* admiratif.

admissible [əd'mısəbl] *adj* DR recevable.

admission [əd'mıʃn] *n* **1.** admission *f* **2.** *(dans un musée, une université)* entrée *f* • **admissions procedure** procédure *f* d'inscription **3.** confession *f*, aveu *m*.

admit [əd'mıt] *vt* **1.** reconnaître • **to admit (that)**… reconnaître que… • **to admit doing sthg** reconnaître avoir fait qqch • **to admit defeat** *fig* s'avouer vaincu **2.** admettre. ❏ *vi* • **to admit to** admettre, reconnaître.

admittance [əd'mıtəns] *n* admission *f* • **'no admittance'** 'entrée interdite'.

admittedly [əd'mıtıdlı] *adv* de l'aveu général.

admonish [əd'mɒnıʃ] *vt* réprimander.

ad nauseam [ˌæd'nɔ:zıæm] *adv* à n'en plus finir.

ado [ə'du:] *n* • **without further** *ou* **more ado** sans plus de cérémonie.

adolescence [ˌædə'lesns] *n* adolescence *f*.

adolescent [ˌædə'lesnt] *adj* **1.** adolescent **2.** *péj* puéril. ❏ *n* adolescent *m*, -e *f*.

adopt [ə'dɒpt] *vt* adopter • **to be adopted** être adopté.

adopted [ə'dɒptıd] *adj* **1.** *(enfant)* adoptif **2.** *(pays)* d'adoption, adoptif.

adoption [ə'dɒpʃn] *n* adoption *f*.

adoptive [ə'dɒptıv] *adj* adoptif.

adorable [ə'dɔ:rəbl] *adj* adorable.

adore [ə'dɔ'] *vt* adorer.

adoring [ə'dɔ:rıŋ] *adj* **1.** *(personne)* adorateur **2.** *(regard)* d'adoration.

adoringly [ə'dɔ:rıŋlı] *adv* avec adoration.

adorn [ə'dɔːn] *vt* orner.

adrenalin [ə'drenəlɪn] *n* adrénaline *f*.

Adriatic [ˌeɪdrɪ'ætɪk] *n* ● **the Adriatic (Sea)** l'Adriatique *f*, la mer Adriatique.

adrift [ə'drɪft] *adj* à la dérive.

ADSL (abrév de Asymmetric Digital Subscriber Line) *n* ADSL *m*, RNA *mrecomm off* .

adult ['ædʌlt] *adj* **1.** adulte **2.** *(film, livre)* pour adultes.□ *n* adulte *mf*.

adult education *n* enseignement *m* pour adultes.

adulteration [əˌdʌltə'reɪʃn] *n* frelatage *m*.

adulterer [ə'dʌltərər] *n* personne *f* adultère.

adulteress [ə'dʌltərɪs] *n* adultère *f*.

adulterous [ə'dʌltərəs] *adj* adultère.

adultery [ə'dʌltərɪ] *n* adultère *m*.

adulthood ['ædʌlthʊd] *n* âge *m* adulte.

adult student *n* (us) = **mature student** .

advance [əd'vɑːns] *n* **1.** avance *f* **2.** progrès *m* ● **there have been great advances in technology** il y a eu de grands progrès dans le domaine de la technologie.□ *en apposition* à l'avance. □ *vt* **1.** avancer **2.** faire progresser ou avancer. □ *vi* **1.** avancer **2.** progresser.■ **advances** *npl* ● **to make advances to sb** faire des avances à qqn.■ **in advance** *adv* à l'avance.

advance copy *n* exemplaire *m* de lancement *(d'un livre, d'un magazine)*.

advanced [əd'vɑːnst] *adj* avancé.

advance publicity *n* publicité *f* d'amorçage.

advantage [əd'vɑːntɪdʒ] *n* avantage *m* ● **to take advantage of sthg** profiter de qqch ● **to take advantage of sb** exploiter qqn.

advent ['ædvənt] *n* avènement *m*.■ **Advent** *n* Avent *m*.

adventure [əd'ventʃər] *n* aventure *f*.

adventure playground *n* (UK) aire *f* de jeux.

adventurous [əd'ventʃərəs] *adj* aventureux.

adverb ['ædvɜːb] *n* adverbe *m*.

adversary ['ædvəsərɪ] *(pl-ies)n* adversaire *mf*.

adverse ['ædvɜːs] *adj* défavorable.

adversely ['ædvɜːslɪ] *adv* de façon défavorable.

adversity [əd'vɜːsətɪ] *n* adversité *f*.

advert ['ædvɜːt] (UK) = **advertisement** .

advertise ['ædvətaɪz] *vt* **1.** faire de la publicité pour **2.** annoncer *(un événement).* □ *vi* faire de la publicité ● **to advertise on TV/the Internet** faire de la publicité à la télé/sur Internet.

advertisement [əd'vɜːtɪsmənt] *n* **1.** annonce *f* **2.** *fig* publicité *f*.

advertiser ['ædvətaɪzər] *n* annonceur *m*, -euse *f*.

advertising ['ædvətaɪzɪŋ] *n (indén)* publicité *f*.

advertising agency *n* agence *f* de publicité.

advertising campaign *n* campagne *f* de publicité.

advertising space *n* espace *m* publicitaire.

advice [əd'vaɪs] *n (indén)* conseils *mpl* ● **a piece of advice** un conseil ● **to take sb's advice** suivre les conseils de qqn.

advice slip *n* reçu *m* *(du distributeur de billets)*.

advisable [əd'vaɪzəbl] *adj* conseillé, recommandé.

advise [əd'vaɪz] *vt* **1.** ● **to advise sb to do sthg** conseiller à qqn de faire qqch ● **to advise sb against doing sthg** déconseiller à qqn de faire qqch **2.** ● **to advise sb on sthg** conseiller qqn sur qqch **3.** ● **to advise sb (of sthg)** aviser qqn (de qqch).

advisedly [əd'vaɪzɪdlɪ] *adv* en connaissance de cause, délibérément.

adviser , advisor (surtout us) [əd'vaɪzər] *n* conseiller *m*, -ère *f*.

advisory [əd'vaɪzərɪ] *adj* consultatif.

advocacy ['ædvəkəsɪ] *n* plaidoyer *m*.

advocate *n* ['ædvəkət] **1.** *DR* avocat *m*, -e *f* **2.** partisan *m*. □ *vt* ['ædvəkeɪt] préconiser, recommander.

adware ['ædweər] *n* publiciel *m*.

Aegean [iː'dʒiːən] *n* ● **the Aegean (Sea)** la mer Égée.

aerial ['eərɪəl] *adj* aérien. □ *n* (UK) antenne *f* ● **a television aerial** une antenne de télévision.

aerobic [eə'rəʊbɪk] *adj* aérobie.

aerobicized [eə'rəʊbɪsaɪzd] *adj* *aux muscles tonifiés grâce à l'aérobic* ● **aerobicized Hollywood women** des femmes d'Hollywood aux muscles tonifiés.

aerobics [eə'rəʊbɪks] *n (indén)* aérobic *m*.

aerodynamic [ˌeərəʊdaɪ'næmɪk] *adj* aérodynamique.■ **aerodynamics** *n (indén)* aérodynamique *f*.□ *npl* aérodynamisme *m*.

aeroplane ['eərəpleɪn] *n* (UK) avion *m*.

aerosol ['eərəsɒl] *n* aérosol *m*.

aerospace ['eərəʊspeɪs] *n* ● **the aerospace industry** l'industrie *f* aérospatiale.

aesthete , esthete (us) ['iːsθiːt] *n* esthète *mf*.

aesthetic , esthetic (us) [iːs'θetɪk] *adj* esthétique.

aesthetically , esthetically (us) [iːs'θetɪklɪ] *adv* esthétiquement.

aesthetics , esthetics (us) [iːs'θetɪks] *n (indén)* esthétique *f*.

AFAIK *SMS* (abrév de as far as I know) pour autant que je sache.

afar [ə'fɑː] *adv* ● **from afar** de loin.

affable ['æfəbl] *adj* affable.

affair [ə'feər] *n* **1.** affaire *f* **2.** liaison *f (amoureuse).* ■ **affairs** *npl* affaires *fpl*.

affect [ə'fekt] *vt* **1.** avoir un effet ou des conséquences sur ● **pollution affects the environment** la pollution a des conséquences sur l'environnement **2.** affecter, émouvoir **3.** affecter *(prétendre).*

affectation [ˌæfekˈteɪʃn] *n* affectation *f*.

affected [əˈfektɪd] *adj* affecté.

affection [əˈfekʃn] *n* affection *f*.

affectionate [əˈfekʃnət] *adj* affectueux.

affidavit [ˌæfɪˈdeɪvɪt] *n* déclaration écrite sous serment.

affiliation [əˌfɪliˈeɪʃn] *n* affiliation *f*.

affinity [əˈfɪnətɪ] (*pl* -ies) *n* affinité *f* • **to have an affinity with sb** avoir des affinités avec qqn.

affirm [əˈfɜːm] *vt* affirmer, soutenir.

affirmative [əˈfɜːmətɪv] *adj* affirmatif. ❑ *n* • **in the affirmative** par l'affirmative.

affix [əˈfɪks] *vt* coller.

afflict [əˈflɪkt] *vt* affliger • **to be afflicted with** souffrir de.

affliction [əˈflɪkʃn] *n* affliction *f*.

affluence [ˈæfluəns] *n* prospérité *f*.

affluent [ˈæfluənt] *adj* riche.

afford [əˈfɔːd] *vt* **1.** • **to be able to afford sthg** avoir les moyens d'acheter qqch **2.** • **to be able to afford the time (to do sthg)** avoir le temps (de faire qqch) **3.** • **I can't afford to take any risks** je ne peux pas me permettre de prendre des risques **4.** procurer *(de la joie, du plaisir)*.

affordability [əˌfɔːdəˈbɪlɪtɪ] *n* prix *m* raisonnable • **this is an area of high affordability pressure** c'est une zone où les prix de l'immobilier atteignent des niveaux très élevés.

affordable [əˈfɔːdəbl] *adj* que l'on peut se permettre.

afforestation [æˌfɒrɪˈsteɪʃn] *n* boisement *m*.

affront [əˈfrʌnt] *n* affront *m*, insulte *f*. ❑ *vt* insulter, faire un affront à.

Afghan [ˈæfgæn], **Afghani** [æfˈgænɪ] *adj* afghan. ❑ *n* Afghan *m*, -e *f*.

Afghanistan [æfˈgænɪstæn] *n* Afghanistan *m*.

aficionado [əˌfɪsjəˈnɑːdəʊ] (*pl* -s) *n* aficionado *m* • **theatre aficionados** les aficionados du théâtre.

afield [əˈfiːld] *adv* • **far afield** loin.

afloat [əˈfləʊt] *adj litt & fig* à flot.

afoot [əˈfʊt] *adj* en préparation.

aforementioned [əˈfɔːˌmenʃənd], **aforesaid** [əˈfɔːsed] *adj* susmentionné.

afraid [əˈfreɪd] *adj* **1.** • **to be afraid (of)** avoir peur (de), craindre **2.** • **to be afraid (that)…** regretter que… • **I'm afraid so/not** j'ai bien peur que oui/non.

afresh [əˈfreʃ] *adv* de nouveau.

Africa [ˈæfrɪkə] *n* Afrique *f*.

African [ˈæfrɪkən] *adj* africain. ❑ *n* Africain *m*, -e *f*.

African-American *n* Noir américain *m*, Noire américaine *f*. ❑ *adj* noir américain.

Afro-Caribbean *n* Afro-Antillais *m*, -e *f*. ❑ *adj* afro-antillais.

after [ˈɑːftə*r*] *prép* après • **to be after sb/sthg** *fam* chercher qqn/qqch • **after you!** après vous ! • **to name sb after sb** donner à qqn le nom de qqn. ❑ *adv* après • **two days after** deux jours plus tard. ❑ *conj* après que. ■ **after all** *adv* après tout. ■ **after a while** *adv* au bout d'un moment. ■ **afters** *npl* (UK) *fam* dessert *m*. ■ **one after another, one after the other** *adv* l'un après l'autre.

aftercare [ˈɑːftəkeə*r*] *n* postcure *f*.

after-dinner *adj (orateur, discours)* de fin de dîner • **an after-dinner drink** ≃ un digestif.

aftereffect [ˈɑːftərɪˌfekt] *n* **1.** *(gén pl)* suite *f* **2.** MÉD séquelle *f*.

after-hours *adj* **1.** qui suit la fermeture **2.** qui suit le travail. ■ **after hours** *adv* **1.** après la fermeture **2.** après le travail.

afterlife [ˈɑːftəlaɪf] (*pl* -lives) *n* vie après la mort.

aftermath [ˈɑːftəmæθ] *n* conséquences *fpl*, suites *fpl*.

afternoon [ˌɑːftəˈnuːn] *n* après-midi *m inv* • **in the afternoon** l'après-midi • **on Tuesday afternoon** mardi après-midi • **good afternoon** bonjour *(prononcé l'après-midi)* • **afternoon nap** *ou* **rest** sieste *f* • **afternoon snack** goûter *m*.

afternoon tea *n* thé pris avec une légère collation dans le cours de l'après-midi.

after-party *n* after *m*.

after-sales *adj* après-vente *(inv)* • **after-sales service** service *m* après-vente.

after-school [ˈɑːftəˌskuːl] *adj* extra-scolaire.

aftershave [ˈɑːftəʃeɪv], **after-shaving lotion** (US) *n* après-rasage *m*.

aftershock [ˈɑːftəʃɒk] *n* réplique *f*.

aftersun [ˈɑːftəsʌn] *adj* • **aftersun cream** crème *f* après-soleil.

aftertaste [ˈɑːftəteɪst] *n litt & fig* arrière-goût *m*.

after-tax *adj (profit, salaire)* net d'impôt.

afterthought [ˈɑːftəθɔːt] *n* pensée *f* ou réflexion *f* après coup.

afterwards (UK) [ˈɑːftəwədz], **afterward** (US) [ˈɑːftəwəd] *adv* après.

again [əˈgen] *adv* encore une fois, de nouveau • **to do again** refaire • **to say again** répéter • **to start again** recommencer • **again and again** à

À PROPOS DE

again

Attention à ne pas confondre *again* et *back*, adverbes dont les sens sont proches mais l'utilisation différente.

Again signifie **encore, une autre fois** *(don't do it again or you'll be in trouble)*, alors que *back* implique un retour à un état précédent *(put it back in the closet)*. *Back* sert aussi à exprimer l'idée de **rendre** quelque chose à quelqu'un *(give it back to me right now!)*.

plusieurs reprises • **all over again** une fois de plus• **time and again** maintes et maintes fois• **come again?** *fam* comment ?, pardon ? • **then**ou **there again** d'autre part.

against [ə'genst] *prép & adv* contre• **(as) against** contre.

age [eɪdʒ] **(UK)** *cont* **ageing**, **(US)** *cont* **aging**) *n* **1.** âge *m* • **what age are you?** quel âge avez-vous ? • **to be under age** être mineur• **to come of age** atteindre sa majorité **2.** vieillesse *f* **3.** époque *f*.❑ *vt & vi* vieillir.■ **ages** *npl* • **ages ago** il y a une éternité • **I haven't seen him for ages** je ne l'ai pas vu depuis une éternité.

---

age

Aux États-Unis et en Grande-Bretagne, on peut voter à partir de 18 ans. Pour pouvoir boire ou acheter de l'alcool, il faut avoir 21 ans aux États-Unis et 18 ans en Grande-Bretagne. En revanche, on peut conduire dès 16 ans dans la plupart des États des États-Unis, et dès 17 ans en Grande-Bretagne. L'âge normal de la retraite est de 65 ans aux États-Unis ; en Grande-Bretagne, il varie en fonction du sexe : 65 ans pour les hommes et de 60 à 65 ans pour les femmes en fonction de leur date de naissance.

---

age bracket *n* = **age group**.

aged *adj* **1.** [eɪdʒd] • **aged 15** âgé de 15 ans **2.** ['eɪdʒɪd] âgé, vieux.❑ *npl* ['eɪdʒɪd] • **the aged** les personnes *fpl* âgées.

age group *n* tranche *f* d'âge.

ageing **(UK)**, **aging** **(US)** ['eɪdʒɪŋ] *adj* vieillissant.❑ *n* vieillissement *m*.

ageism ['eɪdʒɪzm] *n* âgisme *m*.

ageist ['eɪdʒɪst] *adj (action, politique)* qui relève de l'âgisme.❑ *n* personne qui fait preuve d'âgisme.

ageless ['eɪdʒlɪs] *adj* sans âge.

age limit *n* limite *f* d'âge.

agency ['eɪdʒənsɪ] *n* **1.** agence *f*. **2.** organisme *m*.

agenda [ə'dʒendə] (*pl*-**s**) *n* ordre *m* du jour.

agent ['eɪdʒənt] *n* agent *m*, -e *f*.

age-old *adj* antique.

aggravate ['ægrəveɪt] *vt* **1.** aggraver *(situation)* **2.** agacer *(personne)*.

aggravating ['ægrəveɪtɪŋ] *adj* **1.** *(personne, problème)* agaçant **2.** *(situation, condition)* aggravant.

aggravation [,ægrə'veɪʃn] *n* **1.** agacement *m* **2.** *(situation, condition)* aggravation.

aggregate ['ægrɪgət] *adj* total.❑ *n* total *m*.

aggression [ə'greʃn] *n* agression *f*.

aggressive [ə'gresɪv] *adj* agressif.

aggressively [ə'gresɪvlɪ] *adv* d'une manière agressive.

aggressiveness [ə'gresɪvnɪs] *n* **1.** *(gén)* agressivité *f*. **2.** *COMM* fougue *f (d'une campagne)*.

aggressor [ə'gresər] *n* agresseur *m*.

aggrieved [ə'griːvd] *adj* blessé, froissé.

aggro ['ægrəʊ] *n (UK) fam* enquiquinement *m*.

aghast [ə'gɑːst] *adj* • **aghast (at sthg)** atterré *(par qqch).*

agile **(UK)** 'ædʒaɪl, **(US)** 'ædʒəl] *adj* agile.

agility [ə'dʒɪlətɪ] *n* agilité *f*.

aging **(US)** = **ageing**.

agitate ['ædʒɪteɪt] *vt* **1.** inquiéter *(personne)* **2.** agiter *(liquide)*.

agitated ['ædʒɪteɪtɪd] *adj* agité.

agitation [,ædʒɪ'teɪʃn] *n* agitation *f*.

agitator ['ædʒɪteɪtər] *n* agitateur *m*, -trice *f*.

AGM (abrév de **annual general meeting**) *n (UK)* AGA *f*.

agnostic [æg'nɒstɪk] *adj* agnostique. ❑ *n* agnostique *mf*.

ago [ə'gəʊ] *adv* • **three days ago** il y a trois jours • **a long time ago** il y a longtemps.

---

ago

Ago se place directement après une expression temporelle *(half an hour ago)*. Le verbe peut être soit au prétérit *(the bus left 20 minutes ago)*, soit au passé progressif *(I was living abroad five years ago)*.
Dans les questions, on utilise *how long ago (how long ago did this happen?)*.

---

agog [ə'gɒg] *adj* • **to be agog (with)** être en effervescence (à propos de).

agonize, -ise **(UK)** ['ægənaɪz] *vi* • **to agonize over** ou **about sthg** se tourmenter au sujet de qqch.

agonizing, -ising **(UK)** ['ægənaɪzɪŋ] *adj* **1.** angoissant **2.** déchirant **3.** atroce.

agonizingly, -isingly **(UK)** ['ægənaɪzɪŋlɪ] *adv* extrêmement *(difficile)*.

agony ['ægənɪ] *n* **1.** douleur *f* atroce • **to be in agony** souffrir le martyre **2.** angoisse *f*.

agony aunt *n (UK) fam* personne qui tient la rubrique du courrier du cœur.

agony column *n (UK) fam* courrier *m* du cœur.

agoraphobia [,ægərə'fəʊbjə] *n* agoraphobie *f*.

agoraphobic [,ægərə'fəʊbɪk] *adj* agoraphobe. ❑ *n* agoraphobe *mf*.

agree [ə'griː] *vi* **1.** • **to agree (with/about)** être d'accord (avec/au sujet de) • **I don't agree** je ne suis pas d'accord • **to agree on** convenir de **2.** • **to agree (to sthg)** donner son consentement (à qqch) **3.** *GRAMM* s'accorder **4.** • **to agree with** réussir à • **rich food doesn't agree with me** la nourriture riche ne me réussit pas **5.** • **to agree (with)** s'accorder (avec).❑ *vt* **1.** • **to agree (that)**... admettre que... **2.** •

agree to do sthg se mettre d'accord pour faire qqch **3.** accepter, convenir de.

agreeable [ə'griːəbl] *adj* **1.** agréable **2. • to be agreeable to** consentir à.

agreed [ə'griːd] *adj* **• to be agreed (on sthg)** être d'accord (à propos de qqch).

agreement [ə'griːmənt] *n* **1.** accord *m* **• to reach an agreement** parvenir à un accord **• to be in agreement (with)** être d'accord (avec) **2.** concordance *f*.

agricultural [,ægrɪ'kʌltʃərəl] *adj* agricole.

agriculture ['ægrɪkʌltʃə] *n* agriculture *f*.

agritourism ['ægrɪtʊərɪzəm] *n* agritourisme *m*.

agroclimatology [,ægrəʊklaɪmə'tɒlədʒɪ] *n* agroclimatologie *f*.

agro-industrial ['ægrəʊ-] *adj* agro-industriel.

agro-industry ['ægrəʊ-] *n* agro-industrie *f*.

agroterrorism ['ægrəʊterɪzəm] *n* agro-terrorisme *m*.

agroterrorist ['ægrəʊterərɪst] *n* agro-terroriste *mf*.

aground [ə'graʊnd] *adv* **• to run aground** s'échouer.

ah [ɑː] *interj* ah !

aha [ɑː'hɑː] *interj* ah !

ahead [ə'hed] *adv* **1.** devant, en avant **• right ou straight ahead** droit devant **2.** en avance **• Scotland are ahead by two goals to one** l'Écosse mène par deux buts à un **• to get ahead** réussir **3.** à l'avance **• the months ahead** les mois à venir. ■ **ahead of** *prép* **1.** devant **2.** avant **• the work is ahead of schedule** le travail est en avance sur le planning.

ahem [ə'hem] *interj* hum !

ahoy [ə'hɔɪ] *interj* NAUT ohé ! **• ship ahoy!** ohé, du bateau !

AI *n* (abrév de artificial intelligence) IA *f*.

AICE [eɪs] (abrév de Advanced International Certificate of Education) *n* (US) SCOL *diplôme international d'études secondaires qui donne accès aux études universitaires, délivré par l'université de Cambridge.*

aid [eɪd] *n* aide *f* **• in aid of** au profit de. ❑ *vt* **1.** aider **2. • to aid and abet sb** être complice de qqn.

aide-mémoire [,eɪdmem'wɑː] (*pl* **aides-mémoire** ['eɪdz-]) *n* aide-mémoire *m inv*.

AIDS, Aids [eɪdz] (abrév de acquired immune deficiency syndrome) *n* SIDA *m*, sida *m*. ❑ *en apposition* **• AIDS patient** sidéen *m*, -enne *f*.

aid worker *n* employé *m*, -e *f* d'une organisation humanitaire.

ailing ['eɪlɪŋ] *adj* **1.** souffrant **2.** *fig (économie, pays)* dans une mauvaise passe.

ailment ['eɪlmənt] *n* maladie *f*.

aim [eɪm] *n* but *m*, objectif *m*. ❑ *vt* **1. • to aim a gun at sb** braquer une arme sur **2.** *fig* **• to be aimed at a)** *(plan, campagne)* être destiné à, viser **b)** *(critique)* être dirigé contre. ❑ *vi* **• to aim (at)**

viser • to aim at *ou* *fig* viser **• to aim to do sthg** viser à faire qqch.

aimless ['eɪmlɪs] *adj* **1.** désœuvré **2.** sans but.

aimlessly ['eɪmlɪslɪ] *adv* sans but.

ain't [eɪnt] *fam* = am not, are not, is not, has not, have not.

air [eə] *n* **1.** air *m* **• by air** par avion **• to be (up) in the air** *fig* être vague **2.** RADIO & TV **• on the air** à l'antenne. ❑ *vt* **1.** aérer **2.** faire connaître *ou* communiquer **3.** RADIO & TV diffuser. ❑ *vi* **1.** sécher **2.** RADIO & TV **• the movie airs next week** le film sera diffusé la semaine prochaine. ■ **airs** *npl* **• airs and graces** manières *fpl* **• to give o.s. airs, to put on airs** prendre de grands airs.

airbag ['eəbæg] *n* Airbag® *m*.

airbase ['eəbeɪs] *n* base *f* aérienne.

airbed ['eəbed] *n* matelas *m* pneumatique.

airborne ['eəbɔːn] *adj* **1.** aéroporté **2.** emporté par le vent **3.** *(avion)* qui a décollé.

airbrush ['eəbrʌʃ] *n* pistolet *m (pour peindre)*. ❑ *vt* peindre au pistolet.

air-conditioned [-kən'dɪʃnd] *adj* climatisé, à air conditionné.

air-conditioning [-kən'dɪʃnɪŋ] *n* climatisation *f*.

aircraft ['eəkrɑːft] *n (pl inv)* avion *m*.

aircraft carrier *n* porte-avions *m inv*.

airfare ['eəfeə] *n* tarif *m* aérien.

airfield ['eəfiːld] *n* terrain *m* d'aviation.

airforce ['eəfɔːs] *n* armée *f* de l'air.

Air Force One *n* nom de l'avion officiel du président des États-Unis.

air freight *n* fret *m* aérien.

airgun ['eəgʌn] *n* carabine *f ou* fusil *m* à air comprimé.

airhead ['eəhed] *n fam* taré *m*, -e *f*.

air hostess ['eə,həʊstɪs] *n* (UK) *vieilli* hôtesse *f* de l'air.

air-kiss ['eəkɪs] *vi* s'embrasser (avec affectation).

airless ['eəlɪs] *adj (pièce)* qui sent le renfermé.

airlift ['eəlɪft] *n* pont *m* aérien. ❑ *vt* transporter par pont aérien.

airline ['eəlaɪn] *n* compagnie *f* aérienne.

airliner ['eəlaɪnə] *n* **1.** *(avion m)* moyen-courrier *m* **2.** *(avion m)* long-courrier *m*.

airlock ['eəlɒk] *n* **1.** poche *f ou* bulle *f* d'air **2.** sas *m*.

airmail ['eəmeɪl] *n* poste *f* aérienne **• by airmail** par avion.

air marshal *n* général *m* de corps aérien.

air mattress *n* matelas *m* pneumatique.

Air Miles ® *n* programme de fidélité pour les personnes qui prennent souvent l'avion.

airplane ['eəpleɪn] *n* (US) avion *m* **• airplane mode** *(téléphone portable)* mode *m* avion.

airplay ['eəpleɪ] n RADIO • **to get a lot of airplay** passer beaucoup à la radio.

air pocket n trou m d'air.

air pollution n pollution f atmosphérique.

airport ['eəpɔt] n aéroport m • **to meet sb at the airport** attendre qqn à l'aéroport • **airport tax** taxe f d'aéroport • **airport terminal** aérogare f.

air pressure n pression f atmosphérique.

air raid n raid m aérien, attaque f aérienne.

air-raid shelter n abri m antiaérien.

air rifle n carabine f à air comprimé.

air-sea rescue n sauvetage m en mer (par hélicoptère).

airship ['eəʃɪp] n (ballon m) dirigeable m.

airsick ['eəsɪk] adj • **to be airsick** avoir le mal de l'air.

airspace ['eəspeɪs] n espace m aérien.

airspeed ['eəspiːd] n vitesse f vraie (d'un avion).

air steward n steward m.

air stewardess n hôtesse f de l'air.

airstrip ['eəstrɪp] n piste f d'atterrissage.

air terminal n aérogare f.

airtight ['eətaɪt] adj hermétique.

airtime ['eətaɪm] n **1.** RADIO temps m d'antenne **2.** (téléphone portable) temps m de communication.

air-to-air adj (missile, roquette) air-air (inv).

air-to-surface adj MIL air-sol (inv).

air-traffic control n contrôle m du trafic (aérien).

air-traffic controller n aiguilleur m (du ciel).

air travel n déplacement m ou voyage m par avion.

airwaves ['eəweɪvz] npl ondes fpl (hertziennes).

airway ['eəweɪ] n MÉD voies fpl respiratoires.

airworthy ['eə,wɜːðɪ] adj en état de navigation.

airy ['eərɪ] adj **1.** aéré **2.** chimérique, vain **3.** nonchalant.

airy-fairy adj (UK) fam (personne, idée) farfelu.

aisle [aɪl] n **1.** allée f **2.** couloir m (central).

ajar [ə'dʒɑːr] adj entrouvert.

aka (abrév de also known as) alias.

akin [ə'kɪn] adj • **to be akin to** être semblable à.

alacrity [ə'lækrətɪ] n empressement m.

alarm [ə'lɑːm] n **1.** alarme f • **to raise the alarm** donner l'alarme **2.** (émotion) alarme f, inquiétude f. □ vt alarmer, alerter.

alarm clock n réveil m, réveille-matin m inv.

alarmed [ə'lɑːmd] adj **1.** inquiet • **don't be alarmed** ne vous alarmez pas • **to become alarmed a)** (personne) s'alarmer **b)** (animal) s'effaroucher, prendre peur **2.** (véhicule, bâtiment) équipé d'une alarme.

alarming [ə'lɑːmɪŋ] adj alarmant, inquiétant.

alarmingly [ə'lɑːmɪŋlɪ] adv d'une manière alarmante ou inquiétante.

alarmist [ə'lɑːmɪst] adj alarmiste.

alas [ə'læs] interj hélas !

Albania [æl'beɪnjə] n Albanie f.

Albanian [æl'beɪnjən] adj albanais. □ n **1.** Albanais m, -e f **2.** albanais m.

albeit [ɔl'biːɪt] conj sout bien que (+ subjonctif).

Albert Hall ['ælbət-] n • **the Albert Hall** salle de concert à Londres.

albino [æl'biːnəʊ] n (pl -s) albinos mf.

album ['ælbəm] n album m.

alcohol ['ælkəhɒl] n alcool m • **alcohol content** teneur f en alcool.

alcohol-free adj sans alcool • (UK) **alcohol-free beer** bière f sans alcool.

alcoholic [,ælkə'hɒlɪk] adj **1.** alcoolique **2.** alcoolisé. □ n alcoolique mf.

alcoholism ['ælkəhɒlɪzm] n alcoolisme m.

alcopop ['ælkəʊpɒp] n (UK) boisson gazeuse faiblement alcoolisée.

alcove ['ælkəʊv] n alcôve f.

alderman ['ɔldəmən] (pl -men) n conseiller m municipal.

ale [eɪl] n bière f.

alert [ə'lɜːt] adj **1.** vigilant **2.** (esprit, enfant) vif, éveillé. □ n alerte f • **on the alert a)** sur le qui-vive **b)** en état d'alerte. □ vt alerter • **to alert sb to sthg** avertir qqn de qqch.

A level (abrév de Advanced level) n ≃ baccalauréat m.

alfresco [æl'freskəʊ] adj & adv en plein air.

algae ['ældʒiː] npl algues fpl.

algebra ['ældʒɪbrə] n algèbre f.

Algeria [æl'dʒɪərɪə] n Algérie f.

alias ['eɪlɪəs] adv alias. □ n (pl -es) **1.** faux nom m, nom m d'emprunt **2.** INFORM alias m.

alibi ['ælɪbaɪ] n alibi m.

alien ['eɪljən] adj **1.** étranger **2.** immigré **3.** extraterrestre. □ n **1.** extraterrestre mf **2.** étranger m, -ère f **3.** immigré m, -e f.

alienate ['eɪljəneɪt] vt aliéner.

alienation [,eɪljə'neɪʃn] n PSYCHO aliénation f.

alight [ə'laɪt] adj allumé, en feu. □ vi **1.** (oiseau) se poser **2.** • **to alight from** descendre de (d'un bus, d'un train).

align [ə'laɪn] vt aligner.

alignment [ə'laɪnmənt] n alignement m.

alike [ə'laɪk] adj semblable • **to look alike** se ressembler. ❑ adv de la même façon.

alimony ['ælɪmənɪ] n pension f alimentaire.

A-list n **1.** (à Hollywood) • **an A-list celebrity** une star très en vogue **2.** (pour une fête) liste d'invités de marque.

alive [ə'laɪv] adj **1.** vivant, en vie • **to be alive and well** être bien vivant **2.** (tradition) vivace • **to keep alive** préserver **3.** plein de vitalité • **to come alive a)** prendre vie **b)** s'animer.

alkali ['ælkəlaɪ] (pl -s ou -es) n alcali m.

alkaline ['ælkəlaɪn] adj alcalin.

all [ɔ:l] adj **1.** (avec un nom sing) tout • **all day/night/evening** toute la journée/la nuit/la soirée • **all the drink** toute la boisson **2.** (avec un nom pl) tous • **all the boxes** toutes les boîtes • **all men** tous les hommes. ❑ pron **1.** (sing) tout m **2.** (pl) tous, toutes **3.** (avec un superl) • ... of all ... de tous, toutes • **I like this one best of all** je préfère celui-ci entre tous **4.** • **above all** → above • **after all** → after • **at all** → at. ❑ adv **1.** complètement • **I'd forgotten all about that** j'avais complètement oublié cela • **all alone** tout seul, toute seule **2.** SPORT • **the score is five all** le score est de cinq partout **3.** (avec un compar) • **to run all the faster** courir d'autant plus vite • **all the better** d'autant mieux. ■ **all but** adv presque, pratiquement. ■ **all in all** adv dans l'ensemble. ■ **in all** adv en tout.

Allah ['ælə] n Allah m.

all along adv depuis le début.

all-around (US) = **all-round**.

allay [ə'leɪ] vt **1.** apaiser, calmer (crainte) **2.** dissiper (des doutes).

all clear n **1.** signal m de fin d'alerte **2.** fig feu m vert.

all-day adj qui dure toute la journée • **all-day breakfast** petit déjeuner m servi toute la journée.

allegation [ˌælɪ'geɪʃn] n allégation f.

allege [ə'ledʒ] vt prétendre, alléguer • **she is alleged to have done it** on prétend qu'elle l'a fait.

alleged [ə'ledʒd] adj prétendu.

allegedly [ə'ledʒɪdlɪ] adv prétendument.

allegiance [ə'li:dʒəns] n allégeance f.

alleluia [ˌælɪ'lu:jə] interj alléluia !

all-embracing [-ɪm'breɪsɪŋ] adj exhaustif, complet.

allergenic [ˌælə'dʒenɪk] adj allergisant.

allergic [ə'lɜ:dʒɪk] adj • **allergic (to)** allergique (à).

allergy ['ælədʒɪ] n allergie f.

alleviate [ə'li:vɪeɪt] vt apaiser, soulager.

all-expenses-paid adj tous frais payés.

alley(way) ['ælɪ(weɪ)] n **1.** ruelle f **2.** (dans un parc) allée f.

alliance [ə'laɪəns] n alliance f.

allied ['ælaɪd] adj **1.** MIL allié **2.** connexe.

alligator ['ælɪgeɪtər] (pl inv ou -s) n alligator m.

all-important adj capital, crucial.

all-in adj (UK) global. ■ **all in** adv tout compris.

all-inclusive adj **1.** (prix, tarif) tout compris **2.** (assurance) tous risques.

all-in-one adj tout-en-un (inv).

all-night adj **1.** qui dure toute la nuit **2.** ouvert toute la nuit.

all-nighter [-'naɪtə] n • **the party will be an all-nighter** la fête va durer toute la nuit.

allocate ['æləkeɪt] vt • **to allocate sthg (to sb)** attribuer qqch (à qqn).

allocation [ˌælə'keɪʃn] n attribution f.

allot [ə'lɒt] vt **1.** assigner (un emploi) **2.** attribuer (une somme d'argent) **3.** allouer (du temps).

allotment [ə'lɒtmənt] n **1.** (UK) jardin m ouvrier (loué par la commune) **2.** attribution f **3.** part f.

all out adv • **to go all out to do sthg** se donner à fond pour faire qqch. ■ **all-out** adj **1.** (attaque, guerre) total **2.** (effort) maximum (inv).

allow [ə'laʊ] vt **1.** autoriser, permettre • **to allow sb to do sthg** permettre à qqn de faire qqch, autoriser qqn à faire qqch **2.** prévoir (du temps, de la place) **3.** • **to allow that...** admettre que.... ■ **allow for** vt insép tenir compte de.

allowance [ə'laʊəns] n **1.** (UK) indemnité f **2.** (US) argent m de poche **3.** • **to make allowances for sb** faire preuve d'indulgence envers qqn.

alloy ['ælɔɪ] n alliage m. ■ **alloys** npl AUTO roues fpl en alliage léger.

all-party talks n POLIT discussions entre tous les partis.

all-powerful adj tout-puissant.

all-purpose adj **1.** passe-partout (inv) **2.** (outil, véhicule) polyvalent • **all-purpose cleaning fluid** détachant m tous usages.

all right adv bien • **are you all right?** tu te sens bien ?, ça va ? ❑ interj d'accord. ❑ adj **1.** en bonne santé **2.** sain et sauf **3.** fam • **it was all right** c'était pas mal • **that's all right** ce n'est pas grave • **it'll be all right on the night** (UK) tu verras, tout se passera bien.

all-round (UK), **all-around** (US) adj doué dans tous les domaines.

all-rounder [-ˈraʊndər] n (UK) **1.** (personne polyvalente) • **to be an all-rounder** être bon en tout **2.** SPORT sportif complet m, sportive complète f.

All Saints' Day n (le jour de) la Toussaint.

all-singing all-dancing adj dernier cri.

All Souls' Day n la fête des Morts.

all-star adj (show, spectacle) à vedettes • **with an all-star cast** avec un plateau de vedettes.

all-time adj sans précédent.

allude [əˈluːd] vi • **to allude to** faire allusion à.

allure [əˈljʊər] n charme m.

alluring [əˈljʊərɪŋ] adj séduisant.

allusion [əˈluːʒn] n allusion f.

all-weather adj (surface) tous temps • **all-weather court** TENNIS (terrain m en) quick m.

ally n [ˈælaɪ] allié m, -e f. ❑ vt • **to ally o.s. with** s'allier à.

almighty [ɔːlˈmaɪtɪ] adj fam (bruit) terrible, énorme. ■ **Almighty** n • **the Almighty** le Tout-Puissant.

almond [ˈɑːmənd] n amande f.

almost [ˈɔːlməʊst] adv presque • **I've almost finished** j'ai presque terminé • **I almost missed the bus** j'ai failli rater le bus.

alone [əˈləʊn] adj seul • **he's all alone** il est tout seul. ❑ adv seul • **to leave stg alone** ne pas toucher à qqch • **leave me alone!** laisse-moi tranquille !

along [əˈlɒŋ] adv • **to walk along** se promener • **to move along** avancer • **can I come along (with you)?** est-ce que je peux venir (avec vous) ? ❑ prép le long de • **to run/walk along the street** courir/marcher le long de la rue.

alongside [ə,lɒŋˈsaɪd] prép le long de, à côté de. ❑ adv bord à bord.

aloof [əˈluːf] adj distant. ❑ adv • **to remain aloof** garder ses distances.

aloud [əˈlaʊd] adv à voix haute, tout haut.

alphabet [ˈælfəbet] n alphabet m.

alphabetical [,ælfəˈbetɪkl] adj alphabétique • **to be in alphabetical order** être dans l'ordre alphabétique.

alphabetically [,ælfəˈbetɪklɪ] adv par ordre alphabétique.

alpha girl n MARKETING fille très branchée et donnant le ton pour ses pairs.

alpha male n mâle m alpha.

Alps [ælps] npl • **the Alps** les Alpes fpl.

already [ɔːlˈredɪ] adv déjà.

alright [,ɔːlˈraɪt] = **all right**.

Alsace [ælˈsæs] n Alsace f.

Alsatian [ælˈseɪʃn] n (UK) berger m allemand.

also [ˈɔːlsəʊ] adv aussi.

altar [ˈɔːltər] n autel m.

alter [ˈɔːltər] vt & vi changer.

alteration [,ɔːltəˈreɪʃn] n modification f, changement m.

altercation [,ɔːltəˈkeɪʃn] n altercation f.

alter ego [ˈɔːltər-] (pl -s) n alter ego m.

alterglobalism [,ɔːltəˈgləʊbəlɪzəm] n altermondialisme m.

alterglobalist [,ɔːltəˈgləʊbəlɪst] n altermondialiste mf.

alternate adj [(UK) ɔlˈtɜːnət, (US) ˈɔːltərnət] alterné, alternatif • **on alternate days** tous les deux jours, un jour sur deux. ❑ vt [ˈɔːltərneɪt] faire alterner. ❑ vi [ˈɔːltərneɪt] • **to alternate (with)** alterner (avec) • **to alternate between sthg and sthg** passer de qqch à qqch.

alternately [ɔlˈtɜːnətlɪ] adv alternativement.

alternating [ˈɔːltəneɪtɪŋ] adj **1.** alternant **2.** ÉLECTR & TECHNOL alternatif.

alternating current [ˈɔːltəneɪtɪŋ-] n courant m alternatif.

alternating current n courant m alternatif.

alternative [ɔlˈtɜːnətɪv] adj **1.** autre **2.** (énergie, médecine, technologie) parallèle **3.** alternatif. ❑ n alternative f • **alternative (to)** solution f de remplacement (à) • **to have no alternative but to do sthg** ne pas avoir d'autre choix que de faire qqch.

alternatively [ɔlˈtɜːnətɪvlɪ] adv ou bien.

alternative medicine n médecine f parallèle ou douce.

alternator [ˈɔːltəneɪtər] n alternateur m.

although [ɔːlˈðəʊ] conj bien que (+ subjonctif).

altitude [ˈæltɪtjuːd] n altitude f.

alt key [ælt-] n touche f alt.

alto [ˈæltəʊ] (pl -s) n **1.** haute-contre f **2.** contralto m.

altogether [,ɔːltəˈgeðər] adv **1.** entièrement, tout à fait **2.** tout compte fait **3.** en tout.

altruism [ˈæltruɪzm] n altruisme m.

altruistic [,æltruˈɪstɪk] adj altruiste.

aluminium (UK) [,æljʊˈmɪnɪəm], **aluminum** (US) [əˈluːmɪnəm] n aluminium m. ❑ en apposition en aluminium.

always [ˈɔːlweɪz] adv toujours.

am [æm] → **be**.

a.m. (abrév de ante meridiem) • **at 3 a.m.** à 3 h (du matin).

AM (abrév de amplitude modulation) n AM f.

amalgamate [əˈmælgəmeɪt] vt & vi fusionner.

amalgamation [ə,mælgəˈmeɪʃn] n fusion f (de sociétés).

amass [əˈmæs] vt amasser.

amateur [ˈæmətə] adj **1.** amateur (inv) **2.** péj d'amateur. ❏ n amateur m.

amateurish [,æmətˈɜːrɪʃ] adj d'amateur.

amaze [əˈmeɪz] vt étonner, stupéfier.

amazed [əˈmeɪzd] adj stupéfait.

amazement [əˈmeɪzmənt] n stupéfaction f.

amazing [əˈmeɪzɪŋ] adj **1.** étonnant, ahurissant **2.** excellent.

Amazon [ˈæməzn] n **1.** • the Amazon l'Amazone f **2.** • the Amazon (Basin) l'Amazonie f • the Amazon rain forest la forêt amazonienne.

ambassador [æmˈbæsədə] n ambassadeur m, -drice f.

amber [ˈæmbə] n ambre m.

ambience [ˈæmbɪəns] n ambiance f.

ambiguity [,æmbɪˈgjuːətɪ] (pl -ies) n ambiguïté f.

ambiguous [æmˈbɪgjuəs] adj ambigu.

ambition [æmˈbɪʃn] n ambition f.

ambitious [æmˈbɪʃəs] adj ambitieux.

ambivalence [æmˈbɪvələns] n ambivalence f.

ambivalent [æmˈbɪvələnt] adj ambivalent.

amble [ˈæmbl] vi déambuler.

ambulance [ˈæmbjʊləns] n ambulance f.

ambush [ˈæmbʊʃ] n embuscade f. ❏ vt tendre une embuscade à.

amen [,ɑːˈmen] interj amen !

amenable [əˈmiːnəbl] adj • amenable (to) ouvert (à).

amend [əˈmend] vt **1.** modifier **2.** amender. ■ amends npl • to make amends (for) se racheter (pour).

amendment [əˈmendmənt] n **1.** modification f **2.** amendement m.

amenities [əˈmiːnətɪz] npl **1.** agréments mpl **2.** équipements mpl.

America [əˈmerɪkə] n Amérique f • in America en Amérique.

American [əˈmerɪkn] adj américain. ❏ n Américain m, -e f.

the American Revolution

On désigne ainsi la guerre qui opposa les Américains aux Anglais de 1775 à 1783. Les Américains voulaient être indépendants, notamment pour ne plus avoir à payer d'impôts à l'Angleterre. Le 4 juillet 1776, Thomas Jefferson, futur président, signa la Déclaration d'indépendance, mais l'Angleterre la refusa et la guerre continua. George Washington, aidé de soldats français, menait les troupes américaines, et en 1783 la paix fut signée : les États-Unis d'Amérique étaient nés.

American Indian n Indien m, -enne f d'Amérique, Amérindien m, -enne f.

amiable [ˈeɪmjəbl] adj aimable.

amicable [ˈæmɪkəbl] adj amical.

amicably [ˈæmɪkəblɪ] adv amicalement.

amid(st) [əˈmɪd(st)] prép au milieu de, parmi.

amiss [əˈmɪs] adj • is there anything amiss? y a-t-il quelque chose qui ne va pas ? ❏ adv • to take sthg amiss mal prendre qqch.

AML SMS (abrév de all my love) tout mon amour.

ammonia [əˈməʊnjə] n ammoniaque f.

ammunition [,æmjʊˈnɪʃn] n (indén) **1.** munitions fpl **2.** fig argument m.

amnesia [æmˈniːzjə] n amnésie f.

amnesty [ˈæmnəstɪ] n amnistie f.

amok [əˈmɒk] adv • to run amok être pris d'une crise de folie furieuse.

among [əˈmʌŋ], **amongst** [əˈmʌŋst] prép parmi, entre • among other things entre autres (choses).

amoral [,eɪˈmɒrəl] adj amoral.

amorous [ˈæmərəs] adj amoureux.

amount [əˈmaʊnt] n **1.** quantité f • a great amount of beaucoup de **2.** somme f, montant m • 'amount due' 'montant à régler'. ■ amount to vt insép **1.** s'élever à **2.** revenir à, équivaloir à.

amp [æmp] n abrév de ampere.

ampere [ˈæmpeə] n ampère m.

amphibious [æmˈfɪbɪəs] adj amphibie.

ample [ˈæmpl] adj **1.** suffisamment de, assez de **2.** ample.

amplifier [ˈæmplɪfaɪə] n amplificateur m.

amplify [ˈæmplɪfaɪ] (prét & pp amplified) vt **1.** amplifier (son) **2.** développer (idée). ❏ vi • to amplify on sthg développer qqch.

amputate [ˈæmpjʊteɪt] vt & vi amputer.

amputation [,æmpjʊˈteɪʃn] n amputation f.

Amsterdam [,æmstəˈdæm] n Amsterdam.

amuse [əˈmjuːz] vt **1.** amuser, faire rire **2.** divertir, distraire • to amuse o.s. (by doing sthg) s'occuper (à faire qqch).

amused [əˈmjuːzd] adj **1.** amusé • to be amused at ou by sthg trouver qqch amusant **2.** • to keep o.s. amused s'occuper.

amusement [əˈmjuːzmənt] n **1.** amusement m **2.** distraction f.

amusement arcade n (UK) galerie f de jeux (notamment de jeux vidéo).

amusement park n parc m d'attractions.

amusing [əˈmjuːzɪŋ] adj amusant.

an (accentué [æn], non accentué [ən]) → a.

anabolic steroid [,ænəˈbɒlɪk-] n (stéroïde m) anabolisant m.

anachronism [əˈnækrənɪzm] n anachronisme m.

anachronistic [ə,nækrə'nɪstɪk] *adj* anachronique.

anaemic, anemic (US) [ə'niːmɪk] *adj* **1.** anémique **2.** *fig &péj* fade, plat.

anaesthetic, anesthetic (US) [,ænɪs'θetɪk] *n* anesthésique *m* • **under anaesthetic** sous anesthésie • **local/general anaesthetic** anesthésie *f* locale/générale.

anaesthetist [æ'niːsθətɪst], **anesthetist** (US) [æ'niːsθətɪst], **anesthesiologist** [æ,niːsθəzɪ'ɒlədʒɪst] *n* anesthésiste *mf*.

anaesthetize, -ise (UK), **anesthetize** (US) [æ'niːsθətaɪz] *vt* anesthésier.

anagram ['ænəgræm] *n* anagramme *f*.

anal ['eɪnl] *adj* anal.

analgesic [,ænæl'dʒiːsɪk] *adj* analgésique. ❑ *n* analgésique *m*.

analogue (UK), **analog** (US) ['ænəlɒg] *adj (montre, pendule)* analogique.

analogy [ə'nælədʒɪ] *n* analogie *f*.

analyse (UK), **-yze** (US) ['ænəlaɪz] *vt* analyser.

analysis [ə'næləsɪs] *(pl -ses)* *n* analyse *f*.

analyst ['ænəlɪst] *n* analyste *mf*.

analytic(al) [,ænə'lɪtɪk(l)] *adj* analytique.

analyze (US) = **analyse**.

anaphylactic [ænəfə'læktɪk] *adj (choc)* anaphylactique.

anarchist ['ænəkɪst] *n* anarchiste *mf*.

anarchy ['ænəkɪ] *n* anarchie *f*.

anathema [ə'næθəmə] *n* anathème *m*.

anatomical [,ænə'tɒmɪkl] *adj* anatomique.

anatomically [,ænə'tɒmɪklɪ] *adv* anatomiquement • **anatomically correct** *(mannequin)* réaliste du point de vue anatomique.

anatomy [ə'nætəmɪ] *n* anatomie *f*.

ANC (abrév de *African National Congress*) *n* ANC *m*.

ancestor ['ænsestə^r] *n litt &fig* ancêtre *m*.

ancestral [æn'sestrəl-] *adj* ancestral.

ancestry ['ænsestrɪ] *(pl -ies)* *n* **1.** ascendance *f* **2.** *(indén)* ancêtres *mpl*.

anchor ['æŋkə^r] *n* **1.** ancre *f* **2.** (US) présentateur *m*, -trice *f*. ❑ *vt* **1.** ancrer **2.** (US) présenter. ❑ *vi* jeter l'ancre.

anchorman ['æŋkəmæn] *(pl -men)* *n* (US) TV présentateur *m*.

anchorwoman ['æŋkə,wʊmən] *(pl -women)* *n* (US) TV présentatrice *f*.

anchovy ['æntʃəvɪ] *(pl invou -ies)* *n* anchois *m*.

ancient ['eɪnʃənt] *adj* **1.** *(monument)* historique **2.** *(coutume)* ancien **3.** *hum* antique **4.** vieux.

ancillary [æn'sɪlərɪ] *adj* auxiliaire.

and *(accentué* [ænd]*, non accentué* [ənd]*ou* [ən]*) conj* **1.** et **2.** • **six and a half** six et demi **3.** • **come and look!** venez voir ! • **try and come** essayez de venir • **wait and see** vous verrez bien, on verra bien. ■ **and so on, and so forth** *adv* et ainsi de suite.

Andes ['ændiːz] *npl* • **the Andes** les Andes *fpl*.

Andorra [æn'dɔːrə] *n* Andorre *f*.

androgynous [æn'drɒdʒɪnəs] *adj* androgyne.

android ['ændrɔɪd] *n* androïde *m*.

anecdote ['ænɪkdəʊt] *n* anecdote *f*.

anemic (US) = **anaemic**.

anesthetic *etc* (US) = **anaesthetic** *etc*

anew [ə'njuː] *adv* • **to start anew** recommencer (à zéro).

angel ['eɪndʒəl] *n* ange *m*.

angel dust *n arg* drogue PCP *f*.

angelic [æn'dʒelɪk] *adj* angélique.

angel investor *n* FIN ange *m* investisseur.

anger ['æŋgə^r] *n* colère *f*. ❑ *vt* fâcher, irriter.

anger management *n* thérapie pour aider les gens coléreux à mieux se maîtriser.

angina [æn'dʒaɪnə] *n* angine *f* de poitrine.

angle ['æŋgl] *n* **1.** angle *m* • **at an angle** de travers, en biais **2.** point *m* de vue.

angler ['æŋglə^r] *n* pêcheur *m* (à la ligne).

Anglican ['æŋglɪkən] *adj* anglican. ❑ *n* anglican *m*, -e *f*.

angling ['æŋglɪŋ] *n* pêche *f* à la ligne.

Anglo-American *adj* anglo-américain. ❑ *n* Anglo-Américain *m*, -e *f*.

Anglo-French *adj* anglo-français, franco-anglais, franco-britannique.

Anglo-Irish *adj* anglo-irlandais. ❑ *npl* • **the Anglo-Irish** les Anglo-Irlandais *mpl*.

anglophile ['æŋgləʊfaɪl] *n* anglophile *mf*.

anglophobe ['æŋgləʊfəʊb] *n* anglophobe *mf*.

Anglo-Saxon *n* **1.** *(personne)* Anglo-Saxon *m*, -onne *f* **2.** *(langue)* anglo-saxon *m*.

angora [æn'gɔːrə] *n* angora *m*.

angrily ['æŋgrəlɪ] *adv* avec colère.

angry ['æŋgrɪ] *adj* **1.** en colère, fâché **2.** *(dispute)* violent.

angst [æŋst] *n* anxiété *f*.

anguish ['æŋgwɪʃ] *n* angoisse *f*.

anguished ['æŋgwɪʃt] *adj* angoissé.

angular ['æŋgjʊlə^r] *adj* anguleux.

animal ['ænɪml] *n* **1.** animal *m* • **animal welfare protection** *f* des animaux **2.** *péj* brute *f*. ❑ *adj* animal.

animate ['ænɪmət] *adj* animé, vivant.

animated ['ænɪmeɪtɪd] *adj* animé.

animation [,ænɪ'meɪʃn] *n* animation *f*.

animosity [,ænɪ'mɒsətɪ] *(pl -ies)* *n* animosité *f*.

aniseed ['ænɪsiːd] *n* anis *m*.

ankle ['æŋkl] *n* cheville *f*. ❑ *en apposition* • **ankle socks** soquettes *fpl* • **ankle boots** bottines *fpl*.

anklebone ['æŋkəlbəʊn] *n* astragale *m*.

ankle-deep *adj* • **she was ankle-deep in mud** elle était dans la boue jusqu'aux chevilles.

ankle-length *adj* qui descend jusqu'à la cheville.

annals ['ænlz] *npl* annales *fpl*.

annex, annexe (UK) ['æneks] *n* annexe *f*.

annihilate [ə'naɪəleɪt] *vt* anéantir, annihiler.

annihilation [ə,naɪə'leɪʃn] *n* anéantissement *m*.

anniversary [,ænɪ'vɜːsərɪ] *n* anniversaire *m* • **anniversary card** carte *f* d'anniversaire (de mariage) • **wedding anniversary** anniversaire de mariage.

annotate ['ænəteɪt] *vt* annoter.

annotation [,ænə'teɪʃn] *n* annotation *f*, note *f*.

announce [ə'naʊns] *vt* annoncer.

announcement [ə'naʊnsmənt] *n* **1.** déclaration *f* **2.** avis *m* (*dans un journal*) **3.** (*indén*) annonce *f* • **to make an announcement** faire une annonce.

announcer [ə'naʊnsə'] *n* speaker *m*, speakerine *f*.

annoy [ə'nɔɪ] *vt* agacer, contrarier.

annoyance [ə'nɔɪəns] *n* contrariété *f*.

annoyed [ə'nɔɪd] *adj* mécontent, agacé • **to get annoyed** se fâcher.

annoying [ə'nɔɪɪŋ] *adj* agaçant.

annoyingly [ə'nɔɪɪŋlɪ] *adv* de manière agaçante.

annual ['ænjʊəl] *adj* annuel. ❑ *n* **1.** plante *f* annuelle **2.** publication *f* annuelle, album *m* (*de bande dessinée*).

annual general meeting *n* (UK) assemblée *f* générale annuelle.

annual income *n* revenu *m* annuel.

annually ['ænjʊəlɪ] *adv* annuellement.

annul [ə'nʌl] *vt* **1.** annuler **2.** abroger.

annum ['ænəm] *n* • **per annum** par an.

anomaly [ə'nɒməlɪ] *n* anomalie *f*.

anonymous [ə'nɒnɪməs] *adj* anonyme.

anorak ['ænəræk] *n* anorak *m*.

anorexia (nervosa) [,ænə'reksɪə (nɜː'vəʊsə)] *n* anorexie *f* (mentale).

anorexic [,ænə'reksɪk] *adj & n* anorexique.

another [ə'nʌðə'] *adj* **1.** • **another apple** encore une pomme, une pomme de plus, une autre pomme • **in another few minutes** dans quelques minutes **2.** • **another job** un autre travail. ❑ *pron* **1.** un autre, une autre *f*, encore un, encore une *f* • **one after another** l'un après l'autre, l'une après l'autre *f* **2.** un autre, une autre *f* • **one another** l'un l'autre, l'une l'autre *f*.

answer ['ɑːnsə'] *n* **1.** réponse *f* (*à une question*) **2.** solution *f* (*à un problème*). ❑ *vt* répondre à • **to answer the door** aller ouvrir la porte • **to answer the phone** répondre au téléphone. ❑ *vi* répondre. ■ **answer back** *vt sép* répondre (avec insolence) à. ❑ *vi* répondre (avec inso-

lence). ■ **answer for** *vt insép* être responsable de, répondre de.

answerable ['ɑːnsərəbl] *adj* • **answerable to sb/for sthg** responsable devant qqn/de qqch.

answering machine ['ɑːnsərɪŋ-] *n* répondeur *m*.

answerphone ['ɑːnsəfəʊn] *n* répondeur *m* (téléphonique).

ant [ænt] *n* fourmi *f*.

antagonism [æn'tægənɪzm] *n* antagonisme *m*, hostilité *f*.

antagonistic [æn,tægə'nɪstɪk] *adj* hostile.

antagonize, -ise (UK) [æn'tægənaɪz] *vt* éveiller l'hostilité de.

Antarctic [æn'tɑːktɪk] *n* • **the Antarctic** l'Antarctique *m*. ❑ *adj* antarctique.

antelope ['æntɪləʊp] (*pl inv ou* -s) *n* antilope *f*.

antenatal [,æntɪ'neɪtl] *adj* prénatal.

antenatal clinic *n* service *m* de consultation prénatale.

antenna [æn'tenə] *n* **1.** (*pl* -nae) antenne *f*(*d'un insecte*) **2.** (*pl* -s) (US) antenne *f*(*d'une télévision*).

anthem ['ænθəm] *n* hymne *m*.

anthology [æn'θɒlədʒɪ] *n* anthologie *f*.

anthropological [,ænθrəpə'lɒdʒɪkl] *adj* anthropologique.

anthropologist [,ænθrə'pɒlədʒɪst] *n* anthropologue *mf*.

anthropology [,ænθrə'pɒlədʒɪ] *n* anthropologie *f*.

anti- [æntɪ] *préf* anti-.

antiapartheid [,æntɪə'pɑːtheɪt] *adj* anti-apartheid (*inv*).

antibiotic [,æntɪbaɪ'ɒtɪk] *n* antibiotique *m*.

antibody ['æntɪ,bɒdɪ] *n* anticorps *m*.

anticipate [æn'tɪsɪpeɪt] *vt* **1.** s'attendre à, prévoir **2.** anticiper (*une demande*) **3.** prendre l'avance sur **4.** savourer à l'avance.

anticipation [æn,tɪsɪ'peɪʃn] *n* **1.** attente *f* **2.** impatience *f* • **in anticipation of** en prévision de.

anticlimax [ænti'klaɪmæks] *n* déception *f*.

anticlockwise [,æntɪ'klɒkwaɪz] *adj & adv* (UK) dans le sens inverse des aiguilles d'une montre.

antics ['æntɪks] *npl* **1.** cabrioles *fpl* **2.** *péj* bouffonneries *fpl*.

anticyclone [,æntɪ'saɪkləʊn] *n* anticyclone *m*.

antidepressant [,æntɪdɪ'presnt] *n* antidépresseur *m*.

antidote ['æntɪdəʊt] *n litt & fig* • **antidote (to)** antidote *m* (contre).

antifreeze ['æntɪfriːz] *n* antigel *m*.

antihistamine [,æntɪ'hɪstəmɪn] *n* antihistaminique *m*.

anti-inflammatory *adj* anti-inflammatoire. ❑ *n* anti-inflammatoire *m*.

antioxidant [,æntɪ'ɒksɪdənt] *n* antioxydant *m*.

antiperspirant [ˌæntɪˈpɜːspərənt] *n* antiperspirant *m*, antitranspirant *m*.

antipodean [æn.tɪpəˈdɪən] *adj* des antipodes.

Antipodes [ænˈtɪpədiːz] *npl* • **the Antipodes** l'Australie *f* et la Nouvelle-Zélande.

antiquated [ˈæntɪkweɪtɪd] *adj* dépassé.

antique [ænˈtiːk] *adj* ancien. ◻ *n* **1.** objet *m* ancien **2.** meuble *m* ancien.

antique shop *n* magasin *m* d'antiquités.

anti-Semitic [-sɪˈmɪtɪk] *adj* antisémite.

anti-Semitism [-semɪtɪzəm] *n* antisémitisme *m*.

antiseptic [ˌæntɪˈseptɪk] *adj & n* antiseptique.

antisocial [ˌæntɪˈsəʊʃl] *adj* **1.** antisocial **2.** peu sociable, sauvage.

antiterrorist [ˌæntɪˈterərɪst] *adj* antiterroriste.

antivirus [ˈæntɪvaɪrəs] *adj* antivirus • **antivirus check** *INFORM* vérification *f* antivirale • **antivirus program** *INFORM* programme *m* antivirus.

antivirus check [ˌæntɪˈvaɪrəs-] *n INFORM* vérification *f* antivirale.

antivirus program [ˌæntɪˈvaɪrəs-] *n INFORM* programme *m* antivirus.

antler [ˈæntlər] *n* corne *f*. ■ **antlers** *npl* bois *mpl* (de cervidés), ramure *f*.

antonym [ˈæntənɪm] *n* antonyme *m*.

anus [ˈeɪnəs] *n* anus *m*.

anvil [ˈænvɪl] *n* enclume *f*.

anxiety [æŋˈzaɪətɪ] *n* **1.** anxiété *f* **2.** souci *m* **3.** désir *m* farouche.

anxious [ˈæŋkʃəs] *adj* **1.** anxieux, très inquiet • **to be anxious about** se faire du souci au sujet de **2.** • **to be anxious to do sthg** tenir à faire qqch • **to be anxious that** tenir à ce que (+ *subjonctif*).

anxiously [ˈæŋkʃəslɪ] *adv* avec anxiété.

any

■ **any** [ˈenɪ] *adj*

1. DANS DES PHRASES NÉGATIVES, EXPRIME L'ABSENCE DE QQCH
• **I haven't got any money/tickets** je n'ai pas d'argent/de billets • **he never does any work** il ne travaille jamais

2. DANS DES PHRASES INTERROGATIVES OU CONDITIONNELLES
• **have you got any money?** est-ce que vous avez de l'argent ?

3. N'IMPORTE QUEL
• **any box will do** n'importe quelle boîte fera l'affaire • **any other person would have refused** toute autre personne aurait refusé

■ **any** [ˈenɪ] *pron*

1. DANS DES PHRASES NÉGATIVES
• **I didn't buy any (of them)** je n'en ai pas acheté • **I didn't know any of the guests** ne connaissais aucun des invités

2. DANS DES PHRASES INTERROGATIVES
• **do you have any?** est-ce que vous en avez ?

3. N'IMPORTE LEQUEL
• **take any you like** prenez n'importe lequel/laquelle, prenez celui/celle que vous voulez

■ **any** [ˈenɪ] *adv*

1. DANS DES PHRASES NÉGATIVES
• **I can't see it any more** je ne le vois plus • **I can't stand it any longer** je ne peux plus le supporter

2. DANS DES PHRASES INTERROGATIVES
• **do you want any more potatoes?** voulez-vous encore des pommes de terre ? • **is that any better/clearer?** est-ce que c'est mieux/plus clair comme ça ?

ANY1 *SMS* abrév de **anyone**.

anybody [ˈenɪˌbɒdɪ] = **anyone**.

anyhow [ˈenɪhaʊ] *adv* **1.** quand même, néanmoins **2.** n'importe comment **3.** de toute façon.

any more, anymore (US) [ˈenɪmɔːʳ] *adv* • **they don't live here any more** ils n'habitent plus ici.

anyone [ˈenɪwʌn] *pron* **1.** *(dans des phrases négatives)* • **I didn't see anyone** je n'ai vu personne **2.** *(dans des phrases interrogatives)* quelqu'un **3.** n'importe qui • **anyone could do it** n'importe qui pourrait le faire.

anyplace [ˈenɪpleɪs] (US) = **anywhere**.

anything [ˈenɪθɪŋ] *pron* **1.** *(dans des phrases négatives)* • **I didn't see anything** je n'ai rien vu **2.** *(dans des phrases interrogatives)* quelque chose • **anything else?** et avec ceci ? **3.** n'importe quoi • **if anything happens...** s'il arrive quoi que ce soit....

anytime [ˈenɪtaɪm] *adv* **1.** n'importe quand • **call me anytime** appelle-moi quand tu veux • **they can flower anytime between May and September** ils peuvent fleurir à n'importe quel moment entre mai et septembre **2.** je t'en prie, je vous en prie • **thanks for driving me to the airport — anytime!** merci de m'avoir conduit à l'aéroport — je t'en prie !

anyway [ˈenɪweɪ] *adv* de toute façon.

anywhere [ˈenɪweəʳ], **anyplace** [ˈenɪpleɪs] *adv* **1.** *(dans des phrases négatives)* • **I haven't seen him anywhere** je ne l'ai vu nulle part **2.** *(dans des phrases interrogatives)* quelque part **3.** n'importe où • **put it down anywhere** pose-le n'importe où.

AP ['eɪ'piː] (abrév de *Advanced Placement*) *n* **(us)** *SCOL* examen de niveau universitaire passé par les lycéens qui le souhaitent pour obtenir des crédits pour l'université.

apart [ə'pɑːt] *adv* **1.** • **we're living apart** nous sommes séparés **2.** à l'écart **3.** • **joking apart** sans plaisanter. ■ **apart from** *prép* **1.** à part, sauf **2.** en plus de, outre.

apartheid [ə'pɑːtheɪt] *n* apartheid *m*.

apartment [ə'pɑːtmənt] *n* appartement *m*.

apartment building *n* (us) immeuble *m* (d'habitation).

apathetic [ˌæpə'θetɪk] *adj* apathique.

apathy ['æpəθɪ] *n* apathie *f*.

ape [eɪp] *n* singe *m*. ❑ *vt* singer.

aperitif [əperə'tiːf] *n* apéritif *m*.

aperture ['æpə,tjʊə] *n* orifice *m*, ouverture *f*.

apex ['eɪpeks] (*pl* -**es** ou **apices** ['eɪpɪsiːz]) *n* sommet *m*.

aphrodisiac [ˌæfrə'dɪzɪæk] *n* aphrodisiaque *m*.

apiece [ə'piːs] *adv* **1.** (personne) chacun, par personne **2.** (chose) chacun, pièce (inv).

aplomb [ə'plɒm] *n* aplomb *m*, assurance *f*.

apocalypse [ə'pɒkəlɪps] *n* apocalypse *f*.

apolitical [ˌeɪpə'lɪtɪkəl] *adj* apolitique.

apologetic [əˌpɒlə'dʒetɪk] *adj* d'excuse • **to be apologetic about sthg** s'excuser de qqch.

apologetically [əˌpɒlə'dʒetɪklɪ] *adv* en s'excusant.

apologize, -ise (uk) [ə'pɒlədʒaɪz] *vi* s'excuser.

apology [ə'pɒlədʒɪ] *n* excuses *fpl*.

apoplectic [ˌæpə'plektɪk] *adj fam* hors de soi.

apostle [ə'pɒsl] *n* apôtre *m*.

apostrophe [ə'pɒstrəfɪ] *n* apostrophe *f*.

app [æp] (abrév de *application*) *n* INFORM application *f*, appli *f fam*.

appal (uk), **appall** (us) [ə'pɔl] *vt* horrifier.

appalled [ə'pɔld] *adj* horrifié.

appalling [ə'pɔlɪŋ] *adj* épouvantable.

appallingly [ə'pɔlɪŋlɪ] *adv* épouvantablement.

apparatus [ˌæpə'reɪtəs] (*pl inv ou* -**es**) *n* **1.** appareil *m*, dispositif *m* **2.** (indén) agrès *mpl*.

apparel [ə'pærəl] *n* (us) habillement *m*.

apparent [ə'pærənt] *adj* **1.** évident **2.** apparent.

apparently [ə'pærəntlɪ] *adv* **1.** à ce qu'il paraît **2.** apparemment, en apparence.

appeal [ə'piːl] *vi* **1.** • **to appeal (to sb for sthg)** lancer un appel (à qqn pour obtenir qqch) **2.** • **to appeal to** faire appel à **3.** • **to appeal (against)** faire appel (de) **4.** • **to appeal to sb** plaire à qqn • **it appeals to me** ça me plaît. ❑ *n* **1.** appel *m* **2.** DR appel *m* **3.** intérêt *m*, attrait *m*.

appealing [ə'piːlɪŋ] *adj* attirant, sympathique.

appear [ə'pɪə] *vi* **1.** apparaître **2.** (livre) sortir, paraître **3.** sembler, paraître **4.** CINÉ jouer **5.** DR comparaître.

appearance [ə'pɪərəns] *n* **1.** apparition *f* • **to make an appearance** se montrer **2.** apparence *f*, aspect *m* • **don't judge by appearances** ne vous fiez pas aux apparences.

appease [ə'piːz] *vt* apaiser.

append [ə'pend] *vt* **1.** sout joindre (un document) **2.** apposer (sa signature).

appendicitis [ə,pendɪ'saɪtɪs] *n* (indén) appendicite *f*.

appendix [ə'pendɪks] (*pl* -**dixes** ou -**dices**) *n* appendice *m* • **to have one's appendix out** ou **removed** ou **taken out** (us) se faire opérer de l'appendicite.

appetite ['æpɪtaɪt] *n* **1.** • **appetite (for)** appétit *m* (pour) **2.** fig • **appetite (for)** goût *m* (de ou pour).

appetizer, -iser (uk) ['æpɪtaɪzə] *n* **1.** amusegueule *m inv* **2.** apéritif *m*.

appetizing, -ising (uk) ['æpɪtaɪzɪŋ] *adj* appétissant.

applaud [ə'plɔd] *vt* **1.** applaudir **2.** approuver, applaudir à. ❑ *vi* applaudir.

applause [ə'plɔz] *n* (indén) applaudissements *mpl*.

apple ['æpl] *n* **1.** (fruit) pomme *f* • **apple juice** jus *m* de pomme **2.** (arbre) pommier *m* • **apple orchard** pommeraie *f*.

apple pie *n* tarte *f* aux pommes.

apple tree *n* pommier *m*.

appliance [ə'plaɪəns] *n* appareil *m* • **domestic appliances** des appareils ménagers.

applicable [ə'plɪkəbl] *adj* • **applicable (to)** applicable (à).

applicant ['æplɪkənt] *n* **1.** • **applicant (for)** **a)** candidat *m*, -e *f* (à) **b)** demandeur *m*, -euse *f* (de) **2.** • **college** (us) ou **university applicant** candidat à l'inscription à l'université.

application [ˌæplɪ'keɪʃn] *n* **1.** application *f* (lotion, peinture) **2.** • **application (for)** demande *f* (de).

application form *n* **1.** dossier *m* de candidature **2.** dossier *m* d'inscription.

applications program [ˌæplɪ'keɪʃns-] *n* INFORM programme *m* d'application.

applicator ['æplɪkeɪtə] *n* applicateur *m* (pour lotion, colle).

applied [ə'plaɪd] *adj* appliqué.

apply [ə'plaɪ] *vt* appliquer. ❑ *vi* **1.** • **to apply (for)** faire une demande (de) • **to apply to sb (for sthg)** s'adresser à qqn (pour obtenir qqch) • **to apply for a job** poser sa candidature pour un emploi **2.** • **to apply to** s'appliquer à, concerner.

appoint [ə'pɔɪnt] *vt* **1. • to appoint sb (as sthg)** nommer qqn (qqch) **2.** fixer *(un lieu, une date de rendez-vous).*

appointment [ə'pɔɪntmənt] *n* **1.** nomination *f*, désignation *f* • **his appointment was announced yesterday** sa nomination a été annoncée hier **2.** poste *m*, emploi *m* • **his new appointment is a direct result of those efforts** son nouveau poste est le résultat direct de ces efforts **3.** rendez-vous *m* • **to make an appointment with sb** prendre rendez-vous avec qqn.

apportion [ə'pɔːʃn] *vt* répartir • **to apportion expenses** répartir les dépenses.

appraisal [ə'preɪzl] *n* évaluation *f* • **appraisal procedure** procédure *f* d'évaluation.

appraise [ə'preɪz] *vt* évaluer.

appreciable [ə'priːʃəbl] *adj* appréciable, sensible • **appreciable changes in altitude** de sensibles changements d'altitude.

appreciate [ə'priːʃɪeɪt] *vt* **1.** apprécier, aimer • **they appreciate modern art** ils aiment l'art moderne **2.** comprendre, se rendre compte de • **they never appreciated the risk** ils ne se sont jamais rendu compte du risque **3.** être reconnaissant de • **I would appreciate it if you didn't smoke in the car** je vous serais reconnaissant de ne pas fumer dans la voiture. ❏ *vi* FIN *(objet, monnaie, propriété)* prendre de la valeur • **gold has appreciated a lot** l'or a pris beaucoup de valeur.

appreciation [ə,priːʃɪ'eɪʃn] *n* **1.** *(gratitude)* reconnaissance *f* • **in appreciation of your kindness and generosity** en remerciement de votre gentillesse et de votre générosité **2.** compréhension *f* • **he has a a perfect appreciation of the situation** il comprend parfaitement la situation **3.** évaluation *f*, estimation *f* **4.** hausse, augmentation de la valeur *(objet, monnaie, propriété).*

appreciative [ə'priːʃjətɪv] *adj* **1.** reconnaissant • **I am very appreciative of your help** je vous suis très reconnaissant de votre aide **2.** élogieux • **he made a few appreciative remarks** il a fait quelques remarques élogieuses.

apprehend [,æprɪ'hend] *vt sout (police)* arrêter.

apprehension [,æprɪ'henʃn] *n* appréhension *f*.

apprehensive [,æprɪ'hensɪv] *adj* inquiet • **people are apprehensive about the future** les gens s'inquiètent de l'avenir.

apprehensively [,æprɪ'hensɪvlɪ] *adv* avec appréhension.

apprentice [ə'prentɪs] *n* apprenti *m*, -e *f*.

apprenticeship [ə'prentɪsʃɪp] *n* apprentissage *m*.

approach [ə'prəʊtʃ] *n* **1.** arrivée *f (personne, véhicule)* • **she heard his approach** elle l'a entendu arriver **2.** approche *f*, arrivée *f (événement, saison)* • **the children's excitement with the approach of Christmas** l'excitation des enfants à l'approche de Noël • **a sign of the imminent approach of Spring** un signe de l'arrivée imminente du printemps **3.** démarche *f*, approche *f* • **there are different approaches to gathering information** il y a plusieurs démarches pour obtenir des informations • **another approach to the problem** une autre façon d'aborder le problème. ❏ *vt* **1.** s'approcher de **2.** parler à • **I approached him about the situation** je lui ai parlé de la situation **3.** aborder *(un problème).* ❏ *vi* s'approcher.

approachable [ə'prəʊtʃəbl] *adj (lieu, personne)* accessible.

appropriate *adj* [ə'prəʊprɪət] **1.** *(tenue)* convenable **2.** *(comportement)* approprié **3.** *(moment)* opportun. ❏ *vt* [ə'prəʊprɪeɪt] **1.** s'approprier • **other countries appropriated the profits from the deal** d'autres pays se sont approprié les profits du contrat **2.** affecter *(des fonds)* à.

appropriately [ə'prəʊprɪətlɪ] *adv* **1.** *(se tenir)* convenablement **2.** *(se comporter)* de manière appropriée.

approval [ə'pruːvl] *n* approbation *f* • **on approval** à condition, à l'essai.

approve [ə'pruːv] *vi* • **to approve (of sthg)** approuver (qqch) • **I don't approve of your behaviour** je n'approuve pas ton comportement. ❏ *vt* approuver, ratifier • **the treaty was approved in 1794** le traité fut ratifié en 1794.

approx. [ə'prɒks] *(abrév de approximately)* approx., env.

approximate *adj* [ə'prɒksɪmət] approximatif.

approximately [ə'prɒksɪmətlɪ] *adv* à peu près, environ.

Apr. *(abrév de April)* avr.

après-ski [,æpreɪ'skiː] *n (indén)* activités *fpl* après-ski.

apricot ['eɪprɪkɒt] *n* abricot *m*.

April ['eɪprəl] *n* avril *m*. Voir aussi **September.**

April Fools' Day *n* le 1ᵉʳ avril.

apron ['eɪprən] *n* tablier *m*.

apropos ['æprəpəʊ] *prép* • **apropos (of)** à propos (de).

apt [æpt] *adj* **1.** pertinent, approprié **2.** extrêmement intelligent • **an apt pupil** un élève très doué **3.** • **to be apt to do sthg** avoir tendance à faire qqch.

aptitude ['æptɪtjuːd] *n* aptitude *f*, disposition *f*.

aptitude test n test m d'aptitude.

aptly ['æptlɪ] adv avec justesse, à propos • **he aptly pointed out** remarqua-t-il avec justesse.

aquaculture ['ækwə‚kʌltʃə*] n aquaculture f.

aqualung ['ækwəlʌŋ] n scaphandre m autonome.

aquarium [ə'kweərɪəm] (pl -riums ou -ria) n aquarium m.

Aquarius [ə'kweərɪəs] n Verseau m.

aquatic [ə'kwætɪk] adj **1.** (animal, plante) aquatique **2.** (sport) nautique.

aqueduct ['ækwɪdʌkt] n aqueduc m.

Arab ['ærəb] adj arabe. ❏ n Arabe mf.

Arabian [ə'reɪbjən] adj d'Arabie.

Arabic ['ærəbɪk] adj arabe. ❏ n arabe m.

Arabic numeral n chiffre m arabe.

arable ['ærəbl] adj arable.

arbitrary ['ɑːbɪtrərɪ] adj arbitraire.

arbitration [‚ɑːbɪ'treɪʃn] n arbitrage m.

arcade [ɑː'keɪd] n **1.** galerie f marchande **2.** arcades fpl (série d'arches) **3.** galerie f de jeux • **amusement/video arcade** salle f de jeux vidéo.

arch [ɑːtʃ] adj **1.** majeur • **my arch enemy** mon ennemi de toujours **2.** malicieux, espiègle • **she gave me an arch look** elle me regarda d'un air malicieux. ❏ n **1.** ARCHIT arc m, voûte f **2.** voûte f plantaire, cambrure f. ❏ vt cambrer, arquer. ❏ vi former une voûte.

archaeologist [‚ɑːkɪ'ɒlədʒɪst] n archéologue mf.

archaeology [‚ɑːkɪ'ɒlədʒɪ] n archéologie f.

archaic [ɑː'keɪɪk] adj archaïque.

archbishop [‚ɑːtʃ'bɪʃəp] n archevêque m.

archenemy [‚ɑːtʃ'enɪmɪ] n ennemi m numéro un.

archeology = archaeology.

archer ['ɑːtʃə*] n archer m.

archery ['ɑːtʃərɪ] n tir m à l'arc.

archetypal [‚ɑːkɪ'taɪpl] adj typique • **cricket is the archetypal English game** le cricket est le jeu anglais par excellence.

architect ['ɑːkɪtekt] n litt &fig architecte mf.

architectural [‚ɑːkɪ'tektʃərəl] adj architectural.

architecture ['ɑːkɪtektʃə*] n architecture f.

archway ['ɑːtʃweɪ] n passage m voûté.

ardent ['ɑːdənt] adj fervent, passionné.

arduous ['ɑːdjʊəs] adj ardu.

are (forme non accentuée [ə*], forme accentuée [ɑː]) ➞ **be**.

area ['eərɪə] n **1.** région f • **parking area** aire f de stationnement • **in the area of** environ, à peu près **2.** aire f, superficie f **3.** domaine m (d'étude, d'investigation).

area code n (US) indicatif m de zone.

arena [ə'riːnə] n litt &fig arène f.

aren't [ɑːnt] = are not.

Argentina [‚ɑːdʒən'tiːnə] n Argentine f.

Argentine ['ɑːdʒəntaɪn], **Argentinian** [‚ɑːdʒən'tɪnɪən] adj argentin. ❏ n Argentin m, -e f.

arguable ['ɑːgjʊəbl] adj discutable.

arguably ['ɑːgjʊəblɪ] adv • **she's arguably the best** on peut soutenir qu'elle est la meilleure.

argue ['ɑːgjuː] vi **1.** • **to argue (with sb about sthg)** se disputer (avec qqn à propos de qqch) **2.** • **to argue (for/against)** argumenter (pour/contre). ❏ vt débattre de, discuter de • **argue that** soutenir ou maintenir que.

argument ['ɑːgjʊmənt] n **1.** dispute f **2.** argument m **3.** (indén) discussion f, débat m.

argumentative [‚ɑːgjʊ'mentətɪv] adj querelleur, batailleur.

arid ['ærɪd] adj litt &fig aride.

Aries ['eəriːz] n Bélier m.

arise [ə'raɪz] (prét arose, pparisen [ə'rɪzn]) vi surgir, survenir • **to arise from** résulter de, provenir de • **if the need arises** si le besoin se fait sentir.

aristocracy [‚ærɪ'stɒkrəsɪ] (pl -ies) n aristocratie f.

aristocrat [(UK) 'ærɪstəkræt, (US) ə'rɪstəkræt] n aristocrate mf.

aristocratic [(UK) ‚ærɪstə'krætɪk, (US) ə‚rɪstə'krætɪk] adj aristocratique.

arithmetic [ə'rɪθmətɪk] n arithmétique f.

ark [ɑːk] n arche f • **the Ark of the Covenant** l'arche d'alliance • **Noah's Ark** l'Arche de Noé.

arm [ɑːm] n **1.** bras m • **arm in arm** bras dessus bras dessous • **to keep sb at arm's length** (UK) fig tenir qqn à distance • **to twist sb's arm** fig forcer la main à qqn **2.** manche f (d'un vêtement). ❏ vt armer. ■ **arms** npl armes fpl • **to take up arms** prendre les armes • **to be up in arms about sthg** s'élever contre qqch.

armaments ['ɑːməmənts] npl matériel m de guerre, armements mpl.

armband ['ɑːmbænd] n brassard m.

arm candy ['ɑːmkændɪ] n fam &péj jeune et jolie compagne f.

armchair ['ɑːmtʃeə*] n fauteuil m.

armed [ɑːmd] adj litt &fig • **armed (with)** armé (de) • **be careful, he might be armed** faites attention, il est peut-être armé • **armed with patience, she waited until he arrived** armée de patience, elle attendit son arrivée.

armed forces npl forces fpl armées.

armful ['ɑːmfʊl] n brassée f.

armhole ['ɑːmhəʊl] n emmanchure f.

armour (UK), **armor** (US) ['ɑːmə*] n **1.** armure f **2.** MIL blindage m.

armoury (UK), **armory** (US) ['ɑːmərɪ] n arsenal m.

armpit ['ɑːmpɪt] n aisselle f.

armrest ['ɑːmrest] *n* accoudoir *m*.

arms control ['ɑːmz-] *n* contrôle *m* des armements.

arms race ['ɑːmz-] *n* course *f* aux armements.

arm wrestling *n* bras *m* de fer.

army ['ɑːmɪ] *n litt & fig* armée *f* • **an army of photographers** une armée de photographes.

arnica ['ɑːnɪkə] *n BOT & MÉD* arnica *f*.

A-road *n* (UK) ≃ route *f* nationale.

aroma [ə'rəumə] *n* arôme *m*.

aromatherapist [ə,rəumə'θerəpɪst] *n* aromathérapeute *mf*.

aromatherapy [ə,rəumə'θerəpɪ] *n* aromathérapie *f*.

arose [ə'rəuz] *passé* → **arise**.

around

■ **around** [ə'raund] *adv*

1. INDIQUE UNE PROXIMITÉ DANS L'ESPACE
• **have you seen him around?** l'avez-vous vu dans les parages ? • **she'll be around soon** elle sera là bientôt • **to walk around** se promener • **to lie around** traîner

2. AUTOUR
• **there was a yard with a fence all around** il y avait une cour avec une clôture tout autour

3. DANS DES EXPRESSIONS
• **to turn around** se retourner • **he has been around** *fam* il n'est pas né d'hier, il a de l'expérience

■ **around** [ə'raund] *prép*

1. AUTOUR DE
• **they walked around the lake** ils se sont promenés autour du lac

2. À TRAVERS
• **all around the country** dans tout le pays

3. EXPRIME UNE APPROXIMATION
• **I'll see you around 9 o'clock** je te verrai vers 9 heures • **around here** par ici

around-the-clock *adj* • **around-the-clock protection/surveillance** protection *f*/surveillance *f* 24 heures sur 24.

arouse [ə'rauz] *vt* **1.** éveiller, susciter *(un sentiment, un doute)* **2.** exciter *(une personne)* **3.** réveiller • **the noise aroused her** le bruit la réveilla.

arrange [ə'reɪndʒ] *vt* **1.** arranger, disposer *(des fleurs, des meubles)* **2.** organiser, fixer *(une réunion, un rendez-vous)* • **to arrange to do sthg** convenir de faire qqch.

arranged marriage [ə'reɪndʒd-] *n* mariage *m* arrangé.

arrangement [ə'reɪndʒmənt] *n* accord *m*, arrangement *m* • **to come to an arrangement** s'entendre, s'arranger. ■ **arrangements** *npl* dispositions *fpl*, préparatifs *mpl* • **to make arrangements** prendre des dispositions.

array [ə'reɪ] *n* étalage *m*. ❑ *vt* disposer.

arrears [ə'rɪəz] *npl* arriéré *m* • **to be in arrears a)** être en retard **b)** *(endettement)* avoir des arriérés.

arrest [ə'rest] *n* arrestation *f* • **under arrest** en état d'arrestation. ❑ *vt* arrêter.

arrival [ə'raɪvl] *n* **1.** arrivée *f* • **late arrival** retard *m* **2.** arrivant *m, -e f* • **new arrival** nouveau venu *m*, nouvelle venue *f*, nouveau-né *m*, nouveau-née *f*.

arrive [ə'raɪv] *vi* **1.** arriver **2.** être né.

arrogant ['ærəgənt] *adj* arrogant.

arrogantly ['ærəgəntlɪ] *adv* avec arrogance.

arrow ['ærəu] *n* flèche *f*.

arse (UK) [ɑːs], **ass** (US) [æs] *n vulg* cul *m*.

arsehole (UK) ['ɑːshəul], **asshole** (US) ['æshəul] *n vulg* • **don't be such an arsehole** ne sois pas si con.

arsenal ['ɑːsənl] *n* arsenal *m*.

arsenic ['ɑːsnɪk] *n* arsenic *m*.

arson ['ɑːsn] *n* incendie *m* criminel *ou* volontaire.

arsonist ['ɑːsənɪst] *n* incendiaire *mf*.

art [ɑːt] *n* art *m*. ❑ *en apposition* **1.** d'art **2.** des beaux-arts. ■ **arts** *npl* **1.** (UK) *UNIV* lettres *fpl* **2.** • **the arts** les arts *mpl*.

artefact ['ɑːtɪfækt] = **artifact**.

artery ['ɑːtərɪ] *n* artère *f*.

art gallery *n* **1.** musée *m* d'art **2.** galerie *f* d'art.

arthritis [ɑː'θraɪtɪs] *n* arthrite *f*.

artichoke ['ɑːtɪtʃəuk] *n* artichaut *m*.

article ['ɑːtɪkl] *n* article *m* • **article of clothing** vêtement *m*.

articulate *adj* [ɑː'tɪkjulət] **1.** qui sait s'exprimer **2.** *(élocution)* clair, distinct. ❑ *vt* [ɑː'tɪkjuleɪt] formuler.

articulated lorry [ɑː'tɪkjuleɪtɪd-] *n* (UK) semi-remorque *m*.

artifact ['ɑːtɪfækt] *n* objet *m* fabriqué.

artificial [,ɑːtɪ'fɪʃl] *adj* **1.** artificiel **2.** affecté, forcé • **her artificial accent** son accent affecté • **his artificial smile** son sourire forcé.

artificial insemination *n* insémination *f* artificielle.

artificial intelligence *n* intelligence *f* artificielle.

artificial respiration *n* respiration *f* artificielle.

artillery [ɑː'tɪlərɪ] *n* artillerie *f*.

artisan [,ɑːtɪ'zæn] *n* artisan *m, -e f*.

artist ['ɑːtɪst] *n* artiste *mf*.

artiste [ɑː'tiːst] *n* artiste *mf*.

artistic [ɑːˈtɪstɪk] *adj* **1.** *(personne)* qui a une sensibilité d'artiste **2.** artistique.

artistically [ɑːˈtɪstɪklɪ] *adv* avec art.

artistry [ˈɑːtɪstrɪ] *n* art *m*, talent *m* artistique.

artless [ˈɑːtlɪs] *adj* **1.** naturel, ingénu • **artless beauty** une beauté naturelle • **artless child** un enfant ingénu **2.** grossier, maladroit • **artless translation** traduction maladroite.

artwork [ˈɑːtwɜːk] *n* iconographie *f*, illustration *f*.

as

■ as *conj*

forme accentuée [æz], *forme non accentuée* [əz]

1. EXPRIME LA SIMULTANÉITÉ
• **she rang (just) as I was leaving** elle m'a téléphoné juste au moment où je partais

2. EXPRIME UN CHANGEMENT GRADUEL
• **as time goes by** à mesure que le temps passe, avec le temps • **he grew grumpier as he got older** il devenait de plus en plus grognon en vieillissant

3. EXPRIME LA CAUSE
• **as it's snowing, we'd better stay at home** comme il neige, nous ferions mieux de rester à la maison

4. CONFORMÉMENT À
• **as you know, he is always late** comme tu le sais, il est toujours en retard • **do as I say** fais ce que je (te) dis

5. EXPRIME UNE OPPOSITION
• **long as it was, I didn't find the lesson boring** bien que la leçon ait été longue, je ne me suis pas ennuyé

■ as *prép*

forme accentuée [æz], *forme non accentuée* [əz]

1. INDIQUE UNE FONCTION, UN RÔLE
• **she works as a nurse** elle est infirmière • **I'm speaking as your friend** je te parle en ami

2. EN TANT QUE
• **it could be used as evidence against him** cela pourrait être utilisé comme preuve contre lui

■ as *adv*

forme accentuée [æz], *forme non accentuée* [əz]

DANS UNE COMPARAISON
• **he's as tall as I am** il est aussi grand que moi • **he runs as fast as his sister** il court aussi vite que sa sœur • **as much wine as** autant de vin que

■ as for *prép*
• **as for dessert, there's some ice-cream in the freezer** pour ce qui est du dessert, il y a de la glace au congélateur

■ as from, as of *prép*

INDIQUE UN POINT DE DÉPART DANS LE TEMPS
• **as of yesterday** depuis hier • **your ticket is valid as of Monday** votre ticket sera valable à partir de lundi

■ as if, as though *conj*

comme si • **as if it mattered!** comme si ça avait de l'importance ! • **it looks as if** *ou* **as though it will rain** on dirait qu'il va pleuvoir

■ as to *prép*

en ce qui concerne, au sujet de • **I'm still uncertain as to his motivation** j'ai toujours des doutes quant à sa motivation

À PROPOS DE — as

As... as s'utilise dans les comparaisons, pour exprimer l'égalité. Dans la langue de tous les jours, on le fait suivre d'un pronom objet tel que *me*, *him*, *her*, etc. *(she's as tall as me)*. Dans la langue soutenue, il peut être suivi d'un pronom sujet tel que *I*, *he*, *she*, etc, et, éventuellement, d'un deuxième verbe *(she's not as tall as I)*.
As if et *as though* ont le même sens. Si la personne qui parle a de sérieux doutes quant à la véracité de la comparaison, ou si elle est certaine que la comparaison n'est pas vraie, elle peut utiliser un verbe au subjonctif passé *(she went pale as if/though she were about to faint)*.

asap (abrév de as soon as possible) *adv* dès que possible.

asbestos [æsˈbestəs] *n* asbeste *m*, amiante *m*.

ASBO [ˈæzbəʊ] (abrév de anti-social behaviour order) *n* **(UK)** *ordonnance civile sanctionnant des comportements antisociaux.*

ascend [əˈsend] *vt & vi* monter.

ascendant [əˈsendənt] *n* • **to be in the ascendant** avoir le dessus.

ascent [əˈsent] *n litt & fig* ascension *f*.

ascertain [ˌæsəˈteɪn] *vt* établir.

ascribe [əˈskraɪb] *vt* • **to ascribe sthg to a)** attribuer qqch à **b)** *(faute)* imputer qqch à.

asexual [ˌeɪˈsekʃʊəl] *adj* asexué.

ash [æʃ] *n* **1.** cendre *f* **2.** frêne *m*.

ashamed [əˈʃeɪmd] *adj* honteux, confus • **to be ashamed (of)** avoir honte (de).

ashen-faced [ˈæʃnˌfeɪst] *adj* blême.

ashore [əˈʃɔː] *adv* à terre.

ashtray [ˈæʃtreɪ] *n* cendrier *m*.

Ash Wednesday n le mercredi des Cendres.

Asia [(UK) 'eɪʃə,(US) 'eɪʒə] n Asie f.

Asian [(UK) 'eɪʃn,(US) 'eɪʒn] adj asiatique.❏ n Asiatique mf.

aside [ə'saɪd] adv 1. de côté • to move aside s'écarter 2. à part • to take sb aside prendre qqn à part • aside from à l'exception de.❏ n 1. THÉÂTRE aparté m 2. réflexion f, commentaire m.

ask [ɑːsk] vt 1. demander • to ask sb sthg demander qqch à qqn • he asked me my name il m'a demandé mon nom • that's asking a lot c'est beaucoup demander • to ask sb for sthg demander qqch à qqn 2. poser (une question) 3. inviter. ■ ask after vt insép demander des nouvelles de. ■ ask for vt insép 1. demander à voir (quelqu'un) • there is somebody asking for you il y a quelqu'un qui voudrait te voir 2. demander (quelque chose) • he asked for a glass of wine il a demandé un verre de vin 3. chercher (des ennuis) • you're asking for trouble! tu cherches les ennuis !

askance [ə'skæns] adv • to look askance at sb regarder qqn d'un air désapprobateur.

askew [ə'skjuː] adj de travers.

asking price n [ə'skɪŋ-] n prix m demandé.

asleep [ə'sliːp] adj 1. endormi • to fall asleep s'endormir • to fall asleep at the wheel s'endormir au volant 2. (locution) • to be asleep at the switch (US) ou at the wheel fig ne pas faire son travail.

as-new adj comme neuf.

asparagus [ə'spærəgəs] n (indén) asperges fpl.

aspartame ['æspəteɪm] n aspartame m.

aspect ['æspekt] n 1. aspect m 2. orientation f (d'une maison) • the house has a south-west aspect la maison est exposée ou orientée au sud-ouest.

aspersions [ə'spɜːʃnz] npl • to cast aspersions on jeter le discrédit sur.

asphalt ['æsfælt] n asphalte m.

asphyxiate [əs'fɪksɪeɪt] vt asphyxier.

asphyxiating [əs'fɪksɪeɪtɪŋ] adj asphyxiant.

aspiration [,æspə'reɪʃn] n aspiration f.

aspire [ə'spaɪər] vi • to aspire to sthg/to do sthg aspirer à qqch/à faire qqch.

aspirin ['æsprɪn] n aspirine f.

aspiring [ə'spaɪərɪŋ] adj • she was an aspiring writer elle avait pour ambition de devenir écrivain.

ass [æs] n 1. âne m 2. fam imbécile mf, idiot m, -e f 3. (US) vulg = arse 4. (locution) • to kick ass assurer • the Lakers kicked ass last night les Lakers ont assuré grave hier soir.

assailant [ə'seɪlənt] n assaillant m, -e f.

assassin [ə'sæsɪn] n assassin m.

assassinate [ə'sæsɪneɪt] vt assassiner.

assassination [ə,sæsɪ'neɪʃn] n assassinat m.

assault [ə'sɔːlt] n 1. • assault (on) assaut m (de), attaque f (de) 2. • assault (on sb) agression f (contre qqn).❏ vt 1. agresser 2. violenter.

assemble [ə'sembl] vt 1. réunir (personne) 2. assembler, monter (voiture, avion, machine).❏ vi se réunir, s'assembler.

assembly [ə'semblɪ] n 1. assemblée f 2. (construction) assemblage m, montage m.

assembly line n chaîne f de montage.

assent [ə'sent] n consentement m, assentiment m.❏ vi • to assent (to) donner son consentement ou assentiment à (à).

assert [ə'sɜːt] vt 1. affirmer, soutenir 2. imposer (son autorité).

assertive [ə'sɜːtɪv] adj assuré.

assertiveness [ə'sɜːtɪvnɪs] n manière f assurée.

assess [ə'ses] vt évaluer, estimer.

assessment [ə'sesmənt] n 1. opinion f 2. SCOL évaluation f, estimation f.

assessor [ə'sesər] n contrôleur m, -euse f des impôts.

asset ['æset] n avantage m, atout m. ■ assets npl COMM actif m.

asshole ['æshəʊl] n vulg (US) = arsehole .

assiduous [ə'sɪdjʊəs] adj assidu.

assiduously [ə'sɪdjʊəslɪ] adv assidûment.

assign [ə'saɪn] vt 1. • to assign sthg (to) assigner qqch (à) 2. • to assign sb (to sthg/to do sthg) nommer qqn (à qqch/pour faire qqch).

assignment [ə'saɪnmənt] n 1. mission f 2. SCOL devoir m 3. attribution f (d'un poste).

assimilate [ə'sɪmɪleɪt] vt assimiler.

assimilation [ə,sɪmɪ'leɪʃn] n assimilation f.

assist [ə'sɪst] vt • to assist sb (with sthg/in doing sthg) a) aider ou assister qqn (dans qqch/à faire qqch).

assistance [ə'sɪstəns] n aide f • to be of assistance (to) être utile (à).

assistance dog n chien m guide.

assistant [ə'sɪstənt] n assistant m, -e f • (shop) assistant (UK) vendeur m, -euse f.❏ en apposition adjoint • assistant manager sous-directeur m, -trice f.

assistant headmaster [ə'sɪstənt ,hed'mɑːstər] (UK), **assistant principal** [ə'sɪstənt ,prɪnsəpl] (US) n principal m adjoint, principale f adjointe.

associate adj [ə'səʊʃɪət] associé.❏ n [ə'səʊʃɪət] associé m, -e f.❏ vt [ə'səʊʃɪeɪt] • to associate sb/sthg (with) associer qqn/qqch (à) • to be associated with être associé à.❏ vi [ə'səʊʃɪeɪt] • to associate with sb fréquenter qqn.

associate editor n rédacteur m associé, rédactrice f associée.

association [ə,səʊsɪ'eɪʃn] n association f • in association with avec la collaboration de.

assorted [ə'sɔːtɪd] *adj* **1.** varié • **in assorted sizes** en différentes tailles **2.** assorti.

assortment [ə'sɔːtmənt] *n* mélange *m*.

assume [ə'sjuːm] *vt* **1.** supposer, présumer **2.** assumer *(ses responsabilités)* **3.** adopter *(une attitude).*

assumed name [ə'sjuːmd-] *n* nom *m* d'emprunt.

assuming [ə'sjuːmɪŋ] *conj* en supposant que.

assumption [ə'sʌmpʃn] *n* supposition *f.*

assurance [ə'ʃʊərəns] *n* **1.** assurance *f* **2.** garantie *f*, promesse *f.*

assure [ə'ʃʊə] *vt* • **to assure sb (of)** assurer qqn (de).

assured [ə'ʃʊəd] *adj* assuré.

asterisk [ˈæstərɪsk] *n* astérisque *m.*

astern [ə'stɜːn] *adv* en poupe.

asthma [ˈæsmə] *n* asthme *m.*

asthmatic [æs'mætɪk] *adj* asthmatique. ❏ *n* asthmatique *mf.*

astonish [ə'stɒnɪʃ] *vt* étonner.

astonished [ə'stɒnɪʃt] *adj* surpris.

astonishing [ə'stɒnɪʃɪŋ] *adj* étonnant.

astonishingly [ə'stɒnɪʃɪŋli] *adv* incroyablement.

astonishment [ə'stɒnɪʃmənt] *n* étonnement *m.*

astound [ə'staʊnd] *vt* stupéfier.

astounded [ə'staʊndɪd] *adj* stupéfait.

astounding [ə'staʊndɪŋ] *adj* stupéfiant.

astoundingly [ə'staʊndɪŋli] *adv* incroyablement • **astoundingly beautiful** d'une beauté incroyable.

astray [ə'streɪ] *adv* • **to go astray** s'égarer • **to lead sb astray** détourner qqn du droit chemin.

astride [ə'straɪd] *adv & prép* à cheval, à califourchon.

astrology [ə'strɒlədʒɪ] *n* astrologie *f.*

astronaut [ˈæstrənɔːt] *n* astronaute *mf.*

astronomical [ˌæstrə'nɒmɪkl] *adj* astronomique.

astronomically [ˌæstrə'nɒmɪklɪ] *adv* **1.** astronomiquement **2.** *fig* • **prices have risen astronomically** les prix ont atteint des sommets astronomiques.

astronomy [ə'strɒnəmi] *n litt & fig* astronomie *f.*

astute [ə'stjuːt] *adj* astucieux, malin.

astutely [ə'stjuːtlɪ] *adv* astucieusement.

asylum [ə'saɪləm] *n* asile *m (politique et psychiatrique).*

at *(accentué* [æt]*, non accentué* [ət]*) prép* **1.** à • **at home** à la maison, chez soi **2.** vers • **to look at sb** regarder qqn • **to shoot at sb** tirer sur qqn **3.** à • **at midnight/noon** à minuit/midi • **at Easter** à Pâques **4.** à • **at 52 (years of age)** à 52 ans • **at 100 mph** à 160 km/h • **at £50 a pair** 50 livres la paire **5.** en • **at peace/war** en paix/guerre • **to be at lunch** être en train de déjeuner **6.** *(après adj)* • **amused/appalled at sthg** diverti /effaré par qqch • **to be bad/good at sthg** être mauvais /bon en qqch **7.** a robase *f.* ◼ **at all** *adv* **1.** *(dans des phrases négatives)* • **not at all a)** je vous en prie **b)** pas du tout **2.** • **anything at all will do** n'importe quoi fera l'affaire • **do you know her at all?** est-ce que vous la connaissez ?

À PROPOS DE

at

Attention à ne pas confondre *at*, *in* et *on*, qui apparaissent tous dans des expressions temporelles.

At s'utilise avec des heures ou des moments précis *(at nine o'clock ; at lunch time)*, avec les noms de certaines fêtes officielles *(at Christmas ; at New Year ; at Easter)*, et enfin avec les mots *weekend* et *night (what did you do at the weekend ? ; I do my homework at night)*.

In précède les noms de mois *(in September)*, les années *(in 1966)*, les siècles *(in the 17th century)* et les saisons *(in spring)*. On trouve aussi *in* dans des expressions contenant les mots *morning*, *afternoon*, etc. *(in the evening we like to go out ; I'll call you in the afternoon)*.

On est associé à un jour ou une date spécifique *(on Christmas Day ; on March 8th, 1998 ; on Monday I went swimming)*, ou bien à un jour en général pour exprimer la répétition *(on Sundays I visit my grandparents)*. On le trouve également dans des expressions contenant les mots *morning*, *afternoon*, etc., lorsqu'elles contiennent des informations supplémentaires *(on Saturday morning ; on wet afternoons)*.

ATB *SMS* abrév de **all the best.**

ate [(uk) ɛt, (us) eɪt] *passé* → **eat.**

atheism [ˈeɪθɪɪzm] *n* athéisme *m.*

atheist [ˈeɪθɪɪst] *n* athée *mf.*

Athens [ˈæθɪnz] *n* Athènes *f.*

athlete [ˈæθliːt] *n* athlète *mf.*

athletic [æθ'letɪk] *adj* athlétique. ◼ **athletics** *npl* **1.** *(uk)* athlétisme *m* **2.** *(us)* sports *mpl.*

atishoo [ə'tɪʃuː] *interj* atchoum !

Atlantic [ət'læntɪk] *adj* atlantique. ❏ *n* • **the Atlantic (Ocean)** l'océan *m* Atlantique, l'Atlantique *m.*

atlas [ˈætləs] *n* atlas *m.*

ATM *SMS* (abrév de **at the moment**) en ce moment.

atmosphere [ˈætməˌsfɪə] *n* **1.** atmosphère *f* **2.** ambiance *f* • **the atmosphere is good in school** il y a une bonne ambiance à l'école.

atmospheric [ˌætməsˈferɪk] *adj* **1.** atmosphérique **2.** *(film)* évocateur, plein.

atom [ˈætəm] *n* **1.** atome *m* **2.** *fig* grain *m*, parcelle *f*.

atom bomb *n* bombe *f* atomique.

atomic [əˈtɒmɪk] *adj* atomique.

atomic bomb = **atom bomb**.

atomizer, **-iser** (UK) [ˈætəmaɪzəʳ] *n* atomiseur *m*, vaporisateur *m*.

atone [əˈtəʊn] *vi* • **to atone for** racheter *(faute, péché)*.

A to Z *n* plan *m* de ville.

at-risk *adj* • **an at-risk group** un groupe à risque.

atrocious [əˈtrəʊʃəs] *adj* atroce, horrible.

atrociously [əˈtrəʊʃəslɪ] *adv* **1.** atrocement *(cruellement)* **2.** affreusement *(énormément)*.

atrocity [əˈtrɒsətɪ] *n* atrocité *f*.

at-sign *n* TYPO & INFORM arobase *f*.

attach [əˈtætʃ] *vt* **1.** • **to attach sthg (to)** attacher qqch (à) **2.** joindre *(un document, un fichier)*.

attaché case *n* attaché-case *m*.

attached [əˈtætʃt] *adj* • **attached to** attaché à.

attachment [əˈtætʃmənt] *n* **1.** accessoire *m* **2.** *(affection)* • **attachment (to)** attachement *m* (à) **3.** INFORM pièce *f* jointe.

attack [əˈtæk] *n* **1.** • **attack (on)** attaque *f* (contre) **2.** crise *f*. ◻ *vt* **1.** attaquer **2.** s'attaquer à *(un problème)*.

attack dog *n* chien *m* d'attaque.

attacker [əˈtækəʳ] *n* **1.** agresseur *m* **2.** SPORT attaquant *m*, -e *f*.

attagirl [ˈætəɡɜːrl] *interj* vas-y ma petite !

attain [əˈteɪn] *vt* atteindre, parvenir à.

attainable [əˈteɪnəbl] *adj* **1.** *(niveau, objectif, profit)* réalisable **2.** *(position)* accessible • **a growth rate attainable by industrialized countries** un taux de croissance à la portée des *ou* accessible aux pays industrialisés.

attainment [əˈteɪnmənt] *n* **1.** réalisation *f (d'un rêve, d'un objectif)* **2.** talent *m*.

attempt [əˈtempt] *n* • **attempt (at)** tentative *f* (de) • **attempt on sb's life** tentative d'assassinat contre qqn. ◻ *vt* tenter, essayer.

attend [əˈtend] *vt* **1.** assister à *(une réunion)* **2.** aller à *(l'école, l'église)*. ◻ *vi* être présent. ■ **attend to** *vt insép* **1.** s'occuper de, régler **2.** MÉD soigner.

attendance [əˈtendəns] *n* **1.** assistance *f*, public *m* **2.** SCOL présence *f* **3.** *(locution)* • **take attendance** (US) faire l'appel • **regular attendance** assiduité • **attendance roster** liste d'appel.

attendant [əˈtendənt] *adj (danger, publicité)* qui en découle. ◻ *n* **1.** gardien *m*, -enne *f* **2.** *(station-service)* pompiste *mf*.

attending physician *n* médecin *m* traitant.

attention [əˈtenʃn] *n (indén)* **1.** attention *f* • **to catch** *ou* **draw sb's attention to sthg** attirer l'attention de qqn sur qqch • **to pay attention to** prêter attention à • **for the attention of** à l'attention de **2.** soins *mpl (médicaux)*, attentions *fpl*. ◻ *interj* MIL garde-à-vous !

attention-seeking *n* • **it's just attention-seeking** il/elle *etc* essaie juste de se faire remarquer. ◻ *adj* • **her attention-seeking behaviour** son besoin constant de se faire remarquer.

attentive [əˈtentɪv] *adj* **1.** attentif **2.** attentionné, prévenant.

attic [ˈætɪk] *n* grenier *m*.

attitude [ˈætɪtjuːd] *n* **1.** • **attitude (to** *ou* **towards)** attitude *f* (envers) **2.** pose *f (affectée)*.

attorney [əˈtɜːnɪ] *n* (US) avocat *m*, -e *f*.

attorney general *(pl* **attorneys general)** *n* **1.** *(au Royaume-Uni, sauf en Écosse)* principal avocat de la couronne **2.** *(aux États-Unis)* ministre *m* de la Justice.

attract [əˈtrækt] *vt* attirer.

attraction [əˈtrækʃn] *n* **1.** attraction *f* • **tourist attractions** des attractions touristiques • **attraction to sb** attirance *f* pour qqn **2.** attrait *m*.

attractive [əˈtræktɪv] *adj* **1.** attrayant, séduisant **2.** *(prix, idée)* intéressant.

attribute *vt* [əˈtrɪbjuːt] • **to attribute sthg to** attribuer qqch à. ◻ *n* [ˈætrɪbjuːt] attribut *m*.

attrition [əˈtrɪʃn] *n* usure *f*.

attuned [əˈtjuːnd] *adj* • **attuned to** accoutumé à.

atypical [ˌeɪˈtɪpɪkl] *adj* atypique.

aubergine [ˈəʊbəʒiːn] *n* (UK) aubergine *f*.

auburn [ˈɔːbən] *adj* auburn *(inv)*.

auction [ˈɔːkʃn] *n* vente *f* aux enchères. ◻ *vt* vendre aux enchères.

auctioneer [ˌɔːkʃəˈnɪəʳ] *n* commissaire-priseur *m*.

audacious [ɔːˈdeɪʃəs] *adj* audacieux.

audible [ˈɔːdəbl] *adj* audible.

audience [ˈɔːdjəns] *n* **1.** public *m*, spectateurs *mpl* **2.** téléspectateurs *mpl* **3.** audience *f* • **to grant somebody an audience** accorder une audience à quelqu'un.

audioblog [ˈɔːdɪəʊblɒɡ] *n* audioblog *m*.

audiobook [ˈɔːdɪəʊbʊk] *n* livre *m* audio.

audiovisual [ˌɔːdɪəʊvɪzjʊəl] *adj* audiovisuel.

audit [ˈɔːdɪt] *n* audit *m*, vérification *f* des comptes. ◻ *vt* vérifier, apurer.

audition [ɔːˈdɪʃn] *n* **1.** audition *f* **2.** *(séance f d')*essai *m*.

auditor [ˈɔːdɪtəʳ] *n* auditeur *m*, -trice *f*.

auditorium [ˌɔːdɪˈtɔːrɪəm] *(pl* **-riums** *ou* **-ria)** *n* salle *f*.

Aug. abrév de **August**.

augur [ˈɔːɡəʳ] *vi* • **to augur well/badly** être de bon/mauvais augure.

August [ˈɔːɡəst] *n* août *m*. Voir aussi **September**.

Auld Alliance [ˌ‚ɔːld-] n • **the Auld Alliance** *l'ancienne alliance unissant l'Écosse et la France contre l'Angleterre.*

Auld Lang Syne [ˌ‚ɔːldlæŋˈsaɪn] n chant traditionnel britannique correspondant à « Ce n'est qu'un au revoir, mes frères ».

aunt [ɑːnt] n tante f.

auntie, aunty [ˈɑːntɪ] n fam tata f, tantine f.

au pair [ˌ‚əʊˈpeər] n jeune fille f au pair.

aura [ˈɔːrə] n atmosphère f, aura f.

aural [ˈɔːrəl] adj auditif.

auspices [ˈɔːspɪsɪz] npl • **under the auspices of** sous les auspices de.

auspicious [ɔːˈspɪʃəs] adj prometteur.

Aussie [ˈɒzɪ] fam adj australien. ❑ n Australien m, -enne f.

austere [ɒˈstɪər] adj austère.

austerity [ɒˈsterətɪ] n austérité f.

Australia [ɒˈstreɪljə] n Australie f.

Australian [ɒˈstreɪljən] adj australien. ❑ n Australien m, -enne f.

Austria [ˈɒstrɪə] n Autriche f.

Austrian [ˈɒstrɪən] adj autrichien. ❑ n Autrichien m, -enne f.

authentic [ɔːˈθentɪk] adj authentique.

authenticate [ɔːˈθentɪkeɪt] vt établir l'authenticité de.

authenticity [ˌ‚ɔːθenˈtɪsətɪ] n authenticité f.

author [ˈɔːθər] n auteur m.

authoring [ˈɔːθərɪŋ] n authoring m (d'un DVD) ; création des menus et du système de navigation • **authoring language** INFORM langage m auteur • **authoring package** ou **software** INFORM logiciel m auteur • **authoring tool** INFORM outil m auteur.

authoring tool [ˈɔːθərɪŋ-] n INFORM outil m auteur.

authoritarian [ɔːˌθɒrɪˈteərɪən] adj autoritaire.

authoritarianism [ɔːˌθɒrɪˈteərɪənɪzm] n autoritarisme m.

authoritative [ɔːˈθɒrɪtətɪv] adj **1.** autoritaire **2.** qui fait autorité.

authority [ɔːˈθɒrətɪ] n **1.** autorité f • **to be in authority** être le/la responsable **2.** autorisation f **3.** • **authority (on sthg)** expert m, -e f (en qqch). ■ **authorities** npl • **the authorities** les autorités fpl.

authorization, -isation (UK) [ˌ‚ɔːθəraɪˈzeɪʃn] n **1.** autorisation f (permission) **2.** pouvoir m (déclaration officielle) • **he has authorization to leave the country** il est autorisé à quitter le pays.

authorize, -ise (UK) [ˈɔːθəraɪz] vt • **to authorize sb (to do sthg)** autoriser qqn (à faire qqch).

authorized, -ised (UK) [ˈɔːθəraɪzd] adj autorisé • **authorized dealer** COMM distributeur m agréé.

autistic [ɔːˈtɪstɪk] adj **1.** (enfant) autiste **2.** (comportement) autistique.

auto [ˈɔːtəʊ] (pl -s) n (US) auto f, voiture f.

autoantibody [ˈɔːtəʊˌæntɪbɒdɪ] n autoanticorps m.

autobiography [ˌ‚ɔːtəbaɪˈɒɡrəfɪ] n autobiographie f.

autocorrect [ˌ‚ɔːtəʊkəˈrekt] vt INFORM corriger automatiquement.

autocratic [ˌ‚ɔːtəˈkrætɪk] adj autocratique.

autoformat [ˈɔːtəʊˌfɔːmæt] n INFORM composition f automatique.

autograph [ˈɔːtəɡrɑːf] n autographe m. ❑ vt **1.** signer **2.** dédicacer (un livre).

automate [ˈɔːtəmeɪt] vt automatiser.

automatic [ˌ‚ɔːtəˈmætɪk] adj automatique • **automatic teller machine** (surtout US) distributeur m automatique (de billets). ❑ n **1.** voiture f à transmission automatique **2.** (arme) automatique m.

automatically [ˌ‚ɔːtəˈmætɪklɪ] adv automatiquement.

automatic pilot n litt & fig pilote m automatique.

automation [ˌ‚ɔːtəˈmeɪʃn] n automatisation f, automation f.

automobile [ˈɔːtəməbiːl] n (US) automobile f.

autonomy [ɔːˈtɒnəmɪ] n autonomie f.

autopilot [ˈɔːtəʊˈpaɪlət] = **automatic pilot**.

autopsy [ˈɔːtɒpsɪ] n autopsie f.

autosave [ˈɔːtəʊˌseɪv] n INFORM sauvegarde f automatique.

autumn [ˈɔːtəm] n (surtout UK) automne m.

auxiliary [ɔːɡˈzɪljərɪ] adj auxiliaire. ❑ n auxiliaire mf.

avail [əˈveɪl] n • **to no avail** en vain, sans résultat. ❑ vt • **to avail o.s. of** profiter de.

availability [əˌveɪləˈbɪlətɪ] n disponibilité f.

available [əˈveɪləbl] adj disponible.

avalanche [ˈævəlɑːnʃ] n litt & fig avalanche f.

avarice [ˈævərɪs] n avarice f.

Ave. (abrév de avenue) av.

avenge [əˈvendʒ] vt venger • **he intends to avenge himself on his enemy** il a l'intention de se venger de son ennemi.

avenue [ˈævənjuː] n avenue f.

average [ˈævərɪdʒ] adj moyen. ❑ n moyenne f • **on average** en moyenne. ❑ vt • **the cars were averaging 90 mph** les voitures roulaient en moyenne à 150 km/h. ■ **average out** vi • **to average out at** donner une moyenne de.

aversion [əˈvɜːʃn] n • **aversion (to)** aversion f (pour).

avert [əˈvɜːt] vt **1.** écarter **2.** empêcher (un accident) **3.** détourner (le regard).

aviary [ˈeɪvjərɪ] n volière f.

avid [ˈævɪd] adj • **avid (for)** avide (de).

avocado [ˌ‚ævəˈkɑːdəʊ] (pl -s ou -es) n • **avocado (pear)** avocat m (fruit).

avoid [əˈvɔɪd] vt éviter.

await [ə'weɪt] *vt* attendre.

awake [ə'weɪk] *adj* réveillé • **are you awake?** tu dors ? • **to be wide awake** être complètement réveillé. ❏ *vt* (*prét* awoke *ou* awaked, *pp* awoken) 1. réveiller 2. *fig* éveiller. ❏ *vi* (*prét* awoke *ou* awaked, *pp* awoken) 1. se réveiller 2. *fig* s'éveiller.

awakening [ə'weɪknɪŋ] *n* 1. réveil *m* 2. *fig* éveil *m*.

award [ə'wɔːd] *n* prix *m* (*récompense*). ❏ *vt* • **to award sb sthg, to award sthg to sb a)** décerner qqch à qqn **b)** accorder qqch à qqn.

award-winning *adj* qui a reçu un prix • **he gave an award-winning performance in…** il a reçu un prix pour son rôle dans….

aware [ə'weəʳ] *adj* • **to be aware of sthg** se rendre compte de qqch, être conscient de qqch.

awareness [ə'weənɪs] *n* (*indén*) conscience *f*.

awash [ə'wɒʃ] *adj litt & fig* • **awash (with)** inondé (de) • **awash with rumours** parcouru de rumeurs.

away

■ **away** [ə'weɪ] *adv*

1. EXPRIME L'ABSENCE, L'ÉLOIGNEMENT
• **I'll be away for two weeks** je serai absent deux semaines • **she moved away from him** elle s'éloigna de lui • **he looked away in disgust** de dégoût, il détourna le regard

2. EXPRIME LA DISTANCE
• **we live 4 miles away (from here)** nous habitons à 6 kilomètres (d'ici)

3. DANS DES EXPRESSIONS DE TEMPS
• **the elections are a month away** les élections se dérouleront dans un mois

4. INDIQUE QUE QQCH A ÉTÉ PLACÉ EN LIEU SÛR
• **he put the dictionary away on the shelf** il rangea le dictionnaire sur l'étagère

5. EXPRIME LA DISPARITION
• **the music faded away as the lights went on** la musique disparut lorsque la lumière s'alluma • **I had two watches, so I gave one away** j'avais deux montres, donc j'en ai donné une

6. EXPRIME LA CONTINUATION
• **he was working away on a new project** il travaillait sans discontinuer sur un nouveau projet

awayday [ə'weɪdeɪ] *n* séminaire *m* au vert.

awe [ɔː] *n* respect *m* mêlé de crainte • **to be in awe of sb** être impressionné par qqn.

awesome ['ɔːsəm] *adj* impressionnant, génial.

awful ['ɔːful] *adj* 1. affreux 2. *fam* • **an awful lot (of)** énormément (de).

awfully ['ɔːflɪ] *adv fam* extrêmement • **I'm awfully sorry** je suis vraiment désolé.

awhile [ə'waɪl] *adv littéraire* un moment.

awkward ['ɔːkwəd] *adj* 1. gauche, maladroit 2. mal à l'aise, gêné • **to feel awkward** se sentir mal à l'aise 3. (*personne, problème*) difficile 4. (*question, situation*) embarrassant, gênant.

awning ['ɔːnɪŋ] *n* 1. auvent *m* (*d'une tente*) 2. banne *f* (*d'un magasin*).

awoke [ə'wəʊk] *passé* → awake.

awoken [ə'wəʊkn] *pp* → awake.

awry [ə'raɪ] *adj* de travers. ❏ *adv* • **to go awry** aller de travers, mal tourner.

axe, ax (us) [æks] *n* hache *f* • **axe murderer** tueur *m* à la hache. ❏ *vt* 1. abandonner (*un projet*) 2. supprimer (*des emplois*).

axes ['æksiːz] *npl* → axis.

axis ['æksɪs] (*pl* axes ['æksiːz]) *n* axe *m*.

axle ['æksl] *n* essieu *m*.

aye [aɪ] *adv* oui. ❏ *n* 1. oui *m* 2. (*vote*) voix *f* pour.

AYP ['eɪ 'waɪ 'piː] (abrév de Adequate Yearly Progress) *n* (us) SCOL *mesure qui permet de déterminer si chaque école publique obtient les résultats escomptés aux tests mis en place par chaque État.*

azalea [ə'zeɪljə] *n* azalée *f*.

Azores [ə'zɔːz] *npl* • **the Azores** les Açores *fpl*.

B

b [biː] (*pl* **b's** *ou* **bs**), **B** (*pl* **B's** *ou* **Bs**) *n* b *m inv*, B *m inv*. ■ **B** *n* **1.** *MUS* si *m* **2.** *SCOL* B *m inv* **3.** *SMS* abrév de **be**.

B4 *SMS* abrév de **before**.

B4N *SMS* (abrév de **bye for now**) salut.

B&B *n* abrév de **bed and breakfast**.

BA *n* abrév de **Bachelor of Arts**.

babble ['bæbl] *n* murmure *m*, rumeur *f*. ❏ *vi* **1.** babiller **2.** gazouiller.

babe [beɪb] *n* **1.** *littéraire* bébé *m* **2.** *(us) fam* chéri *m*, -e *f* **3.** *(locution)* • **she's no babe in arms** elle n'est pas née de la dernière pluie.

baboon [bə'buːn] *n* babouin *m*.

baby ['beɪbɪ] *n* **1.** bébé *m* **2.** *fam* chéri *m*, -e *f*.

baby book *n* livre *m* de bébé.

baby boom *n* baby-boom *m*.

baby boomer [-ˌbuːmər] *n* *(us) personne née pendant le baby-boom d'après-guerre.*

baby buggy *n* **1.** *(UK)* • **Baby buggy®** poussette *f* **2.** *(us)* = **baby carriage**.

baby carriage *n* *(us)* landau *m*.

babyish ['beɪbɪɪʃ] *adj* puéril, enfantin.

baby-sit *vi* faire du baby-sitting.

baby-sitter *n* baby-sitter *mf*.

baby-sitting *n* garde *f* d'enfants, baby-sitting *m*.

baby sling *n* porte-bébé *m*, Kangourou® *m*.

baby-snatcher *n* ravisseur *m*, -euse *f* de bébés.

baby talk *n* langage *m* enfantin *ou* de bébé.

babywipe ['beɪbɪwaɪp] *n* lingette *f*.

baccalaureate [ˌbækə'lɔːrɪət] *n* *UNIV* ≃ licence *f*.

bachelor ['bætʃələr] *n* célibataire *m*.

bachelor flat *n* garçonnière *f*.

Bachelor of Arts *n* **1.** ≃ licence *f* de lettres **2.** ≃ licencié *m*, -e *f* en *ou* ès lettres.

Bachelor of Science *n* **1.** ≃ licence *f* de sciences **2.** ≃ licencié *m*, -e *f* en *ou* ès sciences.

bachelor party *n* *(us)* enterrement *m* de vie de garçon.

bachelor's degree *n* *(UK)* ≃ licence *f*.

back

■ **back** [bæk] *adv*

1. INDIQUE UN MOUVEMENT VERS L'ARRIÈRE
• **stand back!** reculez ! • **the company pushed back the offer until this week** la société a repoussé l'offre jusqu'à cette semaine

2. EXPRIME LE RETOUR DANS UN LIEU OU À UN ÉTAT ANTÉRIEUR
• **I'll be back at five** je rentrerai *ou* serai de retour à dix-sept heures • **he drove me back home** il m'a raccompagnée à la maison • **don't forget to put the book back on the shelf!** n'oublie pas de remettre le livre sur l'étagère ! • **to go back and forth** faire des allées et venues • **to go back to sleep** se rendormir • **to be back (in fashion)** revenir à la mode • **to think back (to)** se souvenir (de)

3. EXPRIME LA RESTITUTION
• **give it back to me** rends-le-moi • **I'd like my money back** je voudrais me faire rembourser

4. EXPRIME UNE ACTION EN RÉPONSE À UNE AUTRE
• **don't forget to call him back!** n'oublie pas de le rappeler ! • **if he hits you, hit him back** s'il te frappe, frappe-le !

■ **back** [bæk] *n*

1. PARTIE DU CORPS
• dos • **he's lying on his back** il est allongé sur le dos • **to have a back problem** avoir des problèmes de dos • **he did it behind my back!** *fig* il l'a fait derrière mon dos ! • **I can't do anything! he's always on my back!** *fig* je ne peux rien faire ! il est toujours sur mon dos !

2. AU DOS D'UN DOCUMENT
• **don't forget to write your name on the back of the envelope** n'oubliez pas d'écrire votre nom au dos de l'enveloppe

3. À L'ARRIÈRE, AU FOND
• **she sat at the back of the car** elle s'est assise à l'arrière de la voiture • **the sugar's**

at the back of the cupboard le sucre est au fond du placard

4. EXPRIME L'ORIGINE, LA CAUSE
• **the Parliament is at the back of all this** le Parlement est à l'origine de tout ceci

■ **back** [bæk] *adj*

1. ARRIÈRE, DE DERRIÈRE
• **the map is on the back seat** la carte est sur le siège arrière • **the back door is always closed** la porte de derrière est toujours fermée

2. EN RETARD, DÛ
• **he owes a back rent** il doit un arriéré de loyer

■ **back** [bæk] *vt*

1. EXPRIME UN MOUVEMENT VERS L'ARRIÈRE
• **she backed the car in the garage** elle a fait entrer la voiture en marche arrière dans le garage

2. EXPRIME UN SOUTIEN
• **he backed the government** il a soutenu le gouvernement

3. POUR PARIER
• **I'm backing Chelsea to win** je parie que le Chelsea va gagner

■ **back** [bæk] *vi*

INDIQUE UN MOUVEMENT VERS L'ARRIÈRE
• **she backed quickly out of the room** elle sortit rapidement de la pièce en reculant

■ **back away** *vi*
reculer

■ **back off** *vi*
reculer

■ **back onto** *vt*
• **the house backs onto the park** l'arrière de la maison donne sur le parc

backache ['bækeɪk] *n* • **to have backache** (UK), **to have a backache** (US) avoir mal aux reins *ou* au dos.

backbencher [,bæk'bentʃər] *n* (UK) député qui n'a aucune position officielle au gouvernement ni dans aucun parti.

backbiting ['bækbaɪtɪŋ] *n* médisance *f*.

backbone ['bækbəʊn] *n* **1.** épine *f* dorsale, colonne *f* vertébrale **2.** *fig* pivot *m*.

backbreaking ['bæk,breɪkɪŋ] *adj* éreintant.

back burner *n* • **to put sthg on the back burner** *fam* mettre qqch en veilleuse.

backchat (UK) ['bæktʃæt], **backtalk** (US) ['bæktɔːk] *n fam* insolence *f*.

backcloth ['bækklɒθ] (UK) = backdrop.

backcomb ['bækkəʊm] *vt* (UK) crêper.

back copy *n* vieux numéro *m* (d'un journal).

backdate [,bæk'deɪt] *vt* antidater.

back door *n* porte *f* de derrière.

backdoor draft *n* enrôlement forcé d'anciennes troupes ou de soldats ayant terminé leur engagement volontaire.

back down *vi* céder.

backdrop ['bækdrɒp] *n litt & fig* toile *f* de fond.

back end *n* **1.** (d'une voiture, d'un bus) arrière *m* **2.** (d'un train) queue *f* **3.** (UK) *fam* • **the back end of the year** l'arrière-saison.

backer ['bækər] *n* commanditaire *m*, bailleur *m* de fonds.

backfire [,bæk'faɪər] *vi* **1.** pétarader **2.** • **to backfire (on sb)** se retourner (contre qqn).

backflip ['bækflɪp] *n* culbute *f* à l'envers.

backgammon ['bæk,gæmən] *n* backgammon *m* ; ≈ jacquet *m*.

background ['bækgraʊnd] *n* **1.** arrière-plan *m* • **in the background a)** *litt* dans le fond, à l'arrière-plan **b)** *fig* au second plan **2.** contexte *m* **3.** (origines sociales) milieu *m* • **he comes from a modest background** il vient d'un milieu modeste.

backhand ['bækhænd] *n* revers *m*.

backhanded ['bækhændɪd] *adj* ambigu, équivoque.

backhander ['bækhændər] *n* (UK) *fam* pot-de-vin *m*.

backheel ['bækhiːl] *n* FOOTBALL talonnade *f*.

backing ['bækɪŋ] *n* **1.** soutien *m* **2.** (matériau) renforcement *m*.

backing group *n* (UK) musiciens qui accompagnent un chanteur.

back issue = back number.

backlash ['bæklæʃ] *n* contrecoup *m*, choc *m* en retour.

backless ['bæklɪs] *adj* décolleté dans le dos.

backlist ['bæklɪst] *n* liste *f* des ouvrages disponibles • **backlist titles** ouvrages *mpl* de fonds.

backlog ['bæklɒg] *n* • **backlog (of work)** travail *m* en retard.

back number *n* vieux numéro *m*.

back out *vi* se dédire.

backpack ['bækpæk] *n* sac *m* à dos.

backpacker ['bækpækər] *n* randonneur *m*, -euse *f* (avec sac à dos).

backpacking ['bækpækɪŋ] *n* • **to go backpacking** faire de la randonnée (avec sac à dos).

back pay *n* rappel *m* de salaire.

backpedal [,bæk'pedl] ((UK) prét & pp backpedalled, cont backpedalling, (US) prét & pp backpedaled, cont backpedaling) *vi fig* • **to backpedal (on)** faire marche *ou* machine arrière (sur).

backrest ['bækrest] *n* dossier *m*.

back seat n siège m ou banquette f arrière • **to take a back seat** fig jouer un rôle secondaire.

back-seat driver n personne qui n'arrête pas de donner des conseils au conducteur.

backside [,bæk'saɪd] n fam postérieur m, derrière m.

backslash ['bækslæʃ] n INFORM barre f oblique inversée.

backspace ['bækspeɪs] n touche f de retour en arrière. ❏ vi reculer d'un espace (sur un clavier).

backstage [,bæk'steɪdʒ] adv dans les coulisses.

back story n 1. antécédents mpl 2. historique m.

back street n petite rue f.

backstroke ['bækstrəʊk] n dos m crawlé • **to do the backstroke** nager le dos crawlé.

back-to-back adj litt & fig dos à dos. ❏ n • **back-to-backs** rangée de maisons construites dos à dos et séparées par un passage étroit, typique des régions industrielles du nord de l'Angleterre. ■ **back to back** adv 1. (se tenir) dos à dos 2. (se produire) l'un après l'autre.

backtrack ['bæktræk] = backpedal.

back up vt insép 1. soutenir • **I'll back you up** je te soutiendrai 2. reculer 3. sauvegarder, faire une copie de sauvegarde de • **he backed up his files** il a sauvegardé ses fichiers. ❏ vi reculer.

backup ['bækʌp] adj de secours, de remplacement. ❏ n 1. aide f, soutien m 2. INFORM (copie f de) sauvegarde f • **backup copy** copie f de sauvegarde 3. (US) embouteillage m.

backup copy n INFORM copie f de sauvegarde.

backward ['bækwəd] adj 1. en arrière 2. arriéré 3. arriéré, attardé. ❏ adv (us) = backwards.

backwards ['bækwədz], **backward** (US) ['bækwəd] adv 1. en arrière, à reculons • **to take a step backwards** faire un pas en arrière • **backwards and forwards** de va-et-vient, d'avant en arrière et d'arrière en avant • **to walk backwards and forwards** aller et venir 2. à l'envers, à l'inverse.

backwater ['bæk,wɔtər] n 1. coin m tranquille 2. péj coin m perdu.

backyard [,bæk'jɑːd] n 1. (UK) arrière-cour f 2. (us) jardin m de derrière.

bacn ['beɪkən] n alertes d'e-mail que l'on ne souhaite pas lire tout de suite.

bacon ['beɪkən] n bacon m.

bacteria [bæk'tɪərɪə] npl bactéries fpl.

bad [bæd] adj (comp **worse**, superl **worst**) 1. mauvais • **to be bad at sthg** être mauvais en qqch • **too bad!** dommage ! • **not bad** pas mal 2. malade • **smoking is bad for you** fumer est mauvais pour la santé • **I'm feeling bad** je ne suis pas dans mon assiette • **he's in a bad way a)** il va mal, il est en piteux état 3. • **a bad cold** un gros rhume 4. pourri, gâté • **to**

go bad se gâter, s'avarier 5. • **to feel bad about sthg** se sentir coupable de qqch 6. méchant. ❏ adv (us) = badly.

bad blood n ressentiment m, rancune f.

bad cheque (UK), **bad check** (US) n chèque m sans provision.

bad debt n créance f irrécouvrable ou douteuse.

baddie, baddy ['bædɪ] n (UK) fam méchant m.

bad feeling n (indén) rancœur f.

badge [bædʒ] n 1. badge m 2. écusson m. ■ **badge in** vi badger (en entrant). ■ **badge out** vi badger (en sortant).

badger ['bædʒər] n blaireau m. ❏ vt • **to badger sb (to do sthg)** harceler qqn (pour qu'il fasse qqch).

badly ['bædlɪ] (comp **worse**, superl **worst**) adv 1. mal • **badly made/organized** mal fait /organisé 2. (blessé) grièvement 3. gravement, sérieusement • **to be badly in need of sthg** avoir vraiment ou absolument besoin de qqch.

badly-off adj pauvre, dans le besoin.

bad-mannered [-'mænəd] adj 1. mal élevé 2. impoli.

badminton ['bædmɪntən] n badminton m • **to play badminton** jouer au badminton.

badmouth ['bædmaʊθ] vt médire de.

bad-tempered [-'tempəd] adj 1. qui a mauvais caractère 2. de mauvaise humeur.

baffle ['bæfl] vt déconcerter, dérouter.

baffling ['bæflɪŋ] adj déconcertant.

bag [bæg] n 1. sac m • **to pack one's bags** fig plier bagage 2. sac m à main. ❏ vt 1. (UK) fam obtenir • **I bagged that job** j'ai décroché ce poste 2. dénicher (une bonne affaire). ■ **bags** npl 1. poches fpl 2. (UK) fam • **bags of** plein ou beaucoup de.

bagboy ['bægbɔɪ] n (us) commis m (qui aide à l'emballage des achats).

bagel ['beɪgəl] n petit pain en couronne.

baggage ['bægɪdʒ] n (indén) bagages mpl.

baggage reclaim (UK), **baggage claim** (us) n retrait m des bagages.

baggy ['bægɪ] adj ample • **a baggy jumper** un pull-over très large.

bag lady n fam clocharde f.

bagpipes ['bægpaɪps] npl cornemuse f.

bag-snatcher [-snætʃər] n voleur m, -euse f à la tire.

Bahamas [bə'hɑːməz] npl • **the Bahamas** les Bahamas fpl.

bail [beɪl] n (indén) caution f • **on bail** sous caution. ❏ vi (us) fam se casser (partir) • **don't bail on us now!** ne nous laisse pas tomber maintenant ! ■ **bail out** vt sép 1. se porter garant de 2. fig tirer d'affaire. ❏ vi insép (us) sauter (en parachute).

bailiff ['beɪlɪf] n huissier m.

bailout ['beɪlaʊt] *n* plan de sauvetage.

bait [beɪt] *n* appât *m*. □ *vt* **1.** appâter **2.** tourmenter.

bake [beɪk] *vt* **1.** faire cuire au four *(un gâteau)* **2.** cuire *(des poteries, de l'argile)*. □ *vi* cuire au four.

baked [beɪkt] *adj* (US) *fam* défoncé *(drogué)*.

baked beans [beɪkt-] *npl* haricots *mpl* blancs à la sauce tomate.

baked potato [beɪkt-] *n* pomme *f* de terre en robe des champs *ou* de chambre.

baker ['beɪkə˞] *n* boulanger *m*, -ère *f* • **baker's (shop)** (UK) boulangerie *f*.

bakery ['beɪkərɪ] *n* boulangerie *f*.

baking ['beɪkɪŋ] *n* cuisson *f*.

baking powder *n* levure *f* (chimique).

baking tin *n* **1.** moule *m* à gâteau **2.** plat *m* à rôtir.

balaclava (helmet) [ˌbælə'klɑːvə-] *n* passe-montagne *m*.

balance ['bæləns] *n* **1.** équilibre *m* • **to keep/lose one's balance** garder/perdre l'équilibre • **off balance** déséquilibré • **to strike a balance between the practical and the idealistic** trouver un juste milieu entre la réalité et l'idéal **2.** *fig* contrepoids *m* **3.** *fig* poids *m*, force *f* **4.** *(pour peser)* balance *f* **5.** FIN solde *m*. □ *vt* **1.** maintenir en équilibre **2.** • **to balance sthg against sthg** mettre qqch et qqch en balance **3.** • **to balance a budget** équilibrer un budget • **to balance the books** clôturer les comptes, dresser le bilan. □ *vi* **1.** se tenir en équilibre **2.** *(comptes, budget)* s'équilibrer. ■ **on balance** *adv* tout bien considéré. ■ **balance out** *vi insép* • **the advantages and disadvantages balance out** les avantages contrebalancent *ou* compensent les inconvénients.

balanced ['bælənst] *adj* juste, impartial.

balanced diet [ˌbælənst-] *n* alimentation *f* équilibrée.

balance of payments *n* balance *f* des paiements.

balance of power *n* équilibre *m ou* balance *f* des forces.

balance of trade *n* balance *f* commerciale.

balance sheet *n* bilan *m*.

balcony ['bælkənɪ] *n* balcon *m*.

bald [bɔld] *adj* **1.** chauve • **to go bald** devenir chauve **2.** *(pneu)* lisse.

bald-headed *adj* chauve.

balding ['bɔːldɪŋ] *adj* qui devient chauve.

bald spot *n* • **to have a bald spot** avoir un début de calvitie.

bale [beɪl] *n* balle *f*. ■ **bale out** (UK) *vt sép* écoper, vider. □ *vi* sauter en parachute.

Balearic Islands [ˌbælɪ'ærɪk-], **Balearics** [ˌbælɪ'ærɪks] *npl* • **the Balearic Islands** les Baléares *fpl*.

baleful ['beɪlfʊl] *adj littéraire* sinistre.

balk [bɔk] *vi* • **to balk (at)** hésiter *ou* reculer (devant).

Balkan ['bɔːlkən] *adj* balkanique.

Balkans ['bɔːlkənz], **Balkan States** ['bɔːlkən-] *npl* • **the Balkans** les Balkans *mpl*, les États *mpl* balkaniques.

ball [bɔl] *n* **1.** boule *f* **2.** balle *f* **3.** ballon *m* • **to be on the ball** *fig* connaître son affaire, s'y connaître **4.** pelote *f* (du pied) **5.** bal *m*. ■ **balls** *vulg npl* couilles *fpl*. □ *n* (indén) conneries *fpl*.

ballad ['bæləd] *n* ballade *f*.

ballast ['bæləst] *n* lest *m*.

ball bearing *n* bille *f* de roulement • **ball bearings** roulement *m* à billes.

ball boy *n* ramasseur *m* de balles.

ballcock ['bɔːlkɒk] *n* (robinet à) flotteur *m*.

ballerina [ˌbælə'riːnə] *n* ballerine *f*.

ballet ['bæleɪ] *n* **1.** (indén) danse *f* **2.** ballet *m*.

ballet dancer *n* danseur *m*, -euse *f* de ballet.

ball game *n* **1.** (US) match *m* de base-ball **2.** *fam* • **it's a whole new ball game** c'est une autre paire de manches.

ball girl *n* ramasseuse *f* de balles.

ballistic [bə'lɪstɪk] *adj* balistique • **to go ballistic** *fam* péter les plombs.

ballistic missile *n* missile *m* balistique.

balloon [bə'luːn] *n* **1.** ballon *m* **2.** bulle *f* (de bande dessinée).

balloon loan *n* crédit-ballon *m*.

balloon payment *n* FIN dernier remboursement *m* (dont le montant est supérieur aux versements précédents).

ballot ['bælət] *n* **1.** bulletin *m* de vote **2.** scrutin *m*. □ *vt* appeler à voter.

ballot box *n* **1.** urne *f* **2.** scrutin *m*.

ballot paper *n* bulletin *m* de vote.

ballpark ['bɔːlpɑːk] *n* **1.** (US) stade *m* de base-ball **2.** *fam* ordre *m* de grandeur • **his guess was in the right ballpark** il avait plutôt bien deviné.

ballpark figure *n fam* chiffre *m* approximatif.

ballplayer ['bɔːlpleɪə˞] *n* (US) SPORT (baseball) joueur *m*, -euse *f* de baseball.

ballpoint ['bɔːlpɔɪnt] *adj* à bille • **ballpoint pen** stylo *m* (à) bille, Bic® *m*. □ *n* stylo *m* (à) bille, Bic® *m*.

ballroom ['bɔːlrʊm] *n* salle *f* de bal.

ballroom dancing *n* (indén) danse *f* de salon.

ballsiness [bɔːlzɪnɪs] *n* (US) *tfam* culot *m*.

balls-up (UK), **ball-up** (US) *n tfam* • **to make a balls-up of sthg** saloper qqch.

ballsy ['bɔːlzɪ] *adj* (US) *tfam* culotté.

balm [bɑːm] *n* baume *m*.

balmy ['bɑːmɪ] *adj* doux, douce *f*.

baloney [bə'ləʊnɪ] *n* (indén) *fam* foutaises *fpl*, bêtises *fpl*.

balsamic vinegar [bɔːlˈsæmɪk] n vinaigre m balsamique.

balsa(wood) [ˈbɒlsə(wʊd)] n balsa m.

balti [ˈbɒltɪ] n **1.** récipient métallique utilisé dans la cuisine indienne **2.** plat épicé préparé dans un « balti ».

Baltic [ˈbɒltɪk] adj de la Baltique. ❑ n ● **the Baltic (Sea)** la Baltique.

Baltic State n ● **the Baltic States** les pays mpl Baltes.

bamboo [bæmˈbuː] n bambou m.

bamboozle [bæmˈbuːzl] vt fam embobiner.

ban [bæn] n interdiction f ● **there is a ban on smoking** il est interdit de fumer. ❑ vt interdire ● **to ban sb from doing sthg** interdire à qqn de faire qqch.

banal [bəˈnɑːl] adj péj banal, ordinaire.

banana [bəˈnɑːnə] n banane f.

banana republic n république f bananière.

banana skin n **1.** litt peau f de banane **2.** fig gaffe ● **he slipped on a banana skin** fig il a fait une gaffe.

band [bænd] n **1.** MUS groupe m ; fanfare f ; orchestre m **2.** bande f **3.** rayure f **4.** tranche f. ■ **band together** vi s'unir.

bandage [ˈbændɪdʒ] n bandage m, bande f. ❑ vt mettre un bandage ou un bandage sur.

Band-Aid ® n pansement m adhésif.

bandan(n)a [bænˈdænə] n bandana m.

b and b, B and B n abrév de bed and breakfast.

bandit [ˈbændɪt] n bandit m.

bandleader [ˈbændˌliːdə] n **1.** chef m d'orchestre **2.** MIL chef m de fanfare.

bandstand [ˈbændstænd] n kiosque m à musique.

bandwagon [ˈbændwægən] n ● **to jump on the bandwagon** suivre le mouvement.

bandwidth [ˈbændwɪdθ] n **1.** RADIO largeur f de bande **2.** (en acoustique) bande f passante.

bandy [ˈbændɪ] adj **1.** qui a les jambes arquées **2.** ● **to have bandy legs** avoir les jambes arquées. ■ **bandy about, bandy around** vt sép répandre (une expression), faire circuler (une histoire).

bandy-legged [-ˌlegd] adj = **bandy**.

bane [beɪn] n ● **he's the bane of my life** il m'empoisonne la vie.

bang [bæŋ] adv ● **bang in the middle** en plein milieu ● **to be bang on time** être pile à l'heure. ❑ n **1.** coup m violent **2.** détonation f **3.** claquement m. ❑ vt **1.** frapper violemment **2.** claquer ● **to bang one's head/knee** se cogner la tête/le genou. ❑ vi **1.** ● **to bang on** frapper à **2.** (arme) détoner **3.** (porte) claquer **4.** ● **to bang into** se cogner contre. ❑ interj boum ! ■ **bangs** npl (US) frange f.

banger [ˈbæŋə] n (UK) **1.** fam saucisse f **2.** fam vieille guimbarde f **3.** pétard m.

Bangladesh [ˌbæŋɡləˈdeʃ] n Bangladesh m ● **in Bangladesh** au Bangladesh.

Bangladeshi [ˌbæŋɡləˈdeʃɪ] adj bangladais, bangladeshi. ❑ n Bangladais m, -e f, Bangladeshi mf.

bangle [ˈbæŋɡl] n bracelet m.

bang-on fam adv **1.** pile ● **to hit sthg bang-on** frapper qqch en plein dans le mille **2.** à l'heure. ❑ adj ● **his answers were bang-on** ses réponses étaient percutantes.

banish [ˈbænɪʃ] vt bannir.

banister [ˈbænɪstə] n rampe f.

banjo [ˈbændʒəʊ] (pl -s ou -es) n banjo m.

bank [bæŋk] n **1.** banque f **2.** rive f, bord f ● **the river has overflowed its banks** le fleuve est sorti de son lit **3.** talus m **4.** masse f (de nuages) **5.** nappe f (de brouillard). ❑ vt mettre ou déposer à la banque. ❑ vi **1.** ● **to bank with** avoir un compte à **2.** (avion) tourner. ■ **bank on** vt insép compter sur.

bankable [ˈbæŋkəbl] adj bancable, escomptable ● **to be bankable** fig être une valeur sûre.

bank account n compte m en banque.

bank balance n (UK) solde m bancaire.

bank card n = banker's card.

bank charges npl frais mpl bancaires.

bank clerk n employé m, -e f de banque.

bank details n relevé m d'identité bancaire, RIB m.

bank draft n traite f bancaire.

banker [ˈbæŋkə] n banquier m.

banker's card n (UK) carte f d'identité bancaire.

bank holiday n (UK) jour m férié.

banking [ˈbæŋkɪŋ] n ● **to be in banking** travailler dans la banque.

banking hours npl heures fpl d'ouverture des banques.

bank loan n emprunt m (bancaire).

bank manager n directeur m, -trice f de banque.

bank note n billet m de banque.

bank rate n taux m d'escompte.

bank robber n cambrioleur m, -euse f de banque.

bankroll [ˈbæŋkrəʊl] (US) fam n fonds mpl, finances fpl. ❑ vt financer.

bankrupt [ˈbæŋkrʌpt] adj failli ● **to go bankrupt** faire faillite.

bankruptcy [ˈbæŋkrəptsɪ] n faillite f.

bank statement n relevé m de compte.

banner [ˈbænə] n **1.** banderole f **2.** INFORM bandeau m.

banner ad n bannière f publicitaire.

banner campaign n campagne publicitaire sur Internet utilisant des bandeaux publicitaires.

bannister [ˈbænɪstə] n = **banister**.

banns [bænz] *npl* • **to publish the banns** publier les bans.

banoffee [bəˈnɒfiː] *n* (indén) banoffee *m*, caramel *m* banane.

banquet [ˈbæŋkwɪt] *n* banquet *m*.

banter [ˈbæntə] *n* (indén) plaisanterie *f*, badinage *m*.

bap [bæp] *n* (UK) petit pain (rond) *m*.

baptism [ˈbæptɪzm] *n* baptême *m*.

Baptist [ˈbæptɪst] *n* baptiste *mf*.

baptize, -ise (UK) [(UK) bæpˈtaɪz, (US) ˈbæptaɪz] *vt* baptiser.

bar [bɒ] *n* **1.** lingot *m* • **a bar of soap** une savonnette **2.** tablette *f* (de chocolat) **3.** barreau *m* • **to be behind bars** être derrière les barreaux *ou* sous les verrous **4.** *fig* obstacle *m* **5.** barre *f* • **to lower/raise the bar** placer la barre moins/plus haut • **to set the bar high** placer la barre haut **6.** bar *m* **7.** comptoir *m*, zinc *m* **8.** mesure *f*. ◻ *vt* **1.** barrer • **to bar sb's way** barrer la route *ou* le passage à qqn **2.** mettre des barreaux à **3.** interdire, défendre • **to bar sb (from)** interdire à qqn (de). ◻ *prép* sauf, excepté • **bar none** sans exception. ■ **Bar** *n* • **the Bar a)** (UK) le barreau **b)** (US) les avocats *mpl*.

barbarian [bɑːˈbeərɪən] *n* barbare *mf*.

barbaric [bɑːˈbærɪk] *adj* barbare.

barbecue [ˈbɑːbɪkjuː] *n* barbecue *m* • **to have a barbecue** faire un barbecue.

barbed [ˈbɑːbd] *adj* **1.** barbelé **2.** *fig* acerbe, acide.

barbed wire [bɑːbd-], **barbwire** (US) [ˈbɑːbwaɪə] *n* (indén) fil *m* de fer barbelé.

barber [ˈbɑːbə] *n* coiffeur *m* (pour hommes) • **barber's (shop)** (UK) salon *m* de coiffure (pour hommes).

barbie [ˈbɑːbɪ] *n* (AUSTRALIE) *fam* barbecue *m*.

barbiturate [bɑːˈbɪtjʊrət] *n* barbiturique *m*.

bar chart, bar graph *n* histogramme *m*.

bar code *n* code-barres *m*.

bare [beə] *adj* **1.** nu **2.** dénudé **3.** • **the bare facts** les simples faits • **the bare minimum** le strict minimum **4.** vide. ◻ *vt* découvrir • **to bare one's teeth** montrer les dents.

bareback [ˈbeəbæk] *adv* à cru, à nu.

barefaced [ˈbeəfeɪst] *adj* éhonté.

barefoot(ed) [ˌbeəˈfʊt(ɪd)] *adj* aux pieds nus • **to be barefoot** avoir les pieds nus. ◻ *adv* nu-pieds, pieds nus.

barelegged [ˌbeəˈlegd] *adj* aux jambes nues. ◻ *adv* les jambes nues.

barely [ˈbeəlɪ] *adv* à peine, tout juste • **I barely have enough time** j'ai à peine le temps.

bargain [ˈbɑːgɪn] *n* affaire *f*, occasion *f* • **it's a real bargain!** c'est une bonne affaire ! ◻ *vi* négocier • **to bargain with sb for sthg** négocier qqch avec qqn. ■ **bargain for, bargain on** *vt insép* compter sur, prévoir.

bargain basement *n* dans certains grands magasins, sous-sol où sont regroupés les articles en solde et autres bonnes affaires.

bargain-hunter *n* dénicheur *m*, -euse *f* de bonnes affaires.

bargaining [ˈbɑːgɪnɪŋ] *n* **1.** (indén) marchandage *m* **2.** négociations *fpl* **3.** • **to use sthg as a bargaining chip** utiliser qqch comme argument dans une négociation.

bargaining power *n* influence *f* sur les négociations.

bargain price *n* prix *m* exceptionnel.

barge [bɑːdʒ] *n* péniche *f*. ◻ *vi fam* • **to barge past sb** bousculer qqn. ■ **barge in** *vi fam* • **to barge in (on)** interrompre.

barge pole *n* (UK) • **I wouldn't touch it with a barge pole** *fam* je ne m'y frotterais pas.

barhop [ˈbɑːhɒp] *vi* (US) faire la tournée des bars • **we went barhopping** on a fait les bars, on a fait la tournée des bars.

barista [bəˈriːstə] *n* barman *m*, barmaid *f*.

baritone [ˈbærɪtəʊn] *n* baryton *m*.

barium meal [ˈbeərɪəm-] *n* (UK) baryte *f*.

bark [bɑːk] *n* **1.** aboiement *m* **2.** écorce *f*. ◻ *vi* • **to bark (at)** aboyer (après).

barking [ˈbɑːkɪŋ] *n* (indén) aboiement *m*. ◻ *adj* (UK) *fam* • **to be barking (mad)** être fou à lier.

barking head *n* (US) *fam* présentateur de radio ou de télévision au style agressif.

barley [ˈbɑːlɪ] *n* orge *f*.

barley sugar *n* (UK) sucre *m* d'orge.

barley water *n* (UK) orgeat *m*.

barmaid [ˈbɑːmeɪd] *n* (UK) barmaid *f*, serveuse *f* de bar.

barman [ˈbɑːmən] (*pl* -men) *n* (UK) barman *m*, serveur *m* de bar.

barmy [ˈbɑːmɪ] (*comp* barmier, *superl* barmiest) *adj* (UK) *fam* toqué, timbré.

barn [bɑːn] *n* grange *f*.

barnacle [ˈbɑːnəkl] *n* anatife *m*, bernache *f*.

barn dance *n* **1.** soirée *f* de danse campagnarde **2.** danse *f* campagnarde.

barn owl *n* chouette *f*.

barometer [bəˈrɒmɪtə] *n litt* & *fig* baromètre *m*.

baron [ˈbærən] *n* baron *m*.

baroness [ˈbærənɪs] *n* baronne *f*.

baroque [bəˈrɒk] *adj* baroque.

bar phone *n* téléphone *m* monobloc.

barrack [ˈbærək] *vt* (UK) huer, conspuer. ■ **barracks** *npl* caserne *f*.

barrage [ˈbærɑːʒ] *n* **1.** (UK) barrage *m* **2.** *fig* avalanche *f* (de coups, de lettres), déluge *m* (de protestations) **3.** MIL tir *m* de barrage.

barred [bɑːd] *adj* (fenêtre) à barreaux.

barrel [ˈbærəl] *n* **1.** tonneau *m*, fût *m* **2.** baril *m* **3.** canon *m* (d'une arme) **4.** (locution) • **to be a barrel of laughs** *fam* être marrant comme tout.

barren ['bærən] *adj* stérile.

barricade [,bærɪ'keɪd] *n* barricade *f*.

barrier ['bærɪəʳ] *n litt &fig* barrière *f*.

barring ['baːrɪŋ] *prép* sauf.

barrister ['bærɪstəʳ] *n* (UK) avocat *m*, -e *f*.

bar room ['baːrʊm] *n* (US) bar *m* • **bar room brawl** bagarre *f* de bar.

barrow ['bærəʊ] *n* brouette *f*.

bar snack *n* repas léger pris dans un pub.

bar staff *n* personnel *m* de bar.

bar stool *n* tabouret *m* de bar.

bartender ['baːtendəʳ] *n* (US) barman *m*.

barter ['baːtəʳ] *n* troc *m*. □ *vt* • **to barter sthg (for)** troquer *ou* échanger qqch (contre). □ *vi* faire du troc.

base [beɪs] *n* **1.** base *f* **2.** siège *m* • **the company's base** le siège de la société. □ *vt* baser • **to base sthg on** *ou* **upon** baser *ou* fonder qqch sur. □ *adj littéraire* indigne, ignoble.

baseball ['beɪsbɔl] *n* base-ball *m* • **to play base-ball** jouer au base-ball • **baseball game** match *m* de base-ball.

baseball

Le base-ball est l'un des sports les plus populaires aux États-Unis. Il y a neuf joueurs dans chacune des deux équipes. On joue avec une longue batte en bois (**bat**), une petite balle (**baseball**) et de larges gants en cuir. Le championnat de base-ball s'appelle the **World Series**. Ce sont les **New York Yankees** qui ont gagné ce championnat le plus grand nombre de fois. Parmi les autres équipes connues, on peut citer les **Boston Red Sox**, les **Cleveland Indians** et les **Detroit Tigers**.

baseball cap *n* casquette *f* de base-ball.

base camp *n* camp *m* de base.

base-jump *vi* pratiquer le base-jump.

base-jumper *n* adepte *mf* du base-jump.

base-jumping *n* base-jump *m* (*saut en parachute à partir d'une falaise, d'un pont, d'un immeuble, etc*).

Basel ['baːzl] *n* Bâle.

baseless ['beɪslɪs] *adj* sans fondement.

baseline ['beɪslaɪn] *n* **1.** (*au tennis*) ligne *f* de fond • **baseline player** joueur *m*, -euse *f* de fond de court. **2.** *slogan situé en bas d'une annonce*.

basement ['beɪsmənt] *n* sous-sol *m*.

base metal *n* vieilli métal *m* vil.

base rate *n* (UK) taux *m* de base.

bases ['beɪsiːz] *npl* → **basis**.

bash [bæʃ] *fam* *n* **1.** coup *m* **2.** (UK) • **to have a bash** tenter le coup. □ *vt* **1.** frapper, cogner **2.** percuter.

bashful ['bæʃfʊl] *adj* timide.

-bashing ['bæʃɪŋ] *suffixe fam* • **media-bashing** dénigration *f* systématique des médias.

basic ['beɪsɪk] *adj* **1.** fondamental **2.** de base • **a basic knowledge of French** des connaissances de base du français. ■ **basics** *npl* éléments *mpl*, bases *fpl* • **the basics** l'essentiel *m sing*.

BASIC ['beɪsɪk] (*abrév de Beginner's All-purpose Symbolic Instruction Code*) *n* basic *m*.

basically ['beɪsɪklɪ] *adv* **1.** au fond, fondamentalement **2.** en fait.

basic commodity *n* denrée *f* de base.

basic rate *n* (UK) taux *m* de base.

basic wage *n* salaire *m* de base.

basil ['bæzl] *n* basilic *m*.

basin ['beɪsn] *n* **1.** (UK) terrine *f*; cuvette *f* • **basin cut** coupe *f* au bol **2.** (UK) lavabo *m* **3.** GÉOGR bassin *m*.

basis ['beɪsɪs] (*pl* -ses) *n* base *f* • **on the basis of** sur la base de • **on a regular basis** de façon régulière • **to be paid on a monthly basis** toucher un salaire mensuel.

bask [baːsk] *vi* • **to bask in the sun** se chauffer au soleil.

basket ['baːskɪt] *n* **1.** corbeille *f* **2.** panier *m* • **a wastepaper basket** une corbeille à papier • **basket of gases** ÉCOL panier *m* de gaz à effet de serre.

basketball ['baːskɪtbɔl] *n* basket-ball *m*, basket *m* • **to play basketball** jouer au basket • **basket-ball game** match *m* de basket.

basket case *n* tfam • **to be a basket case a)** être un paquet de nerfs **b)** être bon, bonne *f* à enfermer.

basmati (rice) [,bæz'mætɪ(-)] *n* (riz) basmati *m*.

Basque [baːsk] *adj* basque. □ *n* **1.** (*personne*) Basque *mf* **2.** (*langue*) basque *m*.

bass [beɪs] *adj* bas, basse *f*. □ *n* **1.** basse *f* **2.** contrebasse *f*.

bass clef [beɪs-] *n* clef *f* de fa.

bass drum [beɪs-] *n* grosse caisse *f*.

basset (hound) ['bæsɪt-] *n* basset *m*.

bass guitar [beɪs-] *n* basse *f*.

bassoon [bə'suːn] *n* basson *m*.

bastard ['baːstəd] *n* **1.** bâtard *m*, -e *f*, enfant naturel *m*, enfant naturelle *f* **2.** tfam salaud *m*, saligaud *m*.

baste [beɪst] *vt* arroser.

bastion ['bæstɪən] *n* bastion *m*.

bat [bæt] *n* **1.** chauve-souris *f* **2.** batte *f* • **a baseball bat** une batte de base-ball **3.** (UK) raquette *f*.

batch [bætʃ] *n* **1.** tas *m*, liasse *f* **2.** série *f* **3.** lot *m* (*de produits*).

batch processing *n* INFORM traitement *m* par lots.

bated ['beɪtɪd] *adj* • **with bated breath** en retenant son souffle.

bath [bɑ:θ] n **1.** (UK) baignoire f **2.** bain m • **to have** (UK) ou **take a bath** prendre un bain. ❑ vt (UK) baigner, donner un bain à. ■ **baths** npl (UK) piscine f.

bathcap ['bæθkæp] n (US) bonnet m de bain.

bathe [beɪð] vt **1.** laver **2.** • **to be bathed in** ou **with** être baigné de. ❑ vi **1.** se baigner **2.** prendre un bain.

bather ['beɪðər] n baigneur m, -euse f.

bathing ['beɪðɪŋ] n (indén) baignade f.

bathing cap n bonnet m de bain.

bathing costume (UK), **bathing suit** n maillot m de bain.

bathing trunks npl slip m ou caleçon m de bain.

bath mat n tapis m de bain.

bath oil n huile f de bain.

bathrobe ['bɑ:rəʊb] n **1.** sortie f de bain **2.** peignoir m.

bathroom ['bɑ:rʊm] n **1.** salle f de bains • **bathroom suite** salle f de bains (mobilier) **2.** (US) toilettes fpl • **where's the bathroom?** où sont les toilettes ?

bath salts npl sels mpl de bain.

bathtime ['bɑ:θtaɪm] n l'heure f du bain.

bath towel n serviette f de bain.

bathtub ['bɑ:θtʌb] n baignoire f.

baton ['bætən] n **1.** baguette f (de chef d'orchestre) **2.** (dans une course) témoin m **3.** (UK) matraque f.

baton charge n (UK) charge f à la matraque.

batsman ['bætsmən] (pl -men) n batteur m.

battalion [bə'tæljən] n bataillon m.

batten ['bætn] n planche f, latte f. ■ **batten down** vt insép • **to batten down the hatches** fermer les écoutilles.

batter ['bætər] n (indén) CULIN pâte f. ❑ vt battre.

battered ['bætəd] adj **1.** battu **2.** cabossé **3.** CULIN en beignet.

battering ['bætərɪŋ] n • **to take a battering** fig être ébranlé.

battering ram n bélier m (pour enfoncer).

battery ['bætərɪ] n **1.** (pour radio, MP3) pile f **2.** (de voiture) batterie f.

battery charger n chargeur m.

battery farming n élevage m intensif ou en batterie.

battery hen n poulet m de batterie.

battery-reared ['rɪəd] adj (poulets) de batterie.

battle ['bætl] n **1.** bataille f **2.** • **battle (for/against/with)** lutte f (pour/contre/avec). ❑ vi • **to battle (for/against/with)** se battre (pour/contre/avec).

battlefield ['bætlfi:ld], **battleground** ['bætlgraʊnd] n champ m de bataille.

battlements ['bætlmənts] npl remparts mpl.

battle-scarred adj **1.** (armée, paysage) marqué par les combats **2.** (personne) marqué par la vie **3.** hum (voiture, table) abîmé.

battleship ['bætlʃɪp] n cuirassé m.

batty ['bætɪ] (comp battier, superl battiest) adj **1.** fam cinglé, dingue **2.** bizarre.

bauble ['bɔbl] n babiole f, colifichet m.

baud [bɔ:d] n INFORM baud m.

baud rate n INFORM vitesse f de transmission.

baulk [bɔk] = **balk**.

Bavaria [bə'veərɪə] n Bavière f • **in Bavaria** en Bavière.

Bavarian [bə'veərɪən] adj bavarois. ❑ n Bavarois m, -e f.

bawdy ['bɔdɪ] adj grivois, salé.

bawl [bɔl] vt & vi brailler.

bay [beɪ] n **1.** GÉOGR baie f **2.** aire f (de chargement) **3.** place f (de stationnement) **4.** (locution) • **to keep sb/sthg at bay** tenir qqn/qqch à distance, tenir qqn/qqch en échec.

bay leaf n feuille f de laurier.

bayonet ['beɪənɪt] n baïonnette f.

bay tree n laurier m.

bay window n fenêtre f en saillie.

bazaar [bə'zɑ:r] n **1.** bazar m **2.** vente f de charité.

bazooka [bə'zu:kə] n bazooka m.

BBC (abrév de British Broadcasting Corporation) n office national britannique de radiodiffusion • **the BBC** la BBC.

BBC

La **BBC** regroupe neuf chaînes de télévision publiques et dix stations de radio nationales au Royaume-Uni. Les présentateurs de la BBC ont longtemps adopté une prononciation standardisée (surnommée le **BBC English**) fondée sur la clarté de l'énonciation et un accent du sud. Aujourd'hui en revanche, on entend sur la BBC une grande variété d'accents régionaux.

BBFN SMS (abrév de bye bye for now) salut.

BBL SMS (abrév de be back later) je reviens.

BBQ n abrév de **barbecue**.

BBS SMS (abrév de be back soon) je reviens tout de suite.

BC (abrév de Before Christ) av. J.-C.

Bcc (abrév de blind carbon copy) n Cci m.

BCNU SMS (abrév de be seeing you) @+.

be

■ **be** [bi:] v aux (prét was ou were, pp been)

1. COMBINÉ AVEC LE PARTICIPE PRÉSENT, POUR COMPOSER LA FORME PROGRESSIVE
• **what is he doing?** qu'est-ce qu'il fait ?

• **it was snowing** il neigeait • **they've been promising reform for years** ça fait des années qu'ils nous promettent des réformes

2. COMBINÉ AVEC LE PARTICIPE PRÉSENT, POUR FORMER LE FUTUR
• **I'm going to London next week** la semaine prochaine, je vais à Londres • **I'll be coming back next Friday** je serai de retour vendredi prochain • **Paul's leaving tomorrow morning** Paul part demain matin

3. COMBINÉ AVEC LE PARTICIPE PASSÉ, POUR FORMER LE PASSIF
être• **to be loved** être aimé

4. DANS LES « TAGS »
• **the meal was delicious, wasn't it?** le repas était délicieux, non ? ou vous n'avez pas trouvé ? • **were you late? — no, I wasn't** tu étais en retard ? — non

5. SUIVI DE « TO » + INFINITIF
• **I'm to be promoted** je vais avoir de l'avancement • **you're not to tell anyone** ne le dis à personne • **there was no one to be seen** il n'y avait personne

■ **be** [biː] v

1. POUR DÉCRIRE UNE CARACTÉRISTIQUE
• **to be a doctor** être médecin • **she's attractive** elle est jolie • **she's Italian** elle est italienne • **where are you from?** tu viens/vous venez d'où ? • **it's over there** c'est là-bas • **Toulouse is in France** Toulouse se trouve ou est en France

2. POUR DÉCRIRE UN ÉTAT
• **she's hungry/thirsty** elle a faim/soif • **I'm hot/cold** j'ai chaud/froid • **how are you?** comment allez-vous ?

3. PRÉCÉDÉ DE « THERE »
• **is there a café nearby?** il y a un café dans le coin ?

4. POUR INDIQUER L'ÂGE
avoir • **how old are you?** quel âge avez-vous ? • **I'm 20 (years old)** j'ai 20 ans

5. POUR INDIQUER LE PRIX
coûter, faire • **how much was it?** combien cela a-t-il coûté ? • **that will be £10, please** cela fait 10 livres, s'il vous plaît

6. POUR INDIQUER L'HEURE
être • **it's two o'clock** il est deux heures

7. POUR PARLER DU TEMPS
• **it's hot/cold** il fait chaud/froid • **it's windy** il y a du vent

8. AVEC « IT », POUR IDENTIFIER QQN OU QQCH
• **it's me/Paul** c'est moi/Paul

9. « TO HAVE BEEN TO »
• **I've been to the cinema** j'ai été ou je suis allé au cinéma

10. POUR INDIQUER LA MESURE, LA DISTANCE
• **how tall is he?** combien mesure-t-il ? • **the table is one metre long** la table fait un mètre de long • **it's 3 km to the next town** la ville voisine est à 3 km

11. POUR DONNER UN ORDRE
• **be quiet!** silence ! • **be careful!** fais/faites attention !

12. LOCUTION
• **be that as it may** quoi qu'il en soit • **been there, done that (, got the t-shirt)** fam je connais (déjà) • **it is what it is** fam c'est comme ça • **there you are** ah, te/vous voilà, tiens/tenez

be

À PROPOS DE

Présent : *I am, you are, he/she/it is, we are, you are, they are*. Prétérit : *I was, you were, he/she/it was, we were, you were, they were*. Participe présent : *being*. Participe passé : *been*.

Be est un verbe à part entière, doté de sens propres, et qui peut donc apparaître seul. Il remplit en outre la fonction d'auxiliaire, notamment dans la formation des temps progressifs *(why are you staring at me?)* et des constructions passives *(my suit is being mended)*.

Notez bien que *be* s'utilise souvent pour traduire *avoir* ou *faire*, par exemple lorsque l'on décrit des sensations ou des attitudes *(I'm cold* = j'ai froid ; *are you hungry?* = as-tu faim ? ; *she's right* = elle a raison)*, ou pour parler du temps qu'il fait *(it's sunny* = il fait beau).

Be to sert à exprimer l'idée d'un projet ou d'une tâche prévus par une personne autre que le sujet de la phrase *(we're to meet at 10 o'clock)*. Son équivalent au prétérit, *was to/were to*, peut exprimer l'idée de quelque chose qui devait fatalement se produire *(he was to become president at the age of 39)*.

Voir aussi *go*.

beach [biːtʃ] n plage f• **to go to the beach** aller à la plage.❑ vt échouer.

beach ball n ballon m de plage.

beach buggy n buggy m.

beach bunny n (us) fam petite pépée f (qui passe son temps à la plage).

beachwear [ˈbiːtʃweər] n (indén) tenue f de plage.

beacon [ˈbiːkən] n **1.** feu m, fanal m **2.** phare m **3.** radiophare m.

beacon school n école f modèle.

bead [biːd] n **1.** perle f• **bead necklace** collier m de perles (en verre, en bois, etc) **2.** goutte f (de sueur).

beaded ['biːdɪd] *adj* orné de perles.

beading ['biːdɪŋ] *n (indén)* baguette *f* de recouvrement.

beady ['biːdɪ] *(comp* beadier, *superl* beadiest) *adj* • **beady eyes** petits yeux perçants.

beady-eyed *adj* aux yeux perçants.

beagle ['biːgl] *n* beagle *m*.

beak [biːk] *n* bec *m*.

beaker ['biːkər] *n* gobelet *m*.

be-all *n* • **the be-all and end-all** la seule chose qui compte.

beam [biːm] *n* **1.** poutre *f* • **wooden beams** des poutres en bois **2.** rayon *m (de lumière).* ❑ *vt* transmettre. ❑ *vi* faire un sourire radieux.

beaming ['biːmɪŋ] *adj* **1.** radieux **2.** rayonnant.

bean [biːn] *n* **1.** haricot *m* **2.** grain *m* • **to spill the beans** *fam* manger le morceau.

beanbag ['biːnbæg] *n* sacco *m*.

bean-counter *n fam* gratte-papier *m*.

beanshoot ['biːnʃuːt], **beansprout** ['biːnspraʊt] *n* germe *m ou* pousse *f* de soja.

bear [beər] *n* **1.** ours *m* • **a polar bear** un ours polaire **2.** (US) *fam (problème)* • **it's a real bear** c'est pénible. ❑ *vt (prét* bore, *pp* borne) **1.** porter **2.** supporter • **I can't bear him** je ne le supporte pas **3.** • **to bear sb a grudge** garder rancune à qqn. ❑ *vi (prét* bore, *pp* borne) • **to bear left/right** se diriger vers la gauche/la droite • **to bring pressure/influence to bear on sb** exercer une pression/une influence sur qqn. ■ **bear out** *vt sép* confirmer, corroborer. ■ **bear up** *vi* tenir le coup. ■ **bear with** *vt insép* être patient avec. ■ **bear down** *vi* • **to bear down on sb/sthg** s'approcher de qqn/qqch de façon menaçante.

bearbaiting ['beəˌbeɪtɪŋ] *n* combat *m* d'ours et de chiens.

beard [bɪəd] *n* barbe *f*.

bearded ['bɪədɪd] *adj* barbu • **bearded liberal** libéral *m* bien-pensant.

beard trimmer *n* tondeuse *f* à barbe.

bearer ['beərər] *n* **1.** porteur *m*, -euse *f* **2.** titulaire *mf*.

bear hug *n fam* • **to give sb a bear hug** serrer qqn très fort.

bearing ['beərɪŋ] *n* **1.** • **bearing (on)** rapport *m* (avec) **2.** allure *f*, maintien *m* **3.** TECHNOL palier *m* **4.** position *f (d'un bateau)* • **to get one's bearings** s'orienter, se repérer.

bear market *n* FIN marché *m* à la baisse.

bearskin ['beəskɪn] *n* **1.** peau *f* d'ours **2.** bonnet *m* à poil.

beast [biːst] *n* **1.** bête *f* **2.** *fam & péj* brute *f*.

beastly ['biːstlɪ] *adj* **1.** (UK) *vieilli* malveillant, cruel **2.** *(météo)* épouvantable.

beat [biːt] *n* **1.** battement *m* **2.** MUS mesure *f*, temps *m* **3.** ronde *f (de police).* ❑ *vt (prét* beat, *pp* beaten) **1.** battre **2.** être bien mieux que, valoir mieux que **3.** *(locution)* • **beat it!** *fam* décampe !, fiche le camp ! ❑ *vi (prét* beat, *pp* beaten) battre. ■ **beat down** *vi* **1.** *(soleil)* taper, cogner **2.** *(pluie)* s'abattre. ❑ *vt sép* faire baisser son prix à. ■ **beat off** *vt sép* repousser. ■ **beat up** *vt sép fam* **1.** tabasser **2.** culpabiliser • **to beat o.s. up (about sthg)** culpabiliser (à propos de qqch).

beat-em-up ['biːtəmʌp] *n fam* jeu *m* vidéo violent.

beaten ['biːtn] *adj* battu.

beaten-up *adj* cabossé.

beating ['biːtɪŋ] *n* **1.** raclée *f*, rossée *f* **2.** défaite *f*.

beatnik ['biːtnɪk] *n* beatnik *mf (hippie).*

beautician [bjuːˈtɪʃn] *n* esthéticien *m*, -enne *f*.

beautiful ['bjuːtɪfʊl] *adj* **1.** *(fille, yeux)* beau, belle *f* **2.** *fam* joli.

beautifully ['bjuːtəflɪ] *adv* **1.** élégamment **2.** avec goût **3.** *fam* parfaitement, à la perfection.

beautify ['bjuːtɪfaɪ] *(prét & pp* beautified) *vt* embellir, orner • **to beautify o.s.** se faire une beauté.

beauty ['bjuːtɪ] *n* beauté *f*.

beauty contest *n* concours *m* de beauté.

beauty mask *n* masque *m* de beauté.

beauty parlour (UK), **beauty parlor** (US) *n* institut *m* de beauté.

beauty queen *n* reine *f* de beauté.

beauty salon = beauty parlour.

beauty sleep *n* • **I need my beauty sleep** *hum* j'ai besoin de mon compte de sommeil pour être frais le matin.

beauty spot *n* **1.** site *m* pittoresque **2.** grain *m* de beauté.

beaver ['biːvər] *n* castor *m*. ■ **beaver away** *vi* travailler d'arrache-pied.

became [bɪˈkeɪm] *passé* → become.

because [bɪˈkɒz] *conj* parce que. ■ **because of** *prép* à cause de.

béchamel sauce [ˌbeɪʃəˈmel-] *n* sauce *f* Béchamel, béchamel *f*.

beck [bek] *n* • **to be at sb's beck and call** être aux ordres *ou* à la disposition de qqn.

beckon ['bekən] *vt* faire signe à. ❑ *vi* • **to beckon to sb** faire signe à qqn.

become [bɪˈkʌm] *(prét* became, *pp* become) *vi* devenir • **to become famous** devenir célèbre • **what has become of them?** que sont-ils devenus ? • **to become quieter** se calmer • **to become irritated** s'énerver.

becoming [bɪˈkʌmɪŋ] *adj* **1.** seyant, qui va bien **2.** convenable.

bed [bed] *n* **1.** lit *m* • **to be in bed** être au lit • **to go to bed** se coucher • **to go to bed with sb** *euphém* coucher avec qqn **2.** parterre *m (de fleurs)* **3.** lit *m (d'une rivière),* fond *m (de la mer).*

BEd [,biː'ed] (abrév de Bachelor of Education) n (UK) **1.** ≃ licence f de sciences de l'éducation **2.** ≃ licencié m, -e f en sciences de l'éducation.

bed and breakfast n ≃ chambre f d'hôte.

bed & breakfast

On trouve des **B & Bs**, également appelés **guest houses**, dans toutes les villes et les régions touristiques. Ce sont des résidences privées dont une ou plusieurs chambres sont réservées aux hôtes payants. Le prix de la chambre inclut le petit déjeuner, c'est-à-dire souvent un **English breakfast**, composé de saucisses, d'œufs, de bacon et de toasts, accompagnés de thé ou de café.

bed-bath n (UK) toilette f d'un malade.

bedclothes ['bedkləʊðz] npl draps mpl et couvertures fpl.

bedcover ['bed,kʌvə'] n couvre-lit m, dessus-de-lit m inv.

bedding ['bedɪŋ] n (indén) = bedclothes.

bedding plant n plant m à repiquer.

bedlam ['bedləm] n pagaille f.

bed linen n (indén) draps mpl et taies fpl.

bedmate ['bedmeɪt] n • **bedmates of snorers** les personnes qui dorment avec quelqu'un qui ronfle • **old computers and new software make terrible bedmates** les vieux ordinateurs et les nouveaux logiciels ne font pas bon ménage.

bedpan ['bedpæn] n bassin m (hygiénique).

bedplate ['bedpleɪt] n TECHNOL semelle f.

bedraggled [bɪ'drægld] adj **1.** débraillé **2.** (cheveux) ébouriffé.

bedridden ['bed,rɪdn] adj grabataire.

bedrock ['bedrɒk] n (indén) **1.** GÉOL soubassement m **2.** fig base f, fondement m.

bedroom ['bedrum] n chambre f (à coucher).

-bedroomed [,bedrumd] suffixe • **a two-bed-roomed flat** un trois-pièces.

bedside ['bedsaɪd] n chevet m.

bedside manner n comportement m envers les malades.

bedsit ['bed,sɪt], **bedsitter** ['bedsɪtə'], **bedsitting room** ['bed'sɪtɪŋ-] n (UK) chambre f meublée.

bedsore ['bedsɔ:'] n escarre f.

bedspread ['bedspred] n couvre-lit m, dessus-de-lit m inv.

bedtime ['bedtaɪm] n heure f du coucher.

bed-wetting [,wetɪŋ] n énurésie f, incontinence f nocturne.

bee [biː] n abeille f • **bee sting** piqûre f d'abeille.

bee-eater n guêpier m.

beef [biːf] n **1.** (viande) bœuf m • **joint of beef** rôti m (de bœuf), rosbif m **2.** ((UK) pl beeves [biːvz]) (animal) bœuf m **3.** fam grief m • **what's your beef?** tu as un problème ? • **to have a beef with sb/sthg** avoir des ennuis avec qqn/qqch. ❏ en apposition de bœuf • **beef cattle** bœufs mpl de boucherie. ❏ vi fam râler • **to beef about sthg** râler contre qqch. ■ **beef up** vt sép **1.** fam MIL renforcer **2.** (texte) étoffer.

beefburger ['biːf,bɜːgə'] n (UK) hamburger m.

beehive ['biːhaɪv] n **1.** ruche f • **the Beehive State** l'Utah m **2.** coiffure très haute maintenue avec de la laque.

beeline ['biːlaɪn] n • **to make a beeline for** fam aller tout droit ou directement vers.

been [biːn] pp → be.

beep [biːp] fam n **1.** bip m **2.** bip sonore. ❏ vi faire bip.

beeper n = bleeper.

beer [bɪə'] n bière f.

beer garden n (surtout UK) jardin attenant à un pub ; ≃ terrasse f.

beeswax ['biːzwæks] n cire f d'abeille.

beet [biːt] n (US) betterave f.

beetle ['biːtl] n scarabée m.

beetroot ['biːtruːt] n (UK) betterave f.

befall [bɪ'fɔːl] (prét befell [-'fel], pp befallen [-'fɔːlən]) littéraire vt advenir à. ❏ vi arriver, survenir.

befit [bɪ'fɪt] (prét & pp befitted, cont befitting) vt seoir à.

before [bɪ'fɔː'] adv auparavant, avant • **I've never been there before** je n'y suis jamais allé • **I've seen it before** je l'ai déjà vu. ❏ prép **1.** avant **2.** devant. ❏ conj avant de (+ infinitif), avant que (+ subjonctif) • **before leaving** avant de partir • **before you leave** avant que vous ne partiez.

beforehand [bɪ'fɔːhænd] adv à l'avance.

befriend [bɪ'frend] vt prendre en amitié.

befuddled [bɪ'fʌdld] adj (idée) embrouillé.

beg [beg] vt **1.** mendier **2.** solliciter, quémander • **that begs the question of whether...** cela pose la question de savoir si... **3.** demander (pardon) • **to beg sb to do sthg** prier ou supplier qqn de faire qqch **4.** (locution) • **to beg, borrow or steal** se procurer par tous les moyens. ❏ vi supplier • **to beg for forgiveness** demander pardon.

began [bɪ'gæn] passé → begin.

beggar ['begə'] n mendiant m, -e f.

begging bowl ['begɪŋ-] n sébile f (de mendiant).

begin [bɪ'gɪn] (prét began, pp begun) vt commencer. ❏ vi commencer • **when does the film begin?** à quelle heure commence le film ?

beginner [bɪ'gɪnə'] n débutant m, -e f.

beginning [bɪ'gɪnɪŋ] n début m, commencement m • **at the beginning** au début.

begonia [bɪ'gəʊnjə] n bégonia m.

begrudge [bɪ'grʌdʒ] vt1.• to begrudge sb sthg envier qqch à qqn2.• to begrudge doing sthg rechigner à faire qqch.

beguiling [bɪ'gaɪlɪŋ] adj séduisant.

begun [bɪ'gʌn] pp→ begin .

behalf [bɪ'hɑːf] n• on behalf of(UK) ou in behalf of(US) de la part de, au nom de.

behave [bɪ'heɪv] vt • to behave o.s. bien se conduire ou se comporter. ❏ vi1. se conduire, se comporter2. se tenir bien, fam bien se conduire3. fonctionner, marcher.

behaviour (UK) ,**behavior** (US) [bɪ'heɪvjəʳ] n conduite f, comportement m.

behead [bɪ'hed] vt décapiter.

beheld [bɪ'held] passé & pp→ behold .

behind [bɪ'haɪnd] prép1. derrière2. en retard sur.❏ adv1. derrière2. en retard• to leave sthg behind oublier qqch • to stay behind rester• to be behind with sthg être en retard dans qqch.❏ nfam derrière m, postérieur m.

behind-the-scenes adj secret • a behind-the-scenes look at politics un aperçu des coulisses de la politique.

behold [bɪ'həʊld] (prét & ppbeheld) vtlittéraire voir, regarder.

beige [beɪʒ] adj beige.❏ n beige m.

Beijing [,beɪ'dʒɪŋ] n Beijing, Pékin.

being ['biːɪŋ] n1. être m (créature)• human beings êtres humains2.• in being existant • to come into being voir le jour, prendre naissance.

Beirut [,beɪ'ruːt] n Beyrouth.

belated [bɪ'leɪtɪd] adj tardif.

belatedly [bɪ'leɪtɪdlɪ] adv tardivement.

belch [beltʃ] n renvoi m, rot m.❏ vt vomir, cracher.❏ vi éructer, roter.

beleaguered [bɪ'liːgəd] adj1. litt assiégé2. fig harcelé, tracassé.

Belgian ['beldʒən] adj belge.❏ n Belge mf.

Belgium ['beldʒəm] n Belgique f• in Belgium en Belgique.

Belgrade [,bel'greɪd] n Belgrade.

belie [bɪ'laɪ] (cont belying) vt1. démentir 2. donner une fausse idée de.

belief [bɪ'liːf] n1.• belief (in) croyance f (en) 2. opinion f, conviction f.

believable [bɪ'liːvəbl] adj croyable.

believe [bɪ'liːv] vt croire • it has to be seen to be believed il faut le voir pour le croire • believe it or not tu ne me croiras peut-être pas• you'd better believe itfam bien sûr que oui.❏ vi croire• to believe in sb croire en qqn.

believer [bɪ'liːvəʳ] n1. RELIG croyant m, -e f 2.• believer in partisan m, -e f de.

belittle [bɪ'lɪtl] vt dénigrer, rabaisser.

Belize [be'liːz] n Belize m• in Belize au Belize.

bell [bel] n1. cloche f2. clochette f3. sonnette f• to ring the bell sonner à la porte4. (sur un vélo) timbre m.

bell-bottoms npl pantalon m à pattes d'éléphant.

bellhop ['belhɒp] n(US) groom m, chasseur m.

belligerence [bɪ'lɪdʒərəns] n belligérance f.

belligerent [bɪ'lɪdʒərənt] adj1. belligérant 2. belliqueux.

bellow ['beləʊ] vi1. (personne) brailler, beugler 2. (taureau) beugler.

bellows ['beləʊz] npl soufflet m.

bell-ringer n carillonneur m, -euse f.

bell work ['bel ,wɜːk] n(US) SCOL travail m affiché au tableau que les élèves doivent effectuer dès leur entrée en classe.

belly ['belɪ] n1. ventre m2. (animal) panse f.

bellyache ['belɪeɪk] n mal m de ventre.

bellyaching ['belɪeɪkɪŋ] n (indén)fam ronchonnements mpl, rouspétances fpl.

belly button nfam nombril m.

belly dancer n danseuse f du ventre, danseuse f orientale.

belly flop n• to do a belly flop faire un plat.

bellyful ['belɪful] n1. fam ventre m plein2. (UK) fig • I've had a bellyful of your complaints j'en ai ras le bol de tes rouspétances.

belly laugh nfam gros rire m.

belly-up advfam • to go belly-up a) (projet) tomber à l'eau b) (société) mettre la clef sous la porte, faire faillite.

belong [bɪ'lɒŋ] vi1.• to belong to sb appartenirou être à qqn2.• to belong to sthg être membre de qqch3. être à sa place• that chair belongs here ce fauteuil va là.

belongings [bɪ'lɒŋɪŋz] npl affaires fpl• my personal belongings mes affaires personnelles.

Belorussia [,beləʊ'rʌʃə] n Biélorussie f• in Belorussia en Biélorussie.

beloved [bɪ'lʌvd] adj bien-aimé.

below [bɪ'ləʊ] adv1. en dessous, en bas2. ci-dessous3. en bas.❏ prép sous, au-dessous de• to be below sb in rank occuper un rang inférieur à qqn.

below-average adj en dessous de la moyenne.

below-the-line accounts n comptes mpl de résultats exceptionnels.

belt [belt] n1. ceinture f2. TECHNOL courroie f. ❏ vtfam flanquer une raclée à.

beltway ['belt,weɪ] n(US) route f périphérique.

bemused [bɪ'mjuːzd] adj perplexe.

bench [bentʃ] n1. banc m• to be on the bench (football) être sur le banc de touche2. banquette f3. établi m.

benchmark ['bentʃ,mɑːk] n1. litt repère m 2. (en topographie) repère m de nivellement

3. *fig* point *m* de référence • **benchmark test** INFORM test *m* d'évaluation (de programme) **4.** UNIV description détaillée du niveau attendu des étudiants à un stade donné.

benchmarking ['bentʃmɑːkɪŋ] *n* benchmarking *m*, étalonnage *m* concurrentiel.

benchwarmer ['bentʃwɔːməʳ] *n* (US) *fam* (en sport) joueur qui se trouve souvent sur le banc des remplaçants.

bend [bend] *n* **1.** courbe *f*, virage *m* **2.** coude *m* (d'une rivière) **3.** (locution) • **round** (UK) *ou* **around** (US) **the bend** *fam* dingue, fou, folle *f*. □ *vt* (prét & pp **bent**) **1.** plier **2.** tordre, courber. □ *vi* (prét & pp **bent**) **1.** se baisser, se courber **2.** plier. ■ **bend down** *vi* se baisser, se pencher • **he bent down to pick up his book** il s'est baissé pour ramasser son livre. ■ **bend over** *vi* **1.** se pencher • **she bent over to have a closer look** elle s'est penchée pour mieux voir **2.** (locution) • **to bend over backwards for sb** se mettre en quatre pour qqn.

bender ['bendəʳ] *n fam* beuverie *f* • **to go on a bender** faire la noce.

beneath [bɪ'niːθ] *adv* dessous, en bas. □ *prép* **1.** sous **2.** • **she thinks the work is beneath her** elle estime que le travail est indigne d'elle.

benefactor ['benɪfæktəʳ] *n* bienfaiteur *m*.

beneficial [ˌbenɪ'fɪʃl] *adj* • **beneficial (to sb)** salutaire (à qqn) • **beneficial (to sthg)** utile (à qqch).

beneficiary [ˌbenɪ'fɪʃərɪ] *n* bénéficiaire *mf*.

benefit ['benɪfɪt] *n* **1.** avantage *m* • **for the benefit of** dans l'intérêt de • **to be to sb's benefit, to be of benefit to sb** être dans l'intérêt de qqn • **to have the benefit of sthg** bénéficier de qqch **2.** (administration) allocation *f*, prestation *f*. □ *vt* profiter à. □ *vi* • **to benefit from** tirer avantage de, profiter de.

benefits agency *n* caisse *f* des allocations sociales.

Benelux ['benɪlʌks] *n* Bénélux *m*.

benevolent [bɪ'nevələnt] *adj* bienveillant.

BEng [ˌbiː'endʒ] (abrév de Bachelor of Engineering) *n* (UK) **1.** ≃ licence *f* de mécanique **2.** ≃ licencié en mécanique.

benign [bɪ'naɪn] *adj* **1.** gentil, bienveillant **2.** MÉD bénin.

bent [bent] *passé & pp* → **bend**. □ *adj* **1.** tordu **2.** courbé, voûté **3.** (UK) *fam* véreux **4.** • **to be bent on doing sthg** vouloir absolument faire qqch. □ *n* • **bent (for)** penchant *m* (pour).

bento ['bentəʊ] *n* (indén) bento *m*.

bento box *n* boîte *f* à bento.

bequeath [bɪ'kwiːð] *vt litt & fig* léguer.

bequest [bɪ'kwest] *n* legs *m*.

berate [bɪ'reɪt] *vt* réprimander.

bereaved [bɪ'riːvd] *adj* endeuillé, affligé. □ *n* (pl inv) • **the bereaved** la famille du défunt.

bereavement [bɪ'riːvmənt] *n* deuil *m*.

bereft [bɪ'reft] *adj littéraire* • **bereft of** privé de.

beret ['bereɪ] *n* béret *m*.

berk [bɜːk] *n* (UK) *fam* idiot *m*, -e *f*, andouille *f*.

Berlin [bɜː'lɪn] *n* Berlin.

berm [bɜːm] *n* (US) bas-côté *m*.

Bermuda [bə'mjuːdə] *n* Bermudes *fpl*.

Bermuda shorts *npl* bermuda *m*.

Bern [bɜːn] *n* Berne.

berry ['berɪ] *n* baie *f*.

berserk [bə'zɜːk] *adj* • **to go berserk** devenir fou furieux, folle furieuse *f*.

berth [bɜːθ] *n* **1.** poste *m* d'amarrage, mouillage *m* **2.** couchette *f*. □ *vi* accoster, se ranger à quai.

beseech [bɪ'siːtʃ] (prét & pp **besought** *ou* **beseeched**) *vt littéraire* • **to beseech sb (to do sthg)** implorer *ou* supplier qqn (de faire qqch).

beset [bɪ'set] *adj* • **beset with** *ou* **by** assailli de. □ *vt* (prét & pp **beset**) assaillir.

beside [bɪ'saɪd] *prép* **1.** à côté de, auprès de **2.** • **to be beside o.s. with anger** être hors de soi **3.** comparé à, à côté de.

besides [bɪ'saɪdz] *adv* en outre, en plus • **besides, I think you're wrong** en plus, je pense que tu as tort. □ *prép* en plus de.

besiege [bɪ'siːdʒ] *vt* **1.** assiéger **2.** *fig* assaillir, harceler.

besotted [bɪ'sɒtɪd] *adj* • **besotted (with sb)** entiché (de qqn).

besought [bɪ'sɔt] *passé & pp* → **beseech**.

bespoke [bɪ'spəʊk] *adj* (UK) (vêtements) fait sur mesure • **bespoke tailor** tailleur *m* (couturier).

best [best] *adj* le meilleur, la meilleure *f* • **she's my best friend** c'est ma meilleure amie. □ *adv* le mieux. □ *n* le mieux • **to do one's best** faire de son mieux • **all the best!** meilleurs souhaits ! • **to be for the best** être pour le mieux • **to make the best of sthg** s'accommoder de qqch, prendre son parti de qqch. ■ **at best** *adv* au mieux.

best-before date *n* date *f* limite de consommation.

best-case *adj* • **this is the best-case scenario** c'est le scénario le plus optimiste.

bestial ['bestjəl] *adj* bestial.

best man *n* garçon *m* d'honneur.

> **CULTURE**
>
> ### best man
>
> Dans les pays anglo-saxons, le garçon d'honneur présente l'alliance au marié et prononce un discours lors de la réception de mariage.

bestow [bɪ'stəʊ] *vt sout* • **to bestow sthg on sb** conférer qqch à qqn.

best-perceived *adj* mieux perçu.

best practices *npl* bonnes pratiques *fpl*.

best-seller n best-seller m.

best-selling adj à succès.

bet [bet] n **1.** pari m **2.** (locution) • **all bets are off** l'issue est incertaine. ❏ vt (prét & pp **bet** ou **betted**) parier • **I bet you can't do it** je parie que tu ne peux pas le faire. ❏ vi (prét & pp **bet** ou **betted**) parier • **I wouldn't bet on it** fig je n'en suis pas si sûr.

beta ['biːtə] n bêta m inv.

beta-blocker ['biːtə,blɒkə] n bêtabloquant m.

beta release n INFORM version f bêta.

beta test n test m bêta.

beta version n INFORM version f bêta.

betcha ['betʃə] interj fam • **you betcha!** un peu, oui !

betray [bɪ'treɪ] vt trahir.

betrayal [bɪ'treɪəl] n trahison f.

betrayer [bɪ'treɪə] n traître m, -esse f.

betrothed [bɪ'trəʊðd] adj vieilli • **betrothed (to)** fiancé (à).

better ['betə] adj (comparatif de **good**) meilleur • **to get better a)** s'améliorer **b)** (après une maladie) se remettre, se rétablir • **to feel better** se sentir mieux. ❏ adv (comparatif de **well**) mieux • **I'd better leave** je dois partir. ❏ n le meilleur, la meilleure f • **to get the better of sb** avoir raison de qqn. ❏ vt améliorer • **to better o.s.** améliorer sa situation.

had better

Had better sert à donner un conseil (you'd better **leave** soon), et peut également impliquer une menace ou un avertissement (you'd better **not forget or she'll be angry**).

better half n fam moitié f (conjoint).

better off adj **1.** plus à son aise **2.** mieux. ■ **better-off** npl • **the better-off** les gens riches ou aisés.

betting ['betɪŋ] n (indén) paris mpl.

betting shop n (UK) ≃ bureau m de PMU.

between [bɪ'twiːn] prép entre. ❏ adv • **(in) between a)** (dans l'espace) au milieu **b)** (dans le temps) dans l'intervalle.

beverage ['bevərɪdʒ] n sout boisson f.

bevvy ['bevɪ] n (UK) fam breuvage m.

bevy ['bevɪ] (pl -ies) n bande f.

beware [bɪ'weə] vi • **to beware (of)** prendre garde (à), se méfier (de) • **beware of...** attention à...

bewilder [bɪ'wɪldə] vt dérouter.

bewildered [bɪ'wɪldəd] adj déconcerté, perplexe.

bewildering [bɪ'wɪldərɪŋ] adj déroutant.

bewilderment [bɪ'wɪldəmənt] n perplexité f.

bewitched [bɪ'wɪtʃt] adj ensorcelé.

bewitching [bɪ'wɪtʃɪŋ] adj charmeur, ensorcelant.

beyond [bɪ'jɒnd] prép **1.** au-delà de **2.** après, plus tard que **3.** au-dessus de • **it's beyond my control** je n'y peux rien. ❏ adv au-delà.

BF SMS abrév de **boyfriend**.

BFN SMS (abrév de **bye for now**) salut.

BG SMS (abrév de **big grin**) grand sourire.

BHL8 SMS (abrév de **be home late**) je rentrerai tard.

bi- [baɪ] préf bi-.

biannual [baɪ'ænjʊəl] adj semestriel.

bias ['baɪəs] n **1.** préjugé m, parti m pris **2.** tendance f.

biased ['baɪəst] adj partial • **to be biased towards sb/sthg** favoriser qqn/qqch.

bib [bɪb] n bavoir m, bavette f.

Bible ['baɪbl] n • **the Bible** la Bible. ■ **bible** n bible f.

bible-basher, **bible-thumper** n fam & péj évangéliste mf de carrefour.

bibliography [,bɪblɪ'ɒgrəfɪ] (pl -ies) n bibliographie f.

bicarbonate of soda [baɪ'kɑːbənət-] n bicarbonate m de soude.

bicentenary (UK) [,baɪsen'tiːnərɪ] (pl -ies), **bicentennial** (US) [,baɪsen'tenjəl] n bicentenaire m.

biceps ['baɪseps] (pl inv) n biceps m.

bicker ['bɪkə] vi se chamailler.

bickering ['bɪkərɪŋ] n (indén) chamailleries fpl.

bickie ['bɪkɪ] n (UK) fam biscuit m, petit gâteau m.

bicultural [,baɪ'kʌltʃərəl] adj biculturel.

bicycle ['baɪsɪkl] n bicyclette f, vélo m • **to ride a bicycle** faire du vélo. ❏ vi aller à bicyclette ou à vélo.

bicycle clip n pince f à vélo.

bicycle-friendly adj = bike-friendly.

bicycle path n piste f cyclable.

bicycle pump n pompe f à vélo.

bicycler ['baɪsɪklə] n (US) cycliste mf.

bicycle rack n **1.** râtelier m à vélos **2.** porte-vélos m inv.

bid [bɪd] n **1.** tentative f **2.** enchère f **3.** COMM offre f. ❏ vt (prét & pp **bid**, cont **bidding**) faire une enchère de. ❏ vi (prét & pp **bid**, cont **bidding**) **1.** • **to bid (for)** faire une enchère (pour) **2.** • **to bid for sthg** briguer qqch **3.** COMM faire une soumission, répondre à un appel d'offres.

bidder ['bɪdə] n enchérisseur m, -euse f.

bidding ['bɪdɪŋ] n (indén) enchères fpl.

bide [baɪd] vt • **to bide one's time** attendre son heure ou le bon moment.

bidet ['biːdeɪ] n bidet m.

billboard

bid price *n* cours *m* acheteur.

biennial [bar'eniəl] *adj* biennal. □ *n* plante *f* bisannuelle.

bifocals [,bar'fəʊklz] *npl* lunettes *fpl* bifocales.

big [bɪg] *adj* **1.** grand • **a big tree** un grand arbre • **my big brother** mon grand frère **2.** gros, grosse *f* • **a big book** un gros livre.

bigamist ['bɪɡəmɪst] *n* bigame *mf*.

bigamy ['bɪɡəmɪ] *n* bigamie *f*.

Big Apple *npr* • **the Big Apple** surnom de New York.

big bang theory *n* la théorie du Big Bang.

big-boned *adj* fortement charpenté.

big-box store *n* (US) hypermarché *m*.

big-budget *adj* à gros budget.

big business *n* (indén) les grandes entreprises *fpl*.

big cat *n* fauve *m*.

Big Crunch *npr* • **the Big Crunch** le Big Crunch *(contraction et effondrement de l'Univers, envers du Big Bang)*.

big deal *fam n* • **it's no big deal** ce n'est pas dramatique • **what's the big deal?** où est le problème ? □ *interj* tu parles !, et alors ?

big dipper [-'dɪpər] *n* **1.** (UK) montagnes *fpl* russes **2.** (US) • **the Big Dipper** la Grande Ourse.

Big Easy *npr* (US) surnom de la Nouvelle-Orléans.

big game *n* gros gibier *m*.

biggie ['bɪɡɪ] *n* **1.** *fam* tube *m (chanson)* **2.** succès *m (film, album)*.

big gun *n* *fam* gros bonnet *m*.

big hair *n* (US) coiffure volumineuse et apprêtée.

big hand *n* **1.** grande aiguille *f* **2.** *fam* • **let's give him a big hand** applaudissons-le bien fort.

bighead ['bɪɡhed] *n* *fam* crâneur *m, -euse f*.

bigheaded [,bɪɡ'hedɪd] *adj* *fam* crâneur.

bighearted [,bɪɡ'hɑːtɪd] *adj* au grand cœur • **to be bighearted** avoir bon cœur.

Big League *n* (US) = Major League.

big man on campus *n* (US) *fam* étudiant jouissant d'une certaine popularité grâce à ses exploits sportifs, etc.

big name *n* *fam* grand nom *m*.

big noise *n* *fam* gros bonnet *m*.

bigot ['bɪɡət] *n* sectaire *mf*.

bigoted ['bɪɡətɪd] *adj* sectaire.

bigotry ['bɪɡətrɪ] *n* sectarisme *m*.

big screen *n* • **the big screen** le grand écran, le cinéma.

big shot *n* *fam* huile *f*, grosse légume *f*, personnage *m* important.

big smoke *n* (UK) *fam* • **the big smoke a)** la grande ville **b)** Londres.

Big Ten *npl* (US) SPORT équipes sportives universitaires du Midwest, réputées de très haut niveau.

big-ticket *adj* (US) cher • **a big-ticket item** un article haut de gamme.

big time *n* *fam* • **to make** *ou* **to hit the big time** réussir, arriver en haut de l'échelle.

big toe *n* gros orteil *m*.

big top *n* chapiteau *m*.

big wheel *n* (UK) grande roue *f*.

bigwig ['bɪɡwɪɡ] *n* *fam* huile *f*, gros bonnet *m*.

bike [baɪk] *n* *fam* **1.** vélo *m* **2.** bécane *f*, moto *f*.

bike-friendly *adj* bien aménagé pour les cyclistes.

bikejack ['baɪkdʒæk] *vt* voler son vélo à • **someone tried to bikejack him** quelqu'un a essayé de lui voler son vélo.

bike lane *n* voie *f* cyclable.

bike shed *n* cabane *f* à vélos.

bikeway ['baɪkweɪ] *n* (US) piste *f* cyclable.

bikini [bɪ'kiːnɪ] *n* Bikini® *m*.

bikini line *n* • **to have one's bikini line done** se faire épiler le maillot.

bile [baɪl] *n* **1.** bile *f* **2.** mauvaise humeur *f*.

bilingual [baɪ'lɪŋɡwəl] *adj* bilingue.

bill [bɪl] *n* **1.** • **bill (for)** note *f* ou facture *f* (de) **b)** addition *f* (de) • **can I have the bill, please?** l'addition, s'il vous plaît ! **2.** projet *m* de loi **3.** programme *m (d'un spectacle)* **4.** (US) billet *m* de banque **5.** • **'post** *ou* **stick** (UK) **no bills'** 'défense d'afficher' **6.** bec *m*. □ *vt* **1.** • **to bill sb (for)** envoyer une facture à qqn (pour) **2.** *(spectacle)* annoncer • **they're billed as the best band in the world** on les présente comme le meilleur groupe du monde.

billboard ['bɪlbɔːd] *n* panneau *m* d'affichage.

billet [ˈbɪlɪt] n logement m chez l'habitant.

billfold [ˈbɪlfəʊld] n (us) portefeuille m.

billiards [ˈbɪljədz] n billard m.

billion [ˈbɪljən] num **1.** (us) milliard m **2.** (uk) vieilli billion m.

billionaire [ˌbɪljəˈneəʳ] n milliardaire mf.

billionth [ˈbɪljənθ] adj milliardième. ⃞ n **1.** (ordinal) milliardième mf **2.** (fraction) milliardième m.

Bill of Rights n • the Bill of Rights les dix premiers amendements à la Constitution américaine.

billow [ˈbɪləʊ] n volute f. ⃞ vi **1.** tournoyer **2.** se gonfler.

billy goat [ˈbɪlɪ-] n bouc m.

bimbette [bɪmˈbet] n (us) fam & péj minette f.

bimbo [ˈbɪmbəʊ] (pl -s ou -es) n fam & péj • she's a bit of a bimbo c'est le genre « pin-up ».

bimonthly [ˌbaɪˈmʌnθlɪ] adj **1.** bimestriel **2.** bimensuel. ⃞ adv **1.** tous les deux mois **2.** deux fois par mois.

bin [bɪn] n **1.** (uk) poubelle f • to throw sthg in the bin jeter qqch à la poubelle **2.** coffre m.

binary [ˈbaɪnərɪ] adj binaire.

bind [baɪnd] (prét & pp bound) vt **1.** attacher **2.** fig lier **3.** panser **4.** contraindre, forcer **5.** relier (un livre).

binder [ˈbaɪndəʳ] n classeur m.

binding [ˈbaɪndɪŋ] adj **1.** qui lie ou engage **2.** irrévocable. ⃞ n reliure f.

bin-end n fin f de série (de vin).

binge [bɪndʒ] fam n • to go on a binge prendre une cuite. ⃞ vi • to binge on sthg se gaver ou se bourrer de qqch.

binge drinking n fait de boire de très grandes quantités d'alcool en une soirée, de façon régulière.

binge eating n hyperphagie f, consommation f compulsive de nourriture.

bingo [ˈbɪŋgəʊ] n bingo m ; ≃ loto m.

<table>
<tr><td>CULTURE</td><td>

bingo

Jeu proche du loto, le **bingo** est souvent pratiqué dans des cinémas désaffectés ou de grandes salles municipales. On joue aussi au **bingo** dans les villes balnéaires, et ce sont alors de petits lots (jouets en peluche, etc.) que l'on peut remporter.

</td></tr>
</table>

bingo wings npl (uk) fam chair qui pendouille sous les avant-bras.

bin liner n (uk) sac-poubelle m.

binner [ˈbɪnəʳ] n (us) personne qui fait les poubelles.

binoculars [bɪˈnɒkjʊləz] npl jumelles fpl • a pair of binoculars des jumelles.

bio [ˈbaɪəʊ] adj bio (invariable).

bioavailability [ˌbaɪəʊəveɪləˈbɪlɪtɪ] n biodisponibilité f.

biochemical [ˌbaɪəʊˈkemɪkl] adj biochimique. ⃞ n produit m biochimique.

biochemistry [ˌbaɪəʊˈkemɪstrɪ] n biochimie f.

biodegradable [ˌbaɪəʊdɪˈgreɪdəbl] adj biodégradable.

biodiesel [ˈbaɪəʊdiːzəl] n biodiesel m.

biodiversity [ˌbaɪəʊdaɪˈvɜːsətɪ] n biodiversité f.

biodynamic [ˌbaɪəʊdaɪˈnæmɪk] adj biodynamique.

bioethics [ˌbaɪəʊˈeθɪks] n (indén) bioéthique f.

biofuel [ˈbaɪəʊfjuːl] n biocarburant m.

biogeography [ˌbaɪəˌdʒɪˈɒgrəfɪ] n biogéographie f.

biographer [baɪˈɒgrəfəʳ] n biographe mf.

biographic(al) [ˌbaɪəˈgræfɪk(l)] adj biographique.

biography [baɪˈɒgrəfɪ] n biographie f.

biological [ˌbaɪəˈlɒdʒɪkl] adj **1.** biologique **2.** aux enzymes.

biological clock n horloge f interne.

biological mother n mère f biologique.

biological weapon n arme f biologique.

biologist [baɪˈɒlədʒɪst] n biologiste mf.

biology [baɪˈɒlədʒɪ] n biologie f.

biometric [ˌbaɪəʊˈmetrɪk] adj (données, lecteur) biométrique.

bionic [baɪˈɒnɪk] adj bionique.

biopic [ˈbaɪəʊpɪk] n fam film m biographique.

biopiracy [ˈbaɪəʊpaɪrəsɪ] n biopiraterie f.

bioprivacy [ˌbaɪəʊˈprɪvəsɪ] n protection f des données biométriques.

biopsy [ˈbaɪɒpsɪ] (pl -ies) n biopsie f.

biotechnology [ˌbaɪəʊtekˈnɒlədʒɪ] n biotechnologie f.

bioterrorism [ˌbaɪəʊˈterərɪzm] n bioterrorisme m.

bioterrorist [ˈbaɪəʊterərɪst] n bioterroriste mf.

biowarfare [ˌbaɪəʊˈwɔːfeə] n guerre f biologique.

bioweapon [ˈbaɪəʊwepən] n arme f biologique.

bipolar disorder [baɪˈpəʊləʳ-] n trouble m bipolaire.

birch [bɜːtʃ] n bouleau m.

bird [bɜːd] n **1.** oiseau m **2.** (uk) fam gonzesse f.

bird-brained [-breɪnd] adj **1.** fam écervelé **2.** insensé.

birdcage [ˈbɜːdkeɪdʒ] n cage f à oiseaux.

bird flu n grippe f aviaire.

birdie [ˈbɜːdɪ] n **1.** petit oiseau m **2.** GOLF birdie m.

birding [ˈbɜːdɪŋ] n = bird-watching.

bird of prey n oiseau m de proie.

bird's-eye view n **1.** litt vue f aérienne **2.** fig vue f d'ensemble.

bird-watcher [-ˌwɒtʃəʳ] n observateur m, -trice f d'oiseaux.

bird-watching n ornithologie f • to go bird-watching aller observer les oiseaux.

Biro ® ['baɪərəʊ] n (UK) stylo m à bille.

birth [bɜːθ] n litt &fig naissance f • **what's your date of birth?** quelle est votre date de naissance ? • **to give birth (to)** donner naissance (à).

birth certificate n acte m ou extrait m de naissance.

birth chart n thème m astral.

birth control n (indén) régulation f ou contrôle m des naissances.

birthday ['bɜːθdeɪ] n anniversaire m.

birthmark ['bɜːθmɑːk] n tache f de vin.

birth mother n mère f gestationnelle.

birthparent ['bɜːθpeərənt] n parent m biologique.

birthplace ['bɜːθpleɪs] n lieu m de naissance.

birthrate ['bɜːθreɪt] n (taux m de) natalité f.

birthright ['bɜːθraɪt] n droit m de naissance.

birth sign n signe m du zodiaque • **what's your birth sign?** tu es de quel signe ?

birthweight ['bɜːθweɪt] n poids m à la naissance.

Biscay ['bɪskeɪ] n • **the Bay of Biscay** le golfe de Gascogne.

biscuit ['bɪskɪt] n **1.** (UK) petit pain rond non sucré **2.** (US) biscuit m sec.

bisect [baɪ'sekt] vt couper ou diviser en deux.

bisexual [ˌbaɪ'sekʃʊəl] adj bisexuel. ❏ n bisexuel m, -elle f.

bishop ['bɪʃəp] n **1.** évêque m f **2.** (au jeu d'échecs) fou m.

bison ['baɪsn] (pl inv ou -s) n bison m.

bistro ['biːstrəʊ] (pl -s) n bistro m.

bit [bɪt] passé → bite. ❏ n **1.** morceau m, bout m **2.** • **bits and pieces** (UK) petites affaires fpl ou choses fpl **3.** • **a bit of shopping** quelques courses • **quite a bit of** pas mal de, beaucoup de **4.** • **for a bit** pendant quelque temps **5.** mèche f (d'une perceuse) **6.** mors m **7.** INFORM bit m. ▪ **a bit** adv un peu. ▪ **bit by bit** adv petit à petit. ▪ **to bits** adv **1.** fam super- • **he was thrilled to bits** il était super-content • **I love him to bits!** je l'adore ! **2.** en morceaux • **to take sthg to bits** démonter qqch.

bitch [bɪtʃ] n **1.** chienne f **2.** fam &péj salope f, garce f.

bitchy ['bɪtʃɪ] adj fam vache, rosse.

bite [baɪt] n **1.** morsure f, coup m de dent **2.** fam • **to have a bite (to eat)** manger un morceau **3.** piqûre f (d'insecte). ❏ vt (prét bit, pp bitten) **1.** mordre **2.** (insecte, serpent) piquer, mordre. ❏ vi (prét bit, pp bitten) • **to bite (into)** mordre (dans) • **to bite off sthg** arracher qqch d'un coup de dents.

bite-sized [-ˌsaɪzd] adj • **cut the meat into bite-sized pieces** coupez la viande en petits dés.

biting ['baɪtɪŋ] adj **1.** (froid) cinglant, piquant **2.** (humour, commentaire) mordant, caustique.

bitrate ['bɪtreɪt] n INFORM débit m binaire, bitrate m.

bitten ['bɪtn] pp → bite.

bitter ['bɪtə'] adj **1.** amer **2.** glacial **3.** violent. ❏ n (UK) bière relativement amère, à forte teneur en houblon.

bitter lemon n Schweppes® m au citron.

bitterly ['bɪtəlɪ] adv **1.** • **it's bitterly cold** il fait un froid de canard **2.** (déçu) cruellement **3.** (pleurer, se plaindre) amèrement **4.** (critiquer) violemment.

bitterness ['bɪtənɪs] n **1.** amertume f **2.** âpreté f.

bizarre [bɪ'zɑː] adj bizarre.

bizarrely [bɪ'zɑːlɪ] adv bizarrement.

blab [blæb] vi fam cracher le morceau.

black [blæk] adj noir. ❏ n **1.** (couleur) noir m **2.** (personne) Noir m, -e f **3.** (locution) • **in the black** solvable, sans dettes • **it's the new black** fam c'est très tendance. ❏ vt (UK) boycotter. ▪ **black out** vi s'évanouir.

blackberry ['blækbərɪ] n mûre f • **blackberry bush** mûrier m.

blackbird ['blækbɜːd] n merle m.

blackboard ['blækbɔːd] n tableau m (noir).

black box n boîte f noire (d'avion).

blackcurrant [ˌblæk'kʌrənt] n cassis m.

black economy n économie f parallèle.

blacken ['blækn] vt noircir. ❏ vi s'assombrir.

black eye n œil m poché ou au beurre noir.

blackhead ['blækhed] n point m noir.

black hole n trou m noir.

black ice n verglas m.

blackleg ['blækleg] n (UK) péj jaune m.

blacklist ['blæklɪst] n liste f noire. ❏ vt mettre sur la liste noire.

black magic n magie f noire.

blackmail ['blækmeɪl] n litt &fig chantage m. ❏ vt **1.** faire chanter **2.** fig faire du chantage à.

black market n marché m noir.

blackout ['blækaʊt] n **1.** black-out m **2.** panne f d'électricité **3.** évanouissement m.

black pepper n poivre m gris.

black pudding n (UK) boudin m (noir).

Black Sea n • **the Black Sea** la mer Noire.

black sheep n brebis f galeuse.

blacksmith ['blæksmɪθ] *n* **1.** maréchal-ferrant *m* **2.** forgeron *m*.

black spot *n* (UK) point *m* noir.

black tie *n* nœud papillon noir porté avec une tenue de soirée • 'black tie' 'tenue de soirée exigée'. ■ **black-tie** *adj* • it's black-tie il faut être en smoking.

bladder ['blædə] *n* vessie *f*.

blade [bleɪd] *n* **1.** lame *f* **2.** pale *f* (d'hélice) **3.** brin *m* (d'herbe).

blame [bleɪm] *n* responsabilité *f*, faute *f* • to take the blame for sthg endosser la responsabilité de qqch. ❑ *vt* **1.** blâmer, condamner • to blame sthg on rejeter la responsabilité de qqch sur, imputer qqch à • to blame sb/sthg for sthg reprocher qqch à qqn/qqch • to be to blame for sthg être responsable de qqch **2.** (locution) • I don't blame you! (comme) je te comprends !

bland [blænd] *adj* **1.** (personne) insipide, ennuyeux ; mielleux, doucereux **2.** (nourriture) fade, insipide.

blank [blæŋk] *adj* **1.** blanc, blanche *f* **2.** nu • blank document INFORM document *m* vierge **3.** fig vide, sans expression. ❑ *n* **1.** (espace) blanc *m* **2.** cartouche *f* à blanc.

blank cheque (UK), **blank check** (US) *n* **1.** chèque *m* en blanc **2.** fig carte *f* blanche.

blanket ['blæŋkɪt] *n* **1.** couverture *f* **2.** couche *f*, manteau *m* (de neige) **3.** nappe *f* (de brouillard). ❑ *adj* général • blanket instruction consigne *f* générale.

blare [bleə] *vi* **1.** hurler **2.** beugler.

blasé [(UK) 'blɑːzeɪ, (US) ˌblɑː'zeɪ] *adj* blasé.

blasphemy ['blæsfəmɪ] *n* blasphème *m*.

blast [blɑːst] *n* **1.** explosion *f* **2.** souffle *m*. ❑ *vt* creuser à la dynamite. ❑ *interj* (UK) fam zut !, mince ! ■ (at) full blast *adv* à pleins gaz *ou* tubes.

blasted ['blɑːstɪd] *adj* fam fichu, maudit.

blast-off *n* lancement *m*.

blatant ['bleɪtənt] *adj* criant, flagrant.

blaze [bleɪz] *n* **1.** incendie *m* **2.** fig éclat *m*, flamboiement *m*. ❑ *vi* **1.** flamber **2.** fig flamboyer.

blazer ['bleɪzə] *n* blazer *m*.

bleach [bliːtʃ] *n* eau *f* de Javel. ❑ *vt* **1.** décolorer **2.** blanchir.

bleached [bliːtʃt] *adj* décoloré.

bleachers ['bliːtʃəz] *npl* (US) gradins *mpl*.

bleak [bliːk] *adj* **1.** sombre **2.** lugubre, triste.

bleary-eyed [ˌblɪərɪ'aɪd] *adj* aux yeux troubles.

bleat [bliːt] *n* bêlement *m*. ❑ *vi* **1.** bêler **2.** fig se plaindre, geindre.

bleed [bliːd] (prét & pp bled [bled]) *vi* saigner. ❑ *vt* purger (un radiateur).

bleeding ['bliːdɪŋ] *n* **1.** saignement *m* **2.** hémorragie *f* **3.** saignée *f* **4.** écoulement *m* de

sève. ❑ *adj* **1.** saignant **2.** qui saigne **3.** (UK) tfam fichu, sacré. ❑ *adv* (UK) tfam vachement.

bleep [bliːp] (UK) *n* bip *m*. ❑ *vt* biper. ❑ *vi* faire bip-bip.

bleeper ['bliːpə] *n* (UK) bip *m*, biper *m*.

blemish ['blemɪʃ] *n* litt &fig défaut *m*.

blend [blend] *n* mélange *m*. ❑ *vt* • to blend sthg (with) mélanger qqch (avec *ou* à). ❑ *vi* • to blend (with) se mêler (à *ou* avec).

blended learning ['blendɪd-] *n* apprentissage *m* mixte (en présentiel et à distance).

blender ['blendə] *n* mixer *m*.

bless [bles] (prét & pp blessed *ou* blest) *vt* bénir • bless you! a) à vos souhaits ! b) merci mille fois !

blessing ['blesɪŋ] *n* litt &fig bénédiction *f*.

blest [blest] passé & pp → bless.

blew [bluː] passé → blow.

blight [blaɪt] *vt* gâcher, briser.

blimey ['blaɪmɪ] *interj* (UK) fam zut alors !, mince alors !

blind [blaɪnd] *adj* litt &fig aveugle • to be blind to sthg ne pas voir qqch. ❑ *n* **1.** store *m* **2.** (US) cachette *f*. ❑ *npl* • the blind les aveugles *mpl*. ❑ *vt* aveugler.

blind alley *n* litt &fig impasse *f*.

blind corner *n* (UK) virage *m* sans visibilité.

blind date *n* rendez-vous avec quelqu'un que l'on ne connaît pas.

blinders ['blaɪndəz] *npl* (US) œillères *fpl*.

blindfold ['blaɪndfəʊld] *adv* les yeux bandés. ❑ *n* bandeau *m*. ❑ *vt* bander les yeux à.

blinding ['blaɪndɪŋ] *adj* **1.** aveuglant **2.** évident.

blindly ['blaɪndlɪ] *adv* **1.** à l'aveuglette **2.** aveuglément.

blindness ['blaɪndnɪs] *n* cécité *f*.

blind spot *n* AUTO angle *m* mort.

blind testing *n* (indén) tests *mpl* en aveugle.

bling (bling) ['blɪŋ('blɪŋ)] *adj* fam (ostentatoire) bling(-)bling, tape-à-l'œil.

blink [blɪŋk] *n* • on the blink fam détraqué. ❑ *vt* cligner. ❑ *vi* **1.** cligner des yeux **2.** (lumière) clignoter.

blinkered ['blɪŋkəd] *adj* • to be blinkered litt &fig avoir des œillères.

blinkers ['blɪŋkəz] *npl* (UK) œillères *fpl*.

blip [blɪp] *n* bip *m* **2.** spot *m* (sur un radar) **3.** fig problème *m* passager.

bliss [blɪs] *n* bonheur *m* suprême, félicité *f*.

blissful ['blɪsfʊl] *adj* **1.** merveilleux **2.** (ignorance) total.

blissfully ['blɪsfʊlɪ] *adv* **1.** (sourire) d'un air heureux **2.** (heureux, inconscient) parfaitement.

blister ['blɪstə] *n* ampoule *f*, cloque *f*. ❑ *vi* **1.** (peau) se couvrir de cloques **2.** (peinture) cloquer, se boursoufler.

blithely ['blaɪðlɪ] adv gaiement, joyeusement.

blitz [blɪts] n bombardement m aérien.

blitzed [blɪtst] adj (us) fam bourré (ivre).

blizzard ['blɪzəd] n tempête f de neige.

bloated ['bləʊtɪd] adj 1. bouffi 2. ballonné.

bloatware ['bləʊtweə] n logiciel offrant un nombre excessif de fonctionnalités.

blob [blɒb] n 1. goutte f 2. forme f • a blob of colour une tache de couleur.

block [blɒk] n 1. • office block (UK) immeuble m de bureaux • block of flats (UK) immeuble m 2. (US) pâté m de maisons 3. bloc m (de pierre, de glace) 4. blocage m. ❑ vt 1. boucher 2. bloquer, empêcher.

blockade [blɒ'keɪd] n blocus m. ❑ vt faire le blocus de.

blockage ['blɒkɪdʒ] n obstruction f.

blockbuster ['blɒkbʌstə] n 1. fam best-seller m 2. film m à succès.

block capitals npl majuscules fpl d'imprimerie • in block capitals en majuscules.

block letters npl majuscules fpl d'imprimerie.

block scheduling ['blɒk ˌskedʒulɪŋ] n (US) SCOL journée scolaire organisée en 4 blocs de 90 minutes chacun.

blog [blɒg] (abrév de weblog) n INFORM blog m.

blogger ['blɒgə] n bloggeur m, -euse f.

blogging ['blɒgɪŋ] n INFORM blogging m, création f de blogs.

blogosphere ['blɒgəʊsfɪə] n blogosphère f.

blogroll ['blɒgrəʊl] n blogroll f, liste f de liens vers des blogs.

bloke [bləʊk] n (UK) fam type m.

blond(e) [blɒnd] adj blond.

blonde [blɒnd] adj blond. ❑ n blonde f.

blood [blʌd] n sang m • in cold blood de sang-froid.

blood bank n banque f de sang.

bloodbath ['blʌdbɑːθ] (pl [-bɑːðz]) n bain m de sang, massacre m.

blood cell n globule m.

blood donor n donneur m, -euse f de sang.

blood group n (UK) groupe m sanguin.

bloodhound ['blʌdhaʊnd] n limier m.

blood poisoning n septicémie f.

blood pressure n tension f artérielle.

blood relation, blood relative n parent m, -e f par le sang.

bloodshed ['blʌdʃed] n carnage m.

bloodshot ['blʌdʃɒt] adj (yeux) injecté de sang.

blood-spattered adj maculé de sang.

bloodstream ['blʌdstriːm] n sang m.

blood test n prise f de sang.

bloodthirsty ['blʌdˌθɜːstɪ] adj sanguinaire.

blood transfusion n transfusion f sanguine.

bloody ['blʌdɪ] adj 1. sanglant 2. (UK) tfam foutu • you bloody idiot! espèce de con ! ❑ adv (UK) tfam vachement.

bloody-minded [-'maɪndɪd] adj (UK) fam contrariant.

bloom [bluːm] n fleur f. ❑ vi fleurir.

bloomer ['bluːmə] n 1. (UK) fam gaffe f, faux pas m • I made a terrible bloomer j'ai fait une gaffe terrible 2. (UK) CULIN pain cranté sur le dessus.

blooming ['bluːmɪŋ] adj (UK) fam sacré, fichu. ❑ adv (UK) fam sacrément.

blossom ['blɒsəm] n fleurs fpl. ❑ vi 1. fleurir 2. fig s'épanouir.

blot [blɒt] n litt & fig tache f. ❑ vt 1. faire des pâtés sur (une feuille de papier) 2. (encre) sécher. ■ blot out vt sép 1. cacher, masquer 2. effacer.

blotchy ['blɒtʃɪ] adj couvert de marbrures ou taches.

blotting paper ['blɒtɪŋ-] n (indén) (papier m) buvard m.

blouse [blaʊz] n chemisier m.

blow [bləʊ] vi (prét blew, pp blown) 1. souffler 2. • to blow off s'envoler 3. (fusible) sauter. ❑ vt (prét blew, pp blown) 1. faire voler, chasser 2. • to blow one's nose se moucher 3. (trompette, cor) jouer de, souffler dans • to blow a whistle donner un coup de sifflet 4. fam gâcher • I blew it! j'ai tout gâché ! ❑ n coup m. ■ blow away vt sép 1. chasser, disperser 2. (US) fam écraser, battre à plate couture 3. (US) fam • it really blew me away! j'ai trouvé ça génial ! 4. (locution) • to blow away the cobwebs (UK) se changer les idées • let's take a walk to blow away the cobwebs allons nous promener pour nous changer les idées. ■ blow off vi insép 1. (chapeau, toit) s'envoler 2. (UK) fam péter. ❑ vt sép 1. emporter 2. laisser échapper, lâcher 3. (US) fam • to blow sb off a) (faire faux bond) poser un lapin à qqn b) (ignorer) snober qqn c) (repousser) mettre un râteau à qqn 4. (locution) • to blow off steam fam dire ce qu'on a sur le cœur. ■ blow out vi 1. (bougie) s'éteindre 2. (pneu) éclater. ❑ vt 1. souffler • blow the candles out souffle les bougies 2. (locution) • to blow sb out of the water a) (critiquer) descendre qqn en flammes b) (vaincre) battre qqn à plates coutures. ■ blow over vi se calmer. ■ blow up vt sép 1. gonfler • to blow up balloons gonfler des ballons 2. faire sauter • to blow up a building faire sauter un immeuble 3. (photo) agrandir. ❑ vi exploser.

blow-dry n Brushing® m. ❑ vt faire un Brushing® à.

blowlamp (UK) ['bləʊlæmp], **blowtorch** ['bləʊtɔːtʃ] n chalumeau m, lampe f à souder.

blown [bləʊn] pp → blow.

blowout ['bləʊaʊt] n 1. (surtout US) éclatement m (d'un pneu) 2. éruption f.

blowtorch = blowlamp.

BLT (abrév de bacon, lettuce and tomato) n sandwich avec du bacon, de la laitue et de la tomate.

blubber ['blʌbə'] n graisse f de baleine. ❏ vi fam & péj chialer.

bludgeon ['blʌdʒən] vt matraquer.

blue [bluː] adj **1.** bleu **2.** fam triste, cafardeux **3.** fam & vieilli porno (inv). ❏ n bleu m • **out of the blue a)** subitement **b)** (arriver) à l'improviste. ■ **blues** npl • **the blues a)** le blues **b)** fam le blues, le cafard.

blue badge n (UK) carte de conducteur handicapé.

bluebell ['bluːbel] n jacinthe f des bois.

blueberry ['bluːbərɪ] n myrtille f.

bluebottle ['bluːˌbɒtl] n mouche f bleue, mouche à viande.

blue cheese n (fromage m) bleu m.

blue-chip en apposition de premier ordre.

blue-collar adj ouvrier • a blue-collar worker un col bleu.

blue-eyed boy [-aɪd-] n (UK) fam chouchou m.

blue-green adj bleu-vert (inv).

blue jeans npl (surtout US) blue-jean m, jean m.

blue-on-blue adj (US) MIL • we have a blue-on-blue situation des soldats ont été tués par des tirs amis ou fratricides.

blueprint ['bluːprɪnt] n **1.** Ozalyd® f **2.** fig plan m, projet m.

blue state n (US) État qui vote traditionnellement démocrate.

bluff [blʌf] adj franc, franche f. ❏ n **1.** bluff m • **to call sb's bluff** prendre qqn au mot **2.** falaise f à pic. ❏ vt bluffer, donner le change à. ❏ vi faire du bluff, bluffer.

blunder ['blʌndə'] n gaffe f, bévue f. ❏ vi faire une gaffe, commettre une bévue.

blunt [blʌnt] adj **1.** (couteau) émoussé **2.** (crayon) épointé **3.** (instrument) contondant **4.** (manières, personne) direct, carré • **he's very blunt** c'est quelqu'un de très direct. ❏ vt litt & fig émousser.

bluntly ['blʌntlɪ] adv carrément.

blur [blɜː'] n forme f confuse, tache f floue. ❏ vt troubler, brouiller.

blurb [blɜːb] n texte m publicitaire.

blurt [blɜːt] ■ **blurt out** vt sép laisser échapper.

blush [blʌʃ] n rougeur f. ❏ vi rougir.

blusher ['blʌʃə'] n (UK) fard m à joues, blush m.

blustery ['blʌstərɪ] adj venteux.

BMX (abrév de bicycle motorcross) n bicross m.

BN SMS abrév de **been**.

BO abrév de **body odour**.

boar [bɔː'] n **1.** verrat m **2.** sanglier m.

board [bɔːd] n **1.** planche f **2.** panneau m d'affichage **3.** (jeux) tableau m **4.** (échecs) échiquier m **5.** tableau m (noir) **6.** • **board (of directors)** conseil m d'administration **7.** comité m, conseil m **8.** (UK) pension f • **board and lodg-**

ing pension • **full board** pension complète • **half board** demi-pension f **9.** • **on board** à bord. ❏ vt **1.** monter à bord de (un bateau, un avion) **2.** monter dans (un train, un bus).

boarder ['bɔːdə'] n **1.** pensionnaire mf **2.** SCOL interne mf, pensionnaire mf.

board game n jeu m de société.

boarding card ['bɔːdɪŋ-] n carte f d'embarquement.

boarding house ['bɔːdɪŋhaʊs] (pl [-haʊzɪz]) n vieilli pension f de famille.

boarding pass ['bɔːdɪŋ-] n carte f d'embarquement.

boarding school ['bɔːdɪŋ-] n pensionnat m, internat m.

board meeting n réunion f du conseil d'administration.

Board of Trade n (UK) • **the Board of Trade** ≃ le ministère m du Commerce.

boardroom ['bɔːdrʊm] n salle f du conseil (d'administration).

boast [bəʊst] n vantardise f, fanfaronnade f. ❏ vi • **to boast (about)** se vanter (de).

boastful ['bəʊstfʊl] adj vantard, fanfaron.

boat [bəʊt] n **1.** bateau m **2.** canot m, embarcation f • **by boat** en bateau.

boater ['bəʊtə'] n canotier m.

boatswain ['bəʊsn], **bosun** ['bəʊsn] n maître m d'équipage.

bob [bɒb] n **1.** coupe f au carré **2.** (UK) fam & vieilli shilling m. ❏ vi tanguer.

bobbin ['bɒbɪn] n bobine f.

bobby ['bɒbɪ] n (UK) fam & vieilli agent m de police.

bobby socks, bobby sox npl (US) socquettes fpl (de fille).

bobsleigh (UK) ['bɒbsleɪ], **bobsled** (US) ['bɒbsled] n bobsleigh m.

bode [bəʊd] vi littéraire • **to bode ill/well (for)** être de mauvais/bon augure (pour).

bodily ['bɒdɪlɪ] adj **1.** (besoins) matériel **2.** (douleur) physique. ❏ adv à bras-le-corps.

body ['bɒdɪ] n **1.** corps m • **the human body** le corps humain **2.** (d'un mort) corps m, cadavre m **3.** organisme m, organisation f **4.** carrosserie f **5.** fuselage m **6.** (indén) corps m (en parlant du vin) **7.** (indén) corps m (en parlant des cheveux) **8.** (UK) body m.

body building n culturisme m.

body count n pertes fpl en vies humaines.

body double n CINÉ doublure f (pour les scènes d'amour).

bodyguard ['bɒdɪgɑːd] n garde m du corps.

body language n langage m du corps.

body lotion n lait m corporel.

body odour (UK), **body odor** (US) n odeur f corporelle.

body shaper [-ˈʃeɪpə] *n* body *m* minceur.

body-surf *vi* SPORT faire du bodysurf.

body-surfing *n* SPORT bodysurf *m*.

body warmer [-ˌwɔːmə] *n* gilet *m* matelassé.

bodywork [ˈbɒdɪwɜːk] *n* carrosserie *f*.

bog [bɒg] *n* marécage *m*. ■ **bog off** *vi insép* (UK) *tfam* • **oh, bog off!** dégage !

bogged down [ˌbɒgd-] *adj* • **bogged down (in)** enlisé (dans).

boggle [ˈbɒgl] *vi* • **the mind boggles!** ce n'est pas croyable !, on croit rêver !

bog-standard *adj* (UK) *fam* médiocre.

bogus [ˈbəʊgəs] *adj* faux, fausse *f*, bidon *(inv.)*

boil [bɔɪl] *n* **1.** furoncle *m* **2.** • **to bring sthg to the boil** porter qqch à ébullition. ❑ *vt* **1.** faire bouillir **2.** mettre sur le feu. ❑ *vi* bouillir. ■ **boil down to** *vt insép fig* revenir à, se résumer à. ■ **boil over** *vi* **1.** *(liquide)* déborder **2.** *fig (sentiments)* exploser.

boiled [ˈbɔɪld] *adj* • **boiled egg** œuf *m* à la coque.

boiler [ˈbɔɪlə] *n* chaudière *f*.

boiler room *n* chaufferie *f*.

boiler suit *n* (UK) bleu *m* de travail.

boiling [ˈbɔɪlɪŋ] *adj* **1.** bouillant **2.** *fam* très chaud, torride • **I'm boiling (hot)!** je crève de chaleur !

boiling point *n* point *m* d'ébullition.

boisterous [ˈbɔɪstərəs] *adj* turbulent, remuant.

BOL SMS (abrév de best of luck) bonne chance.

bold [bəʊld] *adj* **1.** hardi, audacieux **2.** *(couleurs)* vif, vive *f*, éclatant **3.** • **bold type** *ou* **print** caractères *mpl* gras.

bollard [ˈbɒlɑːd] *n* (UK) borne *f*.

bollocking [ˈbɒləkɪŋ] *n* (UK) *tfam* engueulade *f* • **he got/she gave him a right bollocking** il a reçu/elle lui a passé un sacré savon.

bollocks [ˈbɒləks] (UK) *tfam npl* couilles *fpl*. ❑ *interj* quelles conneries !

bolster [ˈbəʊlstə] *n* traversin *m*. ❑ *vt* renforcer, affirmer • **he bolstered my morale** il m'a remonté le moral. ■ **bolster up** *vt sép* soutenir.

bolt [bəʊlt] *n* **1.** verrou *m* **2.** boulon *m*. ❑ *adv* • **bolt upright** droit comme un piquet. ❑ *vt* **1.** boulonner **2.** verrouiller **3.** engouffrer, engloutir *(de la nourriture)*. ❑ *vi* détaler.

bomb [bɒm] *n* bombe *f* • **a bomb scare** une alerte à la bombe. ❑ *vt* bombarder.

bombard [bɒmˈbɑːd] *vt fig* • **to bombard (with)** bombarder (de).

bombastic [bɒmˈbæstɪk] *adj* pompeux.

bomb disposal squad *n* équipe *f* de déminage.

bombed-out *adj fam* **1.** crevé, nase **2.** plein à craquer **3.** bourré, beurré *(ivre)* **4.** défoncé *(drogué)*.

bomber [ˈbɒmə] *n* **1.** bombardier *m* **2.** plastiqueur *m*.

bomber jacket *n* blouson *m* d'aviateur.

bombing [ˈbɒmɪŋ] *n* bombardement *m*.

bombshell [ˈbɒmʃel] *n fig* bombe *f*.

bombsite [ˈbɒmsaɪt] *n* lieu *m* bombardé.

bona fide [ˌbəʊnəˈfaɪdɪ] *adj* **1.** véritable, authentique **2.** *(offre)* sérieux.

bond [bɒnd] *n* **1.** lien *m* **2.** engagement *m* **3.** FIN bon *m*, titre *m*. ❑ *vt* **1.** • **to bond sthg to sthg** coller qqch sur qqch **2.** *fig* unir.

bondage [ˈbɒndɪdʒ] *n* servitude *f*, esclavage *m*.

bone [bəʊn] *n* **1.** os *m* **2.** arête *f (de poisson)*. ❑ *vt* **1.** *(viande)* désosser **2.** *(poisson)* enlever les arêtes de.

bone-dry *adj* tout à fait sec, sèche *f*.

bone-idle *adj* (UK) *fam* paresseux comme une couleuvre *ou* un lézard.

bonfire [ˈbɒnˌfaɪə] *n* **1.** feu *m* de joie **2.** feu *(de jardin)*.

bonkers [ˈbɒŋkəz] *adj* (UK) *fam* cinglé.

Bonn [bɒn] *n* Bonn.

bonnet [ˈbɒnɪt] *n* **1.** (UK) capot *m* **2.** bonnet *m*.

bonny [ˈbɒnɪ] *adj* (ÉCOSSE) beau, belle *f*, joli.

bonus [ˈbəʊnəs] *(pl* -es*)* *n* **1.** prime *f*, gratification *f* **2.** *fig* plus *m*.

bony [ˈbəʊnɪ] *adj* **1.** maigre, osseux **2.** *(viande)* plein d'os **3.** *(poisson)* plein d'arêtes.

boo [buː] *interj* hou ! ❑ *n (pl* -s*)* huée *f*. ❑ *vt & vi* huer.

boob (UK) [buːb], **boo-boo** [buːbuː] *n fam* gaffe *f*, bourde *f*. ■ **boobs** *npl tfam* nichons *mpl*.

booby prize [ˈbuːbɪ-] *n* prix *m* de consolation.

booby trap [ˈbuːbɪ-] *n* **1.** objet *m* piégé **2.** farce *f*.

book [bʊk] *n* **1.** livre *m* • **book cover** couverture *f* • **she's an open book** *fig* on peut lire en elle comme dans un livre ouvert *fig* **2.** carnet *m (de timbres, de chèques)* **3.** pochette *f (d'allumettes)*. ❑ *vt* **1.** réserver • **to be fully booked** être complet **2.** engager **3.** *fam* coller un PV à **4.** (UK) prendre le nom de. ❑ *vi* réserver. ■ **books** *npl* livres *mpl* de comptes. ■ **book up** *vt sép* réserver, retenir.

bookcase [ˈbʊkkeɪs] *n* bibliothèque *f*.

Booker Prize [ˈbʊkə-] *n* • **the Booker Prize** *prix littéraire britannique*.

book group *n* club *m* de lecture.

bookie [ˈbʊkɪ] *n fam* bookmaker *m*.

booking [ˈbʊkɪŋ] *n* **1.** réservation *f* **2.** (UK) • **to get a booking** recevoir un carton jaune.

booking office *n* (UK) bureau *m* de réservation *ou* location.

bookkeeping [ˈbʊkˌkiːpɪŋ] *n* comptabilité *f*.

booklet [ˈbʊklɪt] *n* brochure *f*.

bookmaker [ˈbʊkˌmeɪkə] *n* bookmaker *m*.

bookmark ['bʊkmɑːk] n signet m.❑ vt• **to bookmark a site** mettre un signet à un site.

bookseller ['bʊkˌselər] n libraire mf.

bookshelf ['bʊkʃelf] (pl **-shelves**) n rayon m ou étagère f à livres.

bookshop (UK) ['bʊkʃɒp], **bookstore** (US) ['bʊkstɔːr] n librairie f.

book token n (UK) chèque-livre m.

bookwork ['bʊkwɜːk] n **1.** comptabilité f **2.** secrétariat m.

boom [buːm] n **1.** grondement m **2.** boom m **3.** NAUT bôme f **4.** CINÉ & TV girafe f, perche f.❑ vi **1.** gronder **2.** (commerce) être en plein essor ou en hausse.

boom and bust (cycle) n ÉCON cycle m expansion-récession.

boom operator n CINÉ perchiste m.

boon [buːn] n aubaine f, bénédiction f.

boondoggle ['buːndɒgl] (US) n fam planque f (travail).❑ vi fam flemmarder, peigner la girafe.

boost [buːst] n **1.** augmentation f **2.** croissance f.❑ vt **1.** stimuler **2.** accroître, renforcer.

booster ['buːstər] n MÉD rappel m• **booster shot** piqûre f de rappel.

boot [buːt] n **1.** chaussure f• **football boots** des chaussures de football **2.** botte f **3.** (UK) coffre m (de voiture).❑ vt fam flanquer des coups de pied à.■ **to boot** adv par-dessus le marché, en plus.

bootcut ['buːtkʌt] adj (pantalon, jean) trompette.

boot disk n INFORM disque m de démarrage.

booth [buːð] n **1.** baraque f foraine **2.** cabine f **3.** isoloir m.

booty ['buːtɪ] n butin m.

booze [buːz] fam n (indén) alcool m, boisson f alcoolisée.❑ vi picoler.

bop [bɒp] fam n **1.** coup m **2.** (UK) fête f.❑ vi (UK) danser.

border ['bɔːdər] n **1.** frontière f **2.** bord m **3.** bordure f.❑ vt **1.** être limitrophe de **2.** border. ■ **border on** vt insép friser, être voisin de.

borderline ['bɔːdəlaɪn] adj• **borderline case** cas m limite.❑ n fig limite f, ligne f de démarcation.

bore [bɔːr] passé → **bear**.❑ n **1.** (personne) raseur m, -euse f **2.** (chose) corvée f **3.** calibre m.❑ vt **1.** ennuyer, raser• **to bore sb stiff** ou **to tears** ou **to death** ennuyer qqn à mourir **2.** forer, percer.

bored [bɔːd] adj **1.** (personne) qui s'ennuie **2.** (expression) d'ennui• **to be bored with** en avoir assez de.

boredom ['bɔːdəm] n (indén) ennui m.

boring ['bɔːrɪŋ] adj ennuyeux• **what a boring film!** quel film ennuyeux !

born [bɔːn] adj né• **to be born** naître• **she was born lucky** elle est née coiffée.

borne [bɔːn] pp → **bear**.

borough ['bʌrə] n municipalité f.

borrow ['bɒrəʊ] vt emprunter• **can I borrow your pen?** je peux t'emprunter ton stylo ?

borrower ['bɒrəʊər] n emprunteur m, -euse f.

borrowing ['bɒrəʊɪŋ] n emprunt m.

Bosnia ['bɒznɪə] n Bosnie f.

Bosnia-Herzegovina [-ˌhɜːtsəgə'viːnə] n Bosnie-Herzégovine f.

Bosnian ['bɒznɪən] adj bosniaque.❑ n Bosniaque mf.

bosom ['bʊzəm] n **1.** poitrine f, seins mpl **2.** fig sein m• **bosom buddy** meilleur pote m.

boss [bɒs] n patron m, -onne f, chef m.■ **boss about**, **boss around** vt sép péj donner des ordres à, régenter.

bossy ['bɒsɪ] adj péj autoritaire.

bossy-boots n fam• **he/she's a real bossy-boots** il/elle adore donner des ordres.

bosun ['bəʊsn] = **boatswain**.

bot [bɒt] n INFORM bot m informatique, robogiciel m.

botany ['bɒtənɪ] n botanique f.

botch [bɒtʃ] ■ **botch up** vt sép fam bousiller, saboter.

both [bəʊθ] adj les deux.❑ pron• **both (of them)** (tous) les deux, (toutes) les deux f• **both of us are coming** on vient tous les deux.❑ adv• **she is both intelligent and amusing** elle est à la fois intelligente et drôle.

both

À PROPOS DE

L'adjectif **both** peut apparaître soit devant un nom dénombrable au pluriel **(both girls are clever)**, soit devant deux noms dénombrables au singulier **(both my brother and my sister are coming)**. Dans les deux cas le verbe est au pluriel.

En tant qu'adjectif, **both** peut être suivi directement : du nom qu'il qualifie **(both cars need repairing)** ; de **the (both the cars need repairing)** ; d'un adjectif possessif tel que **my, your, his**, etc. **(both my cars need repairing)** ; de **this/these** ou **that/those (both these cars need repairing)**.

En tant que pronom, **both** peut être utilisé seul **(I like them both ; both speak English)**, ou devant **of**, lui-même suivi d'un pronom pluriel tel que **us, you** ou **them (both of them speak English)**.

bother ['bɒðər] vt **1.** ennuyer, inquiéter• **to bother o.s. (about)** se tracasser (au sujet de) **2.** embêter• **I'm sorry to bother you** excusez-moi de vous déranger.❑ vi• **to bother about** sthg s'inquiéter de qqch• **don't bother (to do it)** ce n'est pas la peine (de le faire).❑ n (indén) (surtout UK) embêtement m• **it's no bother at all** cela ne me dérange pas du tout.

bothered ['bɒðəd] *adj* inquiet • **I am really bothered that so many people are unemployed** cela m'inquiète que tant de personnes soient au chômage • **I am bothered about it** *ou* **by it** (UK) cela me dérange.

botnet ['bɒtnɛt] *n* INFORM botnet *m*, réseau *m* de robots IRC.

bottle ['bɒtl] *n* **1.** bouteille *f* **2.** flacon *m* **3.** biberon *m*. ❑ *vt* **1.** mettre en bouteilles **2.** mettre en bocal. ■ **bottle up** *vt sép* refouler, contenir.

bottle bank *n* (UK) container *m* pour verre usagé.

bottleneck ['bɒtlnɛk] *n* **1.** bouchon *m*, embouteillage *m* **2.** goulet *m* d'étranglement.

bottle-opener *n* ouvre-bouteilles *m inv*, décapsuleur *m*.

bottle party *n* soirée *f (où chacun apporte quelque chose à boire).*

bottom ['bɒtəm] *adj* du bas. ❑ *n* **1.** fond *m* **2.** bas *m (d'une page, d'une rue)* **3.** pied *m (d'une colline)* **4.** dernier *m*, -ère *f (de la classe)* **5.** derrière *m* **6.** • **to get to the bottom of sthg** aller au fond de qqch, découvrir la cause de qqch **7.** bas *m (d'un vêtement deux pièces).* ■ **bottom out** *vi* atteindre son niveau le plus bas.

bottom line *n fig* • **the bottom line** l'essentiel *m*.

bottom-up *adj* ascendant.

bough [baʊ] *n* branche *f*.

bought [bɔt] *passé & pp* → **buy**.

boulder ['bəʊldə'] *n* rocher *m*.

bounce [baʊns] *vi* **1.** rebondir **2.** sauter **3.** *fam* être sans provision. ❑ *vt* faire rebondir. ❑ *n* rebond *m*. ■ **bounce back** *vi* **1.** *fig* se remettre vite **2.** *(e-mail)* ne pas être livré.

bounce message *n* rapport *m* de non livraison *(d'un e-mail).*

bouncer ['baʊnsə'] *n fam* videur *m*.

bound [baʊnd] *passé & pp* → **bind**. ❑ *adj* **1.** • **he's bound to win** il va sûrement gagner • **she's bound to see it** elle ne peut pas manquer de le voir **2.** • **to be bound to do sthg** être obligé *ou* tenu de faire qqch • **I'm bound to say/admit that...** je dois dire/reconnaître que... **3.** • **to be bound for a)** *(personne)* être en route pour **b)** *(avion, train)* être à destination de. ❑ *n* bond *m*, saut *m*. ❑ *vt* • **to be bounded by a)** *(terrain)* être limité *ou* délimité par **b)** *(pays)* être limitrophe de. ■ **bounds** *npl* limites *fpl* • **out of bounds** interdit, défendu.

boundary ['baʊndərɪ] *n* **1.** frontière *f* **2.** limite *f*, borne *f*.

bouquet [bu'keɪ] *n* bouquet *m*.

bourbon ['bɜ:bən] *n* bourbon *m*.

bourgeois ['bɔ:ʒwɑ:] *adj péj* bourgeois.

bout [baʊt] *n* **1.** accès *m (de fièvre)* • **a bout of flu** une grippe **2.** période *f* **3.** combat *m*.

bow[1] [baʊ] *n* **1.** révérence *f* **2.** proue *f*, avant *m*. ❑ *vt* baisser, incliner. ❑ *vi* **1.** saluer **2.** • **to bow to** s'incliner devant.

bow[2] [bəʊ] *n* **1.** arc *m* **2.** archet *m* **3.** nœud *m*.

bowel ['baʊəl] *n* **1.** intestin *m* • **a bowel disorder** des troubles *mpl* intestinaux **2.** boyau *m*. ■ **bowels** *npl* **1.** ANAT intestins *mpl* **2.** *fig* entrailles *fpl* • **the bowels of the earth** les entrailles de la Terre.

bowl [bəʊl] *n* **1.** jatte *f*, saladier *m* **2.** bol *m* **3.** cuvette *f* **4.** cuvette *f (des toilettes)* **5.** fourneau *m (d'une pipe).* ❑ *vi* CRICKET lancer la balle. ■ **bowls** *n (indén)* boules *fpl (sur herbe).*

bow-legged [,bəʊ'lɛgɪd] *adj* aux jambes arquées.

bowler ['bəʊlə'] *n* **1.** CRICKET lanceur *m* **2.** (UK) • **bowler (hat)** chapeau *m* melon.

bowling ['bəʊlɪŋ] *n (indén)* bowling *m*.

bowling alley *n* **1.** bowling *m* **2.** piste *f* de bowling.

bowling green *n* terrain *m* de boules *(sur herbe).*

bow tie [bəʊ-] *n* nœud *m* papillon.

box [bɒks] *n* **1.** boîte *f* **2.** THÉÂTRE loge *f* **3.** (UK) *fam* • **the box** la télé **4.** *(locution)* • **to think outside the box** réfléchir de façon créative. ❑ *vi* **1.** boxer, faire de la boxe **2.** *(locution)* • **to box clever** *fig* ruser.

boxer ['bɒksə'] *n* **1.** boxeur *m* **2.** *(chien)* boxer *m*.

boxer shorts *npl* boxer-short *m*.

box file *n* boîte *f* archive.

boxing ['bɒksɪŋ] *n* boxe *f*.

Boxing Day *n le 26 décembre.*

boxing glove *n* gant *m* de boxe.

box office *n* bureau *m* de location.

box of tricks *n* sac *m* à malices.

boxroom ['bɒksrʊm] *n* (UK) débarras *m*.

boy [bɔɪ] *n* garçon *m*. ❑ *interj fam* • **(oh) boy!** ben, mon vieux !, ben, dis-donc !

boy band *n* boy's band *m*.

boycott ['bɔɪkɒt] *n* boycott *m*, boycottage *m*. ❑ *vt* boycotter.

boyfriend ['bɔɪfrɛnd] *n* copain *m*, petit ami *m* • **boyfriend trouble** problèmes *mpl* de cœur.

boyish ['bɔɪɪʃ] *adj* **1.** gamin **2.** de garçon.

boy wonder *n* petit génie *m*.

bpm (abrév de beats per minute) battements par minute.

BR (abrév de British Rail) *n* ≃ SNCF *f*.

bra [brɑ:] *n* soutien-gorge *m*.

brace [breɪs] *n* **1.** (UK) appareil *m* (dentaire) **2.** appareil *m* orthopédique. ❑ *vt* **1.** soutenir, consolider • **to brace o.s.** s'accrocher, se cramponner **2.** *fig* • **to brace o.s. (for sthg)** se préparer (à qqch). ■ **braces** *npl* **1.** (UK) bretelles *fpl* **2.** (US) appareil *m* (dentaire).

bracelet ['breɪslɪt] n bracelet m.

brace position n (en avion) position f de sécurité.

bracing ['breɪsɪŋ] adj vivifiant.

bracken ['brækn] n fougère f.

bracket ['brækɪt] n **1.** support m **2.** parenthèse f **3.** crochet m • **in brackets** entre parenthèses/crochets **4.** • **age/income bracket** tranche f d'âge/de revenus. ❏ vt mettre entre parenthèses/crochets.

brag [bræg] vi se vanter.

braid [breɪd] n **1.** galon m **2.** (surtout US) tresse f, natte f. ❏ vt (surtout US) tresser, natter.

brain [breɪn] n cerveau m. ■ **brains** npl intelligence f.

brainbox ['breɪnbɒks] n (UK) fam &vieilli cerveau m (personne).

brainchild ['breɪntʃaɪld] n fam idée f personnelle, invention f personnelle.

brain dead adj dans un coma dépassé • **he's brain dead** fam &péj il n'a rien dans le cerveau.

brain drain n fuite f des cerveaux.

brainiac ['breɪniæk] n (US) fam intello mf.

brainstem ['breɪnstem] n tronc m cérébral.

brainstorming ['breɪnstɔːmɪŋ] n brainstorming m, remue-méninges m inv.

brainwash ['breɪnwɒʃ] vt faire un lavage de cerveau à.

brainwave ['breɪnweɪv] n (UK) idée f géniale ou de génie.

brainy ['breɪni] adj fam intelligent.

brake [breɪk] n litt &fig frein m • **to put on the brakes** freiner. ❏ vi freiner.

brake light n stop m, feu m arrière.

bramble ['bræmbl] n **1.** ronce f **2.** (UK) mûre f.

bran [bræn] n son m.

branch [brɑːntʃ] n **1.** branche f **2.** bifurcation f, embranchement m **3.** filiale f, succursale f **4.** agence f (d'une banque). ❏ vi bifurquer. ■ **branch out** vi étendre ses activités, se diversifier.

brand [brænd] n **1.** COMM marque f **2.** fig rouge m, genre m. ❏ vt **1.** marquer au fer rouge **2.** fig • **to brand sb (as) sthg** étiqueter qqn comme qqch, coller à qqn l'étiquette de qqch.

brandish ['brændɪʃ] vt brandir.

brand leader n marque f dominante.

brand-led adj MARKETING piloté par la marque.

brand-loyal adj MARKETING fidèle à la marque.

brand loyalty n fidélité f à la marque.

brand name n marque f.

brand-new adj flambant neuf, flambant neuve f, tout neuf, toute neuve f.

brand-sensitive adj MARKETING sensible aux marques.

brandy ['brændi] n cognac m.

brash [bræʃ] adj effronté.

brass [brɑːs] n **1.** laiton m, cuivre m jaune **2.** • **the brass** les cuivres mpl.

brass band n fanfare f.

brassiere [(UK) 'bræsiə, (US) brə'zɪr] n soutien-gorge m.

brat [bræt] n fam &péj sale gosse m.

bravado [brə'vɑːdəʊ] n bravade f.

brave [breɪv] adj courageux, brave. ❏ n guerrier m indien, brave m. ❏ vt braver, affronter.

bravery ['breɪvəri] n courage m, bravoure f.

brawl [brɔːl] n bagarre f, rixe f.

brawn [brɔːn] n (indén) muscle m.

bray [breɪ] vi braire.

brazen ['breɪzn] adj **1.** effronté, impudent **2.** éhonté.

brazenness ['breɪznnɪs] n effronterie f.

brazier ['breɪzjər] n brasero m.

Brazil [brə'zɪl] n Brésil m.

Brazilian [brə'zɪljən] adj brésilien. ❏ n Brésilien m, -enne f.

brazil nut n noix f du Brésil.

BRB SMS (abrév de be right back) je reviens tout de suite.

breach [briːtʃ] n **1.** infraction f, violation f **2.** • **breach of contract** rupture f de contrat **3.** trou m, brèche f. ❏ vt **1.** rompre **2.** faire une brèche dans.

breach of the peace n atteinte f à l'ordre public.

bread [bred] n pain m • **bread and butter a)** tartine f beurrée, pain m beurré **b)** fig gagne-pain m.

bread bin (UK), **bread box** (US) n boîte f à pain.

breadcrumbs ['bredkrʌmz] npl chapelure f.

breadline ['bredlaɪn] n • **to be on the breadline** être sans ressources ou sans le sou.

breadstick ['bredstɪk] n gressin m.

breadth [bretθ] n **1.** largeur f **2.** fig ampleur f, étendue f.

breadwinner ['bred,wɪnər] n soutien m de famille.

break [breɪk] n **1.** • **break (in)** trouée f (dans) **2.** fracture f **3.** pause f **4.** (UK) récréation f • **to take a break a)** faire une pause **b)** prendre des jours de congé • **without a break** sans interruption • **to have a break from doing sthg** arrêter de faire qqch **5.** fam • **(lucky) break** chance f, veine f. ❏ vt (prét broke, pp broken) **1.** casser, briser • **to break one's arm** se casser le bras • **to break a record** battre un record **2.** interrompre **3.** rompre **4.** enfreindre, violer **5.** manquer à (sa promesse) **6.** • **to break the news (of sthg to sb)** annoncer la nouvelle (de qqch à qqn). ❏ vi (prét broke, pp broken) **1.** se casser, se briser • **to break loose** ou **free** se dégager, s'échapper **2.** s'arrêter, faire une pause **3.** (temps) se gâter **4.** (voix) se briser **5.** (à la *puberté*) muer **6.** *(nouvelle)* se répandre, éclater **7.** *(locution)* • **to break even** rentrer dans ses frais. ■ **break away** *vi* s'échapper. ■ **break down** *vt sép* **1.** démolir **2.** enfoncer • **the police broke the door down** la police a enfoncé la porte **3.** analyser. ❑ *vi* **1.** tomber en panne • **their car broke down** leur voiture est tombée en panne **2.** céder **3.** échouer **4.** fondre en larmes. ■ **break in** *vi* **1.** entrer par effraction **2.** • **to break in (on sb/sthg)** interrompre (qqn/ qqch). ❑ *vt sép* **1.** dresser *(un cheval)* **2.** *(chaussures)* porter *(pour user)*, faire. ■ **break into** *vt insép* **1.** entrer par effraction dans **2.** • **to break into song/applause** se mettre à chanter/applaudir. ■ **break off** *vt sép* **1.** détacher **2.** rompre **3.** interrompre. ❑ *vi* **1.** se casser, se détacher **2.** s'interrompre, se taire. ■ **break out** *vi* **1.** *(feu)* se déclarer **2.** *(bagarre)* éclater **3.** • **to break out (of)** s'échapper (de), s'évader (de). ■ **break through** *vt insép* percer *(soleil)*, traverser *(de force)* • **she broke through the crowd** elle se fraya un chemin à travers la foule. ❑ *vi insép* **1.** percer **2.** faire une percée. ■ **break up** *vt sép* **1.** mettre en morceaux **2.** détruire **3.** mettre fin à. ❑ *vi* **1.** se casser en morceaux **2.** *(navire)* se briser **3.** *(relation)* prendre fin • **to break up (with sb)** rompre (avec qqn) **4.** *(école)* finir, fermer **5.** se disperser **6.** *(au téléphone)* • **you're breaking up!** je ne t'entends plus !

breakage ['breɪkɪdʒ] *n* bris *m*.

break-dance *vi* danser le smurf.

break dancing *n* smurf *m*.

breakdown ['breɪkdaʊn] *n* **1.** panne *f* **2.** échec *m* **3.** rupture *f* **4.** détail *m*.

breakfast ['brekfəst] *n* petit déjeuner *m*.

breakfast television *n* (UK) télévision *f* du matin.

break-in *n* cambriolage *m*.

breaking ['breɪkɪŋ] *n* • **breaking and entering** entrée *f* par effraction.

breaking point *n* limite *f*.

breakneck ['breɪknek] *adj* • **at breakneck speed** à fond de train.

breakthrough ['breɪkθruː] *n* percée *f*.

breakup ['breɪkʌp] *n* rupture *f (d'une relation)*.

breast [brest] *n* **1.** sein *m* **2.** poitrine *f* **3.** blanc *m*.

breast-feed *vt & vi* allaiter.

breast milk *n (indén)* lait *m* maternel.

breaststroke ['breststrəʊk] *n* brasse *f* • **to swim breaststroke** nager la brasse.

breath [breθ] *n* souffle *m*, haleine *f* • **to take a deep breath** inspirer profondément.

breathalyse (UK), **-yze** (US) ['breθəlaɪz] *vt* ≃ faire subir l'Alcootest® à.

breathe [briːð] *vi* respirer. ❑ *vt* **1.** respirer **2.** souffler des relents de. ■ **breathe in** *vi & vt sép* inspirer. ■ **breathe out** *vi & vt sép* expirer.

breather ['briːðə'] *n fam* moment *m* de repos *ou* répit.

breath freshener *n* spray *m* buccal.

breathing ['briːðɪŋ] *n* respiration *f*.

breathless ['breθlɪs] *adj* **1.** hors d'haleine, essouflé **2.** fébrile, fiévreux.

breathlessness ['breθlɪsnɪs] *n* essouflement *m*.

breathtaking ['breθ,teɪkɪŋ] *adj* à vous couper le souffle.

breed [briːd] *n litt & fig* race *f*, espèce *f*. ❑ *vt (prét & pp* bred [bred]) **1.** élever *(des animaux)* **2.** *fig* faire naître, engendrer *(des doutes, du mépris)*. ❑ *vi* se reproduire.

breeding ['briːdɪŋ] *n (indén)* **1.** élevage *m* **2.** bonnes manières *fpl*, savoir-vivre *m*.

breeze [briːz] *n* brise *f*.

breezy ['briːzɪ] *adj* **1.** venteux **2.** jovial, enjoué.

brevity ['brevɪtɪ] *n* brièveté *f*.

brew [bruː] *vt* **1.** brasser *(de la bière)* **2.** faire infuser *(du thé)* **3.** préparer, faire *(du café)*. ❑ *vi* se tramer • **there is trouble brewing** il y a des ennuis en perspective.

brewer ['bruːə'] *n* brasseur *m*.

brewery ['bruːərɪ] *n* brasserie *f*.

bribe [braɪb] *n* pot-de-vin *m*. ❑ *vt* • **to bribe sb (to do sthg)** soudoyer qqn (pour qu'il fasse qqch).

bribery ['braɪbərɪ] *n* corruption *f*.

brick [brɪk] *n* brique *f*.

bricklayer ['brɪk,leɪə'] *n* maçon *m*.

bridal ['braɪdl] *adj* **1.** *(robe)* de mariée **2.** *(suite)* nuptial.

bride [braɪd] *n* mariée *f* • **the bride and groom** les mariés.

bridegroom ['braɪdgrʊm] *n* marié *m*.

bridesmaid ['braɪdzmeɪd] *n* **1.** demoiselle *f* d'honneur **2.** *(locution)* • **to be always the bridesmaid, never the bride** être une éternelle seconde.

bridge [brɪdʒ] *n* **1.** pont *m* **2.** passerelle *f* **3.** arête *f (du nez)* **4.** *(jeu de cartes et appareil dentaire)* bridge *m*. ❑ *vt fig* réduire *(un écart)*.

bridle ['braɪdl] *n* bride *f*.

bridle path *n* piste *f* cavalière.

brief [briːf] *adj* bref, brève *f*, court. ❑ *n* **1.** affaire *f*, dossier *m* **2.** (UK) instructions *fpl*. ❑ *vt* • **to brief sb (on) a)** mettre qqn au courant (de) **b)** briefer qqn (sur).

briefcase ['briːfkeɪs] *n* serviette *f*.

briefing ['briːfɪŋ] *n* instructions *fpl*, briefing *m*.

briefly ['briːflɪ] *adv* **1.** un instant **2.** brièvement.

briefs [briːfz] *npl* slip *m* • **a pair of briefs** un slip.

brigade [brɪ'geɪd] *n* brigade *f*.

brigadier [,brɪgə'dɪə'] *n* général *m* de brigade.

bright [braɪt] *adj* **1.** clair **2.** vif, vive f **3.** éclatant **4.** *(yeux, avenir)* brillant **5.** intelligent • **she's very bright** elle est très intelligente. ■ **bright and early** *adv* de bon matin.

brighten [braɪtn] *vi* **1.** s'éclaircir **2.** s'éclairer. ■ **brighten up** *vt sép* égayer. ❑ *vi* **1.** s'animer **2.** MÉTÉOR se dégager.

brightly-coloured *adj* aux couleurs vives.

brilliance ['brɪljəns] *n* **1.** intelligence f **2.** éclat m.

brilliant ['brɪljənt] *adj* **1.** brillant **2.** éclatant **3.** *fam* super (*inv*), génial.

Brillo pad ® ['brɪləʊ-] *n* ≃ tampon *m* Jex®.

brim [brɪm] *n* bord *m*. ❑ *vi* • **to brim with** *litt & fig* être plein de.

brine [braɪn] *n* saumure f.

bring [brɪŋ] *(prét & pp* **brought)** *vt* **1.** amener **2.** apporter **3.** entraîner, causer • **to bring sthg to an end** mettre fin à qqch. ■ **bring about** *vt sép* causer, provoquer. ■ **bring around** *vt sép* ranimer. ■ **bring back** *vt sép* **1.** rapporter *(quelque chose)* **2.** ramener *(quelqu'un)* • **to bring sb back to life** ranimer qqn **3.** rappeler *(des souvenirs)* **4.** rétablir. ■ **bring down** *vt sép* **1.** abattre *(un avion)* **2.** renverser *(un gouvernement)* **3.** faire baisser *(les prix)*. ■ **bring forward** *vt sép* **1.** avancer **2.** reporter. ■ **bring in** *vt sép* **1.** introduire *(une loi)* **2.** gagner **3.** rapporter. ■ **bring off** *vt sép* **1.** réaliser, réussir **2.** conclure, mener à bien *(une affaire)*. ■ **bring out** *vt sép* **1.** lancer *(un produit)* **2.** publier, faire paraître *(un livre)* **3.** faire ressortir. ■ **bring up** *vt sép* **1.** élever *(des enfants)* • **he was brought up by his grandparents** il a été élevé par ses grands-parents **2.** mentionner **3.** rendre, vomir.

brink [brɪŋk] *n* • **on the brink of** au bord de, à la veille de.

brisk [brɪsk] *adj* **1.** vif, vive f, rapide **2.** déterminé.

bristle ['brɪsl] *n* poil *m*. ❑ *vi litt & fig* se hérisser.

Brit [brɪt] *(abrév de* **Briton)** *n fam* Britannique *mf*.

Britain ['brɪtn] *n* Grande-Bretagne f • **in Britain** en Grande-Bretagne.

Britart ['brɪtɑːt] *npr nom collectif désignant l'œuvre de certains artistes conceptuels britanniques des années 1990.*

British ['brɪtɪʃ] *adj* britannique.

British Isles *npl* • **the British Isles** les îles *fpl* Britanniques.

British Library *n la bibliothèque nationale britannique.*

British Rail *n société des chemins de fer britanniques* ; ≃ SNCF f.

British Telecom [-'telɪkɒm] *n société britannique de télécommunications.*

Briton ['brɪtn] *n* Britannique *mf*.

Brittany ['brɪtənɪ] *n* Bretagne f.

brittle ['brɪtl] *adj* fragile.

broach [brəʊtʃ] *vt* aborder.

broad [brɔːd] *adj* **1.** large **2.** divers, varié **3.** *(description)* général **4.** *(allusion)* transparent **5.** *(accent)* prononcé. ■ **in broad daylight** *adv* en plein jour.

broadband ['brɔːdbænd] *n* diffusion f en larges bandes de fréquence • **have you got broadband?** tu as une connexion haut débit ? • **broadband Internet connection** connexion f Internet à haut débit.

broad bean *n* fève f.

broadcast ['brɔːdkɑːst] *n* RADIO & TV émission f. ❑ *vt (prét & pp* **broadcast)** **1.** radiodiffuser **2.** téléviser.

broaden ['brɔːdn] *vt* élargir. ❑ *vi* s'élargir.

broad jump (us) *n* = **long jump.**

broadly ['brɔːdlɪ] *adv* généralement.

broad-minded [-'maɪndɪd] *adj* large d'esprit • **to be broad-minded** avoir les idées larges.

broadsheet ['brɔːdʃiːt] *n* journal *m* de qualité.

broadsheet

Les principaux journaux nationaux de qualité en Grande-Bretagne sont les suivants :
The Guardian (tendance centre-gauche) ;
The Independent ;
The Daily Telegraph (tendance conservatrice) ;
The Times (tendance centre-droit) ;
The Financial Times.

broccoli ['brɒkəlɪ] *n (indén)* brocoli *m*.

brochure ['brəʊʃə'] *n* brochure f, prospectus *m*.

broil [brɔɪl] *vt* (us) griller.

broke [brəʊk] *passé* → **break.** ❑ *adj fam* fauché.

broken ['brəʊkn] *pp* → **break.** ❑ *adj* **1.** cassé **2.** *(voyage, sommeil)* interrompu **3.** *(mariage, union)* brisé **4.** *(couple, famille)* désuni **5.** • **to speak in broken English** parler un anglais hésitant.

broker ['brəʊkə'] *n* courtier *m*, -ère f • **(insurance) broker** assureur *m*, courtier d'assurances.

brolly ['brɒlɪ] *n* (UK) *fam* pépin *m (parapluie)*.

bronchitis [brɒŋ'kaɪtɪs] *n (indén)* bronchite f.

bronze [brɒnz] *adj* *(couleur)* bronze *(inv)*. ❑ *n* bronze *m*.

brooch [brəʊtʃ] *n* broche f.

brood [bruːd] *n* couvée f. ❑ *vi* • **to brood (over** ou **about sthg)** ressasser *(qqch)*, remâcher *(qqch)*.

brook [brʊk] *n* ruisseau *m*.

broom [bruːm] *n* balai *m*.

broomstick ['bruːmstɪk] *n* manche à balai.

broth [brɒθ] *n* bouillon *m*.

brothel ['brɒθl] *n* bordel *m*.

brother ['brʌðər] n frère m.

brother-in-law (pl brothers-in-law) n beau-frère m.

brought [brɔt] passé & pp → bring.

brow [braʊ] n 1. front m 2. sourcil m 3. sommet m.

brown [braʊn] adj 1. brun, marron (inv) 2. bronzé, hâlé. □ n marron m, brun m. □ vt faire dorer.

brown bread n (indén) pain m complet.

brownfield site ['braʊnfiːld-] n terrain m à bâtir (après démolition de bâtiments préexistants).

brownie ['braʊnɪ] n 1. lutin m 2. brownie m. ■ Brownie (Guide) n ≃ jeannette f.

Brownie point ['braʊnɪ-] n fam bon point m.

brown paper n papier m d'emballage, papier kraft • **brown paper bag** sac m en papier kraft.

brown rice n riz m complet.

brown sugar n sucre m roux.

browse [braʊz] vi 1. • **I'm just browsing** je ne fais que regarder • **to browse through** feuilleter 2. (animal) brouter 3. INFORM naviguer, surfer • **she's browsing the Net** elle surfe sur le Net. □ vt parcourir.

browser ['braʊzər] n navigateur m, browser m.

BRT SMS (abrév de be right there) j'arrive tout de suite.

bruise [bruːz] n (ecchymose) bleu m. □ vt 1. se faire un bleu à 2. taler (des fruits) 3. fig meurtrir, blesser.

brunch [brʌntʃ] n brunch m. □ vi prendre un brunch, bruncher.

brunette [bruːˈnet] n brunette f.

brunt [brʌnt] n • **to bear** ou **take the brunt of** subir le plus gros de.

brush [brʌʃ] n 1. brosse f 2. pinceau m 3. • **to have a brush with the police** avoir des ennuis avec la police. □ vt 1. brosser 2. effleurer. ■ brush aside vt sép fig écarter, repousser. ■ brush off vt sép envoyer promener. ■ brush up vt sép réviser. □ vi • **to brush up on sthg** réviser qqch.

brush-off n fam • **to give sb the brush-off** envoyer promener qqn.

brushwood ['brʌʃwʊd] n (indén) brindilles fpl.

brusque, brusk (us) [bruːsk] adj brusque.

Brussels ['brʌslz] n Bruxelles.

brussels sprout n chou m de Bruxelles.

brutal ['bruːtl] adj brutal.

brute [bruːt] adj brutal. □ n brute f.

BSc (abrév de Bachelor of Science) n 1. (UK) ≃ licence f de sciences 2. ≃ licencié m, -e f en ou ès sciences.

BT (abrév de British Telecom) n société britannique de télécommunications.

BT SMS abrév de **between**.

BTW (abrév de by the way) adv fam à propos.

BTWN SMS abrév de **between**.

bubble ['bʌbl] n bulle f • **the dotcom/property bubble** la bulle Internet/immobilière. □ vi 1. faire des bulles, bouillonner 2. fig • **to bubble with** déborder de.

bubble bath n bain m moussant.

bubble gum n bubble-gum m.

bubblejet printer ['bʌbldʒet-] n imprimante f à jet d'encre.

bubble wrap n emballage-bulle m.

Bucharest [ˌbjuːkəˈrest] n Bucarest.

buck [bʌk] n 1. mâle m 2. (us) fam dollar m. □ vi (cheval) ruer. □ vt (locution) • **to buck the trend** résister à la tendance.

bucket ['bʌkɪt] n seau m.

Buckingham Palace ['bʌkɪŋəm-] n le palais de Buckingham.

buckle ['bʌkl] n boucle f. □ vt 1. boucler 2. voiler. □ vi 1. (roue) se voiler 2. (genoux, jambes) se plier. ■ buckle up vi insép (us) • **buckle up!** attachez vos ceintures !

buckraker ['bʌkreɪkər] n journaliste ou personnage politique fortement rémunéré pour ses communications auprès d'un groupe d'intérêt.

buckraking ['bʌkreɪkɪŋ] n communication fortement rémunérée, réalisée par un journaliste ou un personnage politique auprès d'un groupe d'intérêt.

bud [bʌd] n bourgeon m. □ vi bourgeonner.

Budapest [ˌbjuːdəˈpest] n Budapest.

Buddha ['bʊdə] n Bouddha m.

Buddhism ['bʊdɪzm] n bouddhisme m.

Buddhist ['bʊdɪst] adj bouddhiste. □ n bouddhiste mf.

budding ['bʌdɪŋ] adj en herbe.

buddy ['bʌdɪ] n fam pote m.

budge [bʌdʒ] vt faire bouger. □ vi bouger.

budgerigar ['bʌdʒərɪgɑːr] n perruche f.

budget ['bʌdʒɪt] adj pour petits budgets. □ n budget m. ■ budget for vt insép prévoir.

budget constraint n contrainte f budgétaire.

budget deficit n déficit m budgétaire.

budget forecast n prévisions fpl budgétaires.

budgie ['bʌdʒɪ] n fam perruche f.

bud vase n soliflore m.

buff [bʌf] *adj* chamois *(inv)*. ❑ *n fam* mordu *m*, -e *f*.

buffalo ['bʌfələʊ] *(pl inv ou* -es *ou* -s) *n* **1.** buffle *m* **2.** (US) bison *m*.

buffalo wings *npl* ailes de poulet frites servies avec une sauce relevée.

buffer ['bʌfər] *n* **1.** tampon *m* **2.** INFORM mémoire *f* tampon.

buffering ['bʌfərɪŋ] *n* INFORM **1.** stockage *m* en mémoire tampon **2.** utilisation *f* de la mémoire tampon.

buffet[1] [(UK) 'bʊfeɪ, (US) bə'feɪ] *n* buffet *m (d'une gare, dans une réception)*.

buffet[2] ['bʌfɪt] *vt* frapper.

buffet car ['bʊfeɪ-] *n* (UK) wagon-restaurant *m*.

bug [bʌg] *n* **1.** *fam* microbe *m* **3.** *fam* micro *m* **4.** INFORM bogue *m*, bug *m* • **bug-free** exempt de bugs. ❑ *vt fam* **1.** mettre sur table d'écoute **2.** embêter • **stop bugging me!** arrête de m'embêter ! • **bug off!** *interj* (US) *tfam* dégage !

bugbear ['bʌgbeər] *n* cauchemar *m*.

bugger ['bʌgər] (UK) *tfam n* con *m*, conne *f*. ❑ *interj* merde ! • **bugger off!** fous le camp !

buggy ['bʌgɪ] *n* **1.** boghei *m* **2.** poussette *f* **3.** (US) landau *m*.

bugle ['bjuːgl] *n* clairon *m*.

bug-ridden *adj* **1.** *(chambre, hôtel)* infesté de vermine **2.** *(logiciel)* plein de bugs.

build [bɪld] *(prét & pp* built) *vt litt & fig* construire, bâtir. ❑ *n (construction)* • **a new build** une construction neuve. ■ **build on**, **build upon** *vt insép* tirer avantage de. ❑ *vt sép* fonder sur. ■ **build up** *vt sép* **1.** développer *(une affaire)* **2.** bâtir *(une réputation).* ❑ *vi* **1.** *(nuages)* s'amonceler **2.** *(circulation)* augmenter.

builder ['bɪldər] *n* entrepreneur *m*, -euse *f*.

building ['bɪldɪŋ] *n* bâtiment *m*.

building and loan association *n* (US) société d'épargne et de financement immobilier.

building block *n* **1.** cube *m (jouet)* **2.** *fig* élément *m*, composante *f*.

building site *n* chantier *m*.

building society *n* (UK) ≃ société *f* d'épargne et de financement immobilier.

buildup ['bɪldʌp] *n* accroissement *m*.

built [bɪlt] *passé & pp* → build.

built-in *adj* **1.** encastré **2.** inné.

built-up *adj* • **built-up area** agglomération *f*.

bulb [bʌlb] *n* **1.** ÉLECTR ampoule *f* **2.** oignon *m*.

Bulgaria [bʌl'geərɪə] *n* Bulgarie *f*.

Bulgarian [bʌl'geərɪən] *adj* bulgare. ❑ *n* **1.** Bulgare *mf* **2.** bulgare *m*.

bulge [bʌldʒ] *n* bosse *f*. ❑ *vi* • **to bulge (with)** être gonflé (de).

bulk [bʌlk] *n* **1.** volume *m* **2.** corpulence *f* **3.** COMM • **in bulk** en gros **4.** • **the bulk of** le plus gros de. ❑ *adj* en gros.

bulky ['bʌlkɪ] *adj* volumineux.

bull [bʊl] *n* **1.** taureau *m* **2.** mâle *m*.

bulldog ['bʊldɒg] *n* bouledogue *m*.

bulldozer ['bʊldəʊzər] *n* bulldozer *m*.

bullet ['bʊlɪt] *n* balle *f*.

bulletin ['bʊlətɪn] *n* bulletin *m*.

bullet loan *n* prêt-ballon *m*.

bullfight ['bʊlfaɪt] *n* corrida *f*.

bullfighter ['bʊl,faɪtər] *n* toréador *mf*.

bullfighting ['bʊl,faɪtɪŋ] *n (indén)* courses *fpl* de taureaux.

bullion ['bʊljən] *n (indén)* lingot *m*.

bull market *n* FIN marché *m* à la hausse.

bullock ['bʊlək] *n* bœuf *m*.

bullring ['bʊlrɪŋ] *n* arène *f*.

bull's-eye *n* centre *m*.

bullshit ['bʊlʃɪt] *vulg n (indén)* conneries *fpl*. ❑ *vi (prét & pp* bullshitted, *cont* bullshitting) dire des conneries.

bully ['bʊlɪ] *n* tyran *m*. ❑ *vt* tyranniser, brutaliser.

bum [bʌm] *n* **1.** (UK) *fam* derrière *m* **2.** *fam & péj* clochard *m*. ■ **bum around** *vi fam* **1.** perdre son temps **2.** se balader.

bumblebee ['bʌmblbiː] *n* bourdon *m*.

bummer ['bʌmər] *n* *tfam* poisse *f* • **what a bummer!** la poisse !, les boules !

bump [bʌmp] *n* **1.** bosse *f* **2.** choc *m* **3.** bruit *m* sourd. ❑ *vt* **1.** cogner **2.** heurter. ■ **bump into** *vt insép* rencontrer par hasard.

bumper ['bʌmpər] *adj* exceptionnel. ❑ *n* **1.** pare-chocs *m inv* **2.** (US) RAIL tampon *m*.

bumper cars *npl* auto *fpl* tamponneuses.

bumptious ['bʌmpʃəs] *adj* suffisant.

bumpy ['bʌmpɪ] *adj* **1.** défoncé **2.** cahoteux **3.** *(traversée)* agité.

bun [bʌn] *n* **1.** (UK) petit pain *m* aux raisins **2.** (UK) petit pain au lait **3.** chignon *m*.

bunch [bʌntʃ] *n* **1.** groupe *m* **2.** bouquet *m* **3.** grappe *f* **4.** régime *m (de bananes)* **5.** trousseau *m*. ❑ *vi* se grouper.

bundle ['bʌndl] *n* **1.** paquet *m* **2.** liasse *f* **3.** fagot *m*. ❑ *vt* **1.** entasser **2.** fourrer.

bundler ['bʌndlər] *n* POLIT leveur de fonds qui réunit des donations pour un candidat.

bung [bʌŋ] *n* bonde *f*. ❑ *vt* (UK) *fam* envoyer.

bungalow ['bʌŋgələʊ] *n* bungalow *m*.

bungee ['bʌndʒiː] *n* tendeur *m (corde)*.

bungee jump saut *m* à l'élastique.

bungee-jumping ['bʌndʒɪ-] *n* saut *m* à l'élastique.

bungle ['bʌŋgl] *vt* gâcher, bâcler.

bunion ['bʌnjən] *n* oignon *m*.

bunk [bʌŋk] n couchette f.

bunk bed n lit m superposé.

bunker ['bʌŋkə'] n GOLF & MIL bunker m.

bunny ['bʌnɪ] n • **bunny (rabbit)** lapin m.

bunting ['bʌntɪŋ] n (indén) guirlandes fpl (de drapeaux).

buoy [(UK) bɔɪ, (US) 'buːɪ] ■ **buoy up** vt sép soutenir.

buoyant ['bɔɪənt] adj 1. qui flotte 2. fig enjoué 3. (économie) florissant 4. (marché financier) ferme.

burbot ['bɜːbət] n lotte f.

burbs [bɜːbz] npl (US) fam • **the burbs** la banlieue.

burden ['bɜːdn] n litt & fig • **burden (on)** charge f (pour), fardeau m (pour). ❑ vt • **to burden sb with** accabler qqn de.

bureau ['bjʊərəʊ] (pl -x) n 1. (UK) bureau m (meuble) 2. (US) commode f 3. bureau m (lieu de travail).

bureaucracy [bjʊə'rɒkrəsɪ] n bureaucratie f.

burgeoning ['bɜːdʒənɪŋ] adj (industrie, population) en plein essor • **a burgeoning talent** un talent en herbe.

burger ['bɜːgə'] n hamburger m.

burglar ['bɜːglə'] n cambrioleur m, -euse f.

burglar alarm n système m d'alarme.

burglary ['bɜːglərɪ] n cambriolage m.

burgle ['bɜːgl], **burglarize** (US) ['bɜːgləraɪz] vt cambrioler.

Burgundy ['bɜːgəndɪ] n Bourgogne f.

burial ['berɪəl] n enterrement m.

burial chamber n caveau m.

burlap ['bɜːlæp] n jute f.

burly ['bɜːlɪ] adj bien charpenté.

Burma ['bɜːmə] n Birmanie f • **in Burma** en Birmanie.

burn [bɜːn] (prét & pp burnt ou burned) vt 1. brûler 2. graver. ❑ vi brûler. ■ **burn down** vt sép incendier. ❑ vi brûler complètement.

burner ['bɜːnə'] n brûleur m, graveur m.

Burns' Night [bɜːnz-] n fête célébrée en l'honneur du poète écossais Robert Burns, le 25 janvier.

burnt [bɜːnt] passé & pp → burn.

burp [bɜːp] fam n rot m. ❑ vi roter.

burrow ['bʌrəʊ] n terrier m. ❑ vi 1. creuser un terrier 2. fig fouiller.

bursar ['bɜːsə'] n 1. intendant m, -e f 2. (ÉCOSSE) boursier m, -ère f.

bursary ['bɜːsərɪ] n (UK) bourse f.

burst [bɜːst] (prét & pp burst) vi éclater. ❑ vt faire éclater. ■ **burst into** vt insép 1. faire irruption dans 2. • **to burst into tears** fondre en larmes • **to burst into flames** prendre feu. ■ **burst out** vt insép s'exclamer • **to burst out laughing** éclater de rire.

bursting ['bɜːstɪŋ] adj 1. plein, bourré 2. • **bursting with** débordé de 3. (locution) • **to be full to bursting** être plein à craquer.

bury ['berɪ] vt 1. enterrer 2. cacher, enfouir.

bus [bʌs] n 1. autobus m, bus m • **to take the bus** prendre le bus 2. car m.

bus driver n conducteur m, -trice f d'autobus.

bush [bʊʃ] n 1. buisson m 2. • **the bush** la brousse 3. (locution) • **she doesn't beat about the bush** elle n'y va pas par quatre chemins.

bush league n (US) petite équipe locale de baseball.

bushmeat ['bʊʃmiːt] n (indén) viande f de brousse.

bush taxi n taxi-brousse m.

bushy ['bʊʃɪ] adj touffu.

business ['bɪznɪs] n 1. (indén) affaires fpl • **on business** pour affaires • **to go out of business** fermer, faire faillite 2. entreprise f 3. affaire f • **to mean business** fam ne pas plaisanter • **mind your own business!** fam occupe-toi de tes oignons ! 4. histoire f, affaire f.

business card n carte f de visite.

business class n classe f affaires.

business expenses npl 1. frais mpl professionnels 2. frais mpl généraux.

business hours npl heures fpl ouvrables.

business incubator n incubateur m d'entreprises.

business intelligence n veille f économique.

businesslike ['bɪznɪslaɪk] adj systématique, méthodique.

businessman ['bɪznɪsmæn] (pl -men) n homme m d'affaires.

business manager n 1. COMM & INDUST directeur m commercial 2. SPORT manager m 3. THÉÂTRE directeur m.

business model n modèle m économique.

business partner n associé m, -e f.

business reply card n carte-réponse f.

business reply envelope n enveloppe f préaffranchie.

business-to-business adj interentreprises, B to B.

business trip n voyage m d'affaires.

businesswoman ['bɪznɪs,wʊmən] (pl -women) n femme f d'affaires.

busing ['bʌsɪŋ] n (US) système de ramassage scolaire aux États-Unis, qui organise la répartition des enfants noirs et des enfants blancs dans les écoles, afin de lutter contre la ségrégation raciale.

busk [bʌsk] vi (UK) jouer de la musique (dans la rue ou le métro).

busker ['bʌskə'] n (UK) chanteur m, -euse f des rues.

bus pass n (UK) carte d'autobus pour le troisième âge.

bus shelter n Abribus® m.

bus station n gare f routière.

bus stop n arrêt m de bus.

bust [bʌst] adj fam 1. foutu 2. • to go bust faire faillite. □ n 1. poitrine f 2. buste m. □ vt (prét & pp bust ou busted) fam péter. □ vi (us) fam • to be busting to do sthg crever d'envie de faire qqch.

bustle ['bʌsl] n (indén) remue-ménage m inv. □ vi s'affairer.

busy ['bɪzɪ] adj 1. occupé • I'm very busy je suis très occupé 2. (vie, semaine) chargé 3. (rue, ville) animé.

busybody ['bɪzɪ,bɒdɪ] n fam & péj mouche f du coche.

busy signal n (us) tonalité f « occupé ».

but

■ **but** [bʌt] conj

1. INDIQUE UNE OPPOSITION
• I'm sorry, but I don't agree je suis désolé, mais je ne suis pas d'accord

2. INDIQUE UNE CONTRADICTION
• he's not Chinese but Japanese il n'est pas chinois mais japonais

■ **but** [bʌt] prép

AVEC « ALL », « EVERY », « ANY », « NO » ET LEURS COMPOSÉS, EXPRIME UNE RESTRICTION
• he has no one but himself to blame il ne peut s'en prendre qu'à lui-même • Spain won all but one of its matches l'Espagne a gagné tous ses matchs sauf un

■ **but** [bʌt] adv

sout SEULEMENT
• she's but a child ce n'est qu'une enfant • we can but try on peut toujours essayer • had I but known! si j'avais su !

■ **but for** prép

sans • but for you, I would never have succeeded sans vous, je n'aurais jamais réussi

butcher ['bʊtʃər] n boucher m, -ère f. □ vt 1. abattre 2. fig massacrer.

butler ['bʌtlər] n maître m d'hôtel (chez un particulier).

butt [bʌt] n 1. mégot m 2. crosse f (de fusil) 3. fesses fpl 4. cible f. □ vt donner un coup de tête à. ■ **butt in** vi • to butt in on sb interrompre qqn • to butt in on sthg s'immiscer ou s'imposer dans qqch. ■ **butt out** vi insép (us) fam • why don't you just butt out? fiche-moi la paix !

butter ['bʌtər] n beurre m. □ vt beurrer.

buttercup ['bʌtəkʌp] n (UK) bouton m d'or.

butter dish n beurrier m.

butterfly ['bʌtəflaɪ] n papillon m.

buttery ['bʌtərɪ] adj 1. (odeur, goût) de beurre 2. (biscuits) fait avec beaucoup de beurre.

buttocks ['bʌtəks] npl fesses fpl.

button ['bʌtn] n 1. bouton m 2. (us) badge m. ■ **button up** vt sép boutonner.

button mushroom n champignon m de Paris.

buttress ['bʌtrɪs] n contrefort m.

buxom ['bʌksəm] adj bien en chair.

buy [baɪ] vt (prét & pp bought) acheter. □ n • a good buy une bonne affaire. ■ **buy into** vi insép • to buy into sthg adhérer à qqch (croire). ■ **buy up** vt sép acheter en masse. ■ **buy off** vt sép acheter • they bought off the witness ils ont acheté le silence du témoin.

buyer ['baɪər] n acheteur m, -euse f.

buyout ['baɪaʊt] n rachat m.

buy-to-let n investissement m locatif.

buzz [bʌz] n 1. bourdonnement m • the buzz on the streets is that... fig le bruit court que... 2. fam • to give sb a buzz passer un coup de fil à qqn. □ vi • this place is really buzzing il y a une super ambiance ici • to buzz (with) bourdonner (de). □ vt appeler.

buzzer ['bʌzər] n 1. sonnerie f 2. (dans un jeu télévisé) buzzer m.

buzzword ['bʌzwɜːd] n fam mot m à la mode.

by

■ **by** [baɪ] prép

1. AU PASSIF, INTRODUIT UN COMPLÉMENT D'AGENT
• she was killed by a mad man elle a été tuée par un fou

2. INTRODUIT L'AUTEUR D'UNE ŒUVRE
• it's a poem by Shakespeare c'est un poème de Shakespeare

3. EXPRIME LE MOYEN
• I don't pay by cheque very often je ne paie pas souvent par chèque • he generally travels by bus il voyage généralement en bus • by doing a lot of sport, you can keep fit vous pouvez garder la forme en faisant beaucoup de sport

4. POUR DÉCRIRE UNE PERSONNE
• he's a lawyer by trade il est avocat de son métier • by nature, she's very patient elle est très patiente de nature

5. INDIQUE UNE PROXIMITÉ
• she lives by the sea elle habite au bord de la mer • I sat by her bed j'étais assis à son chevet • she passed by me elle est passée à côté de moi

6. INDIQUE UNE LIMITE TEMPORELLE
• **I'll be there by eight** j'y serai avant huit heures

7. SELON, EN CONFORMITÉ AVEC
• **by my watch it's 9 o'clock** à ma montre, il est neuf heures • **by law** conformément à la loi

8. POUR DONNER SON AVIS
• **if that's okay by you, I'd like to leave now** si cela vous va, je souhaiterais partir maintenant • **that's fine by me** je n'ai rien contre

9. DANS DES EXPRESSIONS DE CALCUL, DE MESURE, DE QUANTITÉ
• **divide/multiply 20 by 2** divisez/multipliez 20 par 2 • **2 metres by 4** 2 mètres sur 4 • **this fabric is sold by the yard** ce tissu se vend au mètre • **the company decided to cut prices by 50%** l'entreprise a décidé de réduire les prix de 50 %

10. POUR EXPRIMER UNE DIFFÉRENCE, UN ÉCART
• **she won by five points** elle a gagné de cinq points • **the bullet missed me by inches** la balle m'a raté de quelques centimètres

11. POUR EXPRIMER LA FRÉQUENCE
• **the workers are paid by the day** les travailleurs sont payés à la journée

12. POUR INDIQUER UN PROCESSUS GRADUEL
• **she grew thinner day by day** elle mincissait de jour en jour • **one by one, they told their amazing stories** l'un après l'autre, ils racontèrent leurs histoires fantastiques

13. POUR INDIQUER LES MOMENTS DE LA JOURNÉE
• **we travelled by night and rested by day** nous voyagions de nuit et nous nous reposons le jour

14. POUR PRÊTER SERMENT
• **I swear by Almighty God** je jure devant Dieu

15. DANS DES EXPRESSIONS
• **(all) by oneself** (tout) seul, (toute) seule

À PROPOS DE

by

Dans les constructions passives, l'agent - c'est-à-dire la personne ou la chose qui exécute l'action - est introduit par **by** *(the tickets were booked **by** my mother* ; *I was hurt **by** what he said*). L'instrument - la chose utilisée pour exécuter l'action - est introduit par **with** *(he was killed **with** a knife*).

bye(-bye) [baɪ(baɪ)] *interj fam* au revoir !, salut !

by-election *n* (UK) élection *f* partielle.

bygone ['baɪgɒn] *adj* d'autrefois. ■ **bygones** *npl* • **to let bygones be bygones** oublier le passé.

bylaw ['baɪlɔː] *n* arrêté *m*.

bypass ['baɪpɑːs] *n* **1.** route *f* de contournement **2.** *MÉD* • **bypass (operation)** pontage *m*. ❑ *vt* **1.** contourner **2.** éviter.

by-product, byproduct (US) ['baɪprɒdʌkt] *n* **1.** dérivé *m* **2.** *fig* conséquence *f*.

bystander ['baɪˌstændər] *n* spectateur *m*, -trice *f*.

byte [baɪt] *n* octet *m*.

byword ['baɪwɜːd] *n* • **to be a byword for** être synonyme de.

C

c [siː] (pl c's ou cs), C (pl C's ou Cs) n c m inv, C m inv. ■ C n 1. MUS do m 2. SCOL C m inv 3. SMS abrév de see 4. (abrév de Celsius, centigrade) C.

cab [kæb] n 1. taxi m • to take a cab prendre un taxi 2. cabine f (de camion).

cabala [kəˈbɑːlə] n cabale f.

cabalism [ˈkæbælɪzm] n cabalisme m.

cabaret [ˈkæbəreɪ] n cabaret m.

cabbage [ˈkæbɪʤ] n chou m.

cabbage patch n ≃ carré m de salades.

cabbie, cabby [ˈkæbɪ] n fam chauffeur m de taxi.

cabin [ˈkæbɪn] n 1. cabine f 2. cabane f.

cabin class n seconde classe f.

cabin crew n équipage m.

cabinet [ˈkæbɪnɪt] n 1. meuble m 2. cabinet m (ministériel).

cabinet minister n (UK) ministre mf.

cable [ˈkeɪbl] n câble m. ❑ vt 1. câbler 2. câbler à.

cable car n téléphérique m.

cablecast [ˈkeɪblkɑːst] vt (US) TV transmettre par câble.

cablecasting [ˈkeɪblkɑːstɪŋ] n (US) TV transmission f par câble.

cable television, cable TV n câble m.

caboodle [kəˈbuːdl] n fam • the whole caboodle et tout le tremblement.

cache [kæʃ] n 1. cache f 2. INFORM mémoire f cache, antémémoire f.

cache memory n INFORM antémémoire f, mémoire f cache.

cachet [ˈkæʃeɪ] n cachet m (chic).

cack [kæk] (UK) vulg n merde f • a load of cack un tas de conneries.

cack-handed [kæk-] adj (UK) fam maladroit, gauche.

cackle [ˈkækl] vi 1. caqueter 2. jacasser.

cacophony [kæˈkɒfənɪ] n cacophonie f.

cactus [ˈkæktəs] (pl -tuses ou -ti) n cactus m.

CAD [kæd] (abrév de computer-aided design) n CAO f.

caddie [ˈkædɪ] n GOLF caddie m. ❑ vi • to caddie for sb servir de caddie à qqn.

cadet [kəˈdet] n élève m officier.

cadge [kæʤ] (UK) fam & vieilli vt • to cadge sthg off ou from sb taper qqn de qqch. ❑ vi • to cadge off ou from sb taper qqn.

caesarean (section) (UK), cesarean (section) (US) [sɪˈzeərɪən-] n césarienne f.

cafe, café [ˈkæfeɪ] n café m • cafe society les habitués des cafés à la mode.

cafeteria [ˌkæfɪˈtɪərɪə] n cafétéria f, cantine f.

cafetiere [ˌkæfəˈtjeə] n cafetière f à piston.

caffeine [ˈkæfiːn] n caféine f.

caffeine-free adj sans caféine.

cage [keɪʤ] n 1. cage f 2. (locution) • to rattle sb's cage mettre qqn en colère.

caged [keɪʤd] adj en cage.

cagey [ˈkeɪʤɪ] (comp cagier, superl cagiest) adj fam discret.

cagoule [kəˈɡuːl] n (UK) K-way® m inv.

cahoots [kəˈhuːts] n fam • to be in cahoots (with) être de mèche (avec).

cajole [kəˈʤəʊl] vt • to cajole sb enjôler qqn.

cajoling [kəˈʤəʊlɪŋ] adj cajoleur.

cake [keɪk] n 1. gâteau m • cake decoration décoration f pour gâteau • it's a piece of cake fam & fig c'est du gâteau 2. croquette f (de poisson, de pommes de terre) 3. pain m (de savon).

caked [keɪkt] adj • caked with mud couvert de boue séchée.

cake tin (UK), cake pan (US) n moule m à gâteau.

calamity [kəˈlæmətɪ] (pl -ies) n calamité f.

calcium [ˈkælsɪəm] n calcium m • calcium deficiency carence f en calcium.

calculate [ˈkælkjʊleɪt] vt 1. calculer 2. évaluer.

calculating [ˈkælkjʊleɪtɪŋ] adj péj calculateur.

calculation [ˌkælkjʊˈleɪʃn] n calcul m.

calculator [ˈkælkjʊleɪtə] n calculatrice f • a pocket calculator une calculette.

calendar [ˈkælɪndə] n calendrier m.

calendar girl n pin-up f.

calendar month n mois m (de calendrier).

calendar year n année f civile.

calf [kɑːf] (pl **calves** [kɑːvz]) n **1.** veau m **2.** éléphanteau m **3.** bébé m phoque **4.** mollet m.

caliber ['kælɪbər] (us) = **calibre**.

calibrate ['kælɪbreɪt] vt **1.** étalonner **2.** calibrer.

calibre (uk), **caliber** (us) ['kælɪbər] n calibre m.

California [ˌkælɪ'fɔːnjə] n Californie f.

calipers (us) = **callipers**.

call [kɔːl] n **1.** appel m, cri m **2.** appel m (téléphonique) • **there's a call for you** il y a un appel pour toi **3.** visite f • **to pay a call on sb** rendre visite à qqn **4.** • **call (for)** demande f (de). □ vt **1.** appeler • **what's this thing called?** comment ça s'appelle, ce truc ? • **let's call it £10** disons 10 livres **2.** appeler • **he called me a liar** il m'a traité de menteur **3.** convoquer (quelqu'un) **4.** lancer (une grève) **5.** appeler (les passagers d'un vol) **6.** annoncer (des élections). □ vi **1.** crier **2.** TÉLÉCOM appeler • **who's calling?** qui est à l'appareil ? **3.** passer. ■ **call away** vt sép • **she's often called away on business** elle doit souvent partir en déplacement ou s'absenter pour affaires. ■ **call back** vt sép rappeler. □ vi **1.** TÉLÉCOM rappeler **2.** repasser. ■ **call by** vi fam passer. ■ **call for** vt insép **1.** passer prendre **2.** demander. ■ **call in** vt sép **1.** faire venir (la police, un expert) **2.** COMM rappeler (des marchandises) **3.** FIN exiger le remboursement de. □ vi passer. ■ **call off** vt sép **1.** annuler **2.** rappeler. ■ **call on** vt insép **1.** passer voir **2.** • **to call on sb to do sthg** demander à qqn de faire qqch. ■ **call out** vt sép **1.** appeler (la police, le médecin) **2.** crier. □ vi crier. ■ **call round** vi (uk) passer. ■ **call up** vt sép **1.** MIL & TÉLÉCOM rappeler **2.** INFORM rappeler.

CALL (abrév de computer assisted (ou aided) language learning) n enseignement m des langues assisté par ordinateur.

call box n (uk) cabine f téléphonique.

call centre (uk), **call center** (us) n centre m d'appels.

caller ['kɔːlər] n **1.** visiteur m, -euse f **2.** TÉLÉCOM demandeur m • **caller identification** identification f d'appel.

caller ID display, **caller display** n TÉLÉCOM présentation f du numéro.

call girl n call-girl f.

calligraphy [kə'lɪɡrəfɪ] n calligraphie f.

call-in n (us) RADIO & TV programme m à ligne ouverte.

calling ['kɔːlɪŋ] n **1.** métier m **2.** vocation f.

calling card n **1.** (us) carte f de visite **2.** TÉLÉCOM carte f téléphonique.

callipers (uk), **calipers** (us) ['kælɪpəz] npl **1.** compas m **2.** appareil m orthopédique.

callous ['kæləs] adj dur.

callously ['kæləslɪ] adv durement.

call screening n filtrage m d'appels.

call sequence n INFORM séquence f d'appel.

callus ['kæləs] (pl **-es**) n cal m, durillon m.

calm [kɑːm] adj calme. □ n calme m • **the calm before the storm** le calme avant la tempête. □ vt calmer. ■ **calm down** vt sép • **calm down!** calmez-vous !, calme-toi !

calming ['kɑːmɪŋ] adj calmant.

calmly ['kɑːmlɪ] adv calmement.

Calor gas ® ['kælə-] n (uk) butane m.

calorie ['kælərɪ] n calorie f.

calorie-conscious adj • **she's very calorie-conscious** elle fait très attention au nombre de calories qu'elle absorbe.

calorie-controlled adj contrôlé en calories.

calorie-free adj sans calories.

calorific [ˌkælə'rɪfɪk] adj calorifique.

calves [kɑːvz] npl → **calf**.

CAM [kæm] (abrév de computer-aided manufacturing) n FAO f.

camaraderie [ˌkæmə'rɑːdərɪ] n camaraderie f.

camber ['kæmbər] n bombement m.

Cambodia [kæm'bəʊdjə] n Cambodge m.

camcorder ['kæmˌkɔːdər] n Caméscope ® m.

came [keɪm] passé → **come**.

camel ['kæml] n chameau m.

cameo ['kæmɪəʊ] (pl **-s**) n **1.** camée m **2.** CINÉ & THÉÂTRE courte apparition f (d'une grande vedette).

camera ['kæmərə] n **1.** appareil photo m • **a digital camera** un appareil photo numérique **2.** caméra f • **a video camera** une caméra vidéo. ■ **in camera** adv à huis clos.

cameraman ['kæmrəmæn] (pl **-men**) n cameraman m, cadreur m.

camera phone n téléphone m avec appareil photo.

camera-ready adj prêt à imprimer.

camera-shy adj qui n'aime pas être photographié.

camerawoman ['kæmərəˌwʊmən] (pl **-women**) n cadreuse f.

Cameroon [ˌkæmə'ruːn] n Cameroun m.

camomile ['kæməmaɪl] n camomille f. □ en apposition • **camomile tea** infusion f de camomille.

camouflage ['kæməflɑːʒ] n camouflage m. □ vt camoufler.

camp [kæmp] n camp m • **(summer) camp** (us) colonie f de vacances • **to set up camp** établir un camp. □ vi camper. ■ **camp out** vi camper.

campaign [kæm'peɪn] n campagne f. □ vi • **to campaign (for/against)** mener une campagne (pour/contre).

campaigner [kæm'peɪnər] n militant m, -e f.

campaign trail n tournée f électorale.

camp bed n (uk) lit m de camp.

camp counsellor n moniteur m, -trice f.

camper ['kæmpər] n **1.** campeur m, -euse f **2.** camping-car m.

camper van n (UK) camping-car m.

campfire ['kæmp,faɪər] n feu m de camp.

campground ['kæmpgraʊnd] n (US) (terrain m de) camping m.

camphone ['kæmfəʊn] n téléphone m avec appareil photo.

camping ['kæmpɪŋ] n camping m • **to go camping** faire du camping.

camping site, campsite ['kæmpsaɪt] n (terrain m de) camping m.

campus ['kæmpəs] (pl -es) n campus m.

can

■ **can** aux modal

forme non accentuée [kən], forme accentuée [kæn], conditionnel et prétérit **could** ; forme négative **cannot** et **can't**

1. EXPRIME UNE POSSIBILITÉ (UNE IMPOSSIBILITÉ AVEC « CAN'T »)
• **can you come to lunch?** tu peux venir déjeuner ? • **Peter can't come on Saturday** Peter ne peut pas venir samedi

2. AVEC DES VERBES DE PERCEPTION, NE SE TRADUIT PAS EN FRANÇAIS
• **can you see/hear/smell something?** tu vois/ entends/sens quelque chose ?

3. INDIQUE UNE CAPACITÉ
• **can you drive?** tu sais conduire ? • **she can speak three languages** elle parle trois langues

4. POUR DEMANDER OU DONNER UNE PERMISSION
• **you can use my car if you like** tu peux prendre ma voiture si tu veux • **can I speak to John, please?** est-ce que je pourrais parler à John, s'il vous plaît ? • **can I help you?** je peux t'aider ?

5. INDIQUE UNE PROBABILITÉ
• **what can she have done with it?** qu'est-ce qu'elle a bien pu en faire ? • **you can't be serious!** tu ne parles pas sérieusement !

6. AVEC « COULD », INDIQUE UNE POSSIBILITÉ DE FAÇON FORMELLE
• **I could see you tomorrow** je pourrais vous voir demain

À PROPOS DE

can

Can s'utilise dans les questions, pour demander la permission de faire quelque chose ou pour faire une demande **(can you tell me the way to the station?)**. *Could* remplit la même fonction, mais dans les contextes où l'on veut être particulièrement poli **(could you help me with this, please?)**.

Avec les verbes de perception tels que *hear* (entendre) ou *see* (voir), il est courant de faire précéder le verbe de *can* ou *can't*, qui ne se traduisent pas en français **(can you hear something?** = est-ce que tu entends quelque chose ? ; **I can't see the house from here** = je ne vois pas la maison d'ici).

Can et *can't* apparaissent aussi dans des phrases comme **I can speak English** ou **I can't swim**, pour dire que l'on sait faire quelque chose.

Voir aussi **pouvoir** dans la partie français-anglais du dictionnaire.

can [kæn] n • **he brought a few cans of beer to the party** il a apporté des canettes de bière à la fête. ❑ vt (prét & pp **canned**, cont **canning**) • **the fish is canned in this factory** le poisson est mis en boîte dans cette usine.

Canada ['kænədə] n Canada m • **in Canada** au Canada.

Canadian [kə'neɪdjən] adj canadien. ❑ n Canadien m, -enne f.

canal [kə'næl] n canal m.

canapé ['kænəpeɪ] n canapé m (petit four).

Canaries [kə'neərɪz] npl • **the Canaries** les Canaries fpl.

canary [kə'neərɪ] n canari m.

cancel ['kænsl] ((UK) prét & pp **cancelled**, cont **cancelling**, (US) prét & pp **canceled**, cont **canceling**) vt **1.** annuler **2.** décommander **3.** oblitérer **4.** faire opposition à. ■ **cancel out** vt sép annuler • **to cancel each other out** s'annuler.

cancellation [,kænsə'leɪʃn] n annulation f.

cancer ['kænsər] n cancer m. ■ **Cancer** n Cancer m.

cancer-causing adj cancérigène, carcinogène.

cancerous ['kænsərəs] adj cancéreux.

candelabra [,kændɪ'lɑːbrə] n candélabre m.

candid ['kændɪd] adj franc, franche f.

candidacy ['kændɪdəsɪ] n candidature f.

candidate ['kændɪdət] n • **candidate (for)** candidat m, -e f (pour).

candidate country n pays m candidat (à l'adhésion).

candidly ['kændɪdlɪ] adv franchement.

candied ['kændɪd] adj confit.

candle ['kændl] n bougie f, chandelle f.

candlelight ['kændllaɪt] n lueur f d'une bougie ou d'une chandelle.

candlelit ['kændllɪt] adj aux chandelles.

candlestick ['kændlstɪk] n bougeoir m.

can-do ['kænduː] adj • **can-do spirit** esprit m de battant ou de gagneur.

candour (UK), **candor** (US) ['kændər] n franchise f.

candy ['kændɪ] n (US) 1. (indén) confiserie f 2. bonbon m.

candy apple n (US) pomme f d'amour.

candy bar n (US) 1. barre f de chocolat 2. barre f de céréales.

candybar phone ['kændɪbɑː-] n téléphone m monobloc.

candyfloss ['kændɪflɒs] n (UK) barbe f à papa.

cane [keɪn] n 1. (indén) rotin m 2. canne f 3. • **the cane** la verge (pour punir) 4. tuteur m. ❏ vt fouetter.

cane sugar n sucre m de canne.

canine ['keɪnaɪn] adj canin. ❏ n • **canine (tooth)** canine f.

canister ['kænɪstər] n boîte f.

cannabis ['kænəbɪs] n cannabis m.

canned [kænd] adj en boîte • **canned sardines** des sardines en boîte.

cannelloni [ˌkænɪ'ləʊnɪ] n (indén) cannellonis m.

cannibal ['kænɪbl] n cannibale mf.

cannibalize, **-ise** (UK) ['kænɪbəlaɪz] vt cannibaliser.

cannon ['kænən] (pl inv ou **-s**) n canon m.

cannonball ['kænənbɔːl] n boulet m de canon.

cannot ['kænɒt] sout = **can²**.

canny ['kænɪ] adj adroit.

canoe [kə'nuː] n canoë m, kayak m.

canoeing [kə'nuːɪŋ] n (indén) canoë-kayak m • **to go canoeing** faire du canoë-kayak.

canoeist [kə'nuːɪst] n canoéiste mf.

canon ['kænən] n canon m.

canoodle [kə'nuːdl] vi fam & vieilli se faire des mamours.

can opener n ouvre-boîtes m inv.

canopy ['kænəpɪ] n 1. baldaquin m 2. dais m 3. fig voûte f.

can't [kɑːnt] = **cannot**.

cantankerous [kæn'tæŋkərəs] adj hargneux.

canteen [kæn'tiːn] n (UK) cantine f.

canter ['kæntər] n petit galop m.

cantilever ['kæntɪliːvər] n cantilever m.

Cantonese [ˌkæntə'niːz] adj cantonais. ❏ n (langue) cantonais m.

canvas ['kænvəs] n toile f.

canvass ['kænvəs] vt 1. POLIT solliciter la voix de 2. sonder (les opinions).

canvasser ['kænvəsər] n 1. POLIT agent m électoral 2. sondeur m, -euse f.

canvassing ['kænvəsɪŋ] n 1. POLIT démarchage m électoral 2. sondage m.

canyon ['kænjən] n canyon m.

cap [kæp] n 1. casquette f 2. capuchon m 3. capsule f 4. bouchon m. ❏ vt 1. limiter • **to cap greenhouse emissions** plafonner les émissions de gaz à effet de serre 2. (locution) • **to cap it all** pour couronner le tout.

CAP (abrév de Common Agricultural Policy) n PAC f.

capability [ˌkeɪpə'bɪlətɪ] n capacité f.

capable ['keɪpəbl] adj • **capable (of)** capable (de).

capably ['keɪpəblɪ] adv avec compétence.

capacity [kə'pæsɪtɪ] n 1. (indén) capacité f, contenance f 2. • **capacity (for)** aptitude f (à) 3. qualité f.

cape [keɪp] n 1. GÉOGR cap m 2. cape f.

capeesh [kə'piːʃ] vi (US) fam comprendre • **I'm not going, capeesh?** j'y vais pas, compris ?

caper ['keɪpər] n 1. câpre f 2. fam coup m, combine f.

capful ['kæpful] n (plein) bouchon m.

capillary [kə'pɪlərɪ] (pl **-ies**) n capillaire m.

capita → per capita.

capital ['kæpɪtl] adj 1. majuscule 2. capital. ❏ n 1. • **capital (city)** capitale f 2. • **capital (letter)** majuscule f • **in capitals** en majuscules 3. (indén) capital m • **to make capital (out) of** fig tirer profit de.

capital expenditure n (indén) dépenses fpl d'investissement.

capital gains tax n impôt m sur les plus-values.

capital goods npl biens mpl d'équipement.

capitalism ['kæpɪtəlɪzm] n capitalisme m.

capitalist ['kæpɪtəlɪst] adj capitaliste. ❏ n capitaliste mf.

capitalize, **-ise** (UK) ['kæpɪtəlaɪz] vi • **to capitalize on** tirer parti de.

capital punishment n peine f capitale ou de mort.

Capitol Hill n siège du Congrès à Washington.

capitulate [kə'pɪtjʊleɪt] vi capituler.

cappuccino [ˌkæpʊ'tʃiːnəʊ] (pl **-s**) n cappuccino m.

Capricorn ['kæprɪkɔːn] n Capricorne m.

capri pants [kə'priː] n (US) pantacourt m.

capsize [kæp'saɪz] vt faire chavirer. ❏ vi chavirer.

capsule ['kæpsjuːl] n 1. capsule f 2. gélule f.

Capt. (abrév de captain) cap.

captain ['kæptɪn] n capitaine mf.

caption ['kæpʃn] n légende f.

captivate ['kæptɪveɪt] vt captiver.

captivating ['kæptɪveɪtɪŋ] adj captivant.

captive ['kæptɪv] adj captif. ❏ n captif m, -ive f.

captive audience n audience f captive.

captive market n clientèle f captive, marché m captif.

captivity [kæp'tɪvətɪ] n (indén) captivité f • **in captivity** en captivité.

captor ['kæptər] n ravisseur m, -euse f.

capture ['kæptʃər] vt 1. capturer 2. prendre (une ville) 3. conquérir 4. captiver 5. INFORM saisir. ❑ n 1. capture f 2. prise f (d'une ville).

car [kɑːr] n 1. voiture f • by car en voiture • car salesman vendeur m de voitures 2. wagon m, voiture f. ❑ en apposition 1. de voiture 2. automobile.

carafe [kə'ræf] n carafe f.

car alarm n AUTO alarme f de voiture.

caramel ['kærəməl] n caramel m.

caramelize, -ise (UK) ['kærəməlaız] vi se caraméliser.

carat ['kærət] n (UK) carat m • 24-carat gold or à 24 carats.

caravan ['kærəvæn] n 1. (UK) caravane f 2. roulotte f.

caravan site n (UK) camping m pour caravanes.

carbohydrate [,kɑːbəʊ'haɪdreɪt] n hydrate m de carbone. ■ **carbohydrates** npl glucides mpl.

car bomb n voiture f piégée.

carbon ['kɑːbən] n carbone m • carbon capture and storage la capture et le stockage du carbone.

carbonated ['kɑːbəneɪtɪd] adj gazeux.

carbon copy n 1. carbone m 2. fig réplique f.

carbon dating [-'deɪtɪŋ] n datation f au carbone 14.

carbon dioxide [-daɪ'ɒksaɪd] n gaz m carbonique.

carbon footprint n empreinte f carbone.

carbon monoxide n oxyde m de carbone.

carbon neutral adj qui compense ses émissions de gaz à effet de serre par un recours aux énergies renouvelables ou en finançant la reforestation.

carbon offset n compensation f carbone.

carbon paper n (indén) (papier m) carbone m.

carbon sink n puits m de carbone.

carbon tax n taxe f sur les émissions de carbone.

car-boot sale n (UK) brocante en plein air où les coffres des voitures servent d'étal.

carburettor (UK), **carburetor** (US) [,kɑːbə'retər] n carburateur m.

carcass ['kɑːkəs] n carcasse f.

carcinogenic [,kɑːsɪnə'dʒenɪk] adj carcinogène, cancérogène.

carcinoma [,kɑːsɪ'nəʊmə] (pl -s ou -mata) n carcinome m.

card [kɑːd] n 1. carte f • a birthday card une carte d'anniversaire 2. (indén) carton m 3. INFORM carte f. ■ **cards** npl • to play cards jouer aux cartes. ■ **on the cards** (UK), **in the cards** (US) adv fam • it's on the cards that... il y a de grandes chances pour que...

cardboard ['kɑːdbɔːd] n (indén) carton m. ❑ en apposition en carton • a cardboard box une boîte en carton.

cardboard box n boîte f en carton.

card-carrying adj • card-carrying member membre m.

card game n jeu m de cartes.

cardiac ['kɑːdɪæk] adj cardiaque.

cardiac arrest n arrêt m du cœur.

cardigan ['kɑːdɪgən] n cardigan m.

cardinal ['kɑːdɪnl] adj cardinal. ❑ n cardinal m.

cardinal number, cardinal numeral n nombre m cardinal.

card index n (UK) fichier m.

cardiology [,kɑːdɪ'ɒlədʒɪ] n cardiologie f.

cardiovascular [,kɑːdɪəʊ'væskjʊlər] adj cardiovasculaire.

card-operated lock n serrure f à carte perforée.

cardphone ['kɑːdfəʊn] n (UK) téléphone m à carte.

card table n table f de jeu.

card trick n tour m de cartes.

care [keər] n 1. (indén) soin m, attention f • to take care of s'occuper de • take care! faites bien attention à vous ! 2. souci m 3. (UK) • the baby was put in care ou taken into care on a retiré aux parents la garde de leur bébé. ❑ vi 1. • to care about se soucier de 2. • I don't care ça m'est égal • who cares? qu'est-ce que ça peut faire ? ■ **care for** vt insép vieilli aimer. ■ **care of** prép chez.

care attendant (UK), **care assistant** (US) n aide-soignant m, -e f.

career [kə'rɪər] n carrière f (professionnelle). ❑ vi aller à toute vitesse.

career coach n coach m carrière.

career-minded adj ambitieux.

careers adviser n (UK) conseiller m, -ère f d'orientation.

carefree ['keəfriː] adj insouciant.

careful ['keəfʊl] adj 1. prudent • to be careful to do sthg prendre soin de faire qqch, faire attention à faire qqch • be careful! fais attention ! 2. soigné 3. consciencieux.

carefully ['keəflɪ] adv 1. prudemment • to drive carefully conduire prudemment 2. soigneusement.

caregiver ['keəgɪvər] n 1. aidant m familial, aidante f familiale 2. aide-soignant m, -e f.

careless ['keəlɪs] adj 1. (travail) peu soigné 2. (conducteur) négligent 3. insouciant.

carelessly ['keəlɪslɪ] adv 1. sans faire attention 2. avec insouciance.

caress [kə'res] n caresse f. ❑ vt caresser.

caretaker ['keə,teɪkər] n (UK) concierge mf.

caretaker government n gouvernement m intérimaire.

care worker n aide-soignant m, -e f.

car ferry n ferry m.

cargo ['kɑːgəʊ] (pl -es ou -s) n cargaison f.

car hire n (UK) location f de voitures.

Caribbean [(UK) kærɪ'biːən, (US) kə'rɪbɪən] n • **the Caribbean (Sea)** la mer des Caraïbes ou des Antilles.

caricature ['kærɪkə,tjʊər] n **1.** caricature f **2.** parodie f. ❑ vt caricaturer.

caring ['keərɪŋ] adj bienveillant.

caring professions npl • **the caring professions** mpl les métiers mpl social.

carjack ['kɑː,dʒæk] vt • **to be carjacked** se faire voler sa voiture sous la menace d'une arme.

carjacker ['kɑːdʒækə^r] n auteur d'un vol de voiture sous la menace d'une arme.

carjacking ['kɑː,dʒækɪŋ] n vol m de voiture sous la menace d'une arme.

car kit n kit m auto mains libres.

carload ['kɑː,ləʊd] n • **a carload of boxes/people** une voiture pleine de cartons/de gens.

carlot [kɑːlɒt] n (US) parking m (d'un garage automobile).

carmaker ['kɑːmeɪkə^r] n (US) constructeur m automobile.

carnage ['kɑːnɪdʒ] n carnage m.

carnal ['kɑːnl] adj littéraire charnel.

carnation [kɑː'neɪʃn] n œillet m.

carnival ['kɑːnɪvl] n **1.** carnaval m **2.** (US) fête f foraine.

carnivore ['kɑːnɪvɔːr] n carnivore mf.

carnivorous [kɑː'nɪvərəs] adj carnivore.

carol ['kærəl] n • **(Christmas) carol** chant m de Noël.

carousel [,kærə'sel] n **1.** (US) manège m **2.** (à l'aéroport) tapis m roulant à bagages.

carp [kɑːp] n (pl inv ou -s) carpe f. ❑ vi • **to carp (about sthg)** critiquer (qqch).

car park n (UK) parking m • **car park attendant** gardien m, -enne f de parking.

carpenter ['kɑːpəntər] n **1.** charpentier m **2.** menuisier m.

carpentry ['kɑːpəntrɪ] n **1.** charpenterie f **2.** menuiserie f.

carpet ['kɑːpɪt] n litt & fig tapis m • **(fitted) carpet** moquette f. ❑ vt recouvrir d'un tapis.

carpet slipper n pantoufle f.

carpet sweeper [-,swiːpə^r] n balai m mécanique.

carphone ['kɑː,fəʊn] n téléphone m de voiture.

car pool [kɑː'puːl] n **1.** (UK) parc m de voitures **2.** groupe m de covoiturage.

carport ['kɑː,pɔːt] n appentis m (pour voitures).

car rental n (US) location f de voitures. ❑ en apposition de location de voitures.

carriage ['kærɪdʒ] n **1.** voiture f **2.** (indén) (UK) transport m (de marchandises).

carriage return n retour m chariot.

carriageway ['kærɪdʒweɪ] n chaussée f.

carrier ['kærɪər] n **1.** transporteur m **2.** porteur m, -euse f **3.** opérateur m (téléphonique).

carrier-agnostic adj TÉLÉCOM tous opérateurs.

carrier bag n sac m (en plastique).

carrier-based, carrier-borne adj AÉRON & NAUT embarqué.

carrier pigeon n pigeon m voyageur.

carrot ['kærət] n carotte f.

carry ['kærɪ] vt **1.** porter **2.** transporter **3.** transmettre (une maladie) **4.** impliquer (la responsabilité) **5.** entraîner (des conséquences) **6.** voter **7.** attendre (un enfant) **8.** MATH retenir. ❑ vi (son) porter. ■ **carry away** vt insép • **he was carried away by his enthusiasm/imagination** il s'est laissé emporter par son enthousiasme/imagination • **I got a bit carried away and spent all my money** je me suis emballé et j'ai dépensé tout mon argent. ■ **carry forward** vt sép FIN reporter. ■ **carry off** vt sép **1.** mener à bien **2.** remporter. ■ **carry on** vt insép continuer • **to carry on doing sthg** continuer à ou de faire qqch. ❑ vi **1.** continuer • **to carry on with sthg** continuer qqch **2.** fam faire des histoires. ■ **carry out** vt insép **1.** remplir (une mission) **2.** exécuter (un ordre) **3.** effectuer (une expérience) **4.** mener (une enquête). ■ **carry through** vt sép réaliser.

carryall ['kærɪɔːl] n (US) fourre-tout m inv.

carrycot ['kærɪkɒt] n (UK) couffin m.

carry-on n (UK) fam • **what a carry-on!** quelle histoire ! ❑ adj • **carry-on items, carry-on luggage** ou **bags** bagages m à main.

carry-out, carryout (US) n plat m à emporter.

carsick ['kɑː,sɪk] adj • **to be carsick** être malade en voiture.

car sickness n mal m de la route • **to suffer from car sickness** être malade en voiture.

cart [kɑːt] n **1.** charrette f **2.** (US) chariot m (de supermarché) **3.** panier m (pour achats en ligne) • **'add to cart'** 'ajouter au panier'. ❑ vt fam traîner.

carte blanche n carte f blanche.

cartel [kɑː'tel] n cartel m.

cartilage ['kɑːtɪlɪdʒ] n cartilage m.

carton ['kɑːtn] n **1.** boîte f en carton **2.** pot m (de yaourt) **3.** carton m (de lait).

cartoon [kɑː'tuːn] n **1.** dessin m humoristique **2.** bande f dessinée **3.** dessin m animé.

cartoon character n personnage m de bande dessinée.

cartoonist [kɑːˈtuːnɪst] *n* **1.** dessinateur *m*, -trice *f* humoristique **2.** dessinateur *m*, -trice *f* de bandes dessinées.

cartoon strip *n* bande *f* dessinée.

cartridge [ˈkɑːtrɪdʒ] *n* **1.** cartouche *f* **2.** PHOTO chargeur *m*.

cartridge paper *n* papier-cartouche *m*.

cartwheel [ˈkɑːtwiːl] *n* roue *f* • **to do a cartwheel** faire la roue.

carve [kɑːv] *vt* **1.** sculpter **2.** graver **3.** découper **4.** *(locution)* • **it's not carved in stone** ce n'est pas gravé dans le marbre. ■ *vi* CULIN découper. ■ **carve out** *vt sép fig* se tailler. ■ **carve up** *vt sép fig* diviser.

carving [ˈkɑːvɪŋ] *n* sculpture *f*.

carving knife *n* couteau *m* à découper.

car wash *n* **1.** lavage *m* de voitures **2.** station *f* de lavage de voitures.

cascade [kæˈskeɪd] *n* cascade *f* (chute d'eau). ■ *vi* tomber en cascade.

case [keɪs] *n* **1.** cas *m* • **to be the case** être le cas • **in case of** en cas de • **in that case** dans ce cas • **in which case** auquel cas **2.** • **case (for/against)** arguments *mpl* (pour/contre) **3.** DR affaire *f*, procès *m* • **the case continues** affaire à suivre **4.** caisse *f* **5.** étui *m* **6.** (UK) valise *f* • **to packed one's case** faire sa valise. ■ **in any case** *adv* de toute façon. ■ **in case** *conj* au cas où. ❑ *adv* • **(just) in case** à tout hasard.

case history *n* MÉD antécédents *mpl*.

case-insensitive *adj* INFORM • **this URL is case-insensitive** le respect des majuscules et des minuscules n'est pas nécessaire pour cette URL.

case-sensitive *adj* • **this password is case-sensitive** le respect des majuscules et des minuscules est nécessaire pour ce mot de passe.

case study *n* étude *f* de cas.

casework [ˈkeɪswɜːk] *n* travail social personnalisé.

caseworker [ˈkeɪsˌwɜːkə*] *n* travailleur social s'occupant de cas individuels et familiaux.

cash [kæʃ] *n* (indén) **1.** liquide *m* • **to pay (in) cash** payer comptant *ou* en espèces • **cash on delivery** paiement *m* à la livraison, (livraison *f*) contre remboursement **2.** *fam* sous *mpl*, fric *m*. ❑ *vt* encaisser. ■ **cash in** *vi fam* • **to cash in on** tirer profit de.

cash and carry *n* (UK) libre-service *m* de gros, cash-and-carry *m*.

cashback [ˈkæʃbæk] *n* (surtout UK) **1.** espèces retirées à la caisse d'un supermarché lors d'un paiement par carte **2.** prime versée par une société de crédit immobilier au souscripteur d'un emprunt.

cashbook [ˈkæʃbʊk] *n* livre *m* de caisse.

cash box *n* caisse *f*.

cash card *n* carte *f* de retrait.

cash cow *n* COMM vache *f* à lait.

cash deposit *n* versement *m* en espèces.

cash desk *n* (UK) caisse *f*.

cash discount *n* escompte *m* de caisse, remise *f* sur paiement (au) comptant.

cash dispenser [-dɪˌspensə*] *n* distributeur *m* automatique de billets.

cashew (nut) [ˈkæʃuː-] *n* noix *f* de cajou.

cash flow *n* marge *f* d'auto-financement, cash-flow *m*.

cashier [kæˈʃɪə*] *n* caissier *m*, -ère *f*.

cashless [ˈkæʃlɪs] *adj* sans argent • **cashless pay system** système *m* de paiement électronique • **cashless society** société *f* de l'argent virtuel.

cash machine *n* distributeur *m* de billets.

cashmere [kæʃˈmɪə*] *n* cachemire *m*.

cash payment *n* paiement *m* comptant, versement *m* en espèces.

cash point, cashpoint *n* (UK) **1.** distributeur *m* (automatique de billets), DAB *m* **2.** caisse *f* (d'un magasin).

cash price *n* prix *m* comptant.

cash purchase *n* achat *m* au comptant.

cash register *n* caisse *f* enregistreuse.

cash sale *n* vente *f* au comptant.

cash value *n* valeur *f* au comptant *ou* de rachat.

casing [ˈkeɪsɪŋ] *n* **1.** revêtement *m* **2.** boîtier *m*.

casino [kəˈsiːnəʊ] *(pl -s)* *n* casino *m*.

cask [kɑːsk] *n* tonneau *m*.

casket [ˈkɑːskɪt] *n* **1.** coffret *m* **2.** (US) cercueil *m*.

casserole [ˈkæsərəʊl] *n* **1.** ragoût *m* **2.** cocotte *f*.

cassette [kæˈset] *n* **1.** cassette *f* **2.** PHOTO recharge *f*.

cassette player *n* lecteur *m* de cassettes.

cassette recorder *n* magnétophone *m* à cassettes.

cast [kɑːst] *n* **1.** acteurs *mpl* **2.** distribution *f* **3.** plâtre *m* • **her arm was in a cast** elle avait un bras dans le plâtre. ❑ *vt (prét & pp cast)* **1.** jeter • **to cast doubt on sthg** jeter le doute sur qqch • **to cast lots** (UK) tirer au sort **2.** CINÉ & THÉÂTRE donner un rôle à **3.** • **to cast one's vote** voter **4.** couler *(du métal)* **5.** mouler *(une statue)*. ■ **cast aside** *vt sép fig* écarter, rejeter. ■ **cast off** *vi* larguer les amarres.

castaway [ˈkɑːstəweɪ] *n* naufragé *m*, -e *f*.

caster [ˈkɑːstə*] *n* roulette *f*.

caster sugar *n* (UK) sucre *m* en poudre.

casting [ˈkɑːstɪŋ] *n* distribution *f* (d'un film, d'une pièce).

casting couch *n* *fam* • **she denied having got the part on the casting couch** elle a nié avoir couché avec le metteur en scène pour obtenir le rôle.

casting vote *n* voix *f* prépondérante.

cast iron *n* fonte *f*. ■ **cast-iron** *adj* **1.** en *ou* de fonte **2.** *(volonté)* de fer **3.** *(alibi)* en béton • **to have a cast-iron stomach** *fig* avoir un estomac en béton.

castle ['kɑːsl] *n* **1.** château *m* **2.** tour *f*.

castoff ['kɑːstɒf] *n* *(souvent pl)* (UK) vieux vêtement *m* ; *fig* laissé-pour-compte *m*, laissée-pour-compte *f*. ■ **cast-off** *adj* (UK) dont personne ne veut • **cast-off clothes** vieux vêtements *mpl*.

castor oil *n* huile *f* de ricin.

castrate [kæ'streɪt] *vt* châtrer.

casual ['kæʒʊəl] *adj* **1.** désinvolte **2.** sans-gêne **3.** fortuit **4.** *(vêtements)* décontracté, sport *(inv)* **5.** *(travail)* temporaire.

casualization [ˌkæʒʊəlaɪ'zeɪʃən] *n* précarisation *f*.

casualize ['kæʒʊəlaɪz] *vt* précariser.

casually ['kæʒʊəli] *adv* avec désinvolture • **casually dressed** habillé simplement.

casualty ['kæʒjʊəlti] *n* **1.** mort *m*, -e *f*, victime *f* **2.** blessé *m*, -e *f* **3.** accidenté *m*, -e *f*.

casualty department *n* (UK) service *m* des urgences.

cat [kæt] *n* **1.** chat *m* **2.** fauve *m* **3.** *(locution)* • **he thinks he's the cat's whiskers** *fam* il se prend pour le nombril du monde • **it's the cat's pyjamas** (UK) *ou* **pajamas** (US) *fam* c'est génial.

CAT [kæt] **1.** (UK) (abrév de computer-assisted teaching) EAO *m* **2.** (abrév de computerized axial tomography) CAT • **CAT scan** scanographie *f* • **to have a CAT scan** passer un scanner.

catalogue, catalog (US) ['kætəlɒg] *n* **1.** catalogue *m* **2.** fichier *m* *(en bibliothèque)*. ❏ *vt* cataloguer.

catalyst ['kætəlɪst] *n* *litt & fig* catalyseur *m*.

catalytic convertor, catalytic converter [ˌkætə'lɪtɪkkən'vɜːtə] *n* pot *m* catalytique.

catamaran [ˌkætəmə'ræn] *n* catamaran *m*.

catapult ['kætəpʌlt] *n* (UK) lance-pierres *m inv*. ❏ *vt litt & fig* catapulter.

cataract ['kætərækt] *n* cataracte *f*.

catarrh [kə'tɑː] *n* catarrhe *m*.

catastrophe [kə'tæstrəfi] *n* catastrophe *f*.

catastrophic [ˌkætə'strɒfɪk] *adj* catastrophique.

catatonic [ˌkætə'tɒnɪk] *adj* catatonique.

catbird seat ['kætbɜːd-] *n* (US) *fam* • **in the catbird seat** en position de force.

cat burglar *n* (UK) monte-en-l'air *m inv*.

catcall ['kætkɔːl] *n* sifflet *m*.

catch [kætʃ] *vt (prét & pp* **caught**) **1.** attraper • **to catch sight** *ou* **a glimpse of** apercevoir • **to catch sb's attention** attirer l'attention de qqn • **to catch the post** (UK) arriver à temps pour la levée **2.** prendre, surprendre • **to catch sb doing sthg** surprendre qqn à faire qqch **3.** saisir, comprendre **4.** • **I caught my finger**

in the door je me suis pris le doigt dans la porte **5.** frapper **6.** *(locution)* • **catch you later!** (US) *fam* à plus ! ❏ *vi (prét & pp* **caught**) **1.** se prendre **2.** *(feu de cheminée)* prendre **3.** *(moteur)* démarrer. ❏ *n* **1.** prise *f* • **he's a good catch** c'est une belle prise **2.** fermoir *m* **3.** loqueteau *m* **4.** loquet *m* **5.** hic *m*, entourloupette *f*. ■ **catch on** *vi* **1.** prendre **2.** *fam* • **to catch on (to sthg)** piger (qqch). ■ **catch out** *vt sép* (UK) prendre en défaut, coincer • **I won't be caught out like that again!** on ne m'y prendra plus ! ■ **catch up** *vt sép* rattraper. ❏ *vi* • **to catch up on sthg** rattraper qqch. ■ **catch up with** *vt insép* rattraper • **his past will catch up with him one day** il finira par être rattrapé par son passé.

catch-22 [-twentɪ'tuː] *n* • **it's a catch-22 situation** on ne peut pas s'en sortir.

catch-all *adj* fourre-tout *(inv)*.

catching ['kætʃɪŋ] *adj* contagieux.

catchment area ['kætʃmənt-] *n* **1.** (UK) secteur *m* de recrutement scolaire **2.** circonscription *f* hospitalière.

catchphrase ['kætʃfreɪz] *n* rengaine *f*.

catchword ['kætʃwɜːd] *n* slogan *m*.

catchy ['kætʃɪ] *adj* facile à retenir, entraînant.

categorical [ˌkætɪ'gɒrɪkl] *adj* catégorique.

categorically [ˌkætɪ'gɒrɪklɪ] *adv* catégoriquement.

categorize, -ise (UK) ['kætəgəraɪz] *vt* • **to categorize sb (as sthg)** cataloguer qqn (en tant que *ou* comme).

category ['kætəgərɪ] *n* catégorie *f*.

cater ['keɪtə] *vi* s'occuper de la nourriture, prévoir les repas. ■ **cater for** *vt insép* (UK) **1.** pourvoir à, satisfaire *(des besoins)* **2.** s'adresser à • **this TV channel caters for teenagers** cette chaîne de télé s'adresse aux adolescents **3.** prévoir. ■ **cater to** *vt insép* satisfaire.

cater-corner, cater-cornered (US) *fam adj* diagonal. ❏ *adv* diagonalement.

caterer ['keɪtərə] *n* traiteur *m*.

catering ['keɪtərɪŋ] *n* restauration *f (industrie)*.

caterpillar ['kætəpɪlə] *n* chenille *f*.

caterpillar tracks *npl* chenille *f*.

cat-eye *adj* • **cat-eye glasses** lunettes *fpl* de star.

catfight ['kætfaɪt] *n* crêpage *m* de chignon. ❏ *vi* se bagarrer *(en parlant de femmes)*.

cathartic [kə'θɑːtɪk] *adj* cathartique. ❏ *n* MÉD purgatif *m*, cathartique *m*.

cathedral [kə'θiːdrəl] *n* cathédrale *f*.

catheter ['kæθɪtə] *n* cathéter *m*.

Catholic ['kæθlɪk] *adj* catholique. ❏ *n* catholique *mf*. ■ **catholic** *adj* éclectique.

Catholicism [kə'θɒlɪsɪzm] *n* catholicisme *m*.

catnap ['kætnæp] *fam n* (petit) somme *m* • **to have a catnap** faire un petit somme. ❏ *vi* sommeiller, faire un petit somme.

Catseyes® ['kætsaɪz] *npl* (**UK**) catadioptres *mpl*.

catsuit ['kætsuːt] *n* (**UK**) combinaison-pantalon *f*.

catsup ['kætsəp] *n* (surtout **US**) ketchup *m*.

cattle ['kætl] *npl* bétail *m*.

cattle grid *n* (**UK**) passage *m* canadien.

catty ['kætɪ] *adj fam & péj* rosse, vache.

catwalk ['kætwɔk] *n* passerelle *f*.

Caucasian [kɔːˈkeɪzjən] *adj* caucasien. ❑ *n* Blanc *m*, Blanche *f*.

caucus ['kɔːkəs] *n* **1.** (**US**) comité *m* électoral (d'un parti) **2.** (**UK**) comité *m* (d'un parti).

caught [kɔt] *passé & pp* → **catch**.

cauliflower ['kɒlɪˌflaʊər] *n* chou-fleur *m*.

cause [kɔz] *n* cause *f* • **I have no cause for complaint** je n'ai pas à me plaindre, je n'ai pas lieu de me plaindre • **to have cause to do sthg** avoir lieu *ou* des raisons de faire qqch. ❑ *vt* causer • **to cause sb to do sthg** faire faire qqch à qqn.

caustic ['kɔstɪk] *adj* caustique.

caustic soda *n* soude *f* caustique.

caution ['kɔːʃn] *n* **1.** (indén) précaution *f*, prudence *f* **2.** avertissement *m* **3.** (**UK**) *DR* réprimande *f*. ❑ *vt* • **to caution sb against doing sthg** déconseiller à qqn de faire qqch.

cautionary ['kɔːʃənərɪ] *adj* édifiant.

cautious ['kɔːʃəs] *adj* prudent.

cautiously ['kɔːʃəslɪ] *adv* avec prudence, prudemment.

cavalier [ˌkævəˈlɪər] *adj* cavalier.

cavalry ['kævlrɪ] *n* cavalerie *f*.

cave [keɪv] *n* caverne *f*, grotte *f*. ■ **cave in** *vi* (toit, plafond) s'affaisser.

cave-dwelling *adj* cavernicole.

caveman ['keɪvmæn] (pl -**men**) *n* homme *m* des cavernes.

cave painting [keɪv-] *n* peinture *f* rupestre.

caver ['keɪvər] *n* spéléologue *mf*.

cavernous ['kævənəs] *adj* immense.

caviar(e) ['kævɪɑːr] *n* caviar *m*.

cavity ['kævətɪ] *n* cavité *f*.

cavort [kəˈvɔt] *vi* gambader.

CB (abrév de citizens' band) *n* CB *f*.

cc *n* **1.** (abrév de cubic centimetre) cm³ **2.** (abrév de carbon copy) pcc.

CCS *n* abrév de **carbon capture and storage**.

CCTV *n* abrév de **closed circuit television**.

CD (abrév de compact disc) *n* CD *m*.

CDI (abrév de compact disc interactive) *n* CDI *m*.

CDM (abrév de Clean Development Mechanism) *npr* MDP *m*.

CD player *n* lecteur *m* de CD.

CD-R [ˌsiːdiːˈɑːr] (abrév de compact disc recordable) *n* CD(-R) *m*.

CD-R drive [ˌsiːdiːˈɑːˌdraɪv] *n* lecteur-graveur *m* de CD.

CD-ROM [ˌsiːdiːˈrɒm] (abrév de compact disc read only memory) *n* CD-ROM *m*, CD-Rom *m* • **CD-ROM drive** lecteur *m* de CD-ROM.

CD-ROM drive *n* lecteur *m* de CD-ROM *ou* de disque optique.

CD-RW [ˌsiːdiːɑːˈdʌbljuː] (abrév de compact disc rewritable) *n* CD-RW *m*.

cease [siːs] *sout vt* cesser • **to cease doing** *ou* **to do sthg** cesser de faire qqch. ❑ *vi* cesser.

cease-fire *n* cessez-le-feu *m inv*.

ceaseless ['siːslɪs] *adj sout* incessant, continuel.

cedar (tree) ['siːdər] *n* cèdre *m*.

cedilla [sɪˈdɪlə] *n* cédille *f*.

ceiling ['siːlɪŋ] *n litt & fig* plafond *m*.

celeb [sɪˈleb] *n fam* célébrité *f*, star *f*.

celebrate ['selɪbreɪt] *vt* célébrer, fêter • **we're going to celebrate my birthday** nous allons fêter mon anniversaire • **to celebrate the memory of sthg** commémorer qqch. ❑ *vi* faire la fête.

celebrated ['selɪbreɪtɪd] *adj* célèbre.

celebration [ˌselɪˈbreɪʃn] *n* **1.** (indén) fête *f*, festivités *fpl* **2.** festivités *fpl*.

celebratory [ˌseləˈbreɪtərɪ] *adj* **1.** (repas) de fête • **to have a celebratory drink** prendre un verre pour fêter l'évènement **2.** (événement officiel) commémoratif **3.** (ambiance) de fête, festif.

celebrity [sɪˈlebrətɪ] *n* célébrité *f*.

celebutante [sɪˈlebjuːtɑːnt] *n fam* jeune célébrité *f*.

celery ['selərɪ] *n* céleri *m* (en branches) • **a stick of celery** une branche de céleri.

celibate ['selɪbət] *adj* célibataire.

cell [sel] *n* **1.** cellule *f* **2.** *fam* (téléphone) mobile *m*, portable *m*.

cellar ['selər] *n* cave *f*.

cellist ['tʃelɪst] *n* violoncelliste *mf*.

cello ['tʃeləʊ] (pl -**s**) *n* violoncelle *m* • **to play the cello** jouer du violoncelle.

Cellophane® ['seləfeɪn] *n* Cellophane® *f*.

cellphone ['selfəʊn], **cellular phone** ['seljʊlər-] *n* téléphone *m* cellulaire.

cellulite ['seljʊlaɪt] *n* cellulite *f*.

Celsius ['selsɪəs] *adj* Celsius (inv).

Celt [kelt] *n* Celte *mf*.

Celtic ['keltɪk] *adj* celte. ❑ *n* celte *m*.

cement [sɪˈment] *n* ciment *m*. ❑ *vt litt & fig* cimenter.

cement mixer *n* bétonnière *f*.

cemetery ['semɪtrɪ] *n* cimetière *m*.

censor ['sensər] *n* censeur *m*. ❑ *vt* censurer.

censorship ['sensəʃɪp] *n* censure *f*.

censure ['senʃər] *n* blâme *m*, critique *f*. ❑ *vt* blâmer, critiquer.

census ['sensəs] (pl -**es**) *n* recensement *m*.

cent [sent] n **1.** cent m **2.** centime m, (euro) cent m **3.** (locution) • **to put one's two cents in** (us) mettre son grain de sel.

centenary (uk) [sen'ti:nəri], **centennial** (us) [sen'tenjəl] n centenaire m.

center etc (us) = **centre** etc

centered ['sentəd] adj (us) • **he's not very centered** il est un peu paumé.

center strip n (us) terre-plein m central.

centigrade ['sentigreid] adj centigrade.

centilitre (uk), **centiliter** (us) ['senti,li:tər] n centilitre m.

centimetre (uk), **centimeter** (us) ['senti,mi:tər] n centimètre m.

centipede ['sentipi:d] n mille-pattes m inv.

central ['sentrəl] adj central.

Central America n Amérique f centrale.

central government n l'État m (par opposition aux pouvoirs régionaux).

central heating n chauffage m central.

centralize, -ise (uk) ['sentrəlaiz] vt centraliser.

centralized ['sentrəlaizd] adj centralisé.

central locking [-'lɒkiŋ] n verrouillage m centralisé.

centrally heated adj équipé du chauffage central.

central nervous system n système m nerveux central.

central processing unit n INFORM unité f centrale (de traitement).

central reservation n (uk) terre-plein m central.

centre (uk), **center** (us) ['sentər] n centre m. ❑ adj **1.** central • **a centre parting** une raie au milieu **2.** POLIT du centre, centriste. ❑ vt centrer. ■ **centre around, centre on** vt insép se concentrer sur.

centre back (uk), **center back** (us) n arrière m central.

centre forward (uk), **center forward** (us) n avant-centre m inv.

centre half (uk), **center half** (us) n arrière m central.

centrepiece (uk), **centerpiece** (us) ['sentəpi:s] n **1.** milieu m de table **2.** fig élément m principal.

century ['sentʃuri] n siècle m • **in the twenty-first century** au vingt et unième siècle.

ceramic [si'ræmik] adj en céramique • **ceramic tiles** carrelage m. ■ **ceramics** npl objets mpl en céramique.

cereal ['siəriəl] n céréale f.

cereal bowl n assiette f creuse, bol m à céréales.

cerebral ['seribrəl] adj cérébral.

cerebral palsy n paralysie f cérébrale.

ceremonial [,seri'məunjəl] adj **1.** de cérémonie **2.** honorifique. ❑ n cérémonial m.

ceremonious [,seri'məunjəs] adj solennel.

ceremoniously [,seri'məunjəsli] adv **1.** solennellement, avec cérémonie **2.** cérémonieusement.

ceremony ['seriməni] n **1.** cérémonie f **2.** (indén) cérémonies fpl • **to stand on ceremony** faire des cérémonies.

certain ['sɜ:tn] adj certain • **he is certain to be late** il sera certainement en retard • **to be certain of sthg/of doing sthg** être sûr de qqch/de faire qqch • **to make certain** vérifier • **to make certain of** s'assurer de • **I know for certain that...** je suis sûr ou certain que... • **to a certain extent** jusqu'à un certain point, dans une certaine mesure.

certainly ['sɜ:tnli] adv certainement • **certainly not!** certainement pas !

certainty ['sɜ:tnti] n certitude f.

certifiable [,sɜ:ti'faiəbl] adj bon, bonne f à enfermer.

certificate [sə'tifikət] n certificat m.

certified ['sɜ:tifaid] adj **1.** diplômé **2.** (document) certifié.

certified check n (us) chèque m de banque.

certified mail n (us) envoi m recommandé.

certified public accountant n (us) expert-comptable m.

certify ['sɜ:tifai] vt **1.** • **to certify (that)** certifier ou attester que **2.** déclarer mentalement aliéné.

cervical [sə'vaikl] adj du col de l'utérus.

cervical smear n (uk) frottis m vaginal.

cervix ['sɜ:viks] (pl -ices) n col m de l'utérus.

cesarean [si'zeəriən] (us) = **caesarean**.

cesspit ['sespit], **cesspool** ['sespu:l] n fosse f d'aisance.

cf. (abrév de confer) cf.

CFC (abrév de chlorofluorocarbon) n CFC m.

CFO ['si:ef'əu] (abrév de Chief Financial Officer) n (us) contrôleur m, -euse f de gestion.

CGI n **1.** INFORM (abrév de common gateway interface) CGI f, interface f commune de passerelle **2.** INFORM (abrév de computer-generated images) images fpl de synthèse.

chafe [tʃeif] vt irriter, frotter contre.

chaffinch ['tʃæfintʃ] n pinson m.

chafing dish ['tʃeifiŋ-] n chauffe-plat m.

chai [tʃai] n thé indien parfumé aux épices.

chain [tʃein] n chaîne f • **chain of events** suite fou série f d'événements. ❑ vt **1.** enchaîner **2.** attacher avec une chaîne.

chain guard n cache-chaîne m.

chain letter n lettre f faisant partie d'une chaîne.

chain of custody n chaîne f de détention.

chain reaction *n* réaction *f* en chaîne.

chain saw *n* tronçonneuse *f*.

chain-smoke *vi* fumer cigarette sur cigarette.

chain-smoker *n* fumeur invétéré *m*, fumeuse invétérée *f*, gros fumeur *m*, grosse fumeuse *f*.

chain store *n* grand magasin *m* *(à succursales multiples)*.

chair [tʃeər] *n* 1. chaise *f* 2. fauteuil *m* 3. chaire *f* *(à l'université)* 4. présidence *f* 5. (us) *fam* • **the chair** la chaise électrique. ■ *vt* 1. présider 2. diriger.

chairlift *n* télésiège *m*.

chairman [ˈtʃeəmən] *(pl* -men*)* *n* président *m*, -e *f*.

chairperson [ˈtʃeə,pɜːsn] *(pl* -s*)* *n* président *m*, -e *f*.

chairwoman [ˈtʃeə,wʊmən] *(pl* -women*)* *n* présidente *f*.

chaise longue [ʃeɪzˈlɒŋ] *(pl* chaises longues [ʃeɪzˈlɒŋ]*)* *n* méridienne *f*.

chaise lounge *(pl* chaise lounges*)* *n* (us) méridienne *f*.

chalet [ˈʃæleɪ] *n* chalet *m*.

chalk [tʃɔːk] *n* craie *f* • **a piece of chalk** un morceau de craie. ■ **chalk up** *vt sép* remporter *(une victoire)*. ■ **not by a long chalk** *adv* (uk) loin s'en faut, loin de là.

chalkboard [ˈtʃɔːkbɔːd] *n* (us) tableau *m* (noir).

challenge [ˈtʃælɪndʒ] *n* défi *m*. ❏ *vt* 1. • **she challenged me to a race** elle m'a défié à la course • **to challenge sb to do sthg** défier qqn de faire qqch 2. mettre en doute.

challenger [ˈtʃælɪndʒər] *n* challenger *m*.

challenging [ˈtʃælɪndʒɪŋ] *adj* 1. stimulant 2. provocateur.

chamber [ˈtʃeɪmbər] *n* chambre *f*. ■ **chambers** *npl* cabinet *(d'un juge, d'un avocat) m*.

chambermaid [ˈtʃeɪmbəmeɪd] *n* femme *f* de chambre.

chamber music *n* musique *f* de chambre.

chamber of commerce *n* chambre *f* de commerce.

chamber orchestra *n* orchestre *m* de chambre.

chameleon [kəˈmiːljən] *n* caméléon *m*.

champ [tʃæmp] *n fam* champion *m*, -onne *f*. ❏ *vi* mastiquer.

champagne [ˌʃæmˈpeɪn] *n* champagne *m*.

champion [ˈtʃæmpjən] *n* champion *m*, -onne *f* • **the world champion** le champion du monde.

championship [ˈtʃæmpjənʃɪp] *n* championnat *m*.

chance [tʃɑːns] *n* 1. *(indén)* hasard *m* • **by chance** par hasard 2. chance *f* • **she didn't stand a chance (of doing sthg)** elle n'avait aucune chance (de faire qqch) • **on the off chance** à tout hasard 3. occasion *f* 4. risque *m* • **to take a chance** risquer le coup. ❏ *adj* fortuit, accidentel. ■ *vt* risquer • **to chance it** tenter sa chance. ■ **chances** *npl* chances *fpl* • **what are her chances of making a full recovery?** quelles sont ses chances de se rétablir complètement ?

chancellor [ˈtʃɑːnsələr] *n* 1. chancelier *m*, -ère *f* 2. univ président *m*, -e *f* honoraire.

Chancellor of the Exchequer *n* (uk) Chancelier *m* de l'Échiquier ; ≃ ministre *m* des Finances.

chandelier [ˌʃændəˈlɪər] *n* lustre *m*.

change [tʃeɪndʒ] *n* 1. changement *m* • **there's been a change of plan** il y a eu un changement de programme • **for a change** pour changer • **change of clothes** vêtements *mpl* de rechange 2. monnaie *f* • **do you have any change?** vous avez de la monnaie ? 3. *(locution)* • **a change is as good as a rest** un changement d'air vaut tous les repos. ❏ *vt* 1. changer • **to change sthg into sthg** changer *ou* transformer qqch en qqch • **to change one's mind** changer d'avis 2. changer de *(travail, train, côté)* 3. faire la monnaie de 4. changer *(des euros en dollars)*. ❏ *vi* changer • **he really has changed** il a vraiment changé. ■ **change over** *vi* • **to change over from/to** passer de/à.

changeable [ˈtʃeɪndʒəbl] *adj* 1. *(caractère)* versatile 2. *(temps)* variable.

changed [tʃeɪndʒd] *adj* changé.

change machine *n* distributeur *m* de monnaie.

change of life *n* • **the change of life** le retour *m* d'âge.

changeover [ˈtʃeɪndʒ,əʊvər] *n* • **changeover (to)** passage *m* (à), changement *m* (pour).

changing [ˈtʃeɪndʒɪŋ] *adj* changeant.

changing room *n* 1. (uk) sport vestiaire *m* 2. cabine *f* d'essayage.

channel [ˈtʃænl] *n* 1. tv chaîne *f* • **to change the channel** changer de chaîne 2. radio station *f* 3. canal *m* 4. conduit *m* 5. chenal *m*. ❏ *vt* (uk) *prét & pp* channelled, *cont* channelling, (us) *prét & pp* channeled, *cont* channeling *litt & fig* canaliser. ■ **Channel** *n* • **the (English) Channel** la Manche. ■ **channels** *npl* • **to go through the proper channels** suivre *ou* passer la filière.

channel-hop *vi* tv zapper.

channel-hopper *n* tv zappeur *m*, -euse *f*.

Channel Islands *npl* • **the Channel Islands** les îles *fpl* Anglo-Normandes.

Channel tunnel *n* • **the Channel tunnel** le tunnel sous la Manche.

chant [tʃɑːnt] *n* chant *m*. ❏ *vt* 1. relig chanter 2. scander.

chanting ['tʃɑːntɪŋ] adj monotone, traînant. ❑ n **1.** MUS mélopée f **2.** RELIG chants mpl, psalmodie f **3.** slogans mpl (scandés).

chaos ['keɪɒs] n chaos m.

chaotic [keɪ'ɒtɪk] adj chaotique.

chap [tʃæp] n (UK) fam type m.

chapel ['tʃæpl] n chapelle f.

chaperon(e) ['ʃæpərəʊn] n chaperon m. ❑ vt chaperonner.

chaplain ['tʃæplɪn] n aumônier m.

chapped [tʃæpt] adj gercé.

chapter ['tʃæptər] n chapitre m.

char [tʃɑːr] vt calciner.

character ['kærəktər] n **1.** caractère m **2.** personnage m (de roman, de film) **3.** fam (personne excentrique) phénomène m, original m.

character actor n acteur m de genre.

character assassination n diffamation f.

character-forming (UK), **character-building** adj qui forme le caractère • **it's character-forming** ça forme le caractère.

characterful ['kærəktəfʊl] adj plein de caractère.

characteristic [,kærəktə'rɪstɪk] adj caractéristique. ❑ n caractéristique f.

characterization [,kærəktəraɪ'zeɪʃn] n représentation f des personnages.

characterize, -ise (UK) ['kærəktəraɪz] vt caractériser.

character witness n témoin m de moralité.

charade [ʃə'rɑːd] n farce f. ■ **charades** n (indén) charades fpl.

char-broil vt (US) CULIN griller au charbon de bois.

char-broiled adj (US) grillé au feu de bois.

charcoal ['tʃɑːkəʊl] n **1.** (dessins, esquisses) charbon m **2.** charbon de bois.

charge [tʃɑːdʒ] n **1.** prix m • **free of charge** gratuit • **administrative/delivery charges** frais de dossier/livraison **2.** accusation f, inculpation f **3.** • **to take charge of** se charger de • **in charge** responsable **4.** ÉLECTR & MIL charge f. ❑ vt **1.** faire payer • **how much do you charge?** vous prenez combien ? • **to charge sthg to** mettre qqch sur le compte de qqn **2.** • **to charge sb (with)** accuser qqn (de) **3.** ÉLECTR & MIL charger. ❑ vi se précipiter, foncer.

chargeable ['tʃɑːdʒəbl] adj **1.** • **chargeable to** à la charge de **2.** qui entraîne une inculpation.

charge card n carte f de compte crédit (auprès d'un magasin).

chargé d'affaires [,ʃɑːʒeɪdæ'feər] (pl **chargés d'affaires**) n chargé m d'affaires.

charge nurse n (UK) infirmier m, -ère f en chef.

charger ['tʃɑːdʒər] n chargeur m, -euse f.

charge time n temps m de charge.

char-grill [tʃɑː'grɪl] vt (UK) CULIN griller au charbon de bois.

char-grilled adj grillé au feu de bois.

chariot ['tʃærɪət] n char m.

charisma [kə'rɪzmə] n charisme m.

charismatic [,kærɪz'mætɪk] adj charismatique.

charitable ['tʃærətəbl] adj **1.** charitable **2.** de charité, caritatif.

charity ['tʃærətɪ] n charité f.

charm [tʃɑːm] n charme m. ❑ vt charmer.

charm bracelet n bracelet m à breloques.

charmer ['tʃɑːmər] n charmeur m, -euse f.

charming ['tʃɑːmɪŋ] adj charmant.

charmless ['tʃɑːmlɪs] adj sans charme, dépourvu de charme.

charm school n école f de bonnes manières • **which charm school did you go to?** iron dis-donc, tu en as des manières !

chart [tʃɑːt] n **1.** graphique m, diagramme m **2.** carte f. ❑ vt **1.** porter sur une carte **2.** fig rendre compte de. ❑ vi être au hit-parade. ■ **charts** npl • **the charts** le hit-parade.

charter ['tʃɑːtər] n charte f. ❑ vt affréter.

chartered accountant [,tʃɑːtəd-] n (UK) expert-comptable m.

charter flight n vol m charter.

charter member n (US) membre m fondateur.

charter plane n (avion m) charter m.

charter school ['tʃɑːtər ,skuːl] n (US) SCOL école publique dont la pédagogie est décidée par les professeurs, les parents ou des associations.

chart-topping adj qui est en tête du hit-parade.

chase [tʃeɪs] n **1.** poursuite f, chasse f **2.** (locution) • **cut to the chase!** abrège ! ❑ vt **1.** poursuivre **2.** chasser. ❑ vi • **to chase after sb/sthg** courir après qqn/qqch. ■ **chase up** vt sép (UK) rechercher, faire la chasse à.

chasm ['kæzm] n litt & fig abîme m.

chassis ['ʃæsɪ] (pl inv) n châssis m.

chaste [tʃeɪst] adj chaste.

chastise [tʃæ'staɪz] vt sout punir, châtier.

chat [tʃæt] n **1.** causerie f, bavardage m • **to have a chat** bavarder **2.** INTERNET chat m • **online chat** discussion en ligne. ❑ vi **1.** causer, bavarder **2.** INTERNET bavarder, dialoguer • **to chat live** bavarder en direct, dialoguer en direct. ■ **chat up** vt sép (UK) fam baratiner.

chatline ['tʃætlaɪn] n **1.** réseau m téléphonique (payant) **2.** téléphone m rose.

chatroom ['tʃætrum] n INFORM salle f de chat.

chat show n (UK) talk-show m • **chat show host** présentateur m, -trice f de talk-show.

chatter ['tʃætər] n **1.** bavardage m • **it's not just chatter** ce ne sont pas que des paroles en l'air **2.** caquetage m. ❑ vi **1.** bavarder **2.** (animal) jacasser, caqueter **3.** • **his teeth were chattering** il claquait des dents.

chatterati [ˌtʃætərɑːtɪ] npl (UK) fam & péj • **the chatterati** les intellos mpl.

chatterbox [ˈtʃætəbɒks] n fam moulin m à paroles.

chatty [ˈtʃætɪ] adj **1.** bavard **2.** plein de bavardages.

chauffeur [ˈʃəʊfəʳ] n chauffeur m.

chauffeur-driven adj conduit par un chauffeur.

chauvinism [ˈʃəʊvɪnɪzm] n machisme m, phallocratie f.

chauvinist [ˈʃəʊvɪnɪst] n **1.** macho m **2.** chauvin m, -e f.

chauvinistic [ˌʃəʊvɪˈnɪstɪk] adj macho, machiste.

chav [tʃæv] n (UK) fam & péj racaille f, lascar m.

cheap [tʃiːp] adj **1.** pas cher, bon marché (inv) **2.** à prix réduit **3.** de mauvaise qualité **4.** (plaisanterie) facile **5.** (locution) • **a cheap shot** un coup bas. ❑ adv (à) bon marché.

cheapen [ˈtʃiːpn] vt rabaisser.

cheaply [ˈtʃiːplɪ] adv à bon marché, pour pas cher.

cheapskate [ˈtʃiːpskeɪt] n fam grigou m.

cheat [tʃiːt] n tricheur m, -euse f. ❑ vt tromper • **to cheat sb out of sthg** escroquer qqch à qqn. ❑ vi **1.** tricher **2.** fam • **to cheat on sb** tromper qqn.

cheating [ˈtʃiːtɪŋ] n tricherie f.

check [tʃek] n **1.** • **check (on)** contrôle m (de) • **an identity check** un contrôle d'identité **2.** • **check (on)** frein m (à), restriction f (sur) • **to put a check on sthg** freiner qqch **3.** (US) note f **4.** carreaux mpl (motif sur un tissu) **5.** (US) coche f **6.** (US) = chèque. ❑ vt **1.** vérifier **2.** contrôler **3.** enrayer, arrêter **4.** (US) cocher • **to check a box** cocher une case. ❑ vi • **to check (for sthg)** vérifier (qqch) • **to check on sthg** vérifier ou contrôler qqch. ■ check in vt sép enregistrer (ses bagages). ❑ vi **1.** (à l'hôtel) signer le registre **2.** (à l'aéroport) se présenter à l'enregistrement. ■ check into vt insép • **to check into a hotel** descendre dans un hôtel. ■ check off vt sép pointer, cocher. ■ check out vt sép **1.** retirer (ses bagages) **2.** vérifier **3.** fam • **check this out a)** vise un peu ça **b)** écoute-moi ça. ❑ vi **1.** (à l'hôtel) régler sa note **2.** quitter l'hôtel. ■ check up vi • **to check up on sb** prendre des renseignements sur qqn • **to check up (on sthg)** vérifier (qqch).

checkbook (US) = chequebook.

check box n case f (à cocher).

checked [tʃekt] adj à carreaux • **a checked shirt** une chemise à carreaux.

checkerboard [ˈtʃekəbɔːd] n (US) damier.

checkered (US) = chequered.

checkers [ˈtʃekəz] n (indén) (US) jeu m de dames.

check guarantee card n (US) carte f bancaire (servant à garantir les chèques jusqu'à concurrence de la somme indiquée sur la carte).

check-in n enregistrement m (des bagages).

checking account [ˈtʃekɪŋ-] n (US) compte m courant.

checklist [ˈtʃeklɪst] n liste f de contrôle.

checkmate [ˈtʃekmeɪt] n échec et mat m.

checkout [ˈtʃekaʊt] n caisse f.

checkpoint [ˈtʃekpɔɪnt] n (poste m de) contrôle m.

checkup [ˈtʃekʌp] n bilan m de santé, check-up m • **to go for a checkup** (se faire) faire un bilan de santé.

Cheddar (cheese) [ˈtʃedəʳ-] n (fromage m de) cheddar m.

cheek [tʃiːk] n **1.** joue f **2.** fam culot m • **what a cheek!** quel culot !

cheekbone [ˈtʃiːkbəʊn] n pommette f.

cheekily [ˈtʃiːkɪlɪ] adv avec insolence.

cheekiness [ˈtʃiːkɪnɪs] n insolence f.

cheeky [ˈtʃiːkɪ] adj insolent, effronté.

cheer [tʃɪəʳ] n acclamation f. ❑ vt **1.** acclamer **2.** réjouir. ❑ vi applaudir. ■ cheers interj **1.** santé ! **2.** (UK) fam ciao ! **3.** (UK) fam merci. ■ cheer on vt sép encourager. ■ cheer up vt sép remonter le moral à. ❑ vi se dérider • **cheer up!** allez, un petit sourire !

cheerful [ˈtʃɪəfʊl] adj joyeux, gai.

cheerfully [ˈtʃɪəfʊlɪ] adv de bon gré ou cœur.

cheerfulness [ˈtʃɪəfʊlnɪs] n gaieté f.

cheering [ˈtʃɪərɪŋ] adj réconfortant. ❑ n (indén) acclamations fpl.

cheerio [ˌtʃɪərɪˈəʊ] interj (UK) fam au revoir !, salut !

cheerleader [ˈtʃɪəˌliːdəʳ] n majorette qui stimule l'enthousiasme des supporters des équipes sportives, surtout aux États-Unis.

cheese [tʃiːz] n **1.** fromage m • **cheese sauce** sauce f au fromage **2.** (locution) • **the big cheese** fam le patron, le big boss.

cheeseboard [ˈtʃiːzbɔːd] n plateau m à fromage.

cheeseburger [ˈtʃiːzˌbɜːgəʳ] n cheeseburger m, hamburger m au fromage.

cheesecake [ˈtʃiːzkeɪk] n gâteau m au fromage blanc, cheesecake m.

cheesed off [tʃiːzd-] adj (UK) fam • **to be cheesed off** en avoir marre.

cheesemonger [ˈtʃiːzmʌŋgəʳ] n fromager m, -ère f.

cheesy [ˈtʃiːzɪ] (comp cheesier, superl cheesiest) adj **1.** au goût de fromage **2.** ringard • **a cheesy grin** un sourire toutes dents dehors.

cheetah [ˈtʃiːtə] n guépard m.

chef [ʃef] n chef mf.

chemical ['kemɪkl] *adj* chimique • **chemical waste** déchets *mpl* chimiques. ❑ *n* produit *m* chimique.

chemical toilet *n* W-C *mpl* chimiques.

chemical weapons *npl* armes *fpl* chimiques.

chemist ['kemɪst] *n* (UK) pharmacien *m*, -enne *f*.

chemistry ['kemɪstrɪ] *n* **1.** chimie *f* • **chemistry lesson** cours *m* de chimie **2.** *(entre deux personnes)* • **the chemistry is right/wrong** le courant passe/ne passe pas.

chemotherapy [ˌkiːməʊˈθerəpɪ] *n* chimiothérapie *f*.

cheque (UK), **check** (US) [tʃek] *n* chèque *m* • **to pay by cheque** payer par chèque.

chequebook (UK), **checkbook** (US) ['tʃekbʊk] *n* chéquier *m*, carnet *m* de chèques.

chequebook holder *n* porte-chéquier *m*.

chequebook journalism (UK), **checkbook journalism** (US) *n* PRESSE pratique qui consiste à payer des sommes importantes pour le témoignage d'une personne impliquée dans une affaire.

cheque card *n* (UK) carte *f* bancaire.

chequered (UK), **checkered** (US) ['tʃekəd] *adj fig* mouvementé.

cherish ['tʃerɪʃ] *vt* **1.** chérir **2.** nourrir, caresser *(un espoir)*.

cherished ['tʃerɪʃt] *adj* cher, chère *f*.

cherry ['tʃerɪ] *n* cerise *f*.

cherry-picker *n* nacelle *f* élévatrice.

chess [tʃes] *n (indén)* échecs *mpl* • **chess match** tournoi *m* d'échecs.

chessboard ['tʃesbɔːd] *n* échiquier *m*.

chessman ['tʃesmæn] *(pl* -**men***)* pièce *f (de jeu d'échecs)*.

chest [tʃest] *n* **1.** poitrine *f* **2.** coffre *m*.

chestnut ['tʃesnʌt] *adj* châtain *(inv)*. ❑ *n* châtaigne *f*.

chest of drawers *(pl* chests of drawers*)* *n* commode *f*.

chesty ['tʃestɪ] *(comp* chestier, *superl* chestiest*)* *adj (toux)* de poitrine.

chew [tʃuː] *n* (UK) bonbon *m* (à mâcher). ❑ *vt* mâcher. ■ **chew over** *vt sép fig* ruminer, remâcher. ■ **chew up** *vt sép* **1.** mâchouiller **2.** *(locution)* • **he's all chewed up about it** *fam* ça le ronge de l'intérieur.

chewing gum ['tʃuːɪŋ-] *n* chewing-gum *m*.

chewy [tʃuɪ] *(comp* chewier, *superl* chewiest*)* *adj* difficile à mâcher.

chic [ʃiːk] *adj* chic *(inv)*.

chick [tʃɪk] *n* **1.** oisillon *m* **2.** poussin *m*.

chicken ['tʃɪkɪn] *n* **1.** poulet *m* • **chicken soup a)** bouillon *m* de poule **b)** velouté *m* ou crème *f* de volaille **2.** *fam* froussard *m*, -e *f*. ■ **chicken out** *vi fam* se dégonfler.

chickenfeed ['tʃɪkɪnfiːd] *n (indén) fig* bagatelle *f*.

chicken-hearted *adj* poltron.

chicken-livered [-ˌlɪvəd] *adj* = chicken-hearted.

chickenpox ['tʃɪkɪnpɒks] *n (indén)* varicelle *f*.

chick flick *n fam* film qui cible les jeunes femmes.

chick lit *n fam* littérature populaire, en général écrite par des femmes, qui cible les jeunes femmes.

chickpea ['tʃɪkpiː] *n* pois *m* chiche.

chicory ['tʃɪkərɪ] *n* (UK) endive *f*.

chief [tʃiːf] *adj* **1.** principal **2.** en chef. ❑ *n* chef *m*.

chief constable *n* (UK) commissaire *m* de police divisionnaire.

chief executive *n* directeur général *m*, directrice générale *f*. ■ **Chief Executive** *n* (US) • **the Chief Executive** le président des États-Unis.

chief executive officer *n* (US) président-directeur général *m*.

chiefly ['tʃiːflɪ] *adv* **1.** principalement **2.** surtout.

chief operating officer *n* directeur *m* général adjoint, directrice *f* générale adjointe.

chiffon ['ʃɪfɒn] *n* mousseline *f*.

chilblain ['tʃɪlbleɪn] *n* engelure *f*.

child [tʃaɪld] *(pl* children ['tʃɪldrən]*)* *n* enfant *mf*.

childbearing ['tʃaɪldˌbeərɪŋ] *n* maternité *f*.

child benefit *n (indén)* (UK) ≃ allocations *fpl* familiales.

childbirth ['tʃaɪldbɜːθ] *n (indén)* accouchement *m*.

child care *n* **1.** (UK) ADMIN protection *f* de l'enfance **2.** (US) • **child care center** crèche *f*, garderie *f*.

child directory *n* INFORM sous-répertoire *m*.

childfree ['tʃaɪldfriː] *adj* (US) sans enfants.

child-friendly *adj* **1.** aménagé pour les enfants **2.** conçu pour les enfants.

childhood ['tʃaɪldhʊd] *n* enfance *f*. ❑ *en apposition* d'enfance.

childish ['tʃaɪldɪʃ] *adj péj* puéril, enfantin.

childless ['tʃaɪldlɪs] *adj* sans enfants.

childlike ['tʃaɪldlaɪk] *adj* enfantin, d'enfant.

child lock *n* serrure *f* de securité pour enfants.

child maintenance *n* pension *f* alimentaire.

childminder ['tʃaɪldˌmaɪndə] *n* (UK) assistante *f* maternelle, nourrice *f*.

childminding ['tʃaɪldˌmaɪndɪŋ] *n* garde *f* d'enfants.

child prodigy *n* enfant *mf* prodige.

childproof ['tʃaɪldpruːf] *adj* qui ne peut pas être ouvert par les enfants.

children ['tʃɪldrən] *npl* → child.

children's home *n* maison *f* d'enfants.

child support *n* (US) pension *f* alimentaire.

Chile ['tʃɪlɪ] *n* Chili *m*.

Chilean ['tʃılıən] *adj* chilien. ❏ *n* Chilien *m*, -enne *f*.

chili ['tʃılı] = chilli.

chill [tʃıl] *adj* frais, fraîche *f*. ❏ *n* **1.** coup *m* de froid • **to catch a chill** prendre froid **2.** • **there's a chill in the air** le fond de l'air est frais **3.** frisson *m*. ❏ *vt* **1.** mettre au frais **2.** faire frissonner. ❏ *vi fam* se détendre • **just chill for a minute** détendez-vous une minute.

chilli ['tʃılı] (*pl* **-es**) *n* **1.** piment *m* **2.** • **chilli dog** hot dog *m* au chili.

chillin ['tʃılın] *adj* (US) *fam* génial, cool.

chilling ['tʃılıŋ] *adj* **1.** glacial **2.** qui glace le sang.

chilly ['tʃılı] *adj* froid • **to feel chilly** avoir froid • **it's chilly** il fait froid.

chime [tʃaım] *n* carillon *m*. ❏ *vt* sonner. ❏ *vi* carillonner.

chimney ['tʃımnı] *n* cheminée *f*.

chimneypot ['tʃımnıpɒt] *n* mitre *f* de cheminée.

chimneysweep ['tʃımnıswi:p] *n* ramoneur *m*.

chimp(anzee) [tʃımp(ən'zi:)] *n* chimpanzé *m*.

chin [tʃın] *n* menton *m*.

china ['tʃaınə] *n* porcelaine *f*.

China ['tʃaınə] *n* Chine *f*.

Chinatown ['tʃaınətaʊn] *n* quartier *m* chinois.

Chinese [,tʃaı'ni:z] *adj* chinois. ❏ *n* **1.** Chinois *m*, -e *f*. **2.** chinois *m*

Chinese cabbage *n* chou *m* chinois.

Chinese leaves *npl* (UK) = Chinese cabbage.

chink [tʃıŋk] *n* **1.** fente *f* **2.** tintement *m*.

chinos ['tʃi:nəʊz] *npl* pantalon *de grosse toile beige*.

chinwag ['tʃınwæg] *n* (UK) *fam* • **to have a chinwag** tailler une bavette.

chip [tʃıp] *n* **1.** (UK) frite *f* **2.** (US) chip *m* **3.** éclat *m* **4.** copeau *m* **5.** ébréchure *f* **6.** INFORM puce *f* **7.** jeton *m*. ❏ *vt* ébrécher. ■ **chip in** *fam vi* **1.** contribuer **2.** mettre son grain de sel. ■ **chip off** *vt sép* enlever petit morceau par petit morceau.

chip-and-pin *n* (UK) paiement *m* par carte à puce.

chipboard ['tʃıpbɔ:d] *n* aggloméré *m*.

chipmunk ['tʃıpmʌŋk] *n* tamia *m*.

chip shop *n* (UK) friterie *f*.

chip van *n* (UK) friterie *f* (*camionnette*).

chiropodist [kı'rɒpədıst] *n* pédicure *mf*.

chiropody [kı'rɒpədı] *n* podologie *f*.

chirp [tʃɜ:p] *vi* **1.** pépier **2.** chanter.

chirpily ['tʃɜ:pılı] *adv fam* gaiement.

chirpy ['tʃɜ:pı] *adj* gai.

chisel ['tʃızl] *n* **1.** ciseau *m* **2.** burin *m*. ❏ *vt* ((UK) *prét & pp* **chiselled**, *cont* **chiselling**, (US) *prét & pp* **chiseled**, *cont* **chiseling**) ciseler.

chit [tʃıt] *n* note *f*, reçu *m*.

chitchat ['tʃıttʃæt] *n* (indén) *fam* bavardage *m*.

chivalry ['ʃıvlrı] *n* (indén) **1.** *littéraire* chevalerie *f* **2.** galanterie *f*.

chives [tʃaıvz] *npl* ciboulette *f*.

chlorine ['klɔ:ri:n] *n* chlore *m*.

chocaholic *n* = chocoholic.

choccy ['tʃɒkı] (*pl* **choccies**) *n fam* chocolat *m*.

choc-ice ['tʃɒkaıs] *n* (UK) Esquimau® *m*.

chock [tʃɒk] *n* cale *f* (*d'une roue*).

chock-a-block, chock-full *adj fam* • **chock-a-block (with)** plein à craquer (de).

chocoholic ['tʃɒkə,hɒlık] *n fam* accro *mf* du chocolat, fondu *m* de chocolat.

chocolate ['tʃɒkələt] *n* chocolat *m*.

choice [tʃɔıs] *n* choix *m*. ❏ *adj* de choix.

choir ['kwaıə] *n* chœur *m*.

choirboy ['kwaıəbɔı] *n* jeune choriste *m*.

choke [tʃəʊk] *n* starter *m*. ❏ *vt* **1.** étrangler, étouffer **2.** obstruer, boucher. ❏ *vi* s'étrangler. ■ **choke back** *vt insép* **1.** étouffer (*sa colère*) **2.** refouler (*des larmes*).

choked [tʃəʊkt] *adj* **1.** (*cri, voix*) étranglé **2.** (UK) *fam* secoué (*ému*) **3.** (UK) *fam* peiné, attristé.

cholera ['kɒlərə] *n* choléra *m*.

cholesterol [kə'lestərɒl] *n* cholestérol *m* • **cholesterol level** taux *m* de cholestérol.

chomp ['tʃɒmp] *vi & vt fam* mastiquer bruyamment. ❏ *n* mastication *f* bruyante.

choose [tʃu:z] (*prét* **chose**, *pp* **chosen**) *vt* **1.** choisir **2.** • **to choose to do sthg** décider *ou* choisir de faire qqch.

choos(e)y ['tʃu:zı] (*comp* **choosier**, *superl* **choosiest**) *adj* difficile.

chop [tʃɒp] *n* côtelette *f*. ❏ *vt* **1.** couper (*du bois*) **2.** hacher (*des légumes*) **3.** *fam & fig* réduire **4.** (*locution*) • **to chop and change** changer sans cesse d'avis. ■ **chops** *npl fam* babines *fpl*. ■ **chop down** *vt sép* abattre (*un arbre*). ■ **chop up** *vt sép* couper en morceaux.

chopper ['tʃɒpə] *n* **1.** couperet *m* **2.** *fam* hélico *m*.

chopping board ['tʃɒpıŋ-] *n* planche *f* à découper.

chopping knife *n* hachoir *m*.

choppy ['tʃɒpı] *adj* agité.

chopstick ['tʃɒpstık] *n* baguette *f* (*pour manger*).

chord [kɔ:d] *n* MUS accord *m*.

chore [tʃɔ:] *n* corvée *f* • **household chores** travaux *mpl* ménagers.

choreograph ['kɒrıəgrɑ:f] *vt* chorégraphier, faire la chorégraphie de.

choreographer [,kɒrı'ɒgrəfə] *n* chorégraphe *mf*.

choreography [,kɒrı'ɒgrəfı] *n* chorégraphie *f*.

chorizo [tʃə'ri:zəʊ] *n* chorizo *m*.

chortle ['tʃɔːtl] vi glousser.

chorus ['kɔːrəs] n **1.** refrain m **2.** chœur m **3.** fig concert m (de louanges).

chose [tʃəʊz] passé → choose.

chosen ['tʃəʊzn] pp → choose.

Christ [kraɪst] n Christ m. ❏ interj Seigneur !, bon Dieu !

christen ['krɪsn] vt **1.** baptiser **2.** nommer.

christening ['krɪsnɪŋ] n baptême m.

Christian ['krɪstʃən] adj chrétien. ❏ n chrétien m, -enne f.

Christianity [ˌkrɪstɪ'ænətɪ] n christianisme m.

Christian name n prénom m.

Christmas ['krɪsməs] n Noël m • **happy** ou **merry Christmas!** joyeux Noël !

Christmas cake n (UK) gâteau m de Noël.

Christmas card n carte f de Noël.

Christmas carol n chant m de Noël, noël m.

Christmas cracker n (UK) pétard m de Noel.

Christmas Day n jour m de Noël.

Christmas Eve n veille f de Noël.

Christmas pudding n (UK) pudding m (de Noël).

Christmas stocking n chaussette que les enfants accrochent à la cheminée ou au pied de leur lit pour que le père Noël y dépose des cadeaux.

Christmas tree n arbre m de Noël.

chrome [krəʊm], **chromium** ['krəʊmɪəm] n chrome m. ❏ en apposition chromé.

chromosome ['krəʊməsəʊm] n chromosome m.

chronic ['krɒnɪk] adj **1.** (maladie, chômage) chronique **2.** (menteur, fumeur) invétéré.

chronicle ['krɒnɪkl] n chronique f.

chronological [ˌkrɒnə'lɒdʒɪkl] adj chronologique.

chronologically [ˌkrɒnə'lɒdʒɪklɪ] adv chronologiquement.

chrysanthemum [krɪ'sænθəməm] (pl -s) n chrysanthème m.

chubby ['tʃʌbɪ] adj **1.** joufflu **2.** potelé.

chuck [tʃʌk] vt fam **1.** lancer, envoyer **2.** laisser tomber (son petit ami, sa petite amie). ■ **chuck away, chuck out** vt sép fam jeter, balancer.

chucking-out time ['tʃʌkɪŋ-] n (UK) fam (au pub) heure f de la fermeture.

chuckle ['tʃʌkl] vi glousser.

chuffed [tʃʌft] adj (UK) fam • **chuffed (with sthg/to do sthg)** ravi (de qqch/de faire qqch).

chug [tʃʌg] vi (voiture, train) faire teuf-teuf.

chum [tʃʌm] n fam copain m, copine f.

chummy ['tʃʌmɪ] (comp chummier, superl chummiest) adj fam • **to be chummy with sb** être copain, copine f avec qqn.

chunk [tʃʌŋk] n gros morceau m.

chunky ['tʃʌŋkɪ] (comp chunkier, superl chunkiest) adj **1.** trapu **2.** gros, grosse f.

church [tʃɜːtʃ] n église f.

churchgoer ['tʃɜːtʃˌgəʊər] n pratiquant m, -e f.

churchgoing ['tʃɜːtʃˌgəʊɪŋ] adj pratiquant • **the churchgoing public** les gens qui vont à l'église.

church leader n chef m de l'église.

Church of England n • **the Church of England** l'Église d'Angleterre.

churchyard ['tʃɜːtʃjɑːd] n cimetière m.

churlish ['tʃɜːlɪʃ] adj grossier.

churn [tʃɜːn] n **1.** baratte f **2.** bidon m (de lait). ❏ vt battre. ■ **churn out** vt sép fam produire en série.

chute [ʃuːt] n glissière f • **rubbish** (UK) ou **garbage** (US) **chute** vide-ordures m inv.

chutney ['tʃʌtnɪ] n chutney m.

CIA (abrév de Central Intelligence Agency) n CIA f.

ciabatta [tʃə'bɑːtə] n ciabatta m.

CID (abrév de Criminal Investigation Department) n la police judiciaire britannique.

cider ['saɪdər] n **1.** (UK) cidre m **2.** (US) jus m de pomme.

cigar [sɪ'gɑːr] n cigare m.

cigarette [ˌsɪgə'ret] n cigarette f.

cigarette butt, cigarette end (UK) n mégot m.

cigarette lighter n briquet m.

cigarette paper n papier m à cigarettes.

ciggiecaked ['sɪgɪ] n fam clope mf, sèche f.

cilantro [sɪ'læntrəʊ] n (US) coriandre f.

cinch [sɪntʃ] n fam • **it's a cinch** c'est un jeu d'enfant.

cinder ['sɪndər] n cendre f.

Cinderella [ˌsɪndə'relə] n Cendrillon f.

cine-camera ['sɪnɪ-] n caméra f.

cine-film ['sɪnɪ-] n (UK) film m.

cinema ['sɪnəmə] n (UK) cinéma m.

cinemagoer ['sɪnɪməˌgəʊər] n personne f qui fréquente les cinémas.

cinematographic [ˌsɪnəmætə'græfɪk] adj cinématographique.

cinematography [ˌsɪnəmə'tɒgrəfɪ] n (UK) cinématographie f.

cinnamon ['sɪnəmən] n cannelle f.

cipher ['saɪfər] n code m.

circa ['sɜːkə] prép environ.

circle ['sɜːkl] n **1.** cercle m **2.** (dans un théâtre) balcon m. ❏ vt **1.** entourer (d'un cercle) **2.** faire le tour de. ❏ vi tourner en rond.

circuit ['sɜːkɪt] n circuit m.

circuitous [sə'kjuːɪtəs] adj indirect.

circular ['sɜːkjʊlər] adj **1.** circulaire **2.** (locution) • **to put sthg in the circular file** (US) fam jeter qqch à la corbeille à papier. ❑ n **1.** circulaire f **2.** prospectus m.

circulate ['sɜːkjʊleɪt] vi **1.** circuler **2.** se mêler aux invités. ❑ vt **1.** propager **2.** faire circuler.

circulation [ˌsɜːkjʊ'leɪʃn] n **1.** circulation f **2.** PRESSE tirage m.

circumcise ['sɜːkəmsaɪz] vt circoncire.

circumcised ['sɜːkəmsaɪzd] adj circoncis.

circumcision [ˌsɜːkəm'sɪʒn] n circoncision f.

circumference [sə'kʌmfərəns] n circonférence f.

circumflex ['sɜːkəmfleks] n • **circumflex (accent)** accent m circonflexe.

circumspect ['sɜːkəmspekt] adj circonspect.

circumstances ['sɜːkəmstənsɪz] npl circonstances fpl • **under** ou **in no circumstances** en aucun cas.

circumstantial [ˌsɜːkəm'stænʃl] adj sout • **circumstantial evidence** preuve f indirecte (irrecevable pour un tribunal/juge, en common law).

circumvent [ˌsɜːkəm'vent] vt sout tourner, contourner.

circus ['sɜːkəs] n cirque m.

CIS (abrév de Commonwealth of Independent States) n CEI f.

CISC (abrév de complex instruction set computer) n CISC m.

cistern ['sɪstən] n **1.** (UK) réservoir m d'eau **2.** réservoir m de chasse d'eau.

citation file n corpus m.

cite [saɪt] vt citer.

citizen ['sɪtɪzn] n **1.** citoyen m, -enne f **2.** habitant m, -e f.

Citizens' Advice Bureau n service britannique d'information et d'aide au consommateur.

Citizens' Band n citizen band f (fréquence radio réservée au public).

citizenship ['sɪtɪznʃɪp] n citoyenneté f.

citric acid ['sɪtrɪk-] n acide m citrique.

citrus fruit ['sɪtrəs-] n agrume m.

city ['sɪtɪ] n ville f, cité f. ▪ City n (UK) • **the City** la City (quartier financier de Londres).

<table>
<tr><td>ᴄᴜʟᴛᴜʀᴇ</td><td>

the City

La City, quartier financier de la capitale, est une circonscription administrative autonome de Londres ayant sa propre police. Le terme **the City** est souvent employé pour désigner le monde britannique de la finance.
</td></tr>
</table>

city centre n (UK) centre-ville m.

city-dweller n citadin m, -e f.

city hall n (US) ≃ mairie f ; ≃ hôtel m de ville.

cityscape ['sɪtɪskeɪp] n paysage m urbain.

city technology college n (UK) établissement d'enseignement technique du secondaire subventionné par les entreprises.

civic ['sɪvɪk] adj **1.** municipal **2.** civique.

civic centre (UK), **civic center** (US) n centre m administratif municipal.

civil ['sɪvl] adj **1.** civil **2.** courtois, poli.

civil engineering n génie m civil.

civilian [sɪ'vɪljən] n civil m, -e f. ❑ en apposition civil • **in civilian clothes** en civil.

civilization [ˌsɪvəlaɪ'zeɪʃn] n civilisation f.

civilized ['sɪvəlaɪzd] adj civilisé.

civilizing ['sɪvɪlaɪzɪŋ] adj • **the civilizing influence of...** l'influence civilisatrice de... • **to have a civilizing influence on sb** avoir une influence apaisante sur qqn.

civil law n droit m civil.

civil liberties npl libertés fpl civiques.

civil partner n conjoint m, -e f (par union civile).

civil partnership n loi britannique qui garantit aux couples homosexuels les mêmes droits qu'aux couples mariés en matière de succession, de retraite, et pour les questions de garde et d'éducation des enfants.

civil rights npl droits mpl civils.

civil servant n fonctionnaire mf.

civil service n fonction f publique.

civil union n union f civile.

civil war n guerre f civile.

<table>
<tr><td>ᴄᴜʟᴛᴜʀᴇ</td><td>

the American Civil War

La guerre de Sécession opposa entre 1861 et 1865 les États du Sud, à l'économie agricole fondée sur l'esclavage, et les États plus industriels du Nord, partisans de l'abolition de l'esclavage. Les États du Nord, qui avaient plus de soldats et d'armes, gagnèrent finalement la guerre et abolirent l'esclavage.
</td></tr>
</table>

CJD n abrév de **Creutzfeldt-Jakob disease**.

cl (abrév de centilitre) cl.

clad [klæd] adj littéraire • **clad in** vêtu de.

claim [kleɪm] n **1.** demande f **2.** droit m • **to lay claim to sthg** revendiquer qqch **3.** affirmation f. ❑ vt **1.** réclamer **2.** revendiquer **3.** prétendre • **she claims to have seen the murderer** elle prétend avoir vu l'assassin. ❑ vi • **to claim for sthg** faire une demande d'indemnité pour qqch • **to claim (on one's insurance)** faire une déclaration de sinistre.

claimant ['kleɪmənt] n **1.** prétendant m, -e f (au trône) **2.** demandeur m, -eresse f (de prestations sociales), requérant m, -e f.

clairvoyant [kleə'vɔɪənt] n voyant m, -e f.

clam [klæm] n palourde f. ▪ **clam up** vi fam la boucler.

clamber ['klæmbəʳ] vi grimper.

clammy ['klæmɪ] *adj* **1.** *(mains)* moite **2.** *(temps)* lourd et humide.

clamour (UK), **clamor** (US) ['klæmər] *n (indén)* cris *mpl*. ❑ *vi* • **to clamour for sthg** demander qqch à cor et à cri.

clamp [klæmp] *n* **1.** pince *f*, agrafe *f* **2.** serre-joint *m* **3.** MÉD clamp *m* **4.** sabot *m* de Denver. ❑ *vt* **1.** serrer **2.** poser un sabot de Denver à. ■ **clamp down** *vi* • **to clamp down (on)** sévir (contre).

clampdown ['klæmpdaʊn] *n* • **clampdown (on)** répression *f* (contre).

clan [klæn] *n* clan *m*.

clandestine [klæn'destɪn] *adj* clandestin.

clang [klæŋ] *n* bruit *m* métallique.

clap [klæp] *vt* applaudir.

clapping ['klæpɪŋ] *n (indén)* applaudissements *mpl*.

claptrap ['klæptræp] *n (indén) fam* sottises *fpl*.

claret ['klærət] *n* **1.** *(vin)* bordeaux *m* rouge **2.** *(couleur)* bordeaux *m inv*.

clarify ['klærɪfaɪ] *vt* éclaircir, clarifier.

clarinet [,klærə'net] *n* clarinette *f*.

clarity ['klærətɪ] *n* clarté *f*.

clash [klæʃ] *n* **1.** conflit *m* **2.** heurt *m*, affrontement *m* **3.** fracas *m*. ❑ *vi* **1.** se heurter **2.** entrer en conflit **3.** • **to clash (with sthg)** tomber en même temps (que qqch) **4.** *(couleurs)* jurer.

clasp [klɑːsp] *n* **1.** fermoir *m* **2.** boucle *f (de ceinture)*. ❑ *vt* serrer.

class [klɑːs] *n* classe *f* • **to travel first/second class** voyager en première/deuxième classe **2.** cours *m*, classe *f* **3.** catégorie *f*. ❑ *vt* classer.

class-conscious *adj péj* snob *(inv)*.

classic ['klæsɪk] *adj* classique • *n* classique *m*. ■ **classics** *npl* humanités *fpl*.

classical ['klæsɪkl] *adj* classique • **classical music** la musique classique.

classical music *n* musique *f* classique.

classification [,klæsɪfɪ'keɪʃn] *n* classification *f*.

classified ['klæsɪfaɪd] *adj* classé secret, classée secrète *f*.

classified ad *n* petite annonce *f*.

classify ['klæsɪfaɪ] *vt* classifier, classer.

classless ['klɑːslɪs] *adj* sans distinctions sociales.

classmate ['klɑːsmeɪt] *n* camarade *mf* de classe.

classroom ['klɑːsrʊm] *n (salle f de)* classe *f*.

classroom assistant *n* aide-éducateur *m*, -rice *f*.

classy ['klɑːsɪ] *adj fam* chic *(inv)*.

clatter ['klætər] *n* **1.** cliquetis *m* **2.** fracas *m*.

clause [klɔːz] *n* **1.** clause *f* **2.** GRAMM proposition *f*.

claustrophobia [,klɔːstrə'fəʊbjə] *n* claustrophobie *f*.

claustrophobic [,klɔːstrə'fəʊbɪk] *adj* **1.** qui rend claustrophobe **2.** claustrophobe.

claw [klɔː] *n* **1.** griffe *f (d'un chat)* **2.** pince *f (de crabe)*. ❑ *vt* griffer. ■ **claw back** *vt sép* (UK) récupérer *(de l'argent)*.

clay [kleɪ] *n* argile *f*.

clean [kliːn] *adj* **1.** propre **2.** *(feuille de papier)* vierge **3.** *(réputation)* sans tache **4.** *(plaisanterie)* de bon goût **5.** net, nette *f*. ❑ *vt* nettoyer. ❑ *vi* faire le ménage. ■ **clean out** *vt sép* nettoyer à fond. ■ **clean up** *vt sép* nettoyer.

clean-burning *adj* brûlant sans résidu de combustible.

clean-cut *adj* **1.** net, nette *f* **2.** bien délimité, net, nette *f* **3.** propre (sur soi), soigné.

Clean Development Mechanism *npr* ÉCOL Mécanisme *m* de Développement Propre.

cleaner ['kliːnər] *n* **1.** personne *f* qui fait le ménage **2.** produit *m* d'entretien.

cleaning ['kliːnɪŋ] *n* nettoyage *m*.

cleaning fluid *n* produit *m* nettoyant.

cleanliness ['klenlɪnɪs] *n* propreté *f*.

clean-living *adj* qui mène une vie saine.

clean room *n* salle *f* propre, salle *f* blanche.

cleanse [klenz] *vt* **1.** nettoyer **2.** *fig* purifier.

cleanser ['klenzər] *n* **1.** détergent *m* **2.** démaquillant *m*.

clean-shaven [-'ʃeɪvn] *adj* rasé de près.

cleantech ['kliːntek] *n* technologies *fpl* propres. ❑ *adj* relatif aux technologies propres.

clear [klɪər] *adj* **1.** clair **2.** *(verre, plastique)* transparent **3.** *(voie, espace)* libre, dégagé. ❑ *adv* • **to stand clear** s'écarter • **to stay** *ou* **steer clear of sb/sthg** éviter qqn/qqch. ❑ *vt* **1.** dégager **2.** débarrasser **3.** enlever • **I went for a walk to clear my head** *a)* j'ai fait un tour pour m'éclaircir les idées **4.** innocenter **5.** sauter, franchir **6.** s'acquitter de **7.** donner le feu vert à. ❑ *vi* **1.** *(brouillard)* se dissiper **2.** *(ciel)* s'éclaircir. ■ **clear away** *vt sép* **1.** débarrasser **2.** enlever. ■ **clear off** *vi* (UK) *fam* dégager. ■ **clear out** *vt sép* **1.** vider **2.** ranger. ❑ *vi fam* dégager. ■ **clear up** *vt sép* **1.** ranger **2.** éclaircir. ❑ *vi* **1.** s'éclaircir **2.** tout ranger.

clearance ['klɪərəns] *n* **1.** enlèvement *m (des ordures)* **2.** déblaiement *m* **3.** autorisation *f*.

clear-cut *adj* net, nette *f*.

clear-headed [-'hedɪd] *adj* lucide.

clearing ['klɪərɪŋ] *n* clairière *f*.

clearing bank *n* (UK) banque *f* de dépôt.

clearing-up *n* **1.** remise *f* en ordre **2.** déblaiement *m*.

clearly ['klɪəlɪ] *adv* **1.** clairement **2.** manifestement.

clearout ['klɪəraʊt] *n (surtout* UK) *fam* (grand) nettoyage *m*.

clear-sighted *adj* qui voit juste.

clearway ['klɪəweɪ] n (UK) route où le stationnement n'est autorisé qu'en cas d'urgence.

cleavage ['kliːvɪdʒ] n décolleté m.

cleaver ['kliːvə] n couperet m.

clef [klef] n clef f.

cleft [kleft] n fente f.

clench [klentʃ] vt serrer.

clergy ['klɜːdʒɪ] npl • **the clergy** le clergé.

clergyman ['klɜːdʒɪmən] (pl -men) n membre m du clergé.

clergywoman ['klɜːdʒɪ,wumən] (pl -women) n (femme f) pasteur m.

cleric ['klerɪk] n membre m du clergé.

clerical ['klerɪkl] adj 1. de bureau 2. clérical.

clerk [UK] klɑːk, (US) klɜːrk] n 1. employé m, -e f de bureau 2. DR clerc mf 3. (US) vendeur m, -euse f.

clever ['klevə] adj 1. intelligent 2. ingénieux 3. habile, adroit.

cleverly ['klevəlɪ] adv 1. intelligemment 2. habilement.

cliché ['kliːʃeɪ] n cliché m.

clichéd [(UK) 'kliːʃeɪd, (US) kliːʃeɪd] adj banal • **a clichéd phrase** un cliché, une banalité, un lieu commun.

click [klɪk] n 1. déclic m 2. claquement m 3. INFORM clic m • **at the click of a mouse** d'un clic de souris. ❑ vt 1. faire claquer 2. cliquer. ❑ vi 1. claquer 2. faire un déclic 3. • **to click on sthg** cliquer sur qqch.

clickable ['klɪkəbl] adj INFORM cliquable • **clickable image** image f cliquable.

clickable image [klɪkəbl-] n INFORM image f cliquable.

clicking ['klɪkɪŋ] n cliquetis m • **a clicking sound** un cliquetis.

click-through adj • **click-through licence** ou **agreement** contrat m de licence en ligne • **click-through rate** taux m de clics.

clickwrap ['klɪkræp] adj • **clickwrap licence** ou **agreement** contrat m de licence en ligne.

client ['klaɪənt] n client m, -e f.

client base n clientèle f.

client confidence n confiance f du client.

clientele [,kliːən'tel] n clientèle f.

clientelism [klaɪ'entɪlɪzəm] n sout POLIT clientélisme m.

client-focused adj orienté client.

client list n liste f de clients.

client relationship n relations fpl clientèle.

cliff [klɪf] n falaise f.

climate ['klaɪmɪt] n climat m • **climate sensitivity/variability** sensibilité f /variabilité f climatique.

climate canary n organisme ou espèce en danger, annonciateur d'une catastrophe pour les autres espèces.

climate change n changement m climatique.

climate control n (US) AUTO climatiseur m.

climate refugee n réfugié m, -e f climatique.

climatologist [,klaɪmə'tɒlədʒɪst] n climatologue mf.

climax ['klaɪmæks] n apogée m.

climb [klaɪm] n ascension f, montée f. ❑ vt 1. monter à 2. monter 3. escalader 4. (locution) • **to climb the walls** fam devenir dingue. ❑ vi 1. (personne) monter, grimper 2. (plante) grimper 3. (rue) monter 4. (avion) prendre de l'altitude 5. augmenter.

climb-down n (UK) reculade f.

climber ['klaɪmə] n alpiniste mf, grimpeur m, -euse f.

climbing ['klaɪmɪŋ] n 1. escalade f 2. alpinisme m.

climbing frame n (UK) cage f à poules.

clinch [klɪntʃ] vt conclure.

cling [klɪŋ] (prét & pp clung) vi 1. • **to cling (to)** s'accrocher (à), se cramponner (à) 2. • **to cling (to)** coller (à).

clingfilm ['klɪŋfɪlm] n (UK) film m alimentaire transparent.

clingy ['klɪŋɪ] (comp clingier, superl clingiest) adj 1. moulant 2. péj (personne) collant.

clinic ['klɪnɪk] n centre m médical, clinique f.

clinical ['klɪnɪkl] adj 1. clinique • **clinical trials** tests mpl cliniques 2. fig froid.

clink [klɪŋk] vi tinter.

clip [klɪp] n 1. trombone m 2. pince f (à cheveux) 3. clip m (de boucle d'oreille) 4. extrait m. ❑ vt 1. attacher 2. couper 3. tailler 4. découper.

clipart [klɪpɑːt] n INFORM clipart m.

clipboard ['klɪpbɔd] n écritoire f à pince.

clippers ['klɪpəz] npl 1. tondeuse f 2. pince f à ongles 3. cisaille f à haie 4. sécateur m.

clipping ['klɪpɪŋ] n (US) coupure f.

clique [kliːk] n clique f.

cliquey ['kliːkɪ], **cliquish** ['kliːkɪʃ] adj péj exclusif, qui a l'esprit de clan.

cloak [kləʊk] n cape f.

cloakroom ['kləʊkrum] n 1. vestiaire m • **cloakroom attendant** préposé m, -e f au vestiaire 2. (UK) toilettes fpl.

clobber ['klɒbə] fam n (indén) (UK) 1. affaires fpl (possessions) 2. fringues fpl. ❑ vt tabasser.

clock [klɒk] n 1. horloge f 2. pendule f • **the clock is ticking** fig le temps passe 3. • **(a)round the clock** 24 heures sur 24 4. AUTO compteur m. ■ **clock in**, **clock on** vi pointer (à l'arrivée). ■ **clock off**, **clock out** vi pointer (à la sortie). ■ **clock up** vt insép (des kilomètres) faire, avaler.

clockface ['klɒkfeɪs] n cadran m.

clock speed n INFORM vitesse f d'horloge.

clockwise ['klɒkwaɪz] *adj & adv* dans le sens des aiguilles d'une montre.

clockwork ['klɒkwɜːk] *n* • **to go like clockwork** *fig* aller *ou* marcher comme sur des roulettes. ❑ **en apposition** mécanique.

clog [klɒg] *vt* boucher. ■ **clog up** *vt sép* boucher. ❑ *vi* se boucher.

close¹ [kləʊs] *adj* **1.** • **close (to)** proche (de), près (de) • **a close friend** un ami intime, une amie intime *f* • **close up, close to** de près • **close by, close at hand** tout près • **that was a close shave** *ou* **thing** *ou* **call** on l'a échappé belle **2.** *(lien, ressemblance)* fort **3.** *(collaboration)* étroit **4.** *(interrogatoire)* serré **5.** *(examen)* minutieux • **to keep a close watch on sb/sthg** surveiller qqn/qqch de près • **to pay close attention** faire très attention **6.** *(résultat, compétition)* serré. ❑ *adv* • **close (to)** près (de) • **to come closer (together)** se rapprocher. ■ **close on, close to** *prép* près de.

close² [kləʊz] *vt* fermer, clore • **to close (a window)** fermer (une fenêtre) • **to close (an application)** quitter (une application). ❑ *vi* **1.** fermer **2.** *(se)* fermer **3.** se terminer, finir. ■ **close down** *vt sép & vi* fermer. ■ **close in** *vi* **1.** *(nuit, brouillard)* descendre **2.** • **to close in (on)** approcher *ou* se rapprocher (de) *(d'une personne)*. ■ **close off** *vt insép* barrer • **the area was closed off to the public** le quartier était fermé au public.

closed [kləʊzd] *adj* fermé.

closed circuit television *n* télévision *f* en circuit fermé.

close-fitting [ˌkləʊs-] *adj* près du corps.

close-grained ['kləʊs-] *adj* **1.** *(bois)* à grain fin *ou* serré **2.** *(métal)* à grains fins, à fine cristallisation.

close-knit [ˌkləʊs-] *adj* (très) uni.

closely ['kləʊslɪ] *adv* **1.** de près **2.** beaucoup • **to be closely related to** *ou* **with** être proche parent de.

closeness ['kləʊsnɪs] *n* **1.** proximité *f* **2.** intimité *f*.

close-range [kləʊs-] *adj* à courte portée.

close-run ['kləʊs-] *adj* = **close¹** *(adj, sens 4)*

closet ['klɒzɪt] *n* (US) placard *m*. ❑ *adj fam* non avoué.

closeted ['klɒzɪtɪd] *adj* • **a closeted homosexual** un homosexuel qui n'est pas sorti du placard *(qui n'a pas rendu publique son homosexualité)*.

closetful ['klɒzɪtˌfʊl] *n* • **a closetful of dresses** une armoire pleine de robes.

close-up ['kləʊs-] *n* gros plan *m*.

closing-down sale (UK), **closing-out sale** *n* liquidation *f*.

closing time ['kləʊzɪŋ-] *n* heure *f* de fermeture.

closure ['kləʊʒər] *n* **1.** fermeture *f* **2.** *(après un drame)* • **to get closure** tourner la page.

clot [klɒt] *n* **1.** caillot *m* **2.** (UK) *fam* empoté *m*, -e *f*. ❑ *vi* coaguler.

cloth [klɒθ] *n* **1.** *(indén)* tissu *m* **2.** chiffon *m* **3.** torchon *m*.

clothe [kləʊð] *vt sout* habiller.

cloth-eared *adj* (UK) *fam* dur de la feuille, sourdingue.

clothes [kləʊðz] *npl* vêtements *mpl*, habits *mpl* • **to put one's clothes on** s'habiller • **to take one's clothes off** se déshabiller.

clothes brush *n* brosse *f* à habits.

clothes hanger *n* cintre *m*.

clotheshorse ['kləʊðhɔːs] *n* séchoir *m* à linge.

clothesline ['kləʊðzlaɪn] *n* corde *f* à linge.

clothes peg (UK), **clothespin** (US) ['kləʊðzpɪn] *n* pince *f* à linge.

clothes rack *n* (US) séchoir *m*.

clothing ['kləʊðɪŋ] *n* *(indén)* vêtements *mpl*, habits *mpl*.

cloud [klaʊd] *n* nuage *m*. ■ **cloud over** *vi* se couvrir.

cloud-cuckoo-land *n* (UK) *fam* • **they are living in cloud-cuckoo-land** ils n'ont pas les pieds sur terre.

cloudy ['klaʊdɪ] *adj* **1.** nuageux **2.** trouble.

clout [klaʊt] *fam n* *(indén)* poids *m*, influence *f*. ❑ *vt* donner un coup à.

clove [kləʊv] *n* • **a clove of garlic** une gousse d'ail. ■ **cloves** *npl* clous *mpl* de girofle.

clover ['kləʊvər] *n* trèfle *m*.

clown [klaʊn] *n* **1.** clown *mf* **2.** pitre *m*. ❑ *vi* faire le pitre.

cloying ['klɔɪɪŋ] *adj* **1.** écœurant **2.** à l'eau de rose.

club [klʌb] *n* **1.** club *m* **2.** massue *f* **3.** • *(golf)* club club *m*. ❑ *vt* matraquer. ■ **clubs** *npl* trèfle *m*. ■ **club together** *vi* se cotiser.

clubbing ['klʌbɪŋ] *n* sorties *fpl* en boîte, clubbing *m* • **she loves clubbing** elle adore sortir en boîte • **to go clubbing** sortir en boîte.

club car *n* (US) wagon-restaurant *m*.

club class *n* classe *f* club.

clubhouse ['klʌbhaʊs] (*pl* [-haʊzɪz]) *n* pavillon *m*, pavillon *m*.

cluck [klʌk] *vi* glousser.

clue [kluː] *n* **1.** indice *m* • **I haven't (got) a clue (about)** je n'ai aucune idée (sur) **2.** définition *f* *(dans les mots croisés)*.

clued-up [kluːd-] *adj* (UK) *fam* calé.

clueless ['kluːlɪs] *adj fam* qui n'y connaît rien.

clump [klʌmp] *n* massif *m*, bouquet *m*.

clumsily ['klʌmzɪlɪ] *adv* **1.** maladroitement **2.** sans tact.

clumsy ['klʌmzɪ] *adj* maladroit, gauche.

clung [klʌŋ] *passé & pp* → **cling**.

clunky ['klʌŋkɪ] *adj* **1.** *(chaussures)* gros, grosse *f* **2.** *(meubles)* encombrant ; *(interface utilisateur)* lourd.

cluster ['klʌstə] *n* groupe *m*. □ *vi* **1.** se rassembler **2.** être regroupé.

cluster bomb *n* bombe *f* à fragmentation.

cluster headache *n* migraine *f* ophtalmique.

clutch [klʌtʃ] *n* embrayage *m*. □ *vt* agripper. □ *vi* ▸ **to clutch at** s'agripper à.

clutter ['klʌtə] *n* désordre *m*. □ *vt* mettre en désordre.

cluttered ['klʌtəd] *adj* encombré.

cm (abrév de centimetre) *m* cm.

CMi *SMS* (abrév de call me) appelle-moi.

CMON *SMS* abrév de **come on**.

CND (abrév de Campaign for Nuclear Disarmament) *n* mouvement pour le désarmement nucléaire.

CNS *n* abrév de **central nervous system**.

co- [kəʊ] *préf* co-.

c/o (abrév de care of) a/s.

Co. 1. (abrév de Company) Cie **2.** abrév de County.

coach [kəʊtʃ] *n* **1.** (UK) car *m*, autocar *m* **2.** (UK) *RAIL* voiture *f* **3.** carrosse *m* **4.** entraîneur *m* **5.** répétiteur *m*, -trice *f*. □ *vt* **1.** *SPORT* entraîner **2.** donner des leçons (particulières) à.

coal [kəʊl] *n* charbon *m*.

coalfield ['kəʊlfiːld] *n* bassin *m* houiller.

coalition [ˌkəʊə'lɪʃn] *n* coalition *f*.

coalman ['kəʊlmæn] (*pl* **-men**) *n* (UK) charbonnier *m*.

coalmine ['kəʊlmaɪn] *n* mine *f* de charbon.

coarse [kɔːs] *adj* **1.** *(tissu)* grossier **2.** *(cheveux)* épais **3.** *(peau)* granuleux **4.** *(vulgaire)* grossier.

coarse-featured *adj* aux traits grossiers *ou* épais.

coast [kəʊst] *n* côte *f*. □ *vi* avancer en roue libre.

coastal ['kəʊstl] *adj* côtier.

coaster ['kəʊstə] *n* dessous *m* de verre.

coastguard ['kəʊstgɑːd] *n* **1.** garde-côte *m* **2.** ▸ **the coastguard** la gendarmerie maritime.

coastline ['kəʊstlaɪn] *n* côte *f*.

coat [kəʊt] *n* **1.** manteau *m* **2.** pelage *m* **3.** couche *f*. □ *vt* ▸ **to coat sthg (with) a)** recouvrir qqch (de) **b)** enduire qqch (de).

-coated [kəʊtɪd] *suffixe* • **plastic-coated** plastifié • **silver-coated** plaqué argent.

coat hanger *n* cintre *m*.

coating ['kəʊtɪŋ] *n* **1.** couche *f* **2.** *CULIN* glaçage *m*.

coat of arms (*pl* **coats of arms**) *n* blason *m*.

coauthor [kəʊ'ɔːθə] *n* co-auteur *m*.

coax [kəʊks] *vt* • **to coax sb (to do** *ou* **into doing sthg)** persuader qqn (de faire qqch) à force de cajoleries.

cob [kɒb] *n* → **corn**.

cobble ['kɒbl] ■ **cobble together** *vt sép* **1.** bricoler **2.** improviser.

cobbled ['kɒbld] *adj* pavé.

cobbler ['kɒblə] *n* cordonnier *m*, -ière *f*.

cobbles ['kɒblz], **cobblestones** ['kɒblstəʊnz] *npl* pavés *mpl*.

Cobol ['kəʊbɒl] (abrév de Common Business Oriented Language) *n* COBOL *m*.

cobweb ['kɒbweb] *n* toile *f* d'araignée.

cobweb site *n INTERNET* site *m* périmé.

Coca-Cola® [ˌkəʊkə'kəʊlə] *n* Coca-Cola® *m inv*.

cocaine [kəʊ'keɪn] *n* cocaïne *f*.

cock [kɒk] *n* **1.** coq *m* **2.** mâle *m*. □ *vt* **1.** armer *(un pistolet)* **2.** incliner *(la tête)*. ■ **cock up** *vt sép* (UK) *tfam* faire merder.

cockerel ['kɒkrəl] *n* jeune coq *m*.

cockeyed ['kɒkaɪd] *adj fam* **1.** de travers **2.** complètement fou, folle *f*.

cockiness ['kɒkɪnɪs] *n* impertinence *f*.

cockle ['kɒkl] *n* coque *f* (mollusque).

Cockney ['kɒknɪ] (*pl* **Cockneys**) *n* Cockney *mf* (personne issue des quartiers populaires de l'est de Londres).

cockpit ['kɒkpɪt] *n* cockpit *m*.

cockroach ['kɒkrəʊtʃ] *n* cafard *m*.

cocksure [ˌkɒk'ʃɔː] *adj* trop sûr de soi.

cocktail ['kɒkteɪl] *n* cocktail *m*.

cocktail dress *n* robe *f* de soirée.

cocktail party *n* cocktail *m* (fête).

cocktail stick *n* pique *f* apéritif.

cock-up *vt* (UK) *tfam* se planter • **to make a cock-up of sthg** se planter dans qqch.

cocky ['kɒkɪ] *adj fam* suffisant.

cocoa ['kəʊkəʊ] *n* cacao *m*.

coconut ['kəʊkənʌt] *n* noix *f* de coco.

cocoon [kə'kuːn] *n litt & fig* cocon *m*. □ *vt fig* couver.

cod [kɒd] (*pl inv*) *n* morue *f*.

COD 1. abrév de **cash on delivery 2.** abrév de **collect on delivery**.

code [kəʊd] *n* code *m*. □ *vt* coder.

co-defendant *n* **1.** *DR* coaccusé *m*, -e *f* **2.** *(en droit civil)* codéfendeur *m*, -eresse *f*.

codeine ['kəʊdiːn] *n* codéine *f*.

code name *n* nom *m* de code.

codeword ['kəʊdwɜːd] *n* **1.** mot *m* de passe **2.** mot *m* codé.

cod-liver oil *n* huile *f* de foie de morue.

codswallop ['kɒdzˌwɒləp] *n* (indén) (UK) *fam* bêtises *fpl*.

co-ed [kəʊ'ed] *adj* abrév de **coeducational**. □ *n* **1.** (abrév de coeducational student) *étudiant d'une université mixte américaine* **2.** (abrév de coeducational school) *école mixte britannique*.

coeducational [ˌkəʊedjuː'keɪʃənl] *adj* mixte.

coerce [kəʊˈɜːs] vt • **to coerce sb (into doing sth)** contraindre qqn (à faire qqch).

co-factor n MÉD facteur m prédisposant.

C of E abrév de **Church of England**.

coffee [ˈkɒfɪ] n café m.

coffee bar n (UK) café m (établissement).

coffee bean n grain m de café.

coffee break n pause-café f.

coffee cup n tasse f à café.

coffee grinder n moulin m à café.

coffee-maker n cafetière f électrique.

coffee morning n (UK) réunion matinale pour prendre le café.

coffeepot [ˈkɒfɪpɒt] n cafetière f.

coffee shop n 1. (UK) café m 2. (US) ≃ café-restaurant m.

coffee table n table f basse.

coffee-table book n beau livre m.

coffers [ˈkɒfəz] npl coffres mpl.

coffin [ˈkɒfɪn] n cercueil m.

cog [kɒɡ] n 1. dent f 2. roue f dentée.

cognac [ˈkɒnjæk] n cognac m.

cognitive [ˈkɒɡnɪtɪv] adj cognitif.

cognoscenti [ˌkɒnjəˈʃentiː] npl connaisseurs mpl.

cogwheel [ˈkɒɡwiːl] n roue f dentée.

cohabit [ˌkəʊˈhæbɪt] vi sout cohabiter.

cohabitation [ˌkəʊhæbɪˈteɪʃn] n cohabitation f.

coherent [kəʊˈhɪərənt] adj cohérent.

coherently [kəʊˈhɪərəntlɪ] adv de façon cohérente.

cohesion [kəʊˈhiːʒn] n cohésion f.

cohesive [kəʊˈhiːsɪv] adj cohésif.

cohort [ˈkəʊhɔːt] n cohorte f.

co-host n co-présentateur m, -trice f. ❏ vt (co-)présenter.

coil [kɔɪl] n 1. rouleau m (de corde) 2. boucle f 3. ÉLECTR bobine f 4. (UK) stérilet m. ❏ vt enrouler. ❏ vi s'enrouler. ■ **coil up** vt sép enrouler.

coin [kɔɪn] n pièce f (de monnaie). ❏ vt inventer.

coinage [ˈkɔɪnɪdʒ] n (indén) monnaie f.

coincide [ˌkəʊɪnˈsaɪd] vi coïncider.

coincidence [kəʊˈɪnsɪdəns] n coïncidence f.

coincidental [kəʊˌɪnsɪˈdentl] adj de coïncidence.

coincidentally [kəʊˌɪnsɪˈdentəlɪ] adv par hasard.

coin-operated [-ˈɒpəˌreɪtɪd] adj à pièces.

Coke® [kəʊk] n Coca® m.

coke [kəʊk] n 1. coke m 2. arg drogue coco f, coke f.

cokehead [ˈkəʊkhed] n fam • **to be a cokehead** être accro à la coke.

cola [ˈkəʊlə] n cola m.

colander [ˈkɒləndər] n passoire f.

cold [kəʊld] adj froid • **it's cold** il fait froid • **to be cold** avoir froid • **to get cold a)** avoir froid **b)** refroidir. ❏ n 1. rhume m • **to catch (a) cold** attraper un rhume, s'enrhumer 2. froid m.

cold-blooded [-ˈblʌdɪd] adj 1. fig sans pitié 2. de sang-froid.

cold calling n 1. démarchage m téléphonique 2. démarchage m à domicile.

cold cuts npl (surtout US) assiette f anglaise.

cold feet npl • **to have** ou **get cold feet** fam avoir la trouille.

cold-hearted [-ˈhɑːtɪd] adj insensible.

cold shoulder n • **to give sb the cold shoulder** fam être froid avec qqn.

cold sore n bouton m de fièvre.

cold storage n • **to put sthg into cold storage** (nourriture) mettre qqch en chambre froide.

cold sweat n sueur f froide.

cold turkey n arg drogue manque m • **to go cold turkey a)** arrêter la drogue d'un seul coup **b)** être en manque.

cold war n • **the cold war** la guerre froide.

coleslaw [ˈkəʊlslɔː] n chou m cru mayonnaise.

colic [ˈkɒlɪk] n colique f.

collaborate [kəˈlæbəreɪt] vi collaborer.

collaboration [kəˌlæbəˈreɪʃn] n collaboration f.

collaborative [kəˈlæbərətɪv] adj fait en collaboration ou en commun.

collagen [ˈkɒlədʒən] n collagène m.

collapse [kəˈlæps] n 1. écroulement m, effondrement m 2. échec m. ❏ vi 1. s'effondrer, s'écrouler 2. échouer 3. (table, chaise) être pliant.

collapsible [kəˈlæpsəbl] adj pliant.

collar [ˈkɒlər] n 1. col m 2. collier m (de chien) 3. TECHNOL collier m, bague f. ❏ vt fam coincer.

collarbone [ˈkɒləbəʊn] n clavicule f.

collate [kəˈleɪt] vt collationner.

collateral [kɒˈlætərəl] n (indén) nantissement m.

colleague [ˈkɒliːɡ] n collègue mf.

collect [kəˈlekt] vt 1. rassembler, recueillir 2. ramasser • **to collect o.s.** se reprendre 3. collectionner 4. recueillir (de l'argent) 5. percevoir (des taxes). ❏ vi 1. se rassembler 2. (poussière, feuilles) s'amasser, s'accumuler 3. faire la quête. ❏ adv (US) • **to call (sb) collect** téléphoner (à qqn) en PCV.

collection [kəˈlekʃn] n 1. collection f 2. LITTÉR recueil m 3. quête f 4. (poste) levée f.

collective [kəˈlektɪv] adj collectif. ❏ n coopérative f.

collector [kəˈlektər] n 1. collectionneur m, -euse f 2. encaisseur m • **tax collector** percepteur m.

collector's item n pièce f de collection.

college ['kɒlɪdʒ] n 1. ≃ école f d'enseignement (technique) supérieur 2. maison communautaire d'étudiants sur un campus universitaire 3. (us) UNIV université f.

college of education n ≃ institut m de formation de maîtres.

collide [kə'laɪd] vi • to collide (with) entrer en collision (avec).

collie ['kɒlɪ] n colley m.

colliery ['kɒljərɪ] n (surtout UK) mine f.

collision [kə'lɪʒn] n collision f.

colloquial [kə'ləʊkwɪəl] adj familier.

collude [kə'luːd] vi • to collude with sb comploter avec qqn.

Colombia [kə'lɒmbɪə] n Colombie f.

colon ['kəʊlən] n 1. côlon m 2. deux-points m inv.

colonel ['kɜːnl] n colonel m.

colonial [kə'ləʊnjəl] adj colonial.

colonize, -ise (UK) ['kɒlənaɪz] vt coloniser.

colony ['kɒlənɪ] n colonie f.

color etc (us) = colour etc

colossal [kə'lɒsl] adj colossal.

colour (UK), **color** (us) ['kʌləʳ] n couleur f. □ adj en couleur. □ vt 1. colorer 2. colorier 3. teindre 4. fig fausser (un jugement). □ vi rougir. • colour in vt sép colorier.

colour bar (UK), **color bar** (us) n discrimination f raciale.

colour barrier (UK), **color barrier** (us) n discrimination f raciale.

colour-blind (UK), **color-blind** (us) adj 1. litt daltonien 2. fig qui ne fait pas de discrimination raciale.

colour chart n nuancier m.

colour-coded (UK), **color-coded** (us) adj codé par couleur.

coloured (UK), **colored** (us) ['kʌləd] adj de couleur • **brightly coloured** de couleur vive.

colourfast (UK), **colorfast** (us) ['kʌləfɑːst] adj grand teint (inv).

colourful (UK), **colorful** (us) ['kʌləful] adj 1. coloré 2. haut(e) en couleur.

colouring (UK), **coloring** (us) ['kʌlərɪŋ] n 1. colorant m 2. (indén) teint m.

colouring-in, coloring-in (us) n 1. coloriage m 2. (locution) • **colouring-in book** album m à colorier.

colour scheme (UK), **color scheme** (us) n combinaison f de couleurs.

colour supplement n (UK) supplément m illustré.

colt [kəʊlt] n poulain m.

column ['kɒləm] n 1. colonne f 2. rubrique f.

columnist ['kɒləmnɪst] n chroniqueur m.

coma ['kəʊmə] n coma m.

comatose ['kəʊmətəʊs] adj comateux.

comb [kəʊm] n peigne m. □ vt 1. peigner • **to comb one's hair** se peigner 2. ratisser.

combat ['kɒmbæt] n combat m. □ vt combattre.

combat boots npl bottes fpl de combat.

combats ['kɒmbæts], **combat trousers** npl pantalon m battle.

combination [,kɒmbɪ'neɪʃn] n combinaison f.

combination lock n serrure f à combinaison.

combination skin n peau f mixte.

combine vt [kəm'baɪn] 1. rassembler 2. combiner • **to combine sthg with sthg** a) mélanger qqch avec ou à qqch b) fig allier qqch à qqch. □ vi [kəm'baɪn] COMM & POLIT se fusionner (avec). □ n ['kɒmbaɪn] cartel m.

combine harvester [-'hɑːvɪstəʳ] n moissonneuse-batteuse f.

come [kʌm] (prét came, pp come) vi 1. venir 2. arriver • **coming!** j'arrive ! • **I've got people coming** a) j'ai des invités b) il y a des gens qui viennent • **the news came as a shock** la nouvelle m'a/lui a etc fait un choc 3. • **to come up to** arriver à, monter jusqu'à • **to come down to** descendre ou tomber jusqu'à 4. arriver, se produire • **come what may** quoi qu'il arrive • **he got what was coming to him** il n'a eu que ce qu'il méritait 5. • **to come true** se réaliser • **to come undone** se défaire • **to come unstuck** se décoller 6. • **to come to do sthg** en venir à faire qqch 7. venir, être placé • **P comes before Q** P vient avant Q, P précède Q • **she came second in the exam** elle était deuxième à l'examen. ■ **come about** vi arriver, se produire. ■ **come across** vt insép tomber sur, trouver par hasard. ■ **come along** vi 1. arriver 2. (travail) avancer 3. (élève) faire des progrès. ■ **come apart** vi 1. tomber en morceaux 2. se détacher. ■ **come around, come round** (UK) vi reprendre connaissance, revenir à soi. ■ **come at** vt insép attaquer. ■ **come back** vi 1. revenir 2. • **to come back (to sb)** revenir (à qqn). ■ **come by** vt insép trouver, dénicher. ■ **come down** vi 1. baisser 2. descendre. ■ **come down to** vt insép se résumer à, se réduire à. ■ **come down with** vt insép attraper (la grippe, un rhume). ■ **come forward** vi se présenter. ■ **come from** vt insép venir de. ■ **come in** vi entrer. ■ **come in for** vt insép être l'objet de. ■ **come into** vt insép 1. hériter de 2. • **to come into being** prendre naissance, voir le jour. ■ **come off** vi 1. (bouton) se détacher 2. (tache) s'enlever 3. réussir 4. (locution) • **come off it!** fam et puis quoi encore !, non mais sans blague ! ■ **come on** vi 1. commencer, apparaître 2. s'allumer 3. avancer, faire des progrès 4. • **come on!** a) allez ! b) allez, dépêche-toi ! c) allons donc ! ■ **come out** vi 1. être découvert 2. (livre, film) paraître, sortir 3. (soleil, lune) apparaître 4. faire grève 5. • **to come out for/against sthg** se déclarer pour/contre qqch. ■ **come round** (UK) *vi* = come around. ■ **come through** *vt insép* survivre à. ■ **come to** *vt insép* **1.** • **to come to an end** se terminer, prendre fin • **to come to a decision** parvenir à *ou* prendre une décision **2.** *(somme, total)* s'élever à. ❏ *vi* revenir à soi, reprendre connaissance. ■ **come under** *vt insép* **1.** dépendre de **2.** tomber sous, être soumis à • **the government is coming under pressure** le gouvernement subit des pressions • **to come under attack (from)** être en butte aux attaques (de). ■ **come up** *vi* **1.** survenir **2.** approcher **3.** *(occasion)* se présenter **4.** *(soleil)* se lever. ■ **come up against** *vt insép* se heurter à. ■ **come up to** *vt insép* **1.** s'approcher de **2.** répondre à. ■ **come up with** *vt insép* proposer *(une réponse, une idée)*. ■ **to come** *adv* à venir • **in (the) days/years to come** dans les jours/ années à venir.

comeback ['kʌmbæk] *n* come-back *m* • **to make a comeback a)** revenir à la mode **b)** *(acteur)* revenir à la scène.

comedian [kə'miːdjən] *n* **1.** comique *m* **2.** THÉÂTRE comédien *m*.

comedienne [kə,miːdɪ'en] *n* **1.** actrice *f* comique **2.** THÉÂTRE comédienne *f*.

comedown ['kʌmdaʊn] *n fam* • **it was a comedown for her** elle est tombée bien bas pour faire ça.

comedy ['kɒmədɪ] *n* comédie *f*. ❏ *en apposition* comique.

comet ['kɒmɪt] *n* comète *f*.

come-uppance [,kʌm'ʌpəns] *n* • **to get one's come-uppance** *fam* recevoir ce que l'on mérite.

comfort ['kʌmfət] *n* **1.** *(indén)* confort *m* **2.** commodité *f* **3.** réconfort *m*, consolation *f*. ❏ *vt* réconforter, consoler.

comfortable ['kʌmftəbl] *adj* **1.** confortable **2.** *fig* à l'aise • **make yourself comfortable** mettez-vous à l'aise.

comfortably ['kʌmftəblɪ] *adv* **1.** confortablement **2.** à l'aise **3.** aisément.

comforting ['kʌmfətɪŋ] *adj* réconfortant.

comfort station *n (us) vieilli* toilettes *fpl* publiques.

comfort zone *n* • **to stay within one's comfort zone** rester en terrain connu • **to step out of one's comfort zone** prendre des risques.

comfy ['kʌmfɪ] *(comp* comfier, *superl* comfiest) *adj fam* confortable.

comic ['kɒmɪk] *adj* comique, amusant. ❏ *n* **1.** comique *m*, actrice *f* comique **2.** bande *f* dessinée.

comical ['kɒmɪkl] *adj* comique, drôle.

comic strip *n* bande *f* dessinée.

coming ['kʌmɪŋ] *adj* à venir, futur. ❏ *n* • **comings and goings** allées et venues *fpl*.

coming of age *n* majorité *f*.

coming out *n* entrée *f* dans le monde *(d'une jeune fille)*.

comma ['kɒmə] *n* virgule *f*.

command [kə'mɑːnd] *n* **1.** ordre *m* **2.** *(indén)* commandement *m* **3.** maîtrise *f (du langage, d'un sujet)* • **to have at one's command a)** maîtriser **b)** avoir à sa disposition **4.** INFORM commande *f*. ❏ *vt* **1.** • **to command sb to do sthg** ordonner à qqn de faire qqch **2.** MIL commander **3.** inspirer *(le respect)* **4.** mériter *(l'attention)*.

commandeer [,kɒmən'dɪə] *vt* réquisitionner.

commander [kə'mɑːndə] *n* **1.** commandant *m* **2.** capitaine *m* de frégate.

commandment [kə'mɑːndmənt] *n* RELIG commandement *m*.

commando [kə'mɑːndəʊ] *(pl* -s *ou* -es) *n* commando *m*.

command-orientated *adj* INFORM orienté commande.

command prompt *n* INFORM invite *f* de commande.

commemorate [kə'meməreɪt] *vt* commémorer.

commemoration [kə,memə'reɪʃn] *n* commémoration *f*.

commemorative [kə'memərətɪv] *adj* commémoratif.

commence [kə'mens] *sout vt* commencer, entamer • **to commence doing sthg** commencer à faire qqch. ❏ *vi* commencer.

commend [kə'mend] *vt* **1.** féliciter **2.** recommander.

commendable [kə'mendəbl] *adj* louable.

commendation [,kɒmen'deɪʃn] *n* • **to get a commendation for sthg** être récompensé pour qqch.

commensurate [kə'menʃərət] *adj sout* • **commensurate with** correspondant à.

comment ['kɒment] *n* commentaire *m*, remarque *f*. ❏ *vt* • **to comment that** remarquer que. ❏ *vi* • **to comment (on)** faire des commentaires *ou* remarques (sur).

commentary ['kɒməntrɪ] *n* commentaire *m*.

commentate ['kɒmənteɪt] *vi* RADIO & TV • **to commentate (on)** faire un reportage (sur).

commentator ['kɒmənteɪtə] *n* commentateur *m*, -trice *f*.

commerce ['kɒmɜːs] *n (indén)* commerce *m*, affaires *fpl*.

commercial [kə'mɜːʃl] *adj* commercial. ❏ *n* RADIO & TV publicité *f*, spot *m* publicitaire.

commercial break *n* publicités *fpl*.

commercialism [kə'mɜːʃəlɪzm] *n* mercantilisme *m*.

commercialization, -isation (UK) [kə,mɜːʃəlaɪ'zeɪʃn] *n* commercialisation *f*.

commercial lease *n* bail *m* commercial.

commercial-use *adj* à usage commercial.

commingle [kə'mɪŋgl] *vi sout* se mélanger, se mêler.

commiserate [kəˈmɪzəreɪt] *vi* • **to commiserate with sb** témoigner de la compassion pour qqn.

commission [kəˈmɪʃn] *n* **1.** commission *f* **2.** commande *f*. ❑ *vt* commander • **to commission sb to do sthg** charger qqn de faire qqch.

commissionaire [kə,mɪʃəˈneəʳ] *n* (UK) portier *m* (d'un hôtel, etc).

commissioner [kəˈmɪʃnəʳ] *n* commissaire *mf* (de police).

commit [kəˈmɪt] *vt* **1.** commettre • **to commit a crime** commettre un crime • **to commit suicide** se suicider **2.** allouer • **to commit o.s. (to sthg)** s'engager (à qqch) **3.** (locution) • **to commit sb to prison** faire incarcérer qqn • **to commit sthg to memory** apprendre qqch par cœur. ❑ *vi* • **he finds it hard to commit** il a du mal à s'engager dans une relation.

commitment [kəˈmɪtmənt] *n* **1.** (indén) engagement *m* **2.** obligation *f*.

commitment period *n* période *f* d'engagement.

committee [kəˈmɪti] *n* commission *f*, comité *m*.

commodity [kəˈmɒdəti] *n* marchandise *f*.

common [ˈkɒmən] *adj* **1.** courant **2.** • **common (to)** commun (à) **3.** banal **4.** (UK) *péj* vulgaire. ❑ *n* terrain *m* communal.

common cold *n* rhume *m*.

common good *n* • **for the common good** dans l'intérêt général.

common ground *n* **1.** intérêt *m* commun **2.** terrain *m* d'entente.

common knowledge *n* • **it is common knowledge that...** tout le monde sait que..., il est de notoriété publique que...

common law *n* droit *m* coutumier. ■ **common-law** *adj* • **common-law wife** concubine *f*.

commonly [ˈkɒmənli] *adv* d'une manière générale, généralement.

Common Market *n* vieilli • **the Common Market** le Marché commun.

common-or-garden *adj* (UK) *fam* • **the common-or-garden variety** le modèle standard *ou* ordinaire.

commonplace [ˈkɒmənpleɪs] *adj* banal, ordinaire.

common room *n* **1.** salle *f* des professeurs **2.** (étudiants) salle commune.

Commons [ˈkɒmənz] *npl* (UK) • **the Commons** les Communes *fpl*, la Chambre des communes.

common sense *n* (indén) bon sens *m*.

Commonwealth [ˈkɒmənwelθ] *n* • **the Commonwealth** le Commonwealth.

Commonwealth of Independent States *n* • **the Commonwealth of Independent States** la Communauté des États indépendants.

commotion [kəˈməʊʃn] *n* remue-ménage *m*.

communal [ˈkɒmjʊnl] *adj* **1.** commun **2.** communautaire, collectif.

communally [ˈkɒmjʊnəli] *adv* collectivement, en commun.

commune *n* [ˈkɒmjuːn] communauté *f*. ❑ *vi* [kəˈmjuːn] • **to commune with** communier avec.

communicate [kəˈmjuːnɪkeɪt] *vt & vi* communiquer.

communication [kə,mjuːnɪˈkeɪʃn] *n* **1.** contact *m* **2.** TÉLÉCOM communication *f*.

communication cord *n* (UK) sonnette *f* d'alarme.

communion [kəˈmjuːnjən] *n* communion *f*. ■ **Communion** *n* (indén) RELIG communion *f*.

communiqué [kəˈmjuːnɪkeɪ] *n* communiqué *m*.

Communism [ˈkɒmjʊnɪzm] *n* communisme *m*.

Communist [ˈkɒmjʊnɪst] *adj* communiste. ❑ *n* communiste *mf*.

community [kəˈmjuːnəti] *n* communauté *f*.

community care *n* système britannique d'assistance sociale au niveau local.

community centre (UK), **community center** (US) *n* foyer *m* municipal.

community charge *n* (UK) ≃ impôts *mpl* locaux.

community college [kəˈmjuːnəti ,kɒlɪdʒ] *n* (US) centre universitaire public de premier cycle offrant notamment des formations professionnelles en deux ans.

community service [kəˈmjuːnəti s,ɜːvɪs] *n* (indén) travail *m* d'intérêt général ; nécessaire pour l'entrée dans de nombreuses universités aux États-Unis.

community spirit *n* esprit *m* de groupe.

commutation ticket [,kɒmjuːˈteɪʃn] *n* (US) carte *f* de transport.

commute [kəˈmjuːt] *vt* DR commuer. ❑ *vi* faire la navette pour se rendre à son travail.

commuter [kəˈmjuːtəʳ] *n* personne qui fait tous les jours la navette de banlieue en ville pour se rendre à son travail.

comp [kɒmp] *vt* (US) donner.

compact *adj* [kəmˈpækt] compact. ❑ *n* [ˈkɒmpækt] poudrier *m*.

compact disc n compact disc m.

compact disc player n lecteur m de CD.

companion [kəmˈpænjən] n camarade mf.

companionship [kəmˈpænjənʃɪp] n compagnie f.

company [ˈkʌmpənɪ] n 1. COMM société f, compagnie f 2. compagnie f • **to keep sb company** tenir compagnie à qqn 3. THÉÂTRE troupe f.

company car n voiture f de fonction.

company director n directeur m, -trice f.

company secretary n secrétaire général m, secrétaire générale f.

comparable [ˈkɒmprəbl] adj comparable.

comparative [kəmˈpærətɪv] adj 1. relatif 2. comparatif.

comparatively [kəmˈpærətɪvlɪ] adv relativement.

compare [kəmˈpeəʳ] vt • **to compare sb/ sthg (with** ou **to)** comparer qqn/qqch (avec), comparer qqn/qqch (à) • **compared with** ou **to** par rapport à. ◻ vi • **to compare (with)** être comparable (à).

comparison [kəmˈpærɪsn] n comparaison f • **in comparison with** ou **to** en comparaison de, par rapport à.

comparison-shop vi faire des achats en comparant les prix.

compartment [kəmˈpɑːtmənt] n compartiment m.

compartmentalize, -ise (UK) [ˌkɒmpɑːtˈmentəlaɪz] vt compartimenter.

compass [ˈkʌmpəs] n boussole f. ◼ **compasses** npl • **(a pair of) compasses** un compas.

compassion [kəmˈpæʃn] n compassion f.

compassionate [kəmˈpæʃənət] adj compatissant.

compassionate leave n permission f exceptionnelle (pour raisons personnelles).

compassionately [kəmˈpæʃənətlɪ] adv avec compassion.

compassion fatigue n lassitude du public à l'égard des nécessiteux.

compatibility [kəmˌpætəˈbɪlətɪ] n • **compatibility (with)** compatibilité f (avec).

compatible [kəmˈpætəbl] adj • **compatible (with)** compatible (avec).

compel [kəmˈpel] vt contraindre, obliger.

compelling [kəmˈpelɪŋ] adj irrésistible.

compendium [kəmˈpendɪəm] n (pl -diums ou -dia) n abrégé m (livre).

compensate [ˈkɒmpenseɪt] vt • **to compensate sb for sthg** dédommager ou indemniser qqn de qqch. ◻ vi • **to compensate for sthg** compenser qqch.

compensation [ˌkɒmpenˈseɪʃn] n 1. dédommagement 2. compensation.

compere [ˈkɒmpeəʳ] (UK) n animateur m, -trice f. ◻ vt présenter, animer.

compete [kəmˈpiːt] vi 1. • **to compete with sb for sthg** disputer qqch à qqn • **to compete for sthg** se disputer qqch 2. COMM • **to compete** être en concurrence 3. être en compétition.

competence [ˈkɒmpɪtəns] n (indén) compétence f, capacité f.

competent [ˈkɒmpɪtənt] adj compétent.

competently [ˈkɒmpɪtəntlɪ] adv avec compétence.

competition [ˌkɒmpɪˈtɪʃn] n 1. (indén) rivalité f, concurrence f • **there's a lot of competition between them** il y a beaucoup de rivalité entre eux 2. (indén) COMM concurrence f 3. concours m, compétition f (sportive) • **to enter a competition** participer à un concours • **competition winner** gagnant m, -e f d'un concours.

competitive [kəmˈpetətɪv] adj 1. qui a l'esprit de compétition 2. (sport) de compétition 3. COMM compétitif, concurrentiel.

competitive advantage n avantage m concurrentiel.

competitive marketplace n marché m concurrentiel.

competitive pricing n fixation f des prix en fonction de la concurrence.

competitor [kəmˈpetɪtəʳ] n concurrent m, -e f.

compilation [ˌkɒmpɪˈleɪʃn] n compilation f.

compile [kəmˈpaɪl] vt rédiger.

compiler [kəmˈpaɪləʳ] n 1. compilateur m, -trice f 2. rédacteur m, -trice f 3. INFORM compilateur m.

complacency [kəmˈpleɪsnsɪ] n autosatisfaction f.

complacent [kəmˈpleɪsnt] adj satisfait de soi.

complacently [kəmˈpleɪsntlɪ] adv 1. d'un air suffisant 2. d'un ton suffisant.

complain [kəmˈpleɪn] vi se plaindre • **don't complain!** ne te plains pas !

complaint [kəmˈpleɪnt] n 1. plainte f 2. (dans une boutique) réclamation f • **complaints department** bureau m ou service m des réclamations 3. affection f, maladie f.

complement n [ˈkɒmplɪmənt] 1. accompagnement m 2. effectif m 3. GRAMM complément m. ◻ vt [ˈkɒmplɪˌment] aller bien avec.

complementary [ˌkɒmplɪˈmentərɪ] adj complémentaire.

complementary medicine n médecine f douce.

complete [kəmˈpliːt] adj 1. complet 2. achevé. ◻ vt 1. compléter 2. achever, terminer 3. remplir (un questionnaire).

completely [kəmˈpliːtlɪ] adv complètement.

completion [kəmˈpliːʃn] n achèvement m.

complex [ˈkɒmpleks] adj complexe. ◻ n complexe m.

complexion [kəm'plekʃn] *n* teint *m*.

complexity [kəm'pleksəti] *(pl*-**ies***)* *n* complexité *f*.

compliance [kəm'plaɪəns] *n* • **compliance (with)** conformité *f* (à).

compliancy [kəm'plaɪənsɪ] *n* = **compliance**.

compliant [kəm'plaɪənt] *adj* docile ; conforme • **compliant with regulations/standards** conforme au règlement/aux normes.

complicate ['kɒmplɪkeɪt] *vt* compliquer.

complicated ['kɒmplɪkeɪtɪd] *adj* compliqué.

complication [,kɒmplɪ'keɪʃn] *n* complication *f*.

compliment *n* ['kɒmplɪmənt] compliment *m*. ❏ *vt* ['kɒmplɪ,ment] • **to compliment sb (on)** féliciter qqn (de). ■ **compliments** *npl sout* compliments *mpl*.

complimentary [,kɒmplɪ'mentərɪ] *adj* **1.** flatteur **2.** gratuit.

complimentary ticket *n* billet *m* de faveur.

compliments slip *n* (surtout UK) papillon *m* (joint à un envoi, etc).

comply [kəm'plaɪ] *vi* • **to comply with** se conformer à.

component [kəm'pəʊnənt] *n* composant *m*.

compose [kəm'pəʊz] *vt* **1.** composer • **to be composed of** être composé de **2.** • **to compose o.s.** se calmer.

composed [kəm'pəʊzd] *adj* calme.

composer [kəm'pəʊzər] *n* compositeur *m*, -trice *f*.

composition [,kɒmpə'zɪʃn] *n* composition *f*.

compost [(UK) 'kɒmpɒst, (US) 'kɒmpəʊst] *n* compost *m*.

composure [kəm'pəʊʒər] *n* sang-froid *m*, calme *m*.

compound *n* ['kɒmpaʊnd] **1.** *CHIM* & *LING* composé *m* **2.** enceinte *f*.

compound fracture *n* fracture *f* multiple.

comprehend [,kɒmprɪ'hend] *vt* comprendre.

comprehensible [,kɒmprɪ'hensəbl] *adj* compréhensible, intelligible.

comprehension [,kɒmprɪ'henʃn] *n* compréhension *f*.

comprehensive [,kɒmprɪ'hensɪv] *adj* **1.** (description, rapport) exhaustif, détaillé **2.** (assurance) tous-risques (inv). ❏ *n* (UK) = **comprehensive school**.

comprehensively [,kɒmprɪ'hensɪvlɪ] *adv* exhaustivement.

comprehensive school *n* établissement secondaire britannique d'enseignement général.

compress [kəm'pres] *vt* **1.** comprimer **2.** *INFORM* compresser **3.** condenser (un texte).

comprise [kəm'praɪz] *vt* comprendre, être composé de • **to be comprised of** consister en, comprendre.

compromise ['kɒmprəmaɪz] *n* compromis *m*. ❏ *vt* compromettre. ❏ *vi* transiger.

compulsion [kəm'pʌlʃn] *n* **1.** • **to have a compulsion to do sthg** ne pas pouvoir s'empêcher de faire qqch **2.** (indén) obligation *f*.

compulsive [kəm'pʌlsɪv] *adj* **1.** (fumeur, menteur) invétéré **2.** (livre, film) captivant.

compulsively [kəm'pʌlsɪvlɪ] *adv* *PSYCHO* d'une façon compulsive.

compulsory [kəm'pʌlsərɪ] *adj* obligatoire.

computation [,kɒmpjuː'teɪʃn] *n* calcul *m*.

computational [,kɒmpjuː'teɪʃənl] *adj* quantitatif, statistique • **computational linguistics** linguistique *f* computationnelle.

compute [kəm'pjuːt] *vt* calculer.

computer [kəm'pjuːtər] *n* ordinateur *m*.

computer-aided, computer-assisted [-ə'sɪstɪd] *adj* assisté par ordinateur.

computer-aided design *n* conception *f* assistée par ordinateur.

computer-aided learning *n* enseignement *m* assisté par ordinateur.

computer-aided translation *n* traduction *f* assistée par ordinateur.

computer crime *n* fraude *f* informatique.

computer dating *n* (indén) rencontres *fpl* en ligne.

computer game *n* jeu *m* électronique.

computer-generated [-'dʒenəreɪtɪd] *adj* créé par ordinateur.

computer-generated image *n* image *f* de synthèse.

computer graphics *npl* infographie *f*.

computerize, -ise (UK) [kəm'pjuːtəraɪz] *vt* informatiser.

computerized, -ised (UK) [kəm'pjuːtəraɪzd] *adj* informatisé.

computer language *n* langage *m* de programmation.

computer literacy *n* compétence *f* informatique.

computer-literate *adj* qui a des compétences en informatique.

computer program *n* programme *m* informatique.

computer programmer *n* programmeur *m*, -euse *f*.

computer science *n* informatique *f*.

computer scientist *n* informaticien *m*, -enne *f*.

computer vaccine *n* vaccin *m* informatique.

computer virus *n* virus *m* informatique.

computing [kəm'pjuːtɪŋ] *n* informatique *f*.

comrade ['kɒmreɪd] *n* camarade *mf*.

con [kɒn] *fam* *n* escroquerie *f*. ❏ *vt* • **to con sb** escroquer qqn.

con artist *n fam* arnaqueur *m*.

concave [,kɒn'keɪv] *adj* concave.

conceal [kən'siːl] *vt* cacher, dissimuler • **to conceal sthg from sb** cacher qqch à qqn.

concealer [kən'siːlə] *n* stick *m* camouflant.

concede [kən'siːd] *vt* concéder. ❏ *vi* céder.

conceit [kən'siːt] *n* vanité *f*.

conceited [kən'siːtɪd] *adj* vaniteux.

conceivable [kən'siːvəbl] *adj* concevable.

conceive [kən'siːv] *vt* concevoir. ❏ *vi* MÉD concevoir.

concentrate ['kɒnsəntreɪt] *vt* concentrer. ❏ *vi* • **to concentrate (on)** se concentrer (sur).

concentration [,kɒnsən'treɪʃn] *n* concentration *f*.

concentration camp *n* camp *m* de concentration.

concept ['kɒnsept] *n* concept *m* • **concept testing** tests *mpl* de concept.

concern [kən'sɜːn] *n* 1. souci *m*, inquiétude *f* 2. COMM affaire *f*. ❏ *vt* 1. inquiéter • **to be concerned (about)** s'inquiéter (de) 2. concerner, intéresser • **as far as I'm concerned** en ce qui me concerne 3. traiter de.

concerning [kən'sɜːnɪŋ] *prép* en ce qui concerne.

concert ['kɒnsət] *n* concert *m*.

concerted [kən'sɜːtɪd] *adj* concerté.

concert hall *n* salle *f* de concert.

concertina [,kɒnsə'tiːnə] *n* concertina *m*.

concerto [kən'tʃɜːtəu] (*pl* -s) *n* concerto *m*.

concession [kən'seʃn] *n* 1. concession *f* 2. (UK) réduction *f*.

concierge ['kɒnsɪeɜ] *n* (US) concierge *mf* (d'hôtel).

conciliatory [kən'sɪlɪətrɪ] *adj* conciliant.

concise [kən'saɪs] *adj* concis.

conclude [kən'kluːd] *vt* conclure. ❏ *vi* 1. (réunion) prendre fin 2. (orateur) conclure.

conclusion [kən'kluːʒn] *n* conclusion *f*.

conclusive [kən'kluːsɪv] *adj* concluant.

conclusively [kən'kluːsɪvlɪ] *adv* de façon concluante *ou* décisive, définitivement.

concoct [kən'kɒkt] *vt* 1. préparer 2. *fig* concocter.

concoction [kən'kɒkʃn] *n* préparation *f*.

concourse ['kɒŋkɔːs] *n* hall *m*.

concrete [kən'kriːt] *adj* concret • **in concrete terms** concrètement. ❏ *n* (*indén*) béton *m*. ❏ *en apposition* en béton.

concubine ['kɒŋkjubaɪn] *n* concubine *f*.

concur [kən'kɜːr] *vi* • **to concur (with)** être d'accord (avec).

concurrently [kən'kʌrəntlɪ] *adv* simultanément.

concussed [kən'kʌst] *adj* commotionné.

concussion [kən'kʌʃn] *n* commotion *f*.

condemn [kən'dem] *vt* condamner.

condemnation [,kɒndem'neɪʃn] *n* condamnation *f*.

condensation [,kɒnden'seɪʃn] *n* condensation *f*.

condense [kən'dens] *vt* condenser. ❏ *vi* se condenser.

condensed milk [kən'denst-] *n* lait *m* concentré.

condescend [,kɒndɪ'send] *vi* 1. • **to condescend to sb** se montrer condescendant envers qqn 2. • **to condescend to do sthg** daigner faire qqch, condescendre à faire qqch.

condescending [,kɒndɪ'sendɪŋ] *adj* condescendant.

condition [kən'dɪʃn] *n* 1. condition *f* • **in (a) good/bad condition** en bon/mauvais état • **out of condition** pas en forme 2. maladie *f*. ❏ *vt* conditionner. ■ **conditions** *npl* conditions *fpl*.

conditional [kən'dɪʃənl] *adj* conditionnel.

conditioner [kən'dɪʃnə] *n* 1. après-shampooing *m* 2. assouplissant *m*.

condolences [kən'dəulənsɪz] *npl* condoléances *fpl*.

condom ['kɒndəm] *n* préservatif *m*.

condominium [,kɒndə'mɪnɪəm] *n* (US) 1. appartement *m* dans un immeuble en copropriété 2. immeuble *m* en copropriété.

condone [kən'dəun] *vt* excuser.

conducive [kən'djuːsɪv] *adj* • **to be conducive to sthg** inciter à qqch.

conduct *n* ['kɒndʌkt] conduite *f*. ❏ *vt* [kən'dʌkt] 1. conduire 2. • **to conduct o.s. well/badly** se conduire bien/mal 3. MUS diriger.

conducted tour [kən'dʌktɪd-] *n* (UK) visite *f* guidée.

conductor [kən'dʌktə] *n* 1. chef *m* d'orchestre 2. receveur *m* (d'autobus) 3. (US) chef *m* de train.

conductress [kən'dʌktrɪs] *n* receveuse *f* (d'autobus).

cone [kəun] *n* 1. cône *m* 2. cornet *m* (de glace) 3. pomme *f* de pin.

conehead ['kəunhed] *n* (US) *fam* • **you conehead!** imbécile !

cone-shaped [-ʃeɪpt] *adj* en forme de cône, conique.

confectioner [kən'fekʃnə] *n* confiseur *m*.

confectionery [kən'fekʃnərɪ] *n* confiserie *f*.

confederation [kən,fedə'reɪʃn] *n* confédération *f*.

Confederation of British Industry *n* • **the Confederation of British Industry** ≃ le conseil du patronat.

confer [kən'fɜːr] *vt* • **to confer sthg (on sb)** conférer qqch (à qqn). ❏ *vi* • **to confer (with sb on** *ou* **about sthg)** s'entretenir (avec qqn de qqch).

conference ['kɒnfərəns] *n* conférence *f*.

conference call *n* téléconférence *f*.

conference centre (UK), **conference center** (US) *n* centre *m* de conférences.

conference hall *n* salle *f* de conférence.

confess [kən'fes] *vt* **1.** avouer, confesser **2.** *RELIG* confesser.

confession [kən'feʃn] *n* confession *f*.

confetti [kən'fetɪ] *n* (*indén*) confettis *mpl*.

confidant [ˌkɒnfɪ'dænt] *n* confident *m*.

confidante [ˌkɒnfɪ'dænt] *n* confidente *f*.

confide [kən'faɪd] *vi* • **to confide in sb** se confier à qqn.

confidence ['kɒnfɪdəns] *n* **1.** confiance *f* en soi, assurance *f* **2.** confiance *f* **3.** confidence *f* • **in confidence** en confidence.

confidence-building *adj* • **a confidence-building exercise** un exercise pour augmenter la confiance en soi.

confidence trick *n* abus *m* de confiance.

confident ['kɒnfɪdənt] *adj* **1.** • **to be confident** avoir confiance en soi **2.** sûr.

confidential [ˌkɒnfɪ'denʃl] *adj* confidentiel • **it's confidential, of course** c'est confidentiel, bien entendu.

confidentiality ['kɒnfɪˌdenʃɪ'ælətɪ] *n* confidentialité *f*.

confidentiality agreement *n* accord *m* de confidentialité.

confidentially [ˌkɒnfɪ'denʃəlɪ] *adv* confidentiellement.

confidently ['kɒnfɪdəntlɪ] *adv* avec assurance.

configuration [kənˌfɪɡə'reɪʃn] *n* configuration *f*.

configure [kən'fɪɡə] *vt* configurer.

confine [kən'faɪn] *vt* **1.** limiter • **to confine o.s. to** se limiter à **2.** enfermer, confiner.

confined [kən'faɪnd] *adj* (*espace*) restreint.

confinement [kən'faɪnmənt] *n* emprisonnement *m*.

confines ['kɒnfaɪnz] *npl* confins *mpl*.

confirm [kən'fɜːm] *vt* confirmer.

confirmation [ˌkɒnfə'meɪʃn] *n* confirmation *f*.

confirmed [kən'fɜːmd] *adj* **1.** invétéré **2.** (*célibataire*) endurci **3.** (*réservation*) confirmé.

confiscate ['kɒnfɪskeɪt] *vt* confisquer.

confiscation [ˌkɒnfɪ'skeɪʃn] *n* confiscation *f*.

conflict *n* ['kɒnflɪkt] conflit *m*. ❑ *vi* [kən'flɪkt] • **to conflict (with)** s'opposer (à), être en conflit (avec).

conflicting [kən'flɪktɪŋ] *adj* contradictoire.

conform [kən'fɔːm] *vi* se conformer.

conformist [kən'fɔːmɪst] *adj* conformiste. ❑ *n* conformiste *mf*.

confound [kən'faʊnd] *vt* déconcerter.

confounded [kən'faʊndɪd] *adj fam & vieilli* sacré.

confront [kən'frʌnt] *vt* **1.** affronter **2.** • **to confront sb (with)** confronter qqn (avec).

confrontation [ˌkɒnfrʌn'teɪʃn] *n* affrontement *m*.

confuse [kən'fjuːz] *vt* **1.** troubler • **don't confuse me!** ne m'embrouille pas les idées ! **2.** confondre.

confused [kən'fjuːzd] *adj* **1.** compliqué **2.** troublé, désorienté • **I'm confused** je n'y comprends rien.

confusing [kən'fjuːzɪŋ] *adj* pas clair.

confusingly [kən'fjuːzɪŋlɪ] *adv* de façon embrouillée • **their names are confusingly similar** la similitude de leurs noms peut entraîner des confusions.

confusion [kən'fjuːʒn] *n* confusion *f*.

congeal [kən'dʒiːl] *vi* se coaguler.

congenial [kən'dʒiːnjəl] *adj* sympathique.

congested [kən'dʒestɪd] *adj* **1.** encombré **2.** *MÉD* congestionné.

congestion [kən'dʒestʃn] *n* **1.** encombrement *m* **2.** *MÉD* congestion *f*.

congestion charge *n* (UK) taxe *f* anti-embouteillages.

conglomerate [kənˈglɒmərət] *n* conglomérat *m*.

conglomeration [kənˌglɒmə'reɪʃn] *n* conglomération *f*.

congratulate [kən'grætʃʊleɪt] *vt* féliciter.

congratulations [kənˌgrætʃʊ'leɪʃənz] *npl* félicitations *fpl*.

congregate ['kɒŋgrɪgeɪt] *vi* se rassembler.

congregation [ˌkɒŋgrɪ'geɪʃn] *n* assemblée *f* des fidèles.

congress ['kɒŋgres] *n* congrès *m*. ■ **Congress** *n* (US) le Congrès.

Congress

Le Congrès, organe législatif américain, est constitué du Sénat (**Senate**) et de la Chambre des représentants (**House of Representatives**). Les 100 Sénateurs (deux par État) sont élus pour 6 ans, tandis que les Représentants sont élus par le peuple tous les 2 ans, proportionnellement à la population de chaque État. Une proposition de loi doit obligatoirement être approuvée séparément par ces deux chambres.

congressman ['kɒŋgresmən] (*pl* -men) *n* (US) membre *m* du Congrès.

congresswoman ['kɒŋgres,wʊmən] (*pl* -women) *n* (US) *POLIT* membre *m* (féminin) du Congrès.

conifer ['kɒnɪfə] *n* conifère *m*.

conjoined twins [kən'dʒɔɪnd-] *npl* jumeaux *mpl* conjoints.

conjugation [,kɒndʒʊ'geɪʃn] *n GRAMM* conjugaison *f*.

conjunction [kən'dʒʌŋkʃn] *n GRAMM* conjonction *f*.

conjunctivitis [kən,dʒʌŋktɪ'vaɪtɪs] *n* conjonctivite *f*.

conjure *vi* ['kʌndʒə'] faire des tours de prestidigitation. ■ **conjure up** *vt sép* évoquer.

conjurer ['kʌndʒərə'] *n* prestidigitateur *m*, -trice *f*.

conjuror ['kʌndʒərə'] = conjurer.

conk [kɒŋk] *n* (UK) *fam* pif *m*. ■ **conk out** *vi fam* tomber en panne.

conker ['kɒŋkə'] *n* (UK) marron *m*.

conman ['kɒnmæn] (*pl* -men) *n* escroc *m*.

connect [kə'nekt] *vt* **1.** relier **2.** (*au téléphone*) mettre en communication **3.** associer **4.** ÉLECTR brancher. ❏ *vi* **1.** INFORM se connecter • **to connect to Internet** se connecter à Internet **2.** • **to connect (with)** assurer la correspondance (avec).

connected [kə'nektɪd] *adj* • **to be connected with** avoir un rapport avec.

connection [kə'nekʃn] *n* **1.** • **connection (between/with)** rapport *m* (entre/avec) • **in connection with** à propos de **2.** ÉLECTR branchement *m*, connexion *f* **3.** INFORM connexion • **an Internet connection** une connexion Internet **4.** communication *f* (*au téléphone*) **5.** (*avion, train, métro*) correspondance *f* **6.** relation *f* • **he has connections** il a des relations.

connectivity [,kɒnek'tɪvɪtɪ] *n* connectivité *f*.

connive [kə'naɪv] *vi* comploter.

conniving [kə'naɪvɪŋ] *adj péj* malhonnête.

connoisseur [,kɒnə'sɜːr] *n* connaisseur *m*, -euse *f*.

connotation [,kɒnə'teɪʃn] *n* connotation *f*.

conquer ['kɒŋkə'] *vt* **1.** conquérir **2.** vaincre.

conqueror ['kɒŋkərə'] *n* conquérant *m*, -e *f*.

conquest ['kɒŋkwest] *n* conquête *f*.

cons [kɒnz] *npl* **1.** (UK) *fam* • **all mod cons** tout confort **2.** → **pro**.

conscience ['kɒnʃəns] *n* conscience *f* • **to have a clear conscience** avoir la conscience tranquille • **to have a guilty conscience** avoir mauvaise conscience.

conscientious [,kɒnʃɪ'enʃəs] *adj* consciencieux.

conscientiously [,kɒnʃɪ'enʃəslɪ] *adv* consciencieusement.

conscientious objector *n* objecteur *m* de conscience.

conscious ['kɒnʃəs] *adj* **1.** conscient **2.** • **conscious of sthg** conscient de qqch **3.** délibéré, intentionnel **4.** (*effort*) conscient.

consciously ['kɒnʃəslɪ] *adv* intentionnellement.

consciousness ['kɒnʃəsnɪs] *n* conscience *f* • **to lose consciousness** perdre connaissance.

consciousness raising *n* sensibilisation *f*. ■ **consciousness-raising** *en apposition* (*groupe, séance*) de prise de conscience.

conscript *n* ['kɒnskrɪpt] conscrit *m*.

conscription [kən'skrɪpʃn] *n* conscription *f*.

consecrate ['kɒnsɪkreɪt] *vt* consacrer.

consecrated ['kɒnsɪkreɪtɪd] *adj* **1.** RELIG consacré **2.** (*locution*) • **consecrated ground** terre *f* sainte *ou* bénite.

consecration [,kɒnsɪ'kreɪʃn] *n* consécration *f*.

consecutive [kən'sekjʊtɪv] *adj* consécutif • **consecutive interpreting** interprétation *f* consécutive.

consecutively [kən'sekjʊtɪvlɪ] *adv* consécutivement.

consensus [kən'sensəs] *n* consensus *m*.

consent [kən'sent] *n* (*indén*) **1.** consentement *m* **2.** accord *m*. ❏ *vi* consentir.

consenting adult [kən'sentɪŋ-] *n* adulte *m* consentant.

consequence ['kɒnsɪkwəns] *n* **1.** conséquence *f* • **in consequence** par conséquent **2.** importance *f*.

consequently ['kɒnsɪkwəntlɪ] *adv* par conséquent.

conservation [,kɒnsə'veɪʃn] *n* **1.** protection *f* **2.** conservation *f* (*du patrimoine*) **3.** économie *f* (*d'énergie*).

conservation area *n* secteur *m* sauvegardé.

conservationist [,kɒnsə'veɪʃənɪst] *n* écologiste *mf*.

conservatism [kən'sɜːvətɪzm] *n* conservatisme *m*. ■ **Conservatism** *n* POLIT conservatisme *m*.

conservative [kən'sɜːvətɪv] *adj* **1.** traditionaliste **2.** prudent. ❏ *n* traditionaliste *mf*. ■ **Conservative** *adj* conservateur. ❏ *n* conservateur *m*, -trice *f*.

conservatively [kən'sɜːvətɪvlɪ] *adv* de façon conventionnelle.

Conservative Party *n* • **the Conservative Party** le parti conservateur.

conservatory [kən'sɜːvətrɪ] *n* jardin *m* d'hiver.

conserve *n* ['kɒnsɜːv] confiture *f*. ❏ *vt* [kən'sɜːv] **1.** économiser **2.** protéger.

consider [kən'sɪdə'] *vt* **1.** examiner **2.** prendre en compte • **all things considered** tout compte fait **3.** considérer.

considerable [kən'sɪdrəbl] *adj* considérable.

considerably [kən'sɪdrəblɪ] *adv* considérablement.

considerate [kən'sɪdərət] *adj* prévenant.

considerately [kən'sɪdərətlɪ] *adv* avec des égards.

consideration [kən,sɪdə'reɪʃn] n. *(indén)* réflexion f • **to take sthg into consideration** tenir compte de qqch • **under consideration** à l'étude **2.** *(indén)* attention f **3.** facteur m.

considered [kən'sɪdəd] adj • **it's my considered opinion that...** après mûre réflexion, je pense que...

considering [kən'sɪdərɪŋ] prép étant donné. ❑ conj étant donné que.

consign [kən'saɪn] vt reléguer.

consignment [,kən'saɪnmənt] n expédition f.

consist [kən'sɪst] ■ **consist in** vt insép • **to consist in sthg** consister dans qqch • **to consist in doing sthg** consister à faire qqch. ■ **consist of** vt insép consister en.

consistency [kən'sɪstənsɪ] n **1.** cohérence f **2.** consistance f.

consistent [kən'sɪstənt] adj **1.** *(comportement)* conséquent **2.** *(progrès)* régulier **3.** *(soutien)* constant **4.** cohérent • **to be consistent with a)** être compatible avec **b)** correspondre avec.

consistently [kən'sɪstəntlɪ] adv **1.** invariablement **2.** de manière cohérente.

consolation [,kɒnsə'leɪʃn] n réconfort m.

consolation prize n prix m de consolation.

console n ['kɒnsəʊl] **1.** tableau m de commande **2.** INFORM & MUS console f. ❑ vt [kən'səʊl] consoler.

consolidate [kən'sɒlɪdeɪt] vt **1.** consolider **2.** fusionner. ❑ vi fusionner.

consolidation [kən,sɒlɪ'deɪʃn] n *(indén)* **1.** consolidation f **2.** fusion f.

consommé [(UK) kən'sɒmeɪ, (US) ,kɒnsə'meɪ] n consommé m.

consonant ['kɒnsənənt] n consonne f.

consortium [kən'sɔːtjəm] (pl -tiums ou -tia) n consortium m.

conspicuous [kən'spɪkjʊəs] adj voyant, qui se remarque.

conspicuously [kən'spɪkjʊəslɪ] adv **1.** de manière voyante **2.** ostensiblement.

conspiracy [kən'spɪrəsɪ] n conspiration f, complot m.

conspiratorial [kən,spɪrə'tɔːrɪəl] adj de conspirateur.

conspire [kən'spaɪə] vt • **to conspire to do sthg a)** comploter de faire qqch **b)** contribuer à faire qqch.

constable ['kʌnstəbl] n (UK) agent m de police.

constabulary [kən'stæbjʊlərɪ] n (UK) police f.

constant ['kɒnstənt] adj **1.** constant **2.** continuel.

constantly ['kɒnstəntlɪ] adv constamment.

constellation [,kɒnstə'leɪʃn] n constellation f.

consternation [,kɒnstə'neɪʃn] n consternation f.

constipated ['kɒnstɪpeɪtɪd] adj constipé.

constipation [kɒnstɪ'peɪʃn] n constipation f.

constituency [kən'stɪtjʊənsɪ] n circonscription f électorale.

constituent [kən'stɪtjʊənt] n **1.** électeur m, -trice f **2.** composant m.

constitute ['kɒnstɪtjuːt] vt **1.** représenter, constituer **2.** constituer.

constitution [,kɒnstɪ'tjuːʃn] n constitution f.

constitutional [,kɒnstɪ'tjuːʃənl] adj constitutionnel.

constraint [kən'streɪnt] n **1.** • **constraint (on)** limitation f (à) **2.** *(indén)* retenue f, réserve f **3.** contrainte f.

construct vt [kən'strʌkt] construire.

construction [kən'strʌkʃn] n construction f.

constructive [kən'strʌktɪv] adj constructif.

constructively [kən'strʌktɪvlɪ] adv d'une manière constructive.

construe [kən'struː] vt sout • **to construe sthg as** interpréter qqch comme.

consul ['kɒnsəl] n consul m, -e f.

consulate ['kɒnsjʊlət] n consulat m.

consult [kən'sʌlt] vt consulter. ❑ vi • **to consult with sb** s'entretenir avec qqn.

consultancy [kən'sʌltənsɪ] (pl -ies) n (UK) cabinet m d'expert-conseil.

consultant [kən'sʌltənt] n **1.** expert-conseil m **2.** (UK) médecin-chef m.

consultation [,kɒnsəl'teɪʃn] n entretien m.

consulting [kən'sʌltɪŋ] n cabinet m d'expert.

consulting fee n honoraires mpl d'expert.

consulting room n cabinet m de consultation.

consume [kən'sjuːm] vt consommer.

consumer [kən'sjuːmə] n consommateur m, -trice f.

consumer confidence index n indice m de confiance.

consumer credit n *(indén)* crédit m à la consommation.

consumer demand n demande f des consommateurs.

consumer goods npl biens mpl de consommation.

consumer market n marché m de la consommation.

consumer profile n profil m du consommateur.

consumer society n société f de consommation.

consumer spending n *(indén)* dépenses fpl de consommation.

consumer testing n tests mpl auprès des consommateurs.

consumer trends npl tendances fpl de la consommation.

consummate vt ['kɒnsəmeɪt] consommer.

consumption [kən'sʌmpʃn] *n* consommation *f*.

contact ['kɒntækt] *n* **1.** *(indén)* contact *m* • **in contact (with sb)** en rapport *ou* contact (avec qqn) **2.** relation *f*, contact *m*. ❑ *vt* **1.** contacter **2.** *(par téléphone)* joindre.

contact center *n* (US) centre *m* d'appels.

contact lens *n* verre *m* *ou* lentille *f* de contact.

contacts ['kɒntækts] *npl* lentilles *fpl* (de contact).

contact sport *n* sport *m* de contact.

contagious [kən'teɪdʒəs] *adj* contagieux.

contagiousness [kən'teɪdʒəsnɪs] *n* contagion *f*, contagiosité *f*.

contain [kən'teɪn] *vt* **1.** contenir, renfermer **2.** *sout* contenir **3.** *sout* circonscrire.

container [kən'teɪnə*r*] *n* **1.** récipient *m* **2.** conteneur *m*, container *m*.

contaminate [kən'tæmɪneɪt] *vt* contaminer.

contaminated [kən'tæmɪneɪtɪd] *adj* contaminé.

cont'd abrév de **continued**.

contemplate ['kɒntempleɪt] *vt* **1.** envisager **2.** *sout* contempler. ❑ *vi* méditer.

contemplation [ˌkɒntem'pleɪʃn] *n* contemplation *f*.

contemporary [kən'tempərəri] *adj* contemporain. ❑ *n* contemporain *m*, -e *f*.

contempt [kən'tempt] *n* **1.** mépris *m* **2.** DR • **contempt (of court)** outrage *m* à la cour.

contemptible [kən'temptəbl] *adj* méprisable.

contemptuous [kən'temptʃʊəs] *adj* méprisant.

contend [kən'tend] *vi* **1.** • **to contend with sthg** faire face à qqch **2.** • **to contend for a)** se disputer **b)** se battre pour • **to contend against** lutter contre. ❑ *vt sout* • **to contend that…** soutenir *ou* prétendre que…

contender [kən'tendə*r*] *n* **1.** candidat *m*, -e *f* **2.** concurrent *m*, -e *f* **3.** prétendant *m*, -e *f*.

content *adj* [kən'tent] • **content (with)** satisfait (de), content (de) • **to be content to do sthg** ne pas demander mieux que de faire qqch. ❑ *n* ['kɒntent] **1.** teneur *f* **2.** contenu *m*. ❑ *vt* [kən'tent] • **to content o.s. with sthg** se contenter de qqch. ■ **contents** *npl* **1.** contenu *m* **2.** table *f* des matières.

contented [kən'tentɪd] *adj* satisfait.

contentedly [kən'tentɪdlɪ] *adv* avec contentement.

content-free *adj* *(site web, logiciel)* sans contenu.

contention [kən'tenʃn] *n* *sout* **1.** assertion *f*, affirmation *f* **2.** *(indén)* dispute *f*, contestation *f*.

contentious [kən'tenʃəs] *adj* contentieux, contesté.

contentment [kən'tentmənt] *n* contentement *m*.

contest *n* ['kɒntest] **1.** concours *m* **2.** combat *m*, lutte *f* *(de pouvoir)*. ❑ *vt* [kən'test] **1.** disputer **2.** contester.

contestant [kən'testənt] *n* concurrent *m*, -e *f*.

context ['kɒntekst] *n* contexte *m*.

context-dependent *adj* • **to be context-dependent** dépendre du contexte.

context-sensitive *adj* INFORM contextuel.

continent ['kɒntɪnənt] *n* continent *m*. ■ **Continent** *n* (UK) • **the Continent** l'Europe *f* continentale.

continental [ˌkɒntɪ'nentl] *adj* continental.

continental breakfast *n* petit déjeuner *m* *(par opposition à « English breakfast »)*.

continental quilt *n* (UK) couette *f*.

contingency [kən'tɪndʒənsɪ] *n* éventualité *f*.

contingency plan *n* plan *m* d'urgence.

contingency theory *n* théorie *f* de la contingence.

continual [kən'tɪnjʊəl] *adj* continuel.

continually [kən'tɪnjʊəlɪ] *adv* continuellement.

continuation [kənˌtɪnjʊ'eɪʃn] *n* **1.** *(indén)* continuation *f* **2.** suite *f* *(d'un feuilleton)*.

continue [kən'tɪnjuː] *vt* **1.** continuer, poursuivre **2.** reprendre. ❑ *vi* **1.** continuer • **to continue with sthg** poursuivre qqch **2.** reprendre, se poursuivre.

continuing [kən'tɪnjuːɪŋ] *adj* **1.** continu **2.** soutenu **3.** *(locution)* • **continuing education** formation *f* permanente *ou* continue.

continuity supervisor *n* scripte *mf*.

continuous [kən'tɪnjʊəs] *adj* continu.

continuous assessment *n* (UK) contrôle *m* continu des connaissances.

continuously [kən'tɪnjʊəslɪ] *adv* sans arrêt, continuellement.

contort [kən'tɔːt] *vt* tordre.

contortion [kən'tɔːʃn] *n* **1.** *(indén)* torsion *f* **2.** contorsion *f*.

contour ['kɒn,tʊə*r*] *n* **1.** contour *m* **2.** courbe *f* de niveau.

contraband ['kɒntrəbænd] *adj* de contrebande. ❑ *n* contrebande *f*.

contraception [ˌkɒntrə'sepʃn] *n* contraception *f*.

contraceptive [ˌkɒntrə'septɪv] *adj* **1.** contraceptif, anticonceptionnel **2.** sur la contraception. ❑ *n* contraceptif *m*.

contraceptive pill *n* pilule *f* contraceptive.

contract *n* ['kɒntrækt] contrat *m*. ❑ *vt* [kən'trækt] **1.** contracter **2.** • **to contract sb** passer un contrat avec qqn. ❑ *vi* se contracter.

contracting [kən'træktɪŋ] *adj* • **contracting company a)** contractant *m* **b)** sous-traitant *m*

• **contracting parties** COMM & FIN contractants *mpl.*

contraction [kən'trækʃn] *n* contraction *f.*

contractor [kən'træktə*r*] *n* entrepreneur *m.*

contractual [kən'træktʃʊəl] *adj* contractuel.

contractually [kən'træktʃʊəlɪ] *adv* par contrat.

contradict [,kɒntrə'dɪkt] *vt* contredire.

contradiction [,kɒntrə'dɪkʃn] *n* contradiction *f.*

contradictory [,kɒntrə'dɪktərɪ] *adj* **1.** contradictoire **2.** incohérent.

contraflow ['kɒntrəfləʊ] *n* (UK) circulation *f* à contre-sens.

contraption [kən'træpʃn] *n* machin *m*, truc *m.*

contrary ['kɒntrərɪ] *adj* **1.** • **contrary (to)** contraire (à), opposé (à) **2.** [kən'treərɪ] contrariant. ◻ *n* contraire *m* • **on the contrary** au contraire. ◼ **contrary to** *prép* contrairement à.

contrast [n 'kɒntrɑ:st] [n ['kɒntrɑ:st] contraste *m* • **by** *ou* **in contrast** par contraste. ◻ *vt* contraster. ◻ *vi* • **to contrast (with)** faire contraste (avec).

contravene [,kɒntrə'vi:n] *vt* enfreindre, transgresser.

contretemps [kɒntrətɑ̃] *n* contretemps *m.*

contribute [kən'trɪbju:t] *vt* **1.** apporter **2.** donner, apporter. ◻ *vi* **1.** • **to contribute (to)** contribuer (à) **2.** • **to contribute to** collaborer à.

contribution [,kɒntrɪ'bju:ʃn] *n* **1.** • **contribution (to)** cotisation *f* (à), contribution *f* (à) **2.** article *m.*

contributor [kən'trɪbjʊtə*r*] *n* **1.** donateur *m*, -trice *f* **2.** collaborateur *m* (*dans un journal*).

contributory [kən'trɪbjʊtərɪ] *adj* • **to be a contributory factor in** contribuer à.

contrive [kən'traɪv] *vt sout* **1.** combiner **2.** • **to contrive to do sthg** trouver moyen de faire qqch.

contrived [kən'traɪvd] *adj* tiré par les cheveux.

control [kən'trəʊl] *n* **1.** contrôle *m* **2.** • **to get sb/sthg under control** maîtriser qqn/qqch • **to be in control of sthg a)** diriger qqch **b)** avoir le contrôle de qqch **c)** maîtriser qqch • **to lose control** perdre le contrôle de soi. ◻ *vt* **1.** diriger **2.** commander, faire fonctionner **3.** enrayer **4.** mettre un frein à **5.** tenir (*des enfants*) **6.** contenir (*une foule*) **7.** maîtriser, contenir (*ses émotions*) • **to control o.s.** se maîtriser, se contrôler. ◼ **controls** *npl* commandes *fpl.*

control key *n* INFORM touche *f* control.

controller [kən'trəʊlə*r*] *n* contrôleur *m.*

control panel *n* tableau *m* de bord.

control room *n* salle *f* des commandes, centre *m* de contrôle.

control tower *n* tour *f* de contrôle.

controversial [,kɒntrə'vɜ:ʃl] *adj* controversé.

controversy ['kɒntrəvɜ:sɪ, (UK) kən'trɒvəsɪ] *n* controverse *f*, polémique *f.*

conundrum [kə'nʌndrəm] (*pl* **-s**) *n* énigme *f.*

convalesce [,kɒnvə'les] *vi* se remettre d'une maladie, relever de maladie.

convalescence [,kɒnvə'lesns] *n* convalescence *f.*

convene [kən'vi:n] *vt* convoquer, réunir. ◻ *vi* se réunir, s'assembler.

convenience [kən'vi:njəns] *n* **1.** commodité *f* **2.** agrément *m*, confort *m.*

convenience food *n* aliment *m* tout préparé.

convenience store *n* (US) *petit supermarché de quartier.*

convenient [kən'vi:njənt] *adj* **1.** qui convient **2.** pratique, commode.

conveniently [kən'vi:njəntlɪ] *adv* d'une manière commode • **conveniently situated** bien situé.

convent ['kɒnvənt] *n* couvent *m.*

convention [kən'venʃn] *n* **1.** convention *f* **2.** usage *m*, convention *f.*

conventional [kən'venʃənl] *adj* conventionnel • **conventional oven** four *m* traditionnel.

conventionality [kən,venʃə'nælətɪ] *n* conformisme *m.*

converge [kən'vɜ:dʒ] *vi* • **to converge (on)** converger (sur).

conversant [kən'vɜ:sənt] *adj sout* • **conversant with sthg** familiarisé avec qqch, qui connaît bien qqch.

conversation [,kɒnvə'seɪʃn] *n* conversation *f.*

conversational [,kɒnvə'seɪʃənl] *adj* de la conversation.

converse [n 'kɒnvɜ:s] • **the converse** le contraire, l'inverse. ◻ *vi* [kən'vɜ:s] *sout* converser.

conversely [kən'vɜ:slɪ] *adv sout* inversement.

conversion [kən'vɜ:ʃn] *n* **1.** conversion *f* **2.** aménagement *m*, transformation *f.*

conversion rate *n* (*dans l'e-commerce*) taux *m* de conversion.

convert [*vt* kən'vɜ:t] • **to convert sthg to** *ou* **into** convertir *ou* aménager *ou* transformer qqch en • **to convert sb (to)** RELIG convertir qqn (à). ◻ *vi* [kən'vɜ:t] • **to convert from sthg to sthg** passer de qqch à qqch. ◻ *n* ['kɒnvɜ:t] converti *m*, -e *f.*

converted [kən'vɜ:tɪd] *adj* **1.** aménagé **2.** RELIG converti.

convertible [kən'vɜ:təbl] *n* (voiture *f*) décapotable *f.*

convex [kɒn'veks] *adj* convexe.

convey [kən'veɪ] *vt* **1.** *sout* transporter **2.** • **to convey sthg (to sb)** communiquer qqch (à qqn).

conveyor belt [kən'veɪə*r*-] *n* tapis *m* roulant.

convict n ['kɒnvɪkt] détenu m. ❏ vt [kən'vɪkt] • **to convict sb of sthg** reconnaître qqn coupable de qqch.

conviction [kən'vɪkʃn] n **1.** conviction f **2.** DR condamnation f.

convince [kən'vɪns] vt convaincre, persuader.

convincing [kən'vɪnsɪŋ] adj **1.** convaincant **2.** retentissant, éclatant.

convoluted ['kɒnvəluːtɪd] adj compliqué.

convoy ['kɒnvɔɪ] n convoi m.

convulse [kən'vʌls] vt • **to be convulsed with** se tordre de.

convulsion [kən'vʌlʃn] n MÉD convulsion f.

coo [kuː] vi roucouler.

cook [kʊk] n cuisinier m, -ère f. ❏ vt **1.** faire cuire **2.** préparer. ❏ vi cuisiner. ■ **cook up** vt sép **1.** (plan) combiner **2.** (excuse) inventer.

cookbook ['kʊk,bʊk] = cookery book.

cook-chill adj cuisiné et réfrigéré.

cooker ['kʊkə'] n (UK) cuisinière f.

cookery ['kʊkərɪ] n cuisine f.

cookery book n (UK) livre m de cuisine.

cookery course n stage m de cuisine.

cookery programme n émission f de cuisine.

cookie ['kʊkɪ] n **1.** (surtout US) biscuit m, gâteau m sec • **cookie jar** bocal m à biscuits **2.** INFORM cookie m **3.** (locution) • **to be caught with one's hand in the cookie jar** être pris en flagrant délit.

cooking ['kʊkɪŋ] n cuisine f.

cooking apple n pomme f à cuire.

cool [kuːl] adj **1.** frais, fraîche f **2.** léger **3.** calme **4.** froid **5.** fam génial **6.** fam branché. ❏ vt faire refroidir. ❏ vi refroidir. ❏ n • **to keep/lose one's cool** garder/perdre son sang-froid, garder/perdre son calme. ■ **cool down** vi **1.** refroidir **2.** se rafraîchir. ■ **cool off** vi **1.** refroidir **2.** se rafraîchir **3.** se calmer.

cool box n (UK) glacière f.

Cool Britannia npr (UK) fam expression qui évoque l'art, la musique et la mode en Grande-Bretagne à la fin des années 1990.

cooler n (US) glacière f.

cool-headed [-'hedɪd] adj calme.

cooling-off period ['kuːlɪŋ-] n délai m de réflexion.

coop [kuːp] ■ **coop up** vt sép fam confiner.

Co-op ['kəʊ,ɒp] (abrév de Co-operative society) n Coop f.

cooperate [kəʊ'ɒpəreɪt] vi • **to cooperate** coopérer, collaborer.

cooperation [kəʊ,ɒpə'reɪʃn] n (indén) **1.** coopération f, collaboration f **2.** aide f, concours m.

cooperative [kəʊ'ɒpərətɪv] adj coopératif. ❏ n coopérative f.

coordinate n [kəʊ'ɔːdɪnət] coordonnée f. ❏ vt [kəʊ'ɔːdɪneɪt] coordonner.

coordination [kəʊ,ɔːdɪ'neɪʃn] n coordination f.

cooties ['kuːtɪz] npl (US) microbes mpl.

co-owner n copropriétaire mf.

cop [kɒp] n fam flic m. ■ **cop out** (prét & pp copped, cont copping) vi fam • **to cop out (of sthg)** se défiler ou se dérober (à qqch).

copacetic [,kəʊpə'setɪk] adj (US) • **everything's copacetic** tout va bien.

co-parenting n coparentalité f.

cope [kəʊp] vi se débrouiller • **I can't cope** je ne m'en sors pas • **to cope with** faire face à.

Copenhagen [,kəʊpən'heɪgən] n Copenhague.

copier ['kɒpɪə'] n copieur m, photocopieur m.

co-pilot ['kəʊ,paɪlət] n copilote mf.

copious ['kəʊpjəs] adj **1.** copieux **2.** abondant.

cop-out n fam dérobade f, échappatoire f.

copper ['kɒpə'] n **1.** cuivre m **2.** (UK) fam flic m.

copperplated [,kɒpə'pleɪtɪd] adj cuivré.

coppice ['kɒpɪs], **copse** [kɒps] n taillis m.

co-processor n coprocesseur m.

co-produce vt CINÉ & TV coproduire.

co-production n CINÉ & TV coproduction f.

copulate ['kɒpjʊleɪt] vi • **to copulate (with)** copuler (avec).

copy ['kɒpɪ] n **1.** copie f, reproduction f **2.** copie f **3.** exemplaire m (d'un livre) **4.** numéro m (d'un magazine). ❏ vt **1.** copier, imiter **2.** photocopier. ■ **copy in** vt sép mettre en copie • **to copy sb in (on sthg)** mettre qqn en copie de qqch.

copy and paste n copier-coller m. ❏ vt copier-coller.

copycat ['kɒpɪkæt] n fam copieur m, -euse f. ❏ en apposition (meurtre) inspiré par un autre meurtre.

copy desk n (US) PRESSE secrétariat m de rédaction.

copy-editing n préparation f de copie.

copy editor n secrétaire mf de rédaction.

copy-protect vt protéger contre la copie.

copyright ['kɒpɪraɪt] n copyright m, droit m d'auteur.

copywriter ['kɒpɪ,raɪtə'] n concepteur-rédacteur publicitaire m, conceptrice-rédactrice publicitaire f.

coral ['kɒrəl] n corail m.

coral reef n récif m de corail.

cord [kɔːd] n **1.** ficelle f **2.** corde f **3.** ÉLECTR fil m, cordon m **4.** velours m côtelé. ■ **cords** npl pantalon m en velours côtelé.

cordial ['kɔːdjəl] adj cordial, chaleureux. ❏ n cordial m.

cordless ['kɔːdlɪs] adj **1.** (téléphone) sans fil **2.** (rasoir) à piles.

cordon ['kɔdn] n cordon m. ■ **cordon off** vt sép barrer (par un cordon de police).

cordon bleu [-blɜː] adj cordon bleu.

corduroy ['kɔdərɔɪ] n velours m côtelé.

core [kɔː] n **1.** trognon m (d'une pomme) **2.** noyau m (d'un câble) **3.** fig essentiel m • **core literacy** acquis mpl de base (lecture, écriture) • **core numeracy** acquis mpl numériques de base • **core skill** compétence f de base **4.** fig cœur m (d'un sujet) **5.** mémoire f centrale (d'ordinateur).

core business n activité f centrale.

core market n marché m principal ou de référence.

corespondent [ˌkəʊrɪ'spɒndənt] n DR codéfendeur m, -eresse f.

Corfu [kɔ'fuː] n Corfou.

corgi ['kɔgɪ] (pl -s) n corgi m.

coriander [ˌkɒrɪ'ændə] n coriandre f.

cork [kɔk] n **1.** liège m **2.** bouchon m.

corked [kɔːkt] adj qui a le goût de bouchon.

corkscrew ['kɔkskruː] n tire-bouchon m.

corn [kɔn] n **1.** (UK) grain m **2.** (US) maïs m • **corn on the cob** épi m de maïs cuit **3.** cor m (au pied).

corn dog n (us) saucisse enrobée de pâte à la farine de maïs et frite à l'huile.

cornea ['kɔnɪə] (pl -s) n cornée f.

corned beef [kɔnd-] n (UK) corned-beef m inv.

corner ['kɔnə] n **1.** coin m, angle m • **to cut corners** fig brûler les étapes **2.** virage m, tournant m **3.** FOOTBALL corner m. ❑ vt **1.** acculer **2.** accaparer.

corner shop n magasin m du coin ou du quartier.

cornerstone ['kɔnəstəʊn] n fig pierre f angulaire.

cornet ['kɔnɪt] n **1.** cornet m à pistons **2.** (UK) cornet m de glace.

cornfed ['kɔnfed] adj (us) fam rustre.

cornfield ['kɔnfiːld] n **1.** (UK) champ m de blé **2.** (US) champ m de maïs.

cornflakes ['kɔnfleɪks] npl corn-flakes mpl.

cornflour (UK) ['kɔnflaʊə], **cornstarch** (US) ['kɒnstɑːtʃ] n ≃ Maïzena® f fécule f de maïs.

corn rows npl coiffure f tressée à l'africaine.

cornucopia [ˌkɔːnjʊ'kəʊpjə] n littéraire corne f d'abondance.

Cornwall ['kɔnwɒl] n Cornouailles f.

corny ['kɔnɪ] adj **1.** fam (plaisanterie) peu original **2.** (roman, film) à l'eau de rose.

coronary ['kɒrənrɪ], **coronary thrombosis** [-θrɒm'bəʊsɪs] (pl -ses) n infarctus m du myocarde.

coronation [ˌkɒrə'neɪʃn] n couronnement m.

coroner ['kɒrənə] n coroner m.

corporal ['kɔpərəl] n **1.** caporal m **2.** brigadier m.

corporal punishment n châtiment m corporel.

corporate ['kɔpərət] adj **1.** corporatif, de société **2.** collectif.

corporate banking n banque f d'entreprise.

corporate culture n culture f d'entreprise.

corporate entertainment n divertissement m fourni par la société.

corporate finance n finance f d'entreprise.

corporate hospitality n (indén) réceptions, déjeuners, etc organisés par une société pour ses clients.

corporate image n image f de marque.

corporation [ˌkɔpə'reɪʃn] n **1.** (UK) conseil m municipal **2.** compagnie f, société f enregistrée.

corporation tax n (UK) impôt m sur les sociétés.

corps [kɔː] (pl inv) n corps m.

corpse [kɔps] n cadavre m.

corpulent ['kɔːpjʊlənt] adj corpulent.

correct [kə'rekt] adj **1.** correct, exact **2.** correct, convenable. ❑ vt corriger.

correction [kə'rekʃn] n correction f.

correction fluid n liquide m correcteur.

correctly [kə'rektlɪ] adv **1.** correctement, exactement **2.** correctement, comme il faut.

correlation [ˌkɒrə'leɪʃn] n corrélation f.

correspond [ˌkɒrɪ'spɒnd] vi **1.** • **to correspond (with ou to)** correspondre (à) **2.** • **to correspond (with sb)** correspondre (avec qqn).

correspondence [ˌkɒrɪ'spɒndəns] n correspondance f.

correspondence course n cours m par correspondance.

correspondent [ˌkɒrɪ'spɒndənt] n correspondant m, -e f.

corresponding [ˌkɒrɪ'spɒndɪŋ] adj correspondant.

corridor ['kɒrɪdɔ] n couloir m, corridor m.

corroborate [kə'rɒbəreɪt] vt corroborer.

corroboration [kəˌrɒbə'reɪʃən] n corroboration f, confirmation f.

corrode [kə'rəʊd] vt corroder, attaquer. ❑ vi se corroder.

corrosion [kə'rəʊʒn] n corrosion f.

corrosion-resistant adj anti-corrosion.

corrosive [kə'rəʊsɪv] adj corrosif.

corrugated ['kɒrəgeɪtɪd] adj ondulé.

corrugated iron n tôle f ondulée.

corrupt [kə'rʌpt] adj corrompu. ❑ vt corrompre, dépraver.

corruptible [kə'rʌptəbl] adj corruptible.

corruption [kə'rʌpʃn] n corruption f.

corruptly [kə'rʌptlɪ] adv **1.** de manière corrompue **2.** d'une manière dépravée ou corrompue.

corset ['kɔːsɪt] n corset m.

Corsica ['kɔːsɪkə] n Corse f.

cos, **'cos** (UK), **cause** (US) [kɒz] fam conj = because.

cosh [kɒʃ] (UK) n matraque f, gourdin m. ❑ vt frapper, matraquer.

cosign ['kəʊsaɪn] vt cosigner.

cosignatory [,kəʊ'sɪɡnətrɪ] (pl -ies) n cosignataire mf.

cosmetic [kɒz'metɪk] n cosmétique m, produit m de beauté. ❑ adj fig superficiel.

cosmetic surgery n chirurgie f esthétique.

cosmetologist [,kɒzmə'tɒlədʒɪst] n cosmétologue mf.

cosmetology [,kɒzmə'tɒlədʒɪ] n cosmétologie f.

cosmopolitan [kɒzmə'pɒlɪtn] adj cosmopolite.

cosset ['kɒsɪt] vt dorloter, choyer.

cossie ['kɒzɪ] n (UK & AUSTRALIE) fam maillot m de bain.

cost [kɒst] n litt & fig coût m • **the cost of living** le coût de la vie • **at all costs** à tout prix, coûte que coûte. ❑ vt (prét & pp cost) litt & fig coûter. ■ **costs** npl dépens mpl.

co-star ['kəʊ-] n partenaire mf.

Costa Rica [,kɒstə'riːkə] n Costa Rica m.

cost base n prix m de base.

cost-conscious adj • **to be cost-conscious** surveiller ses dépenses.

cost-cutting n compression f ou réduction f des coûts. ❑ adj de compression ou de réduction des coûts • **cost-cutting drive** ou **exercise** opération f de réduction des coûts.

cost-effective adj rentable.

cost-effectiveness n rentabilité f.

costing ['kɒstɪŋ] n évaluation f du coût.

costly ['kɒstlɪ] adj litt & fig coûteux.

cost management n gestion f des coûts.

cost of living n coût m de la vie.

costume ['kɒstjuːm] n 1. costume m • **costume hire** location f de costumes 2. (UK) maillot m (de bain).

costume jewellery (UK), **costume jewelry** (US) n (indén) bijoux mpl fantaisie.

cosy (UK), **cozy** (US) ['kəʊzɪ] adj 1. (maison, pièce) douillet 2. (atmosphère) chaleureux • **to feel cosy** se sentir bien au chaud.

cot [kɒt] n 1. (UK) lit m d'enfant, petit lit 2. (US) lit m de camp.

cot death n (UK) mort f subite du nourrisson.

cottage ['kɒtɪdʒ] n cottage m, petite maison f de campagne.

cottage cheese n fromage m blanc.

cottage industry n industrie f artisanale.

cottage pie n (UK) ≃ hachis m Parmentier.

cotton ['kɒtn] n 1. coton m 2. (US) coton m hydrophile. ❑ en apposition de coton.

cotton on vi fam • **to cotton on (to sthg)** piger (qqch), comprendre (qqch).

cotton bud (UK), **cotton swab** (US) n Coton-Tige® m.

cotton candy n (US) barbe f à papa.

cotton wool n (UK) ouate f, coton m hydrophile.

couch [kautʃ] n 1. canapé m, divan m 2. (chez le médecin) lit m.

couch potato n fam flemmard m, -e f (qui passe son temps devant la télé).

cough [kɒf] n toux f. ❑ vi tousser. ■ **cough up** vt sép 1. cracher (en toussant) 2. tfam & fig casquer, cracher.

cough drop (US), **cough sweet** (UK) n pastille f pour la toux.

cough mixture n (UK) sirop m pour la toux.

cough syrup (US) = cough mixture.

could [kud] aux modal → can.

couldn't ['kudnt] = could not.

could've ['kudəv] = could have.

coulis ['kuːlɪ] n coulis m.

council ['kaunsl] n conseil m.

council estate n (UK) quartier m de logements sociaux.

council house n (UK) maison f qui appartient à la municipalité ; ≃ HLM m ou f.

councillor (UK), **councilor** (US) ['kaunsələr] n (UK) conseiller m, -ère f.

councilman (US) = councilor.

councilor (US) = councillor.

council tax n (UK) ≃ impôts mpl locaux.

councilwoman (US) = councilor.

counsel ['kaunsəl] n 1. (indén) sout conseil m 2. avocat m, -e f.

counselling (UK), **counseling** (US) ['kaunsəlɪŋ] n (indén) conseils mpl.

counsellor (UK), **counselor** (US) ['kaunsələr] n 1. conseiller m, -ère f 2. (US) avocat m.

count [kaunt] n 1. total m • **to keep count of** tenir le compte de • **to lose count of sthg** ne plus savoir qqch 2. comte m. ❑ vt compter. ❑ vi compter • **to count (up) to** compter jusqu'à. ■ count against vt insép jouer contre. ■ count in vt sép fam • **count me in!** je suis de la partie ! ■ count out vt sép 1. compter (de l'argent) 2. fam • **count me out!** ne comptez pas sur moi ! ■ count up vt insép compter (totaliser). ■ count (up)on vt insép compter sur 2. s'attendre à, prévoir.

countdown ['kauntdaun] n compte m à rebours.

counter ['kauntər] n 1. comptoir m (d'une boutique, d'un pub) 2. pion m. ❑ vt • **to counter sthg (with)** riposter à qqch (par). ■ **counter to** adv contrairement à • **to run counter to** aller à l'encontre de.

counteract [,kauntə'rækt] vt contrebalancer, compenser.

counterargument [ˌkaʊntə'rɑːgjʊmənt] *n* argument *m* contraire.

counterattack ['kaʊntərəˌtæk] *vt & vi* contre-attaquer.

counterbalance [ˌkaʊntə'bæləns] *vt fig* contrebalancer, compenser.

counterclaim ['kaʊntəkleɪm] *n* demande *f* reconventionnelle.

counterclockwise [ˌkaʊntə'klɒkwaɪz] *adj & adv* (US) dans le sens inverse des aiguilles d'une montre.

counterfeit ['kaʊntəfɪt] *adj* faux, fausse *f*.❑ *vt* contrefaire.

counterfoil ['kaʊntəfɔɪl] *n* (UK) talon *m*, souche *f*.

counterintuitive [ˌkaʊntərɪn'tjuːɪtɪv] *adj* qui va contre l'intuition.

countermand [ˌkaʊntə'mɑːnd] *vt* annuler.

counteroffer [ˌkaʊntər'ɒfər] *n* **1.** offre *f* **2.** surenchère *f*.

counterpart ['kaʊntəpɑːt] *n* **1.** homologue *mf* **2.** équivalent *m*, -e *f*.

counterproductive [ˌkaʊntəprə'dʌktɪv] *adj* qui a l'effet inverse.

counterproposal ['kaʊntəprəˌpəʊzl] *n* contre-proposition *f*.

countersign ['kaʊntəsaɪn] *vt* contresigner.

countess ['kaʊntɪs] *n* comtesse *f*.

countless ['kaʊntlɪs] *adj* innombrable.

country ['kʌntrɪ] *n* **1.** pays *m* **2.** • the country la campagne **3.** région *f* **4.** terrain *m*.

country and western *n* MUS country *f*.
❑ *en apposition* country (inv).

country dancing *n* (indén) (UK) danse *f* folklorique.

country-dweller *n* campagnard *m*, -e *f*, habitant *m*, -e *f* de la campagne.

countryfolk ['kʌntrɪfəʊk] *npl* gens *mpl* de la campagne.

country house *n* manoir *m*.

countryman ['kʌntrɪmən] (*pl*-men) *n* compatriote *m*.

country music *n* = country and western .

country park *n* (UK) parc *m* naturel.

countryside ['kʌntrɪsaɪd] *n* campagne *f*.

countrywoman ['kʌntrɪˌwʊmən] (*pl*-women) *n* compatriote *f*.

county ['kaʊntɪ] *n* comté *m*.

county council *n* (UK) conseil *m* général.

coup [kuː] *n* • coup (d'état) coup *m* d'État.

couple ['kʌpl] *n* **1.** couple *m* **2.** • a couple (of) **a)** deux **b)** quelques, deux ou trois.

coupon ['kuːpɒn] *n* **1.** bon *m* (de réduction) **2.** coupon *m*.

couponing ['kuːpɒnɪŋ] *n* MARKETING couponing *m*, couponnage *m*.

courage ['kʌrɪdʒ] *n* courage *m* • to take courage être encouragé.

courageous [kə'reɪdʒəs] *adj* courageux.

courageously [kə'reɪdʒəslɪ] *adv* courageusement, avec courage.

courgette [kɔː'ʒet] *n* (UK) courgette *f*.

courier ['kʊrɪə] *n* **1.** (UK) guide *m*, accompagnateur *m*, -trice *f* **2.** coursier *m*, messager *m*.

course [kɔs] *n* **1.** cours *m* • course of action ligne *f* de conduite • in the course of au cours de **2.** enseignement *m*, cours *mpl* • it's a five-year course c'est un enseignement sur cinq ans • to go on a (training) course faire un stage **3.** MÉD série *f* (d'injections) • course of treatment traitement *m* **4.** route *f* • to be on course a) fig être sur la bonne voie • to be off course faire fausse route **5.** plat *m* **6.** SPORT terrain *m*. ■ of course *adv* **1.** évidemment, naturellement **2.** bien sûr.

coursebook ['kɔsbʊk] *n* (UK) livre *m* de cours.

courseware ['kɔːsweə] *n* logiciels *mpl* éducatifs.

coursework ['kɔswɜːk] *n* (indén) travail *m* personnel.

court [kɔt] *n* **1.** DR cour *f*, tribunal *m* • the court la justice • to take sb to court faire un procès à qqn **2.** SPORT court *m*, terrain *m* **3.** cour *f*. ❑ *vi vieilli* sortir ensemble, se fréquenter.

courteous ['kɜtjəs] *adj* courtois, poli.

courtesy ['kɜtɪsɪ] *n* courtoisie *f*, politesse *f*. ■ (by) courtesy of *prép* avec la permission de.

courtesy car *n* voiture *f* mise gratuitement à la disposition du client.

courtesy shuttle *n* navette *f* gratuite.

courthouse ['kɔthaʊs] (*pl*[-hauzɪz]) *n* (US) palais *m* de justice, tribunal *m*.

courtier ['kɔtjə] *n* courtisan *m*.

court-martial (*pl* court-martials *ou* courts-martial) *n* cour *f* martiale.

court order *n* ordonnance *f* du tribunal.

court-ordered *adj* DR (vente) judiciaire.

courtroom ['kɔtrʊm] *n* salle *f* de tribunal.

court shoe *n* (UK) escarpin *m*.

courtyard ['kɔtjɑːd] *n* cour *f*.

cousin ['kʌzn] *n* cousin *m*, -e *f*.

couture [kuː'tʊə] *n* haute couture *f*.

cove [kəʊv] *n* crique *f*.

covenant ['kʌvənənt] *n* engagement *m* contractuel.

Covent Garden [ˌkɒvənt-] *n* ancien marché de Londres, aujourd'hui importante galerie marchande.

Covent Garden

Covent Garden, jadis marché aux fruits, légumes et fleurs du centre de Londres, est aujourd'hui une importante galerie marchande ; ce nom désigne également le **Royal Opera House**, situé près de l'ancien marché.

cover ['kʌvər] n **1.** housse f (recouvrant un meuble) **2.** couvercle m **3.** couverture f (d'un livre, d'un magazine) **4.** couverture f (en fibre) **5.** abri m • **to take cover** s'abriter, se mettre à l'abri • **under cover** s'abriter, à couvert • **to run for cover** courir se mettre à l'abri *MIL* couverture f **7.** (UK) (assurance) couverture f, garantie f • **to have cover against sthg** être couvert *ou* assuré contre qqch. ❏ vt **1.** • **to cover sthg (with)** couvrir qqch (de) **2.** englober, comprendre **3.** • **to cover sb against** couvrir qqn en cas de. ❏ vi • **to cover for sb** remplacer qqn. ■ **cover up** vt sép fig dissimuler, cacher.

coverage ['kʌvərɪdʒ] n **1.** reportage m **2.** couverture f (d'un réseau de téléphonie mobile) • **coverage area** zone f de couverture.

cover charge n couvert m.

covered ['kʌvəd] adj couvert • **cook, covered, for one hour** couvrir et faire cuire une heure.

covering ['kʌvərɪŋ] n **1.** revêtement m **2.** couche f.

covering letter (UK), **cover letter** (US) n lettre f explicative *ou* d'accompagnement.

cover note n (UK) lettre f de couverture, attestation f provisoire d'assurance.

cover price n prix m.

cover story n article m principal (en couverture).

covert ['kʌvət] adj **1.** (activité) clandestin **2.** (regard) furtif.

cover-up n étouffement m (d'une affaire).

cover version n reprise f.

covet ['kʌvɪt] vt convoiter.

cow [kaʊ] n **1.** vache f **2.** femelle f. ❏ vt intimider, effrayer.

coward ['kaʊəd] n lâche mf.

cowardice ['kaʊədɪs] n lâcheté f.

cowardly ['kaʊədlɪ] adj lâche.

cowboy ['kaʊbɔɪ] n cow-boy m.

cower ['kaʊər] vi se recroqueviller.

co-worker n collègue mf.

cowshed ['kaʊʃed] n étable f.

cox [kɒks], **coxswain** ['kɒksən] n barreur m.

coy [kɔɪ] adj qui fait le/la timide.

COZ SMS abrév de **because**.

cozy (US) = **cosy**.

CPA n abrév de **certified public accountant**.

cpm (abrév de copies per minute) cpm.

CPS (abrév de Crown Prosecution Service) n ≃ Ministère m public.

CPU n abrév de **central processing unit**.

crab [kræb] n crabe m.

crab apple n pomme f sauvage.

crack [kræk] n **1.** fêlure f **2.** fissure f **3.** gerçure f **4.** entrebâillement m **5.** interstice m **6.** claquement m **7.** craquement m **8.** fam • **to have a crack at sthg** tenter qqch, essayer de faire qqch **9.** arg drogue crack m. ❏ vt **1.** fêler **2.** fissurer **3.** casser (un œuf, une noix) **4.** faire claquer (un fouet) **5.** • **to crack one's head** se cogner la tête **6.** résoudre **7.** déchiffrer **8.** fam faire (une plaisanterie). ❏ vi **1.** (verre) se fêler **2.** (sol, mur) se fissurer **3.** (peau) se crevasser, se gercer **4.** (personne) craquer **5.** (résistance) se briser. ■ **crack down** vi • **to crack down (on)** sévir (contre). ■ **crack up** vi **1.** se fissurer **2.** se craqueler **3.** se crevasser **4.** fam craquer, s'effondrer **5.** fam se tordre de rire. • **I must be cracking up** je débloque

crackdown ['krækdaʊn] n • **crackdown (on)** mesures fpl énergiques (contre).

cracker ['krækər] n **1.** cracker m, craquelin m **2.** (UK) (pour Noël) diablotin m.

crackerjack ['krækər,dʒæk] adj (US) fam extra, génial.

crackers ['krækəz] adj (UK) fam dingue, cinglé.

cracking ['krækɪŋ] adj fam • **to walk at a cracking pace** (UK) marcher à toute allure.

crackle ['krækl] vi **1.** crépiter **2.** grésiller.

crackpot ['krækpɒt] fam adj fou, folle f. ❏ n cinglé m, -e f, tordu m, -e f.

cradle ['kreɪdl] n **1.** berceau m **2.** TECHNOL nacelle f. ❏ vt **1.** bercer **2.** tenir délicatement.

craft [krɑːft] (pl craft) n **1.** métier m • **craft shop** boutique f d'artisanat **2.** embarcation f.

craftily ['krɑːftɪlɪ] adv astucieusement • **to behave craftily a)** agir astucieusement *ou* habilement **b)** péj agir avec ruse.

craftiness ['krɑːftɪnɪs] n **1.** habileté f **2.** péj ruse f, roublardise f.

craftsman ['krɑːftsmən] (pl -men) n artisan m, homme m de métier.

craftsmanship ['krɑːftsmənʃɪp] n (indén) **1.** dextérité f, art m **2.** travail m, exécution f.

craftsmen npl → **craftsman**.

crafty ['krɑːftɪ] adj **1.** malin, astucieux **2.** péj rusé, roublard **3.** rusé.

crag [kræg] n rocher m escarpé.

craggy ['krægɪ] (*comp* **craggier**, *superl* **craggiest**) *adj* **1.** escarpé **2.** anguleux.

cram [kræm] *vt* **1.** fourrer **2.** • **to cram sthg with** bourrer qqch de. ❏ *vi* bachoter.

crammed ['kræmd] *adj* bourré, bondé • **to be crammed with people** être bondé • **to be crammed with sthg** être plein à craquer *ou* bourré de qqch • **to be crammed with useful information** regorger d'informations utiles.

cramp [kræmp] *n* crampe f. ❏ *vt* gêner, entraver.

cramped [kræmpt] *adj* exigu • **it's a bit cramped in here** on est un peu à l'étroit ici.

cram school ['kræm ˌskuːl] *n* (us) SCOL *école privée spécialisée dans le bachotage pour les examens.*

cranberry ['krænbərɪ] *n* canneberge f, airelle f.

crane [kreɪn] *n* grue f.

crank [kræŋk] *n* **1.** TECHNOL manivelle f **2.** *fam* excentrique mf. ❏ *vt* **1.** tourner **2.** remonter (à la manivelle).

crankshaft ['kræŋkʃɑːft] *n* vilebrequin m.

cranky ['kræŋkɪ] (*comp* **crankier**, *superl* **crankiest**) *adj fam* **1.** excentrique **2.** (us) grognon.

cranny ['krænɪ] *n* → **nook.**

crap [kræp] *n* (*indén*) *tfam* merde f • **it's a load of crap** tout ça, c'est des conneries.

crapware ['kræpweər] *n tfam* logiciels *mpl* inutiles.

crash [kræʃ] *n* **1.** accident m **2.** fracas m. ❏ *vt* **1.** • **to crash the car** avoir un accident avec la voiture **2.** planter. ❏ *vi* **1.** se percuter, se rentrer dedans **2.** avoir un accident **3.** s'écraser • **to crash into** rentrer dans, emboutir **4.** faire faillite • **to crash and burn** (us) *fam* se casser la gueule (échouer) **5.** (Bourse) s'effondrer **6.** *fam* dormir, s'endormir.

crash course *n* cours m intensif.

crash diet *n* régime m intensif.

crash helmet *n* casque m de protection.

crash-land *vi* atterrir en catastrophe.

crash landing *n* atterrissage m en catastrophe.

crash test dummy *n* mannequin-test m.

crashworthiness ['kræʃˈwɜːðɪnɪs] *n* résistance f aux chocs.

crass [kræs] *adj* **1.** lourd **2.** grossier.

crate [kreɪt] *n* cageot m, caisse f.

crater ['kreɪtər] *n* cratère m.

cravat [krəˈvæt] *n* cravate f.

crave [kreɪv] *vt* **1.** avoir soif de **2.** avoir un besoin fou *ou* maladif de. ❏ *vi* • **to crave for a)** avoir soif de **b)** avoir un besoin fou *ou* maladif de.

craving ['kreɪvɪŋ] *n* • **craving for a)** soif f de **b)** besoin m fou *ou* maladif de.

crawl [krɔːl] *vi* **1.** (bébé) marcher à quatre pattes **2.** (personne) se traîner **3.** (insecte) ramper **4.** (véhi-

cule) avancer au pas **5.** *fam* • **to be crawling with** grouiller de. ❏ *n* • **the crawl** le crawl.

crayfish ['kreɪfɪʃ] (*pl inv ou* **-es**) *n* écrevisse f.

crayon ['kreɪɒn] *n* crayon m de couleur.

craze [kreɪz] *n* engouement m.

craziness ['kreɪzɪnɪs] *n* folie f.

crazy ['kreɪzɪ] *adj fam* fou • **to be crazy about sb/sthg** être fou de qqn/qqch • **to go crazy over sthg** flasher sur qqch.

crazy quilt *n* (us) couette f en patchwork.

creak [kriːk] *vi* **1.** craquer **2.** grincer.

cream [kriːm] *n adj* crème (inv). ❏ *n* crème f • **cream soup** velouté m.

cream cake *n* (uk) gâteau m à la crème.

cream cheese *n* fromage m frais.

cream cracker *n* (uk) biscuit m salé (que l'on mange généralement avec du fromage).

cream tea *n* (uk) goûter se composant de thé et de « scones » servis avec de la crème et de la confiture.

creamy ['kriːmɪ] (*comp* **creamier**, *superl* **creamiest**) *adj* **1.** crémeux **2.** crème (inv).

crease [kriːs] *n* **1.** pli m **2.** (faux) pli (fait accidentellement). ❏ *vt* froisser. ❏ *vi* se froisser.

crease-resistant *adj* infroissable.

create [kriːˈeɪt] *vt* créer.

creation [kriːˈeɪʃn] *n* création f.

creative [kriːˈeɪtɪv] *adj* créatif • **creative team** équipe f créative.

creative director *n* directeur m, -trice f artistique.

creativity [ˌkriːeɪˈtɪvətɪ] *n* créativité f.

creature ['kriːtʃər] *n* créature f.

creature comforts *npl* confort m matériel • **I like my creature comforts** j'aime *ou* je suis attaché à mon (petit) confort.

crèche [kreʃ] *n* (uk) crèche f.

cred [kred] *n* • **to have (street) cred** (uk) *fam* être branché *ou* dans le coup.

credence ['kriːdns] *n* • **to give** *ou* **lend credence to sthg** ajouter foi à qqch.

credentials [krɪˈdenʃlz] *npl* **1.** papiers *mpl* d'identité **2.** *fig* capacités *fpl* **3.** références *fpl*.

credibility [ˌkredəˈbɪlətɪ] *n* crédibilité f.

credit ['kredɪt] *n* **1.** crédit m • **to be in credit a)** avoir un compte approvisionné • **on credit** à crédit **2.** (indén) honneur m, mérite m • **to give sb credit for sthg** reconnaître que qqn a fait qqch **3.** UNIV unité f de valeur ; (us) SCOL unité f de valeur. ❏ *en apposition* **1.** du crédit **2.** à crédit • **to run a credit check on sb a)** vérifier la solvabilité de qqn, vérifier que le compte de qqn est approvisionné **b)** vérifier le passé bancaire de qqn. ❏ *vt* **1.** FIN • **to credit £10 to an account** créditer un compte de 10 livres

2. *fam* croire **3.** • **to credit sb with sthg** accorder *ou* attribuer qqch à qqn. ■ **credits** *npl* CINÉ générique *m*.

credit agreement *n* accord *m* de crédit.

credit balance *n* solde *m* créditeur.

credit card *n* carte *f* de crédit.

credit crunch *n* crise *f* du crédit.

credit facilities *npl* (UK) facilités *fpl* de paiement *ou* de crédit.

credit note *n* **1.** avoir *m* **2.** FIN note *f* de crédit.

creditor ['kredɪtər] *n* créancier *m*, -ère *f*.

credit rating *n* degré *m* de solvabilité.

credit report *n* (US) profil *m* d'emprunteur.

credit score *n* (US) = **credit rating**.

credit union *n* (US) société *f* ou caisse *f* de crédit.

creditworthy ['kredɪt,wɜːðɪ] *adj* solvable.

creed [kriːd] *n* **1.** principes *mpl* **2.** RELIG croyance *f*.

creek [kriːk] *n* **1.** crique *f* **2.** (US) ruisseau *m*.

creep [kriːp] *vi (prét & pp crept)* **1.** *(insecte)* ramper **2.** *(voitures)* avancer au pas **3.** se glisser. ◻ *n fam* sale type *m*. ■ **creeps** *npl* • **to give sb the creeps** *fam* donner la chair de poule à qqn.

creeper ['kriːpər] *n* plante *f* grimpante.

creepy ['kriːpɪ] *adj fam* qui donne la chair de poule.

creepy-crawly [-'krɔːlɪ] *(pl creepy-crawlies)* *n fam* bestiole *f* qui rampe.

cremate [krɪ'meɪt] *vt* incinérer.

cremation [krɪ'meɪʃn] *n* incinération *f*.

crematorium (UK) [,kremə'tɔːrɪəm] *(pl -riums ou -ria)*, **crematory** (US) ['kremətrɪ] *n* crématorium *m*.

crème de la crème ['kremdəlæ'krem] *n* • **the crème de la crème** le gratin, le dessus du panier.

crêpe [kreɪp] *n* **1.** crêpe *m* **2.** CULIN crêpe *f*.

crêpe bandage *n* (UK) bande *f* Velpeau®.

crêpe paper *n (indén)* papier *m* crépon.

crept [krept] *passé & pp* → **creep**.

crescendo [krɪ'ʃendəʊ] *(pl -s)* *n* crescendo *m*.

crescent ['kresnt] *n* **1.** croissant **2.** (UK) rue *f* en demi-cercle.

cress [kres] *n* cresson *m*.

crest [krest] *n* **1.** crête *f* **2.** timbre *m (sur des armoiries)*.

crestfallen ['krest,fɔːln] *adj* découragé.

Crete [kriːt] *n* Crète *f*.

cretin ['kretɪn] *n fam* crétin *m*, -e *f*.

cretinous ['kretɪnəs] *adj fig* MÉD crétin.

Creutzfeldt-Jakob disease [,krɔɪtsfelt'jækɒb-] *n* maladie *f* de Creutzfeldt-Jakob.

crevice ['krevɪs] *n* fissure *f*.

crew [kruː] *n* **1.** équipage *m* **2.** équipe *f* • **a film crew** une équipe de tournage.

crew cut *n* coupe *f* en brosse.

crib [krɪb] *n* **1.** lit *m* d'enfant **2.** (US) *fam* baraque *f* **3.** *fam* appart *m*.

crick [krɪk] *n* torticolis *m*.

cricket ['krɪkɪt] *n* **1.** cricket *m* **2.** grillon *m*.

crime [kraɪm] *n* crime *m* • **crimes against humanity** crimes *mpl* contre l'humanité.

criminal ['krɪmɪnl] *adj* criminel. ◻ *n* criminel *m*, -elle *f*.

criminal court *n* cour *f* d'assises.

criminal liability *n* DR responsabilité *f* pénale, majorité *f* pénale.

Criminal Records Bureau *n* organisme chargé de vérifier le casier judiciaire de personnels sensibles.

crimson ['krɪmzn] *adj* **1.** rouge foncé *(inv)* **2.** cramoisi. ◻ *n* cramoisi *m*.

cringe [krɪndʒ] *vi* **1.** avoir un mouvement de recul *(par peur)* **2.** *fam* • **to cringe (at sthg)** ne plus savoir où se mettre *(devant qqch)*.

crinkle ['krɪŋkl] *vt* froisser.

cripple ['krɪpl] *n vieilli & injur* infirme *mf*. ◻ *vt* **1.** estropier **2.** paralyser *(un pays)* **3.** endommager *(un bateau, un avion)*.

crisis ['kraɪsɪs] *(pl crises* ['kraɪsiːz]*) n* crise *f*.

crisp [krɪsp] *adj* **1.** croustillant **2.** croquant **3.** *(neige)* craquant **4.** *(air)* vif, vive *f*. ■ **crisps** *npl* (UK) chips *fpl*.

crispness ['krɪspnɪs] *n* **1.** *(d'un aliment, du papier)* craquant *m* **2.** *(des draps, du temps)* fraîcheur *f*; *(d'un vin)* caractère *m* vif.

crispy ['krɪspɪ] *(comp crispier, superl crispiest)* *adj* **1.** croustillant **2.** croquant.

crisscross ['krɪskrɒs] *adj* entrecroisé. ◻ *vt* entrecroiser.

criterion [kraɪ'tɪərɪən] *(pl -rions ou -ria)* *n* critère *m*.

critic ['krɪtɪk] *n* **1.** critique *mf* • **she's a film critic** elle est critique de cinéma **2.** détracteur *m*, -trice *f*.

critical ['krɪtɪkl] *adj* critique • **to be critical of sb/stng** critiquer qqn/qqch.

critically ['krɪtɪklɪ] *adv* **1.** gravement • **critically important** d'une importance capitale **2.** de façon critique.

criticism ['krɪtɪsɪzm] *n* critique *f*.

criticize, -ise (UK) ['krɪtɪsaɪz] *vt* & *vi* critiquer.

CRM *n* abrév de **customer relations management.**

croak [krəʊk] *vi* **1.** (grenouille) coasser **2.** (corbeau) croasser **3.** parler d'une voix rauque.

Croat ['krəʊæt], **Croatian** [krəʊ'eɪʃn] *adj* croate. ❏ *n* **1.** Croate *mf* **2.** croate *m*.

Croatia [krəʊ'eɪʃə] *n* Croatie *f*.

crochet ['krəʊʃeɪ] *n* crochet *m* (pour tricot ou dentelle).

crockery ['krɒkərɪ] *n* vaisselle *f*.

crockpot ['krɒkpɒt] *n* mijoteuse *f*.

crocodile ['krɒkədaɪl] (*pl inv* ou **-s**) *n* crocodile *m*.

crocus ['krəʊkəs] (*pl* **-es**) *n* crocus *m*.

croft [krɒft] *n* (UK) petite ferme *f* (particulièrement en Écosse).

croissant *n* croissant *m*.

crony ['krəʊnɪ] *n fam* copain *m*, copine *f*.

crook [krʊk] *n* **1.** escroc *m* **2.** pliure *f* (du bras, du coude) **3.** houlette *f*.

crooked ['krʊkɪd] *adj* **1.** courbé **2.** de travers **3.** *fam* malhonnête.

crop [krɒp] *n* **1.** AGRIC culture *f* **2.** récolte *f* **3.** cravache *f*. ◼ **crop up** *vi* survenir.

cropped ['krɒpt] *adj* • **cropped hair** cheveux coupés ras • **cropped trousers** pantacourt *m*.

croquette [krɒ'ket] *n* croquette *f*.

cross [krɒs] *adj* **1.** fâché **2.** méchant • **to get cross (with sb)** se fâcher (contre qqn). ❏ *n* **1.** croix *f* **2.** croisement *m*. ❏ *vt* **1.** traverser • **the bridge crosses the river at Orléans** le pont franchit *ou* enjambe le fleuve à Orléans **2.** croiser (les bras, les jambes) **3.** (UK) barrer (un chèque). ❏ *vi* **1.** traverser • **she crossed (over) to the other side of the road** elle a traversé la route **2.** se croiser. ◼ **cross off, cross out** *vt sép* rayer • **to cross a name off a list** rayer un nom d'une liste.

crossbar ['krɒsbɑːr] *n* **1.** SPORT barre *f* transversale **2.** barre *f*.

cross-border *adj* transfrontalier.

cross-Channel *adj* transManche.

cross-country *adj* • **cross-country running** cross *m* • **cross-country skier** fondeur *m*, -euse *f* • **cross-country skiing** ski *m* de fond. ❏ *n* cross-country *m*, cross *m*.

cross-cultural *adj* interculturel.

cross-curricular *adj* pluridisciplinaire.

cross-dresser *n* travesti *m*.

cross-examine *vt* **1.** DR faire subir un contre-interrogatoire à **2.** *fig* questionner de près.

cross-eyed [-aɪd] *adj* qui louche.

crossfire ['krɒs,faɪər] *n* (indén) feu *m* croisé.

crossing ['krɒsɪŋ] *n* **1.** passage *m* clouté **2.** passage *m* à niveau **3.** traversée *f*.

crossing guard *n* (US) employé municipal qui fait traverser les enfants.

cross-legged [-legd] *adv* (s'asseoir) en tailleur.

cross-purposes *npl* • **to talk at cross-purposes** ne pas parler de la même chose • **to be at cross-purposes** ne pas être sur la même longueur d'ondes.

cross-refer *vt* & *vi* renvoyer.

cross-reference *n* renvoi *m*.

crossroads ['krɒsrəʊdz] (*pl inv*) *n* croisement *m*.

cross-section *n* **1.** coupe *f* transversale **2.** échantillon *m*.

crosswalk ['krɒswɔːk] *n* (US) passage *m* clouté, passage pour piétons.

crossways ['krɒsweɪz] = **crosswise**.

crosswind ['krɒswɪnd] *n* vent *m* de travers.

crosswise ['krɒswaɪz] *adv* en travers.

crossword (puzzle) ['krɒswɜːd-] *n* mots croisés *mpl*.

crotch [krɒtʃ] *n* entrejambe *m*.

crotchety ['krɒtʃɪtɪ] *adj* (UK) *fam* grognon.

crouch [kraʊtʃ] *vi* s'accroupir.

crow [krəʊ] *n* corbeau *m* • **as the crow flies** à vol d'oiseau. ❏ *vi* **1.** chanter **2.** *fam* frimer.

crowbar ['krəʊbɑːr] *n* pied-de-biche *m*.

crowd [kraʊd] *n* foule *f*. ❏ *vi* s'amasser. ❏ *vt* **1.** remplir **2.** entasser.

crowded ['kraʊdɪd] *adj* • **crowded (with)** bondé (de), plein (de).

crowdpuller ['kraʊd,pʊlər] *n* (UK) *fam* • **his play is a real crowdpuller** sa pièce attire les foules.

crown [kraʊn] *n* **1.** couronne *f* **2.** sommet *m* **3.** fond *m* (d'un chapeau). ❏ *vt* couronner. ◼ **Crown** *n* • **the Crown** la Couronne.

crown jewels *npl* joyaux *mpl* de la Couronne.

crown prince *n* prince *m* héritier.

Crown Prosecution Service *npr* • **the Crown Prosecution Service** DR organisme public qui décide si les affaires doivent être portées devant les tribunaux en Angleterre et au pays de Galles ; ≃ le parquet.

crow's feet *npl* pattes *fpl* d'oie.

crucial ['kruːʃl] *adj* crucial.

crucially ['kruːʃlɪ] *adv* de façon cruciale • **crucially important** d'une importance cruciale.

crucifix ['kruːsɪfɪks] *n* crucifix *m*.

Crucifixion [,kruːsɪ'fɪkʃn] *n* • **the Crucifixion** la crucifixion.

crude [kruːd] *adj* **1.** (matériau) brut **2.** (plaisanterie, dessin) grossier.

crude oil *n* (indén) brut *m*.

cruel [krʊəl] *adj* cruel.

cruelty ['krʊəltɪ] *n* (indén) cruauté *f*.

cruet [ˈkruːɪt] n service m à condiments.

cruise [kruːz] n croisière f. □ vi **1.** NAUT croiser **2.** (voiture) rouler **3.** (avion) voler.

cruiser [ˈkruːzə*r*] n **1.** croiseur m **2.** yacht m de croisière.

cruising [ˈkruːzɪŋ] n **1.** croisière f, croisières fpl **2.** (locution) • **cruising altitude** altitude f de croisière • **cruising holiday** croisière f • **cruising speed** vitesse f de croisière.

crumb [krʌm] n miette f.

crumble [ˈkrʌmbl] n crumble m (aux fruits). □ vt émietter. □ vi **1.** (pain, fromage) s'émietter **2.** (bâtiment, mur) s'écrouler **3.** (falaise) s'ébouler **4.** (plâtre) s'effriter **5.** fig (société) s'effondrer.

crumbly [ˈkrʌmblɪ] adj friable.

crummy [ˈkrʌmɪ] (comp crummier, superl crummiest) adj fam minable.

crumpet [ˈkrʌmpɪt] n petite crêpe f épaisse.

crumple [ˈkrʌmpl] vt froisser.

crumpled [ˈkrʌmpld] adj froissé • **to be lying in a crumpled heap a)** (vêtements) être jeté en boule **b)** (personne) être recroquevillé par terre.

crumple zone n AUTO zone f d'absorption.

crunch [krʌntʃ] n **1.** crissement m **2.** fam • **to have a crunch on** être surchargé **3.** (en sport) redressement m assis **4.** (locution) • **if it comes to the crunch** fam s'il le faut • **when it comes to the crunch** fam au moment crucial. □ vt croquer. □ vi (neige, gravier) crisser.

crunched [krʌntʃd] adj fam très occupé • **how crunched are you?** tu as beaucoup de travail ?

crunchy [ˈkrʌntʃɪ] adj **1.** croquant **2.** (us) fam branché bio.

crunk [krʌŋk] n MUS crunk m (variété de rap).

crusade [kruːˈseɪd] n littéraire & fig croisade f.

crush [krʌʃ] n **1.** foule f **2.** fam • **to have a crush on sb** avoir le béguin pour qqn. □ vt **1.** écraser **2.** broyer **3.** piler (de la glace) **4.** fig anéantir (des espoirs).

crust [krʌst] n croûte f.

crusty [ˈkrʌstɪ] (comp crustier, superl crustiest) adj **1.** croustillant **2.** grincheux.

crutch [krʌtʃ] n **1.** béquille f **2.** fig soutien m.

crux [krʌks] n nœud m.

cry [kraɪ] n cri m. □ vi **1.** pleurer **2.** crier **3.** (locution) • **to cry into one's beer** (us) fam pleurer sur son sort. • **cry out** vt crier. □ vi **1.** crier **2.** pousser un cri.

crybaby [ˈkraɪˌbeɪbɪ] (pl -ies) n fam & péj pleurnicheur m, -euse f.

cryptic [ˈkrɪptɪk] adj mystérieux, énigmatique.

crystal [ˈkrɪstl] n cristal m.

crystal ball n boule f de cristal.

crystal clear adj clair comme de l'eau de roche.

CS gas n (indén) gaz m lacrymogène.

CT scan n = CAT scan.

CU SMS (abrév de see you) @+.

CU@ SMS abrév de **see you at.**

cub [kʌb] n **1.** petit m (d'un animal) **2.** (scoutisme) louveteau m.

Cuba [ˈkjuːbə] n Cuba.

Cuban [ˈkjuːbən] adj cubain. □ n Cubain m, -e f.

cubbyhole [ˈkʌbɪhəʊl] n cagibi m.

cube [kjuːb] n **1.** cube m **2.** (abrév de cubicle) poste m de travail. □ vt MATH élever au cube.

cube farm n fam bureau m open-space.

cubic [ˈkjuːbɪk] adj cubique.

cubicle [ˈkjuːbɪkl] n cabine f.

CUB L8R SMS abrév de **call you back later.**

Cub Scout n louveteau m.

cuckoo [ˈkʊkuː] n coucou m.

cuckoo clock n coucou m.

cucumber [ˈkjuːkʌmbə*r*] n concombre m.

cuddle [ˈkʌdl] n caresse f, câlin m. □ vt caresser, câliner. □ vi se faire un câlin, se câliner.

cuddly toy n jouet m en peluche.

cue [kjuː] n **1.** RADIO, TV & THÉÂTRE signal m • **on cue** au bon moment **2.** queue f (de billard).

cuff [kʌf] n **1.** poignet m • **off the cuff** au pied levé **2.** gifle f.

cuff link n bouton m de manchette.

cuisine [kwɪˈziːn] n cuisine f.

CUL SMS (abrév de see you later) @+.

CUL8R SMS (abrév de see you later) @+.

cul-de-sac [ˈkʌldəsæk] n cul-de-sac m.

culinary [ˈkʌlɪnərɪ] adj culinaire.

cull [kʌl] n massacre m. □ vt **1.** massacrer **2.** recueillir.

culminate [ˈkʌlmɪneɪt] vi • **to culminate in sthg** se terminer par qqch, aboutir à qqch.

culmination [ˌkʌlmɪˈneɪʃn] n apogée m.

culottes [kjuːˈlɒts] npl jupe-culotte f.

culpable [ˈkʌlpəbl] adj coupable.

culprit [ˈkʌlprɪt] n coupable mf.

cult [kʌlt] n **1.** culte m **2.** • **to be a bit of a cult** susciter un véritable engouement. □ en apposition culte • **cult film** film-culte.

cultivate [ˈkʌltɪveɪt] vt cultiver.

cultivation [ˌkʌltɪˈveɪʃn] n (indén) culture f.

cultural [ˈkʌltʃərəl] adj culturel.

cultural anthropology n culturologie f.

culture [ˈkʌltʃə*r*] n culture f.

cultured [ˈkʌltʃəd] adj cultivé.

culture shock n choc m culturel.

cumbersome [ˈkʌmbəsəm] adj encombrant.

cumulative [ˈkjuːmjʊlətɪv] adj cumulatif.

cunning [ˈkʌnɪŋ] adj **1.** astucieux, malin **2.** rusé, fourbe. □ n (indén) **1.** finesse f, astuce f **2.** péj ruse f, fourberie f **3.** habileté f, adresse f.

cup [kʌp] n **1.** tasse f **2.** (prix, concours) coupe f **3.** bonnet m (de soutien-gorge) **4.** (us) SPORT protège-sexe m.

cupboard ['kʌbəd] n placard m.

cupcake [kʌpkeɪk] n **1.** (us) petit gâteau m **2.** mon chou, ma puce.

cup final n SPORT finale f de la coupe • **the Cup Final (UK)** la finale de la Coupe de football.

cup tie n (UK) match m de coupe.

curable ['kjʊərəbl] adj curable, guérissable.

curate ['kjʊərət] n (UK) vicaire m.

curator [,kjʊə'reɪtər] n conservateur m, -trice f.

curb [kɜːb] n **1.** • **curb (on)** frein m (à) **2.** (us) bord m du trottoir. □ vt mettre un frein à.

curdle ['kɜːdl] vi cailler.

cure [kjʊər] n • **cure (for)** remède m (contre) **b)** fig remède m (à). □ vt **1.** guérir **2.** CULIN fumer ; saler ; sécher.

cure-all n panacée f.

curfew ['kɜːfjuː] n couvre-feu m.

curio ['kjʊərɪəʊ] (pl **-s**) n bibelot m.

curiosity [,kjʊərɪ'ɒsətɪ] n curiosité f.

curious ['kjʊərɪəs] adj • **curious (about)** curieux (à propos de).

curiously ['kjʊərɪəslɪ] adv **1.** avec curiosité **2.** curieusement • **curiously enough** curieusement, chose curieuse.

curl [kɜːl] n boucle f (de cheveux). □ vt **1.** (cheveux) boucler **2.** enrouler. □ vi **1.** boucler **2.** s'enrouler. ■ **curl up** vi se mettre en boule, se pelotonner.

curler ['kɜːlər] n bigoudi m.

curling iron n (us) fer m à friser.

curling tongs npl (UK) fer m à friser.

curly ['kɜːlɪ] adj bouclé.

currant ['kʌrənt] n raisin m de Corinthe, raisin sec.

currency ['kʌrənsɪ] n **1.** monnaie f **2.** (indén) devise f.

current ['kʌrənt] adj **1.** actuel • **the current fashion** la mode actuelle **2.** en cours **3.** (petit(e) ami(e)) du moment **4.** PRESSE • **current issue** dernier numéro. □ n (eau, air, électricité) courant m.

current account n (UK) compte m courant.

current affairs npl actualité f, questions fpl d'actualité.

currently ['kʌrəntlɪ] adv actuellement.

curriculum [kə'rɪkjələm] (pl **-lums** ou **-la**) n programme m d'études.

curriculum vitae [-'viːtaɪ] (pl **curricula vitae**) n curriculum vitae m.

curry ['kʌrɪ] n curry m.

curry powder n poudre f de curry.

curse [kɜːs] n **1.** malédiction f **2.** fig fléau m **3.** juron m. □ vt maudire □ vi jurer.

curse word n (us) juron m.

cursor ['kɜːsər] n curseur m.

cursory ['kɜːsərɪ] adj superficiel.

curt [kɜːt] adj brusque.

curtail [kɜː'teɪl] vt écourter.

curtain ['kɜːtn] n rideau m • **to draw the curtains** tirer les rideaux.

curtain call n rappel m.

curtain wall n mur-rideau m.

curts(e)y ['kɜːtsɪ] n révérence f. □ vi (prét & pp **curtsied**) faire une révérence.

curve [kɜːv] n courbe f. □ vi faire une courbe.

curveball ['kɜːvbɔːl] n (us) balle f coupée • **to throw sb a curveball** fig prendre qqn de court.

curve grading ['kɜːv ˌgreɪdɪŋ] n (us) SCOL système de notation relative tenant compte des performances des élèves de la classe.

cushion ['kʊʃn] n coussin m. □ vt amortir.

cushy ['kʊʃɪ] adj fam pépère, peinard.

custard ['kʌstəd] n CULIN crème f anglaise.

custodian [kʌ'stəʊdjən] n **1.** gardien m, -enne f **2.** conservateur m (d'un musée).

custody ['kʌstədɪ] n **1.** garde f **2.** DR • **in custody** en garde à vue.

custom ['kʌstəm] n **1.** coutume f **2.** clientèle f. □ adj sur mesure • **custom ringtone** sonnerie f sur mesure. ■ **customs** n douane f.

customarily [,kʌstə'merəlɪ] adv d'habitude.

customary ['kʌstəmrɪ] adj **1.** coutumier **2.** habituel.

custom-built adj fait sur commande ou mesure.

customer ['kʌstəmər] n **1.** client m, -e f **2.** fam type m.

customer-focused adj orienté client • **we must be more customer-focused** il faut que nous soyons davantage à l'écoute de nos clients.

customer relations management n gestion f des relations clients.

customer services npl service m clientèle • **customer services advisor** conseiller m, -ère f clientèle.

customizable ['kʌstəmaɪzəbəl] adj qui peut être personnalisé.

customization [,kʌstəmaɪ'zeɪʃən] n personnalisation f.

customize, -ise (UK) ['kʌstəmaɪz] vt fabriquer ou assembler sur commande.

Customs and Excise n (UK) ≃ service m des contributions indirectes.

customs duty n droit m de douane.

customs officer n douanier m, -ère f.

cut [kʌt] n **1.** entaille f **2.** coupure f **3.** morceau m **4.** • **cut (in) a)** réduction f (de) **b)** coupure f (dans un film, un article) • **budget cuts** compressions fpl budgétaires **5.** coupe f (de cheveux, d'un costume). □ vt (prét & pp **cut**) couper. □ vi (prét

& *pp* cut) **1.** couper **2.** se couper. ■ **cut back** *vt sép* **1.** tailler **2.** réduire. ❏ *vi* • **to cut back on** réduire, diminuer. ■ **cut down** *vt sép* **1.** couper **2.** réduire, diminuer. ❏ *vi* • **to cut down on spending** dépenser moins. ■ **cut in** *vi* **1.** • **to cut in (on sb)** interrompre (qqn) **2.** *AUTO & SPORT* se rabattre. ■ **cut off** *vt sép* **1.** couper **2.** amputer **3.** • **to be cut off (from) a)** être coupé (de) **b)** être isolé (de). ■ **cut out** *vt sép* **1.** découper **2.** *COUT* couper **3.** *COUT* tailler **4.** • **to cut out smoking** arrêter de fumer • **cut it out!** *fam* ça suffit ! **5.** exclure. ■ **cut up** *vt sép* **1.** couper, hacher **2. (us)** • **that really cut me up!** ça m'a fait rire !

cut-and-dried *adj* tout fait, toute faite *f*.

cutback ['kʌtbæk] *n* • **cutback (in)** réduction *f* (de).

cute [kjuːt] *adj* mignon.

cutesy ['kjuːtsɪ] *adj fam & péj* mièvre.

cuticle ['kjuːtɪkl] *n* envie *f*.

cutlery ['kʌtlərɪ] *n* (*indén*) couverts *mpl*.

cutlet ['kʌtlɪt] *n* côtelette *f*.

cutoff (point) ['kʌtɒf-] *n* limite *f*.

cutout ['kʌtaʊt] *n* **1.** disjoncteur *m* **2.** découpage *m*.

cut-price (uk), cut-rate (us) *adj* à prix réduit.

cutthroat ['kʌtθrəʊt] *adj* acharné.

cutting ['kʌtɪŋ] *adj* **1.** cinglant **2.** acerbe. ❏ *n* **1.** bouture *f* **2. (uk)** coupure *f* (*de presse*) **3. (uk)** tranchée *f*.

cutting-edge *adj* (*technologie*) de pointe.

CV (abrév de curriculum vitae) *n* CV *m*.

CYA *SMS* (abrév de see you around *ou* see ya) @+.

cyanide ['saɪənaɪd] *n* cyanure *m*.

cyberbanking ['saɪbə,bæŋkɪŋ] *n INFORM* transactions *fpl* bancaires en ligne.

cyberbully ['saɪbəbʊlɪ] *n* cyber-agresseur *m*.

cyberbullying ['saɪbəbʊlɪɪŋ] *n* cyber-agression *f*.

cybercafé ['saɪbə,kæfeɪ] *n* cybercafé *m*.

cyberchondria [,saɪbə'kɒndrɪə] *n fam* comportement hypochondriaque d'internautes qui utilisent l'Internet pour s'autodiagnostiquer des maladies qu'ils n'ont pas.

cybercrime ['saɪbəkraɪm] *n* cybercriminalité *f*.

cyberculture ['saɪbə,kʌltʃə] *n* cyberculture *f*.

cybernaut ['saɪbə,nɔt] *n* internaute *mf*.

cyber shop *n* boutique *f* en ligne.

cybershopping ['saɪbəʃɒpɪŋ] *n* achats *mpl* en ligne, cybershopping *m*.

cyberspace ['saɪbəspeɪs] *n* cyberespace *m*.

cybersquatter ['saɪbəskwɒtə] *n* cybersquatter *m*, -euse *f*.

cyberstalking ['saɪbəstɔːkɪŋ] *n* harcèlement *m* en ligne, cyber-harcèlement *m*.

cyber store = cyber shop.

cybersurfer ['saɪbə,sɜːfə] *n* internaute *mf*.

cycle ['saɪkl] *n* **1.** cycle *m* **2.** bicyclette *f*, vélo *m*. ❏ *en apposition* **1.** (*piste*) cyclable **2.** (*course*) cycliste **3.** (*magasin*) de cycles. ❏ *vi* faire du vélo.

cycle lane *n* voie *f* cyclable.

cycleway ['saɪklweɪ] *n* (**uk**) piste *f* cyclable.

cycling ['saɪklɪŋ] *n* cyclisme *m*.

cyclist ['saɪklɪst] *n* cycliste *mf*.

cygnet ['sɪgnɪt] *n* jeune cygne *m*.

cylinder ['sɪlɪndə] *n* cylindre *m*.

cymbal ['sɪmbl] *n* cymbale *f*.

cynic ['sɪnɪk] *n* cynique *mf*.

cynical ['sɪnɪkl] *adj* cynique.

cynicism ['sɪnɪsɪzm] *n* cynisme *m*.

cypress ['saɪprəs] *n* cyprès *m*.

Cypriot ['sɪprɪət] *adj* chypriote. ❏ *n* Chypriote *mf*.

Cyprus ['saɪprəs] *n* Chypre *f*.

cyst [sɪst] *n* kyste *m*.

cystitis [sɪs'taɪtɪs] *n* cystite *f*.

czar [zɑː] *n* **1.** tsar *m* **2.** *fig* • **the government's drug(s) czar** le « Monsieur drogue » du gouvernement.

Czech [tʃek] *adj* tchèque. ❏ *n* **1.** Tchèque *mf* **2.** tchèque *m*.

Czechoslovakian [,tʃekəslə'vækɪən] *adj* tchécoslovaque. ❏ *n* Tchécoslovaque *mf*.

Czech Republic *n* République *f* tchèque.

d [diː] (pl **d's** ou **ds**), **D** (pl **D's** ou **Ds**) n d m inv, D m inv. ■ D n **1.** MUS ré m **2.** SCOL D m inv.

D&T (abrév de Design and Technology) n (UK) technologie f (matière scolaire), techno f fam.

DA abrév de **district attorney**.

dab [dæb] n **1.** petit peu m **2.** touche f. ❑ vt tamponner.

dabble ['dæbl] vi • **to dabble in** toucher un peu à.

dab hand n (UK) • **to be a dab hand (at sthg)** être doué (pour qqch).

dachshund ['dækshʊnd] n teckel m.

dad [dæd], **daddy** ['dædɪ] n fam papa m.

dadager ['dædədʒər] n père qui gère la carrière de son enfant artiste ou sportif.

daddy longlegs [-'lɒŋlegz] (pl inv) n faucheur m.

daffodil ['dæfədɪl] n jonquille f.

daft [dɑːft] adj (UK) fam stupide, idiot.

dagger ['dægər] n poignard m.

daily ['deɪlɪ] adj **1.** quotidien **2.** journalier. ■ adv quotidiennement • **twice daily** deux fois par jour • **open daily** ouvert tous les jours. ❑ n quotidien m.

dainty ['deɪntɪ] adj délicat.

dairy ['deərɪ] n **1.** laiterie f **2.** crémerie f.

dairy farm n ferme f laitière.

dairy products npl produits mpl laitiers.

dais ['deɪɪs] n estrade f.

daisy ['deɪzɪ] n **1.** (dans les champs) pâquerette f **2.** (cultivée) marguerite f.

daisy-wheel printer n imprimante f à marguerite.

dale [deɪl] n vallée f.

dalmatian [dæl'meɪʃn] n dalmatien m (race canine).

dam [dæm] n barrage m. ❑ vt construire un barrage sur.

damage ['dæmɪdʒ] n **1.** dommage m, dégât m • **to cause a lot of damage** faire beaucoup de dégâts **2.** tort m. ■ vt **1.** endommager, abîmer **2.** nuire à. ■ **damages** npl DR dommages et intérêts mpl.

damaging ['dæmɪdʒɪŋ] adj • **damaging (to)** préjudiciable (à).

Dame [deɪm] n (UK) titre accordé aux femmes titulaires de certaines décorations.

dammit ['dæmɪt] interj fam **1.** mince **2.** • **as near as dammit** (UK) à un cheveu près.

damn [dæm] adj fam fichu, sacré. ❑ adv fam sacrément. ❑ n fam • **not to give** ou **care a damn** se ficher pas mal. ❑ vt damner. ❑ interj fam zut !

damned [dæmd] fam adj fichu, sacré • **well I'll be** (US) ou **I'm damned!** (UK) c'est trop fort !, elle est bien bonne celle-là ! ❑ adv sacrément.

damnedest ['dæmdəst] fam n • **to do one's damnedest to do sthg** faire tout ce qu'on peut pour faire qqch. ❑ adj (US) incroyable.

damning ['dæmɪŋ] adj accablant.

damp [dæmp] adj humide. ❑ n humidité f. ❑ vt humecter. ■ **damp down** vt sép **1.** contenir, maîtriser (violence, soulèvement) **2.** refroidir (des ardeurs).

dampen ['dæmpən] vt **1.** humecter **2.** fig abattre (décourager).

damper ['dæmpər] n **1.** étouffoir m (piano) **2.** registre m (protection incendie) **3.** • **to put a damper on sthg** jeter un froid sur qqch.

dampness ['dæmpnɪs] n humidité f.

damson ['dæmzn] n prune f de Damas.

dance [dɑːns] n **1.** danse f **2.** bal m. ❑ vi danser.

dance floor n piste f de danse.

dancer ['dɑːnsər] n danseur m, -euse f.

dancing ['dɑːnsɪŋ] n (indén) danse f.

dandelion ['dændɪlaɪən] n pissenlit m.

dandruff ['dændrʌf] n (indén) pellicules fpl.

Dane [deɪn] n Danois m, -e f.

danger ['deɪndʒər] n • **danger (to)** risque m (pour) • **to be in danger of doing sthg** risquer de faire qqch.

danger money n (indén) (UK) prime f de risque.

dangerous ['deɪndʒərəs] adj dangereux.

danger zone n zone f dangereuse.

dangle ['dæŋgl] vt laisser pendre. ❑ vi pendre.

Danish ['deɪnɪʃ] adj danois. ❑ n **1.** danois m **2. (us)** = Danish pastry. ❑ npl • **the Danish** les Danois mpl.

Danish pastry n gâteau feuilleté fourré aux fruits.

dank [dæŋk] adj humide et froid (cave, forêt).

dapper ['dæpə] adj pimpant.

dappled ['dæpld] adj **1.** tacheté **2.** (cheval, ciel) pommelé.

dare [deə] vt **1.** • **to dare to do sthg** oser faire qqch **2.** • **to dare sb to do sthg** défier qqn de faire qqch. ❑ vi oser. ❑ n défi m.

daredevil ['deə,devl] n casse-cou m inv.

daring ['deərɪŋ] adj audacieux. ❑ n audace f.

dark [dɑːk] adj **1.** sombre • **it's getting dark** il commence à faire nuit **2.** foncé **3.** (cheveux) brun **4.** basané. ❑ n **1.** • **the dark** l'obscurité f **2.** • **before/after dark** avant/après la tombée de la nuit.

darken ['dɑːkn] vt assombrir. ❑ vi s'assombrir.

dark glasses npl lunettes fpl noires.

darkness ['dɑːknɪs] n obscurité f.

darkroom ['dɑːkrʊm] n chambre f noire.

dark-skinned adj à la peau foncée.

darling ['dɑːlɪŋ] adj chéri. ❑ n **1.** chéri m, -e f **2.** chouchou m **3.** idole f.

darn [dɑːn] vt repriser. ❑ adj fam sacré, satané. ❑ adv fam sacrément.

dart [dɑːt] n fléchette f. ❑ vi se précipiter. ■ **darts** n jeu m de fléchettes.

dartboard ['dɑːtbɔːd] n cible f de jeu de fléchettes.

dash [dæʃ] n **1.** goutte f **2.** soupçon m **3.** pincée f **4.** touche (de couleur, de peinture) f **5.** (ponctuation) tiret m **6.** • **to make a dash for** se ruer vers. ❑ vi se précipiter. ■ **dash off** vt sép écrire en vitesse.

dashboard ['dæʃbɔːd] n tableau m de bord.

dashing ['dæʃɪŋ] adj fringant.

data ['deɪtə] n (indén) données fpl.

data bank n banque f de données.

database ['deɪtəbeɪs] n base f de données.

data capture n saisie f de données.

data processing n traitement m de données.

data protection n protection f de l'information.

date [deɪt] n **1.** date f • **what's your date of birth?** quelle est votre date de naissance ? • **what's the date today?** quel jour sommes-nous ? • **to date** à ce jour **2.** rendez-vous m inv **3.** petit ami m, petite amie f **4.** datte f. ❑ vt **1.** dater **2.** sortir avec.

dated ['deɪtɪd] adj qui date.

date of birth n date f de naissance.

date rape n viol commis par une personne connue de la victime.

daub [dɔb] vt • **to daub sthg with sthg** barbouiller qqch de qqch.

daubing ['dɔːbɪŋ] n **1.** peinture f **2.** croûte f **3.** graffitis mpl.

daughter ['dɔːtə] n fille f.

daughter-in-law (pl daughters-in-law) n belle-fille f.

daunting ['dɔːntɪŋ] adj intimidant.

dawdle ['dɔːdl] vi flâner.

dawdler ['dɔːdlə] n lambin m, -e f, traînard m, -e f.

dawn [dɔːn] n littéraire & fig aube f. ❑ vi **1.** (jour) poindre **2.** (ère, époque) naître. ■ **dawn (up)on** vt insép venir à l'esprit de.

day [deɪ] n **1.** jour m • **the day before** la veille • **the day after** le lendemain • **the day before yesterday** avant-hier • **the day after tomorrow** après-demain • **any day now** d'un jour à l'autre • **one day, some day, one of these days** un jour (ou l'autre), un de ces jours • **from day one** dès le premier jour **2.** journée f **3.** (locution) • **to make sb's day** réchauffer le cœur de qqn.

day-blind adj héméralope.

daybreak ['deɪbreɪk] n aube f • **at daybreak** à l'aube.

day care n **1.** service m d'accueil de jour (pour personnes âgées, handicapés) **2.** service m de garderie, garderie f. ■ **day-care** adj **1.** d'accueil de jour (pour personnes âgées, handicapés) **2.** de garderie.

day cream n crème f de jour.

daydream ['deɪdriːm] vi rêvasser.

day for night n nuit f américaine.

daylight ['deɪlaɪt] n **1.** lumière f du jour **2.** aube f.

daylight robbery n • **that's daylight robbery (UK)** fam c'est du vol manifeste.

daylight saving time n heure f d'été.

day off (pl days off) n jour m de congé.

daypack ['deɪpæk] n petit sac à dos m (pour ses affaires de la journée).

day pupil n (UK) (élève) externe mf.

day release n (UK) jour de formation.

day return n (UK) billet aller et retour valable pour une journée.

day shift n équipe f de jour.

daytime ['deɪtaɪm] n jour m, journée f. ❑ en apposition de jour • **daytime television** émissions fpl diffusées pendant la journée.

daytime television n émissions fpl télévisées pendant la journée.

day-to-day adj journalier • **on a day-to-day basis** au jour le jour.

day trip n excursion f d'une journée.

day tripper n excursionniste mf.

daze [deɪz] n • **in a daze** hébété, ahuri. ❑ vt **1.** étourdir **2.** fig abasourdir, sidérer.

dazzle ['dæzl] vt éblouir.

dazzling ['dæzlɪŋ] adj éblouissant.

DC (abrév de direct current) n courant m continu.

DCSF npr abrév de **Department for Children, Schools and Families**.

D-day, D-Day ['diːdeɪ] n fig le jour J.

D/D abrév de **direct debit**.

DEA (abrév de Drug Enforcement Administration) n agence américaine de lutte contre la drogue.

deacon ['diːkn] n diacre m.

deactivate [,diː'æktɪveɪt] vt désamorcer.

dead [ded] adj **1.** mort **2.** engourdi **3.** (batterie) à plat **4.** de mort • **a dead body** un cadavre m. ❏ adv **1.** • **dead ahead** droit devant soi • **dead on time** pile à l'heure **2.** fam tout à fait **3.** • **to stop dead** s'arrêter net **4.** (locution) • **dead in the water** mort dans l'œuf • **you're dead meat!** tu es un homme mort !

dead cat bounce n brève remontée d'un marché en forte baisse.

deaden ['dedn] vt **1.** assourdir (un bruit) **2.** calmer (une douleur).

dead end n impasse f.

dead-end job n travail m sans débouchés.

dead heat n arrivée f ex-æquo.

deadline ['dedlaɪn] n dernière limite f.

deadlock ['dedlɒk] n impasse f.

deadlocked ['dedlɒkt] adj dans une impasse.

dead loss n (UK) fam • **to be a dead loss a)** être complètement nul, nulle f.

deadly ['dedlɪ] adj **1.** mortel **2.** imparable. ❏ adv tout à fait.

deadpan ['dedpæn] adj pince-sans-rire (inv). ❏ adv impassiblement.

dead ringer n fam sosie m • **to be a dead ringer for sb** être le sosie de qqn.

dead tree edition n fam édition f imprimée.

dead tree media npl fam médias mpl imprimés.

dead weight n litt &fig poids m mort.

deaf [def] adj sourd • **to be deaf to sthg** être sourd à qqch. ❏ npl • **the deaf** les sourds mpl.

deaf-and-dumb adj sourd-muet, sourde-muette f.

deafen ['defn] vt assourdir.

deafening ['defnɪŋ] adj assourdissant.

deaf-mute adj sourd-muet. ❏ n sourd-muet m, sourde-muette f.

deafness ['defnɪs] n surdité f.

deal [diːl] n **1.** marché m, affaire f • **to do ou strike a deal with sb** conclure un marché avec qqn **2.** fam • **to get a bad deal** ne pas faire une affaire **3.** • **a good ou great deal (of)** beaucoup (de) **4.** (locution) • **it's no big deal** fam ça ne fait rien. ❏ vt (prét & pp dealt) **1.** donner, distribuer **2.** • **to deal sb/sthg a blow, to deal a blow to sb/ sthg** porter un coup à qqn/qqch. ❏ vi (prét & pp dealt) **1.** donner, distribuer **2.** faire du trafic de drogue. ■ **deal in** vt insép COMM faire le commerce de. ■ **deal out** vt sép distribuer. ■ **deal with** vt insép **1.** s'occuper de **2.** traiter de **3.** traiter ou négocier avec.

dealbreaker ['diːlbreɪkər] n élément m rédhibitoire (pour l'achat d'un produit).

dealer ['diːlər] n **1.** négociant m **2.** (drogue) trafiquant m, dealer m fam **3.** donneur m.

dealing ['diːlɪŋ] n commerce m. ■ **dealings** npl relations fpl, rapports mpl.

dealt [delt] passé & pp → **deal**.

dean ['diːn] n **1.** doyen m, -e f d'université **2.** (US) ≃ CPE mf (membre de l'administration d'un lycée qui conseille les élèves et s'occupe des problèmes disciplinaires).

Dean's List n (US) tableau d'honneur dans les universités américaines.

dear [dɪər] adj • **dear (to)** cher (à) • **Dear Sir** Cher Monsieur • **Dear Madam** Chère Madame. ❏ n chéri m, -e f. ❏ interj • **oh dear!** mon Dieu !

dearly ['dɪəlɪ] adv de tout son cœur.

death [deθ] n **1.** mort f **2.** (locution) • **to frighten sb to death** faire une peur bleue à qqn • **to be sick to death of sthg/of doing sthg** en avoir marre de qqch/de faire qqch.

deathbed ['deθbed] n lit m de mort.

deathblow ['deθbləʊ] n fig coup m fatal ou mortel • **to be the deathblow for sthg** porter un coup fatal ou mortel à qqch.

death certificate n acte m de décès.

death duty (UK), **death tax** (US) n droits mpl de succession.

deathly ['deθlɪ] adj de mort.

death penalty n peine f de mort.

death rate n taux m de mortalité.

death row n (US) quartier m des condamnés à mort.

death sentence n condamnation f à mort.

death tax (US) n = **death duty**.

death throes [-ˌrəʊz] npl **1.** agonie f **2.** agoniser, être agonisant • **to be in its death throes** fig (projet, affaires) agoniser, être agonisant.

death toll n nombre m de morts.

death trap n fam véhicule m /bâtiment m dangereux.

death wish n désir m de mort.

débâcle, debacle [deɪ'bɑːkl] n débâcle f.

debar [diː'bɑːr] vt • **to debar sb (from)** exclure qqn (de) • **to debar sb from doing sthg** interdire à qqn de faire qqch.

debase [dɪ'beɪs] vt dégrader • **to debase o.s.** s'avilir.

debatable [dɪ'beɪtəbl] adj discutable, contestable.

debate [dɪ'beɪt] n débat m • **open to debate** discutable. ❑ vt débattre, discuter • **to debate whether** s'interroger pour savoir si.

debating society [dɪ'beɪtɪŋ-] n (UK) club m de débats.

debauchery [dɪ'bɔtʃərɪ] n débauche f.

debeard [ˌdiː'bɪəd] vt nettoyer (des poissons, des fruits de mer).

debilitating [dɪ'bɪlɪteɪtɪŋ] adj débilitant.

debit ['debɪt] n débit m. ❑ vt débiter.

debit account n compte m débiteur.

debit card n carte f de paiement à débit immédiat.

debit note n note f de débit.

debrief [ˌdiː'briːf] vt faire faire un compte-rendu de mission à.

debris ['deɪbriː] n (indén) débris mpl.

debt [det] n dette f • **to be in sb's debt** être redevable à qqn • **to be in debt** avoir des dettes, être endetté.

debt collector n agent m de recouvrements.

debtor ['detə'] n débiteur m, -trice f.

debt rescheduling, debt restructuring n rééchelonnement m de la dette.

debt-ridden adj criblé de dettes.

debt trap n piège m de la dette.

debug [ˌdiː'bʌɡ] vt INFORM mettre au point, déboguer.

debunk [ˌdiː'bʌŋk] vt démentir.

debut ['deɪbjuː] n débuts mpl • **debut performance** première apparition f.

Dec. (abrév de December) déc.

decade ['dekeɪd] n décennie f.

decadence ['dekədəns] n décadence f.

decadent ['dekədənt] adj décadent.

decaf(f) ['diːkæf] n fam déca m.

decaffeinated [dɪ'kæfɪneɪtɪd] adj décaféiné.

decamp [dɪ'kæmp] vi fam décamper, filer.

decanter [dɪ'kæntə'] n carafe f.

decapitate [dɪ'kæpɪteɪt] vt décapiter.

decathlon [dɪ'kæθlɒn] n décathlon m.

decay [dɪ'keɪ] n 1. pourriture f, putréfaction f 2. (dent) carie f 3. fig délabrement m 4. fig décadence f. ❑ vi 1. pourrir 2. se carier 3. fig se délabrer, tomber en ruine 4. tomber en décadence.

deceased [dɪ'siːst] adj décédé. ❑ n (pl inv) • **the deceased** le défunt, la défunte.

decedent [dɪ'siːdənt] n (US) défunt m.

deceit [dɪ'siːt] n tromperie f, supercherie f.

deceitful [dɪ'siːtful] adj trompeur.

deceive [dɪ'siːv] vt 1. tromper, duper • **to deceive o.s.** se leurrer, s'abuser 2. (mémoire) jouer des tours à.

December [dɪ'sembə'] n décembre m. Voir aussi September.

decency ['diːsnsɪ] n décence f, bienséance f • **to have the decency to do sthg** avoir la décence de faire qqch.

decent ['diːsnt] adj 1. (tenue, comportement) décent 2. (salaire, repas) correct, décent 3. (personne) gentil, brave.

decently ['diːsntlɪ] adv 1. décemment, convenablement 2. correctement (de manière appropriée).

decentralization [diːˌsentrəlaɪ'zeɪʃn] n décentralisation f.

decentralize, -ise (UK) [ˌdiː'sentrəlaɪz] vt décentraliser.

decent-sized adj de bonnes dimensions (pour une pièce, un bâtiment).

deception [dɪ'sepʃn] n 1. tromperie f, duperie f 2. (indén) supercherie f.

deceptive [dɪ'septɪv] adj trompeur.

deceptively [dɪ'septɪvlɪ] adv en apparence.

decide [dɪ'saɪd] vt décider • **to decide to do sthg** décider de faire qqch. ❑ vi se décider. ■ **decide (up)on** vt insép se décider pour, choisir.

decided [dɪ'saɪdɪd] adj 1. certain, incontestable 2. décidé, résolu.

decidedly [dɪ'saɪdɪdlɪ] adv 1. manifestement, incontestablement 2. résolument.

decider [dɪ'saɪdə'] n 1. but m décisif 2. point m décisif 3. match m décisif, rencontre f décisive 4. facteur m décisif.

deciding [dɪ'saɪdɪŋ] adj • **deciding vote** vote m décisif.

deciduous [dɪ'sɪdjʊəs] adj à feuilles caduques.

decimal ['desɪml] adj décimal. ❑ n décimale f.

decimal point n virgule f.

decimate ['desɪmeɪt] vt décimer.

decipher [dɪ'saɪfə'] vt déchiffrer.

decision [dɪ'sɪʒn] n décision f • **to make a decision** prendre une décision.

decision-maker n décideur m, -euse f, décisionnaire mf.

decision-making n prise f de décisions.

decisive [dɪ'saɪsɪv] adj 1. déterminé, résolu 2. décisif.

decisively [dɪ'saɪsɪvlɪ] adv 1. (parler) d'un ton décidé 2. (agir) avec décision.

decisiveness [dɪ'saɪsɪvnɪs] n fermeté f, résolution f.

deck [dek] n 1. pont m (d'un bateau) 2. étage m (d'un gros avion) 3. jeu m (de cartes).

deckchair ['dektʃeə'] n chaise f longue, transat m.

-decker ['dekə'] suffixe • **double-decker bus** bus m à impériale • **double-decker sandwich** sandwich m double.

decking ['dekɪŋ] n 1. terrasse f en bois 2. caillebotis m.

declaration [ˌdeklə'reɪʃn] n déclaration f.

deferred

584

déchéance
(d'un lieu).
ation d'indépen-
76).

adant, avi-
vt décliner • to
faire qqch. ❏ vi

plôme m
érémonie
certain de-
degree of
truth une
progres-

encombrer.
ler.
ʃn] vt mettre hors

oz] vi se décomposer.
ʒestɑ̃] n déconges-

mercier

ɔ] vt dés-

kɑ̃tæmɪneɪt] vt décon-

n ['diːkɔn,tæmɪ'neɪʃn]
f. ❏ en apposition 1. (maté-
ntamination 2. (expert) en
rata-

eɪkɔːr] n décor m.
reɪt] vt décorer.
ekə'reɪʃn] n décoration f.
dekərətɪv] adj décoratif.
ekəreɪtə] n décorateur m, -trice f.
ɔɪ] 1. (pour la chasse) appât m, leurre
te m.

n ['diːkriːs] • decrease (in) dimi-
(de), baisse f (de). ❏ vt [dɪ'kriːs]
, réduire. ❏ vi [dɪ'kriːs] diminuer, dé-

dɪ'kriː] n 1. décret m 2. (us) DR arrêt
ment m. ❏ vt décréter, ordonner.
e nisi [-'naɪsaɪ] (pl decrees nisi) n (uk)
ent m provisoire.
repit [dɪ'krepɪt] adj 1. décrépit 2. délabré.
dicate ['dedɪkeɪt] vt 1. dédier 2. consacrer
us) inaugurer.
dicated ['dedɪkeɪtɪd] adj 1. (personne) dévoué
INFORM spécialisé.
dedication [,dedɪ'keɪʃn] n 1. dévouement m
2. dédicace f.
deduce [dɪ'djuːs] vt déduire, conclure.
deducible [dɪ'djuːsəbl] adj qui peut se déduire.
deduct [dɪ'dʌkt] vt déduire, retrancher.
deductible [dɪ'dʌktəbl] adj déductible.
deduction [dɪ'dʌkʃn] n déduction f.
deed [diːd] n 1. action f, acte m 2. acte m
notarié.
deem [diːm] vt juger, considérer.
deep [diːp] adj profond. ❏ adv profondément
• deep down au fond.
deep-dish pie n (us) tourte f.
deepen ['diːpn] vi 1. (fleuve, mer) devenir profond 2. (crise, récession) s'aggraver.
deep-fat frying n cuisson f en bain de
friture.

deep freeze n congélateur m.
deep-fried adj frit.
deeply ['diːplɪ] adv profondément.
deep-pan pizza n pizza f à pâte épaisse.
deep-rooted adj 1. (préjugé) ancré, enraciné
2. (sentiment) vivace, tenace, profond.
deep-sea adj • deep-sea diving plongée f
sous-marine • deep-sea fishing pêche f hau-
turière.
deep-set adj (yeux) enfoncé.
deep-six vt (us) fam balancer • we deep-sixed
the project on a balancé cette idée de projet.
Deep South npr • the Deep South l'extrême sud
conservateur des États-Unis.
deep vein thrombosis n thrombose f vei-
neuse profonde.
deer [dɪə] n (pl inv) cerf m.
deface [dɪ'feɪs] vt barbouiller.
defamatory [dɪ'fæmətrɪ] adj diffamatoire, dif-
famant.
default [dɪ'fɔːlt] n 1. défaillance f 2. valeur f par
défaut • by default par défaut • default setting
configuration f par défaut. ❏ vi manquer à
ses engagements.
default setting n configuration f par défaut.
defeat [dɪ'fiːt] n défaite f • to admit defeat s'avouer battu ou vaincu. ❏ vt
1. vaincre, battre 2. rejeter.
defeatist [dɪ'fiːtɪst] adj & n défaitiste.
defect n ['diːfekt] défaut m. ❏ vi [dɪ'fekt] • to
defect to passer à.
defection [dɪ'fekʃn] n défection f.
defective [dɪ'fektɪv] adj défectueux.
defector [dɪ'fektə] n transfuge mf.
defence (uk), defense (us) [dɪ'fens] n 1. défense f 2. protection f 3. DR • the defence la
défense.
defenceless (uk), defenseless (us) [dɪ'fenslɪs]
adj sans défense.
defence mechanism (uk), defense mechanism (us) n mécanisme m de défense.
defend [dɪ'fend] vt défendre • to defend o.s.
se défendre.
defendant [dɪ'fendənt] n 1. défendeur
m, -eresse f 2. (dans un procès) accusé m, -e f.
defender [dɪ'fendə] n défenseur m.
defense (us) = defence.
defenseless (us) = defenceless.
defensive [dɪ'fensɪv] adj défensif. ❏ n • on the
defensive sur la défensive.
defer [dɪ'fɜː] vt différer. ❏ vi • to defer to sb
s'en remettre à (l'opinion de) qqn.
deferential [,defə'renʃl] adj respectueux.
deferred [dɪ'fɜːd] adj 1. ajourné, retardé
• deferred sentence jugement m dont le prononcé est suspendu, jugement m ajourné 2.
(paiement) différé • deferred charges frais mpl

différés **3.** à paiement différé, à jouissance différée.

defiance [dɪ'faɪəns] *n* défi *m* • **in defiance of** au mépris de.

defiant [dɪ'faɪənt] *adj* **1.** intraitable, intransigeant **2.** de défi.

defiantly [dɪ'faɪəntlɪ] *adv* d'un ton de défi.

deficiency [dɪ'fɪʃnsɪ] *n* **1.** manque *m* **2.** carence *f* **3.** imperfection *f*.

deficient [dɪ'fɪʃnt] *adj* **1.** • **to be deficient in** manquer de **2.** insuffisant, médiocre.

deficit ['defɪsɪt] *n* déficit *m*.

defile [dɪ'faɪl] *vt* souiller, salir.

define [dɪ'faɪn] *vt* définir.

defining [dɪ'faɪnɪŋ] *adj* restrictif.

definite ['defɪnɪt] *adj* **1.** *(projet)* bien déterminé **2.** *(date)* certain **3.** *(différence, progrès)* net, marqué **4.** *(réponse)* précis, catégorique • **to have very definite ideas on a subject** avoir des idées bien arrêtées sur une question **5.** *(personne, ton)* catégorique.

definite article *n* article *m* défini.

definitely ['defɪnɪtlɪ] *adv* **1.** sans aucun doute, certainement • **I will definitely come** je viendrai sans faute **2.** catégoriquement.

definition [defɪ'nɪʃn] *n* **1.** définition *f* **2.** clarté *f*, précision *f*.

deflate [dɪ'fleɪt] *vt* dégonfler • **to deflate the economy** pratiquer une politique déflationniste. ❑ *vi* se dégonfler.

deflation [dɪ'fleɪʃn] *n ÉCON* déflation *f*.

deflect [dɪ'flekt] *vt* **1.** faire dévier *(un projectile)* **2.** détourner *(le cours d'un fleuve)*.

defogger [di:'fɒgər] *n* (US) dispositif *m* antibuée.

deforestation [di:ˌfɒrɪ'steɪʃn] *n* déforestation *f*, déboisement *m*.

deformed [dɪ'fɔmd] *adj* difforme.

defrag [di:'fræg] *vt fam* = defragment.

defragment [ˌdi:fræg'ment] *vt* défragmenter.

defragmentation [ˌdi:frægmen'teɪʃn] *n* défragmentation *f*.

defraud [dɪ'frɔd] *vt* **1.** escroquer **2.** frauder.

defrost [ˌdi:'frɒst] *vt* **1.** dégivrer **2.** décongeler *(nourriture)* **3.** (US) désembuer. ❑ *vi* **1.** dégivrer **2.** se décongeler.

deft [deft] *adj* adroit.

deftly ['deftlɪ] *adv* adroitement.

defunct [dɪ'fʌŋkt] *adj* **1.** qui n'existe plus **2.** défunt.

defuse [ˌdi:'fju:z] *vt* désamorcer.

defy [dɪ'faɪ] *vt* **1.** défier **2.** résister à, faire échouer *(des efforts)*.

degenerate *adj* [dɪ'dʒenərət] dégénéré. ❑ *vi* [dɪ'dʒenəreɪt] • **to degenerate (into)** dégénérer (en).

degenerative [dɪ'dʒenərətɪv] *adj* dégénératif.

degradation [ˌdegrə'deɪʃn] *n* ~ *f (d'une personne)* **2.** dégradation ~

degrade [dɪ'greɪd] *vt* avilir.

degrading [dɪ'greɪdɪŋ] *adj* dég~ lissant.

degree [dɪ'gri:] *n* **1.** degré *m* **2.** ~ universitaire • **degree ceremony** ~ *f* de remise des diplômes **3.** • **to a** ~ gree dans une certaine mesure • ~ **risk** un certain risque • **a degree o**~ certaine part de vérité • **by degree**~ sivement, petit à petit.

dehire [ˌdi:'haɪər] *vt* (US) *euphém* ré~ *(licencier)*.

dehumanize, -ise (UK) [di:'hju:mən~ humaniser.

dehydrate [ˌdi:haɪ'dreɪt] *vt* déshydrat~

dehydrated [ˌdi:haɪ'dreɪtɪd] *adj* déshy~

dehydration [ˌdi:haɪ'dreɪʃn] *n* déshy~ tion *f*.

de-ice [di:'aɪs] *vt* dégivrer.

deign [deɪn] *vt* • **to deign to do sthg** da~ faire qqch.

deinstall [ˌdi:ɪn'stɔ:l] *vt* (UK) désinstaller~

deinstallation [ˌdi:ɪnstə'leɪʃən] *n* (UK) dés~ tallation *f*.

deinstaller [ˌdi:ɪn'stɔ:lər] *n* (UK) désinsta~ teur *m*.

deity ['di:ɪtɪ] *n* dieu *m*, déesse *f*, divinité *f*.

déjà vu [ˌdeʒɑ:'vju:] *n* déjà vu *m*.

dejected [dɪ'dʒektɪd] *adj* abattu, découragé~

dejection [dɪ'dʒekʃn] *n* abattement *m*, décou~ ragement *m*.

delay [dɪ'leɪ] *n* retard *m*, délai *m*. ❑ *vt* **1.** retar~ der **2.** différer • **to delay doing sthg** tarder à~ faire qqch.

delayed [dɪ'leɪd] *adj* • **to be delayed** être retardé.

delectable [dɪ'lektəbl] *adj* délicieux.

delectation [ˌdi:lek'teɪʃn] *n littéraire & hum* délectation *f* • **for your delectation** pour votre plus grand plaisir.

delegate *n* ['delɪgət] délégué *m*, -e *f*. ❑ *vt* ['delɪgeɪt] déléguer.

delegation [ˌdelɪ'geɪʃn] *n* délégation *f*.

delete [dɪ'li:t] *vt* supprimer, effacer.

delete key *n* touche *f* effacer.

deletion [dɪ'li:ʃn] *n* suppression *f*, efface~ ment *m*.

deli ['delɪ] *n fam* abrév de delicatessen.

deliberate *adj* [dɪ'lɪbərət] **1.** voulu, délibéré **2.** lent, sans hâte. ❑ *vi* [dɪ'lɪbəreɪt] délibérer.

deliberately [dɪ'lɪbərətlɪ] *adv* exprès, à dessein.

deliberation [dɪˌlɪbə'reɪʃn] *n* **1.** délibération *f* **2.** mesure *f (soin, attention)*.

delicacy ['delɪkəsɪ] n **1.** délicatesse f **2.** mets m délicat.

delicate ['delɪkət] adj **1.** délicat **2.** gracieux.

delicately ['delɪkətlɪ] adv **1.** délicatement **2.** gracieusement, avec grâce **3.** avec délicatesse, subtilement *(avec tact)*.

delicatessen [ˌdelɪkə'tesn] n épicerie f fine.

delicious [dɪ'lɪʃəs] adj délicieux.

deliciously [dɪ'lɪʃəslɪ] adv délicieusement.

delight [dɪ'laɪt] n délice m • **to take delight in doing sthg** prendre grand plaisir à faire qqch. ❏ vt enchanter, charmer.

delighted [dɪ'laɪtɪd] adj • **delighted (by**ou **with)** enchanté (de), ravi (de).

delightful [dɪ'laɪtfʊl] adj **1.** ravissant, charmant **2.** délicieux.

delightfully [dɪ'laɪtfʊlɪ] adv d'une façon charmante.

delinquency [dɪ'lɪŋkwənsɪ] n délinquance f.

delinquent [dɪ'lɪŋkwənt] adj délinquant. ❏ n délinquant m, -e f.

delirious [dɪ'lɪrɪəs] adj littéraire &fig délirant.

deliriously [dɪ'lɪrɪəslɪ] adv de façon délirante, frénétiquement • **deliriously happy** follement heureux.

delist [di:'lɪst] vt **1.** COMM & MARKETING déréférencer *(un produit)* **2.** radier de la cote *(une entreprise en Bourse)*.

delisting [ˌdi:'lɪstɪŋ] n **1.** déréférencement m *(d'un produit)* **2.** radiation f de la cote *(d'une entreprise en Bourse)*.

deliver [dɪ'lɪvər] vt **1.** • **to deliver sthg (to sb) a)** distribuer qqch (à qqn) **b)** COMM livrer qqch (à qqn) **2.** faire *(un discours)* **3.** donner *(une recommandation)* **4.** remettre *(un message)* **5.** donner *(des coups)* **6.** mettre au monde *(un enfant)* **7.** délivrer **8.** (US) POLIT obtenir *(des voix)*.

delivery [dɪ'lɪvərɪ] n **1.** COMM livraison f • **free delivery** livraison gratuite **2.** élocution f **3.** accouchement m.

delivery van (UK)**, delivery truck** (US) n camionnette f de livraison.

delts [delts] npl fam (muscles mpl) deltoïdes mpl.

delude [dɪ'lu:d] vt tromper, induire en erreur • **to delude o.s.** se faire des illusions.

deluge ['delju:dʒ] n **1.** déluge m **2.** fig avalanche f. ❏ vt • **to be deluged with** être débordé ou submergé de.

delusion [dɪ'lu:ʒn] n illusion f.

deluxe, de luxe [də'lʌks] adj de luxe.

delve [delv] vi • **to delve into a)** fouiller *(le passé)* **b)** fouiller dans *(un sac)*.

demand [dɪ'mɑ:nd] n **1.** revendication f, exigence f **2.** • **demand (for)** demande f (de) • **on demand** sur demande • **in demand** demandé, recherché. ❏ vt réclamer, exiger • **to demand to do sthg** exiger de faire qqch.

demanding [dɪ'mɑ:ndɪŋ] adj **1.** astreignant **2.** exigeant.

demean [dɪ'mi:n] vt • **to demean o.s.** s'abaisser.

demeaning [dɪ'mi:nɪŋ] adj avilissant, dégradant.

demeanour (UK)**, demeanor** (US) [dɪ'mi:nər] n *(indén)* sout comportement m.

demented [dɪ'mentɪd] adj fou, folle f, dément.

dementia [dɪ'menʃə] n démence f.

demise [dɪ'maɪz] n **1.** *(indén)* décès m **2.** fig mort f, fin f.

demister [ˌdi:'mɪstər] n (UK) dispositif m anti-buée.

demo ['deməʊ] (abrév de demonstration) n **1.** (UK) fam manif f **2.** version f de demonstration ou d'évaluation. ❏ vt faire une démo de • **they demoed the software** ils ont fait une démo du logiciel.

demobilize, -ise (UK) [ˌdi:'məʊbɪlaɪz] vt démobiliser.

democracy [dɪ'mɒkrəsɪ] n démocratie f.

democrat ['deməkræt] n démocrate mf. ■ **Democrat** n (US) démocrate mf.

democratic [ˌdemə'krætɪk] adj démocratique. ■ **Democratic** adj (US) démocrate.

democratically [ˌdemə'krætɪklɪ] adv démocratiquement.

Democratic Party n (US) • **the Democratic Party** le Parti démocrate.

demographic [ˌdemə'græfɪk] adj démographique • **demographic profile** profil m démographique.

demographics [ˌdemə'græfɪks] n statistiques fpl démographiques.

demolish [dɪ'mɒlɪʃ] vt démolir.

demolition [ˌdemə'lɪʃn] n démolition f.

demon ['di:mən] n démon m *(mauvais esprit)*. ❏ en apposition fam • **demon driver/chess player** as du volant/des échecs.

demonic [di:'mɒnɪk] adj diabolique.

demonize, demonise ['di:mə,naɪz] vt diaboliser.

demonstrate ['demənstreɪt] vt **1.** démontrer, prouver **2.** faire une démonstration de. ❏ vi manifester.

demonstration [ˌdemən'streɪʃn] n **1.** démonstration f • **to give a demonstration of sthg** faire une démonstration de qqch **2.** manifestation f.

demonstrative [dɪ'mɒnstrətɪv] adj expansif, démonstratif.

demonstrator ['demənstreɪtər] n **1.** manifestant m, -e f **2.** démonstrateur m, -trice f.

demoralize, -ise (UK) [dɪ'mɒrəlaɪz] vt démoraliser.

demoralized [dɪ'mɒrəlaɪzd] adj démoralisé.

demoralizing [dɪ'mɒrəlaɪzɪŋ] *adj* démoralisant.

demote [,diː'məʊt] *vt* rétrograder.

demotivate [,diː'məʊtɪveɪt] *vt* démotiver.

demure [dɪ'mjʊəˣ] *adj* modeste, réservé.

den [den] *n* antre *m*, tanière *f*.

deniability [dɪ,naɪə'bɪlɪtɪ] *n* • **plausible deniability** déni *m* plausible.

denial [dɪ'naɪəl] *n* **1.** dénégation *f* **2.** démenti *m* • **in denial** en déni.

denier ['denɪəˣ] *n* denier *m*.

denigrate ['denɪgreɪt] *vt* dénigrer.

denim ['denɪm] *n* jean *m*. ■ **denims** *npl* • **a pair of denims** un jean.

denim jacket *n* blouson *m* en jean, veste *f* en jean.

Denmark ['denmɑːk] *n* Danemark *m*.

den mother *n* (US) cheftaine *f (scoute)*.

denomination [dɪ,nɒmɪ'neɪʃn] *n* **1.** confession *f (religion)* **2.** valeur *f (de l'argent)*.

denote [dɪ'nəʊt] *vt* dénoter.

denounce [dɪ'naʊns] *vt* dénoncer.

dense [dens] *adj* **1.** *(foule, forêt)* dense **2.** *(brouillard)* dense, épais **3.** *fam (stupide)* bouché.

densely ['denslɪ] *adv* • **densely packed** complètement bondé • **densely populated** très peuplé.

density ['densətɪ] *n* densité *f*.

dent [dent] *n* bosse *f*. ❑ *vt* cabosser.

dental ['dentl] *adj* dentaire.

dental floss *n* fil *m* dentaire.

dental surgeon *n* chirurgien-dentiste *m*.

dental treatment *n* traitement *m* dentaire.

dentist ['dentɪst] *n* dentiste *mf*.

dentures ['dentʃəz] *npl* dentier *m*.

deny [dɪ'naɪ] *vt* **1.** nier **2.** refuser.

deodorant [diː'əʊdərənt] *n* déodorant *m*.

deodorizer [diː'əʊdəraɪzəˣ] *n* désodorisant *m*.

deoxygenation [,dɪɒksɪdʒən'eɪʃn] *n* désoxygénation *f*.

deoxyribonucleic acid ['diːɒksɪ,raɪbəʊ njuː'kliːɪk-] *n* BIOL & CHIM acide *m* désoxyribonucléique.

depart [dɪ'pɑːt] *vi* **1.** • **to depart (from)** partir (de). **2.** • **to depart from sthg** s'écarter de qqch.

department [dɪ'pɑːtmənt] *n* **1.** service *m* • **the complaints department** le service des réclamations **2.** *(dans un magasin)* rayon *m* **3.** UNIV département *m*, UFR *m* **4.** *(gouvernement)* département *m*.

department store *n* grand magasin *m*.

departure [dɪ'pɑːtʃəˣ] *n* **1.** départ *m* **2.** nouveau départ *m*.

departure lounge *n* salle *f* d'embarquement.

depend [dɪ'pend] *vi* • **to depend on a)** dépendre de **b)** compter sur **c)** se reposer sur • **it depends** cela dépend • **depending on** selon.

dependable [dɪ'pendəbl] *adj* **1.** sur qui l'on peut compter **2.** sûr **3.** fiable.

dependant [dɪ'pendənt] *n* personne *f* à charge.

dependent [dɪ'pendənt] *adj* **1.** • **dependent (on)** dépendant (de) • **to be dependent on sb/sthg** dépendre de qqn/qqch **2.** dépendant, accro.

depict [dɪ'pɪkt] *vt* **1.** représenter **2.** • **to depict sb/sthg as** dépeindre qqn/qqch comme.

deplete [dɪ'pliːt] *vt* épuiser.

depletion [dɪ'pliːʃn] *n* épuisement *m*.

deplorable [dɪ'plɔːrəbl] *adj* déplorable.

deplore [dɪ'plɔːˣ] *vt* déplorer.

deploy [dɪ'plɔɪ] *vt* déployer.

deployment [dɪ'plɔɪmənt] *n* déploiement *m*.

depopulation [diː,pɒpjʊ'leɪʃn] *n* dépeuplement *m*.

deport [dɪ'pɔːt] *vt* expulser.

deportable alien [dɪ'pɔːtəbl-] *n* (US) immigré *m*, -e *f* susceptible d'être reconduit à la frontière.

deportation [,diːpɔː'teɪʃn] *n* expulsion *f*.

depose [dɪ'pəʊz] *vt* déposer.

deposit [dɪ'pɒzɪt] *n* **1.** dépôt *m* • **to make a deposit** déposer de l'argent **2.** caution *f* **3.** acompte *m* • **to pay a deposit** payer un acompte **4.** *(bouteille)* consigne *f*. ❑ *vt* déposer.

deposit account *n* (UK) compte *m* sur livret.

depot ['depəʊ] *n* **1.** dépôt *m* **2.** (US) gare *f*.

depraved [dɪ'preɪvd] *adj* dépravé.

depravity [dɪ'prævɪtɪ] *n* dépravation *f*.

deprecating ['deprɪkeɪtɪŋ] *adj* désapprobateur.

depreciate [dɪ'priːʃɪeɪt] *vi* se déprécier.

depress [dɪ'pres] *vt* **1.** déprimer **2.** affaiblir *(l'économie)* **3.** faire baisser *(les prix)*.

depressed [dɪ'prest] *adj* **1.** déprimé **2.** en déclin.

depressing [dɪ'presɪŋ] *adj* déprimant.

depressingly [dɪ'presɪŋlɪ] *adv* de manière déprimante • **unemployment is depressingly high** le taux de chômage est déprimant.

depression [dɪ'preʃn] *n* **1.** dépression *f* **2.** tristesse *f*.

deprivation [,deprɪ'veɪʃn] *n* privation *f*.

deprive [dɪ'praɪv] *vt* priver.

deprived [dɪ'praɪvd] *adj* défavorisé.

deprogram [depθ] *n* profondeur *f* • **to be out of one's depth a)** ne pas avoir pied **b)** *fig* être dépassé. ■ **depths** *npl* • **the depths a)** les profondeurs *fpl* **b)** le fin fond • **to be in the depths of despair** toucher le fond du désespoir.

deprogram [dɪ'prəʊgræm] *vt* déprogrammer.

depth [depθ] *n* profondeur *f* • **to be out of one's depth a)** ne pas avoir pied **b)** *fig* être dépassé. ■ **depths** *npl* • **the depths a)** les profondeurs *fpl* **b)** le fin fond • **to be in the depths of despair** toucher le fond du désespoir.

depth gauge *n* hydromètre *m*.

depth interview n entretien m en profondeur.

deputation [,depjʊˈteɪʃn] n délégation f.

deputize, -ise (UK) [ˈdepjʊtaɪz] vi • **to deputize for sb** assurer les fonctions de qqn, remplacer qqn.

deputy [ˈdepjʊtɪ] adj adjoint • **deputy chairman** vice-président m • **deputy head** SCOL directeur m adjoint • **deputy leader** POLIT vice-président m. ❑ n 1. adjoint m, -e f 2. (US) shérif m adjoint.

derail [dɪˈreɪl] vt faire dérailler.

derailment [dɪˈreɪlmənt] n déraillement m.

deranged [dɪˈreɪndʒd] adj dérangé.

derby [(UK) ˈdɑːbɪ, (US) ˈdɜːbɪ] n 1. SPORT derby m 2. (US) chapeau m melon.

deregulate [,diːˈregjʊleɪt] vt déréglementer.

derelict [ˈderəlɪkt] adj en ruine.

deride [dɪˈraɪd] vt railler.

derision [dɪˈrɪʒn] n dérision f.

derisory [dəˈraɪzərɪ] adj 1. dérisoire 2. moqueur.

derivation [,derɪˈveɪʃn] n dérivation f.

derivative [dɪˈrɪvətɪv] adj péj pas original. ❑ n dérivé m.

derive [dɪˈraɪv] vt • **to derive sthg from sthg** tirer qqch de qqch. ❑ vi • **to derive from** venir de.

dermatitis [,dɜːməˈtaɪtɪs] n dermatite f.

dermatologist [,dɜːməˈtɒlədʒɪst] n dermatologue mf.

dermatology [,dɜːməˈtɒlədʒɪ] n dermatologie f.

derogatory [dɪˈrɒgətrɪ] adj 1. désobligeant 2. péjoratif.

derv [dɜːv] n (UK) gas-oil m.

descend [dɪˈsend] vt sout descendre. ❑ vi 1. sout descendre 2. • **to descend (on)** a) s'abattre (sur) (un ennemi) b) (silence) tomber (sur) c) faire irruption (chez) 3. • **to descend to sthg/to doing sthg** s'abaisser à qqch/à faire qqch.

descendant [dɪˈsendənt] n descendant m, -e f.

descended [dɪˈsendɪd] adj • **to be descended from sb** descendre de qqn.

descent [dɪˈsent] n 1. descente f 2. (indén) origine f.

describe [dɪˈskraɪb] vt décrire.

description [dɪˈskrɪpʃn] n 1. description f • **to give a description of sb/sthg** donner une description de qqn/qqch 2. sorte f, genre m.

descriptive [dɪˈskrɪptɪv] adj descriptif.

desecrate [ˈdesɪkreɪt] vt profaner.

deseed [ˌdiːˈsiːd] vt épépiner (un fruit).

desensitize, -ise (UK) [ˌdiːˈsensɪtaɪz] vt désensibiliser.

desert n [ˈdezət] désert m. ❑ vt [dɪˈzɜːt] 1. déserter 2. abandonner. ❑ vi [dɪˈzɜːt] MIL déserter.

deserted [dɪˈzɜːtɪd] adj désert.

deserter [dɪˈzɜːtə] n déserteur m.

desert island [ˈdezət-] n île f déserte.

deserve [dɪˈzɜːv] vt mériter.

deserved [dɪˈzɜːvd] adj mérité.

deservedly [dɪˈzɜːvɪdlɪ] adv à juste titre.

deserving [dɪˈzɜːvɪŋ] adj 1. méritant 2. méritoire.

design [dɪˈzaɪn] n 1. plan m, étude f • **design fault** défaut m de conception 2. (indén) ART design m 3. motif m, dessin m 4. ligne f 5. style m 6. sout dessein m. ❑ vt 1. faire les plans de, dessiner 2. créer 3. concevoir, mettre au point.

Design and Technology n (UK) technologie f (matière scolaire), techno f fam.

designate adj [ˈdezɪgnət] désigné. ❑ vt [ˈdezɪgneɪt] désigner.

designer [dɪˈzaɪnə] adj de marque. ❑ n 1. INDUST concepteur m, -trice f 2. ARCHIT dessinateur m, -trice f 3. styliste mf • **a fashion designer** un styliste 4. THÉÂTRE décorateur m, -trice f.

designer stubble n hum barbe f de deux jours.

desirability [dɪ,zaɪərəˈbɪlətɪ] n (indén) 1. intérêt m, avantage m, opportunité f 2. charmes mpl, attraits mpl.

desirable [dɪˈzaɪərəbl] adj 1. désirable 2. sout désirable, souhaitable.

desire [dɪˈzaɪə] n désir m. ❑ vt désirer.

desist [dɪˈzɪst] vi sout • **to desist (from doing sthg)** cesser (de faire qqch).

desk [desk] n bureau m • **reception desk** réception f • **information desk** (bureau m de) renseignements.

deskbound [ˈdeskbaʊnd] adj sédentaire • **a deskbound job** un travail sédentaire.

desk clerk n (US) réceptionniste mf.

deskill [,diːˈskɪl] vt déqualifier.

deskilling [,diːˈskɪlɪŋ] n 1. déqualification f (de la main d'œuvre) 2. automatisation f.

desk lamp n lampe f de bureau.

desktop [ˈdesktɒp] adj (ordinateur) de bureau. ❑ n bureau m, poste m de travail (de l'ordinateur).

desktop publishing n publication f assistée par ordinateur.

desolate [ˈdesələt] adj 1. (lieu) abandonné 2. (personne) désespéré, désolé.

despair [dɪˈspeə] n (indén) désespoir m. ❑ vi désespérer • **to despair of** désespérer de.

despairing [dɪˈspeərɪŋ] adj (geste) de désespoir.

despairingly [dɪˈspeərɪŋlɪ] adv avec désespoir.

despatch [dɪˈspætʃ] (UK) = dispatch.

desperate [ˈdespərət] adj désespéré • **to be desperate for sthg** avoir absolument besoin de qqch.

desperately [ˈdespərətlɪ] adv désespérément • **desperately ill** gravement malade.

desperation [,despə'reɪʃn] n désespoir m • **he agreed in desperation** en désespoir de cause, il a accepté.

despicable [dɪ'spɪkəbl] adj ignoble.

despicably [dɪ'spɪkəblɪ] adv (se comporter) bassement, d'une façon indigne.

despise [dɪ'spaɪz] vt 1. mépriser 2. exécrer.

despite [dɪ'spaɪt] prép malgré • **despite the fact that** malgré le fait que.

despondent [dɪ'spɒndənt] adj abattu, consterné.

despot ['despɒt] n despote m.

dessert [dɪ'zɜːt] n dessert m.

dessertspoon [dɪ'zɜːtspuːn] n cuillère f à dessert.

destabilize, -ise (UK) [,diː'steɪbɪlaɪz] vt déstabiliser.

destination [,destɪ'neɪʃn] n destination f.

destined ['destɪnd] adj 1. • **destined for** destiné à • **destined to do sthg** destiné à faire qqch 2. • **destined for** à destination de.

destiny ['destɪnɪ] n destinée f.

destitute ['destɪtjuːt] adj indigent.

de-stress [diː'stres] n dé-stresser fam.

destroy [dɪ'strɔɪ] vt détruire.

destruction [dɪ'strʌkʃn] n destruction f.

destructive [dɪ'strʌktɪv] adj destructeur.

detach [dɪ'tætʃ] vt 1. détacher 2. • **to detach o.s. from sthg a)** se détacher de qqch (de la réalité) **b)** s'écarter de qqch (des débats).

detachable [dɪ'tætʃəbl] adj détachable, amovible.

detached [dɪ'tætʃt] adj détaché.

detached house n (UK) maison f individuelle.

detachment [dɪ'tætʃmənt] n détachement m.

detail ['diːteɪl] n 1. détail m • **to go into detail** entrer dans les détails • **in detail** en détail 2. MIL détachement m. ❑ vt détailler. ■ **details** npl coordonnées fpl.

detailed ['diːteɪld] adj détaillé.

detailing ['diːteɪlɪŋ] n (US) nettoyage m complet.

detain [dɪ'teɪn] vt 1. détenir (au poste de police) 2. garder (à l'hôpital) 3. (retarder) retenir.

detect [dɪ'tekt] vt 1. déceler 2. détecter.

detection [dɪ'tekʃn] n (indén) 1. dépistage m 2. détection f.

detective [dɪ'tektɪv] n détective mf • **a private detective** un détective privé.

detective novel n roman m policier.

detention [dɪ'tenʃn] n 1. détention f 2. SCOL retenue f.

deter [dɪ'tɜːr] vt dissuader.

detergent [dɪ'tɜːdʒənt] n détergent m.

deteriorate [dɪ'tɪərɪəreɪt] vi se détériorer.

deterioration [dɪ,tɪərɪə'reɪʃn] n détérioration f.

determination [dɪ,tɜːmɪ'neɪʃn] n détermination f.

determine [dɪ'tɜːmɪn] vt 1. déterminer 2. sout • **to determine to do sthg** décider de faire qqch.

determined [dɪ'tɜːmɪnd] adj 1. déterminé 2. obstiné.

determining [dɪ'tɜːmɪnɪŋ] adj déterminant.

deterrent [dɪ'terənt] n moyen m de dissuasion.

detest [dɪ'test] vt détester.

detestable [dɪ'testəbl] adj détestable.

detonate ['detəneɪt] vt faire détoner. ❑ vi détoner.

detonator ['detəneɪtər] n détonateur m.

detour ['diː,tʊər] n détour m. ❑ vi faire un détour. ❑ vt (faire) dévier.

detox ['diːtɒks] n fam désintoxication f • **detox centre** centre m de désintoxication.

detract [dɪ'trækt] vi • **to detract from** diminuer.

detriment ['detrɪmənt] n • **to the detriment of** au détriment de.

detrimental [,detrɪ'mentl] adj préjudiciable.

deuce [djuːs] n TENNIS égalité f.

devaluation [,diːvæljʊ'eɪʃn] n dévaluation f.

devalue [,diː'væljuː] vt dévaluer.

devastate ['devəsteɪt] vt 1. dévaster 2. fig accabler.

devastated ['devəsteɪtɪd] adj 1. dévasté 2. fig accablé.

devastating ['devəsteɪtɪŋ] adj 1. dévastateur 2. accablant 3. irrésistible.

devastation [,devə'steɪʃn] n dévastation f.

develop [dɪ'veləp] vt 1. développer 2. développer, aménager (une région, un pays) 3. contracter (une maladie) 4. développer, exploiter (des ressources). ❑ vi 1. se développer 2. se déclarer.

developed [dɪ'veləpt] adj 1. (pellicule) développé 2. (terrain) mis en valeur, aménagé • **this coast is highly developed** on a beaucoup construit le long de cette côte 3. (pays) développé.

developer [dɪ'veləpər] n 1. promoteur m immobilier 2. • **to be an early/a late developer** être en avance/en retard sur son âge 3. développateur m, révélateur m (chimique).

developing country [dɪ'veləpɪŋ-] n pays m en voie de développement.

development [dɪ'veləpmənt] n 1. développement m 2. (indén) exploitation f 3. zone f d'aménagement 4. zone aménagée 5. lotissement m 6. (indén) évolution f (d'une maladie).

developmental [dɪ,veləp'mentl] adj de développement.

development officer n responsable mf du développement.

deviate ['diːvɪeɪt] *vi* • to deviate (from) dévier (de), s'écarter (de).

deviation [,diːvɪ'eɪʃn] *n* 1. écart *m (par rapport à une règle, un plan)* 2. déviance *f* 3. *péj* déviation *f*.

device [dɪ'vaɪs] *n* 1. appareil *m*, dispositif *m* 2. moyen *m*.

device-agnostic *adj* universel *(fonctionnant sur n'importe quel type d'ordinateur, de téléphone, etc)*.

devil ['devl] *n* 1. diable *m* 2. *fam* type *m* • poor devil! pauvre diable ! ■ Devil *n* • the Devil le diable.

devilish ['devlɪʃ] *adj* diabolique.

devil-may-care *adj* insouciant.

devil's advocate *n* avocat *m* du diable • to play devil's advocate se faire l'avocat du diable.

devious ['diːvjəs] *adj* 1. retors, sournois 2. *(moyens)* détourné 3. tortueux.

deviously ['diːvjəslɪ] *adv* sournoisement.

devise [dɪ'vaɪz] *vt* concevoir.

devoid [dɪ'vɔɪd] *adj* sout • devoid of dépourvu de, dénué de.

devolution [,diːvə'luːʃn] *n* POLIT décentralisation *f*.

devote [dɪ'vəʊt] *vt* • to devote sthg to sthg consacrer qqch à qqch • to devote o.s. to sthg se consacrer à qqch.

devoted [dɪ'vəʊtɪd] *adj* dévoué.

devotee [,devə'tiː] *n* passionné *m*, -e *f*.

devotion [dɪ'vəʊʃn] *n* 1. • devotion (to) dévouement *m* (à) 2. RELIG dévotion *f*.

devour [dɪ'vaʊə*r*] *vt* littéraire &*fig* dévorer.

devout [dɪ'vaʊt] *adj* dévot.

dew [djuː] *n* rosée *f*.

dexterity [dek'sterətɪ] *n* dextérité *f*.

diabetes [,daɪə'biːtiːz] *n* diabète *m*.

diabetic [,daɪə'betɪk] *adj* & *n* diabétique.

diabolic(al) [,daɪə'bɒlɪk(l)] *adj* 1. diabolique 2. *fam* atroce.

diagnose ['daɪəgnəʊz] *vt* diagnostiquer.

diagnosis [,daɪəg'nəʊsɪs] *(pl* -ses*) n* diagnostic *m*.

diagnostic [,daɪəg'nɒstɪk] *adj* diagnostique.

diagnostics [,daɪəg'nɒstɪks] *n (indén)* diagnostic *m*.

diagonal [daɪ'ægənl] *adj* diagonal. ❑ *n* diagonale *f*.

diagonally [daɪ'ægənəlɪ] *adv* en diagonale.

diagram ['daɪəgræm] *n* diagramme *m* • to draw a diagram faire un schéma.

dial ['daɪəl] *n* cadran *m*. ❑ *vt* ((UK) *prét* & *pp* dialled, *cont* dialling, (US) *prét* & *pp* dialed, *cont* dialing) TÉLÉCOM composer *(un numéro)*.

dialect ['daɪəlekt] *n* dialecte *m*.

dialling code ['daɪəlɪŋ-] *n* (UK) indicatif *m*.

dialling tone (UK) ['daɪəlɪŋ-], **dial tone** (US) *n* tonalité *f*.

dialogue (UK), **dialog** (US) ['daɪəlɒg] *n* dialogue *m* • the dialogue box INFORM la boîte de dialogue.

dialogue box (UK), **dialog box** (US) *n* boîte *f* de dialogue.

dial tone (US) = dialling tone.

dial-up *n* • dial-up access accès *m* commuté • dial-up connection connexion *f* par téléphone • dial-up modem modem *m* téléphonique • dial-up service service *m* de connexion à Internet par téléphone.

dialysis [daɪ'ælɪsɪs] *n* dialyse *f*.

diamanté [dɪə'mɒnteɪ] *adj* diamanté.

diameter [daɪ'æmɪtə*r*] *n* diamètre *m*.

diamond ['daɪəmənd] *n* 1. diamant *m* 2. losange *m*. ■ diamonds *npl (cartes)* carreau *m*.

diamond wedding *n* noces *fpl* de diamant.

diaper ['daɪəpə*r*] *n* (US) couche *f*.

diaphragm ['daɪəfræm] *n* diaphragme *m*.

diarrhoea (UK), **diarrhea** (US) [,daɪə'rɪə] *n* diarrhée *f*.

diary ['daɪərɪ] *n* 1. agenda *m* 2. journal *m* • to keep a diary tenir un journal.

dice [daɪs] *n (pl inv)* dé *m*. ❑ *vt* CULIN couper en dés.

dicey ['daɪsɪ] *(comp* dicier, *superl* diciest) *adj (surtout* UK) *fam* risqué.

dickhead ['dɪkhed] *n* *tfam* con *m*.

dickybird ['dɪkɪbɜːd] *n* *fam* petit oiseau *m*.

dictate *vt* [dɪk'teɪt] dicter. ❑ *n* ['dɪkteɪt] ordre *m*.

dictation [dɪk'teɪʃn] *n* dictée *f*.

dictator [dɪk'teɪtə*r*] *n* dictateur *m*.

dictatorial [,dɪktə'tɔːrɪəl] *adj* dictatorial.

dictatorship [dɪk'teɪtəʃɪp] *n* dictature *f*.

diction ['dɪkʃn] *n* diction *f*.

dictionary ['dɪkʃənrɪ] *n* dictionnaire *m* • to look sthg up in a dictionary chercher qqch dans un dictionnaire.

did [dɪd] *passé→* do.

didactic [dɪ'dæktɪk] *adj* didactique.

diddle ['dɪdl] *vt* *fam* escroquer, rouler.

diddly-squat ['dɪdlɪ-] *n* (US) *fam* que dalle • I don't know diddly-squat about computers l'informatique, j'y pige que dalle.

didn't ['dɪdnt] = did not.

die [daɪ] *n (pl* dice*)* dé *m*. ❑ *vi (prét* & *pp* died, *cont* dying*)* 1. mourir • to be dying se mourir 2. • to be dying to do sthg mourir d'envie de faire qqch • to be dying for a drink mourir d'envie de boire un verre. ■ die away *vi (bruit)* s'éteindre. ■ die down *vi* 1. *(son)* s'affaiblir 2. *(vent)* tomber 3. *(feu)* baisser. ■ die out *vi* s'éteindre, disparaître. ■ to-die-for *adj (excellent)* à tomber par terre.

diehard ['daɪhɑːd] *n* • to be a diehard a) être coriace b) être réactionnaire.

diesel ['diːzl] *n* diesel *m*.

diesel engine n 1. moteur m Diesel 2. locomotive f diesel.

diesel fuel, diesel oil n diesel m.

diet ['daɪət] n 1. alimentation f • a balanced diet une alimentation équilibrée 2. régime m • to be on a diet être au régime • to go on a diet faire un régime. ❏ en apposition de régime. ❏ vi faire ou suivre un régime.

dietary ['daɪətrɪ] adj diététique.

diet-conscious adj • to be very diet-conscious faire très attention à ce qu'on mange.

dietician [,daɪə'tɪʃn] n diététicien m, -enne f.

differ ['dɪfə*] vi 1. être différent, différer • to differ from être différent de 2. • to differ with sb (about sthg) ne pas être d'accord avec qqn (à propos de qqch).

difference ['dɪfrəns] n différence f • it doesn't make any difference cela ne change rien.

difference threshold n seuil m différentiel.

different ['dɪfrənt] adj différent • to be different from sthg être différent de qqch.

differential [,dɪfə'renʃl] adj différentiel. ❏ n 1. écart m (entre les salaires) 2. MATH différentielle f.

differentiate [,dɪfə'renʃɪeɪt] vi • to differentiate (between) faire la différence (entre).

differently abled ['dɪfrəntlɪ-eɪbld] adj handicapé.

difficult ['dɪfɪkəlt] adj difficile.

difficulty ['dɪfɪkəltɪ] n difficulté f • degree of difficulty niveau m de difficulté • to have difficulty in doing sthg avoir des difficultés ou du mal à faire qqch.

diffident ['dɪfɪdənt] adj 1. qui manque d'assurance 2. hésitant.

diffuse vt [dɪ'fju:z] diffuser, répandre.

diffusion [dɪ'fju:ʒn] n diffusion f.

dig [dɪg] (prét & pp dug) vi 1. creuser, fig • to dig into the past fouiller dans le passé • if you dig a bit deeper si on creuse un peu. ❏ vt 1. creuser 2. bêcher. ■ dig out vt sép fam dénicher. ■ dig up vt sép 1. déterrer 2. arracher (des pommes de terre) 3. fam dénicher.

digest n ['daɪdʒest] résumé m, digest m. ❏ vt [dɪ'dʒest] 1. litt & fig digérer 2. assimiler, comprendre (une information).

digestion [dɪ'dʒestʃn] n digestion f.

digestive [dɪ'dʒestɪv] adj digestif.

digestive biscuit [daɪ'dʒestɪv-] n (UK) ≃ sablé m (à la farine complète).

digibox ['dɪdʒɪbɒks] n (UK) TV décodeur m numérique.

digit ['dɪdʒɪt] n 1. chiffre m 2. doigt m 3. orteil m.

digital ['dɪdʒɪtl] adj numérique.

digital camera n appareil m photo numérique.

digital display n affichage m numérique.

digitally remastered ['dɪdʒɪtəli:'mɑːstəd] adj remixé en numérique.

digital radio n radio f numérique.

digital recording n enregistrement m numérique.

digital signature n signature f électronique.

digital television n télévision f numérique.

digitize, -ise (UK) ['dɪdʒɪtaɪz] vt numériser.

dignified ['dɪgnɪfaɪd] adj digne, plein de dignité.

dignify ['dɪgnɪfaɪ] (prét & pp dignified) vt donner de la grandeur à.

dignitary ['dɪgnɪtrɪ] (pl -ies) n dignitaire m.

dignity ['dɪgnətɪ] n dignité f • with dignity avec dignité, dignement.

digress [daɪ'gres] vi • to digress (from) s'écarter (de).

digression [daɪ'greʃn] n digression f.

digs [dɪgz] npl (UK) fam piaule f.

dike [daɪk] n 1. digue f 2. fam & injur gouine f.

dilapidated [dɪ'læpɪdeɪtɪd] adj délabré.

dilapidation [dɪ,læpɪ'deɪʃn] n délabrement m, dégradation f.

dilate [daɪ'leɪt] vt dilater. ❏ vi se dilater.

dilemma [dɪ'lemə] n dilemme m.

diligent ['dɪlɪdʒənt] adj appliqué.

diligently ['dɪlɪdʒəntlɪ] adv avec assiduité ou soin ou application, assidûment.

dilly-dally ['dɪlɪdælɪ] (prét & pp dilly-dallied) fam vi 1. lanterner, lambiner 2. hésiter, tergiverser.

dilute [daɪ'luːt] adj dilué. ❏ vt diluer.

dim [dɪm] adj 1. (lumière) faible 2. (chambre) sombre 3. (souvenir, contours) vague 4. (vue) faible 5. fam borné. ❏ vt & vi baisser.

dime [daɪm] n (US) 1. (pièce f de) dix cents mpl 2. • to do it on one's own dime payer de sa poche.

dimension [dɪ'menʃn] n dimension f. ■ dimensions npl TECHNOL encombrement m (d'un objet volumineux).

dime store n (US) supérette f de quartier.

diminish [dɪ'mɪnɪʃ] vt & vi diminuer.

diminished responsibility n responsabilité f atténuée.

diminutive [dɪ'mɪnjutɪv] sout adj minuscule. ❏ n GRAMM diminutif m.

dimly ['dɪmlɪ] adv 1. faiblement (légèrement) 2. vaguement (indistinctement).

dimmers ['dɪmərz] npl 1. (US) phares mpl code (inv) 2. feux mpl de position.

dimmer (switch) ['dɪmə*-] n variateur m de lumière.

dimple ['dɪmpl] n fossette f.

dim sum [dɪm'sʌm] n dim sum m.

dimwit ['dɪmwɪt] n fam crétin m, -e f.

din [dɪn] *n fam* barouf *m*.

dine [daɪn] *vi sout* dîner.■ **dine out** *vi* dîner dehors.

diner ['daɪnə'] *n*1. dîneur *m*, -euse *f*2.(us) petit restaurant *m* sans façon.

dingbat ['dɪŋbæt] *n fam* 1.(us) truc *m*, machin *m*2. crétin *m*, -e *f*, gourde *f*.

dinghy ['dɪŋgɪ] *n*1. dériveur *m*2. (petit) canot *m*.

dinginess ['dɪndʒɪnɪs] *n*1. aspect *m* miteux*ou* douteux2. couleur *f* terne.

dingy ['dɪndʒɪ] *adj*1. (endroit) miteux2. douteux 3. (couleur) terne.

dining car ['daɪnɪŋ-] *n* wagon-restaurant *m*.

dining club *n* club-restaurant *m* (pour étudiants).

dining room ['daɪnɪŋ-] *n*1. salle *f* à manger 2. restaurant *m*.

dining table ['daɪnɪŋ-] *n* table *f* (de salle à manger).

dinkum ['dɪŋkəm](AUSTRALIE) *fam adj*1. authentique (véritable)2. • **fair dinkum** régulier, vrai de vrai.

dinner ['dɪnə'] *n* dîner *m*.

dinner jacket *n* smoking *m*.

dinner party *n* dîner *m* (sur invitation).

dinner service *n* service *m* de table.

dinnertime ['dɪnətaɪm] *n* heure *f* du dîner.

dinosaur ['daɪnəsɔː'] *n* dinosaure *m*.

dint [dɪnt] *n sout* • **by dint of** à force de.

dip [dɪp] *n*1. déclivité *f*, pente *f*2. sauce *f*, dip *m*3. baignade *f* (rapide).□ *vt* • **to dip sthg in** *ou* **into** tremper*ou* plonger qqch dans.□ *vi* 1. (soleil) descendre à l'horizon2. (prix, température) baisser3. (route) descendre.

diploma [dɪ'pləʊmə] (pl-s) *n* diplôme *m*.

diplomacy [dɪ'pləʊməsɪ] *n* diplomatie *f*.

diplomat ['dɪpləmæt] *n* diplomate *m*.

diplomatic [,dɪplə'mætɪk] *adj*1. diplomatique 2. diplomate.

diplomatically [,dɪplə'mætɪklɪ] *adv*1. diplomatiquement2. *fig* avec diplomatie, diplomatiquement.

diplomatic immunity *n* immunité *f* diplomatique.

diplomatic relations *npl* relations *fpl* diplomatiques.

dippy ['dɪpɪ] (comp dippier , superl dippiest) *adj fam* écervelé.

dipstick ['dɪpstɪk] *n* jauge *f* (de niveau d'huile).

dire ['daɪə'] *adj*1. extrême (pauvreté)2. funeste • **in dire straits** dans une situation désespérée.

direct [dɪ'rekt] *adj*1. direct2. manifeste.□ *vt* 1. diriger2.• **to direct sthg at sb** adresser qqch à qqn3. CINÉ & TV réaliser4. THÉÂTRE mettre en scène5.• **to direct sb to do sthg** ordonner à qqn de faire qqch.□ *adv* directement.

direct advertising *n* publicité *f* directe.

direct current *n* courant *m* continu.

direct current *n* courant *m* continu.

direct debit *n*(UK) prélèvement *m* automatique.

direction [dɪ'rekʃn] *n* direction *f*.■ **directions** *npl*1. indications *fpl*2. instructions *fpl*.

directive [dɪ'rektɪv] *n* directive *f*.

directly [dɪ'rektlɪ] *adv*1. directement2. sans détours3. exactement4. immédiatement 5. tout de suite.

direct marketing *n* marketing *m* direct.

directness [dɪ'rektnɪs] *n*1. franchise *f* (honnêteté)2. absence *f* d'ambiguïté (clarté).

direct object *n* complément *m* (d'objet) direct.

director [dɪ'rektə'] *n*1. directeur *m*, -trice *f* 2. THÉÂTRE metteur *m* en scène3. CINÉ & TV réalisateur *m*, -trice *f*.

director's chair *n* fauteuil *m* régisseur

directory [dɪ'rektərɪ] *n*1. annuaire *m*2. INFORM répertoire *m*.

directory enquiries(UK) ,**directory assistance**(US) *n* (service *m* des) renseignements *mpl* téléphoniques.

dirt [dɜːt] *n* (indén)1. saleté *f*2. terre *f*3. (locution) • **to eat dirt**(US) *fam* &*fig* ramper.

dirt-cheap *fam adv* pour rien • **to buy sthg dirt-cheap** payer qqch trois fois rien.□ *adj* très bon marché.

dirty ['dɜːtɪ] *adj*1. sale2. grossier3. cochon. □ *vt* salir.

dirty bomb *n* bombe *f* sale.

dirty trick *n* sale tour *m*• **to play a dirty trick on sb** jouer un sale tour*ou* un tour de cochon à qqn.■ **dirty tricks** *npl*• **they've been up to their dirty tricks again** ils ont encore fait des leurs• **dirty tricks campaign** manœuvres déloyales visant à discréditer un adversaire politique.

dis [dɪs] *vt*(US) *fam* = **diss**.

disability [,dɪsə'bɪlətɪ] *n* infirmité *f*• **people with disabilities** les handicapés.

disable [dɪs'eɪbl] *vt* rendre infirme.

disabled [dɪs'eɪbld] *adj* handicapé, infirme. □ *npl*• **the disabled** les handicapés, les infirmes.

disadvantage [,dɪsəd'vɑːntɪdʒ] *n* désavantage *m*, inconvénient *m*• **to be at a disadvantage** être désavantagé.

disadvantaged [,dɪsəd'vɑːntɪdʒd] *adj* défavorisé.

disadvantageous [,dɪsædvɑːn'teɪdʒəs] *adj* désavantageux.

disaffected [,dɪsə'fektɪd] *adj* mécontent.

disagree [,dɪsə'griː] *vi*1.• **to disagree (with)** ne pas être d'accord (avec)2. ne pas concorder.

disagreeable [,dɪsə'griːəbl] *adj* désagréable.

disagreement [ˌdɪsə'griːmənt] n **1.** désaccord m **2.** différend m.

disallow [ˌdɪsə'laʊ] vt **1.** sout rejeter **2.** refuser.

disappear [ˌdɪsə'pɪər] vi disparaître.

disappearance [ˌdɪsə'pɪərəns] n disparition f.

disappoint [ˌdɪsə'pɔɪnt] vt décevoir.

disappointed [ˌdɪsə'pɔɪntɪd] adj déçu.

disappointing [ˌdɪsə'pɔɪntɪŋ] adj décevant.

disappointingly [ˌdɪsə'pɔɪntɪŋlɪ] adv • **disappointingly low grades** des notes d'une faiblesse décevante.

disappointment [ˌdɪsə'pɔɪntmənt] n déception f.

disapproval [ˌdɪsə'pruːvl] n désapprobation f.

disapprove [ˌdɪsə'pruːv] vi désapprouver.

disapproving [ˌdɪsə'pruːvɪŋ] adj désapprobateur.

disarm [dɪs'ɑːm] vt & vi litt & fig désarmer.

disarmament [dɪs'ɑːməmənt] n désarmement m.

disarming [dɪs'ɑːmɪŋ] adj désarmant.

disarray [ˌdɪsə'reɪ] n • **in disarray a)** en désordre **b)** en pleine confusion.

disassociate [ˌdɪsə'səʊʃɪeɪt] vt • **to disassociate o.s. from** se dissocier de.

disaster [dɪ'zɑːstər] n **1.** catastrophe f **2.** (indén) échec m, désastre m **3.** fig désastre m • **as a manager, he's a disaster!** en tant que directeur, ce n'est pas une réussite ! **4.** (locution) • **a disaster waiting to happen** une bombe à retardement fig.

disaster area n zone f sinistrée.

disastrous [dɪ'zɑːstrəs] adj désastreux.

disastrously [dɪ'zɑːstrəslɪ] adv de façon désastreuse.

disband [dɪs'bænd] vt dissoudre. ❑ vi se dissoudre.

disbelief [ˌdɪsbɪ'liːf] n • **in** ou **with disbelief** avec incrédulité.

disc (uk), **disk** (us) [dɪsk] n disque m.

discard [dɪ'skɑːd] vt mettre au rebut.

discern [dɪ'sɜːn] vt discerner, distinguer.

discernible [dɪ'sɜːnəbl] adj **1.** visible **2.** sensible (perceptible).

discerning [dɪ'sɜːnɪŋ] adj judicieux.

discharge n ['dɪstʃɑːdʒ] **1.** autorisation f de sortie, décharge f **2.** DR relaxe f • **to get one's discharge** MIL être rendu à la vie civile **3.** émission f (de fumée) **4.** déversement m (d'ordures) **5.** MÉD écoulement m. ❑ vt [dɪs'tʃɑːdʒ] **1.** signer la décharge de (un patient) **2.** relaxer (un prisonnier) **3.** rendre à la vie civile (un soldat) **4.** émettre (de la fumée) **5.** déverser (des ordures).

disciple [dɪ'saɪpl] n disciple m.

disciplinary ['dɪsɪplɪnərɪ] adj disciplinaire • **to take disciplinary action against sb** prendre des mesures disciplinaires contre qqn.

discipline ['dɪsɪplɪn] n discipline f. ❑ vt **1.** discipliner **2.** punir.

disciplined ['dɪsɪplɪnd] adj discipliné.

disc jockey n disc-jockey m.

disclaim [dɪs'kleɪm] vt sout nier.

disclaimer [dɪs'kleɪmər] n dénégation f, désaveu m.

disclose [dɪs'kləʊz] vt révéler, divulguer.

disclosure [dɪs'kləʊʒər] n révélation f, divulgation f.

disco ['dɪskəʊ] (pl -s) (abrév de discotheque) n discothèque f.

discolour (uk), **discolor** (us) [dɪs'kʌlər] vt **1.** décolorer **2.** (dents) jaunir. ❑ vi **1.** se décolorer **2.** (dents) jaunir.

discoloured (uk), **discolored** (us) [dɪs'kʌləd] adj **1.** décoloré **2.** (dents) jauni.

discomfort [dɪs'kʌmfət] n **1.** (indén) douleur f **2.** (indén) malaise m.

disconcert [ˌdɪskən'sɜːt] vt déconcerter.

disconcerting [ˌdɪskən'sɜːtɪŋ] adj déconcertant.

disconcertingly [ˌdɪskən'sɜːtɪŋlɪ] adv de façon déconcertante.

disconnect [ˌdɪskə'nekt] vt **1.** détacher **2.** débrancher **3.** TÉLÉCOM couper.

disconnected [ˌdɪskə'nektɪd] adj **1.** sans suite (décousu) **2.** sans rapport.

disconsolate [dɪs'kɒnsələt] adj triste, inconsolable.

discontent [ˌdɪskən'tent] n • **discontent (with)** mécontentement m (à propos de).

discontented [ˌdɪskən'tentɪd] adj mécontent.

discontinue [ˌdɪskən'tɪnjuː] vt cesser, interrompre.

discontinued line [ˌdɪskən'tɪnjuːd-] n fin f de série.

discord ['dɪskɔːd] n **1.** (indén) discorde f, désaccord m **2.** dissonance f.

discotheque ['dɪskəʊtek] n discothèque f.

discount n ['dɪskaʊnt] remise f. ❑ vt [(uk) dɪs'kaʊnt, (us) 'dɪskaʊnt] ne pas tenir compte de.

discourage [dɪs'kʌrɪdʒ] vt décourager • **to discourage sb from doing sthg** dissuader qqn de faire qqch.

discover [dɪ'skʌvər] vt découvrir • **to be discovered** être découvert.

discovery [dɪ'skʌvərɪ] n découverte f.

discredit [dɪs'kredɪt] n discrédit m. ❑ vt discréditer.

discredited [dɪs'kredɪtɪd] adj discrédité.

discreet [dɪ'skriːt] adj discret.

discreetly [dɪ'skriːtlɪ] adv discrètement.

discrepancy [dɪ'skrepənsɪ] n divergence f.

discretion [dɪ'skreʃn] n (indén) **1.** discrétion f **2.** jugement m, discernement m.

discretionary [dɪ'skreʃənrɪ] *adj* discrétionnaire.

discriminate [dɪ'skrɪmɪneɪt] *vi* **1.** différencier, distinguer • **to discriminate between** faire la distinction entre **2.** • **to discriminate against sb** faire de la discrimination envers qqn.

discriminating [dɪ'skrɪmɪneɪtɪŋ] *adj* judicieux.

discrimination [dɪˌskrɪmɪ'neɪʃn] *n* **1.** discrimination *f* • **racial discrimination** la discrimination raciale **2.** discernement *m*, jugement *m*.

discus ['dɪskəs] (*pl* -es) *n* disque *m* (*que l'on lance*).

discuss [dɪ'skʌs] *vt* discuter (de).

discussion [dɪ'skʌʃn] *n* discussion *f* • **under discussion** en discussion.

discussion group *n* groupe *m* de discussion.

disdain [dɪs'deɪn] *n* • **disdain (for)** dédain *m* (pour).

disdainful [dɪs'deɪnful] *adj* dédaigneux.

disease [dɪ'ziːz] *n* maladie *f*.

diseased [dɪ'ziːzd] *adj* (*plante, corps*) malade.

disembark [ˌdɪsɪm'bɑːk] *vi* débarquer.

disenchanted [ˌdɪsɪn'tʃɑːntɪd] *adj* • **disenchanted (with)** désenchanté (de).

disengage [ˌdɪsɪn'geɪdʒ] *vt* **1.** • **to disengage sthg (from)** libérer *ou* dégager qqch (de) **2.** déclencher • **to disengage the gears** débrayer.

disfavour (UK), **disfavor** (US) [dɪs'feɪvər] *n* désapprobation *f*.

disfigure [dɪs'fɪgər] *vt* défigurer.

disfigured [dɪs'fɪgəd] *adj* défiguré.

disgrace [dɪs'greɪs] *n* **1.** (*sentiment*) honte *f* • **to bring disgrace on sb** jeter la honte sur qqn • **in disgrace** en défaveur **2.** (*ce qui cause de la honte*) honte *f*, scandale *m*. ❑ *vt* faire honte à • **to disgrace o.s.** se couvrir de honte.

disgraceful [dɪs'greɪsful] *adj* honteux, scandaleux.

disgracefully [dɪs'greɪsfulɪ] *adv* honteusement.

disgruntled [dɪs'grʌntld] *adj* mécontent.

disguise [dɪs'gaɪz] *n* déguisement *m* • **in disguise** déguisé. ❑ *vt* **1.** déguiser **2.** dissimuler.

disgust [dɪs'gʌst] *n* • **disgust (at) a)** dégoût *m* (pour) **b)** dégoût (devant). ❑ *vt* dégoûter, écœurer.

disgusted [dɪs'gʌstɪd] *adj* **1.** écœuré, dégoûté **2.** *fig* écœuré.

disgusting [dɪs'gʌstɪŋ] *adj* dégoûtant.

dish [dɪʃ] *n* **1.** plat *m* **2.** (US) assiette *f*. ❑ *vi* (*locution*) • **to dish on sb** *fam* cafarder qqn. ■ **dishes** *npl* vaisselle *f*. ■ **dish out** *vt sép fam* distribuer. ■ **dish up** *vt sép fam* servir (*de la nourriture*).

dish aerial (UK), **dish antenna** (US) *n* antenne *f* parabolique.

dishcloth ['dɪʃklɒθ] *n* lavette *f*.

disheartened [dɪs'hɑːtnd] *adj* découragé.

disheartening [dɪs'hɑːtnɪŋ] *adj* décourageant.

dishevelled (UK), **disheveled** (US) [dɪ'ʃevəld] *adj* **1.** (*personne*) échevelé **2.** (*cheveux*) en désordre.

dishonest [dɪs'ɒnɪst] *adj* malhonnête.

dishonesty [dɪs'ɒnɪstɪ] *n* malhonnêteté *f*.

dishonour (UK), **dishonor** (US) [dɪs'ɒnər] *n* déshonneur *m*. ❑ *vt* déshonorer.

dishonourable (UK), **dishonorable** (US) [dɪs'ɒnərəbl] *adj* **1.** peu honorable **2.** déshonorant.

dishtowel ['dɪʃtaʊəl] *n* torchon *m*.

dishwasher ['dɪʃˌwɒʃər] *n* lave-vaisselle *m inv*.

dish(washing) soap *n* (US) liquide *m* pour la vaisselle.

dishy ['dɪʃɪ] (*comp* dishier, *superl* dishiest) *adj* (UK) *fam* mignon, sexy (*inv*).

disillusioned [ˌdɪsɪ'luːʒnd] *adj* désillusionné, désenchanté.

disincentive [ˌdɪsɪn'sentɪv] *n* **1.** • **to be a disincentive** avoir un effet dissuasif **2.** être démotivant.

disinclined [ˌdɪsɪn'klaɪnd] *adj* • **to be disinclined to do sthg** être peu disposé à faire qqch.

disinfect [ˌdɪsɪn'fekt] *vt* désinfecter.

disinfectant [ˌdɪsɪn'fektənt] *n* désinfectant *m*.

disingenuous [ˌdɪsɪn'dʒenjʊəs] *adj* peu sincère.

disinherit [ˌdɪsɪn'herɪt] *vt* déshériter.

disintegrate [dɪs'ɪntɪgreɪt] *vi* se désintégrer, se désagréger.

disinterested [ˌdɪs'ɪntrəstɪd] *adj* **1.** désintéressé **2.** • **disinterested (in)** indifférent (à).

disjointed [dɪs'dʒɔɪntɪd] *adj* décousu.

disk [dɪsk] *n* **1.** INFORM disque *m* • **hard disk** disque dur **2.** (US) = **disc**.

disk drive *n* INFORM lecteur *m* de disques *ou* de disquettes.

diskette [dɪs'ket] *n* INFORM disquette *f*.

disk operating system *n* système *m* d'exploitation (à disques).

disk space *n* espace *m* disque.

dislike [dɪs'laɪk] *n* • **dislike (of)** aversion *f* (pour). ❑ *vt* ne pas aimer.

dislocate ['dɪsləkeɪt] *vt* **1.** MÉD se démettre **2.** désorganiser, perturber.

dislodge [dɪs'lɒdʒ] *vt* • **to dislodge sthg (from) a)** déplacer qqch (de) **b)** décoincer qqch (de).

disloyal [ˌdɪs'lɔɪəl] *adj* déloyal.

disloyalty [ˌdɪs'lɔɪəltɪ] *n* déloyauté *f* • **an act of disloyalty** un acte déloyal.

dismal ['dɪzml] *adj* **1.** lugubre **2.** infructueux **3.** lamentable.

dismantle [dɪs'mæntl] *vt* démanteler.

dismay [dɪs'meɪ] *n* consternation *f*. ❑ *vt* consterner.

dismiss [dɪs'mɪs] *vt* **1.** • **to dismiss sb (from)** congédier qqn (de) **2.** écarter (*une idée, une personne*) **3.** rejeter (*un projet*) **4.** laisser sortir (*des*

élèves) 5. faire rompre les rangs à *(des troupes)* **6.** *DR* dissoudre • **to dismiss a charge** rendre une ordonnance de non-lieu • **case dismissed!** affaire classée !

dismissal [dɪsˈmɪsl] *n* **1.** licenciement *m*, renvoi *m* **2.** rejet *m*.

dismissive [dɪsˈmɪsɪv] *adj* méprisant, dédaigneux • **to be dismissive of** ne faire aucun cas de.

dismount [ˌdɪsˈmaʊnt] *vi* descendre (de).

disobedience [ˌdɪsəˈbiːdjəns] *n* désobéissance *f*.

disobedient [ˌdɪsəˈbiːdjənt] *adj* désobéissant.

disobey [ˌdɪsəˈbeɪ] *vt* désobéir à.

disorder [dɪsˈɔːdər] *n* **1.** • **in disorder** en désordre **2.** *(indén)* troubles *mpl* **3.** *MÉD* trouble *m*.

disorderly [dɪsˈɔːdəlɪ] *adj* **1.** en désordre **2.** désordonné **3.** indiscipliné.

disorganized, -ised (UK) [dɪsˈɔːgənaɪzd] *adj* **1.** désordonné, brouillon **2.** mal conçu.

disorient [dɪsˈɔːrɪənt], **disorientate** (UK) [dɪsˈɔːrɪənteɪt] *vt* désorienter • **to be disoriented** être désorienté • **it's easy to become disoriented a)** c'est facile de perdre son sens de l'orientation **b)** *fig* on a vite fait d'être désorienté.

disorientation [dɪsˌɔːrɪənˈteɪʃn] *n* désorientation *f*.

disoriented [dɪsˈɔːrɪəntɪd], **disorientated** (UK) [dɪsˈɔːrɪənteɪtɪd] *adj* désorienté.

disorienting [dɪsˈɔːrɪəntɪŋ] *adj* déroutant.

disown [dɪsˈəʊn] *vt* désavouer.

disparaging [dɪˈspærɪdʒɪŋ] *adj* désobligeant.

disparate [ˈdɪspərət] *adj* disparate.

disparity [dɪˈspærətɪ] *(pl* -ies) *n* • **disparity (between** *ou* **in)** disparité *f* (entre).

dispassionate [dɪˈspæʃnət] *adj* impartial.

dispatch [dɪˈspætʃ] *n* dépêche *f*. ❏ *vt* envoyer, expédier.

dispatch rider *n* **1.** estafette *f* **2.** coursier *m*.

dispel [dɪˈspel] *vt* dissiper, chasser.

dispensable [dɪˈspensəbl] *adj* **1.** dont on peut se passer **2.** *(dépense)* superflu.

dispensary [dɪˈspensərɪ] *n* officine *f*.

dispense [dɪˈspens] *vt* administrer. ■ **dispense with** *vt insép* **1.** se passer de **2.** rendre superflu • **to dispense with the need for sthg** rendre qqch superflu.

dispensing chemist [dɪˈspensɪŋ-] *n* (UK) pharmacien *m*, -enne *f*.

dispersal [dɪˈspɜːsl] *n* dispersion *f*.

disperse [dɪˈspɜːs] *vt* **1.** disperser *(une foule)* **2.** répandre, propager *(une nouvelle)*. ❏ *vi* se disperser.

dispirited [dɪˈspɪrɪtɪd] *adj* découragé, abattu.

displace [dɪsˈpleɪs] *vt* **1.** déplacer **2.** supplanter.

displaced person [dɪsˈpleɪst-] *n* personne *f* déplacée.

displacement activity *n* déplacement *m*.

display [dɪˈspleɪ] *n* **1.** exposition *f* **2.** manifestation *f* **3.** spectacle *m* **4.** *INFORM* écran *m* **5.** *INFORM* affichage *m*, visualisation *f*. ❏ *vt* **1.** exposer **2.** faire preuve de, montrer.

display advertisement *n* encadré *m*.

displease [dɪsˈpliːz] *vt* déplaire à, mécontenter.

displeased [dɪsˈpliːzd] *adj* mécontent • **to be displeased with** *ou* **at** être mécontent de.

displeasure [dɪsˈpleʒər] *n* mécontentement *m*.

disposable [dɪˈspəʊzəbl] *adj* jetable • **a disposable camera** un appareil photo jetable.

disposable camera *n* appareil *m* photo jetable.

disposable income *n* surplus *m*, revenu *m* disponible.

disposal [dɪˈspəʊzl] *n* **1.** enlèvement *m* **2.** • **at sb's disposal** à la disposition de qqn.

dispose [dɪˈspəʊz] ■ **dispose of** *vt insép* **1.** se débarrasser de **2.** résoudre *(un problème)*.

disposed [dɪˈspəʊzd] *adj* **1.** • **to be disposed to do sthg** être disposé à faire qqch **2.** • **to be well disposed to** *ou* **towards sb** être bien disposé envers qqn.

disposition [ˌdɪspəˈzɪʃn] *n* **1.** caractère *m*, tempérament *m* **2.** • **disposition to do sthg** tendance *f* à faire qqch.

dispossessed [ˌdɪspəˈzest] *adj* dépossédé.

disproportionate [ˌdɪsprəˈpɔːʃnət] *adj* • **disproportionate (to)** disproportionné (à).

disproportionately [ˌdɪsprəˈpɔːʃnətlɪ] *adv* d'une façon disproportionnée • **a disproportionately large sum** une somme disproportionnée.

disprove [ˌdɪsˈpruːv] *vt* réfuter.

dispute [dɪˈspjuːt] *n* **1.** dispute *f* **2.** *(indén)* désaccord *m* **3.** *INDUST* conflit *m*. ❏ *vt* contester.

disqualification [dɪsˌkwɒlɪfɪˈkeɪʃn] *n* disqualification *f*.

disqualify [ˌdɪsˈkwɒlɪfaɪ] *vt* **1.** • **to disqualify sb (from doing sthg)** interdire à qqn (de faire qqch) **2.** *SPORT* disqualifier.

disquiet [dɪsˈkwaɪət] *n* inquiétude *f*.

disregard [ˌdɪsrɪˈgɑːd] *n (indén)* • **disregard (for) a)** mépris *m* (pour) **b)** indifférence *f* (à). ❏ *vt* **1.** ignorer **2.** mépriser **3.** ne pas tenir compte de.

disrepair [ˌdɪsrɪˈpeər] *n* délabrement *m* • **to fall into disrepair** se délabrer.

disreputable [dɪsˈrepjʊtəbl] *adj* peu respectable.

disrepute [ˌdɪsrɪˈpjuːt] *n* • **to bring sthg into disrepute** discréditer qqch • **to fall into disrepute** acquérir une mauvaise réputation.

disrupt [dɪsˈrʌpt] *vt* perturber.

disruption [dɪsˈrʌpʃn] n perturbation f.

disruptive [dɪsˈrʌptɪv] adj perturbateur.

diss [dɪs] vt tfam • **to diss sb** se foutre de qqn.

dissatisfaction [ˈdɪsˌsætɪsˈfækʃn] n mécontentement m.

dissatisfied [ˌdɪsˈsætɪsfaɪd] adj • **dissatisfied (with)** mécontent (de), pas satisfait (de).

dissect [dɪˈsekt] vt litt & fig disséquer.

dissection [dɪˈsekʃn] n litt & fig dissection f.

disseminate [dɪˈsemɪnet] vt disséminer.

dissent [dɪˈsent] n dissentiment m. ❏ vi • **to dissent** être en désaccord.

dissenting [dɪˈsentɪŋ] adj • **dissenting voice** opinion f contraire.

dissertation [ˌdɪsəˈteɪʃn] n **1.** thèse f (de doctorat) **2.** exposé m **3.** UNIV mémoire m.

disservice [ˌdɪsˈsɜːvɪs] n • **to do sb a disservice** rendre un mauvais service à qqn.

dissident [ˈdɪsɪdənt] n dissident m, -e f.

dissimilar [ˌdɪˈsɪmɪləʳ] adj • **dissimilar (to)** différent (de).

dissipate [ˈdɪsɪpeɪt] vt **1.** dissiper **2.** dilapider, gaspiller.

dissociate [dɪˈsəʊʃɪeɪt] vt dissocier • **to dissociate o.s. from** se dissocier de.

dissolute [ˈdɪsəluːt] adj dissolu.

dissolve [dɪˈzɒlv] vt dissoudre. ❏ vi **1.** se dissoudre **2.** fig disparaître.

dissuade [dɪˈsweɪd] vt dissuader.

distance [ˈdɪstəns] n distance f • **from a distance** de loin • **in the distance** au loin.

distance learning n télé-enseignement m.

distant [ˈdɪstənt] adj **1.** • **distant (from)** éloigné (de) **2.** distant.

distantly [ˈdɪstəntlɪ] adv **1.** au loin **2.** vaguement • **to be distantly related a)** avoir un lien de parenté éloigné **b)** avoir un rapport éloigné (avec qqch).

distaste [dɪsˈteɪst] n • **distaste (for)** dégoût m (pour).

distasteful [dɪsˈteɪstful] adj répugnant, déplaisant.

distended [dɪˈstendɪd] adj ballonné, gonflé.

distil (UK), **distill** (US) [dɪˈstɪl] vt litt & fig distiller.

distillery [dɪˈstɪlərɪ] n distillerie f.

distinct [dɪˈstɪŋkt] adj **1.** • **distinct (from)** distinct (de), différent (de) • **as distinct from** par opposition à **2.** (amélioration) net, nette f.

distinction [dɪˈstɪŋkʃn] n **1.** distinction f, différence f **2.** (indén) distinction f **3.** UNIV mention f très bien.

distinctive [dɪˈstɪŋktɪv] adj distinctif.

distinctive feature n LING trait m pertinent.

distinctly [dɪˈstɪŋktlɪ] adv (voir, se rappeler) clairement.

distinguish [dɪˈstɪŋgwɪʃ] vt **1.** • **to distinguish sthg from sthg** distinguer qqch de qqch, faire la différence entre qqch et qqch **2.** (voir) distinguer **3.** caractériser.

distinguishable [dɪˈstɪŋgwɪʃəbl] adj **1.** visible **2.** reconnaissable • **to be easily distinguishable from** se distinguer facilement de, être facile à distinguer de.

distinguished [dɪˈstɪŋgwɪʃt] adj distingué.

distinguishing [dɪˈstɪŋgwɪʃɪŋ] adj distinctif.

distort [dɪˈstɔːt] vt déformer.

distorted [dɪˈstɔːtɪd] adj déformé.

distortion [dɪˈstɔːʃn] n déformation f.

distract [dɪˈstrækt] vt distraire.

distracted [dɪˈstræktɪd] adj distrait.

distracting [dɪˈstræktɪŋ] adj gênant • **I find it distracting** ça m'empêche de me concentrer.

distraction [dɪˈstrækʃn] n distraction f.

distraught [dɪˈstrɔːt] adj éperdu.

distress [dɪˈstres] n **1.** détresse f **2.** douleur f, souffrance f. ❏ vt affliger.

distressed [dɪˈstrest] adj affligé (accablé).

distressing [dɪˈstresɪŋ] adj pénible.

distress signal n signal m de détresse.

distribute [dɪˈstrɪbjuːt] vt **1.** distribuer **2.** répartir.

distribution [ˌdɪstrɪˈbjuːʃn] n **1.** distribution f **2.** répartition f.

distribution channel n canal m de distribution.

distribution list n liste f de distribution (e-mail).

distributor [dɪˈstrɪbjutəʳ] n AUTO & COMM distributeur m.

district [ˈdɪstrɪkt] n **1.** région f **2.** quartier m **3.** (circonscription administrative) district m.

district attorney n (US) ≃ procureur m de la République.

district council n (UK) ≃ conseil m général.

district nurse n (UK) infirmière f visiteuse ou à domicile.

distrust [dɪsˈtrʌst] n méfiance f. ❏ vt se méfier de.

distrustful [dɪsˈtrʌstful] adj méfiant.

disturb [dɪˈstɜːb] vt **1.** déranger **2.** inquiéter **3.** troubler.

disturbance [dɪˈstɜːbəns] n **1.** troubles mpl **2.** tapage m **3.** dérangement m **4.** trouble m.

disturbed [dɪˈstɜːbd] adj **1.** perturbé **2.** inquiet.

disturbing [dɪˈstɜːbɪŋ] adj **1.** bouleversant **2.** inquiétant.

disuse [ˌdɪsˈjuːs] n • **to fall into disuse** tomber en désuétude.

disused [ˌdɪsˈjuːzd] adj désaffecté.

ditch [dɪtʃ] *n* fossé *m*. ❏ *vt* **1.** *fam* plaquer *(son copain, sa copine)* **2.** se débarrasser de *(ses vieux vêtements)* **3.** abandonner *(un projet)*.

dither ['dɪðə^r] *vi* hésiter.

ditherer ['dɪðərə^r] *n fam* • **he's such a terrible ditherer** il est toujours à hésiter sur tout.

dithering ['dɪðərɪŋ] *n* tramage *m (des couleurs)*.

ditto ['dɪtəʊ] *adv* idem.

diva ['diːvə] *(pl -s)* *n* diva *f*.

divan [dɪ'væn] *n* divan *m*.

dive [daɪv] *vi* ((UK) prét & pp dived, (US) prét & pp dived ou dove) **1.** plonger **2.** piquer. ❏ *n* **1.** plongeon *m* **2.** piqué *m* **3.** *fam & péj* (bar, restaurant mal famé) bouge *m*.

diver ['daɪvə^r] *n* plongeur *m*, -euse *f*.

diverge [daɪ'vɜːdʒ] *vi* • **to diverge (from)** diverger (de).

diverse [daɪ'vɜːs] *adj* divers.

diversification [daɪ,vɜːsɪfɪ'keɪʃn] *n* diversification *f*.

diversify [daɪ'vɜːsɪfaɪ] *vt* diversifier. ❏ *vi* se diversifier.

diversion [daɪ'vɜːʃn] *n* **1.** distraction *f* **2.** diversion *f* **3.** (UK) déviation *f* **4.** détournement *m*.

diversity [daɪ'vɜːsəti] *n* diversité *f*.

divert [daɪ'vɜːt] *vt* **1.** (UK) dévier *(la circulation)* **2.** détourner *(des fonds, le cours d'un fleuve)* **3.** distraire.

divide [dɪ'vaɪd] *vt* **1.** séparer **2.** diviser, partager • **to divide sthg (into)** diviser qqch (en) **3.** diviser *(des personnes)* .MATH • **89 divided by 3** 89 divisé par 3. ❏ *vi* se diviser.

dividend ['dɪvɪdend] *n* dividende *m*.

dividing line [dɪ'vaɪdɪŋ-] *n* ligne *f* de démarcation.

divine [dɪ'vaɪn] *adj* divin • **divine intervention** intervention *f* divine.

diving ['daɪvɪŋ] *n* **1.** *(indén)* plongeon *m* **2.** plongée *f* (sous-marine).

diving board *n* plongeoir *m*.

diving suit *n* combinaison *f* de plongée.

divinity [dɪ'vɪnəti] *n* **1.** divinité *f* **2.** théologie *f*.

division [dɪ'vɪʒn] *n* **1.** division *f* **2.** séparation *f*.

division sign *n* signe *m* de division.

divisive [dɪ'vaɪsɪv] *adj* qui sème la division *ou* la discorde.

divorce [dɪ'vɔːs] *n* divorce *m*. ❏ *vt* divorcer.

divorcé [dɪ'vɔːseɪ] *n* divorcé *m*.

divorced [dɪ'vɔːst] *adj* divorcé • **to get divorced** divorcer.

divorcée [dɪvɔː'siː] *n* divorcée *f*.

divulge [daɪ'vʌldʒ] *vt* divulguer.

DIY (abrév de do-it-yourself) *n* (UK) bricolage *m*.

dizziness ['dɪzɪnɪs] *n* vertige *m*.

dizzy ['dɪzɪ] *adj* • **to feel dizzy** avoir la tête qui tourne.

DJ, deejay (abrév de disc jockey) *n* disc-jockey *m*.

Dk, DK (abrév de don't know) je ne sais pas.

DNA (abrév de deoxyribonucleic acid) *n* ADN *m* • **DNA test** test *m* ADN • **DNA testing** tests *mpl* ADN.

DNS [,diːen'es] (abrév de Domain Name System) *n* DNS *m*, système *m* de nom de domaine.

do

■ **do** [duː] *v aux* (prét did, pp done)

1. DANS LES PHRASES NÉGATIVES, EN L'ABSENCE D'UN AUTRE AUXILIAIRE
• **don't leave it there** ne le laisse pas là

2. DANS LES PHRASES INTERROGATIVES, EN L'ABSENCE D'UN AUTRE AUXILIAIRE
• **what did he want?** qu'est-ce qu'il voulait ?
• **do you think she'll come?** tu crois qu'elle viendra ?

3. POUR REPRENDRE UN VERBE
• **she reads more than I do** elle lit plus que moi

4. DANS LES QUESTION TAGS, EN L'ABSENCE D'UN AUTRE AUXILIAIRE
• **so you think you can dance, do you?** alors tu t'imagines que tu sais danser, c'est ça ?

5. EFFET D'INSISTANCE, D'EMPHASE
• **I did tell you but you've forgotten** je te l'avais bien dit, mais tu as oublié

6. EFFET DE CONTRASTE
• **I am not very fond of the piano. I do like Chopin though** je ne suis pas vraiment amateur de piano et pourtant, j'aime Chopin

7. EFFET D'INVITATION, D'INCITATION
• **do come in** entrez donc

■ **do** [duː] *vt* (prét did, pp done)

1. POUR EXPRIMER LA RÉALISATION D'UNE ACTION
• **what are you doing?** qu'est-ce que tu fais ?
• **she does the cooking, he does the housework** elle fait la cuisine, il fait le ménage • **they do fish very well in this restaurant** ils cuisinent très bien le poisson dans ce restaurant • **I did physics at school** j'ai étudié la physique à l'école

2. POUR QUESTIONNER QQN SUR SA PROFESSION
• **what do you do?** qu'est-ce que vous faites dans la vie ?

3. DANS DES EXPRESSSIONS
• **shall we do lunch?** *fam* et si on allait déjeuner ensemble ?

■ **do** [duː] *vi* (prét did, pp done)

1. RÉALISER UNE ACTION
faire • **do as I tell you** fais comme je te dis

2. INTRODUIT UNE IDÉE DE RÉUSSITE
• **they're doing really well** leurs affaires marchent bien • **he could do better** il pourrait mieux faire • **how did you do in the exam?** comment ça a marché à l'examen ?

3. INDIQUE QUE QQCH EST SUFFISANT
• **will £6 do?** est-ce que 6 livres suffiront ?
• **that will do** ça suffit

■ **do** [duː] n (pl **dos** ou **do's**)

1. (UK) fam ACTIVITÉ
fête f • **they had a big do** ils ont fait une grande fête

2. fam EXCRÉMENT
• **dog do** crotte f de chien

■ **do away with** vt insép
supprimer • **to do away with a law** supprimer une loi

■ **do down** vt sép
(UK) fam dire du mal de

■ **dos** npr

CONSIGNES
• **dos and don'ts** ce qu'il faut faire et ne pas faire

À PROPOS DE

do

Présent : *I do, you do, he/she/it does, we do, you do, they do.* Prétérit : *I did, you did, he/she/it did, we did, you did, they did.* Participe présent : *doing.* Participe passé : *done.*

Do est un verbe à part entière, doté de sens propres, et qui peut donc apparaître seul. Il remplit en outre la fonction d'auxiliaire, notamment pour former les questions *(do you watch much television?)* et les tournures négatives *(I didn't see him at school today)*, lorsque le verbe de la principale est au présent ou au prétérit. Aux autres temps, il faut utiliser les auxiliaires *be* ou *have*.
On peut également utiliser *do* lorsque l'on veut insister sur quelque chose *(you're wrong - I do know her)*.
Voir aussi *faire* dans la partie français-anglais du dictionnaire.

---

doable ['duːəbl] adj fam faisable.

d.o.b., DOB abrév de **date of birth**.

Doberman ['dəʊbəmən] (pl -s) n doberman m.

docile [(UK) 'dəʊsaɪl, (US) 'dɒsəl] adj docile.

dock [dɒk] n **1.** docks mpl **2.** DR banc m des accusés **3.** (pour les appareils électroniques) station f d'accueil. ❑ vi arriver à quai.

docker ['dɒkər] n docker mf.

docking station n station f d'accueil (d'un appareil électronique).

docklands ['dɒkləndz] npl (UK) docks mpl.

dockworker ['dɒkwɜːkər] = **docker**.

dockyard ['dɒkjɑːd] n chantier m naval.

doctor ['dɒktər] n **1.** docteur m, médecin m • **doctor's orders : I can't, doctor's orders!** je ne peux pas, le médecin me l'interdit **2.** UNIV docteur m (titulaire d'un doctorat). ❑ vt **1.** falsifier (un rapport, des résultats) **2.** altérer (un texte, de la nourriture).

doctorate ['dɒktərət], **doctor's degree** n doctorat m.

doctrine ['dɒktrɪn] n doctrine f.

docudrama [ˌdɒkjʊ'drɑːmə] (pl -s) n docudrame m.

document n ['dɒkjʊmənt] document m.

documentarist [dɒkjʊ'mentərɪst] n documentariste mf.

documentary [ˌdɒkjʊ'mentərɪ] n documentaire m.

docusoap ['dɒkjuːsəʊp] n docudrame m (sous forme de feuilleton).

doddering ['dɒdərɪŋ], **doddery** ['dɒdərɪ] adj fam branlant.

doddle ['dɒdl] n (UK) fam • **it was a doddle** c'était du gâteau.

dodge [dɒdʒ] n fam combine f. ❑ vt éviter, esquiver. ❑ vi s'esquiver.

dodgy ['dɒdʒɪ] adj (UK) fam douteux.

doe [dəʊ] n **1.** biche f **2.** lapine f.

does (forme non accentuée [dəz], forme accentuée [dʌz]) → **do**.

doesn't ['dʌznt] = **does not**.

dog [dɒg] n **1.** chien m, chienne f **2.** • **she's like a dog with a bone** elle est toute contente ou joyeuse. ❑ vt **1.** (sujet : personne) suivre de près **2.** (sujet : malchance, problèmes) poursuivre.

dog and pony show n (US) fam • **to put on a dog and pony show** faire tout un cinéma.

dog collar n **1.** collier m de chien **2.** col m d'ecclésiastique.

dog dirt n (UK) crottes fpl de chien.

dog-eared [-ɪəd] adj écorné.

dog food n nourriture f pour chiens.

dogged ['dɒgɪd] adj tenace.

doggedly ['dɒgɪdlɪ] adv **1.** avec ténacité ou persévérance **2.** obstinément.

doggy bag, doggie bag n sac pour emporter les restes d'un repas au restaurant.

doghouse ['dɒghaʊs] (pl [-haʊzɪz]) n **1.** (US) chenil m, niche f **2.** fam • **to be in the doghouse (with sb)** ne pas être en odeur de sainteté ou être en disgrâce (auprès de qqn).

dogma ['dɒgmə] n dogme m.

dogmatic [dɒg'mætɪk] adj dogmatique.

dog mess n (UK) **1.** crottes *fpl* de chien **2.** déjections *fpl* canines.

do-gooder [-'gudə'] n *péj* bonne âme f.

dogsbody ['dɒgz,bɒdɪ] n **1.** (UK) *fam (femme)* bonne f à tout faire **2.** *(homme)* factotum m.

doing ['du:ɪŋ] n • is this your doing? c'est toi qui es cause de tout cela ?

do-it-yourself n *(indén)* bricolage m.

dojo ['dəudʒəu] n dojo m.

doldrums ['dɒldrəmz] npl • to be in the doldrums *fig* être dans le marasme.

dole [dəul] n (UK) allocation f de chômage • to be on the dole être au chômage. ■ **dole out** vt sép distribuer au compte-gouttes *(de la nourriture, de l'argent).*

doleful ['dəulful] adj morne.

doll [dɒl] n poupée f.

dollar ['dɒlə'] n **1.** dollar m **2.** • another day, another dollar! (US) *fam* **a)** *(en début de journée)* encore une journée de boulot à se farcir ! **b)** *(en fin de journée)* encore une journée de passée !

dollar sign n signe m dollar.

dolled up [dɒld-] adj *fam* pomponné.

dollop ['dɒləp] n *fam* bonne cuillerée f.

doll's house (UK), **dollhouse** ['dɒlhaus] (US) n maison f de poupée.

dolly grip n machiniste *mf (au cinéma).*

dolphin ['dɒlfɪn] n dauphin m.

domain [də'meɪn] n *litt & fig* domaine m.

domain name n nom m de domaine *(Internet).*

Domain Name System n système m de nom de domaine.

dome [dəum] n dôme m.

domestic [də'mestɪk] adj **1.** *(politique, vol)* intérieur **2.** *(animal)* domestique **3.** *(personne)* casanier. ◻ n domestique *mf.*

domestic appliance n appareil m ménager.

domesticate [də'mestɪkeɪt] vt **1.** domestiquer, apprivoiser **2.** *hum* habituer aux tâches ménagères.

domesticated [də'mestɪkeɪtɪd] adj **1.** domestiqué **2.** *hum* popote *(inv).*

domestic market n marché m intérieur.

dominant ['dɒmɪnənt] adj **1.** dominant **2.** dominateur.

dominate ['dɒmɪneɪt] vt dominer.

domineering [,dɒmɪ'nɪərɪŋ] adj autoritaire.

dominion [də'mɪnjən] n **1.** *(indén)* domination f **2.** territoire m.

domino ['dɒmɪnəu] *(pl -es)* n domino m. ■ **dominoes** npl *(jeu)* dominos *mpl.*

doN abrév de **doing.**

don [dɒn] n (UK) professeur m d'université.

donate [də'neɪt] vt faire don de.

donation [də'neɪʃn] n don m.

done [dʌn] pp → **do.** ◻ adj **1.** achevé • I'm nearly done j'ai presque fini **2.** cuit. ◻ interj tope là !

donkey ['dɒŋkɪ] *(pl -s)* n âne m, ânesse f.

donkeywork ['dɒŋkɪwɜːk] n *fam* • to do the donkeywork faire le sale boulot.

donor ['dəunə'] n **1.** *MÉD* donneur m, -euse f **2.** donateur m, -trice f.

donor card n carte f de donneur.

don't [dəunt] = do not.

donut ['dəunʌt] (US) = doughnut.

doodle ['du:dl] n griffonnage m. ◻ vi griffonner.

doom [du:m] n destin m.

doomed [du:md] adj condamné • the plan was doomed to failure le plan était voué à l'échec.

door [dɔː'] n **1.** porte f • to open/close the door ouvrir/fermer la porte **2.** portière f.

doorbell ['dɔːbel] n sonnette f.

doorhandle ['dɔːhændl] n poignée f de porte.

doorknob ['dɔːnɒb] n bouton m de porte.

doorknocker ['dɔː,nɒkə'] n heurtoir m.

doorman ['dɔːmən] *(pl -men)* n portier m.

doormat ['dɔːmæt] n *litt & fig* paillasson m.

doorstep ['dɔːstep] n pas m de la porte.

doorstop ['dɔːstɒp] n butoir m de porte.

door-to-door adj *(vente)* à domicile • door-to-door enquiries enquête f de voisinage.

door viewer n judas m *(optique).*

doorway ['dɔːweɪ] n embrasure f de la porte.

do out of vt sép *fam* • to do sb out of sthg escroquer *ou* carotter qqch à qqn.

doozy ['du:zɪ] n *fam* • that bruise is a real doozy! il est énorme ce bleu ! • a doozy of a problem/challenge un sacré problème/défi.

dope [dəup] n *fam* **1.** *arg drogue* dope f **2.** dopant m **3.** imbécile *mf.* ◻ vt doper.

dope test n contrôle m anti-dopage.

dopey, dopy ['dəupɪ] *(comp* dopier, *superl* dopiest) adj *fam* idiot, abruti.

dork [dɔːk] n **1.** (US) *fam* niais m, -e f **2.** binoclard m, -e f.

dorm *fam* n (US) = dormitory.

dormant ['dɔːmənt] adj **1.** *(volcan)* endormi **2.** *(loi)* inappliqué.

dormitory ['dɔːmɪtrɪ] n **1.** dortoir m **2.** (US) ≃ cité f universitaire.

Dormobile® ['dɔːmə,biːl] n (UK) camping-car m.

DOS [dɒs] *(abrév de* disk operating system) n DOS m.

dosage ['dəusɪdʒ] n dosage m.

dose [dəus] n **1.** *MÉD* dose f **2.** *fig* • a dose of the measles la rougeole.

dosh [dɒʃ] n (UK) *tfam* fric m.

doss [dɒs] ■ **doss down** vi (UK) *fam* crécher.

dosser ['dɒsər] n (UK) fam clochard m, -e f.

dosshouse ['dɒshaus] (pl [-hauzɪz]) n (UK) fam asile m de nuit.

dossier ['dɒsɪer] n dossier m.

dot [dɒt] n **1.** point m **2.** • **on the dot** à l'heure pile. ❑ vt • **dotted with** parsemé de.

dotcom ['dɒtkɒm] n dot com f, point com f • **the dotcom economy** l'économie des dot coms • **the dotcom bubble** la bulle Internet.

dote [dəʊt] • **dote (up)on** vt insép adorer.

doting ['dəʊtɪŋ] adj • **she has a doting grand-father** elle a un grand-père qui l'adore.

dot-matrix printer n imprimante f matri-cielle.

dotted line ['dɒtɪd-] n ligne f pointillée.

dotty ['dɒtɪ] (comp dottier, superl dottiest) adj (UK) fam toqué.

double ['dʌbl] adj double. ❑ adv **1.** • **double the amount** deux fois plus • **to see double** voir double **2.** en deux • **to bend double** se plier en deux. ❑ n **1.** (le) double m • **I earn double what I used to** je gagne le double de ce que je gagnais auparavant **2.** (locution) • **at** ou **on the double** au pas de course **3.** CINÉ doublure f. ❑ vt doubler. ■ **double back** vi insép tourner brus-quement • **the path doubles back on itself** le sentier vous ramène sur vos pas. ■ **doubles** npl TENNIS double m. ■ **double up** vt sép • **to be doubled up** être plié en deux. ❑ vi (bend over) se plier en deux.

double act n (surtout UK) duo m.

double agent n agent m double.

double-barrelled (UK), **double-barreled** (US) [-'bærəld] adj **1.** (fusil) à deux coups **2.** (UK) (nom) à rallonge.

double bass [-beɪs] n contrebasse f.

double bed n lit m pour deux per-sonnes, grand lit.

double bill n double programme m.

double-breasted [-'brestɪd] adj croisé.

double-check vt & vi revérifier.

double chin n double menton m.

double-click vi faire un double-clic, cliquer deux fois. ❑ vt double-cliquer • **to double-click on sthg** double-cliquer sur qqch.

double cream n (UK) crème f fraîche épaisse.

double-cross vt trahir.

double date n sortie f à quatre (deux couples). ■ **double-date** vi sortir à quatre (deux couples).

double-dealing n (indén) fourberie f, double jeu m. ❑ adj fourbe, faux jeton.

double-decker [-'dekər] n (UK) autobus m à impériale.

double Dutch n (UK) charabia m.

double-edged [-'edʒd] adj litt & fig à double tranchant.

double entendre [,duːblɑ̃'tɑ̃dr] n allusion f grivoise.

double fault n double faute f.

double figures npl (UK) • **to be in(to) dou-ble figures** être au-dessus de dix, dépasser la dizaine.

double-glazing [-'gleɪzɪŋ] n double vitrage m.

double-jointed [-'dʒɔɪntɪd] adj désarticulé.

double-park vi se garer en double file.

double room n chambre f pour deux per-sonnes.

double-side adj • **double-side tape** bande f adhésive double face.

double-sided adj (disque, scotch) double-face.

double standard n • **to have double stand-ards** avoir deux poids deux mesures.

double take n • **to do a double take** marquer un temps d'arrêt.

double vision n vue f double.

double whammy [-'wæmɪ] n double malé-diction f.

double yellow line n (UK) • **to be parked on a double yellow line** être en stationnement interdit.

doubly ['dʌblɪ] adv doublement.

doubt [daʊt] n doute m • **there is no doubt that** il n'y a aucun doute que • **without (a) doubt** sans aucun doute • **to be in doubt** a) ne pas être sûr • **to cast doubt on sthg** mettre qqch en doute. ❑ vt douter de • **to doubt whether** ou **if** douter que.

doubtful ['daʊtful] adj **1.** incertain **2.** douteux.

doubtless ['daʊtlɪs] adv sans aucun doute.

dough [dəʊ] n (indén) **1.** CULIN pâte f **2.** tfam fric m.

doughnut ['dəʊnʌt] n beignet m.

do up vt sép **1.** (vêtement) • **can you do up my dress?** peux-tu attacher ou boutonner ma robe ? **2.** (rénover) • **to do up the kitchen** refaire la cuisine.

douse [daʊs] vt **1.** éteindre (un feu) **2.** tremper.

dove¹ [dʌv] n colombe f.

dove² [dəʊv] (US) passé → dive.

Dover ['dəʊvər] n Douvres f.

dovetail ['dʌvteɪl] vi fig coïncider.

dowdy ['daʊdɪ] adj sans chic.

do with vt insép **1.** (indique un besoin, une nécessité) • **I could do with a day off** j'aurais bien besoin

d'un jour de congé **2.** *(avoir un rapport avec)* • **that has nothing to do with it** ça n'a aucun rapport.
do without *vt insép* se passer de. ❑ *vi* s'en passer.

down [daʊn] *adv* **1.** en bas, vers le bas • **to bend down** se pencher • **to climb down** descendre • **to fall down** tomber (par terre) • **to pull down** tirer vers le bas **2.** • **we went down to have a look** on est allés jeter un coup d'œil • **I'm going down to the shop** je vais au magasin **3.** • **prices are coming down** les prix baissent • **down to the last detail** jusqu'au moindre détail. ❑ *prép* **1.** • **they ran down the stairs** ils ont descendu l'escalier en courant **2.** • **to walk down the street** descendre la rue. ❑ *adj* **1.** *fam* • **to feel down** avoir le cafard **2.** en panne **3.** *(critique)* • **to be down on sb** être dur *ou* sévère avec qqn. ❑ *n (indén)* duvet *m*. ❑ *vt* **1.** abattre **2.** avaler d'un trait. • **downs** *npl (UK)* collines *fpl*.
down-and-out *adj* indigent. ❑ *n* personne *f* dans le besoin.
down-at-heel, down-at-the-heels (US) *adj* déguenillé.
downbeat ['daʊnbiːt] *adj fam* pessimiste.
downcast ['daʊnkɑːst] *adj* démoralisé.
downfall ['daʊnfɔːl] *n (indén)* ruine *f* (effondrement).
downgrade ['daʊngreɪd] *vt* **1.** déclasser *(un emploi, un vin)* **2.** rétrograder *(un employé)*.
downhearted [,daʊn'hɑːtɪd] *adj* découragé.
downhill [,daʊn'hɪl] *adj* en pente. ❑ *n (ski)* descente *f*. ❑ *adv* • **to walk downhill** descendre la côte • **her career is going downhill** *fig* sa carrière est sur le déclin.
Downing Street ['daʊnɪŋ-] *n* rue du centre de Londres où réside le Premier ministre.

down-in-the-mouth *adj* • **to be down-in-the-mouth** être abattu.
downlink ['daʊnlɪŋk] *n* liaison *f* satellite-terre.
download [,daʊn'ləʊd] *vt* télécharger.
downloadable [,daʊn'ləʊdəbl] *adj* téléchargeable.
down-market *adj* **1.** *(produit)* bas de gamme **2.** grande diffusion *(inv)* • **a down-market area** un quartier pas très chic.
down payment *n* acompte *m*.
downpour ['daʊnpɔː] *n* pluie *f* torrentielle.
downright ['daʊnraɪt] *adj* effronté. ❑ *adv* franchement.

downshift [,daʊn'ʃɪft] *vi* (US) rétrograder.
downsize ['daʊnsaɪz] *vt* **1.** réduire les effectifs de **2.** réduire l'échelle de *(application informatique)*.
downsizing ['daʊnsaɪzɪŋ] *n* **1.** réduction *f* des effectifs **2.** réduction *f* d'échelle *(application informatique)*.
Down's syndrome *n* trisomie *f* 21.
downstairs [,daʊn'steəz] *adj* **1.** du bas **2.** à l'étage en dessous. ❑ *adv* en bas • **wait for me downstairs** attends-moi en bas.
downstream [,daʊn'striːm] *adv* en aval.
downswing ['daʊnswɪŋ] *n* **1.** tendance *f* à la baisse, baisse *f* **2.** mouvement *m* descendant *(au golf)*.
downtime ['daʊntaɪm] *n* **1.** temps *m* improductif **2.** (US) *fig* • **on the weekends I need some downtime** j'ai besoin de faire une pause le week-end.
down-to-earth *adj* terre-à-terre *(inv)*.
downtown [,daʊn'taʊn] *adj (surtout US)* • **downtown Paris** le centre de Paris. ❑ *adv* en ville.
downtrodden ['daʊn,trɒdn] *adj* opprimé.
downturn ['daʊntɜːn] *n* • **downturn (in)** baisse *f* (de).
down under *adv* en Australie/Nouvelle-Zélande.
downward ['daʊnwəd] *adj* **1.** vers le bas **2.** à la baisse.
downward-compatible *adj (logiciel)* compatible vers le bas.
downward mobility *n* régression *f* sociale.
downwards ['daʊnwədz] *adv* vers le bas.
downward trend *n* tendance *f* à la baisse *ou* baissière *(de l'économie)*.
downwind [,daʊn'wɪnd] *adv* dans le sens du vent.
dowry ['daʊərɪ] *n* dot *f*.
doz. (abrév de dozen) douz.
doze [dəʊz] *n* somme *m*. ❑ *vi* sommeiller. ■ **doze off** *vi* s'assoupir.
dozen ['dʌzn] *adj num* • **a dozen eggs** une douzaine d'œufs. ❑ *n* **1.** douzaine *f* **2.** • **dozens of** *fam* des centaines de.
dozy ['dəʊzɪ] *adj* somnolent.
DPh, DPhil [,diː'fɪl] (abrév de Doctor of Philosophy) *n* (UK) docteur en philosophie.
dpi (abrév de dots per inch) PPP *(point par pouce)*.
Dr (abrév de Doctor) Dr.
Dr. (abrév de Drive) av. *(avenue)*.
drab [dræb] *adj* terne *(triste)*, fade *(couleur)*.
draft [drɑːft] *n* **1.** premier jet *m*, ébauche *f* **2.** brouillon *m* **3.** FIN traite *f* **4.** (US) MIL • **the draft** la conscription *f* **5.** (US) = **draught**. ❑ *vt* **1.** ébaucher, faire le plan de **2.** faire le brouillon de **3.** (US) MIL appeler **4.** muter.
draft dodging *n* insoumission *f*.

draft-proof (US) = draught-proof.

draft quality n qualité f brouillon ou listing, qualité f liste rapide (de l'impression).

draftsman (US) = draughtsman.

drafty (US) = draughty.

drag [dræg] vt **1.** traîner **2.** faire glisser • drag the file into the trash INFORM glisser le fichier dans la corbeille. ❑ vi **1.** traîner **2.** fig traîner en longueur. ❑ n **1.** fam plaie f (casse-pieds) **2.** fam bouffée f (de cigarette) **3.** • in drag en travesti. ■ drag on vi s'éterniser.

drag and drop vi, vt & n glisser-déposer, glisser-lâcher.

dragon ['drægən] n litt & fig dragon m.

dragonfly ['drægnflaɪ] n libellule f.

drain [dreɪn] n **1.** égout m **2.** • drain on épuisement m (de ressources). ❑ vt **1.** égoutter (des légumes) **2.** assécher, drainer (des terres) **3.** épuiser (quelqu'un).

drainage ['dreɪnɪdʒ] n **1.** (système m du) tout-à-l'égout m **2.** drainage m.

draining board (UK) ['dreɪnɪŋ-], **drainboard** (US) ['dreɪnbɔːd] n égouttoir m.

drainpipe ['dreɪnpaɪp] n tuyau m d'écoulement.

dram [dræm] n (ÉCOSSE) goutte f (de whisky).

drama ['drɑːmə] n **1.** drame m **2.** (indén) théâtre m.

drama queen n fam • he's a real drama queen il en fait des tonnes • don't be such a drama queen arrête ton cinéma.

dramatic [drə'mætɪk] adj **1.** dramatique • to take a dramatic turn prendre une tournure dramatique **2.** spectaculaire.

dramatically [drə'mætɪklɪ] adv **1.** de façon spectaculaire **2.** de façon théâtrale.

dramatist ['dræmətɪst] n dramaturge mf.

dramatization [ˌdræmətaɪ'zeɪʃn] n adaptation f pour la télévision/la scène/l'écran.

dramatize, -ise (UK) ['dræmətaɪz] vt **1.** adapter pour la télévision/la scène/l'écran **2.** péj dramatiser.

dramedy ['drɑːmədɪ] n comédie f dramatique.

drank [dræŋk] passé → drink.

drape [dreɪp] vt draper. ■ drapes npl (US) rideaux mpl.

drapery ['dreɪpərɪ] n (UK) mercerie f.

drastic ['dræstɪk] adj **1.** drastique, radical **2.** spectaculaire.

drastically ['dræstɪklɪ] adv (changer, décliner) de façon spectaculaire.

draught (UK), **draft** (US) [drɑːft] n courant m d'air. ■ draughts n (UK) jeu m de dames.

draught beer (UK), **draft beer** (US) n bière f à la pression.

draughtboard ['drɑːftbɔːd] n (UK) damier m.

draught-proof (UK), **draft-proof** (US) vt calfeutrer. ❑ adj calfeutré.

draughtsman (UK), **draftsman** (US) (pl -men) n dessinateur m, -trice f.

draughty (UK) (comp draughtier, superl draughtiest), **drafty** (US) ['drɑːftɪ] adj plein de courants d'air.

draw [drɔː] vt (prét drew, pp drawn) **1.** tirer (une conclusion) **2.** dessiner **3.** établir, faire (une distinction) **4.** attirer, entraîner • to draw sb's attention to attirer l'attention de qqn sur. ❑ vi (prét drew, pp drawn) **1.** dessiner **2.** • to draw near a) s'approcher b) (date, événement) approcher • to draw away reculer **3.** SPORT faire match nul. ❑ n **1.** SPORT match m nul **2.** tirage m (au sort) **3.** attraction f. ■ draw out vt sép **1.** faire sortir de sa coquille (un poussin) **2.** prolonger **3.** faire un retrait de, retirer (de l'argent). ■ draw up vt sép établir, dresser (une liste). ❑ vi (véhicule) s'arrêter.

drawback ['drɔːbæk] n inconvénient m, désavantage m.

drawbridge ['drɔːbrɪdʒ] n pont-levis m.

drawer [drɔː] n tiroir m.

drawing ['drɔːɪŋ] n dessin m.

drawing board n planche f à dessin.

drawing pin n (UK) punaise f.

drawing room n salon m.

drawl [drɔːl] n voix f traînante.

drawn [drɔːn] pp → draw.

dread [dred] n (indén) épouvante f. ❑ vt appréhender.

dreaded ['dredɪd] adj redouté.

dreadful ['dredful] adj affreux, épouvantable.

dreadfully ['dredfulɪ] adv **1.** terriblement **2.** extrêmement • I'm dreadfully sorry je regrette infiniment.

dreadlocks ['dredlɒks] npl coiffure f rasta.

dreads [dredz] npl = dreadlocks.

dream [driːm] n rêve m. ❑ adj de rêve. ❑ vt (prét & pp dreamed ou dreamt) rêver • to dream (that)... rêver que... ❑ vi (prét & pp dreamed ou dreamt) • to dream (of ou about) rêver (de) • I wouldn't dream of it cela ne me viendrait même pas à l'idée. ■ dream up vt sép inventer.

dreamboat ['driːmbəʊt] n fam & vieilli homme m, femme f de rêve.

dreamer ['driːmə] n utopiste mf.

dreamt [dremt] passé & pp → dream.

dream world n monde m imaginaire.

dreamy ['driːmɪ] adj **1.** rêveur **2.** de rêve.

dreary ['drɪərɪ] adj **1.** morne **2.** ennuyeux.

dredge [dredʒ] vt draguer (une rivière). ■ dredge up vt sép **1.** draguer **2.** fig déterrer (du passé).

dregs [dregz] npl litt & fig lie f.

drench [drentʃ] vt tremper • to be drenched in ou with être inondé de.

dress [dres] n **1.** robe f **2.** (indén) costume m, tenue f. ❑ vt **1.** habiller • to be dressed être habillé • to get dressed s'habiller **2.** panser **3.** assaisonner. ❑ vi s'habiller. ■ **dress up** vi **1.** se déguiser **2.** s'habiller élégamment.

dress circle n (UK) premier balcon m.

dressed ['drest] adj **1.** habillé • a well-dressed/smartly-dressed man un homme bien habillé/élégant • dressed in blue chiffon vêtu de mousseline de soie bleue • she was not appropriately dressed for the country elle n'avait pas la tenue appropriée pour la campagne • she was dressed as a man elle était habillée en homme **2.** (locution) • to be dressed to kill fam : she was dressed to kill elle avait un look d'enfer • to be dressed to the nines être tiré à quatre épingles.

dresser ['dresər] n **1.** vaisselier m **2.** (US) commode f.

dressing ['dresɪŋ] n **1.** pansement m **2.** assaisonnement m **3.** (US) CULIN farce f.

dressing-down n (UK) fam réprimande f, semence f • to give sb a dressing-down passer un savon à qqn.

dressing gown n (UK) robe f de chambre.

dressing room n **1.** THÉÂTRE loge f **2.** SPORT vestiaire m.

dressing table n coiffeuse f.

dressmaker ['dres,meɪkər] n couturier m, -ère f.

dressmaking ['dres,meɪkɪŋ] n couture f.

dress rehearsal n générale f.

dress sense n • to have good dress sense savoir s'habiller.

dressy ['dresɪ] adj habillé.

drew [druː] passé → draw.

dribble ['drɪbl] n **1.** bave f **2.** traînée f (trace). ❑ vt SPORT dribbler. ❑ vi **1.** baver **2.** tomber goutte à goutte, couler.

dried [draɪd] adj **1.** (lait) en poudre **2.** (fruits) sec **3.** (fleurs) séché.

drier ['draɪər] = dryer.

drift [drɪft] n **1.** mouvement m **2.** direction f, sens m **3.** (signification) sens m général **4.** congère f **5.** amoncellement m, entassement m. ❑ vi **1.** NAUT dériver **2.** s'amasser, s'amonceler.

driftwood ['drɪftwʊd] n bois m flottant.

drill [drɪl] n **1.** perceuse f **2.** fraise f **3.** perforatrice f **4.** exercice m (militaire, incendie). ❑ vt **1.** percer **2.** fraiser **3.** forer **4.** MIL entraîner.

drink [drɪŋk] n **1.** boisson f • a cold drink une boisson fraîche **2.** verre m • to go out for a drink sortir prendre un verre • we invited them in for a drink nous les avons invités à prendre un verre **3.** (indén) alcool m. ❑ vt (prét drank, pp drunk) boire.

drinkable ['drɪŋkəbl] adj **1.** potable **2.** buvable.

drink-driver n (UK) conducteur m, -trice f ivre.

drink-driving (UK), **drunk driving** (US), **drunken driving** (US) n conduite f en état d'ivresse.

drinker ['drɪŋkər] n buveur m, -euse f.

drinking water n eau f potable.

drinks machine (UK), **drink machine** (US) n distributeur m de boissons.

drip [drɪp] n **1.** goutte f **2.** MÉD goutte-à-goutte m inv. ❑ vi **1.** goutter, tomber goutte à goutte **2.** fig • to be dripping with sthg être couvert de qqch.

drip-dry adj qui ne se repasse pas.

drive [draɪv] n **1.** trajet m (en voiture) • to go for a drive faire une promenade (en voiture) **2.** désir m, besoin m **3.** campagne f (pour ou contre qqch) **4.** (indén) dynamisme m, énergie f **5.** allée f. ❑ vt **1.** conduire **2.** pousser • he drives himself too hard il exige trop de lui-même **3.** • to drive sb to sthg/to do sthg pousser ou conduire qqn à qqch/à faire qqch • to drive sb mad ou crazy rendre qqn fou **4.** enfoncer (un clou).

drive-by (pl drive-bys) n fam • drive-by shooting fusillade f en voiture.

drive-by shooting n fusillade exécutée d'un véhicule en marche • he was killed in a drive-by shooting il s'est fait descendre par un tireur en voiture.

drive-in (surtout US) n drive-in m, ciné-parc m. ❑ adj (restaurant, cinéma) drive-in (inv).

drivel ['drɪvl] n (indén) fam foutaises fpl, idioties fpl.

driven ['drɪvn] pp → drive.

-driven suffixe **1.** (fonctionnant) à • electricity/steam-driven engine machine électrique/à vapeur **2.** fig déterminé par • market/consumer-driven déterminé par les contraintes du marché/les exigences du consommateur **3.** contrôlé par • menu-driven contrôlé par menu.

driver ['draɪvər] n **1.** conducteur m, -trice f **2.** chauffeur m **3.** INFORM (logiciel) driver m, pilote m **4.** INFORM (matériel) unité f de contrôle.

driver's license (US) = driving licence.

drive shaft n arbre m de transmission.

drive-through adj où l'on reste dans sa voiture. ❑ n drive-in m inv.

driveway ['draɪvweɪ] n allée f.

driving ['draɪvɪŋ] adj **1.** (pluie) battant **2.** (vent) cinglant. ❑ n (indén) conduite f.

driving force n force f motrice.

driving instructor n moniteur m, -trice f d'auto-école.

driving lesson n leçon f de conduite.

driving licence (UK), **driver's license** (US) n permis m de conduire.

driving mirror n rétroviseur m.

driving school n auto-école f.

driving seat n **1.** place f du conducteur **2.** • she's in the driving seat fig c'est elle qui mène l'affaire ou qui tient les rênes.

driving test n (examen m du) permis m de conduire.

drizzle ['drɪzl] n bruine f. ❑ v impers bruiner.

DRM (abrév de digital rights management) n GDN f.

droll [drəʊl] adj drôle.

drone [drəʊn] n **1.** ronronnement m (d'un moteur) **2.** bourdonnement m (d'un insecte) **3.** abeille f mâle, faux-bourdon m. ■ **drone on** vi parler d'une voix monotone • to drone on about sthg rabâcher qqch.

drool [druːl] vi baver • to drool over fig baver (d'admiration) devant.

droop [druːp] vi **1.** pencher **2.** tomber.

droopy ['druːpɪ] (comp droopier, superl droopiest) adj **1.** (moustache, épaules) tombant **2.** qui commence à s'affaisser.

drop [drɒp] n **1.** goutte f **2.** baisse f, chute f **3.** dénivellation f • sheer drop à-pic m **4.** livraison f **5.** parachutage m, droppage m **6.** MÉD pastille f. ❑ vt **1.** laisser tomber **2.** baisser **3.** abandonner **4.** exclure **5.** déposer **6.** • to drop a hint that laisser entendre que **7.** • to drop sb a note ou line écrire un petit mot à qqn. ❑ vi **1.** tomber **2.** baisser **3.** (vent) se calmer. ■ **drops** npl MÉD gouttes fpl. ■ **drop by** vi fam passer. ■ **drop in** vi fam passer chez qqn. ■ **drop off** vt sép déposer. ❑ vi **1.** s'endormir **2.** baisser. ■ **drop out** vi • to drop out of society vivre en marge de la société.

Drop Add ['drɒp ˌæd] n (us) période en début de trimestre pendant laquelle les élèves peuvent modifier leur choix de cours.

drop-dead adv fam vachement • he's drop-dead gorgeous il est craquant.

drop-down adj (menu) déroulant.

drop-in centre n (UK) centre d'assistance sociale permanente.

drop-off n baisse f, diminution f • a drop-off in sales une baisse des ventes.

dropout ['drɒpaʊt] n **1.** marginal m, -e f **2.** étudiant m, -e f qui abandonne ses études.

droppings ['drɒpɪŋz] npl **1.** fiente f **2.** crottes fpl.

drought [draʊt] n sécheresse f.

drove [drəʊv] passé → drive.

drown [draʊn] vt noyer. ❑ vi se noyer.

drowsiness ['draʊzɪnɪs] n (indén) somnolence f.

drowsy ['draʊzɪ] adj assoupi, somnolent.

drudge [drʌdʒ] n homme m de peine, femme f de peine.

drudgery ['drʌdʒərɪ] n (indén) corvée f.

drug [drʌɡ] n **1.** médicament m **2.** drogue f. ❑ vt droguer.

drug abuse n usage m de stupéfiants.

drug addict n drogué m, -e f, toxicomane mf.

drug addiction n toxicomanie f.

druggist ['drʌɡɪst] n (us) pharmacien m, -enne f.

drug pusher n revendeur m, -euse f de drogue.

drugstore ['drʌɡstɔːr] n (us) drugstore m.

drug test n contrôle m antidopage.

drum [drʌm] n **1.** MUS tambour m **2.** bidon m. ❑ vt & vi tambouriner. ■ **drums** npl batterie f. ■ **drum into** vt sép • to drum sthg into sb enfoncer qqch dans la tête de qqn. ■ **drum up** vt sép rechercher, solliciter (le soutien).

drummer ['drʌmər] n **1.** joueur m, -euse f de tambour **2.** batteur m, -euse f.

drum roll n roulement m de tambour.

drumstick ['drʌmstɪk] n **1.** baguette f de tambour **2.** pilon m (de poulet).

drunk [drʌŋk] pp → drink. ❑ adj ivre, soûl • to get drunk se soûler, s'enivrer. ❑ n soûlard m, -e f.

drunkard ['drʌŋkəd] n alcoolique mf.

drunk driving (us) = drink-driving.

drunken ['drʌŋkn] adj **1.** ivre **2.** d'ivrognes.

drunken driving (us) = drink-driving.

druthers ['drʌðəz] npl (us) fam • if I had my druthers si j'avais le choix.

dry [draɪ] adj **1.** sec **2.** (jour) sans pluie **3.** (rivière) asséché **4.** pince-sans-rire (inv). ❑ vt **1.** sécher, faire sécher **2.** essuyer. ❑ vi sécher. ■ **dry up** vt sép essuyer. ❑ vi **1.** s'assécher **2.** se tarir.

dry cleaner n • dry cleaner's pressing m.

dry-cleaning n nettoyage m à sec.

dryer ['draɪər] n séchoir m.

drying-out clinic n fam centre m de désintoxication pour alcooliques.

drying rack n séchoir m.

dry land n terre f ferme.

dry-roasted adj (cacahuètes) grillé à sec.

dry rot n pourriture f sèche.

dry ski slope n (surtout UK) piste f de ski artificielle.

drysuit ['draɪsuːt] n combinaison f de plongée (étanche).

DSS (abrév de Department of Social Security) n ministère britannique de la sécurité sociale.

DST (abrév de daylight saving time) heure d'été aux États-Unis.

DTD (abrév de document type definition) n DTD f.

DTI (abrév de Department of Trade and Industry) n ministère britannique du commerce et de l'industrie.

DTP (abrév de desktop publishing) n PAO f.

DTV n abrév de digital television.

dual ['djuːəl] adj double.

dual carriageway n (UK) route f à quatre voies.

dual-core processor n processeur m à double cœur.

dual enrollment ['dju:əl ɪn'rəʊlmənt] n (US) programme qui permet aux lycéens de suivre également des cours à l'université.

dual-heritage adj métis.

dubbed [dʌbd] adj 1. (film) doublé 2. surnommé.

dubious ['dju:bjəs] adj 1. douteux 2. hésitant, incertain.

Dublin ['dʌblɪn] n Dublin.

duchess ['dʌtʃɪs] n duchesse f.

duck [dʌk] n canard m. ❏ vt 1. baisser (la tête) 2. esquiver, se dérober à. ❏ vi se baisser.

duckling ['dʌklɪŋ] n caneton m.

duct [dʌkt] n 1. canalisation f 2. ANAT canal m.

dud [dʌd] adj 1. (bombe, obus) non éclaté 2. (chèque) sans provision, en bois. ❏ n obus m non éclaté.

dude [dju:d] n (US) fam gars m, type m.

due [dju:] adj 1. • the book is due out in May le livre doit sortir en mai • she's due back shortly elle devrait rentrer sous peu • when is the train due? à quelle heure le train doit-il arriver ? 2. dû, qui convient • in due course a) en temps voulu b) à la longue 3. (somme d'argent, loyer) dû. ❏ adv • due west droit vers l'ouest. ❏ n dû m. • dues npl cotisation f. ■ due to prép 1. dû à 2. provoqué par, à cause de.

due diligence n FIN due-diligence f (vérification préalable à une opération).

duel ['dju:əl] n duel m. ❏ vi ((UK) prét & pp duelled, cont duelling, (US) prét & pp dueled, cont dueling) se battre en duel.

duet [dju:'et] n duo m.

duffel bag ['dʌfl-] n sac m marin.

duffel coat ['dʌfl-] n duffel-coat m.

dug [dʌg] passé & pp → dig.

DUI abrév de **driving under the influence**.

duke [dju:k] n duc m.

dull [dʌl] adj 1. ennuyeux 2. (œil, couleur) terne 3. maussade 4. (bruit, douleur) sourd. ❏ vt 1. atténuer (la douleur) 2. émousser (une lame, les sens) 3. ternir (des couleurs, du métal).

duly ['dju:lɪ] adv 1. dûment 2. comme prévu.

dumb [dʌm] adj 1. muet 2. fam idiot.

dumbass ['dʌmæs] (US) tfam n taré m, -e f, débile mf. ❏ adj débile.

dumbfounded [dʌm'faʊndɪd] adj abasourdi, interloqué.

dumbing down ['dʌmɪŋ-] n nivellement m par le bas.

dummy ['dʌmɪ] adj faux, fausse f. ❏ n 1. mannequin m (dans une vitrine) 2. maquette f 3. (UK) sucette f, tétine f 4. SPORT feinte f.

dummy issue n numéro m zéro.

dummy run n essai m.

dump [dʌmp] n 1. décharge f 2. MIL dépôt m. ❏ vt 1. déposer 2. jeter 3. fam laisser tomber, plaquer. ❏ vi fam • to dump on sb casser du sucre sur le dos de qqn (injustement). ■ dumps npl • to be (down) in the dumps avoir le cafard.

dumper (truck) (UK) ['dʌmpə-], **dump truck** (US) n tombereau m, dumper m.

dumping ['dʌmpɪŋ] n décharge f • 'no dumping' 'décharge interdite'.

dumping ground n décharge f.

dumpling ['dʌmplɪŋ] n boulette f de pâte.

dumpy ['dʌmpɪ] adj fam boulot.

dunce [dʌns] n cancre m.

dune [dju:n] n dune f.

dung [dʌŋ] n fumier m.

dungarees [,dʌŋgə'ri:z] npl 1. (UK) bleu m de travail 2. salopette f.

dungeon ['dʌndʒən] n cachot m.

dunk [dʌŋk] vt fam tremper.

Dunkirk [dʌn'kɜ:k] n Dunkerque.

duo ['dju:əʊ] n duo m.

dupe [dju:p] n dupe f. ❏ vt duper • to dupe sb into doing sthg amener qqn à faire qqch en le dupant.

duplex ['dju:pleks] n (US) 1. duplex m 2. maison f jumelée.

duplicate adj ['dju:plɪkət] en double. ❏ n ['dju:plɪkət] double m. ❏ vt ['dju:plɪkeɪt] faire un double de.

duplicity [dju:'plɪsətɪ] n duplicité f.

durability [,djʊərə'bɪlətɪ] n solidité f.

durable ['djʊərəbl] adj solide, résistant.

duration [djʊ'reɪʃn] n durée f • for the duration of jusqu'à la fin de.

duress [djʊ'res] n • under duress sous la contrainte.

Durex® ['djʊəreks] n préservatif m.

during ['djʊərɪŋ] prép pendant, au cours de.

dusk [dʌsk] n crépuscule m.

dust [dʌst] n (indén) poussière f. ❏ vt 1. épousseter 2. (locution) • it's done and dusted a) (travail, tâche) c'est complètement terminé b) (dossier, affaire) l'affaire est réglée.

dustbin ['dʌstbɪn] n (UK) poubelle f.

dustcart ['dʌstkɑ:t] n (UK) camion m des éboueurs.

duster ['dʌstə] n chiffon m (à poussière).

dust jacket n jaquette f.

dustman ['dʌstmən] (pl -men) n (UK) éboueur m, -euse f.

dustpan ['dʌstpæn] n pelle f à poussière.

dusty ['dʌstɪ] adj poussiéreux.

Dutch [dʌtʃ] adj néerlandais, hollandais. ❏ n néerlandais m, hollandais m.

dutiful ['dju:tɪfʊl] adj obéissant.

duty ['dju:tɪ] n **1.** (indén) devoir m • **to do one's duty** faire son devoir **2.** • **to be on/off duty** être/ne pas être de service **3.** droit m (taxe) **4.** (us) tâche régulière de surveillance qu'un professeur doit effectuer en dehors de sa salle de classe. ■ **duties** npl fonctions fpl.

duty-free adj hors taxe.

duty of care n devoir m de diligence.

duvet ['du:veɪ] n (uk) couette f (literie).

duvet cover n (uk) housse f de couette.

DVD (abrév de Digital Video or Versatile Disc) n DVD m.

DVD player n lecteur m de DVD.

DVD-ROM (abrév de Digital Video or Versatile Disc read only memory) n DVD-ROM m.

DVI (abrév de digital video interface) n DVI f.

DVR (abrév de digital video recorder) n DVR m.

DVT n abrév de **deep vein thrombosis**.

dwarf [dwɔf] n (pl **-s** ou **dwarves** [dwɔvz]) nain m, -e f. ❑ vt écraser.

dweeb [dwi:b] n (us) fam crétin m, -e f.

dwell [dwel] (prét & pp **dwelt** ou **dwelled**) vi littéraire habiter. ■ **dwell on** vt insép s'étendre sur.

dwelling ['dwelɪŋ] n littéraire habitation f.

dwelt [dwelt] passé & pp → **dwell**.

DWI (abrév de driving while intoxicated) n (us) conducteur m, -trice f en état d'ébriété.

dwindle ['dwɪndl] vi diminuer.

dwindling ['dwɪndlɪŋ] adj en diminution.

dye [daɪ] n teinture f. ❑ vt teindre.

dying ['daɪɪŋ] prés progressif → **die**. ❑ adj **1.** (personne) mourant, moribond **2.** (plante, industrie) moribond.

dyke [daɪk] = **dike**.

dynamic [daɪ'næmɪk] adj dynamique. ■ **dynamics** npl dynamique f.

dynamite ['daɪnəmaɪt] n (indén) litt & fig dynamite f.

dynamo ['daɪnəməʊ] (pl **-s**) n dynamo f.

dynasty [(uk) 'dɪnəstɪ, (us) 'daɪnəstɪ] n dynastie f.

dysfunctional [dɪs'fʌŋkʃənəl] adj dysfonctionnel • **dysfunctional family** famille f dys-fonctionnelle.

dyslexia [dɪs'leksɪə] n dyslexie f.

dyslexic [dɪs'leksɪk] adj dyslexique.

e [iː] (*pl* e's *ou* es), **E** (*pl* E's *ou* Es) *n* e *m inv*, E *m inv*. ■ **E** *n* **1.** mi *m* **2.** (abrév de east) E.

e-account *n* compte *m* bancaire électronique.

each [iːtʃ] *adj* chaque. ❑ *pron* chacun • **the books cost £10.99 each** les livres coûtent 10,99 livres (la) pièce • **each other** l'un l'autre, l'une l'autre, les uns les autres, les unes les autres • **they love each other** ils s'aiment • **we've known each other for years** nous nous connaissons depuis des années.

eager [ˈiːgə] *adj* passionné, avide • **to be eager for** être avide de • **to be eager to do sthg** être impatient de faire qqch.

eager beaver *n fam* travailleur *m* acharné, travailleuse *f* acharnée, mordu *m*, -e *f* du travail.

eagerly [ˈiːgəlɪ] *adv* **1.** avec passion, avidement **2.** avec impatience • **the eagerly awaited moment** le moment tant attendu.

eagle [ˈiːgl] *n* aigle *m*.

eagle-eyed [-aɪd] *adj* qui a des yeux d'aigle.

ear [ɪə] *n* **1.** oreille *f* **2.** épi *m* (de blé, etc).

earache [ˈɪəreɪk] *n* • **to have earache, to have an earache** (US) avoir mal à l'oreille.

earbashing [ˈɪəbæʃɪŋ] *n* (UK) *fam* • **to give sb an earbashing** passer un savon à qqn.

earbuds *npl* oreillettes *fpl*.

eardrum [ˈɪədrʌm] *n* tympan *m*.

earl [ɜːl] *n* comte *m*.

earlier [ˈɜːlɪə] *adj* **1.** précédent **2.** plus tôt. ❑ *adv* plus tôt • **earlier on** plus tôt.

earliest [ˈɜːlɪəst] *adj* **1.** premier **2.** le plus tôt. ❑ *n* • **at the earliest** au plus tôt.

earlobe [ˈɪələʊb] *n* lobe *m* de l'oreille.

early [ˈɜːlɪ] *adj* **1.** de bonne heure • **the early train** le premier train • **to make an early start** partir de bonne heure **2.** • **in the early sixties** au début des années soixante. ❑ *adv* **1.** en avance • **I was ten minutes early** j'étais en avance de dix minutes **2.** tôt, de bonne heure • **early on** tôt.

early bird *n* **1.** • **to be an early bird** *fam* être matinal **2.** (locution) • **it's the early bird that catches the worm a)** *prov* le monde appartient à ceux qui se lèvent tôt *prov* **b)** les premiers arrivés sont les mieux servis.

early closing *n* (UK) COMM jour où l'on ferme tôt.

early retirement *n* retraite *f* anticipée.

early warning system *n* système *m* de première alerte.

earmark [ˈɪəmɑːk] *vt* • **to be earmarked for** être réservé à.

earn [ɜːn] *vt* **1.** gagner (de l'argent) • **how much does he earn?** il gagne combien ? **2.** FIN rapporter **3.** *fig* gagner, mériter (le respect, des éloges).

earnest [ˈɜːnɪst] *adj* sérieux. ■ **in earnest** *adj* sérieux. ❑ *adv* pour de bon, sérieusement.

earnings [ˈɜːnɪŋz] *npl* salaire *m*, gains *mpl* ; bénéfices *mpl*.

earphones [ˈɪəfəʊnz] *npl* casque *m*.

earplugs [ˈɪəplʌgz] *npl* boules *fpl* Quiès®.

earring [ˈɪərɪŋ] *n* boucle *f* d'oreille • **to wear earrings** porter des boucles d'oreilles.

earshot [ˈɪəʃɒt] *n* • **within earshot** à portée de voix.

ear-splitting *adj* assourdissant.

earth [ɜːθ] *n* terre *f* • **how/what/where/why on earth...?** mais comment/que/où/pourquoi donc... ? • **to cost the earth** (UK) coûter les yeux de la tête. ❑ *vt* (UK) • **to be earthed** être à la masse.

earthed [ɜːθt] *adj* (UK) ÉLECTR mis à la terre.

earthenware [ˈɜːθnweə] *n* (indén) poteries *fpl*.

Earth-friendly *adj* écologique, qui respecte l'environnement.

earthly [ˈɜːθlɪ] *adj* terrestre • **what earthly reason could she have for doing that?** *fam* pourquoi diable a-t-elle fait ça ?

earth mother *n fam* & *fig* mère *f* nourricière.

earthquake [ˈɜːθkweɪk] *n* tremblement *m* de terre.

earth-shaking, **earth-shattering** *adj* (UK) *fam* renversant.

earth tremor *n* secousse *f* tellurique.

earthworm ['ɜ:θwɜ:m] *n* ver *m* de terre.

earthy ['ɜ:θɪ] *adj* **1.** *fig* truculent **2.** *(odeur, goût)* de terre, terreux.

earwig ['ɪəwɪg] *n* perce-oreille *m*.

earworm ['ɪəwɜ:m] *n fam* mélodie qu'on n'arrive pas à se sortir de la tête.

ease [i:z] *n (indén)* **1.** facilité *f* • **to do sthg with ease** faire qqch sans difficulté *ou* facilement **2.** • **at ease** à l'aise. ❑ *vt* **1.** calmer *(la douleur)* **2.** assouplir *(des restrictions)* **3.** • **to ease sthg in/out** faire entrer/sortir qqch délicatement. ❑ *vi* **1.** *(problème)* s'arranger **2.** *(douleur)* s'atténuer **3.** *(pluie)* diminuer. ■ **ease off** *vi* **1.** *(douleur)* s'atténuer **2.** *(pluie)* diminuer. ■ **ease up** *vi* **1.** *(pluie)* diminuer **2.** se détendre.

easel ['i:zl] *n* chevalet *m*.

easily ['i:zɪlɪ] *adv* **1.** facilement **2.** de loin **3.** tranquillement.

east [i:st] *n* **1.** est *m* **2.** • **the east** l'est *m*. ❑ *adj* est *(inv)* ; d'est. ❑ *adv* à l'est, vers l'est. ■ **East** *n* • **the East a)** l'Est *m* **b)** l'Orient *m*.

eastbound ['i:stbaʊnd] *adj* en direction de l'est.

East End *n* • **the East End** *les quartiers est de Londres.*

Easter ['i:stə'] *n* Pâques *m*.

Easter basket *n (us) panier de friandises présenté aux enfants comme étant un cadeau du Easter bunny.*

Easter bunny *n lapin m de Pâques ; personnage imaginaire qui distribue des friandises aux enfants.*

Easter egg *n* œuf *m* de Pâques.

easterly ['i:stəlɪ] *adj* à l'est, de l'est ; *(vent)* d'est.

eastern ['i:stən] *adj* de l'est. ■ **Eastern** *adj* de l'Est ; oriental.

Easter Sunday *n* dimanche *m* de Pâques.

East German *adj* d'Allemagne de l'Est. ❑ *n* Allemand *m*, -e *f* de l'Est.

East Germany *n* • **(former) East Germany** l'(ex-)Allemagne *f* de l'Est.

eastward ['i:stwəd] *adj* à l'est, vers l'est. ❑ *adv* = **eastwards.**

eastwards ['i:stwədz] *adv* vers l'est.

easy ['i:zɪ] *adj* **1.** facile **2.** naturel. ❑ *adv* • **to take it** *ou* **things easy** *fam* ne pas se fatiguer.

easy-care *adj (uk)* d'entretien facile.

easy chair *n* fauteuil *m*.

easygoing [,i:zɪ'gəʊɪŋ] *adj (personne)* facile à vivre ; *(attitude)* complaisant.

easy listening *n* MUS variété *f*.

easy-peasy *n fam* & *hum* fastoche.

eat [i:t] *(prét* ate, *pp* eaten*) vt* & *vi* manger • **would you like something to eat?** voulez-vous manger quelque chose ? ■ **eat away, eat into** *vt insép* **1.** *(rouille, acide)* ronger **2.** grignoter. ■ **eat out** *vi* manger au restaurant. ■ **eat up** *vt sép* **1.** manger **2.** *(locution)* • **to eat up money** revenir très cher • **to eat up time** demander beaucoup de temps.

eaten ['i:tn] *pp* → **eat.**

eatery ['i:tərɪ] *n (us) fam* restaurant *m*.

eau de Cologne [,əʊdəkə'ləʊn] *n* eau *f* de Cologne.

eaves ['i:vz] *npl* avant-toit *m*.

eavesdrop ['i:vzdrɒp] *vi* • **to eavesdrop (on sb)** écouter (qqn) de façon indiscrète.

e-banking *n* cyberbanque *f*.

ebb [eb] *n* reflux *m*. ❑ *vi (marée)* descendre, refluer.

ebony ['ebənɪ] *adj* noir d'ébène. ❑ *n* ébène *f*.

e-book *n* livre *m* électronique.

ebullient [ɪ'bʌljənt] *adj* exubérant.

e-business *n* **1.** cyberentreprise *f* **2.** *(indén)* cybercommerce *m*, commerce *m* électronique.

EBV *(abrév de* Epstein-Barr Virus*) n* EBV *m*.

e-card *n* INFORM carte *f* (de vœux)virtuelle.

e-cash *n* argent *m* virtuel *ou* électronique.

ECB *(abrév de* European Central bank*) n* BCE *f*.

eccentric [ɪk'sentrɪk] *adj* excentrique, bizarre. ❑ *n* excentrique *mf*.

eccentricity [,eksen'trɪsətɪ] *(pl* -ies*) n* excentricité *f*, bizarrerie *f*.

ECG *n* ECG *m*.

echelon ['eʃəlɒn] *n* échelon *m*.

echo ['ekəʊ] *n (pl* -es*) litt* & *fig* écho *m*. ❑ *vt* **1.** répéter **2.** faire écho à. ❑ *vi* retentir, résonner.

echocardiogram [,ekəʊ'kɑ:dɪəʊgræm] *n* échocardiogramme *m*.

éclair [eɪ'kleə'] *n* éclair *m*.

eclectic [e'klektɪk] *adj* éclectique.

eclipse [ɪ'klɪps] *n litt* & *fig* éclipse *f*. ❑ *vt fig* éclipser.

eco- [,i:kəʊ-] *préf* éco-.

ecodevelopment [,i:kəʊdɪ'veləpmənt] *n* écodéveloppement *m*, éco-développement *m*.

ecofreak ['i:kəʊfri:k] *n fam* écologiste enragé *m*, écologiste enragée *f*.

eco-friendly *adj* qui respecte l'environnement.

eco-hazard *n* substance *f* toxique.

eco-house *n* maison *f* écologique.

eco-label *n* écolabel *m*.

eco-labelling *n (uk)* attribution *f* d'écolabels.

E-coli [,i:'kəʊlaɪ] *n* E-coli *m*, bactérie *f* Escherischia coli.

ecological [,i:kə'lɒdʒɪkl] *adj* écologique.

ecologist [ɪ'kɒlədʒɪst] *n* écologiste *mf*.

ecology [ɪ'kɒlədʒɪ] *n* écologie *f*.

e-commerce *n (indén)* commerce *m* électronique, cybercommerce *m*.

ecomuseum [ɪ'kɒmju:'zi:əm] *n* écomusée *m*.

economic [ˌiːkəˈnɒmɪk] adj **1.** économique • **an economic crisis** une crise économique • **economic bubble** bulle f économique • **economic miracle** miracle m économique **2.** rentable.

economical [ˌiːkəˈnɒmɪkl] adj **1.** ÉCONOM **2.** économe.

economically [ˌiːkəˈnɒmɪklɪ] adv **1.** ÉCON économiquement • **not economically active** inactif **2.** (vivre) de manière économe **3.** (écrire) avec sobriété **4.** (utiliser) de manière économe, avec parcimonie.

Economic and Monetary Union n Union f économique et monétaire.

economic climate n climat m économique.

economic migrant n migrant m, -e f économique.

economics [ˌiːkəˈnɒmɪks] n (indén) économie f (politique), sciences fpl économiques • **economics lecturer** professeur mf d'économie (à l'université). ❑ npl aspect m financier.

economist [ɪˈkɒnəmɪst] n économiste mf.

economize, -ise (UK) [ɪˈkɒnəmaɪz] vi économiser.

economy [ɪˈkɒnəmɪ] n économie f • **economies of scale** économies d'échelle.

economy class n classe f touriste.

economy drive n campagne f de restrictions.

ecopolitics [ˈiːkəʊˌpɒlɪtɪks] n (indén) politique f et environnement (sujet d'étude).

ecosystem [ˈiːkəʊˌsɪstəm] n écosystème m.

ecotax [ˈiːkəʊtæks] n écotaxe f.

ecoterrorism [ˈiːkəʊˌterərɪzm] n écoterrorisme m.

ecotourism [ˈiːkəʊˌtʊərɪzm] n écotourisme m, tourisme m vert.

eco-town n ville f écologique.

ecotoxic [ˌiːkəʊˈtɒksɪk] adj écotoxique.

eco-warrior n éco-guerrier m, -ère f.

ecstasy [ˈekstəsɪ] n **1.** extase f, ravissement m **2.** ecstasy m ou f.

ecstatic [ekˈstætɪk] adj en extase ; extatique.

eczema [ˈeksɪmə] n eczéma m.

Eden [ˈiːdn] n • **(the Garden of) Eden** le jardin m d'Éden, l'Éden m.

edge [edʒ] n **1.** bord m • **on the edge of the cliff** au bord de la falaise **2.** tranchant m **3.** • **to have an edge over** ou **the edge on** avoir un léger avantage sur. ❑ vi • **to edge forward** avancer tout doucement. ■ **on edge** adj contracté, tendu.

edger [ˈedʒər] n taille-bordures m.

edgeways (UK) [ˈedʒweɪz], **edgewise** (US) [ˈedʒwaɪz] adv latéralement, de côté.

edgily [ˈedʒɪlɪ] adv nerveusement.

edginess [ˈedʒɪnɪs] n **1.** nervosité f **2.** caractère m ultra-contemporain.

edgy [ˈedʒɪ] adj **1.** contracté, tendu **2.** ultra-contemporain.

edible [ˈedɪbl] adj comestible.

edict [ˈiːdɪkt] n décret m.

Edinburgh [ˈedɪnbrə] n Édimbourg.

edit [ˈedɪt] vt **1.** corriger (un texte) **2.** CINÉ monter ; RADIO & TV réaliser **3.** PRESSE diriger ; être le rédacteur en chef de. ■ **edit out** vt sép couper.

editing [ˈedɪtɪŋ] n **1.** rédaction f (d'un journal, d'un magazine) **2.** montage m (d'un film) **3.** INFORM édition f (d'un fichier).

edition [ɪˈdɪʃn] n édition f.

editor [ˈedɪtər] n **1.** PRESSE directeur m, -trice f ; PRESSE rédacteur m, -trice f en chef **2.** PRESSE correcteur m, -trice f **3.** CINÉ monteur m, -euse f ; RADIO & TV réalisateur m, -trice f.

editorial [ˌedɪˈtɔːrɪəl] adj de la rédaction ; éditorial • **editorial policy** politique f éditoriale. ❑ n éditorial m.

editor-in-chief n rédacteur m, -trice f en chef.

EDP (abrév de electronic data processing) n traitement m électronique de données.

educate [ˈedʒʊkeɪt] vt **1.** SCOL & UNIV instruire **2.** informer, éduquer.

educated [ˈedʒʊkeɪtɪd] adj instruit • **to make an educated guess** faire une supposition bien informée.

education [ˌedʒʊˈkeɪʃn] n **1.** éducation f • **standards of education** niveau m scolaire **2.** enseignement m, instruction f.

educational [ˌedʒʊˈkeɪʃənl] adj **1.** pédagogique • **educational prospects** avenir m scolaire **2.** éducatif.

educator [ˈedʒʊkeɪtər] n éducateur m, -trice f.

edutainment [edʒʊˈteɪnmənt] n **1.** jeux mpl éducatifs **2.** émissions fpl éducatives **3.** logiciels mpl ludo-éducatifs. ❑ adj ludo-éducatif.

e-economy n économie f en ligne.

E2EG SMS (abrév de ear to ear grin) sourire jusqu'aux oreilles.

eel [iːl] n anguille f.

EEPROM [ˈiːprɒm] (abrév de electrically erasable programmable ROM) n INFORM EEPROM f.

eerie [ˈɪərɪ] (comp **eerier**, superl **eeriest**) adj inquiétant, sinistre.

eery [ˈɪərɪ] (comp **eerier**, superl **eeriest**) adj inquiétant, sinistre.

eew [iːw] interj (US) beurk.

efface [ɪˈfeɪs] vt effacer.

effect [ɪˈfekt] n effet m • **to have an effect on** avoir ou produire un effet sur • **for effect** pour attirer l'attention • **to take effect** DR entrer en vigueur • **to put sthg into effect** DR & POLIT mettre qqch en application. ❑ vt effectuer (des transformations) ; conduire à (une réconciliation).

effective [ɪˈfektɪv] adj **1.** efficace **2.** effectif.

effectively [ɪ'fektɪvlɪ] adv **1.** efficacement **2.** effectivement.

effectiveness [ɪ'fektɪvnɪs] n efficacité f.

effeminate [ɪ'femɪnət] adj efféminé.

effervescent [,efə'vesənt] adj effervescent ; gazeux.

efficiency [ɪ'fɪʃənsɪ] n efficacité f ; rendement m.

efficient [ɪ'fɪʃənt] adj efficace.

efficiently [ɪ'fɪʃəntlɪ] adv efficacement.

effing ['efɪŋ] (UK) tfam adj de merde. ❏ adv foutrement. ❏ n ▸ **there was a lot of effing and blinding** on a eu droit à un chapelet de jurons.

efflorescent [,eflɔ'resənt] adj efflorescent.

effluent ['efluənt] n effluent m.

effort ['efət] n effort m ▸ **to be worth the effort** valoir la peine ▸ **with effort** avec peine ▸ **to make the effort to do sthg** s'efforcer de faire qqch ▸ **to make an/no effort to do sthg** faire un effort/ne faire aucun effort pour faire qqch.

effortless ['efətlɪs] adj facile ; aisé.

effortlessly ['efətlɪslɪ] adv sans effort, facilement.

effusive [ɪ'fju:sɪv] adj démonstratif ; (accueil) d'une effusion exagérée.

effusively [ɪ'fju:sɪvlɪ] adv avec effusion.

E-fit® ['i:fɪt] n portrait-robot m électronique.

EFL ['efəl] (abrév de English as a foreign language) n anglais m langue étrangère.

EFT (abrév de electronic funds transfer) n INFORM transfert m de fonds électronique.

e.g. (abrév de exempli gratia) adv par exemple.

egalitarian [ɪ,gælɪ'teərɪən] adj égalitaire.

egg [eg] n œuf m ▸ **boiled/fried egg** œuf à la coque/sur le plat. ■ **egg on** vt sép pousser, inciter.

eggcup ['egkʌp] n coquetier m.

egghead ['eghed] n fam intello mf.

egg-laying adj ovipare. ❏ n ponte f.

eggplant ['egplɑ:nt] n (US) aubergine f.

eggshell ['egʃel] n coquille f d'œuf ▸ **to be walking on eggshells** (US) fam marcher sur des œufs.

eggslice ['egslaɪs] n spatule f.

egg white n blanc m d'œuf.

egg yolk n jaune m d'œuf.

EGM (abrév de extraordinary general meeting) n AGE f.

ego ['i:gəʊ] (pl -s) n PSYCHO moi m.

egocentric [,i:gəʊ'sentrɪk] adj égocentrique.

egoism ['i:gəʊɪzm] n égoïsme m.

egoistic [,i:gəʊ'ɪstɪk] adj égoïste.

ego-surfing n recherche de son propre nom sur Internet.

egotist ['i:gətɪst] n égotiste mf.

egotistic(al) [,i:gə'tɪstɪk(l)] adj égocentrique.

ego trip n fam ▸ **she's just on an ego trip** elle fait ça par vanité.

Egypt ['i:dʒɪpt] n Égypte f.

Egyptian [ɪ'dʒɪpʃn] adj égyptien. ❏ n Égyptien m, -enne f.

eh [eɪ] interj (UK) fam hein ?

eiderdown ['aɪdədaʊn] n (surtout UK) édredon m.

eight [eɪt] num huit. Voir aussi **six**.

eighteen [,eɪ'ti:n] num dix-huit. Voir aussi **six**.

eighteenth [,eɪ'ti:nθ] num dix-huitième. Voir aussi **sixth**.

eighth [eɪtθ] num huitième. Voir aussi **sixth**.

eighth grade n (US) SCOL classe de l'enseignement secondaire correspondant à la quatrième (13-14 ans).

eightieth ['eɪtɪɪθ] num quatre-vingtième. Voir aussi **sixth**.

eighty ['eɪtɪ] num quatre-vingts. Voir aussi **sixty**.

Eire ['eərə] n république f d'Irlande.

either ['aɪðə ou 'i:ðə] adj **1.** l'un ou l'autre ▸ **she couldn't find either jumper** elle ne trouva ni l'un ni l'autre des pulls ▸ **either way** de toute façon **2.** ▸ **on either side** de chaque côté. ❏ pron ▸ **either (of them)** l'un ou l'autre m, l'une ou l'autre f ▸ **I don't like either (of them)** je n'aime aucun des deux, je n'aime ni l'un ni l'autre. ❏ adv (dans des phrases négatives) non plus ▸ **I don't either** moi non plus. ❏ conj ▸ **either... or** soit... soit, ou... ou ▸ **I'm not fond of either him or his wife** je ne les aime ni lui ni sa femme.

À PROPOS DE   either

Lorsque **either** est un adjectif, il apparaît toujours devant des noms dénombrables au singulier (either dictionary ; either alternative).

Lorsque **either** est le sujet de la phrase, ou qu'il accompagne un nom qui est le sujet, le verbe est toujours au singulier (either is fine ; either movie is fine with me).

Lorsque **either... or** accompagne le sujet de la phrase, le verbe est toujours au singulier (either John or Deborah has taken it).

ejaculate [ɪ'dʒækjʊleɪt] vi éjaculer.

eject [ɪ'dʒekt] vt **1.** expulser **2.** TECHNOL éjecter.

ejection [ɪ'dʒekʃn] n **1.** expulsion f **2.** éjection f **3.** projection f.

ejector seat (UK) [ɪ'dʒektə-], **ejection seat** (US) [ɪ'dʒekʃn-] n siège m éjectable.

eke [i:k] ■ **eke out** vt sép faire durer ▸ **to eke out a living** gagner tout juste sa vie.

elaborate adj [ɪ'læbrət] (procédure) complexe ; (explications) détaillé, minutieux. ❏ vi [ɪ'læbəreɪt] ▸ **to elaborate (on)** donner des précisions (sur).

elaborately [ɪ'læbərətlɪ] *adv* minutieusement ; avec recherche.

elapse [ɪ'læps] *vi* s'écouler.

elastic [ɪ'læstɪk] *adj litt* & *fig* élastique. ◻ *n (indén)* élastique *m*.

elasticated (UK) [ɪ'læstɪkeɪtɪd], **elasticized** (US) [ɪ'læstɪsaɪzd] *adj* élastique.

elastic band *n* (UK) élastique *m*, caoutchouc *m*.

elasticity [,elæ'stɪsətɪ] *n* élasticité *f*.

elastin [ɪ'læstɪn] *n* élastine *f*.

elated [ɪ'leɪtɪd] *adj* transporté (de joie).

elation [ɪ'leɪʃn] *n* exultation *f*, euphorie *f*.

elbow ['elbəʊ] *n* coude *m*.

elbow grease *n fam* huile *f* de coude.

elbow-length *adj* • **elbow-length gloves** gants *mpl* longs *(montant jusqu'au coude)*.

elbow pad *n* coudière *f*.

elbow-rest *n* accoudoir *m*.

elbowroom ['elbəʊrʊm] *n fam* • **to have some elbowroom** avoir les coudées franches.

elder ['eldə] *adj* aîné • **my elder brother** mon frère aîné. ◻ *n* **1.** aîné *m*, -e *f* **2.** ancien *m*.

elderflower ['eldə,flaʊə] *n* fleur *f* de sureau.

elderly ['eldəlɪ] *adj* âgé • **elderly parents** parents âgés. ◻ *npl* • **the elderly** les personnes *fpl* âgées.

eldest ['eldɪst] *adj* aîné.

elect [ɪ'lekt] *adj* élu. ◻ *vt* **1.** élire **2.** *sout* • **to elect to do sthg** choisir de faire qqch.

elected [ɪ'lektɪd] *adj* élu.

election [ɪ'lekʃn] *n* élection *f* • **to have** *ou* **hold an election** procéder à une élection.

elections

Aux États-Unis, les élections présidentielles ont lieu tous les quatre ans. Les électeurs élisent d'abord les représentants d'un collège électoral, qui à son tour élit pour quatre ans le président. Les élections sont organisées le lendemain du premier lundi de novembre. Les Britanniques, quant à eux, élisent au suffrage direct et pour cinq ans leur Premier ministre ainsi que les députés de la Chambre des communes (généralement appelés **MPs**).

election campaign *n* campagne *f* électorale.

electioneering [ɪ,lekʃə'nɪərɪŋ] *n (indén) péj* propagande *f* électorale.

election promise *n* promesse *f* électorale.

elector [ɪ'lektə] *n* électeur *m*, -trice *f*.

electoral [ɪ'lektərəl] *adj* électoral.

electoral register, electoral roll *n* (UK) • **the electoral register** la liste électorale.

electorate [ɪ'lektərət] *n* • **the electorate** l'électorat *m*.

electric [ɪ'lektrɪk] *adj litt* & *fig* électrique. ◼ **electrics** *npl* (UK) *fam* installation *f* électrique.

electrical [ɪ'lektrɪkl] *adj* électrique • **an electrical appliance** un appareil électrique.

electrical engineer *n* ingénieur *m* électricien.

electrical engineering *n* électrotechnique *f*.

electrical shock = **electric shock**.

electric blanket *n* couverture *f* chauffante.

electric chair *n* • **the electric chair** la chaise électrique.

electric cooker *n* cuisinière *f* électrique.

electric fence *n* clôture *f* électrique.

electric fire *n* radiateur *m* électrique.

electric guitar *n* guitare *f* électrique.

electrician [,ɪlek'trɪʃn] *n* électricien *m*, -enne *f*.

electricity [,ɪlek'trɪsətɪ] *n* électricité *f*.

electric light *n* lumière *f* électrique.

electric shock *n* décharge *f* électrique.

electrify [ɪ'lektrɪfaɪ] *vt* **1.** électrifier **2.** *fig* galvaniser, électriser.

electrifying [ɪ'lektrɪfaɪŋ] *adj* galvanisant, électrisant.

electroacoustic [ɪ,lektrəʊə'kuːstɪk] *adj* électroacoustique.

electrocardiography [ɪ,lektrəʊ,kɑːdɪ'ɒɡrəfɪ] *n* MÉD électrocardiographie *f*.

electrochemical [ɪ,lektrəʊ'kemɪkl] *adj* électrochimique.

electrochemistry [ɪ,lektrəʊ'kemɪstrɪ] *n* électrochimie *f*.

electrocute [ɪ'lektrəkjuːt] *vt* électrocuter.

electrodynamic [ɪ,lektrəʊdaɪ'næmɪk] *adj* électrodynamique *f*.

electrolysis [,ɪlek'trɒləsɪs] *n* électrolyse *f*.

electromagnetic [ɪ,lektrəʊmæg'netɪk] *adj* électromagnétique.

electron [ɪ'lektrɒn] *n* électron *m*.

electronic [,ɪlek'trɒnɪk] *adj* électronique. ◼ **electronics** *n (indén)* électronique *f*. ◻ *npl* (équipement *m*) électronique.

electronically [,ɪlek'trɒnɪklɪ] *adv* électroniquement ; par voie électronique.

electronic banking *n* opérations *fpl* bancaires électroniques.

electronic brain *n* cerveau *m* électronique.

electronic cash, electronic money *n* argent *m* virtuel *ou* électronique.

electronic data processing *n* traitement *m* électronique de données.

electronic funds transfer *n* INFORM transfert *m* de fonds électronique.

electronic ignition n allumage m électronique.

electronic mail n courrier m électronique.

electronic mailbox n boîte f aux lettres électronique.

electronic media n médias mpl électroniques.

electronic news gathering n journalisme m électronique.

electronic organizer, electronic organiser (UK) n agenda m électronique.

electronic publishing n (indén) édition f électronique.

electronic tag n bracelet m électronique.

electronic tagging n (indén) mise f sous surveillance électronique mobile.

electronic trading n transactions fpl boursières électroniques.

electrosmog n pollution f électromagnétique.

elegance ['elɪgəns] n élégance f.

elegant ['elɪgənt] adj élégant.

elegantly ['elɪgəntlɪ] adv élégamment.

element ['elɪmənt] n 1. élément m • an element of truth une part de vérité 2. ELECTR résistance f. ■ elements npl rudiments mpl.

elementary [ˌelɪ'mentərɪ] adj élémentaire.

elementary school n (US) école f primaire.

elephant ['elɪfənt] (pl inv ou -s) n éléphant m • the elephant in the room le gros problème que tout le monde fait semblant de ne pas voir.

elevate ['elɪveɪt] vt élever.

elevated ['elɪveɪtɪd] adj 1. important 2. (pensées, style) élevé 3. surélevé.

elevator ['elɪveɪtər] n (US) ascenseur m.

eleven [ɪ'levn] num onze. Voir aussi **six**.

elevenses [ɪ'levnzɪz] n (indén) (UK) ≃ pause-café f (en fin de matinée).

eleventh [ɪ'levnθ] num onzième. Voir aussi **sixth**.

eleventh grade n (US) SCOL classe de l'enseignement secondaire correspondant à la première (16-17 ans).

eleventh grader [ɪ'levnθ ˌgreɪdər] n (US) SCOL lycéen m, -enne f (en troisième année).

elicit [ɪ'lɪsɪt] vt sout • to elicit sthg (from sb) arracher qqch (à qqn).

eligibility [ˌelɪdʒə'bɪlətɪ] n admissibilité f.

eligible ['elɪdʒəbl] adj admissible • to be eligible to do sthg avoir le droit de faire qqch.

eliminate [ɪ'lɪmɪneɪt] vt • to eliminate sb/sthg (from) éliminer qqn/qqch (de).

elimination [ɪ,lɪmɪ'neɪʃn] n élimination f.

elite [ɪ'liːt] adj d'élite. ❑ n élite f.

elitism [ɪ'liːtɪzm] n élitisme m.

elitist [ɪ'liːtɪst] adj élitiste. ❑ n élitiste mf.

elk [elk] (pl inv ou -s) n élan m.

elm [elm] n • elm (tree) orme m.

elocution [ˌelə'kjuːʃn] n élocution f, diction f.

elongated ['iːlɒŋgeɪtɪd] adj allongé ; (doigts) long, longue f.

elope [ɪ'ləʊp] vi • to elope (with) s'enfuir (avec).

eloquence ['eləkwəns] n éloquence f.

eloquent ['eləkwənt] adj éloquent.

eloquently ['eləkwəntlɪ] adv avec éloquence.

El Salvador [ˌel'sælvədɔːr] n Salvador m.

else [els] adv • anything else n'importe quoi d'autre • anything else? et avec ça ?, ce sera tout ? • he doesn't need anything else il n'a besoin de rien d'autre • everyone else tous les autres • nothing else rien d'autre • someone else quelqu'un d'autre • something else quelque chose d'autre • somewhere else autre part • who/what else? qui/quoi d'autre ? • where else? (à) quel autre endroit ? ■ or else conj sinon, sans quoi.

elsewhere [els'weər] adv ailleurs, autre part.

ELT (abrév de English language teaching) n enseignement m de l'anglais.

elude [ɪ'luːd] vt échapper à.

elusive [ɪ'luːsɪv] adj insaisissable ; (succès) qui échappe.

elusively [ɪ'luːsɪvlɪ] adv 1. de manière évasive 2. de manière insaisissable.

emaciated [ɪ'meɪʃɪeɪtɪd] adj émacié ; décharné.

e-mail, email (abrév de electronic mail) n e-mail m, courrier m électronique • to send an e-mail envoyer un mail • e-mail account compte m de courrier électronique.

e-mail address n adresse f électronique.

emanate ['emaneɪt] sout vi • to emanate from émaner de.

emancipate [ɪ'mænsɪpeɪt] vt • to emancipate sb (from) affranchir ou émanciper qqn (de).

emancipated [ɪ'mænsɪpeɪtɪd] adj affranchi, émancipé.

emancipation [ɪ,mænsɪ'peɪʃn] n • emancipation (from) affranchissement m (de), émancipation f (de).

e-marketing n e-marketing m.

emasculate [ɪ'mæskjʊleɪt] vt sout émasculer.

embankment [ɪm'bæŋkmənt] n berge f (d'une rivière) ; remblai m (d'une voie ferrée).

embargo [em'bɑːgəʊ] n (pl -es) • embargo (on) embargo m (sur). ❑ vt (prét & pp embargoed, cont embargoing) mettre l'embargo sur.

embark [ɪm'bɑːk] vi 1. • to embark (on) embarquer (sur) 2. • to embark on ou upon sthg s'embarquer dans qqch.

embarkation [ˌembɑː'keɪʃn] n embarquement m.

embarrass [ɪm'bærəs] vt embarrasser.

embarrassed [ɪmˈbærəst] adj embarrassé.

embarrassing [ɪmˈbærəsɪŋ] adj embarrassant.

embarrassment [ɪmˈbærəsmənt] n embarras m.

embassy [ˈembəsɪ] n ambassade f.

embed [ɪmˈbed] (prét & pp **embedded**, cont **embedding**) vt enfoncer (dans le bois) ; enchâsser, incruster (bijou).

embedded [ɪmˈbedɪd] adj enfoncé ; scellé ; scellé, noyé (dans la boue) ; enchâssé, incrusté.

embellish [ɪmˈbelɪʃ] vt 1. • **to embellish sthg (with) a)** décorer qqch (de) **b)** orner qqch (de) 2. fig enjoliver.

embers [ˈembəz] npl braises fpl.

embezzle [ɪmˈbezl] vt détourner.

embezzlement [ɪmˈbezlmənt] n détournement m de fonds.

embittered [ɪmˈbɪtəd] adj aigri.

emblazon [ɪmˈbleɪzn] vt • **the shield is emblazoned with dragons** le bouclier porte des dragons.

emblem [ˈembləm] n emblème m.

emblematic [ˌembləˈmætɪk] adj emblématique.

embodiment [ɪmˈbɒdɪmənt] n incarnation f.

embody [ɪmˈbɒdɪ] vt incarner • **to be embodied in sthg** être exprimé dans qqch.

embossed [ɪmˈbɒst] adj 1. • **embossed (on)** inscrit (sur), gravé en relief (sur) 2. (papier peint) gaufré.

embrace [ɪmˈbreɪs] n étreinte f. ❏ vt embrasser. ❏ vi s'embrasser, s'étreindre.

embroider [ɪmˈbrɔɪdə] vt 1. broder 2. péj enjoliver. ❏ vi broder.

embroidered [ɪmˈbrɔɪdəd] adj COUT brodé.

embroidery [ɪmˈbrɔɪdərɪ] n (indén) broderie f.

embroil [ɪmˈbrɔɪl] vt • **to be embroiled (in)** être mêlé (à).

embryo [ˈembrɪəʊ] (pl -s) n embryon m.

embryonic [ˌembrɪˈɒnɪk] adj embryonnaire.

EMD [ˈiːˈemˈdiː] (abrév de Emergency Make-Up Day) n (US) SCOL journée de rattrapage si l'école a été fermée précédemment en raison d'une catastrophe naturelle.

emerald [ˈemərəld] adj émeraude (inv). ❏ n émeraude f.

emerge [ɪˈmɜːdʒ] vi 1. (personne, animal) • **to emerge (from)** émerger (de) 2. (faits, vérité) • **to emerge from** se dégager de. ❏ vt • **it emerges that...** il ressort ou il apparaît que...

emergence [ɪˈmɜːdʒəns] n émergence f.

emergency [ɪˈmɜːdʒənsɪ] adj d'urgence. ❏ n urgence f • **in an emergency** ou **in emergencies** en cas d'urgence • **the emergency services** les services d'urgence.

emergency exit n sortie f de secours.

emergency landing n atterrissage m forcé.

emergency room n (US) salle f des urgences.

emergency services npl ≈ police-secours f.

emergency stop n (UK) arrêt m d'urgence.

emergent [ɪˈmɜːdʒənt] adj qui émerge.

emerging market n ÉCON marché m émergeant.

emery board [ˈeməri-] n lime f à ongles.

emf (abrév de electromotive force) n f.é.m. f.

emigrant [ˈemɪgrənt] n émigré m, -e f.

emigrate [ˈemɪgreɪt] vi • **to emigrate (to)** émigrer (en/à).

emigration [ˌemɪˈgreɪʃn] n émigration f.

eminent [ˈemɪnənt] adj éminent.

eminently [ˈemɪnəntlɪ] adv sout éminemment.

emission [ɪˈmɪʃn] n émission f.

emissions cap n ÉCOL plafonnement m des émissions.

emissions target n ÉCOL cible f de réduction des émissions.

emissions trading n ÉCOL échange m de quotas d'émissions.

emit [ɪˈmɪt] vt émettre.

e-money n argent m électronique, argent m virtuel.

emoticon [ɪˈməʊtɪkɒn] n émoticon m.

emotion [ɪˈməʊʃn] n 1. (indén) émotion f 2. sentiment m.

emotional [ɪˈməʊʃənl] adj 1. émotif 2. émouvant 3. émotionnel.

emotional intelligence n intelligence f émotionnelle.

emotionally [ɪˈməʊʃnəlɪ] adv 1. avec émotion 2. émotionnellement.

emotive [ɪˈməʊtɪv] adj qui enflamme les esprits.

empathize, -ise (UK) [ˈempəθaɪz] vt • **to empathize with** s'identifier à.

empathy [ˈempəθɪ] n (indén) • **empathy (with)** communion f de sentiments (avec).

emperor [ˈempərə] n empereur m.

emphasis [ˈemfəsɪs] (pl -ses) n • **emphasis (on)** accent m (sur) • **to lay** ou **place emphasis on sthg** insister sur ou souligner qqch.

emphasize, -ise (UK) [ˈemfəsaɪz] vt insister sur.

emphatic [ɪmˈfætɪk] adj catégorique.

emphatically [ɪmˈfætɪklɪ] adv 1. catégoriquement 2. absolument.

empire [ˈempaɪə] n empire m.

empire-building n édification f d'empires.

empirical [ɪmˈpɪrɪkl] adj empirique.

employ [ɪmˈplɔɪ] vt employer • **to be employed as** être employé comme.

employable [ɪmˈplɔɪəbl] adj qui peut être employé.

employed [ɪmˈplɔɪd] adj employé. ❏ npl personnes fpl qui ont un emploi • **employers and employed** patronat m et salariat m.

employee [ɪmˈplɔɪiː] n employé m, -e f.

employer [ɪmˈplɔɪə^r] *n* employeur *m*, -euse *f*.

employment [ɪmˈplɔɪmənt] *n* emploi *m*, travail *m* • **employment contract** contrat *m* d'emploi.

Employment Act *n* (UK) POLIT loi sur l'égalité des chances pour l'emploi.

employment agency *n* bureau *m* ou agence *f* de placement.

employment tribunal *n* DR conseil *m* de prud'hommes.

emporium [emˈpɔːrɪəm] *n* grand magasin *m*.

empower [ɪmˈpaʊə^r] *vt sout* • **to be empowered to do sthg** être habilité à faire qqch.

empowering [ɪmˈpaʊərɪŋ] *adj* qui donne un sentiment de pouvoir.

empress [ˈemprɪs] *n* impératrice *f*.

emptiness [ˈemptɪnɪs] *n (indén)* vide *m*.

empty [ˈemptɪ] *adj* **1.** vide **2.** *péj* vain. ❑ *vt* vider. ❑ *vi* se vider.

empty-handed [-ˈhændɪd] *adj* les mains vides.

empty-headed [-ˈhedɪd] *adj* sans cervelle.

EMU (abrév de European Monetary Union) *n* UEM *f*.

emulate [ˈemjʊleɪt] *vt* imiter.

emulsion [ɪˈmʌlʃn] *n* (UK) • **emulsion (paint)** peinture *f* mate ou à émulsion.

enable [ɪˈneɪbl] *vt* • **to enable sb to do sthg** permettre à qqn de faire qqch.

enabled [ɪˈneɪbəld] *adj* INFORM activé.

enact [ɪˈnækt] *vt* **1.** DR promulguer **2.** THÉÂTRE jouer.

enactment [ɪˈnæktmənt] *n* DR promulgation *f*.

enamel [ɪˈnæml] *n* **1.** émail *m* **2.** peinture *f* laquée.

encampment [ɪnˈkæmpmənt] *n* campement *m*.

encapsulate [ɪnˈkæpsjʊleɪt] *vt* • **to encapsulate sthg (in)** résumer qqch (en).

encase [ɪnˈkeɪs] *vt* • **to be encased in a)** être enfermé dans **b)** être bardé de.

enchanted [ɪnˈtʃɑːntɪd] *adj* • **enchanted (by/with)** enchanté (par/de).

enchanting [ɪnˈtʃɑːntɪŋ] *adj* enchanteur.

encircle [ɪnˈsɜːkl] *vt* entourer ; MIL encercler.

enclave [ˈenkleɪv] *n* enclave *f*.

enclose [ɪnˈkləʊz] *vt* **1.** entourer **2.** joindre • **please find enclosed...** veuillez trouver ci-joint...

enclosure [ɪnˈkləʊʒə^r] *n* **1.** enceinte *f* **2.** pièce *f* jointe *(dans une lettre)*.

encoding [enˈkəʊdɪŋ] *n* codage *m* ; INFORM encodage *m*.

encompass [ɪnˈkʌmpəs] *vt sout* **1.** contenir **2.** entourer.

encore [ˈɒŋkɔː^r] *n* rappel *m*. ❑ *interj* bis !

encounter [ɪnˈkaʊntə^r] *n* rencontre *f*. ❑ *vt sout* rencontrer.

encourage [ɪnˈkʌrɪdʒ] *vt* **1.** • **to encourage sb (to do sthg)** encourager qqn (à faire qqch) **2.** encourager, favoriser.

encouragement [ɪnˈkʌrɪdʒmənt] *n* encouragement *m*.

encouraging [ɪnˈkʌrɪdʒɪŋ] *adj* encourageant.

encroach [ɪnˈkrəʊtʃ] *vi* • **to encroach on** ou **upon** empiéter sur.

encrypt [enˈkrɪpt] *vt* **1.** INFORM crypter **2.** TV coder.

encryption [enˈkrɪpʃn] *n (indén)* **1.** INFORM cryptage *m* **2.** TV codage *m*, encodage *m*.

encyclop(a)edia [ɪn,saɪkləˈpiːdjə] *n* encyclopédie *f*.

encyclop(a)edic [ɪn,saɪkləʊˈpiːdɪk] *adj* encyclopédique.

end [end] *n* **1.** fin *f* • **at an end** terminé, fini • **to come to an end** se terminer, s'arrêter • **at the end of the day** *fig* en fin de compte • **in the end** finalement **2.** bout *m*, extrémité *f* **3.** côté *m* **4.** mégot *m*. ❑ *vt* mettre fin à ; finir. ❑ *vi* se terminer • **to end in** se terminer par • **to end with** se terminer par ou avec. ■ **on end** *adv* **1.** debout **2.** d'affilée. ■ **end up** *vi* finir • **to end up doing sthg** finir par faire qqch. ■ **no end of** *prép fam* énormément de.

endanger [ɪnˈdeɪndʒə^r] *vt* mettre en danger.

endangered species [ɪnˈdeɪndʒəd-] *n* espèce *f* en voie de disparition.

end-consumer *n* COMM utilisateur *m* final ; consommateur *m* final.

endear [ɪnˈdɪə^r] *vt* • **to endear sb to sb** faire aimer ou apprécier qqn de qqn.

endearing [ɪnˈdɪərɪŋ] *adj* engageant.

endeavour (UK), **endeavor** (US) *sout* [ɪnˈdevə^r] *n* effort *m*, tentative *f*. ❑ *vt* • **to endeavour to do sthg** s'efforcer ou tenter de faire qqch.

endemic [enˈdemɪk] *adj* endémique.

ending [ˈendɪŋ] *n* fin *f*, dénouement *m* • **a sad/happy ending** une fin triste/heureuse.

endive [ˈendaɪv] *n* **1.** (US) endive *f* **2.** (UK) chicorée *f*.

endless [ˈendlɪs] *adj* **1.** interminable ; inépuisable **2.** infini.

endlessly [ˈendlɪslɪ] *adv* sans arrêt, continuellement ; à perte de vue • **endlessly patient/kind** d'une patience/gentillesse infinie.

endnote [ˈendnəʊt] *n* INFORM note *f* de fin de document, NfD *f*.

endorse [ɪnˈdɔːs] *vt* **1.** approuver **2.** endosser *(un chèque)*.

endorsement [ɪnˈdɔːsmənt] *n* approbation *f*.

endow [ɪnˈdaʊ] *vt* **1.** • **to be endowed with sthg** être doté de qqch **2.** faire des dons à.

endowment [ɪnˈdaʊmənt] *n sout* capacité *f*, qualité *f*.

endowment mortgage *n* (UK) *prêt immobilier lié à une assurance-vie.*

endowment policy *n* assurance *f* mixte.

end product *n* produit *m* fini.

end result *n* résultat *m* final.

end table n bout m de canapé.

endurance [ɪn'djʊərəns] n endurance f.

endurance test n épreuve f d'endurance.

endure [ɪn'djʊə] vt supporter, endurer. ❑ vi perdurer.

end user n utilisateur final m, utilisatrice finale f.

endways (UK) ['endweɪz], **endwise** (US) ['endwaɪz] adv 1. en long 2. bout à bout.

enema ['enɪmə] n lavement m.

enemy ['enɪmɪ] n ennemi m, -e f. ❑ en apposition ennemi.

enemy-occupied adj occupé par l'ennemi.

energetic [,enə'dʒetɪk] adj énergique ; plein d'entrain.

energetically [,enə'dʒetɪklɪ] adv énergiquement.

energize, -ise (UK) ['enədʒaɪz] vt 1. donner de l'énergie à, stimuler 2. ÉLECTR exciter, envoyer de l'électricité dans.

energy ['enədʒɪ] n énergie f.

energy-saving adj • **energy-saving lightbulb** ampoule f à économie d'énergie.

enforce [ɪn'fɔs] vt appliquer, faire respecter.

enforceable [ɪn'fɔːsəbl] adj applicable.

enforced [ɪn'fɔst] adj forcé.

enforcer [ɪn'fɔːsə] n (US) agent m de police.

engage [ɪn'geɪdʒ] vt 1. susciter, éveiller 2. sout engager (embaucher) • **to be engaged in** ou on sthg prendre part à qqch. ❑ vi • **to engage in** s'occuper de.

engaged [ɪn'geɪdʒd] adj 1. fiancé • **to get engaged** se fiancer 2. (UK) occupé.

engaged tone n (UK) tonalité f « occupé ».

engagement [ɪn'geɪdʒmənt] n 1. fiançailles fpl 2. rendez-vous m inv.

engagement ring n bague f de fiançailles.

engaging [ɪn'geɪdʒɪŋ] adj engageant ; attirant.

engender [ɪn'dʒendə] vt sout engendrer, susciter.

engine ['endʒɪn] n 1. moteur m 2. RAIL locomotive f.

engine driver n (UK) mécanicien m.

engineer [,endʒɪ'nɪə] n 1. ingénieur m, -e f ; mécanicien m, -enne f (dans la marine marchande ou l'aéronautique) ; technicien m, -enne f 2. (US) RAIL mécanicien m, -enne f.

engineering [,endʒɪ'nɪərɪŋ] n ingénierie f.

England ['ɪŋglənd] n Angleterre f • **in England** en Angleterre.

English ['ɪŋglɪʃ] adj anglais. ❑ n anglais m. ❑ npl • **the English** les Anglais.

English breakfast n petit déjeuner m anglais traditionnel.

English Channel n • **the English Channel** la Manche.

Englishman ['ɪŋglɪʃmən] (pl -men) n Anglais m.

English-speaking adj anglophone ; parlant anglais.

Englishwoman ['ɪŋglɪʃ,wʊmən] (pl -women) n Anglaise f.

engrave [ɪn'greɪv] vt • **to engrave sthg (on stone/in one's memory)** graver qqch (sur la pierre/dans sa mémoire).

engraving [ɪn'greɪvɪŋ] n gravure f.

engrossed [ɪn'grəʊst] adj • **to be engrossed (in sthg)** être absorbé (par qqch).

engrossing [ɪn'grəʊsɪŋ] adj absorbant.

engulf [ɪn'gʌlf] vt engloutir.

enhance [ɪn'hɑːns] vt améliorer.

enhancement [ɪn'hɑːnsmənt] n amélioration f.

enigma [ɪ'nɪgmə] n énigme f.

enigmatic [,enɪg'mætɪk] adj énigmatique.

enjoy [ɪn'dʒɔɪ] vt 1. aimer • **to enjoy o.s.** s'amuser • **to enjoy doing sthg** aimer bien faire qqch 2. s'amuser 3. sout jouir de (privilèges, bonne santé).

enjoyable [ɪn'dʒɔɪəbl] adj agréable.

enjoyment [ɪn'dʒɔɪmənt] n plaisir m.

enlarge [ɪn'lɑːdʒ] vt agrandir. ■ **enlarge (up) on** vt insép développer.

enlarged [ɪn'lɑːdʒd] adj 1. (majorité) accru 2. (photo) agrandi 3. MÉD hypertrophié.

enlargement [ɪn'lɑːdʒmənt] n 1. extension f 2. PHOTO agrandissement m.

enlighten [ɪn'laɪtn] vt éclairer.

enlightened [ɪn'laɪtnd] adj éclairé.

enlightenment [ɪn'laɪtnmənt] n (indén) éclaircissement m.

enlist [ɪn'lɪst] vt 1. MIL enrôler 2. recruter 3. s'assurer. ❑ vi MIL s'enrôler.

en masse [ɒn'mæs] adv en masse, massivement.

enmity ['enmətɪ] n hostilité f.

enormity [ɪ'nɔmətɪ] n étendue f.

enormous [ɪ'nɔməs] adj énorme ; immense.

enormously [ɪ'nɔːməslɪ] adv énormément ; immensément.

enough [ɪ'nʌf] adj assez de. ❑ pron assez • **more than enough** largement, bien assez • **to have had enough** en avoir assez. ❑ adv 1. assez • **big enough for sthg/to do sthg** assez grand pour qqch/pour faire qqch • **to be good enough to do sthg** sout être assez aimable pour ou de faire qqch 2. plutôt • **strangely enough** bizarrement.

enough

Si *enough* est utilisé avec un autre adjectif ou avec un adverbe, il se place après - et non avant - le mot auquel il se rapporte *(he's old enough to understand ; strangely enough, she couldn't remember)*.

À PROPOS DE

enquire [ɪn'kwaɪə*] *vt* (UK) • **to enquire when/ whether/how...** demander quand/si/comment... ❑ *vi* • **to enquire (about)** se renseigner (sur).

enquiry [ɪn'kwaɪərɪ] *n* **1.** demande *f* de renseignements **2.** enquête *f*.

enrage [ɪn'reɪdʒ] *vt* rendre furieux, mettre en rage.

enraged [ɪn'reɪdʒd] *adj* furieux ; *(animal)* enragé.

enrich [ɪn'rɪtʃ] *vt* enrichir.

enrol (UK), **enroll** (US) [ɪn'rəʊl] *vt* inscrire. ❑ *vi* • **to enrol (in)** s'inscrire (à).

en route [ɒn'ruːt] *adv* • **en route (to)** en route (vers) • **en route from** en provenance de.

ensconced [ɪn'skɒnst] *adj littéraire* • **ensconced (in)** bien installé (dans).

ensign ['ensaɪn] *n* pavillon *m*.

ensue [ɪn'sjuː] *vi* s'ensuivre.

ensuing [ɪn'sjuːɪŋ] *adj* qui s'ensuit.

en suite [ˌɒn'swiːt] *adj & adv* • **with en suite bathroom** avec salle de bains particulière.

ensure [ɪn'ʃʊə*] *vt* assurer • **to ensure (that)...** s'assurer que...

ENT (abrév de Ear, Nose & Throat) *n* ORL *f*.

entail [ɪn'teɪl] *vt* entraîner • **what does the work entail?** en quoi consiste le travail ?

enter ['entə*] *vt* **1.** entrer dans *(une pièce, un véhicule)* **2.** UNIV entrer à ; SCOL s'inscrire à, s'inscrire dans **3.** s'inscrire à *(un concours, une compétition)* **4.** se lancer dans *(la politique)* **5.** • **to enter sb/sthg for sthg** inscrire qqn/qqch à qqch. ❑ *vi* **1.** entrer **2.** • **to enter (for)** s'inscrire (à). ◼ **enter into** *vt insép* entamer.

enter key *n* INFORM (touche *f*) entrée *f*.

enterprise ['entəpraɪz] *n* entreprise *f*.

enterprise zone *n* (UK) zone dans une région défavorisée qui bénéficie de subsides de l'État.

enterprising ['entəpraɪzɪŋ] *adj* qui fait preuve d'initiative.

entertain [ˌentə'teɪn] *vt* **1.** divertir **2.** recevoir **3.** *sout* considérer.

entertainer [ˌentə'teɪnə*] *n* fantaisiste *mf*.

entertaining [ˌentə'teɪnɪŋ] *adj* divertissant.

entertainment [ˌentə'teɪnmənt] *n* **1.** *(indén)* divertissement *m* • **family entertainment** divertissement pour toute la famille **2.** spectacle *m*.

enthral (UK), **enthrall** (US) [ɪn'θrɔl] *vt* captiver.

enthrallingly [ɪn'θrɔːlɪŋlɪ] *adv* d'une manière captivante.

enthrone [ɪn'θrəʊn] *vt* introniser.

enthusiasm [ɪn'θjuːzɪæzm] *n* **1.** • **enthusiasm (for)** enthousiasme *m* (pour) **2.** passion *f*.

enthusiast [ɪn'θjuːzɪæst] *n* enthousiaste *mf*.

enthusiastic [ɪnˌθjuːzɪ'æstɪk] *adj* enthousiaste.

enthusiastically [ɪnˌθjuːzɪ'æstɪklɪ] *adv* avec enthousiasme.

entice [ɪn'taɪs] *vt* séduire.

entire [ɪn'taɪə*] *adj* entier.

entirely [ɪn'taɪəlɪ] *adv* entièrement, totalement.

entirety [ɪn'taɪrətɪ] *n* • **in its entirety** en entier.

entitle [ɪn'taɪtl] *vt* • **to entitle sb to sthg** donner droit à qqch à qqn • **to entitle sb to do sthg** autoriser qqn à faire qqch.

entitled [ɪn'taɪtld] *adj* **1.** autorisé • **to be entitled to sthg** avoir droit à qqch • **to be entitled to do sthg** avoir le droit de faire qqch **2.** intitulé.

entitlement [ɪn'taɪtlmənt] *n* droit *m* • **entitlement to social security** droit à la sécurité sociale.

entity ['entɪtɪ] *(pl* -ies) *n* entité *f*.

entourage [ˌɒntʊ'rɑːʒ] *n* entourage *m*.

entrance *n* ['entrəns] **1.** • **entrance (to)** entrée *f* (de) **2.** *(acte d'entrer)* entrée *f* **3.** • **to gain entrance to a)** obtenir l'accès à **b)** être admis dans. ❑ *vt* [ɪn'trɑːns] ravir, enivrer.

entrance examination *n* examen *m* d'entrée.

entrance fee *n* **1.** *(musée, cinéma)* prix *m* d'entrée **2.** *(club, association)* droit *m* d'inscription.

entrance hall *n* *(dans une maison)* vestibule *m* ; *(dans un hôtel)* hall *m*.

entrant ['entrənt] *n* concurrent *m*, -e *f*.

entreat [ɪn'triːt] *vt* • **to entreat sb (to do sthg)** supplier qqn (de faire qqch).

entrenched [ɪn'trentʃt] *adj* ancré.

entrepreneur [ˌɒntrəprə'nɜːr] *n* entrepreneur *m*.

entrepreneurial [ˌɒntrəprə'nɜːrɪəl] *adj* *(personne)* qui a l'esprit d'entreprise ; *(savoir-faire)* d'entrepreneur.

entrust [ɪn'trʌst] *vt* • **to entrust sthg to sb, to entrust sb with sthg** confier qqch à qqn.

entry ['entrɪ] *n* **1.** entrée *f* • **to gain entry to** avoir accès à • **'no entry' a)** 'défense d'entrer' **b)** AUTO 'sens interdit' **2.** inscription *f* *(à un concours)* **3.** entrée *f* *(d'un dictionnaire)* ; écriture *f* *(dans un livre de comptes)*.

entry form *n* formulaire *m ou* feuille *f* d'inscription.

entry-level *adj* bas de gamme, d'entrée de gamme.

E number *n* additif *m* E.

envelop [ɪn'veləp] *vt* envelopper.

envelope ['envələʊp] *n* enveloppe *f*.

enviable ['envɪəbl] *adj* enviable.

envious ['envɪəs] *adj* envieux.

environment [ɪn'vaɪərənmənt] *n* **1.** milieu *m*, cadre *m* **2.** • **the environment** l'environnement *m*.

environment agency *n* agence *f* pour la protection de l'environnement.

environmental [ɪnˌvaɪərən'mentl] *adj* de l'environnement ; sur l'environnement.

environmentalist [ɪnˌvaɪərən'mentəlɪst] *n* écologiste *mf*, environnementaliste *mf*.

environmentally [ɪnˌvaɪərən'mentəlɪ] *adv* pour l'environnement • **to be environmentally aware** être sensible aux problèmes de l'environnement.

Environmental Protection Agency *n* (US) ≈ ministère *m* de l'Environnement.

environment-friendly *adj* respectueux de l'environnement ; (*produit*) non polluant.

environs [ɪn'vaɪərənz] *npl* environs *mpl*.

envisage [ɪn'vɪzɪdʒ], **envision** (US) [ɪn'vɪʒn] *vt* envisager.

envoy ['envɔɪ] *n* émissaire *m*.

envy ['envɪ] *n* envie *f*, jalousie *f*. ❏ *vt* envier.

enzyme ['enzaɪm] *n* enzyme *f*.

EOD *SMS* (abrév de end of discussion) un point c'est tout.

ephemeral [ɪ'femərəl] *adj* éphémère.

epic ['epɪk] *adj* épique. ❏ *n* épopée *f*.

epidemic [ˌepɪ'demɪk] *n* épidémie *f*.

epidural [ˌepɪ'djʊərəl] *n* péridurale *f*.

epilepsy ['epɪlepsɪ] *n* épilepsie *f*.

epileptic [ˌepɪ'leptɪk] *adj* épileptique. ❏ *n* épileptique *mf*.

Epiphany [ɪ'pɪfənɪ] *n* Épiphanie *f*.

episode ['epɪsəʊd] *n* épisode *m*.

epistle [ɪ'pɪsl] *n* épître *f*.

epitaph ['epɪtɑːf] *n* épitaphe *f*.

epithet ['epɪθet] *n* épithète *f*.

epitome [ɪ'pɪtəmɪ] *n* • **the epitome of** le modèle de.

epitomize, -ise (UK) [ɪ'pɪtəmaɪz] *vt* incarner.

epoch ['iːpɒk] *n* époque *f*.

eponymous [ɪ'pɒnɪməs] *adj* éponyme.

equable ['ekwəbl] *adj* égal, placide.

equal ['iːkwəl] *adj* 1. • **equal (to)** égal (à) • **on equal terms** d'égal à égal 2. • **equal to sthg** à la hauteur de qqch. ❏ *n* égal *m*, -e *f*. ❏ *vt* ((UK) *prét & pp* **equalled**, *cont* **equalling**, (US) *prét & pp* **equaled**, *cont* **equaling**) égaler.

equality [iː'kwɒlətɪ] *n* égalité *f*.

equalize, -ise (UK) ['iːkwəlaɪz] *vt* niveler. ❏ *vi* (UK) *SPORT* égaliser.

equalizer ['iːkwəlaɪzə'] *n* (UK) but *m* égalisateur.

equally ['iːkwəlɪ] *adv* 1. tout aussi 2. en parts égales 3. en même temps.

equal opportunities *npl* égalité *f* des chances.

equal(s) sign *n* signe *m* d'égalité.

equanimity [ˌekwə'nɪmətɪ] *n* sérénité *f*, égalité *f* d'humeur.

equate [ɪ'kweɪt] *vt* • **to equate sthg with sthg** assimiler qqch à qqch.

equation [ɪ'kweɪʒn] *n* équation *f*.

equator [ɪ'kweɪtə'] *n* • **the equator** l'équateur *m*.

equilibrium [ˌiːkwɪ'lɪbrɪəm] *n* équilibre *m*.

equip [ɪ'kwɪp] *vt* équiper • **he's well equipped for the job** il est bien préparé pour ce travail.

equipment [ɪ'kwɪpmənt] *n* (indén) équipement *m*, matériel *m*.

equitable ['ekwɪtəbl] *adj* équitable.

equities ['ekwətɪz] *npl* actions *fpl* ordinaires.

equity ['ekwətɪ] (*pl* **-ies**) *n* 1. équité *f* 2. *DR* équité *f* ; droit *m* équitable 3. *FIN* fonds *mpl* ou capitaux *mpl* propres. ▪ **Equity** *n* principal syndicat britannique des gens du spectacle.

equivalence [ɪ'kwɪvələns] *n* équivalence *f*.

equivalent [ɪ'kwɪvələnt] *adj* équivalent. ❏ *n* équivalent *m*.

equivocal [ɪ'kwɪvəkl] *adj* équivoque.

er [ɜː] *interj* euh !

ER 1. (abrév de Elizabeth Regina) *emblème de la reine Élisabeth* **2.** (US) (abrév de Emergency Room) urgences *fpl*.

era ['ɪərə] (*pl* **-s**) *n* ère *f*, période *f*.

eradicate [ɪ'rædɪkeɪt] *vt* éradiquer.

eradication [ɪˌrædɪ'keɪʃn] *n* éradication *f*.

erasable [ɪ'reɪzəbl] *adj* effaçable.

erase [ɪ'reɪz] *vt* 1. gommer 2. effacer (*un souvenir*) ; éliminer (*la faim, la pauvreté*).

eraser [ɪ'reɪzə'] *n* gomme *f*.

erect [ɪ'rekt] *adj* 1. (*personne*) droit 2. (*pénis*) en érection. ❏ *vt* 1. ériger (*une statue*) ; construire (*un immeuble*) 2. dresser (*une tente*).

erection [ɪ'rekʃn] *n* 1. (indén) érection *f* (*d'une statue*) ; construction *f* 2. érection *f* (*du pénis*).

ergonomic [ˌɜːgəʊ'nɒmɪk] *adj* ergonomique.

ERM (abrév de Exchange Rate Mechanism) *n* mécanisme *m* des changes (du SME).

ermine ['ɜːmɪn] *n* hermine *f*.

erode [ɪ'rəʊd] *vt* 1. éroder 2. *fig* réduire. ❏ *vi* 1. s'éroder 2. *fig* diminuer.

erosion [ɪ'rəʊʒn] *n* 1. érosion *f* 2. baisse *f* ; diminution *f*.

erotic [ɪ'rɒtɪk] *adj* érotique.

err [ɜː] *vi* se tromper.

errand ['erənd] *n* course *f*, commission *f*.

erratic [ɪ'rætɪk] *adj* irrégulier.

error ['erə'] *n* erreur *f* • **a spelling/typing error** une faute d'orthographe/de frappe • **in error** par erreur.

error message *n* INFORM message *m* d'erreur.

erupt [ɪ'rʌpt] *vi* 1. (*volcan*) entrer en éruption 2. *fig* (*guerre, conflit*) éclater.

eruption [ɪ'rʌpʃn] n **1.** éruption f (d'un volcan) **2.** explosion f (de violence) **3.** déclenchement m (d'une guerre).

escalate ['eskəleɪt] vi **1.** (conflit) s'intensifier **2.** (prix) monter en flèche.

escalation [,eskə'leɪʃn] n **1.** intensification f **2.** montée f en flèche.

escalator ['eskəleɪtə'] n escalier m roulant.

escapade [,eskə'peɪd] n aventure f, exploit m.

escape [ɪ'skeɪp] n **1.** fuite f, évasion f • **to make one's escape** s'échapper • **to have a lucky escape** l'échapper belle **2.** fuite f. ❑ vt échapper à. ❑ vi **1.** s'échapper, fuir ; (prisonnier) s'évader • **to escape from a)** s'échapper de **b)** échapper à **2.** s'en tirer.

escape key n INFORM touche f d'échappement.

escape lane n voie f de détresse.

escape route n **1.** moyen m d'évasion **2.** itinéraire d'évacuation en cas d'incendie.

escapism [ɪ'skeɪpɪzm] n (indén) évasion f (de la réalité).

escort n ['eskɔt] **1.** escorte f **2.** cavalier m ; hôtesse f. ❑ vt [ɪ'skɔt] escorter, accompagner.

e-signature n signature f électronique.

Eskimo ['eskɪməʊ] n (pl -s) Esquimau m, -aude f (attention : le terme « Eskimo », comme son équivalent français, est souvent considéré comme injurieux en Amérique du Nord. On préférera le terme « Inuit »).

Eskimo roll n esquimautage m (acrobatie en kayak).

ESOL ['iːsɒl] (abrév de English for Speakers of Other Languages) n (US) SCOL anglais m langue seconde.

esophagus (US) = oesophagus.

espadrille [,espə'drɪl] n espadrille f.

especially [ɪ'speʃəlɪ] adv **1.** surtout **2.** particulièrement **3.** spécialement.

espionage ['espɪə,nɑːʒ] n espionnage m.

esplanade [,esplə'neɪd] n esplanade f.

Esq. abrév de **Esquire.**

Esquire [ɪ'skwaɪə'] n • **G. Curry Esquire** Monsieur G. Curry.

essay ['eseɪ] n **1.** dissertation f **2.** essai m.

essence ['esns] n **1.** essence f, nature f **2.** CULIN essence f.

essential [ɪ'senʃl] adj **1.** • **essential (to** ou **for)** indispensable (à) **2.** essentiel, de base. ■ **essentials** npl **1.** produits mpl de première nécessité **2.** essentiel m.

essentially [ɪ'senʃəlɪ] adv essentiellement, fondamentalement.

Essex girl ['esɪks-] n (UK) fam & péj stéréotype de la jeune fille bête et vulgaire.

Essex man ['esɪks-] n (UK) fam stéréotype du réactionnaire bête et vulgaire.

establish [ɪ'stæblɪʃ] vt **1.** établir **2.** fonder, créer.

established [ɪ'stæblɪʃt] adj **1.** (coutume) établi **2.** (société) fondé.

establishment [ɪ'stæblɪʃmənt] n **1.** établissement m **2.** fondation f, création f. ■ **Establishment** n (status quo) • **the Establishment** l'ordre m établi, l'establishment m.

estate [ɪ'steɪt] n **1.** propriété f, domaine m **2.** • **(housing) estate** lotissement m **3.** DR biens mpl.

estate agency n (UK) agence f immobilière.

estate agent n (UK) agent m immobilier.

estate car n (UK) break m.

esteem [ɪ'stiːm] n estime f. ❑ vt estimer.

esthetic etc (US) = **aesthetic** etc.

estimate n ['estɪmət] **1.** estimation f, évaluation f **2.** devis m. ❑ vt ['estɪmeɪt] estimer, évaluer.

estimated ['estɪmeɪtɪd] adj estimé.

estimation [,estɪ'meɪʃn] n **1.** opinion f **2.** estimation f, évaluation f.

Estonia [e'stəʊnɪə] n Estonie f.

estranged [ɪ'streɪndʒd] adj (couple) séparé ; (conjoint) dont on s'est séparé.

estrogen (US) = **oestrogen.**

estuary ['estjʊərɪ] n estuaire m.

e-tailer n détaillant m en ligne.

etc. (abrév de et cetera) etc.

etching ['etʃɪŋ] n gravure f à l'eau forte.

eternal [ɪ'tɜːnl] adj **1.** éternel **2.** fig (plaintes) sempiternel **3.** (vérité, valeur) immuable.

eternity [ɪ'tɜːnətɪ] n éternité f.

Ethernet n Ethernet m • **Ethernet cable** câble m Ethernet.

ethic ['eθɪk] n éthique f, morale f. ■ **ethics** n (indén) éthique f, morale f.

ethical ['eθɪkl] adj moral.

Ethiopia [,iːθɪ'əʊpɪə] n Éthiopie f.

ethnic ['eθnɪk] adj **1.** ethnique **2.** folklorique.

ethnic cleansing [-'klenzɪŋ] n purification f ethnique.

ethnicity ['eθnɪsɪtɪ] n appartenance f ethnique.

ethos ['iːθɒs] n éthos m.

etiquette ['etɪket] n convenances fpl, étiquette f.

e-trade n (indén) cybercommerce m, commerce m électronique.

EU (abrév de European Union) n UE f • **EU policy** la politique de l'Union européenne.

eulogy ['juːlədʒɪ] n panégyrique m.

euphemism ['juːfəmɪzm] n euphémisme m.

euphoria [juː'fɔːrɪə] n euphorie f.

euro ['jʊərəʊ] n euro m.

Eurocheque ['jʊərəʊ,tʃek] n (UK) eurochèque m.

Euroland ['jʊərəʊlænd] n POLIT Eurolande f.

Europe ['juərəp] n Europe f.

European [,juərə'pi:ən] adj européen. ❑ n Européen m, -enne f.

European Central Bank n Banque f centrale européenne.

European Commission n Commission f des Communautés européennes.

European Community n Communauté f européenne.

European Monetary System n Système m monétaire européen.

European Union n Union f européenne.

Eurosceptic ['juərʊə,skeptɪk] n (UK) eurosceptique mf.

euro zone n zone f euro.

euthanasia [,ju:θə'neɪʒə] n euthanasie f.

evacuate [ɪ'vækjʊeɪt] vt évacuer.

evacuation [ɪ,vækjʊ'eɪʃn] n évacuation f.

evade [ɪ'veɪd] vt 1. échapper à 2. esquiver, éluder.

evaluate [ɪ'væljʊeɪt] vt évaluer.

evaporate [ɪ'væpəreɪt] vi 1. s'évaporer 2. (espoirs) s'envoler ; (peur) disparaître.

evaporated milk [ɪ'væpəreɪtɪd-] n lait m condensé (non sucré).

evasion [ɪ'veɪʒn] n 1. dérobade f 2. faux-fuyant m.

evasive [ɪ'veɪsɪv] adj évasif.

eve [i:v] n veille f.

---

even

■ **even** ['i:vn] adj

1. EXPRIME UNE RÉGULARITÉ
• **the surface is even** la surface est régulière

2. EXPRIME UNE ÉGALITÉ
• **the teams are even** les équipes sont à égalité • **the odds** ou **chances are about even** fig les chances sont à peu près égales

3. EN MATHÉMATIQUES
• **two is an even number** deux est un nombre pair

■ **even** ['i:vn] adv

1. EXPRIME LA SURPRISE, LA MOQUERIE
• **he can't even dance** il ne sait même pas danser • **even my little brother can do it** même mon petit frère sait le faire • **even now** encore maintenant • **even then** même alors

2. PERMET D'APPORTER UNE PRÉCISION, UNE CLARIFICATION
• **she's always been very nice to me, even generous on occasion** elle a toujours été sympathique à mon égard, même généreuse parfois

3. DANS UNE COMPARAISON, JOUE UN RÔLE INTENSIFICATEUR, D'EMPHASE
• **it's even better now** c'est encore mieux maintenant

■ **even if** conj

même si • **even if I knew, I wouldn't tell you** même si je le savais, je ne te le dirais pas

■ **even so** adv
• **yes, but even so** oui, mais quand même

■ **even though** conj

bien que • **even though I asked politely, he still refused to help me** bien que je lui aie demandé poliment, il a refusé de m'aider

---

evening ['i:vnɪŋ] n soir m ; soirée f • **in the evening** le soir.

evening class n cours m du soir.

evening dress n habit m de soirée ; robe f du soir.

evenly ['i:vnlɪ] adv 1. (respirer, espacer) régulièrement 2. (de façon identique - divisé) également • **to be evenly matched** être de la même force 3. calmement, sur un ton égal.

even out vt sép égaliser. ❑ vi s'égaliser.

even Stevens [-'sti:vənz] adj • **to be even Stevens** être quitte.

event [ɪ'vent] n 1. événement m 2. SPORT épreuve f 3. • **in the event of** en cas de • **in the event that** au cas où. ■ **in any event** adv en tout cas, de toute façon.

eventful [ɪ'ventfʊl] adj mouvementé.

event horizon n ASTRON horizon m des événements.

eventual [ɪ'ventʃʊəl] adj final.

eventuality [ɪ,ventʃʊ'ælətɪ] n éventualité f.

eventually [ɪ'ventʃʊəlɪ] adv finalement, en fin de compte • **he'll get tired of it eventually** il s'en lassera à la longue, il finira par s'en lasser.

---

ever

■ **ever** ['evər] adv

1. DANS DES QUESTIONS AU PRÉSENT OU AU PRESENT PERFECT, POUR INTERROGER QQN SUR SES EXPÉRIENCES
• **have you ever been to Paris?** êtes-vous déjà allé à Paris ?

2. AVEC DES MOTS AYANT UN SENS NÉGATIF
• **I hardly ever see him** je ne le vois presque jamais • **nothing ever happens here** il ne se passe jamais rien ici

3. DANS DES PHRASES COMPARATIVES OU SUPERLATIVES
• **it was more beautiful than ever** c'était plus beau que jamais • **it's the best film I've ever seen** c'est le meilleur film que j'aie jamais vu

4. INDIQUE UNE PERMANENCE, UNE CONTINUITÉ
• **the danger is ever present** le danger est toujours présent • **she is as cheerful as ever** elle est toujours aussi gaie

5. EXPRIME UNE INTENSITÉ, UNE EMPHASE
• **he's ever so nice** (UK) il est tellement gentil • **it's ever such a pity** (UK) c'est vraiment dommage

■ **ever since** *adv*

INDIQUE UN POINT DE DÉPART DANS LE TEMPS
• **she has loved him ever since** elle l'aime depuis lors *ou* depuis ce moment-là

■ **ever since** *conj*

depuis • **it's been raining ever since I arrived** il pleut depuis que je suis arrivé

■ **ever since** *prép*

depuis • **he's known her ever since his childhood** il la connaît depuis son enfance

evergreen ['evəgriːn] *adj* à feuilles persistantes. ❏ *n* arbre *m* à feuilles persistantes.
everlasting [ˌevə'lɑːstɪŋ] *adj* éternel.
eversion [ɪ'vɜːʃən] *n* éversion *f*.
every ['evrɪ] *adj* chaque • **every morning** chaque matin, tous les matins. ■ **every now and then**, **every so often** *adv* de temps en temps, de temps à autre. ■ **every other** *adj* • **every other day** tous les deux jours, un jour sur deux.
everybody ['evrɪˌbɒdɪ] = **everyone**.
everyday ['evrɪdeɪ] *adj* quotidien.
everyone ['evrɪwʌn] *pron* chacun, tout le monde.
everyplace *fam* (US) = **everywhere**.
everything ['evrɪθɪŋ] *pron* tout.
everywhere ['evrɪweə'] *adv* partout.
evict [ɪ'vɪkt] *vt* expulser.
evidence ['evɪdəns] *n* (indén) **1.** preuve *f* **2.** DR témoignage *m* • **to give evidence** témoigner.
evident ['evɪdənt] *adj* évident, manifeste.
evidently ['evɪdəntlɪ] *adv* **1.** apparemment **2.** de toute évidence, manifestement.
evil ['iːvl] *adj* mauvais, malveillant. ❏ *n* mal *m*.
evocative ['ɪvɒkətɪv] *adj* évocateur.
evoke [ɪ'vəʊk] *vt* évoquer (*des souvenirs*) ; susciter (*une émotion, une réaction*).
evolution [ˌiːvə'luːʃn] *n* évolution *f*.
evolve [ɪ'vɒlv] *vt* développer. ❏ *vi* • **to evolve (into/from)** se développer (en/à partir de).
EVRY1 SMS abrév de **everyone**.
e-wallet *n* portefeuille *m* électronique.
ewe [juː] *n* brebis *f*.
ex- [eks] *préf* ex-.
exacerbate [ɪg'zæsəbeɪt] *vt* exacerber ; aggraver.

exact [ɪg'zækt] *adj* exact, précis • **to be exact** pour être exact *ou* précis, exactement. ❏ *vt* • **to exact sthg (from)** exiger qqch (de).
exacting [ɪg'zæktɪŋ] *adj* (*travail*) astreignant ; (*personne*) exigeant.
exactly [ɪg'zæktlɪ] *adv* exactement. ❏ *interj* exactement !, parfaitement !
exaggerate [ɪg'zædʒəreɪt] *vt* & *vi* exagérer.
exaggerated [ɪg'zædʒəreɪtɪd] *adj* (*soupir, sourire*) forcé.
exaggeration [ɪgˌzædʒə'reɪʃn] *n* exagération *f*.
exalted [ɪg'zɔːltɪd] *adj* haut placé.
exam [ɪg'zæm] *n* examen *m* • **to take** *ou* **sit** (UK) **an exam** passer un examen • **to pass an exam** réussir un examen.
examination [ɪgˌzæmɪ'neɪʃn] *n* examen *m*.
examine [ɪg'zæmɪn] *vt* **1.** examiner • **he needs his head examined** *hum* il est complètement fou *ou* cinglé **2.** contrôler (*un passeport*) **3.** DR, SCOL & UNIV interroger.
examiner [ɪg'zæmɪnə'] *n* (UK) examinateur *m*, -trice *f*.
example [ɪg'zɑːmpl] *n* exemple *m* • **for example** par exemple.
exasperate [ɪg'zæspəreɪt] *vt* exaspérer.
exasperating [ɪg'zæspəreɪtɪŋ] *adj* énervant, exaspérant.
exasperation [ɪgˌzæspə'reɪʃn] *n* exaspération *f*.
excavate ['ekskəveɪt] *vt* **1.** creuser **2.** déterrer.
exceed [ɪk'siːd] *vt* **1.** excéder **2.** dépasser.
exceedingly [ɪk'siːdɪŋlɪ] *adv* extrêmement.
excel [ɪk'sel] *vi* exceller.
excellence ['eksələns] *n* excellence *f*, supériorité *f*.
excellent ['eksələnt] *adj* excellent.
except [ɪk'sept] *prép* & *conj* • **except (for)** à part, sauf.
exception [ɪk'sepʃn] *n* **1.** • **exception (to)** exception *f* (à) • **with the exception of** à l'exception de **2.** • **to take exception to** s'offenser de, se froisser de.
exceptional [ɪk'sepʃənl] *adj* exceptionnel.
excerpt ['eksɜːpt] *n* • **excerpt (from)** extrait *m* (de), passage *m* (de).
excess [ɪk'ses] (*avant un nom* ['ekses]) *adj* excédentaire. ❏ *n* excès *m*.
excess baggage *n* excédent *m* de bagages.
excess fare *n* (UK) supplément *m*.
excessive [ɪk'sesɪv] *adj* excessif.
exchange [ɪks'tʃeɪndʒ] *n* échange *m*. ❏ *vt* échanger.
exchange broker *n* cambiste *mf*.
exchange rate *n* taux *m* de change.
exchange value *n* contre-valeur *f*.
Exchequer [ɪks'tʃekə'] *n* (UK) • **the Exchequer** ≃ le ministère des Finances.

excise ['eksaɪz] n (indén) contributions fpl indirectes.

excite [ɪk'saɪt] vt exciter.

excited [ɪk'saɪtɪd] adj excité • **it's nothing to get excited about** il n'y a pas de quoi en faire tout un plat.

excitement [ɪk'saɪtmənt] n excitation f.

exciting [ɪk'saɪtɪŋ] adj passionnant ; excitant.

exclaim [ɪk'skleɪm] vt s'écrier. ❑ vi s'exclamer.

exclamation [,eksklə'meɪʃn] n exclamation f.

exclamation mark (UK), **exclamation point** (US) n point m d'exclamation.

exclude [ɪk'skluːd] vt • **to exclude sb/sthg (from)** exclure qqn/qqch (de).

excluding [ɪk'skluːdɪŋ] prép sans compter, à l'exclusion de.

exclusive [ɪk'skluːsɪv] adj 1. (club) fermé 2. exclusif. ❑ n exclusivité f. ■ **exclusive of** prép • **exclusive of interest** intérêts non compris.

ex-con n fam ancien taulard m, ancienne taularde f.

excrement ['ekskrɪmənt] n excrément m.

excruciating [ɪk'skruːʃɪeɪtɪŋ] adj atroce.

excursion [ɪk'skɜːʃn] n excursion f.

excuse n [ɪk'skjuːs] excuse f • **it's only an excuse** ce n'est qu'un prétexte. ❑ vt [ɪk'skjuːz] 1. excuser • **to excuse sb for sthg** excuser qqn de qqch • **excuse me a)** excusez-moi **b)** pardon, excusez-moi **c)** (US) pardon 2. • **to excuse sb (from)** dispenser qqn (de).

ex-directory adj (UK) TÉLÉCOM sur la liste rouge.

executable ['eksɪkjuːtəbl] adj INFORM exécutable. ❑ n INFORM exécutable m.

execute ['eksɪkjuːt] vt exécuter.

execution [,eksɪ'kjuːʃn] n exécution f.

executioner [,eksɪ'kjuːʃnə] n bourreau m.

executive [ɪg'zekjʊtɪv] adj exécutif. ❑ n 1. cadre m 2. (gouvernement) exécutif m ; (parti politique) comité m central, bureau m.

executive director n cadre m supérieur.

executor [ɪg'zekjʊtə] n exécuteur m testamentaire.

exemplify [ɪg'zemplɪfaɪ] vt 1. exemplifier 2. illustrer.

exempt [ɪg'zempt] adj • **exempt (from)** exempt (de). ❑ vt • **to exempt sb (from)** exempter qqn (de).

exercise ['eksəsaɪz] n exercice m. ❑ vt exercer. ❑ vi faire de l'exercice.

exercise book n (UK) cahier m d'exercices ; livre m d'exercices.

exert [ɪg'zɜːt] vt exercer ; employer (la force) • **to exert o.s.** se donner du mal.

exertion [ɪg'zɜːʃn] n effort m.

exes ['eksɪz] npl fam • **to put sthg on exes** faire passer qqch en note de frais.

exfoliant [eks'fəʊlɪənt] n exfoliant m.

exfoliating [eks'fəʊlɪeɪtɪŋ] adj 1. BIOL & GÉOL exfoliant 2. (locution) • **exfoliating cream** crème f exfoliante • **exfoliating scrub** gommage m exfoliant.

exhale [eks'heɪl] vt exhaler. ❑ vi expirer.

exhaust [ɪg'zɔːst] n 1. (indén) gaz mpl d'échappement 2. • **exhaust (pipe)** pot m ou tuyau m d'échappement. ❑ vt épuiser.

exhausted [ɪg'zɔːstɪd] adj épuisé.

exhausting [ɪg'zɔːstɪŋ] adj épuisant.

exhaustion [ɪg'zɔːstʃn] n épuisement m.

exhaustive [ɪg'zɔːstɪv] adj complet, exhaustif.

exhibit [ɪg'zɪbɪt] n 1. ART objet m exposé 2. DR pièce f à conviction. ❑ vt 1. montrer ; faire preuve de 2. ART exposer.

exhibition [,eksɪ'bɪʃn] n 1. ART exposition f 2. étalage m (de sentiments) 3. (locution) • **to make an exhibition of o.s.** (UK) se donner en spectacle.

exhibitionist [,eksɪ'bɪʃnɪst] n exhibitionniste mf.

exhilarating [ɪg'zɪləreɪtɪŋ] adj grisant ; vivifiant.

exile ['eksaɪl] n 1. exil m • **in exile** en exil 2. exilé m, -e f. ❑ vt exiler.

exist [ɪg'zɪst] vi exister.

existence [ɪg'zɪstəns] n existence f • **in existence** qui existe, existant.

existing [ɪg'zɪstɪŋ] adj existant.

exit ['eksɪt] n sortie f. ❑ vi sortir.

exit interview n entretien entre un employeur et son employé lors du départ de ce dernier.

exit strategy n stratégie f de sortie.

exodus ['eksədəs] n exode m.

exonerate [ɪg'zɒnəreɪt] vt • **to exonerate sb (from)** disculper qqn (de).

exorbitant [ɪg'zɔːbɪtənt] adj exorbitant.

exotic [ɪg'zɒtɪk] adj exotique.

expand [ɪk'spænd] vt accroître ; développer. ❑ vi s'accroître ; se développer ; (métal) se dilater. ■ **expand (up)on** vt insép développer.

expanse [ɪk'spæns] n étendue f.

expansion [ɪk'spænʃn] n accroissement m ; développement m ; dilatation f (d'un métal).

expect [ɪk'spekt] vt 1. s'attendre à ; attendre • **when do you expect it to be ready?** quand pensez-vous que ce sera prêt ? • **to expect sb to do sthg** s'attendre à ce que qqn fasse qqch 2. compter sur 3. exiger, demander • **to expect sthg from sb** exiger qqch de qqn 4. (UK) supposer • **I expect so** je crois que oui. ❑ vi 1. • **to expect to do sthg** compter faire qqch 2. • **to be expecting** être enceinte, attendre un bébé.

expectant [ɪk'spektənt] *adj* qui est dans l'expectative.

expectant mother *n* femme *f* enceinte.

expectation [ˌekspek'teɪʃn] *n* **1.** espoir *m*, attente *f* **2.** ● **it's my expectation that…** à mon avis,…

expedient [ɪk'spiːdjənt] *sout adj* indiqué. ❏ *n* expédient *m*.

expedition [ˌekspɪ'dɪʃn] *n* expédition *f*.

expel [ɪk'spel] *vt* **1.** expulser **2.** SCOL renvoyer.

expend [ɪk'spend] *vt* ● **to expend time/money (on)** consacrer du temps/de l'argent (à).

expendable [ɪk'spendəbl] *adj* superflu ; qui peut être sacrifié.

expenditure [ɪk'spendɪtʃər] *n* (indén) dépense *f*.

expense [ɪk'spens] *n* **1.** dépense *f* **2.** (indén) frais *mpl* ● **at the expense of** au prix de ● **at sb's expense a)** aux frais de qqn **b)** *fig* aux dépens de qqn. ■ **expenses** *npl* frais *mpl*.

expense account *n* frais *mpl* de représentation.

expensive [ɪk'spensɪv] *adj* **1.** cher, coûteux **2.** *(goûts)* dispendieux **3.** *(faute, erreur)* qui coûte cher.

experience [ɪk'spɪərɪəns] *n* expérience *f* ● **to have experience** avoir de l'expérience. ❏ *vt* **1.** connaître *(des difficultés)* **2.** éprouver, ressentir *(une déception)* **3.** subir *(une perte)*.

experienced [ɪk'spɪərɪənst] *adj* expérimenté ● **to be experienced at** *ou* **in sthg** avoir de l'expérience en *ou* en matière de qqch.

experiment [ɪk'sperɪmənt] *n* expérience *f* ● **to do** *ou* **carry out an experiment** faire une expérience. ❏ *vi* ● **to experiment (with sthg)** expérimenter (qqch).

expert ['ekspɜːt] *adj* expert ; d'expert. ❏ *n* expert *m*, -e *f* ● **a computer expert** un spécialiste en informatique.

expertise [ˌekspɜː'tiːz] *n* (indén) compétence *f*.

expiration (US) = expiry.

expire [ɪk'spaɪər] *vi* expirer.

expiry [ɪk'spaɪərɪ] *n* (UK) expiration *f*.

expiry date *n* (UK) date *f* de péremption.

explain [ɪk'spleɪn] *vt* expliquer ● **to explain sthg to sb** expliquer qqch à qqn. ❏ *vi* s'expliquer ● **to explain to sb (about sthg)** expliquer (qqch) à qqn.

explanation [ˌeksplə'neɪʃn] *n* explication *f*.

explicit [ɪk'splɪsɪt] *adj* explicite.

explode [ɪk'spləʊd] *vt* faire exploser. ❏ *vi litt* & *fig* exploser.

exploit *n* ['eksplɔɪt] exploit *m*. ❏ *vt* [ɪk'splɔɪt] exploiter.

exploitation [ˌeksplɔɪ'teɪʃn] *n* (indén) exploitation *f*.

exploration [ˌeksplə'reɪʃn] *n* exploration *f*.

explore [ɪk'splɔː] *vt* & *vi* explorer.

explorer [ɪk'splɔːrər] *n* explorateur *m*, -trice *f*.

explosion [ɪk'spləʊʒn] *n* explosion *f* ; débordement *m*.

explosive [ɪk'spləʊsɪv] *adj litt* & *fig* explosif. ❏ *n* explosif *m*.

explosive belt *n* ceinture *f* explosive.

exponent [ɪk'spəʊnənt] *n* défenseur *m*.

export *n* ['ekspɔːt] exportation *f* ● **export ban** interdiction *f* d'exporter. ❏ *en apposition* ['ekspɔːt] d'exportation. ❏ *vt* [ɪk'spɔːt] exporter.

exporter [ek'spɔːtər] *n* exportateur *m*, -trice *f*.

expose [ɪk'spəʊz] *vt* **1.** exposer, découvrir ● **to be exposed to sthg** être exposé à qqch **2.** révéler ; démasquer.

exposed [ɪk'spəʊzd] *adj* exposé.

exposure [ɪk'spəʊʒər] *n* **1.** exposition *f* **2.** PHOTO temps *m* de pose ; pose *f* **3.** (indén) publicité *f* ; (indén) couverture *f*.

exposure meter *n* posemètre *m*.

expound [ɪk'spaʊnd] *sout vt* exposer. ❏ *vi* ● **expound on** faire un exposé sur.

express [ɪk'spres] *adj* **1.** (UK) exprès (inv) **2.** (train) express (inv). ❏ *adv* exprès. ❏ *n* (train) rapide *m*, express *m*. ❏ *vt* exprimer *(un sentiment)*.

expression [ɪk'spreʃn] *n* expression *f*.

expressionism [ɪk'spreʃənɪzm] *n* expressionnisme *m*.

expressive [ɪk'spresɪv] *adj* expressif.

expressly [ɪk'spreslɪ] *adv* expressément.

expresso *n* expresso *m*.

expresso maker *n* machine *f* à expresso.

expressway [ɪk'spreswei] *n* (US) voie *f* express.

exquisite [ɪk'skwɪzɪt] *adj* exquis.

extend [ɪk'stend] *vt* **1.** étendre *f*, superficie *f* étendue *(d'un problème)* **2.** ● **to what extent…?** dans quelle mesure… ? ● **to the extent that a)** au point que ● **to a certain extent** jusqu'à un certain point ● **to some extent** en partie.

extenuating circumstances [ɪk'stenjʊeitɪŋ-] *npl* circonstances *fpl* atténuantes.

extend [ɪk'stend] *vt* **1.** agrandir *(un bâtiment)* **2.** prolonger ; proroger *(un visa)* ; repousser *(un délai)* **3.** étendre (la portée de) ; accroître *(son pouvoir)* **4.** étendre *(le bras)* **5.** apporter, offrir *(de l'aide)* ; accorder *(un crédit)*. ❏ *vi* s'étendre ; continuer.

extension [ɪk'stenʃn] *n* **1.** agrandissement *m* **2.** prolongement *m* ; prolongation *f* ; prorogation *f (d'un visa)* **3.** accroissement *m* ; élargissement *m (de la loi)* **4.** TÉLÉCOM poste *m* **5.** ÉLECTR prolongateur *m*.

extension cable *n* rallonge *f*.

extensive [ɪk'stensɪv] *adj* **1.** considérable **2.** vaste **3.** *(discussion)* approfondi.

extensively [ɪk'stensɪvlɪ] *adv* **1.** considérablement **2.** abondamment, largement.

extent [ɪk'stent] *n* **1.** étendue *f*, superficie *f* ; *fig* étendue *(d'un problème)* **2.** ● **to what extent…?** dans quelle mesure… ? ● **to the extent that a)** au point que ● **to a certain extent** jusqu'à un certain point ● **to some extent** en partie.

extenuating circumstances [ɪk'stenjʊeitɪŋ-] *npl* circonstances *fpl* atténuantes.

exterior [ɪk'stɪərɪə'] *adj* extérieur. ❏ *n* **1.** extérieur *m* **2.** dehors *mpl*.

exterminate [ɪk'stɜːmɪneɪt] *vt* exterminer.

external [ɪk'stɜːnl] *adj* externe.

extinct [ɪk'stɪŋkt] *adj* **1.** (*espèces*) disparu **2.** (*volcan*) éteint.

extinguish [ɪk'stɪŋgwɪʃ] *vt* éteindre.

extol, extoll (US) [ɪk'stəʊl] *vt* louer (*chanter les louanges de*).

extort [ɪk'stɔt] *vt* • **to extort sthg from sb** extorquer qqch à qqn.

extortionate [ɪk'stɔːʃnət] *adj péj* exorbitant.

extra ['ekstrə] *adj* supplémentaire. ❏ *n* **1.** supplément *m* **2.** CINÉ & THÉÂTRE figurant *m*, -e *f*. ❏ *adv* extra ; en plus • **to pay extra** payer un supplément.

extra- ['ekstrə] *préf* extra-.

extract *n* ['ekstrækt] extrait *m*. ❏ *vt* [ɪk'strækt] **1.** arracher • **to extract sthg from** tirer qqch de **2.** • **to extract sthg (from sb)** arracher qqch (à qqn), tirer qqch (de qqn) **3.** extraire.

extracurricular [ˌekstrəkə'rɪkjʊlə'] *adj* en dehors du programme.

extradite ['ekstrədaɪt] *vt* extrader.

extramarital [ˌekstrə'mærɪtl] *adj* extraconjugal.

extramural [ˌekstrə'mjʊərəl] *adj* UNIV hors faculté.

extranet *n* extranet *m*.

extraordinary [ɪk'strɔːdnrɪ] *adj* (UK) extraordinaire.

extraordinary general meeting *n* (UK) assemblée *f* générale extraordinaire.

extra-special *adj* • **to take extra-special care over sthg** faire particulièrement attention à qqch.

extravagance [ɪk'strævəgəns] *n* **1.** (indén) gaspillage *m*, prodigalités *fpl* **2.** extravagance *f*, folie *f*.

extravagant [ɪk'strævəgənt] *adj* **1.** dépensier **2.** dispendieux **3.** extravagant.

extra-virgin *adj* (huile d'olive) extra vierge.

extreme [ɪk'striːm] *adj* extrême. ❏ *n* extrême *m*.

extremely [ɪk'striːmlɪ] *adv* extrêmement.

extreme sport *n* sport *m* extrême.

extremism [ɪk'striːmɪzm] *n* extrémisme *m*.

extremist [ɪk'striːmɪst] *adj* extrémiste. ❏ *n* extrémiste *mf*.

extricate ['ekstrɪkeɪt] *vt* • **to extricate sthg (from)** dégager qqch (de) • **to extricate o.s. (from) a)** s'extirper (de) **b)** se tirer (de).

extrovert ['ekstrəvɜːt] *adj* extraverti. ❏ *n* extraverti *m*, -e *f*.

exuberance [ɪg'zjuːbərəns] *n* exubérance *f*.

exude [ɪg'zjuːd] *vt* **1.** exsuder **2.** fig respirer (la confiance) ; déborder de (charme).

exultant [ɪg'zʌltənt] *adj* triomphant.

eye [aɪ] *n* **1.** œil *m* • **to cast** ou **run one's eye over sthg** jeter un coup d'œil sur qqch • **to catch sb's eye** attirer l'attention de qqn • **to have one's eye on sb** avoir qqn à l'œil • **to keep one's eyes open for sthg** essayer de repérer qqch • **to keep an eye on sthg** surveiller qqch **2.** COUT chas *m*. ❏ *vt* (cont **eyeing** ou **eying**) regarder, reluquer. ■ **eye up** *vt sép* (UK) reluquer.

eyeball ['aɪbɔl] *n* globe *m* oculaire.

eyebath ['aɪbɑːθ] *n* œillère *f* (pour bains d'œil).

eyebrow ['aɪbraʊ] *n* sourcil *m*.

eyebrow pencil *n* crayon *m* à sourcils.

eye candy *n* (indén) *fam* chose ou personne agréable à regarder mais intellectuellement peu stimulante.

eye-catcher *n* tire-l'œil *mf*.

eye-catching *adj* voyant.

eye drops *npl* gouttes *fpl* (pour les yeux).

eyeful ['aɪful] *n* **1.** • **I got an eyeful of sand** j'ai reçu du sable plein les yeux **2.** *fam* regard *m* • **get an eyeful of that!** visez un peu ça ! **3.** *fam* belle fille *f*.

eyelash ['aɪlæʃ] *n* cil *m*.

eyelid ['aɪlɪd] *n* paupière *f*.

eyeliner ['aɪˌlaɪnə'] *n* eye-liner *m*.

eye-opener *n fam* révélation *f*.

eye-opening *adj fam* qui ouvre les yeux, révélateur.

eye-popper *n* • (US) *fam* **to be an eye-popper** valoir vraiment le coup d'œil.

eye-popping *adj* (US) *fam* sensationnel.

eye shadow *n* fard *m* à paupières.

eyesight ['aɪsaɪt] *n* vue *f*.

eyesore ['aɪsɔː'] *n péj* horreur *f*.

eyestrain ['aɪstreɪn] *n* fatigue *f* des yeux.

eyewear ['aɪweə'] *n* (indén) lunettes *fpl*.

eyewitness [ˌaɪ'wɪtnɪs] *n* témoin *mf* oculaire.

EZ SMS abrév de **easy.**

e-zine ['iːziːn] *n* magazine *m* électronique.

EZY SMS abrév de **easy.**

f [ef] (pl **f's** ou **fs**), **F** (pl **F's** ou **Fs**) n f m inv, F m inv. ■ F n **1.** MUS fa m **2.** (abrév de Fahrenheit) F.

F? SMS (abrév de friends?) amis ?

fab [fæb] adj fam super.

fable ['feɪbl] n fable f.

fabric ['fæbrɪk] n **1.** tissu m **2.** structure f.

fabricate ['fæbrɪkeɪt] vt fabriquer.

fabrication [,fæbrɪ'keɪʃn] n **1.** fabrication f, invention f **2.** fabrication f.

fabulous ['fæbjʊləs] adj **1.** fabuleux **2.** fam sensationnel, fabuleux • you look fabulous! tu es superbe !

fabulously ['fæbjʊləslɪ] adv fabuleusement.

facade, façade [fə'sɑːd] n façade f.

face [feɪs] n **1.** visage m, figure f **2.** mine f • to make ou pull a face faire la grimace **3.** face f, paroi f (d'une montagne) **4.** façade f **5.** cadran m **6.** face f (d'une pièce de monnaie) **7.** surface f **8.** • to be in sb's face fam casser les pieds à qqn • get out of my face! fam fiche-moi la paix ! • to save/lose face sauver/perdre la face. ❏ vt **1.** faire face à • the house faces the sea/south la maison donne sur la mer/est orientée vers le sud **2.** être confronté à **3.** faire face à **4.** admettre • we must face facts il faut voir les choses comme elles sont **5.** fam affronter. ■ **face down** adv **1.** face contre terre **2.** à l'envers **3.** face en dessous. ■ **face off** vi insép (US) SPORT (équipes) se rencontrer. ■ **face up** adv **1.** sur le dos **2.** à l'endroit **3.** face en dessus. ■ **face up to** vt insép faire face à.

facecloth ['feɪsklɒθ] n (UK) gant m de toilette.

face cream n crème f pour le visage.

faceless ['feɪslɪs] adj anonyme.

facelift ['feɪslɪft] n **1.** lifting m **2.** fig restauration f, rénovation f.

face mask n **1.** masque m de beauté **2.** SPORT masque m.

face-off n **1.** SPORT remise f en jeu **2.** fig confrontation f.

face pack n (UK) masque m de beauté.

face powder n poudre f de riz, poudre pour le visage.

face-saving [-,seɪvɪŋ] adj qui sauve la face.

facet ['fæsɪt] n facette f.

facetious [fə'siːʃəs] adj facétieux.

face-to-face adj face à face.

face value n valeur f nominale • to take sthg at face value prendre qqch au pied de la lettre.

facility [fə'sɪlətɪ] n fonction f. ■ **facilities** npl **1.** équipement m, aménagement m • **facilities manager** responsable mf des services généraux **2.** installations fpl • **sports facilities** installations sportives.

facing ['feɪsɪŋ] adj **1.** d'en face **2.** opposé.

facsimile [fæk'sɪmɪlɪ] n **1.** télécopie f, fax m **2.** fac-similé m.

fact [fækt] n **1.** fait m • to know sthg for a fact savoir pertinemment qqch **2.** (indén) faits mpl, réalité f. ■ **in fact** adv en fait.

fact of life n fait m, réalité f • the facts of life euphém les choses fpl de la vie.

factoid ['fæktɔɪd] n information f sans importance.

factor ['fæktə] n facteur m, -trice f.

factory ['fæktərɪ] n usine f, fabrique f • **factory price** prix m (d')usine.

factory farming n élevage m industriel.

factory price n prix m (d')usine ou sortie usine.

fact sheet n prospectus m, brochure f.

factual ['fæktʃʊəl] adj factuel, basé sur les faits.

faculty ['fækltɪ] n **1.** faculté f **2.** (US) • the faculty le corps enseignant.

FA Cup n en Angleterre, championnat de football dont la finale se joue à Wembley.

fad [fæd] n engouement m, mode f.

fade [feɪd] vt décolorer. ❏ vi **1.** se décolorer **2.** (couleurs) passer **3.** (fleurs) se flétrir **4.** (lumière) baisser, diminuer **5.** (son, sentiment, intérêt) diminuer, s'affaiblir **6.** (souvenir) s'effacer.

faded ['feɪdɪd] adj (couleur) passé.

faeces (UK), **feces** (US) ['fiːsiːz] npl fèces fpl.

faff [fæf] ■ **faff about**, **faff around** vi (UK) fam glander.

fag [fæg] *n fam* **1. (UK)** clope *m* **2. (US)** *injur* pédé *m*.

Fahrenheit ['færənhaɪt] *adj* Fahrenheit *(inv)*.

fail [feɪl] *vt* **1.** rater, échouer à **2.** • **to fail to do sthg** manquer *ou* omettre de faire qqch **3.** refuser *(un candidat)*. ❏ *vi* **1.** ne pas réussir *ou* y arriver **2.** échouer *(à un examen)* **3.** *(freins)* lâcher **4.** *(jour, santé)* décliner **5.** *(vue)* baisser.

failed [feɪld] *adj (chanteur, écrivain)* raté.

failing ['feɪlɪŋ] *n* défaut *m*, point *m* faible. ❏ *prép* à moins de • **failing that** à défaut.

fail-safe *adj* à sûreté intégrée.

failure ['feɪljə'] *n* **1.** échec *m* **2.** raté *m*, -e *f* **3.** défaillance *f* **4.** perte *f (des récoltes)*.

faint [feɪnt] *adj* **1.** *(odeur)* léger **2.** *(souvenir)* vague **3.** *(son, espoir)* faible **4.** *(chance)* petit. ❏ *vi* s'évanouir.

faint-hearted [-'hɑːtɪd] *adj* timoré, timide.

faintly ['feɪntlɪ] *adv* **1.** vaguement **2.** faiblement **3.** légèrement.

fair [feə'] *adj* **1.** juste, équitable • **that's not fair!** ce n'est pas juste ! **2.** grand, important **3.** assez bon **4.** blond **5.** *(peau, teint)* clair **6.** *(temps)* beau. ❏ *n* **1. (UK)** fête *f* foraine **2.** foire *f*. ❏ *adv* loyalement. ■ **fair enough** *adv fam* OK, d'accord.

fair copy *n* copie *f* au propre.

fair game *n* proie *f* rêvée.

fairground ['feəgraʊnd] *n* champ *m* de foire.

fair-haired [-'heəd] *adj* blond.

fairly ['feəlɪ] *adv* **1.** assez • **fairly certain** presque sûr **2.** équitablement **3.** avec impartialité **4.** loyalement.

fair-minded [-'maɪndɪd] *adj* impartial, équitable.

fairness ['feənɪs] *n* équité *f*.

fair play *n* • fair-play *m inv*.

fair sex *n* • **the fair sex** le beau sexe.

fair-sized *adj* assez grand.

fair-skinned *adj* blanc de peau.

fairway ['feəweɪ] *n* fairway *m*, allée *f*.

fair-weather *adj* • **a fair-weather friend** *un ami qui n'est là que quand tout va bien*.

fairy ['feərɪ] *n* **1.** fée *f* **2.** *fam & injur* pédé *m* **3.** *(locution)* • **to be away with the fairies** *fam* être complètement à côté de ses pompes.

fairy godmother *n fig LITTÉR* bonne fée *f*.

fairy lights *npl (UK)* guirlande *f* électrique.

fairy story *n* **1.** *LITTÉR* conte *m* de fées **2.** histoire *f* à dormir debout.

fairy tale *n* conte *m* de fées.

fait accompli [ˌfeɪtə'kɒmpliː] *(pl* **faits accomplis** [ˌfeɪzə'kɒmpliːz]*) n* fait *m* accompli.

faith [feɪθ] *n* **1.** foi *f*, confiance *f* • **to lose faith in sb/sthg** perdre confiance en qqn/qqch **2.** *RELIG* foi *f*.

faithful ['feɪθfʊl] *adj* fidèle.

faithfully ['feɪθfʊlɪ] *adv* fidèlement • **Yours faithfully (UK)** je vous prie d'agréer mes salutations distinguées.

faithfulness ['feɪθfʊlnɪs] *n* **1.** fidélité *f* **2.** exactitude *f*.

faith healer *n* guérisseur *m*, -euse *f*.

faith school *n (UK) SCOL* école *f* confessionnelle.

fake [feɪk] *adj* faux. ❏ *n* **1.** faux *m* **2.** imposteur *m*. ❏ *vt* **1.** falsifier **2.** imiter **3.** simuler • **to fake it** faire semblant.

falafel = felafel.

falcon ['fɔːlkən] *n* faucon *m*.

Falkland Islands ['fɔːklənd-], **Falklands** ['fɔːkləndz] *npl* • **the Falkland Islands** les îles *fpl* Falkland, les Malouines *fpl*.

fall [fɔːl] *vi (prét* **fell**, *pp* **fallen**) **1.** tomber • **to fall flat** tomber à plat **2.** baisser **3.** • **to fall asleep** s'endormir • **to fall ill** tomber malade • **to fall in love** tomber amoureux. ❏ *n* **1.** • **fall (in)** chute (de) **2.** *(us)* automne *m*. ■ **fall apart** *vi* **1.** tomber en morceaux **2.** *fig* s'effondrer. ■ **fall back** *vi* reculer. ■ **fall back on** *vt insép* se rabattre sur. ■ **fall behind** *vi* **1.** se faire distancer **2.** être en retard • **to fall behind with (UK)** *ou* **in (US) one's work** avoir du retard dans son travail. ■ **fall for** *vt insép* **1.** *fam* tomber amoureux de **2.** se laisser prendre à. ■ **fall in** *vi* **1.** s'écrouler, s'affaisser **2.** *MIL* former les rangs. ■ **fall in with** *vt insép* accepter. ■ **fall off** *vi* **1.** se détacher, tomber **2.** baisser, diminuer. ■ **fall out** *vi* **1.** tomber **2.** se brouiller. ■ **fall over** *vt insép* • **to fall over sthg** trébucher sur qqch et tomber. ❏ *vi* tomber. ■ **fall through** *vi* échouer.

fallacy ['fæləsɪ] *n* erreur *f*, idée *f* fausse.

fallen ['fɔːln] *pp* → **fall**.

faller ['fɔːlə'] *n FIN* valeur *f* à la baisse.

fall guy *n (us) fam* bouc *m* émissaire.

fallible ['fæləbl] *adj* faillible.

fallout ['fɔːlaʊt] *n (indén)* retombées *fpl*.

fallout shelter *n* abri *m* antiatomique.

fallow ['fæləʊ] *adj* • **to lie fallow** être en jachère.

false [fɔːls] *adj* faux.

false alarm *n* fausse alerte *f*.

falsely ['fɔːlslɪ] *adv* **1.** à tort **2.** faussement.

false memory syndrome *n* syndrome *m* des faux souvenirs.

false start *n litt & fig* faux départ *m*.

false teeth *npl* dentier *m*.

falsifiable [ˌfɔːlsɪ'faɪəbəl] *adj (en philosophie)* falsifiable.

falsify ['fɔːlsɪfaɪ] *vt* falsifier.

falter ['fɔːltə'] *vi* **1.** chanceler **2.** devenir hésitant **3.** hésiter.

faltering ['fɔːltərɪŋ] *adj* hésitant.

fame [feɪm] *n* gloire *f*, renommée *f*.

familiar [fə'mɪljər] *adj* familier • **familiar with sthg** familiarisé avec qqch.

familiarity [fə,mɪlɪ'ærətɪ] *n (indén)* • **familiarity with sthg** connaissance *f* de qqch, familiarité *f* avec qqch.

familiarize, -ise (UK) [fə'mɪljəraɪz] *vt* • **to familiarize o.s. with sthg** se familiariser avec qqch • **to familiarize sb with sthg** familiariser qqn avec qqch.

family ['fæmlɪ] *n* famille *f* • **to be one of the family** faire partie de la famille.

family business *n* entreprise *f* familiale.

family credit *n (indén)* (UK) ≃ complément *m* familial.

family doctor *n* médecin *m* de famille.

family-friendly *adj* **1.** *(hôtel, camping)* qui accueille volontiers les familles **2.** *(politique, proposition)* qui favorise la famille **3.** *(spectacle)* pour toute la famille.

family leave *n* congé *m* parental.

family life *n* vie *f* de famille.

family man *n* • **to be a family man** aimer la vie de famille, être un bon père de famille.

family name *n* nom *m* de famille.

family planning *n* planning *m* familial.

family-run *adj* géré en famille, familial.

family-size(d) *adj (bocal, paquet)* familial.

family tree *n* arbre *m* généalogique.

famine ['fæmɪn] *n* famine *f*.

famished ['fæmɪʃt] *adj fam* affamé • **I'm famished!** je meurs de faim !

famous ['feɪməs] *adj* • **famous (for)** célèbre (pour).

famously ['feɪməslɪ] *adv vieilli* • **to get on** *ou* **along famously** s'entendre comme larrons en foire.

fan [fæn] *n* **1.** éventail *m* **2.** ventilateur *m* • **when it hits the fan** *fam* **a)** quand ça va péter **b)** quand ça se saura **3.** fan *mf*. ❏ *vt* **1.** éventer **2.** attiser.

fanatic [fə'nætɪk] *n* fanatique *mf*.

fanatical [fə'nætɪkl] *adj* fanatique.

fanaticism [fə'nætɪsɪzm] *n* fanatisme *m*.

fan belt *n* courroie *f* de ventilateur.

fanciful ['fænsɪful] *adj* **1.** bizarre, fantasque **2.** extravagant.

fan club *n* fan-club *m*.

fan-cooled [-ku:ld] *adj* refroidi par ventilateur.

fancy ['fænsɪ] *adj* **1.** extravagant **2.** raffiné **3.** *(restaurant, hôtel)* de luxe **4.** *(prix)* fantaisiste. ❏ *n* (UK) envie *f*, lubie *f* • **to take a fancy to sb** se prendre d'affection pour qqn • **to take a fancy to sthg** se mettre à aimer qqch • **to take sb's fancy** faire envie à qqn, plaire à qqn. ❏ *vt* **1.** (UK) *fam* avoir envie de • **to fancy doing**

sthg avoir envie de faire qqch **2.** (UK) *fam* • **I fancy her** elle me plaît **3.** • **fancy that!** ça alors !

fancy dress *n (indén)* (UK) déguisement *m*.

fancy-dress party *n* fête *f* déguisée.

fancy-pants ['fænsɪpænts] *adj* (US) *fam (restaurant, hôtel, quartier)* classe.

fanfare ['fænfeər] *n* fanfare *f*.

fang [fæŋ] *n* **1.** croc *m* *(de chien)* **2.** crochet *m* *(de serpent)*.

fan heater *n* radiateur *m* soufflant.

fan mail *n* courrier *m* de fans.

fanny ['fænɪ] *n* (US) *fam* fesses *fpl*.

fanny pack *n* (US) banane *f (sac)*.

fan-shaped *adj* en éventail.

fantabulous [fæn'tæbjələs] *adj* (US) *fam* génial.

fantasize, -ise (UK) ['fæntəsaɪz] *vi* • **to fantasize (about sthg/about doing sthg)** fantasmer (sur qqch/sur le fait de faire qqch).

fantastic [fæn'tæstɪk] *adj* **1.** *fam* fantastique, formidable **2.** extraordinaire, incroyable.

fantasy ['fæntəsɪ] *n* **1.** rêve *m*, fantasme *m* **2.** *(indén)* fiction *f* **3.** fantaisie *f*.

fantasy football *n* *jeu où chaque participant se constitue une équipe virtuelle avec les noms de footballeurs réels, chaque but marqué par ceux-ci dans la réalité valant un point dans le jeu.*

fanzine ['fænzi:n] *n* fanzine *m*.

FAQ [fak *ou* efei'kju:] *n* INFORM (abrév de frequently asked questions) foire *f* aux questions, FAQ *f*.

far [fɑː] *adv* **1.** loin • **how far is it?** c'est à quelle distance ?, (est-ce que) c'est loin ? • **have you come far?** vous venez de loin ? • **far away** *ou* **off** loin • **far and wide** partout • **as far as** jusqu'à **2.** • **so far** jusqu'ici **3.** bien • **I wouldn't trust him very far** je ne lui ferais pas tellement confiance **4.** *(locution)* • **as far as** autant que • **as far as I'm concerned** en ce qui me concerne • **by far** de loin • **far from it** loin de là, au contraire • **so far so good** jusqu'ici tout va bien • **to go so far as to do sthg** aller jusqu'à faire qqch • **to go too far** aller trop loin. ❏ *adj (comp* **farther** *ou* **further,** *superl* **farthest** *ou* **furthest)** • **the far end of the street** l'autre bout de la rue • **the far right** l'extrême droite • **the door on the far left** la porte la plus à gauche.

faraway ['fɑːrəweɪ] *adj* lointain.

farce [fɑːs] *n* **1.** THÉÂTRE farce *f* **2.** *fig* pagaille *f*, vaste rigolade *f*.

farcical ['fɑːsɪkl] *adj* grotesque.

fare [feər] *n* **1.** prix *m*, tarif *m* • **train fare** prix d'un billet de train **2.** *vieilli* nourriture *f*.

Far East *n* • **the Far East** l'Extrême-Orient *m*.

fare stage *n* (UK) section *f (sur une ligne de bus)*.

farewell [,feə'wel] *n* adieu *m*. ❏ *interj littéraire* adieu !

far-fetched [-'fetʃt] *adj* bizarre, farfelu • **a far-fetched story** une histoire à dormir debout.

far-flung adj lointain.

farm [fɑːm] n ferme f. ❑ vt cultiver. ■ **farm out** vt sép confier en sous-traitance.

farmable ['fɑːməbl] adj cultivable.

farmer ['fɑːmər] n fermier m, -ère f.

farmers' market n marché m de producteurs.

farmhand ['fɑːmhænd] n ouvrier m, -ère f agricole.

farmhouse ['fɑːmhaʊs] (pl [-haʊzɪz]) n ferme f.

farming ['fɑːmɪŋ] n **1.** (indén) agriculture f **2.** élevage m.

farm labourer (UK), **farm laborer** (US) = farmhand.

farmland ['fɑːmlænd] n (indén) terres fpl cultivées ou arables.

farmstay ['fɑːmsteɪ] n (AUSTRALIE) • **farmstay (accommodation)** ≃ vacances fpl à la ferme.

farmstead ['fɑːmsted] n (US) ferme f.

farm worker = farmhand.

farmyard ['fɑːmjɑːd] n cour f de ferme.

far-off adj lointain.

far-reaching [-'riːtʃɪŋ] adj d'une grande portée.

farsighted [ˌfɑː'saɪtɪd] adj **1.** prévoyant **2.** élaboré avec clairvoyance **3.** (US) hypermétrope.

fart [fɑːt] tfam n pet m. ❑ vi péter.

farther ['fɑːðər] compar → **far**.

farthest ['fɑːðəst] superl → **far**.

fascinate ['fæsɪneɪt] vt fasciner.

fascinating ['fæsɪneɪtɪŋ] adj **1.** fascinant **2.** passionnant **3.** très intéressant.

fascination [ˌfæsɪ'neɪʃn] n fascination f.

fascism ['fæʃɪzm] n fascisme m.

fashion ['fæʃn] n **1.** mode f • **the latest fashion** la dernière mode • **to be in/out of fashion** être/ne plus être à la mode **2.** manière f. ❑ vt sout façonner, fabriquer.

fashionable ['fæʃnəbl] adj à la mode.

fashionably ['fæʃnəblɪ] adv élégamment, à la mode • **to be fashionably late** être un peu en retard, comme le veut l'étiquette.

fashion-conscious adj qui suit la mode.

fashion designer n styliste mf.

fashionista [ˌfæʃə'nɪstə] n fam fashionista mf.

fashion show n défilé m de mode.

fashion victim n hum victime f de la mode.

fast [fɑːst] adj **1.** rapide **2.** (montre, pendule) qui avance. ❑ adv vite • **fast asleep** profondément endormi. ❑ n jeûne m. ❑ vi jeûner.

fastball ['fæstbɔːl] n (au base-ball) balle f rapide (lancée vers le batteur).

fasten ['fɑːsn] vt **1.** fermer (un sac, un blouson) **2.** attacher (sa ceinture de sécurité) • **to fasten sthg to sthg** attacher qqch à qqch.

fastener ['fɑːsnər] n **1.** fermoir m **2.** fermeture f (d'un vêtement).

fastening ['fɑːsnɪŋ] n fermeture f (d'un vêtement).

fast food n fast-food m, restauration f rapide.

fast-forward n avance f rapide. ❑ vt mettre en avance rapide. ❑ vi mettre la bande en avance rapide.

fastidious [fə'stɪdɪəs] adj méticuleux.

fast lane n voie f rapide • **life in the fast lane** fig la vie à cent à l'heure.

fast motion n • **in fast motion** en accéléré.

fast-paced [-'peɪst] adj **1.** au rythme trépidant **2.** rapide.

fast-track adj • **fast-track executives** des cadres qui gravissent rapidement les échelons.

fat [fæt] adj **1.** gros, gras • **to get fat** grossir **2.** épais. ❑ n **1.** graisse f **2.** (indén) matière f grasse.

fatal ['feɪtl] adj **1.** fatal • **fatal mistake** erreur fatale **2.** fatidique **3.** mortel • **to have a fatal accident** avoir un accident mortel.

fatality [fə'tælətɪ] n mort m.

fatally ['feɪtəlɪ] adv **1.** sérieusement, gravement **2.** mortellement • **to be fatally knifed** ou **stabbed** être poignardé à mort.

fat-assed [-'æst] adj (US) tfam gros.

fat cat n fam & péj richard m, huile f.

fat city n (US) fam • **to be in fat city** être plein aux as.

fate [feɪt] n **1.** destin m • **to tempt fate** tenter le diable **2.** sort m.

fated ['feɪtɪd] adj fatal, marqué par le destin • **to be fated to do sthg** être voué ou destiné à faire qqch.

fateful ['feɪtfʊl] adj fatidique.

fat-free adj sans matières grasses.

father ['fɑːðər] n père m.

Father Christmas n (UK) le père Noël.

father figure n père m de substitution.

fatherhood ['fɑːðəhʊd] n (indén) paternité f.

father-in-law (pl fathers-in-law) n beau-père m.

fatherly ['fɑːðəlɪ] adj paternel.

fathom ['fæðəm] n brasse f. ❑ vt • **to fathom sb/sthg (out)** comprendre qqn/qqch.

fatigue [fə'tiːg] n **1.** épuisement m **2.** TECHNOL fatigue f (des métaux).

fatten ['fætn] vt engraisser.

fattening ['fætnɪŋ] adj qui fait grossir.

fatty ['fætɪ] adj gras, grasse f. ❑ n fam & péj gros m, grosse f.

fatuous ['fætjʊəs] adj sout stupide, niais.

faucet ['fɔːsɪt] n (US) robinet m.

fault ['fɔːlt] n **1.** faute f • **it's my fault** c'est de ma faute **2.** défaut m • **to find fault with**

sb/sthg critiquer qqn/qqch • **at fault** fautif **3.** GÉOL faille f. ❏ vt • **to fault sb** prendre qqn en défaut.

faultless ['fɔːltlɪs] adj impeccable.

fault-tolerant adj INFORM quasi insensible aux défaillances.

faulty ['fɔːltɪ] adj défectueux.

fauna ['fɔːnə] n faune f.

faux pas [ˌfəʊ'pɑː] (pl inv) n faux pas m.

fava bean ['fɑːvə-] n (US) fève f.

favour (UK), **favor** (US) ['feɪvər] n **1.** faveur f, approbation f • **in sb's favour** en faveur de qqn • **to be in/out of favour with sb** avoir/ne pas avoir les faveurs de qqn, avoir/ne pas avoir la cote avec qqn **2.** service m • **to do sb a favour** rendre (un) service à qqn **3.** favoritisme m. ❏ vt **1.** préférer, privilégier **2.** favoriser. ■ **in favour** adv pour, d'accord. ■ **in favour of** prép **1.** au profit de **2.** • **to be in favour of sthg/of doing sthg** être partisan de qqch/de faire qqch.

favourable (UK), **favorable** (US) ['feɪvrəbl] adj favorable.

favourably (UK), **favorably** (US) ['feɪvrəblɪ] adv **1.** favorablement **2.** (placé) bien.

favourite (UK), **favorite** (US) ['feɪvrɪt] adj favori. ❏ n favori m, -ite f.

favouritism (UK), **favoritism** (US) ['feɪvrɪtɪzm] n favoritisme m.

fawn [fɔːn] adj fauve (inv). ❏ n faon m. ❏ vi • **to fawn on sb** flatter qqn servilement.

fax [fæks] n fax m, télécopie f. ❏ vt **1.** envoyer un fax à **2.** envoyer par fax à.

fax machine n fax m, télécopieur m.

fax modem n modem m fax.

FBI (abrév de Federal Bureau of Investigation) n (US) FBI m.

FC 1. SPORT abrév de **Football Club 2.** SMS (abrév de fingers crossed) je croise les doigts.

fear [fɪər] n **1.** (indén) peur f **2.** crainte f **3.** risque m • **for fear of** de peur de (+ infinitif), de peur que (+ subjonctif). ❏ vt **1.** craindre, avoir peur de • **to fear (that)...** craindre que..., avoir peur que... **2.** craindre • **to have nothing to fear** n'avoir rien à craindre.

fearful ['fɪəfʊl] adj **1.** sout peureux • **to be fearful of sthg** avoir peur de qqch **2.** effrayant.

fearless ['fɪəlɪs] adj intrépide.

fearlessly ['fɪəlɪslɪ] adv avec intrépidité.

feasibility [ˌfiːzə'bɪlətɪ] n (indén) **1.** faisabilité f **2.** possibilité f.

feasibility study n étude f de faisabilité.

feasible ['fiːzəbl] adj faisable, possible.

feast [fiːst] n festin m, banquet m. ❏ vi • **to feast on** ou **off sthg** se régaler de qqch.

feat [fiːt] n exploit m, prouesse f.

feather ['feðər] n plume f.

featherbrained ['feðəbreɪnd] adj **1.** écervelé **2.** inconsidéré.

feature ['fiːtʃər] n **1.** caractéristique f **2.** GÉOGR particularité f **3.** article m de fond **4.** RADIO & TV émission f spéciale, spécial m **5.** CINÉ long métrage m. ❏ vt **1.** mettre en vedette **2.** présenter, comporter. ❏ vi • **to feature (in)** figurer en vedette (dans). ■ **features** npl traits mpl.

feature creep n INFORM excès de fonctionnalités dans un logiciel.

feature film n long métrage m.

feature-length adj CINÉ • **a feature-length film** un long métrage.

featurism ['fiːtʃərɪzəm] n INFORM • **(creeping) featurism** excès de fonctionnalités dans un logiciel.

featuritis [ˌfiːtʃə'raɪtɪs] n INFORM excès de fonctionnalités dans un logiciel.

Feb. [feb] (abrév de February) févr.

February ['februərɪ] n février m. Voir aussi September.

feces (US) = faeces.

fed [fed] passé & pp → **feed**. ❏ n (US) fam agent m, -e f du FBI.

federal ['fedrəl] adj fédéral.

Federal Agent n (US) agent m fédéral, agente f fédérale.

federation [ˌfedə'reɪʃn] n fédération f.

fed up adj • **to be fed up (with)** en avoir marre (de).

fee [fiː] n **1.** frais mpl (de scolarité) **2.** (chez le médecin) honoraires mpl **3.** cotisation f **4.** tarif m, prix m.

feeble ['fiːbl] adj faible.

feeble-minded adj faible d'esprit.

feebly ['fiːblɪ] adv faiblement.

feed [fiːd] vt (prét & pp fed) **1.** nourrir **2.** alimenter **3.** • **to feed sthg into sthg** mettre ou insérer qqch dans qqch. ❏ vi (prét & pp fed) • **to feed (on** ou **off)** se nourrir (de). ❏ n **1.** repas m (d'un bébé) **2.** nourriture f (pour animaux).

feedback ['fiːdbæk] n (indén) **1.** réactions fpl **2.** ÉLECTR réaction f, rétroaction f.

feed hopper n trémie f.

feeding bottle ['fiːdɪŋ-] n (UK) biberon m.

feel [fiːl] vt (prét & pp felt) **1.** toucher **2.** sentir **3.** ressentir • **to feel o.s. doing sthg** se sentir faire qqch **4.** • **to feel (that)...** croire que..., penser que... ❏ vi (prét & pp felt) **1.** • **to feel cold/hot/hungry/sleepy** avoir froid/chaud/sommeil • **to feel like sthg/like doing sthg** avoir envie de qqch/de faire qqch • **I'm not feeling myself today** je ne suis pas dans mon assiette aujourd'hui **2.** se sentir • **to feel stupid** se sentir bête • **to feel angry** être en colère **3.** sembler • **it feels strange** ça fait drôle **4.** • **to feel for sthg** chercher qqch. ❏ n **1.** toucher m, sensation f **2.** atmosphère f.

feeler ['fiːləʳ] n antenne f.

feelgood ['fiːlgʊd] adj fam qui donne de la pêche • **the feelgood factor** l'optimisme m ambiant.

feeling ['fiːlɪŋ] n **1.** sentiment m **2.** sensation f **3.** sentiment m, impression f • **I have a strong feeling that…** j'ai bien l'impression que… **4.** sensibilité f • **to have a feeling for sthg** comprendre ou apprécier qqch. ■ **feelings** npl sentiments mpl • **to show one's feelings** montrer ses sentiments • **to hurt sb's feelings** blesser (la sensibilité de) qqn • **no hard feelings!** sans rancune !

fee-paying [-'peɪɪŋ] adj (UK) (école) privé.

feet [fiːt] npl → foot.

feign [feɪn] vt sout feindre.

feigned [feɪnd] adj **1.** (surprise, innocence) feint **2.** (maladie, folie) simulé.

feisty ['faɪstɪ] (comp feistier, superl feistiest) adj fam **1.** plein d'entrain **2.** qui a du cran.

fell [fel] passé → **fall.** □ vt abattre.

fellow ['feləʊ] n **1.** vieilli homme m **2.** camarade m, compagnon m **3.** membre m, associé m. □ adj • **one's fellow men** ses semblables.

fellowship ['feləʊʃɪp] n **1.** amitié f, camaraderie f **2.** association f, corporation f **3.** titre m de membre ou d'associé **4.** UNIV bourse f d'études de l'enseignement supérieur **5.** UNIV poste m, de chercheur m, -euse f.

felony ['felənɪ] n crime m, forfait m.

felt [felt] passé & pp → **feel.** □ n (indén) feutre m.

felt-tip pen n stylo-feutre m.

female ['fiːmeɪl] adj **1.** de sexe féminin **2.** femelle **3.** féminin. □ n femelle f.

feminine ['femɪnɪn] adj féminin. □ n GRAMM féminin m.

feminism ['femɪnɪzm] n féminisme m.

feminist ['femɪnɪst] n féministe mf.

fence [fens] n clôture f. □ vt clôturer, entourer d'une clôture. ■ **fence off** vt sép séparer par une clôture.

fence-mending n fig reprise f des relations.

fencing ['fensɪŋ] n escrime f.

fend [fend] vi • **to fend for o.s.** se débrouiller tout seul. ■ **fend off** vt sép **1.** parer (des coups) **2.** écarter (des questions).

fender ['fendəʳ] n **1.** pare-feu m inv **2.** défense f **3.** (US) aile f.

ferment n ['fɜːment] (indén) agitation f, effervescence f. □ vi [fə'ment] fermenter.

fern [fɜːn] n fougère f.

ferocious [fə'rəʊʃəs] adj féroce.

ferociously [fə'rəʊʃəslɪ] adv férocement, avec férocité.

ferret ['ferɪt] n furet m.

Ferris wheel ['ferɪs-] n (surtout US) grande roue f.

ferry ['ferɪ] n **1.** ferry m, ferry-boat m **2.** bac m. □ vt transporter.

fertile ['fɜːtaɪl] adj **1.** (terre) fertile **2.** (femelle, imagination) fécond.

fertility [fə'tɪlətɪ] n **1.** fertilité f **2.** fécondité f.

fertility drug n traitement m contre la stérilité.

fertilization, -isation (UK) [ˌfɜːtɪlaɪ'zeɪʃn] n **1.** fertilisation f **2.** fécondation f.

fertilize, -ise (UK) ['fɜːtɪlaɪz] vt **1.** fertiliser, amender **2.** féconder.

fertilizer, -iser (UK) ['fɜːtɪlaɪzəʳ] n engrais m.

fervent ['fɜːvənt] adj fervent.

fervently ['fɜːvəntlɪ] adv **1.** avec ferveur **2.** ardemment.

fervour (UK), **fervor** (US) ['fɜːvəʳ] n ferveur f.

fester ['festəʳ] vi suppurer.

festering ['festrɪŋ] adj (plaie) suppurant ; (mécontentement) qui couve.

festival ['festəvl] n **1.** festival m **2.** fête f.

festive ['festɪv] adj de fête.

festive season n (UK) • **the festive season** la période des fêtes.

festivity [fes'tɪvətɪ] (pl -ies) n fête f. ■ **festivities** npl festivités fpl.

festoon [fe'stuːn] vt décorer de guirlandes • **to be festooned with** être décoré de.

fetch [fetʃ] vt **1.** aller chercher **2.** rapporter (de l'argent).

fetching ['fetʃɪŋ] adj séduisant.

fete, fête [feɪt] n fête f, kermesse f.

fetish ['fetɪʃ] n **1.** objet m de fétichisme **2.** manie f, obsession f.

fetus ['fiːtəs] (US) = foetus.

feud [fjuːd] n querelle f. □ vi se quereller.

feudal ['fjuːdl] adj féodal.

fever ['fiːvəʳ] n fièvre f.

feverish ['fiːvərɪʃ] adj fiévreux.

fever pitch n comble m.

few

■ **few** [fjuː] adj

• **few people come here** peu de gens viennent ici • **the first few pages were interesting** les toutes premières pages étaient intéressantes • **few and far between** rares

■ **few** [fjuː] pron

• **few of them agree** peu d'entre eux d'accord • **quite a few** ou **a good few** pas mal de ou un bon nombre de

■ **a few** adj

• **I need a few books** j'ai besoin de quelques livres

■ **a few** pron

• **a few of them are wearing hats** quelques-uns d'entre eux portent des chapeaux

À PROPOS DE

few

Attention à ne pas confondre *few* (**peu de**) et *a few* (**quelques/quelques-uns/ quelques-unes**).

Devant les noms dénombrables au pluriel, on utilise *few* (*few women*), mais devant les noms indénombrables, c'est *little* qu'il faut utiliser (*little water*).

Il ne faut pas confondre *a few* et *a little*. *A little* s'applique à des noms indénombrables (*a little sugar* ; *a little patience*) et *a few* à des noms dénombrables au pluriel (*a few good ideas*). *A little* peut aussi être un adverbe, contrairement à *a few*.

Dans les phrases négatives il est possible de dire *not many* au lieu de *few*, et *not much* au lieu de *little*.

Voir aussi *little*.

fewer ['fjuːə] *adj* moins (de). ❑ *pron* moins.

fewest ['fjuːəst] *adj* le moins (de).

F2F, FTF *SMS* (abrév de face to face) face à face.

fiancé [fɪ'ɒnseɪ] *n* fiancé *m*.

fiancée [fɪ'ɒnseɪ] *n* fiancée *f*.

fiasco [fɪ'æskəʊ] ((UK) *pl* -s, (surtout US) *pl* -es) *n* fiasco *m*.

fib [fɪb] *fam n* bobard *m*, blague *f*. ❑ *vi* raconter des bobards *ou* des blagues.

fibre (UK), **fiber** (US) ['faɪbə] *n* fibre *f*.

fibreglass (UK), **fiberglass** (US) ['faɪbəɡlɑːs] *n (indén)* fibre *f* de verre.

fibre optic, fiber optic (US) *adj (câble)* en fibres optiques.

fibre optics (UK), **fiber optics** (US) *n (indén)* fibre *f* optique, fibres *fpl* optiques.

fibre-tip (pen) (UK) = felt-tip pen.

fickle ['fɪkl] *adj* inconstant.

fiction ['fɪkʃn] *n* fiction *f*.

fictional ['fɪkʃənl] *adj* fictif.

fictitious [fɪk'tɪʃəs] *adj* fictif.

fiddle ['fɪdl] *vi* • to fiddle with sthg tripoter qqch. ❑ *vt* (UK) *fam* truquer. ❑ *n* violon *m*. ■ fiddle about, fiddle around *vi* 1. ne pas se tenir tranquille, s'agiter • to fiddle about with sthg tripoter qqch 2. perdre son temps.

fiddly ['fɪdlɪ] *adj* (UK) *fam* délicat.

fidget ['fɪdʒɪt] *vi* remuer.

fidgety ['fɪdʒɪtɪ] *adj fam* remuant.

field [fiːld] *n* 1. champ *m* 2. *SPORT* terrain *m* 3. domaine *m*.

field day *n* • to have a field day s'en donner à cœur joie.

field glasses *npl* jumelles *fpl*.

field marshal *n* ≃ maréchal *m* (de France).

field searching *n* INFORM recherche *f* thématique.

field study *n* étude *f* sur le terrain.

field trip *n* voyage *m* d'étude.

fieldwork ['fiːldwɜːk] *n (indén)* recherches *fpl* sur le terrain.

fieldworker ['fiːldwɜːkə] *n* chercheur *m*, -euse *f ou* enquêteur *m*, -trice *f* sur le terrain.

fiend [fiːnd] *n* 1. monstre *m* 2. *fam* fou *m*, folle *f*, mordu *m*, -e *f*.

fiendish ['fiːndɪʃ] *adj* 1. diabolique 2. *fam* abominable, atroce.

fierce [fɪəs] *adj* 1. féroce 2. *(chaleur)* torride 3. *(orage)* violent.

fiery ['faɪərɪ] *adj* 1. ardent 2. enflammé 3. fougueux • to have a fiery temper avoir un tempérament explosif.

FIFO (abrév de first in first out) *n* PEPS *m*.

fifteen [fɪf'tiːn] *num* quinze. Voir aussi **six**.

fifteenth [,fɪf'tiːnθ] *num* quinzième. Voir aussi **sixth**.

fifth [fɪfθ] *num* cinquième. Voir aussi **sixth**.

fifth grade *n* (US) SCOL classe de l'enseignement primaire correspondant au CM2 (9-10 ans).

fiftieth ['fɪftɪəθ] *num* cinquantième. Voir aussi **sixth**.

fifty ['fɪftɪ] *num* cinquante. Voir aussi **sixty**.

fifty-fifty *adj* moitié-moitié, fifty-fifty • to have a fifty-fifty chance avoir cinquante pour cent de chances.

fig [fɪɡ] *n* figue *f*.

fight [faɪt] *n* 1. bagarre *f* • to have a fight (with sb) se battre (avec qqn), se bagarrer (avec qqn) • to put up a fight se battre, se défendre 2. *fig* lutte *f*, combat *m* 3. dispute *f* • to have a fight (with sb) se disputer (avec qqn). ❑ *vt* (prét & pp fought) 1. se battre contre *ou* avec 2. mener (une guerre) 3. combattre. ❑ *vi* (prét & pp fought) 1. se battre 2. *fig* • to fight for/ against sthg lutter pour/contre qqch 3. • to fight (about ou over) se battre ou se disputer (à propos de). ■ fight back *vt insép* refouler (ses larmes). ❑ *vi* riposter. ■ fight off *vt sép* 1. repousser 2. venir à bout de.

fighter ['faɪtə] *n* 1. avion *m* de chasse, chasseur *m* 2. combattant *m* 3. battant *m*, -e *f*.

fighting ['faɪtɪŋ] *n* 1. *(indén)* bagarres *fpl* 2. conflits *mpl*.

fighting chance *n* • to have a fighting chance avoir de bonnes chances.

figment ['fɪɡmənt] *n* • a figment of sb's imagination le fruit de l'imagination de qqn.

figurative ['fɪɡərətɪv] *adj* figuré.

figuratively ['fɪɡərətɪvlɪ] *adv* au figuré.

figure [(UK) 'fɪɡə, (US) 'fɪɡjər] *n* 1. chiffre *m* 2. silhouette *f*, forme *f* 3. figure *f* 4. ligne *f* (du corps). ❑ *vt* (surtout US) penser, supposer. ❑ *vi* figurer, apparaître. ■ figure out *vt sép* 1. comprendre 2. trouver.

figurehead ['fɪɡəhed] n **1.** figure f de proue **2.** fig & péj homme m de paille.

figure-hugging [-,hʌgɪŋ] adj moulant.

figure of speech n figure f de rhétorique.

figure skating n patinage m artistique.

Fiji ['fiːdʒiː] n Fidji fpl.

file [faɪl] n **1.** dossier m • on file, on the files répertorié dans les dossiers **2.** INFORM fichier m • file extension extension f de fichier • file format format m de fichier • file permissions autorisations fpl fichier **3.** lime f **4.** • in single file en file indienne. ❑ vt **1.** classer **2.** DR déposer (une plainte) ; intenter • to file an appeal (US) faire appel **3.** limer. ❑ vi **1.** marcher en file indienne **2.** • to file for divorce demander le divorce.

file management n INFORM gestion f de fichiers.

filet (US) [fi'leɪ] = fillet.

filing cabinet ['faɪlɪŋ-] n classeur m, fichier m.

Filipino [,fɪlɪ'piːnəʊ] adj philippin. ❑ n (pl -s) Philippin m, -e f.

fill [fɪl] vt **1.** remplir **2.** boucher **3.** • to fill a vacancy (employé) prendre un poste vacant. ■ fill in vt sép **1.** remplir **2.** • to fill sb in (on) mettre qqn au courant (de). ❑ vi • to fill in for sb remplacer qqn. ■ fill out vt sép remplir. ■ fill up vt sép remplir. ❑ vi se remplir.

fillet (UK) ['fɪlɪt] n filet m.

fillet steak n filet m de bœuf.

filling ['fɪlɪŋ] adj très nourrissant. ❑ n **1.** plombage m **2.** garniture f.

filling station n station-service f.

film [fɪlm] n **1.** film m **2.** PHOTO pellicule f **3.** images fpl. ❑ vt & vi filmer.

film buff n fam cinéphile mf.

film crew n équipe f de tournage.

film festival n festival m cinématographique ou du cinéma.

filmgoer ['fɪlm,gəʊə] n amateur m de cinéma, cinéphile mf • she is a regular filmgoer elle va régulièrement au cinéma.

film industry n industrie f cinématographique ou du cinéma.

filming ['fɪlmɪŋ] n (indén) tournage m.

film noir n CINÉ film m noir.

film rights n droits mpl cinématographiques.

film star n vedette f de cinéma.

film studio n studio m (de cinéma).

Filofax ® ['faɪloʊfæks] n Filofax ® m.

filter ['fɪltə] n filtre m. ❑ vt **1.** passer **2.** filtrer. ■ filter out vt sép filtrer.

filter coffee n café m filtre.

filter lane n (UK) ≃ voie f de droite.

filter-tipped [-'tɪpt] adj à bout filtre.

filth [fɪlθ] n (indén) **1.** saleté f, crasse f **2.** obscénités fpl.

filthy ['fɪlθɪ] adj **1.** dégoûtant, répugnant **2.** obscène.

fin [fɪn] n nageoire f.

final ['faɪnl] adj **1.** dernier **2.** final **3.** définitif. ❑ n finale f. ■ finals npl examens mpl de dernière année.

finale [fɪ'nɑːlɪ] n finale m.

finalist ['faɪnəlɪst] n finaliste mf.

finalize, -ise (UK) ['faɪnəlaɪz] vt mettre au point.

finally ['faɪnəlɪ] adv enfin.

final offer n dernier prix m.

finance n ['faɪnæns] (indén) finance f. ❑ vt [faɪ'næns] financer. ■ finances npl finances fpl.

financial [fɪ'nænʃl] adj financier.

financial adviser (UK), **financial advisor** (US) n conseiller financier m, conseillère financière f.

financial bubble n bulle f financière.

financially [fɪ'nænʃəlɪ] adv financièrement.

financial year (UK), **fiscal year** (US) n **1.** exercice m financier **2.** année f fiscale.

find [faɪnd] vt (prét & pp found) **1.** trouver **2.** • to find (that)... s'apercevoir que... **3.** • to be found guilt être déclaré coupable. ■ find out vi se renseigner. ❑ vt insép **1.** se renseigner sur **2.** découvrir, apprendre. ❑ vt sép démasquer.

findings ['faɪndɪŋz] npl conclusions fpl.

fine [faɪn] adj **1.** excellent **2.** beau **3.** très bien • I'm fine ça va bien **4.** fin **5.** subtil **6.** délicat. ❑ adv très bien. ❑ n amende f. ❑ vt condamner à une amende.

fine arts npl beaux-arts mpl.

finely ['faɪnlɪ] adv **1.** fin **2.** délicatement.

finery ['faɪnərɪ] n (indén) parure f.

finesse [fɪ'nes] n finesse f.

fine-tune vt **1.** régler avec précision **2.** fig peaufiner.

fine-tuning [-'tjuːnɪŋ] n **1.** réglage m fin **2.** fig peaufinage m (d'un projet).

finger ['fɪŋɡə] n doigt m. ❑ vt palper.

finger food n amuse-gueules mpl.

fingerless glove ['fɪŋɡələs-] n mitaine f.

fingernail ['fɪŋɡəneɪl] n ongle m (de la main).

fingerprint ['fɪŋɡəprɪnt] n empreinte f (digitale).

fingertip ['fɪŋɡətɪp] n bout m du doigt • at one's fingertips sur le bout des doigts.

finicky ['fɪnɪkɪ] adj péj **1.** difficile **2.** tatillon.

finish ['fɪnɪʃ] n **1.** fin f **2.** arrivée f **3.** finition f. ❑ vt **1.** finir, terminer • to finish doing sthg finir ou terminer de faire qqch **2.** achever, tuer. ❑ vi **1.** finir **2.** (école, film) se terminer. ■ finish off vt sép finir, terminer. ■ finish up vi finir.

finishing line ['fɪnɪʃɪŋ-] (UK), **finish line** (US) n ligne f d'arrivée.

finishing school ['fɪnɪʃɪŋ-] *n école privée pour jeunes filles axée essentiellement sur l'enseignement des bonnes manières.*

finishing touch *n* • **to put the finishing touches to sthg** mettre la dernière touche *ou* la dernière main à qqch.

finite ['faɪnaɪt] *adj* fini.

Finland ['fɪnlənd] *n* Finlande f.

Finn [fɪn] *n* Finlandais m, -e f.

Finnish ['fɪnɪʃ] *adj* finlandais, finnois. ❑ *n* finnois m.

fir [fɜːr] *n* sapin m.

fire ['faɪər] *n* 1. feu m • **on fire** en feu • **to catch fire** prendre feu • **to set fire to sthg** mettre le feu à qqch 2. incendie m 3. *(indén)* coups mpl de feu. ❑ *vt* 1. tirer 2. (surtout US) renvoyer.

fire alarm *n* avertisseur m d'incendie.

firearm ['faɪərɑːm] *n* arme f à feu.

firebomb ['faɪəbɒm] *n* bombe f incendiaire.

fire brigade (UK), **fire department** (US) *n* sapeurs-pompiers mpl.

fire door *n* porte f coupe-feu.

fire engine *n* voiture f de pompiers.

fire escape *n* escalier m de secours.

fire exit *n* sortie f de secours.

fire extinguisher *n* extincteur m d'incendie.

fire fighter *n* pompier m, sapeur-pompier m.

fireguard ['faɪəɡɑːd] *n* garde-feu m inv.

fire hazard *n* • **to be a fire hazard** présenter un risque d'incendie.

firehouse (US) = **fire station**.

firelighter ['faɪəlaɪtər] *n* allume-feu m inv.

fireman ['faɪəmən] *(pl* -men*)* *n* pompier m, -ère f.

fireplace ['faɪəpleɪs] *n* cheminée f.

fireproof ['faɪəpruːf] *adj* ignifugé.

fire-retardant *adj* ignifuge.

fireside ['faɪəsaɪd] *n* • **by the fireside** au coin du feu.

fire station *n* caserne f des pompiers.

firestorm ['faɪəstɔːm] *n* tempête f de feu.

fire truck (US) = **fire engine**.

firewall ['faɪəwɔl] *n* pare-feu m.

firewood ['faɪəwʊd] *n* bois m de chauffage.

firework ['faɪəwɜːk] *n* pièce f d'artifice. ■ **fireworks** *npl* 1. étincelles fpl 2. feu m d'artifice.

firing ['faɪərɪŋ] *n (indén)* MIL tir m, fusillade f.

firing line *n* MIL ligne f de tir • **to be in the firing line** fig être dans la ligne de tir.

firing squad *n* peloton m d'exécution.

firm [fɜːm] *adj* 1. ferme • **to be firm with sb** être ferme avec qqn • **to stand firm** tenir bon 2. solide 3. certain. ❑ *n* firme f, société f. ■ **firm up** *vt sép* 1. renforcer 2. rendre définitif *(un accord).* ❑ *vi* se renforcer.

first [fɜːst] *adj* premier • **for the first time** pour la première fois • **first thing in the morning** tôt le matin. ❑ *adv* 1. en premier 2. d'abord • **first of all** tout d'abord 3. (pour) la première fois. ❑ *n* 1. premier m, -ère f 2. première f *(événement sans précédent)* 3. (UK) *diplôme universitaire avec mention très bien.* ■ **at first** *adv* d'abord. ■ **at first hand** *adv* de première main.

first aid *n (indén)* premiers secours mpl.

first-aid kit *n* trousse f de premiers secours.

first-class *adj* 1. excellent 2. *(billet, compartiment)* de première classe 3. *(timbre, courrier)* tarif normal.

first cousin *n* cousin germain m, cousine germaine f.

first-degree *adj* 1. MÉD • **first-degree burn** brûlure f au premier degré 2. (US) DR • **first-degree murder** ≃ homicide m volontaire.

first floor *n* 1. (UK) premier étage m 2. (US) rez-de-chaussée m inv.

first-generation *adj* de première génération.

first grade *n* (US) SCOL *classe de l'école primaire correspondant au CP (5-6 ans).*

firsthand [fɜːst'hænd] *adj & adv* de première main.

first lady *n* première dame f du pays.

first language *n* langue f maternelle.

firstly ['fɜːstlɪ] *adv* premièrement.

First Minister *n* président m du Parlement écossais.

first name *n* prénom m.

first-rate *adj* excellent.

first refusal *n* priorité f.

first school *n* (UK) école f primaire.

First Secretary *n* président m de l'Assemblée galloise.

first-time buyer *n* accédant m à la propriété.

firtree ['fɜːtriː] = **fir.**

fiscal year (US) = **financial year**.

fish [fɪʃ] *n (pl inv)* poisson m. ❑ *vt* pêcher dans. ❑ *vi* • **to fish (for sthg)** pêcher (qqch).

fish and chips

Le **fish and chips** est un plat bon marché typiquement britannique, composé de poisson pané frit et de frites. On l'achète dans un **fish-and-chip shop** et on l'emporte emballé dans du papier pour le manger chez soi ou dans la rue. Les Britanniques le dégustent salé et arrosé de vinaigre.

fish and chips *npl* (UK) poisson m frit avec des frites.

fish-and-chip shop *n* (UK) *magasin vendant du poisson frit et des frites.*

fishbowl ['fɪʃbəʊl] *n* bocal m (à poissons).

fishcake ['fɪʃkeɪk] n croquette f de poisson.

fisherman ['fɪʃəmən] (pl -men) n pêcheur m, -euse f.

fish farm n centre m de pisciculture.

fish finger (UK), **fish stick** (US) n bâtonnet m de poisson pané.

fishing ['fɪʃɪŋ] n pêche f • to go fishing aller à la pêche.

fishing boat n bateau m de pêche.

fishing line n ligne f de pêche.

fishing rod n canne f à pêche.

fishmonger ['fɪʃˌmʌŋɡər] n (UK) poissonnier m, -ère f • fishmonger's (shop) poissonnerie f.

fish sauce n sauce f de poisson.

fishwrap, fish wrapper n (US) fam torchon m (mauvais journal).

fishy ['fɪʃɪ] adj 1. de poisson 2. fig louche.

fist [fɪst] n poing m.

fit [fɪt] adj 1. convenable • to be fit for sthg être bon à qqch • to be fit to do sthg être apte à faire qqch 2. en forme • to keep fit se maintenir en forme. ❑ n 1. ajustement m • it's a tight fit c'est un peu juste • it's a good fit c'est la bonne taille 2. crise f (d'épilepsie) • to have a fit a) avoir une crise b) fig piquer une crise 3. accès m (de colère) 4. quinte f (de toux) 5. • in fits and starts par à-coups. ❑ vt 1. (vêtement) aller à 2. • to fit sthg into sthg insérer qqch dans qqch 3. correspondre à. ❑ vi 1. aller 2. entrer. ■ fit in vt sép prendre. ❑ vi s'intégrer • to fit in with sthg correspondre à qqch • to fit in with sb s'accorder à qqn.

FITB SMS (abrév de fill in the blank) remplissez les blancs.

fitful ['fɪtfʊl] adj 1. (sommeil) agité 2. (pluies) intermittent.

fitment ['fɪtmənt] n (UK) meuble m encastré.

fitness ['fɪtnɪs] n (indén) 1. forme f (bonne santé) 2. • fitness (for) aptitude f (pour).

fitted carpet [ˌfɪtəd-] n (UK) moquette f.

fitted kitchen [ˌfɪtəd-] n (UK) cuisine f intégrée ou équipée.

fitter ['fɪtər] n monteur m.

fitting ['fɪtɪŋ] adj sout approprié. ❑ n 1. appareil m 2. essayage m. ■ fittings npl (UK) installations fpl.

fittingly ['fɪtɪŋlɪ] adv convenablement • fittingly, the government has agreed to ratify the treaty le gouvernement a accepté comme il se devait de ratifier le traité.

fitting room n cabine f d'essayage.

five [faɪv] num cinq. Voir aussi **six**.

five-a-side (UK) n SPORT football m à dix. ❑ en apposition SPORT • five-a-side football football m à dix.

five-day week n semaine f de cinq jours.

fiver ['faɪvər] n fam 1. (UK) (billet m de) cinq livres fpl 2. (US) (billet m de) cinq dollars mpl.

five-star adj 1. (hôtel) cinq étoiles 2. (traitement) exceptionnel.

fix [fɪks] vt 1. fixer • can we fix a date? on peut fixer une date ? 2. graver 3. réparer 4. fam truquer 5. préparer (une boisson, un repas). ❑ n 1. fam • to be in a fix être dans le pétrin 2. arg drogue piqûre f. ■ fix up vt sép 1. • to fix sb up with sthg obtenir qqch pour qqn 2. arranger.

fixated [fɪk'seɪtɪd] adj obsédé • to be fixated on sthg faire une fixation sur qqch.

fixation [fɪk'seɪʃn] n obsession f.

fixed [fɪkst] adj 1. fixé 2. fixe 3. (sourire) figé.

fixture ['fɪkstʃər] n 1. installation f 2. tradition f bien établie 3. (UK) SPORT rencontre f (sportive).

fizz [fɪz] vi 1. pétiller 2. crépiter.

fizzle ['fɪzl] ■ fizzle out vi 1. (feu) s'éteindre 2. (feu d'artifice) se terminer 3. (enthousiasme) se dissiper.

fizzy ['fɪzɪ] adj pétillant.

flab [flæb] n fam & péj graisse f.

flabbergasted ['flæbəɡɑːstɪd] adj sidéré.

flabby ['flæbɪ] adj mou, molle f.

flag [flæɡ] n drapeau m. ❑ vi 1. faiblir 2. traîner. ■ flag down vt sép héler (un taxi) • to flag sb down faire signe à qqn de s'arrêter.

flagpole ['flæɡpəʊl] n mât m.

flagrant ['fleɪɡrənt] adj flagrant.

flagship store n magasin m vitrine.

flagstaff = flagpole.

flagstone ['flæɡstəʊn] n dalle f.

flair [fleər] n 1. don m 2. (indén) style m.

flak [flæk] n (indén) 1. tir m antiaérien 2. fam critiques fpl sévères.

flake [fleɪk] n 1. écaille f (de peinture) 2. flocon m (de neige, d'avoine) 3. petit lambeau m (de peau). ❑ vi 1. (peinture) s'écailler 2. (peau) peler 3. (US) fam • to flake on sthg rater qqch. ■ flake out vi fam s'écrouler de fatigue.

flaky ['fleɪkɪ] (comp flakier, superl flakiest) adj 1. (peau) qui pèle 2. (peinture) écaillé 3. (consistance) floconneux 4. fam (personne) barjo.

flamboyant [flæm'bɔɪənt] adj 1. extravagant 2. flamboyant.

flame [fleɪm] n flamme f • to burst into flames s'enflammer.

flame-coloured adj ponceau (inv), couleur de feu (inv).

flame-grilled adj CULIN grillé au feu de bois.

flameout ['fleɪmaʊt] n panne f de moteur (d'avion).

flameproof ['fleɪmpruːf] adj (plat) allant au feu.

flame-retardant [-rɪ'tɑːdənt] adj qui ralentit la propagation des flammes.

flame war n INFORM échange m d'insultes.

flaming ['fleɪmɪŋ] adj 1. (UK) furibond 2. (UK) fam foutu, fichu.

flamingo [fləˈmɪŋɡəʊ] (*pl* **-s** *ou* **-es**) *n* flamant *m* rose.

flammable [ˈflæməbl] *adj* inflammable.

flan [flæn] *n* **1.** (UK) tarte *f* **2.** (US) flan *m*.

flank [flæŋk] *n* flanc *m*. ❑ *vt* • **to be flanked by** être flanqué de.

flannel [ˈflænl] *n* **1.** flanelle *f* **2.** (UK) gant *m* de toilette.

flap [flæp] *n* **1.** rabat *m* **2.** (UK) *fam* • **in a flap** paniqué. ❑ *vt* & *vi* battre.

flapjack [ˈflæpdʒæk] *n* **1.** (UK) biscuit *m* à l'avoine **2.** (US) crêpe *f* épaisse.

flare [fleəʳ] *n* fusée *f* éclairante. ❑ *vi* **1.** • **to flare (up)** s'embraser **2.** • **to flare (up) a)** (*guerre, révolution*) s'intensifier soudainement **b)** (*personne*) s'emporter **3.** (*jupe*) s'évaser **4.** (*narines*) se dilater. ■ **flares** *npl* (UK) pantalon *m* à pattes d'éléphant.

flared [fleəd] *adj* **1.** (*pantalon*) à pattes d'éléphant **2.** (*jupe*) évasé.

flash [flæʃ] *n* **1.** éclat *m* • **flash of lightning** éclair *m* **2.** PHOTO flash *m* **3.** éclair *m* • **in a flash** en un rien de temps. ❑ *vt* **1.** projeter • **to flash one's headlights** faire un appel de phares **2.** envoyer (*un signal*) **3.** jeter (*un regard*) **4.** montrer. ❑ *vi* **1.** briller **2.** clignoter **3.** (*yeux*) jeter des éclairs **4.** • **to flash by** *ou* **past** passer comme un éclair.

flashback [ˈflæʃbæk] *n* flash-back *m*, retour *m* en arrière.

flashbulb [ˈflæʃbʌlb] *n* ampoule *f* de flash.

flash card *n* carte portant un mot, une image, etc utilisée comme aide à l'apprentissage.

flash drive *n* INFORM clé *f* USB.

flash flood *n* crue *f* subite.

flashgun [ˈflæʃɡʌn] *n* PHOTO flash *m*.

flashlight [ˈflæʃlaɪt] *n* (surtout US) lampe *f* électrique.

flash photography *n* photographie *f* au flash.

flashy [ˈflæʃɪ] *adj fam* tape-à-l'œil (*inv*).

flask [flɑːsk] *n* **1.** Thermos® *m ou f* **2.** ballon *m* **3.** flasque *f*.

flat [flæt] *adj* **1.** plat • **flat shoes** des chaussures plates **2.** (*pneu*) crevé **3.** (*refus*) catégorique **4.** (*affaires, marché financier*) calme **5.** (*ton, voix*) monotone **6.** (*style*) terne **7.** MUS qui chante trop grave ; (*note*) bémol **8.** (*prix*) fixe **9.** (*bière, limonade*) éventé **10.** (*batterie*) à plat. ❑ *adv* **1.** à plat **2.** • **two hours flat** deux heures pile. ❑ *n* **1.** (UK) appartement *m* **2.** MUS bémol *m*. ■ **flat out** *adv* **1.** d'arrache-pied **2.** le plus vite possible.

flat-bed scanner *n* scanner *m* à plat.

flat-chested [-ˈtʃestɪd] *adj* plate comme une limande.

flat-footed [-ˈfʊtɪd] *adj* aux pieds plats.

flat-hunt *vi* (UK) chercher un appartement.

flatline [ˈflætlaɪn] *vi* (US) *fam* mourir.

flatly [ˈflætlɪ] *adv* **1.** catégoriquement **2.** avec monotonie **3.** de façon terne.

flatmate [ˈflætmeɪt] *n* (UK) *personne avec laquelle on partage un appartement*.

flat-pack *n* meuble *m* en kit. ❑ *adj* • **flat-pack furniture** meubles *mpl* en kit.

flat-packed *adj* en kit.

flat rate *n* tarif *m* forfaitaire.

flat-screen *adj* TV & INFORM à écran plat.

flatten [ˈflætn] *vt* **1.** aplatir **2.** aplanir **3.** raser. ■ **flatten out** *vi* s'aplanir.

flatter [ˈflætəʳ] *vt* flatter.

flattering [ˈflætərɪŋ] *adj* **1.** flatteur **2.** seyant.

flattery [ˈflætərɪ] *n* flatterie *f*.

flatware [ˈflætweəʳ] *n* (indén) (US) couverts *mpl*.

flaunt [flɔnt] *vt* faire étalage de.

flavonoid *n* flavonoïde *m*.

flavour (UK), **flavor** (US) [ˈfleɪvəʳ] *n* **1.** goût *m* **2.** parfum *m* (*de glace*) **3.** *fig* atmosphère *f*. ❑ *vt* parfumer.

-flavoured (UK), **-flavored** (US) [ˈfleɪvəd] *suffixe* • **chocolate-flavoured** aromatisé au chocolat • **vanilla-flavoured** aromatisé à la vanille.

flavouring (UK), **flavoring** (US) [ˈfleɪvərɪŋ] *n* (indén) parfum *m*.

flavoursome, **flavorsome** (US) [ˈfleɪvəsəm] *adj* savoureux.

flaw [flɔ] *n* **1.** défaut *m* **2.** faille *f*.

flawed [flɔːd] *adj* **1.** qui présente des défauts **2.** qui présente des failles.

flawless [ˈflɔːlɪs] *adj* parfait.

flax [flæks] *n* lin *m*.

flea [fliː] *n* puce *f*.

flea-bitten *adj* **1.** couvert de puces **2.** *fig* miteux.

flea market *n* marché *m* aux puces.

fleck [flek] *n* moucheture *f*, petite tache *f*. ❑ *vt* • **flecked with** moucheté de.

fled [fled] *passé* & *pp* → **flee**.

flee [fliː] (*prét* & *pp* **fled**) *vt* & *vi* fuir.

fleece [fliːs] *n* **1.** toison *f* ; (*laine*) polaire *f* **2.** veste *f* en (*laine*) polaire **3.** sweat *m* en (*laine*) polaire. ❑ *vt fam* escroquer.

fleece-lined *adj* **1.** doublé en peau de mouton **2.** doublé en laine polaire.

fleecy [ˈfliːsɪ] *adj* **1.** laineux **2.** cotonneux.

fleet [fliːt] *n* **1.** flotte *f* **2.** parc *m* (*de bus, de cars*).

fleeting [ˈfliːtɪŋ] *adj* **1.** bref, brève *f* **2.** fugitif **3.** éclair (*inv*).

fleetingly [ˈfliːtɪŋlɪ] *adv* rapidement.

Fleet Street *n* *rue de Londres dont le nom est utilisé pour désigner la presse britannique.*

Flemish [ˈflemɪʃ] *adj* flamand. ❑ *n* flamand *m*. ❑ *npl* • **the Flemish** les Flamands *mpl*.

flesh [fleʃ] *n* chair *f* • **his/her flesh and blood** les siens.

flesh wound n blessure f superficielle.

flew [fluː] passé → fly.

flex [fleks] n fil m. ❏ vt fléchir.

flexibility ['fleksə'bɪlətɪ] n flexibilité f.

flexible ['fleksəbl] adj flexible • my flexible friend ma carte de crédit.

flexitime ['fleksɪtaɪm], **flextime** (us) ['flekstaɪm] n (indén) horaire m à la carte ou flexible.

flick [flɪk] n (us) fam film m. ❏ vt appuyer sur. ■ flick through vt insép feuilleter.

flicker ['flɪkər] vi 1. (bougie, lumière) vaciller 2. (ombre) trembler 3. (yeux) ciller.

flicker-free adj anti-scintillements (inv).

flick knife n (uk) couteau m à cran d'arrêt.

flight [flaɪt] n 1. vol m (d'un oiseau, d'un avion) 2. volée f (de marches) 3. fuite f.

flight attendant n steward m, hôtesse f de l'air.

flight crew n équipage m.

flight deck n 1. pont m d'envol 2. cabine f de pilotage.

flight path n trajectoire f.

flight recorder n enregistreur m de vol.

flimflam ['flɪmflæm] (us) fam n 1. foutaises fpl 2. blabla m, baratin m • flimflam artist escroc m. ❏ vt rouler, escroquer.

flimsy ['flɪmzɪ] adj 1. léger 2. peu solide 3. (excuse) piètre.

flinch [flɪntʃ] vi tressaillir • to flinch from sthg/from doing sthg reculer devant qqch/à l'idée de faire qqch.

fling [flɪŋ] n fam aventure f (sentimentale). ❏ vt (prét & pp flung) lancer.

flint [flɪnt] n 1. silex m 2. pierre f.

flip [flɪp] vt 1. faire sauter 2. tourner 3. appuyer sur. ■ flip through vt insép feuilleter.

flip chart n tableau m à feuilles.

flip-flop n tong f.

flip-flopper [flɪpflɒp] n homme ou femme politique qui change d'opinions politiques.

flippant ['flɪpənt] adj désinvolte.

flipper ['flɪpər] n 1. nageoire f 2. palme f.

flip phone n téléphone m à clapet.

flip side n 1. fig inconvénient m 2. face f B (d'un disque).

flip top n couvercle m à rabat. ❏ adj (portable) à clapet.

flirt [flɜːt] n flirt m. ❏ vi • to flirt (with sb) flirter (avec qqn).

flirtation [flɜːˈteɪʃn] n 1. flirt m 2. • to have a flirtation with sthg caresser qqch.

flirtatious [flɜːˈteɪʃəs] adj flirteur.

flit [flɪt] vi voleter.

float [fləʊt] n 1. flotteur m 2. char m (dans un défilé) 3. FIN encaisse f. ❏ vt faire flotter. ❏ vi 1. flotter 2. glisser.

float glass n verre m flotté.

floating floor n parquet m flottant.

floating voter n (uk) (électeur m) indécis m, électrice f indécise.

flock [flɒk] n 1. vol m (d'oiseaux) 2. troupeau m (de moutons) 3. fig foule f.

flog [flɒg] vt 1. flageller 2. (uk) fam refiler.

flood [flʌd] n 1. inondation f 2. crue f • flood warning avis m de crue 3. déluge m 4. fig avalanche f. ❏ vt inonder.

flood-damaged adj abîmé ou endommagé par les eaux.

floodgates ['flʌdgeɪts] npl • to open the floodgates ouvrir les vannes.

flooding ['flʌdɪŋ] n (indén) inondations fpl.

floodlight ['flʌdlaɪt] n projecteur m.

floodlit ['flʌdlɪt] adj 1. éclairé (avec des projecteurs) 2. illuminé.

flood tide n marée f haute.

floor [flɔːr] n 1. sol m 2. piste f (de danse) 3. fond m (de la mer, d'une vallée) 4. étage m 5. auditoire m. ❏ vt 1. terrasser 2. dérouter.

floor area n surface f.

floorboard ['flɔːbɔːd] n plancher m.

floor cloth n (uk) serpillière f.

flooring ['flɔːrɪŋ] n revêtement m de sol.

floor lamp n (us) lampadaire m.

floor model n modèle m d'exposition.

floor sample n (us) modèle m d'exposition.

floor show n spectacle m de cabaret.

floozy ['fluːzɪ] n (pl -ies) n vieilli & péj traînée f.

flop [flɒp] fam n fiasco m.

floppy ['flɒpɪ] adj 1. (oreilles de chien) tombant 2. (vêtements) lâche.

floppy (disk) n disquette f.

flora ['flɔːrə] n flore f.

floral ['flɔːrəl] adj 1. floral 2. à fleurs.

florid ['flɒrɪd] adj 1. rougeaud 2. fleuri.

florist ['flɒrɪst] n fleuriste mf • florist's (shop) (magasin m de) fleuriste m.

floss [flɒs] n (indén) 1. bourre f de soie 2. fil m dentaire. ❏ vt • to floss one's teeth se nettoyer les dents au fil dentaire.

flossy ['flɒsɪ] adj 1. cotonneux 2. (us) fam tape-à-l'œil.

flotsam ['flɒtsəm] n (indén) • flotsam and jetsam a) débris mpl b) fig épaves fpl.

flounce [flaʊns] n volant m. ❏ vi • to flounce out/off sortir/partir dans un mouvement d'humeur.

flouncy ['flaʊnsɪ] adj froufroutant.

flounder ['flaʊndər] vi 1. patauger 2. bredouiller.

flour ['flaʊər] n farine f.

flourish ['flʌrɪʃ] vi 1. (plantes) bien pousser 2. (enfants) être en pleine santé 3. (affaires) prospérer **4.** *(arts)* s'épanouir. ❑ *vt* brandir. ❑ *n* grand geste *m.*

flout [flaʊt] *vt* bafouer.

flow [fləʊ] *n* **1.** circulation *f* **2.** mouvement *m (de fonds)* **3.** flot *m* **4.** flux *m.* ❑ *vi* **1.** couler **2.** s'écouler **3.** flotter.

flow chart, flow diagram *n* organigramme *m.*

flower [flaʊə] *n* fleur *f* • **a bunch of flowers** un bouquet de fleurs. ❑ *vi* fleurir.

flower arrangement *n* **1.** art *m* floral **2.** composition *f* florale.

flowerbed ['flaʊəbed] *n* parterre *m.*

floweriness ['flaʊərɪnɪs] *n* syle *m* fleuri.

flowerpot ['flaʊəpɒt] *n* pot *m* de fleurs.

flowery ['flaʊərɪ] *adj* **1.** à fleurs **2.** *péj (style)* fleuri.

flown [fləʊn] *pp* → **fly.**

fl. oz. abrév de **fluid ounce.**

flu [fluː] *n (indén)* grippe *f* • **to have flu** (UK) ou **the flu** (US) avoir la grippe.

fluctuate ['flʌktʃʊeɪt] *vi* fluctuer.

fluctuating ['flʌktʃʊeɪtɪŋ] *adj* fluctuant.

fluctuation [ˌflʌktʃʊ'eɪʃn] *n* fluctuation *f.*

fluency ['fluːənsɪ] *n* aisance *f.*

fluent ['fluːənt] *adj* **1.** • **to speak fluent French** parler couramment le français **2.** *(style)* fluide, aisé.

fluently ['fluːəntlɪ] *adv* **1.** couramment **2.** avec aisance.

fluff [flʌf] *n (indén)* **1.** duvet *m* **2.** moutons *mpl (de poussière).*

fluffy ['flʌfɪ] *adj* **1.** duveteux **2.** en peluche.

fluid ['fluːɪd] *n* **1.** fluide *m* **2.** liquide *m.* ❑ *adj* **1.** fluide **2.** changeant.

fluid ounce *n* = 0,03 litre.

fluke [fluːk] *n fam* coup *m* de bol.

flummox ['flʌməks] *vt* désarçonner.

flummoxed ['flʌməkst] *adj* • **I was completely flummoxed** ça m'a complètement démonté.

flung [flʌŋ] *passé & pp* → **fling.**

flunk [flʌŋk] *(surtout* US) *fam vt* **1.** rater *(un examen)* **2.** recaler *(un étudiant).*

fluorescent [flʊə'resənt] *adj* fluorescent.

fluorescent light *n* lumière *f* fluorescente.

fluoride ['flʊəraɪd] *n* fluorure *m.*

flurry ['flʌrɪ] *n* **1.** rafale *f* **2.** *fig* concert *m* **3.** *fig* débordement *m.*

flush [flʌʃ] *adj* • **flush with** de niveau avec. ❑ *n* **1.** chasse *f* d'eau **2.** rougeur *f* **3.** accès *m.* ❑ *vt* • **to flush the toilet** tirer la chasse d'eau. ❑ *vi* rougir.

flushed [flʌʃt] *adj* **1.** rouge **2.** • **flushed with** exalté par.

flustered ['flʌstəd] *adj* troublé.

flute [fluːt] *n* flûte *f.*

flutter ['flʌtə] *n* **1.** battement *m* **2.** *fam* émoi *m.* ❑ *vi* **1.** *(insecte)* voleter **2.** *(ailes)* battre **3.** *(drapeau)* flotter.

flux [flʌks] *n* • **to be in a state of flux** être en proie à des changements permanents.

fly [flaɪ] *n* **1.** mouche *f* **2.** braguette *f.* ❑ *vt (prét* flew, *pp* flown) **1.** faire voler **2.** transporter par avion **3.** faire flotter. ❑ *vi (prét* flew, *pp* flown) **1.** voler **2.** faire voler un avion **3.** voyager en avion **4.** filer **5.** *(drapeau)* flotter **6.** cartonner • **it'll never fly** ça ne marchera jamais. ■ **fly away** *vi* s'envoler. ■ **on the fly** *adv* **1.** (UK) *fam* • **to do sthg on the fly a)** faire qqch en douce **b)** faire qqch de façon autonome **2.** • **to make decisions on the fly** prendre des décisions sur-le-champ.

fly ball *n (au base-ball)* chandelle *f.*

fly-fishing *n* pêche *f* à la mouche.

flying ['flaɪɪŋ] *adj* volant. ❑ *n* aviation *f* • **to like flying** aimer prendre l'avion.

flying colours (UK), **flying colors** (US) *npl* • **to pass (sthg) with flying colours** réussir (qqch) haut la main.

flying picket *n* piquet *m* de grève volant.

flying saucer *n* soucoupe *f* volante.

flying squad *n* (UK) *force d'intervention rapide de la police.*

flying start *n* • **to get off to a flying start** prendre un départ sur les chapeaux de roue.

flying visit *n* visite *f* éclair.

flyover ['flaɪˌəʊvə] *n* (UK) saut-de-mouton *m.*

flysheet ['flaɪʃiːt] *n* (UK) auvent *m.*

fly spray *n* insecticide *m.*

FM *n* (abrév de frequency modulation) FM *f.*

foal [fəʊl] *n* poulain *m.*

foam [fəʊm] *n (indén)* **1.** mousse *f* **2.** • **foam (rubber)** caoutchouc *m* Mousse®. ❑ *vi* mousser.

fob [fɒb] ■ **fob off** *vt sép* repousser • **to fob off on sb** refiler qqch à qqn • **to fob sb off with sthg** se débarrasser de qqn à l'aide de qqch.

focalization [ˌfəʊkəlaɪ'zeɪʃn] *n* focalisation *f.*

focal point *n* **1.** *(optique)* foyer *m* **2.** *fig* point *m* central.

focus ['fəʊkəs] *n (pl* -cuses ou -ci) *. PHOTO* mise *f* au point • **in focus** net • **out of focus** flou **2.** foyer *m* **3.** centre *m.* ❑ *vt* mettre au point. ❑ *vi* **1.** se fixer • **to focus on sthg a)** se fixer sur qqch **b)** fixer qqch **2.** accommoder **3.** *fig* • **to focus on sthg** se concentrer sur qqch.

fodder ['fɒdə] *n (indén)* fourrage *m.*

foe [fəʊ] *n littéraire* ennemi *m.*

foetus (UK), **fetus** (US) ['fiːtəs] *n* fœtus *m.*

fog [fɒg] *n (indén)* brouillard *m.*

foggy ['fɒgɪ] *adj* brumeux.

foghorn ['fɒghɔːn] *n* sirène *f* de brume.

fog lamp (UK), **fog light** (US) *n* feu *m* de brouillard.

foible ['fɔɪbl] *n* marotte *f*.

foil [fɔɪl] *n (indén)* feuille *f (de métal)* ; papier *m* d'aluminium. ❑ *vt* déjouer.

fold [fəʊld] *vt* **1.** plier • to fold one's arms croiser les bras **2.** envelopper. ❑ *vi* **1.** *(table, chaise)* se plier **2.** *(pétales)* se refermer **3.** *fam* échouer **4.** THÉÂTRE quitter l'affiche. ❑ *n* pli *m*. ■ **fold up** *vt sép* plier. ❑ *vi* **1.** se plier **2.** se refermer **3.** échouer.

folder ['fəʊldər] *n* **1.** chemise *f* **2.** classeur *m*.

folding ['fəʊldɪŋ] *adj* **1.** *(table, parapluie)* pliant **2.** *(porte)* en accordéon.

foley ['fəʊlɪ] *n* CINÉ bruitage *m*.

foliage ['fəʊlɪɪdʒ] *n* feuillage *m*.

folk [fəʊk] *adj* **1.** folklorique **2.** populaire. ❑ *npl* gens *mpl*. ■ **folks** *npl fam* famille *f*.

folklore ['fəʊklɔːr] *n* folklore *m*.

folk music *n* musique *f* folk.

folk song *n* chanson *f* folk.

follow ['fɒləʊ] *vt* suivre. ❑ *vi* **1.** suivre **2.** résulter • it follows that… il s'ensuit que… ■ **follow up** *vt sép* **1.** prendre en considération **2.** donner suite à **3.** • to follow sthg up with faire suivre qqch de.

follower ['fɒləʊər] *n* disciple *mf*.

following ['fɒləʊɪŋ] *adj* suivant. ❑ *n* groupe *m* d'admirateurs. ❑ *prép* après.

folly ['fɒlɪ] *n (indén)* folie *f*.

FOMCL *SMS* (abrév de *fell off my chair laughing*) MDR.

fond [fɒnd] *adj* affectueux • to be fond of aimer beaucoup.

fondle ['fɒndl] *vt* caresser.

fondly ['fɒndlɪ] *adv* affectueusement ; avec tendresse.

font [fɒnt] *n* **1.** fonts *mpl* baptismaux **2.** police *f* (de caractères).

food [fuːd] *n* nourriture *f*.

food chain *n* chaîne *f* alimentaire.

foodie ['fuːdɪ] *n fam* fin gourmet *m*.

food miles *npl* kilomètres *mpl* alimentaires.

food mixer *n* mixer *m*.

food poisoning [-ˌpɔɪznɪŋ] *n* intoxication *f* alimentaire.

food processor [-ˌprəʊsesər] *n* robot *m* ménager.

food safety *n* sécurité *f* alimentaire.

food stamp *n* (US) bon *m* alimentaire *(accordé aux personnes sans ressources)*.

foodstore ['fuːdstɔːr] *n* magasin *m* d'alimentation.

foodstuffs ['fuːdstʌfs] *npl* denrées *fpl* alimentaires.

food technology *n* technologie *f* alimentaire.

fool [fuːl] *n* **1.** idiot *m*, -e *f* **2.** (UK) CULIN ≃ mousse *f*. ❑ *vt* duper • to fool sb into doing sthg ame-

ner qqn à faire qqch en le dupant. ❑ *vi* faire l'imbécile. ■ **fool about, fool around** *vi* **1.** faire l'imbécile **2.** *fam* être infidèle.

foolhardy ['fuːlˌhɑːdɪ] *adj* téméraire.

foolish ['fuːlɪʃ] *adj* idiot, stupide.

foolishly ['fuːlɪʃlɪ] *adv* stupidement, bêtement.

foolishness ['fuːlɪʃnɪs] *n (indén)* bêtise *f*.

foolproof ['fuːlpruːf] *adj* infaillible.

foot [fʊt] *(pl feet* [fiːt]) *n* **1.** pied *m* **2.** patte *f* **3.** bas *m (d'une page, d'un escalier)* **4.** *(locution)* • to be on one's feet être debout • to get to one's feet se mettre debout, se lever • on foot à pied • to put one's foot in it mettre les pieds dans le plat • to put one's feet up se reposer.

footage ['fʊtɪdʒ] *n (indén)* CINÉ séquences *fpl*.

football ['fʊtbɔːl] *n* **1.** football *m* • to play football jouer au football **2.** foot *m* **3.** football américain **4.** ballon *m* de football *ou* de foot.

football club *n* (UK) club *m* de football.

footballer ['fʊtbɔːlər] *n* (UK) joueur *m*, -euse *f* de football, footballeur *m*, -euse *f*.

football field *n* (US) terrain *m* de football américain.

football ground *n* (UK) terrain *m* de football.

football match *n* (UK) match *m* de football.

football player = footballer.

football supporter *n* *(surtout* UK) supporter *m* (de football).

footbrake ['fʊtbreɪk] *n* frein *m* (à pied).

footbridge ['fʊtbrɪdʒ] *n* passerelle *f*.

foothills ['fʊthɪlz] *npl* contreforts *mpl*.

foothold ['fʊthəʊld] *n* prise *f* (de pied) • to get a foothold prendre pied, *fig* se faire accepter.

footing ['fʊtɪŋ] *n* **1.** prise *f* • to lose one's footing trébucher **2.** *fig* position *f*.

footlights ['fʊtlaɪts] *npl* rampe *f*.

footnote ['fʊtnəʊt] *n* note *f* de bas de page.

footpath ['fʊtpɑːθ] *(pl* [-pɑːðz]) *n* sentier *m*.

footprint ['fʊtprɪnt] *n* empreinte *f* (de pied), trace *f* (de pas).

footslogger ['fʊtˌslɒgər] *n fam* MIL poussecaillou *m inv*, biffin *m (fantassin)*.

footstep ['fʊtstep] *n* **1.** bruit *m* de pas **2.** empreinte *f* (de pied).

footwear ['fʊtweər] *n (indén)* chaussures *fpl*.

for

■ **for** [fɔːr] *prép*

1. EXPRIME LE BUT, L'INTENTION
• **let's meet for a drink** retrouvons-nous pour prendre un verre • **what's it for?** ça sert à quoi ?

2. INTRODUIT LA DESTINATION, LE DESTINATAIRE

• **the plane for Paris has already left** l'avion à destination de Paris est déjà parti • **this is for him** c'est pour lui

3. EXPRIME LA DURÉE

• **she'll be away for a month** elle sera absente (pendant) un mois • **I've lived here for 3 years** j'habite ici depuis 3 ans, cela fait 3 ans que j'habite ici

4. POUR INDIQUER UN DÉLAI

• **I can do it for you for tomorrow** je peux vous le faire pour demain

5. POUR EXPRIMER LA DISTANCE

• **this medical centre is the only one for 50 kilometres** ce centre médical est le seul sur 50 kilomètres • **I walked for miles** j'ai marché (pendant) des kilomètres

6. EN FAVEUR DE

• **he voted for the Democratic candidate** il a voté pour le candidat démocrate • **she was all for a negotiated political solution** elle était tout à fait pour ou en faveur d'une solution politique négociée

7. EXPRIME LA CAUSE

• **he did 20 years in prison for murder** il a passé 20 ans en prison pour meurtre • **for various reasons I decided not to talk to her** pour plusieurs raisons, j'ai décidé de ne pas lui parler • **I didn't say anything for fear of being ridiculed** je n'ai rien dit de ou par peur d'être ridiculisé

8. INDIQUE UNE OCCASION, UN ÉVÉNEMENT

• **she's coming home for Christmas** elle rentre à la maison pour Noël • **what are you doing for your birthday?** que fais-tu pour ton anniversaire ?

9. À LA PLACE DE, AU NOM DE

• **let me do that for you** laissez-moi faire, je vais vous le faire • **the MP for Barnsley was on TV yesterday** le député de Barnsley est passé à la télé hier

10. INDIQUE UNE ÉQUIVALENCE

• **P for Peter** P comme Peter • **what's the Greek for "mother" ?** comment dit-on « mère » en grec ?

11. AVEC UN PRIX

• **they're 50p for ten** cela coûte 50 pence les dix • **I bought/sold it for £10** je l'ai acheté/vendu 10 livres

12. INDIQUE UNE PROPORTION

• **there's 1 woman applicant for 5 men** un candidat sur 6 est une femme

■ **for** [fɔː] *conj*

sout POUR EXPRIMER LA CAUSE

• **I always avoid him for I don't approve of his behaviour** je l'évite toujours car je n'approuve pas son comportement

■ **for all** *prép*

POUR EXPRIMER LA CONCESSION

• **for all his money he had no friends** malgré tout son argent, il n'avait pas d'amis

■ **for all** *conj*

• **for all I know** pour autant que je sache

forage [ˈfɒrɪdʒ] *vi* • **to forage (for)** fouiller (pour trouver).

forage harvester *n* fourragère *f*.

foray [ˈfɒreɪ] *n* • **foray (into)** *littéraire* incursion *f* (dans).

forbade [fəˈbeɪd], **forbad** [fəˈbæd] *passé* → **forbid**.

forbid [fəˈbɪd] (*prét* **forbade** ou **forbad**, *pp* **forbid** ou **forbidden**) *vt* interdire, défendre.

forbidden [fəˈbɪdn] *pp* → **forbid**. ❏ *adj* interdit, défendu.

forbidding [fəˈbɪdɪŋ] *adj* **1.** austère **2.** sinistre.

forbiddingly [fəˈbɪdɪŋlɪ] *adv* de façon menaçante • **forbiddingly difficult/complex** d'une difficulté/complexité rébarbative.

force [fɔːs] *n* **1.** force *f* • **by force** de force • **the force of gravity** la pesanteur **2.** • **to be in/to come into force** (*loi, règlement*) être/entrer en vigueur **3.** • **she's a force to be reckoned with** il faudra compter avec elle. ❏ *vt* **1.** forcer • **to force sb to do sthg** forcer qqn à faire qqch **2.** • **to force sthg on sb** imposer qqch à qqn. ■ **force back** *vt sép* **1.** repousser **2.** refouler. ■ **force down** *vt sép* **1.** se forcer à manger **2.** forcer à atterrir. ■ **forces** *npl* • **the forces** les forces *fpl* armées • **to join forces** joindre ses efforts.

forced [fɔːst] *adj* forcé.

force-feed *vt* nourrir de force.

forceful [ˈfɔːsfʊl] *adj* **1.** énergique **2.** vigoureux.

forcefully [ˈfɔːsfʊlɪ] *adv* avec force.

forceps [ˈfɔːseps] *npl* forceps *m*.

forcibly [ˈfɔːsəblɪ] *adv* **1.** de force **2.** avec vigueur.

ford [fɔːd] *n* gué *m*.

fore [fɔ:ʳ] *adj* NAUT à l'avant. ❑ *n* • **to come to the fore** s'imposer.

forearm ['fɔ:rɑ:m] *n* avant-bras *m inv*.

foreboding [fɔ:'bəʊdɪŋ] *n* pressentiment *m*.

forecast ['fɔ:kɑ:st] *n* prévision *f* • **(weather) forecast** prévisions météorologiques. ❑ *vt* (*prét & pp* **forecast** *ou* **forecasted**) prévoir.

foreclose [fɔ:'kləʊz] *vt* saisir. ❑ *vi* • **to foreclose on sb** saisir les biens de qqn.

forecourt ['fɔ:kɔ:t] *n* **1.** devant *m* (*d'une station-service*) **2.** avant-cour *f*.

forefinger ['fɔ:,fɪŋɡəʳ] *n* index *m*.

forefront ['fɔ:frʌnt] *n* • **in** *ou* **at the forefront of** au premier plan de.

forego [fɔ:'ɡəʊ] = **forgo**.

foregone conclusion ['fɔ:ɡɒn-] *n* • **it's a foregone conclusion** c'est couru d'avance.

foreground ['fɔ:ɡraʊnd] *n* premier plan *m*.

forehand ['fɔ:hænd] *n* TENNIS coup *m* droit.

forehead ['fɔ:hed] *n* front *m*.

foreign ['fɒrən] *adj* **1.** étranger **2.** à l'étranger **3.** extérieur.

foreign affairs *npl* affaires *fpl* étrangères.

foreign aid *n* aide *f* extérieure.

foreign competition *n* concurrence *f* étrangère.

foreign currency *n* (*indén*) devises *fpl* étrangères.

foreigner ['fɒrənəʳ] *n* étranger *m*, -ère *f*.

foreign languages *npl* les langues étrangères.

foreign minister *n* ministre *m* des Affaires étrangères.

foreignness ['fɒrɪnnɪs] *n* **1.** air *m* étranger **2.** caractère *m* étranger.

Foreign Office *n* (UK) • **the Foreign Office** ≃ le ministère des Affaires étrangères.

Foreign Secretary *n* (UK) ≃ ministre *m* des Affaires étrangères.

foreleg ['fɔ:leɡ] *n* **1.** membre *m* antérieur **2.** patte *f* de devant.

foreman ['fɔ:mən] (*pl* **-men**) *n* **1.** contremaître *m*, -esse *f* **2.** DR président *m* du jury.

foremost ['fɔ:məʊst] *adj* principal. ❑ *adv* • **first and foremost** tout d'abord.

forename ['fɔ:neɪm] *n* prénom *m*.

forensic [fə'rensɪk] *adj* médico-légal.

forensic medicine, **forensic science** *n* médecine *f* légale.

forerunner ['fɔ:,rʌnəʳ] *n* précurseur *m*.

foresee [fɔ:'si:] (*prét* **foresaw** [-'sɔ:], *pp* **foreseen**) *vt* prévoir.

foreseeable [fɔ:'si:əbl] *adj* prévisible • **for the foreseeable future** pour tous les jours/mois *etc* à venir.

foreseen [fɔ:'si:n] *pp* → **foresee**.

foreshadow [fɔ:'ʃædəʊ] *vt* présager.

foresight ['fɔ:saɪt] *n* (*indén*) prévoyance *f*.

foresighted ['fɔ:,saɪtɪd] *adj* prévoyant.

forest ['fɒrɪst] *n* forêt *f*.

forestall [fɔ:'stɔ:l] *vt* **1.** prévenir **2.** devancer.

forestry ['fɒrɪstrɪ] *n* sylviculture *f*.

foretaste ['fɔ:teɪst] *n* avant-goût *m*.

foretell [fɔ:'tel] (*prét & pp* **foretold**) *vt* prédire.

foretold [fɔ:'təʊld] *passé & pp* → **foretell**.

forever [fə'revəʳ] *adv* (pour) toujours.

forewarn [fɔ:'wɔ:n] *vt* avertir.

forewarning [,fɔ:'wɔ:nɪŋ] *n* avertissement *m*.

foreword ['fɔ:wɜ:d] *n* avant-propos *m inv*.

forfeit ['fɔ:fɪt] *n* **1.** amende *f* **2.** gage *m*. ❑ *vt* perdre.

forgave [fə'ɡeɪv] *passé* → **forgive**.

forge [fɔ:dʒ] *n* forge *f*. ❑ *vt* **1.** *fig* INDUST forger **2.** contrefaire **3.** falsifier. ■ **forge ahead** *vi* prendre de l'avance.

forger ['fɔ:dʒəʳ] *n* faussaire *mf*.

forgery ['fɔ:dʒərɪ] *n* **1.** (*indén*) contrefaçon *f* **2.** faux *m*.

forget [fə'ɡet] (*prét* **forgot**, *pp* **forgotten**) *vt* oublier • **to forget to do sthg** oublier de faire qqch • **forget it!** laisse tomber ! ❑ *vi* • **to forget (about sthg)** oublier (qqch).

forgetful [fə'ɡetfʊl] *adj* distrait, étourdi.

forgetfulness [fə'ɡetfʊlnɪs] *n* étourderie *f*.

forget-me-not *n* myosotis *m*.

forgettable [fə'ɡetəbl] *adj* qui ne présente pas d'intérêt.

forgivable [fə'ɡɪvəbl] *adj* pardonnable.

forgive [fə'ɡɪv] (*prét* **forgave**, *pp* **forgiven** [-'ɡɪvən]) *vt* pardonner • **to forgive sb for sthg/for doing sthg** pardonner qqch à qqn/à qqn d'avoir fait qqch.

forgiveness [fə'ɡɪvnɪs] *n* (*indén*) pardon *m*.

forgiving [fə'ɡɪvɪŋ] *adj* indulgent.

forgo [fɔ:'ɡəʊ] (*prét* **forwent**, *pp* **forgone** [-'ɡɒn]) *vt sout* renoncer à.

forgot [fə'ɡɒt] *passé* → **forget**.

forgotten [fə'ɡɒtn] *pp* → **forget**.

fork [fɔ:k] *n* **1.** fourchette *f* **2.** fourche *f* **3.** bifurcation *f* **4.** embranchement *m*. ❑ *vi* bifurquer. ■ **fork out** *fam vt insép* allonger, débourser.

forkful ['fɔ:kfʊl] *n* pleine fourchette *f*.

forklift truck ['fɔ:klɪft-] *n* chariot *m* élévateur.

forlorn [fə'lɔ:n] *adj* **1.** malheureux, triste **2.** (*lieu, paysage*) désolé **3.** désespéré.

form [fɔ:m] *n* **1.** forme *f* • **on form** (UK) *ou* **in form** (US) en pleine forme • **off form** (surtout UK) pas en forme • **in the form of** sous forme de **2.** formulaire *m* **3.** (UK) SCOL classe *f*. ❑ *vt* former. ❑ *vi* se former.

formal ['fɔ:ml] *adj* **1.** officiel **2.** (*personne*) formaliste **3.** (*style, langue*) soutenu.

formality [fɔ'mælətɪ] n formalité f.

formally ['fɔːməlɪ] adv **1.** de façon correcte **2.** solennellement • **to be formally dressed** être en tenue de cérémonie **3.** officiellement.

format ['fɔːmæt] n format m. ❏ vt INFORM formater.

formation [fɔ'meɪʃn] n **1.** formation f **2.** élaboration f.

formative ['fɔːmətɪv] adj formateur.

formatting ['fɔːmætɪŋ] n INFORM formatage m.

former ['fɔːmər] adj **1.** ancien • **former husband** ex-mari m • **former pupil** ancien élève m, ancienne élève f **2.** premier (des deux). ❏ n • **the former** le premier, la première f, celui-là, celle-là f.

formerly ['fɔːməlɪ] adv autrefois.

form-filling n • **there was a lot of form-filling** il y avait beaucoup de papiers à remplir.

formidable ['fɔːmɪdəbl] adj redoutable, terrible.

formidably ['fɔːmɪdəblɪ] adv redoutablement, terriblement.

formula ['fɔːmjələ] (pl -**as** ou -**ae**) n formule f.

formulate ['fɔːmjuleɪt] vt formuler.

forsake [fə'seɪk] (prét **forsook**, pp **forsaken**) vt littéraire **1.** abandonner **2.** renoncer à.

forsaken [fə'seɪkn] adj abandonné.

forsook [fə'sʊk] passé → **forsake**.

fort [fɔːt] n fort m (forteresse).

forte ['fɔːtɪ] n point m fort.

forth [fɔːθ] adv littéraire en avant.

forthcoming [fɔːθ'kʌmɪŋ] adj **1.** à venir **2.** communicatif.

forthright ['fɔːθraɪt] adj franc, franche f, direct.

forthwith [ˌfɔːθ'wɪθ] adv sout aussitôt.

fortieth ['fɔːtɪɪθ] num quarantième. Voir aussi **sixth**.

fortified wine ['fɔːtɪfaɪd-] n vin m de liqueur.

fortify ['fɔːtɪfaɪ] vt **1.** MIL fortifier **2.** fig renforcer.

fortitude ['fɔːtɪtjuːd] n courage m.

fortnight ['fɔːtnaɪt] n (UK) quinze jours mpl, quinzaine f • **once a fortnight** tous les quinze jours.

fortnightly ['fɔːt,naɪtlɪ] adj (UK) bimensuel. ❏ adv tous les quinze jours.

fortress ['fɔːtrɪs] n forteresse f.

fortunate ['fɔːtʃnət] adj heureux • **to be fortunate** avoir de la chance.

fortunately ['fɔːtʃnətlɪ] adv heureusement.

fortune ['fɔːtʃuːn] n **1.** fortune f • **to earn a fortune** gagner une fortune **2.** fortune f, chance f • **to tell sb's fortune** dire la bonne aventure à qqn.

fortune-teller [-ˌtelər] n diseuse f de bonne aventure.

forty ['fɔːtɪ] num quarante. Voir aussi **sixty**.

forty winks npl fam petit somme m.

forum ['fɔːrəm] (pl -s) n **1.** (gén) forum m, tribune f **2.** INFORM & INTERNET forum m.

forward ['fɔːwəd] adj **1.** en avant **2.** à long terme **3.** effronté. ❏ adv **1.** en avant • **to go** ou **move forward** avancer **2.** • **to bring a meeting forward** avancer la date d'une réunion. ❏ n SPORT avant m. ❏ vt **1.** faire suivre **2.** expédier.

forwarding address ['fɔːwədɪŋ-] n adresse f où faire suivre le courrier.

forward-looking [-'lʊkɪŋ] adj tourné vers l'avenir.

forwards ['fɔːwədz] adv = **forward**.

forward slash n INFORM barre f oblique.

forwent [fɔː'went] passé → **forgo**.

fossil ['fɒsl] n fossile m.

fossil fuel n combustible m fossile.

foster ['fɒstər] adj d'accueil. ❏ vt **1.** accueillir **2.** fig nourrir, entretenir.

foster child n enfant m placé en famille d'accueil.

foster parent n parent m nourricier.

fought [fɔːt] passé & pp → **fight**.

foul [faʊl] adj **1.** infect **2.** croupi **3.** grossier, ordurier. ❏ n SPORT faute f. ❏ vt sout **1.** souiller, salir **2.** SPORT commettre une faute contre.

foul-mouthed [-'maʊðd] adj grossier.

foul play n (indén) **1.** SPORT antijeu m **2.** acte m malveillant.

found [faʊnd] passé & pp → **find**. ❏ vt fonder • **to found sthg on** fonder ou baser qqch sur.

foundation [faʊn'deɪʃn] n **1.** fondation f **2.** fondement m, base f **3.** • **foundation (cream)** fond m de teint. ■ **foundations** npl fondations fpl.

foundation hospital n (UK) hôpital faisant partie du système de sécurité sociale britannique, mais géré par une équipe privée.

foundation stage n (UK) SCOL premier cycle de l'enseignement, qui englobe le préscolaire et la première année du primaire.

founder ['faʊndər] n fondateur m, -trice f. ❏ vi sombrer.

founder member n membre m fondateur.

foundry ['faʊndrɪ] n fonderie f.

fountain ['faʊntɪn] n fontaine f.

fountain pen n stylo m à encre.

four [fɔː] num quatre • **on all fours** à quatre pattes. Voir aussi **six**.

four-by-four n AUTO quatre-quatre m.

Four-F n personne inapte (physiquement) au service militaire.

four-letter word n mot m grossier.

four-poster (bed) n lit m à baldaquin.

foursome ['fɔːsəm] n groupe m de quatre.

four-star adj (hôtel) quatre étoiles.

fourteen [ˌfɔː'tiːn] num quatorze. Voir aussi **six**.

fourteenth [ˌfɔːˈtiːnθ] *num* quatorzième. Voir aussi **sixth**.

fourth [fɔːθ] *num* quatrième. Voir aussi **sixth**.

fourth grade *n* (US) *SCOL* classe de l'école primaire correspondant au CM1 (8-9 ans).

Fourth of July *n* • **the Fourth of July** fête de l'Indépendance américaine, célébrée le 4 juillet.

the Fourth of July

CULTURE

Le 4 juillet, jour de l'indépendance américaine (**Independence Day**), est l'une des fêtes les plus importantes pour les Américains. De nombreuses villes organisent des défilés et des feux d'artifice bleus, blancs et rouges. Ces mêmes couleurs sont utilisées pour décorer les façades des immeubles, qui arborent aussi souvent des drapeaux américains. La plupart des familles passent la journée ensemble à pique-niquer ; le menu comprend généralement des hot-dogs et de la pastèque.

four-wheel drive *n* • **with four-wheel drive** à quatre roues motrices.

fowl [faʊl] (*pl inv ou* **-s**) *n* volaille *f*.

fox [fɒks] *n* renard *m*. ❑ *vt* laisser perplexe.

foxed [fɒkst] *adj* marqué *ou* taché de rousseurs.

foxglove [ˈfɒksglʌv] *n* digitale *f*.

foxhunting [ˈfɒks,hʌntɪŋ] *n* (indén) chasse *f* au renard.

foxy [ˈfɒksɪ] *adj fam* sexy (*inv*).

foyer [ˈfɔɪeɪ] *n* **1.** foyer *m* (de théâtre, d'hôtel) **2.** (US) hall *m* d'entrée.

Fr. (abrév de *father*) P.

fracas [ˈfrækɑː, (US) ˈfreɪkəs] ((UK) *pl inv,* (US) *pl* **-ses**) *n* bagarre *f*.

fraction [ˈfrækʃn] *n* fraction *f* • **a fraction too big** légèrement *ou* un petit peu trop grand.

fractionally [ˈfrækʃnəlɪ] *adv* un tout petit peu.

fractious [ˈfrækʃəs] *adj* grincheux.

fracture [ˈfræktʃər] *n* fracture *f*. ❑ *vt* fracturer.

fragile [ˈfrædʒaɪl] *adj* fragile.

fragility [frəˈdʒɪlətɪ] *n* fragilité *f*.

fragment *n* [ˈfrægmənt] fragment *m*.

fragmented [frægˈmentɪd] *adj* fragmenté.

fragrance [ˈfreɪɡrəns] *n* parfum *m*.

fragrance-free *adj* sans parfum.

fragrant [ˈfreɪɡrənt] *adj* parfumé.

fragrant rice *n* riz *m* parfumé.

frail [freɪl] *adj* fragile.

frailty [ˈfreɪltɪ] (*pl* **-ies**) *n* fragilité *f*.

frame [freɪm] *n* **1.** cadre *m* **2.** monture *f* (de lunettes) **3.** encadrement *m* (de porte, de fenêtre) **4.** carcasse *f* (de bateau) **5.** charpente *f*. ❑ *vt* **1.** encadrer **2.** formuler **3.** *fam* monter un coup contre.

frame of mind *n* état *m* d'esprit.

framework [ˈfreɪmwɜːk] *n* **1.** armature *f*, carcasse *f* **2.** *fig* structure *f*, cadre *m*.

France [frɑːns] *n* France *f*.

franchise [ˈfræntʃaɪz] *n* **1.** droit *m* de vote **2.** *COMM* franchise *f*.

francophile [ˈfræŋkəfaɪl] *adj* francophile. ❑ *n* francophile *mf*.

francophobe [ˈfræŋkəfəʊb] *adj* francophobe. ❑ *n* francophobe *mf*.

francophone [ˈfræŋkəfəʊn] *adj* francophone. ❑ *n* francophone *mf*.

Franglais [ˈfrɒŋɡleɪ] *n* franglais *m*.

frank [fræŋk] *adj* franc, franche *f*. ❑ *vt* (UK) affranchir.

frankfurter [ˈfræŋkfɜːtər] *n* saucisse *f* de Francfort.

frankly [ˈfræŋklɪ] *adv* franchement.

frankness [ˈfræŋknɪs] *n* franchise *f*.

frantic [ˈfræntɪk] *adj* frénétique.

frantically [ˈfræntɪklɪ] *adv* frénétiquement, avec frénésie.

frat [fræt] *n* (US) abrév de **fraternity**.

fraternal [frəˈtɜːnl] *adj* fraternel.

fraternity [frəˈtɜːnətɪ] *n* **1.** confrérie *f* **2.** (indén) fraternité *f* **3.** (US) club *m* d'étudiants (de sexe masculin).

fraternize, -ise (UK) [ˈfrætənaɪz] *vi* fraterniser.

fraud [frɔːd] *n* **1.** (indén) fraude *f* **2.** *péj* imposteur *m*.

fraudster [ˈfrɔːdstər] *n* (UK) fraudeur *m*, -euse *f*.

fraudulent [ˈfrɔːdjʊlənt] *adj* frauduleux.

fraudulently [ˈfrɔːdjʊləntlɪ] *adv* frauduleusement.

fraught [frɔːt] *adj* **1.** • **fraught with** plein de **2.** (UK) (personne) tendu **3.** (UK) (situation) difficile.

fray [freɪ] *vt fig* • **my nerves were frayed** j'étais extrêmement tendu, j'étais à bout de nerfs. ❑ *vi* s'user. ❑ *n littéraire* bagarre *f*.

frayed [freɪd] *adj* élimé.

frazzled [ˈfræzld] *adj fam* **1.** éreinté **2.** desséché.

freak [friːk] *adj* bizarre, insolite. ❑ *n* **1.** monstre *m*, phénomène *m* **2.** accident *m* bizarre **3.** *fam* fana *mf*, accro *mf* • **she's a fitness freak** c'est une accro de la gym. ■ **freak out** *fam vi* **1.** exploser (de colère) **2.** paniquer.

freaking, freakin' (US) *tfam adj* • **that freaking car** cette voiture à la con. ❑ *adv* • **it's freakin' cold** il fait vachement froid.

freaky [ˈfriːkɪ] *adj fam* zarbi.

freckle [ˈfrekl] *n* tache *f* de rousseur.

freckled [ˈfrekld] *adj* taché de son, couvert de taches de rousseur • **a freckled face/nose** un visage/nez couvert de taches de rousseur.

free [friː] *adj* (*comp* **freer**, *superl* **freest**) **1.** libre • **to be free to do sthg** être libre de faire qqch

• **feel free!** je t'en prie ! • **to set free** libérer **2.** gratuit. ❑ *adv* **1.** gratuitement • **free of charge** gratuitement • **for free** gratuitement **2.** librement. ❑ *vt* (*prét & pp* freed) **1.** libérer **2.** dégager.

-free [friː] *suffixe* sans.

freebie ['friːbɪ] *n fam* cadeau *m*.

free cash flow *n* flux *m* de trésorerie disponible.

free climbing *n SPORT* escalade *f* libre.

freedom ['friːdəm] *n* **1.** liberté *f* • **freedom of speech** liberté d'expression **2.** • **freedom (from)** exemption *f* (de).

freedom fighter *n* partisan *m*, -e *f*.

free enterprise *n* (*indén*) libre entreprise *f*.

free-fall *n* (*indén*) chute *f* libre • **to go into free-fall** tomber en chute libre.

Freefone® ['friːfəʊn] *n* (*indén*) (*UK*) ≃ numéro *m* vert.

free-for-all *n* mêlée *f* générale.

free-form *adj* de forme libre.

freegan *n personne qui se nourrit d'aliments récupérés dans les poubelles des supermarchés, après les marchés, etc.*

free gift *n* prime *f*.

freehand ['friːhænd] *adj & adv* à main levée.

freehold ['friːhəʊld] *n* propriété *f* foncière inaliénable.

freeholder ['friːhəʊldər] *n* propriétaire foncier *m*, propriétaire foncière *f*.

free house *n* (*UK*) pub *m* en gérance libre.

free jazz *n* free jazz *m*.

free kick *n* coup *m* franc.

freelance ['friːlɑːns] *adj* indépendant, free-lance (*inv*). ❑ *n* indépendant *m*, -e *f*, free-lance *mf inv*.

freelancer ['friːlɑːnsər] *n* travailleur *m* indépendant, travailleuse *f* indépendante, free-lance *mf inv*.

freeloader ['friːləʊdər] *n fam* parasite *m*.

freely ['friːlɪ] *adv* **1.** librement **2.** sans compter.

Freemason ['friːˌmeɪsn] *n* franc-maçon *m*.

free paper *n* (*UK*) journal *m* gratuit.

Freepost® ['friːpəʊst] *n* (*UK*) port *m* payé.

free-range *adj* de ferme.

9 **free sample** *n* échantillon *m* gratuit.

free spirit *n* non-conformiste *mf*.

freestanding [ˌfriːˈstændɪŋ] *adj* non encastré.

freestyle ['friːstaɪl] *n SPORT* nage *f* libre.

freethinker [friːˈθɪŋkər] *n* libre-penseur *m*, -euse *f*.

free trade *n* (*indén*) libre-échange *m*.

freeware ['friːweər] *n INFORM* logiciel *m* public, logiciel *m* libre • **a piece of freeware** un gratuiciel.

freeway ['friːweɪ] *n* (*US*) autoroute *f*.

freewheel [ˌfriːˈwiːl] *vi* **1.** (*à vélo*) rouler en roue libre **2.** (*en voiture*) rouler au point mort.

free will *n* (*indén*) libre arbitre *m* • **to do sthg of one's own free will** faire qqch de son propre gré.

free world *n* *vieilli* • **the free world** le monde libre.

freeze [friːz] *vt* (*prét* froze, *pp* frozen) **1.** geler **2.** congeler **3.** bloquer (*les prix, les salaires*). ❑ *vi* (*prét* froze, *pp* frozen) **1.** geler **2.** s'arrêter. ❑ *n* **1.** gel *m* **2.** blocage *m* (*des prix, des salaires*). ◼ **freeze over** *vi* geler.

freeze-dried [-ˈdraɪd] *adj* lyophilisé.

freeze-drying *n* lyophilisation *f*.

freezer ['friːzər] *n* congélateur *m*.

freezing ['friːzɪŋ] *adj* glacé • **I'm freezing** je gèle. ❑ *n* = freezing point.

freezing point *n* point *m* de congélation.

freight [freɪt] *n* fret *m*.

freight train *n* (*US*) train *m* de marchandises.

freight yard *n* (*US*) dépôt *m* de marchandises.

French [frentʃ] *adj* français. ❑ *n* français *m*. ❑ *npl* • **the French** les Français *mpl*.

French bean *n* (*UK*) haricot *m* vert.

French bread *n* (*indén*) baguette *f* (*de pain*).

French Canadian *adj* canadien français, canadienne française *f*. ❑ *n* Canadien français *m*, Canadienne française *f*.

French dip *n* (*US*) sauce *f* épaisse (*pour tremper les aliments*).

French doors = French windows.

French dressing *n* **1.** vinaigrette *f* **2.** *sauce-salade à base de mayonnaise et de ketchup*.

French fries *npl* (*surtout US*) frites *fpl*.

French kiss *n* baiser *m* profond. ❑ *vt* embrasser sur la bouche (*avec la langue*). ❑ *vi* s'embrasser sur la bouche (*avec la langue*).

Frenchman ['frentʃmən] (*pl* -men) *n* Français *m*.

French stick *n* (*UK*) baguette *f* (*de pain*).

French windows *npl* porte-fenêtre *f*.

Frenchwoman ['frentʃˌwʊmən] (*pl* -women) *n* Française *f*.

frenemy ['frenəmɪ] *n ennemi qui se fait passer pour un ami* • **they're frenemies** ils se détestent cordialement.

frenetic [frəˈnetɪk] *adj* frénétique.

frenzied ['frenzɪd] *adj* **1.** frénétique **2.** déchaîné **3.** en délire.

frenzy ['frenzɪ] *n* frénésie *f*.

frequency ['friːkwənsɪ] *n* fréquence *f*.

frequent *adj* ['friːkwənt] fréquent. ❑ *vt* [frɪˈkwent] fréquenter.

frequently ['friːkwəntlɪ] *adv* fréquemment.

fresh [freʃ] *adj* **1.** frais **2.** doux **3.** autre **4.** nouveau • **to make a fresh start** prendre un nouveau départ **5.** *fam & vieilli* familier.

freshen ['freʃn] *vt* rafraîchir. ❑ *vi* devenir plus fort. ■ **freshen up** *vi* faire un brin de toilette.

fresher ['freʃə˞] *n* (UK) bizut *m*, étudiant *m*, -e *f* de première année.

fresh-faced *adj* au teint frais.

freshly ['freʃlɪ] *adv* fraîchement.

freshman ['freʃmæn] (*pl* -men) *n* (US) *SCOL* bizut *m*, élève *mf* (en première année) ; *UNIV* étudiant *m*, -e *f* (de première année).

freshness ['freʃnɪs] *n* (indén) **1.** fraîcheur *f* **2.** nouveauté *f*.

freshwater ['freʃ,wɔtə˞] *adj* d'eau douce.

fret [fret] *vi* s'inquiéter.

fretful ['fretfʊl] *adj* **1.** grognon **2.** agité.

fretfully ['fretfʊlɪ] *adv* avec inquiétude.

Fri. (abrév de **Friday**) ven.

friar ['fraɪə˞] *n* frère *m*.

friction ['frɪkʃn] *n* (indén) friction *f*.

Friday ['fraɪdɪ] *n* vendredi *m*. Voir aussi **Saturday**.

fridge [frɪdʒ] *n* frigo *m*.

fridge-freezer *n* (UK) réfrigérateur-congélateur *m*.

fried [fraɪd] *adj* frit • **fried egg** œuf *m* au plat.

friend [frend] *n* ami *m*, -e *f* • **to be friends with sb** être ami avec qqn • **to make friends (with sb)** se lier d'amitié (avec qqn). ❑ *vt* (US) (sur un réseau social) marquer comme ami • **will you friend me?** tu veux bien me marquer comme ami ?

friendliness ['frendlɪnɪs] *n* gentillesse *f*.

friendly ['frendlɪ] *adj* **1.** amical **2.** ami **3.** (dispute) sans conséquence • **to be friendly with sb** être ami avec qqn.

friendship ['frendʃɪp] *n* amitié *f*.

fries [fraɪz] = **French fries.**

frieze [friːz] *n* frise *f*.

fright [fraɪt] *n* peur *f* • **to give sb a fright** faire peur à qqn • **to take fright** prendre peur.

frighten ['fraɪtn] *vt* faire peur à, effrayer. ■ **frighten away** *vt sép* faire fuir (en faisant peur). ■ **frighten off** *vt sép* faire fuir (en faisant peur).

frightened ['fraɪtnd] *adj* apeuré • **to be frightened of sthg/of doing sthg** avoir peur de qqch/de faire qqch.

frightening ['fraɪtnɪŋ] *adj* effrayant.

frighteningly ['fraɪtnɪŋlɪ] *adv* à faire peur • **frighteningly true to life** d'un réalisme effrayant.

frightful ['fraɪtfʊl] *adj* vieilli effroyable.

frightfully ['fraɪtfʊlɪ] *adv* (UK) vieilli • **I'm frightfully sorry** je suis absolument désolé.

frigid ['frɪdʒɪd] *adj* frigide.

frill [frɪl] *n* **1.** volant *m* (sur une robe, une jupe) **2.** *fam* supplément *m*.

frilly ['frɪlɪ] (*comp* frillier, *superl* frilliest) *adj* à fanfreluches.

fringe [frɪndʒ] *n* **1.** frange *f* **2.** bordure *f* **3.** lisière *f*.

fringe benefit *n* avantage *m* extrasalarial.

fringe group *n* groupe *m* marginal.

fringe theatre *n* (UK) théâtre *m* d'avant-garde.

frisk [frɪsk] *vt* fouiller.

frisky ['frɪskɪ] *adj fam* vif, vive *f*.

fritter ['frɪtə˞] *n* beignet *m*. ■ **fritter away** *vt sép* gaspiller.

fritz [frɪts] *n* (US) *fam* • **to be on the fritz** être en panne.

frivolity [frɪˈvɒlɪtɪ] (*pl* -ies) *n* frivolité *f*.

frivolous ['frɪvələs] *adj* frivole.

frivolously ['frɪvələslɪ] *adv* de manière frivole.

frizzy ['frɪzɪ] *adj* crépu.

fro [frəʊ] → **to.**

frock [frɒk] *n* vieilli robe *f*.

frog [frɒg] *n* grenouille *f* • **to have a frog in one's throat** avoir un chat dans la gorge.

frogman ['frɒgmən] (*pl* -men) *n* homme-grenouille *m*.

frogmarch ['frɒgmɑːtʃ] *vt* (surtout UK) emmener quelqu'un de force en lui tenant les bras dans le dos.

frogspawn ['frɒgspɔːn] *n* (indén) œufs *mpl* de grenouille.

frolic ['frɒlɪk] *vi* (prét & pp **frolicked**, cont **frolicking**) folâtrer.

from

■ **from** *prép*

forme accentuée [frɒm], *forme non accentuée* [frəm],

1. INDIQUE L'ORIGINE

• **where are you from?** d'où venez-vous ?, d'où êtes-vous ? • **she's from Italy** elle vient d'Italie, elle est originaire d'Italie

2. INDIQUE LA PROVENANCE

• **I got a letter from her today** j'ai reçu une lettre d'elle aujourd'hui • **the 10 o'clock flight from Paris has just arrived** le vol de 10 heures en provenance de Paris vient juste d'arriver

3. INDIQUE UN POINT DE DÉPART DANS LE TEMPS

• **we worked from 2 pm to** *ou* **till 6 pm** nous avons travaillé de 14 h à 18 h • **from the moment I saw him, I was in love** dès que *ou* dès l'instant où je l'ai vu, j'étais amoureuse

4. INDIQUE UN POINT DE DÉPART DANS L'ESPACE

• **it's 60 km from here** c'est à 60 km d'ici • **seen from above/below, it seems much smaller** vu d'en haut/d'en bas, cela semble beaucoup plus petit • **he ran away from home** il a fait une fugue, il s'est sauvé de chez lui

5. INDIQUE UN POINT DE DÉPART DE FAÇON PLUS GÉNÉRALE

• **prices start from £50** le premier prix est de 50 livres • **you must translate from Spanish into English** vous devez traduire de l'espagnol vers l'anglais • **he started drinking from a glass very early** il a commencé à boire dans un verre très tôt

6. INDIQUE UNE SÉPARATION, UNE INTERDICTION

• **it's hard for a child to be kept away from its mother** c'est difficile pour un enfant d'être séparé de sa mère • **this amount will be deducted from your bank account** ce montant sera déduit *ou* retranché de votre compte bancaire • **take that knife from the child!** enlevez *ou* prenez ce couteau à l'enfant ! • **he's been banned from driving for six months** il a eu une interdiction de conduire depuis six mois

7. INDIQUE UNE PROTECTION, UN EMPÊCHEMENT

• **a tree gave us shelter from the rain** un arbre nous a protégés de la pluie • **he prevented her from coming** il l'a empêchée de venir

8. INDIQUE UNE DIFFÉRENCE

• **he is quite different from the others** il est très différent des autres • **the two sisters are so similar it's almost impossible to tell one from another** les deux sœurs se ressemblent tellement qu'il est quasiment impossible de distinguer l'une de l'autre

9. EXPRIME UN CHANGEMENT, UNE MODIFICATION

• **the price went up from £100 to £150** le prix est passé *ou* monté de 100 livres à 150 livres • **things got from bad to worse** les choses allèrent de mal en pis

10. INDIQUE LA MATIÈRE

• **it's made from wood/plastic** c'est en bois/plastique

11. INTRODUIT LA CAUSE

• **too many people still suffer from cold/hunger** trop de personnes souffrent encore du froid/de la faim • **he died from his injuries** il est mort des suites de ses blessures

12. INTRODUIT UNE RÉFÉRENCE, UN POINT DE VUE

• **from what I have heard, this is a very arduous task** d'après ce que j'ai entendu, c'est une tâche très ardue • **from his point of view, she'll never help you** d'après lui, elle ne t'aidera jamais

front [frʌnt] *n* **1.** avant *m* **2.** devant *m* **3.** premier rang *m* **4.** MÉTÉOR & MIL front *m* **5.** • **(sea) front** front *m* de mer **6.** contenance *f* **7.** *péj* façade *f*. ❑ *adj* **1.** *(dent, jardin)* de devant

2. *(rang, page)* premier. ■ **in front** *adv* **1.** devant **2.** à l'avant **3.** • **to be in front** mener. ■ **in front of** *prép* devant.

frontbench [ˌfrʌntˈbentʃ] *n* **(UK)** à la Chambre des communes, bancs occupés respectivement par les ministres du gouvernement en exercice et ceux du gouvernement fantôme.

front desk *n* réception *f*.

front door *n* porte *f* d'entrée.

frontier [ˈfrʌn.tɪər, **(US)** frʌnˈtɪər] *n* **1.** frontière *f* **2.** *fig* limite *f*.

front-loader *n* machine *f* à laver à chargement frontal.

front lot *n* **(US)** cour *f* *(devant un immeuble)*.

front man *n* **1.** porte-parole *m inv* **2.** *TV* présentateur *m*.

front-page *adj* de première page.

front-rank *adj* • **a front-rank question** une question de premier plan.

front room *n* salon *m*.

front-runner *n* favori *m*, -ite *f*.

front-wheel drive *n* traction *f* avant.

front yard *n* **(US)** jardin *m* *(devant une maison)*.

frost [frɒst] *n* gel *m*.

frostbite [ˈfrɒstbaɪt] *n* *(indén)* gelure *f*.

frostbitten [ˈfrɒst.bɪtn] *adj* gelé.

frosted [ˈfrɒstɪd] *adj* **1.** dépoli **2.** **(US)** glacé.

frost-free *adj* à dégivrage automatique.

frosting [ˈfrɒstɪŋ] *n* **(US)** *(indén)* glaçage *m*.

frostproof [ˈfrɒstpruːf] *adj* résistant à la gelée.

frosty [ˈfrɒstɪ] *adj* **1.** glacial **2.** gelé.

froth [frɒθ] *n* **1.** mousse *f* **2.** écume *f*.

frothy [ˈfrɒθɪ] *(comp* **frothier***, superl* **frothiest)** *adj* **1.** mousseux **2.** écumeux.

frown [fraʊn] *vi* froncer les sourcils. ■ **frown (up)on** *vt insép* désapprouver.

froze [frəʊz] *passé* → **freeze**.

frozen [ˈfrəʊzn] *pp* → **freeze**. ❑ *adj* **1.** gelé **2.** congelé • **frozen peas** petits pois *mpl* surgelés.

frozen assets *npl* capitaux *mpl* gelés.

frugal [ˈfruːgl] *adj* **1.** frugal **2.** économe.

frugally [ˈfruːgəlɪ] *adv* simplement, frugalement.

fruit [fruːt] *n* *(pl inv ou* **-s**) fruit *m*.

fruit-bearing *adj* frugifère, fructifère.

fruit bowl *n* compotier *m*.

fruitcake [ˈfruːtkeɪk] *n* cake *m* (aux fruits).

fruit cocktail *n* macédoine *f* de fruits.

fruit-eating *adj* frugivore.

fruiterer [ˈfruːtərər] *n* **(UK)** *vieilli* fruitier *m*.

fruit fly *n* mouche *f* du vinaigre, drosophile *f*.

fruitful [ˈfruːtfʊl] *adj* fructueux.

fruition [fruːˈɪʃn] *n* • **to come to fruition** se réaliser.

fruit juice *n* jus *m* de fruits.

fruitless ['fruːtlɪs] adj vain.

fruit machine n (UK) machine f à sous.

fruit salad n salade f de fruits, macédoine f.

fruity ['fruːtɪ] (comp fruitier, superl fruitiest) adj fruité.

frump [frʌmp] n femme f mal habillée.

frumpily ['frʌmpɪlɪ] adv • frumpily dressed mal fagoté.

frumpishly ['frʌmpɪʃlɪ] adv • frumpishly dressed mal fagoté.

frumpy ['frʌmpɪ] adj mal habillé.

frustrate [frʌ'streɪt] vt 1. frustrer 2. faire échouer.

frustrated [frʌ'streɪtɪd] adj 1. frustré 2. vain.

frustrating [frʌ'streɪtɪŋ] adj frustrant.

frustration [frʌ'streɪʃn] n frustration f.

fry [fraɪ] (prét & pp fried) vt & vi frire.

frying pan ['fraɪɪŋ-] n poêle f à frire.

fry-up n (UK) fam plat constitué de plusieurs aliments frits (œufs, bacon, etc), généralement consommé au petit déjeuner.

ft. abrév de foot, abrév de feet.

F2T SMS (abrév de free to talk) tu es libre d'en discuter.

FTP (abrév de file transfer protocol) n FTP m.

FTSE ['futsi] npr (abrév de Financial Times Stock Exchange) • the FTSE 100 index l'index FTSE 100.

fuchsia ['fjuːʃə] n fuchsia m.

fuck [fʌk] vulg vt & vi baiser. ■ **fuck off** vi vulg • fuck off! fous le camp !

fucking ['fʌkɪŋ] adj vulg putain de.

fuddy-duddy ['fʌdɪˌdʌdɪ] (pl -ies) n fam & péj personne f vieux jeu.

fudge [fʌdʒ] n (indén) caramel m (mou). ❏ vt (US) (ruin) rater • I fudged it je l'ai complètement raté.

fuel [fjuəl] n 1. combustible m 2. carburant m, essence f • fuel gauge jauge f à essence. ❏ vt ((UK) prét & pp fuelled, cont fuelling, (US) prét & pp fueled, cont fueling) 1. alimenter (en combustible/carburant) 2. fig nourrir.

fuel-efficient adj économique, qui ne consomme pas beaucoup.

fuel pump n pompe f d'alimentation.

fuel tank n réservoir m à carburant.

fugitive ['fjuːdʒətɪv] n fugitif m, -ive f.

fulfil (UK), **fulfill** (US) [fʊl'fɪl] vt 1. remplir (son devoir) 2. réaliser (un projet, ses ambition) 3. satisfaire (un désir).

fulfilling [fʊl'fɪlɪŋ] adj épanouissant.

fulfilment (UK), **fulfillment** (US) [fʊl'fɪlmənt] n (indén) 1. grande satisfaction f 2. réalisation f (d'un rêve) 3. exécution f (d'un projet) 4. satisfaction f (d'un besoin).

full [fʊl] adj 1. plein 2. complet 3. gavé, repu 4. total 5. entier 6. (volume) maximum (inv) 7. (vie) rempli 8. (emploi du temps) chargé 9. (saveur) riche 10. rondelet 11. (bouche) charnu 12. (jupe, manche) ample. ❏ adv • you know full well that… tu sais très bien que… ❏ n • in full complètement, entièrement.

full-blooded [-'blʌdɪd] adj 1. de race pure 2. robuste.

full-blown [-'bləʊn] adj général • to have full-blown AIDS avoir le Sida avéré.

full board n pension f complète.

full-bodied [-'bɒdɪd] adj qui a du corps.

full-court press n (au basket) zone-presse f.

full cream milk n (UK) lait m entier.

full-face adj de face.

full-fat adj (lait) entier.

full-flavoured adj (histoire, blague) épicé, corsé.

full-fledged (US) = fully-fledged.

full-frontal adj de face.

full-grown adj adulte.

full-length adj 1. (portrait, miroir) en pied 2. (robe, roman) long • full-length film long métrage. ❏ adv de tout son long.

full moon n pleine lune f.

full-on adj fam (film, documentaire) dur, cru • he's full-on il en fait trop.

full-page adj sur toute une page.

full-scale adj 1. grandeur nature (inv) 2. de grande envergure.

full-screen menu n INFORM menu m plein écran.

full-size(d) adj 1. grandeur nature (inv) 2. adulte 3. (US) AUTO • full-sized car grande berline.

full stop n (UK) point m.

full time n (UK) SPORT fin f de match. ■ full-time adj & adv à temps plein • to work full-time travailler à plein temps.

full up adj 1. complet 2. gavé, repu.

fully ['fʊlɪ] adv 1. tout à fait 2. entièrement.

fully-fitted adj (cuisine) intégré.

fully-fledged (UK), **full-fledged** (US) [-'fledʒd] adj diplômé.

fulsome ['fʊlsəm] adj excessif.

fumble ['fʌmbl] vi fouiller, tâtonner • to fumble for fouiller pour trouver.

fume [fjuːm] vi rager. ■ **fumes** npl 1. émanations fpl 2. fumées fpl 3. gaz mpl d'échappement.

fumigate ['fjuːmɪgeɪt] vt fumiger.

fumigation [ˌfjuːmɪgeɪʃn] n fumigation f.

fun [fʌn] n (indén) 1. • to have fun s'amuser • for fun, for the fun of it pour s'amuser 2. • to be full of fun être plein d'entrain 3. • to make fun of sb se moquer de qqn.

function [ˈfʌŋkʃn] n **1.** fonction f **2.** réception f officielle **3.** fonctionnalité f. ❏ vi fonctionner • **to function as** servir de.

functional [ˈfʌŋkʃnəl] adj **1.** fonctionnel **2.** en état de marche.

functional food n aliment m fonctionnel.

functionality [ˌfʌŋkʃəˈnælətɪ] n fonctionnalité f.

function key n INFORM touche f de fonction.

function room n salle f de réception.

fund [fʌnd] n **1.** fonds m **2.** fig puits m (de science). ❏ vt financer. ∎ **funds** npl fonds mpl.

fundamental [ˌfʌndəˈmentl] adj • **fundamental (to)** fondamental (à).

fundamentalism [ˌfʌndəˈmentəlɪzm] n **1.** fondamentalisme m **2.** intégrisme m.

fundamentalist [ˌfʌndəˈmentəlɪst] adj **1.** fondamentaliste **2.** intégriste. ❏ n **1.** fondamentaliste mf **2.** intégriste mf.

funding [ˈfʌndɪŋ] n (indén) financement m.

funding gap n écart m de financement.

fundraiser [ˈfʌndˌreɪzər] n **1.** collecteur m, -trice f de fonds **2.** projet organisé pour collecter des fonds.

fund-raising [-ˌreɪzɪŋ] n (indén) collecte f de fonds. ❏ **en apposition** organisé pour collecter des fonds.

funeral [ˈfjuːnərəl] n obsèques fpl • **funeral procession** cortège m funèbre.

funeral director n entrepreneur m de pompes funèbres.

funeral home (US) = **funeral parlour**.

funeral parlour (UK), **funeral home** (US) n entreprise f de pompes funèbres.

funeral service n service m funèbre.

funfair [ˈfʌnfeər] n (UK) fête f foraine.

fun-filled adj divertissant.

fungicidal [ˌfʌndʒɪˈsaɪdl] adj antifongique, fongicide.

fungus [ˈfʌŋgəs] (pl **-gi** ou **-guses**) n champignon m.

fun-loving adj qui aime s'amuser ou rire.

funnel [ˈfʌnl] n **1.** entonnoir m **2.** cheminée f (d'un bateau).

funnel cloud n tornade f.

funnily [ˈfʌnɪlɪ] adv bizarrement • **funnily enough** chose curieuse.

funny [ˈfʌnɪ] adj drôle.

funny bone n petit juif m.

funny papers npl (US) supplément m bandes dessinées.

fun-packed adj divertissant.

fun run n course à pied organisée pour collecter des fonds.

fur [fɜːr] n fourrure f.

fur coat n (manteau m de) fourrure f.

furious [ˈfjʊərɪəs] adj **1.** furieux **2.** acharné **3.** déchaîné.

furiously [ˈfjʊərɪəslɪ] adv **1.** furieusement **2.** avec acharnement **3.** à une allure folle.

furlong [ˈfɜːlɒŋ] n = 201,17 mètres.

furnace [ˈfɜːnɪs] n fournaise f.

furnish [ˈfɜːnɪʃ] vt **1.** meubler **2.** sout fournir.

furnished [ˈfɜːnɪʃt] adj meublé.

furnishings [ˈfɜːnɪʃɪŋz] npl mobilier m.

furniture [ˈfɜːnɪtʃər] n (indén) meubles mpl • **a piece of furniture** un meuble.

furore (UK) [ˈfjʊərɔːrɪ], **furor** (US) [ˈfjʊrɔːr] n scandale m.

furrow [ˈfʌrəʊ] n **1.** sillon m **2.** ride f.

furrowed [ˈfʌrəʊd] adj ridé.

furry [ˈfɜːrɪ] adj **1.** à fourrure **2.** recouvert de fourrure.

further [ˈfɜːðər] compar → **far**. ❏ adv **1.** plus loin • **how much further is it?** combien de kilomètres y a-t-il encore ? • **further on** plus loin **2.** davantage **3.** plus avant **4.** de plus. ❏ adj nouveau, supplémentaire • **until further notice** jusqu'à nouvel ordre. ❏ vt **1.** faire avancer **2.** encourager.

further education n (UK & AUSTRALIE) éducation f post-scolaire.

furthermore [ˌfɜːðəˈmɔːr] adv de plus.

furthermost [ˈfɜːðəməʊst] adj le plus éloigné.

furthest [ˈfɜːðɪst] superl → **far**. ❏ adj le plus éloigné. ❏ adv le plus loin.

furtive [ˈfɜːtɪv] adj **1.** sournois **2.** furtif.

fury [ˈfjʊərɪ] n fureur f.

fuse [fjuːz] n **1.** ÉLECTR fusible m, plomb m **2.** détonateur m **3.** amorce f. ❏ vt **1.** réunir par la fusion **2.** fusionner. ❏ vi **1.** ÉLECTR • **the lights have fused** les plombs ont sauté **2.** fondre.

fuse-box n boîte f à fusibles.

fused [fjuːzd] adj avec fusible incorporé.

fuselage [ˈfjuːzəlɑːʒ] n fuselage m.

fusion food n cuisine f fusion.

fuss [fʌs] n **1.** agitation f • **to make a fuss** faire des histoires **2.** (indén) protestations fpl. ❏ vi faire des histoires. ∎ **fuss over** vt insép être aux petits soins pour.

fusspot (UK) [ˈfʌspɒt], **fussbudget** (US) [ˈfʌsˌbʌdʒət] n fam tatillon m, -onne f.

fussy [ˈfʌsɪ] adj **1.** tatillon **2.** difficile **3.** tarabiscoté.

fusty [ˈfʌstɪ] (comp **fustier**, superl **fustiest**) adj **1.** (UK) (pièce) qui sent le moisi **2.** (odeur) de moisi **3.** vieillot.

futile [ˈfjuːtaɪl] adj vain.

futility [fjuːˈtɪlətɪ] n futilité f.

futon [ˈfuːtɒn] n futon m.

future [ˈfjuːtʃər] n **1.** avenir m • **in future** à l'avenir • **in the future** dans le futur, à l'avenir **2.** GRAMM futur m. ❏ adj futur.

future-proof adj INFORM évolutif. ❏ vt INFORM rendre évolutif.

futuristic [ˌfjuːtʃəˈrɪstɪk] adj futuriste.

fuze (US) = **fuse** (nom, sens 2)

fuzzy [ˈfʌzɪ] adj **1.** (cheveux) crépu **2.** (photo, image) flou **3.** (pensées, esprit) confus.

fuzzy matching n INFORM recherche f floue.

fwd. abrév de **forward**.

FWIW n SMS (abrév de for what it's worth) pour ce que cela vaut.

f-word n euphém • **the f-word** le mot « fuck ».

FYA SMS (abrév de for your amusement) pour te distraire.

FYEO SMS (abrév de for your eyes only) rien que pour tes yeux.

FYI abrév de **for your information**.

G

g¹ [dʒiː] (pl g's ou gs), **G** (pl G's ou Gs) n g m inv, G m inv. ■ **G** n MUS sol m. ❏ (abrév de good) B.

g² (abrév de gram) g.

G7 n le G7, le groupe des 7.

G8 n le G8, le groupe des 8.

G9 SMS abrév de **genius**.

gab [gæb] → **gift**.

gabble ['gæbl] vt & vi baragouiner. ❏ n charabia m.

gable ['geɪbl] n pignon m.

gadget ['gædʒɪt] n gadget m.

Gaelic ['geɪlɪk] adj gaélique. ❏ n gaélique m.

gaffe [gæf] n gaffe f.

gag [gæg] n **1.** bâillon m **2.** fam blague f, gag m. ❏ vt bâillonner.

gaga ['gɑːgɑː] adj fam **1.** fou • to be gaga about sb être fou de qqn **2.** gaga (sénile).

gage (US) = **gauge**.

gaggle ['gægl] n litt & fig troupeau m. ❏ vi cacarder.

gaiety ['geɪətɪ] n gaieté f.

gaily ['geɪlɪ] adv **1.** gaiement **2.** allègrement.

gain [geɪn] n **1.** profit m **2.** augmentation f. ❏ vt **1.** gagner **2.** prendre (de la vitesse) **3.** gagner en (popularité, prestige). ❏ vi **1.** • to gain in sthg gagner en qqch **2.** • to gain from ou by sthg tirer un avantage de qqch **3.** avancer. ■ **gain on** vt insép rattraper.

gainful ['geɪnful] adj sout lucratif.

gainfully ['geɪnfulɪ] adv sout lucrativement.

gait [geɪt] n démarche f.

gal., gall. abrév de **gallon**.

GAL SMS abrév de **get a life**.

gala ['gɑːlə] n gala m.

galaxy ['gæləksɪ] n galaxie f.

gale [geɪl] n grand vent m.

gall [gɔːl] n • to have the gall to do sthg avoir le toupet de faire qqch.

gallant adj **1.** ['gælənt] courageux **2.** [gə'lænt ou 'gælənt] galant.

gall bladder n vésicule f biliaire.

gallery ['gælərɪ] n **1.** galerie f **2.** musée m **3.** THÉÂTRE paradis m.

galley ['gælɪ] (pl -s) n **1.** galère f **2.** coquerie f.

Gallic ['gælɪk] adj français.

galling ['gɔːlɪŋ] adj humiliant.

gallivant [,gælɪ'vænt] vi fam mener une vie de patachon.

gallon ['gælən] n = 4,546 litres, gallon m.

gallop ['gæləp] n galop m. ❏ vi galoper.

gallows ['gæləʊz] (pl inv) n gibet m.

gallstone ['gɔːlstəʊn] n calcul m biliaire.

galore [gə'lɔː] adj en abondance.

galvanize, -ise (UK) ['gælvənaɪz] vt TECHNOL galvaniser.

gambit ['gæmbɪt] n entrée f en matière.

gamble ['gæmbl] n risque m. ❏ vi **1.** jouer • to gamble on jouer de l'argent sur **2.** fig • to gamble on miser sur.

gambler ['gæmblə] n joueur m, -euse f.

gambling ['gæmblɪŋ] n (indén) jeu m.

game [geɪm] n **1.** jeu m **2.** match m **3.** (indén) gibier m. ❏ adj **1.** courageux **2.** • game (for sthg/ to do sthg) partant (pour qqch/pour faire qqch). ■ **games** n (indén) (UK) SCOL éducation f physique. ❏ npl jeux mpl.

gamekeeper ['geɪm,kiːpə] n garde-chasse m.

game plan n stratégie f, plan m d'attaque.

gamer ['geɪmə] n amateur de jeux vidéo.

game reserve n réserve f (de chasse).

games console [geɪmz-] n INFORM console f de jeux.

game show n jeu m télévisé.

gamesmanship ['geɪmzmənʃɪp] n art de gagner habilement.

gameware ['geɪmweə] n INFORM ludiciel m.

gaming ['geɪmɪŋ] n (indén) jeux mpl informatiques.

gamma rays npl rayons mpl gamma.

gammon ['gæmən] n (surtout UK) jambon m fumé.

gamut ['gæmət] n gamme f.

gang [gæŋ] n **1.** gang m **2.** bande f. ■ **gang up** vi fam • **to gang up (on)** se liguer (contre).

gangbuster ['gæŋbʌstər] n (us) fam **1.** (policier) ≃ flic m de la brigade antigang **2.** fig • **this movie is a gangbuster** ce film est vraiment super.

gangland ['gæŋlænd] n (indén) milieu m.

gangling ['gæŋglɪŋ], **gangly** ['gæŋglɪ] (comp ganglier, superl gangliest) adj dégingandé.

gangplank ['gæŋplæŋk] n passerelle f.

gangrene ['gæŋgriːn] n gangrène f.

gangsta ['gæŋstə] n **1.** • **gangsta (rap)** gangsta rap m **2.** rappeur m, -euse f gangsta **3.** (us) membre d'un gang.

gangster ['gæŋstər] n gangster m.

gangway ['gæŋweɪ] n **1.** (UK) allée f **2.** passerelle f.

gannet ['gænɪt] (pl inv ou -s) n ZOOL fou m (de Bassan).

gantry ['gæntrɪ] n portique m.

gaol [dʒeɪl] (us) vieilli = **jail**.

gap [gæp] n **1.** trou m **2.** blanc m (dans un texte) **3.** fig lacune f **4.** fig fossé m.

gape [geɪp] vi **1.** rester bouche bée **2.** bâiller.

gaping ['geɪpɪŋ] adj **1.** bouche bée (inv) **2.** béant **3.** (chemise) grand ouvert, grande ouverte f.

gappy ['gæpɪ] (comp gappier, superl gappiest) adj **1.** (connaissances) plein de lacunes **2.** • **gappy teeth** des dents écartées.

gap year n année d'interruption volontaire des études, avant l'entrée à l'université.

garage [(UK) 'gæraːʒ ou 'gærɪdʒ, (us) gə'raːʒ] n **1.** garage m **2.** (UK) station-service f **3.** concessionnaire m automobile.

garage sale [gə'raːʒ] n (us) vente d'occasion chez un particulier ; ≃ vide-grenier m.

garbage ['gaːbɪdʒ] n (indén) **1.** (surtout us) détritus mpl **2.** fam idioties fpl.

garbage bag n (us) sac-poubelle m.

garbage can n (us) poubelle f.

garbage chute n (us) vide-ordures m inv.

garbage collector n (us) éboueur m, -euse f.

garbage disposal unit n (us) broyeur m d'ordures.

garbage shoot n (us) fam = **garbage chute**.

garbage truck n (us) camion-poubelle m.

garble ['gaːbl] vt **1.** embrouiller **2.** déformer.

garbled ['gaːbld] adj **1.** embrouillé, confus **2.** déformé, dénaturé.

garden ['gaːdn] n jardin m. ❑ vi jardiner.

garden centre (UK), **garden center** (us) n jardinerie f.

gardener ['gaːdnər] n **1.** jardinier m, -ère f **2.** personne f qui aime jardiner, amateur m, -trice f de jardinage.

garden flat n (UK) rez-de-jardin m inv.

gardening ['gaːdnɪŋ] n jardinage m.

garden party n garden-party f.

garden shed n abri m de jardin.

gargantuan [gaː'gæntjuən] adj gargantuesque.

gargle ['gaːgl] vi se gargariser.

gargoyle ['gaːgɔɪl] n gargouille f.

garish ['geərɪʃ] adj criard.

garland ['gaːlənd] n guirlande f de fleurs.

garlic ['gaːlɪk] n ail m.

garlic bread n pain m à l'ail.

garlicky ['gaːlɪkɪ] adj fam qui sent l'ail.

garment ['gaːmənt] n sout vêtement m.

garnish ['gaːnɪʃ] n garniture f. ❑ vt garnir.

garrison ['gærɪsn] n garnison f.

garrulous ['gærələs] adj volubile.

garter ['gaːtər] n **1.** support-chaussette m **2.** jarretière f **3.** (us) jarretelle f.

gas [gæs] n (pl gases ou gasses [gæsiːz]) **1.** gaz m inv • **a gas cooker** une cuisinière à gaz **2.** (us) essence f • **to fill up with gas** faire le plein. ❑ vt gazer.

gas cooker n (UK) cuisinière f à gaz.

gas cylinder n bouteille f de gaz.

gaseous ['gæsɪəs] adj gazeux.

gas fire n (UK) appareil m de chauffage à gaz.

gas-fired adj (UK) • **gas-fired central heating** chauffage m central au gaz.

gas gauge n (us) jauge f d'essence.

gas guzzler n (us) • **to be a gas guzzler** consommer beaucoup (d'essence).

gash [gæʃ] n entaille f. ❑ vt entailler.

gas heater n **1.** radiateur m à gaz **2.** chauffe-eau m inv à gaz.

gasket ['gæskɪt] n joint m d'étanchéité.

gas main n conduite f de gaz.

gasman ['gæsmæn] (pl -men) n **1.** employé m du gaz **2.** installateur m de gaz.

gas mask n masque m à gaz.

gas meter n compteur m à gaz.

gasoline ['gæsəliːn] n (us) essence f.

gas oven n four m à gaz.

gasp [gaːsp] n halètement m. ❑ vi **1.** haleter **2.** avoir le souffle coupé.

gas pedal n (us) accélérateur m.

gas-permeable adj • **gas-permeable (contact) lenses** lentilles fpl perméables au gaz.

gasping ['gaːspɪŋ] adj (UK) fam mort de soif.

gassed up [gæst-] adj (us) fam bourré (ivre).

gas station n (us) station-service f.

gas stove = **gas cooker**.

gas tank n (us) réservoir m.

gas tap n **1.** robinet m de gaz **2.** prise f de gaz.

gastric ['gæstrɪk] adj gastrique.

gastric bypass n dérivation f gastrique.

gastric juice n suc m gastrique.

gastroenteritis [ˈɡæstrəʊˌentəˈraɪtɪs] n gastro-entérite f.

gastronomic [ˌɡæstrəˈnɒmɪk] adj gastrono-mique.

gastronomy [ɡæsˈtrɒnəmɪ] n gastronomie f.

gastropub [ˈɡæstrəʊpʌb] n (UK) pub m gas-tronomique.

gasworks [ˈɡæswɜːks] (pl inv) n usine f à gaz.

gate [ɡeɪt] n 1. barrière f 2. porte f 3. grille f.

gateau [ˈɡætəʊ] (pl -teaux) n (surtout UK) gros gâteau m (décoré et fourré à la crème).

gatecrash [ˈɡeɪtkræʃ] fam vi 1. s'inviter, jouer les pique-assiette 2. resquiller. ❑ vt • to gate-crash a party aller à une fête sans invitation.

gatecrasher [ˈɡeɪtkræʃər] n 1. fam pique-assiette mf 2. resquilleur m, -euse f.

gatehouse [ˈɡeɪthaʊs] n (pl [-haʊzɪz]) loge f du gardien.

gatekeeper [ˈɡeɪtˌkiːpər] n 1. gardien m, -enne f 2. COMM contrôleur m, relais m, filtre m.

gatepost [ˈɡeɪtpəʊst] n montant m de bar-rière.

gateway [ˈɡeɪtweɪ] n 1. entrée f 2. • gateway to a) porte f de b) fig clé f de 3. INFORM portail m.

gather [ˈɡæðər] vt 1. ramasser 2. cueillir (des fleurs) 3. recueillir (des informations) 4. rassem-bler (ses forces) • to gather together rassem-bler 5. • to gather (that)... croire comprendre que... 6. COUT froncer. ❑ vi 1. se rassembler 2. (nuages) s'amonceler. ■ gather up vt sép rassembler.

gathering [ˈɡæðərɪŋ] n rassemblement m • a social gathering une fête.

gauche [ɡəʊʃ] adj gauche.

gaudy [ˈɡɔːdɪ] adj voyant.

gauge, gage (us) [ɡeɪdʒ] n 1. pluviomètre m 2. jauge f (d'essence) 3. manomètre m 4. ca-libre m 5. RAIL écartement m. ❑ vt 1. mesurer 2. jauger.

Gaul [ɡɔːl] n 1. Gaule f 2. Gaulois m, -e f.

gaunt [ɡɔːnt] adj 1. émacié 2. désolé.

gauntlet [ˈɡɔːntlɪt] n gant m (de protection).

gauze [ɡɔːz] n gaze f.

gave [ɡeɪv] passé → give.

gawk [ɡɔːk], **gawp** (UK) [ɡɔːp] vi fam • to gawk (at) rester bouche bée (devant).

gawky [ˈɡɔːkɪ] adj fam 1. dégingandé 2. (mouve-ment) désordonné.

gay [ɡeɪ] adj 1. gai 2. homo (inv), gay (inv) 3. fam • that's so gay c'est nul. ❑ n homo mf, gay mf.

gay-affirmative adj (us) • to be gay-affirma-tive avoir une attitude positive à l'égard des homosexuels.

gay-bashing [-bæʃɪŋ] n fam agressions fpl homophobes.

gaydar [ˈɡeɪdɑːr] n fam capacité d'un homosexuel à reconnaître d'autres homosexuels.

gaze [ɡeɪz] n regard m (fixe). ❑ vi regarder (fixement).

gazelle [ɡəˈzel] (pl inv ou -s) n gazelle f.

gazette [ɡəˈzet] n gazette f.

gazetteer [ˌɡæzɪˈtɪər] n index m géographique.

gazillion [ɡəˈzɪljən] (us) fam • gazillions of... des tonnes de...

gazump [ɡəˈzʌmp] vt (UK) fam (dans l'immobilier) • to be gazumped être victime d'une suroffre.

gazunder vi (UK) fam proposer un prix d'achat inférieur pour un bien immobilier à la dernière minute.

GB¹ (abrév de Great Britain) n G-B f.

GB² (abrév de gigabyte), **Gb** n gigabyte m.

GBH (abrév de grievous bodily harm) n coups mpl et blessures fpl.

GCSE (abrév de General Certificate of Secondary Education) n examen de fin d'études secondaires en Grande-Bretagne.

GD, gd SMS abrév de good.

GDP (abrév de gross domestic product) n PIB m.

gear [ɡɪər] n 1. embrayage m 2. vitesse f • to be in/out of gear être en prise/au point mort 3. (indén) équipement m 4. fringues fpl • she's got all the latest gear elle s'habille très ten-dance. ■ gear up vi • to gear up for sthg/to do sthg se préparer pour qqch/à faire qqch.

gearbox [ˈɡɪəbɒks] n (UK) boîte f de vitesses.

gear lever (UK), **gear stick** (UK), **gear shift** (us) n levier m de vitesse.

gearwheel n pignon m, roue f d'engrenage.

geek [ɡiːk] n fam débile mf • a movie/computer geek un dingue de cinéma/d'informatique.

geeky adj fam obsédé par l'informatique ou les sciences et socialement inapte • some geeky guy un type ringard.

geese [ɡiːs] npl → goose.

gel [dʒel] n gel m • hair gel gel pour les che-veux. ❑ vi prendre (durcir).

gelatin [ˈdʒelətɪn], **gelatine** [ˌdʒeləˈtiːn] n géla-tine f.

gelatinous [dʒəˈlætɪnəs] adj gélatineux.

gelignite [ˈdʒelɪɡnaɪt] n gélignite f.

gem [dʒem] n 1. pierre f précieuse, gemme f 2. fig perle f.

Gemini [ˈdʒemɪnaɪ] n Gémeaux mpl.

gen. (abrév de general, generally) gén.

gender [ˈdʒendər] n 1. sexe m 2. GRAMM genre m.

gender reassignment n changement m de sexe.

gender-specific adj propre à l'un des deux sexes.

gene [dʒiːn] n gène m.

general [ˈdʒenərəl] adj général. ❑ n général m. ■ in general adv en général.

general anaesthetic, general anesthetic (us) n anesthésie f générale.

general delivery n (us) poste f restante.

general election n élections fpl législatives.
generalization, -isation (UK) [,dʒenərəlaɪˈzeɪʃn] n généralisation f.

generalize, -ise (UK) [ˈdʒenərəlaɪz] vi • **to generalize (about)** généraliser (au sujet de ou sur).

generalized, -ised (UK) [ˈdʒenərəlaɪzd] adj 1. généralisé 2. général.

general knowledge n culture f générale.

generally [ˈdʒenərəlɪ] adv 1. généralement 2. en général 3. en gros.

general manager n directeur général m, directrice générale f.

general meeting n assemblée f générale.

general practice n 1. médecine f générale 2. cabinet m de généraliste.

general practitioner n (médecin m) généraliste m.

general public n • **the general public** le grand public.

general-purpose adj polyvalent.

general strike n grève f générale.

generate [ˈdʒenəreɪt] vt 1. générer (de l'énergie, des emplois) 2. produire (de l'électricité) 3. susciter (l'intérêt).

generation [,dʒenəˈreɪʃn] n 1. génération f • **the younger generation** la nouvelle génération 2. création f (d'emplois) 3. production f (d'électricité).

generation gap n fossé m des générations.

generator [ˈdʒenəreɪtə] n génératrice f, générateur m.

generic [dʒɪˈnerɪk] adj générique.

generic brand n marque f générique.

generic product n produit m générique.

generosity [,dʒenəˈrɒsətɪ] n générosité f.

generous [ˈdʒenərəs] adj généreux • **more than generous** très généreux • **they've been less than generous** ils n'ont pas été très généreux.

generously [ˈdʒenərəslɪ] adv généreusement.

genesis [ˈdʒenəsɪs] (pl -ses) n genèse f.

genetic [dʒɪˈnetɪk] adj génétique. ■ **genetics** n (indén) génétique f.

genetically [dʒɪˈnetɪklɪ] adv génétiquement • **genetically modified organism** organisme m génétiquement modifié.

genetic code n code m génétique.

genetic engineering (indén) n manipulation f génétique.

genetic fingerprinting [-ˈfɪŋɡəprɪntɪŋ] n (indén) empreinte f génétique.

geneticist [dʒɪˈnetɪsɪst] n généticien m, -enne f.

Geneva [dʒɪˈniːvə] n Genève f.

gengineer [,dʒendʒɪˈnɪə] n ingénieur m, -e f en génétique.

gengineering [,dʒendʒɪˈnɪərɪŋ] n génie m génétique.

genial [ˈdʒiːnjəl] adj 1. aimable, affable 2. cordial, chaleureux.

genie [ˈdʒiːnɪ] (pl genies ou genii [ˈdʒiːnɪaɪ]) n génie m.

genitals [ˈdʒenɪtlz] npl organes mpl génitaux.

genius [ˈdʒiːnjəs] (pl -es) n génie m.

genocide [ˈdʒenəsaɪd] n génocide m.

genome [ˈdʒiːnoum] n génome m.

genomics [dʒɪˈnoumɪks] n (sing) génomique f.

genre [ˈʒɑ̃rə] n genre m.

gent [dʒent] n (UK) fam vieilli gentleman m. ■ **gents** n (UK) 1. toilettes fpl pour hommes 2. (inscription sur la porte des toilettes) messieurs.

genteel [dʒenˈtiːl] adj distingué.

gentle [ˈdʒentl] adj 1. doux 2. léger.

gentleman [ˈdʒentlmən] (pl -men) n 1. gentleman m 2. monsieur m.

gentlemanly [ˈdʒentlmənlɪ] adj courtois.

gentleman's agreement n gentleman's agreement m, accord m qui repose sur l'honneur.

gentlemen [-mən] npl → gentleman.

gentleness [ˈdʒentlnɪs] n douceur f.

gently [ˈdʒentlɪ] adv 1. doucement 2. avec douceur.

gentrification [,dʒentrɪfɪˈkeɪʃn] n embourgeoisement m.

gentrified [ˈdʒentrɪfaɪd] adj (UK) (région, rue) qui s'est embourgeoisé.

gentry [ˈdʒentrɪ] n petite noblesse f.

genuine [ˈdʒenjuɪn] adj 1. authentique 2. sérieux 3. sincère.

genuinely [ˈdʒenjuɪnlɪ] adv réellement.

geochemical [,dʒiːəuˈkemɪkl] adj géochimique.

geochemist [,dʒiːəuˈkemɪst] n géochimiste mf.

geographical [dʒɪəˈɡræfɪkl] adj géographique.

geography [dʒɪˈɒɡrəfɪ] n géographie f.

geologist [dʒɪˈɒlədʒɪst] n géologue mf.

geology [dʒɪˈɒlədʒɪ] n géologie f.

geomarketing [,dʒiːəuˈmɑːkɪtɪŋ] n géomarketing m.

geometric(al) [,dʒɪəˈmetrɪk(l)] adj géométrique.

geometry [dʒɪˈɒmətrɪ] n géométrie f.

geostrategy [,dʒiːəuˈstrætədʒɪ] n géostratégie f.

geothermics [,dʒiːəuˈθɜːmɪks] n (indén) géothermie f.

geotropical [,dʒiːəuˈtrɒpɪkl] adj géotropique.

geranium [dʒɪˈreɪnjəm] (pl -s) n géranium m.

gerbil [ˈdʒɜːbɪl] n gerbille f.

geriatric [,dʒerɪˈætrɪk] adj 1. MÉD gériatrique 2. péj décrépit 3. péj vétuste.

germ [dʒɜːm] n 1. germe m, microbe m 2. fig embryon m.

German [ˈdʒɜːmən] adj allemand. □ n 1. Allemand m, -e f 2. allemand m.

German measles n (indén) rubéole f.

Germany ['dʒɜːmənɪ] n Allemagne f.

germ-free adj stérilisé, aseptisé.

germinate ['dʒɜːmɪneɪt] vi litt & fig germer.

germproof ['dʒɜːmpruːf] adj résistant aux microbes.

germ warfare n (indén) guerre f bactériologique.

gerund ['dʒerənd] n gérondif m.

gestation period n fig période f de gestation.

gesticulate [dʒes'tɪkjʊleɪt] vi sout gesticuler.

gesture ['dʒestʃə] n geste m. ❑ vi • **to gesture to** ou **towards sb** faire signe à qqn.

get

■ **get** [get] vt ((UK) prét & pp **got**, (US) prét **got**, pp **gotten**)

1. RECEVOIR, OBTENIR
• **what did you get for your birthday?** qu'est-ce que tu as eu pour ton anniversaire ?
• **you need to get permission from the head-master** tu dois avoir la permission du directeur

2. AVOIR
• **do you get the feeling he doesn't like us?** tu n'as pas l'impression qu'il ne nous aime pas ? • **I got a chance to see my sister when I was in London** j'ai eu l'occasion de voir ma sœur quand j'étais à Londres

3. TROUVER
• **they can't get jobs** ils n'arrivent pas à trouver de travail • **it's difficult to get a hotel room** c'est difficile de trouver une chambre d'hôtel • **you get a lot of artists here** on trouve ou il y a beaucoup d'artistes ici

4. AVOIR, ATTRAPER, EN PARLANT D'UNE MALADIE
• **he never gets a cold** il n'attrape jamais de rhume

5. ALLER CHERCHER
• **can I get you something to eat/drink?** est-ce que je peux vous offrir quelque chose à manger/boire ? • **call me when you arrive and I'll go down and get you** appelle-moi quand tu arriveras et je descendrai te chercher

6. COMPRENDRE, SAISIR
• **I don't get it** fam je ne comprends pas
• **I don't get the joke** je ne vois pas ce qu'il y a de drôle

7. FAIRE FAIRE
• **I'll get my sister to help** je vais demander à ma sœur de nous aider • **I got the car fixed** j'ai fait réparer la voiture

8. INDIQUE UN CHANGEMENT D'ÉTAT
• **your driving almost got us killed!** tu as failli nous tuer en conduisant comme ça !
• **I can't get the car started** je n'arrive pas à faire démarrer la voiture

■ **get** [get] vi

1. INDIQUE UN CHANGEMENT D'ÉTAT
• **he got suspicious when he heard police sirens** il est devenu méfiant quand il entendit les sirènes • **I'm getting cold/bored** je commence à avoir froid/à m'ennuyer
• **it's getting late** il se fait tard

2. ARRIVER, PARVENIR, AU SENS PROPRE
• **I got back yesterday** je suis rentré hier
• **how do you get to the beach from here?** comment fait-on pour aller jusqu'à la plage d'ici ?

3. ARRIVER, PARVENIR, AU SENS FIGURÉ
• **did you get to see him?** est-ce que tu as réussi à le voir ? • **how far have you got?** où en es-tu ? • **we're getting nowhere** on n'avance pas

■ **get** [get] v aux

INDIQUE UN CHANGEMENT D'ÉTAT
• **the children all get excited when it snows** les enfants s'excitent tous quand il neige
• **no one got hurt** personne n'a été blessé
• **let's get going** ou **moving** allons-y

■ **get across** vt sép

communiquer • **to get one's message across** se faire comprendre

■ **get ahead** vi

avancer • **to get ahead in life** ou **in the world** réussir dans la vie

■ **get in on** vt insép

se mêler de, participer à • **to get in on a deal** prendre part à un marché

■ **get off with** vt insép

(UK) fam avoir une touche avec • **did you get off with anyone last night?** est-ce que tu as fait des rencontres hier soir ?

get

Dans la langue familière, **get** est plus fréquent que **be** dans les constructions passives qui décrivent un événement plutôt qu'un état *(they got married on Saturday ; the window got broken last night)*. Il sert souvent à décrire une action effectuée sur soi-même *(he got washed)*, ou à dire que quelque chose est arrivé de façon inattendue ou sans préparation *(he got left behind)*. Certains considèrent cet usage de **get** comme un peu relâché.

get about (UK), **get around** vi se déplacer • she gets about ou gets around quickly on her bicycle elle se déplace rapidement avec son vélo.

get along vi 1. (se débrouiller) • he seems to be getting along well il a l'air de bien se débrouiller 2. (avancer, faire des progrès) • the project is getting along well le projet avance bien 3. (s'entendre) • she's easy to get along with elle est facile à vivre.

get around, **get round** (UK) vt insép (éviter, esquiver) • there's no way of getting around the problem il n'y a aucun moyen de contourner le problème. ❑ vi 1. (circuler, se répandre) • the news got around quickly la nouvelle s'est vite répandue 2. (suivi de « to » + vb se terminant en -ing) • to get around to (doing) sthg trouver le temps de faire qqch 3. Voir aussi **get about**.

get at vt insép 1. (parvenir à) • I put the presents in the attic where the children won't get at them j'ai mis les cadeaux dans le grenier pour que les enfants ne puissent pas les trouver 2. (vouloir dire) • what are you getting at? où veux-tu en venir ?

get away vi 1. partir, s'en aller • get away from me! va-t-en ! 2. partir en vacances • I'd like to get away this summer j'aimerais bien partir en vacances cet été 3. s'échapper, s'évader • they got away when the guards fell asleep ils se sont échappés ou évadés quand les gardiens se sont endormis.

getaway ['getəwei] n fuite f.

getaway car n voiture qui sert à la fuite des gangsters.

get away with vt insép • to let sb get away with sthg : he got away with cheating on his taxes personne ne s'est aperçu qu'il avait fraudé le fisc.

get back vt sép • I can't wait to get back home j'ai hâte de rentrer à la maison. ❑ vi (récupérer) • when he returned to France, he got his old job back lorsqu'il est rentré en France, il a récupéré son (ancien) poste.

get back to vt insép 1. (revenir à) • to get back to sleep se rendormir • to get back to work se remettre au travail 2. fam (reparler de) • I'll get back to you on that je te reparlerai de ça plus tard.

get by vi • it's not easy to get by on the minimum wage ce n'est pas facile de se débrouiller ou de s'en sortir avec le SMIC.

get down vt sép 1. (déprimer) • it gets me down when I watch the news ça me déprime de regarder les infos 2. (descendre) • could you get the large pot down from the shelf? est-ce que tu peux attraper la grande casserole sur l'étagère ?

get down to vt insép • to get down to doing sthg se mettre à faire qqch.

get-go n (US) fam • from the get-go dès le début.

get in vi 1. (entrer) • the thief got in through the window le voleur est entré par la fenêtre 2. (monter) • I got into the taxi je suis monté dans le taxi 3. (arriver) • what time does the train get in? à quelle heure le train arrive-t-il ? 4. (rentrer) • I got in very late je suis rentrée très tard.

get into vt insép 1. (monter dans) • I was afraid of getting into the boat j'avais peur de monter dans le bateau 2. (se lancer dans) • to get into an argument with sb se disputer avec qqn 3. (faire l'expérience d'un état) • to get into a panic s'affoler • to get into trouble s'attirer des ennuis • to get into the habit of doing sthg prendre l'habitude de faire qqch.

get off vt sép (enlever) • get your wet things off retire tes vêtements mouillés. ❑ vt insép 1. • what time do you get off work? à quelle heure tu quittes le travail ? 2. • I'm getting off at the next stop je descends au prochain arrêt. ❑ vi 1. descendre 2. s'en tirer 3. partir.

get on vt insép monter dans ou sur. ❑ vi 1. monter 2. s'entendre, s'accorder 3. réussir 4. avancer, progresser • how are you getting on? comment ça va ? 5. • to get on (with sthg) continuer (qqch), poursuivre (qqch).

get out vt sép 1. sortir 2. enlever. ❑ vi 1. descendre 2. s'ébruiter.

get out of vt insép 1. descendre de 2. s'évader de, s'échapper de 3. éviter, se dérober à • to get out of doing sthg se dispenser de faire qqch.

get over vt insép 1. se remettre de 2. surmonter, venir à bout de.

get-rich-quick adj fam • a get-rich-quick scheme un projet pour faire fortune rapidement.

get round vt insép & vi (UK) = **get around**.

get-there n (US) fam pêche f, allant m.

get through vt insép 1. arriver au bout de 2. réussir 3. consommer 4. endurer, supporter. ❑ vi 1. obtenir la communication 2. • to get through (to sb) se faire comprendre (de qqn).

get to vt insép fam taper sur les nerfs à.

get together vt sép 1. rassembler 2. préparer. ❑ vi se réunir.

get-together n fam réunion f.

get up vi se lever. ❑ vt insép organiser.

getup ['getʌp] n fam 1. fam accoutrement m 2. déguisement m 3. • présentation f (d'un livre, d'un produit).

get-up-and-go n (indén) fam tonus m.

get up to vt insép fam faire (des bêtises).

get-well card n carte f de vœux de prompt rétablissement.

geyser ['giːzəʳ] n **1.** geyser m **2.** (UK) chauffe-eau m inv.

GF SMS abrév de **girlfriend**.

G-force n pesanteur f.

GG SMS abrév de **good game**.

Ghana ['gɑːnə] n Ghana m.

ghastly ['gɑːstlɪ] adj **1.** fam épouvantable **2.** effroyable.

gherkin ['gɜːkɪn] n cornichon m.

ghetto ['getəʊ] (pl -s ou -es) n ghetto m.

ghetto blaster [-ˌblɑːstəʳ] n fam grand radio-cassette m portatif.

ghost [gəʊst] n spectre m, fantôme m • **to lay any ghosts to rest about sthg** dissiper le moindre doute quant à qqch.

ghosting ['gəʊstɪŋ] n TV image f fantôme.

ghostlike ['gəʊstˌlaɪk] adj spectral, de spectre. ❏ adv comme un spectre.

ghost town n ville f fantôme.

ghostwrite ['gəʊstraɪt] (prét ghostwrote, pp ghostwritten) vt écrire à la place de l'auteur.

ghostwriter ['gəʊstˌraɪtəʳ] n nègre m.

giant ['dʒaɪənt] adj géant. ❏ n géant m, -e f.

giantkilling ['dʒaɪəntˌkɪlɪŋ] n (UK) SPORT victoire surprise d'un concurrent peu coté.

gibberish ['dʒɪbərɪʃ] n (indén) charabia m, inepties fpl.

gibe [dʒaɪb] n insulte f.

giblets ['dʒɪblɪts] npl abats mpl.

Gibraltar [dʒɪˈbrɔːltəʳ] n Gibraltar m.

giddy ['gɪdɪ] adj • **to feel giddy** avoir la tête qui tourne.

gift [gɪft] n **1.** cadeau m • **a gift shop** une boutique de cadeaux • **to give sb a gift** faire un cadeau à qqn **2.** don m • **to have a gift for sthg** avoir un don pour qqch • **the gift of the gab** le bagou.

gift certificate (US) = gift token.

gifted ['gɪftɪd] adj doué.

gift horse n • **don't** ou **never look a gift horse in the mouth** prov à cheval donné on ne regarde pas la bouche.

gift token, gift voucher n (UK) chèque-cadeau m.

gift-wrap vt faire un paquet cadeau de.

gift-wrapped [-ræpt] adj sous emballage-cadeau.

gig [gɪg] n fam concert (de jazz, de rock) m.

gigabyte ['gaɪgəbaɪt] n INFORM giga-octet m.

gigantic [dʒaɪˈgæntɪk] adj énorme, gigantesque.

giggle ['gɪgl] n **1.** fou rire m **2.** (UK) fam • **to be a giggle** être marrant ou tordant • **to have a giggle** bien s'amuser. ❏ vi rire bêtement.

giggly ['gɪglɪ] (comp gigglier, superl giggliest) adj qui rit bêtement.

gilded ['gɪldɪd] adj = gilt.

gill [dʒɪl] n quart m de pinte (= 0,142 litre).

gills [gɪlz] npl branchies fpl.

gilt [gɪlt] adj doré. ❏ n (indén) dorure f.

gimmick ['gɪmɪk] n astuce f.

gimmicky ['gɪmɪkɪ] adj fam qui relève du procédé.

gin [dʒɪn] n gin m • **gin and tonic** gin-tonic m.

ginger ['dʒɪndʒəʳ] n **1.** gingembre m **2.** gingembre m en poudre. ❏ adj (UK) roux.

ginger ale n boisson gazeuse au gingembre.

ginger beer n boisson britannique non alcoolisée au gingembre.

gingerbread ['dʒɪndʒəbred] n pain m d'épice.

ginger-haired [-ˈheəd] adj (UK) roux, rousse f.

gingerly ['dʒɪndʒəlɪ] adv avec précaution.

ginormous [ˌdʒaɪˈnɔːməs] adj fam gigantesque.

gipsy (UK), **gypsy** (US) ['dʒɪpsɪ] adj gitan. ❏ n **1.** gitan m, -e f **2.** péj bohémien m, -enne f.

giraffe [dʒɪˈrɑːf] (pl inv ou -s) n girafe f.

girder ['gɜːdəʳ] n poutrelle f.

girdle ['gɜːdl] n gaine f.

girl [gɜːl] n **1.** fille f **2.** petite amie f.

girl Friday n vieilli aide f (de bureau).

girlfriend ['gɜːlfrend] n **1.** petite amie f • **girlfriend trouble** problèmes mpl de cœur **2.** amie f.

girl guide (UK), **girl scout** (US) n vieilli éclaireuse f, guide f.

girlish ['gɜːlɪʃ] adj de petite fille.

giro ['dʒaɪrəʊ] (pl -s) n (UK) **1.** (indén) virement m postal **2.** • **giro (cheque)** chèque m d'indemnisation f (chômage ou maladie).

girth [gɜːθ] n **1.** circonférence f **2.** tour m de taille **3.** (pour un cheval) sangle f.

gist [dʒɪst] n substance f • **to get the gist of sthg** comprendre ou saisir l'essentiel de qqch.

give [gɪv] vt (prét gave, pp given) **1.** donner **2.** transmettre **3.** consacrer • **to give sb/sthg sthg** donner qqch à qqn/qqch • **to give sb pleasure/a fright** faire plaisir/peur à qqn • **to give a sigh** pousser un soupir • **to give a speech** faire un discours. ❏ vi (prét gave, pp given) céder, s'affaisser. ■ **give away** vt sép **1.** donner **2.** révéler. ■ **give back** vt sép rendre. ■ **give in** vi **1.** abandonner, se rendre **2.** • **to give in to sthg** céder à qqch. ■ **give off** vt insép **1.** exhaler (une odeur) **2.** faire (de la fumée) **3.** produire (de la chaleur). ■ **give or take** prép • **give or take a day/£10** à un jour/10 livres près. ■ **give out** vt sép distribuer. ❏ vi (voiture) lâcher. ■ **give up** vt sép **1.** renoncer à • **to give up smoking** arrêter de fumer **2.** • **to give o.s. up (to sb)** se rendre (à qqn). ❏ vi abandonner, se rendre. ❏ vt insép (US) fam • **to give it up for sb** applaudir qqn. ■ **give up on** vt insép laisser tomber.

give-and-take n (indén) concessions fpl de part et d'autre.

giveaway [ˈgɪvəˌweɪ] adj 1. révélateur 2. dérisoire. ❑ n signe m révélateur.

giveback [ˈgɪvbæk] n 1. (us) réduction f de salaire 2. réduction f de prime.

given [ˈgɪvn] adj 1. convenu, fixé 2. • to be given to sthg/to doing sthg être enclin à qqch/à faire qqch. ❑ prép étant donné • given that étant donné que. ❑ n fait m acquis.

given name n (surtout us) prénom m.

gizmo [ˈgɪzməʊ] (pl -s) n fam gadget m, truc m.

glaciated [ˈgleɪsɪeɪtɪd] adj glaciaire • glaciated valley vallée f glaciaire.

glacier [ˈglæsjər] n glacier m.

glad [glæd] adj 1. content • to be glad about ou of sthg être content de qqch 2. • to be glad to do sthg faire qqch volontiers ou avec plaisir.

glad-hand [ˈglædhænd] vt fam & péj accueillir avec de grandes démonstrations d'amitié.

gladly [ˈglædlɪ] adv 1. avec joie 2. avec plaisir.

glad rags npl fam vêtements mpl chics • to put on one's glad rags se mettre sur son trente et un.

glam [glæm] (UK) fam adj = glamorous. ❑ n = glamour. ■ glam up vt sép (prét & pp glammed up, cont glamming up) fam 1. • to get glammed up a) se saper b) se faire une beauté (en se maquillant) 2. retaper 3. embellir.

glamor (us) = glamour.

glamorize, -ise (UK) [ˈglæməraɪz] vt faire apparaître sous un jour séduisant.

glamorous [ˈglæmərəs] adj 1. séduisant 2. élégant 3. prestigieux.

glamour (UK), **glamor** (us) [ˈglæmər] n 1. charme m 2. élégance f, chic m 3. prestige m.

glance [glɑːns] n regard m, coup d'œil m • at a glance d'un coup d'œil. ❑ vi • to glance at jeter un coup d'œil à. ■ glance off vt insép ricocher sur.

glancing [ˈglɑːnsɪŋ] adj de côté, oblique.

gland [glænd] n glande f.

glandular fever [ˌglændjʊlər-] n (UK) mononucléose f infectieuse.

glare [gleər] n 1. regard m mauvais 2. (indén) lumière f aveuglante. ❑ vi 1. • to glare at sb/sthg regarder qqn/qqch d'un œil mauvais 2. briller d'une lumière éblouissante.

glaring [ˈgleərɪŋ] adj 1. flagrant • a glaring omission une omission flagrante 2. aveuglant.

glaringly [ˈgleərɪŋlɪ] adv • it's glaringly obvious ça crève les yeux.

glasnost [ˈglæznɒst] n glasnost f, transparence f.

glass [glɑːs] n 1. verre m 2. (indén) verrerie f. ❑ en apposition 1. en ou de verre 2. vitré. ■ glasses npl lunettes fpl • to wear glasses porter des lunettes.

glass ceiling n terme désignant le « plafond » qui empêche la progression dans la hiérarchie.

glassware [ˈglɑːsweər] n (indén) verrerie f.

glassy [ˈglɑːsɪ] adj 1. lisse comme un miroir 2. vitreux.

glaze [gleɪz] n 1. vernis m 2. CULIN glaçage m. ❑ vt 1. vernir, vernisser 2. CULIN glacer. ■ glaze over vi devenir terne ou vitreux.

glazier [ˈgleɪzjər] n vitrier m, -ère f.

gleam [gliːm] n 1. reflet m 2. lueur f. ❑ vi 1. luire 2. briller.

gleaming [ˈgliːmɪŋ] adj brillant.

glean [gliːn] vt glaner.

glee [gliː] n (indén) joie f, jubilation f.

gleeful [ˈgliːfʊl] adj joyeux.

glen [glen] n (ÉCOSSE) vallée f.

glib [glɪb] adj péj 1. qui a du bagout 2. (excuse) facile.

glibly [ˈglɪblɪ] adv péj trop facilement.

glide [glaɪd] vi 1. glisser sans effort 2. se mouvoir sans effort 3. planer.

glider [ˈglaɪdər] n planeur m.

gliding [ˈglaɪdɪŋ] n vol m à voile.

glimmer [ˈglɪmər] n 1. faible lueur f 2. fig signe m, lueur.

glimpse [glɪmps] n 1. aperçu m 2. idée f. ❑ vt 1. apercevoir, entrevoir 2. pressentir.

glint [glɪnt] n 1. reflet m 2. éclair m. ❑ vi étinceler.

glisten [ˈglɪsn] vi luire.

glistening [ˈglɪsnɪŋ] adj luisant.

glitch [glɪtʃ] n fam 1. pépin m 2. ÉLECTR saute f de tension.

glitter [ˈglɪtər] n (indén) scintillement m. ❑ vi 1. scintiller 2. briller.

glitterati [ˌglɪtəˈrɑːtiː] npl fam • the glitterati hum le beau monde m inv.

glitterball [ˈglɪtəbɔːl] n boule f à facettes.

gloat [gləʊt] vi • to gloat (over sthg) se réjouir (de qqch).

global [ˈgləʊbl] adj 1. mondial 2. INFORM global • to do a global search faire une recherche globale.

globalist [ˈgləʊbəlɪst] n mondialiste mf.

globalization, -isation (UK) [ˌgləʊbəlaɪˈzeɪʃn] n mondialisation f.

globalize, -ise (UK) [ˈgləʊbəlaɪz] vt rendre mondial • a globalized conflict un conflit mondial.

globally [ˈgləʊbəlɪ] adv à l'échelle mondiale, mondialement.

global market(place) n COMM marché m global ou international.

global village n village m planétaire.

global warming [-ˈwɔːmɪŋ] n réchauffement m de la planète.

globe [gləub] n **1.** • **the globe** la Terre **2.** globe m terrestre **3.** globe m.

globefish ['gləubfɪʃ] n poisson-globe m.

globetrotter ['gləub,trɒtə'] n fam globe-trotter m.

glom [glɒm] vi (US) fam • **he glommed on to her ideas** il s'est approprié ses idées • **he's glommed on to her** il s'est collé à elle.

gloom [glu:m] n (indén) **1.** obscurité f **2.** tristesse f.

gloomy ['glu:mɪ] adj **1.** sombre **2.** triste, lugubre.

glorification [,glɔːrɪfɪ'keɪʃn] n glorification f.

glorified ['glɔːrɪfaɪd] adj péj • **it's just a glorified swimming pool** il ne s'agit que d'une vulgaire piscine.

glorify ['glɔːrɪfaɪ] (prét & pp **gloriified**) vt exalter.

glorious ['glɔːrɪəs] adj **1.** splendide **2.** formidable **3.** magnifique.

gloriously ['glɔːrɪəslɪ] adv glorieusement.

glory ['glɔːrɪ] n **1.** (indén) gloire f **2.** (indén) splendeur f.

gloss [glɒs] n **1.** (indén) brillant m, lustre m **2.** peinture f brillante. ■ **gloss over** vt insép passer sur.

glossary ['glɒsərɪ] n glossaire m.

glossy ['glɒsɪ] adj **1.** (cheveux, surface) brillant **2.** (livre, photo) sur papier glacé.

glossy (magazine) n (UK) magazine m de luxe.

glove [glʌv] n gant m.

glove box, glove compartment n boîte f à gants.

glow [gləu] n (indén) lueur f. ❏ vi **1.** rougeoyer **2.** flamboyer **3.** briller **4.** • **to glow with health** rayonner de santé.

glower ['glauə'] vi • **to glower (at)** lancer des regards noirs (à).

glowing ['gləuɪŋ] adj dithyrambique.

glucose ['glu:kəus] n glucose m.

glue [glu:] n (indén) colle f. ❏ vt (cont **glueing** ou **gluing**) coller • **to glue sthg together** coller qqch.

glue-sniffer [-,snɪfə'] n • **to be a glue-sniffer** inhaler ou sniffer (de la colle).

glue-sniffing [-,snɪfɪŋ] n inhalation f de colle.

glug [glʌg] (prét & pp **glugged**, cont **glugging**) fam n • **glug (glug)** glouglou m • **he took a long glug of lemonade** il prit une longue goulée de limonade. ❏ vi faire glouglou.

glum [glʌm] adj triste, morose.

glumly ['glʌmlɪ] adv tristement, avec morosité.

glut [glʌt] n surplus m.

gluten ['glu:tən] n gluten m.

gluten-free adj sans gluten.

glutes [glu:ts] npl fam muscles mpl fessiers.

glutton ['glʌtn] n glouton m, -onne f • **be a glutton for punishment** être maso, être masochiste.

gluttony ['glʌtənɪ] n gloutonnerie f.

GM (abrév de genetically modified) adj génétiquement modifié.

G-man n (US) agent m du FBI.

GMAT ['dʒiːmæt] (abrév de Graduate Management Admissions Test) n (US) SCOL test d'admission dans le 2ᵉ cycle de l'enseignement supérieur aux États-Unis.

GMT (abrév de Greenwich Mean Time) n GMT m.

GMTA SMS abrév de **great minds think alike**.

gnarled [nɑːld] adj noueux.

gnash [næʃ] vt • **to gnash one's teeth** grincer des dents.

gnat [næt] n moucheron m.

gnaw [nɔː] vt ronger. ❏ vi • **to gnaw (away) at sb** ronger qqn.

gnawing ['nɔːɪŋ] adj **1.** lancinant **2.** tenaillant.

gnome [nəum] n gnome m, lutin m.

GNP (abrév de gross national product) n PNB m.

GNVQ (UK) (abrév de general national vocational qualification) n diplôme sanctionnant deux années d'études professionnelles à la fin du secondaire ; ≃ baccalauréat m professionnel.

go [gəu] vi (prét **went**, pp **gone**) **1.** aller • **where are you going?** où vas-tu ? • **he's gone to Portugal** il est allé au Portugal • **we went by bus/train** nous sommes allés en bus/en train • **where does this path go?** où mène ce chemin ? • **to go and do sthg** aller faire qqch • **to go swimming/shopping/jogging** aller nager/faire les courses/faire du jogging • **to go for a walk** aller se promener, faire une promenade • **to go to work** aller travailler ou à son travail **2.** partir, s'en aller • **I must go** il faut que je m'en aille • **what time does the bus go?** (UK) à quelle heure part le bus ? • **let's go!** allons-y ! **3.** devenir • **to go grey** (UK) ou **gray** (US) grisonner • **to go mad** ou **crazy** devenir fou **4.** passer **5.** marcher, se dérouler • **the conference went very smoothly** la conférence s'est déroulée sans problème ou s'est très bien passée • **to go well/badly** aller bien/mal • **how's it going?** fam comment ça va ? **6.** marcher • **the car won't go** (surtout UK) la voiture ne veut pas démarrer **7.** • **to be going to do sthg** aller faire qqch • **he said he was going to be late** il a prévenu qu'il allait arriver en retard • **we're going to go to America in June** on va (aller) en Amérique en juin • **she's going to have a baby** elle attend un bébé **8.** sonner **9.** sauter **10.** baisser **11.** • **to go (with)** aller (avec) • **those colours don't really go (well together)** ces couleurs ne vont pas bien ensemble **12.** aller, se mettre • **the plates go in the cupboard** les assiettes vont ou se mettent dans le placard **13.** fam • **now**

what's he gone and done? qu'est-ce qu'il a fait encore ? ❏ n (pl goes) **1.** (UK) tour m • **it's my go** c'est à moi (de jouer) **2.** fam • **to have a go (at sthg)** essayer (de faire qqch) **3.** • **to have a go at sb** (UK) fam s'en prendre à qqn, engueuler qqn **4.** • **to be on the go** fam être sur la brèche. ■ **go about** vt insép • **to go about one's business** vaquer à ses occupations. ❏ vi = **go around.** ■ **go ahead** vi **1.** • **to go ahead with sthg** mettre qqch à exécution • **go ahead!** allez-y ! **2.** avoir lieu. ■ **go along** vi avancer • **as you go along** au fur et à mesure. ■ **go along with** vt insép **1.** appuyer, soutenir **2.** suivre. ■ **go around** vi **1.** • **to go around with sb** fréquenter qqn **2.** circuler, courir **3.** • **what goes around comes around** on finit toujours par payer. ■ **go away** vi insép partir, s'en aller • **go away!** va-t'en ! • **I'm going away for a few days** je pars pour quelques jours. ■ **go back on** vt insép revenir sur. ■ **go back to** vt insép **1.** reprendre, se remettre à • **to go back to sleep** se rendormir **2.** remonter à, dater de. ■ **go by** vi s'écouler, passer. ❏ vt insép **1.** suivre **2.** juger d'après. ■ **go down** vi **1.** baisser **2.** • **to go down well/badly** être bien/mal accueilli **3.** (soleil) se coucher **4.** (ballon, pneu) se dégonfler. ❏ vt insép descendre. ■ **go for** vt insép **1.** choisir **2.** être attiré par **3.** tomber sur, attaquer **4.** essayer d'obtenir • **to go for it** donner son maximum. ■ **go in** vi entrer. ■ **go in for** vt insép **1.** prendre part à **2.** se présenter à **3.** aimer **4.** faire, s'adonner à. ■ **go into** vt insép **1.** étudier, examiner **2.** entrer dans. ■ **go off** vi **1.** exploser **2.** sonner **3.** (UK) se gâter **4.** s'éteindre **5.** (US) fam s'emporter • **to go off on one** fam péter un plomb. ❏ vt insép ne plus aimer. ■ **go on** vi **1.** se passer **2.** se mettre en marche **3.** • **to go on (doing)** continuer (à faire) **4.** • **to go on to sthg** passer à qqch • **to go on to do sthg** faire qqch après **5.** parler à n'en plus finir • **to go on about sthg** ne pas arrêter de parler de qqch **6.** (US) fam • **she's got it going on** elle a tout pour elle. ❏ vt insép se fonder sur. ■ **go on at** vt insép (UK) fam harceler. ■ **go out** vi **1.** sortir **2.** • **to go out (with sb)** sortir (avec qqn) **3.** s'éteindre. ■ **go over** vt insép **1.** examiner, vérifier **2.** repasser, réviser. ■ **go round** vi (UK) tourner. Voir aussi **go around.** ■ **go through** vt insép **1.** subir, souffrir **2.** examiner • **she went through his pockets** elle lui a fait les poches, elle a fouillé dans ses poches. ■ **go through with** vt insép aller jusqu'au bout de. ■ **go toward(s)** vt insép contribuer à. ■ **go under** vi litt & fig couler. ■ **go up** vi **1.** monter **2.** augmenter. ❏ vt insép monter. ■ **go without** vt insép se passer de. ❏ vi s'en passer.

goad [gəʊd] vt talonner.

go-ahead adj dynamique. ❏ n (indén) feu m vert (permission).

À PROPOS DE

go

Il est très fréquent, lorsque l'on décrit des activités physiques, des passe-temps ou des sports, d'utiliser **go** suivi du participe présent du verbe principal (**to go dancing/birdwatching/running**). Comparez par exemple **I like swimming** (= I like to be in the water) et **I like going swimming** (= I like going to the swimming pool).

Au passé composé et au plus-que-parfait, le participe passé **gone** peut être remplacé par **been**, mais il y a une légère nuance. Comparez par exemple **the Fosters have gone to Bermuda for their vacation** (= les Fosters sont allés aux Bermudes et y sont encore) et **the Fosters have been to Bermuda twice this year** (= les Fosters sont allés aux Bermudes et en sont revenus).

Dans la langue familière, le verbe **go** est souvent suivi de **and** et de la forme de base du verbe, au lieu de **to** et de la forme de base (**I'll go and see what's happening** = I'll go to see what's happening).

Voir aussi **aller** dans la partie français-anglais du dictionnaire.

---

goal [gəʊl] n but m • **to score a goal** marquer un but.

goal difference n différence f de buts.

goal-driven adj volontariste.

goalie ['gəʊli] n fam gardien m (de but).

goalkeeper ['gəʊl,ki:pə^r] n gardien m de but.

goalkeeping ['gəʊl,ki:pɪŋ] n jeu m du gardien de but.

goal kick n coup m de pied de but, dégagement m aux six mètres.

goalless ['gəʊllɪs] adj • **goalless draw** match m sans but marqué.

goalmouth ['gəʊlmaʊθ] (pl [-maʊðz]) n SPORT but m.

goalpost ['gəʊlpəʊst] n poteau m de but.

goat [gəʊt] n chèvre f • **goat's cheese** (fromage m de) chèvre m • **goat's milk** lait m de chèvre.

goatee [gəʊ'ti:] n barbiche f, bouc m.

gob [gɒb] fam n (UK) gueule f. ❏ vi mollarder.

gobble ['gɒbl] vt engloutir. ■ **gobble down, gobble up** vt sép engloutir.

gobbledegook, gobbledygook ['gɒbldɪgu:k] n fam charabia m.

gobby ['gɒbi] adj (UK) fam • **to be gobby** être une grande gueule.

go-between n intermédiaire mf.

goblet ['gɒblɪt] n verre m à pied.

goblin ['gɒblɪn] n lutin m, farfadet m.

gobsmacked ['gɒbsmækt] *adj* (UK) *fam* bouche bée *(inv)*.

go-cart = go-kart.

god [gɒd] *n* dieu *m*, divinité *f*. ■ **God** *n* Dieu *m* • **God knows** Dieu seul le sait • **for God's sake** pour l'amour de Dieu.

god-awful *adj fam* atroce, affreux.

god-botherer [-'bɒðərə] *n fam* cul-bénit *m*.

godchild ['gɒdtʃaɪld] *(pl* -children) *n* filleul *m*, -e *f*.

goddammit [,gɒd'dæmɪt] *interj* tʃam bordel !

goddaughter ['gɒd,dɔːtə] *n* filleule *f*.

goddess ['gɒdɪs] *n* déesse *f*.

godfather ['gɒd,fɑːðə] *n* parrain *m*.

god-fearing *adj* croyant, pieux.

godforsaken ['gɒdfə,seɪkn] *adj* morne, désolé.

godless ['gɒdlɪs] *adj* irréligieux, impie.

godmother ['gɒd,mʌðə] *n* marraine *f*.

godparents ['gɒd,peərənts] *npl* parrain et marraine *mpl*.

godsend ['gɒdsend] *n* aubaine *f*.

godson ['gɒdsʌn] *n* filleul *m*.

goes [gəʊz] → go.

go-faster stripe *n* bande décorative sur la carrosserie d'une voiture.

go-getter [-'getə] *n fam* battant *m*, -e *f*.

go-getting [-'getɪŋ] *adj* **1.** *fam (personne)* plein d'allant **2.** *(comportement)* dynamique.

goggles ['gɒglz] *npl* lunettes *fpl* protectrices.

going ['gəʊɪŋ] *n (indén)* **1.** allure *f* **2.** conditions *fpl*. ❏ *adj* **1.** (UK) disponible **2.** en vigueur.

going-away *adj (fête, cadeau)* d'adieu • **going-away outfit** tenue *f* de voyage de noce.

going concern *n* affaire *f* qui marche.

goings-on *npl* événements *mpl*, histoires *fpl*.

go-kart [-kɑːt] *n* kart *m*.

gold [gəʊld] *n (indén)* or *m*. ❏ *en apposition* en or, d'or • **a gold ring** une bague en or • **gold reserves** réserves *fpl* d'or. ❏ *adj* doré.

gold-digger *n* **1.** chercheur *m* d'or **2.** *fig* aventurier *m*, -ère *f*.

gold dust *n* poudre *f* d'or • **jobs are like gold dust around here** *fig* le travail est rare *ou* ne court pas les rues par ici.

golden ['gəʊldən] *adj* **1.** en or *ou* **2.** doré • **golden brown** doré.

golden age *n* âge *m* d'or.

golden handcuffs *npl fam* primes *fpl (versées à un cadre à intervalles réguliers pour le dissuader de partir)*.

golden handshake *n* prime *f* de départ.

golden hello *n fam* gratification *f* de début de service.

golden wedding *n* noces *fpl* d'or.

goldfish ['gəʊldfɪʃ] *(pl inv)* poisson *m* rouge.

goldfish bowl *n* bocal *m* (à poissons).

gold leaf *n (indén)* feuille *f* d'or.

gold medal *n* médaille *f* d'or.

goldmine ['gəʊldmaɪn] *n litt & fig* mine *f* d'or • **to be sitting on a goldmine** être assis sur une mine d'or.

gold-plated [-'pleɪtɪd] *adj* plaqué or.

goldsmith ['gəʊldsmɪθ] *n* orfèvre *mf*.

golf [gɒlf] *n* golf *m*.

golf ball *n* **1.** balle *f* de golf **2.** boule *f* (de machine à écrire).

golf club *n* club *m* de golf.

golf course *n* terrain *m* de golf.

golfer ['gɒlfə] *n* golfeur *m*, -euse *f*.

gone [gɒn] *pp* → go. ❏ *adj* parti. ❏ *prép* (UK) • **it's gone ten (o'clock)** il est dix heures passées.

gong [gɒŋ] *n* gong *m*.

gonzo ['gɒnzəʊ] *adj* **1.** *(US) fam (style)* particulier, bizarre **2.** *(personne)* barge • **gonzo journalism** journalisme *m* ultra-subjectif.

good [gʊd] *adj (comp* better, *superl* best) **1.** bon • **it's good to see you again** ça fait plaisir de te revoir • **to be good at sthg** être bon en qqch • **to be good with a)** savoir y faire avec **b)** être habile de *(ses mains)* • **it's good for you** c'est bon pour toi *ou* pour la santé **2.** gentil • **to be good to sb** être très attentionné envers qqn • **to be good enough to do sthg** avoir l'amabilité de faire qqch **3.** sage **4.** correct • **be good!** sois sage !, tiens-toi tranquille ! ❏ *n* **1.** *(indén)* bien *m* • **it will do him good** ça lui fera du bien **2.** utilité *f* • **what's the good of** *ou* **in** *(surtout US)* **doing that?** à quoi bon faire ça ? • **it's no good crying/worrying** ça ne sert à rien de pleurer/ de s'en faire **3.** *(indén)* bon *m* • **to be up to no good** préparer un sale coup. ■ **as good as** *adv* pratiquement, pour ainsi dire. ■ **for good** *adv* pour de bon, définitivement. ■ **good afternoon** *interj* bonjour ! ■ **good evening** *interj* bonsoir ! ■ **good morning** *interj* bonjour ! ■ **good night** *interj* **1.** bonsoir ! **2.** bonne nuit ! ■ **goods** *npl* marchandises *fpl*, articles *mpl*.

goodbye [,gʊd'baɪ] *interj* au revoir ! ❏ *n* au revoir *m*.

good-for-nothing *adj* bon à rien. ❏ *n* bon *m* à rien.

Good Friday *n* Vendredi *m* saint.

good-hearted *adj* **1.** bon, généreux **2.** fait avec les meilleures intentions.

good-humoured (UK), **good-humored** (US) [-'hjuːməd] *adj* **1.** *(personne)* de bonne humeur **2.** *(remarque, plaisanterie)* bon enfant *(inv)*.

goodish ['gʊdɪʃ] *adj fam* **1.** assez bon, passable **2.** assez grand • **it's a goodish size** c'est assez grand.

good-looker *n fam* **1.** bel homme *m* **2.** beau garçon *m* **3.** belle femme *f* **4.** belle fille *f*, belle nana *f*.

good-looking [-'lʊkɪŋ] *adj* beau.

good looks *npl* beauté *f.*

good-natured [-'neɪtʃəd] *adj* **1.** *(personne)* d'un naturel aimable **2.** *(remarque, plaisanterie)* bon enfant *(inv).*

goodness ['gʊdnɪs] *n (indén)* **1.** bonté *f* **2.** valeur *f* nutritive. ❑ *interj* • **(my) goodness!** mon Dieu !, Seigneur ! • **for goodness' sake!** par pitié !, pour l'amour de Dieu ! • **thank goodness!** grâce à Dieu !

good-sized *adj* de bonne taille • **a good-sized room** une grande pièce.

goods train *n (UK)* train *m* de marchandises.

good-tempered [-'tempəd] *adj* **1.** agréable **2.** qui a bon caractère.

goodwill [,gʊd'wɪl] *n* bienveillance *f.*

goody ['gʊdɪ] *fam n (UK)* bon *m.* ❑ *interj* chouette ! ■ **goodies** *npl fam* **1.** friandises *fpl* **2.** merveilles *fpl*, trésors *mpl.*

gooey ['guːɪ] *(comp* **gooier**, *superl* **gooiest)** *adj* **1.** *fam* qui colle **2.** *péj* poisseux.

Google® ['guːgl] *vt* rechercher avec Google®.

goose [guːs] *(pl* **geese** [giːz]) *n* oie *f.*

gooseberry ['gʊzbərɪ] *n* groseille *f* à maquereau.

goose bumps *fam npl* = **gooseflesh.**

gooseflesh ['guːsfleʃ] *n* chair *f* de poule.

goose pimples *npl* = **gooseflesh.**

Gordon Bennett ['gɔːdən'benɪt] *interj (UK) fam* nom d'une pipe !

gore [gɔː] *n (indén)* littéraire sang *m.* ❑ *vt* encorner.

gorge [gɔːdʒ] *n* gorge *f*, défilé *m.* ❑ *vt* • **to gorge o.s. on** *ou* **with sthg** se bourrer *ou* se goinfrer de qqch.

gorgeous ['gɔːdʒəs] *adj* **1.** divin **2.** *fam* magnifique, splendide.

gorilla [gə'rɪlə] *n* gorille *m.*

gormless ['gɔːmlɪs] *adj (UK) fam* bêta, bêtasse *f.*

gorse [gɔːs] *n (indén)* ajonc *m.*

gory ['gɔːrɪ] *adj* sanglant.

gosh [gɒʃ] *interj fam* ça alors !

go-slow *n (UK)* grève *f* du zèle.

gospel ['gɒspl] *n* évangile *m.* ■ **Gospel** *n* Évangile *m.*

gossip ['gɒsɪp] *n* **1.** bavardage *m* **2.** *péj* commérage *m* **3.** *péj* commère *f.* ❑ *vi* **1.** bavarder, papoter **2.** *péj* cancaner.

gossip column *n* échos *mpl.*

got [gɒt] *passé & pp* → **get.**

go-to *adj (US) fam* • **he's your go-to guy** c'est votre interlocuteur *(en cas de problème).*

gotten ['gɒtn] *(US) pp* → **get.**

gouge [gaʊdʒ] ■ **gouge out** *vt sép* **1.** creuser **2.** arracher.

goulash ['guːlæʃ] *n* goulache *m.*

gourmet ['gʊəmeɪ] *n* gourmet *m*, gastronome *m.* ❑ *en apposition (restaurant, menu)* gastronomique.

gout [gaʊt] *n (indén)* MÉD goutte *f.*

govern ['gʌvən] *vt* **1.** gouverner **2.** régir. ❑ *vi* POLIT gouverner.

governess ['gʌvənɪs] *n* gouvernante *f.*

governing body *n* conseil *m* d'administration.

government ['gʌvnmənt] *n* gouvernement *m.*

government aid *n* aide *f* gouvernementale *ou* de l'État.

governmental [,gʌvn'mentl] *adj* gouvernemental.

government-funded *adj* subventionné par l'État.

government grant *n* subvention *f* de l'État.

government handouts *npl* subventions *fpl* gouvernementales.

government spending *n (indén)* dépenses *fpl* publiques.

government-sponsored *adj* parrainé par le gouvernement • **government-sponsored terrorism** terrorisme *m* d'État.

government subsidy *n* subvention *f* d'État.

governor ['gʌvənə] *n* **1.** POLIT gouverneur *m* **2.** *(UK)* SCOL ≃ membre *m* du conseil d'établissement **3.** *(UK)* gouverneur *m (d'une banque)* **4.** *(UK)* directeur *m (de prison).*

govt *(abrév de* government*)* gvt.

gown [gaʊn] *n* **1.** robe *f* **2.** blouse *f (de chirurgien)* **3.** DR & UNIV robe *f*, toge *f.*

GP *n (UK)* abrév de **general practitioner.**

GPA ['dʒiː'piː'eɪ] *n (US)* abrév de **grade point average.**

GPS [,dʒiːpiː'es] *(abrév de* Global Positioning System*) n* GPS *m.*

GR8 *SMS* abrév de **great.**

grab [græb] *vt* **1.** saisir **2.** *fam* avaler en vitesse • **to grab a few hours' sleep** dormir quelques heures **3.** *fam* emballer *(enthousiasmer).* ❑ *vi* • **to grab at sthg** faire un geste brusque pour attraper qqch.

grace [greɪs] *n* **1.** grâce *f* **2.** *(indén)* répit *m* **3.** RELIG grâces *fpl.*

graceful ['greɪsfʊl] *adj* gracieux, élégant.

gracefully ['greɪsfʊlɪ] *adv* **1.** avec grâce, gracieusement **2.** avec élégance.

gracious ['greɪʃəs] *adj* courtois. ❑ *interj* • **(good) gracious!** *vieilli* juste ciel !

graciously ['greɪʃəslɪ] *adv* poliment.

graciousness ['greɪʃəsnɪs] *n* **1.** bienveillance *f* **2.** élégance *f*, raffinement *m* **3.** RELIG miséricorde *f.*

grade [greɪd] *n* **1.** catégorie *f* **2.** *(laine, papier)* qualité *f* **3.** *(essence)* type *m* **4.** *(œufs)* calibre *m* **5.** *(US)* classe *f* **6.** *(US)* note *f.* ❑ *vt* **1.** classer **2.** noter.

grade crossing n (us) passage m à niveau.

grade point average n (us) SCOL moyenne f (calculée en attribuant une valeur chiffrée aux notes et un coefficient en fonction des crédits de chaque matière).

grade school n (us) école f primaire.

gradient ['greɪdjənt] n pente f, inclinaison f.

gradual ['grædʒʊəl] adj graduel, progressif.

gradually ['grædʒʊəlɪ] adv graduellement, petit à petit.

graduate n ['grædʒʊət] **1.** diplômé m, -e f **2.** (us) ≃ titulaire mf du baccalauréat. ❑ vi ['grædʒʊeɪt] **1.** • to graduate (from) ≃ obtenir son diplôme (à) **2.** (us) • to graduate (from) ≃ obtenir son baccalauréat (à).

graduate school n (us) troisième cycle m d'université.

graduation [,grædʒʊ'eɪʃn] n (indén) remise f des diplômes.

graffiti [grə'fiːtɪ] n (indén) graffiti mpl.

graft [grɑːft] n **1.** BOT greffe f, greffon m **2.** MÉD greffe f **3.** (us) fam boulot m **4.** (us) fam graissage m de patte. ❑ vt greffer.

graham cracker ['greɪəm-] n (us) biscuit rond légèrement sucré.

grain [greɪn] n **1.** grain m **2.** (indén) céréales fpl **3.** (indén) fil m (du bois); grain m (d'un matériau); veines fpl (dans le marbre).

graininess ['greɪnɪnɪs] n grain m (d'une image).

gram [græm] n gramme m.

grammar ['græmə'] n grammaire f.

grammar school n **1.** ≃ lycée m **2.** école f primaire.

grammatical [grə'mætɪkl] adj grammatical.

grammatically [grə'mætɪklɪ] adv grammaticalement, du point de vue grammatical.

gramme [græm] (uk) = gram.

gramophone ['græməfəʊn] n vieilli gramophone m, phonographe m.

gran [græn] n (uk) fam mamie f, mémé f.

grand [grænd] adj **1.** grandiose, imposant **2.** grand **3.** important **4.** distingué **5.** fam & vieilli sensationnel, formidable. ❑ n (pl inv) fam **1.** mille livres fpl **2.** mille dollars mpl.

grandchild ['græntʃaɪld] (pl -children) n **1.** petit-fils m **2.** petite-fille f. ■ **grandchildren** npl petits-enfants mpl.

grand(d)ad ['grændæd] n fam papi m, pépé m.

granddaughter ['græn,dɔːtə'] n petite-fille f.

grandeur ['grændʒə'] n splendeur f, magnificence f.

grandfather ['grænd,fɑːðə'] n grand-père m.

grandfather clock n horloge f, pendule f de parquet.

grand finale n apothéose f.

grand jury n (us) tribunal m d'accusation.

grandma ['grænmɑː] n fam mamie f, mémé f.

grandmother ['græn,mʌðə'] n grand-mère f.

grandpa ['grænpɑː] n fam papi m, pépé m.

grandparents ['græn,peərənts] npl grands-parents mpl.

grand piano n piano m à queue.

grand slam n SPORT grand chelem m.

grandson ['grænsʌn] n petit-fils m.

grandstand ['grændstænd] n tribune f.

grand total n somme f globale, total m général.

granita [grə'niːtə] n granité m.

granite ['grænɪt] n granit m.

granny ['grænɪ] n fam mamie f, mémé f.

granny flat n (uk) appartement indépendant dans une maison, pour y loger un parent âgé.

granola [grə'nəʊlə] n (us) muesli m • **granola bar** barre f aux céréales.

grant [grɑːnt] n **1.** subvention f **2.** bourse f. ❑ vt **1.** accorder **2.** accéder à **3.** admettre, reconnaître **4.** • to take sb for granted a) penser que tout ce que qqn fait va de soi b) penser que qqn fait partie des meubles • to take sthg for granted considérer qqch comme acquis.

grant-aided adj **1.** (étudiant) boursier **2.** (industrie) subventionné **3.** (école) qui reçoit une subvention.

grant-maintained [-meɪn'teɪnd] adj (uk) SCOL subventionné (par l'État).

granulated sugar ['grænjʊleɪtɪd-] n sucre m cristallisé.

granule ['grænjuːl] n **1.** granule m **2.** (sucre) grain m.

grape [greɪp] n (grain m de) raisin m • **a bunch of grapes** une grappe de raisin.

grapefruit ['greɪpfruːt] (pl inv ou -s) n pamplemousse m.

grapevine ['greɪpvaɪn] n vigne f • **on the grapevine** fig par le téléphone arabe.

graph [grɑːf] n graphique m • **to draw a graph** faire un graphique.

graphic ['græfɪk] adj **1.** vivant **2.** ART graphique. ■ **graphics** npl art m graphique.

graphical user interface n interface f graphique.

graphic arts npl arts mpl graphiques.

graphic design n design m graphique.

graphic designer n graphiste mf.

graphics card ['græfɪks-] n INFORM carte f graphique.

graphite ['græfaɪt] n (indén) graphite m, mine f de plomb.

graph paper n (indén) papier m millimétré.

grapple ['græpl] ■ **grapple with** vt insép **1.** lutter avec **2.** se débattre avec.

grasp [grɑːsp] n **1.** prise f **2.** compréhension f • **to have a good grasp of sthg** avoir une bonne connaissance de qqch. ❑ vt **1.** empoigner **2.** comprendre **3.** saisir.

grasping ['grɑːspɪŋ] adj péj avide, cupide.

grass [grɑːs] n herbe f.

grasshopper ['grɑːsˌhɒpə] n sauterelle f.

grass roots npl fig base f. □ en apposition du peuple.

grass snake n couleuvre f.

grate [greɪt] n grille f de foyer. □ vt râper. □ vi grincer, crisser.

grateful ['greɪtfʊl] adj reconnaissant • I'm very grateful to you je vous suis très reconnaissant.

gratefully ['greɪtfʊlɪ] adv avec reconnaissance.

grater ['greɪtə] n râpe f.

gratify ['grætɪfaɪ] vt 1. • to be gratified être content, être satisfait 2. satisfaire, assouvir.

gratifying ['grætɪfaɪŋ] adj gratifiant.

gratin n gratin m.

grating ['greɪtɪŋ] adj 1. grinçant 2. (voix) de crécelle. □ n grille f.

gratitude ['grætɪtjuːd] n (indén) gratitude f, reconnaissance f.

gratuitous [grə'tjuːɪtəs] adj sout gratuit.

grave[1] [greɪv] adj 1. grave 2. sérieux. □ n tombe f.

grave[2] [grɑːv] adj LING • e grave e m accent grave.

grave accent [grɑːv-] n accent m grave.

gravedigger ['greɪvˌdɪgə] n fossoyeur m, -euse f.

gravel ['grævl] n (indén) gravier m.

gravestone ['greɪvstəʊn] n pierre f tombale.

graveyard ['greɪvjɑːd] n cimetière m.

graveyard slot n 1. RADIO & TV tranche f nocturne 2. tranche horaire pendant laquelle est diffusée une émission à taux de grande écoute sur une chaîne ou une station rivale.

gravitas ['grævɪtæs] n sérieux m.

gravitate ['grævɪteɪt] vi • to gravitate towards être attiré par.

gravity ['grævɪtɪ] n 1. gravité f, pesanteur f 2. gravité f.

gravy ['greɪvɪ] n (indén) jus m de viande.

gravy train n fam • the gravy train le bon filon (situation lucrative).

gray (us) = grey.

graze [greɪz] vt 1. brouter, paître 2. faire paître 3. écorcher, égratigner 4. frôler, effleurer 5. grignoter. □ vi brouter, paître. □ n écorchure f, égratignure f.

grease [griːs] n graisse f. □ vt graisser.

greased lightning ['griːst-] n • like greased lightning fam à tout berzingue.

greasepaint ['griːspeɪnt] n fard m gras.

greaseproof paper [ˌgriːsˈpruːf-] n (indén) (UK) papier m sulfurisé.

greasy ['griːsɪ] adj 1. graisseux 2. taché de graisse 3. gras.

greasy spoon n fam gargote f.

great [greɪt] adj 1. grand • great big énorme 2. fam génial, formidable • to feel great se sentir en pleine forme • great! super !, génial !

great-aunt n grand-tante f.

Great Britain n Grande-Bretagne f • in Great Britain en Grande-Bretagne.

greatcoat ['greɪtkəʊt] n pardessus m.

Great Dane n (chien) danois m.

greater-than sign n signe m « supérieur à ».

great-grandchild n 1. arrière-petit-fils m 2. arrière-petite-fille f. ■ **great-grandchildren** npl arrière-petits-enfants mpl.

great-granddaughter n arrière-petite-fille f.

great-grandfather n arrière-grand-père m.

great-grandmother n arrière-grand-mère f.

great-grandparents npl arrière-grands-parents mpl.

great-grandson n arrière-petit-fils m.

greatly ['greɪtlɪ] adv 1. beaucoup 2. très.

great-nephew n petit-neveu m.

greatness ['greɪtnɪs] n grandeur f.

great-niece n petite-nièce f.

great-uncle n grand-oncle m.

Greece [griːs] n Grèce f.

greed [griːd] n (indén) 1. gloutonnerie f 2. fig • greed (for) avidité f (de).

greedily ['griːdɪlɪ] adv gloutonnement ; avec gourmandise.

greediness ['griːdɪnɪs] = greed.

greedy ['griːdɪ] adj 1. glouton 2. fig • greedy for sthg avide de qqch.

Greek [griːk] adj grec. □ n 1. Grec m, Grecque f 2. grec m.

Greek salad n salade f grecque (composée de tomates, concombre, oignons, feta et olives noires).

green [griːn] adj 1. vert 2. (mouvement) écologique 3. (personne) vert 4. fam inexpérimenté, jeune. □ n 1. vert m 2. GOLF green

m **3.** • **village green** pelouse *f* communale.
■ **Green** *n* vert *m*, -e *f*, écologiste *mf* • **the Greens** les Verts, les Écologistes. ■ **greens** *npl* légumes *mpl* verts.

green audit *n* audit *m* vert.

greenback ['griːnbæk] *n* (US) *fam* billet *m* vert.

green bean *n* haricot *m* vert.

green belt *n* (UK) ceinture *f* verte.

green card *n* **1.** (UK) *(pour véhicule)* carte *f* verte **2.** (US) carte *f* verte ; ≃ carte *f* de séjour.

green collar *adj* **1.** *(employé)* qui travaille dans le domaine de l'environnement **2.** *(emploi)* dans le domaine de l'environnement.

greenery ['griːnəri] *n* verdure *f*.

greenfield site ['griːnfiːld-] *n* terrain non construit *à l'extérieur d'une ville*.

green fingers *npl* (UK) • **to have green fingers** avoir la main verte.

greenfly ['griːnflaɪ] *(pl inv ou* -**ies**) *n* puceron *m*.

greengage ['griːngeɪdʒ] *n* reine-claude *f*.

greengrocer ['griːnˌɡrəʊsə[r]] *n* (surtout UK) marchand *m*, -e *f* de légumes.

greenhouse ['griːnhaʊs] *(pl* [-haʊzɪz]) *n* serre *f*.

greenhouse effect *n* • **the greenhouse effect** l'effet *m* de serre.

Greenland ['griːnlənd] *n* Groenland *m*.

green onion *n* (US) ciboule *f*, cive *f*.

green salad *n* salade *f* verte.

green shoots *npl* ÉCON premiers signes *mpl* de reprise.

green tax *n* taxe *f* verte.

green tea *n* thé *m* vert.

green thumb *n* (US) • **to have a green thumb** avoir la main verte.

greet [griːt] *vt* **1.** saluer **2.** accueillir.

greeter ['griːtə[r]] *n* **1.** *(homme)* hôte *f* (d'accueil) **2.** *(femme)* hôtesse *f* (d'accueil).

greeting ['griːtɪŋ] *n* salutation *f*, salut *m*. ■ **greetings** *npl* • **Christmas/birthday greetings** vœux *mpl* de Noël/d'anniversaire.

greetings card (UK), **greeting card** (US) *n* carte *f* de vœux.

grenade [grə'neɪd] *n* • **(hand)grenade** grenade *f* (à main).

grew [gruː] *passé* → **grow**.

grey (UK), **gray** (US) [greɪ] *adj* **1.** gris **2.** • **to go grey** grisonner **3.** morne, triste. ❑ *n* gris *m*.

grey cell *n* cellule *f* grise • **he's a little short on grey cells** *fam* il n'a pas inventé la poudre.

grey-haired (UK), **gray-haired** (US) [-'heəd] *adj* aux cheveux gris.

greyhound ['greɪhaʊnd] *n* lévrier *m*.

grey literature *n* littérature *f* grise.

grey matter (UK), **gray matter** (US) *n* matière *f* grise.

grid [grɪd] *n* **1.** grille *f* **2.** quadrillage *m* **3.** • **the grid** le réseau • **to live off the grid** ne pas être raccordé au réseau électrique.

griddle ['grɪdl] *n* plaque *f* à cuire.

gridline ['grɪdlaɪn] *n* INFORM quadrillage *m*.

gridlock ['grɪdlɒk] *n* embouteillage *m*.

gridlocked ['grɪdlɒkt] *adj* bloqué • **the two parties are gridlocked** chaque partie campe sur ses positions.

grid parity *n* parité *f* réseau *(seuil de compétitivité de l'énergie photovoltaïque)*.

grief [griːf] *n* *(indén)* **1.** chagrin *m*, peine *f* **2.** *fam* ennuis *mpl* **3.** • **to come to grief a)** *(personne)* avoir de gros problèmes **b)** *(projet)* échouer, tomber à l'eau • **good grief!** Dieu du ciel !, mon Dieu !

grief-stricken *adj* accablé de douleur.

grievance ['griːvns] *n* grief *m*, doléance *f*.

grieve [griːv] *vi* être en deuil • **to grieve for sb/sthg** pleurer qqn/qqch.

grievous ['griːvəs] *adj* *sout* **1.** grave **2.** cruel.

grievous bodily harm *n* *(indén)* coups *mpl* et blessures *fpl*.

grill [grɪl] *n* gril *m*. ❑ *vt* **1.** griller, faire griller **2.** *fam* cuisiner *(interroger)*.

grille [grɪl] *n* grille *f*.

grilling ['grɪlɪŋ] *n* **1.** (UK) cuisson *f* au gril **2.** *fam* *(interrogation)* • **to give sb a grilling** cuisiner qqn.

grim [grɪm] *adj* **1.** sévère **2.** inflexible **3.** sinistre **4.** lugubre **5.** morne, triste.

grimace [grɪ'meɪs] *n* grimace *f*. ❑ *vi* grimacer, faire la grimace.

grime [graɪm] *n* *(indén)* crasse *f*, saleté *f*.

grimy ['graɪmɪ] *adj* sale, encrassé.

grin [grɪn] *n* (large) sourire *m*. ❑ *vi* sourire • **to grin at sb/sthg** adresser un large sourire à qqn/qqch.

grind [graɪnd] *vt* *(prét & pp* **ground)** moudre. ❑ *vi* *(prét & pp* **ground)** grincer. ❑ *n* corvée *f*. ■ **grind up** *vt sép* pulvériser.

grinder ['graɪndə[r]] *n* moulin *m*.

grindingly ['graɪndɪŋlɪ] *adv* • **grindingly boring** d'un ennui mortel • **grindingly slow** d'une lenteur insupportable.

grip [grɪp] *n* **1.** prise *f* **2.** contrôle *m* • **he's got a good grip on the situation** il a la situation bien en main • **to get to grips with sthg** s'attaquer à qqch • **to get a grip on o.s.** se ressaisir **3.** adhérence *f* **4.** poignée *f* **5.** sac *m* (de voyage). ❏ *vt* **1.** saisir **2.** adhérer à **3.** *fig* captiver.

gripe [graɪp] *fam* n plainte *f* • **what's your gripe?** de quoi te plains-tu ? ❏ *vi* • **to gripe** râler *ou* rouspéter.

gripping ['grɪpɪŋ] *adj* passionnant.

grisly ['grɪzlɪ] *adj* macabre.

gristle ['grɪsl] *n* (indén) nerfs *mpl*.

grit [grɪt] *n* **1.** gravillon *m* **2.** poussière *f* **3.** *fam* cran *m* (courage). ❏ *vt* sabler. ■ **grits** *npl* (us) gruau *m* de maïs.

gritty ['grɪtɪ] *adj* **1.** couvert de gravillon **2.** *fam* qui a du cran ; courageux.

groan [grəʊn] *n* gémissement *m*. ❏ *vi* **1.** gémir **2.** grincer.

grocer ['grəʊsə^r] *n* épicier *m*, -ère *f* • **grocer's (shop)** (UK) épicerie *f*.

groceries ['grəʊsərɪz] *npl* provisions *fpl*.

grocery ['grəʊsərɪ] *n* épicerie *f*.

grody ['grəʊdɪ] *adj* (us) *fam* dégueulasse.

groggy ['grɒgɪ] *adj* **1.** faible, affaibli **2.** groggy (inv).

groin [grɔɪn] *n* aine *f*.

groom [gruːm] *n* **1.** palefrenier *m*, -ère *f*, garçon *m* d'écurie **2.** marié *m*. ❏ *vt* **1.** panser **2.** *fig* • **to groom sb (for sthg)** préparer *ou* former qqn (pour qqch).

groove [gruːv] *n* **1.** rainure *f* **2.** sillon *m* (sur un disque).

grooved [gruːvd] *adj* cannelé, rainé • **grooved panel** panneau *m* tarabiscoté • **grooved tyre** pneu *m* cannelé.

groovy ['gruːvɪ] *adj fam & vieilli* **1.** super, génial **2.** branché.

grope [grəʊp] *vi* • **to grope (about** (UK) *ou* **around) for sthg** chercher qqch à tâtons.

gross [grəʊs] *adj* **1.** brut **2.** *sout* (négligence) coupable ; (comportement) choquant ; (inégalité) flagrant **3.** grossier.

gross domestic product *n* produit *m* intérieur brut.

gross income *n* FIN produit *m* brut.

grossly ['grəʊslɪ] *adv* extrêmement, énormément.

gross margin *n* marge *f* brute.

gross national product *n* produit *m* national brut.

gross profit *n* bénéfice *m* brut.

grotesque [grəʊ'tesk] *adj* grotesque.

grotto ['grɒtəʊ] (*pl* **-es** *ou* **-s**) *n* grotte *f*.

grotty ['grɒtɪ] *adj* (UK) *fam* minable.

grouchy ['graʊtʃɪ] (*comp* **grouchier,** *superl* **grouchiest**) *adj fam* grognon, maussade.

ground [graʊnd] *passé & pp* → **grind**. ❏ *n* **1.** (indén) sol *m*, terre *f* • **above ground** en surface • **below ground** sous terre • **to work o.s. into**

the ground se tuer au travail **2.** (indén) terrain *m* **3.** SPORT terrain *m* **4.** • **to gain/lose ground** gagner/perdre du terrain. ❏ *vt* **1.** • **to be grounded on** *ou* **in sthg** être fondé sur qqch **2.** interdire de vol **3.** *fam* priver de sortie **4.** (us) ÉLECTR • **to be grounded** être à la masse. ■ **grounds** *npl* **1.** motif *m*, raison *f* • **grounds for doing sthg** raisons de faire qqch **2.** parc *m* **3.** marc *m* (de café).

ground coffee *n* café *m* moulu.

ground crew *n* personnel *m* au sol.

grounded ['graʊndɪd] *adj* • **to be grounded** avoir les pieds sur terre.

ground floor *n* rez-de-chaussée *m inv*.

grounding ['graʊndɪŋ] *n* • **grounding (in)** connaissances *fpl* de base (en).

groundless ['graʊndlɪs] *adj* sans fondement.

ground rules *npl* règles *fpl* de base.

groundsheet ['graʊndʃiːt] *n* tapis *m* de sol.

groundspeed ['graʊndspiːd] *n* AÉRON vitesse *f* au sol.

ground staff *n* **1.** personnel *m* d'entretien (d'un terrain de sport) **2.** (UK) = **ground crew**.

groundswell ['graʊndswel] *n* vague *f* de fond.

ground-to-air *adj* MIL sol-air (inv).

ground-to-ground *adj* MIL sol-sol (inv).

groundwork ['graʊndwɜːk] *n* (indén) travail *m* préparatoire.

ground zero *n* hypocentre *m*, point *m* zéro.

group [gruːp] *n* groupe *m*. ❏ *vt* grouper, réunir. ❏ *vi* • **to group (together)** se grouper.

groupie ['gruːpɪ] *n fam* groupie *f*.

group leader *n* **1.** accompagnateur *m*, -trice *f* **2.** moniteur *m*, -trice *f*.

group therapy *n* thérapie *f* de groupe.

groupware ['gruːpweə^r] *n* INFORM logiciel *m* de groupe.

grouse [graʊs] *n* (*pl inv ou* **-s**) grouse *f*, coq *m* de bruyère.

grove [grəʊv] *n* bosquet *m*.

grovel ['grɒvl] ((UK) *prét & pp* **grovelled,** *cont* **grovelling,** (us) *prét & pp* **groveled,** *cont* **groveling**) *vi* • **to grovel (to sb)** ramper (devant qqn).

grow [grəʊ] (*prét* **grew,** *pp* **grown**) *vi* **1.** pousser **2.** (personne, animal) grandir **3.** (entreprise, ville) s'agrandir **4.** (peurs, influence, circulation) augmenter, s'accroître **5.** (problème, projet) prendre de l'ampleur **6.** (économie) se développer **7.** devenir • **to grow old** vieillir • **to grow tired of sthg** se fatiguer de qqch. ❏ *vt* **1.** BOT faire pousser **2.** se laisser pousser (les cheveux, la barbe). ■ **grow into** *vt insép* (vêtements, chaussures) devenir assez grand pour mettre • **he'll soon grow into those shoes** il pourra bientôt mettre ces chaussures, bientôt ces chaussures lui iront. ■ **grow on** *vt insép fam* plaire de plus en plus à • **it'll grow on**

you cela finira par te plaire. ■ grow out of vt insép 1. (vêtements, chaussures) devenir trop grand pour 2. perdre (une habitude). ■ grow up vi 1. grandir, devenir adulte • I grew up in Oxford j'ai grandi à Oxford • when I grow up quand je serai grand • grow up! ne fais pas l'enfant ! 2. se développer.

grower ['grəʊə'] n cultivateur m, -trice f.

growl [graʊl] vi 1. (animal) grogner 2. (moteur) vrombir, gronder 3. (personne) grogner.

grown [grəʊn] pp → grow. ❑ adj adulte.

grown-up adj 1. adulte, grand 2. mûr. ❑ n adulte mf, grande personne f.

growth [grəʊθ] n 1. croissance f • economic growth la croissance économique 2. développement m (de l'opposition, d'une entreprise) 3. augmentation f, accroissement m (de la population) 4. tumeur f, excroissance f.

growth industry n industrie f en plein essor ou de pointe.

growth rate n taux m de croissance.

grub [grʌb] n 1. larve f 2. fam bouffe f.

grubby ['grʌbi] adj sale, malpropre.

grudge [grʌdʒ] n rancune f • to bear sb a grudge, to bear a grudge against sb garder rancune à qqn. ❑ vt • to grudge sb sthg a) donner qqch à qqn à contrecœur b) en vouloir à qqn à cause de qqch.

gruelling (UK), **grueling** (US) ['grʊəlɪŋ] adj épuisant, exténuant.

gruesome ['gruːsəm] adj horrible.

gruff [grʌf] adj 1. gros, grosse f 2. brusque, bourru.

grumble ['grʌmbl] vi 1. • to grumble about sthg rouspéter ou grommeler contre qqch 2. (tonnerre) gronder 3. (estomac) gargouiller.

grumpily ['grʌmpɪli] adv fam en ronchonnant, d'un ton ou air ronchon.

grumpy ['grʌmpi] adj fam renfrogné • a grumpy old man un vieillard grognon.

grunge [grʌndʒ] n 1. fam crasse f 2. grunge m.

grunt [grʌnt] n grognement m. ❑ vi grogner.

grunt work n fam travail m fastidieux.

GSM (abrév de global system for mobile communication) n TÉLÉCOM GSM m.

GSOH SMS 1. abrév de good sense of humour 2. abrév de good salary, own home.

G-string n cache-sexe m inv.

GTG, G2G SMS abrév de got to go.

GTSY SMS abrév de glad to see you.

guarantee [ˌgærən'tiː] n garantie f. ❑ vt garantir.

guard [gɑːd] n 1. garde m 2. gardien m (de prison) 3. garde f • to be on guard être de garde ou de faction • to catch sb off guard prendre qqn au dépourvu 4. (UK) chef m de train 5. protection f 6. garde-feu m inv. ❑ vt 1. protéger, garder (un bâtiment) 2. protéger (une personne) 3. garder, surveiller (un prisonnier) 4. garder (un secret).

guard dog n chien m de garde.

guarded ['gɑːdɪd] adj prudent.

guardian ['gɑːdjən] n 1. tuteur m, -trice f 2. gardien m, -enne f, protecteur m, -trice f.

guardrail ['gɑːdreɪl] n barrière f de sécurité.

guard's van n (UK) wagon m du chef de train.

guerilla [gə'rɪlə] = guerrilla.

Guernsey ['gɜːnzi] n Guernesey f.

guerrilla [gə'rɪlə] n guérillero m.

guerrilla warfare n (indén) guérilla f.

guess [ges] n conjecture f. ❑ vt deviner • guess what? tu sais quoi ? ❑ vi 1. deviner • to guess at sthg deviner qqch 2. • I guess (so) je suppose (que oui).

guesstimate ['gestɪmət] n fam calcul m au pif.

guesswork ['geswɜːk] n (indén) conjectures fpl, hypothèses fpl.

guest [gest] n 1. invité m, -e f 2. client m, -e f. ❑ vi être reçu comme invité.

guesthouse ['gesthaʊs] n (pl [-haʊzɪz]) n pension f de famille.

guest of honour (UK), **guest of honor** (US) n invité m, -e f d'honneur.

guestroom ['gestrʊm] n chambre f d'amis.

guest star n invité-vedette m, invitée-vedette f.

guest worker n travailleur immigré m, travailleuse immigrée f.

guffaw [gʌ'fɔː] n gros rire m. ❑ vi rire bruyamment.

GUI (abrév de graphical user interface) n INFORM interface f utilisateur graphique.

guidance ['gaɪdəns] n (indén) 1. conseils mpl 2. direction f.

guide [gaɪd] n 1. guide m 2. indication f. ❑ vt 1. guider 2. diriger 3. • to be guided by sb/sthg se laisser guider par qqn/qqch. ■ Guide n éclaireuse f, guide f.

guide book, guidebook ['gaɪdbʊk] n guide m (livre).

guided missile ['gaɪdɪd-] n missile m guidé.

guide dog n chien m d'aveugle.

guided tour ['gaɪdɪd-] n visite f guidée.

guidelines ['gaɪdlaɪnz] npl directives fpl, lignes fpl directrices.

guild [gɪld] n 1. HIST corporation f, guilde f 2. association f.

guile [gaɪl] n (indén) littéraire ruse f, astuce f.

guillotine ['gɪlətiːn] n 1. guillotine f 2. massicot m. ❑ vt guillotiner.

guilt [gɪlt] n culpabilité f.

guilt-free adj non culpabilisant • guilt-free desserts des desserts que l'on peut manger sans se sentir coupable.

guilty ['gɪltɪ] adj 1. coupable • to be guilty of sthg être coupable de qqch • to be found guilty/not guilty DR être reconnu coupable/non coupable 2. fig coupable • I feel guilty je me sens coupable • to have a guilty conscience avoir mauvaise conscience • there's no need to feel guilty il n'y a pas de raison de culpabiliser • to have a guilty secret avoir un secret inavouable.

guinea pig ['gɪnɪpɪg] n cobaye m.

guise [gaɪz] n sout apparence f.

guitar [gɪ'tɑːʳ] n guitare f.

guitarist [gɪ'tɑːrɪst] n guitariste mf.

gulf [gʌlf] n 1. golfe m 2. • gulf (between) abîme m (entre). ■ **Gulf** n • the Gulf le Golfe.

gull [gʌl] n mouette f.

gullet ['gʌlɪt] n 1. œsophage m 2. gosier m (d'un oiseau).

gullible ['gʌləbl] adj crédule.

gullibly ['gʌləblɪ] adv naïvement.

gully ['gʌlɪ] n 1. ravine f 2. rigole f.

gulp [gʌlp] n 1. grande gorgée f 2. grosse bouchée f. □ vt avaler. □ vi avoir la gorge nouée. ■ **gulp down** vt sép avaler.

gum [gʌm] n 1. chewing-gum m • a stick of gum un chewing-gum 2. colle f, gomme f 3. gencive f.

gumboots ['gʌmbuːts] npl (UK) vieilli bottes fpl de caoutchouc.

gun [gʌn] n 1. revolver m 2. fusil m 3. canon m 4. pistolet m (de starter) 5. agrafeuse f. ■ **gun down** vt sép abattre.

gunboat ['gʌnbəʊt] n canonnière f.

gunfight ['gʌnfaɪt] n fusillade f.

gunfire ['gʌnfaɪəʳ] n (indén) coups mpl de feu.

gunman ['gʌnmən] (pl -men) n personne f armée.

gunpoint ['gʌnpɔɪnt] n • at gunpoint sous la menace d'un fusil ou pistolet.

gunpowder ['gʌn,paʊdəʳ] n poudre f à canon.

gunrunning ['gʌn,rʌnɪŋ] n trafic m d'armes.

gunshot ['gʌnʃɒt] n coup m de feu.

gunsmith ['gʌnsmɪθ] n armurier m, -ère f.

gurgle ['gɜːgl] vi 1. (eau) glouglouter 2. (bébé) gazouiller.

guru ['gʊruː] n gourou mf, guru mf.

gush [gʌʃ] n jaillissement m. □ vi 1. jaillir 2. péj s'exprimer de façon exubérante.

gusset ['gʌsɪt] n gousset m.

gust [gʌst] n rafale f, coup m de vent.

gusto ['gʌstəʊ] n • with gusto avec enthousiasme.

gut [gʌt] n intestin m. □ vt 1. vider 2. éventrer. ■ **guts** npl fam 1. ANAT intestins mpl • to hate sb's guts ne pas pouvoir voir qqn en peinture 2. cran m.

gut-churning adj fam déchirant.

gut course n (US) UNIV matière f lourde.

gutrot ['gʌtrɒt] n (UK) fam 1. tord-boyaux m inv 2. mal m de bide.

gutsy ['gʌtsɪ] (comp gutsier, superl gutsiest) adj fam 1. qui a du cran 2. qui a du punch, musclé.

gutter ['gʌtəʳ] n 1. rigole f 2. gouttière f.

guttering ['gʌtərɪŋ] n (indén) (surtout UK) gouttières fpl.

gutter press n (UK) péj presse f à sensation.

gut-wrenching adj fam déchirant.

guy [gaɪ] n 1. fam type m 2. copain m, copine f 3. (UK) effigie de Guy Fawkes.

Guy Fawkes' Night [-'fɔːks-] n fête célébrée le 5 novembre en Grande-Bretagne.

Guy Fawkes' Night

Cette fête annuelle, également appelée **Bonfire Night**, marque l'anniversaire de la découverte d'un complot catholique visant à assassiner le roi Jacques Iᵉʳ en faisant sauter le Parlement britannique (1605). À cette occasion, les enfants ont pour coutume de confectionner des pantins de chiffon à l'effigie de l'un des conspirateurs, **Guy Fawkes**, et de les exhiber dans la rue en demandant de l'argent. Dans la soirée, on tire des feux d'artifice et les effigies sont brûlées dans de grands feux de joie.

guyline (US) ['gaɪlaɪn], **guy rope** n corde f de tente.

guzzle ['gʌzl] vt 1. bâfrer 2. lamper. □ vi s'empiffrer.

GWP n (abrév de global warming potential) PRG m.

gym [dʒɪm] n fam 1. gymnase m, salle f de sports 2. gym f.

gymnasium [dʒɪm'neɪzjəm] (pl -iums ou -ia) n gymnase m.

gymnast ['dʒɪmnæst] n gymnaste mf.

gymnastics [dʒɪm'næstɪks] n (indén) gymnastique f.

gym shoes npl (chaussures fpl de) tennis fpl.

gymslip ['dʒɪm,slɪp] n (UK) tunique f.

gynaecologist (UK), **gynecologist** (US) [,gaɪnə'kɒlədʒɪst] n gynécologue mf.

gynaecology (UK), **gynecology** (US) [,gaɪnə'kɒlədʒɪ] n gynécologie f.

gyp [dʒɪp] (US) vt escroquer. □ n escroc.

gypsy ['dʒɪpsɪ] = gipsy.

gyrate [dʒaɪ'reɪt] vi tournoyer.

H

h [eitʃ] (pl h's ou hs), **H** (pl H's ou Hs) n h m inv, H m inv.

H8 SMS abrév de **hate**.

H&K SMS (abrév de hugs and kisses) biz.

haberdashery ['hæbədæʃəri] n (UK) mercerie f.

habit ['hæbit] n **1.** habitude f • **out of habit** par habitude • **to make a habit of doing sthg** avoir l'habitude de faire qqch • **to have bad habits** avoir de mauvaises habitudes • **to get into the habit of doing sthg** prendre l'habitude de faire qqch **2.** habit m.

---

social habits

CULTURE

Aux États-Unis et surtout en Grande-Bretagne, la politesse est une règle d'or, et il est d'usage de s'excuser lorsque l'on demande quelque chose à quelqu'un, ne serait-ce que l'heure ou son chemin : **Sorry to bother you, but...** (Excusez-moi de vous déranger, mais...). Lorsque l'on vous dit merci, répondez **you're welcome** (je vous en prie) ou **not at all** (il n'y a pas de quoi). Si quelqu'un éternue devant vous, dites-lui **God bless you!** Si vous ne comprenez pas ce que l'on vous dit, dites **I'm sorry, but I didn't get what you said** (je m'excuse, mais je n'ai pas compris ce que vous avez dit), ou bien **I beg your pardon?** (pardon ?).
En commençant le repas, vous pouvez souhaiter un bon appétit aux convives : **enjoy your meal!** Enfin, au moment de prendre congé, on peut souhaiter à son interlocuteur une bonne journée/soirée ou un bon week-end : **have a nice day/ night**, **have a nice week-end**. Quand on se connaît un peu, il est fréquent de dire aussi **take care!**, qui peut se traduire par « prends soin de toi ! ».

---

habitable ['hæbitəbl] adj habitable.

habitat ['hæbitæt] n habitat m.

habit-forming [-,fɔːmiŋ] adj qui crée une accoutumance.

habitual [hə'bitʃuəl] adj **1.** habituel **2.** invétéré.

hack [hæk] n écrivailleur m, -euse f. ◆ vt tailler. ■ **hack into** vt insép INFORM (computer) pirater, s'introduire dans • **to hack into a system** s'introduire dans un système.

hacker ['hækər] n ● (computer) hacker pirate m informatique.

hacking cough n toux f sèche et douloureuse.

hackneyed ['hæknid] adj rebattu.

hacksaw ['hæksɔː] n scie f à métaux.

had (forme non accentuée [həd], forme accentuée [hæd]) passé & pp → have.

haddock ['hædək] (pl inv) n églefin m, aiglefin m.

hadn't ['hædnt] = had not.

haematite (UK), **hematite** (US) ['hiːmətait] n hématite f.

haemophiliac (UK), **hemophiliac** (US) [,hiːmə'filiæk] n hémophile mf.

haemorrhage (UK), **hemorrhage** (US) ['heməridʒ] n hémorragie f.

haemorrhoids (UK), **hemorrhoids** (US) ['hemərɔidz] npl hémorroïdes fpl.

haggard ['hægəd] adj **1.** (visage) défait • **to be** ou **look haggard** avoir les traits tirés **2.** (personne) abattu.

haggis ['hægis] n plat typique écossais fait d'une panse de brebis farcie, le plus souvent servie avec des navets et des pommes de terre.

haggle ['hægl] vi marchander • **to haggle over** ou **about sthg** marchander qqch.

Hague [heig] n • **The Hague** La Haye.

hail [heil] n **1.** grêle f **2.** fig pluie f. ◆ vt **1.** héler **2.** • **to hail sb/sthg as sthg** acclamer qqn/qqch comme qqch. ◆ v impers grêler.

hailstone ['heilstəʊn] n grêlon m.

hailstorm ['heilstɔːm] n averse f de grêle.

hair [heər] n **1.** (indén) cheveux mpl • **to do one's hair** se coiffer • **to have a bad hair day** fam : **I'm having a bad hair day** j'ai une sale journée **2.** (indén) poils mpl **3.** cheveu m **4.** poil m.

hairband ['heəbænd] n bandeau m.

hairbrush ['heəbrʌʃ] *n* brosse *f* à cheveux.

haircare ['heəkeər] *n* soin *m* du cheveu • **hair-care products** produits *mpl* de soin pour les cheveux.

hairclip ['heəklıp] *n* barrette *f*.

hair conditioner *n* après-shampooing *m*.

haircut ['heəkʌt] *n* coupe *f* de cheveux.

hairdo ['heədu:] *(pl -s)* *n fam & vieilli* coiffure *f*.

hairdresser ['heə,dresər] *n* coiffeur *m*, -euse *f* • **hairdresser's (salon)** salon *m* de coiffure.

hairdryer ['heə,draıər] *n* **1.** sèche-cheveux *m inv* **2.** casque *m*.

hair gel *n* gel *m* coiffant.

hairgrip ['heəgrıp] *n* (UK) pince *f* à cheveux.

hairline ['heəlaın] *n* naissance *f* des cheveux.

hairline fracture *n* fêlure *f*.

hairpiece ['heəpi:s] *n* postiche *m*.

hairpin ['heəpın] *n* épingle *f* à cheveux.

hairpin bend *n* (UK), **hairpin turn** *n* (US) *n* virage *m* en épingle à cheveux.

hair-raising [-,reızıŋ] *adj* **1.** à faire dresser les cheveux sur la tête **2.** effrayant.

hair removal *n* épilation *f*.

hair remover [-rı,mu:vər] *n* (crème *f*) dépilatoire *m*.

hair restorer *n* lotion *f* capillaire régénératrice.

hair slide *n* (UK) barrette *f*.

hair splitting *n* ergotage *m*.

hairspray ['heəspreı] *n* laque *f*.

hairstyle ['heəstaıl] *n* coiffure *f*.

hairstylist ['heə,staılıst] *n* coiffeur *m*, -euse *f*.

hair wax *n* gomina *f*.

hairy ['heərı] *adj* **1.** velu, poilu **2.** *fam* à faire dresser les cheveux sur la tête.

Haiti ['heıtı] *n* Haïti *m*.

HAK *SMS* (abrév *de* hugs and kisses) biz.

hake [heık] *(pl inv ou -s)* *n* colin *m*, merluche *f*.

half [(UK) hɑ:f, (US) hæf] *adj* demi • **half a dozen** une demi-douzaine • **half an hour** une demi-heure • **half a pound** une demi-livre. ❑ *adv* **1.** à moitié • **half English** à moitié anglais • **half-and-half** moitié-moitié **2.** de moitié **3.** • **half past ten** dix heures et demie. ❑ *n* *(pl* **halves** *(sens 1 et 2)* [(UK) hɑ:vz] [(US) hævz] *ou* **halves** *ou* **halfs** *(sens 3 et 4))* **1.** moitié *f* • **in half** en deux • **to go halves (with sb)** partager (avec qqn) **2.** *SPORT* mi-temps *f* **3.** demi *m* **4.** (UK) demi-tarif *m*, tarif *m* enfant. ❑ *pron* la moitié • **half of them** la moitié d'entre eux.

half

Quand *half* est un nom, il est inutile de le faire précéder de *the* (*I can't eat all of that - just give me half*).
En revanche, si *half* est utilisé avec un autre nom, celui-ci est introduit par un mot tel que *a, the, this/that* ou *what* (*half a pound of butter* ; *I'd like half that amount* ; *she earns half what she got in her old job*).

halfback ['hɑ:fbæk] *n* demi *m*.

half-baked [-'beıkt] *adj fam* **1.** *fig (idée)* à la noix **2.** *(projet)* mal conçu • **to make a half-baked attempt to do sthg** essayer vaguement de faire qqch.

half board *n* (surtout UK) demi-pension *f*.

half-bottle *n* demi-bouteille *f*.

half-breed *adj* métis. ❑ *n* métis *m*, -isse *f (attention : le terme « half-breed » est considéré comme raciste)*.

half-brother *n* demi-frère *m*.

half-caste [-kɑ:st] *adj* métis. ❑ *n* métis *m*, -isse *f (attention : le terme « half-caste » est considéré comme raciste)*.

half-cut *adj* (UK) *fam (ivre)* bourré, fait.

half-day *n* demi-journée *f* • **half-day closing** demi-journée *f* de fermeture.

half-dozen *n* demi-douzaine *f* • **a half-dozen eggs** une demi-douzaine d'œufs.

half-eaten *adj* à moitié mangé.

half-full *adj* à moitié *ou* à demi plein.

half-hearted [-'hɑ:tıd] *adj* sans enthousiasme.

half-heartedly [-'hɑ:tıdlı] *adv* sans enthousiasme.

half hour *n* demi-heure *f*.

half-hourly *adj* de toutes les demi-heures. ■ **half-hourly** *adv* toutes les demi-heures.

half-marathon *n* semi-marathon *m*.

half-mast *n* • **at half-mast** en berne.

half measure *n* demi-mesure *f* • **there are no half measures here!** on ne fait pas les choses à moitié ici !, on ne fait pas dans la demi-mesure ici !

half moon *n* demi-lune *f*.

half-naked *adj* à moitié nu.

half note *n* (US) blanche *f*.

half-open *adj* entrouvert. ❑ *vt* entrouvrir.

halfpenny ['heıpnı] *(pl* **-pennies** *ou* **-pence)** *n* (UK) demi-penny *m*.

half-price *adj* à moitié prix.

half-shut *adj* mi-clos, à moitié fermé.

half-sister *n* demi-sœur *f*.

half term *n* (UK) congé *m* de mi-trimestre.

half-time *n (indén)* mi-temps *f*.

half-truth *n* demi-vérité *f*.

halfway [hɑ:f'weı] *adj* à mi-chemin. ❑ *adv* **1.** *(dans l'espace)* à mi-chemin **2.** *(dans le temps)* à la moitié.

halibut ['hælıbət] *(pl inv ou -s)* *n* flétan *m*.

hall [hɔ:l] *n* **1.** vestibule *m*, entrée *f* **2.** salle *f* **3.** manoir *m*.

halleluja [ˌhælɪˈluːjə] *interj* alléluia !

hallmark ['hɔːlmaːk] *n* **1.** marque *f* **2.** poinçon *m*.

hallo [həˈləʊ] **(UK)** = hello.

hall of residence (*pl* halls of residence) *n* **(UK)** résidence *f* universitaire.

Hallowe'en, Halloween [ˌhæləʊˈiːn] *n* Halloween *f* (*fête des sorcières et des fantômes*).

Hallowe'en

La nuit du 31 octobre est, selon la coutume, la nuit des fantômes et des sorcières. À cette occasion, les enfants se déguisent et font le tour des maisons du quartier en menaçant leurs voisins de leur jouer des tours s'ils ne leur donnent pas d'argent ou de sucreries (c'est le **trick or treat!**). On confectionne des lampes en évidant des citrouilles et en y plaçant une bougie (**jack-o'-lanterns**).

hallucinate [həˈluːsɪneɪt] *vi* avoir des hallucinations.

hallway ['hɔːlweɪ] *n* vestibule *m*.

halo ['heɪləʊ] (*pl* -es *ou* -s) *n* **1.** nimbe *m* **2.** ASTRON halo *m*.

halt [hɔːlt] *n* • **to come to a halt a)** s'arrêter, s'immobiliser **b)** s'interrompre • **to call a halt to sthg** mettre fin à qqch. ❏ *vt* arrêter. ❏ *vi* s'arrêter.

halterneck ['hɔːltənek], **halter top** *adj* dos nu (*inv*).

halve [**(UK)** haːv, **(US)** hæv] *vt* **1.** réduire de moitié **2.** couper en deux.

halves [**(UK)** haːvz, **(US)** hævz] *npl* → half.

ham [hæm] *n* jambon *m*. ❏ *en apposition au* jambon.

hamburger ['hæmbɜːgəʳ] *n* **1.** hamburger *m* **2.** (*indén*) **(US)** viande *f* hachée.

hamlet ['hæmlɪt] *n* hameau *m*.

hammer ['hæməʳ] *n* marteau *m*. ❏ *vt* **1.** marteler **2.** enfoncer à coups de marteau **3.** *fig* marteler du poing **4.** *fam* battre à plates coutures. ❏ *vi* • **to hammer (on)** cogner du poing (à). ■ **hammer out** *vt insép* parvenir finalement à.

hammock ['hæmək] *n* hamac *m*.

hamper ['hæmpəʳ] *n* **1.** **(UK)** panier *m* d'osier **2.** **(US)** panier *m* à linge sale. ❏ *vt* gêner.

hamster ['hæmstəʳ] *n* hamster *m*.

hamstring ['hæmstrɪŋ] *n* tendon *m* du jarret.

hand [hænd] *n* **1.** main *f* • **to hold hands** se tenir la main • **by hand** à la main • **to get** *ou* **lay one's hands on** mettre la main sur • **to get out of hand** échapper à tout contrôle • **to have a situation in hand** avoir une situation en main • **to have one's hands full** avoir du pain sur la planche • **to try one's hand at sthg**

s'essayer à qqch **2.** coup *m* de main • **to give** *ou* **lend sb a hand (with sthg)** donner un coup de main à qqn (pour faire qqch) **3.** ouvrier *m*, -ère *f* **4.** aiguille *f* (*d'une montre, d'une pendule*) **5.** écriture *f* **6.** (*dans un jeu de cartes*) jeu *m*, main *f*. ❏ *vt* • **to hand sthg to sb, to hand sb sthg** passer qqch à qqn. ■ **(close) at hand** *adv* proche. ■ **hand down** *vt sép* transmettre. ■ **hand in** *vt sép* **1.** rendre • **to hand in one's homework** rendre ses devoirs **2.** (*démission*) donner. ■ **hand out** *vt sép* distribuer. ■ **hand over** *vt sép* **1.** remettre **2.** transmettre. ❏ *vi* • **to hand over (to)** passer le relais (à). ■ **on hand** *adv* disponible. ■ **on the other hand** *conj* d'autre part. ■ **out of hand** *adv* d'emblée. ■ **to hand** *adv* à portée de la main, sous la main.

HAND SMS abrév de **have a nice day**.

handbag ['hændbæg] *n* sac *m* à main.

handball ['hændbɔːl] *n* handball *m*.

handbook ['hændbʊk] *n* **1.** manuel *m* **2.** **(UK)** guide *m* (*touristique*).

handbrake ['hændbreɪk] *n* frein *m* à main.

handcuffs ['hændkʌfs] *npl* menottes *fpl*.

handful ['hændfʊl] *n* poignée *f*.

handgun ['hændgʌn] *n* revolver *m*, pistolet *m*.

hand-held *adj* **1.** (*outil*) à main **2.** (*caméra*) portatif.

handicap ['hændɪkæp] *n* handicap *m*. ❏ *vt* **1.** handicaper **2.** entraver.

handicapped ['hændɪkæpt] *adj* handicapé. ❏ *npl* • **the handicapped** les handicapés *mpl*.

handicraft ['hændɪkraːft] *n* activité *f* artisanale.

handiwork ['hændɪwɜːk] *n* (*indén*) ouvrage *m*.

handkerchief ['hæŋkətʃɪf] (*pl* -chiefs *ou* -chieves) *n* mouchoir *m*.

handle ['hændl] *n* **1.** poignée *f* **2.** anse *f* **3.** manche *m* **4.** INTERNET pseudo *m*. ❏ *vt* **1.** manipuler **2.** toucher à **3.** s'occuper de **4.** faire face à **5.** traiter, s'y prendre avec.

handlebars ['hændlbaːz] *npl* guidon *m*.

handler ['hændləʳ] *n* **1.** maître-chien *m* **2.** • **(baggage) handler** bagagiste *m*.

handling charges ['hændlɪŋ-] *npl* (*dans une banque*) frais *mpl* de gestion.

hand lotion *n* lotion *f* pour les mains.

hand luggage *n* (*indén*) **(UK)** bagages *mpl* à main.

handmade [ˌhændˈmeɪd] *adj* fait (à la) main.

hand-me-down *n* *fam* vêtement *m* usagé.

handout ['hændaʊt] *n* **1.** don *m* **2.** prospectus *m*.

handover ['hændəʊvəʳ] *n* **1.** remise *f* (*d'otage, de prisonnier*) **2.** passation *f* (*de pouvoir*).

handpicked [ˌhændˈpɪkt] *adj* trié sur le volet.

handrail ['hændreɪl] *n* rampe *f*.

handset ['hændset] *n* combiné *m* (*de téléphone*).

hands-free kit ['hændz-] n kit m mains libres.

handshake ['hændʃeɪk] n serrement m ou poignée f de main.

hands-off ['hændz-] adj non interventionniste.

handsome ['hænsəm] adj **1.** beau **2.** (don) généreux.

handsomely ['hænsəmlɪ] adv généreusement.

hands-on ['hændz-] adj **1.** (formation) pratique **2.** (personne) qui s'implique.

handstand ['hændstænd] n équilibre m (sur les mains).

hand to mouth adv au jour le jour.

handwash ['hændwɒʃ] vt laver à la main. ❑ n
• **to do a handwash** faire une lessive à la main.

handwriting ['hænd,raɪtɪŋ] n écriture f.

handwritten ['hænd,rɪtn] adj écrit à la main, manuscrit.

handy ['hændɪ] adj fam **1.** pratique • **to come in handy** être utile **2.** adroit **3.** tout près, à deux pas.

handyman ['hændɪmæn] (pl **-men**) n bricoleur m.

hang [hæŋ] vt (pp **hung** ou **hanged**) pendre. ❑ vi **1.** (pp **hung**) pendre, être accroché **2.** (pp **hung** ou **hanged**) être pendu **3.** (pp **hung**) planter. ❑ n • **to get the hang of sthg** fam saisir le truc ou attraper le coup pour faire qqch. ■ **hang about** (UK), **hang around** vi traîner • **she doesn't hang about** ou **around** elle ne perd pas de temps. ■ **hang on** vi **1.** • **to hang on (to)** s'accrocher ou se cramponner (à) **2.** fam attendre **3.** tenir bon. ■ **hang onto** vt insép **1.** se cramponner à (une personne, une rampe), s'accrocher à **2.** garder (des biens). ■ **hang out** vi fam traîner. ■ **hang round** vt insép (UK) = **hang about**. ■ **hang up** vt sép pendre. ❑ vi (au téléphone) raccrocher. ■ **hang up on** vt insép (au téléphone) raccrocher au nez de.

hangar ['hæŋə'] n hangar m.

hanger ['hæŋə'] n cintre m.

hanger-on (pl **hangers-on**) n péj parasite m.

hang gliding n (indén) **1.** deltaplane m **2.** vol m libre.

hangman ['hæŋmən] (pl **-men**) n bourreau m.

hangover ['hæŋ,əʊvə'] n gueule f de bois.

hang time n SPORT temps m de suspension (du ballon en l'air).

hang-up n fam complexe m.

hanker ['hæŋkə'] ■ **hanker after**, **hanker for** vt insép convoiter. ■

hankie, **hanky** ['hæŋkɪ] (abrév de **handkerchief**) n fam mouchoir m.

haphazard [,hæp'hæzəd] adj fait au hasard.

haphazardly [,hæp'hæzədlɪ] adv au hasard.

hapless ['hæplɪs] adj littéraire infortuné.

happen ['hæpən] vi **1.** arriver, se passer • **what's happening?** qu'est-ce qui se passe ? • **to happen to sb** arriver à qqn • **this isn't happening!** ou **this can't be happening!** fam c'est pas possible ! • **2.** • **I just happened to meet him** je l'ai rencontré par hasard • **as it happens** en fait **3.** (en guise de salutations) • **what's happening?** (US) ça va ?

happening ['hæpənɪŋ] n événement m.

happily ['hæpɪlɪ] adv **1.** de bon cœur **2.** • **to be happily doing sthg** être bien tranquillement en train de faire qqch **3.** heureusement.

happiness ['hæpɪnɪs] n bonheur m.

happy ['hæpɪ] adj heureux • **to be happy to do sthg** être heureux de faire qqch • **to be happy with** ou **about sthg** être heureux de qqch • **happy birthday!** joyeux anniversaire ! • **happy Christmas!** (UK) joyeux Noël ! • **happy New Year!** bonne année !

happy-clappy [-'klæpɪ] (pl **happy-clappies**) (UK) fam & péj adj (office religieux, réunion) exubérant.

happy-go-lucky adj décontracté.

happy hour n fam moment dans la journée où les boissons sont vendues moins chères dans les bars.

happy medium n juste milieu m.

harangue [hə'ræŋ] n harangue f. ❑ vt haranguer.

harass ['hærəs] vt harceler.

harassed ['hærəst] adj harcelé, tourmenté.

harassment ['hærəsmənt] n harcèlement m.

harbour (UK), **harbor** (US) ['hɑːbə'] n port m. ❑ vt **1.** entretenir (un espoir, des soupçons) **2.** garder (rancune) **3.** héberger.

hard [hɑːd] adj **1.** dur • **to be hard on sb/sthg** être dur avec qqn/pour qqch **2.** (hiver) rude **3.** (eau) calcaire **4.** (fait) concret **5.** (UK) POLIT • **hard left/right** extrême gauche/droite. ❑ adv **1.** (travail) dur **2.** (écouter, se concentrer) avec effort • **to try hard (to do sthg)** faire de son mieux (pour faire qqch) **3.** fort **4.** (pleuvoir) à verse **5.** (neiger) dru **6.** (locution) • **to feel hard done by** avoir l'impression d'avoir été traité injustement.

hardass ['hɑːdæs] n (US) tfam enfoiré m, -e f.

hardback ['hɑːdbæk] adj relié. ❑ n livre m relié.

hardball ['hɑːdbɔːl] n • **to play hardball** fam & fig employer les grands moyens.

hardboard ['hɑːdbɔːd] n (pour l'isolation) panneau m de fibres.

hard-boiled adj • **hard-boiled egg** œuf m dur.

hard cash n (indén) espèces fpl.

hard copy n INFORM sortie f papier.

hard currency n devise f forte.

hard disk n INFORM disque m dur.

hard-disk drive n INFORM unité f de disque dur.

hard drugs npl drogues fpl dures.

hard-earned [-'ɜːnt] *adj* **1.** (*argent*) durement gagné **2.** (*victoire*) durement *ou* difficilement remporté **3.** (*réputation*) durement acquis **4.** (*vacances, récompense*) bien mérité.

harden ['hɑːdn] *vt* **1.** durcir **2.** tremper (*de l'acier*). ◻ *vi* **1.** (*béton, colle*) durcir **2.** (*opposition, regard*) se durcir.

hardened ['hɑːdnd] *adj* (*criminel*) endurci.

hard-faced [-'feɪst] *adj* au visage dur.

hard-fought [-'fɔːt] *adj* (*match, bataille*) très disputé.

hard-headed [-'hedɪd] *adj* pragmatique • **to be hard-headed** avoir la tête froide.

hard-hearted [-'hɑːtɪd] *adj* insensible, impitoyable.

hard-hit *adj* gravement touché • **one particularly hard-hit village** un village très durement touché.

hard-hitting [-'hɪtɪŋ] *adj* (*rapport*) sans indulgence.

hard labour (UK), **hard labor** (US) *n* (*indén*) travaux *mpl* forcés.

hard line *n* • **to take a hard line on sthg** adopter une position ferme vis-à-vis de qqch. ■ **hard-line** *adj* convaincu.

hard-liner *n* partisan *m* de la manière forte.

hardly ['hɑːdlɪ] *adv* à peine, ne... guère • **hardly ever/anything** presque jamais/rien • **I hardly know him** je le connais à peine • **I can hardly move/wait** je peux à peine bouger/attendre.

hardly

Hardly et *hard* n'ont pas le même sens, bien qu'ils soient tous deux des adverbes (*hard* est aussi un adjectif, bien sûr). *Hardly* se traduit par **à peine**. Comparez par exemple I pedalled *hard*, **j'ai pédalé dur**, et I *hardly* touched him, **je l'ai à peine touché**.

hardness ['hɑːdnɪs] *n* **1.** dureté *f* **2.** difficulté *f*.

hard-nosed [-'nəʊzd] *adj* **1.** (*personne*) à la tête froide **2.** (*attitude*) pragmatique.

hard-pressed [-'prest], **hard-pushed** [-'pʊʃt] *adj* • **to be hard-pressed for money/ideas/suggestions** être à court d'argent/d'idées/de suggestions • **to be hard-pressed for time** manquer de temps • **to be hard-pressed to do sthg** avoir du mal à faire qqch.

hardscaping ['hɑːdskeɪpɪŋ] *n* mise en place des éléments en dur dans une zone paysagée.

hard sell *n* vente *f* agressive.

hardship ['hɑːdʃɪp] *n* **1.** (*indén*) épreuves *fpl* **2.** épreuve *f*.

hard shoulder *n* (UK) AUTO bande *f* d'arrêt d'urgence.

hard up *adj fam* fauché • **hard up for sthg** à court de qqch.

hardware ['hɑːdweə] *n* (*indén*) **1.** quincaillerie *f* **2.** INFORM hardware *m*, matériel *m*.

hardware shop (UK), **hardware store** (US) *n* quincaillerie *f*.

hardwearing [,hɑːd'weərɪŋ] *adj* (UK) résistant.

hard-wired [-'waɪəd] *adj* INFORM câblé.

hard-won [-'wʌn] *adj* **1.** (*victoire, trophée, indépendance*) durement gagné **2.** (*réputation*) durement acquis.

hardworking [,hɑːd'wɜːkɪŋ] *adj* travailleur.

hardy ['hɑːdɪ] *adj* **1.** vigoureux, robuste **2.** résistant, vivace.

hare [heə] *n* lièvre *m*.

harebrained ['heə,breɪnd] *adj fam* **1.** (*personne*) écervelé **2.** (*idée*) insensé.

harelip [,heə'lɪp] *n* bec-de-lièvre *m*.

haricot (bean) ['hærɪkəʊ-] *n* haricot *m* blanc.

hark [hɑːk] ■ **hark back** *vi* • **to hark back to** revenir à.

harm [hɑːm] *n* **1.** mal *m* • **to be out of harm's way a)** être en sûreté **b)** être en lieu sûr **2.** dommage *m* • **to do harm to sthg, to do sthg harm** endommager qqch **3.** tort *m* • **to do harm to sb, to do sb harm** faire du tort à qqn. ◻ *vt* **1.** faire du mal à **2.** endommager **3.** faire du tort à.

harmful ['hɑːmfʊl] *adj* nuisible, nocif.

harmless ['hɑːmlɪs] *adj* **1.** inoffensif **2.** innocent.

harmonica [hɑː'mɒnɪkə] *n* harmonica *m*.

harmonize, -ise (UK) ['hɑːmənaɪz] *vt* harmoniser. ◻ *vi* s'harmoniser.

harmony ['hɑːmənɪ] *n* harmonie *f*.

harness ['hɑːnɪs] *n* harnais *m*. ◻ *vt* **1.** harnacher **2.** exploiter (*des ressources, de l'énergie*).

harp [hɑːp] *n* harpe *f*. ■ **harp on** *vi* rabâcher.

harpoon [hɑː'puːn] *n* harpon *m*. ◻ *vt* harponner.

harpsichord ['hɑːpsɪkɔːd] *n* clavecin *m*.

harridan ['hærɪdn] *n péj* harpie *f*, vieille sorcière *f*.

harrowing ['hærəʊɪŋ] *adj* **1.** éprouvant **2.** déchirant.

harry ['hærɪ] (*prét & pp* **harried**) *vt sout* • **to harry sb (for sthg)** harceler qqn (pour obtenir qqch).

harsh [hɑːʃ] *adj* **1.** rude **2.** sévère **3.** (*son*) discordant **4.** (*voix, couleur*) criard **5.** (*surface*) rugueux, rêche **6.** (*goût*) âpre.

harshly ['hɑːʃlɪ] *adv* **1.** (*punir, critiquer*) sévèrement **2.** (*parler*) durement **3.** de façon criarde.

harvest ['hɑːvɪst] *n* **1.** (*céréales*) moisson *f* **2.** (*fruits*) récolte *f* **3.** (*raisin*) vendange *f*, vendanges *fpl*. ◻ *vt* **1.** moissonner (*des céréales*) **2.** récolter (*des fruits*) **3.** vendanger (*du raisin*).

harvest festival *n* fête *f* de la moisson.

has (*forme non accentuée* [həz], *forme accentuée* [hæz]) → **have**.

has-been *n fam & péj* ringard *m*, -e *f*.

hash [hæʃ] *n* **1.** hachis *m* **2.** (UK) *fam* • **to make a hash of sthg** faire un beau gâchis de qqch.

hash browns *npl* pommes de terre *fpl* sautées.

hashish [ˈhæʃiːʃ] *n* haschich *m*.

hash key *n* touche *f* dièse.

Hasidic [həˈsɪdɪk] *adj* hassidique.

hasn't [ˈhæznt] = **has not**.

hassle [ˈhæsl] *fam* ■ *n* tracas *m*, embêtement *m*. ❏ *vt* tracasser.

haste [heɪst] *n* hâte *f* • **to do sthg in haste** faire qqch à la hâte.

hasten [ˈheɪsn] *sout* ■ *vt* hâter, accélérer. ❏ *vi* se hâter, se dépêcher • **to hasten to do sthg** s'empresser de faire qqch.

hastily [ˈheɪstɪlɪ] *adv* **1.** à la hâte **2.** sans réfléchir.

hasty [ˈheɪstɪ] *adj* **1.** hâtif **2.** irréfléchi.

hat [hæt] *n* chapeau *m*.

hatch [hætʃ] ■ *vt* **1.** faire éclore (*un poussin*) **2.** couver (*un œuf*) **3.** *fig* tramer. ❏ *vi* éclore. ❏ *n* • (serving) hatch passe-plats *m inv*.

hatchback [ˈhætʃ,bæk] *n* voiture *f* avec hayon.

hatcheck clerk [ˈhætʃek-] *n* préposé *m*, -e *f* au vestiaire.

hatchet [ˈhætʃit] *n* hachette *f*.

hatchet-faced *adj* au visage en lame de couteau.

hatchet job *n fam* • **to do a hatchet job on sb** démolir qqn.

hatchway [ˈhætʃ,weɪ] *n* passe-plats *m inv*, guichet *m*.

hate [heɪt] ■ *n* (*indén*) haine *f*. ❏ *vt* **1.** haïr **2.** détester • **to hate doing sthg** avoir horreur de faire qqch • **to hate it when sb does sthg** détester que qqn fasse qqch.

hate campaign *n* campagne *f* de dénigrement.

hate crime *n* délit *m* de haine.

hateful [ˈheɪtful] *adj* odieux.

hate mail *n* lettres *fpl* d'injures.

hatred [ˈheɪtrɪd] *n* (*indén*) haine *f*.

hat trick *n* FOOTBALL • **to score a hat trick** marquer trois buts.

haughty [ˈhɔːtɪ] *adj* hautain.

haul [hɔːl] ■ *n* **1.** prise *f*, butin *m* **2.** • **long haul** long voyage *m* ou trajet *m* **3.** • **to be in for the long haul** être prêt à attendre longtemps • **John and I are in for the long haul** John et moi, c'est du sérieux. ❏ *vt* traîner, tirer.

haulage [ˈhɔːlɪdʒ] *n* transport *m* routier ou ferroviaire, camionnage *m*.

haulier (UK) [ˈhɔːlɪər], **hauler** (US) [ˈhɔːlər] *n* entrepreneur *m* de transports routiers.

haunch [hɔːntʃ] *n* **1.** hanche *f* **2.** (*pour un animal*) derrière *m*, arrière-train *m*.

haunt [hɔːnt] *n* repaire *m*. ❏ *vt* hanter.

haunted [ˈhɔːntɪd] *adj* **1.** (*maison, château*) hanté **2.** (*regard*) égaré.

haunting [ˈhɔːntɪŋ] *adj* obsédant.

have

■ **have** [hæv] *v aux* (*prét & pp* **had**)

• **she has already eaten** elle a déjà mangé • **I was out of breath, having run all the way** j'étais essoufflé d'avoir couru tout le long du chemin • **she hasn't gone yet, has she?** elle n'est pas encore partie, si ? • **I have made a mistake** je me suis trompé

■ **have** [hæv] *vt*

1. POUR EXPRIMER LA POSSESSION, L'OBLIGATION
avoir • **to have (got)** avoir • **I don't have any money, I have no money, I haven't got any money** je n'ai pas d'argent • **I've got things to do** j'ai (des choses) à faire

2. AVEC DES MALADIES
avoir • **to have flu** (UK) ou **the flu** avoir la grippe

3. OBTENIR, RECEVOIR
• **I had some news from her yesterday** j'ai reçu de ses nouvelles hier

4. S'UTILISE POUR DES ACTIONS À LA PLACE D'UN VERBE SPÉCIFIQUE
• **have a look at this!** (UK) regarde ça ! • **I have a bath every morning** (UK) je prends un bain tous les matins • **he always has a cigarette after dinner** il fume toujours une cigarette après le dîner

5. DONNER NAISSANCE
• **my cousin has just had a baby** ma cousine vient d'avoir un bébé

6. FAIRE FAIRE
• **to have sb do sthg** faire faire qqch à qqn • **I had him mow the lawn** je lui ai fait tondre la pelouse • **to have sthg done** faire faire qqch • **he had his hair cut** il s'est fait couper les cheveux • **I had my car stolen** je me suis fait voler ma voiture

7. *fam* INDIQUE UNE TROMPERIE
• **I hate being had** je déteste me faire avoir

8. DANS DES EXPRESSIONS
• **to have it in for sb** en avoir après qqn, en vouloir à qqn • **to have had it** avoir fait son temps

■ **have** [hæv] *aux modal*

1. EXPRIME L'OBLIGATION, LA NÉCESSITÉ
• **do you have to go?** ou **have you got to go?** (surtout UK) est-ce que tu dois partir ? • **I've got to go to work** il faut que j'aille travailler

2. EXPRIME LA CERTITUDE
• **he has to be ready by now** il doit être prêt, maintenant • **you've got to be joking!** vous plaisantez !, c'est une plaisanterie !

■ haves *npl*

• **the haves and the have-nots** les riches et les pauvres

À PROPOS DE

have

Présent : *I have, you have, he/she/it has, we have, you have, they have.* Prétérit : *I had, you had, he/she/it had, we had, you had, they had.* Participe présent : *having.* Participe passé : *had.*

Have est un verbe à part entière, doté de sens propres, et qui peut donc apparaître seul. Il remplit en outre la fonction d'auxiliaire, notamment pour former les temps composés du passé (*I have always liked you* ; *I wish they had told me before*).

On trouve aussi l'auxiliaire have dans les tournures passives (*he had his bike stolen the other day* = il s'est fait voler son vélo l'autre jour). On peut parfois avoir recours à *have* pour montrer que le sujet fait faire par quelqu'un d'autre l'action décrite par le verbe (*she's having the house painted* ; *he had his hair cut*).

Le verbe *have* peut avoir le sens de **posséder** ou **être le propriétaire de**. Lorsque c'est le cas, en anglais britannique parlé, on peut utiliser **got** dans les tournures interrogatives et négatives (*I haven't got any money* ; **have you got any money?**, au lieu de *I don't have any money* ; *do you have any money?*).

Voir aussi *must, need*.

have-a-go hero *n* (UK) *fam personne qui fait sans nécessité qqch d'héroïque.*

haven ['heɪvn] *n* havre *m*.

have-nots *npl* • **the have-nots** les démunis *mpl*, les défavorisés *mpl*.

haven't ['hævnt] = **have not.**

have on *vt sép* **1.** porter (*un vêtement*) **2.** (UK) faire marcher.

have out *vt sép* • **to have one's appendix/tonsils out** se faire opérer de l'appendicite/des amygdales • **to have it out with sb** s'expliquer avec qqn.

haversack ['hævəsæk] *n* (UK) *vieilli* sac *m* à dos.

havoc ['hævək] *n* (*indén*) dégâts *mpl* • **to play havoc with a)** abîmer **b)** détraquer **c)** ruiner.

Hawaii [həˈwaɪiː] *n* Hawaii *m*.

hawk [hɔk] *n* faucon *m*.

hawker ['hɔkər] *n* colporteur *m*, -euse *f*.

hawk-eyed *adj* **1.** au regard d'aigle **2.** *fig* qui a l'œil partout.

hay [heɪ] *n* foin *m*.

hay fever *n* (*indén*) rhume *m* des foins.

haystack ['heɪˌstæk] *n* meule *f* de foin.

haywire ['heɪˌwaɪər] *adj fam* • **to go haywire a)** perdre la tête **b)** se détraquer.

hazard ['hæzəd] *n* hasard *m*. ❑ *vt* hasarder.

hazardous ['hæzədəs] *adj* hasardeux.

hazard (warning) lights *npl* feux *mpl* de détresse.

haze [heɪz] *n* brume *f*.

hazel ['heɪzl] *adj* noisette (*inv*).

hazelnut ['heɪzl,nʌt] *n* noisette *f*.

hazy ['heɪzɪ] *adj* **1.** brumeux **2.** flou, vague.

H-bomb *n* bombe *f* H.

HD *adj* **1.** INFORM (abrév de high density) HD **2.** (abrév de high definition) HD.

HDMI *n* (abrév de high definition multimedia interface) HDMI *m*.

HD-ready *adj* prêt pour la TVHD.

HDTV (abrév de high-definition television) *n* TVHD *f*.

HDV *n* (abrév de high definition video) HDV *m*.

he [hiː] *pron pers* **1.** (*non accentué*) il • **he's tall** il est grand • **there he is** le voilà **2.** (*accentué*) lui • **he can't do it** lui ne peut pas le faire.

À PROPOS DE

he

He est le pronom personnel qui représente les personnes et les animaux familiers de sexe masculin (*there's my brother - he's a teacher* ; *there's my cat - isn't he funny?*) ; *she* est son équivalent féminin (*there's my sister - she's a nurse*). *It* représente les objets, les concepts et les animaux non familiers (*there's my car - it's a Ford*).

Certains noms peuvent être soit masculins soit féminins, p. ex. *doctor, cousin, friend*. Le choix entre **he** et **she** dépend donc du sexe de la personne (*there's my boss - do you know him/her?*). On peut utiliser *it* pour les noms d'animaux, ainsi que pour certains noms comme *baby*, si l'on ignore le sexe (*listen to that baby - I wish it would be quiet!*).

Lorsque l'on ignore le sexe d'une personne, l'usage classique et soutenu veut que l'on utilise le pronom masculin (*if a student is sick, he must have a note from his parents*). La langue moderne et soutenue préconise l'usage des pronoms masculin et féminin (*if a student is sick, he or she must have a note from his or her parents*). L'utilisation de *they*, autrefois considérée comme familière, est désormais acceptée (*if a student is sick, they must have a note from their parents*).

head [hed] *n* **1.** tête *f* • **a** *ou* **per head** par tête, par personne **2.** tête *f* (*de lit, d'un marteau*) **3.** haut *m* (*d'un escalier, d'une page*) **4.** tête *f* (*d'une* fleur) **5.** pomme f (d'un chou) **6.** chef m • **head of state** chef m d'État **7.** (UK) directeur m, -trice f **8.** (locution) • **to go heads up against** ou **with sb** (dans un match) jouer contre qqn en face à face • **to go to one's head** monter à la tête • **to keep one's head** garder son sang-froid • **to laugh one's head off** rire à gorge déployée • **to lose one's head** perdre la tête • **to be off one's head** (UK) ou **to be out of one's head** (US) être dingue • **to be soft in the head** (UK) fam être débile. ❏ vt **1.** être en tête de **2.** être à la tête de **3.** FOOTBALL • **to head the ball** faire une tête. ❏ vi • **where are you heading?** où allez-vous ? ■ **heads** npl face f • **heads or tails?** pile ou face ? ■ **head for** vt insép se diriger vers.

headache ['hedeɪk] n mal m de tête • **to have a headache** avoir mal à la tête.

headachy ['hedeɪki] adj fam • **I'm feeling a bit headachy** j'ai un peu mal à la tête.

headband ['hedbænd] n bandeau m.

headbang ['hedbæŋ] vi fam secouer violemment la tête en rythme (sur du heavy metal).

headbanger ['hedbæŋər] n fam **1.** (fan de heavy metal) hardeux m, -euse f **2.** (UK) cinglé m, -e f.

head boy n (UK) élève chargé de la discipline et qui siège aux conseils de son école.

head case n fam dingue mf.

head cold n rhume m de cerveau.

head count n compte m.

headdress ['hed,dres] n coiffe f.

-headed ['hedɪd] suffixe à tête... • **a three-headed dragon** un dragon à trois têtes.

header ['hedər] n tête f.

headfirst [,hed'fɜːst] adv (la) tête la première.

head girl n (UK) élève chargée de la discipline et qui siège aux conseils de son école.

headhunt ['hedhʌnt] vt recruter (chez la concurrence).

headhunter ['hed,hʌntər] n chasseur m de têtes.

heading ['hedɪŋ] n titre m, intitulé m.

headlamp ['hedlæmp] n (UK) phare m.

headland ['hedlənd] n cap m.

headlight ['hedlaɪt] n phare m.

headline ['hedlaɪn] n **1.** gros titre m • **to make headline news** faire la une des journaux • **to read the headlines** lire les gros titres **2.** TV & RADIO grand titre m.

headlong ['hedlɒŋ] adv **1.** à toute allure **2.** tête baissée **3.** (la) tête la première.

headmaster [,hed'mɑːstər] n (UK) directeur m (d'une école).

headmistress [,hed'mɪstrɪs] n (UK) directrice f (d'une école).

head office n siège m social.

head-on adv **1.** de plein fouet **2.** de front. ❏ adj (collision) frontal.

headphone jack n prise f casque.

headphones ['hedfəʊnz] npl casque m.

headquarters [,hed'kwɔːtəz] npl **1.** siège m **2.** quartier m général.

headrest ['hedrest] n appui-tête m.

headroom ['hedrum] n (indén) hauteur f.

headscarf ['hedskɑːf] (pl **-scarves** ou **-scarfs**) n foulard m.

headset ['hedset] n casque m.

headship ['hedʃɪp] n (UK) direction f (d'une école).

headstand ['hedstænd] n poirier m.

head start n avantage m au départ • **head start on** ou **over** avantage sur.

headstone ['hedstəʊn] n pierre f tombale.

headstrong ['hedstrɒŋ] adj volontaire, têtu.

head teacher n (UK) directeur m, -trice f (d'une école).

head waiter n maître m d'hôtel.

headway ['hedweɪ] n • **to make headway** faire des progrès.

headwind ['hedwɪnd] n vent m contraire.

heady ['hedɪ] adj **1.** grisant **2.** capiteux.

heal [hiːl] vt **1.** guérir **2.** fig apaiser. ❏ vi se guérir.

healing ['hiːlɪŋ] adj curatif. ❏ n (indén) guérison f.

health [helθ] n santé f • **health problems** problèmes mpl de santé.

Health and Safety Committee n comité m d'hygiène, de sécurité et de conditions de travail, CHSCT m.

Health and Safety Executive npr (UK) inspection f du travail.

health care n (indén) services mpl médicaux.

health centre n (UK) ≃ centre m médico-social.

health-conscious adj soucieux de sa santé.

health farm n établissement m de cure.

health food n (indén) produits mpl diététiques ou naturels ou biologiques.

health-food shop n magasin m de produits diététiques.

health hazard n danger m ou risque m pour la santé.

healthily ['helθɪlɪ] adv sainement.

health service n (UK) ≃ sécurité f sociale.

health visitor n (UK) infirmière f visiteuse.

healthy ['helθɪ] adj **1.** sain • **to lead a healthy life** mener une vie saine **2.** en bonne santé, bien portant **3.** fig (économie, entreprise) qui se porte bien **4.** (revenus) bon.

heap [hiːp] n tas m. ❏ vt entasser. ■ **heaps** npl fam • **heaps of a)** des tas de **b)** énormément de.

hear [hɪər] (prét & pp **heard** [hɜːd]) vt **1.** entendre **2.** apprendre • **to hear (that)...** apprendre que... ❏ vi **1.** entendre **2.** • **to hear about a)** entendre parler de **b)** avoir des nouvelles de **3. • to hear from sb** recevoir des nouvelles de qqn **4.** *(locution)* • **to have heard of** avoir entendu parler de • **I won't hear of it!** je ne veux pas en entendre parler ! ■ **hear out** *vt sép* écouter jusqu'au bout.

hearing ['hɪərɪŋ] n **1.** ouïe f • **hard of hearing** dur d'oreille **2.** *DR* audience f. ❑ *adj* entendant.

hearing aid n audiophone m.

hearing impaired npl • **the hearing impaired** les malentendants mpl.

hearsay ['hɪəseɪ] n ouï-dire m.

hearse [hɜːs] n corbillard m.

heart [hɑːt] n *litt & fig* cœur m • **from the heart** du fond du cœur • **to lose heart** perdre courage • **my heart missed a beat** *fig* mon cœur a bondi. ■ **hearts** npl cœur m. • **at heart** adv au fond (de soi). ■ **by heart** adv par cœur.

heartache ['hɑːteɪk] n fig peine f de cœur.

heart attack n crise f cardiaque.

heartbeat ['hɑːtbiːt] n **1.** battement m de cœur • **in a heartbeat** (us) *fig* sans hésiter **2.** pulsation f cardiaque.

heartbreaking ['hɑːt,breɪkɪŋ] adj à fendre le cœur.

heartbroken ['hɑːt,brəʊkn] adj qui a le cœur brisé.

heartburn ['hɑːtbɜːn] n *(indén)* brûlures fpl d'estomac.

heart condition n • **to have a heart condition** souffrir du cœur, être cardiaque.

heart disease n maladie f de cœur.

heartening ['hɑːtnɪŋ] adj encourageant.

heart failure n **1.** arrêt m cardiaque **2.** défaillance f cardiaque.

heartfelt ['hɑːtfelt] adj sincère.

hearth [hɑːθ] n foyer m.

heartless ['hɑːtlɪs] adj sans cœur.

heart-searching n • **after a lot of heart-searching** après s'être beaucoup interrogé.

heart-stopping adj terrifiant.

heartstrings ['hɑːtstrɪŋz] npl • **to pull on** ou **to tug at sb's heartstrings** faire vibrer ou toucher la corde sensible de qqn.

heartthrob ['hɑːtθrɒb] n fam idole f, coqueluche f.

heart-to-heart adj à cœur ouvert. ❑ n conversation f à cœur ouvert.

heart transplant n greffe f du cœur.

heartwarming ['hɑːt,wɔːmɪŋ] adj réconfortant.

hearty ['hɑːtɪ] adj **1.** cordial **2.** *(repas)* copieux **3.** *(appétit)* gros, grosse f.

heat [hiːt] n **1.** *(indén)* chaleur f • **2.** *(indén)* fig pression f • **can she take the heat?** est-ce qu'elle pourra supporter la pression ? **3.** *SPORT* éliminatoire f **4.** *ZOOL* • **on** (UK) ou **in** (US) **heat** en chaleur. ❑ vt chauffer. ■ **heat up** vt sép réchauffer. ❑ vi chauffer.

heat bump n bouton m de chaleur.

heated ['hiːtɪd] adj **1.** *(discussion)* animé **2.** *(piscine, pièce)* chauffé.

heater ['hiːtə'] n appareil m de chauffage.

heat exhaustion n épuisement m dû à la chaleur.

heath [hiːθ] n lande f.

heathen ['hiːðn] adj païen. ❑ n païen m, -enne f.

heather ['heðə'] n bruyère f.

heating ['hiːtɪŋ] n chauffage m.

heat loss n perte f de chaleur.

heatproof ['hiːtpruːf] adj **1.** *(gén)* résistant à la chaleur **2.** *(vaisselle)* qui va au four.

heat rash n boutons mpl de chaleur.

heat-resistant adj résistant à la chaleur.

heat sink n *INFORM* dissipateur m de chaleur.

heatstroke ['hiːtstrəʊk] n *(indén)* coup m de chaleur.

heat wave n canicule f, vague f de chaleur.

heave [hiːv] vt **1.** tirer (avec effort) **2.** pousser (avec effort) **3.** *fam* lancer. ❑ vi **1.** tirer **2.** se soulever **3.** avoir des haut-le-cœur.

heaven ['hevn] n paradis m. ■ **heavens** interj • **(good) heavens!** juste ciel !

heavenly ['hevnlɪ] adj fam délicieux, merveilleux.

heaven-sent adj providentiel • **a heaven-sent opportunity** une occasion providentielle ou qui tombe à pic.

heavily ['hevɪlɪ] adv **1.** énormément **2.** *(s'endetter)* lourdement **3.** solidement **4.** *(respirer, soupirer)* péniblement, bruyamment **5.** *(s'asseoir, tomber)* lourdement.

heavy ['hevɪ] adj **1.** lourd • **how heavy is it?** ça pèse combien ? **2.** *(circulation)* dense **3.** *(pluie)* battant **4.** *(combat)* acharné **5.** *(pertes)* nombreux **6.** *(buveur, fumeur)* gros **7.** bruyant **8.** *(emploi du temps)* chargé **9.** *(travail)* pénible.

heavy cream n (us) crème f fraîche épaisse.

heavy-duty adj solide, robuste.

heavy goods vehicle n (UK) poids lourd m.

heavy-handed [-'hændɪd] adj maladroit.

heavy hitter n (us) **1.** *(au baseball)* joueur qui frappe fort et marque beaucoup de points **2.** fig personne f influente, gros bonnet m.

heavy metal n *MUS* heavy metal m.

heavyweight ['hevɪweɪt] adj poids lourd. ❑ n poids lourd m.

Hebrew ['hiːbruː] adj hébreu, hébraïque. ❑ n **1.** Hébreu m, Israélite mf **2.** hébreu m.

Hebrides ['hebrɪdiːz] npl • **the Hebrides** les (îles fpl) Hébrides fpl.

heck [hek] interj fam • **what/where/why the heck...?** que/où/pourquoi diable... ? • **a heck of a nice guy** un type vachement sympa • **a heck of a lot of people** un tas de gens.

heckle ['hekl] vt interpeller. ❑ vi interrompre bruyamment.

heckler ['heklər] n perturbateur m, -trice f.

heckling ['heklɪŋ] n (indén) **1.** harcèlement m **2.** interpellations fpl. ❑ adj **1.** qui fait du harcèlement **2.** qui interpelle.

hectic ['hektɪk] adj agité, mouvementé.

he'd [hiːd] = he had, he would.

hedge [hedʒ] n haie f. ❑ vi répondre de façon détournée.

hedgehog ['hedʒhɒg] n hérisson m.

heebie-jeebies [ˌhiːbɪˈdʒiːbɪz] npl fam • the film gave me the heebie-jeebies le film m'a donné la trouille ou la frousse • he gives me the heebie-jeebies il me met mal à l'aise.

heed [hiːd] n • to take heed of sthg tenir compte de qqch. ❑ vt sout tenir compte de.

heedless ['hiːdlɪs] adj • to be heedless of sthg ne pas tenir compte de qqch.

heel [hiːl] n talon m • high-heel shoes des chaussures à talons hauts.

heel bar n talon-minute m, réparations-minute fpl.

heeltap ['hiːltæp] n fond m de verre.

hefty ['heftɪ] adj **1.** costaud **2.** gros, grosse f.

heifer ['hefər] n génisse f.

height [haɪt] n **1.** hauteur f • height restriction hauteur f limitée **2.** taille f • what height is it? ça fait quelle hauteur ? • what height are you? combien mesurez-vous ? **3.** altitude f **4.** • at the height of the summer au cœur de l'été • at the height of his fame au sommet de sa gloire • the height of bad manners le comble de l'impolitesse ou de la grossièreté.

height-adjustable adj réglable en hauteur.

heighten ['haɪtn] vt & vi augmenter.

heightened ['haɪtnd] adj **1.** (immeuble, plafond) relevé, rehaussé **2.** (peur, plaisir) intensifié **3.** (couleur) plus vif.

heinous ['heɪnəs] adj sout odieux.

heir [eər] n héritier m.

heiress ['eərɪs] n héritière f.

heirless ['eəlɪs] adj sans héritier.

heirloom ['eəluːm] n **1.** meuble m de famille **2.** bijou m de famille.

heist [haɪst] n fam casse m.

held [held] passé & pp → hold.

helicopter ['helɪkɒptər] n hélicoptère m.

helipad ['helɪpæd] n héliport m.

heliport ['helɪpɔːt] n héliport m.

helium ['hiːlɪəm] n hélium m.

hell [hel] n **1.** litt & fig enfer m **2.** fam • he's a hell of a nice guy c'est un type vachement sympa • what/where/why the hell...? que/où/pourquoi..., bon sang ? **3.** (locution) • to do sthg for the hell of it fam faire qqch pour le plaisir, faire qqch juste comme ça • to give sb hell fam engueuler qqn • go to hell! tfam va te faire foutre ! ❑ interj fam merde !, zut !

he'll [hiːl] = he will.

hell-bent adj • to be hell-bent on sthg/on doing sthg vouloir à tout prix qqch/faire qqch.

hellhole ['helhəʊl] n fam bouge m.

hellish ['helɪʃ] adj infernal.

hello [həˈləʊ] interj **1.** bonjour ! **2.** (au téléphone) allô ! **3.** (pour attirer l'attention) hé !

hell-raiser n fauteur m, -euse f de merde.

helm [helm] n litt & fig NAUT barre f.

helmet ['helmɪt] n casque m.

help [help] n **1.** (indén) aide f • to ask sb for help demander de l'aide à qqn • he gave me a lot of help il m'a beaucoup aidé • with the help of sthg à l'aide de qqch • with sb's help avec l'aide de qqn • to be of help rendre service **2.** (indén) secours m. ❑ vi aider. ❑ vt **1.** aider • to help sb (to) do sthg aider qqn à faire qqch • to help sb with sthg aider qqn à faire qqch • can I help you? je peux t'aider ? • may I help you? que désirez-vous ? **2.** • I can't help it je n'y peux rien • I couldn't help laughing je ne pouvais pas m'empêcher de rire **3.** (locution) • to help o.s. (to sthg) se servir (de qqch). ❑ interj au secours !, à l'aide ! ■ help out vt sép & vi aider.

help desk n service m d'assistance technique.

helper ['helpər] n **1.** aide mf **2.** (us) femme f de ménage.

helpful ['helpful] adj **1.** serviable **2.** utile.

helping ['helpɪŋ] n **1.** portion f **2.** part f.

helping hand n coup m de main.

helpless ['helplɪs] adj **1.** impuissant **2.** (regard, geste) d'impuissance.

helplessly ['helplɪslɪ] adv **1.** sans rien pouvoir faire **2.** • to laugh helplessly avoir le fou rire.

helpline ['helplaɪn] n ligne f d'assistance téléphonique.

help menu n INFORM menu m d'aide.

Helsinki [hel'sɪŋkɪ] n Helsinki.

hem [hem] n ourlet m. ❑ vt ourler. ■ hem in vt sép encercler.

he-man n fam & hum vrai mâle m.

hemisphere ['hemɪˌsfɪər] n hémisphère m.

hemline ['hemlaɪn] n ourlet m.

hemophiliac [ˌhiːməˈfɪlɪæk] (us) = haemophiliac.

hemorrhage ['hemərɪdʒ] (us) = haemorrhage.

hemorrhoids ['hemərɔɪdz] (us) = haemorrhoids.

hen [hen] n **1.** poule f **2.** femelle f.

hence [hens] adv sout **1.** d'où **2.** d'ici.

henceforward [ˌhensˈfɔːwəd], **henceforth** [ˌhensˈfɔːθ] adv dorénavant, désormais.

henchman ['hentʃmən] (pl -men) n péj acolyte m.

henna ['henə] n henné m.

hen night, hen party n (UK) (avant le mariage) enterrement m de vie de jeune fille • **she's having her hen night** elle enterre sa vie de jeune fille.

henpecked ['henpekt] adj péj dominé par sa femme.

hepatitis [,hepə'taɪtɪs] n hépatite f.

her [hɜːr] pron pers **1.** (complément d'objet direct) la, elle • **I know/like her** je la connais/l'aime bien **2.** (complément d'objet indirect) lui • **we spoke to her** nous lui avons parlé • **he sent her a letter** il lui a envoyé une lettre **3.** (précédé d'une préposition) elle • **I'm shorter than her** je suis plus petit qu'elle. ❏ adj poss son, sa f, ses (pl) • **her coat** son manteau • **it was her fault** c'était de sa faute à elle.

---

her

À PROPOS DE

Si vous parlez d'une partie du corps, n'oubliez pas d'utiliser l'adjectif possessif **her**, et non pas **the** (she put her hand up, elle a levé le bras ; she brushed her hair, elle s'est brossé les cheveux).

---

herald ['herəld] vt sout annoncer. ❏ n héraut m.

herb [(UK) hɜːb, (US) ɜːrb] n herbe f.

herbaceous border n bordure f de plantes herbacées.

herbal [(UK) 'hɜːbl, (US) 'ɜːrbl] adj à base de plantes.

herbalist [(UK) 'hɜːbəlɪst, (US) 'ɜːrbəlɪst] n herboriste m.

herb(al) tea n tisane f.

herbivore [(UK) 'hɜːbɪvɔːr, (US) 'ɜːrbɪvɔːr] n herbivore m.

herbivorous [hɜːˈbɪvərəs, (US) ɜːrˈbɪvərəs] adj herbivore.

herd [hɜːd] n troupeau m. ❏ vt **1.** mener **2.** fig conduire, mener **3.** fig parquer.

---

here

■ **here** [hɪər] adv

1. À CET ENDROIT
• **I've lived here for 5 years** j'habite ici depuis 5 ans • **come here!** viens ici ! • **he's not here today** il n'est pas là aujourd'hui

2. POUR INDIQUER QUE L'ON EST PRÉSENT
• **Jenny Cooper? — here!** Jenny Cooper ? — présente !

3. POUR PRÉSENTER QQCH
• **here is what I want** voici ce que je veux

4. POUR PRÉSENTER QQN
• **here he is/they are** le/les voici • **here comes John** voici John

---

---

hereabouts (UK) [,hɪərə'bauts], **hereabout** (US) [,hɪərə'baut] adv par ici.

hereafter [,hɪərˈɑːftər] adv sout ci-après. ❏ n • **the hereafter** l'au-delà m.

hereby [,hɪəˈbaɪ] adv sout par la présente.

hereditary [hɪˈredɪtrɪ] adj héréditaire.

heredity [hɪˈredɪtɪ] n hérédité f.

heresy ['herəsɪ] n hérésie f.

heretic ['herətɪk] n hérétique mf.

herewith [,hɪəˈwɪð] adv sout ci-joint, ci-inclus.

heritage ['herɪtɪdʒ] n héritage m, patrimoine m.

heritage officer n ≃ chargé m, -e f de mission patrimoine.

hermaphrodite [hɜːˈmæfrədaɪt] adj hermaphrodite. ❏ n hermaphrodite m.

hermetically [hɜːˈmetɪklɪ] adv • **hermetically sealed** fermé hermétiquement.

hermit ['hɜːmɪt] n ermite m.

hernia ['hɜːnjə] n hernie f.

hero ['hɪərəu] (pl -es) n héros m.

heroic [hɪˈrəuɪk] adj héroïque.

heroically [hɪˈrəuɪklɪ] adv héroïquement.

heroics [hɪˈrəuɪks] npl (dans l'attitude) affectation f, emphase f.

heroin ['herəuɪn] n (drogue) héroïne f.

heroine ['herəuɪn] n héroïne f.

heroism ['herəuɪzm] n héroïsme m.

heron ['herən] (pl inv ou -s) n héron m.

hero worship n culte m du héros.

herring ['herɪŋ] (pl inv ou -s) n hareng m.

hers [hɜːz] pron poss le sien, la sienne, les siens, les siennes • **that money is hers** cet argent est à elle ou est le sien • **a friend of hers** un ami à elle, un de ses amis.

herself [hɜːˈself] pron **1.** (réfléchi) se **2.** (précédé d'une préposition) elle **3.** (forme emphatique) elle-même.

he's [hiːz] = he is, he has.

hesitant ['hezɪtənt] adj hésitant.

hesitate ['hezɪteɪt] vi hésiter • **don't hesitate to call me!** n'hésite pas à m'appeler !

hesitation [,hezɪ'teɪʃn] n hésitation f.

heterogeneous [,hetərə'dʒiːnjəs] adj sout hétérogène.

heterosexism [,hetərə'seksɪzm] n hétérosexisme m.

heterosexual [,hetərəu'sekʃuəl] adj hétérosexuel. ❏ n hétérosexuel m, -elle f.

het up [het-] adj fam & vieilli excité, énervé.

hexagon ['heksəgən] n hexagone m.

hey [heɪ] *interj* hé !

heyday ['heɪdeɪ] *n* âge *m* d'or.

HGV (abrév de heavy goods vehicle) *n* PL *m (abréviation de poids lourd).*

hi [haɪ] *interj fam* salut !

hiatus [haɪ'eɪtəs] *(pl -es) n sout* pause *f*.

hibernate ['haɪbəneɪt] *vi* hiberner.

hiccup, hiccough ['hɪkʌp] *n* **1.** hoquet *m* • **to have (the) hiccups** avoir le hoquet **2.** *fig* accroc *m*. ❑ *vi* hoqueter.

hickey [hɪkɪ] *n* (us) suçon *m*.

hid [hɪd] *passé* → hide.

hidden ['hɪdn] *pp* → hide. ❑ *adj* caché • **hidden camera** caméra *f* cachée *ou* invisible.

hidden camera *n* caméra *f* cachée *ou* invisible.

hidden economy *n* économie *f* souterraine.

hide [haɪd] *vt (prét* hid, *pp* hidden) **(from sb) a)** cacher qqch (à qqn) **b)** taire qqch (à qqn). ❑ *vi (prét* hid, *pp* hidden) se cacher. ❑ *n* **1.** peau *f (d'un animal)* **2.** (UK) cachette *f*.

hide-and-seek *n* cache-cache *m*.

hideaway ['haɪdəweɪ] *n* cachette *f*.

hideous ['hɪdɪəs] *adj* **1.** hideux **2.** abominable.

hideously ['hɪdɪəslɪ] *adv* **1.** *(être blessé)* hideusement, atrocement, affreusement **2.** *fig* terriblement, horriblement.

hideout ['haɪdaʊt] *n* cachette *f*.

hiding ['haɪdɪŋ] *n* **1.** • **to be in hiding** se tenir caché **2.** *fam* • **to give sb a hiding** donner une raclée à qqn.

hiding place *n* cachette *f*.

hierarchical [,haɪə'rɑːkɪkl] *adj* hiérarchique.

hierarchy ['haɪərɑːkɪ] *n* hiérarchie *f*.

hieroglyphics [,haɪərə'glɪfɪks] *npl* hiéroglyphes *mpl*.

hi-fi ['haɪfaɪ] *n* hi-fi *f inv*.

higgledy-piggledy [,hɪgldɪ'pɪgldɪ] *fam adj* pêle-mêle *(inv)*. ❑ *adv* pêle-mêle.

high [haɪ] *adj* **1.** haut • **it's 3 feet high** cela fait 3 pieds de haut **2.** élevé **3.** *(voix)* aigu **4.** *arg drogue* qui plane, défoncé **5.** *fam* bourré. ❑ *adv* haut. ❑ *n* maximum *m*.

high-angle shot *n* CINÉ plan *m* en plongée.

highbrow ['haɪbraʊ] *adj péj* intellectuel.

high-cal *adj* (us) *fam* • **I avoid high-cal food** j'évite tout ce qui est calorique.

high chair *n* chaise *f* haute *(d'enfant)*.

high-class *adj* **1.** *(service, prestations)* de premier ordre **2.** *(hôtel, restaurant)* de grand standing.

high court *n* (us) Cour *f* suprême.

High Court *n* (UK) Cour *f* d'appel.

high-definition *adj* à haute définition.

high-density *adj* INFORM haute densité *(inv)*.

high-diving *n* plongeon *m* de haut vol, haut vol *m*.

high-end *adj* haut de gamme.

higher ['haɪə*r*] *adj* supérieur. ■ **Higher** *n* SCOL • **Higher (Grade)** *examen de fin d'études secondaires en Écosse.*

higher education *n (indén)* études *fpl* supérieures.

highfalutin [,haɪfə'luːtɪn] *adj fam* affecté, prétentieux.

high-fibre *adj (nourriture)* riche en fibres.

high-fidelity *adj* (de) haute-fidélité *(inv)*.

high-five *n fam* geste que font deux personnes pour se féliciter ou se dire bonjour et qui consiste à se taper dans la main.

high-flier, high-flyer *n* ambitieux *m*, -euse *f*.

high-flying *adj* ambitieux.

high gear *n* (us) **1.** quatrième/cinquième vitesse *f* **2.** *fig* • **to move into high gear** passer la surmultipliée.

high-handed [-'hændɪd] *adj* **1.** autoritaire, despotique **2.** cavalier.

high-heeled [-hiːld] *adj* à talons hauts.

high heels *npl* talons *mpl* aiguilles.

high horse *n fam* • **to get on one's high horse** monter sur ses grands chevaux.

high-income *adj* à revenus élevés.

high jinks *npl fam* chahut *m*.

high jump *n* saut *m* en hauteur.

Highland Games ['haɪlənd-] *npl* jeux *mpl* écossais.

Highlands ['haɪləndz] *npl* • **the Highlands** les Highlands *fpl (région montagneuse du nord de l'Écosse).*

high-level *adj* **1.** *(pourparlers, négociations)* à haut niveau **2.** *(diplomate, fonctionnaire)* de haut niveau.

high life *n* • **the high life** la grande vie.

highlight ['haɪlaɪt] *n* moment *m ou* point *m* fort. ❑ *vt* **1.** souligner **2.** surligner. ■ **highlights** *npl* reflets *mpl*, mèches *fpl*.

highlighter (pen) ['haɪlaɪtə*r*-] *n* surligneur *m*.

highly ['haɪlɪ] *adv* **1.** extrêmement, très **2.** • **highly placed** haut placé **3.** • **to think highly of sb/sthg** penser du bien de qqn/qqch.

highly-strung *adj* (UK) nerveux.

Highness ['haɪnɪs] *n* • **His/Her/Your (Royal) Highness** Son/Votre Altesse (Royale).

high-performance *adj* performant.

high-pitched [-'pɪtʃt] *adj* aigu.

high point *n* point *m* fort.

high-powered [-'paʊəd] *adj* **1.** de forte puissance **2.** *(poste)* à haute responsabilité **3.** *(personne)* dynamique, entreprenant.

high-pressure *adj* **1.** *(air, gaz)* à haute pression • **high-pressure area** MÉTÉOR zone *f* de hautes pressions **2.** *(vente)* agressif.

high-principled *adj* aux principes élevés.

high profile n • **to have a high profile** être très en vue. ■ **high-profile** adj **1.** *(position sociale, poste)* qui est très en vue **2.** *(campagne, promotion)* qui fait beaucoup de bruit.

high-ranking [-'ræŋkɪŋ] adj de haut rang.

high-rent adj **1.** *(maison, appartement)* à loyer élevé **2.** (us) haut de gamme *(inv)*.

high-res [haɪrez] *(abrév de high-resolution)* adj fam INFORM (à) haute résolution.

high resolution n INFORM haute résolution f. ❑ adj à haute résolution.

high rise n tour f *(immeuble)*.

high-risk adj à haut risque.

high school n **1.** (uk) *établissement d'enseignement secondaire* **2.** (us) ≃ lycée m. ❑ adj de lycée.

high season n haute saison f.

high-speed adj **1.** à grande vitesse **2.** PHOTO à obturation rapide.

high-spirited adj plein d'entrain.

high spot n point m fort.

high street n (uk) rue f principale.

high-tech [-'tek] adj de pointe.

high tide n marée f haute.

highway ['haɪweɪ] n **1.** (us) autoroute f **2.** grande route f.

Highway Code n (uk) • **the Highway Code** le code de la route.

hijack ['haɪdʒæk] n détournement m. ❑ vt détourner.

hijacker ['haɪdʒækər] n **1.** pirate m de l'air **2.** pirate m de la route.

hijacking ['haɪdʒækɪŋ] n **1.** détournement m **2.** vol m.

hike [haɪk] n **1.** randonnée f **2.** fig • **take a hike!** fam dégage ! **3.** hausse f • **tax hike** hausse d'impôts. ❑ vi faire une randonnée.

hiker ['haɪkər] n randonneur m, -euse f.

hiking ['haɪkɪŋ] n marche f.

hilarious [hɪ'leərɪəs] adj hilarant.

hilariously [hɪ'leərɪəslɪ] adv joyeusement, gaiement • **the film's hilariously funny** le film est à se tordre de rire.

hill [hɪl] n **1.** colline f **2.** côte f.

hillside ['hɪlsaɪd] n coteau m.

hillwalker ['hɪl,wɔːkər] n (uk) randonneur m, -euse f *(en terrain vallonné)*.

hillwalking ['hɪl,wɔːkɪŋ] n *(indén)* (uk) randonnée f *(en terrain vallonné)*.

hilly ['hɪlɪ] adj vallonné.

hilt [hɪlt] n garde f • **to support/defend sb to the hilt** soutenir/défendre qqn à fond.

him [hɪm] pron pers **1.** *(complément d'objet direct)* le, lui • **I know/like him** je le connais/l'aime bien **2.** *(complément d'objet indirect)* lui • **we spoke to him** nous lui avons parlé • **she sent him a letter** elle lui a envoyé une lettre **3.** *(précédé*

d'une préposition) lui • **I'm shorter than him** je suis plus petit que lui.

Himalayas [,hɪmə'leɪəz] npl • **the Himalayas** l'Himalaya m.

himbo ['hɪmbəʊ] n (us) fam *homme séduisant mais superficiel*.

himself [hɪm'self] pron **1.** *(réfléchi)* se **2.** *(précédé d'une préposition)* lui **3.** *(forme emphatique)* lui-même.

hind [haɪnd] adj de derrière.

hinder ['hɪndər] vt gêner, entraver.

Hindi ['hɪndɪ] n hindi m.

hindquarters ['haɪndkwɔːtəz] npl arrière-train m.

hindrance ['hɪndrəns] n obstacle m.

hindsight ['haɪndsaɪt] n • **with the benefit of hindsight** avec du recul.

Hindu ['hɪnduː] adj hindou. ❑ n *(pl -s)* hindou m, -e f.

hinge [hɪndʒ] n **1.** charnière f **2.** gond m. ■ **hinge (up)on** vt insép dépendre de.

hinged [hɪndʒd] adj à charnière ou charnières • **hinged flap** abattant m *(d'un comptoir)*.

hinky ['hɪŋkɪ] adj (us) fam bizarre, louche.

hint [hɪnt] n **1.** allusion f • **to drop a hint** faire une allusion **2.** conseil m, indication f **3.** soupçon m *(petite quantité)*. ❑ vi • **to hint at sthg** faire allusion à qqch. ❑ vt • **to hint that…** insinuer que…

hip [hɪp] n **1.** hanche f **2.** • **to shoot from the hip** ne pas faire dans la dentelle. ❑ adj fam branché.

hip flask n flasque f.

hip-hop n MUS hip-hop m.

hippie ['hɪpɪ] = **hippy**.

hippo ['hɪpəʊ] *(pl -s)* n hippopotame m.

hippodrome ['hɪpədrəʊm] n hippodrome m.

hippopotamus [,hɪpə'pɒtəməs] *(pl -muses ou -mi)* n hippopotame m.

hippy ['hɪpɪ] n hippie mf.

hipsters ['hɪpstəz] npl (uk) pantalon m (à) taille basse.

hire ['haɪər] n **1.** *(indén)* (uk) location f • **for hire a)** à louer **b)** *(taxi)* libre **2.** (us) employé m, -e f. ❑ vt **1.** (uk) louer **2.** employer les services de • **a hired killer** un tueur à gages. ■ **hire out** vt sép (uk) louer.

hire car n (uk) voiture f de location.

hired help ['haɪəd-] n aide f ménagère.

hire purchase n *(indén)* (uk) achat m à crédit ou à tempérament.

hi-res ['haɪrez] *(abrév de high-resolution)* adj fam INFORM (à) haute résolution.

his [hɪz] adj poss son, sa, ses • **his name is Joe** il s'appelle Joe. ❑ pron poss le sien, la sienne, les siens, les siennes • **that money is his** cet argent est à lui ou est le sien • **it wasn't her**

fault, it was *his* ce n'était pas de sa faute à elle, c'était de sa faute à lui • **a friend of his** un ami à lui.

A PROPOS DE

his

Si vous parlez d'une partie du corps, n'oubliez pas d'utiliser l'adjectif possessif *his*, et non pas *the* (he broke his *leg*, il s'est cassé la jambe ; she broke his *nose*, elle lui a cassé le nez).

---

his and hers adj • **his and hers towels** des serviettes brodées « lui » et « elle ».

hiss [hɪs] n **1.** sifflement m **2.** sifflets mpl (huées). ❑ vi siffler.

hissy fit [ˈhɪsɪ-] n fam • **to have a hissy fit** piquer une crise.

histocompatibility [ˌhɪstəʊkəmpætəˈbɪlətɪ] n histocompatibilité f.

historian [hɪˈstɔːrɪən] n historien m, -enne f.

historic [hɪˈstɒrɪk] adj historique.

historical [hɪˈstɒrɪkəl] adj historique.

historically [hɪˈstɒrɪklɪ] adv **1.** historiquement **2.** traditionnellement.

history [ˈhɪstərɪ] n **1.** histoire f **2.** antécédents mpl • **medical history** passé m médical **3.** historique m.

histrionics [ˌhɪstrɪˈɒnɪks] npl péj drame m.

hit [hɪt] n **1.** coup m **2.** coup m ou tir m réussi **3.** touche f **4.** succès m • **to be a hit with** plaire à **5.** INFORM visite f (d'un site Internet). ❑ en apposition à succès. ❑ vt (prét & pp hit) **1.** frapper **2.** taper sur **3.** heurter, percuter **4.** atteindre **5.** toucher, affecter **6.** (locution) • **to hit it off (with sb)** bien s'entendre (avec qqn). ■ **hit back** vi (surtout UK) • **our army hit back with a missile attack** notre armée a riposté en envoyant des missiles • **to hit back (at)** répondre (à). ■ **hit out** vi (surtout UK) • **to hit out at a)** (physiquement) envoyer un coup à **b)** (moralement) attaquer.

hit-and-miss = hit-or-miss.

hit-and-run adj avec délit de fuite • **hit-and-run driver** chauffard m (qui a commis un délit de fuite).

hitch [hɪtʃ] n ennui m. ❑ vt **1.** • **to hitch a lift** ou **a ride** faire du stop **2.** • **to hitch sthg on** ou **onto** accrocher ou attacher qqch à. ❑ vi faire du stop. ■ **hitch up** vt sép remonter.

hitchhike [ˈhɪtʃhaɪk] vi faire de l'auto-stop.

hitchhiker [ˈhɪtʃhaɪkər] n auto-stoppeur m, -euse f.

hitchhiking [ˈhɪtʃhaɪkɪŋ], **hitching** [ˈhɪtʃɪŋ] n auto-stop m, stop m.

hi-tech [ˌhaɪˈtek] = high-tech.

hitherto [ˌhɪðəˈtuː] adv sout jusqu'ici.

hit list n liste f noire.

hit man n tueur m (à gages).

hit-or-miss adj aléatoire.

hit squad n fam commando m de tueurs.

HIV (abrév de human immunodeficiency virus) n VIH m, HIV m • **to be HIVpositive** être séropositif.

hive [haɪv] n ruche f. ■ **hive off** vt sép (UK) COMM séparer.

hiya [ˈhaɪjə] interj salut fam.

HM (abrév de His (ou Her) Majesty) SM.

HNC (abrév de Higher National Certificate) n brevet de technicien en Grande-Bretagne.

HND (abrév de Higher National Diploma) n brevet de technicien supérieur en Grande-Bretagne.

hoard [hɔːd] n **1.** réserves f pl **2.** tas m. ❑ vt **1.** amasser **2.** faire des provisions de.

hoarder [ˈhɔːdə] n (gén) personne ou animal qui fait des réserves.

hoarding [ˈhɔːdɪŋ] n (UK) panneau m d'affichage publicitaire.

hoarfrost [ˈhɔːfrɒst] n gelée f blanche.

hoarse [hɔːs] adj **1.** enroué **2.** rauque.

hoax [həʊks] n canular m.

hob [hɒb] n (UK) rond m (de cuisinière), plaque f (de cuisson).

hobble [ˈhɒbl] vi boitiller.

hobby [ˈhɒbɪ] n passe-temps m inv, hobby m, violon m d'Ingres.

hobbyhorse [ˈhɒbɪhɔːs] n **1.** cheval m à bascule **2.** fig dada m.

hobnob [ˈhɒbnɒb] (prét & pp hobnobbed, cont hobnobbing) vi péj • **to hobnob with sb** frayer avec qqn.

hobo [ˈhəʊbəʊ] (pl -es ou -s) n (US) vieilli clochard m, -e f.

hockey [ˈhɒkɪ] n **1.** (surtout UK) hockey m **2.** (US) hockey m sur glace.

hoe [həʊ] n houe f. ❑ vt biner.

hog [hɒg] n **1.** (US) cochon m **2.** fam goinfre m. ❑ vt fam accaparer, monopoliser.

hog heaven n (US) fam • **to be in hog heaven** être comme un coq en pâte.

Hogmanay [ˈhɒgmənei] n la Saint-Sylvestre en Écosse.

hog-wild adj (US) fam • **she won the lottery and went hog-wild** après avoir gagné à la loterie elle a eu un moment de folie.

hoist [hɔɪst] n treuil m. ❑ vt hisser.

hold [həʊld] vt (prét & pp held) **1.** tenir **2.** maintenir **3.** maintenir appuyé (une touche de clavier) **4.** détenir • **to hold sb prisoner/hostage** détenir qqn prisonnier/comme otage **5.** sout considérer, estimer • **to hold sb responsible for sthg** rendre qqn responsable de qqch, tenir qqn pour responsable de qqch **6.** • (please hold the line) ne quittez pas, je vous prie **7.** retenir **8.** supporter **9.** contenir **10.** (locution) • **hold it!**, **hold everything!** attendez !, arrêtez ! • **to hold one's own** se défendre. ❑ vi (prét & pp held) **1.** tenir **2.** persister **3.** se maintenir • **hold**

still *ou* **steady** ne pas bouger, rester tranquille **4.** *(au téléphone)* patienter. ❑ *n* **1.** prise *f*, étreinte *f* • **to take** *ou* **lay hold of sthg** saisir qqch • **to get hold of sthg** se procurer qqch • **to get hold of sb** joindre qqn **2.** prise *f (de contrôle)* **3.** cale *f*. ■ **hold against** *vt sép* • **to hold sthg against sb** *fig* en vouloir à qqn de qqch. ■ **hold back** *vt sép* **1.** retenir **2.** réprimer • **to hold sb back from doing sthg** retenir qqn de faire qqch **3.** cacher. ■ **hold down** *vt sép* garder. ■ **hold off** *vt sép* **1.** tenir à distance **2.** reporter. ■ **hold on** *vi* **1.** attendre **2.** *(au téléphone)* ne pas quitter **3.** • **to hold on (to sthg)** se tenir (à qqch). ■ **hold onto** *vt insép* garder *(le pouvoir, un poste)*. ■ **hold out** *vt sép* tendre. ❑ *vi* **1.** durer **2.** résister. ■ **hold out for** *vt insép* continuer à réclamer. ■ **hold up** *vt sép* **1.** lever **2.** retarder.

holdall ['həʊldɔːl] *n* (UK) fourre-tout *m inv*.

holder ['həʊldər] *n* **1.** porte-cigarettes *m inv* **2.** détenteur *m*, -trice *f* **3.** titulaire *mf*.

holding ['həʊldɪŋ] *n* **1.** FIN effets *mpl* en portefeuille **2.** ferme *f*.

hold-up ['həʊldʌp] *n* **1.** hold-up *m* **2.** retard *m*.

hole [həʊl] *n* trou *m*.

holiday ['hɒlɪdeɪ] *n* **1.** (UK) vacances *fpl* **2.** jour *m* férié.

holiday camp *n* (UK) camp *m* de vacances.

holiday home *n* (UK) maison *f* de vacances, résidence *f* secondaire.

holiday let *n* location *f* saisonnière.

holidaymaker ['hɒlɪdɪˌmeɪkər] *n* (UK) vacancier *m*, -ère *f*.

holiday pay *n* (UK) *salaire payé pendant les vacances*.

holiday resort *n* (UK) lieu *m* de vacances.

holiday season *n* saison *f* des vacances.

holistic [həʊ'lɪstɪk] *adj* holistique.

Holland ['hɒlənd] *n* Hollande *f*.

holler ['hɒlər] *vi* & *vt fam* gueuler, brailler.

hollow ['hɒləʊ] *adj* **1.** creux, creuse *f* **2.** *(yeux)* cave **3.** *(promesse, victoire)* faux **4.** *(rire)* qui sonne faux. ❑ *n* creux *m*. ■ **hollow out** *vt sép* creuser, évider.

holly ['hɒlɪ] *n* houx *m*.

Hollywood ['hɒlɪwʊd] *n* Hollywood.

holocaust ['hɒləkɔːst] *n* destruction *f*, holocauste *m*. ■ **Holocaust** *n* • **the Holocaust** l'Holocauste *n*.

hologram ['hɒləgræm] *n* hologramme *m*.

hols [hɒlz] *npl* (UK) *fam* & *vieilli* vacances *fpl*.

holster ['həʊlstər] *n* étui *m* de revolver.

holy ['həʊlɪ] *adj* **1.** saint **2.** sacré.

Holy Bible *n* • **the Holy Bible** la Sainte Bible.

Holy Ghost *n* • **the Holy Ghost** le Saint-Esprit.

Holy Land *n* • **the Holy Land** la Terre sainte.

holy roller *n* (US) *péj* • **he's a real holy roller** il fait vraiment du prêchi-prêcha.

Holy Spirit *n* • **the Holy Spirit** le Saint-Esprit.

homage ['hɒmɪdʒ] *(indén) sout n* hommage *m* • **to pay homage to sb/sthg** rendre hommage à qqn/qqch.

home [həʊm] *n* **1.** maison *f* • **to make one's home** s'établir, s'installer **2.** patrie *f* **3.** ville *f* natale **4.** foyer *m* • **to leave home** quitter la maison **5.** *fig* berceau *m*. ❑ *adj* **1.** intérieur **2.** national **3.** de famille **4.** domestique **5.** SPORT sur son propre terrain ; *(équipe)* qui reçoit. ❑ *adv* chez soi, à la maison • **to take sb home** ramener qqn chez lui. ■ **at home** *adv* **1.** chez soi, à la maison **2.** à l'aise • **at home with sthg** à l'aise dans qqch • **to make o.s. at home** faire comme chez soi. ■ **home in** *vi* • **to home in on sthg a)** viser qqch, se diriger vers qqch **b)** *fig* pointer sur qqch.

home address *n* adresse *f* du domicile.

home banking *n* la banque à domicile.

home brew *n (indén)* bière *f* faite à la maison.

home-brewed *adj (bière)* fait maison.

homecoming ['həʊmˌkʌmɪŋ] *n* **1.** retour *m* au foyer *ou* à la maison **2.** (US) SCOL & UNIV fête *f* marquant le début de l'année *(donnée en l'honneur de l'équipe de football et à laquelle sont invités les anciens élèves)*.

home computer n ordinateur m domestique.

home cooking n cuisine f familiale.

Home Counties npl • **the Home Counties** les comtés entourant Londres.

home economics n (indén) économie f domestique.

home fragrance n parfum m d'intérieur.

home ground n 1. • **to be on home ground** litt & fig être sur son terrain 2. SPORT terrain m du club.

homegrown [,həʊm'grəʊn] adj du jardin.

home help n (UK) aide f ménagère.

homeland ['həʊmlænd] n patrie f.

homeless ['həʊmlɪs] adj sans abri • **to be homeless** être sans-abri. ❑ npl • **the homeless** les sans-abri mpl.

homelessness ['həʊmlɪsnəs] n fait d'être sans abri.

home-loving adj casanier.

homely ['həʊmlɪ] adj 1. (UK) simple 2. (US) ordinaire.

homemade [,həʊm'meɪd] adj fait (à la) maison • **homemade cakes** gâteaux faits maison.

homemaker ['həʊm,meɪkə] n femme f au foyer.

home movie n film m amateur.

Home Office n (UK) • **the Home Office** ≃ le ministère de l'Intérieur.

homeopath [,həʊmɪ'ɒpəθ] n (UK) homéopathe mf.

homeopathy [,həʊmɪ'ɒpəθɪ] n homéopathie f.

home page n INFORM page f d'accueil.

homeroom ['həʊm,ruːm] n (US) SCOL heure f de vie de classe.

home rule n autonomie f.

home run n (US) coup m de circuit.

home sales npl ventes fpl sur le marché intérieur.

homeschooling ['həʊm,skuːlɪŋ] n (US) SCOL instruction f à la maison.

Home Secretary n (UK) ≃ ministre m de l'Intérieur.

home shopping n 1. téléachat m 2. achat m par correspondance.

homesick ['həʊmsɪk] adj qui a le mal du pays • **to be homesick** avoir le mal du pays.

homesickness ['həʊm,sɪknɪs] n mal m du pays.

homesite ['həʊmsaɪt] n (US) terrain m à bâtir.

home straight (UK), **home stretch** (US) n • **the home straight a)** (dans une course) la dernière ligne droite **b)** (dans un travail) la dernière étape.

home town n 1. (de naissance) ville f natale 2. (d'enfance) • **his home town** la ville où il a grandi.

home truth n (surtout UK) • **to tell sb a few home truths** dire ses quatre vérités à qqn.

homeward ['həʊmwəd] adj de retour. ❑ adv vers la maison.

homewards ['həʊmwədz] adv (UK) = homeward.

homework ['həʊmwɜːk] n (indén) 1. devoirs mpl 2. fam boulot m.

homeworker ['həʊm,wɜːkə] n travailleur m, -euse f à domicile.

homeworking ['həʊm,wɜːkɪŋ] n travail m à domicile.

homey, homy ['həʊmɪ] adj (US) confortable, agréable.

homicide ['hɒmɪsaɪd] n homicide m.

homoeopath etc [,həʊmɪ'ɒpəθ] (UK) = homeopath.

homoeopathy etc [,həʊmɪ'ɒpəθɪ] (UK) = homeopathy.

homoerotic [,həʊməʊɪ'rɒtɪk] adj homoérotique.

homogeneous [,hɒmə'dʒiːnjəs] adj homogène.

homogenize, -ise (UK) [hə'mɒdʒənaɪz] vt homogénéiser.

homophobia [,həʊməʊ'fəʊbjə] n homophobie f.

homophobic [,həʊməʊ'fəʊbɪk] adj homophobe.

homosexual [,hɒmə'sekʃʊəl] adj homosexuel. ❑ n homosexuel m, -elle f.

homosexuality [,hɒmə,sekʃʊ'ælətɪ] n homosexualité f.

homy = homey.

Hon. abrév de **Honourable** (UK), **Honorable** (US).

hone [həʊn] vt aiguiser.

honest ['ɒnɪst] adj 1. honnête, probe 2. franc, sincère • **to be honest...** pour dire la vérité..., à dire vrai... 3. légitime. ❑ adv fam = **honestly** (sens 2).

honestly ['ɒnɪstlɪ] adv 1. honnêtement 2. je vous assure. ❑ interj (pour exprimer la désapprobation) franchement !

honesty ['ɒnɪstɪ] n honnêteté f, probité f.

honey ['hʌnɪ] n 1. miel m 2. chéri m, -e f.

honeycomb ['hʌnɪkəʊm] n gâteau m de miel.

honeymoon ['hʌnɪmuːn] n litt & fig lune f de miel. ❑ vi aller en voyage de noces, passer sa lune de miel.

honeymoon period n POLIT lune f de miel, état m de grâce.

honeysuckle ['hʌnɪ,sʌkl] n chèvrefeuille m.

honeytrap ['hʌnɪ,træp] n piège tendu à une personnalité par la presse à sensation afin d'en tirer des confidences.

Hong Kong [,hɒŋ'kɒŋ] n Hongkong, Hong Kong.

honk [hɒŋk] vi 1. klaxonner 2. (oie) cacarder. ❑ vt • **to honk the horn** klaxonner.

honker ['hɒŋkə'] n (us) fam **1.** blaire m, tarin m **2.** (appareil) bécane f.

honking ['hɒŋkɪŋ] adj fam énorme.

honor etc (us) = honour.

honorable etc (us) = honourable.

honorably etc (us) = honourably.

honorary [(uk) 'ɒnərərɪ, (us) ɒnə'reərɪ] adj honoraire.

honors npl (us) = honours (sens 1)

honors program ['ɒnəz ,prəʊgræm] n (us) enseignement réservé aux meilleurs élèves.

honour (uk), **honor** (us) ['ɒnə'] n honneur m. ❑ vt honorer. ■ **honours** npl **1.** honneurs mpl **2.** (uk) univ ≃ licence f • **she got a first-class honours degree (in History)** elle a eu mention très bien (en histoire) • **to graduate with first-class honours** obtenir son diplôme avec mention très bien **3.** (locution) • **to do the honours a)** servir (à table) **b)** faire les présentations.

honourable (uk), **honorable** (us) ['ɒnrəbl] adj honorable. ■ **Honourable** adj (dans les titres) • **the Honourable...** l'honorable...

honour killing n crime m d'honneur.

hood [hʊd] n **1.** capuchon m **2.** hotte f **3.** auto capote f **4.** (us) auto capot m **5.** (us) fam gangster m.

hoodie ['hʊdɪ] n fam **1.** sweat-shirt m à capuche **2.** (uk) jeune qui porte un sweat-shirt à capuche.

hoodlum ['hu:dləm] n fam & vieilli gangster m, truand m.

hoof [hu:f ou hʊf] (pl -s ou **hooves** [hu:vz]) n **1.** sabot m **2.** • **to eat on the hoof** fam manger sur le pouce.

hook [hʊk] n **1.** crochet m **2.** hameçon m **3.** agrafe f **4.** (téléphone) • **to be off the hook** être décroché • **to ring off the hook** ne pas arrêter de sonner • **to get one's hooks into sb** mettre le grappin sur qqn. ❑ vt **1.** accrocher **2.** prendre. ■ **hook up** vt sép • **to hook sth up to sth** connecter qqch à qqch.

hooked [hʊkt] adj **1.** crochu **2.** fam • **to be hooked (on) a)** être accro (à).

hooker ['hʊkə'] n (us) fam putain f.

hook(e)y ['hʊkɪ] n (us) fam • **to play hookey** faire l'école buissonnière.

hooligan ['hu:lɪgən] n hooligan m, vandale m.

hoop [hu:p] n **1.** cercle m **2.** cerceau m **3.** (us) fam (basketball) • **hoop(s)** basket m • **to jump through hoops : I had to jump through hoops to get the job** j'ai dû faire des pieds et des mains pour obtenir ce travail.

hooray [hʊ'reɪ] = hurray.

hoot [hu:t] n **1.** hululement m **2.** (uk) coup m de Klaxon® **3.** (uk) fam • **to be a hoot** être tordant. ❑ vi **1.** hululer **2.** (uk) klaxonner. ❑ vt (uk) • **to hoot the horn** klaxonner.

hooter ['hu:tə'] n (uk) Klaxon® m.

Hoover® (uk) ['hu:və'] n aspirateur m. ■ **hoover** vt passer l'aspirateur dans.

hooves [hu:vz] npl → hoof.

hop [hɒp] n **1.** saut m **2.** saut à cloche-pied. ❑ vi **1.** sauter **2.** sauter à cloche-pied **3.** sautiller. ■ **hops** npl houblon m.

hope [həʊp] vi espérer • **to hope for sth** espérer qqch • **I hope so** j'espère bien • **I hope not** j'espère bien que non. ❑ vt • **to hope (that)** espérer que • **to hope to do sth** espérer faire qqch. ❑ n espoir m • **in the hope of** dans l'espoir de.

hopeful ['həʊpfʊl] adj **1.** plein d'espoir • **to be hopeful of doing sth** avoir l'espoir de faire qqch • **to be hopeful of sth** espérer qqch **2.** encourageant, qui promet.

hopefully ['həʊpfəlɪ] adv **1.** avec bon espoir, avec optimisme **2.** • **hopefully,...** espérons que...

hopeless ['həʊplɪs] adj **1.** désespéré **2.** (larmes) de désespoir **3.** fam nul • **to be hopeless at sth** être nul en qqch.

hopelessly ['həʊplɪslɪ] adv **1.** avec désespoir **2.** complètement.

horde [hɔ:d] n horde f, foule f. ■ **hordes** npl • **hordes of** une foule de.

horizon [hə'raɪzn] n horizon m • **on the horizon** litt & fig à l'horizon.

horizontal [,hɒrɪ'zɒntl] adj horizontal. ❑ n • **the horizontal** l'horizontale f.

hormone ['hɔ:məʊn] n hormone f.

hormone replacement therapy n traitement m hormonal substitutif.

horn [hɔ:n] n **1.** corne f **2.** mus cor m **3.** fig • **to blow one's own horn** se vanter **4.** Klaxon® f • **to sound the horn** klaxonner **5.** sirène f (de bateau).

hornet ['hɔ:nɪt] n frelon m.

horn-rimmed [-'rɪmd] adj à monture d'écaille.

horny ['hɔ:nɪ] adj **1.** corné **2.** calleux **3.** tfam excité (sexuellement).

horoscope ['hɒrəskəʊp] n horoscope m.

horrendous [hɒ'rendəs] adj horrible, atroce.

horrendously [hɒ'rendəslɪ] adv horriblement.

horrible ['hɒrəbl] adj horrible.

horribly ['hɒrəblɪ] adv horriblement.

horrid ['hɒrɪd] adj horrible.

horrific [hɒ'rɪfɪk] adj horrible, épouvantable.

horrified ['hɒrɪfaɪd] adj horrifié • **a horrified expression** une expression d'horreur.

horrify ['hɒrɪfaɪ] vt horrifier.

horror ['hɒrə'] n horreur f.

horror film (surtout uk), **horror movie** (surtout us) n film m d'horreur ou d'épouvante.

horse [hɔ:s] n cheval m.

horseback ['hɔːsbæk] *adj* à cheval • **horseback riding** (US) équitation *f*. ❏ *n* • **on horseback** à cheval.

horse chestnut *n* marron *m* d'Inde.

horseman ['hɔːsmən] (*pl* -men) *n* cavalier *m*.

horseplay ['hɔːspleɪ] *n* chahut *m*.

horsepower ['hɔːs,paʊə'] *n* puissance *f* en chevaux.

horse racing *n* (*indén*) courses *fpl* de chevaux.

horseradish ['hɔːs,rædɪʃ] *n* raifort *m*.

horse riding *n* (UK) équitation *f*.

horseshoe ['hɔːsʃuː] *n* fer *m* à cheval.

horsewoman ['hɔːs,wʊmən] (*pl* -women) *n* cavalière *f*.

horticulture ['hɔːtɪkʌltʃə'] *n* horticulture *f*.

hose [həʊz] *n* tuyau *m*. ❏ *vt* arroser au jet.

hosepipe ['həʊzpaɪp] *n* = hose.

hosiery ['həʊzɪərɪ] *n* bonneterie *f*.

hospitable [hɒ'spɪtəbl] *adj* hospitalier, accueillant.

hospital ['hɒspɪtl] *n* hôpital *m*.

hospitality [,hɒspɪ'tælətɪ] *n* hospitalité *f*.

hospitalize, -ise (UK) ['hɒspɪtəlaɪz] *vt* hospitaliser.

host [həʊst] *n* **1.** hôte *m* **2.** animateur *m*, -trice *f* **3.** • **a host of** une foule de. ❏ *vt* **1.** *fig* présenter, animer **2.** héberger.

hostage ['hɒstɪdʒ] *n* otage *m* • **to take sb hostage** prendre qqn en otage.

hostage-taking *n* prise *f* d'otages.

hostel ['hɒstl] *n* **1.** foyer *m* **2.** auberge *f* de jeunesse.

hostess ['həʊstes] *n* hôtesse *f*.

host family *n* famille *f* d'accueil.

hostile [(UK) 'hɒstaɪl, (US) 'hɒstl] *adj* • **hostile (to)** hostile (à).

hostility [hɒ'stɪlətɪ] *n* hostilité *f*.

hosting ['həʊstɪŋ] *n* INFORM hébergement *m* (*d'un site web*).

host name *n* INFORM nom *m* d'hôte.

hot [hɒt] *adj* **1.** chaud • **I'm hot** j'ai chaud • **it's hot** il fait chaud **2.** épicé **3.** de dernière heure *ou* minute **4.** colérique.

hot-air balloon *n* montgolfière *f*.

hotbed ['hɒtbed] *n* *fig* foyer *m* (*d'intrigues, d'agitation sociale*).

hot-blooded *adj* **1.** (*personne, passion*) fougueux, au sang chaud **2.** (*cheval*) pur sang.

hot cross bun *n* petit pain sucré que l'on mange le Vendredi saint.

hot-desking *n* partage *m* de bureaux.

hot dog *n* hot dog *m*.

hot-dogger [-dɒgə'] *n* **1.** SPORT skieur *m*, -euse *f* acrobatique **2.** personne qui fait du surf acrobatique **3.** (US) *fam* frimeur *m*, -euse *f*, crâneur *m*, -euse *f*.

hot-dogging [-dɒgɪŋ] *n* **1.** SPORT ski *m* acrobatique **2.** surf *m* acrobatique **3.** (US) *fam* frime *f*.

hotel [həʊ'tel] *n* hôtel *m* • **to stay in a hotel** loger à l'hôtel.

hot flush (UK), **hot flash** (US) *n* bouffée *f* de chaleur.

hotfoot ['hɒt,fʊt] *adv* à toute vitesse.

hothead ['hɒthed] *n* tête *f* brûlée, exalté *m*, -e *f*.

hotheaded [,hɒt'hedɪd] *adj* impulsif.

hothouse ['hɒthaʊs] *n* (*pl* [-haʊzɪz]) serre *f*.

hot key *n* INFORM raccourci *m* clavier.

hot line *n* **1.** téléphone *m* rouge **2.** hot line *f*, assistance *f* téléphonique.

hotlist ['hɒtlɪst] *n* INFORM hotlist *f*.

hotly ['hɒtlɪ] *adv* **1.** avec véhémence • **to be hotly contested** être très contesté **2.** de près.

hot pad *n* (US) dessous-de-plat *m*.

hot pants *npl* mini-short *m* (*très court et moulant*).

hotplate ['hɒtpleɪt] *n* plaque *f* chauffante.

hot potato *n* *fam* & *fig* affaire *f* brûlante.

hot seat *n* *fam* • **to be in the hot seat** être sur la sellette.

hotshot ['hɒtʃɒt] *fam* *n* **1.** (*expert*) as *m*, crack *m* **2.** (*personnalité*) gros bonnet *m*. ❏ *adj* super • **they've hired some hotshot lawyer** ils ont pris un as du barreau.

hot spot *n* **1.** endroit *m* à la mode **2.** (*sur le plan politique*) point *m* chaud.

hotted-up ['hɒtɪd-] *adj* *fam* (*véhicule*) au moteur gonflé.

hot-tempered [-'tempəd] *adj* colérique.

hot ticket *n* *fam* • **to be a hot ticket** être très en demande.

hottie ['hɒtɪ] *n* (US) *fam* **1.** mec *m* canon **2.** fille *f* canon • **she's a hottie** c'est une bombe.

hot-water bottle *n* bouillotte *f*.

hot-wire *vt* *fam* faire démarrer en court-circuitant l'allumage.

houmous, houmus ['hʊmʊs] = hummus.

hound [haʊnd] *n* chien *m*. ❏ *vt* **1.** poursuivre, pourchasser **2.** • **to hound sb out (of)** chasser qqn (de).

hour ['aʊə'] *n* heure *f* • **half an hour** une demi-heure • **on the hour** à l'heure juste. ■ **hours** *npl* heures *fpl* d'ouverture.

hourly ['aʊəlɪ] *adj* & *adv* **1.** toutes les heures **2.** à l'heure.

house *n* [haʊs] (*pl* ['haʊzɪz]) **1.** maison *f* • **on the house** aux frais de la maison **2.** POL/T chambre *f* **3.** assistance *f* **4.** THÉÂTRE auditoire *m*, salle *f* • **to bring the house down** *fam* faire crouler la salle sous les applaudissements **5.** (UK) *au sein d'une école, répartition des élèves en groupes concurrents*. ❏ *vt* [haʊz] **1.** loger, héberger **2.** abriter. ❏ *adj* [haʊs] **1.** d'entreprise **2.** de la maison.

house arrest n • **under house arrest** en résidence surveillée.

houseboat ['haʊsbəʊt] n péniche f aménagée.

housebound ['haʊsbaʊnd] adj confiné chez soi.

housebreaking ['haʊs,breɪkɪŋ] n (indén) cambriolage m.

housecoat ['haʊskəʊt] n peignoir m.

household ['haʊshəʊld] adj **1.** ménager **2.** (mot, nom) connu de tous. ❑ n maison f, ménage m.

householder ['haʊs,həʊldə*] n propriétaire mf (d'une maison).

househunting ['haʊs,hʌntɪŋ] n recherche f d'un logement.

house husband n homme m au foyer.

housekeeper ['haʊs,kiːpə*] n gouvernante f.

housekeeping ['haʊs,kiːpɪŋ] n (indén) ménage m.

house music n house music f.

House of Commons n (UK) • **the House of Commons** la Chambre des communes.

House of Lords n (UK) • **the House of Lords** la Chambre des lords.

House of Representatives n (US) • **the House of Representatives** la Chambre des représentants.

house-owner n propriétaire mf d'une maison.

houseplant ['haʊsplɑːnt] n plante f d'appartement.

house-proud adj qui a la manie d'astiquer.

house-sit vi • **to house-sit for sb** s'occuper de la maison de qqn pendant son absence.

house-sitter n personne qui garde une maison en l'absence de ses occupants.

Houses of Parliament npl • **the Houses of Parliament** le Parlement britannique (où se réunissent la Chambre des communes et la Chambre des lords).

house-to-house adj de porte en porte, maison par maison.

house-train vt (UK) (animal) dresser à être propre.

housewarming (party) ['haʊs,wɔːmɪŋ-] n pendaison f de crémaillère.

housewife ['haʊswaɪf] (pl **-wives**) n femme f au foyer.

house wine n vin m de la maison.

housework ['haʊswɜːk] n (indén) ménage m • **to do the housework** faire le ménage.

housing ['haʊzɪŋ] n (indén) logement m.

housing association n (UK) association f d'aide au logement.

housing benefit n (indén) (UK) allocation f logement.

housing estate (UK), **housing project** (US) n cité f.

HOV (abrév de High Occupancy Vehicle) n (US) • **HOV lane** voie d'autoroute réservée aux automobiles occupées par au moins deux passagers.

hovel ['hɒvl] n masure f, taudis m.

hover ['hɒvə*] vi planer.

hovercraft ['hɒvəkrɑːft] (pl inv ou **-s**) n aéroglisseur m, hovercraft m.

how [haʊ] adv **1.** comment • **how do you do it?** comment fait-on ? • **how are you?** comment allez-vous ? • **how do you do?** enchanté (de faire votre connaissance) **2.** • **how high is it?** combien cela fait-il de haut ? • **how long have you been waiting?** cela fait combien de temps que vous attendez ? • **how many people came?** combien (de personnes) sont venu(e)s ? **3.** • **how nice!** que c'est bien ! • **how awful!** quelle horreur ! • **how cool is that!** fam trop cool ! • **how stupid was that!** qu'est-ce que c'était bête ! ◼ **how about** adv • **how about a drink?** si on prenait un verre ? • **how about you?** et toi ? ◼ **how much** pron combien • **how much does it cost?** combien ça coûte ? ❑ adj combien de • **how much meat?** combien de viande ?

however [haʊ'evə*] adv **1.** cependant, toutefois **2.** quelque... que (+ subjonctif), si... que (+ subjonctif) • **however many/much** peu importe la quantité de **3.** comment. ❑ conj de quelque manière que (+ subjonctif).

howl [haʊl] n 1. hurlement m 2. éclat m (de rire). ❏ vi 1. hurler 2. rire aux éclats.

how-to (US) n • he gave me the how-to il m'a expliqué comment faire. ❏ adj • how-to books livres mpl pratiques.

hp (abrév de horsepower) n CV m.

HP n 1. (UK) (abrév de hire purchase) • to buy sthg on HP acheter qqch à crédit 2. = hp.

HQ (abrév de headquarters) n QG m.

hr (abrév de hour) h.

HR n abrév de human resources.

HRT n abrév de hormone replacement therapy.

HRU SMS abrév de how are you.

HTML (abrév de hypertext markup language) n INFORM HTML.

Ht4U SMS (abrév de hot for you) tu me plais.

hub [hʌb] n 1. moyeu m 2. fig centre m 3. IN-FORM & AÉRON hub m.

hubbub ['hʌbʌb] n vacarme m, brouhaha m.

hubcap ['hʌbkæp] n enjoliveur m.

huddle ['hʌdl] vi se blottir. ❏ n petit groupe m.

hue [hjuː] n teinte f, nuance f.

huff [hʌf] n • in a huff froissé.

hug [hʌg] n étreinte f • to give sb a hug serrer qqn dans ses bras. ❏ vt 1. étreindre, serrer dans ses bras 2. tenir 3. serrer.

huge [hjuːdʒ] adj 1. énorme 2. vaste 3. fou.

huggable ['hʌgəbl] adj trognon.

hulk [hʌlk] n 1. carcasse f 2. malabar m, mastodonte m.

hull [hʌl] n coque f.

hullo [hə'ləʊ] interj (UK) = hello.

hum [hʌm] vi 1. bourdonner 2. (machine) vrombir, ronfler 3. fredonner, chantonner 4. être en pleine activité. ❏ vt fredonner, chantonner.

human ['hjuːmən] adj humain. ❏ n • human (being) être m humain.

humane [hjuː'meɪn] adj humain.

humanely [hjuː'meɪnlɪ] adv humainement.

human error n erreur f humaine.

human interest n PRESSE dimension f humaine • a human interest story un reportage à caractère social.

humanitarian [hjuː,mænɪ'teərɪən] adj humanitaire.

humanity [hjuː'mænətɪ] n humanité f. ■ humanities npl • the humanities les sciences fpl humaines.

human nature n nature f humaine.

human race n • the human race la race humaine.

human resources npl ressources fpl humaines.

human rights npl droits mpl de l'homme.

human shield n bouclier m humain.

human trafficking n trafic m ou traite f d'êtres humains.

humble ['hʌmbl] adj 1. humble 2. modeste. ❏ vt humilier.

humbling ['hʌmblɪŋ] adj (expérience) qui rend humble.

humbug ['hʌmbʌg] n vieilli hypocrisie f.

humdrum ['hʌmdrʌm] adj monotone.

humid ['hjuːmɪd] adj humide.

humidity [hjuː'mɪdətɪ] n humidité f.

humiliate [hjuː'mɪlɪeɪt] vt humilier.

humiliation [hjuː,mɪlɪ'eɪʃn] n humiliation f.

humility [hjuː'mɪlətɪ] n humilité f.

hummus ['hʊmʊs] n houmous m.

humongous [hjuː'mʌŋgəs] adj (US) fam énorme.

humor (US) = humour.

humorous ['hjuːmərəs] adj 1. humoristique 2. plein d'humour.

humour (UK), **humor** (US) ['hjuːmər] n 1. humour m • to have a good sense of humour avoir le sens de l'humour 2. côté m comique (d'une situation, d'une remarque) 3. vieilli humeur f. ❏ vt se montrer conciliant envers.

humourless (UK), **humorless** (US) ['hjuːmələs] adj (personne) qui manque d'humour.

hump [hʌmp] n bosse f.

humpbacked bridge ['hʌmpbækt-], **humpback bridge** ['hʌmpbæk-] n (UK) pont m en dos d'âne.

hunch [hʌntʃ] n fam pressentiment m, intuition f.

hunchback ['hʌntʃbæk] n injur bossu m, -e f.

hunched [hʌntʃt] adj voûté.

hundred ['hʌndrəd] num cent • a hundred ou one hundred cent. Voir aussi six. ■ hundreds npl centaines.

hundredth ['hʌndrətθ] num centième. Voir aussi sixth.

hundredweight ['hʌndrədweɪt] n 1. poids m de 112 livres ; = 50,8 kg 2. poids m de 100 livres ; = 45,3 kg.

hung [hʌŋ] passé & pp → hang.

Hungarian [hʌŋ'geərɪən] adj hongrois. ❏ n 1. Hongrois m, -e f 2. hongrois m.

Hungary ['hʌŋgərɪ] n Hongrie f.

hunger ['hʌŋgər] n 1. faim f 2. soif f. ■ hunger after, hunger for vt insép fig avoir faim de, avoir soif de.

hunger strike n grève f de la faim.

hung over adj fam • to be hung over avoir la gueule de bois.

hungry ['hʌŋgrɪ] adj 1. • to be hungry a) avoir faim b) être affamé 2. • to be hungry for être avide de.

hung up *adj fam* • **to be hung up (on** *ou* **about)** être obsédé (par).

hunk [hʌŋk] *n* **1.** gros morceau *m* **2.** *fam* beau mec *m*.

hunt [hʌnt] *n* **1.** chasse *f* **2.** recherches *fpl*. ❑ *vi* **1.** chasser **2.** (UK) chasser le renard **3.** *fig* • **to hunt (for sthg)** chercher (qqch) partout. ❑ *vt* **1.** chasser **2.** poursuivre, pourchasser.

hunter ['hʌntə] *n* chasseur *m*, -euse *f*.

hunting ['hʌntɪŋ] *n* chasse *f* • **(fox) hunting** (UK) la chasse au renard • **to go hunting** aller à la chasse.

hurdle ['hɜːdl] *n* **1.** SPORT haie *f* **2.** obstacle *m*. ❑ *vt* sauter.

hurl [hɜːl] *vt* **1.** lancer avec violence **2.** *fig* lancer *(des injures)*. ❑ *vi* (US) *fam* dégueuler, gerber.

hurrah [huˈrɑː] *interj vieilli* hourra !

hurray [huˈreɪ] *interj* hourra !

hurricane ['hʌrɪkən] *n* ouragan *m*.

hurried ['hʌrɪd] *adj* précipité.

hurriedly ['hʌrɪdlɪ] *adv* **1.** précipitamment **2.** vite, en toute hâte.

hurry ['hʌrɪ] *vt* **1.** faire se dépêcher **2.** hâter. ❑ *vi* se dépêcher, se presser • **to hurry to do sthg** se dépêcher *ou* se presser de faire qqch. ❑ *n* hâte *f*, précipitation *f* • **to be in a hurry** être pressé • **to do sthg in a hurry** faire qqch à la hâte. ■ **hurry up** *vi* se dépêcher.

hurt [hɜːt] *vt* *(prét & pp hurt)* **1.** blesser **2.** faire du mal à • **to hurt o.s.** se faire mal **3.** *fig* faire du mal à. ❑ *vi* *(prét & pp hurt)* **1.** faire mal • **my leg hurts** ma jambe me fait mal **2.** *fig* faire du mal. ❑ *adj* **1.** blessé **2.** offensé.

hurtful ['hɜːtful] *adj* blessant.

hurtle ['hɜːtl] *vi* aller à toute allure.

husband ['hʌzbənd] *n* mari *m*.

hush [hʌʃ] *n* silence *m*. ❑ *interj* silence !, chut !

husk [hʌsk] *n* enveloppe *f*.

husky ['hʌskɪ] *adj* rauque. ❑ *n (chien)* husky *m*.

hustle ['hʌsl] *vt* pousser, bousculer. ❑ *n* agitation *f*.

hustler ['hʌslə] *n* **1.** *fam (personne énergique)* chahuteur *m*, -euse *f* **2.** *fam (personne malhonnête)* arnaqueur *m*, -euse *f*.

hut [hʌt] *n* **1.** hutte *f* **2.** cabane *f*.

hutch [hʌtʃ] *n* clapier *m*.

hyacinth ['haɪəsɪnθ] *n* jacinthe *f*.

hybridization [ˌhaɪbrɪdaɪˈzeɪʃn] *n* hybridisation *f*.

hydrant ['haɪdrənt] *n* bouche *f* d'incendie.

hydraulic [haɪˈdrɒlɪk] *adj* hydraulique.

hydroelectric [ˌhaɪdrəʊɪˈlektrɪk] *adj* hydroélectrique.

hydrofluorocarbon [ˌhaɪdrəʊˈfluərəʊkɑːbən] *n* hydrofluorocarbone *m*.

hydrofoil ['haɪdrəfɔɪl] *n* hydroptère *m*.

hydrogen ['haɪdrədʒən] *n* hydrogène *m*.

hydrogenated [haɪˈdrɒdʒɪneɪtɪd] *adj* CHIM hydrogéné.

hyena [haɪˈiːnə] *n* hyène *f*.

hygiene ['haɪdʒiːn] *n* hygiène *f*.

hygienic [haɪˈdʒiːnɪk] *adj* hygiénique.

hygienist [haɪˈdʒiːnɪst] *n personne qui se charge du détartrage des dents*.

hymn [hɪm] *n* **1.** hymne *m*, cantique *m* **2.** *(locution)* • **to be singing from the same hymn sheet** parler d'une même voix.

hype [haɪp] *fam n (indén)* battage *m* publicitaire. ❑ *vt* faire un battage publicitaire autour de.

hyperactive [ˌhaɪpərˈæktɪv] *adj* hyperactif.

hyperactivity [ˌhaɪpəræk'tɪvətɪ] *n* hyperactivité *f*.

hyperlink ['haɪpəlɪŋk] *n* lien *m* hypertexte, hyperlien *m*.

hypermarket ['haɪpəˌmɑːkɪt] *n* (surtout UK) hypermarché *m*.

hypermedia ['haɪpəmiːdɪə] *npl* hypermédia *mpl*.

hypertext link *n* lien *m* hypertexte.

hyperventilate [ˌhaɪpəˈventɪleɪt] *vi* faire de l'hyperventilation.

hyphen ['haɪfn] *n* trait *m* d'union.

hypnosis [hɪpˈnəʊsɪs] *n* hypnose *f*.

hypnotherapist [ˌhɪpnəʊˈθerəpɪst] *n* PSYCHO hypnothérapeute *mf*, medin *m* hypnotiseur.

hypnotic [hɪpˈnɒtɪk] *adj* hypnotique.

hypnotism ['hɪpnətɪzm] *n* hypnotisme *m*.

hypnotist ['hɪpnətɪst] *n* hypnotiseur *m*.

hypnotize, -ise (UK) ['hɪpnətaɪz] *vt* hypnotiser.

hypoallergenic ['haɪpəʊˌæləˈdʒenɪk] *adj* hypoallergénique.

hypochondriac [ˌhaɪpəˈkɒndriæk] *n* hypocondriaque *mf*.

hypocrisy [hɪˈpɒkrəsɪ] *n* hypocrisie *f*.

hypocrite ['hɪpəkrɪt] *n* hypocrite *mf*.

hypocritical [ˌhɪpəˈkrɪtɪkl] *adj* hypocrite.

hypothesis [haɪˈpɒθɪsɪs] *n (pl* -theses) hypothèse *f*.

hypothetical [ˌhaɪpəˈθetɪkl] *adj* hypothétique.

hysteria [hɪsˈtɪərɪə] *n* hystérie *f*.

hysterical [hɪsˈterɪkl] *adj* **1.** hystérique **2.** *fam* désopilant.

hysterics [hɪsˈterɪks] *npl* **1.** crise *f* de nerfs **2.** *fam* fou rire *m*.

i [aɪ] (*pl* **i's**), **I** (*pl* **I's** *ou* **Is**) *n* i *m inv*, I *m inv*.

I [aɪ] *pron pers* **1.** je • **I like skiing** j'aime skier • **he and I are leaving for Paris** lui et moi (nous) partons pour Paris **2.** *(forme emphatique)* • **I can't do it** moi je ne peux pas le faire.

IAD8 *SMS* (abrév de **it's a date**) rendez-vous pris.

IB [ˌaɪ 'biː] (abrév de **International Baccalaureate**) *n* *SCOL* Baccalauréat *m* international.

IBS *n* abrév de **irritable bowel syndrome**.

IC *SMS* (abrév de **I see**) je vois.

ice [aɪs] *n* **1.** glace *f* **2.** *(indén)* verglas *m* **3.** *(indén)* glaçons *mpl*. ❑ *vt* glacer. ■ **ice over, ice up** *vi* **1.** *(lac)* geler **2.** *(pare-brise)* givrer **3.** *(route)* se couvrir de verglas.

ICE [aɪsiːiː] (abrév de **In Case of Emergency**) *n TÉLÉCOM* dans le répertoire d'un téléphone portable, nom et coordonnées des personnes à prévenir en cas d'accident.

ice age *n* période *f* glaciaire.

iceberg ['aɪsbɜːg] *n* iceberg *m*.

iceberg lettuce *n* laitue *f* iceberg.

icebox ['aɪsbɒks] *n* **1.** *(UK)* freezer *m* **2.** *(US)* vieilli réfrigérateur *m*.

icebreaker ['aɪsˌbreɪkər] *n* brise-glace *m inv*.

ice cap *n* calotte *f* glaciaire.

ice-climbing *n* escalade *f* de murs de glace.

ice-cold *adj* glacé.

ice cream *n* glace *f*.

ice cube *n* glaçon *m*.

iced [aɪst] *adj* glacé.

ice hockey *n* *(UK)* hockey *m* sur glace.

Iceland ['aɪslənd] *n* Islande *f*.

Icelandic [aɪs'lændɪk] *adj* islandais. ❑ *n* islandais *m*.

ice lolly *n* *(UK)* sucette *f* glacée.

ice pack *n* **1.** banquise *f* **2.** *MÉD* poche *f* à glace.

ice pick *n* pic *m* à glace.

ice rink *n* patinoire *f*.

ice skate *n* patin *m* à glace. ■ **ice-skate** *vi* faire du patin (à glace).

ice-skater *n* patineur *m*, -euse *f*.

ice-skating *n* patinage *m* (sur glace) • **to go ice-skating** faire du patin à glace.

ice storm *n* tempête *f* de pluie verglaçante.

icicle ['aɪsɪkl] *n* glaçon *m* (naturel).

icing ['aɪsɪŋ] *n* **1.** *(indén)* glaçage *m* **2.** glace *f*.

icing sugar *n* *(UK)* sucre *m* glace.

icon ['aɪkɒn] *n* icône *f*.

ICT *n* (abrév de **Information and Communications Technology**) TIC *f*.

ICU (abrév de **intensive care unit**) *n* unité de soins intensifs.

icy ['aɪsɪ] *adj* **1.** glacial **2.** verglacé.

ID *n* *(indén)* (abrév de **identification**) papiers *mpl*.

I'd [aɪd] = **I would**, **I had**.

ID card = **identity card**.

idea [aɪ'dɪə] *n* **1.** idée *f* • **that's a good idea** c'est une bonne idée • **I've no idea** je n'en ai aucune idée • **to get the idea** *fam* piger **2.** intention *f*.

ideal [aɪ'dɪəl] *adj* idéal. ❑ *n* idéal *m*.

idealism [aɪ'dɪəlɪzm] *n* idéalisme *m*.

idealist [aɪ'dɪəlɪst] *n* idéaliste *mf*.

idealistic [aɪˌdɪə'lɪstɪk] *adj* idéaliste.

idealize, -ise *(UK)* [aɪ'dɪəlaɪz] *vt* idéaliser.

ideally [aɪ'dɪəlɪ] *adv* **1.** idéalement **2.** parfaitement.

identical [aɪ'dentɪkl] *adj* identique.

identical twins *npl* **1.** vrais jumeaux *mpl* **2.** vraies jumelles *fpl*.

identifiable [aɪ'dentɪfɪəbl] *adj* identifiable, reconnaissable.

identification [aɪˌdentɪfɪ'keɪʃn] *n* *(indén)* **1.** • **identification (with)** identification *f* (à) **2.** pièce *f* d'identité.

identification parade *n* *(UK)* séance d'identification d'un suspect dans un échantillon de plusieurs personnes.

identify [aɪ'dentɪfaɪ] *vt* **1.** identifier **2.** permettre de reconnaître **3.** • **to identify sb with sthg** associer qqn à qqch. ❑ *vi* • **to identify with** s'identifier à.

Identikit® picture [aɪ'dentɪkɪt-] *n* portrait-robot *m*.

identity [aɪ'dentətɪ] *n* identité *f*.

identity card *n* carte *f* d'identité.

identity fraud n fraude f d'identité.

identity theft n vol m d'identité.

ideological [,aɪdɪə'lɒdʒɪkl] adj idéologique.

ideology [,aɪdɪ'ɒlədʒɪ] n idéologie f.

idiom ['ɪdɪəm] n 1. expression f idiomatique 2. sout langue f.

idiomatic [,ɪdɪə'mætɪk] adj idiomatique.

idiosyncrasy [,ɪdɪə'sɪŋkrəsɪ] n particularité f, caractéristique f.

idiosyncratic [,ɪdɪəsɪŋ'krætɪk] adj (style, attitude) caractéristique.

idiot ['ɪdɪət] n idiot m, -e f, imbécile mf.

idiotic [,ɪdɪ'ɒtɪk] adj idiot.

idiot-proof fam adj INFORM à l'épreuve de toute fausse manœuvre. ❏ vt rendre infaillible.

IDK SMS (abrév de I don't know) je ne sais pas.

idle ['aɪdl] adj 1. oisif, désœuvré 2. (machine, usine) arrêté 3. (travailleur) qui chôme, en chômage 4. (menace) vain. ❏ vi (moteur) tourner au ralenti. ■ **idle away** vt sép • **to idle away one's time** perdre son temps à ne rien faire.

idly ['aɪdlɪ] adv 1. paresseusement 2. négligemment.

idol ['aɪdl] n idole f.

idolize, -ise (UK) ['aɪdəlaɪz] vt idolâtrer, adorer.

idyllic [ɪ'dɪlɪk] adj idyllique.

i.e. (abrév de id est) c-à-d.

IED [aɪiːdiː] (abrév de Improvised Explosive Device) n engin explosif improvisé, par exemple une voiture piégée.

IEP [aɪ 'iː 'piː] (abrév de Individualized Education Program) n (US) SCOL programme m d'aide individualisée ; document qui fixe des objectifs et accorde des aides (tiers-temps, utilisation de l'ordinateur) aux élèves ayant des besoins spécifiques.

if [ɪf] conj 1. si • **if I were you** à ta place, si j'étais toi 2. bien que. ■ **if anything** adv plutôt • **he doesn't look any slimmer, if anything, he's put on weight** il n'a pas l'air plus mince, il a même plutôt grossi. ■ **if not** conj sinon. ■ **if only** conj 1. ne serait-ce que 2. si seulement. ❏ interj si seulement... !

iffy ['ɪfɪ] (comp **iffier**, superl **iffiest**) adj fam incertain.

igloo ['ɪgluː] (pl -s) n igloo m, iglou m.

ignite [ɪg'naɪt] vt 1. mettre le feu à, enflammer 2. tirer (un feu d'artifice) 3. susciter (l'intérêt). ❏ vi prendre feu, s'enflammer.

ignition [ɪg'nɪʃn] n 1. ignition f 2. AUTO allumage m • **to switch on the ignition** mettre le contact.

ignition key n clef f de contact.

ignorance ['ɪgnərəns] n ignorance f.

ignorant ['ɪgnərənt] adj 1. ignorant 2. mal élevé.

ignore [ɪg'nɔː] vt 1. ne pas tenir compte de 2. faire semblant de ne pas voir.

ilk [ɪlk] n • **of that ilk** de cet acabit, de ce genre.

ill [ɪl] adj 1. malade • **to feel ill** se sentir malade ou souffrant • **to be taken ill** (surtout UK) ou **to fall ill** tomber malade 2. mauvais • **ill luck** malchance f. ❏ adv mal • **to speak/think ill of sb** dire/penser du mal de qqn.

I'll [aɪl] = I will, I shall.

ill-advised [-əd'vaɪzd] adj sout 1. peu judicieux 2. malavisé.

ill at ease adj mal à l'aise.

ill-behaved adj qui se tient mal.

ill-bred adj mal élevé.

ill-considered adj irréfléchi.

ill-disposed adj • **to be ill-disposed towards sb** être mal disposé ou malintentionné envers qqn.

illegal [ɪ'liːgl] adj illégal.

illegally [ɪ'liːgəlɪ] adv illégalement, d'une manière illégale.

illegible [ɪ'ledʒəbl] adj illisible.

illegitimate [,ɪlɪ'dʒɪtɪmət] adj illégitime.

ill-equipped [-ɪ'kwɪpt] adj • **to be ill-equipped to do sthg** être mal placé pour faire qqch.

ill-fated [-'feɪtɪd] adj fatal, funeste.

ill feeling n animosité f.

ill-fitting adj (vêtement, couvercle, fenêtre) mal ajusté.

ill-founded [-'faundɪd] adj 1. (confiance) mal placé 2. (doute, suspicion) sans fondement.

ill-gotten gains [-'gɒtən-] npl hum biens mpl mal acquis.

ill health n mauvaise santé f.

ill-humoured, ill-humored (US) adj caratérial.

illicit [ɪ'lɪsɪt] adj illicite.

illicitly [ɪ'lɪsɪtlɪ] adv illicitement.

ill-informed adj mal renseigné.

ill-intentioned [-ɪn'tenʃənd] adj malintentionné.

illiteracy [ɪ'lɪtərəsɪ] n analphabétisme m, illettrisme m.

illiterate [ɪ'lɪtərət] adj analphabète, illettré. ❏ n analphabète mf, illettré m, -e f.

ill-mannered adj 1. (personne) mal élevé 2. (comportement) grossier.

ill-matched adj mal assorti.

illness ['ɪlnɪs] n maladie f.

ill-nourished [-'nʌrɪʃt] adj mal nourri.

illogical [ɪ'lɒdʒɪkl] adj illogique.

ill-qualified adj • **ill-qualified to do sthg a)** (professionnellement) peu qualifié pour faire qqch **b)** (physiquement) peu apte à faire qqch.

ill-suited adj mal assorti • **to be ill-suited for sthg** être inapte à qqch.

ill-tempered adj sout qui a mauvais caractère.

ill-timed [-'taɪmd] *adj* déplacé, mal à propos.

ill-treat *vt* maltraiter.

ill-treatment *n* mauvais traitement *m*.

illuminate [ɪ'luːmɪneɪt] *vt* éclairer.

illuminating [ɪ'luːmɪneɪtɪŋ] *adj* éclairant.

illumination [ɪˌluːmɪ'neɪʃn] *n* sout éclairage *m*.

illusion [ɪ'luːʒn] *n* illusion *f* • **to be under the illusion that** croire *ou* s'imaginer que.

illustrate ['ɪləstreɪt] *vt* illustrer.

illustration [ˌɪlə'streɪʃn] *n* illustration *f*.

illustrative ['ɪləstrətɪv] *adj* **1.** *(dessin, diagramme)* qui illustre, explicatif **2.** *(action, fait)* qui démontre, qui illustre • **illustrative examples** des exemples illustratifs.

illustrator ['ɪləstreɪtə'] *n* illustrateur *m*, -trice *f*.

illustrious [ɪ'lʌstrɪəs] *adj* illustre, célèbre.

ill will *n* animosité *f*.

ill wind *n* • **it's an ill wind (that blows nobody any good)** *prov* à quelque chose malheur est bon.

ILU *SMS* (abrév de I love you) je t'm.

ILU2 *SMS* (abrév de I love you too) moi aussi, je t'aime.

I'm [aɪm] = I am.

IM4U *SMS* (abrév de I am for you) je suis à toi.

image ['ɪmɪdʒ] *n* **1.** image *f* **2.** image *f* de marque • **to change one's image** changer d'image de marque.

image-conscious *adj* soucieux de son image.

imagery ['ɪmɪdʒrɪ] *n* (indén) *(dans la littérature)* images *fpl*.

imaginable [ɪ'mædʒɪnəbl] *adj* imaginable.

imaginary [ɪ'mædʒɪnrɪ] *adj* imaginaire.

imagination [ɪˌmædʒɪ'neɪʃn] *n* **1.** imagination *f* **2.** invention *f*.

imaginative [ɪ'mædʒɪnətɪv] *adj* **1.** imaginatif **2.** plein d'imagination.

imagine [ɪ'mædʒɪn] *vt* imaginer • **to imagine doing sthg** s'imaginer *ou* se voir faisant qqch • **imagine (that)!** tu t'imagines !

imam [ɪ'mɑːm] *n* imam *m*.

imbalance [ˌɪm'bæləns] *n* déséquilibre *m*.

imbecile ['ɪmbɪsiːl] *n* imbécile *mf*, idiot *m*, -e *f*.

IMF (abrév de International Monetary Fund) *n* FMI *m*.

IMI *SMS* (abrév de I mean it) → **mean** *(sens 3)*.

imitate ['ɪmɪteɪt] *vt* imiter.

imitation [ˌɪmɪ'teɪʃn] *n* imitation *f*. ◻ *adj* en toc • **imitation leather** imitation *f* cuir.

immaculate [ɪ'mækjʊlət] *adj* impeccable.

immaculately [ɪ'mækjʊlətlɪ] *adv* impeccablement.

immaterial [ˌɪmə'tɪərɪəl] *adj* sans importance.

immature [ˌɪmə'tjʊə'] *adj* **1.** qui manque de maturité **2.** jeune, immature.

immaturity [ˌɪmə'tjʊərətɪ] *n* immaturité *f*.

immeasurable [ɪ'meʒrəbl] *adj* incommensurable.

immediacy [ɪ'miːdjəsɪ] *n* caractère *m* immédiat.

immediate [ɪ'miːdjət] *adj* **1.** immédiat **2.** urgent **3.** le plus proche.

immediately [ɪ'miːdjətlɪ] *adv* **1.** immédiatement **2.** directement. ◻ *conj* dès que.

immense [ɪ'mens] *adj* **1.** immense **2.** énorme.

immensely [ɪ'menslɪ] *adv* extrêmement, immensément.

immerse [ɪ'mɜːs] *vt* immerger • **to immerse o.s. in sthg** *fig* se plonger dans qqch.

immersion heater [ɪ'mɜːʃn-] *n* (UK) chauffe-eau *m* électrique.

immigrant ['ɪmɪgrənt] *n* immigré *m*, -e *f*.

immigration [ˌɪmɪ'greɪʃn] *n* immigration *f*.

imminent ['ɪmɪnənt] *adj* imminent.

immobile [ɪ'məʊbaɪl] *adj* immobile.

immobilize, -ise (UK) [ɪ'məʊbɪlaɪz] *vt* immobiliser.

immobilizer [ɪ'məʊbɪlaɪzə'] *n* AUTO système *m* antidémarrage.

immoral [ɪ'mɒrəl] *adj* immoral.

immortal [ɪ'mɔːtl] *adj* immortel. ◻ *n* immortel *m*, -elle *f*.

immortality [ˌɪmɔː'tælətɪ] *n* immortalité *f*.

immortalize, -ise (UK) [ɪ'mɔːtəlaɪz] *vt* immortaliser.

immune [ɪ'mjuːn] *adj* **1.** MÉD • **immune (to)** immunisé (contre) **2.** *fig* • **to be immune to** *ou* **from** être à l'abri de.

immune system *n* système *m* immunitaire.

immunity [ɪ'mjuːnətɪ] *n* **1.** MÉD • **immunity (to)** immunité *f* (contre) **2.** *fig* • **immunity to** *ou* **from** immunité *f* contre.

immunization, -isation (UK) [ˌɪmjuːnaɪ'zeɪʃn] *n* immunisation *f*.

immunize, -ise (UK) ['ɪmjuːnaɪz] *vt* MÉD • **to immunize sb (against)** immuniser qqn (contre).

immunodeficiency [ˌɪmjuːnəʊdɪ'fɪʃənsɪ] *n* immunodéficience *f*.

imp [ɪmp] *n* **1.** lutin *m* **2.** petit diable *m*, coquin *m*, -e *f*.

impact *n* ['ɪmpækt] impact *m* • **to make an impact on** *ou* **upon sb** faire une forte impression sur qqn • **to make an impact on** *ou* **upon sthg** avoir un impact sur qqch. ◻ *vt* [ɪm'pækt] **1.** entrer en collision avec qqch. **2.** avoir un impact sur.

impair [ɪm'peə'] *vt* **1.** affaiblir, abîmer **2.** réduire *(l'efficacité)*.

impaired [ɪm'peəd] *adj* **1.** affaibli **2.** *(efficacité)* réduit.

impale [ɪm'peɪl] *vt* • **to impale sb/sthg (on)** empaler qqn/qqch (sur).

impart [ɪm'pɑːt] vt sout **1.** • **to impart sthg (to sb)** communiquer ou transmettre qqch (à qqn) **2.** • **to impart sthg (to)** donner qqch (à).

impartial [ɪm'pɑːʃl] adj impartial.

impartiality [ɪm,pɑːʃɪ'ælətɪ] n impartialité f.

impassable [ɪm'pɑːsəbl] adj impraticable.

impasse [æm'pɑːs] n impasse f • **to reach an impasse** aboutir à une impasse.

impassioned [ɪm'pæʃnd] adj passionné.

impassive [ɪm'pæsɪv] adj impassible.

impatience [ɪm'peɪʃns] n **1.** impatience f **2.** irritation f.

impatient [ɪm'peɪʃnt] adj **1.** impatient • **to be impatient for sthg** attendre qqch avec impatience • **to be impatient to do sthg** être impatient de faire qqch **2.** • **to become** ou **get impatient** s'impatienter.

impatiently [ɪm'peɪʃntlɪ] adv avec impatience.

impeccable [ɪm'pekəbl] adj impeccable.

impeccably [ɪm'pekəblɪ] adv impeccablement.

impede [ɪm'piːd] vt **1.** entraver, empêcher **2.** gêner (personne).

impediment [ɪm'pedɪmənt] n **1.** obstacle m **2.** défaut m.

impel [ɪm'pel] vt • **to impel sb to do sthg** inciter qqn à faire qqch.

impending [ɪm'pendɪŋ] adj imminent.

impenetrable [ɪm'penɪtrəbl] adj impénétrable.

imperative [ɪm'perətɪv] adj impératif, essentiel. ❏ n impératif m.

imperceptible [,ɪmpə'septəbl] adj imperceptible.

imperfect [ɪm'pɜːfɪkt] adj imparfait. ❏ n GRAMM • **imperfect (tense)** imparfait m.

imperfection [,ɪmpə'fekʃn] n **1.** imperfection f **2.** défaut m.

imperial [ɪm'pɪərɪəl] adj **1.** impérial **2.** qui a cours légal dans le Royaume-Uni.

imperialism [ɪm'pɪərɪəlɪzm] n impérialisme m.

imperil [ɪm'perɪl] ((UK) prét & pp **imperilled**, cont **imperilling**, (US) prét & pp **imperiled**, cont **imperiling**) vt **1.** mettre en péril ou en danger **2.** compromettre (un projet).

impermeable [ɪm'pɜːmɪəbl] adj **1.** (revêtement) imperméable **2.** (récipient, mur) étanche.

impersonal [ɪm'pɜːsnl] adj impersonnel.

impersonate [ɪm'pɜːsəneɪt] vt se faire passer pour.

impersonation [ɪm,pɜːsə'neɪʃn] n **1.** usurpation f d'identité **2.** imitation f.

impersonator [ɪm'pɜːsəneɪtə'] n imitateur m, -trice f.

impertinence [ɪm'pɜːtɪnəns] n impertinence f.

impertinent [ɪm'pɜːtɪnənt] adj impertinent.

impervious [ɪm'pɜːvjəs] adj • **impervious to** indifférent à.

impetuous [ɪm'petʃʊəs] adj impétueux.

impetus ['ɪmpɪtəs] n (indén) **1.** élan m **2.** impulsion f.

impinge [ɪm'pɪndʒ] vi • **to impinge on sb/sthg** affecter qqn/qqch.

implacable [ɪm'plækəbl] adj implacable.

implant n ['ɪmplɑːnt] implant m. ❏ vt [ɪm'plɑːnt] implanter.

implausible [ɪm'plɔːzəbl] adj peu plausible.

implement n ['ɪmplɪmənt] outil m, instrument m. ❏ vt ['ɪmplɪment] exécuter, appliquer.

implementation [,ɪmplɪmen'teɪʃn] n application f, exécution f.

implicate ['ɪmplɪkeɪt] vt • **to implicate sb in sthg** impliquer qqn dans qqch.

implication [,ɪmplɪ'keɪʃn] n implication f • **by implication** par voie de conséquence.

implicit [ɪm'plɪsɪt] adj **1.** implicite **2.** (confiance, foi) absolu.

implicitly [ɪm'plɪsɪtlɪ] adv **1.** implicitement **2.** absolument.

implied [ɪm'plaɪd] adj implicite.

implode [ɪm'pləʊd] vi imploser.

implore [ɪm'plɔː'] vt implorer.

imply [ɪm'plaɪ] vt **1.** sous-entendre, laisser supposer ou entendre **2.** impliquer.

impolite [,ɪmpə'laɪt] adj impoli.

import n ['ɪmpɔt] importation f. ❏ vt [ɪm'pɔt] importer.

importance [ɪm'pɔtns] n importance f.

important [ɪm'pɔtnt] adj important • **to be important to sb** importer à qqn.

importantly [ɪm'pɔːtntlɪ] adv • **more importantly** ce qui est plus important.

import ban n interdiction f d'importation.

imported [ɪm'pɔːtɪd] adj importé.

importer [ɪm'pɔtə'] n importateur m, -trice f.

import-export n import-export m.

impose [ɪm'pəʊz] vt • **to impose sthg (on)** imposer qqch (à). ❏ vi • **to impose (on sb)** abuser (de la gentillesse de qqn).

imposing [ɪm'pəʊzɪŋ] adj imposant.

imposition [,ɪmpə'zɪʃn] n **1.** imposition f **2.** • **it's an imposition** c'est abuser de ma gentillesse.

impossibility [ɪm,pɒsə'bɪlətɪ] (pl -ies) n impossibilité f.

impossible [ɪm'pɒsəbl] adj impossible.

impostor, imposter [ɪm'pɒstə'] n imposteur m.

impotence ['ɪmpətəns] n impuissance f.

impotent ['ɪmpətənt] adj impuissant.

impound [ɪm'paʊnd] vt confisquer.

impoverished [ɪm'pɒvərɪʃt] adj appauvri.

impracticable [ɪm'præktɪkəbl] adj irréalisable.

impractical [ɪm'præktɪkl] adj pas pratique.

imprecise [ɪmprɪ'saɪs] adj imprécis.

impregnable [ɪm'pregnəbl] *adj* **1.** MIL imprenable **2.** *fig* inattaquable.

impregnate ['ɪmpregneɪt] *vt* **1.** • **to impregnate sthg with** imprégner qqch de **2.** *sout* féconder.

impress [ɪm'pres] *vt* **1.** impressionner **2.** • **to impress sthg on sb** faire bien comprendre qqch à qqn.

impression [ɪm'preʃn] *n* **1.** impression *f* • **to be under the impression (that)...** avoir l'impression que... • **to make an impression** faire impression **2.** imitation *f* **3.** impression *f*, empreinte *f*.

impressionable [ɪm'preʃnəbl] *adj* impressionnable.

impressionist [ɪm'preʃənɪst] *adj* impressionniste. ❑ *n* impressionniste *mf*.

impressive [ɪm'presɪv] *adj* impressionnant.

impressively [ɪm'presɪvlɪ] *adv* remarquablement.

imprint ['ɪmprɪnt] *n* **1.** empreinte *f* **2.** nom *m* de l'éditeur.

imprinted [ɪm'prɪntɪd] *adj* imprimé.

imprison [ɪm'prɪzn] *vt* emprisonner.

imprisonment [ɪm'prɪznmənt] *n* emprisonnement *m*.

improbable [ɪm'prɒbəbl] *adj* improbable.

improbably [ɪm'prɒbəblɪ] *adv* invraisemblablement.

impromptu [ɪm'prɒmptjuː] *adj* impromptu.

improper [ɪm'prɒpə*r*] *adj* **1.** impropre **2.** incorrect **3.** indécent.

improperly [ɪm'prɒpəlɪ] *adv (se conduire)* de manière déplacée.

impropriety [ɪmprə'praɪətɪ] *n* inconvenance *f*.

improve [ɪm'pruːv] *vi* **1.** s'améliorer • **to improve on** *ou* **upon sthg** améliorer qqch **2.** aller mieux. ❑ *vt* améliorer.

improved [ɪm'pruːvd] *adj* amélioré.

improvement [ɪm'pruːvmənt] *n* • **improvement (in/on)** amélioration *f* (de/par rapport à).

improvise ['ɪmprəvaɪz] *vt & vi* improviser.

imprudent [ɪm'pruːdənt] *adj* imprudent.

impudent ['ɪmpjʊdənt] *adj* impudent.

impulse ['ɪmpʌls] *n* impulsion *f* • **on impulse** par impulsion.

impulse buy *n* achat *m* spontané *ou* d'impulsion *ou* impulsif.

impulsive [ɪm'pʌlsɪv] *adj* impulsif.

impulsively [ɪm'pʌlsɪvlɪ] *adv* par *ou* sur impulsion, impulsivement.

impunity [ɪm'pjuːnətɪ] *n* • **with impunity** avec impunité.

impurity [ɪm'pjʊərətɪ] *n* impureté *f*.

in

■ **in** [ɪn] *prép*

1. INDIQUE UNE LOCALISATION
• **the key is in a box/bag/drawer** la clé est dans une boîte/un sac/un tiroir • **they live in the country** ils habitent à la campagne • **he is in hospital (UK), to be in the hospital (US)** il est à l'hôpital

2. AVEC DES TERMES GÉOGRAPHIQUES
• **they live in Paris** ils habitent à Paris

3. INDIQUE UNE DATE, UNE SAISON, UN MOMENT DE LA JOURNÉE
• **they went to Italy in 2004** ils sont allés en Italie en 2004 • **he will start working in April** il commencera à travailler en avril • **you should visit London in (the) spring** vous devriez visiter Londres au printemps • **I'll meet at two o'clock in the afternoon** je vous verrai à deux heures de l'après-midi

4. INDIQUE LA DURÉE
• **he learned to type in two weeks** il a appris à taper à la machine en deux semaines • **I'll be ready in five minutes** je serai prêt dans cinq minutes • **it's my first decent meal in weeks** c'est mon premier repas correct depuis des semaines

5. AVEC DES VÊTEMENTS
• **he was dressed in a suit** il était vêtu d'un costume

6. INDIQUE DES CONDITIONS DE VIE
• **many people still live/die in poverty** un grand nombre de personnes vivent/meurent encore dans la misère • **she was in danger/difficulty** elle était en danger/difficulté

7. INDIQUE UN DOMAINE PROFESSIONNEL
• **he's in computers** il est dans l'informatique

8. EXPRIME LE MOYEN, LA MANIÈRE
• **you should write in pencil/ink** vous devriez écrire au crayon/à l'encre • **he spoke to me in a loud/soft voice** il me parla d'une voix forte/douce • **speak in English!** parlez (en) anglais !

9. EXPRIME LA CAUSE
• **in anger, he slammed the door shut** sous le coup de la colère, il claqua la porte

10. INDIQUE UNE PERSONNE OU UNE CATÉGORIE DE PERSONNES
• **pollen allergies are rare in adults** les allergies au pollen sont très rares chez les adultes • **the theme of irony is even stronger in Shakespeare** le thème de l'ironie est encore plus fort chez Shakespeare • **in him, the party sees a great leader** le parti voit en lui un excellent leader

11. AVEC DES QUANTITÉS, DES NOMBRES

• **don't buy in large/small quantities** n'achète pas en grande/petite quantité • **letters of support arrived in (their) thousands** les lettres de soutien arrivèrent par milliers • **she's in her sixties** elle a la soixantaine

12. INDIQUE LA DISTRIBUTION, LA RÉPARTITION

• **good things come in twos** les bonnes choses viennent par deux • **they were standing in a line/row/circle** ils se tenaient en ligne/rang/cercle

13. INDIQUE UNE PROPORTION

• **one child in ten suffers from malnutrition in that country** dans ce pays, un enfant sur dix souffre de malnutrition

14. APRÈS UN SUPERLATIF

• **it is the longest river in the world** c'est le fleuve le plus long du monde

15. SUIVI DU PARTICIPE PRÉSENT

• **in doing sthg** en faisant qqch • **in saying this, I would not for a minute suggest that the task is easy** en disant cela, je ne voudrais pas suggérer le moins du monde que la tâche est aisée

■ **in** [ɪn] *adv*

1. INDIQUE LA PRÉSENCE

• **is Judith in?** est-ce que Judith est là ? • **I'm staying in tonight** je reste à la maison *ou* chez moi ce soir

2. INDIQUE UN MOUVEMENT VERS L'INTÉRIEUR

• **the door opened and they all rushed in** la porte s'ouvrit et ils se précipitèrent tous à l'intérieur • **she opened the safe and put the money in** elle ouvrit le coffre-fort et y mit l'argent

3. EN PARLANT D'UN TRAIN

• **the train is in** le train est en gare

4. EN PARLANT DE LA MARÉE

• **the tide's in** c'est la marée haute

5. DANS DES EXPRESSIONS

• **we're in for some bad weather** nous allons avoir du mauvais temps • **you're in for a shock** tu vas avoir un choc

■ **in** [ɪn] *adj*

1. EN SPORT

• **the umpire said that the ball was in** l'arbitre a dit que la balle était bonne

2. *fam* BRANCHÉ, À LA MODE

• **long skirts are in this year** les jupes longues sont à la mode cette année

■ **ins** *npl*

• **the ins and outs** les tenants et les aboutissants

■ **in all** *adv*

SOMME, ADDITION

en tout • **there are 30 in all** il y en a 30 en tout

■ **in between** *adv*

1. SENS SPATIAL

• **a row of bushes with little clumps of flowers in between** une rangée d'arbustes séparés par des petites touffes de fleurs

2. SENS TEMPOREL

• **in between customers, we chatted about our plans** entre deux clients, nous avons discuté de nos projets

■ **in between** *prép*

SENS SPATIAL

entre • **the house was located in between two roads** la maison était située entre deux routes

in. abrév de **inch.**

inability [,ɪnə'bɪlətɪ] *n* • **inability (to do sthg)** incapacité *f* (à faire qqch).

inaccessible [,ɪnək'sesəbl] *adj* inaccessible.

inaccuracy [ɪn'ækjʊrəsɪ] (*pl* **-ies**) *n* inexactitude *f*.

inaccurate [ɪn'ækjʊrət] *adj* inexact.

inactive [ɪn'æktɪv] *adj* inactif.

inactivity [,ɪnæk'tɪvətɪ] *n* inactivité *f*.

inadequacy [ɪn'ædɪkwəsɪ] (*pl* **-ies**) *n* insuffisance *f*.

inadequate [ɪn'ædɪkwət] *adj* insuffisant.

inadequately [ɪn'ædɪkwətlɪ] *adv* **1.** de manière inadéquate **2.** *(investir)* insuffisamment.

inadmissible [,ɪnəd'mɪsəbl] *adj* **1.** inadmissible **2.** *(preuve)* irrecevable.

inadvertently [,ɪnəd'vɜːtəntlɪ] *adv* par inadvertance.

inadvisable [,ɪnəd'vaɪzəbl] *adj* déconseillé.

inane [ɪ'neɪn] *adj* **1.** inepte **2.** *(personne)* stupide.

inanely [ɪ'neɪnlɪ] *adv* stupidement.

inanimate [ɪn'ænɪmət] *adj* inanimé.

inapplicable [ɪn'æplɪkəbl] *adj* inapplicable.

inappropriate [ɪnə'prəʊprɪət] *adj* **1.** inopportun **2.** *(expression, mot)* impropre **3.** *(tenue vestimentaire)* peu approprié.

inappropriately [,ɪnə'prəʊprɪətlɪ] *adv* de manière peu convenable *ou* appropriée • **she was inappropriately dressed** elle n'était pas habillée pour la circonstance.

inarticulate [,ɪnɑː'tɪkjʊlət] *adj* **1.** inarticulé, indistinct **2.** *(personne)* qui s'exprime avec difficulté **3.** *(explication)* mal exprimé.

inasmuch [,ɪnəz'mʌtʃ] ■ **inasmuch as** *conj sout* attendu que.

inaudible [ɪ'nɔːdɪbl] *adj* inaudible.

inaudibly [ɪ'nɔːdɪblɪ] *adv* indistinctement.

inaugural [ɪ'nɔːgjʊrəl] *adj* inaugural.

inauguration [ɪ,nɔːgjʊ'reɪʃn] *n* **1.** *POLIT* investiture *f* **2.** inauguration *f*.

in-between *adj* intermédiaire.

inborn [,ɪn'bɔːn] *adj* inné.

inbound ['ɪnbaʊnd] *adj* qui arrive.

inbox ['ɪnbɒks] *n* INFORM boîte *f* de réception.

in-box (US) = **in-tray**.

inbred [,ɪn'bred] *adj* **1.** consanguin **2.** (animal) croisé **3.** inné.

inbreeding ['ɪn,briːdɪŋ] *n* **1.** (chez l'homme) consanguinité *f* **2.** (chez l'animal) croisement *m*.

inbuilt [ɪn'bɪlt] *adj* inné.

Inc. [ɪŋk] (abrév de incorporated) (US) ≃ SARL.

incandescent [,ɪnkæn'desnt] *adj* incandescent.

incapable [ɪn'keɪpəbl] *adj* incapable.

incapacitated [,ɪnkə'pæsɪteɪtɪd] *adj* inapte physiquement • **incapacitated for work** mis dans l'incapacité de travailler.

incapacity [,ɪnkə'pæsətɪ] *n* • **incapacity (for)** incapacité *f* (de).

incarcerate [ɪn'kɑːsəreɪt] *vt* sout incarcérer.

incarceration [ɪn,kɑːsə'reɪʃn] *n* sout incarcération *f*.

incarnate [ɪn'kɑːneɪt] *adj* sout incarné.

incarnation [,ɪnkɑː'neɪʃn] *n* sout incarnation *f*.

incendiary device [ɪn'sendjərɪ-] *n* dispositif *m* incendiaire.

incense *n* ['ɪnsens] encens *m*. ❏ *vt* [ɪn'sens] mettre en colère.

incentive [ɪn'sentɪv] *n* **1.** motivation *f* **2.** COMM récompense *f*, prime *f*.

incentive-based *adj* reposant sur l'incitation.

incentive program (US), **incentive scheme** (UK) *n* programme *m* d'encouragement.

incentivize, -ise [ɪn'sentɪvaɪz] *vt* motiver.

inception [ɪn'sepʃn] *n* sout commencement *m*.

incessant [ɪn'sesnt] *adj* incessant.

incessantly [ɪn'sesntlɪ] *adv* sans cesse.

incest ['ɪnsest] *n* inceste *m*.

incestuous [ɪn'sestjʊəs] *adj* **1.** incestueux **2.** *fig* très fermé **3.** en vase clos.

inch [ɪntʃ] *n* = 2,5 cm ; ≃ pouce *m*. ❏ *vi* • **to inch forward** avancer petit à petit.

incidence ['ɪnsɪdəns] *n* sout fréquence *f*.

incident ['ɪnsɪdənt] *n* incident *m*.

incidental [,ɪnsɪ'dentl] *adj* accessoire.

incidentally [,ɪnsɪ'dentəlɪ] *adv* à propos.

incinerate [ɪn'sɪnəreɪt] *vt* incinérer.

incinerator [ɪn'sɪnəreɪtə*r*] *n* incinérateur *m*.

incipient [ɪn'sɪpɪənt] *adj* sout naissant.

incision [ɪn'sɪʒn] *n* incision *f*.

incisive [ɪn'saɪsɪv] *adj* incisif.

incisively [ɪn'saɪsɪvlɪ] *adv* **1.** (raisonner) de façon incisive **2.** (interroger, intervenir) de manière perspicace *ou* pénétrante.

incisor [ɪn'saɪzə*r*] *n* incisive *f*.

incite [ɪn'saɪt] *vt* inciter.

incitement [ɪn'saɪtmənt] *n* (indén) • **incitement (to sthg/to do sthg)** incitation *f* (à qqch/à faire qqch).

incl. abrév de **including** abrév de **inclusive**.

inclination [,ɪnklɪ'neɪʃn] *n* **1.** (indén) inclination *f*, goût *m* **2.** • **inclination to do sthg** inclination *f* à faire qqch.

incline *n* ['ɪnklaɪn] inclinaison *f*. ❏ *vt* [ɪn'klaɪn] incliner.

inclined [ɪn'klaɪnd] *adj* **1.** • **to be inclined to sthg/to do sthg** avoir tendance à qqch/à faire qqch **2.** • **to be inclined to do sthg** être enclin à faire qqch **3.** incliné.

include [ɪn'kluːd] *vt* inclure • **service is included** le service est compris.

included [ɪn'kluːd] *adj* inclus.

including [ɪn'kluːdɪŋ] *prép* y compris • **including Thomas** y compris Thomas.

inclusion [ɪn'kluːʒn] *n* inclusion *f*.

inclusive [ɪn'kluːsɪv] *adj* **1.** inclus **2.** tout compris, toute comprise *f* • **inclusive of VAT** TVA incluse *ou* comprise.

inclusively [ɪn'kluːsɪvlɪ] *adv* inclusivement.

incoherence [,ɪnkəʊ'hɪərəns] *n* incohérence *f*.

incoherent [,ɪnkəʊ'hɪərənt] *adj* incohérent.

incoherently [,ɪnkəʊ'hɪərəntlɪ] *adv* de manière incohérente • **to mutter incoherently** marmonner des paroles incohérentes.

income ['ɪŋkʌm] *n* revenu *m*.

income bracket *n* tranche *f* de salaire *ou* de revenu.

income support *n* (indén) (UK) allocations supplémentaires accordées aux personnes ayant un faible revenu.

income tax *n* impôt *m* sur le revenu.

incoming ['ɪn,kʌmɪŋ] *adj* **1.** (marée, vague) montant **2.** (avion, passagers, mail) qui arrive **3.** (appel téléphonique) de l'extérieur **4.** (gouvernement) nouveau.

incommunicado [,ɪnkəmjuːnɪ'kɑːdəʊ] *adv* • **to be held incommunicado** être tenu au secret.

incomparable [ɪn'kɒmpərəbl] *adj* incomparable.

incompatibility ['ɪnkəm,pætə'bɪlətɪ] *n* **1.** incompatibilité *f* **2.** incompatibilité *f* d'humeur.

incompatible [,ɪnkəm'pætɪbl] *adj* • **incompatible (with)** incompatible (avec).

incompetence [ɪn'kɒmpɪtəns] *n* incompétence *f*.

incompetent [ɪn'kɒmpɪtənt] *adj* incompétent.

incomplete [,ɪnkəm'pliːt] *adj* incomplet.

incomprehensible [ɪn,kɒmprɪˈhensəbl] *adj* incompréhensible.

inconceivable [,ɪnkənˈsiːvəbl] *adj* inconcevable.

inconclusive [,ɪnkənˈkluːsɪv] *adj* peu concluant.

incongruous [ɪnˈkɒŋɡruəs] *adj* incongru.

incongruously [ɪnˈkɒŋɡruəslɪ] *adv* • **the incongruously named Palace Hotel** le Palace Hôtel, le mal nommé.

inconsequential [,ɪnkɒnsɪˈkwenʃl] *adj* sans importance.

inconsiderable [,ɪnkənˈsɪdərəbl] *adj* • **not inconsiderable** non négligeable.

inconsiderate [,ɪnkənˈsɪdərət] *adj* **1.** inconsidéré **2.** *(personne)* qui manque de considération.

inconsistency [,ɪnkənˈsɪstənsɪ] *n* inconsistance *f*.

inconsistent [,ɪnkənˈsɪstənt] *adj* **1.** contradictoire **2.** inconséquent • **inconsistent with sthg** en contradiction avec qqch **3.** inconsistant.

inconsolable [,ɪnkənˈsəʊləbl] *adj* inconsolable.

inconspicuous [,ɪnkənˈspɪkjuəs] *adj* qui passe inaperçu.

incontinence [ɪnˈkɒntɪnəns] *n* incontinence *f*.

incontinent [ɪnˈkɒntɪnənt] *adj* incontinent.

inconvenience [,ɪnkənˈviːnjəns] *n* désagrément *m*. ❏ *vt* déranger.

inconvenient [,ɪnkənˈviːnjənt] *adj* inopportun.

inconveniently [,ɪnkənˈviːnjəntlɪ] *adv* au mauvais moment, inopportunément.

incorporate [ɪnˈkɔːpəreɪt] *vt* **1.** incorporer **2.** contenir, comprendre. ❏ *vi* COMM se constituer en société commerciale.

incorporated [ɪnˈkɔːpəreɪtɪd] *adj* constitué en société commerciale.

incorporation [ɪn,kɔːpəˈreɪʃn] *n* **1.** incorporation *f* **2.** COMM constitution *f* en société commerciale.

incorrect [,ɪnkəˈrekt] *adj* incorrect.

incorrectly [,ɪnkəˈrektlɪ] *adv* • **I was incorrectly quoted** j'ai été cité de façon incorrecte • **the illness was incorrectly diagnosed** il y a eu erreur de diagnostic.

incorrigible [ɪnˈkɒrɪdʒəbl] *adj* incorrigible.

incorruptible [,ɪnkəˈrʌptəbl] *adj* incorruptible.

increase *n* [ˈɪnkriːs] • **increase (in)** augmentation *f* (de) • **to be on the increase** aller en augmentant. ❏ *vt & vi* [ɪnˈkriːs] augmenter.

increased [ɪnˈkriːst] *adj* accru.

increasing [ɪnˈkriːsɪŋ] *adj* croissant.

increasingly [ɪnˈkriːsɪŋlɪ] *adv* de plus en plus.

incredible [ɪnˈkredəbl] *adj* incroyable.

incredibly [ɪnˈkredəblɪ] *adv* **1.** • **incredibly, we were on time** aussi incroyable que cela puisse paraître, nous étions à l'heure **2.** incroyablement.

incredulous [ɪnˈkredjuləs] *adj* incrédule.

increment [ˈɪnkrɪmənt] *n* augmentation *f*.

incriminate [ɪnˈkrɪmɪneɪt] *vt* incriminer • **to incriminate o.s.** se compromettre.

incriminating [ɪnˈkrɪmɪneɪtɪŋ] *adj* compromettant.

in-crowd *n fam* coterie *f* • **to be in with the in-crowd** être branché.

incubate [ˈɪnkjubeɪt] *vt* incuber. ❏ *vi* être en incubation.

incubation [,ɪnkjuˈbeɪʃn] *n* incubation *f*.

incubator [ˈɪnkjubeɪtə] *n* incubateur *m*, couveuse *f*.

incumbent [ɪnˈkʌmbənt] *sout n* titulaire *m* *(d'un poste)*.

incur [ɪnˈkɜːr] *vt* encourir.

incurable [ɪnˈkjuərəbl] *adj* incurable.

indebted [ɪnˈdetɪd] *adj* redevable.

indecency [ɪnˈdiːsnsɪ] *n* indécence *f*.

indecent [ɪnˈdiːsnt] *adj* **1.** indécent **2.** malséant.

indecent assault *n* attentat *m* à la pudeur.

indecent exposure *n* outrage *m* public à la pudeur.

indecently [ɪnˈdiːsntlɪ] *adv* indécemment.

indecipherable [,ɪndɪˈsaɪfərəbl] *adj* indéchiffrable.

indecision [,ɪndɪˈsɪʒn] *n* indécision *f*.

indecisive [,ɪndɪˈsaɪsɪv] *adj* indécis.

indeed [ɪnˈdiːd] *adv* **1.** vraiment • **indeed I am** *ou* **yes indeed** certainement **2.** en effet **3.** • **very big/bad indeed** extrêmement *ou* vraiment grand/mauvais.

indefatigable [,ɪndɪˈfætɪɡəbl] *adj sout* infatigable.

indefensible [,ɪndɪˈfensəbl] *adj* indéfendable.

indefinite [ɪnˈdefɪnɪt] *adj* **1.** indéfini **2.** vague.

indefinite article *n* article *m* indéfini.

indefinitely [ɪnˈdefɪnətlɪ] *adv* **1.** indéfiniment **2.** vaguement.

indelible [ɪnˈdeləbl] *adj* indélébile.

indelicate [ɪnˈdelɪkət] *adj* indélicat.

indemnify [ɪnˈdemnɪfaɪ] *(prét & pp indemnified)* *vt* • **to indemnify sb for** *ou* **against sthg** indemniser qqn de qqch.

indemnity [ɪnˈdemnətɪ] *n* indemnité *f*.

indent [ɪnˈdent] *vt* **1.** entailler **2.** TYPO mettre en retrait *(une ligne, un paragraphe)*.

independence [,ɪndɪˈpendəns] *n* indépendance *f*.

Independence Day *n* fête *de l'indépendance américaine, le 4 juillet.*

independent [,ɪndɪˈpendənt] *adj* • **independent (of)** indépendant (de).

independently [ˌɪndɪˈpendəntlɪ] *adv* de façon indépendante • **independently of sb/sthg** indépendamment de qqn/qqch.

independent school *n* (UK) école *f* privée.

in-depth *adj* approfondi.

indescribable [ˌɪndɪˈskraɪbəbl] *adj* indescriptible.

indescribably [ˌɪndɪˈskraɪbəblɪ] *adv* incroyablement.

indestructible [ˌɪndɪˈstrʌktəbl] *adj* indestructible.

indeterminate [ˌɪndɪˈtɜːmɪnət] *adj* indéterminé.

index [ˈɪndeks] *n* 1. (*pl* -dexes) index *m* 2. (*pl* -dexes) répertoire *m*, fichier *m* 3. (*pl* -dexes *ou* -dices) ÉCON indice *m*.

index card *n* fiche *f*.

index finger *n* index *m* (*doigt*).

index-linked (UK) [-ˌlɪŋkt], **indexed** (US) [ˈɪndekst] *adj* indexé.

index page *n* INFORM index *m*, page *f* d'accueil.

India [ˈɪndjə] *n* Inde *f*.

Indian [ˈɪndjən] *adj* indien. ◻ *n* Indien *m*, -enne *f*.

Indian Ocean *n* • **the Indian Ocean** l'océan *m* Indien.

Indian summer *n* été *m* indien.

indicate [ˈɪndɪkeɪt] *vt* indiquer. ◻ *vi* (UK) AUTO mettre son clignotant.

indication [ˌɪndɪˈkeɪʃn] *n* 1. indication *f* 2. signe *m*.

indicative [ɪnˈdɪkətɪv] *adj* • **indicative of** indicatif de. ◻ *n* GRAMM indicatif *m*.

indicator [ˈɪndɪkeɪtər] *n* 1. indicateur *m* 2. (UK) AUTO clignotant *m*.

indices [ˈɪndɪsiːz] *npl* → index.

indict [ɪnˈdaɪt] *vt* • **to indict sb (for)** accuser qqn (de), mettre qqn en examen (pour).

indictment [ɪnˈdaɪtmənt] *n* 1. acte *m* d'accusation 2. mise *f* en examen.

indie [ˈɪndɪ] *adj fam* indépendant.

indifference [ɪnˈdɪfrəns] *n* indifférence *f*.

indifferent [ɪnˈdɪfrənt] *adj* 1. • **indifferent (to)** indifférent (à) 2. médiocre.

indigenous [ɪnˈdɪdʒɪnəs] *adj* indigène.

indigestible [ˌɪndɪˈdʒestəbl] *adj* indigeste.

indigestion [ˌɪndɪˈdʒestʃn] *n* (*indén*) indigestion *f* • **to have indigestion** avoir une indigestion.

indignant [ɪnˈdɪgnənt] *adj* • **indignant (at)** indigné (de).

indignantly [ɪnˈdɪgnəntlɪ] *adv* avec indignation.

indignation [ˌɪndɪgˈneɪʃn] *n* indignation *f*.

indignity [ɪnˈdɪgnətɪ] *n* indignité *f*.

indigo [ˈɪndɪgəʊ] *adj* indigo (*inv*). ◻ *n* indigo *m*.

indirect [ˌɪndɪˈrekt] *adj* indirect.

indirect costs *npl* coûts *mpl* indirects.

indirectly [ˌɪndɪˈrektlɪ] *adv* indirectement.

indirect object *n* objet *m* indirect.

indiscreet [ˌɪndɪˈskriːt] *adj* indiscret.

indiscreetly [ˌɪndɪˈskriːtlɪ] *adv* indiscrètement.

indiscretion [ˌɪndɪˈskreʃn] *n* indiscrétion *f*.

indiscriminate [ˌɪndɪˈskrɪmɪnət] *adj* 1. (*personne*) qui manque de discernement 2. (*traitement*) sans distinction 3. (*meurtre*) commis au hasard.

indiscriminately [ˌɪndɪˈskrɪmɪnətlɪ] *adv* 1. (*traiter*) sans faire de distinction 2. (*tuer*) au hasard.

indispensable [ˌɪndɪˈspensəbl] *adj* indispensable.

indisposed [ˌɪndɪˈspəʊzd] *adj sout & euphém* indisposé.

indisputable [ˌɪndɪˈspjuːtəbl] *adj* indiscutable.

indistinct [ˌɪndɪˈstɪŋkt] *adj* 1. indistinct 2. (*mémoire, souvenirs*) vague.

indistinctly [ˌɪndɪˈstɪŋktlɪ] *adv* indistinctement.

indistinguishable [ˌɪndɪˈstɪŋgwɪʃəbl] *adj* • **indistinguishable (from)** que l'on ne peut distinguer (de).

individual [ˌɪndɪˈvɪdʒʊəl] *adj* 1. individuel 2. personnel. ◻ *n* individu *m*.

individuality [ˈɪndɪˌvɪdʒʊˈælətɪ] *n* individualité *f*.

individually [ˌɪndɪˈvɪdʒʊəlɪ] *adv* individuellement.

indivisible [ˌɪndɪˈvɪzəbl] *adj* indivisible.

indoctrinate [ɪnˈdɒktrɪneɪt] *vt* endoctriner.

indoctrination [ɪnˌdɒktrɪˈneɪʃn] *n* endoctrinement *m*.

indolence [ˈɪndələns] *n* 1. *sout* paresse *f*, indolence *f* 2. MÉD indolence *f*.

indolent [ˈɪndələnt] *adj sout* indolent.

Indonesia [ˌɪndəˈniːzjə] *n* Indonésie *f*.

indoor [ˈɪndɔːr] *adj* 1. d'intérieur • **indoor plants** des plantes d'intérieur 2. (*piscine*) couvert 3. (*sports*) en salle.

indoors [ɪnˈdɔːz] *adv* à l'intérieur.

induce [ɪnˈdjuːs] *vt* provoquer.

-induced [ɪnˈdjuːst] *suffixe* • **drug-induced sleep** sommeil *m* provoqué par des médicaments.

inducement [ɪnˈdjuːsmənt] *n* incitation *f*, encouragement *m*.

induction [ɪnˈdʌkʃn] *n* 1. • **induction (into)** installation *f* (à) 2. introduction *f* 3. induction *f*.

induction course *n* (UK) stage *m* d'initiation.

induction hob *n* plaque *f* (de cuisson) à induction.

indulge [ɪnˈdʌldʒ] *vt* 1. céder à 2. gâter. ◻ *vi* • **to indulge in sthg** se permettre qqch.

indulgence [ɪnˈdʌldʒəns] *n* 1. indulgence *f* 2. gâterie *f*.

indulgent [ɪnˈdʌldʒənt] *adj* indulgent.

indulgently [ɪnˈdʌldʒəntlɪ] *adv* avec indulgence.

industrial [ɪnˈdʌstrɪəl] *adj* industriel.

industrial accident *n* accident *m* du travail.

industrial action (surtout UK), **job action** (US) *n* (surtout UK) • **to take industrial action** se mettre en grève.

industrial dispute *n* conflit *m* social, conflit *m* du travail.

industrial estate (UK), **industrial park** (US) *n* zone *f* industrielle.

industrialist [ɪnˈdʌstrɪəlɪst] *n* industriel *m*, -elle *f*.

industrialized countries *n* pays *mpl* industrialisés.

industrial park (US) = industrial estate.

industrial relations *npl* relations *fpl* patronat-syndicats.

industrial revolution *n* révolution *f* industrielle.

industrial-strength *adj* **1.** à usage industriel **2.** *hum (café)* hyper-costaud.

industrial tribunal *n* (UK) ≃ conseil *m* des prud'hommes.

industrious [ɪnˈdʌstrɪəs] *adj* industrieux.

industry [ˈɪndəstrɪ] *n* **1.** industrie *f* • **the film industry** l'industrie cinématographique **2.** *(indén)* assiduité *f*, application *f*.

industry-standard *adj* normalisé.

inebriated [ɪˈniːbrɪeɪtɪd] *adj* sout ivre.

inedible [ɪnˈedɪbl] *adj* **1.** immangeable **2.** *(champignon, plante)* non comestible.

ineffective [ˌɪnɪˈfektɪv] *adj* inefficace.

ineffectual [ˌɪnɪˈfektʃʊəl] *adj* sout **1.** inefficace **2.** *(personne)* incapable, incompétent.

inefficiency [ˌɪnɪˈfɪʃnsɪ] *n* **1.** inefficacité *f* **2.** incapacité *f*, incompétence *f*.

inefficient [ˌɪnɪˈfɪʃnt] *adj* **1.** inefficace **2.** incapable, incompétent.

inelegant [ɪnˈelɪgənt] *adj* inélégant, sans élégance.

ineligibility [ɪnˌelɪdʒəˈbɪlətɪ] *n* **1.** *(gén)* • **the ineligibility of most of the applications** l'irrecevabilité *f* de la plupart des demandes **2.** *(dans une élection)* inéligibilité *f*.

ineligible [ɪnˈelɪdʒəbl] *adj* inéligible • **to be ineligible for sthg** ne pas avoir droit à qqch.

inept [ɪˈnept] *adj* **1.** inepte **2.** stupide.

ineptitude [ɪˈneptɪtjuːd] *n* **1.** ineptie *f* **2.** stupidité *f* *(d'une personne)*.

ineptly [ɪˈneptlɪ] *adv* absurdement, stupidement.

inequality [ˌɪnɪˈkwɒlətɪ] *n* inégalité *f*.

inert [ɪˈnɜːt] *adj* inerte.

inertia [ɪˈnɜːʃə] *n* inertie *f*.

inescapable [ˌɪnɪˈskeɪpəbl] *adj* inéluctable.

inessential [ˌɪnɪˈsenʃl] *adj* superflu.

inevitability [ɪnˌevɪtəˈbɪlətɪ] *n* inévitabilité *f*.

inevitable [ɪnˈevɪtəbl] *adj* inévitable. ❑ *n* • **the inevitable** l'inévitable *m*.

inevitably [ɪnˈevɪtəblɪ] *adv* inévitablement.

inexact [ˌɪnɪgˈzækt] *adj* inexact.

inexcusable [ˌɪnɪkˈskjuːzəbl] *adj* inexcusable, impardonnable.

inexhaustible [ˌɪnɪgˈzɔːstəbl] *adj* inépuisable.

inexpensive [ˌɪnɪkˈspensɪv] *adj* bon marché *(inv)*, pas cher.

inexpensively [ˌɪnɪkˈspensɪvlɪ] *adv* **1.** *(acheter)* (à) bon marché, à bas prix **2.** *(vivre)* à peu de frais.

inexperience [ˌɪnɪkˈspɪərɪəns] *n* inexpérience *f*.

inexperienced [ˌɪnɪkˈspɪərɪənst] *adj* inexpérimenté, qui manque d'expérience.

inexplicable [ˌɪnɪkˈsplɪkəbl] *adj* inexplicable.

inexplicably [ˌɪnɪkˈsplɪkəblɪ] *adv* inexplicablement.

inextricably [ɪnˈekstrɪkəblɪ] *adv* inextricablement.

infallibility [ɪnˌfæləˈbɪlətɪ] *n* infaillibilité *f*.

infallible [ɪnˈfæləbl] *adj* infaillible.

infamous [ˈɪnfəməs] *adj* infâme.

infancy [ˈɪnfənsɪ] *n* petite enfance *f* • **in its infancy** *fig* à ses débuts.

infant [ˈɪnfənt] *n* **1.** nouveau-né *m*, nouveau-née *f*, nourrisson *m* • **infant mortality rate** taux *m* de mortalité infantile **2.** enfant *mf* en bas âge.

infantry [ˈɪnfəntrɪ] *n* infanterie *f*.

infant school *n* (UK) école *f* maternelle *(de 5 à 7 ans)*.

infatuated [ɪnˈfætjʊeɪtɪd] *adj* • **infatuated (with)** entiché (de).

infatuation [ɪnˌfætjʊˈeɪʃn] *n* • **infatuation (with)** béguin *m* (pour).

infect [ɪnˈfekt] *vt* MÉD infecter.

infected [ɪnˈfektɪd] *adj* • **infected (with)** infecté (par).

infection [ɪnˈfekʃn] *n* infection *f*.

infectious [ɪnˈfekʃəs] *adj* **1.** MÉD infectieux **2.** *fig* contagieux.

infer [ɪnˈfɜːr] *vt* • **to infer sthg (from)** déduire qqch (de).

inference [ˈɪnfrəns] *n* • **by inference** par déduction.

inferior [ɪnˈfɪərɪər] *adj* **1.** inférieur **2.** de qualité inférieure **3.** médiocre. ❑ *n* subalterne *mf*.

inferiority [ɪnˌfɪərɪˈɒrətɪ] *n* infériorité *f*.

inferiority complex *n* complexe *m* d'infériorité.

infernal [ɪnˈfɜːnl] *adj* fam vieilli infernal.

inferno [ɪnˈfɜːnəʊ] *(pl* -s*)* *n* brasier *m*.

infertile [ɪnˈfɜːtaɪl] *adj* **1.** stérile **2.** infertile.

infertility [ˌɪnfəˈtɪlətɪ] *n* **1.** stérilité *f* **2.** infertilité *f*.

infestation [ˌɪnfesˈteɪʃn] n infestation f.

infested [ɪnˈfestɪd] adj • **infested with** infesté de.

infidelity [ˌɪnfɪˈdelətɪ] n infidélité f.

infighting [ˈɪnˌfaɪtɪŋ] n (indén) querelles fpl intestines.

infiltrate [ˈɪnfɪltreɪt] vt infiltrer.

infinite [ˈɪnfɪnət] adj infini.

infinitely [ˈɪnfɪnətlɪ] adv infiniment.

infinitive [ɪnˈfɪnɪtɪv] n infinitif m.

infinity [ɪnˈfɪnətɪ] n infini m.

infinity pool n piscine f à débordement.

infirm [ɪnˈfɜːm] sout adj infirme. ❏ npl • **the infirm** les infirmes mpl.

infirmary [ɪnˈfɜːmərɪ] n **1.** (UK) hôpital m **2.** (US) infirmerie f.

infirmity [ɪnˈfɜːmətɪ] n sout infirmité f.

inflamed [ɪnˈfleɪmd] adj MÉD enflammé.

inflammable [ɪnˈflæməbl] adj inflammable.

inflammation [ˌɪnfləˈmeɪʃn] n inflammation f.

inflammatory [ɪnˈflæmətrɪ] adj inflammatoire.

inflatable [ɪnˈfleɪtəbl] adj gonflable.

inflate [ɪnˈfleɪt] vt **1.** gonfler **2.** ÉCON hausser, gonfler (les prix, les salaires).

inflated [ɪnˈfleɪtɪd] adj **1.** (pneu, gilet de sauvetage, bouée) gonflé **2.** péj (idée) • **to have an inflated opinion of o.s.** avoir une haute estime de soi-même **3.** ÉCON (salaire, prix) exagéré, gonflé.

inflation [ɪnˈfleɪʃn] n inflation f.

inflationary [ɪnˈfleɪʃnrɪ] adj inflationniste.

inflationary gap n écart m inflationniste.

inflection [ɪnˈflekʃn] n **1.** (dans le ton, la voix) inflexion f, modulation f **2.** LING désinence f, flexion f.

inflexibility [ɪnˌfleksəˈbɪlətɪ] n inflexibilité f, rigidité f.

inflexible [ɪnˈfleksəbl] adj **1.** rigide **2.** inflexible.

inflict [ɪnˈflɪkt] vt • **to inflict sthg on sb** infliger qqch à qqn.

infliction [ɪnˈflɪkʃən] n action f d'infliger.

in-flight adj en vol (inv).

influence [ˈɪnfluəns] n influence f • **under the influence of o.** sous l'influence de **b)** sous l'effet ou l'empire de. ❏ vt influencer.

influential [ˌɪnfluˈenʃl] adj influent.

influenza [ˌɪnfluˈenzə] n (indén) grippe f.

influx [ˈɪnflʌks] n afflux m.

info [ˈɪnfəʊ] n (indén) fam info f.

inform [ɪnˈfɔm] vt • **to inform sb (of)** informer qqn (de) • **to inform sb about** renseigner qqn sur. ▪ **inform on** vt insép dénoncer.

informal [ɪnˈfɔml] adj **1.** simple **2.** (vêtements) de tous les jours **3.** (négociations, visite) officieux **4.** (réunion) informel **5.** (expression) familier.

informality [ˌɪnfɔːˈmælətɪ] (pl -ies) n **1.** simplicité f (d'une réception) **2.** caractère m informel (d'une discussion, d'une réunion) **3.** (dans le langage) familiarité f, liberté f.

informally [ɪnˈfɔːməlɪ] adv **1.** simplement **2.** officieusement.

informant [ɪnˈfɔmənt] n informateur m, -trice f.

informatics [ˌɪnfəˈmætɪks] n (indén) sciences fpl de l'information.

information [ˌɪnfəˈmeɪʃn] n (indén) • **information (on** ou **about)** renseignements mpl ou informations fpl (sur) • **a piece of information** un renseignement • **for your information** sout à titre d'information • **too much information!** fam tu n'avais pas besoin d'entrer dans les détails !

information desk n bureau m de renseignements.

information highway, information superhighway n autoroute f de l'information. **information superhighway** = **information highway.**

information system n système m d'information.

information technology n informatique f.

informative [ɪnˈfɔmətɪv] adj informatif.

informed [ɪnˈfɔmd] adj **1.** • **well/badly informed** bien/mal renseigné **2.** • **to make an informed guess** essayer de deviner qqch par déduction.

informer [ɪnˈfɔmə] n indicateur m, -trice f.

infrared [ˌɪnfrəˈred] adj infrarouge.

infrastructure [ˈɪnfrəˌstrʌktʃə] n infrastructure f.

infrequent [ɪnˈfriːkwənt] adj peu fréquent.

infrequently [ɪnˈfriːkwəntlɪ] adv rarement, peu souvent.

infringe [ɪnˈfrɪndʒ] vi **1.** • **to infringe on** empiéter sur **2.** • **to infringe on** enfreindre.

infringement [ɪnˈfrɪndʒmənt] n **1.** • **infringement (of)** atteinte f (à) **2.** transgression f.

infuriate [ɪnˈfjʊərɪeɪt] vt rendre furieux.

infuriating [ɪnˈfjʊərɪeɪtɪŋ] adj exaspérant.

infuriatingly [ɪnˈfjʊərɪeɪtɪŋlɪ] adv • **infuriatingly stubborn** d'un entêtement exaspérant.

infusion [ɪnˈfjuːʒn] n **1.** injection f (d'argent) **2.** infusion f (de tisane).

ingenious [ɪnˈdʒiːnjəs] adj ingénieux.

ingeniously [ɪnˈdʒiːnjəslɪ] adv ingénieusement.

ingenuity [ˌɪndʒɪˈnjuːətɪ] n ingéniosité f.

ingenuous [ɪnˈdʒenjʊəs] adj ingénu, naïf, naïve f.

ingot [ˈɪŋgət] n lingot m.

ingrained [ˌɪnˈgreɪnd] adj **1.** incrusté **2.** fig enraciné.

ingratiate [ɪn'greɪʃɪeɪt] vt péj • **to ingratiate o.s. with sb** se faire bien voir de qqn.

ingratiating [ɪn'greɪʃɪeɪtɪŋ] adj péj doucereux, mielleux.

ingratitude [ɪn'grætɪtjuːd] n ingratitude f.

ingredient [ɪn'griːdjənt] n **1.** ingrédient m **2.** fig élément m.

inhabit [ɪn'hæbɪt] vt habiter.

inhabitant [ɪn'hæbɪtənt] n habitant m, -e f.

inhalation [ˌɪnhə'leɪʃn] n inhalation f.

inhale [ɪn'heɪl] vt inhaler, respirer. ❑ vi respirer.

inhaler [ɪn'heɪlə] n MÉD inhalateur m.

inherent [ɪn'hɪərənt ou ɪn'herənt] adj • **inherent (in)** inhérent (à).

inherently [ɪn'hɪərəntlɪ ou ɪn'herəntlɪ] adv fondamentalement, en soi.

inherit [ɪn'herɪt] vi hériter.

inheritance [ɪn'herɪtəns] n héritage m.

inhibit [ɪn'hɪbɪt] vt **1.** empêcher **2.** PSYCHO inhiber.

inhibited [ɪn'hɪbɪtɪd] adj inhibé.

inhibiting [ɪn'hɪbɪtɪŋ] adj inhibant.

inhibition [ˌɪnhɪ'bɪʃn] n inhibition f.

inhospitable [ˌɪnhɒ'spɪtəbl] adj inhospitalier.

in-house adj **1.** interne **2.** de la maison.

inhuman [ɪn'hjuːmən] adj inhumain.

inhumane [ˌɪnhjuː'meɪn] adj inhumain.

inhumanity [ˌɪnhjuː'mænətɪ] (pl -ies) n **1.** (personnalité) inhumanité f, barbarie f, cruauté f **2.** (acte) atrocité f, brutalité f.

initial [ɪ'nɪʃl] adj initial, premier • **initial letter** initiale f. ❑ vt ((UK) prét & pp initialled, cont initialling, (us) prét & pp initialed, cont initialing) parapher. ◼ **initials** npl initiales fpl.

initially [ɪ'nɪʃəlɪ] adv initialement, au début.

initiate [ɪ'nɪʃɪeɪt] vt **1.** engager (des négociations) **2.** ébaucher, inaugurer (un projet) **3.** • **to initiate sb into sthg** initier qqn à qqch.

initiative [ɪ'nɪʃətɪv] n **1.** initiative f **2.** • **to have the initiative** avoir l'avantage.

inject [ɪn'dʒekt] vt **1.** MÉD • **to inject sb with sthg, to inject sthg into sb** injecter qqch à qqn **2.** fig insuffler **3.** fig injecter (de l'argent).

injection [ɪn'dʒekʃn] n litt & fig injection f.

injudicious [ˌɪndʒuː'dɪʃəs] adj sout peu judicieux.

injure ['ɪndʒə] vt blesser • **to injure one's arm** se blesser au bras.

injured [ɪn'dʒəd] adj blessé. ❑ npl • **the injured** les blessés mpl.

injury ['ɪndʒərɪ] n **1.** blessure f **2.** fig coup m, atteinte f.

injury time n (indén) (UK) FOOTBALL arrêts mpl de jeu.

injustice [ɪn'dʒʌstɪs] n injustice f • **to do sb an injustice** se montrer injuste envers qqn.

ink [ɪŋk] n encre f.

ink-jet printer n imprimante f à jet d'encre.

inkling ['ɪŋklɪŋ] n • **to have an inkling of** avoir une petite idée de.

inlaid [ˌɪn'leɪd] adj • **inlaid (with)** incrusté (de).

inland adj ['ɪnlənd] intérieur. ❑ adv [ɪn'lænd] à l'intérieur.

Inland Revenue n (UK) • **the Inland Revenue** ≃ le fisc.

in-laws npl fam **1.** beaux-parents mpl **2.** belle-famille f.

inlet ['ɪnlet] n avancée f.

inmate ['ɪnmeɪt] n **1.** (en prison) détenu m, -e f **2.** (en hôpital psychiatrique) interné m, -e f.

inn [ɪn] n auberge f.

innate [ɪ'neɪt] adj inné.

inner ['ɪnə] adj **1.** interne, intérieur **2.** intime.

inner circle n • **in the inner circles of power** dans les milieux proches du pouvoir.

inner city n • **the inner city** les quartiers mpl pauvres.

innermost ['ɪnəməʊst] adj le plus profond, le plus secret.

inner tube n chambre f à air.

innings ['ɪnɪŋz] (pl inv) n (UK) CRICKET tour m de batte.

innocence ['ɪnəsəns] n innocence f.

innocent ['ɪnəsənt] adj innocent • **to be found innocent** être déclaré innocent • **innocent of** non coupable de. ❑ n innocent m, -e f.

innocently ['ɪnəsəntlɪ] adv innocemment.

innocuous [ɪ'nɒkjʊəs] adj inoffensif.

innovation [ˌɪnə'veɪʃn] n innovation f.

innovative ['ɪnəvətɪv] adj **1.** novateur **2.** (produit, méthode) innovant.

innuendo [ˌɪnjuː'endəʊ] (pl -es ou -s) n insinuation f.

innumerable [ɪ'njuːmərəbl] adj innombrable.

inoculate [ɪ'nɒkjʊleɪt] vt • **to inoculate sb (with sthg)** inoculer (qqch à) qqn.

inoffensive [ˌɪnə'fensɪv] adj inoffensif.

inordinately [ɪ'nɔːdɪnətlɪ] adv sout excessivement.

in-patient n malade hospitalisé m, malade hospitalisée f.

input ['ɪnpʊt] n **1.** contribution f, concours m **2.** INFORM & ÉLECTR entrée f.

inquest ['ɪnkwest] n enquête f.

inquire [ɪn'kwaɪə] vt • **to inquire when/whether /how...** demander quand/si/comment... ❑ vi • **to inquire (about)** se renseigner (sur). ◼ **inquire after** vt insép s'enquérir de. ◼ **inquire into** vt insép enquêter sur.

inquiring [ɪn'kwaɪərɪŋ] adj **1.** (personne, esprit) curieux **2.** (regard, ton) interrogateur.

inquiry [ɪnˈkwaɪərɪ] n **1.** demande f de renseignements • **'Inquiries'** (UK) 'Renseignements' **2.** enquête f.

inquiry desk n (UK) bureau m de renseignements.

inquisitive [ɪnˈkwɪzɪtɪv] adj **1.** curieux **2.** péj indiscret.

inroads [ˈɪnrəʊdz] npl • **to make inroads into** entamer (ses économies, ses réserves).

insane [ɪnˈseɪn] adj fou • **to go insane** devenir fou.

insanely [ɪnˈseɪnlɪ] adv **1.** (rire, crier) comme un fou **2.** (pour intensifier) follement • **to be insanely jealous** être fou de jalousie.

insanity [ɪnˈsænətɪ] n folie f.

insatiable [ɪnˈseɪʃəbl] adj insatiable.

inscription [ɪnˈskrɪpʃn] n **1.** inscription f **2.** dédicace f.

inscrutable [ɪnˈskruːtəbl] adj impénétrable.

insect [ˈɪnsekt] n insecte m.

insect bite n piqûre f d'insecte.

insecticide [ɪnˈsektɪsaɪd] n insecticide m.

insect repellent n lotion f anti-moustiques.

insecure [ˌɪnsɪˈkjʊə] adj **1.** anxieux **2.** (investissement, avenir) incertain.

insecurity [ˌɪnsɪˈkjʊərətɪ] n insécurité f.

insensible [ɪnˈsensəbl] adj **1.** inconscient **2.** • **insensible of/to** insensible à.

insensitive [ɪnˈsensətɪv] adj • **insensitive (to)** insensible (à).

insensitively [ɪnˈsensətɪvlɪ] adj avec un grand manque de tact.

insensitivity [ɪnˌsensəˈtɪvətɪ] n insensibilité f.

inseparable [ɪnˈseprəbl] adj inséparable.

insert vt [ɪnˈsɜːt] insérer.

insertion [ɪnˈsɜːʃn] n insertion f.

in-service training n formation f en cours d'emploi.

inshore adj [ˈɪnʃɔː] côtier. ❏ adv [ɪnˈʃɔː] **1.** (être situé) près de la côte **2.** (se diriger) vers la côte.

inside [ɪnˈsaɪd] prép **1.** à l'intérieur de, dans **2.** au sein de. ❏ adv dedans, à l'intérieur • **to go inside** entrer • **come inside!** entrez ! ❏ adj **1.** intérieur **2.** • **inside left/right** inter m gauche/droit. ❏ n **1.** • **the inside** l'intérieur m • **inside out** à l'envers • **to know sthg inside out** connaître qqch à fond **2.** AUTO • **the inside a)** (au Royaume-Uni) la gauche **b)** (en Europe, aux États-Unis) la droite. ■ **inside of** prép (US) à l'intérieur de, dans. ■ **insides** npl fam tripes fpl.

inside information n (indén) renseignements mpl obtenus à la source.

insider [ˌɪnˈsaɪdə] n initié m, -e f.

insider dealing, insider trading n (indén) délits mpl d'initiés.

inside story n • **to get the inside story from sb** apprendre la vérité par qqn.

insidious [ɪnˈsɪdɪəs] adj insidieux.

insight [ˈɪnsaɪt] n **1.** sagacité f, perspicacité f **2.** • **insight (into)** aperçu m (de).

insignia [ɪnˈsɪgnɪə] (pl inv) n insigne m.

insignificant [ˌɪnsɪgˈnɪfɪkənt] adj insignifiant.

insincere [ˌɪnsɪnˈsɪə] adj pas sincère.

insinuate [ɪnˈsɪnjʊeɪt] vt insinuer.

insinuation [ɪnˌsɪnjʊˈeɪʃn] n insinuation f.

insipid [ɪnˈsɪpɪd] adj insipide.

insist [ɪnˈsɪst] vt **1.** • **to insist (that)...** insister sur le fait que... **2.** • **to insist (that)...** insister pour que... (+ subjonctif). ❏ vi • **to insist (on sthg)** exiger (qqch) • **to insist on doing sthg** vouloir absolument faire qqch.

insistence [ɪnˈsɪstəns] n • **insistence (on)** insistance f (à).

insistent [ɪnˈsɪstənt] adj **1.** insistant • **to be insistent on** insister sur **2.** incessant.

insofar [ˌɪnsəʊˈfɑː] ■ **insofar as** conj sout dans la mesure où.

insole [ˈɪnsəʊl] n semelle f intérieure.

insolence [ˈɪnsələns] n insolence f.

insolent [ˈɪnsələnt] adj insolent.

insoluble [ɪnˈsɒljʊbl], **insolvable** (US) [ɪnˈsɒlvəbl] adj insoluble.

insolvent [ɪnˈsɒlvənt] adj insolvable.

insomnia [ɪnˈsɒmnɪə] n insomnie f.

insomniac [ɪnˈsɒmnɪæk] n insomniaque mf.

insomuch [ˌɪnsəʊˈmʌtʃ] ■ **insomuch as** conj sout d'autant que.

inspect [ɪnˈspekt] vt **1.** examiner **2.** inspecter.

inspection [ɪnˈspekʃn] n **1.** examen m **2.** inspection f.

inspector [ɪnˈspektə] n inspecteur m, -trice f.

inspiration [ˌɪnspəˈreɪʃn] n inspiration f.

inspirational [ˌɪnspəˈreɪʃənl] adj **1.** inspirant **2.** inspiré.

inspire [ɪnˈspaɪə] vt **1.** • **to inspire sb to do sthg** pousser ou encourager qqn à faire qqch • **to inspire sb with sthg, to inspire sthg in sb** inspirer qqch à qqn **2.** inspirer (un sentiment) • **to inspire confidence/respect** inspirer (la) confiance/le respect • **to inspire courage in sb** insuffler du courage à qqn.

inspired [ɪnˈspaɪəd] adj **1.** (artiste, jeu) inspiré **2.** (idée) brillant.

inspiring [ɪnˈspaɪərɪŋ] adj qui inspire.

instability [ˌɪnstəˈbɪlətɪ] n instabilité f.

install [ɪnˈstɔːl] vt installer (un programme).

installation [ˌɪnstəˈleɪʃn] n installation f.

installer [ɪnˈstɔːlə] n INFORM programme m d'installation.

installment (US) = instalment.

instalment (UK), **installment** (US) [ɪnˈstɔːlmənt] n **1.** acompte m • **in instalments** par acomptes **2.** épisode m (d'un feuilleton, d'un récit).

instance ['ɪnstəns] n exemple m • **for instance** par exemple.

instant ['ɪnstənt] adj **1.** instantané, immédiat • **to be an instant success** avoir un succès immédiat **2.** (café) soluble **3.** (nourriture) à préparation rapide. ❑ n instant m • **the instant (that)...** dès ou aussitôt que... • **this instant** tout de suite, immédiatement.

instant-access adj (compte bancaire) à accès immédiat.

instantly ['ɪnstəntlɪ] adv immédiatement.

instant messaging n messagerie f instantanée.

instant replay n (US) = action replay.

instead [ɪn'sted] adv au lieu de cela. ■ **instead of** prép au lieu de • **instead of him** à sa place.

instep ['ɪnstep] n cou-de-pied m.

instigate ['ɪnstɪgeɪt] vt être à l'origine de, entreprendre.

instigation [ˌɪnstɪ'geɪʃn] n • **at the instigation of** à l'instigation f de.

instil (UK), **instill** (US) [ɪn'stɪl] vt • **to instil sthg in** ou **into sb** instiller qqch à qqn.

instinct ['ɪnstɪŋkt] n **1.** instinct m **2.** réaction f, mouvement m.

instinctive [ɪn'stɪŋktɪv] adj instinctif.

instinctively [ɪn'stɪŋktɪvlɪ] adv instinctivement.

institute ['ɪnstɪtjuːt] n institut m. ❑ vt instituer.

institute of education n (UK) école formant des enseignants.

institution [ˌɪnstɪ'tjuːʃn] n institution f.

institutional racism, institutionalized racism [ˌɪnstɪ'tjuːʃən,laɪzd-] n racisme m institutionnel.

instruct [ɪn'strʌkt] vt **1.** • **to instruct sb to do sthg** charger qqn de faire qqch **2.** instruire • **to instruct sb in sthg** enseigner qqch à qqn.

instruction [ɪn'strʌkʃn] n instruction f. ■ **instructions** npl mode m d'emploi, instructions fpl • **follow the instructions** suivez les instructions • **read the instructions** lisez le mode d'emploi.

instruction manual n manuel m.

instructor [ɪn'strʌktər] n **1.** instructeur m, -trice f, moniteur m, -trice f • **a driving instructor** un moniteur d'auto-école **2.** (US) enseignant m, -e f.

instrument ['ɪnstrʊmənt] n litt & fig instrument m • **to play an instrument** jouer d'un instrument.

instrumental [ˌɪnstrʊ'mentl] adj • **to be instrumental in** contribuer à.

instrumentalist [ˌɪnstrʊ'mentəlɪst] n instrumentiste mf.

instrument panel n tableau m de bord.

insubordinate [ˌɪnsəb'ɔːdɪnət] adj insubordonné.

insubstantial [ˌɪnsəb'stænʃl] adj **1.** peu solide **2.** (repas) peu substantiel.

insufferable [ɪn'sʌfərəbl] adj sout insupportable.

insufficient [ˌɪnsə'fɪʃnt] adj sout insuffisant.

insular ['ɪnsjʊlər] adj péj borné.

insulate ['ɪnsjʊleɪt] vt **1.** isoler **2.** calorifuger.

insulating tape ['ɪnsjʊleɪtɪŋ-] n (UK) chatterton m.

insulation [ˌɪnsjʊ'leɪʃn] n isolation f.

insulin ['ɪnsjʊlɪn] n insuline f.

insult vt [ɪn'sʌlt] insulter, injurier. ❑ n ['ɪnsʌlt] insulte f, injure f.

insulting [ɪn'sʌltɪŋ] adj insultant, injurieux.

insuperable [ɪn'suːprəbl] adj sout insurmontable.

insurance [ɪn'ʃʊərəns] n **1.** assurance f • **to take out insurance** prendre une assurance **2.** fig protection f, garantie f.

insurance policy n police f d'assurance.

insure [ɪn'ʃʊər] vt **1.** assurer **2.** (US) s'assurer. ❑ vi • **to insure against** se protéger de.

insurer [ɪn'ʃʊərər] n assureur m.

insurmountable [ˌɪnsə'maʊntəbl] adj sout insurmontable.

intact [ɪn'tækt] adj intact.

intake ['ɪnteɪk] n **1.** consommation f **2.** (UK) SCOL & UNIV admission f.

intangible [ɪn'tændʒəbl] adj **1.** intangible, impalpable **2.** (preuve) non tangible.

integral ['ɪntɪgrəl] adj intégral • **to be integral to sthg** faire partie intégrante de qqch.

integrate ['ɪntɪgreɪt] vi s'intégrer. ❑ vt intégrer.

integrated ['ɪntɪgreɪtɪd] adj intégré.

integrity [ɪn'tegrətɪ] n **1.** intégrité f, honnêteté f **2.** sout intégrité f, totalité f.

intel ['ɪntel] n (US) service m de renseignements de l'armée.

intellect ['ɪntəlekt] n **1.** intellect m **2.** intelligence f.

intellectual [ˌɪntə'lektjʊəl] adj intellectuel. ❑ n intellectuel m, -elle f.

intellectual property n propriété f intellectuelle.

intelligence [ɪn'telɪdʒəns] n (indén) **1.** intelligence f **2.** service m de renseignements • **to work in intelligence** travailler pour les services secrets ou de renseignements **3.** informations fpl • **intelligence gathering** renseignement m, espionnage m.

intelligent [ɪn'telɪdʒənt] adj intelligent.

intelligent card n carte f à puce ou à mémoire.

intelligent design n dessein intelligent ; *théorie selon laquelle la vie aurait été créée par une entité « intelligente ».*

intelligible [ɪn'telɪdʒəbl] adj intelligible.

intend [ɪn'tend] vt **1.** avoir l'intention de • **to intend doing** ou **to do sthg** avoir l'intention de faire qqch **2.** • **to be intended for** être destiné à.

intended [ɪn'tendɪd] adj **1.** voulu **2.** *(cible)* visé.

intense [ɪn'tens] adj **1.** intense **2.** sérieux.

intensely [ɪn'tenslɪ] adv **1.** extrêmement **2.** énormément **3.** intensément.

intensify [ɪn'tensɪfaɪ] vt intensifier, augmenter. □ *vi* s'intensifier.

intensity [ɪn'tensətɪ] n intensité f.

intensive [ɪn'tensɪv] adj intensif.

intensive care n • **to be in intensive care** être en réanimation.

intent [ɪn'tent] adj **1.** absorbé **2.** • **to be intent on** ou **upon doing sthg** être résolu ou décidé à faire qqch. □ *n sout* intention f, dessein m • **to** ou **for all intents and purposes** pratiquement, virtuellement.

intention [ɪn'tenʃn] n intention f.

intentional [ɪn'tenʃənl] adj intentionnel, voulu.

intentionally [ɪn'tenʃənəlɪ] adv intentionnellement • **I didn't do it intentionally** je ne l'ai pas fait exprès.

intently [ɪn'tentlɪ] adv avec attention, attentivement.

interact [,ɪntər'ækt] vi **1.** • **to interact (with sb)** communiquer (avec qqn) **2.** • **to interact (with sthg)** interagir (avec qqch).

interaction [,ɪntər'ækʃn] n interaction f.

interactive [,ɪntər'æktɪv] adj INFORM interactif.

interactive whiteboard n tableau m blanc interactif.

intercede [,ɪntə'siːd] vi *sout* • **to intercede (with sb)** intercéder (auprès de qqn).

intercept [,ɪntə'sept] vt intercepter.

interchange n ['ɪntətʃeɪndʒ] échange m. □ *vt* [,ɪntə'tʃeɪndʒ] échanger.

interchangeable [,ɪntə'tʃeɪndʒəbl] adj • **interchangeable (with)** interchangeable (avec).

intercity [,ɪntə'sɪtɪ] n *système de trains rapides reliant les grandes villes en Grande-Bretagne.*

intercom ['ɪntəkɒm] n Interphone® m.

intercourse ['ɪntəkɔːs] n *(indén)* (UK) rapports mpl *(intellectuels, sexuels).*

interest ['ɪntrəst] n **1.** intérêt m • **to lose interest** se désintéresser • **it's in your own interest** c'est dans ton propre intérêt **2.** centre m d'intérêt **3.** *(indén)* FIN intérêt m, intérêts mpl. □ *vt* intéresser.

interested ['ɪntrəstɪd] adj intéressé • **to be interested in** s'intéresser à • **I'm not interested in** that cela ne m'intéresse pas • **to be interested in doing sthg** avoir envie de faire qqch.

interest-free credit n crédit m gratuit.

interesting ['ɪntrəstɪŋ] adj intéressant.

interestingly ['ɪntrəstɪŋlɪ] adv de façon intéressante • **interestingly enough,...** chose intéressante,...

interest rate n taux m d'intérêt.

interface n ['ɪntəfeɪs] **1.** INFORM interface f **2.** *fig* rapports mpl, relations fpl.

interfaith [,ɪntə'feɪθ] adj interreligieux.

interfere [,ɪntə'fɪə] vi **1.** • **to interfere in sthg** s'immiscer dans qqch, se mêler de qqch **2.** • **to interfere with sthg a)** gêner ou contrarier qqch **b)** déranger qqch.

interference [,ɪntə'fɪərəns] n *(indén)* **1.** • **interference (with** ou **in)** ingérence f (dans), intrusion f (dans) **2.** TÉLÉCOM parasites mpl.

interfering [,ɪntə'fɪərɪŋ] adj *péj* qui se mêle de tout.

intergenerational [,ɪntədʒenə'reɪʃənl] adj intergénérationnel.

interim ['ɪntərɪm] adj provisoire. □ *n* • **in the interim** dans l'intérim, entre-temps.

interior [ɪn'tɪərɪə] adj **1.** intérieur **2.** POLIT de l'Intérieur. □ *n* intérieur m.

interior decorator n décorateur m, -trice f.

interior design n architecture f d'intérieur.

interior designer n architecte mf d'intérieur.

interlock [,ɪntə'lɒk] vi **1.** s'enclencher, s'engrener **2.** *(doigts)* s'entrelacer.

interloper ['ɪntələupə] n *péj* intrus m, -e f.

interlude ['ɪntəluːd] n **1.** intervalle m **2.** interlude m.

intermediary [,ɪntə'miːdjərɪ] n intermédiaire mf.

intermediate [,ɪntə'miːdjət] adj **1.** intermédiaire **2.** moyen **3.** *(élève)* de niveau moyen.

intermediate technology n technologie f intermédiaire.

interminable [ɪn'tɜːmɪnəbl] adj interminable, sans fin.

interminably [ɪn'tɜːmɪnəblɪ] adv interminablement • **the play seemed interminably long** la pièce semblait interminable.

intermission [,ɪntə'mɪʃn] n entracte m.

intermittent [,ɪntə'mɪtənt] adj intermittent.

intermodality [,ɪntəməʊ'dælɪtɪ] n intermodalité f.

intern vt [ɪn'tɜːn] interner. □ *n* ['ɪntɜːn, (US)] **1.** stagiaire mf **2.** MÉD interne mf.

internal [ɪn'tɜːnl] adj **1.** interne • **internal hard drive** disque m dur interne **2.** intérieur.

internalize, -ise (UK) [ɪn'tɜːnəlaɪz] vt intérioriser *(une émotion).*

internally [ɪnˈtɜːnəlɪ] *adv* **1. •** to bleed internally faire une hémorragie interne **2.** à l'intérieur **3.** intérieurement.

Internal Revenue Service *n* (US) **•** the Internal Revenue Service ≃ le fisc.

international [ˌɪntəˈnæʃənl] *adj* international.

internationally [ˌɪntəˈnæʃnəlɪ] *adv* dans le monde entier.

Internet [ˈɪntənet] *n* **•** the Internet l'Internet *m* **•** on the Internet sur Internet.

Internet access *n* (indén) accès à l'Internet *m*.

Internet banking *n* (indén) opérations *fpl* bancaires par l'Internet.

Internet café *n* cybercafé *m*.

Internet connection *n* connexion *f* Internet *ou* à l'Internet.

Internet Service Provider *n* fournisseur *m* d'accès.

Internet start-up, Internet start-up company *n* start-up *f*, jeune *f* pousse d'entreprise *recomm off*.

Internet television, Internet TV *n* (indén) télévision *f* par Internet.

interpret [ɪnˈtɜːprɪt] *vt* **•** to interpret sthg (as) interpréter qqch (comme). ❑ *vi* servir d'interprète, interpréter.

interpreter [ɪnˈtɜːprɪtə*r*] *n* interprète *mf*.

interracial [ˌɪntəˈreɪʃl] *adj* entre des races différentes, racial.

interrelate [ˌɪntərɪˈleɪt] *vt* mettre en corrélation. ❑ *vi* **•** to interrelate (with) être lié (à), être en corrélation (avec).

interrogate [ɪnˈterəgeɪt] *vt* interroger.

interrogation [ɪnˌterəˈgeɪʃn] *n* **1.** interrogation *f* **2.** interrogatoire *m*.

interrogation mark (UK), **interrogation point** *n* (US) point *m* d'interrogation.

interrogative [ˌɪntəˈrɒgətɪv] *adj* GRAMM interrogatif. ❑ *n* GRAMM interrogatif *m*.

interrogator [ɪnˈterəgeɪtə*r*] *n* interrogateur *m*, -trice *f*.

interrupt [ˌɪntəˈrʌpt] *vt* interrompre. ❑ *vi* interrompre.

interruption [ˌɪntəˈrʌpʃn] *n* interruption *f*.

intersect [ˌɪntəˈsekt] *vi* s'entrecroiser, s'entrecouper. ❑ *vt* croiser, couper.

intersection [ˌɪntəˈsekʃn] *n* croisement *m*, carrefour *m*.

intersperse [ˌɪntəˈspɜːs] *vt* **•** to be interspersed with être émaillé de, être entremêlé de.

interstate [ˈɪntəsteɪt] *adj* entre États. ❑ *n* (US) autoroute *f*.

interval [ˈɪntəvl] *n* **1.** intervalle *m* **•** at intervals par intervalles **•** at monthly/yearly intervals tous les mois/ans **2.** (UK) (au théâtre, au concert) entracte *m*.

intervene [ˌɪntəˈviːn] *vi* **1. •** to intervene (in) intervenir (dans), s'interposer (dans) **2.** survenir **3.** (temps) s'écouler.

intervening [ˌɪntəˈviːnɪŋ] *adj* qui s'est écoulé.

intervention [ˌɪntəˈvenʃn] *n* intervention *f*.

interview [ˈɪntəvjuː] *n* **1.** entrevue *f*, entretien *m* **•** to have a job interview passer un entretien professionnel **2.** interview *f*. ❑ *vt* **1.** faire passer une entrevue *ou* un entretien à **2.** interroger, sonder **3.** PRESSE interviewer.

interviewer [ˈɪntəvjuːə*r*] *n* **1.** personne *f* qui fait passer une entrevue **2.** PRESSE interviewer *m*.

intestine [ɪnˈtestɪn] *n* intestin *m*.

intimacy [ˈɪntɪməsɪ] *n* **1. •** intimacy (between/with) intimité *f* (entre/avec) **2.** familiarité *f*.

intimate *adj* [ˈɪntɪmət] **1.** intime **2.** approfondi.

intimately [ˈɪntɪmətlɪ] *adv* **1.** étroitement **2.** intimement **3.** à fond.

intimidate [ɪnˈtɪmɪdeɪt] *vt* intimider.

intimidating [ɪnˈtɪmɪdeɪtɪŋ] *adj* intimidant.

into [ˈɪntʊ] *prép* **1.** dans **2. •** to bump into sthg se cogner contre qqch **•** to crash into rentrer dans **3.** en **•** to translate sthg into Spanish traduire qqch en espagnol **4. •** research/investigation into recherche/enquête sur **5. •** 3 into 2 2 divisé par 3 **6.** *fam* **•** to be into sthg être passionné par qqch.

intolerable [ɪnˈtɒlrəbl] *adj* intolérable, insupportable.

intolerance [ɪnˈtɒlərəns] *n* intolérance *f*.

intolerant [ɪnˈtɒlərənt] *adj* intolérant.

intoxicated [ɪnˈtɒksɪkeɪtɪd] *adj* **1.** ivre **2.** *fig* **•** to be intoxicated by *ou* with sthg être grisé *ou* enivré par qqch.

intoxicating [ɪnˈtɒksɪkeɪtɪŋ] *adj* **1.** (boisson) alcoolisé **2.** *fig* (expérience) grisant, enivrant.

intractable [ɪnˈtræktəbl] *adj* **1.** intraitable **2.** insoluble.

intranet, Intranet [ˈɪntrənet] *n* intranet *m*.

intransigent [ɪnˈtrænzɪdʒənt] *adj* intransigeant.

intransitive [ɪnˈtrænzətɪv] *adj* intransitif.

intravenous [ˌɪntrəˈviːnəs] *adj* intraveineux.

in-tray (surtout UK), **in-basket** (US), **in-box** (US) *n* casier *m* des affaires à traiter.

intricate [ˈɪntrɪkət] *adj* compliqué.

intrigue [ɪnˈtriːg] *n* intrigue *f*. ❑ *vt* intriguer, exciter la curiosité de.

intriguing [ɪnˈtriːgɪŋ] *adj* fascinant.

intrinsic [ɪnˈtrɪnsɪk] *adj* intrinsèque.

introduce [ˌɪntrəˈdjuːs] *vt* **1.** présenter **•** to introduce sb to sb présenter qqn à qqn **2. •** to introduce sthg (to *ou* into) introduire qqch (dans) **3. •** to introduce sb to sthg initier qqn à qqch, faire découvrir qqch à qqn **4.** aborder (un sujet).

introduction [ˌɪntrə'dʌkʃn] n **1.** introduction f **2.** ● introduction (to sb) présentation f (à qqn).

introductory [ˌɪntrə'dʌktrɪ] adj d'introduction, préliminaire.

introductory offer n offre f de lancement.

introductory price n prix m de lancement.

introspection [ˌɪntrə'spekʃn] n introspection f.

introspective [ˌɪntrə'spektɪv] adj introspectif.

introvert ['ɪntrəvɜːt] n introverti m, -e f.

introverted ['ɪntrəvɜːtɪd] adj introverti.

intrude [ɪn'truːd] vi faire intrusion ● to intrude on sb déranger qqn.

intruder [ɪn'truːdə] n intrus m, -e f.

intrusive [ɪn'truːsɪv] adj gênant, importun.

intubate ['ɪntjʊbeɪt] vt MÉD intuber.

intuition [ˌɪntjuː'ɪʃn] n intuition f.

intuitive [ɪn'tjuːɪtɪv] adj intuitif.

inundate ['ɪnʌndeɪt] vt **1.** sout inonder **2.** ● to be inundated with être submergé de.

invade [ɪn'veɪd] vt **1.** envahir **2.** fig violer (l'intimité de qqn).

invalid adj [ɪn'vælɪd] non valide, non valable. ◻ n ['ɪnvəlɪd] invalide mf.

invaluable [ɪn'væljʊəbl] adj ● invaluable (to) **a)** précieux (pour) **b)** inestimable (pour).

invariably [ɪn'veərɪəblɪ] adv invariablement, toujours.

invasion [ɪn'veɪʒn] n litt & fig invasion f.

invasive [ɪn'veɪsɪv] adj **1.** MÉD invasif **2.** fig envahissant.

invent [ɪn'vent] vt inventer.

invention [ɪn'venʃn] n invention f.

inventive [ɪn'ventɪv] adj inventif.

inventor [ɪn'ventə] n inventeur m, -trice f.

inventory ['ɪnvəntrɪ] n inventaire m.

invert [ɪn'vɜːt] vt retourner.

inverted commas [ɪnˌvɜːtɪd-] npl (UK) guillemets mpl ● in inverted commas entre guillemets.

invest [ɪn'vest] vt **1.** ● to invest sthg (in) investir qqch (dans) **2.** ● to invest sthg in sthg/in doing sthg consacrer qqch à qqch/à faire qqch, employer qqch à qqch/à faire qqch. ◻ vi **1.** FIN ● to invest (in sthg) investir (dans qqch) **2.** fig ● to invest in sthg se payer qqch, s'acheter qqch.

investigate [ɪn'vestɪgeɪt] vt **1.** enquêter sur, faire une enquête sur **2.** faire des recherches sur.

investigation [ɪnˌvestɪ'geɪʃn] n **1.** ● investigation (into) **a)** enquête f (sur) **b)** recherches fpl (sur) ● a police investigation une enquête de police **2.** (indén) investigation f.

investigative [ɪn'vestɪgətɪv] adj d'investigation.

investment [ɪn'vestmənt] n **1.** FIN investissement m, placement m **2.** dépense f.

investor [ɪn'vestə] n investisseur m.

inveterate [ɪn'vetərət] adj invétéré.

invidious [ɪn'vɪdɪəs] adj **1.** ingrat **2.** injuste.

invigilate [ɪn'vɪdʒɪleɪt] (UK) vi surveiller les candidats (à un examen). ◻ vt surveiller.

invigorating [ɪn'vɪgəreɪtɪŋ] adj tonifiant, vivifiant.

invincible [ɪn'vɪnsɪbl] adj **1.** (champion, armée) invincible **2.** (record) imbattable.

invisible [ɪn'vɪzɪbl] adj invisible.

invitation [ˌɪnvɪ'teɪʃn] n invitation f ● a wedding invitation une invitation à un mariage.

invite [ɪn'vaɪt] vt **1.** ● to invite sb (to) inviter qqn (à) **2.** ● to invite sb to do sthg inviter qqn à faire qqch **3.** ● to invite trouble aller au devant des ennuis ● to invite gossip faire causer.

inviting [ɪn'vaɪtɪŋ] adj **1.** attrayant, agréable **2.** (nourriture) appétissant.

invoice ['ɪnvɔɪs] n facture f. ◻ vt **1.** envoyer la facture à **2.** facturer.

invoicing ['ɪnvɔɪsɪŋ] n COMM facturation f ● invoicing address adresse f de facturation ● invoicing instructions instructions fpl de facturation ● invoicing software logiciel m de facturation.

invoke [ɪn'vəʊk] vt **1.** sout invoquer (la loi) **2.** susciter, faire naître (des sentiments) **3.** demander, implorer (l'aide de qqn).

involuntary [ɪn'vɒləntrɪ] adj involontaire.

involve [ɪn'vɒlv] vt **1.** nécessiter ● to involve doing sthg nécessiter de faire qqch **2.** toucher ● what's involved? de quoi s'agit-il ? **3.** ● to involve sb in sthg impliquer qqn dans qqch.

involved [ɪn'vɒlvd] adj **1.** complexe, compliqué **2.** ● to be involved in sthg participer ou prendre part à qqch **3.** ● to be involved with sb avoir des relations intimes avec qqn.

involvement [ɪn'vɒlvmənt] n **1.** participation f **2.** engagement m.

inward ['ɪnwəd] adj **1.** intérieur **2.** vers l'intérieur. ◻ adv (US) = inwards.

inward-looking adj **1.** (personne) introverti, replié sur soi **2.** péj nombriliste.

inwards ['ɪnwədz] adv vers l'intérieur.

in-your-face adj fam provocant.

iodine [(UK) 'aɪədiːn, (US) 'aɪədaɪn] n iode m.

ionized ['aɪənaɪzd] adj CHIM & PHYS ionisé ● ionized-gas anemometer anémomètre m à ionisation.

iota [aɪ'əʊtə] n fig brin m, grain m.

IOU (abrév de I owe you) n reconnaissance f de dette.

iPod® ['aɪpɒd] n iPod® m.

IQ (abrév de intelligence quotient) n QI m.

IRA n (abrév de Irish Republican Army) IRA f.

Iran [ɪ'rɑːn] n Iran m.

Iranian [ɪ'reɪnjən] *adj* iranien. ❏ *n* Iranien *m*, -enne *f*.

Iraq [ɪ'rɑːk] *n* Iraq *m*, Irak *m*.

Iraqi [ɪ'rɑːkɪ] *adj* iraquien, irakien. ❏ *n* Iraquien *m*, -enne *f*, Irakien *m*, -enne *f*.

irate [aɪ'reɪt] *adj* furieux.

Ireland ['aɪələnd] *n* Irlande *f*.

iris ['aɪərɪs] (*pl* -es) *n* iris *m*.

Irish ['aɪrɪʃ] *adj* irlandais. ❏ *n* irlandais *m*. ❏ *npl* • **the Irish** les Irlandais.

Irishman ['aɪrɪʃmən] (*pl* -men) *n* Irlandais *m*.

Irish Sea *n* • **the Irish Sea** la mer d'Irlande.

Irishwoman ['aɪrɪʃ,wumən] (*pl* -women) *n* Irlandaise *f*.

irksome ['ɜːksəm] *adj* ennuyeux, assommant.

IRL *SMS* (*abrév de* in real life) dans la réalité.

iron ['aɪən] *adj* **1.** de *ou* en fer **2.** *fig* de fer. ❏ *n* **1.** fer *m* **2.** fer *m* à repasser. ❏ *vt* repasser. ◼ **iron out** *vt sép* **1.** aplanir (*les difficultés*) **2.** résoudre (*les problèmes*).

Iron Curtain *n* • **the Iron Curtain** le rideau de fer.

ironic(al) [aɪ'rɒnɪk(l)] *adj* ironique.

ironically [aɪ'rɒnɪklɪ] *adv* ironiquement.

ironing ['aɪənɪŋ] *n* repassage *m* • **to do the ironing** faire le repassage.

ironing board *n* planche *f ou* table *f* à repasser.

ironmonger ['aɪən,mʌŋgə'] *n* (*UK*) *vieilli* quincaillier *m* • **ironmonger's (shop)** quincaillerie *f*.

iron-willed *adj* à la volonté de fer.

irony ['aɪrənɪ] *n* ironie *f*.

irrational [ɪ'ræʃənl] *adj* **1.** irrationnel, déraisonnable **2.** non rationnel.

irreconcilable [ɪ,rekən'saɪləbl] *adj* inconciliable.

irreconcilably [ɪ,rekən'saɪləblɪ] *adv* • **they are irreconcilably different** ils sont radicalement différents.

irredeemable [,ɪrɪ'diːməbl] *adj sout* **1.** (*erreur*) irréparable **2.** (*perte*) irrémédiable.

irrefutable [ɪ'refjʊtəbl] *adj* irréfutable.

irrefutably [ɪ'refjuːtəblɪ] *adv* irréfutablement.

irregular [ɪ'regjʊlə'] *adj* irrégulier.

irregularity [ɪ,regjʊ'lærətɪ] (*pl* -ies) *n* irrégularité *f*.

irrelevance [ɪ'reləvəns], **irrelevancy** [ɪ'reləvənsɪ] (*pl* -ies) *n* manque *m* de pertinence.

irrelevant [ɪ'reləvənt] *adj* sans rapport.

irreparable [ɪ'repərəbl] *adj* irréparable.

irreplaceable [,ɪrɪ'pleɪsəbl] *adj* irremplaçable.

irrepressible [,ɪrɪ'presəbl] *adj* que rien ne peut entamer.

irresistible [,ɪrɪ'zɪstəbl] *adj* irrésistible.

irrespective [,ɪrɪ'spektɪv] ◼ **irrespective of** *prép* sans tenir compte de.

irresponsible [,ɪrɪ'spɒnsəbl] *adj* irresponsable.

irretrievable [,ɪrɪ'triːvəbl] *adj* irréparable, irrémédiable.

irreversible [,ɪrɪ'vɜːsəbl] *adj* **1.** (*jugement, décision*) irrévocable **2.** (*changement, dégât*) irréversible.

irrevocable [ɪ'revəkəbl] *adj* irrévocable.

irrigate ['ɪrɪgeɪt] *vt* irriguer.

irrigation [,ɪrɪ'geɪʃn] *n* irrigation *f*. ❏ *en apposition* d'irrigation.

irritable ['ɪrɪtəbl] *adj* irritable.

irritable bowel syndrome *n* syndrome *m* du côlon irritable.

irritate ['ɪrɪteɪt] *vt* irriter.

irritated ['ɪrɪteɪtɪd] *adj* **1.** (*personne*) irrité, agacé • **don't get irritated!** ne t'énerve pas ! **2.** *MÉD* (*organe*) irrité.

irritating ['ɪrɪteɪtɪŋ] *adj* irritant.

irritation [ɪrɪ'teɪʃn] *n* **1.** irritation *f* **2.** source *f* d'irritation.

IRS (*abrév de* Internal Revenue Service) *n* (*US*) • **the IRS** ≃ le fisc.

is [ɪz] → **be**.

IS *n abrév de* **information system**.

ISDN (*abrév de* integrated services digital network) *n INFORM* RNIS *m* (*réseau numérique à intégration de services*) • **ISDN line** ligne *f* RNIS • **ISDN modem** modem *m* RNIS. ❏ *vt* • **to ISDN sth** *fam* envoyer qqch par RNIS.

Islam ['ɪzlɑːm] *n* islam *m*.

Islamic [ɪz'læmɪk] *adj* islamique.

Islamist ['ɪzləmɪst] *adj & n* islamiste *mf*.

island ['aɪlənd] *n* **1.** île *f* **2.** *AUTO* refuge *m* pour piétons.

islander ['aɪləndə'] *n* habitant *m*, -e *f* d'une île.

isle [aɪl] *n* île *f*.

Isle of Man *n* • **the Isle of Man** l'île *f* de Man.

Isle of Wight [-waɪt] *n* • **the Isle of Wight** l'île *f* de Wight.

isn't ['ɪznt] = **is not**.

isobar ['aɪsəbɑː'] *n* isobare *f*.

isolate ['aɪsəleɪt] *vt* • **to isolate sb/sthg (from)** isoler qqn/qqch (de).

isolated ['aɪsəleɪtɪd] *adj* isolé.

isolation [aɪsə'leɪʃn] *n* isolement *m* • **in isolation** dans l'isolement.

ISP *n abrév de* **Internet Service Provider**.

Israel ['ɪzreɪəl] *n* Israël *m*.

Israeli [ɪz'reɪlɪ] *adj* israélien. ❏ *n* Israélien *m*, -enne *f*.

ISS ['aɪ 'es 'es] (*abrév de* In School Suspension) *n* (*US*) *SCOL* exclusion *f* interne.

issue ['ɪʃuː] *n* **1.** question *f*, problème *m* **2.** *péj* • **to make an issue of sthg** faire toute une affaire de qqch **3.** • **at issue** en question, en cause **4.** *PRESSE* numéro *m* **5.** émission *f* (*de billets, de timbres*). ❏ *vt* **1.** faire (*une déclaration*) **2.** lancer *(un avertissement)* **3.** émettre *(des billets, des timbres)* **4.** publier *(un livre)* **5.** délivrer *(un passeport)*.

isthmus ['ɪsməs] *n* isthme *m*.

it [ɪt] *pron* **1.** *(sujet)* il/elle **2.** *(objet direct)* le/la • **did you find it?** tu l'as trouvé ? • **give it to me** donne-moi ça **3.** *(objet indirect)* lui **4.** *(avec prépositions)* • **put the vegetables in it** mettez-y les légumes • **on it** dessus • **under it** dessous • **beside it** à côté • **from/of it** en • **he's very proud of it** il en est très fier **5.** *(usage impersonnel)* il, ce • **it is cold today** il fait froid aujourd'hui • **who is it? — it's Mary** qui est-ce ? — c'est Mary. ❑ *n fam* • **you're it!** c'est toi le chat !

IT (abrév de *information technology*) *n* • **she works in IT** elle travaille dans l'informatique • **IT manager** responsable *mf* du service informatique • **IT support** support *m* informatique.

Italian [ɪ'tæljən] *adj* italien. ❑ *n* **1.** Italien *m*, -enne *f* **2.** italien *m*.

Italian dressing *n* vinaigrette *f* aux fines herbes.

italic [ɪ'tælɪk] *adj* italique. ▪ **italics** *npl* italiques *fpl* • **in italics** en italiques.

Italy ['ɪtəlɪ] *n* Italie *f*.

itch [ɪtʃ] *n* démangeaison *f*. ❑ *vi* **1.** • **my arm itches** mon bras me démange **2.** *fig* • **to be itching to do sthg** mourir d'envie de faire qqch.

itchy ['ɪtʃɪ] *adj* qui démange.

it'd ['ɪtəd] = it would, it had.

item ['aɪtəm] *n* **1.** chose *f*, article *m* **2.** question *f*, point *m* **3.** *PRESSE* article *m* **4.** *(couple)* • **are they an item?** est-ce qu'ils sortent ensemble ?

itemize, -ise (UK) ['aɪtəmaɪz] *vt* détailler.

it-girl *n fam* jeune femme fortement médiatisée • **she's the it-girl** c'est la fille dont on parle.

itinerary [aɪ'tɪnərərɪ] *n* itinéraire *m*.

it'll [ɪtl] = it will.

its [ɪts] *adj poss* son/sa, ses *(pl)*.

it's [ɪts] = it is, it has.

itself [ɪt'self] *pron* **1.** *(réfléchi)* se **2.** *(précédé d'une préposition)* soi **3.** *(forme emphatique)* lui-même, elle-même *f* • **in itself** en soi.

ITV (abrév de *Independent Television*) *n* sigle désignant les programmes diffusés par les chaînes relevant de l'IBA.

ITYS *SMS* (abrév de *I think you stink*) je te trouve dégueulasse.

IUSS *SMS* (abrév de *if you say so*) si tu le dis.

I've [aɪv] = I have.

ivory ['aɪvərɪ] *n* ivoire *m*.

ivy ['aɪvɪ] *n* lierre *m*.

Ivy League *n* (US) *les huit grandes universités de l'est des États-Unis*.

IWB *n* abrév de **interactive whiteboard**.

IYD *SMS* (abrév de *in your dreams*) dans tes rêves.

J

j [dʒeɪ] (*pl* **j's** *ou* **js**), **J** (*pl* **J's** *ou* **Js**) *n* j *m inv*, J *m inv*.

J4F *SMS* (abrév de *just for fun*) juste pour s'amuser.

jab [dʒæb] *n* **1.** (**UK**) *fam* piqûre *f* **2.** *(boxe)* direct *m*. ❑ *vt* • **to jab sthg into** planter *ou* enfoncer qqch dans.

jabber ['dʒæbə'] *vt & vi* baragouiner.

jack [dʒæk] *n* cric *m*. ■ **jack in** *vt sép* (**UK**) *fam* laisser tomber, plaquer • **he's jacked in his job** il a plaqué son boulot. ■ **jack up** *vt sép* soulever avec un cric.

jackal ['dʒækəl] *n* chacal *m*.

jackdaw ['dʒækdɔ] *n* choucas *m*.

jacket ['dʒækɪt] *n* **1.** veste *f* • **a leather jacket** une veste en cuir **2.** peau *f*, pelure *f (de pomme de terre)* **3.** jaquette *f (de livre)* **4.** (**US**) pochette *f (de disque vinyle)*.

jacket potato *n* (**UK**) pomme de terre *f* en robe de chambre.

jackhammer ['dʒæk,hæmə'] *n* (**US**) marteau piqueur *m*.

jack-in-the-box *n* diable *m* qui sort de sa boîte.

jackknife ['dʒæknaɪf] *n* (*pl* **jackknives** [-naɪvz]) couteau *m* de poche. ❑ *vi* • **the truck jackknifed** le camion s'est mis en travers de la route.

jackknife dive *n SPORT* saut *m* de carpe.

jack-of-all-trades (*pl* **jacks-of-all-trades**) *n* touche-à-tout *m*.

jack plug *n* (**UK**) *ÉLECTR* jack *m*.

jackpot ['dʒækpɒt] *n* gros lot *m* • **to win the jackpot** gagner le gros lot.

jacksie ['dʒæksɪ] *n* (**UK**) *tfam* fesses *fpl*, popotin *m*.

Jacuzzi® [dʒə'kuːzɪ] *n* Jacuzzi® *m*, bain *m* à remous.

jaded ['dʒeɪdɪd] *adj* blasé.

jagged ['dʒægɪd] *adj* déchiqueté, dentelé.

jail [dʒeɪl] *n* prison *f* • **to go to jail** aller en prison. ❑ *vt* emprisonner, mettre en prison.

jailbird ['dʒeɪlbɜːd] *n fam* taulard *m*, -e *f*.

jailbreak ['dʒeɪlbreɪk] *n* évasion *f* de prison.

jailer ['dʒeɪlə'] *n* geôlier *m*, -ère *f*.

jam [dʒæm] *n* **1.** confiture *f* **2.** embouteillage *m*, bouchon *m* **3.** *fam* • **to get into/ be in a jam** se mettre/être dans le pétrin. ❑ *vt* **1.** bloquer, coincer **2.** • **to jam sthg into** entasser *ou* tasser qqch dans • **to jam sthg onto** enfoncer qqch sur **3.** embouteiller **4.** surcharger **5.** *RADIO* brouiller. ❑ *vi* **1.** *(porte, levier)* se coincer **2.** *(freins)* se bloquer.

Jamaica [dʒə'meɪkə] *n* Jamaïque *f*.

jammin' ['dʒæmɪn] (**US**) *adj fam* • **we're jammin'** tout baigne.

jammy ['dʒæmɪ] (*comp* **jammier**, *superl* **jammiest**) *adj fam* **1.** *(doigts)* poisseux • **jammy fingers** des doigts poisseux de confiture **2.** (**UK**) *(personne)* chanceux.

jam-packed [-'pækt] *adj fam* plein à craquer.

jams [dʒæmz] *npl* (**US**) bermuda *m*.

jam session *n MUS* bœuf *m*, jam-session *f*.

Jan. ['dʒæn] (abrév de *January*) janv.

jangle ['dʒæŋgl] *vt* **1.** faire cliqueter *(des clés)* **2.** faire retentir *(des cloches)*.

janitor ['dʒænɪtə'] *n* (**US & ÉCOSSE**) concierge *mf*.

January ['dʒænjʊərɪ] *n* janvier *m*. Voir aussi **September**.

Japan [dʒə'pæn] *n* Japon *m*.

Japanese [,dʒæpə'niːz] *adj* japonais. ❑ *n (pl inv)* japonais *m*. ❑ *npl* • **the Japanese** les Japonais *mpl*.

jar [dʒɑː'] *n* pot *m*. ❑ *vt* secouer. ❑ *vi* • **to jar (on sb)** irriter (qqn), agacer (qqn).

jargon ['dʒɑːgən] *n* jargon *m*.

jarring ['dʒɑːrɪŋ] *adj (bruit, couleur)* discordant.

jasmine ['dʒæzmɪn] *n* jasmin *m*.

jaundice ['dʒɔːndɪs] *n* jaunisse *f*.

jaundiced ['dʒɔːndɪst] *adj fig* aigri.

jaunt [dʒɔːnt] *n* balade *f*.

jaunty ['dʒɔːntɪ] *adj* désinvolte, insouciant.

javelin ['dʒævlɪn] *n* javelot *m*.

jaw [dʒɔː] *n* mâchoire *f*.

jawbone ['dʒɔːbəʊn] *n (os m)* maxillaire *m*.

jay [dʒeɪ] *n* geai *m*.

jaywalk ['dʒeɪwɔːk] *vi* traverser en dehors des clous.

jaywalker ['dʒeɪwɔːkə] *n* piéton *m* qui traverse en dehors des clous.

jazz [dʒæz] *n* jazz *m* • **a jazz band** un orchestre de jazz. ■ **jazz up** *vt sép fam* égayer, animer.

jazzy ['dʒæzɪ] *adj fam* (*vêtements, voiture*) voyant.

jealous ['dʒeləs] *adj* jaloux.

jealously ['dʒeləslɪ] *adv* jalousement.

jealousy ['dʒeləsɪ] *n* jalousie *f*.

jeans [dʒiːnz] *npl* jean *m* • **a pair of jeans** un jean.

Jeep® ['dʒiːp] *n* Jeep® *f*.

jeer [dʒɪə] *vt* huer, conspuer. ❑ *vi* • **to jeer (at sb)** huer (qqn), conspuer (qqn). ■ **jeers** *npl* huées *fpl*.

jeering ['dʒɪərɪŋ] *adj* moqueur, railleur.

jeez [dʒiːz] *interj* (US) *fam* purée !

Jehovah's Witness [dʒɪˌhəʊvəz-] *n* témoin *m* de Jéhovah.

Jell-O® ['dʒeləʊ] *n* (US) gelée *f*.

jelly ['dʒelɪ] *n* (*pl* **jellies**) **1.** (UK) gelée *f* **2.** (surtout US) confiture *f*.

jellyfish ['dʒelɪfɪʃ] (*pl inv ou* **-es**) *n* méduse *f*.

jeopardize, -ise (UK) ['dʒepədaɪz] *vt* compromettre, mettre en danger.

jeopardy ['dʒepədɪ] *n* • **in jeopardy** en péril *ou* danger, menacé.

jerk [dʒɜːk] *n* **1.** secousse *f*, saccade *f* **2.** *fam* abruti *m*, -e *f*. ❑ *vi* **1.** sursauter **2.** (*voiture*) cahoter.

jersey ['dʒɜːzɪ] (*pl* **-s**) *n* **1.** pull *m* **2.** jersey *m*.

Jersey ['dʒɜːzɪ] *n* **1.** (UK) Jersey *f* **2.** (US) New-Jersey *m*.

jest [dʒest] *n sout* plaisanterie *f* • **in jest** pour rire.

Jesus (Christ) ['dʒiːzəs-] *n* Jésus *m*, Jésus-Christ *m*.

jet [dʒet] *n* **1.** jet *m*, avion *m* à réaction **2.** jet *m* (*de liquide*) **3.** AUTO gicleur *m*.

jet-black *adj* noir comme (du) jais.

jet engine *n* moteur *m* à réaction.

jetfoil ['dʒetfɔɪl] *n* hydroglisseur *m*.

jet lag *n* fatigue *f* due au décalage horaire.

jet-lagged [-lægd] *adj* fatigué par le décalage horaire.

jet set *n* • **the jet set** la jet-set.

jet-setter *n fam* membre *m* de la jet-set.

jettison ['dʒetɪsən] *vt* **1.** jeter, larguer (*une cargaison*) **2.** *fig* abandonner, renoncer à.

jet trail *n* traînée *f* de condensation.

jetty ['dʒetɪ] *n* jetée *f*.

Jew [dʒuː] *n* Juif *m*, -ive *f*.

jewel ['dʒuːəl] *n* **1.** bijou *m* **2.** TECHNOL rubis *m* (*d'une montre*).

jeweller (UK), **jeweler** (US) ['dʒuːələ] *n* bijoutier *m*, -ère *f*.

jewellery (UK), **jewelry** (US) ['dʒuːəlrɪ] *n* (*indén*) bijoux *mpl*.

jewelry store (US) *n* bijouterie *f*.

Jewess ['dʒuːɪs] *n* juive *f*.

Jewish ['dʒuːɪʃ] *adj* juif.

JFK SMS (*abrév de just for kicks*) juste pour se marrer.

jib [dʒɪb] *n* NAUT foc *m*.

jibe [dʒaɪb] *n* sarcasme *m*, moquerie *f*.

jiffy ['dʒɪfɪ] *n fam* • **in a jiffy** en un clin d'œil.

Jiffy bag® *n* (UK) enveloppe *f* matelassée.

jig [dʒɪg] *n* gigue *f*.

jiggy ['dʒɪgɪ] *adj* (US) *fam* cool.

jigsaw (puzzle) ['dʒɪgsɔː-] *n* puzzle *m*.

jilt [dʒɪlt] *vt* laisser tomber.

jingle ['dʒɪŋgl] *n* **1.** cliquetis *m* **2.** jingle *m*, indicatif *m*. ❑ *vi* **1.** tinter **2.** cliqueter.

jinx [dʒɪŋks] *n* poisse *f*.

jinxed [dʒɪŋkst] *adj* qui a la poisse.

JIT distribution *n* distribution *f* JAT.

jitters ['dʒɪtəz] *npl fam* • **the jitters** le trac.

jittery ['dʒɪtərɪ] *adj fam* nerveux.

jive [dʒaɪv] *n* **1.** (*danse*) rock *m* **2.** (US) *fam & vieilli* baratin *m*. ❑ *vi* danser le rock.

JK SMS (*abrév de just kidding*) je plaisante.

job [dʒɒb] *n* **1.** emploi *m* **2.** travail *m*, tâche *f* **3.** • **to have a job doing sthg** avoir du mal à faire qqch **4.** • **it's a good job they were home** heureusement qu'ils étaient à la maison • **we decided to make the best of a bad job** nous avons décidé de faire avec ce que nous avions **5.** • **great job!** (US) bravo !

job action *n* (US) = **industrial action**.

jobbing ['dʒɒbɪŋ] *adj* (UK) qui travaille à la tâche.

job centre *n* (UK) agence *f* pour l'emploi.

job creation *n* création *f* d'emplois.

job creation scheme *n* (UK) plan *m* de création d'emplois.

job description *n* profil *m* du poste.

jobholder ['dʒɒbˌhəʊldə] *n* salarié *m*, -e *f*.

job-hop (*prét & pp* **job-hopped**, *cont* **job-hopping**) *vi* (US) aller d'un emploi à l'autre.

job hunting *n* recherche *f* d'un emploi • **to go/to be job hunting** aller/être à la recherche d'un emploi.

jobless ['dʒɒblɪs] *adj* au chômage.

job satisfaction *n* satisfaction *f* dans le travail.

job security *n* sécurité *f* de l'emploi.

job seeker *n* (UK) *sout* demandeur *m* d'emploi.

job-share *n* partage *m* du travail. ❑ *vi* partager le travail.

jobsharing ['dʒɒbʃeərɪŋ] *n* partage *m* de l'emploi.

jobsworth ['dʒɒbzwəθ] *n* (UK) *fam* petit chef *m* (*qui invoque le règlement pour éviter toute initiative*).

jockey ['dʒɒkɪ] (*pl* **-s**) *n* jockey *mf*. ❑ *vi* • **to jockey for position** manœuvrer pour devancer ses concurrents.

jocular ['ʤɒkjʊlə'] *adj sout* **1.** enjoué, jovial **2.** amusant.

jodhpurs ['ʤɒdpəz] *npl* jodhpurs *mpl*, culotte *f* de cheval.

Joe Public [ʤəʊ-] *n* (UK) l'homme *m* de la rue.

jog [ʤɒg] *n* • **to go for a jog** faire du jogging. ❑ *vt* **1.** pousser **2.** • **to jog sb's memory** rafraîchir la mémoire de qqn. ❑ *vi* faire du jogging, jogger.

jogger ['ʤɒgə'] *n* joggeur *m*, -euse *f*.

jogging ['ʤɒgɪŋ] *n* jogging *m* • **to go jogging** faire du jogging.

jog top *n* sweat *m*.

john [ʤɒn] *n* (US) *fam* petit coin *m*, cabinets *mpl*.

Johnny Foreigner [,ʤɒnɪ'fɒrɪnə'] *n fam & hum* étranger *m*, -ère *f*.

John Q Public *n* (US) monsieur Tout-le-Monde.

join [ʤɔɪn] *n* raccord *m*, joint *m*. ❑ *vt* **1.** unir, joindre **2.** relier **3.** rejoindre, retrouver **4.** devenir membre de **5.** s'inscrire à **6.** s'engager dans *(l'armée)* • **to join a queue** (UK) *ou* **to join a line** (US) faire la queue. ❑ *vi* **1.** se joindre **2.** devenir membre **3.** s'inscrire. ■ **join in** *vt insép* prendre part à, participer à. ❑ *vi* participer. ■ **join up** *vi* MIL s'engager dans l'armée.

joiner ['ʤɔɪnə'] *n* (UK) menuisier *m*, -ère *f*.

joinery ['ʤɔɪnərɪ] *n* (UK) menuiserie *f*.

joint [ʤɔɪnt] *adj* **1.** conjugué **2.** collectif. ❑ *n* **1.** joint *m* **2.** ANAT articulation *f* **3.** CULIN rôti *m* **4.** *fam* bouge *m* **5.** *arg* drogue joint *m*.

joint account *n* compte *m* joint.

jointly ['ʤɔɪntlɪ] *adv* conjointement.

joint venture *n* joint-venture *m*.

joke [ʤəʊk] *n* blague *f*, plaisanterie *f* • **to tell a joke** raconter une blague ou une plaisanterie • **to play a joke on sb** faire une blague à qqn, jouer un tour à qqn • **it's no joke** *fam* ce n'est pas de la tarte. ❑ *vi* plaisanter, blaguer • **are you joking?** tu plaisantes ? • **to joke about sthg a)** plaisanter sur qqch **b)** se moquer de qqch.

joker ['ʤəʊkə'] *n* **1.** blagueur *m*, -euse *f* **2.** *(jeu de cartes)* joker *m*.

jokingly ['ʤəʊkɪŋlɪ] *adv* en plaisantant, pour plaisanter.

jollies ['ʤɒlɪz] *npl* (US) • **to get one's jollies (doing sthg)** *fam* prendre son pied (à faire qqch).

jolly ['ʤɒlɪ] *adj* **1.** jovial, enjoué **2.** *vieilli* agréable. ❑ *adv* (UK) *fam & vieilli* drôlement, rudement.

jolt [ʤəʊlt] *n* **1.** secousse *f*, soubresaut *m* **2.** choc *m*. ❑ *vt* secouer.

jones [ʤəʊnz] *vi* (US) *fam* • **to jones for sthg** avoir très envie de qqch.

Jordan ['ʤɔːdn] *n* Jordanie *f*.

jostle ['ʤɒsl] *vt* bousculer. ❑ *vi* se bousculer.

jot [ʤɒt] *n* grain *m*, brin *m (de vérité, de savoir)*. ■ **jot down** *vt sép* noter.

jotter ['ʤɒtə'] *n* **1.** (UK) *(à l'école)* cahier *m*, carnet *m* **2.** *(au bureau)* bloc-notes *m*.

jottings ['ʤɒtɪŋz] *npl* notes *fpl*.

journal ['ʤɜːnl] *n* **1.** revue *f* **2.** journal *m* (intime).

journalism ['ʤɜːnəlɪzm] *n* journalisme *m*.

journalist ['ʤɜːnəlɪst] *n* journaliste *mf*.

journey ['ʤɜːnɪ] *(pl* -s) *n* voyage *m*.

jovial ['ʤəʊvjəl] *adj* jovial.

jowls [ʤaʊlz] *npl* bajoues *fpl*.

joy [ʤɔɪ] *n* joie *f*.

joyful ['ʤɔɪfʊl] *adj* joyeux.

joyfully ['ʤɔɪfʊlɪ] *adv* joyeusement, avec joie.

joyous ['ʤɔɪəs] *adj littéraire* joyeux.

joyride ['ʤɔɪraɪd] *n* virée *f (dans une voiture volée)*.

joyrider ['ʤɔɪraɪdə'] *n* personne qui vole une voiture pour aller faire une virée.

joystick ['ʤɔɪstɪk] *n* **1.** AÉRON manche *m* (à balai) **2.** INFORM manette *f* (de jeux).

JP *n abrév de* **Justice of the Peace**.

JPEG ['ʤeɪpeg] (*abrév de* Joint Photographic Experts Group) *n* INFORM (format *m*) JPEG *m*.

Jr. (*abrév de* Junior) Jr.

JROTC [,ʤeɪ 'ɑː' əʊ 'tiː 'siː] (*abrév de* Junior Reserve Officers' Training Corps) *n* (US) SCOL *programme fédéral dont le but est d'accroître chez les lycéens le sens du patriotisme, de la citoyenneté et le goût de l'exercice afin d'effectuer plus facilement une carrière militaire.*

jubilant ['ʤuːbɪlənt] *adj* **1.** débordant de joie, qui jubile **2.** *(cri)* de joie.

jubilation [,ʤuːbɪ'leɪʃn] *n* joie *f*, jubilation *f*.

jubilee ['ʤuːbɪliː] *n* jubilé *m*.

Judaism ['ʤuːdeɪɪzm] *n* judaïsme *m*.

judge [ʤʌʤ] *n* juge *mf*. ❑ *vt* **1.** juger **2.** évaluer, juger. ❑ *vi* juger • **to judge from** *ou* **by, judging from** *ou* **by** à en juger par.

judg(e)ment ['ʤʌʤmənt] *n* jugement *m*.

judg(e)mental [ʤʌʤ'mentl] *adj péj* qui critique, qui porte des jugements.

judicial [ʤuː'dɪʃl] *adj* judiciaire.

judiciary [ʤuː'dɪʃərɪ] *n* • **the judiciary** la magistrature.

judicious [ʤuː'dɪʃəs] *adj* judicieux.

judo ['ʤuːdəʊ] *n* judo *m*.

jug [ʤʌg] *n* (UK) pot *m*, pichet *m*.

juggernaut ['ʤʌgənɔːt] *n* (UK) poids *m* lourd.

juggle ['ʤʌgl] *vt litt & fig* jongler avec. ❑ *vi* jongler.

juggler ['ʤʌglə'] *n* jongleur *m*, -euse *f*.

jugular (vein) ['ʤʌgjʊlə'-] *n* (veine *f*) jugulaire *f*.

jug wine *n* (US) vin *m* ordinaire.

juice [ʤuːs] *n* jus *m* • **orange juice** jus d'orange.

juicer ['ʤuːsə'] *n* presse-fruits *m inv*.

juicy ['dʒu:sɪ] adj juteux.

jukebox ['dʒu:kbɒks] n juke-box m.

Jul. (abrév de July) juill.

July [dʒu:'laɪ] n juillet m. Voir aussi **September**.

jumbal ['dʒʌmbəl] n (us) CULIN petit gâteau en forme d'anneau.

jumble ['dʒʌmbl] n mélange m, fatras m. ❑ vt • to jumble (up) mélanger, embrouiller.

jumble sale n (uk) vente f de charité (où sont vendus des articles d'occasion).

jumbo jet ['dʒʌmbəʊ-] n jumbo-jet m.

jumbo-sized [-saɪzd] adj énorme, géant.

jump [dʒʌmp] n 1. saut m, bond m 2. obstacle m 3. flambée f, hausse f brutale. ❑ vt 1. sauter, franchir d'un bond 2. fam sauter sur, tomber sur. ❑ vi 1. sauter, bondir 2. sursauter • to make sb jump faire sursauter qqn 3. grimper en flèche, faire un bond. ■ jump at vt insép fig sauter sur.

jumped-up ['dʒʌmpt-] adj (uk) fam & péj prétentieux.

jumper ['dʒʌmpəʳ] n 1. (uk) pull m, sweat m fam 2. (us) robe f chasuble.

jump leads npl (uk) câbles mpl de démarrage.

jump rope n (us) corde f à sauter.

jump-start vt • to jump-start a car faire démarrer une voiture en la poussant.

jumpsuit ['dʒʌmpsu:t] n combinaison-pantalon f.

jumpy ['dʒʌmpɪ] adj fam nerveux.

Jun. abrév de **June**.

junction ['dʒʌŋkʃn] n (uk) 1. carrefour m 2. RAIL embranchement m.

juncture ['dʒʌŋktʃəʳ] n sout • at this juncture en ce moment même.

June [dʒu:n] n juin m. Voir aussi **September**.

jungle ['dʒʌŋgl] n litt & fig jungle f.

junior ['dʒu:njəʳ] adj 1. jeune 2. junior. ❑ n 1. subalterne mf 2. cadet m, -ette f 3. (us) SCOL ≃ élève mf de première 4. (us) UNIV ≃ étudiant m, -e f de troisième année 5. (us) UNIV ≃ étudiant m, -e f en licence.

junior college ['dʒu:nɪə¸kɒlɪdʒ] n (us) UNIV établissement d'enseignement supérieur où l'on obtient un diplôme en deux ans.

junior doctor n interne mf.

junior high school n (us) ≃ collège m d'enseignement secondaire.

junior school n (uk) école f primaire.

junk [dʒʌŋk] n bric-à-brac m.

junk e-mail n péj messages mpl publicitaires.

junker ['dʒʌŋkəʳ] n (us) fam vieille bagnole.

junk food n (indén) péj • to eat junk food manger des cochonneries.

junkie ['dʒʌŋkɪ] n arg drogue drogué m, -e f.

junk mail n 1. (indén) péj prospectus mpl publicitaires envoyés par la poste 2. = junk e-mail.

junk shop n boutique f de brocanteur.

Jupiter ['dʒu:pɪtəʳ] n Jupiter f.

jurisdiction [¸dʒʊərɪs'dɪkʃn] n juridiction f.

juror ['dʒʊərəʳ] n juré m, -e f.

jury ['dʒʊərɪ] n jury m.

jury duty (us), **jury service** (uk) n participation f à un jury.

just [dʒʌst] adv 1. (récemment) • he's just left il vient de partir 2. • I was just about to go j'allais juste partir • I'm just going to do it now je vais le faire tout de suite • she arrived just as I was leaving elle est arrivée au moment même où je partais 3. (seulement) • just add water vous n'avez plus qu'à ajouter de l'eau • just a minute ou moment ou second! un (petit) instant ! 4. tout juste, à peine • I only just missed the train j'ai manqué le train de peu • we have just enough time on a juste assez de temps 5. (pour accentuer) • the coast is just marvellous la côte est vraiment magnifique • just look at this mess! non, mais regarde un peu ce désordre ! 6. tout à fait, exactement • it's just what I need c'est tout à fait ce qu'il me faut 7. (dans les demandes) • could you just move over please? pourriez-vous vous pousser un peu, s'il vous plaît ? ❑ adj juste, équitable. ■ just about adv à peu près, plus ou moins. ■ just as adv tout aussi • you're just as clever as he is tu es tout aussi intelligent que lui. ■ just in case conj juste au cas où • just in case we don't see each other juste au cas où nous ne nous verrions pas. ❑ adv au cas où • take a coat, just in case prends un manteau, au cas où. ■ just now adv 1. il y a un moment, tout à l'heure 2. en ce moment. ■ just then adv à ce moment-là. ■ just the same adv quand même.

justice ['dʒʌstɪs] n 1. justice f 2. bien-fondé m.

Justice of the Peace (pl Justices of the Peace) n juge m de paix.

justifiable ['dʒʌstɪfaɪəbl] adj justifiable, défendable.

justification [¸dʒʌstɪfɪ'keɪʃn] n justification f.

justify ['dʒʌstɪfaɪ] vt justifier.

justly ['dʒʌstlɪ] adv 1. (agir) d'une manière juste 2. (récompenser, condamner) à juste titre.

jut [dʒʌt] vi • to jut (out) faire saillie, avancer.

jute [dʒu:t] n jute m.

juvenile ['dʒu:vənaɪl] adj 1. DR mineur, juvénile 2. puéril. ❑ n DR mineur m, -e f.

juvenile court tribunal m pour enfants (10-16 ans).

juvenile delinquent jeune délinquant m, -e f, mineur m délinquant, mineure f délinquante.

juvie ['dʒu:vɪ] n (us) fam 1. abrév de **juvenile court** 2. abrév de **juvenile delinquent**.

juxtapose [¸dʒʌkstə'pəʊz] vt juxtaposer.

K

k¹ [keɪ] (*pl* k's *ou* ks), **K** (*pl* K's *ou* Ks) *n* k *m inv*, K *m inv*.

K² 1. (abrév de kilobyte) Ko 2. (abrév de thousand) K.

k12 [keɪ twelv] *n* (*us*) SCOL *système scolaire de l'école maternelle jusqu'à la fin du lycée.*

kabbala, kabbalism *etc* = cabala, cabalism.

kalashnikov [kə'læʃnɪkɒv] *n* kalachnikov *m*.

kaleidoscope [kə'laɪdəskəʊp] *n* kaléidoscope *m*.

kangaroo [ˌkæŋɡə'ruː] *n* kangourou *m*.

kaput [kə'pʊt] *adj fam* fichu, foutu.

karaoke [ˌkærə'əʊkɪ] *n* karaoké *m*.

karat ['kærət] *n* (*us*) carat *m*.

karate [kə'rɑːtɪ] *n* karaté *m*.

karma ['kɑːmə] *n* karma *m*, karman *m*.

kayak ['kaɪæk] *n* kayak *m*.

kB, KB (abrév de kilobyte(s)) *n* Ko *m*.

kcal (abrév de kilocalorie) Kcal.

kebab [kɪ'bæb] *n* (*uk*) brochette *f*.

keel [kiːl] *n* quille *f* • **on an even keel** stable. ■ **keel over** *vi* 1. NAUT chavirer 2. *fig* tomber dans les pommes.

keen [kiːn] *adj* 1. (*uk*) enthousiaste, passionné • **to be keen on sthg** avoir la passion de qqch • **he's keen on her** elle lui plaît • **to be keen to do** *ou* **on doing sthg** tenir à faire qqch 2. (*intérêt, esprit*) vif, vive 3. (*compétition*) âpre, acharné 4. (*odorat*) fin 5. (*vue*) perçant.

keenly ['kiːnlɪ] *adv* 1. vivement 2. attentivement.

keenness ['kiːnnɪs] *n* 1. (*uk*) enthousiasme *m* 2. acuité *f* (*visuelle*).

keep [kiːp] *vt* (*prét & pp* kept) 1. garder • **keep the change!** gardez la monnaie ! 2. • **to keep sb/sthg from doing sthg** empêcher qqn/qqch de faire qqch 3. retenir 4. détenir (*un prisonnier*) • **to keep sb waiting** faire attendre qqn 5. tenir (*une promesse*) 6. aller à (*un rendez-vous*) 7. être fidèle à 8. • **to keep sthg from sb** cacher qqch à qqn • **to keep sthg to o.s.** garder qqch pour soi 9. tenir (*un journal*) 10. élever (*des moutons, des porcs*) 11. tenir (*un magasin*) 12. avoir, posséder (*une voiture*) 13. • **they keep to themselves** ils restent entre eux, ils se tiennent à l'écart. ❏ *vi* (*prét & pp* kept) 1. • **to keep warm** se tenir au chaud • **to keep quiet** garder le silence • **keep quiet!** taisez-vous ! 2. • **he keeps interrupting me** il n'arrête pas de m'interrompre • **to keep talking/walking** continuer à parler/à marcher 3. • **to keep left/right** garder sa gauche/sa droite 4. (*nourriture*) se conserver 5. (*uk*) *vieilli* • **how are you keeping?** comment allez-vous ? ❏ *n* • **to earn one's keep** gagner sa vie. ■ **keeps** *n* • **for keeps** pour toujours. ■ **keep away** *vt sép* tenir éloigné, empêcher d'approcher • **spectators were kept away by the fear of violence** la peur de la violence tenait les spectateurs à distance. ❏ *vi insép* ne pas s'approcher • **keep away from those people** évitez ces gens-là. ■ **keep back** *vt sép* 1. tenir éloigné, empêcher de s'approcher 2. cacher, ne pas divulguer. ■ **keep down** *vt sép* 1. ne pas lever • **keep your head down!** ne lève pas la tête !, garde la tête baissée ! • **keep your voices down!** parlez doucement ! 2. (*prix*) empêcher de monter 3. restreindre, limiter 4. garder • **she can't keep solid foods down** son estomac ne garde aucun aliment solide. ■ **keep from** *vt insép* s'empêcher de, se retenir de • **I couldn't keep from laughing** je n'ai pas pu m'empêcher de rire. ■ **keep in with** *vt insép* • **to keep in with sb** rester en bons termes avec qqn. ■ **keep off** *vt sép* 1. éloigner 2. protéger de • **this cream will keep the mosquitoes off** cette crème vous protégera contre les moustiques • **keep your hands off!** pas touche !, bas les pattes ! ❏ *vt insép* • '**keep off the grass**' '(il est) interdit de marcher sur la pelouse'. ■ **keep on** *vi* 1. • **to keep on (doing sthg) a)** continuer (de *ou* à faire qqch) **b)** ne pas arrêter (de faire qqch) 2. • **to keep on (about sthg)** ne pas arrêter de parler (de qqch). ■ **keep out** *vt sép* empêcher d'entrer. ❏ *vi* • '**keep out**' 'défense d'entrer'. ■ **keep to** *vt insép* respecter, observer. ■ **keep up** *vt sép* 1. continuer 2. maintenir. ❏ *vi* • **to keep up (with sb)** aller aussi vite (que qqn).

keeper ['ki:pə'] *n* gardien *m*, -enne *f*.

keep-fit ['ki:p] *n* (*indén*) gymnastique *f* • **to do keep-fit** faire de la gymnastique • **keep-fit classes** des cours de gymnastique.

keeping ['ki:pɪŋ] *n* **1.** garde *f* **2.** • **to be in/out of keeping with a)** être/ne pas être conforme à **b)** (*meubles, vêtements*) aller/ne pas aller avec.

keepsake ['ki:pseɪk] *n* souvenir *m* • **to give sb sthg as a keepsake** donner qqch à qqn en souvenir.

keg [keg] *n* tonnelet *m*, baril *m*.

kennel ['kenl] *n* **1.** (UK) niche *f* **2.** (US) chenil *m*. ■ **kennels** *npl* (UK) chenil *m*.

Kenya ['kenjə] *n* Kenya *m*.

Kenyan ['kenjən] *adj* kenyan. ❑ *n* Kenyan *m*, -e *f*.

kept [kept] *passé & pp* → **keep**.

kerb [kɜ:b] *n* (UK) bordure *f* du trottoir.

kerb crawler [-,krɔːlə'] *n* (UK) *homme en voiture qui accoste les prostituées.*

kerb crawling *n* *fait de longer le trottoir en voiture à la recherche d'une prostituée.*

kerfuffle [kə'fʌfl] *n* (UK) *fam* • **what a kerfuffle!** quelle histoire !

kernel ['kɜ:nl] *n* amande *f*.

kerosene ['kerəsi:n] *n* (US) kérosène *m*.

ketchup ['ketʃəp] *n* ketchup *m*.

kettle ['ketl] *n* bouilloire *f* • **an electric kettle** une bouilloire électrique • **to put the kettle on** mettre l'eau à chauffer, mettre la bouilloire à chauffer.

kewl [ku:l] *adj* (US) *fam* cool.

key [ki:] *n* **1.** clef *f*, clé *f* • **the key (to sthg)** *fig* la clé (de qqch) **2.** touche *f* (*d'un piano, du clavier d'un ordinateur*) **3.** légende *f* (*d'une carte*). ❑ *adj* clé. ■ **key in** *vt sép* **1.** saisir (*un texte, des données*) **2.** INFORM composer (*du code*).

key account *n* grand compte *m* • **key account manager** responsable *mf* grands comptes.

keyboard ['ki:bɔd] *n* clavier *m*.

keyboarder ['ki:bɔ:də'] *n* INFORM claviste *mf*.

key card *n* badge *m*.

key case *n* porte-clés *m*.

keyed up [,ki:d-] *adj fam* tendu, énervé.

keyguard ['ki:gɑ:d] *n* TÉLÉCOM verrouillage *m* du clavier.

keyhole ['ki:həʊl] *n* trou *m* de serrure.

keyhole surgery *n* cœliochirurgie *f*.

keylogger ['ki:lɒgə'] *n* enregistreur *m* de frappe.

key man *n* homme *m* clé.

keynote ['ki:nəʊt] *n* note *f* dominante. ❑ *en apposition* • **keynote speech** discours-programme *m*.

keypad ['ki:pæd] *n* pavé *m* numérique.

keypal ['ki:pæl] *n* correspondant *m*, -e *f* (*avec qui l'on correspond via Internet*).

key ring *n* porte-clés *m inv*.

key skill *n* SCOL compétence *f* de base.

keystage ['ki:steɪdʒ] *n* (UK) SCOL *une des cinq étapes clés du parcours scolaire en Grande-Bretagne.*

kg (*abrév de kilogram*) kg.

khaki ['kɑːkɪ] *adj* kaki (*inv*). ❑ *n* kaki *m*.

kibosh ['kaɪbɒʃ] *n fam* • **to put the kibosh on sthg** ficher qqch en l'air.

kick [kɪk] *n* **1.** coup *m* de pied **2.** *fam* • **to get a kick from** *ou* **out of sthg** trouver qqch excitant • **to do sthg for kicks** faire qqch pour le plaisir. ❑ *vt* **1.** donner un coup de pied à • **to kick o.s.** *fig* se donner des gifles *ou* des claques **2.** • **to kick ass** *tfam* employer la méthode dure • **let's go and kick some ass!** SPORT allons leur montrer ce qu'on sait faire ! • **to kick the habit** *fam* arrêter. ❑ *vi* **1.** donner des coups de pied **2.** donner un coup de pied **3.** (*bébé*) gigoter **4.** (*cheval*) ruer. ■ **kick around**, **kick about** (UK) *vt sép* **1.** • **to kick a ball around** jouer au ballon **2.** *fam* débattre • **we kicked a few ideas around** on a discuté à bâtons rompus. ❑ *vi fam* traîner. ■ **kick in** *vt sép* défoncer à coups de pied. ❑ *vi insép fam* entrer en action. ■ **kick off** *vi* **1.** FOOTBALL donner le coup d'envoi **2.** *fam & fig* démarrer. ■ **kick out** *vt sép fam* vider, jeter dehors. ■ **kick up** *vt insép fam* • **to kick up a fuss** *ou* **a row** faire toute une histoire.

kick-ass *adj fam* super.

kickoff ['kɪkɒf] *n* engagement *m*.

kick-start *vt fig* ÉCON faire démarrer.

kid [kɪd] *n* **1.** *fam* gosse *mf*, gamin *m*, -e *f* **2.** *fam* petit jeune *m*, petite jeune *f* **3.** chevreau *m*. ❑ *en apposition* • **kid brother** petit frère. ❑ *vt fam* **1.** faire marcher **2.** • **to kid o.s.** se faire des illusions. ❑ *vi* **to be kidding** plaisanter.

kiddo ['kɪdəʊ] (*pl* **kiddos**) *n* **1.** *fam* (*pour un garçon, un jeune homme*) mon grand **2.** (*pour une fille, une jeune femme*) ma grande.

kid gloves *npl* • **to treat** *ou* **handle sb with kid gloves** prendre des gants avec qqn.

kidnap ['kɪdnæp] *vt* kidnapper, enlever.

kidnapper (UK) ['kɪdnæpə'] *n* kidnappeur *m*, -euse *f*, ravisseur *m*, -euse *f*.

kidnapping ['kɪdnæpɪŋ] *n* enlèvement *m*.

kidney ['kɪdnɪ] (*pl* -s) *n* **1.** ANAT rein *m* • **kidney stone** calcul *m* rénal **2.** CULIN rognon *m*.

kidney bean *n* haricot *m* rouge.

kidult [kɪ'dʌlt] *n* adulescent *m*, -e *f*, jeune adulte *mf*.

kilim [kɪ'li:m] *n* kilim *m*.

kill [kɪl] *vt* **1.** tuer **2.** *fig* mettre fin à **3.** *fig* supprimer. ❑ *vi* tuer. ❑ *n* mise à mort. ■ **kill off** *vt sép* **1.** exterminer **2.** *fig* mettre fin à.

killer ['kɪlə'] *n* **1.** meurtrier *m*, -ère *f* **2.** tueur *m*, -euse *f*. ❑ *adj* (US) *tfam* (*excellent*) d'enfer • **killer abs/pecs** des abdos/des pecs d'enfer.

killing ['kɪlɪŋ] *n* meurtre *m*.

killjoy ['kɪldʒɔɪ] n péj rabat-joie m inv.

kiln [kɪln] n four m.

kilo ['kiːləʊ] (pl -s) (abrév de kilogram) n kilo m.

kilobyte ['kɪləbaɪt] n kilo-octet m.

kilocalorie ['kɪlə,kælərɪ] n kilocalorie f.

kilogram, kilogramme (surtout UK) ['kɪlə̩græm] n kilogramme m.

kilohertz ['kɪləhɜːtz] (pl inv) n kilohertz m.

kilometre (UK) ['kɪlə̩miːtər], **kilometer** (US) [kɪ'lɒmɪtər] n kilomètre m.

kilowatt ['kɪləwɒt] n kilowatt m.

kilt [kɪlt] n kilt m.

kin [kɪn] n → kith.

kind [kaɪnd] adj gentil, aimable. ❑ n 1. genre m, sorte f • **they're two of a kind** ils se ressemblent 2. • **a kind of** une sorte de, une espèce de • **I had a kind of (a) feeling you'd come** j'avais comme l'impression que tu viendrais • **kind of** fam plutôt • **it's kind of big and round** c'est plutôt ou dans le genre grand et rond • **I'm kind of sad about it** ça me rend un peu triste • **did you hit him? — well, kind of** tu l'as frappé ? — oui, si on veut. ■ **in kind** adv en nature • **to pay sb in kind** payer qqn en nature.

kindergarten ['kɪndə̩ɡɑːtn] n 1. (UK) jardin m d'enfants 2. (US) ≃ première année de maternelle.

kind-hearted [-'hɑːtɪd] adj qui a bon cœur, bon, bonne f.

kindle ['kɪndl] vt 1. allumer 2. fig susciter.

kindly ['kaɪndlɪ] adj 1. plein de bonté, bienveillant 2. plein de gentillesse. ❑ adv 1. avec gentillesse 2. sout • **will you kindly...?** veuillez..., je vous prie de...

kindness ['kaɪndnɪs] n gentillesse f.

kindred ['kɪndrɪd] adj semblable, similaire • **kindred spirit** âme f sœur.

kinetic [kɪ'netɪk] adj cinétique.

king [kɪŋ] n roi m.

kingdom ['kɪŋdəm] n 1. royaume m 2. règne m (animal, végétal).

kingfisher ['kɪŋ̩fɪʃər] n martin-pêcheur m.

king prawn n (grosse) crevette f.

king-size(d) [-saɪz(d)] adj • **a king-sized bed** un grand lit (de 195 cm).

kink [kɪŋk] n entortillement m.

kinky ['kɪŋkɪ] adj fam vicieux.

kiosk ['kiːɒsk] n 1. kiosque m 2. (UK) cabine f (téléphonique).

kip [kɪp] (UK) fam n somme m, roupillon m. ❑ vi faire ou piquer un petit somme.

kipper ['kɪpər] n hareng m fumé ou saur.

kirby-grip ['kɜːbɪ-] n (UK) pince f à cheveux.

kiss [kɪs] n baiser m • **to give sb a kiss** embrasser qqn, donner un baiser à qqn. ❑ vt embrasser. ❑ vi s'embrasser.

kiss-and-tell adj PRESSE • **another kiss-and-tell story by an ex-girlfriend** encore des révélations intimes faites ou des secrets d'alcôve dévoilés par une ancienne petite amie.

kiss curl n (UK) accroche-cœur m.

kisser ['kɪsər] n 1. • **is he a good kisser?** est-ce qu'il embrasse bien ? 2. fam & vieilli tronche f.

kiss of life n (UK) • **the kiss of life** le bouche-à-bouche.

kit [kɪt] n 1. trousse f • **a first-aid kit** une trousse de secours • **a tool kit** une trousse à outils 2. (indén) SPORT affaires fpl, équipement m • **football kit** affaires de football 3. kit m. ■ **kit out** (prét & pp kitted, cont kitting) vt sép (UK) équiper.

KIT SMS (abrév de keep in touch) tiens-moi/tiens-nous au courant.

kit bag n sac m de marin.

kitchen ['kɪtʃɪn] n cuisine f.

kitchenette [̩kɪtʃɪ'net] n kitchenette f.

kitchen garden n (jardin m) potager m.

kitchen sink n évier m.

kitchen unit n élément m de cuisine.

kitchenware ['kɪtʃɪnweər] n (indén) ustensiles mpl de cuisine.

kite [kaɪt] n cerf-volant m.

kitesurfing ['kaɪtsɜːfɪŋ] n kitesurf m.

kith [kɪθ] n vieilli • **kith and kin** parents et amis mpl.

kitsch [kɪtʃ] n & adj kitsch m inv.

kitten ['kɪtn] n chaton m.

kitten heel n petit talon m.

kitty ['kɪtɪ] n 1. cagnotte f 2. fam chat.

kitty-corner (US) = cater-corner.

kiwi ['kiːwiː] n 1. (oiseau) kiwi m, aptéryx m 2. fam Néo-Zélandais m, -e f.

KK SMS OK.

km (abrév de kilometre) km.

km/m (abrév de kilometres per hour) km/h.

knack [næk] n • **to have a ou the knack (for doing sth)** avoir le coup (pour faire qqch).

knacker ['nækər] (UK) vt fam épuiser.

knackered ['nækəd] adj (UK) fam crevé, claqué.

knapsack ['næpsæk] n sac m à dos.

knead [niːd] vt pétrir.

knee [niː] n genou m.

kneecap ['niːkæp] n rotule f.

knee-high adj à hauteur de genou.

kneel [niːl] ((UK) prét & pp knelt, (US) prét & pp knelt ou kneeled) vi se mettre à genoux, s'agenouiller. ■ **kneel down** vi se mettre à genoux, s'agenouiller.

knee-length adj 1. (robe) qui arrive aux genoux 2. (botte) qui montent jusqu'aux genoux.

knelt [nelt] passé & pp → kneel.

knew [njuː] passé → know.

knickers ['nɪkəz] npl (UK) culotte f • **(a pair of) knickers** (une) culotte f, (un) slip m (de femme).

knick-knack ['nɪknæk] n babiole f, bibelot m.

knife [naɪf] n (pl knives [naɪvz]) couteau m • a **bread knife** un couteau à pain. ❏ vt donner un coup de couteau à, poignarder.

knife crime n attaques fpl à l'arme blanche.

knife-point n • at knife-point sous la menace du couteau.

knight [naɪt] n 1. chevalier m 2. cavalier m. ❏ vt faire chevalier.

knighthood ['naɪthʊd] n titre m de chevalier.

knit [nɪt] adj • closely ou tightly knit fig très uni. ❏ vt (prét & pp knit ou knitted) tricoter. ❏ vi (prét & pp knit ou knitted) 1. tricoter 2. (os cassés) se souder.

knitted ['nɪtɪd] adj tricoté.

knitting ['nɪtɪŋ] n (indén) tricot m.

knitting needle n aiguille f à tricoter.

knitwear ['nɪtweə'] n (indén) tricots mpl.

knives [naɪvz] npl → knife.

knob [nɒb] n 1. poignée f, bouton m (de porte) 2. poignée (d'un tiroir) 3. pommeau m (d'une canne) 4. bouton m (sur la télé, la radio).

knobbly (UK) ['nɒblɪ] (comp knobblier, superl knobbliest), **knobby** (US) ['nɒbɪ] (comp knobbier, superl knobbiest) adj noueux.

knock [nɒk] n 1. coup m 2. fam & fig coup m dur. ❏ vt 1. frapper, cogner • to knock sb/sth over renverser qqn/qqch 2. fam critiquer, dire du mal de. ❏ vi • to knock on ou at the door frapper (à la porte). ■ knock down vt sép 1. (UK) renverser (un piéton) 2. démolir. ■ knock off vt sép 1. faire tomber • he was knocked off his bicycle le choc l'a fait tomber de sa bicyclette 2. to knock £5 off un rabais de 5 livres 3. (UK) fam chiper, piquer 4. dévaliser 5. fam torcher (un texte) • she can knock off an article in half an hour elle peut pondre un article en une demi-heure 6. fam • knock it off! arrête ton char ! ❏ vi fam finir son travail ou sa journée. ■ knock out vt sép 1. assommer 2. éliminer (d'une compétition). ■ knock over vt sép renverser, faire tomber.

knocker ['nɒkə'] n heurtoir m.

knock-kneed [-'niːd] adj cagneux.

knock-on effect n (UK) réaction f en chaîne.

knockout ['nɒkaʊt] n knock-out m, K.-O. m. ❏ adj fam génial.

knock-up n (UK) TENNIS • to have a knock-up faire des balles.

knot [nɒt] n 1. nœud m • to tie/untie a knot faire/défaire un nœud 2. petit attroupement m. ❏ vt nouer, faire un nœud à.

knotty ['nɒtɪ] adj fig épineux.

know [nəʊ] vt (prét knew, pp known) 1. savoir 2. savoir parler • to know (that)... savoir que... • to let sb know (about sth) faire savoir (qqch) à qqn, informer qqn (de qqch) • to get to know sth apprendre qqch 3. connaître •

get to know sb apprendre à mieux connaître qqn. ❏ vi (prét knew, pp known) savoir • to know of sth connaître qqch • to know about a) être au courant de b) s'y connaître en. ■ as far as I know adv (pour) autant que je sache • not as far as I know pas que je sache.

know-all (UK), **know-it-all** (US) n (monsieur) je-sais-tout m, (madame) je-sais-tout f.

know-how n savoir-faire m, technique f • to have the know-how avoir le savoir-faire.

knowing ['nəʊɪŋ] adj entendu.

knowingly ['nəʊɪŋlɪ] adv 1. d'un air entendu 2. sciemment.

know-it-all (US) = know-all.

knowledge ['nɒlɪdʒ] n (indén) 1. connaissance f • without my knowledge à mon insu • to the best of my knowledge à ma connaissance, autant que je sache 2. savoir m, connaissances fpl • to have a good knowledge of sth avoir de bonnes connaissances en qqch.

knowledgeable ['nɒlɪdʒəbl] adj bien informé.

knowledge engineering n ingénierie f des connaissances.

knowledge management n gestion f des connaissances.

knowledge retrieval n récupération f des connaissances.

known [nəʊn] pp → know.

knuckle ['nʌkl] n 1. ANAT articulation f ou jointure f du doigt 2. jarret m. ■ knuckle down vi s'y mettre, se mettre au travail • to knuckle down to sth/to doing sth se mettre sérieusement à qqch/à faire qqch.

knuckle-duster n coup-de-poing m américain.

koala (bear) [kəʊˈɑːlə-] n koala m.

kooky ['kuːkɪ] (comp kookier, superl kookiest) adj (US) fam fêlé, dingue.

Koran [kɒˈrɑːn] n • the Koran le Coran.

Korea [kəˈrɪə] n Corée f.

Korean [kəˈrɪən] adj coréen. ❏ n 1. Coréen m, -enne f 2. coréen m.

kosher ['kəʊʃə'] adj 1. kasher (inv) 2. fam O.K. (inv), réglo (inv).

KOTC SMS (abrév de kiss on the cheek) biz.

KOTL SMS (abrév de kiss on the lips) baiser sur la bouche.

kowtow [ˌkaʊˈtaʊ] vi • kowtow (to sb) faire des courbettes (à ou devant qqn).

KP (abrév de kitchen police) n • looks like we're on KP tonight fig on dirait qu'on est de corvée de cuisine ce soir.

Kriss Kringle [-'krɪŋɡl] npr (US) le père Noël.

kung fu [ˌkʌŋˈfuː] n kung-fu m.

Kurd [kɜːd] n Kurde mf.

Kuwait [kuˈweɪt], **Koweit** [kəʊˈweɪt] n 1. Koweït m 2. Koweït City.

l¹ [el] (*pl* **l's** *ou* **ls**), **L** (*pl* **L's** *ou* **Ls**) *n* l *m inv*, L *m inv*.
l² (abrév de litre) l.
L8 *SMS* abrév de **late**.
L8r, L8R *SMS* abrév de **later**.
L&N *SMS* abrév de **landing**.
lab [læb] *n fam* labo *m* • **lab technician** technicien *m*, -enne *f* de laboratoire.
label ['leibl] *n* **1.** étiquette *f* **2.** label *m*, maison *f* de disques. ❏ *vt* ((UK) prét & pp **labelled**, *cont* **labelling**, (US) prét & pp **labeled**, *cont* **labeling**) **1.** étiqueter **2.** • **to label sb (as)** cataloguer *ou* étiqueter qqn (comme).
labelmate ['leiblmeit] *n* personne qui travaille pour le même label qu'une autre.
labor *etc* (US) = **labour** *etc*
laboratory [(UK) lə'bɒrətrɪ, (US) 'læbrə,tɔrɪ] *n* laboratoire *m*.
laboratory-tested *adj* testé en laboratoire.
Labor Day *n* fête du Travail américaine (premier lundi de septembre).

laborious [lə'bɔːrɪəs] *adj* laborieux.
laboriously [lə'bɔːrɪəslɪ] *adv* laborieusement.
labor union *n* (US) syndicat *m*.
labour (UK), **labor** (US) ['leibə*r*] *n* **1.** travail *m* • **a labour of love** un travail que l'on fait pour le plaisir **2.** main d'œuvre *f* • **skilled labour** main-d'œuvre qualifiée. ❏ *vi* travailler dur • **to labour at** *ou* **over** peiner sur. ■ **Labour**

(UK) *adj POLIT* travailliste. ❏ *n* (*indén*) *POLIT* les travaillistes *mpl*.
labour camp (UK), **labor camp** (US) *n* camp *m* de travaux forcés.
labour costs (UK), **labor costs** (US) *npl* coût *m* de la main-d'œuvre.
laboured (UK), **labored** (US) ['leibəd] *adj* **1.** pénible **2.** lourd, laborieux.
labourer (UK), **laborer** (US) ['leibərə*r*] *n* **1.** travailleur *m* manuel, travailleuse *f* manuelle **2.** ouvrier *m* agricole, ouvrière *f* agricole.
labour-intensive (UK), **labor-intensive** (US) *adj* à forte main-d'œuvre.
labour laws, labor laws (US) *n* législation *f* du travail.
labour market (UK), **labor market** (US) *n* marché *m* du travail.
labour of love (UK), **labor of love** (US) *n* tâche *f* effectuée par plaisir.
Labour Party *n* (UK) • **the Labour Party** le parti travailliste.
labour relations (UK), **labor relations** (US) *npl* relations *fpl* entre employeurs et employés.
laboursaving (UK), **laborsaving** (US) ['leibə,seivɪŋ] *adj* • **laboursaving device** appareil *m* ménager.
labour shortage, labor shortage (US) *n* pénurie *f* de main-d'œuvre.
Labrador ['læbrədɔ*r*] *n* labrador *m*.
labyrinth ['læbərɪnθ] *n* labyrinthe *m*.
lace [leis] *n* **1.** dentelle *f* **2.** lacet *m* • **to tie** *ou* **do up one's laces** nouer ses lacets. ❏ *vt* **1.** lacer **2.** verser de l'alcool *ou* une drogue dans **3.** *fig* • **laced with irony/humour** teinté d'ironie/d'humour. ■ **lace up** *vt sép* lacer.
lace-up *n* (UK) chaussure *f* à lacets.
lack [læk] *n* manque *m* • **for** *ou* **through lack of** par manque de • **no lack of** bien assez de. ❏ *vt* manquer de. ❏ *vi* • **to be lacking in sthg** manquer de qqch • **to be lacking** manquer, faire défaut.

lackadaisical [ˌlækə'deɪzɪkl] *adj péj* nonchalant.

lackey ['lækɪ] (*pl* -s) *n péj* larbin *m*.

lacklustre (UK), **lackluster** (US) ['læk,lʌstər] *adj* terne.

laconic [lə'kɒnɪk] *adj sout* laconique.

lacquer ['lækər] *n* **1.** (*pour le bois*) vernis *m*, laque *f* **2.** (UK) (*pour les cheveux*) laque *f*. ❑ *vt* laquer.

lacrosse [lə'krɒs] *n* crosse *f*.

lactose ['læktəʊs] *n* lactose *m* • **to be lactose intolerant** être intolérant au lactose.

lacto-vegetarian [læktəʊ-] *n* lacto-végétarien *m*, -enne *f*.

lacy ['leɪsɪ] (*comp* lacier, *superl* laciest) *adj* de *ou* en dentelle.

lad [læd] *n* (UK) *fam* garçon *m*, gars *m* • **lad culture** culture *f* macho.

ladder ['lædər] *n* **1.** échelle *f* **2.** (UK) maille *f* filée, estafilade *f*. ❑ *vt & vi* (UK) (*bas, collant*) filer.

ladderproof ['lædəpruːf] *adj* (UK) indémaillable.

laddish ['lædɪʃ] *adj* (UK) macho.

laddism ['lædɪzəm] *n* (UK) machisme *m*.

laden ['leɪdn] *adj* • **laden (with)** chargé (de).

ladette [læ'det] *n* (UK) *fam* jeune femme dont le comportement est considéré comme masculin (*vulgarité, beuveries, etc*).

ladies (UK) ['leɪdɪz], **ladies' room** (US) *n* toilettes *fpl* (pour dames).

ladies' man *n* don Juan *m*, homme *m* à femmes.

ladle ['leɪdl] *n* louche *f*. ❑ *vt* servir (à la louche).

ladleful ['leɪdlfʊl] *n* pleine louche *f*.

lad mag *n* (UK) *fam* magazine *m* masculin.

lady ['leɪdɪ] *n* dame *f* • **ladies who lunch** (UK) *fam* dames *fpl* de la bonne société.

ladybird (UK) ['leɪdɪbɜːd], **ladybug** (US) ['leɪdɪbʌg] *n* coccinelle *f*.

ladyfinger ['leɪdɪfɪŋgər] *n* (US) boudoir *m* (*biscuit*).

lady-in-waiting [-'weɪtɪŋ] (*pl* ladies-in-waiting) *n* dame *f* d'honneur.

ladykiller ['leɪdɪ,kɪlər] *n fam* bourreau *m* des cœurs.

ladylike ['leɪdɪlaɪk] *adj* distingué.

lag [læg] *vi* • **to lag (behind) a)** (*personne*) traîner **b)** (*économie*) être en retard, avoir du retard. ❑ *vt* calorifuger. ❑ *n* décalage *m*.

lager ['lɑːgər] *n* (bière *f*) blonde *f*.

lager lout *n* (UK) jeune qui, sous l'influence de l'alcool, cherche la bagarre ou commet des actes de vandalisme.

lagoon [lə'guːn] *n* lagune *f*.

laid [leɪd] *passé & pp* → lay.

laid-back *adj fam* relaxe, décontracté.

lain [leɪn] *pp* → lie.

lair [leər] *n* repaire *m*, antre *m*.

laissez-faire ['leɪseɪ'feər] *adj* non interventionniste. ❑ *n* non-interventionnisme *m*.

laity ['leɪətɪ] *n RELIG* • **the laity** les laïcs *mpl*.

lake [leɪk] *n* lac *m*.

Lake District *n* • **the Lake District** la région des lacs (*au nord-ouest de l'Angleterre*).

Lake Geneva *n* le lac Léman *ou* de Genève.

lamb [læm] *n* agneau *m*.

lambswool ['læmzwʊl] *n* lambswool *m*. ❑ *en apposition* en lambswool, en laine d'agneau.

lame [leɪm] *adj litt & fig* boiteux.

lame duck *n* **1.** canard *m* boiteux **2.** (US) président non réélu, pendant la période séparant l'élection de l'investiture de son successeur.

lament [lə'ment] *n* lamentation *f*. ❑ *vt* lamenter sur.

lamentable ['læməntəbl] *adj* lamentable.

laminate ['læmɪneɪt] *vt* **1.** TECHNOL laminer **2.** plaquer. ❑ *n* stratifié *m*.

laminated ['læmɪneɪtɪd] *adj* **1.** (*bois*) stratifié **2.** (*verre*) feuilleté **3.** (*métal*) laminé.

lamp [læmp] *n* lampe *f*.

lampoon [læm'puːn] *n* satire *f*. ❑ *vt* faire la satire de.

lamppost ['læmppəʊst] *n* réverbère *m*.

lampshade ['læmpʃeɪd] *n* abat-jour *m*.

LAN (*abrév de* local area network) *n INFORM* réseau *m* local.

lance [lɑːns] *n* lance *f*. ❑ *vt* percer.

lance corporal *n* caporal *m*.

land [lænd] *n* **1.** terre *f* (*ferme*) **2.** terre, terrain *m* **3.** terres *fpl*, propriété *f* **4.** pays *m*. ❑ *vt* **1.** débarquer **2.** prendre (*des poissons*) **3.** atterrir **4.** *fam* décrocher **5.** *fam* • **to land sb in trouble** attirer des ennuis à qqn • **to be landed with sthg** se coltiner qqch. ❑ *vi* **1.** atterrir **2.** tomber. ■ **land up** *vi fam* atterrir.

landfill ['lændfɪl] *n* enfouissement *m* de déchets.

landfill gas *n* gaz *m* d'enfouissement.

landing ['lændɪŋ] *n* **1.** palier *m* **2.** atterrissage *m* • **emergency landing** atterrissage d'urgence **3.** NAUT débarquement *m* (*de marchandises*).

landing card *n* carte *f* de débarquement.

landing gear *n* (*indén*) train *m* d'atterrissage.

landing stage *n* débarcadère *m*.

landing strip *n* piste *f* d'atterrissage.

landlady ['lænd,leɪdɪ] *n* propriétaire *f*.

landlocked ['lændlɒkt] *adj* sans accès à la mer.

landlord ['lændlɔːd] *n* **1.** propriétaire *m* **2.** (UK) patron *m* (*d'un pub*).

landmark ['lændmɑːk] *n* **1.** point *m* de repère **2.** *fig* événement *m* marquant.

landmine ['lændmaɪn] *n* mine *f* (*terrestre*).

landowner ['lænd,əʊnər] *n* propriétaire foncier *m*, propriétaire foncière *f*.

landscape ['lændskeɪp] n paysage m.

landscape gardener n paysagiste mf, jardinier m, -ère f paysagiste.

landslide ['lændslaɪd] n **1.** glissement m de terrain **2.** éboulement m **3.** fig victoire f écrasante.

lane [leɪn] n **1.** petite route f, chemin m **2.** ruelle f **3.** voie f • **'keep in lane'** 'ne changez pas de file' **4.** AÉRON & SPORT couloir m.

langoustine ['læŋgəsti:n] n langoustine f.

language ['læŋgwɪdʒ] n **1.** langue f **2.** langage m.

language lab(oratory) n labo(ratoire) m de langues.

languid ['læŋgwɪd] adj littéraire langoureux.

languish ['læŋgwɪʃ] vi languir.

lank [læŋk] adj terne.

lanky ['læŋkɪ] adj dégingandé.

lantern ['læntən] n lanterne f.

lap [læp] n **1.** • **on sb's lap** sur les genoux de qqn **2.** SPORT tour m de piste. ❑ vt **1.** laper **2.** SPORT prendre un tour d'avance sur. ❑ vi clapoter. ■ **lap up** vt sép **1.** laper **2.** fig se gargariser de (compliments) **3.** gober, avaler (des mensonges).

lap dance vi danser sur les genoux des clients. ❑ n danse érotique effectuée sur les genoux des clients.

lap dancer n danseur m, -euse f érotique (qui danse sur les genoux des clients).

lap dancing n danse érotique exécutée sur les genoux des clients.

lapdog ['læpdɒg] n **1.** petit chien m d'appartement **2.** fig & péj toutou m, caniche m.

lapel [lə'pel] n revers m (d'une veste).

Lapland ['læplænd] n Laponie f.

lapse [læps] n **1.** défaillance f **2.** écart m de conduite **3.** intervalle m, laps m de temps. ❑ vi **1.** (passeport) être périmé **2.** (abonnement) prendre fin **3.** (tradition) se perdre **4.** • **to lapse into bad habits** prendre de mauvaises habitudes.

lapsed [læpst] adj (catholique) qui ne pratique plus.

laptop (computer) n (ordinateur m) portable m.

larceny ['lɑ:sənɪ] n (indén) vol m (simple).

lard [lɑ:d] n saindoux m.

larder ['lɑ:də] n vieilli garde-manger m inv.

large [lɑ:dʒ] adj **1.** grand **2.** gros. ■ **at large** adv **1.** dans son ensemble **2.** (prisonnier, animal) en liberté. ■ **by and large** adv dans l'ensemble.

largely ['lɑ:dʒlɪ] adv en grande partie.

larger-than-life ['lɑ:dʒə-] adj exubérant.

large-scale adj à grande échelle.

lark [lɑ:k] n **1.** alouette f **2.** fam blague f. ■ **lark about vi** (UK) s'amuser.

laryngitis ['lærɪn'dʒaɪtɪs] n (indén) laryngite f.

larynx ['lærɪŋks] n larynx m.

lasagne, lasagna [lə'zænjə] n lasagnes fpl.

lascivious [lə'sɪvɪəs] adj sout & péj lascif.

laser ['leɪzə] n laser m.

laser printer n imprimante f (à) laser.

laser proof n épreuve f laser.

laser weapon n arme f laser.

lash [læʃ] n **1.** cil m **2.** coup m de fouet. ❑ vt **1.** fouetter **2.** attacher. ■ **lash out vi 1.** • **to lash out (at** ou **against)** envoyer un coup (à) **2.** (UK) fam • **to lash out (on sthg)** faire une folie (en s'achetant qqch).

lass [læs] n (surtout ÉCOSSE) jeune fille f.

lasso [læ'su:] n (pl -s) lasso m. ❑ vt attraper au lasso.

last [lɑ:st] adj dernier • **last week/year** la semaine/l'année dernière • **last night** hier soir • **down to the last detail/penny** jusqu'au moindre détail/dernier sou • **last but one** avant-dernier. ❑ adv **1.** la dernière fois **2.** en dernier, le dernier, la dernière f. ❑ pron • **the Saturday before last** pas samedi dernier, mais le samedi d'avant • **the year before last** il y a deux ans • **to leave sthg till last** faire qqch en dernier • **last in first out** ÉCON dernier entré premier sorti. ❑ n • **the last I saw of him** la dernière fois que je l'ai vu. ❑ vi **1.** durer **2.** (nourriture) se garder, se conserver **3.** (sentiment) persister. ■ **at last** adv enfin.

last-ditch adj ultime, désespéré.

lasting ['lɑ:stɪŋ] adj durable.

lastly ['lɑ:stlɪ] adv pour terminer, finalement.

last-minute adj de dernière minute.

last name n nom m de famille.

last straw n • **it was the last straw** cela a été la goutte d'eau qui fait déborder le vase.

last word n • **to have the last word** avoir le dernier mot.

latch [lætʃ] n loquet m. ■ **latch onto** vt insép fam s'accrocher à.

latchkey kid n enfant qui rentre seul après l'école et qui a la clé du domicile familial.

late [leɪt] adj **1.** • **to be late (for sthg)** être en retard (pour qqch) **2.** • **in late December** ou **late in December** vers la fin décembre • **at this late stage** à ce stade avancé **3.** tardif **4.** ancien **5.** • **her late husband** son défunt mari, feu son mari sout . ❑ adv **1.** en retard • **to arrive**

À PROPOS DE

late

Lately et *late* n'ont pas le même sens, même si ce sont tous les deux des adverbes (*late* est aussi un adjectif, bien sûr).

Lately se traduit par **ces derniers temps**, **dernièrement**. Comparez par exemple *he arrived late* (il est arrivé tard) et *we haven't spoken lately* (nous ne nous sommes pas parlé dernièrement).

20 minutes late arriver avec 20 minutes de retard **2.** tard • **to work/go to bed late** travailler/se coucher tard • **late in the afternoon** tard dans l'après-midi • **late in the day** *litt* vers la fin de la journée • **it's rather late in the day to be thinking about that** *fig* c'est un peu tard pour penser à ça. ■ **of late** *adv* récemment, dernièrement.

late adopter *n* utilisateur tardif *m*, utilisatrice tardive *f*.

late-blooming *adj* BOT à floraison tardive.

latecomer ['leɪt,kʌmə] *n* retardataire *mf*.

late-flowering *adj* BOT à floraison tardive.

lately ['leɪtlɪ] *adv* ces derniers temps, dernièrement.

late-night *adj* **1.** programmé à une heure tardive **2.** ouvert en nocturne.

latent ['leɪtənt] *adj* latent.

later ['leɪtə] *adj* **1.** ultérieur **2.** postérieur. ❏ *adv* • **later (on)** plus tard • **see you later!** à plus tard !

lateral ['lætərəl] *adj* latéral.

lateral thinking *n* approche *f* originale.

latest ['leɪtɪst] *adj* dernier. ❏ *n* • **at the latest** au plus tard.

lathe [leɪð] *n* TECHNOL tour *m*.

lather ['lɑːðə] *n* mousse *f* (de savon). ❏ *vt* savonner.

Latin ['lætɪn] *adj* latin. ❏ *n* latin *m*.

Latin America *n* Amérique *f* latine.

Latin-American *adj* latino-américain.

latitude ['lætɪtjuːd] *n* latitude *f*.

latter ['lætə] *adj* **1.** dernier **2.** deuxième. ❏ *n* • **the latter** celui-ci, celle-ci *f*, ce dernier, cette dernière *f*.

latterly ['lætəlɪ] *adv* sout récemment.

lattice ['lætɪs] *n* treillis *m*, treillage *m*.

Latvia ['lætvɪə] *n* Lettonie *f*.

laudable ['lɔːdəbl] *adj* louable.

laugh [lɑːf] *n* rire *m* • **we had a good laugh** *fam* on a bien rigolé, on s'est bien amusés • **to do sthg for laughs** *ou* **a laugh** *fam* faire qqch pour rire *ou* rigoler. ❏ *vi* rire • **to burst out laughing** éclater de rire. ■ **laugh at** *vt insép* se moquer de, rire de. ■ **laugh off** *vt sép* tourner en plaisanterie.

laughable ['lɑːfəbl] *adj* ridicule, risible.

laughably ['lɑːfəblɪ] *adv* • **laughably inadequate a)** dérisoire **b)** *(prix)* ridiculement bas.

laughingstock ['lɑːfɪŋstɒk] *n* risée *f*.

laugh lines *npl* rides *fpl* du sourire.

laughter ['lɑːftə] *n* (indén) rire *m*, rires *mpl*.

launch [lɔːntʃ] *n* lancement *m*. ❏ *vt* lancer. ■ **launch into** *vt insép* se lancer dans • **to launch into a tirade against sb** se lancer dans une diatribe contre qqn.

launch(ing) pad, launchpad ['lɔːntʃ(ɪŋ)-] *n* pas *m* de tir.

launder ['lɔːndə] *vt* **1.** laver **2.** *fig* blanchir.

laundrette, Launderette ® [lɔːn'dret], **Laundromat** ® (us) ['lɔːndrəmæt] *n* laverie *f* automatique.

laundry ['lɔːndrɪ] *n* **1.** (indén) lessive *f* • **you shouldn't do your dirty laundry in public** il ne faut pas laver son linge sale en public **2.** blanchisserie *f*.

laurel ['lɒrəl] *n* laurier *m*.

lava ['lɑːvə] *n* lave *f*.

lavatory ['lævətrɪ] *n* (surtout UK) toilettes *fpl*.

lavatory seat *n* (UK) lunette *f* *ou* siège *m* des W.-C.

lavender ['lævəndə] *n* lavande *f*.

lavish ['lævɪʃ] *adj* **1.** généreux • **to be lavish with** être prodigue de **2.** somptueux. ❏ *vt* • **to lavish sthg on sb** prodiguer qqch à qqn.

lavishly ['lævɪʃlɪ] *adv* **1.** généreusement **2.** somptueusement.

law [lɔː] *n* **1.** loi *f* • **against the law** contraire à la loi, illégal • **to break the law** enfreindre *ou* transgresser la loi • **law and order** l'ordre *m* public **2.** droit *m* **3.** loi *f* *(règle, principe)* • **the law of supply and demand** la loi de l'offre et de la demande.

law-abiding [-ə,baɪdɪŋ] *adj* respectueux des lois.

law court *n* tribunal *m*, cour *f* de justice.

law-enforcement *adj* (us) chargé de faire respecter la loi • **law-enforcement officer** *représentant d'un service chargé de faire respecter la loi.*

lawful ['lɔːful] *adj* légal, licite.

lawfully ['lɔːfulɪ] *adv* légalement.

lawless ['lɔːlɪs] *adj* **1.** contraire à la loi, illégal **2.** sans loi.

lawlessness ['lɔːlɪsnɪs] *n* **1.** non-respect *m* de la loi **2.** anarchie *f* **3.** illégalité *f*.

lawn [lɔːn] *n* pelouse *f*, gazon *m*.

lawn furniture *n* mobilier *m* de jardin.

lawnmower ['lɔːn,məʊə] *n* tondeuse *f* à gazon.

lawn tennis *n* tennis *m* (sur gazon).

law school *n* faculté *f* de droit.

lawsuit ['lɔːsuːt] *n* procès *m*.

lawyer ['lɔːjə] *n* **1.** avocat *m* **2.** conseiller *m*, -ère *f* juridique **3.** notaire *m*.

lax [læks] *adj* relâché.

laxative ['læksətɪv] *n* laxatif *m*.

lay [leɪ] *passé* → **lie**. ❏ *vt* (prét & pp laid) **1.** poser, mettre **2.** *fig* • **to lay the blame for sthg on sb** rejeter la responsabilité de qqch sur qqn **3.** tendre *(un piège)* **4.** faire *(des projets)* • **to lay the table** (UK) mettre la table *ou* le couvert **5.** pondre. ❏ *adj* **1.** RELIG laïque **2.** profane.

■ **lay aside** vt sép mettre de côté. ■ **lay down** vt sép **1.** imposer, stipuler **2.** déposer. ■ **lay into** vt insép fam attaquer. ■ **lay off** vt sép licencier. ❑ vt insép fam **1.** ficher la paix à **2.** arrêter. ■ **lay on** vt sép (UK) organiser ● **they had transport laid on for us** ils s'étaient occupés de nous procurer un moyen de transport ● **to lay it on thick** fam & fig en rajouter. ■ **lay out** vt sép **1.** arranger, disposer **2.** concevoir.

layabout ['leɪəbaʊt] n (UK) fam fainéant m, -e f.

lay-by (pl lay-bys) n (UK) aire f de stationnement.

layer ['leɪə'] n **1.** couche f **2.** fig niveau m.

layered ['leɪəd] adj **1.** COUT ● **a layered skirt** une jupe à volants ● **the layered look** le look superposé **2.** ● **layered hair** coupe (de cheveux) en dégradé.

layman ['leɪmən] (pl -men) n **1.** profane m ● **in layman's terms** dans des termes simples **2.** laïc m.

layout ['leɪaʊt] n **1.** agencement m **2.** plan m (d'un jardin) **3.** mise f en page.

laze [leɪz] vi ● **to laze (around** ou **about)** (UK) paresser.

lazily ['leɪzɪlɪ] adv paresseusement, avec nonchalance.

laziness ['leɪzɪnɪs] n paresse f.

lazy ['leɪzɪ] adj **1.** paresseux, fainéant **2.** nonchalant.

lazybones ['leɪzɪbəʊnz] (pl inv) n fam paresseux m, -euse f, fainéant m, -e f.

lb (abrév de pound) livre (unité de poids).

LCD (abrév de liquid crystal display) n affichage à cristaux liquides.

LDC (abrév de less-developed country) n PMA m (pays moins développé).

lead¹ [liːd] n **1.** ● **to be in** ou **have the lead** mener, être en tête **2.** initiative f, exemple m ● **to take the lead** montrer l'exemple **3.** THÉÂTRE ● **the lead** le rôle principal **4.** indice m **5.** (UK) laisse f (pour chien) **6.** câble m, fil m. ❑ adj principal. ❑ vt (prét & pp led) **1.** mener, être à la tête de **2.** guider, conduire **3.** être à la tête de, diriger **4.** ● **to lead sb to do sthg** inciter ou pousser qqn à faire qqch. ❑ vi (prét & pp led) **1.** mener, conduire ● **to lead to/into** donner sur, donner accès à **2.** SPORT mener **3.** ● **to lead to sthg** aboutir à qqch, causer qqch. ■ **lead up to** vt insép **1.** conduire à, aboutir à **2.** amener.

lead² [led] n **1.** plomb m **2.** mine f (de crayon). ❑ en apposition en ou de plomb.

leaded ['ledɪd] adj au plomb.

leaden ['ledn] adj **1.** littéraire (ciel) de plomb **2.** mortellement ennuyeux.

leader ['liːdə'] n **1.** chef m f **2.** POLIT leader m f **3.** premier m, -ère f **4.** (UK) PRESSE éditorial m.

leaderboard ['liːdəbɔːd] n leaderboard m (bannière publicitaire grand format utilisée sur une page Web).

leadership ['liːdəʃɪp] n **1.** ● **the leadership** les dirigeants mpl ● **leadership battle** ou **contest** POLIT lutte f pour la position de leader ● **leadership election** POLIT élection f du leader **2.** direction f **3.** (inden) qualités fpl de chef.

leadership battle, **leadership contest** n POLIT lutte f pour la position de leader.

leadership election n POLIT élections fpl pour la position de leader.

lead-free [led-] adj sans plomb.

lead guitar [liːd-] n première f guitare.

leading ['liːdɪŋ] adj **1.** principal **2.** de tête.

leading article n (UK) éditorial m.

leading lady n premier rôle m féminin.

leading light n personnage m très important ou influent.

leading man n premier rôle m masculin.

lead poisoning [led-] n saturnisme m.

lead time [liːd-] n COMM délai m de livraison.

leaf [liːf] (pl leaves [liːvz]) n **1.** BOT feuille f **2.** abattant m **3.** rallonge f (pour une table) **4.** feuille f, page f. ■ **leaf through** vt insép parcourir, feuilleter.

leaflet ['liːflɪt] n prospectus m.

leafy ['liːfɪ] (comp leafier, superl leafiest) adj **1.** feuillu **2.** verdoyant.

league [liːg] n **1.** ligue f **2.** SPORT championnat m ● **to be in league with** être de connivence avec.

league table n (UK) FOOTBALL classement m du championnat.

leak [liːk] n litt & fig fuite f. ❑ vt divulguer. ❑ vi fuir. ■ **leak out** vi **1.** fuir **2.** fig transpirer, être divulgué.

leakage ['liːkɪdʒ] n fuite f.

leakproof ['liːkpruːf] adj étanche.

lean [liːn] adj **1.** mince **2.** (viande) maigre **3.** fig (période) mauvais **4.** ● **the company is lean and mean** l'entreprise reste très compétitive grâce à ses effectifs restreints. ❑ vt (prét & pp leant ou leaned) ● **to lean sthg against** appuyer qqch contre, adosser qqch à. ❑ vi (prét & pp leant ou leaned) **1.** se pencher **2.** ● **to lean on/against** s'appuyer sur/contre.

lean body mass n masse f corporelle.

leaning ['liːnɪŋ] n ● **leaning (towards)** penchant m (pour).

leant [lent] passé & pp → lean.

lean-to (pl lean-tos) n appentis m.

leap [liːp] n litt & fig bond m. ❑ vi (prét & pp leapt ou leaped) **1.** bondir **2.** fig faire un bond ● **to leap to one's feet** se lever d'un bond. ■ **leap at** vt insép fig sauter sur (l'occasion). ■ **leap out** vt insép sortir d'un bond ● **to leap out of sthg** sortir d'un bond de qqch.

leapfrog ['liːpfrɒg] n saute-mouton m inv. ❑ vt dépasser (d'un bond). ❑ vi ● **to leapfrog over** sauter par-dessus.

leapt [lept] *passé & pp →* leap.

leap year *n* année *f* bissextile.

learn [lɜːn] (*prét & pp* learned *ou* learnt) *vt* • to learn (that)… apprendre que… • to learn (how) to do sthg apprendre à faire qqch. ❏ *vi* • to learn (of *ou* about sthg) apprendre (qqch).

learned ['lɜːnɪd] *adj* savant.

learner ['lɜːnəʳ] *n* débutant *m*, -e *f*.

learner (driver) *n* (UK) conducteur *m* débutant, conductrice *f* débutante *(qui n'a pas encore son permis)*.

learning ['lɜːnɪŋ] *n* savoir *m*, érudition *f* • we see this as a learning opportunity nous voyons ceci comme l'occasion d'apprendre quelque chose • learning resources centre centre *m* de documentation pédagogique.

learning curve *n* courbe *f* d'apprentissage • it's been a steep learning curve il a fallu apprendre très vite.

learning difficulties, learning disabilities *npl* difficultés *fpl* d'apprentissage.

learning disability *n* difficultés *fpl* d'apprentissage.

learning style *n* style *m* d'apprentissage.

learnt [lɜːnt] *passé & pp →* learn.

lease [liːs] *n* bail *m*. ❏ *vt* louer • to lease sthg from sb louer qqch à qqn • to lease sthg to sb louer qqch à qqn.

leasehold ['liːshəʊld] *adj* loué à bail, tenu à bail. ❏ *adv* à bail.

leaseholder ['liːshəʊldəʳ] *n* locataire *mf*.

leash [liːʃ] *n* **1.** (US) laisse *f* **2.** • to give sb a longer leash lâcher la bride à qqn • to keep sb on a tight leash tenir la bride à qqn.

least [liːst] (*superlatif de little*) *adj* • the least le moindre, le plus petit. ❏ *pron* • the least le moins • it's the least (that) he can do c'est le moins qu'il puisse faire • not in the least pas du tout • to say the least c'est le moins qu'on puisse dire. ❏ *adv* • (the) least le/la/les moins. ■ at least *adv* **1.** au moins **2.** du moins. ■ least of all *adv* surtout pas, encore moins. ■ not least *adv sout* notamment.

least-developed country *n* pays *m* parmi les moins avancés.

leather ['leðəʳ] *n* cuir *m*. ❏ *en apposition* en cuir • a leather belt une ceinture en cuir.

leatherbound ['leðəbaʊnd] *adj* relié (en) cuir.

leathery ['leðərɪ] *adj* **1.** (viande) coriace **2.** (peau) parcheminé, tanné.

leave [liːv] *vt* (*prét & pp* left) **1.** laisser • to leave sb alone laisser qqn tranquille **2.** quitter **3.** • to leave sb sthg, to leave sthg to sb léguer *ou* laisser qqch à qqn. ❏ *vi* (*prét & pp* left) partir. ❏ *n* **1.** congé *m* • to be on leave être en congé **2.** MIL permission *f* • to be on leave être en permission **3.** *sout* permission *f*, autorisation *f* • by *ou* with your leave avec votre permission

4. congé *m* • to take one's leave (of sb) prendre congé (de qqn). Voir aussi left. ■ leave aside *vt sép* laisser de côté. ■ leave behind *vt sép* **1.** abandonner, laisser • she soon left the other runners behind elle a vite distancé tous les autres coureurs **2.** oublier, laisser. ■ leave off *vt sép* **1.** • to leave sthg off (sthg) omettre qqch (de qqch) **2.** • to leave off doing sthg s'arrêter de faire qqch. ❏ *vi* s'arrêter • we'll carry on from where we left off nous allons reprendre là où nous nous étions arrêtés. ■ leave out *vt sép* omettre, exclure. ■ leave over *vt sép* laisser • to be left over rester • there are still one or two left over il en reste encore un ou deux.

leave of absence *n* congé *m*.

leaves [liːvz] *npl →* leaf.

Lebanon ['lebənən] *n* Liban *m*.

lecherous ['letʃərəs] *adj péj* lubrique, libidineux.

lecture ['lektʃəʳ] *n* **1.** conférence *f* **2.** UNIV cours *m* magistral **3.** • to give sb a lecture réprimander qqn, sermonner qqn • end of lecture j'arrête de te sermonner. ❏ *vt* réprimander, sermonner. ❏ *vi* • to lecture on sthg faire un cours sur qqch • to lecture in sthg être professeur de qqch.

lecturer ['lektʃərəʳ] *n* **1.** conférencier *m*, -ère *f* **2.** (UK) UNIV maître assistant *m*.

lecture theatre *n* (UK) amphithéâtre *m*.

led [led] *passé & pp →* lead[1].

ledge [ledʒ] *n* **1.** rebord *m* (de fenêtre) **2.** corniche *f* (d'une montagne).

ledger ['ledʒəʳ] *n* grand livre *m*.

leech [liːtʃ] *n litt & fig* sangsue *f*.

leek [liːk] *n* poireau *m*.

leer [lɪəʳ] *n* regard *m* libidineux. ❏ *vi* • to leer at reluquer.

leeway ['liːweɪ] *n* marge *f* de manœuvre.

left [left] *passé & pp →* leave. ❏ *adj* **1.** • to be left rester • have you *ou* do you have any money left? il te reste de l'argent ? **2.** gauche. ❏ *adv* à gauche. ❏ *n* • on *ou* to the left à gauche. ■ Left *n* POLIT • the Left la gauche.

left-click *vt* INFORM cliquer avec le bouton gauche de la souris sur. ❏ *vi* INFORM cliquer avec le bouton gauche de la souris.

left field *n* **1.** (US) SPORT • to play left field être ailier gauche **2.** • to be out in left field *fam* être complètement à l'ouest.

left fielder *n* (US) SPORT ailier *m* gauche.

left-footed [-'fʊtɪd] *adj* gaucher du pied.

left-hand *adj* de gauche • left-hand side gauche *f*, côté *m* gauche.

left-hand drive *adj* avec la conduite à gauche.

left-handed [-'hændɪd] *adj* **1.** gaucher **2.** pour gaucher.

left-hander [-'hændəʳ] *n* gaucher *m*, -ère *f*.

left luggage (office) n (UK) consigne f.

leftover ['leftəʊvə'] adj qui reste, en surplus.
■ **leftovers** npl restes mpl.

left wing n POLIT gauche f. ■ **left-wing** adj POLIT de gauche.

lefty ['leftɪ] (pl -ies) n 1. (UK) fam POLIT gauchiste mf, gaucho m 2. (US) gaucher m, -ère f.

leg [leg] n 1. jambe f • **to break one's leg** se casser la jambe • **to pull sb's leg** fig faire marcher qqn 2. patte f 3. CULIN gigot m 4. CULIN cuisse f 5. pied m (d'une table) 6. étape f.

legacy ['legəsɪ] n litt &fig legs m, héritage m.

legacy duty n droit m de succession.

legacy tax n droit m de succession.

legal ['liːgl] adj 1. juridique 2. légal.

legal action n • **to take legal action against sb** intenter un procès à qqn, engager des poursuites contre qqn.

legal aid n assistance f judiciaire.

legal costs npl frais mpl de procédure.

legal currency n monnaie f légale.

legal eagle n fam & hum avocat m, -e f.

legal fees npl frais mpl de procédure.

legalize, -ise (UK) ['liːgəlaɪz] vt légaliser, rendre légal.

legalized alien n (US) résident étranger en situation régulière.

legally ['liːgəlɪ] adv légalement • **legally binding** qui oblige en droit.

legal offence n infraction f.

legal opinion n avis m juridique.

legal proceedings npl action f en justice, poursuites fpl judiciaires • **to start legal proceedings against sb** intenter une action en justice contre qqn, engager des poursuites judiciaires contre qqn.

legal redress n réparation f en justice • **to seek legal redress** demander une réparation en justice.

legal successor n ayant-droit m.

legal tender n monnaie f légale.

legend ['ledʒənd] n litt &fig légende f • **to become a legend** entrer dans la légende.

legendary ['ledʒəndrɪ] adj litt &fig légendaire.

leggings ['legɪŋz] npl caleçon m (pour femme).

leggy ['legɪ] (comp **leggier**, superl **leggiest**) adj qui a des jambes interminables.

legibility [ˌledʒɪ'bɪlətɪ] n lisibilité f.

legible ['ledʒəbl] adj lisible.

legibly ['ledʒəblɪ] adv lisiblement.

legislate ['ledʒɪsleɪt] vi • **to legislate (for/against)** faire des lois (pour/contre).

legislation [ˌledʒɪs'leɪʃn] n législation f.

legislature ['ledʒɪsleɪtʃə'] n corps m législatif.

legitimacy [lɪ'dʒɪtɪməsɪ] n légitimité f.

legitimate [lɪ'dʒɪtɪmət] adj légitime.

legitimately [lɪ'dʒɪtɪmətlɪ] adv légitimement.

legless ['leglɪs] adj (UK) fam bourré, rond • **to get legless** prendre une cuite.

legroom ['legrʊm] n (indén) place f pour les jambes.

leg-up n • **to give sb a leg-up a)** litt faire la courte échelle à qqn **b)** fig donner un coup de main ou de pouce à qqn.

legwarmers [-ˌwɔːməz] npl jambières fpl.

legwork ['legwɜːk] n • **I had to do the legwork** fam j'ai dû beaucoup me déplacer.

leisure [(UK) 'leʒə', (US) 'liːʒər] n loisir m, temps m libre • **at (one's) leisure** à loisir, tout à loisir.

leisure centre n (UK) centre m de loisirs.

leisurely [(UK) 'leʒəlɪ, (US) 'liːʒərlɪ] adj lent, tranquille. ❑ adv sans se presser.

leisure suit n tailleur-pantalon très en vogue, notamment aux États-Unis, dans les années 1970.

leisure time n (indén) temps m libre, loisirs mpl.

leisurewear ['leʒəweə'] n (indén) vêtements mpl de sport.

lemon ['lemən] n citron m.

lemonade [ˌlemə'neɪd] n 1. (UK) (gazeuse) limonade f 2. (surtout US) (non gazeuse) citronnade f 3. (US) citron m pressé.

lemon juice n jus m de citron.

lemon sole n limande-sole f.

lemon squash n (UK) citronnade f.

lemon squeezer [-'skwiːzə'] n presse-citron m inv.

lemon tea n thé m (au) citron.

lemony ['lemənɪ] adj citronné.

lend [lend] (prét & pp **lent**) vt 1. prêter • **to lend sb sthg, to lend sthg to sb** prêter qqch à qqn 2. • **to lend support (to sb)** offrir son soutien (à qqn) • **to lend assistance (to sb)** prêter assistance (à qqn).

lending limit n plafond m de prêt.

lending rate ['lendɪŋ-] n taux m de crédit.

length [leŋθ] n 1. longueur f • **what length is it?** ça fait quelle longueur ? • **it's five metres in length** cela fait cinq mètres de long 2. morceau m, bout m (de corde, de fil) 3. coupon m (de tissu) 4. durée f 5. • **to go to great lengths to do sthg** tout faire pour faire qqch. ■ **at length** adv 1. enfin 2. à fond.

lengthen ['leŋθən] vt 1. rallonger 2. prolonger. ❑ vi allonger.

lengthways ['leŋθweɪz], **lengthwise** ['leŋθwaɪz] adv dans le sens de la longueur.

lengthy ['leŋθɪ] adj très long, longue f.

lenient ['liːnjənt] adj 1. indulgent 2. clément.

lens [lenz] n 1. PHOTO objectif m 2. verre m (de lunettes) 3. verre m de contact, lentille f (cornéenne).

lent [lent] passé & pp → **lend**.

Lent [lent] *n* carême *m*.

lentil ['lentɪl] *n* lentille *f*.

Leo ['liːəʊ] *n* Lion.

leopard ['lepəd] *n* léopard *m*.

leopard skin *n* peau *f* de léopard. ❑ *adj* en (peau de) léopard.

leotard ['liːətɑːd] *n* justaucorps *m* (*pour la gymnastique*).

leper ['lepər] *n* lépreux *m*, -euse *f*.

leprosy ['leprəsɪ] *n* lèpre *f*.

lesbian ['lezbɪən] *n* lesbienne *f*.

less [les] *(comparatif de little) adj* moins de • **less money/time than me** moins d'argent/ de temps que moi. ❑ *pron* moins • **it costs less than you think** ça coûte moins cher que tu ne le crois • **no less than £50** pas moins de 50 livres • **the less… the less…** moins… moins… • **less than five** moins de cinq. ❑ *adv* moins • **less and less** de moins en moins. ❑ *prép* moins • **that's £300 less ten per cent for store-card holders** ça fait 300 livres moins dix pour cent avec la carte du magasin. ■ **no less** *adv* rien de moins • **he won the Booker Prize, no less!** il a obtenu le Booker Prize, rien de moins que ça ! • **taxes rose by no less than 15%** les impôts ont augmenté de 15 %, ni plus ni moins.

less-developed country *n* pays *m* moins développé.

lessen ['lesn] *vt* 1. diminuer, réduire 2. atténuer (*la douleur*). ❑ *vi* 1. diminuer 2. (*douleur*) s'atténuer.

lesser ['lesər] *adj* moindre • **to a lesser extent** *ou* **degree** à un degré moindre.

lesser-known *adj* moins connu.

lesson ['lesn] *n* leçon *f*, cours *m* • **to teach sb a lesson** *fig* donner une (bonne) leçon à qqn • **it was a lesson learned** cela m'a/nous a servi de leçon.

less-than sign *n* signe *m* « inférieur à ».

lest [lest] *conj* sout de crainte que.

let [let] (*prét & pp* let) *vt* 1. • **to let sb do sthg** laisser qqn faire qqch • **to let sb know sthg** dire qqch à qqn • **to let go of sb/sthg** lâcher qqn/qqch • **to let sb go a)** laisser (*partir*) qqn **b)** libérer qqn 2. • **let's go!** allons-y ! • **let's see** voyons • **let them wait** qu'ils attendent 3. (*surtout* UK) louer • **'to let'** 'à louer'. ■ **let alone** *conj* encore moins, sans parler de. ■ **let down** *vt sép* 1. (UK) dégonfler 2. décevoir. ■ **let in** *vt sép* laisser *ou* faire entrer. ■ **let in on** *vt sép* • **to let sb in on sthg** mettre qqn au courant de qqch. ■ **let off** *vt sép* 1. (UK) • **to let sb off sthg** dispenser qqn de qqch 2. ne pas punir 3. faire éclater (*une bombe*) 4. faire partir (*un feu d'artifice, une arme*). ■ **let on** *vi* • **don't let on!** (UK) ne dis rien (à personne) ! ■ **let out** *vt sép* 1. laisser sortir • **to let air out of sthg** dégonfler qqch

2. laisser échapper (*un cri*). ❑ *vi* (US) finir. ■ **let up** *vi* (*pluie*) diminuer.

letdown ['letdaʊn] *n fam* déception *f*.

lethal ['liːθl] *adj* mortel, fatal.

lethargic [lə'θɑːdʒɪk] *adj* léthargique.

lethargy ['leθədʒɪ] *n* léthargie *f*.

let-out *n* 1. (UK) prétexte *m* 2. échappatoire *f*.

let's [lets] = let us.

letter ['letər] *n* 1. lettre *f* • **the letters of the alphabet** les lettres de l'alphabet 2. • **to write/ send sb a letter** écrire/envoyer une lettre à qqn • **letter of intent** lettre *f* d'intention • **letter of introduction** lettre *f* de recommandation.

letter bomb *n* lettre *f* piégée.

letterbox ['letəbɒks] *n* (UK) boîte *f* aux *ou* à lettres • **letterbox format** *TV* format *m* boîte aux lettres.

letterhead ['letəhed] *n* en-tête *m*.

letter of credit *n* lettre *f* de crédit.

letter opener *n* coupe-papier *m inv*.

letter-perfect *adj* (US) absolument parfait.

lettuce ['letɪs] *n* laitue *f*, salade *f*.

letup ['letʌp] *n* 1. répit *m* (*dans une dispute*) 2. relâchement *m* (*dans le travail*).

leukaemia, leukemia (US) [luː'kiːmɪə] *n* leucémie *f*.

level ['levl] *adj* 1. à la même hauteur • **to be level with** être au niveau de 2. horizontal 3. à égalité 4. plat, plan. ❑ *n* niveau *m*. ❑ *vt* ((UK) *prét & pp* levelled, *cont* levelling, (US) *prét & pp* leveled, *cont* leveling) 1. niveler, aplanir 2. raser. ■ **level off, level out** *vi* 1. se stabiliser 2. AÉRON amorcer un palier. ■ **level with** *vt insép fam* être franc, franche *f ou* honnête avec.

level crossing *n* (UK) passage *m* à niveau.

level-headed [-'hedɪd] *adj* raisonnable.

level pegging [-'pegɪŋ] *adj* (UK) • **to be level pegging** être à égalité.

lever [(UK) 'liːvər, (US) 'levər] *n* levier *m*.

leverage [(UK) 'liːvərɪdʒ, (US) 'levərɪdʒ] *n* (*indén*) 1. • **to get leverage on sthg** avoir une prise sur qqch 2. *fig* influence *f*. ❑ *vt* 1. tirer profit de • **we need to leverage our assets** il faut que nous tirions profit de nos actifs 2. • **to leverage a company** augmenter le ratio d'endettement d'une entreprise.

lever-arch file *n* classeur *m* à levier.

levy ['levɪ] *n* prélèvement *m*, impôt *m*. ❑ *vt* prélever, percevoir.

lewd [ljuːd] *adj* obscène.

lexicon ['leksɪkən] *n* lexique *m*.

liability [ˌlaɪə'bɪlətɪ] *n* 1. responsabilité *f* 2. *fig* danger *m* public. ■ **liabilities** *npl* FIN dettes *fpl*, passif *m*.

liable ['laɪəbl] *adj* 1. • **to be liable to do sthg** risquer de faire qqch, être susceptible de faire qqch **2.** • **to be liable to sthg** être sujet à qqch **3.** • **to be liable (for)** être responsable (de) • **to be liable to** être passible de.

liaise [lɪ'eɪz] *vi* (**UK**) • **to liaise with** assurer la liaison avec.

liaison [lɪ'eɪzɒn] *n* liaison *f*.

liar ['laɪə'] *n* menteur *m*, -euse *f*.

libel ['laɪbl] *n* diffamation *f*. ❏ *vt* ((**UK**) *prét & pp* libelled, *cont* libelling, (**US**) *prét & pp* libeled, *cont* libeling) diffamer.

libellous (**UK**), **libelous** (**US**) ['laɪbələs] *adj* diffamatoire.

liberal ['lɪbərəl] *adj* **1.** libéral **2.** généreux. ❏ *n* libéral *m*, -e *f*. ■ **Liberal** *adj* libéral. ❏ *n* libéral *m*, -e *f*.

liberal arts *npl* (surtout **US**) arts *mpl* libéraux.

Liberal Democrat *n* adhérent du principal parti centriste britannique.

liberalism ['lɪbərəlɪzm] *n* libéralisme *m*.

liberally ['lɪbərəlɪ] *adv* **1.** libéralement **2.** • **liberally-minded** large d'esprit • **a liberally spiced dish** un plat généreusement épicé.

liberal-minded [-'maɪndɪd] *adj* large d'esprit.

liberate ['lɪbəreɪt] *vt* libérer.

liberated ['lɪbəreɪtɪd] *adj* libéré.

liberating ['lɪbəreɪtɪŋ] *adj* libérateur.

liberation [ˌlɪbə'reɪʃn] *n* libération *f*.

liberator ['lɪbəreɪtə'] *n* libérateur *m*, -trice *f*.

liberty ['lɪbətɪ] *n* liberté *f* • **at liberty** en liberté • **to be at liberty to do sthg** être libre de faire qqch • **to take liberties (with sb)** prendre des libertés (avec qqn).

libido [lɪ'biːdəʊ] (*pl* -s) *n* libido *f*.

Libra ['liːbrə] *n* Balance *f*.

librarian [laɪ'breərɪən] *n* bibliothécaire *mf*.

library ['laɪbrərɪ] *n* bibliothèque *f*.

library book *n* livre *m* de bibliothèque.

libretto [lɪ'bretəʊ] (*pl* -s) *n* livret *m*.

Libya ['lɪbɪə] *n* Libye *f*.

lice [laɪs] *npl* → **louse**.

licence (**UK**), **license** (**US**) ['laɪsəns] *n* **1.** (**UK**) permis *m*, autorisation *f* • **driving licence** (**UK**) *ou* **driver's licence** (**US**) permis *m* de conduire • **TV licence** redevance *f* télé **2.** (**UK**) COMM licence *f*.

license ['laɪsəns] *vt* autoriser. ❏ *n* (**US**) = licence.

licensed ['laɪsənst] *adj* **1.** • **to be licensed to do sthg** avoir un permis pour *ou* l'autorisation de faire qqch **2.** (**UK**) qui détient une licence de débit de boissons.

license plate *n* (**US**) plaque *f* d'immatriculation.

licensing ['laɪsənsɪŋ] *n* **1.** immatriculation *f* (*d'un véhicule*) **2.** autorisation *f* (*d'une activité*) • **licensing agreement** accord *m* de licence.

licensing agreement ['laɪsənsɪŋ-] *n* accord *m* de licence.

licensing hours ['laɪsənsɪŋ-] *npl* (**UK**) heures d'ouverture des débits de boissons.

lick [lɪk] *vt* **1.** lécher **2.** *fam* écraser.

licorice ['lɪkərɪs] (**US**) = **liquorice**.

lid [lɪd] *n* **1.** couvercle *m* **2.** paupière *f*.

lido ['liːdəʊ] (*pl* -s) *n* **1.** (**UK**) piscine *f* en plein air **2.** plage *f*.

lie [laɪ] *n* mensonge *m* • **to tell lies** mentir, dire des mensonges. ❏ *vi* (*prét* lay, *lain*, *cont* lying) **1.** (*prét & pp* lied) • **to lie (to sb)** mentir (à qqn) **2.** être allongé, être couché **3.** s'allonger, se coucher • **to lie low** *fam* se planquer, se tapir **4.** se trouver, être. ■ **lie about**, **lie around** *vi* (**UK**) traîner. ■ **lie down** *vi* s'allonger, se coucher. ■ **lie in** *vi* (**UK**) rester au lit, faire la grasse matinée.

Liechtenstein ['lɪktənstaɪn] *n* Liechtenstein *m*.

lie detector *n* détecteur *m* de mensonges.

lie-down *n* (**UK**) • **to have a lie-down** faire une sieste *ou* un (petit) somme.

lie-in *n* (**UK**) • **to have a lie-in** faire la grasse matinée.

lieu [ljuː *ou* luː] *n* • **in lieu** *adv* (surtout **UK**) *sout* à la place • **in lieu of** au lieu de, à la place de.

lieutenant [(**UK**) lef'tenənt, (**US**) luː'tenənt] *n* lieutenant *m*, -e *f*.

life [laɪf] *n* (*pl* lives [laɪvz]) **1.** vie *f* • **for life** à vie • **that's life!** c'est la vie ! • **to scare the life out of sb** faire une peur bleue à qqn **2.** vie *f* (*animation*) • **there's more life in Sydney than in Wellington** Sydney est plus animé que Wellington • **to come to life** s'animer • **she was the life and soul of the party** c'est elle qui a mis de l'ambiance dans la soirée **3.** nature *f* • **to draw from life** dessiner d'après nature **4.** réalité *f* • **his novels are very true to life** ses romans sont très réalistes **5.** (*indén*) *fam* emprisonnement *m* à perpétuité.

life-and-death *adj* extrêmement grave *ou* critique.

life assurance (surtout **UK**) = **life insurance**.

lifebelt *n* bouée *f* de sauvetage.

lifeblood ['laɪfblʌd] n fig élément m vital, âme f.

lifeboat ['laɪfbəʊt] n canot m de sauvetage.

life buoy n bouée f de sauvetage.

life coach n coach m de vie.

life cycle n cycle m de vie.

life expectancy n espérance f de vie.

lifeguard ['laɪfgɑːd] n 1. maître-nageur sauveteur m 2. gardien m de plage.

life imprisonment [-ɪmˈprɪznmənt] n emprisonnement m à perpétuité.

life insurance n assurance-vie f.

life jacket n gilet m de sauvetage.

lifeless ['laɪflɪs] adj 1. sans vie, inanimé 2. qui manque de vie 3. (ton, voix) monotone.

lifelike ['laɪflaɪk] adj 1. qui semble vivant 2. ressemblant.

lifeline ['laɪflaɪn] n 1. corde f (de sauvetage) 2. fig lien m vital (avec l'extérieur).

lifelong ['laɪflɒŋ] adj de toujours.

life-or-death = life-and-death.

life preserver [-prɪˌzɜːvər] n (us) 1. bouée f de sauvetage 2. gilet m de sauvetage.

lifer ['laɪfər] n fam condamné m, -e f à perpète.

life raft n canot m pneumatique (de sauvetage).

lifesaver ['laɪfˌseɪvər] n maître-nageur sauveteur m.

life-saving adj • **life-saving apparatus** appareils mpl de sauvetage • **life-saving vaccine** vaccin m qui sauve la vie.

life sentence n condamnation f à perpétuité.

life-size(d) [-saɪz(d)] adj grandeur nature (inv).

lifespan ['laɪfspæn] n 1. espérance f de vie 2. durée f de vie.

life story n biographie f.

lifestyle ['laɪfstaɪl] n mode m ou style m de vie • **lifestyle choice** choix m de vie • **lifestyle disease** maladie f liée au mode de vie • **lifestyle programme** TV émission traitant de l'art de vivre (décoration, cuisine, etc).

life-support system n respirateur m artificiel.

life-threatening adj (maladie) qui peut être mortel.

lifetime ['laɪftaɪm] n vie f • **in my lifetime** de mon vivant.

LIFO abrév de last in first out.

lift [lɪft] n 1. • **to give sb a lift** emmener ou prendre qqn en voiture 2. (UK) ascenseur m. ❑ vt 1. lever 2. soulever. ❑ vi 1. (couvercle) s'ouvrir 2. (brouillard) se lever.

lifting ['lɪftɪŋ] n 1. levage m • **not to do any heavy lifting** ne pas porter de poids 2. levée f (d'un embargo, de contrôles).

liftoff n décollage m.

ligament ['lɪgəmənt] n ligament m.

light [laɪt] adj 1. clair 2. léger 3. fluide 4. facile. ❑ n 1. (indén) lumière f 2. lampe f 3. AUTO feu m ; phare m 4. feu m • **have you got a light?** vous avez du feu ? (pour une cigarette) • **to set light to sthg** mettre le feu à qqch 5. • **in light of, in the light of** (UK) à la lumière de • **in a good/ bad light** sous un jour favorable/défavorable • **to come to light** être découvert ou dévoilé. ❑ vt (prét & pp lit ou lighted) 1. allumer (une cigarette) 2. éclairer. ❑ adv • **to travel light** voyager léger. ■ **light up** vt sép 1. éclairer 2. allumer (une cigarette). ❑ vi 1. (visage) s'éclairer 2. fam allumer une cigarette.

lightbulb n ampoule f.

lighten ['laɪtn] vt 1. éclairer 2. éclaircir 3. alléger. ❑ vi s'éclaircir.

lighter ['laɪtər] n briquet m.

light-headed [-'hedɪd] adj • **to feel light-headed** avoir la tête qui tourne.

light-headedness [-'hedɪdnɪs] n 1. vertige m 2. ivresse f.

light-hearted [-'hɑːtɪd] adj 1. joyeux, gai 2. amusant.

lighthouse ['laɪthaʊs] n (pl [-haʊzɪz]) n phare m.

lighting ['laɪtɪŋ] n éclairage m.

lightly ['laɪtlɪ] adv 1. légèrement 2. à la légère.

light meter n posemètre m, cellule f photoélectrique.

lightning ['laɪtnɪŋ] n (indén) éclair m, foudre f • **thunder and lightning** des coups de tonnerre et des éclairs.

lightning strike n (UK) grève f surprise.

light pollution n pollution f lumineuse.

light-sensitive adj PHYS photosensible.

lights-out n extinction f des feux.

lightweight ['laɪtweɪt] adj léger. ❑ n poids m léger.

light year n année-lumière f.

likable ['laɪkəbl] adj sympathique.

like [laɪk] prép 1. comme • **to look like sb/ sthg** ressembler à qqn/qqch • **to taste like sthg** avoir un goût de qqch • **like this/that** comme ci/ça 2. tel que, comme. ❑ vt 1. aimer • **I like her** elle me plaît • **to like doing ou to do sthg** aimer faire qqch • **do you like dancing?** est-ce que tu aimes danser ? 2. • **would you like some more cake?** vous prendrez encore du gâteau ? • **I'd like to go** je voudrais bien ou j'aimerais y aller • **if you like** si vous voulez • **what's not to like?** fam il faudrait être difficile pour ne pas aimer ça. ❑ n • **the like** une chose pareille. ■ **likes** npl 1. • **likes and dislikes** goûts mpl 2. • **the likes of us/them** etc fam les gens comme nous/eux etc.

-like suffixe • **dream-like** onirique, de rêve • **ghost-like** fantomatique.

likeable ['laɪkəbl] = likable.

likelihood ['laɪklɪhʊd] n (indén) chances fpl, probabilité f.

likely ['laɪklɪ] adj **1.** probable • **he's likely to get angry** il risque de se fâcher • **a likely story!** iron à d'autres ! **2.** prometteur.

like-minded [-'maɪndɪd] adj de même opinion.

liken ['laɪkn] vt • **to liken sb/sthg to** assimiler qqn/qqch à.

likeness ['laɪknɪs] n **1.** • **likeness (to)** ressemblance f (avec) **2.** portrait m.

likewise ['laɪkwaɪz] adv de même • **to do likewise** faire pareil ou de même.

liking ['laɪkɪŋ] n **1.** affection f, sympathie f **2.** goût m, penchant m • **to have a liking for sthg** avoir le goût de qqch • **to be to sb's liking** être du goût de qqn, plaire à qqn.

lilac ['laɪlək] adj lilas (inv). ❑ n lilas m.

Lilo® ['laɪləʊ] (pl -s) n (UK) matelas m pneumatique.

lily ['lɪlɪ] n lis m.

lily-livered [-'lɪvəd] adj hum froussard.

lily of the valley (pl lilies of the valley) n muguet m.

limb [lɪm] n **1.** ANAT membre m **2.** BOT branche f.

limber ['lɪmbə] ■ **limber up** vi s'échauffer.

limbo ['lɪmbəʊ] (pl -s) n (indén) • **to be in limbo** être dans les limbes.

lime [laɪm] n **1.** citron m vert **2.** • **lime (juice)** jus m de citron vert **3.** tilleul m **4.** chaux f.

lime-green adj vert jaune (inv).

limelight ['laɪmlaɪt] n • **to be in the limelight** être au premier plan.

limerick ['lɪmərɪk] n poème humoristique en cinq vers.

limestone ['laɪmstəʊn] n (indén) pierre f à chaux, calcaire m.

limey ['laɪmɪ] (pl -s) n (US) fam terme péjoratif désignant un Anglais.

limit ['lɪmɪt] n limite f • **off limits** d'accès interdit • **within limits** dans une certaine mesure • **to know one's limits** connaître ses limites. ❑ vt limiter, restreindre.

limitation [,lɪmɪ'teɪʃn] n limitation f, restriction f.

limited ['lɪmɪtɪd] adj limité, restreint.

limited edition n édition f à tirage limité.

limited (liability) company n (UK) société f anonyme.

limitless ['lɪmɪtlɪs] adj illimité.

limo ['lɪməʊ] fam n abrév de **limousine**.

limousine ['lɪməziːn] n limousine f.

limp [lɪmp] adj mou • **to go limp** s'affaisser. ❑ n • **to have a limp** boiter. ❑ vi boiter.

limpet ['lɪmpɪt] n ZOOL patelle f, bernique f.

linchpin ['lɪntʃpɪn] fig (personne) pivot m.

line [laɪn] n **1.** ligne f **2.** rangée f **3.** file f, queue f • **to stand** ou **wait in line** faire la queue **4.** RAIL

voie f ; ligne f **5.** LITTÉR ligne f ; vers m **6.** TÉLÉCOM ligne f • **hold the line!** ne quittez pas ! **7.** • **to step out of line** faire cavalier seul **8.** ride f **9.** corde f • **a fishing line** une ligne **10.** frontière f • **to draw the line at sthg** refuser de faire ou d'aller jusqu'à faire qqch **11.** COMM gamme f. ❑ vt **1.** tapisser **2.** doubler (un vêtement). ■ **line up** vt sép **1.** aligner **2.** prévoir. ❑ vi **1.** s'aligner **2.** faire la queue. ■ **out of line** adj déplacé.

lined [laɪnd] adj **1.** (papier) réglé **2.** ridé.

linen ['lɪnɪn] n (indén) **1.** lin m **2.** linge m (de maison).

linen basket n (UK) panier m à linge.

liner ['laɪnə] n paquebot m.

linesman ['laɪnzmən] (pl -men) n **1.** TENNIS juge m de ligne **2.** FOOTBALL juge de touche.

lineup ['laɪnʌp] n **1.** SPORT équipe f **2.** (US) rangée f de suspects (pour identification par un témoin).

linger ['lɪŋgə] vi **1.** s'attarder **2.** persister.

lingerie ['lænʒərɪ] n (indén) lingerie f.

lingering ['lɪŋgərɪŋ] adj **1.** (doute) persistant **2.** (espoir) faible **3.** (toux) long.

lingo ['lɪŋgəʊ] (pl -es) n fam jargon m.

linguist ['lɪŋgwɪst] n linguiste mf.

linguistic [lɪŋ'gwɪstɪk] adj linguistique.

linguistics [lɪŋ'gwɪstɪks] n (indén) linguistique f.

lining ['laɪnɪŋ] n **1.** doublure f (d'un vêtement) **2.** muqueuse f.

link [lɪŋk] n **1.** maillon m **2.** • **link (between/with)** lien m (entre/avec) **3.** INFORM lien m • **links to sthg** liens vers qqch. ❑ vt **1.** relier **2.** lier • **to link arms** se donner le bras. ❑ vi INFORM avoir un lien vers • **to link to sthg** mettre ou poser un lien vers qqch. ■ **link up** vt sép relier • **to link sthg up with sthg** INFORM relier qqch avec ou à qqch.

linked [lɪŋkt] adj lié.

link rot n INTERNET perte de validité d'un lien hypertexte qui pointe vers une ressource qui n'existe plus.

links [lɪŋks] (pl inv) n terrain m de golf (au bord de la mer).

lino (UK) ['laɪnəʊ] ['laɪnəʊ], **linoleum** [lɪ'nəʊlɪəm] n lino m, linoléum m.

lintel ['lɪntl] n linteau m.

lion ['laɪən] n lion m.

lioness ['laɪənes] n lionne f.

lip [lɪp] n **1.** lèvre f **2.** rebord m (d'une tasse, d'un bol).

lip balm = **lip salve**.

lip gloss n brillant m à lèvres.

liposuction ['lɪpəʊ,sʌkʃn] n liposuccion f.

lippy ['lɪpɪ] (comp lippier, superl lippiest) adj fam insolent, culotté.

lip-read vi lire sur les lèvres.

lip salve (UK), **lip balm** n pommade f pour les lèvres.

lip service n • **to pay lip service to sthg** approuver qqch pour la forme.

lipstick ['lɪpstɪk] n rouge m à lèvres • **lipstick lesbian** tfam lesbienne f très féminine.

lip-synch [-sɪŋk] vi chanter en play-back. ❑ vt • **to lip-synch a song** chanter une chanson en play-back.

liqueur [lɪ'kjʊər] n liqueur f.

liquid ['lɪkwɪd] adj liquide. ❑ n liquide m.

liquidation [,lɪkwɪ'deɪʃn] n liquidation f.

liquidity [lɪ'kwɪdətɪ] n liquidité f.

liquidize, -ise (UK) ['lɪkwɪdaɪz] vt passer au mixer.

liquidizer, -iser ['lɪkwɪdaɪzər] n mixer m.

liquified petroleum gas ['lɪkwɪfaɪd-] n gaz m de pétrole liquéfié.

liquor ['lɪkər] n (indén) alcool m, spiritueux mpl.

liquorice (UK), **licorice** (US) ['lɪkərɪs] n réglisse f.

liquor store n (US) magasin m de vins et d'alcools.

Lisbon ['lɪzbən] n Lisbonne.

lisp [lɪsp] n zézaiement m. ❑ vi zézayer.

list [lɪst] n liste f • **to make a list** faire une liste. ❑ vt **1.** faire la liste de **2.** énumérer.

list administrator n INTERNET administrateur m, -trice f de liste.

listed building [,lɪstɪd-] n (UK) monument m classé.

listen ['lɪsn] vi • **to listen to (sb/sthg)** écouter (qqn/qqch) • **to listen for sthg** guetter qqch.

listener ['lɪsnər] n auditeur m, -trice f.

listening device n dispositif m d'écoute.

listeria [lɪs'tɪːrɪə] n listeria f.

listing ['lɪstɪŋ] n (INFORM - action) listage m ; (- résultat) listing m. ■ **listings** npl • **the listings** le calendrier des spectacles.

listless ['lɪstlɪs] adj apathique, mou, molle f.

list price n prix m de catalogue.

list server n serveur m de liste (de diffusion).

lit [lɪt] passé & pp → light.

litany ['lɪtənɪ] (pl -ies) n litanie f.

liter (US) = litre.

literacy ['lɪtərəsɪ] n alphabétisation f.

literal ['lɪtərəl] adj littéral.

literally ['lɪtərəlɪ] adv littéralement • **to take sthg literally** prendre qqch au pied de la lettre.

literary ['lɪtərərɪ] adj littéraire.

literate ['lɪtərət] adj **1.** qui sait lire et écrire **2.** cultivé.

-literate suffixe • **to be computer-literate** avoir des connaissances en informatique.

literati [,lɪtə'rɑːtɪ] npl sout gens mpl de lettres, lettrés mpl.

literature ['lɪtrətʃər] n **1.** littérature f **2.** documentation f.

lithe [laɪð] adj souple, agile.

Lithuania [,lɪθjʊ'eɪnjə] n Lituanie f.

litigate ['lɪtɪgeɪt] vi plaider.

litigation [,lɪtɪ'geɪʃn] n litige m • **to go to litigation** aller en justice.

litre (UK), **liter** (US) ['liːtər] n litre m.

litter ['lɪtər] n **1.** (indén) ordures fpl, détritus mpl **2.** ZOOL portée f. ❑ vt • **to be littered with** être couvert de.

litterbin ['lɪtə,bɪn] n (UK) boîte f à ordures.

little ['lɪtl] adj **1.** petit • **the shop is a little way along the street** le magasin se trouve un peu plus loin dans la rue • **a little while** un petit moment **2.** (comp less, superl least) peu de • **little money** peu d'argent. ❑ pron **1.** • **little of the money was left** il ne restait pas beaucoup d'argent, il restait peu d'argent **2.** • **a little of everything** un peu de tout • **the little I saw looked excellent** le peu que j'en ai vu paraissait excellent. ❑ adv peu, pas beaucoup • **little by little** peu à peu. ■ **a little** un peu de • **I speak a little French** je parle quelques mots de français • **a little money** un peu d'argent. ❑ pron un peu • **would you like some more?** — **just a little** est-ce que vous en voulez plus ? — juste un peu. ❑ adv un peu • **I'm a little tired** je suis un peu fatigué • **I walked on a little** j'ai marché encore un peu.

little

A little a le même sens que *a bit* et *a bit of*, mais appartient à un registre plus élevé. Notez bien que si vous utilisez *a little* directement devant un nom, il est inutile d'ajouter *of (would you like a little bread with your soup?)*.
De même que *a bit*, *a little* peut aussi remplir la fonction d'adverbe *(he seems a little better ; I slept a little this afternoon)*.
Voir aussi *few*.

little finger n petit doigt m, auriculaire m.

little-known adj peu connu.

liturgy ['lɪtədʒɪ] (pl -ies) n liturgie f.

live [lɪv] vi **1.** vivre • **they don't earn enough to live** ils ne gagnent pas de quoi vivre • **he lives by teaching** il gagne sa vie en enseignant • **how does she live on that salary?** comment s'en sort-elle avec ce salaire ? **2.** habiter, vivre • **to live in Paris** habiter (à) Paris. ❑ vt • **to live a quiet life** mener une vie tranquille • **she lived the life of a film star** elle a vécu comme une star de cinéma • **to live it up** fam faire la noce. ■ **live down** vt sép faire oublier. ■ **live in** vi (élève) être interne. ■ **live off** vt insép **1.** vivre de **2.** vivre aux dépens de. ■ **live on** vt insép vivre de. ❑ vi (souvenir, sentiment) rester, survivre.

■ **live out** vt insép ● she lived out the rest of her life in Spain elle a passé le reste de sa vie en Espagne ● to live out one's fantasies réaliser ses rêves. ❑ vi (élève) être externe. ■ **live through** vt insép connaître ● they've lived through war and famine ils ont connu la guerre et la famine. ■ **live together** vi vivre ensemble. ■ **live up to** vt insép ● to live up to sb's expectations répondre à l'attente de qqn ● to live up to one's reputation faire honneur à sa réputation. ■ **live with** vt insép **1.** vivre avec **2.** fam se faire à, accepter.

lived-in ['lɪvdɪn] adj **1.** confortable **2.** habité.

live-in [lɪv-] adj (gouvernante) logé et nourri ● a live-in boyfriend/girlfriend un petit ami/une petite amie avec qui on vit.

livelihood ['laɪvlɪhʊd] n gagne-pain m inv.

liveliness ['laɪvlɪnɪs] n vivacité f.

lively ['laɪvlɪ] adj **1.** (personne) plein d'entrain **2.** (discussion, débat) animé **3.** (esprit) vif.

liven ['laɪvn] ■ **liven up** vt sép **1.** égayer **2.** animer. ❑ vi s'animer.

liver ['lɪvər] n foie m.

livery ['lɪvərɪ] n livrée f.

lives [laɪvz] npl → life.

livestock ['laɪvstɒk] n (indén) bétail m.

live wire [laɪv-] n **1.** fil m sous tension **2.** fam & fig boute-en-train m inv.

livid ['lɪvɪd] adj **1.** fam furieux **2.** (ecchymose) violacé.

living ['lɪvɪŋ] adj vivant, en vie. ❑ n ● to earn ou make a living gagner sa vie ● what do you do for a living? qu'est-ce que vous faites dans la vie ? ● living environment cadre m de vie.

living conditions npl conditions fpl de vie.

living expenses npl frais mpl de subsistance.

living-flame adj ● living-flame gas fire chauffage au gaz à flammes réelles, imitant un feu de charbon.

living room n salle f de séjour, living m.

living standards npl niveau m de vie.

living wage n minimum m vital.

lizard ['lɪzəd] n lézard m.

llama ['lɑːmə] n (pl inv ou -s) lama m.

load [ləʊd] n **1.** chargement m, charge f **2.** ● loads of, a load of fam des tas de, plein de ● a load of rubbish (surtout UK) ou of bull (surtout US) fam de la foutaise. ❑ vt **1.** charger ● to load sb/sthg with charger qqn/qqch de ● to load a gun/camera (with) charger un fusil/un appareil photo (avec) ● to load the dice piper les dés **2.** mettre une vidéo-cassette dans. ❑ vi **1.** charger ● the ship is loading le navire est en cours de chargement **2.** se charger. ■ **load down** vt sép charger (lourdement) ● he was loaded down with packages il avait des paquets plein les bras ● I'm loaded down

with work je suis surchargé de travail. ■ **load up** vt sép & vi charger.

loaded ['ləʊdɪd] adj **1.** insidieux **2.** fam plein aux as **3.** (surtout US) ivre.

loading bay ['ləʊdɪŋ-] n aire f de chargement.

loaf [ləʊf] (pl loaves [ləʊvz]) n ● a loaf (of bread) un pain.

loafer ['ləʊfər] n mocassin m.

loan [ləʊn] n prêt m ● on loan prêté. ❑ vt prêter ● to loan sthg to sb, to loan sb sthg prêter qqch à qqn.

loan shark n fam & péj usurier m.

loath [ləʊθ] adj sout ● to be loath to do sthg ne pas vouloir faire qqch, hésiter à faire qqch.

loathe [ləʊð] vt détester ● to loathe doing sthg avoir horreur de ou détester faire qqch.

loathing ['ləʊðɪŋ] n sout dégoût m, répugnance f.

loathsome ['ləʊðsəm] adj dégoûtant, répugnant.

loaves [ləʊvz] npl → loaf.

lob [lɒb] n TENNIS lob m. ❑ vt **1.** lancer **2.** TENNIS ● to lob a ball lober, faire un lob.

lobby ['lɒbɪ] n **1.** hall m **2.** lobby m, groupe m de pression. ❑ vt faire pression sur.

lobe [ləʊb] n lobe m.

lobotomy [lə'bɒtəmɪ] (pl -ies) n lobotomie f.

lobster ['lɒbstər] n homard m.

local ['ləʊkl] adj local. ❑ n fam **1.** ● the locals les gens mpl du coin ou du pays **2.** (UK) café m ou bistro m du coin.

local anaesthetic, local anesthetic (us) n anesthésie f locale.

local area network n INFORM réseau m local.

local authority n (UK) autorités fpl locales.

local call n TÉLÉCOM communication f urbaine.

locale [ləʊ'kɑːl] n sout lieu m, endroit m.

local government n administration f municipale.

locality [ləʊ'kælətɪ] n endroit m.

localization, -ise [ˌləʊkəlaɪˈzeɪʃn] n localisation f.

localize, -ise ['ləʊkəlaɪz] vt **1.** localiser, situer **2.** localiser, limiter ● they have tried to localize the effect of the strike ils ont essayé de limiter l'effet de la grève.

localized, -ised (UK) ['ləʊkəlaɪzd] adj localisé.

locally ['ləʊkəlɪ] adv **1.** localement **2.** dans les environs, à proximité ● to live locally habiter dans le quartier.

local time n heure f locale.

locate [(UK) ləʊ'keɪt, (US) 'ləʊkeɪt] vt **1.** trouver, repérer **2.** localiser **3.** implanter, établir (une usine, une entreprise) ● to be located être situé.

location [ləʊ'keɪʃn] n **1.** emplacement m **2.** CINÉ ● on location en extérieur ● location shot extérieur m.

location shot n CINÉ extérieur m.

loch [lɒk ou lɒx] n (ÉCOSSE) loch m, lac m.

lock [lɒk] n **1.** serrure f **2.** verrou m **3.** écluse f **4.** AUTO angle m de braquage **5.** mèche f (de cheveux) **6.** INFORM • **shift** ou **caps lock** touche f de verrouillage majuscule **7.** percuteur m (d'arme). ❏ vt **1.** fermer à clef **2.** cadenasser (un vélo) **3.** bloquer. ❏ vi **1.** fermer à clef **2.** se bloquer. ■ **lock away** vt sép **1.** mettre sous clef **2.** incarcérer, mettre sous les verrous • **we keep the alcohol locked away** nous gardons l'alcool sous clef. ■ **lock in** vt sép enfermer (à clef). ■ **lock out** vt sép **1.** enfermer dehors, laisser dehors • **to lock o.s. out** s'enfermer dehors **2.** empêcher d'entrer, mettre à la porte. ■ **lock up** vt sép **1.** mettre en prison ou sous les verrous **2.** enfermer (dans un asile) **3.** fermer à clef **4.** enfermer, mettre sous clef.

lockable ['lɒkəbl] adj qu'on peut fermer à clef.

lockdown ['lɒkdaun] n confinement m (de prisonniers, de patients) • **to be in lockdown** faire l'objet de mesures de confinement • **to go into lockdown** interdire toute entrée et toute sortie (d'une école, d'un aéroport).

locker ['lɒkə'] n casier m (fermant à clé).

locker room n vestiaire m.

locket ['lɒkɪt] n médaillon m.

locksmith ['lɒksmɪθ] n serrurier m, -ère f.

locomotive [ˌləukə͵məutɪv] n locomotive f.

locum ['ləukəm] (pl -s) n (surtout UK) remplaçant m, -e f.

locust ['ləukəst] n sauterelle f, locuste f.

lodge [lɒdʒ] n **1.** loge f **2.** pavillon m (de gardien) **3.** pavillon m de chasse. ❏ vi **1.** sout • **to lodge with sb** loger chez qqn **2.** se loger, se coincer **3.** fig s'enraciner, s'ancrer. ❏ vt déposer (une plainte) • **to lodge an appeal** interjeter ou faire appel.

lodger ['lɒdʒə'] n locataire mf.

lodging ['lɒdʒɪŋ] n → **board**. ■ **lodgings** npl chambre f meublée.

loft [lɒft] n grenier m.

lofty ['lɒftɪ] adj **1.** noble **2.** péj hautain, arrogant **3.** littéraire haut, élevé.

log [lɒg] n **1.** bûche f **2.** journal m de bord **3.** carnet m de vol. ❏ vt consigner, enregistrer. ■ **log in**, **log on** vi INFORM ouvrir une session. ■ **log off**, **log out** vi INFORM fermer une session.

logbook ['lɒgbuk] n **1.** journal m de bord **2.** carnet m de vol **3.** (UK) ≃ carte f grise.

log cabin n cabane f en rondins.

log fire n feu m de bois.

loggerheads ['lɒgəhedz] n • **at loggerheads** en désaccord.

logic ['lɒdʒɪk] n logique f.

logical ['lɒdʒɪkl] adj logique.

logically ['lɒdʒɪklɪ] adv logiquement.

login (name) ['lɒgɪn] n INFORM nom m d'utilisateur ou de login.

logistical [lə'dʒɪstɪkl] adj logistique.

logistically [lə'dʒɪstɪklɪ] adv sur le plan logistique.

logistics [lə'dʒɪstɪks] n (indén) logistique f. ❏ npl fig organisation f.

logo ['ləugəu] (pl -s) n logo m.

loin [lɔɪn] n filet m.

loiter ['lɔɪtə'] vi traîner.

LOL SMS **1.** (abrév de laughing out loud) LOL, MDR **2.** (abrév de lots of love) grosses bises.

loll [lɒl] vi **1.** se prélasser **2.** (tête, langue) pendre.

lollipop ['lɒlɪpɒp] n sucette f.

lollipop lady n (UK) dame qui fait traverser la rue aux enfants à la sortie des écoles.

lollipop man n (UK) monsieur qui fait traverser la rue aux enfants à la sortie des écoles.

lollop ['lɒləp] vi **1.** marcher lourdement **2.** galoper.

lolly ['lɒlɪ] n (UK) fam **1.** sucette f **2.** sucette f glacée.

London ['lʌndən] n Londres.

Londoner ['lʌndənə'] n Londonien m, -enne f.

lone [ləun] adj solitaire.

loneliness ['ləunlɪnɪs] n **1.** solitude f **2.** isolement m.

lonely ['ləunlɪ] adj **1.** (personne) solitaire, seul **2.** (enfance) solitaire **3.** (endroit) isolé.

lonely hearts adj • **lonely hearts club** club m de rencontres • **lonely hearts column** rubrique f rencontres (des petites annonces).

lone parent n (UK) père m/mère f célibataire.

loner ['ləunə'] n solitaire mf.

lonesome ['ləunsəm] adj (US) fam **1.** (personne) solitaire, seul **2.** (endroit) isolé.

long [lɒŋ] adj long. ❏ adv longtemps • **how long will it take?** combien de temps cela va-t-il prendre ? • **how long will you be?** tu en as pour combien de temps ? • **so long!** fam au revoir !, salut ! ■ **as long as**, **so long as** conj tant que. ■ **long for** vt insép **1.** désirer ardemment **2.** attendre avec impatience. ■ **before long** adv **1.** dans peu de temps, sous peu **2.** peu (de temps) après. ■ **no longer** adv ne... plus • **not any longer** plus maintenant • **I no longer like him** je ne l'aime plus • **I can't wait any longer** je ne peux pas attendre plus longtemps, je ne peux plus attendre.

long-awaited [-ə'weɪtɪd] adj très attendu.

long-distance adj (coureur, course) de fond • **long-distance lorry** (UK) ou **truck** (US) **driver** routier m.

long-distance call n TÉLÉCOM communication f interurbaine.

long-drawn-out adj interminable, qui n'en finit pas.

longed-for ['lɒŋd-] *adj* très attendu.

long-forgotten *adj* oublié depuis longtemps • **a long-forgotten tradition** une tradition tombée en désuétude.

long-grain rice *n* riz *m* long.

long-haired *adj* **1.** aux cheveux longs **2.** à poil(s) long(s).

longhand ['lɒŋhænd] *n* écriture *f* normale.

long-haul *adj* AÉRON long-courrier.

longing ['lɒŋɪŋ] *adj* plein de convoitise. □ *n* **1.** envie *f*, convoitise *f* • **a longing for** un grand désir *ou* une grande envie de **2.** nostalgie *f*, regret *m*.

longingly ['lɒŋɪŋlɪ] *adv* **1.** avec envie **2.** avec nostalgie.

longitude ['lɒndʒɪtjuːd] *n* longitude *f*.

long johns *npl* caleçon *m* long.

long jump *n* saut *m* en longueur.

long-lasting *adj* qui dure longtemps, durable.

long-life *adj* **1.** *(lait)* longue conservation *(inv)* **2.** *(piles)* longue durée *(inv)*.

long-lived [-lɪvd] *adj* **1.** *(famille, espèce)* d'une grande longévité **2.** *(amitié)* durable **3.** *(préjugé)* tenace, qui a la vie dure.

long-lost *adj* **1.** perdu depuis longtemps **2.** perdu de vue depuis longtemps.

long-range *adj* **1.** *(missile)* à longue portée **2.** *(projet, prévision)* à long terme.

long-running *adj* **1.** *(émission de télé)* diffusé depuis de nombreuses années **2.** *(pièce de théâtre)* qui tient depuis longtemps l'affiche **3.** *(conflit)* qui dure depuis longtemps.

long shot *n* coup *m* à tenter *(sans grand espoir de succès)*.

longsighted [,lɒŋ'saɪtɪd] *adj* (UK) presbyte.

long-standing *adj* de longue date.

long-suffering *adj* à la patience infinie.

long term *n* • **in the long term** à long terme. ■ **long-term** *adj* à long terme.

long view *n* prévisions *fpl* à long terme • **to take the long view** voir le long terme.

long wave *n* *(indén)* grandes ondes *fpl*.

long weekend *n* long week-end *m*.

longwinded [,lɒŋ'wɪndɪd] *adj* **1.** *(personne)* prolixe, verbeux **2.** *(discours)* interminable, qui n'en finit pas.

loo [luː] *(pl -s)* *n* (UK) *fam* cabinets *mpl*, petit coin *m*.

look [lʊk] *n* **1.** regard *m* • **to take** *ou* **have a look (at sthg)** regarder (qqch), jeter un coup d'œil (à qqch) • **to give sb a look** jeter un regard à qqn, regarder qqn de travers **2.** • **to have a look (for sthg)** chercher (qqch) **3.** aspect *m*, air *m* • **by the look** *ou* **looks of it, by the look** *ou* **looks of things** vraisemblablement, selon toute probabilité. □ *vi* **1.** regarder **2.** chercher **3.** avoir l'air, sembler • **it looks like rain**

ou **as if it will rain** on dirait qu'il va pleuvoir • **she looks like her mother** elle ressemble à sa mère **4.** *(bâtiment)* • **to look (out) onto** donner sur. ■ **look after** *vt insép* s'occuper de. ■ **look around, look round** (UK) *vt insép* faire le tour de. □ *vi* **1.** se retourner **2.** regarder *(autour de soi)*. ■ **look at** *vt insép* **1.** regarder **2.** examiner **3.** considérer. ■ **look back** *vi* penser au passé, évoquer le passé • **it seems funny now we look back on it** ça semble drôle quand on y pense aujourd'hui • **she's never looked back** *fig* depuis, elle a accumulé les succès. ■ **look down on** *vt insép* mépriser. ■ **look for** *vt insép* chercher. ■ **look forward to** *vt insép* attendre avec impatience. ■ **look into** *vt insép* examiner, étudier. ■ **look on** *vi* regarder. ■ **look out** *vi* prendre garde, faire attention • **look out!** attention ! ■ **look out for** *vt insép* **1.** guetter **2.** être à l'affût de, essayer de repérer. ■ **look round** *vt insép* (UK) = **look around.** ■ **looks** *npl* beauté *f*. ■ **look through** *vt insép* **1.** examiner **2.** parcourir *(un journal)*. ■ **look to** *vt insép* **1.** compter sur **2.** songer à. ■ **look up** *vt sép* **1.** chercher • **to look sthg up on the Web** chercher qqch sur Internet **2.** aller *ou* passer voir *(une personne)*. □ *vi* reprendre • **things are looking up** ça va mieux, la situation s'améliore. ■ **look up to** *vt insép* admirer.

look-alike *n* sosie *m*.

looker ['lʊkər] *n* *fam* canon *m* • **she's/he's quite a looker** elle/il n'est pas mal (du tout).

look-in *n* (UK) *fam* • **I didn't get a look-in a)** je n'avais aucune chance **b)** *(dans une conversation)* je n'ai pas pu en placer une.

lookout ['lʊkaʊt] *n* **1.** poste *m* de guet **2.** guetteur *m* **3.** • **to be on the lookout for** être à la recherche de.

lookup query ['lʊkʌp] *n* INFORM requête *f*.

loom [luːm] *n* métier *m* à tisser. □ *vi* **1.** se dresser **2.** *fig* être imminent. ■ **loom up** *vi* surgir.

looming ['luːmɪŋ] *adj* imminent.

loony ['luːnɪ] *fam adj* cinglé, timbré. □ *n* cinglé *m*, -e *f*, fou *m*, folle *f*.

loop [luːp] *n* **1.** boucle *f* **2.** stérilet *m* **3.** *(locution)* • **to be/stay in the loop** être/rester dans le coup • **to keep sb in the loop** tenir qqn au courant.

loophole ['luːphəʊl] *n* faille *f*, échappatoire *f*.

loopy ['luːpɪ] *(comp* loopier, *superl* loopiest) *adj fam* dingue, cinglé.

loose [luːs] *adj* **1.** desserré **2.** branlant **3.** *(dent)* qui bouge *ou* branle **4.** *(nœud)* défait **5.** *(thé, bonbons)* en vrac, au poids **6.** *(vêtements)* ample, large **7.** *(cheveux)* dénoué **8.** *(animal)* en liberté, détaché **9.** approximatif **10.** vague • **they have loose ties with other political groups** ils sont vaguement liés à d'autres groupes politiques **11.** *péj & vieilli (femme)* facile ; *(vie)* dissolu.

loose change *n* petite *ou* menue monnaie *f*.

loose end n • **to be at a loose end** (UK) ou **to be at loose ends** (US) être désœuvré, n'avoir rien à faire.

loose-fitting adj ample.

loose-leaf binder n classeur m (à feuilles mobiles).

loose-leaf(ed) adj à feuilles mobiles ou volantes • **loose-leaf binder** classeur m (à feuilles mobiles) • **loose-leaf paper** feuillets mpl mobiles.

loosely ['luːslɪ] adv **1.** sans serrer **2.** approximativement.

loosen ['luːsn] vt desserrer, défaire. ■ **loosen up** vi **1.** s'échauffer **2.** fam se détendre.

loot [luːt] n butin m. ❑ vt piller.

looter ['luːtər] n pillard m, -e f.

looting ['luːtɪŋ] n pillage m.

lop [lɒp] vt élaguer, émonder. ■ **lop off** vt sép couper.

lopsided [-'saɪdɪd] adj **1.** bancal, boiteux **2.** de travers.

lord [lɔːd] n (UK) seigneur m. ■ **Lord** n **1.** RELIG • **the Lord** le Seigneur • **good Lord!** Seigneur !, mon Dieu ! **2.** (UK) **Lord** m • **my Lord** Monsieur le duc/comte etc. ■ **Lords** npl (UK) POLIT • **the (House of) Lords** la Chambre des lords.

Lordship ['lɔːdʃɪp] n • **your/his Lordship** Monsieur le duc/comte etc.

lore [lɔːr] n (indén) traditions fpl.

lorry ['lɒrɪ] n (UK) camion m.

lorry driver n (UK) camionneur m, conducteur m de poids lourd.

lose [luːz] (prét & pp **lost**) vt **1.** perdre • **he lost four games to Karpov** il a perdu quatre parties contre Karpov • **to lose one's appetite** perdre l'appétit • **to lose one's balance** perdre l'équilibre • **to lose consciousness** perdre connaissance • **to lose one's head** perdre la tête • **to lose sight of** litt & fig perdre de vue • **to lose one's way a)** litt & fig se perdre, perdre son chemin **b)** fig être un peu perdu • **to lose weight** perdre du poids **2.** (montre, pendule) retarder de • **to lose time** retarder **3.** semer (des poursuivants). ❑ vi perdre. ■ **lose out** vi être perdant.

loser ['luːzər] n **1.** perdant m, -e f • **to be a bad loser** être mauvais perdant **2.** fam & péj raté m, -e f.

losing ['luːzɪŋ] adj perdant.

loss [lɒs] n **1.** perte f **2.** • **to be at a loss** être perplexe, être embarrassé.

lossless ['lɒslɪs] adj INFORM • **lossless compression** compression f sans perte.

loss-making adj (UK) COMM déficitaire.

lossy adj INFORM • **lossy compression** compression f avec perte.

lost [lɒst] passé & pp → **lose**. ❑ adj perdu • **to get lost** se perdre • **get lost!** fam fous/foutez le camp !

lost-and-found office n (US) bureau m des objets trouvés.

lost cause n cause f perdue.

lost property n (indén) (UK) objets mpl trouvés.

lost property office n (UK) bureau m des objets trouvés.

lot [lɒt] n **1.** • **a lot (of)**, **lots (of)** beaucoup (de) **2.** (UK) fam • **the lot** le tout **3.** (dans une vente aux enchères) lot m **4.** sort m • **to draw lots** tirer au sort **5.** (US) terrain m **6.** (US) parking m. ■ **a lot** adv beaucoup.

lotion ['ləʊʃn] n lotion f.

lottery ['lɒtərɪ] n litt & fig loterie f • **to win the lottery** gagner à la loterie.

loud [laʊd] adj **1.** fort **2.** bruyant **3.** voyant. ❑ adv fort.

loudhailer [,laʊd'heɪlər] n (UK) mégaphone m, porte-voix m inv.

loudly ['laʊdlɪ] adv **1.** fort **2.** de façon voyante.

loudmouth ['laʊdmaʊθ] (pl [-maʊðz]) n fam grande gueule f.

loudmouthed ['laʊdmaʊðd] adj fam **1.** fort en gueule **2.** crâneur, frimeur **3.** bavard.

loudness ['laʊdnɪs] n **1.** force f, intensité f **2.** bruit m.

loudspeaker [,laʊd'spiːkər] n haut-parleur m.

lounge [laʊndʒ] n **1.** (UK) salon m **2.** (dans un aéroport) hall m, salle f **3.** (UK) = **lounge bar**. ❑ vi se prélasser. ■ **lounge around**, **lounge about** (UK) vi flemmarder, traîner.

lounge bar n (UK) l'une des deux salles d'un bar, la plus confortable.

lounger ['laʊndʒər] n **1.** lit m de plage **2.** paresseux m, -euse f.

lounge suit n (UK) complet m, complet-veston m.

louse [laʊs] n **1.** (pl **lice** [laɪs]) pou m **2.** (pl -s) fam & péj salaud m.

lousy ['laʊzɪ] adj fam **1.** minable, nul **2.** pourri.

lout [laʊt] n rustre m.

loutish ['laʊtɪʃ] adj **1.** grossier **2.** (manières) de rustre, mal dégrossi.

louvre (UK), **louver** (US) ['luːvər] n persienne f.

lovable ['lʌvəbl] adj adorable.

love [lʌv] n **1.** amour m • to be in love être amoureux • to fall in love tomber amoureux • to make love faire l'amour • give her my love embrasse-la pour moi • love from affectueusement, grosses bises **2.** (UK) fam mon chéri, ma chérie f **3.** TENNIS zéro m. ❑ vt aimer • to love to do sthg ou doing sthg aimer ou adorer faire qqch.

love affair n liaison f.

lovebird ['lʌvbɜːd] n **1.** inséparable m (oiseau) **2.** hum amoureux m, -euse f.

lovebite ['lʌvbaɪt] n suçon m.

loved up [lʌvd-] adj (UK) arg drogue tout gentil (sous l'effet de l'ecstasy).

love handles npl fam poignées fpl d'amour.

love-hate adj • a love-hate relationship une relation d'amour-haine.

love-in n **1.** vieilli rassemblement m de hipppies **2.** fig situation dans laquelle des gens passent leur temps à se faire des compliments les uns aux autres.

loveless ['lʌvlɪs] adj sans amour.

love letter n lettre f d'amour.

love life n vie f amoureuse.

lovely ['lʌvli] adj **1.** très joli **2.** très agréable, excellent.

lovemaking ['lʌvˌmeɪkɪŋ] n (indén) amour m, ébats mpl amoureux.

lover ['lʌvər] n **1.** amant m, -e f **2.** passionné m, -e f, amoureux m, -euse f.

lovesick ['lʌvsɪk] adj qui languit d'amour.

love song n chanson f d'amour.

love story n histoire f d'amour.

loving ['lʌvɪŋ] adj **1.** affectueux **2.** tendre.

lovingly ['lʌvɪŋli] adv avec amour.

low [ləʊ] adj **1.** bas **2.** peu élevé **3.** mauvais **4.** faible **5.** décolleté **6.** presque épuisé **7.** (voix) bas **8.** (murmure, gémissement) faible **9.** déprimé. ❑ adv **1.** bas **2.** à voix basse **3.** faiblement **4.** bas • stocks are running low les réserves baissent • the batteries are running low les piles sont usées. ❑ n **1.** niveau m ou point m bas **2.** MÉTÉOR dépression f.

low-alcohol adj à faible teneur en alcool.

low-angle shot n TV & CINÉ contre-plongée f.

lowbrow ['ləʊbraʊ] adj peu intellectuel.

low-budget adj **1.** économique **2.** (séjour) à petit prix **3.** (film) à petit budget.

low-calorie adj à basses calories.

low-cost adj **1.** bon marché **2.** (compagnie aérienne) low cost.

low-cut adj décolleté.

low-density housing n zones fpl d'habitation peu peuplées.

lowdown ['ləʊdaʊn] fam n • to give sb the lowdown (on sthg) mettre qqn au parfum (de qqch). ■ **low-down** adj méprisable.

low-end adj bas de gamme.

lower ['ləʊər] adj inférieur • the lower back le bas du dos, les reins • lower back pain mal aux reins. ❑ vt **1.** baisser (les yeux, les prix, le niveau) **2.** abaisser (un drapeau, l'âge de la retraite) **3.** diminuer (la pression).

lower class ['ləʊə-] n • the lower class ou lower classes les classes populaires fpl. ■ **lower-class** ['ləʊə-] adj populaire.

low-fat adj **1.** (yaourt) allégé **2.** (lait) demi-écrémé.

low-flying adj volant à basse altitude.

low-heeled adj à talons plats.

low-income adj à faibles revenus • low-income group population f à faibles revenus.

low-interest adj FIN (crédit, prêt) à taux réduit.

low-key adj discret.

low-level adj **1.** (négociations) à bas niveau **2.** (opération) de faible envergure **3.** AÉRON • low-level flying vol m à basse altitude **4.** PHYS • low-level radiation radiations fpl de faible intensité.

low life n fam pègre f.

lowlights ['ləʊlaɪts] npl **1.** mèches fpl (décoloration) **2.** fam points mpl faibles.

lowly ['ləʊli] adj modeste, humble.

low-lying adj bas, basse f.

low-maintenance adj **1.** qui ne demande pas beaucoup de soins **2.** qui ne demande pas beaucoup d'entretien.

low-necked [-'nekt] adj décolleté.

low-octane fuel n carburant m à faible indice d'octane.

low-paid adj mal payé.

low-powered adj de faible puissance.

low profile n • to keep a low profile garder un profil bas. ■ **low-profile** adj discret.

low-res [ləʊrez] fam abrév de **low-resolution**.

low-resolution adj à basse résolution.

low-rise adj bas.

low season n (UK) basse saison f.

low-slung adj **1.** (mobilier) bas **2.** AUTO surbaissé.

low-start mortgage n (UK) crédit m immobilier à faible taux initial.

low-sulphur petrol n essence f à basse teneur en soufre.

low-tech [-'tek] adj rudimentaire.

low tide n marée f basse.

low vision n basse vision f.

low-voltage adj à faible voltage.

loyal ['lɔɪəl] adj loyal.

loyally ['lɔɪəlɪ] *adv* loyalement, fidèlement.

loyalty ['lɔɪəltɪ] *n* loyauté *f*.

loyalty card *n* carte *f* de fidélité.

lozenge ['lɒzɪndʒ] *n* **1.** MÉD pastille *f* **2.** losange *m*.

LP (abrév de long-playing record) *n* 33 tours *m*.

LPG [ˌelpiːˈdʒiː] (abrév de liquified petroleum gas) *n* GPL *m*.

LPI (abrév de lines per inch) lignes par pouce, LPP.

L-plate *n* (UK) plaque signalant que le conducteur du véhicule est en conduite accompagnée.

LSD (abrév de lysergic acid diethylamide) *n* LSD *m*.

LSKOL SMS (abrév de long slow kiss on the lips) long baiser sur la bouche.

Ltd, ltd (abrév de limited) (surtout UK) ≃ SARL • Smith and Sons, Ltd ≃ Smith & Fils, SARL.

LTM ['el 'tiː 'em] (abrév de Learning Team Meetings) *n* (US) SCOL journée où les cours ont des durées réduites, ce qui permet aux professeurs de participer à des réunions de travail.

LTNC SMS (abrév de long time no see) ça fait un bail qu'on ne s'est pas vus.

LTNS SMS (abrév de long time no see) ça fait un bail qu'on ne s'est pas vus.

lubricant ['luːbrɪkənt] *n* lubrifiant *m*.

lubricate ['luːbrɪkeɪt] *vt* lubrifier.

lubrication [ˌluːbrɪˈkeɪʃn] *n* lubrification *f*.

lucid ['luːsɪd] *adj* lucide.

lucidity [luːˈsɪdətɪ] *n* **1.** lucidité *f* **2.** clarté *f*, limpidité *f*.

lucidly ['luːsɪdlɪ] *adv* lucidement.

luck [lʌk] *n* chance *f* • good luck chance • good luck! bonne chance ! • bad luck malchance *f* • bad ou hard luck ! pas de chance ! • to be in luck avoir de la chance • with (any) luck avec un peu de chance. ■ **luck out** *vi* (US) *fam* avoir un coup de pot.

luckily ['lʌkɪlɪ] *adv* heureusement.

lucky ['lʌkɪ] *adj* **1.** qui a de la chance **2.** heureux **3.** porte-bonheur (*inv*).

lucky dip *n* (UK) sac rempli de cadeaux, dans lequel on pioche sans regarder.

lucrative ['luːkrətɪv] *adj* lucratif.

ludicrous ['luːdɪkrəs] *adj* ridicule.

ludicrously ['luːdɪkrəslɪ] *adv* ridiculement.

lug [lʌg] *vt fam* traîner.

luggage ['lʌgɪdʒ] *n* (indén) bagages *mpl*.

luggage rack *n* porte-bagages *m inv*.

lukewarm ['luːkwɔːm] *adj litt & fig* tiède.

lull [lʌl] *n* • **lull (in) a)** accalmie *f* (de) **b)** arrêt *m* (de). ❑ *vt* • to lull sb to sleep endormir qqn en le berçant • to lull sb into a false sense of security endormir les soupçons de qqn.

lullaby ['lʌləbaɪ] *n* berceuse *f*.

lumbago [lʌmˈbeɪgəʊ] *n* (indén) lumbago *m*.

lumber ['lʌmbəʳ] *n* (indén) **1.** (US) bois *m* de charpente **2.** (UK) bric-à-brac *m inv*. ■ **lumber with**

vt sép (UK) *fam* • to lumber sb with sthg coller qqch à qqn.

lumbering ['lʌmbərɪŋ] *adj* lourd, pesant.

lumberjack ['lʌmbədʒæk] *n* bûcheron *m*, -onne *f*.

luminous ['luːmɪnəs] *adj* **1.** lumineux **2.** phosphorescent.

lump [lʌmp] *n* **1.** morceau *m* **2.** motte *f* **3.** grumeau *m* **4.** grosseur *f* (tumeur). ❑ *vt* • to lump sthg together réunir qqch • to lump it *fam* faire avec, s'en accommoder.

lump sum *n* somme *f* globale.

lumpy ['lʌmpɪ] (*comp* lumpier, *superl* lumpiest) *adj* **1.** plein de grumeaux **2.** (matelas) défoncé.

lunacy ['luːnəsɪ] *n* folie *f*.

lunar ['luːnəʳ] *adj* lunaire.

lunatic ['luːnətɪk] *adj péj* dément, démentiel. ❑ *n* **1.** *péj* fou *m*, folle *f* **2.** *vieilli* fou *m*, folle *f*, aliéné *m*, -e *f*.

lunch [lʌntʃ] *n* déjeuner *m* • to have lunch déjeuner • to have sthg for lunch manger qqch au déjeuner • what did you have for lunch? qu'est-ce que tu as mangé au déjeuner ?, qu'est-ce que tu as mangé à midi ? ❑ *vi* déjeuner.

lunchbox ['lʌntʃbɒks] *n* boîte dans laquelle on transporte son déjeuner.

luncheon ['lʌntʃən] *n sout* déjeuner *m*.

luncheon meat, lunchmeat (US) [ˌlʌntʃˈmiːt] *n* sorte de saucisson.

luncheon voucher *n* (UK) ticket-restaurant *m*.

lunch hour *n* pause *f* de midi.

lunchtime ['lʌntʃtaɪm] *n* heure *f* du déjeuner.

lung [lʌŋ] *n* poumon *m*.

lung cancer *n* cancer *m* du poumon.

lunge [lʌndʒ] *vi* faire un brusque mouvement (du bras) en avant • to lunge at s'élancer sur qqn.

lurch [lɜːtʃ] *n* **1.** écart *m* brusque **2.** AUTO embardée *f* • to leave sb in the lurch laisser qqn dans le pétrin. ❑ *vi* **1.** tituber **2.** AUTO faire une embardée.

lure [ljʊəʳ] *n* charme *m* trompeur. ❑ *vt* attirer ou persuader par la ruse.

lurid ['ljʊərɪd] *adj* **1.** aux couleurs criardes **2.** affreux.

lurk [lɜːk] *vi* **1.** se cacher, se dissimuler **2.** (souvenir, peur) subsister **3.** INFORM • to lurk in chatrooms suivre les chats dans des forums sans y participer.

lurker *n* INFORM personne qui suit les chats sur un forum sans y participer.

lurking ['lɜːkɪŋ] *adj* (doute, crainte) vague.

luscious ['lʌʃəs] *adj* **1.** succulent **2.** *fam & fig* appétissant.

lush [lʌʃ] *adj* **1.** luxuriant **2.** luxueux.

lust [lʌst] *n* **1.** désir *m* **2.** *fig* • **lust for sthg** soif *f* de qqch. ■ **lust after, lust for** *vt insép* **1.** *fig* être assoiffé de **2.** désirer.

lustful ['lʌstfʊl] *adj* lubrique.

lusty ['lʌstɪ] *adj* vigoureux.

lute [luːt] *n* luth *m*.

luvvie ['lʌvɪ] *n* (**UK**) *fam* théâtreux *m* prétentieux, théâtreuse prétentieuse *f*.

Luxembourg ['lʌksəmbɜːg] *n* **1.** *(le pays)* Luxembourg *m* **2.** *(la ville)* Luxembourg.

luxuriate [lʌg'ʒʊərɪeɪt] *vi sout* • **to luxuriate in** s'abandonner aux plaisirs de.

luxurious [lʌg'ʒʊərɪəs] *adj* **1.** luxueux **2.** voluptueux.

luxury ['lʌkʃərɪ] *n* luxe *m*. ❑ *en apposition* de luxe.

lychee [ˌlaɪ'tʃiː] *n* litchi *m*.

Lycra® ['laɪkrə] *n* Lycra® *m*. ❑ *en apposition* en Lycra®.

lying ['laɪɪŋ] *adj* menteur. ❑ *n (indén)* mensonges *mpl*.

lymph gland [lɪmf-] *n* ganglion *m* lymphatique.

lynch [lɪntʃ] *vt* lyncher.

lynching ['lɪntʃɪŋ] *n* lynchage *m*.

lynchpin ['lɪntʃpɪn] = linchpin.

lyric ['lɪrɪk] *adj* lyrique.

lyrical ['lɪrɪkl] *adj* lyrique.

lyricist ['lɪrɪsɪst] *n* **1.** poète *m* lyrique **2.** parolier *m*, -ère *f*.

lyrics ['lɪrɪks] *npl* paroles *fpl*.

M

m¹ [em] (*pl* m's *ou* ms), **M** (*pl* M's *ou* Ms) *n* m *m inv*, M *m inv*.

m² **1.** (abrév de metre) m **2.** (abrév de million) M **3.** abrév de **mile**.

M³ (UK) abrév de **motorway**.

m8 SMS abrév de **mate**.

MA *n* abrév de **Master of Arts**.

mac [mæk] (abrév de mackintosh) *n* (UK) *fam* imper *m*.

macabre [mə'kɑːbrə] *adj* macabre.

macaroni [ˌmækə'rəʊnɪ] *n* (indén) macaronis *mpl*.

macchiato [mæk'jɑːtəʊ] *n* café *m* macchiato ; ≃ café *m* noisette.

Mace® [meɪs] *n* gaz *m* lacrymogène. ❑ *vt* (US) *fam* bombarder au gaz lacrymogène.

mace [meɪs] *n* **1.** masse *f* **2.** macis *m*.

machine [mə'ʃiːn] *n litt & fig* machine *f*. ❑ *vt* coudre à la machine.

machinegun [mə'ʃiːngʌn] *n* mitrailleuse *f*.

machine language *n* INFORM langage *m* machine.

machine-readable *adj* INFORM en langage machine.

machinery [mə'ʃiːnərɪ] *n* **1.** (indén) machines *fpl* **2.** *fig* mécanisme *m*.

machine translation *n* traduction *f* automatique.

machine-washable *adj* lavable à la *ou* en machine.

machismo [mə'tʃɪzməʊ] *n* machisme *m*.

macho ['mætʃəʊ] *adj fam* macho (inv).

mackerel ['mækrəl] (*pl inv ou* -s) *n* maquereau *m*.

mackintosh ['mækɪntɒʃ] *n* (UK) *vieilli* imperméable *m*.

macrobiotic [ˌmækrəʊbaɪ'ɒtɪk] *adj* macrobiotique.

macroclimate ['mækrəʊˌklaɪmət] *n* macroclimat *m*.

macroeconomics ['mækrəʊˌiːkə'nɒmɪks] *n* (indén) macroéconomie *f*.

mad [mæd] *adj* **1.** fou • **to go mad** devenir fou • **to be in a mad rush** *fam* être à la bourre *fam* **2.** (surtout UK) *fam* insensé **3.** furieux • **to be mad at sb** être furieux contre qqn **4.** • **to be mad about sb/sthg** *fam* être fou de qqn/qqch.

Madagascar [ˌmædə'gæskə] *n* Madagascar *m*.

madam ['mædəm] *n* madame *f*.

madcap ['mædkæp] *adj* risqué, insensé.

mad cow disease *n fam* maladie *f* de la vache folle.

madden ['mædn] *vt* exaspérer.

maddening ['mædnɪŋ] *adj* exaspérant.

made [meɪd] *passé & pp* → **make**.

-made [meɪd] *suffixe* fait • **factory-made** fait *ou* fabriqué en usine • **French-made** de fabrication française.

Madeira [mə'dɪərə] *n* **1.** (vin) madère *m* **2.** Madère *f*.

made-to-measure *adj* fait sur mesure.

made-to-order *adj* (fait) sur commande.

made-up *adj* **1.** maquillé **2.** fabriqué **3.** (UK) *fam* super content.

madhouse ['mædhaʊs] (*pl* [-haʊzɪz]) *n fig* maison *f* de fous.

madly ['mædlɪ] *adv* comme un fou • **madly in love** follement amoureux.

madman ['mædmən] (*pl* -men) *n* fou *m*.

madness ['mædnɪs] *n litt & fig* folie *f*, démence *f*.

Madrid [mə'drɪd] *n* Madrid.

madwoman ['mædˌwʊmən] (*pl* -women) *n* folle *f*.

Mafia ['mæfɪə] *n* • **the Mafia** la Mafia.

magazine [ˌmægə'ziːn] *n* **1.** PRESSE revue *f*, magazine *m* **2.** RADIO & TV magazine **3.** magasin *m* (d'un fusil).

magazine rack *n* porte-revues *m*.

maggot ['mægət] *n* ver *m*, asticot *m*.

magic ['mædʒɪk] *adj* magique. ❑ *n* magie *f*. ❑ *vt* faire apparaître comme par magie • **to magic sthg out of thin air** faire apparaître qqch comme par magie. ■ **magic up** *vt sép* faire comme par magie • **to magic sthg up** faire qqch, comme par magie.

magical ['mædʒɪkl] adj magique.

magically ['mædʒɪklɪ] adv **1.** magiquement **2.** fig comme par enchantement.

magician [mə'dʒɪʃn] n magicien m, -enne f.

magic wand n baguette f magique.

magistrate ['mædʒɪstreɪt] n magistrat m, -e f, juge m.

magistrates' court ['mædʒɪstreɪts-] n (UK) ≃ tribunal m d'instance.

magnanimous [mæg'nænɪməs] adj sout magnanime.

magnate ['mægneɪt] n magnat m.

magnesium [mæg'niːzɪəm] n magnésium m.

magnet ['mægnɪt] n **1.** aimant m **2.** fig • he's a girl magnet fam il attire les filles.

magnetic [mæg'netɪk] adj litt & fig magnétique.

magnetic disk n disque m magnétique.

magnetic field n champ m magnétique.

magnetic tape n bande f magnétique.

magnetism ['mægnɪtɪzm] n litt & fig magnétisme m.

magnet school ['mægnɪt ,skuːl] n (US) SCOL école publique offrant un enseignement particulier non disponible dans les écoles alentour et qui recrute des élèves hors de la zone scolaire.

magnificent [mæg'nɪfɪsənt] adj magnifique, superbe.

magnifier ['mægnɪfaɪə] n (en optique) verre m grossissant.

magnify ['mægnɪfaɪ] vt **1.** grossir (avec une loupe) **2.** amplifier (un son) **3.** fig exagérer.

magnifying glass ['mægnɪfaɪɪŋ-] n loupe f • to look at sthg through a magnifying glass examiner qqch à la loupe.

magnitude ['mægnɪtjuːd] n envergure f, ampleur f.

magnolia [mæg'nəʊljə] n **1.** magnolia m **2.** fleur f de magnolia.

magpie ['mægpaɪ] n pie f.

mahogany [mə'hɒgənɪ] n acajou m.

maid [meɪd] n domestique f.

maiden ['meɪdn] adj (vol, traversée) premier. ❑ n littéraire jeune fille f.

maiden aunt n vieilli tante f célibataire.

maiden name n nom m de jeune fille.

mail [meɪl] n **1.** courrier m **2.** poste f **3.** courrier m électronique. ❑ vt **1.** (surtout US) poster **2.** envoyer (par courrier électronique).

mailbot ['meɪlbɒt] n mailbot m (logiciel de gestion de courrier électronique).

mailbox ['meɪlbɒks] n (US) boîte f à ou aux lettres • an electronic mailbox une boîte aux lettres électronique.

mailing ['meɪlɪŋ] n **1.** expédition f, envoi m par la poste • mailing address adresse f postale **2.** COMM & INFORM mailing m, publipostage m.

mailing list n liste f d'adresses.

mailman ['meɪlmæn] (pl -men) n (US) facteur m, -trice f.

mail order n vente f par correspondance.

mail server n serveur m de courrier électronique, serveur m mail.

mailshot ['meɪlʃɒt] n (UK) publipostage m.

maim [meɪm] vt estropier.

main [meɪn] adj principal. ❑ n conduite f (canalisation). ■ mains npl (UK) • the mains le secteur.

main course n plat m principal.

mainframe (computer) ['meɪnfreɪm-] n gros ordinateur m, processeur m central.

mainland ['meɪnlənd] adj continental. ❑ n • the mainland le continent.

main line n RAIL grande ligne f.

mainly ['meɪnlɪ] adv principalement.

main office n (surtout US) siège m social.

main road n route f à grande circulation.

mains-operated adj (UK) fonctionnant sur secteur.

mainstay ['meɪnsteɪ] n pilier m, élément m principal.

mainstream ['meɪnstriːm] adj dominant. ❑ n • the mainstream la tendance générale.

mainstreaming ['meɪnstriːmɪŋ] n • (gender) mainstreaming approche f intégrée de l'égalité.

maintain [meɪn'teɪn] vt **1.** maintenir **2.** entretenir **3.** • to maintain (that)... maintenir que..., soutenir que...

maintainable [meɪn'teɪnəbl] adj (attitude, opinion, position) soutenable, défendable.

maintained school [meɪn'teɪnd-] adj (UK) ≃ école f publique.

maintenance ['meɪntənəns] n **1.** maintien m **2.** entretien m, maintenance f **3.** (UK) DR pension f alimentaire.

maisonette [,meɪzə'net] n (UK) duplex m.

maize [meɪz] n (UK) maïs m.

majestic [mə'dʒestɪk] adj majestueux.

majestically [mə'dʒestɪklɪ] adv majestueusement.

majesty ['mædʒəstɪ] n majesté f. ■ Majesty n • His/Her Majesty Sa Majesté le roi/la reine.

major ['meɪdʒə] vi (US) (US) se spécialiser • to major in linguistics faire des études de linguistique.

major ['meɪdʒə] adj **1.** majeur **2.** principal **3.** MUS majeur. ❑ n **1.** ≃ chef m de bataillon **2.** commandant m **3.** (US) UNIV matière f.

Majorca [mə'dʒɔːkə ou mə'jɔːkə] n Majorque f.

majority [mə'dʒɒrətɪ] n majorité f • in a ou the majority dans la majorité • to win by a big majority gagner avec une forte majorité • majority rule gouvernement m à la majorité absolue, système m majoritaire.

Major League (US) n (gén) première division f • **Major League team** grande équipe (sportive) ; (au base-ball) une des deux principales divisions de base-ball professionnel aux États-Unis. ❏ adj de premier rang.

make [meɪk] vt (prét & pp **made**) **1.** faire, fabriquer • **to make a meal** préparer un repas • **to make a film** (surtout UK) ou **movie** (surtout US) tourner ou réaliser un film • **to make a mistake** faire une erreur, se tromper • **to make a decision** prendre une décision • **to make sb do sthg** faire faire qqch à qqn, obliger qqn à faire qqch • **to make sb laugh** faire rire qqn • **2 and 2 make 4** 2 et 2 font 4 **2.** rendre • **to make sb happy/sad** rendre qqn heureux/triste **3.** • **to be made of** être en • **what's it made of?** c'est en quoi ? **4.** (UK) • **I make it 50** d'après moi il y en a 50, j'en ai compté 50 • **what time do you make it?** quelle heure as-tu ? • **I make it 6 o'clock** il est 6 heures (à ma montre) **5.** gagner, se faire • **to make a profit** faire des bénéfices • **to make a loss** essuyer des pertes **6.** se faire • **to make friends (with sb)** se lier d'amitié (avec qqn) **7.** arriver à. ❏ n COMM marque f. ■ **make for** vt insép se diriger vers. ■ **make of** vt sép comprendre. ❏ vt insép penser de • **what do you make of the Smiths?** qu'est-ce que tu penses des Smith ? ■ **make off** vi fam filer. ■ **make out** vt sép **1.** discerner **2.** comprendre **3.** libeller (un chèque) **4.** faire (une facture) **5.** remplir (un formulaire). ❏ vt insép • **to make out (that)…** prétendre que… ❏ vi insép **1.** fam se débrouiller • **how did you make out at work today?** comment ça s'est passé au boulot aujourd'hui ? **2.** (US) tfam se peloter • **to make out with sb** s'envoyer qqn. ■ **make over** vt sép **1.** transférer, céder **2.** transformer • **the garage had been made over into a workshop** le garage a été transformé en atelier. ■ **make up** vt sép **1.** composer, constituer **2.** inventer **3.** maquiller **4.** faire (un paquet) **5.** préparer **6.** compléter. ❏ vi se réconcilier. ■ **make up for** vt insép compenser. ■ **make up to** vt sép • **to make it up to sb (for sthg)** se racheter auprès de qqn (pour qqch).

make-believe n • **it's all make-believe** c'est de la pure fantaisie.

makeover ['meɪkəʊvə'] n transformation f • **to give sthg a makeover** transformer qqch.

maker ['meɪkə'] n **1.** fabricant m, -e f **2.** CINÉ réalisateur m, -trice f.

makeshift ['meɪkʃɪft] adj de fortune.

make-up n **1.** maquillage m • **make-up remover** démaquillant m **2.** caractère m • **genetic make-up** caractéristiques fpl génétiques **3.** constitution f (d'une équipe, d'un groupe).

make up test ['meɪk ʌp ‚test] n (US) SCOL examen m de rattrapage.

making ['meɪkɪŋ] n fabrication f • **his problems are of his own making** ses problèmes sont de

sa faute • **in the making** en formation • **to have the makings of** avoir l'étoffe de.

malaise [mə'leɪz] n sout malaise m.

malaria [mə'leərɪə] n malaria f.

Malaya [mə'leɪə] n Malaisie f, Malaysia f occidentale.

Malaysia [mə'leɪzɪə] n Malaysia f.

male [meɪl] adj **1.** mâle **2.** masculin. ❏ n mâle m.

male chauvinism n phallocratie f.

male chauvinist n phallocrate m • **male chauvinist pig!** sale phallocrate !

male nurse n vieilli infirmier m.

malevolent [mə'levələnt] adj sout malveillant.

malformed [mæl'fɔːmd] adj difforme.

malfunction [mæl'fʌŋkʃn] vi mal fonctionner.

malice ['mælɪs] n méchanceté f.

malicious [mə'lɪʃəs] adj malveillant.

maliciously [mə'lɪʃəslɪ] adv **1.** méchamment, avec malveillance **2.** DR avec préméditation, avec intention de nuire.

malign [mə'laɪn] adj sout pernicieux. ❏ vt calomnier.

malignant [mə'lɪgnənt] adj MÉD malin.

malingerer [mə'lɪŋgərə'] n péj simulateur m, -trice f.

malingering [mə'lɪŋgərɪŋ] n simulation f (de maladie).

mall [mɔːl] n (surtout US) • **(shopping) mall** centre m commercial.

malleable ['mælɪəbl] adj litt & fig malléable.

mallet ['mælɪt] n maillet m.

mallrat ['mɔːlræt] n (US) adolescent qui traîne dans les centres commerciaux.

malnutrition [‚mælnjuː'trɪʃn] n malnutrition f.

malpractice [‚mæl'præktɪs] n (indén) DR faute f professionnelle.

malt [mɔːlt] n malt m.

Malta ['mɔːltə] n Malte f.

maltreat [‚mæl'triːt] vt maltraiter.

maltreatment [‚mæl'triːtmənt] n mauvais traitement m.

malware ['mælweə'] n logiciel m malveillant.

mammal ['mæml] n mammifère m.

mammogram ['mæmɔgræm] n mammographie f.

mammoth ['mæməθ] adj gigantesque. ❑ n mammouth m.

man [mæn] n (pl men [men]) **1.** homme m **2.** (surtout US) fam mon vieux. ❑ vt fournir du personnel pour (un navire). ❑ interj fam • man, was it big! ah, la vache, qu'est-ce que c'était grand !

manage ['mænɪdʒ] vi **1.** se débrouiller, y arriver **2.** s'en sortir. ❑ vt **1.** • to manage to do sthg arriver à faire qqch **2.** gérer **3.** • can you manage 9 o'clock/next Saturday? pouvez-vous venir à 9 h/samedi prochain ? • can you manage lunch tomorrow? pouvez-vous déjeuner avec moi demain ?

manageable ['mænɪdʒəbl] adj maniable.

management ['mænɪdʒmənt] n **1.** gestion f **2.** direction f.

management buyout n rachat m d'une entreprise par les salariés.

management consultant n conseiller m, -ère f en gestion.

manager ['mænɪdʒə] n **1.** directeur m, -trice f **2.** COMM gérant m, -e f **3.** manager m.

manageress [,mænɪdʒə'res] n (UK) vieilli **1.** directrice f **2.** COMM gérante f.

managerial [,mænɪ'dʒɪərɪəl] adj directorial.

managing director ['mænɪdʒɪŋ-] n directeur général m, directrice générale f.

managing editor n rédacteur m, -trice f en chef.

manbag ['mænbæg] n sacoche f.

mandarin ['mændərɪn] n mandarine f.

man date (us) [mæn deɪt] n rendez-vous amical ou professionnel entre deux hommes.

mandate ['mændeɪt] n mandat m.

mandatory ['mændətrɪ] adj obligatoire.

mane [meɪn] n crinière f.

man-eater n **1.** (animal) anthropophage m **2.** (humain) cannibale m, anthropophage m **3.** hum & fig dévoreuse f d'hommes, mante f religieuse.

maneuver (US) = manoeuvre.

maneuverable (US) = manoeuvrable.

manful ['mænfʊl] adj vaillant, ardent (courageux).

manfully ['mænfʊlɪ] adv courageusement, vaillamment.

mangetout (pea) [,mɑ̃ʒ'tu:-] n (UK) mangetout m inv.

mangle ['mæŋgl] vt mutiler, déchirer.

mango ['mæŋgəʊ] n (pl -es ou -s) n mangue f.

mangy ['meɪndʒɪ] adj galeux.

manhandle ['mæn,hændl] vt malmener.

Manhattan [mæn'hætn] npr Manhattan.

manhole ['mænhəʊl] n regard m, bouche f d'égout.

manhood ['mænhʊd] n • to reach manhood devenir un homme.

man-hour n heure-homme f.

manhunt ['mænhʌnt] n chasse f à l'homme.

mania ['meɪnjə] n • mania (for) manie f (de).

maniac ['meɪnɪæk] n fou m • a sex maniac un obsédé sexuel, une obsédée sexuelle f.

manic ['mænɪk] adj **1.** fig surexcité **2.** (comportement) de fou.

manic depression n psychose f maniaco-dépressive.

manic-depressive adj maniaco-dépressif. ❑ n maniaco-dépressif m, maniaco-dépressive f.

manicure ['mænɪ,kjʊə] n manucure f.

manifest ['mænɪfest] sout adj manifeste, évident. ❑ vt manifester.

manifestation [,mænɪfes'teɪʃn] n sout manifestation f.

manifesto [,mænɪ'festəʊ] (pl -s ou -es) n manifeste m.

manifold ['mænɪfəʊld] adj littéraire nombreux, multiple.

manipulate [mə'nɪpjʊleɪt] vt litt & fig manipuler.

manipulation [mə,nɪpjʊ'leɪʃn] n litt & fig manipulation f.

manipulative [mə'nɪpjʊlətɪv] adj **1.** rusé **2.** habile, subtil.

mankind [mæn'kaɪnd] n humanité f, genre m humain.

manlike ['mænlaɪk] adj **1.** (pour un homme) viril, masculin **2.** (pour une femme) masculin.

manliness ['mænlɪnɪs] n virilité f.

manly ['mænlɪ] adj viril.

man-made adj **1.** (tissu, fibre) synthétique **2.** (environnement) artificiel **3.** (problème) causé par l'homme.

manner ['mænə] n **1.** manière f, façon f • to keep sb in the manner to which he is accustomed permettre à qqn de maintenir son train de vie **2.** attitude f, comportement m. ■ manners npl manières fpl • to have good/bad manners avoir de bonnes/mauvaises manières.

mannered ['mænəd] *adj sout* maniéré, affecté.

mannerism ['mænərɪzm] *n* tic *m*, manie *f*.

mannish ['mænɪʃ] *adj* masculin.

manoeuvrable (UK), **maneuverable** (US) [mə'nu:vrəbl] *adj* facile à manœuvrer, maniable.

manoeuvre (UK), **maneuver** (US) [mə'nu:vər] *n* manœuvre *f*. ❑ *vt & vi* manœuvrer.

manor ['mænər] *n* manoir *m*.

manpower ['mæn,pauər] *n* main-d'œuvre *f*.

manservant ['mænsɜ:vənt] (*pl* men- [men-]) *n vieilli* valet *m* de chambre.

mansion ['mænʃn] *n* château *m*.

manslaughter ['mæn,slɔ:tər] *n* homicide *m* involontaire.

mantelpiece ['mæntlpi:s] *n* (dessus *m* de) cheminée *f*.

man-to-man *adj* d'homme à homme. ❑ *adv* (discussion) d'homme à homme.

manual ['mænjʊəl] *adj* manuel. ❑ *n* manuel *m*.

manual worker *n* travailleur *m* manuel, travailleuse *f* manuelle.

manufacture [,mænjʊ'fæktʃər] *n* **1.** fabrication *f* **2.** construction *f* (de voitures). ❑ *vt* **1.** fabriquer **2.** construire (des voitures).

manufacturer [,mænjʊ'fæktʃərər] *n* **1.** fabricant *m* **2.** constructeur *m* (de voitures).

manufacturing [,mænjʊ'fæktʃərɪŋ] *n* fabrication *f* • **manufacturing costs** coûts *mpl* de fabrication.

manufacturing costs *n* frais *mpl* de fabrication.

manure [mə'njʊər] *n* fumier *m*.

manuscript ['mænjʊskrɪpt] *n* manuscrit *m*.

many ['menɪ] *adj* (*comp* **more**, *superl* **most**) • **many people came to the party** beaucoup de gens sont venus à la fête • **I've lived here for many years** j'habite ici depuis des années • **I've told him to come many times** je lui ai dit bien des fois de venir • **how many...?** combien de... ? • **too many** trop de • **as many... as** autant de... que • **so many** autant de • **a good** *ou* **great many** un grand nombre de. ❑ *pron* • **many believe that to be true** bien des gens croient que c'est vrai • **don't eat all the chocolates, there aren't many left** ne mange pas tous les chocolats, il n'en reste pas beaucoup.

map [mæp] *n* carte *f*. ■ **map out** *vt sép* **1.** élaborer (un plan) **2.** établir (un emploi du temps) **3.** définir (une tâche).

maple ['meɪpl] *n* érable *m*.

maple syrup *n* sirop *m* d'érable.

mar [mɑ:r] *vt* gâter, gâcher.

Mar. *abrév de* **March**.

marathon ['mærəθn] *adj* marathon *(inv)*. ❑ *n* marathon *m*.

marathon runner *n* marathonien *m*, -enne *f*.

marauder [mə'rɔ:dər] *n* maraudeur *m*, -euse *f*.

marble ['mɑ:bl] *n* **1.** marbre *m* **2.** bille *f*. ■ **marbles** (*indén*) *(jeu)* billes *fpl*.

march [mɑ:tʃ] *n* marche *f*. ❑ *vi* **1.** MIL marcher au pas **2.** manifester, faire une marche de protestation **3.** • **to march up to sb** s'approcher de qqn d'un pas décidé.

March [mɑ:tʃ] *n* mars *m*. Voir aussi **September**.

marcher ['mɑ:tʃər] *n* marcheur *m*, -euse *f*.

marching orders ['mɑ:tʃɪŋ-] *npl* • **to get one's marching orders** se faire mettre à la porte.

Mardi Gras [,mɑ:dɪ'grɑ:] *n* Mardi *m* gras, carnaval *m*.

mare [meər] *n* jument *f*.

marg(e) [mɑ:dʒ] *n* (UK) *fam* margarine *f*.

margarine [,mɑ:dʒə'ri:n *ou* ,mɑ:gə'ri:n] *n* margarine *f*.

margin ['mɑ:dʒɪn] *n* **1.** marge *f* • **to win by a narrow margin** gagner de peu *ou* de justesse **2.** bord *m*.

marginal ['mɑ:dʒɪnl] *adj* marginal, secondaire.

marginalize, -ise ['mɑ:dʒɪnəlaɪz] *vt* marginaliser.

marginally ['mɑ:dʒɪnəlɪ] *adv* très peu.

marginal seat *n en Grande-Bretagne, circonscription électorale où la majorité passe facilement d'un parti à un autre.*

marigold ['mærɪgəʊld] *n* BOT souci *m*.

marijuana, marihuana [,mærɪ'wɑ:nə] *n* marijuana *f*.

marina [mə'ri:nə] *n* marina *f*.

marinade [,mærɪ'neɪd] *n* marinade *f*. ❑ *vt & vi* mariner.

marinate ['mærɪneɪt] *vt & vi* mariner.

marine [mə'ri:n] *adj* marin.

Marine *n* MIL marine *m*.

marionette [,mærɪə'net] *n* marionnette *f*.

marital ['mærɪtl] *adj* **1.** conjugal **2.** matrimonial.

marital status *n* situation *f* de famille.

maritime ['mærɪtaɪm] *adj* maritime.

mark [mɑ:k] *n* **1.** marque *f* **2.** tache *f*, marque *f* **3.** (surtout UK) SCOL note *f*, point *m* **4.** (niveau) barre *f* **5.** *fig* • **your answer was nearest the mark** c'est vous qui avez donné la meilleure réponse **6.** (monnaie) mark *m*. ❑ *vt* **1.** marquer **2.** tacher **3.** (surtout UK) SCOL noter, corriger. ■ **mark off**

vt sép **1.** délimiter **2.** cocher. ■ **mark down** *vt sép* **1.** *(COMM - prix)* baisser ; *(- biens)* baisser le prix de, démarquer • **marked down shirts** chemises démarquées *ou* soldées **2.** *(dans une évaluation)* baisser la note de. ■ **mark up** *vt sép* **1.** marquer • **the menu is marked up on the blackboard** le menu est sur le tableau **2.** *(COMM - prix)* augmenter ; *(- biens)* augmenter le prix de **3.** annoter.

markdown ['mɑːkdaʊn] *n* démarque *f.*

marked [mɑːkt] *adj* **1.** marqué **2.** sensible.

marker ['mɑːkə*r*] *n* **1.** repère *m* **2.** marqueur *m.*

marker pen *n* marqueur *m.*

market ['mɑːkɪt] *n* **1.** marché *m* **2.** *ÉCON* marché *m* **3.** *ÉCON* indice *m* • **the market has risen 10 points** l'indice est en hausse de 10 points. ❏ *vt* commercialiser.

marketability [,mɑːkɪtə'bɪlɪti] *n* possibilité *f* de commercialisation *(de biens, de produits).*

marketable ['mɑːkɪtəbl] *adj* commercialisable.

market analysis *n* analyse *f* de marché.

market analyst *n* analyste *mf* de marché.

market conditions *n* conditions *fpl* du marché.

market demand *n* demande *f* du marché.

market-driven *adj* déterminé par les contraintes du marché.

market economy *n* économie *f* de marché *ou* libérale.

market forces *npl* forces *fpl ou* tendances *fpl* du marché.

market garden *n* *(UK)* jardin *m* maraîcher.

marketing ['mɑːkɪtɪŋ] *n* marketing *m.*

marketing analyst *n* analyste *mf* marketing.

marketing campaign *n* campagne *f* commerciale.

marketing department *n* département *m* marketing.

marketing director *n* directeur *m*, -trice *f* marketing.

marketing manager = **marketing director.**

marketing mix *n* marchéage *m*, marketing mix *m.*

marketing strategy *n* stratégie *f* marketing.

marketing tool *n* outil *m* de marketing.

market intelligence *n* **1.** *(compétence)* connaissance *f* du marché **2.** *(statistiques)* données *fpl* marché.

market leader *n* **1.** *(produit)* premier produit *m* sur le marché **2.** *(entreprise)* leader *m* du marché.

market penetration *n* pénétration *f* du marché.

marketplace ['mɑːkɪtpleɪs] *n* **1.** place *f* du marché **2.** *ÉCON* marché *m.*

market positioning *n* positionnement *m* sur le marché.

market price *n* prix *m* du marché.

market research *n* étude *f* de marché.

market share *n* part *f* de marché.

market survey *n* enquête *f* de marché.

market value *n* valeur *f* marchande.

marking ['mɑːkɪŋ] *n* *SCOL* correction *f.* ■ **markings** *npl* taches *fpl*, marques *fpl.*

marksman ['mɑːksmən] *(pl* **-men)** *n* tireur *m* d'élite.

markswoman ['mɑːkswʊmən] *(pl* **-women)** *n* tireuse *f* d'élite.

markup ['mɑːkʌp] *n* majoration *f.*

marmalade ['mɑːməleɪd] *n* confiture *f* d'oranges amères.

maroon [mə'ruːn] *adj* bordeaux *(inv).*

marooned [mə'ruːnd] *adj* abandonné.

marquee [mɑː'kiː] *n* *(UK)* grande tente *f.*

marriage ['mærɪdʒ] *n* mariage *m.*

marriage bureau *n* *(UK)* agence *f* matrimoniale.

marriage certificate *n* acte *m* de mariage.

marriage guidance *(UK & AUSTRALIE),* **marriage counseling** *(US) n* conseil *m* conjugal.

marriage guidance counsellor *(UK),* **marriage counselor** *(US) n* conseiller conjugal *m*, conseillère conjugale *f.*

marriage of convenience *n* mariage *m* de raison.

married ['mærɪd] *adj* **1.** marié • **to get married** se marier **2.** conjugal.

marrow ['mærəʊ] *n* **1.** *(UK)* courge *f* **2.** moelle *f.*

marry ['mærɪ] *vt* **1.** épouser, se marier avec • **will you marry me?** veux-tu m'épouser ? **2.** marier. ❏ *vi* se marier.

Mars [mɑːz] *n* Mars *m.*

marsh [mɑːʃ] *n* marais *m*, marécage *m.*

marshal ['mɑːʃl] *n* **1.** *MIL* maréchal *m* **2.** membre *m* du service d'ordre **3.** *(US)* officier *m* de police fédérale. ❏ *vt* *((UK))* prét & pp **marshalled,** cont **marshalling,** *(US)* prét & pp **marshaled,** cont **marshaling)** *litt & fig* rassembler.

martial arts *npl* arts *mpl* martiaux.

martial law *n* loi *f* martiale.

martyr ['mɑːtə*r*] *n* martyr *m*, -e *f.*

martyrdom ['mɑːtədəm] *n* martyre *m.*

marvel ['mɑːvl] *n* merveille *f.* ❏ *vi* *((UK))* prét & pp **marvelled,** cont **marvelling,** *(US)* prét & pp **marveled,** cont **marveling)** • **to marvel (at)** s'émerveiller (de), s'étonner (de).

marvellous *(UK)*, **marvelous** *(US)* ['mɑːvələs] *adj* merveilleux.

Marxism ['mɑːksɪzm] *n* marxisme *m.*

Marxist ['mɑːksɪst] *adj* marxiste. ❏ *n* marxiste *mf*.

marzipan ['mɑːzɪpæn] *n (indén)* pâte *f* d'amandes.

mascara [mæs'kɑːrə] *n* mascara *m*.

masculine ['mæskjʊlɪn] *adj* masculin.

masculinity [,mæskjʊ'lɪnətɪ] *n* masculinité *f*.

mash [mæʃ] *vt* (UK) *fam* faire une purée de.

mashed potato (UK) [mæʃt-] *n* purée *f* de pommes de terre.

mask [mɑːsk] *litt & fig n* masque *m* • **to wear a mask** porter un masque. ❏ *vt* masquer.

masked [mɑːskt] *adj* masqué.

masochism ['mæsəkɪzm] *n* masochisme *m*.

masochist ['mæsəkɪst] *n* masochiste *mf*.

masochistic [,mæsə'kɪstɪk] *adj* masochiste.

mason ['meɪsn] *n* **1.** maçon *m* **2.** franc-maçon *m*.

masonry ['meɪsnrɪ] *n* maçonnerie *f*.

masquerade [,mæskə'reɪd] *vi* • **to masquerade as** se faire passer pour.

mass [mæs] *n* masse *f*. ❏ *adj* **1.** en masse, en nombre **2.** massif. ❏ *vi* se masser. ■ **Mass** *n* messe *f*. ■ **masses** *npl* **1.** (surtout UK) *fam* • **masses (of) a)** des masses (de) **b)** des tonnes (de) **2.** • **the masses** les masses *fpl*.

massacre ['mæsəkə] *n* massacre *m*. ❏ *vt* massacrer.

massage [(UK) 'mæsɑːʒ, (US) mə'sɑːʒ] *n* massage *m*. ❏ *vt* masser.

massive ['mæsɪv] *adj* massif, énorme.

massively ['mæsɪvlɪ] *adv* massivement.

mass-market *adj* grand public *(inv)*.

mass media *n & npl* • **the mass media** les (mass) medias *mpl*.

mass-produce *vt* fabriquer en série.

mass-produced *adj* fabriqué en série.

mass production *n* fabrication *f ou* production *f* en série.

mass unemployment *n* chômage *m* sur une grande échelle.

mast [mɑːst] *n* **1.** mât *m* **2.** pylône *m*.

mastectomy [mæs'tektəmɪ] *(pl* **-ies)** *n* mastectomie *f*.

master ['mɑːstə] *n* **1.** maître *m* **2.** (UK) SCOL instituteur *m*, maître *m* ; professeur *m*. ❏ *adj* maître • **the master disk** le disque maître. ❏ *vt* **1.** maîtriser **2.** surmonter, vaincre **3.** se rendre maître de *(la situation)*.

master bedroom *n* chambre *f* principale.

master class *n* **1.** cours *m* de maître **2.** MUS master class *m*.

master disk *n* INFORM disque *m* d'exploitation.

master file *n* INFORM fichier *m* principal *ou* maître.

masterful ['mɑːstəfʊl] *adj* autoritaire.

master key *n* passe *m*, passe-partout *m inv*.

masterly ['mɑːstəlɪ] *adj* magistral.

mastermind ['mɑːstəmaɪnd] *n* cerveau *m*. ❏ *vt* organiser, diriger.

Master of Arts *(pl* **Masters of Arts)** *n* **1.** maîtrise *f* de lettres **2.** titulaire *mf* d'une maîtrise de lettres.

master of ceremonies *n* **1.** *(dans des réceptions)* maître des cérémonies **2.** TV présentateur *m*.

Master of Science *(pl* **Masters of Science)** *n* **1.** maîtrise *f* de sciences **2.** titulaire *mf* d'une maîtrise de sciences.

masterpiece ['mɑːstəpiːs] *n* chef-d'œuvre *m*.

master plan *n* stratégie *f* globale.

master's degree *n* ≃ maîtrise *f*.

masterstroke ['mɑːstəstrəʊk] *n* coup *m* magistral *ou* de maître.

mastery ['mɑːstərɪ] *n* maîtrise *f*.

masticate ['mæstɪkeɪt] *vt & vi* sout mastiquer, mâcher.

masturbate ['mæstəbeɪt] *vi* se masturber.

mat [mæt] *n* **1.** petit tapis *m* • **an exercise mat** un tapis de gym **2.** paillasson *m* **3.** set *m* (de table) **4.** dessous *m* de verre.

match [mætʃ] *n* **1.** match *m* **2.** allumette *f* **3.** • **to be no match for sb** ne pas être de taille à lutter contre qqn. ❏ *vt* **1.** correspondre à, s'accorder avec • **the gloves match the scarf** les gants sont assortis à l'écharpe **2.** faire correspondre. ❏ *vi* **1.** correspondre **2.** être assorti.

matchbox ['mætʃbɒks] *n* boîte *f* d'allumettes.

matched [mætʃt] *adj* • **to be well matched a)** être bien assortis **b)** être de force égale.

match-fixing *n* • (UK) **they were accused of match-fixing** on les a accusés d'avoir truqué le match.

matching ['mætʃɪŋ] *adj* assorti.

matchmaker ['mætʃ,meɪkə] *n* marieur *m*, -euse *f*.

mate [meɪt] *n* **1.** (UK) *fam* copain *m*, copine *f*, pote *m* **2.** (UK) *fam* mon vieux **3.** ZOOL mâle *m*, femelle *f*. ❏ *vi* s'accoupler.

material [mə'tɪərɪəl] *adj* **1.** matériel **2.** important, essentiel. ❏ *n* **1.** matière *f*, substance *f* **2.** matériau *m* **3.** tissu *m*, étoffe *f* **4.** *(indén)* matériaux *mpl*. ■ **materials** *npl* matériaux *mpl*.

materialistic [mə,tɪərɪə'lɪstɪk] *adj* matérialiste.

materialize, **-ise** (UK) [mə'tɪərɪəlaɪz] *vi* **1.** *(offre, menace)* se concrétiser, se réaliser **2.** *(personne, objet)* apparaître.

maternal [mə'tɜːnl] *adj* maternel.

maternity [mə'tɜːnətɪ] *n* maternité *f*.

maternity allowance *n* allocation de maternité versée par l'État à une femme n'ayant pas droit à la maternity pay.

maternity benefit n (indén) (UK) allocations fpl (de) maternité.

maternity dress n robe f de grossesse.

maternity hospital n maternité f.

maternity leave n congé m (de) maternité.

maternity pay n allocation de maternité versée par l'employeur.

math (US) = maths.

mathematical [,mæθə'mætɪkl] adj mathématique.

mathematician [,mæθəmə'tɪʃn] n mathématicien m, -enne f.

mathematics [,mæθə'mætɪks] n (indén) mathématiques fpl.

maths (UK) [mæθs], **math** (US) [mæθ] (abrév de mathematics) n fam (indén) maths fpl.

matinée, matinee ['mætɪneɪ] n THÉÂTRE matinée f.

mating ['meɪtɪŋ] n accouplement m.

mating call n appel m du mâle.

mating season n saison f des amours.

matriarch ['meɪtrɪɑːk] n 1. (dans une société) femme ayant une autorité matriarcale 2. littéraire (dans une famille) aïeule f, doyenne f.

matriarchal [,meɪtrɪ'ɑːkl] adj matriarcal.

matrices ['meɪtrɪsiːz] npl → matrix.

matriculation [mə,trɪkjʊ'leɪʃn] n inscription f.

matrimonial [,mætrɪ'məʊnjəl] adj sout matrimonial, conjugal.

matrimony ['mætrɪmənɪ] n (indén) sout mariage m.

matrix ['meɪtrɪks] (pl **matrices** ['meɪtrɪsiːz] ou -es) n 1. contexte m, structure f 2. MATH & TECHNOL matrice f.

matron ['meɪtrən] n 1. (UK) infirmière f en chef 2. (UK) SCOL infirmière f.

matronly ['meɪtrənlɪ] adj euphém 1. (femme) qui a l'allure d'une matrone 2. (attitude) de matrone.

matt (UK), **matte** (US) [mæt] adj mat.

matted ['mætɪd] adj emmêlé.

matter ['mætə] n 1. question f, affaire f • that's another ou a different matter c'est tout autre chose, c'est une autre histoire • as a matter of course automatiquement • to make matters worse aggraver la situation • that's a matter of opinion c'est (une) affaire ou question d'opinion 2. • there's something the matter with my radio il y a quelque chose qui cloche ou ne va pas dans ma radio • what's the matter? qu'est-ce qu'il y a ? • what's the matter with him? qu'est-ce qu'il a ? 3. PHYS matière f 4. (indén) matière f • reading matter choses fpl à lire. ☐ vi importer, avoir de l'importance • it doesn't matter cela n'a pas d'importance. ■ as a matter of fact adv en fait, à vrai dire. ■ for that matter adv d'ailleurs. ■ no matter adv • no matter what coûte que coûte, à tout

prix • no matter how hard I try to explain... j'ai beau essayer de lui expliquer...

Matterhorn ['mætə,hɔn] n • the Matterhorn le mont Cervin.

matter-of-fact adj terre-à-terre, neutre.

matter-of-factly [-'fæktlɪ] adv 1. de façon pragmatique 2. d'un air détaché.

mattress ['mætrɪs] n matelas m.

mature [mə'tjʊə] adj 1. (personne) mûr 2. (fromage) fait 3. (vin) arrivé à maturité. ☐ vi 1. (personne) mûrir 2. (vin, fromage) se faire.

mature student n (UK) étudiant qui a commencé ses études sur le tard.

maturity [mə'tjʊərətɪ] n maturité f.

maudlin ['mɔːdlɪn] adj larmoyant.

maul [mɔl] vt mutiler.

mauve [məʊv] adj mauve. ☐ n mauve m.

maverick ['mævərɪk] n non-conformiste mf.

max adv fam maximum • three days max trois jours grand maximum. ■ **max out** (US) vt sép • to max out one's credit card atteindre la limite sur sa carte de crédit.

max. [mæks] (abrév de maximum) max.

maxim ['mæksɪm] (pl -s) n maxime f.

maximize, -ise (UK) ['mæksɪmaɪz] vt maximiser, porter au maximum.

maximum ['mæksɪməm] adj maximum (inv). ☐ n (pl **maxima** ['mæksɪmə] ou -s) maximum m.

may

■ **may** [meɪ] aux modal

1. EXPRIME UNE ÉVENTUALITÉ, UNE PROBABILITÉ
• it may rain il se peut qu'il pleuve, il va peut-être pleuvoir • she may have phoned elle a peut-être appelé

2. POUR DEMANDER OU DONNER UNE PERMISSION
pouvoir • may I come in? puis-je entrer ? • you may sit down vous pouvez vous asseoir

3. POUR EXPRIMER UN CONTRASTE
• he may be fat, but he can still run fast il est certes gros mais il court vite • be that as it may quoi qu'il en soit

4. sout EXPRIME UNE POSSIBILITÉ
pouvoir • on a clear day the coast may be seen on peut voir la côte par temps clair

5. sout POUR FORMULER UN SOUHAIT
• may they be happy! qu'ils soient heureux ! • may he rest in peace! qu'il repose en paix !

6. DANS DES EXPRESSIONS
• may I go home now? — you may as well est-ce que je peux rentrer chez moi maintenant ? — tu ferais aussi bien • we may as well play another game tant qu'à faire, faisons une autre partie

À PROPOS DE

may

On ne peut pas employer *may* au sens de **être autorisé à** dans des situations qui décrivent le passé ou l'avenir. Dans ces cas-là, on doit utiliser *be allowed to* à la place (*she* **wasn't allowed to** *see him again* ; *I hope that I'll* **be allowed to** *go*). Voir aussi **might**.

May [meɪ] *n* mai *m*. Voir aussi **September**.

maybe ['meɪbi:] *adv* peut-être • **maybe I'll come** je viendrai peut-être.

May Day *n* le Premier Mai.

Mayday ['meɪdeɪ] *n (SOS)* SOS *m* • **to send out a Mayday signal** envoyer un signal de détresse *ou* un SOS.

mayhem ['meɪhem] *n* pagaille *f*.

mayonnaise [,meɪə'neɪz] *n* mayonnaise *f*.

mayor [meəʳ] *n* maire *m*.

mayoress ['meərɪs] *n (surtout UK)* **1.** femme *f* maire **2.** femme *f* du maire.

maze [meɪz] *n litt & fig* labyrinthe *m*, dédale *m*.

MB (abrév de *megabyte*) Mo.

MBA ['em 'bi: 'eɪ] (abrév de *Master of Business Administration*) *n* **1.** *(titulaire d'une)* formation supérieure *au management* **2.** *(US)* UNIV maîtrise *f* de gestion.

MC abrév de **master of ceremonies**.

MD *n (UK)* abrév de **managing director**.

MDF *n* (abrév de *medium density fibreboard*) médium *m*.

me [mi:] *pron pers* **1.** me • **can you see/hear me?** tu me vois/m'entends ? • **it's me** c'est moi • **they spoke to me** ils m'ont parlé • **she gave it to me** elle me l'a donné **2.** moi • **you can't expect me to do it** tu ne peux pas exiger que ce soit moi qui le fasse • **she's shorter than me** elle est plus petite que moi.

ME *n* (abrév de *myalgic encephalomyelitis*) myélo-encéphalite *f*. ❑ abrév de **Maine**.

meadow ['medəʊ] *n* prairie *f*, pré *m*.

meagre (UK), **meager** (US) ['mi:gəʳ] *adj* maigre.

meal [mi:l] *n* repas *m* • **to make a meal** préparer un repas.

CULTURE

meals

En Grande-Bretagne, le petit déjeuner traditionnel (**English breakfast**) est bien plus copieux qu'en France : on mange des œufs et du bacon frit, des petites saucisses, parfois des haricots blancs en sauce, de la tomate et des champignons, le tout avec une tasse de thé (ou de café). Aujourd'hui, il est surtout consommé dans les **bed and breakfast**, ou parfois le week-end. Le thé, boisson nationale, est au cœur du rituel du **five o'clock tea** (thé de cinq heures) pour les Britanniques qui, en réalité, le dégustent aussi tout au long de la journée. Le dimanche midi, on mange traditionnellement un rôti, le **roast beef** (rôti de bœuf) par exemple, accompagné de **Yorkshire pudding** (pâte à choux cuite), de pommes de terre rôties, de légumes et de **gravy** (sauce brune à base de jus de rôti). Le jour de Noël, après la dinde rôtie, on mange le **Christmas pudding**, gâteau riche servi avec une sauce sucrée à base de cognac ou de whisky.

Aux États-Unis, le repas traditionnel de **Thanksgiving** se compose de dinde rôtie à la sauce aux airelles (**cranberry sauce**), accompagnée de patates douces (**sweet potatoes**), puis d'une tarte au potiron (**pumpkin pie**).

meals on wheels *npl* repas *mpl* à domicile *(pour personnes âgées ou handicapées)*.

meal ticket *n* **1.** *(US)* ticket *m* restaurant **2.** *fam* gagne-pain *m inv*.

mealtime ['mi:ltaɪm] *n* heure *f* du repas.

mealy-mouthed ['mi:lɪ'maʊðd] *adj péj* mielleux, patelin.

mean [mi:n] *vt* (*prét & pp* meant) **1.** signifier, vouloir dire • **I mean a)** c'est vrai **b)** je veux dire **2.** • **to mean to do sthg** vouloir faire qqch, avoir l'intention de faire qqch • **I didn't mean to drop it** je n'ai pas fait exprès de le laisser tomber • **to be meant for sb/sthg** être destiné à qqn/qqch • **to be meant to do sthg** être censé faire qqch • **to mean well** agir dans une bonne intention **3.** • **I mean it** je suis sérieux **4.** occasionner, entraîner. ❑ *adj* **1.** *(UK)* radin, chiche • **to be mean with sthg** être avare de qqch **2.** mesquin, méchant • **to be mean to sb** être mesquin envers qqn **3.** moyen. ❑ *n* moyenne *f*. Voir aussi **means**.

meander [mɪ'ændəʳ] *vi* **1.** *(route, fleuve)* serpenter **2.** *(personne)* errer.

meaning ['mi:nɪŋ] *n* sens *m*, signification *f*.

meaningful ['mi:nɪŋfʊl] *adj* **1.** significatif **2.** important.

meaningless ['mi:nɪŋlɪs] *adj* **1.** dénué *ou* vide de sens **2.** sans importance.

means [mi:nz] *n* moyen *m* • **by means of** au moyen de. ❑ *npl* moyens *mpl*, ressources *fpl*. ■ **by all means** *adv* mais certainement, bien sûr. ■ **by no means** *adv* nullement, en aucune façon.

mean-spirited *adj* mesquin.

means test *n (surtout UK)* enquête sur les ressources d'une personne (qui demande une aide financière à l'État).

meant [ment] *passé & pp →* **mean**.

meantime ['mi:n,taɪm] *n* • **in the meantime** en attendant.

meanwhile ['miːnwaɪl] adv **1.** pendant ce temps **2.** en attendant.

measles ['miːzlz] n • **(the) measles** la rougeole.

measly ['miːzlɪ] adj fam misérable, minable.

measurable ['meʒərəbl] adj (amélioration, dégradation) sensible.

measurably ['meʒərəblɪ] adv sensiblement.

measure ['meʒər] n **1.** mesure f **2.** • **it is a measure of her success that…** la preuve de son succès, c'est que… ◻ vt & vi mesurer. ■ **measure up** vi • **to measure up (to)** être à la hauteur (de) • **to measure up to sb's expectations** répondre aux espérances de qqn.

measured ['meʒəd] adj (pas, ton) mesuré.

measurement ['meʒəmənt] n mesure f.

measuring jug n verre m gradué, doseur m.

meat [miːt] n viande f.

meatball ['miːtbɔl] n boulette f de viande.

meat-eater n carnivore mf • **we aren't big meat-eaters** nous ne mangeons pas beaucoup de viande, nous ne sommes pas de gros mangeurs de viande.

meat-eating adj carnivore.

meat loaf (pl **meat loaves**) n pain m de viande.

meat pie n tourte f à la viande.

meaty ['miːtɪ] adj fig important.

Mecca ['mekə] n La Mecque.

mechanic [mɪ'kænɪk] n mécanicien m, -enne f. ■ **mechanics** n (indén) mécanique f. ◻ npl fig mécanisme m.

mechanical [mɪ'kænɪkl] adj **1.** (panne) mécanique **2.** (personne) fort en mécanique **3.** (réponse, action) machinal.

mechanical engineer n ingénieur m mécanicien.

mechanical engineering n génie m mécanique.

mechanically [mɪ'kænɪklɪ] adv **1.** mécaniquement **2.** fig machinalement, mécaniquement • **mechanically recovered meat** viande f séparée mécaniquement.

mechanism ['mekənɪzm] n litt & fig mécanisme m.

mechanize, -ise (UK) ['mekənaɪz] vt & vi mécaniser.

medal ['medl] n médaille f.

medallion [mɪ'dæljən] n médaillon m.

medallist (UK), **medalist** (US) ['medəlɪst] n médaillé m, -e f.

meddle ['medl] vi • **to meddle in** se mêler de.

meddler ['medlər] n **1.** (par curiosité) • **she's such a meddler** il faut toujours qu'elle fourre son nez partout **2.** (avec ses mains) touche-à-tout mf inv.

meddlesome ['medlsəm] adj qui met son nez partout.

media ['miːdjə] npl → **medium**. ◻ n & npl • **the media** les médias mpl • **media darling : to be a media darling** être le chouchou des médias.

media centre (UK), **media center** (US) n INFORM centre m multimédia.

media circus n cirque m médiatique.

media consultant n consultant m, -e f média.

media coverage n couverture f médiatique, médiatisation f.

mediaeval [,medɪ'iːvl] = **medieval**.

media event n événement m médiatique.

media-friendly adj • **to be media-friendly** avoir de bonnes relations avec les médias.

mediagenic ['miːdjə,dʒenɪk] adj (personne) médiatique.

media hype n battage m médiatique.

media mix n MARKETING mix-média m.

median ['miːdjən] n (US) bande f médiane (qui sépare les deux côtés d'une grande route).

media officer n responsable mf des relations presse.

media player n lecteur m multimédia.

media-savvy adj fam • **to be media-savvy** bien connaître le fonctionnement des médias.

mediascape ['miːdɪəskeɪp] n paysage m médiatique.

media-shy adj • **to be media-shy** ne pas aimer être interviewé.

mediaspeak ['miːdɪəspiːk] n jargon m des médias.

media studies npl études fpl de communication.

mediate ['miːdɪeɪt] vt négocier. ◻ vi • **to mediate (for/between)** servir de médiateur (pour/entre).

mediation [,miːdɪ'eɪʃn] n médiation f.

mediator ['miːdɪeɪtər] n médiateur m, -trice f.

media-wise adj • **to be media-wise** bien connaître le fonctionnement des médias.

medic ['medɪk] n **1.** (UK) fam (étudiant) carabin m **2.** (UK) fam (médecine) toubib m **3.** (US) MIL médecin m militaire.

Medicaid ['medɪkeɪd] n (US) assistance médicale aux personnes sans ressources.

medical ['medɪkl] adj médical. ◻ n (UK) examen m médical, visite f médicale • **to have a medical** passer une visite médicale.

medical certificate n certificat m médical.

medical examination n visite f médicale.

medical insurance n assurance f maladie.

medically ['medɪklɪ] adv médicalement • **medically approved** approuvé par les autorités médicales.

medical officer n **1.** médecin m du travail **2.** médecin militaire.

medical student n étudiant m, -e f en médecine.

Medicare ['medɪkeə'] n (us) programme fédéral d'assistance médicale pour personnes âgées.

medicated ['medɪkeɪtɪd] adj traitant.

medication [,medɪ'keɪʃn] n 1. médication f 2. médicament m.

medicinal [me'dɪsɪnl] adj médicinal.

medicine ['medsɪn] n 1. médecine f 2. médicament m • to take one's medicine prendre ses médicaments.

medicine cabinet, medicine chest n (armoire f à) pharmacie f.

medieval [,medɪ'iːvl] adj médiéval.

mediocre [,miːdɪ'əʊkə'] adj médiocre.

mediocrity [,miːdɪ'ɒkrətɪ] n médiocrité f.

meditate ['medɪteɪt] vi • to meditate (on ou upon) méditer (sur).

meditation [,medɪ'teɪʃn] n méditation f.

Mediterranean [,medɪtə'reɪnjən] n • the Mediterranean (Sea) la (mer) Méditerranée. ❏ adj méditerranéen.

medium ['miːdjəm] adj moyen. ❏ n 1. (pl media ['miːdjə]) moyen m 2. INFORM • different media des supports différents 3. (pl mediums) médium m.

medium-dry adj demi-sec.

medium-haul adj moyen-courrier.

medium-range adj • medium-range missile missile m à moyenne portée.

medium-rare CULIN (viande) entre saignant et à point.

medium-size(d) [-saɪz(d)] adj de taille moyenne.

medium-term adj à moyen terme.

medium wave n onde f moyenne.

medley ['medlɪ] (pl -s) n 1. mélange m 2. MUS pot-pourri m.

medspeak ['medspiːk] n jargon m médical.

meek [miːk] adj docile.

meet [miːt] vt (prét & pp met) 1. rencontrer 2. retrouver • fancy meeting you here! je ne m'attendais pas à vous trouver ici ! 3. aller/venir chercher 4. aller/venir attendre 5. satisfaire, répondre à (un besoin, des exigences) 6. résoudre (un problème) 7. répondre à (un défi) 8. payer (des dépenses, une addition). ❏ vi (prét & pp met) 1. se rencontrer 2. se retrouver 3. se réunir 4. (lignes, routes) se joindre. ❏ n (us) meeting m. ■ meet up vi se retrouver • to meet up with sb rencontrer qqn, retrouver qqn. ■ meet with vt insép 1. être accueilli par 2. remporter (un succès) 3. essuyer (un échec) 4. (us) retrouver.

meeting ['miːtɪŋ] n 1. réunion f 2. rencontre f 3. entrevue f.

meeting place n lieu m de réunion.

mega- ['megə] préf méga-.

megabucks ['megabʌks] n fam un fric fou, une fortune • her job pays megabucks elle gagne une fortune dans son travail.

megabyte ['megabaɪt] n méga-octet m.

megalomaniac [,megələ'meɪnɪæk] n mégalomane mf.

megaphone ['megəfəʊn] n mégaphone m, porte-voix m inv.

megapixel ['megəpɪksl] n mégapixel m.

megastar ['megəstɑː'] n fam superstar f.

megastore ['megəstɔː'] n très grand magasin m.

melamine ['meləmiːn] n mélamine f.

melancholic [,melən'kɒlɪk] adj mélancolique. ❏ n mélancolique mf.

melancholy ['melənkəlɪ] adj 1. mélancolique 2. triste. ❏ n mélancolie f.

melanoma [,melə'nəʊmə] n mélanome m.

melatonin [,melə'təʊnɪn] n (physiologie) mélatonine f.

mellow ['meləʊ] adj 1. doux, douce f 2. moelleux. ❏ vi s'adoucir.

melodic [mɪ'lɒdɪk] adj mélodique.

melodrama ['melədrɑːmə] n mélodrame m.

melodramatic [,melədrə'mætɪk] adj mélodramatique.

melody ['melədɪ] n mélodie f.

melon ['melən] n melon m.

melt [melt] vt faire fondre. ❏ vi 1. fondre 2. fig • his heart melted at the sight il fut tout attendri devant ce spectacle 3. • to melt (away) fondre. ❏ n (sandwich) toast m au fromage fondu • a tuna melt un sandwich grillé au thon et au fromage fondu. ■ melt down vt sép fondre.

meltdown ['meltdaʊn] n 1. fusion f du cœur (du réacteur) 2. fam & fig effondrement m • to go into meltdown (sur le plan émotionnel) s'effondrer.

melted cheese ['meltɪd-] n fromage m fondu.

melting point ['meltɪŋ-] n point m de fusion.

melting pot ['meltɪŋ-] n fig creuset m.

member ['membə'] n 1. membre m 2. adhérent m, -e f.

Member of Congress (pl Members of Congress) n (us) membre m du Congrès.

Member of Parliament (pl Members of Parliament) n (uk) ≃ député m.

Member of the Scottish Parliament (pl Members of the Scottish Parliament) n membre m du Parlement écossais.

membership ['membəʃɪp] n 1. adhésion f 2. nombre m d'adhérents 3. • the membership les membres mpl.

membership card n carte f d'adhésion.

memento [mɪ'mentəʊ] (pl -s) n souvenir m.

memo ['meməʊ] (pl -s) n note f de service.

memoir ['memwɑːr] n **1.** (récit) biographie f **2.** (analyse) mémoire m.

memoirs ['memwɑːz] npl mémoires mpl.

memorabilia [,memərə'bɪlɪə] npl souvenirs mpl.

memorable ['memərəbl] adj mémorable.

memorably ['memərəblɪ] adv • a memorably hot summer un été torride dont on se souvient encore.

memorandum [,memə'rændəm] (pl -da ou -dums) n sout note f de service.

memorial [mɪ'mɔːrɪəl] adj commémoratif. ❑ n monument m.

memorize, -ise (UK) ['meməraɪz] vt **1.** retenir **2.** apprendre par cœur.

memory ['memərɪ] n **1.** mémoire f • from memory de mémoire **2.** souvenir m.

memory bank n bloc m de mémoire.

memory card n INFORM carte f d'extension mémoire • memory card slot fente f d'extension.

memory leak n INFORM fuite f mémoire.

memory module n INFORM module m de mémoire.

men [men] npl → man.

menace ['menəs] n **1.** menace f **2.** fam plaie f. ❑ vt menacer.

menacing ['menəsɪŋ] adj menaçant.

menacingly ['menəsɪŋlɪ] adv **1.** d'un ton menaçant **2.** d'un air menaçant.

menagerie [mɪ'nædʒərɪ] n ménagerie f.

mend [mend] n fam • to be on the mend aller mieux. ❑ vt **1.** réparer **2.** raccommoder **3.** repriser.

menial ['miːnjəl] adj avilissant.

meningitis [,menɪn'dʒaɪtɪs] n (indén) méningite f.

menopausal [,menə'pɔːzl] adj ménopausique.

menopause ['menəpɔːz] n • the menopause (UK) ou menopause (US) la ménopause.

men's room n (US) • the men's room les toilettes fpl pour hommes.

menstrual ['menstrʊəl] adj menstruel.

menstruate ['menstrʊeɪt] vi avoir ses règles.

menstruation [,menstrʊ'eɪʃn] n menstruation f.

menswear ['menzweər] n (indén) vêtements mpl pour hommes.

mental ['mentl] adj **1.** mental **2.** (image) dans la tête.

mental age n âge m mental.

mental arithmetic n calcul m mental.

mental block n blocage m (psychologique).

mental health n santé f mentale.

mental hospital n hôpital m psychiatrique.

mentality [men'tælətɪ] n mentalité f.

mentally ['mentəlɪ] adv mentalement • to be mentally ill être malade mental, malade mentale f.

mentally handicapped npl • the mentally handicapped les handicapés mpl mentaux.

mental note n • to make a mental note to do sthg prendre note mentalement de faire qqch.

mentee [men'tiː] n élève mf.

menthol ['menθɒl] n menthol m.

mentholated ['menθəleɪtɪd] adj mentholé.

mention ['menʃn] vt mentionner, signaler • not to mention sans parler de • don't mention it! je vous en prie ! ❑ n mention f.

mentor ['mentɔːr] n mentor m.

menu ['menjuː] n menu m.

menu bar n INFORM barre f de menu.

menu-controlled adj INFORM contrôlé par menu.

meow (US) = miaow.

MEP (abrév de Member of the European Parliament) n parlementaire m européen.

mercenary ['mɜːsɪnrɪ] adj péj mercenaire. ❑ n mercenaire m.

merchandise ['mɜːtʃəndaɪz] n (indén) marchandises fpl.

merchandising ['mɜːtʃəndaɪzɪŋ] n merchandising m, marchandisage m.

merchant ['mɜːtʃənt] n marchand m, -e f, commerçant m, -e f.

merchant bank n banque f d'affaires.

merchant banker n banquier m d'affaires.

merchant navy (UK), **merchant marine** (US) n marine f marchande.

merciful ['mɜːsɪfʊl] adj **1.** clément **2.** qui est une délivrance.

mercifully ['mɜːsɪfʊlɪ] adv par bonheur, heureusement.

merciless ['mɜːsɪlɪs] adj impitoyable.

mercury ['mɜːkjʊrɪ] n mercure m.

Mercury ['mɜːkjʊrɪ] n Mercure m.

mercy ['mɜːsɪ] n **1.** pitié f • at the mercy of fig à la merci de • to show no mercy n'avoir aucune pitié **2.** • what a mercy that… quelle chance que…

mercy killing n euthanasie f.

mere [mɪər] adj seul • she's a mere child ce n'est qu'une enfant • it cost a mere £10 cela n'a coûté que 10 livres.

merely ['mɪəlɪ] adv seulement, simplement.

merge [mɜːdʒ] vt COMM & INFORM fusionner. ❑ vi **1.** COMM • to merge (with) fusionner (avec) **2.** • to merge (with) se joindre (à) **3.** (couleurs) se fondre.

merger ['mɜːdʒər] n COMM & FIN fusion f.

meringue [mə'ræŋ] n meringue f.

merit ['merɪt] *n* mérite *m*, valeur *f*. ❏ *vt sout* mériter. ■ **merits** *npl* qualités *fpl*.

mermaid ['mɜːmeɪd] *n* sirène *f*.

merry ['merɪ] **(UK)** *adj* **1.** joyeux • **Merry Christmas!** Joyeux Noël ! **2.** *fam* gai, éméché.

merry-go-round *n* manège *m*.

mesh [meʃ] *n* maille *f* (du filet) • **wire mesh** grillage *m*.

mesmerize, -ise (UK) ['mezməraɪz] *vt* • **to be mesmerized by** être fasciné par.

mess [mes] *n* **1.** désordre *m* **2.** *fig* gâchis *m* **3.** MIL mess *m*. ■ **mess around, mess about (UK)** *fam* *vt sép* • **to mess sb around** traiter qqn par-dessus *ou* par-dessous la jambe. ❏ *vi* **1.** perdre *ou* gaspiller son temps **2.** • **to mess around with sthg** s'immiscer dans qqch. ■ **mess up** *vt sép fam* **1.** mettre en désordre **2.** *fig* gâcher. ■ **mess with** *vt insép fam* • **don't mess with them** tiens-toi à l'écart.

message ['mesɪdʒ] *n* message *m*.

messaging ['mesɪdʒɪŋ] *n* INFORM messagerie *f*.

messenger ['mesɪndʒər] *n* messager *m*, -ère *f*.

messenger bag *n* sacoche *f*.

messy ['mesɪ] *adj* **1.** sale • **a messy job** un travail salissant **2.** désordonné **3.** *fam* *(divorce)* difficile **4.** *fam* *(situation)* embrouillé.

met [met] *passé & pp* → **meet**.

metabolism [mɪ'tæbəlɪzm] *n* métabolisme *m*.

metadata ['metədeɪtə] *npl* métadonnées *fpl*.

metafile ['metəfaɪl] *n* métafichier *m*.

metal ['metl] *n* métal *m*. ❏ *en apposition* en *ou* de métal.

metallic [mɪ'tælɪk] *adj* **1.** *(son)* métallique **2.** *(peinture)* métallisé.

metalwork ['metlwɜːk] *n* ferronnerie *f*.

metamorphosis [,metə'mɔːfəsɪs *ou* ,metəmɔː'fəʊsɪs] *(pl* -**phoses**) *n* métamorphose *f*.

metaphor ['metəfər] *n* métaphore *f*.

metaphorical [,metə'fɒrɪkl] *adj* métaphorique.

metaphorically [,metə'fɒrɪklɪ] *adv* métaphoriquement • **metaphorically speaking** métaphoriquement.

metaphysical [,metə'fɪzɪkl] *adj* métaphysique.

meta-search *n* INFORM métarecherche *f* • **metasearch engine** moteur *m* de métarecherche.

metatag ['metətæg] *n* INFORM métabalise *f*.

mete [miːt] ■ **mete out** *vt sép sout* infliger.

meteor ['miːtɪər] *n* météore *m*.

meteoric [miːtɪ'ɒrɪk] *adj* météorique.

meteorological [,miːtjərə'lɒdʒɪkl] *adj* météorologique.

meteorologist [miːtjə'rɒlədʒɪst] *n* météorologue *mf*, météorologiste *mf*.

meteorology [miːtjə'rɒlədʒɪ] *n* météorologie *f*.

meter ['miːtər] *n* **1.** compteur *m* **2.** (US) = **metre**. ❏ *vt* établir la consommation de *(gaz, électricité)*.

metered ['miːtəd] *adj* décompté à la minute.

methane ['miːθeɪn] *n* méthane *m*.

method ['meθəd] *n* méthode *f*.

methodical [mɪ'θɒdɪkl] *adj* méthodique.

methodically [mɪ'θɒdɪklɪ] *adv* méthodiquement.

Methodist ['meθədɪst] *adj* méthodiste. ❏ *n* méthodiste *mf*.

methodology [,meθə'dɒlədʒɪ] *(pl* -**ies**) *n sout* méthodologie *f*.

meths [meθs] *n (indén)* **(UK)** *fam* alcool *m* à brûler.

methylated spirits ['meθɪleɪtɪd-] *n (indén)* alcool *m* à brûler.

meticulous [mɪ'tɪkjʊləs] *adj* méticuleux.

meticulously [mɪ'tɪkjʊləslɪ] *adv* méticuleusement.

me-too *adj* MARKETING *(produit, marque)* me-too *(imitant un produit leader sur le marché)*.

metre (UK), meter (US) ['miːtər] *n* mètre *m*.

metric ['metrɪk] *adj* métrique.

metric system *n* • **the metric system** le système métrique.

metronome ['metrənəʊm] *n* métronome *m*.

metropolis [mɪ'trɒpəlɪs] *(pl* -**es**) *n* métropole *f*.

metropolitan [,metrə'pɒlɪtn] *adj* métropolitain.

Metropolitan Police *npl* • **the Metropolitan Police** la police de Londres.

metrosexual [,metrə'sekʃʊəl] *n* métrosexuel *m*. ❏ *adj* métrosexuel.

mettle ['metl] *n* • **to be on one's mettle** être d'attaque • **to show** *ou* **prove one's mettle** montrer ce dont on est capable.

mew [mjuː] = **miaow**.

mews [mjuːz] *(pl inv)* *n* **(UK)** ruelle *f*.

Mexican ['meksɪkn] *adj* mexicain. ❏ *n* Mexicain *m*, -e *f*.

Mexican wave *n* ola *f*.

Mexico ['meksɪkəʊ] *n* Mexique *m*.

mezzanine ['metsəniːn] *n* **1.** mezzanine *f (palier)* **2.** (US) *(au théâtre)* corbeille *f*.

mg (abrév de **milligram**) mg.

MI5 (abrév de **Military Intelligence 5**) *n* service de contre-espionnage britannique.

MI6 (abrév de **Military Intelligence 6**) *n* service de renseignements britannique.

miaow (UK) [miː'aʊ], **meow (US)** [mɪ'aʊ] *n* miaulement *m*, miaou *m*. ❏ *vi* miauler.

mice [maɪs] *npl* → **mouse**.

mickey ['mɪkɪ] *n* • **to take the mickey out of sb** **(UK)** *fam* se payer la tête de qqn, faire marcher qqn.

micro- [ˈmaɪkrəʊ] *préf* micro-.

microbiologist [ˌmaɪkrəʊbaɪˈɒlədʒɪst] *n* microbiologiste *mf*.

microbiology [ˌmaɪkrəʊbaɪˈɒlədʒɪ] *n* microbiologie *f*.

microchip [ˈmaɪkrəʊtʃɪp] *n* INFORM puce *f*.

microcomputer [ˌmaɪkrəʊkəmˈpjuːtə] *n* micro-ordinateur *m*.

microcosm [ˈmaɪkrəkɒzm] *n* microcosme *m*.

microcredit [ˈmaɪkrəʊkredɪt] *n* microcrédit *m*.

microfilm [ˈmaɪkrəʊfɪlm] *n* microfilm *m*.

microgreen (US) [ˈmaɪkrəʊgriːn] *n* pousse *f* de salade, graine *f* germée.

microphone [ˈmaɪkrəfəʊn] *n* microphone *m*, micro *m*.

microprocessor [ˈmaɪkrəʊˌprəʊsesə] *n* INFORM microprocesseur *m*.

micro scooter *n* trottinette *f* pliante.

microscope [ˈmaɪkrəskəʊp] *n* microscope *m*.

microscopic [ˌmaɪkrəˈskɒpɪk] *adj* microscopique.

microsurgery [ˌmaɪkrəˈsɜːdʒərɪ] *n* microchirurgie *f*.

microwave [ˈmaɪkrəweɪv] *n* **1.** PHYS micro-onde *f* **2.** = **microwave oven**. ❏ *vt* faire cuire au micro-ondes.

microwaveable [ˈmaɪkrəʊˌweɪvəbl] *adj* micro-ondable.

microwave (oven) [ˈmaɪkrəweɪv-] *n* (four *m* à) micro-ondes *m*.

mid- [mɪd] *préf* • **mid-height** mi-hauteur • **mid-morning** milieu de la matinée • **mid-winter** plein hiver.

midair [mɪdˈeə] *adj* en plein ciel. ❏ *n* • **in midair** en plein ciel.

mid-Atlantic *adj* (accent) américanisé.

midday [mɪdˈdeɪ] *n* midi *m*.

middle [ˈmɪdl] *adj* du milieu, du centre. ❏ *n* **1.** milieu *m*, centre *m* • **in the middle (of)** au milieu (de) **2.** milieu *m* • **to be in the middle of doing sthg** être en train de faire qqch • **to be in the middle of a meeting** être en pleine réunion **3.** ANAT taille *f*.

middle-aged *adj* d'une cinquantaine d'années • **to be middle-aged** avoir une cinquantaine d'années.

Middle Ages *npl* • **the Middle Ages** le Moyen Âge.

middle-class *adj* bourgeois.

middle classes *npl* • **the middle classes** la bourgeoisie.

Middle East *n* • **the Middle East** le Moyen-Orient.

middle ground *n fig* terrain *m* neutre.

middleman [ˈmɪdlmæn] (*pl* -men) *n* intermédiaire *mf*.

middle management *n* (indén) cadres *mpl* moyens.

middle name *n* second prénom *m*.

middle-of-the-road *adj* modéré.

middle school [ˈmɪdl ˌskuːl] *n* (US) SCOL collège *m* d'enseignement secondaire.

middleweight [ˈmɪdlweɪt] *n* poids *m* moyen.

middling [ˈmɪdlɪŋ] *adj* moyen.

Mideast [ˌmɪdˈiːst] *n* (US) • **the Mideast** le Moyen-Orient.

midfield [ˌmɪdˈfiːld] *n* FOOTBALL milieu *m* de terrain.

midge [mɪdʒ] *n* moucheron *m*.

midget [ˈmɪdʒɪt] *n injur* nain *m*, -e *f*.

midi system, MIDI system [ˈmɪdɪ-] *n* (UK) chaîne *f* midi.

Midlands [ˈmɪdləndz] *npl* • **the Midlands** *les comtés du centre de l'Angleterre*.

midlife crisis *n* • **to have** *ou* **go through a midlife crisis** avoir du mal à passer le cap de la cinquantaine.

midnight [ˈmɪdnaɪt] *n* minuit *m*.

midriff [ˈmɪdrɪf] *n* ANAT diaphragme *m*.

midst [mɪdst] *n sout* **1.** • **in the midst of** au milieu de **2.** • **to be in the midst of doing sthg** être en train de faire qqch.

midsummer [ˈmɪdˌsʌmə] *n* cœur *m* de l'été.

Midsummer Day *n* 24 juin.

midterm [mɪdˈtɜːm] *n* **1.** SCOL & UNIV milieu *m* du trimestre **2.** MÉD milieu *m* (de grossesse).

mid-term election *n* (US) élection *f* de mi-mandat.

midway [ˌmɪdˈweɪ] *adv* **1.** • **midway (between)** à mi-chemin (entre) **2.** • **midway through the meeting** en pleine réunion.

midweek *adj* [ˈmɪdwiːk] du milieu de la semaine. ❏ *adv* [mɪdˈwiːk] en milieu de semaine.

midwife [ˈmɪdwaɪf] (*pl* -wives) *n* sage-femme *f*.

midwifery [ˈmɪdˌwɪfərɪ] *n* obstétrique *f*.

midwinter [ˌmɪdˈwɪntə] *n* solstice *m* d'hiver • **in midwinter** au milieu de l'hiver.

miffed [mɪft] *adj fam* vexé.

---

might

■ **might** [maɪt] *aux modal*

1. EXPRIME UNE ÉVENTUALITÉ OU UNE PROBABILITÉ, AVEC UN FAIBLE DEGRÉ DE CERTITUDE

• **the criminal might be armed** il se pourrait que le criminel soit armé • **she might have got lost** il se pourrait qu'elle se soit perdue, elle s'est peut-être perdue

2. EXPRIME UN REPROCHE

• **you might at least say "thank you"** tu pourrais au moins dire « merci »

3. *sout* AU DISCOURS INDIRECT, EST L'ÉQUIVALENT DE « MAY »
• **he asked if he might leave the room** il demanda s'il pouvait sortir de la pièce

■ **might** [maɪt] *n*

(indén) force • **with all one's might** de toutes ses forces

might

May et *might* servent tous deux à exprimer une possibilité réelle. Mais, si l'on utilise *might*, le degré d'incertitude est plus grand. Comparez par exemple *you may be right but I'll have to check* et *if you phone now, you might catch him in his office*.

mightily ['maɪtɪlɪ] *adv* **1.** avec vigueur, vigoureusement **2.** extrêmement.

mightn't ['maɪtənt] = might not.

mighty ['maɪtɪ] *adj* puissant. ❏ *adv* (US) *fam* drôlement, vachement.

migraine ['miːgreɪn *ou* 'maɪgreɪn] *n* migraine *f*.

migrant ['maɪgrənt] *adj* migrateur. ❏ *n* **1.** *(oiseau)* migrateur *m* **2.** *(personne)* émigré *m*, -e *f*.

migrant worker *n* **1.** travailleur *m* saisonnier, travailleuse saisonnière *f* **2.** travailleur *m* immigré, travailleuse immigrée *f*.

migrate [(UK) maɪ'greɪt, (US) 'maɪgreɪt] *vi* **1.** *(oiseau)* migrer **2.** *(personne)* émigrer.

migration [maɪ'greɪʃn] *n* migration *f*.

mike [maɪk] *(abrév de microphone) n fam* micro *m*.

mild [maɪld] *adj* **1.** léger **2.** doux **3.** *MÉD* bénin.

mildew ['mɪldjuː] *n (indén)* moisissure *f*.

mildly ['maɪldlɪ] *adv* **1.** doucement • **that's putting it mildly** c'est le moins qu'on puisse dire **2.** légèrement **3.** un peu.

mild-mannered *adj* mesuré, calme.

mile [maɪl] *n* **1.** mile *m* **2.** *NAUT* mille *m* • **to be miles away** *fig* être très loin.

mileage ['maɪlɪdʒ] *n* distance *f* en miles ; ≃ kilométrage *m*.

mil(e)ometer [maɪ'lɒmɪtər] *n* (UK) compteur *m* de miles ; ≃ compteur kilométrique.

milestone ['maɪlstəʊn] *n* **1.** borne *f* **2.** *fig* événement *m* marquant *ou* important.

militant ['mɪlɪtənt] *adj* militant. ❏ *n* militant *m*, -e *f*.

military ['mɪlɪtrɪ] *adj* militaire. ❏ *n* • **the military** les militaires *mpl*, l'armée *f*.

militia [mɪ'lɪʃə] *n* milice *f*.

milk [mɪlk] *n* lait *m* • **a glass of milk** un verre de lait. ❏ *vt* **1.** traire **2.** *fig* exploiter **3.** faire durer • **to milk the applause** faire durer les applaudissements.

milk chocolate *n* chocolat *m* au lait.

milkman ['mɪlkmən] *(pl* -men*) n* laitier *m*, -ère *f*.

milk round *n* (UK) tournée *f* du laitier.

milk shake *n* milk-shake *m*.

milky ['mɪlkɪ] *adj* **1.** *(café)* avec beaucoup de lait **2.** laiteux.

Milky Way *n* • **the Milky Way** la Voie lactée.

mill [mɪl] *n* **1.** moulin *m* **2.** usine *f*. ❏ *vt* moudre.
■ **mill about, mill around** *vi* grouiller.

millennium [mɪ'lenɪəm] *(pl* millennia [mɪ'lenɪə]*) n* millénaire *m*.

miller ['mɪlər] *n* meunier *m*, -ère *f*.

millet ['mɪlɪt] *n* millet *m*.

milli- ['mɪlɪ] *préf* milli-.

milligram, milligramme (UK) ['mɪlɪgræm] *n* milligramme *m*.

millilitre (UK), **milliliter** (US) ['mɪlɪˌliːtər] *n* millilitre *m*.

millimetre (UK), **millimeter** (US) ['mɪlɪˌmiːtər] *n* millimètre *m*.

millinery ['mɪlɪnrɪ] *n* chapellerie *f* féminine.

million ['mɪljən] *n* million *m*.

millionaire [ˌmɪljə'neər] *n* millionnaire *mf*.

millionairess [ˌmɪljə'neərɪs] *n vieilli* millionnaire *f*.

million-selling *adj* • **a million-selling album** un album qui s'est vendu à plus d'un million d'exemplaires.

millionth ['mɪljənθ] *num* millionième. ❏ *n* **1.** *(nombre ordinal)* millionième *mf* **2.** *(fraction)* millionième *m*.

millstone ['mɪlstəʊn] *n* meule *f*.

mime [maɪm] *n* mime *m*. ❏ *vt & vi* mimer.

mimic ['mɪmɪk] *n* imitateur *m*, -trice *f*. ❏ *vt* *(prét & pp* mimicked, *cont* mimicking*)* imiter.

mimicry ['mɪmɪkrɪ] *n* imitation *f*.

min. [mɪn] **1.** *(abrév de minute)* mn, min **2.** *(abrév de minimum)* min.

mince [mɪns] *n* (UK) viande *f* hachée. ❏ *vt* (UK) hacher. ❏ *vi* marcher à petits pas maniérés.

mincemeat ['mɪnsmiːt] *n* **1.** *mélange de pommes, raisins secs et épices utilisé en pâtisserie* **2.** (UK) viande *f* hachée.

mince pie *n* tartelette *f* de Noël.

mincer ['mɪnsər] *n* hachoir *m*.

mind [maɪnd] *n* **1.** esprit *m* • **state of mind** état d'esprit • **to bear sthg in mind** ne pas oublier qqch • **to come into/cross sb's mind** venir à/ traverser l'esprit de qqn • **to have sthg on one's mind** avoir l'esprit préoccupé, être préoccupé par qqch • **to keep an open mind** réserver son jugement • **to have sthg in mind** avoir qqch dans l'idée • **to have a mind to do sthg** avoir bien envie de faire qqch • **to make one's mind up** se décider **2.** • **to put one's mind to sthg** s'appliquer à qqch • **to keep one's mind on sthg** se concentrer sur qqch **3.** • **to change one's mind** changer d'avis • **to my mind** à mon avis • **to speak one's mind** parler franchement • **to be in (UK)** ou **of (US) two minds (about sthg)** se tâter ou être indécis (à propos de qqch) **4.** *(personne)* cerveau *m*. ❑ *vi* • **I don't mind** ça m'est égal • **I hope you don't mind** j'espère que vous n'y voyez pas d'inconvénient • **do you mind! a)** *iron* vous permettez ? **b)** non mais ! • **never mind a)** ne t'en fais pas **b)** ça ne fait rien. ❑ *vt* **1.** • **I wouldn't mind a beer** je prendrais bien une bière **2. (surtout UK)** faire attention à, prendre garde à **3. (surtout UK)** garder, surveiller ; tenir *(un magasin)*. ■ **mind you** *adv* remarquez.

mind-altering [-'ɒltərɪŋ] *adj* psychotrope.

mind-boggling *adj* extraordinaire, stupéfiant.

minder ['maɪndər] *n* **(UK)** *fam* ange *m* gardien.

mindful ['maɪndfʊl] *adj* • **mindful of a)** attentif à **b)** soucieux de.

mindless ['maɪndlɪs] *adj* stupide, idiot.

mind-numbing [-ˌnʌmɪŋ] *adj* abrutissant.

mind reader *n* • **I'm not a mind reader** *hum* je ne suis pas devin.

mindset ['maɪndset] *n* façon *f* de voir les choses.

mind's eye *n* • **in my mind's eye** dans mon imagination.

mine¹ [maɪn] *pron poss* le mien, la mienne, les miens, les miennes • **that money is mine** cet argent est à moi • **it wasn't your fault, it was mine** ce n'était pas de votre faute, c'était de la mienne ou de ma faute à moi • **a friend of mine** un ami à moi, un de mes amis.

mine² [maɪn] *n* mine *f*. ❑ *vt* **1.** extraire *(du charbon, de l'or)* **2.** miner.

minefield ['maɪnfiːld] *n* **1.** champ *m* de mines **2.** *fig* situation *f* explosive.

miner ['maɪnər] *n* mineur *m*, -euse *f*.

mineral ['mɪnərəl] *adj* minéral. ❑ *n* minéral *m*.

mineral water *n* eau *f* minérale.

minesweeper ['maɪnˌswiːpər] *n* dragueur *m* de mines.

minging ['mɪŋɪŋ] *adj* **(UK)** *tfam* horrible.

mingle ['mɪŋgl] *vi* • **to mingle (with) a)** se mélanger (à) *(des sons, des parfums)* **b)** se mêler (à) *(des gens)*.

mini- ['mɪnɪ] *préf* mini-.

miniature ['mɪnətʃər] *adj* miniature. ❑ *n* **1.** miniature *f* **2.** bouteille *f* miniature.

minibar ['mɪnɪbɑːr] *n* minibar *m*.

mini-break *n* mini-séjour *m*.

minibus ['mɪnɪbʌs] *n (pl* -es*)* minibus *m*.

minicab ['mɪnɪkæb] *n* **(UK)** radiotaxi *m*.

minicam ['mɪnɪkæm] *n* caméra *f* de télévision miniature.

mini-cruise *n* mini-croisière *f*.

MiniDisc® player *n* lecteur de MiniDiscs® *m*.

minigolf ['mɪnɪgɒlf] *n* minigolf *m*.

minikini ['mɪnɪkiːnɪ] *n* minikini *m*.

minimal ['mɪnɪml] *adj* **1.** insignifiant **2.** minime.

minimalism ['mɪnɪməlɪzm] *n* minimalisme *m*.

minimalist ['mɪnɪməlɪst] *n* minimaliste *mf*.

minimize, -ise (UK) ['mɪnɪˌmaɪz] *vt INFORM* minimiser.

minimum ['mɪnɪməm] *adj* minimum *(inv)*.

minimum charge *n* tarif *m* minimum.

minimum day ['mɪnɪməmˌdeɪ] *n* **(US)** *SCOL* journée où les cours sont réduits, ce qui permet aux professeurs de participer à des réunions de travail.

minimum wage *n* salaire *m* minimum.

mining ['maɪnɪŋ] *n* exploitation *f* minière. ❑ *adj* minier.

minion ['mɪnjən] *n* larbin *m*, laquais *m*.

miniroundabout [ˌmɪnɪ'raʊndəbaʊt] *n* **(UK)** petit rond-point *m*.

miniskirt ['mɪnɪskɜːt] *n* minijupe *f*.

minister ['mɪnɪstər] *n* **1.** *POLIT* ministre *m* • **minister without portfolio** ministre *m* sans portefeuille **2.** *RELIG* pasteur *m*. ■ **minister to** *vt insép* **1.** donner ou prodiguer ses soins à **2.** pourvoir à.

ministerial [ˌmɪnɪ'stɪərɪəl] *adj* ministériel • **ministerial responsibility** responsabilité *f* ministérielle.

minister of state *n* **(UK)** secrétaire *mf* d'État.

ministry ['mɪnɪstrɪ] *n* **1.** *POLIT* ministère *m* **2.** *RELIG* • **the ministry** le saint ministère.

minivan ['mɪnɪvæn] *n* fourgonnette *f*.

mink [mɪŋk] *n (pl inv)* vison *m*.

minnow ['mɪnəʊ] *n* vairon *m*.

minor ['maɪnər] *adj* **1.** mineur **2.** petit **3.** secondaire. ❑ *n* mineur *m*, -e *f*.

minority [maɪ'nɒrətɪ] *n* minorité *f* • **to be in a minority** être en minorité.

mint [mɪnt] *n* **1.** menthe *f* **2.** bonbon *m* à la menthe **3.** • **the Mint** l'hôtel de la Monnaie • **in mint condition** en parfait état. ❑ *vt* battre *(des pièces de monnaie)*.

minted ['mɪntɪd] *adj* **(UK)** *fam* plein aux as, bourré de fric.

minus ['maɪnəs] *prép* moins. ❑ *adj* négatif. ❑ *n (pl* -es*)* **1.** *MATH* signe *m* moins **2.** handicap *m*.

minuscule ['mɪnəskjuːl] *adj* minuscule.

minus sign *n* signe *m* moins.

minute¹ ['mɪnɪt] *n* minute *f* • **at any minute** à tout moment, d'une minute à l'autre • **stop that this minute!** arrête tout de suite ou immédiatement ! ❑ *adj* • **up-to-the-minute** de dernière heure. ■ **minutes** *npl* **1.** procès-verbal *m* **2.** compte rendu *m*.

minute² [maɪ'njuːt] *adj* minuscule.

miracle ['mɪrəkl] *n* miracle *m*.

miraculous [mɪ'rækjʊləs] *adj* miraculeux.

miraculously [mɪˈrækjʊləslɪ] *adv* miraculeusement, par miracle.

mirage [mɪˈrɑːʒ] *n litt & fig* mirage *m*.

mire [maɪəʳ] *n* fange *f*, boue *f*.

mirror [ˈmɪrəʳ] *n* **1.** miroir *m*, glace *f* **2.** INFORM site *m* miroir. ❏ *vt* **1.** refléter **2.** INFORM donner un site miroir à.

mirrorball [ˈmɪrəbɔːl] *n* boule *f* à facettes.

mirrored [ˈmɪrəd] *adj (plafond)* couvert de miroirs • **mirrored glasses** lunettes *fpl* métallisées.

mirror image *n* image *f* inversée.

mirror will *n* testament *m* miroir.

mirth [mɜːθ] *n littéraire* hilarité *f*, gaieté *f*.

misadventure [ˌmɪsədˈventʃəʳ] *n* (UK) DR • **death by misadventure** mort *f* accidentelle.

misaligned [ˌmɪsəˈlaɪnd] *adj* mal aligné.

misanthropist [mɪˈsænθrəpɪst] *n* misanthrope *mf*.

misapprehension [ˈmɪsˌæprɪˈhenʃn] *n* idée *f* fausse.

misappropriation [ˈmɪsəˌprəʊprɪˈeɪʃn] *n* détournement *m*.

misbehave [ˌmɪsbɪˈheɪv] *vi* se conduire mal • **stop misbehaving!** sois sage ! ❏ *vt* • **to misbehave oneself** se conduire mal.

miscalculate [ˌmɪsˈkælkjʊleɪt] *vt* mal calculer. ❏ *vi* se tromper.

miscalculation [ˌmɪskælkjʊˈleɪʃn] *n* mauvais calcul *m*, erreur *f* de calcul.

miscarriage [ˌmɪsˈkærɪdʒ] *n* fausse couche *f* • **to have a miscarriage** faire une fausse couche.

miscarriage of justice *n* erreur *f* judiciaire.

miscarry [ˌmɪsˈkærɪ] *(prét & pp* miscarried*) vi* **1.** faire une fausse couche **2.** échouer.

miscellaneous [ˌmɪsəˈleɪnjəs] *adj* varié, divers.

mischief [ˈmɪstʃɪf] *n (indén)* **1.** malice *f*, espièglerie *f* **2.** sottises *fpl*, bêtises *fpl* **3.** dégât *m*.

mischievous [ˈmɪstʃɪvəs] *adj* **1.** malicieux **2.** espiègle, coquin.

mischievously [ˈmɪstʃɪvəslɪ] *adv* **1.** malicieusement **2.** méchamment, avec malveillance.

misconceived [ˌmɪskənˈsiːvd] *adj (idée, plan)* mal conçu.

misconception [ˌmɪskənˈsepʃn] *n* idée *f* fausse.

misconduct [ˌmɪsˈkɒndʌkt] *n* inconduite *f*.

misconstrue [ˌmɪskənˈstruː] *vt sout* mal interpréter.

miscount [ˌmɪsˈkaʊnt] *vt & vi* mal compter.

misdeed [ˌmɪsˈdiːd] *n sout* méfait *m*.

misdemeanour (UK)**, misdemeanor** (US) [ˌmɪsdɪˈmiːnəʳ] *n* délit *m*.

misdirected [ˌmɪsdɪˈrektɪd] *adj* **1.** *(letttre)* mal adressé **2.** *(efforts, énergie)* mal dirigé.

miser [ˈmaɪzəʳ] *n* avare *mf*.

miserable [ˈmɪzrəbl] *adj* **1.** malheureux, triste • **to look miserable** avoir l'air malheureux **2.** misérable **3.** dérisoire **4.** maussade **5.** pitoyable, lamentable.

miserably [ˈmɪzrəblɪ] *adv* **1.** *(pleurer)* pitoyablement **2.** *(vivre)* misérablement **3.** *(échouer)* pitoyablement, lamentablement.

miserly [ˈmaɪzəlɪ] *adj* avare.

misery [ˈmɪzərɪ] *n* **1.** tristesse *f* **2.** misère *f*.

misery-guts *n fam* rabat-joie *m*.

misfire [ˌmɪsˈfaɪəʳ] *vi* rater ou manquer son coup.

misfit [ˈmɪsfɪt] *n* inadapté *m, -e f*.

misfortune [mɪsˈfɔːtʃuːn] *n* **1.** malchance *f* **2.** malheur *m*.

misgivings [mɪsˈgɪvɪŋz] *npl* craintes *fpl*, doutes *mpl* • **to have misgivings about** avoir des doutes quant à, douter de.

misguided [ˌmɪsˈgaɪdɪd] *adj* **1.** malavisé **2.** malencontreux **3.** peu judicieux.

mishandle [ˌmɪsˈhændl] *vt* **1.** manier sans précaution **2.** mal mener *(des négociations)* **3.** mal gérer *(une affaire)*.

mishap [ˈmɪshæp] *n* mésaventure *f*.

mishear [ˌmɪsˈhɪəʳ] *(prét & pp* misheard [-ˈhɜːd]*) vt & vi* mal entendre.

mishit *vt* [ˌmɪsˈhɪt] *(prét & pp* mishit*)* SPORT *(balle)* mal frapper. ❏ *vi* [ˌmɪsˈhɪt] *(prét & pp* mishit*)* mal frapper la balle. ❏ *n* [ˈmɪshɪt] mauvais coup *m*, coup *m* manqué.

mishmash [ˈmɪʃmæʃ] *n fam* méli-mélo *m*.

misinform [ˌmɪsɪnˈfɔːm] *vt* mal renseigner, mal informer.

misinterpret [ˌmɪsɪnˈtɜːprɪt] *vt* mal interpréter.

misjudge [ˌmɪsˈdʒʌdʒ] *vt* **1.** mal évaluer **2.** méjuger, se méprendre sur.

miskey *n* [ˈmɪskiː] faute *f* de frappe. ❏ *vt* [ˌmɪsˈkiː] ne pas taper correctement.

mislay [ˌmɪsˈleɪ] *(prét & pp* mislaid [-ˈleɪd]*) vt* égarer.

mislead [ˌmɪsˈliːd] *(prét & pp* misled*) vt* induire en erreur.

misleading [ˌmɪsˈliːdɪŋ] *adj* trompeur.

misled [ˌmɪsˈled] *passé & pp* → **mislead**.

mismanage [ˌmɪsˈmænɪdʒ] *vt* mal gérer, mal administrer.

mismatch [ˌmɪsˈmætʃ] *vt* • **to be mismatched** être mal assorti.

misnomer [ˌmɪsˈnəʊməʳ] *n* nom *m* mal approprié.

misogynistic [mɪˈsɒdʒɪnɪstɪk]**, misogynous** [mɪˈsɒdʒɪnəs] *adj* misogyne.

misplace [ˌmɪsˈpleɪs] *vt* égarer.

misplaced [ˌmɪsˈpleɪst] *adj* mal placé, déplacé.

misprint [ˈmɪsprɪnt] *n* TYPO faute *f* d'impression.

mispronounce [ˌmɪsprə'naʊns] vt mal prononcer.

mispronunciation [ˈmɪsprəˌnʌnsɪ'eɪʃn] n faute f de prononciation.

misquote [ˌmɪs'kwəʊt] vt citer de façon inexacte.

misread [ˌmɪs'riːd] (prét & pp misread [-'red]) vt 1. mal lire 2. mal interpréter.

misreport [ˌmɪsrɪ'pɔːt] n rapport m inexact. ❑ vt rapporter inexactement.

misrepresent ['mɪsˌreprɪ'zent] vt dénaturer.

misrepresentation ['mɪsˌreprɪzen'teɪʃn] n 1. (indén) mauvaise interprétation f 2. déformation f.

miss [mɪs] vt 1. rater, manquer 2. • I miss my family/her ma famille/elle me manque 3. échapper à • I just missed being run over j'ai failli me faire écraser 4. manquer de • I'm missing two books from my collection il me manque deux livres dans ma collection, deux livres de ma collection ont disparu ❑ vi rater ou manquer son coup. ❑ n • to give school a miss (UK) fam ne pas aller à l'école. ■ miss out vt sép 1. oublier 2. omettre. ❑ vi • to miss out on sthg ne pas pouvoir profiter de qqch.

Miss [mɪs] n Mademoiselle f.

misshapen [ˌmɪs'ʃeɪpn] adj difforme.

missile [(UK) 'mɪsaɪl, (US) 'mɪsəl] n 1. missile m 2. projectile m.

missing ['mɪsɪŋ] adj 1. perdu, égaré 2. manquant, qui manque.

missing link n maillon m qui manque à la chaîne.

missing person n personne f disparue.

mission ['mɪʃn] n mission f.

missionary ['mɪʃənrɪ] n missionnaire mf.

mission statement n ordre m de mission.

misspell [ˌmɪs'spel] ((UK) prét & pp misspelt ou misspelled) vt mal orthographier.

misspelling [ˌmɪs'spelɪŋ] n faute f d'orthographe.

misspend [ˌmɪs'spend] (prét & pp misspent [-'spent]) vt gaspiller.

mis-suit [ˌmɪs'sjuːt] vt littéraire convenir mal à.

mist [mɪst] n brume f. ■ mist over, mist up vi s'embuer.

mistake [mɪ'steɪk] n erreur f • by mistake par erreur • to make a mistake faire une erreur, se tromper. ❑ vt (prét mistook, pp mistaken) 1. mal comprendre 2. se méprendre sur 3. • to mistake sb/sthg for prendre qqn/qqch pour, confondre qqn/qqch avec.

mistaken [mɪ'steɪkn] pp → mistake. ❑ adj 1. • to be mistaken (about) se tromper (en ce qui concerne ou sur) 2. erroné, faux, fausse f.

mistaken identity n • a case of mistaken identity une erreur sur la personne.

mistakenly [mɪ'steɪknlɪ] adv par erreur.

mister ['mɪstər] n fam monsieur m. ■ Mister n Monsieur m.

mistime [ˌmɪs'taɪm] vt 1. mal calculer (coup, tir) 2. faire au mauvais moment (annonce).

mistletoe ['mɪsltəʊ] n gui m.

mistook [mɪ'stʊk] passé → mistake.

mistranslate [ˌmɪstræns'leɪt] vt mal traduire. ❑ vi faire des contresens.

mistranslation [ˌmɪstræns'leɪʃn] n erreur f de traduction.

mistreat [ˌmɪs'triːt] vt maltraiter.

mistreatment [ˌmɪs'triːtmənt] n mauvais traitement m.

mistress ['mɪstrɪs] n maîtresse f.

mistrust [ˌmɪs'trʌst] n méfiance f. ❑ vt se méfier de.

mistrustful [ˌmɪs'trʌstfʊl] adj • mistrustful (of) méfiant (à l'égard de).

misty ['mɪstɪ] adj brumeux.

misunderstand [ˌmɪsʌndə'stænd] (prét & pp misunderstood) vt & vi mal comprendre.

misunderstanding [ˌmɪsʌndə'stændɪŋ] n malentendu m.

misunderstood [ˌmɪsʌndə'stʊd] passé & pp → misunderstand.

misuse n [ˌmɪs'juːs] 1. mauvais emploi m 2. abus m (de pouvoir) 3. détournement m (de fonds). ❑ vt [ˌmɪs'juːz] 1. mal employer 2. abuser de 3. détourner.

miter (US) = mitre.

mitigate ['mɪtɪgeɪt] vt atténuer, mitiger.

mitigating ['mɪtɪgeɪtɪŋ] adj • mitigating circumstances circonstances fpl atténuantes.

mitre (UK), **miter** (US) ['maɪtər] n 1. mitre f 2. onglet m.

mitt [mɪt] n 1. fam = mitten 2. gant m de baseball.

mitten ['mɪtn] n moufle f.

mix [mɪks] vt 1. mélanger 2. • to mix sthg with sthg combiner ou associer qqch et qqch 3. préparer (un cocktail) 4. malaxer (du ciment). ❑ vi 1. se mélanger 2. • to mix with fréquenter. ❑ n 1. mélange m 2. MUS mixage m. ■ mix up vt sép 1. confondre 2. mélanger.

mix-and-match adj (vêtements) que l'on peut coordonner à volonté.

mixed [mɪkst] adj 1. (bonbons) assortis • mixed leaves mesclun m 2. (école) mixte 3. • to give out mixed messages dire des choses contradictoires.

mixed-ability adj (UK) tous niveaux confondus.

mixed blessing n quelque chose qui a du bon et du mauvais.

mixed doubles n SPORT double m mixte.

mixed grill n (UK) assortiment m de grillades.

mixed marriage n mariage m mixte.

mixed up adj **1.** qui ne sait plus où il/elle en est, paumé **2.** embrouillé **3.** • **to be mixed up in sthg** être mêlé à qqch.

mixer ['mɪksə'] n mixer m.

mixologist [mɪk'sɒlədʒɪst] n barman spécialisé dans les cocktails.

mixture ['mɪkstʃə'] n **1.** mélange m **2.** MÉD préparation f.

mix-up n fam confusion f • **there's been a mix-up** il y a eu une confusion.

ml (abrév de millilitre) ml.

mm (abrév de millimetre) mm.

moan [məʊn] n gémissement m. ◻ vi **1.** gémir **2.** fam • **to moan (about)** rouspéter ou râler (à propos de).

moaner ['məʊnə'] n fam grognon m, -onne f, râleur m, -euse f.

moaning ['məʊnɪŋ] n (indén) plaintes fpl, jérémiades fpl.

moat [məʊt] n douves fpl.

mob [mɒb] n foule f. ◻ vt assaillir.

mobile ['məʊbaɪl] adj **1.** mobile **2.** motorisé. ◻ n **1.** (UK) téléphone m portable **2.** mobile m.

mobile home n auto-caravane f, mobilhome m.

mobile phone n (surtout UK) téléphone m portable.

mobility [mə'bɪlətɪ] n mobilité f.

mobilize, -ise (UK) ['məʊbɪlaɪz] vt & vi mobiliser.

mochaccino [mɒkə't∫iːnəʊ] n mochaccino m.

mock [mɒk] adj faux, fausse f • **mock exam** (UK) examen blanc. ◻ vt se moquer de. ◻ vi se moquer.

mockery ['mɒkərɪ] n moquerie f.

mocking ['mɒkɪŋ] adj moqueur.

mod cons [,mɒd-] (abrév de modern conveniences) npl (UK) fam • **all mod cons** tout confort, tt conf.

mode [məʊd] n (façon, manière) mode m.

model ['mɒdl] n **1.** modèle m **2.** mannequin m. ◻ adj **1.** modèle **2.** (en) modèle réduit. ◻ vt ((UK) prét & pp **modelled**, cont **modelling**, (US) prét & pp **modeled**, cont **modeling**) **1.** modeler **2.** • **to model a dress** présenter un modèle de robe **3.** • **to model o.s. on sb** prendre modèle ou exemple sur qqn, se modeler sur qqn. ◻ vi ((UK) prét & pp **modelled**, cont **modelling**, (US) prét & pp **modeled**, cont **modeling**) être mannequin.

modem ['məʊdem] n modem m.

moderate adj ['mɒdərət] modéré. ◻ n ['mɒdərət] POLIT modéré m, -e f. ◻ vt ['mɒdəreɪt] modérer. ◻ vi ['mɒdəreɪt] se modérer.

moderately ['mɒdərətlɪ] adv pas très, plus ou moins.

moderation [,mɒdə'reɪʃn] n modération f • **in moderation** avec modération.

modern ['mɒdən] adj moderne • **modern dance** HIST modern dance f.

modern art n art m moderne.

modernize, -ise (UK) ['mɒdənaɪz] vt moderniser. ◻ vi se moderniser.

modern languages npl langues fpl vivantes.

modest ['mɒdɪst] adj modeste.

modestly ['mɒdɪstlɪ] adv modestement.

modesty ['mɒdɪstɪ] n modestie f.

modicum ['mɒdɪkəm] n minimum m.

modify ['mɒdɪfaɪ] vt modifier.

modular ['mɒdjʊlə'] adj modulaire.

module ['mɒdjuːl] n module m.

mogul ['məʊgl] n fig magnat m.

mohair ['məʊheə'] n mohair m.

moist [mɔɪst] adj **1.** humide **2.** (gâteau) moelleux.

moisten ['mɔɪsn] vt humecter.

moisture ['mɔɪstʃə'] n humidité f.

moisturize, -ise (UK) ['mɔɪstʃəraɪz] vt hydrater.

moisturizer, -iser (UK) ['mɔɪstʃəraɪzə'] n crème f hydratante, lait m hydratant.

mojo ['məʊdʒəʊ] n (US) fam peps m (énergie).

molar ['məʊlə'] n molaire f.

molasses [mə'læsɪz] n (indén) mélasse f.

mold etc (US) = **mould**.

molding etc (US) = **moulding**.

moldy etc (US) = **mouldy**.

mole [məʊl] n **1.** taupe f **2.** grain m de beauté.

molecular [mə'lekjʊlə'] adj moléculaire.

molecule ['mɒlɪkjuːl] n molécule f.

molest [mə'lest] vt **1.** attenter à la pudeur de **2.** importuner, agresser.

mollusc (UK), **mollusk** (US) ['mɒləsk] n mollusque m.

mollycoddle ['mɒlɪ,kɒdl] vt fam chouchouter.

molt (US) = **moult**.

molten ['məʊltn] adj en fusion.

mom [mɒm] n (US) fam maman f.

momager ['mɒmædʒə'] n mère qui gère la carrière de son enfant artiste ou sportif.

moment ['məʊmənt] n moment m, instant m • **at any moment** d'un moment à l'autre • **at the moment** en ce moment • **her moment of glory** son heure de gloire • **one of the worst moments of my life** un des pires moments de ma vie.

momentarily ['məʊməntərɪlɪ] adv **1.** momentanément **2.** (US) très bientôt.

momentary ['məʊməntrɪ] adj momentané, passager.

momentous [mə'mentəs] adj capital, très important.

momentum [mə'mentəm] n (indén) **1.** PHYS moment m **2.** fig vitesse f • **to gather momentum** prendre de la vitesse.

momma ['mɒmə], **mommy** ['mɒmɪ] n (us) fam maman f.

Mon. (abrév de Monday) lun.

Monaco ['mɒnəkəʊ] n Monaco.

monarch ['mɒnək] n monarque m.

monarchy ['mɒnəkɪ] n monarchie f.

monastery ['mɒnəstrɪ] n monastère m.

Monday ['mʌndɪ] n lundi m. Voir aussi **Saturday**.

monetary ['mʌnɪtrɪ] adj monétaire.

money ['mʌnɪ] n argent m • **to make money** gagner de l'argent • **to get one's money's worth** en avoir pour son argent • **to throw money at sthg** investir massivement dans qqch.

money-back guarantee n garantie f de remboursement.

moneybox ['mʌnɪbɒks] n (UK) tirelire f.

money-grubbing [-,grʌbɪŋ] fam & péj n radinerie f. ❑ adj radin.

moneylender ['mʌnɪ,lendər] n prêteur m, -euse f sur gages.

moneymaker ['mʌnɪ,meɪkər] n affaire f lucrative.

moneymaking ['mʌnɪ,meɪkɪŋ] adj lucratif.

money order n mandat m postal.

money-spinner [-,spɪnər] n (surtout UK) fam mine f d'or.

mongol ['mɒŋɡəl] vieilli & injur n mongolien m, -enne f.

Mongolia [mɒŋ'ɡəʊlɪə] n Mongolie f.

mongrel ['mʌŋɡrəl] n (chien) bâtard m.

monitor ['mɒnɪtər] n INFORM & MÉD moniteur m. ❑ vt **1.** contrôler, suivre de près **2.** RADIO être à l'écoute de.

monk [mʌŋk] n moine m.

monkey ['mʌŋkɪ] n (pl -s) singe m.

monkey bars n (US) cage f d'écureuil.

monkey nut n (UK) cacahuète f.

monkey wrench n clef f à molette.

monochrome ['mɒnəkrəʊm] adj monochrome.

monocle ['mɒnəkl] n monocle m.

monogamous [mɒ'nɒɡəməs] adj monogame.

monogamy [mɒ'nɒɡəmɪ] n monogamie f.

monolingual [,mɒnə'lɪŋɡwəl] adj monolingue.

monologue, monolog (us) ['mɒnəlɒɡ] n monologue m.

monopolize, -ise (UK) [mə'nɒpəlaɪz] vt monopoliser.

monopoly [mə'nɒpəlɪ] n • **monopoly (on** ou **of)** monopole m (de).

monosyllabic [,mɒnəsɪ'læbɪk] adj monosyllabique.

monotone ['mɒnətəʊn] n ton m monocorde.

monotonous [mə'nɒtənəs] adj monotone.

monotony [mə'nɒtənɪ] n monotonie f.

monsoon [mɒn'suːn] n mousson f.

monster ['mɒnstər] n **1.** monstre m **2.** colosse m.

monstrosity [mɒn'strɒsətɪ] n monstruosité f.

monstrous ['mɒnstrəs] adj monstrueux.

Mont Blanc [,mɔ̃'blɑ̃] n le mont Blanc.

month [mʌnθ] n mois m.

monthly ['mʌnθlɪ] adj mensuel. ❑ adv mensuellement. ❑ n PRESSE mensuel m.

Montreal [,mɒntrɪ'ɔl] n Montréal.

monument ['mɒnjʊmənt] n monument m • **an ancient monument** un monument ancien.

monumental [,mɒnjʊ'mentl] adj monumental.

moo [muː] n (pl -s) meuglement m, beuglement m. ❑ vi meugler, beugler.

mood [muːd] n humeur f • **to be in a good/ bad mood** être de bonne/mauvaise humeur.

mood elevator n (substance) stimulant m.

moodiness ['muːdɪnɪs] n **1.** humeur f maussade, maussaderie f **2.** humeur f changeante.

mood swing n saute f d'humeur.

moody ['muːdɪ] adj péj **1.** lunatique **2.** de mauvaise humeur, mal luné.

moon [muːn] n lune f.

moonlight ['muːnlaɪt] n clair m de lune. ❑ vi (prét & pp moonlighted) travailler au noir.

moonlighting ['muːnlaɪtɪŋ] n (indén) travail m au noir.

moonlit ['muːnlɪt] adj (paysage) éclairé par la lune • **a moonlit night** une nuit de lune.

moor [mɔːr] n lande f. ❑ vt amarrer. ❑ vi NAUT mouiller.

moorland ['mɔːlənd] n (surtout UK) lande f.

moose [muːs] n (pl inv) n ZOOL orignal m.

moot point n point m discutable.

mop [mɒp] n **1.** balai m à franges **2.** fam tignasse f. ❑ vt **1.** laver **2.** essuyer • **to mop one's brow** s'essuyer le front. ■ **mop up** vt sép éponger.

mope [məʊp] vi broyer du noir. ■ **mope about** (UK), **mope around** vi traîner.

moped ['məʊped] n vélomoteur m.

moral ['mɒrəl] adj moral. ❑ n morale f. ■ **morals** npl moralité f.

morale [mə'rɑːl] n (indén) moral m • **his morale is high/low** il a/n'a pas le moral.

morale-booster n • **it was a morale-booster** ça nous/leur etc a remonté le moral.

morality [mə'rælətɪ] n moralité f.

morass [mə'ræs] n fig fatras m.

morbid ['mɔːbɪd] adj morbide.

more [mɔːr] adv **1.** (avec adj et adv) plus • **more important (than)** plus important (que) • **more often/quickly (than)** plus souvent/rapidement (que) **2.** plus, davantage **3.** • **once/twice more** une fois/deux fois de plus, encore une fois/ deux fois. ❑ adj **1.** plus de, davantage de • **there are more trains in the morning** il y a plus de trains le matin • **more than 70 people died** plus de 70 personnes ont péri **2.** encore (de) • **I finished two more chapters** j'ai fini deux autres *ou* encore deux chapitres • **have some more tea** prends encore du thé • **we need more money/time** il nous faut plus d'argent/de temps, il nous faut davantage d'argent/de temps. ❏ *pron* plus, davantage • **more than five** plus de cinq • **he's got more than I have** il en a plus que moi • **no more no less** ni plus ni moins. ■ **any more** *adv* • **not… any more** ne… plus. ■ **more and more** *adv & pron* de plus en plus • **more and more depressed** de plus en plus déprimé. ❏ *adj* de plus en plus de • **there are more and more cars on the roads** il y a de plus en plus de voitures sur les routes. ■ **more or less** *adv* **1.** plus ou moins **2.** environ, à peu près. ■ **not… any more** *adv* • **we don't go there any more** nous n'y allons plus • **he still works here, doesn't he? — not any more (he doesn't)** il travaille encore ici, n'est-ce pas ? — non, plus maintenant.

moreover [mɔːˈrəʊvər] *adv* de plus.

morgue [mɔːg] *n* morgue *f*.

Mormon [ˈmɔːmən] *n* mormon *m*, -e *f*.

morning [ˈmɔːnɪŋ] *n* **1.** matin *m* • **I work in the morning** je travaille le matin • **I'll do it tomorrow morning** *ou* **in the morning** je le ferai demain matin **2.** matinée *f*. ■ **mornings** *adv* le matin.

morning sickness *n* (indén) nausées *fpl* (matinales).

Moroccan [məˈrɒkən] *adj* marocain. ❏ *n* Marocain *m*, -e *f*.

Morocco [məˈrɒkəʊ] *n* Maroc *m*.

moron [ˈmɔːrɒn] *n fam* idiot *m*, -e *f*, crétin *m*, -e *f*.

moronic [məˈrɒnɪk] *adj* idiot, crétin.

morose [məˈrəʊs] *adj* morose.

morph [mɔːf] *n LING* morphe *f*. ❏ *vi* se transformer • **the car morphs into a robot** la voiture se transforme en robot.

morphine [ˈmɔːfiːn] *n* morphine *f*.

morphing [ˈmɔːfɪŋ] *n INFORM* morphing *m*.

Morse (code) [mɔːs-] *n* morse *m*.

morsel [ˈmɔːsl] *n* bout *m*, morceau *m*.

mortal [ˈmɔːtl] *adj* mortel. ❏ *n* mortel *m*, -elle *f*.

mortality [mɔːˈtælətɪ] *n* mortalité *f*.

mortar [ˈmɔːtə] *n* mortier *m*.

mortgage [ˈmɔːgɪdʒ] *n* emprunt-logement *m*, crédit *m* immobilier • **to take out** *ou* **raise a mortgage** souscrire un crédit immobilier • **to pay off** *ou* **clear a mortgage** rembourser un crédit immobilier. ❏ *vt* hypothéquer.

mortgageable [ˈmɔːgɪdʒəbl] *adj* hypothécable.

mortgage famine *n* crise *f* du crédit immobilier.

mortgage rate *n* taux *m* de crédit immobilier.

mortified [ˈmɔːtɪfaɪd] *adj* mortifié.

mortuary [ˈmɔːtʃʊərɪ] *n* morgue *f*.

mosaic [məˈzeɪɪk] *n* mosaïque *f*.

Moscow [ˈmɒskəʊ] *n* Moscou.

mosey [ˈməʊzɪ] *vi* (US) *fam* marcher d'un pas tranquille • **let's mosey over to the pond** allons faire un petit tour jusqu'à l'étang.

Moslem [ˈmɒzləm] *vieilli* = **Muslim**.

mosque [mɒsk] *n* mosquée *f*.

mosquito [məˈskiːtəʊ] (*pl* **-es** *ou* **-s**) *n* moustique *m*.

moss [mɒs] *n* mousse *f*.

most [məʊst] (*superlatif de* **many**) *adj* **1.** la plupart de • **most tourists here are German** la plupart des touristes ici sont allemands **2.** • **(the) most** le plus de • **she's got (the) most money** c'est elle qui a le plus d'argent. ❏ *pron* **1.** la plupart • **most of the tourists here are German** la plupart des touristes ici sont allemands • **most of them** la plupart d'entre eux **2.** • **(the) most** le plus • **at most** au maximum, tout au plus • **to make the most of sthg** profiter de qqch au maximum. ❏ *adv* **1.** • **(the) most** le plus **2.** *sout* très, fort.

À PROPOS DE | **most**

Notez que, lorsque *most* veut dire **la majorité** ou **la majorité de**, il n'est jamais précédé de *the* (*most people don't go to work on Sundays* ; *most of my friends go to the same school as me*).

mostly [ˈməʊstlɪ] *adv* principalement, surtout.

MOT (UK) *n* (abrév de Ministry of Transport (test)) *contrôle technique annuel obligatoire pour les véhicules de plus de trois ans.*

motel [məʊˈtel] *n* motel *m*.

moth [mɒθ] *n* **1.** papillon *m* de nuit **2.** mite *f*.

mothball [ˈmɒθbɔːl] *n* boule *f* de naphtaline.

moth-eaten *adj* mité.

mother [ˈmʌðə] *n* mère *f*. ❏ *vt* materner, dorloter.

motherboard [ˈmʌðəbɔːd] *n INFORM* carte *f* mère.

mother country *n* (mère) patrie *f*.

mother figure *n* figure *f* maternelle.

motherhood [ˈmʌðəhʊd] *n* maternité *f*.

mother-in-law (*pl* mothers-in-law) *n* belle-mère *f*.

motherly [ˈmʌðəlɪ] *adj* maternel.

mother-of-pearl *n* nacre *f*.

Mother's Day *n* fête *f* des Mères.

mother-to-be (*pl* mothers-to-be) *n* future maman *f*.

mother tongue *n* langue *f* maternelle.

motif [məʊˈtiːf] *n* motif *m*.

motion ['məʊʃn] n **1.** mouvement m • **to set sthg in motion** mettre qqch en branle **2.** POLIT motion f • **to carry a motion** faire adopter une motion. ❏ vt **1.** • **to motion sb to do sthg** faire signe à qqn de faire qqch. ❏ vi • **to motion to sb** faire signe à qqn.

motionless ['məʊʃənlɪs] adj immobile.

motion picture n (us) film m.

motivate ['məʊtɪveɪt] vt **1.** motiver (acte, décision) **2.** • **to motivate sb (to do sthg)** pousser qqn (à faire qqch) (étudiant, ouvrier).

motivated ['məʊtɪveɪtɪd] adj motivé.

motivation [,məʊtɪ'veɪʃn] n motivation f.

motive ['məʊtɪv] n **1.** motif m **2.** DR mobile m.

motiveless ['məʊtɪvlɪs] adj immotivé, injustifié • **an apparently motiveless murder** un meurtre sans mobile apparent.

motley ['mɒtlɪ] adj péj hétéroclite.

motor ['məʊtə'] adj automobile. ❏ n moteur m.

motorbike ['məʊtəbaɪk] n (uk) fam moto f.

motorboat ['məʊtəbəʊt] n canot m automobile.

motor car n (uk) vieilli automobile f, voiture f.

motorcycle ['məʊtə,saɪkl] n moto f.

motorcyclist ['məʊtə,saɪklɪst] n motocycliste mf.

motorist ['məʊtərɪst] n automobiliste mf.

motormouth ['məʊtə,maʊθ] n tfam • **he's a bit of a motormouth** c'est un véritable moulin à paroles.

motor racing n (indén) (uk) course f automobile.

motor scooter n scooter m.

motorsport ['məʊtəspɔt] n sport m mécanique.

motor vehicle n véhicule m automobile.

motorway ['məʊtəweɪ] (uk) n autoroute f.

mottled ['mɒtld] adj **1.** tacheté **2.** (peau) marbré.

motto ['mɒtəʊ] (pl -s ou -es) n devise f.

mould (uk), **mold** (us) [məʊld] n **1.** moisissure f **2.** moule m. ❏ vt **1.** mouler, modeler **2.** fig former, façonner • **an easily moulded character** un caractère malléable.

moulding (uk), **molding** (us) ['məʊldɪŋ] n moulure f.

mouldy (uk), **moldy** (us) ['məʊldɪ] adj moisi.

moult (uk), **molt** (us) [məʊlt] vi muer.

mound [maʊnd] n **1.** tertre m, butte f **2.** tas m, monceau m.

mount [maʊnt] n **1.** monture f (d'un bijou) **2.** support m **3.** monture f (cheval) **4.** mont m. ❏ vt monter • **to mount a horse** monter sur un cheval • **to mount a bike** monter sur ou enfourcher un vélo. ❏ vi **1.** monter, augmenter **2.** (équitation) se mettre en selle.

mountain ['maʊntɪn] n litt & fig montagne f.

mountain bike n VTT m.

mountaineer [,maʊntɪ'nɪə'] n alpiniste mf.

mountaineering [,maʊntɪ'nɪərɪŋ] n alpinisme m • **to go mountaineering** faire de l'alpinisme.

mountainous ['maʊntɪnəs] adj montagneux.

mounted police n • **the mounted police** la police montée.

mourn [mɔn] vt pleurer (la perte de qqn). ❏ vi • **to mourn (for sb)** pleurer (qqn).

mourner ['mɔnə'] n **1.** parent m du défunt **2.** ami m, -e f du défunt.

mournful ['mɔnful] adj **1.** triste **2.** lugubre.

mourning ['mɔnɪŋ] n deuil m • **in mourning** en deuil.

mouse [maʊs] (pl mice [maɪs]) n ZOOL & INFORM souris f • **mouse click** clic m de souris.

mouse mat (uk), **mouse pad** (us) n INFORM tapis m de souris.

mouse potato n fam personne qui passe son temps devant l'ordinateur.

mousetrap ['maʊstræp] n souricière f.

mousse [muːs] n mousse f • **chocolate mousse** mousse au chocolat.

moustache [məˈstɑːʃ], **mustache** (us) ['mʌstæʃ] n moustache f.

mousy ['maʊsɪ] (comp mousier, superl mousiest) adj péj **1.** timide, effacé **2.** (cheveux) châtain clair.

mouth n [maʊθ] (pl [maʊðz]) **1.** bouche f **2.** gueule f **3.** entrée f (d'une caverne) **4.** embouchure f (d'un fleuve).

mouthful ['maʊθful] n **1.** bouchée f **2.** gorgée f.

mouth organ ['maʊθ,ɔgən] n harmonica m.

mouthpiece ['maʊθpiːs] n **1.** microphone m **2.** bec m (d'un instrument de musique) **3.** porte-parole m inv.

mouth-to-mouth adj • **mouth-to-mouth resuscitation** bouche-à-bouche m inv.

mouthwash ['maʊθwɒʃ] n eau f dentifrice.

mouth-watering [-,wɔtərɪŋ] adj alléchant.

movable ['muːvəbl] adj mobile.

move [muːv] n **1.** mouvement m • **to get a move on** fam se remuer, se grouiller **2.** déménagement m **3.** changement m d'emploi **4.** coup m **5.** tour m. ❏ vt **1.** déplacer, bouger **2.** changer de • **to move house** (uk) déménager **3.** émouvoir **4.** • **to move sb to do sthg**

CULTURE

Mount Rushmore

Les visages géants de quatre présidents des États-Unis (**George Washington**, **Thomas Jefferson**, **Abraham Lincoln** et **Theodore Roosevelt**) sont sculptés dans la roche du mont **Rushmore**, dans le **Dakota du Sud**. Chaque visage mesure 18 mètres de haut. Ce monument national est un site touristique très populaire.

inciter qqn à faire qqch. ❑ *vi* **1.** bouger **2.** déménager **3.** changer d'emploi **4.** agir. ■ **move about** *vi* (UK) = **move around.** ■ **move along** *vt sép* faire avancer. ❑ *vi* se déplacer • **the police asked him to move along** la police lui a demandé de circuler. ■ **move around** *vi* **1.** remuer **2.** voyager. ■ **move away** *vi* partir. ■ **move in** *vi* emménager. ■ **move on** *vi* se remettre en route. ❑ *vi* (US) se tourner vers l'avenir. ■ **move out** *vi* déménager. ■ **move over** *vi* s'écarter, se pousser. ■ **move up** *vi* **1.** se déplacer **2.** *fig* • **you've moved up in the world!** tu en as fait du chemin !

moveable ['muːvəbl] = **movable.**

movement ['muːvmənt] *n* mouvement *m*.

movie ['muːvɪ] *n* (surtout US) film *m* • **to go to a movie** aller voir un film.

movie buff *n* (surtout US) *fam* cinéphile *mf*.

movie camera *n* caméra *f*.

moviegoer ['muːvɪˌɡəʊə^r] *n* (US) cinéphile *mf*.

movie industry *n* (surtout US) industrie *f* cinématographique *ou* du cinéma.

movie rights *npl* droits *mpl* cinématographiques.

movie star *n* (surtout US) star *f*, vedette *f* de cinéma.

movie theatre (UK), **movie theater** (US) *n* cinéma *m*.

moving ['muːvɪŋ] *adj* **1.** émouvant, touchant **2.** mobile.

mow [məʊ] (*prét* mowed, *pp* mowed *ou* mown) *vt* **1.** faucher **2.** tondre • **to mow the lawn** tondre le gazon. ■ **mow down** *vt sép* faucher.

mower ['məʊə^r] *n* tondeuse *f* à gazon.

mown [məʊn] *pp* → **mow.**

moxie ['mɒksɪ] *n* (US) *fam* cran *m*.

mozzie ['mɒzɪ] *n* *fam* moustique *m*.

MP *n* **1.** (abrév de Military Police) PM *m* **2.** (UK) (abrév de Member of Parliament) ≃ député *m*.

MP3 player *n* lecteur *m* de MP3.

MP4 player *n* lecteur *m* de MP4.

MPEG ['empeg] (abrév de Moving Pictures Expert Group) *n* INFORM MPEG *m*.

mpg (abrév de miles per gallon) *n* miles au gallon.

mph (abrév de miles per hour) *n* miles à l'heure.

Mr ['mɪstə^r] *n* **1.** monsieur *m* **2.** M.

MRI *n* (abrév de magnetic resonance imaging) *n* IRM *f*.

Mrs ['mɪsɪz] *n* **1.** madame *f* **2.** Mme.

MRSA [ˌemɑːresˈeɪ] (abrév de methicillin resistant Staphylococcus aureus) *n* SARM *m*.

Ms [mɪz] *n* titre que les femmes peuvent utiliser au lieu de madame ou mademoiselle pour éviter la distinction entre les femmes mariées et les célibataires.

MS *n* (abrév de multiple sclerosis) SEP *f*.

MSc (abrév de Master of Science) *n* (titulaire d'une) maîtrise de sciences.

MSP *n* abrév de **Member of the Scottish Parliament.**

MTG *SMS* abrév de **meeting.**

MU *SMS* (abrév de miss you) tu me manques.

much

■ **much** [mʌtʃ] *adj* (*comp* more, *superl* most)

s'utilise généralement avec des indénombrables au singulier

• **there isn't much rice left** il ne reste pas beaucoup de riz • **as much money as...** autant d'argent que... • **too much** trop de • **how much...?** combien de... ? • **how much do you earn?** tu gagnes combien ?

■ **much** [mʌtʃ] *pron*

• **I don't think much of his new house** sa nouvelle maison ne me plaît pas trop • **too much** trop • **I'm not much of a cook** je suis un piètre cuisinier • **so much for all my hard work** tout ce travail pour rien • **I thought as much** c'est bien ce que je pensais

■ **much** [mʌtʃ] *adv*

• **I don't go out much** je ne sors pas beaucoup *ou* souvent • **it doesn't interest me much** ça ne m'intéresse pas beaucoup • **thank you very much** merci beaucoup • **without so much as...** sans même... • **to be too much** *fam* être trop

■ **much as** *conj*

• **much as I wanted to go, I had to stay in and finish my homework** même si j'avais envie d'y aller, j'ai dû rester et finir mes devoirs

much

A PROPOS DE

On trouve **much** principalement dans les questions (**is there** much **traffic in town today?**) et les tournures négatives (**I haven't got** much **money**). Dans les phrases affirmatives, on tend en revanche à utiliser **a lot (of)** et **lots (of)**, même si l'on trouve également **much** dans les expressions **too much**, **how much** et **so much**. Voir aussi **lot**, **plenty**.

much-loved *adj* bien-aimé.

muck [mʌk] *fam* *n* (indén) **1.** saletés *fpl* **2.** fumier *m*. ■ **muck about, muck around** *fam* *vt sép* • **to muck sb about** faire perdre son temps à qqn. ❑ *vi* traîner. ■ **muck up** *vt sép* *fam* gâcher. ■ **muck in** *vi* (UK) *fam* donner un coup de main.

mucky ['mʌkɪ] *adj* **1.** sale **2.** (UK) *fam* pornographique.

mucus ['mjuːkəs] *n* mucus *m*.

mud [mʌd] *n* boue *f*.

muddle ['mʌdl] *n* **1.** désordre *m*, fouillis *m*. ❑ *vt* **1.** mélanger **2.** embrouiller. ■ **muddle along** *vi* se débrouiller tant bien que mal.

■ **muddle through** *vi* se tirer d'affaire, s'en sortir tant bien que mal. ■ **muddle up** *vt sép* mélanger.

muddy ['mʌdɪ] *adj* boueux. ❑ *vt fig* embrouiller.

mudguard ['mʌdgɑːd] *n* garde-boue *m inv.*

mudslinging ['mʌd,slɪŋɪŋ] *n* (*indén*) *fig* attaques *fpl.*

muesli ['mjuːzlɪ] *n* muesli *m.*

muff [mʌf] *n* manchon *m.* ❑ *vt fam* louper.

muffin ['mʌfɪn] *n* muffin *m.*

muffle ['mʌfl] *vt* étouffer.

muffler ['mʌflər] *n* (us) silencieux *m.*

mug [mʌg] *n* **1.** (grande) tasse *f* **2.** (uk) *fam* andouille *f*, bonne poire *f.* ❑ *vt* agresser.

mugger ['mʌgər] *n* agresseur *m.*

mugging ['mʌgɪŋ] *n* agression *f.*

muggy ['mʌgɪ] *adj* lourd, moite.

mule [mjuːl] *n* mule *f.*

mull [mʌl] ■ **mull over** *vt sép* ruminer, réfléchir à.

mulled [mʌld] *adj* • **mulled wine** vin *m* chaud.

multi- ['mʌltɪ] *préf* multi-.

multicast ['mʌltɪkɑːst], **multicasting** ['mʌltɪkɑːstɪŋ] *n* multicasting *m.*

multicoloured (uk), **multicolored** (us) ['mʌltɪ,kʌləd] *adj* multicolore.

multicultural [,mʌltɪ'kʌltʃərəl] *adj* multiculturel.

multifaceted [,mʌltɪ'fæsɪtɪd] *adj* présentant de multiples facettes.

multifaith ['mʌltɪfeɪθ] *adj* multiconfessionnel • **multifaith organization** organisation multiconfessionnelle.

multifunction [,mʌltɪ'fʌŋkʃən] *adj* multifonction(s).

multifunctional [,mʌltɪ'fʌŋkʃənəl] *adj* multifonction(s) • **multifunctional card** FIN carte *f* multifonction (s) • **multifunctional key** touche *f* multifonction (s) • **multifunctional keyboard** clavier *m* multifonction (s).

multigym ['mʌltɪdʒɪm] *n* appareil *m* de musculation.

multilateral [,mʌltɪ'lætərəl] *adj* multilatéral.

multilayered [,mʌltɪ'leɪəd] *adj* **1.** (*gâteau*) à plusieurs couches **2.** (*structure, société*) stratifié.

multilevel [mʌltɪ'levl] *adj* INFORM multiniveau.

multimode ['mʌltɪməʊd] *adj* ÉLECTRON à plusieurs modes de fonctionnement.

multinational [,mʌltɪ'næʃənl] *n* multinationale *f.*

multi-ownership *n* multipropriété *f.*

multiplatform [,mʌltɪ'plætfɔːm] *adj* multiplateforme.

multiple ['mʌltɪpl] *adj* multiple • **multiple birth** naissance *f* multiple • **to die of multiple stab wounds** être tué de plusieurs coups de couteau. ❑ *n* multiple *m.*

multiple choice examination ['mʌltɪpl tʃɔɪsɪg,zæmɪ'neɪʃn] *n* SCOL & UNIV QCM *m*, questionnaire *m* à choix multiple.

multiple occupancy *n* **1.** colocation *f* **2.** copropriété *f.*

multiple ownership *n* multipropriété *f.*

multiple sclerosis [-sklɪ'rəʊsɪs] *n* sclérose *f* en plaques.

multiplex cinema (uk), **multiplex theater** (us) *n* complexe *m* multisalle, multiplexe *m.*

multiplexing ['mʌltɪpleksɪŋ] *n* multiplexage *m.*

multiplication [,mʌltɪplɪ'keɪʃn] *n* multiplication *f.*

multiplication sign *n* signe *m* de multiplication.

multiplication table *n* table *f* de multiplication.

multiply ['mʌltɪplaɪ] *vt* multiplier. ❑ *vi* se multiplier.

multiresistant bacteria [,mʌltɪrɪ'zɪstənt-] *n* bactérie *f* multirésistante.

multi-speed *adj* à plusieurs vitesses.

multistandard [,mʌltɪ'stændəd] *adj* TV multistandard.

multistorey (uk), **multistory** (us) [,mʌltɪ'stɔːrɪ] *adj* à étages. ❑ *n* parking *m* à étages.

multi-talented *adj* aux talents multiples.

multitude ['mʌltɪtjuːd] *n* multitude *f.*

multi-user *adj* INFORM (*système*) multi-utilisateurs (*inv*).

multivitamin [(uk) 'mʌltɪvɪtəmɪn, (us) 'mʌltɪvaɪtəmɪn] *n* multivitamine *f.*

mum [mʌm] *fam* *n* (uk) maman *f.* ❑ *adj* • **to keep mum** ne pas piper mot.

mumble ['mʌmbl] *vt & vi* marmotter.

mummy ['mʌmɪ] *n* **1.** (uk) *fam* maman *f* **2.** momie *f.*

mumps [mʌmps] *n* (*indén*) oreillons *mpl.*

munch [mʌntʃ] *vt & vi* croquer.

mundane [mʌn'deɪn] *adj* banal, ordinaire.

municipal [mjuː'nɪsɪpl] *adj* municipal.

municipality [mjuː,nɪsɪ'pælətɪ] *n* municipalité *f.*

mural ['mjʊərəl] *n* peinture *f* murale.

murder ['mɜːdər] *n* meurtre *m.* ❑ *vt* assassiner.

murderer ['mɜːdərər] *n* meurtrier *m*, assassin *m.*

murderous ['mɜːdərəs] *adj* meurtrier.

murky ['mɜːkɪ] *adj* **1.** sombre **2.** (*eau, passé*) trouble.

murmur ['mɜːmər] *n* **1.** murmure *m* **2.** MÉD souffle *m* au cœur. ❑ *vt & vi* murmurer.

muscle ['mʌsl] *n* **1.** muscle *m* **2.** *fig* poids *m*, impact *m.* ■ **muscle in** *vi* intervenir, s'immiscer.

muscle strain *n* MÉD élongation *f.*

muscular [ˈmʌskjʊlər] *adj* **1.** musculaire **2.** musclé.

muse [mjuːz] *n* muse *f*. ❏ *vi* méditer, réfléchir.

museum [mjuːˈziːəm] *n* musée *m*.

mushroom [ˈmʌʃrʊm] *n* champignon *m*. ❏ *vi* **1.** se développer, grandir **2.** *(villes)* pousser comme des champignons.

music [ˈmjuːzɪk] *n* musique *f* • **to listen to music** écouter de la musique.

musical [ˈmjuːzɪkl] *adj* **1.** musical **2.** doué pour la musique, musicien. ❏ *n* comédie *f* musicale.

musical instrument *n* instrument *m* de musique.

music centre (UK), **music center** (US) *n* chaîne *f* compacte.

music hall *n* (UK) music-hall *m*.

musician [mjuːˈzɪʃn] *n* musicien *m*, -enne *f*.

Muslim [ˈmʊzlɪm] *adj* musulman. ❏ *n* musulman *m*, -e *f*.

muslin [ˈmʌzlɪn] *n* mousseline *f*.

MUSM *SMS* (*abrév de miss you so much*) tu me manques beaucoup.

mustn't [ˈmʌsnt] = must not.

mussel [ˈmʌsl] *n* moule *f*.

■ must

■ **must** [mʌst] *aux modal*

1. EXPRIME L'OBLIGATION
• **I must go** je dois partir • **you must come and visit** il faut absolument que tu viennes nous voir

2. À LA FORME NÉGATIVE, EXPRIME L'INTERDICTION
• **you mustn't talk during the lesson** tu ne dois pas parler pendant le cours, c'est interdit de parler pendant le cours

3. EXPRIME UNE FORTE PROBABILITÉ, UNE DÉDUCTION LOGIQUE
• **Paul is not here today, he must be ill** Paul n'est pas là aujourd'hui, il doit être malade • **I must have made a mistake** j'ai dû me tromper • **they must have known** ils devaient le savoir • **you must be kidding!** vous plaisantez !

4. EXPRIME UNE EMPHASE
• **I must say, he's really stupid** franchement, il est vraiment stupide

■ **must** [mʌst] *n*
• **a must** un must, un impératif

mustache (US) = moustache.

mustard [ˈmʌstəd] *n* moutarde *f*.

muster [ˈmʌstər] *vt* rassembler. ❏ *vi* se réunir, se rassembler.

must-have *n* must *m*. ❏ *adj* • **the latest must-have accessory** le must en matière d'accessoires.

À PROPOS DE

must

Must a la même signification que *have got to* et *have to* lorsqu'il exprime une obligation (*I must get up early tomorrow* = *I have (got) to get up early tomorrow*). Lorsqu'il a ce sens, *must* n'est généralement pas employé dans les questions (*Do I have to/Have I got to get up early tomorrow?*), ni dans les phrases qui expriment la répétition ou l'habitude (*I have to get up early every morning*). *Must* n'a pas non plus de passé (*I had to get up early yesterday*).
Ne confondez pas, par exemple, *she mustn't leave* (elle ne doit pas partir) et *she doesn't have to leave* (elle n'est pas obligée de partir).
Voir aussi *need*.

must-see *n* • **that film is a must-see** il ne faut surtout pas manquer ce film. ❏ *adj* • **the latest must-see film** le dernier film à ne pas manquer.

must've [ˈmʌstəv] = must have.

musty [ˈmʌstɪ] *adj* **1.** *(odeur)* de moisi **2.** *(pièce)* qui sent le renfermé *ou* le moisi.

mute [mjuːt] *adj* muet. ❏ *n* muet *m*, -ette *f*.

muted [ˈmjuːtɪd] *adj* **1.** *(son, couleur)* sourd **2.** *(réaction)* peu marqué **3.** *(protestation)* voilé.

mutilate [ˈmjuːtɪleɪt] *vt* mutiler.

mutiny [ˈmjuːtɪnɪ] *n* mutinerie *f*. ❏ *vi* se mutiner.

mutter [ˈmʌtər] *vt* marmonner. ❏ *vi* marmotter, marmonner.

mutton [ˈmʌtn] *n* CULIN mouton *m*.

mutual [ˈmjuːtʃʊəl] *adj* **1.** réciproque, mutuel **2.** commun.

mutually [ˈmjuːtʃʊəlɪ] *adv* mutuellement, réciproquement.

muzzle [ˈmʌzl] *n* **1.** museau *m* **2.** muselière *f* **3.** gueule *f* *(de canon)*. ❏ *vt litt & fig* museler.

MW (*abrév de medium wave*) PO.

mwah [mwɑː] *interj* • **mwah! mwah!** smack ! smack !

my [maɪ] *adj poss* **1.** mon, ma, mes • **my dog** mon chien • **my house** ma maison • **my children** mes enfants • **my name is Joe/Sarah** je m'appelle Joe/Sarah **2.** • **yes, my Lord** oui, Monsieur le Comte/Duc *etc*.

À PROPOS DE

my

Si vous parlez d'une partie du corps, n'oubliez pas d'utiliser l'adjectif possessif *my*, et non pas *the* (*I closed my eyes*, j'ai fermé les yeux ; *I washed my hair*, je me suis lavé les cheveux).

MYOB *SMS* abrév de **mind your own business**.

myriad ['mɪrɪəd] *littéraire adj* innombrable. ❏ *n* myriade *f*.

myself [maɪ'self] *pron* **1.** *(réfléchi)* me **2.** *(précédé d'une préposition)* moi **3.** *(forme emphatique)* moi-même • **I did it myself** je l'ai fait tout seul.

mysterious [mɪ'stɪərɪəs] *adj* mystérieux.

mystery ['mɪstərɪ] *n* mystère *m*.

mystical ['mɪstɪkl] *adj* mystique.

mystified ['mɪstɪfaɪd] *adj* perplexe.

mystifying ['mɪstɪfaɪɪŋ] *adj* inexplicable, déconcertant.

mystique [mɪ'stiːk] *n* mystique *f*.

myth [mɪθ] *n* mythe *m*.

mythical ['mɪθɪkl] *adj* mythique.

mythology [mɪ'θɒlədʒɪ] *n* mythologie *f*.

N

n [en] (*pl* **n's** *ou* **ns**), **N** (*pl* **N's** *ou* **Ns**) *n* n *m inv*, N *m inv*. ■ **N** (abrév de north) N.

n/a, N/A (abrév de not applicable) s.o.

NA¹ (abrév de Narcotics Anonymous) *n association américaine d'aide aux toxicomanes.*

NA² (abrév de no access) accès interdit.

naan (bread) [nɑːn-] *n* (indén) pain *m* nan • **naan bread** pain plat indien.

nab [næb] *vt fam* **1.** pincer *(arrêter)* **2.** attraper, accaparer *(un siège)*.

NACU (abrév de National Association of Colleges and Universities) *n association des établissements d'enseignement supérieur américains.*

nadir ['neɪ,dɪə] *n sout* ASTRON nadir *m* • **to be at/reach a nadir** *fig* être/tomber au plus bas.

naff [næf] *adj* (UK) *fam* **1.** nul, bidon *(très mauvais)* • **a really naff comment** une remarque vraiment nulle **2.** ringard *(de mauvais goût)* • **naff shoes** des chaussures ringardes.

nag [næg] *vt* harceler • **stop nagging me** arrête de me harceler. ❑ *n fam* canasson *m*.

nagging ['nægɪŋ] *adj* **1.** persistant, tenace **2.** enquiquineur.

nail [neɪl] *n* **1.** clou *m* • **it's another nail in his coffin** pour lui, c'est un pas de plus vers la ruine **2.** ongle *m* • **he bites his nails** il se ronge les ongles. ❑ *vt* **1.** clouer • **to nail sthg to sthg** clouer qqch à qqch • **she nailed the sign to the door** elle a cloué la pancarte sur la porte **2.** • **to nail one's colours to the mast** exprimer clairement son opinion. ■ **nail down** *vt sép* **1.** clouer **2.** *fig* • **to nail sb down to sthg** faire préciser qqch à qqn • **he's difficult to nail down** il est difficile d'obtenir une réponse précise de sa part. ■ **nail up** *vt sép* fixer avec des clous, clouer *(une affiche)*.

nail-biter *n* **1.** personne *f* qui se ronge les ongles. **2.** *fig* situation *f* au suspense insoutenable.

nail-biting *adj* plein de suspense.

nailbrush ['neɪlbrʌʃ] *n* brosse *f* à ongles.

nail clippers *npl* coupe-ongles *m inv*.

nail enamel *n* (US) = nail polish.

nail file *n* lime *f* à ongles.

nail polish *n* vernis *m* à ongles.

nail scissors *npl* ciseaux *mpl* à ongles.

nail varnish *n* (UK) vernis *m* à ongles.

nail varnish remover [-rɪ'muːvə] *n* (UK) dissolvant *m*.

naive, naïve [naɪ'iːv] *adj* naïf.

naively, naïvely [naɪ'iːvlɪ] *adv* naïvement, avec naïveté.

naivety, naïvety [naɪ'iːvtɪ] *n* naïveté *f*.

naked ['neɪkɪd] *adj* **1.** nu • **with the naked eye** à l'œil nu • **naked flame** une flame nue **2.** *(émotions)* manifeste, évident **3.** *(agression)* non déguisé.

nakedness ['neɪkɪdnɪs] *n* nudité *f*.

namby-pamby [,næmbɪ'pæmbɪ] *adj fam* **1.** gnangnan *(inv)*, cucul *(inv)* **2.** à l'eau de rose, fadasse. ❑ *n* lavette *f*, gnangnan *mf*.

name [neɪm] *n* **1.** nom *m* • **what's your name?** quel est votre nom ?, comment vous appelez-vous ? • **my name's Richard** je m'appelle Richard • **it's in my wife's name** c'est au nom de ma femme • **in the name of peace** au nom de la paix • **to call sb names** traiter qqn de tous les noms, injurier qqn • **the name of the game** : **money is the name of the game** c'est une affaire d'argent • **ah well, that's the name of the game** c'est comme ça !, c'est la vie ! **2.** réputation *f* • **to have a bad name** avoir (une) mauvaise réputation **3.** grand nom *m*, célébrité *f* • **he's a big name in the art world** il est célèbre dans le monde des arts. ❑ *vt* **1.** nommer, appeler • **they named the baby Felix** ils ont appelé *ou* prénommé le bébé Félix • **to name sb/sthg after** *ou* **for** (US) donner à qqn/à qqch le nom de **2.** *(locution)* • **you name it, he's been there** il a voyagé absolument partout • **to name and shame** nommer publiquement.

name-calling *n* (indén) insultes *fpl*, injures *fpl*.

name-dropping *n allusion fréquente à des personnes connues dans le but d'impressionner* • **I hate name-dropping** je déteste les gens qui veulent donner l'impression de connaître tous les grands de ce monde.

nameless ['neɪmlɪs] *adj* **1.** inconnu, sans nom **2.** anonyme.

namely ['neɪmlɪ] *adv* à savoir, c'est-à-dire.

nameplate ['neɪmpleɪt] *n* plaque *f*.

namesake ['neɪmseɪk] *n* homonyme *m*.

naming ['neɪmɪŋ] *n* **1.** attribution *f* d'un nom **2.** baptême *m* (*d'un bateau*) **3.** mention *f*, citation *f* **4.** nomination *f*.

nanny ['nænɪ] *n* nurse *f*, bonne *f* d'enfants.

nanny goat *n* chèvre *f*, bique *f*.

nanny state *n* État *m* paternaliste.

nanoengineering [,nænəʊenɪ'nɪərɪŋ] *n* nano-ingénierie *f*.

nanometre (UK), **nanometer** (US) ['nænəʊ,miːtə] *n* nanomètre *m*.

nanoscale ['nænəʊskeɪl] *n* nano-échelle *f*.

nanoscopic [,nænəʊ'skɒpɪk] *adj* nanoscopique.

nanosecond ['nænəʊ,sekənd] *n* nanoseconde *f*.

nanotechnology ['nænəʊ,teknɒlədʒɪ] *n* nanotechnologie *f*.

nap [næp] *n* • **to have** ou **take a nap** faire un petit somme. ❏ *vi* faire un petit somme • **to be caught napping** *fam & fig* être pris au dépourvu.

napalm ['neɪpɑːm] *n* napalm *m*.

nape [neɪp] *n* • **nape of the neck** nuque *f*.

napkin ['næpkɪn] *n* serviette *f* • **a paper napkin** une serviette en papier.

nappy ['næpɪ] *n* (UK) couche *f* • **to change a nappy** changer une couche.

nappy liner *n* (UK) change *m* (jetable) (*de bébé*).

nappy rash *n* (UK) érythème *m* fessier.

narcissi [nɑː'sɪsaɪ] *npl* → **narcissus**.

narcissism ['nɑːsɪsɪzm] *n* narcissisme *m*.

narcissistic [,nɑːsɪ'sɪstɪk] *adj* narcissique.

narcissus [nɑː'sɪsəs] (*pl* -**cissuses** ou -**cissi**) *n* narcisse *m*.

narcodollars ['nɑːkəʊ,dɒləz] *npl* narcodollars *mpl*.

narcolepsy ['nɑːkəlepsɪ] *n* narcolepsie *f*.

narcotic [nɑː'kɒtɪk] *n* stupéfiant *m*.

narrate [(UK) nə'reɪt, (US) 'næreɪt] *vt* raconter, narrer.

narration [(UK) nə'reɪʃn, (US) næ'reɪʃn] *n* narration *f*.

narrative ['nærətɪv] *adj* narratif. ❏ *n* **1.** récit *m*, narration *f* **2.** art *m* de la narration.

narrator [(UK) nə'reɪtə, (US) 'næreɪtər] *n* narrateur *m*, -trice *f*.

narrow ['nærəʊ] *adj* **1.** étroit • **this street is very narrow** cette rue est très étroite • **to have a narrow escape** l'échapper belle **2.** (*majorité*) faible. ❏ *vt* **1.** réduire, limiter **2.** fermer à demi, plisser (*les yeux*). ❏ *vi litt & fig* se rétrécir. ■ **narrow down** *vt sép* réduire, limiter.

narrow-band *adj* à bande étroite.

narrow boat *n* péniche *f* (étroite).

narrowly ['nærəʊlɪ] *adv* **1.** (*gagner, perdre*) de justesse **2.** (*manquer, rater*) de peu.

narrow-minded [-'maɪndɪd] *adj* à l'esprit étroit, borné.

narrow-mindedness [-'maɪndɪdnɪs] *n* étroitesse *f* d'esprit.

nasal ['neɪzl] *adj* nasal.

nascent ['neɪsənt] *adj sout* naissant.

NASDAQ [næzdæk] (abrév de **National Association of Securities Dealers Automated Quotation**) *n* FIN NASDAQ *m* (*Bourse américaine des valeurs technologiques*).

nastily ['nɑːstɪlɪ] *adv* **1.** méchamment **2.** • **to fall nastily** faire une mauvaise chute.

nastiness ['nɑːstɪnɪs] *n* méchanceté *f*.

nasturtium [nəs'tɜːʃəm] (*pl* -**s**) *n* capucine *f*.

nasty ['nɑːstɪ] *adj* **1.** (*odeur, impression*) mauvais **2.** (*temps*) vilain, mauvais **3.** méchant • **to be nasty to sb** être méchant avec qqn **4.** (*problème, situation*) difficile, délicat **5.** (*blessure*) vilain **6.** (*accident*) grave **7.** (*chute*) mauvais.

natatorium [,neɪtə'tɔːrɪəm] *n* (US) piscine *f*.

nation ['neɪʃn] *n* nation *f*.

national ['næʃənl] *adj* **1.** national **2.** à l'échelon national **3.** du pays, de la nation • **the national newspapers** la presse nationale • **he became a national hero** il est devenu un héros national. ❏ *n* ressortissant *m*, -e *f* • **all EU nationals** tous les ressortissants des pays de l'UE.

national anthem *n* hymne *m* national.

National Curriculum *n* • **the National Curriculum** *définition au niveau national (Angleterre et pays de Galles) du contenu de l'enseignement primaire et secondaire*.

national debt *n* dette *f* publique.

national dress *n* costume *m* national.

National Film Theatre *npr cinémathèque à Londres*.

national grid *n* (UK) réseau *m* électrique national.

National Guard *n* • **the National Guard** la Garde nationale (*armée nationale américaine composée de volontaires*).

National Health Service *n* • **the National Health Service** le service national de santé britannique.

National Insurance (UK) *n* **1.** *système de sécurité sociale (maladie, retraite) et d'assurance chômage* **2.** ≃ contributions *fpl* à la Sécurité sociale.

nationalism ['næʃnəlɪzm] *n* nationalisme *m*.

nationalist ['næʃnəlɪst] *adj* nationaliste. ❏ *n* nationaliste *mf*.

nationalistic [,næʃnə'lɪstɪk] *adj* nationaliste.

nationality [,næʃə'nælətɪ] *n* nationalité *f* • **what nationality are you?** vous êtes de quelle nationalité ?

nationalization, -isation (UK) [ˌnæʃnəlaɪˈzeɪʃn] *n* nationalisation *f*.

nationalize, -ise (UK) [ˈnæʃnəlaɪz] *vt* nationaliser.

nationalized, -ised (UK) [ˈnæʃnəlaɪzd] *adj* nationalisé.

National Lottery *n* Loto *m* britannique.

nationally [ˈnæʃnəlɪ] *adv* nationalement.

national park *n* parc *m* national.

national service *n* service *m* national *ou* militaire.

National Theatre *npr* • **the National Theatre** *important centre dramatique à Londres, siège de la Royal National Theatre Company.*

nationhood [ˈneɪʃənhʊd] *n* statut *m* de nation.

nation-state *n* État-nation *m*.

nationwide [ˈneɪʃənwaɪd] *adj* **1.** dans tout le pays **2.** à l'échelon national. ❏ *adv* à travers tout le pays.

native [ˈneɪtɪv] *adj* **1.** natal • **England is his native country** l'Angleterre est son pays natal **2.** maternel • **native language** langue maternelle • **a native English speaker** une personne de langue maternelle anglaise **3.** *(plante, animal)* indigène • **native to** originaire de. ❏ *n* **1.** autochtone *mf* **2.** indigène *mf* • **she is a native of Scotland** elle est écossaise de naissance.

Native American *n* Indien *m*, -enne *f* d'Amérique, Amérindien *m*, -enne *f*.

native speaker *n* locuteur *m* natif, locutrice *f* native • **a French/German native speaker** *ou* une personne de langue maternelle française/allemande.

nativity [nəˈtɪvətɪ] *(pl* **nativities)** *n* **1.** • **the Nativity** la Nativité **2.** horoscope *m*.

Nativity play *n* pièce jouée par des enfants et représentant l'histoire de la Nativité.

NATO [ˈneɪtəʊ] *(abrév de* North Atlantic Treaty Organization) *n* OTAN *f*.

natter [ˈnætə] (UK) *fam n* • **to have a natter** tailler une bavette, bavarder. ❏ *vi* bavarder.

natty [ˈnætɪ] *(comp* **nattier,** *superl* **nattiest)** *adj fam & vieilli* chic *(inv)*.

natural [ˈnætʃrəl] *adj* **1.** naturel • **natural fibres** (UK) *ou* **fibers** (US) fibres naturelles • **it's natural to feel that way** c'est une réaction normale **2.** inné **3.** *(musicien, footballeur)* né.

natural childbirth *n* accouchement *m* naturel.

natural disaster *n* catastrophe *f* naturelle.

natural gas *n* gaz *m* naturel.

natural history *n* histoire *f* naturelle.

naturalism [ˈnætʃrəlɪzm] *n* naturalisme *m*.

naturalist [ˈnærəlɪst] *n* naturaliste *mf*.

naturalistic [ˌnætʃrəˈlɪstɪk] *adj* naturaliste.

naturalize, -ise (UK) [ˈnætʃrəlaɪz] *vt* naturaliser • **to be naturalized** se faire naturaliser.

naturalized [ˈnætʃrəlaɪzd] *adj (citoyenneté)* naturalisé.

natural language processing *n* traitement *m* automatique des langues.

naturally [ˈnætʃrəlɪ] *adv* **1.** naturellement *(bien sûr)* • **naturally, I was angry** naturellement, j'étais en colère **2.** *(se comporter)* sans affectation, avec naturel • **to be naturally generous** être généreux de nature • **to come naturally to sb** venir naturellement à qqn.

natural resources *npl* ressources *fpl* naturelles.

natural science *n* sciences *fpl* naturelles.

natural selection *n* sélection *f* naturelle.

natural wastage *n* (UK) départs *mpl* volontaires.

nature [ˈneɪtʃə] *n* **1.** nature *f* • **I'm a nature lover** je suis un amoureux de la nature • **by nature** par essence **2.** nature *f*, type *m* • **matters of this nature** des questions de ce type.

-natured [ˈneɪtʃəd] *suffixe* d'une nature..., d'un caractère... • **she's good/ill-natured** elle a bon/mauvais caractère.

nature reserve *n* réserve *f* naturelle.

nature trail *n* sentier *m* signalisé pour amateurs de la nature.

naturist [ˈneɪtʃərɪst] *n* naturiste *mf*.

naturopathy [ˌneɪtʃəˈrɒpəθɪ] *n* naturopathie *f*.

naughty [ˈnɔːtɪ] *adj* **1.** vilain, méchant • **that was very naughty of you** ce que tu as fait était très vilain • **you naughty boy!** petit vilain ! **2.** paillard, osé • **a naughty word** un gros mot.

nausea [ˈnɔːzjə] *n* nausée *f*.

nauseam [ˈnɔːzɪæm] → **ad nauseam.**

nauseate [ˈnɔːsɪeɪt] *vt litt & fig* écœurer.

nauseating [ˈnɔːsɪeɪtɪŋ] *adj litt & fig* écœurant.

nauseatingly [ˈnɔːsɪeɪtɪŋlɪ] *adv* à vous donner la nausée, à vous écœurer.

nauseous [ˈnɔːsjəs] *adj* **1.** MÉD • **to feel nauseous** avoir mal au cœur, avoir des nausées **2.** *fig (révoltant)* écœurant, dégoûtant.

nautical [ˈnɔːtɪkl] *adj* nautique.

nautical mile *n* mille *m* marin.

naval [ˈneɪvl] *adj* naval.

nave [neɪv] *n* nef *f*.

navel [ˈneɪvl] *n* nombril *m*.

navigate [ˈnævɪgeɪt] *vt* **1.** piloter **2.** gouverner **3.** naviguer sur. ❏ *vi* **1.** NAUT & AÉRON naviguer **2.** AUTO lire la carte.

navigation [ˌnævɪˈgeɪʃn] *n* navigation *f*.

navigator [ˈnævɪgeɪtə] *n* navigateur *m*.

navy [ˈneɪvɪ] *n* marine *f* • **he's in the navy** il est dans la marine. ❏ *adj* bleu marine *(inv)*.

navy blue *adj* bleu marine *(inv)*. ❏ *n* bleu *m* marine.

Nazi ['nɑːtsɪ] adj nazi. ❑ n (pl -**s**) nazi m, -e f.

Nazism ['nɑːtsɪzm], **Naziism** ['nɑːtsɪ,ɪzm] n nazisme m.

NB, N.B. (abrév de nota bene) NB.

NBA n **1.** (abrév de National Basketball Association) fédération américaine de basket-ball **2.** (abrév de National Boxing Association) fédération américaine de boxe.

NBC (abrév de National Broadcasting Company) n chaîne de télévision américaine.

NBD (abrév de no big deal) c'est pas grave.

NCLB ['en 'siː 'el 'biː] (abrév de No Child Left Behind) n (us) loi fédérale votée en 2001 qui permet d'évaluer les écoles en fonction du niveau des élèves.

NE1 abrév de anyone.

near [nɪə] adj proche • **a near disaster** une catastrophe évitée de justesse ou de peu • **in the near future** dans un proche avenir, dans un avenir prochain • **she's the nearest thing to a mother I ever had** elle est ce que j'ai eu de plus proche d'une mère • **where is the nearest hospital?** où est l'hôpital le plus proche ? • **it was a near thing** (UK) il était moins une • **your nearest and dearest** hum vos proches. ❑ adv **1.** près **2.** • **near impossible** presque impossible • **nowhere near ready/enough** loin d'être prêt /assez. ❑ prép près de • **we live near the park** nous habitons près du parc • **is there a restaurant near here?** y a-t-il un restaurant près d'ici ? • **to go near sthg** se rapprocher de. ❑ vt approcher de. ❑ vi approcher. ■ **near (to)** prép **1.** (dans l'espace) près de **2.** (dans le temps) près de, vers • **it's getting near (to) Christmas** Noël approche • **nearer the time** quand l'heure viendra • **near the end** vers la fin **3.** fig près de, au bord de • **near (to) tears** au bord des larmes • **near (to) death** sur le point de mourir.

nearby [nɪə'baɪ] adj proche. ❑ adv tout près, à proximité • **there's a school nearby** il y a une école tout près d'ici.

near-death experience n expérience f aux frontières de la mort.

Near East n • **the Near East** le Proche-Orient.

nearly ['nɪəlɪ] adv presque • **I nearly fell** j'ai failli tomber • **it's nearly 8 o'clock** il est presque 8 heures • **not nearly enough/as good** loin d'être suffisant /aussi bon.

near miss n **1.** SPORT coup m qui a raté de peu **2.** quasi-collision f • **it was a near miss** on l'a échappé belle.

nearside [nɪə'saɪd] n **1.** AUTO côté m droit **2.** AUTO côté m gauche (au Royaume-Uni).

nearsighted [,nɪə'saɪtɪd] adj (us) myope.

neat [niːt] adj **1.** (maison, chambre) bien tenu, en ordre • **the house is very neat** la maison est très bien rangée **2.** (travail) soigné **3.** (écriture) net **4.** (solution) habile, ingénieux **5.** (us) fam chouette, super (inv) • **that was a neat movie!** le film était super !

neatly ['niːtlɪ] adv **1.** (arranger) avec ordre **2.** (écrire) soigneusement **3.** (s'habiller) avec soin **4.** habilement, adroitement.

neatness ['niːtnɪs] n **1.** bon ordre m (d'une pièce) **2.** netteté f (de l'écriture) **3.** mise f soignée (de l'apparence).

nebula ['nebjʊlə] (pl -**s** ou -**lae**) n **1.** nébuleuse f **2.** aspect m trouble (de l'urine).

nebulous ['nebjʊləs] adj nébuleux.

necessarily [(UK) 'nesəsrəlɪ, (US) ,nesə'serɪlɪ] adv forcément, nécessairement.

necessary ['nesəsrɪ] adj **1.** nécessaire, indispensable • **to make the necessary arrangements** faire le nécessaire **2.** inévitable, inéluctable.

necessitate [nɪ'sesɪteɪt] vt nécessiter, rendre nécessaire.

necessity [nɪ'sesətɪ] n nécessité f • **of necessity** inévitablement, fatalement.

neck [nek] n **1.** cou m **2.** encolure f **3.** col m, goulot m (partie étroite d'une extrémité).

necklace ['neklɪs] n collier m • **to wear a gold necklace** porter un collier en or.

neckline ['neklaɪn] n encolure f.

necktie ['nektaɪ] n (us) sout cravate f.

nectar ['nektər] n nectar m.

nectarine ['nektərɪn] n brugnon m, nectarine f.

née [neɪ] adj née.

---

need

■ **need** [niːd] n

EXPRIME UN BESOIN, UNE NÉCESSITÉ

• **there's no need to get up** ce n'est pas la peine de te lever • **there's no need for such language** tu n'as pas besoin d'être grossier • **to be in** ou **have need of sthg** sout avoir besoin de qqch • **if need be** si besoin est, si nécessaire • **in need** dans le besoin

■ **need** [niːd] vt

1. EXPRIME UN BESOIN

• **he needs new shoes** il a besoin de nouvelles chaussures • **I need to get some sleep** j'ai besoin de dormir • **the kitchen needs repainting** ou **to be repainted** la cuisine a besoin d'être repeinte

2. EXPRIME UNE OBLIGATION

• **I need to leave right away** je dois partir tout de suite • **to need to do sthg** être obligé de faire qqch • **you don't need to wait** tu n'es pas obligé d'attendre

■ **need** [niːd] aux modal

fonctionne comme un auxiliaire

• **need we go?** faut-il qu'on y aille ? • **it need not happen** cela ne doit pas forcément se produire • **you needn't shout!** ce n'est pas la peine de crier !

need

Need peut s'employer avec un participe présent : *my car needs washing* (= *my car needs to be washed*). Il s'agit d'une construction très fréquente.

Need, utilisé dans les questions *(need we finish this today?)*, leur donne un ton très soutenu, c'est pourquoi il est souvent remplacé par *have to* ou *have got to* (do we have to/have we got to finish this today?).

Dans les tournures négatives, *needn't* signifie **il n'est pas nécessaire de… (you needn't get up early tomorrow)**. Comparez avec *mustn't*, qui signifie **il est nécessaire de ne pas… (you mustn't make so much noise, you'll wake the baby)**.

needle ['niːdl] *n* **1.** aiguille *f* **2.** saphir *m* (d'électrophone). ❏ *vt fam* asticoter, lancer des piques à.

needle bank *n* distributeur-échangeur *m* de seringues.

needless ['niːdlɪs] *adj* **1.** inutile **2.** (remarque) déplacé • **needless to say…** bien entendu…

needlessly ['niːdlɪslɪ] *adv* inutilement, sans raison.

needlework ['niːdlwɜːk] *n* **1.** travail *m* d'aiguille **2.** couture *f*.

needn't ['niːdnt] = **need not.**

needs-based *adj* fondé sur les besoins.

needy ['niːdɪ] *adj* nécessiteux, indigent.

nefarious [nɪ'feərɪəs] *adj sout* odieux, abominable.

negate [nɪ'geɪt] *vt sout* annuler, détruire (des efforts, des réalisations).

negative ['negətɪv] *adj* négatif. ❏ *n* **1.** négatif *m* **2.** négation *f* • **to answer in the negative** répondre négativement *ou* par la négative.

negative equity *n* (indén) situation où le produit de la vente d'un bien immobilier est inférieur au capital restant dû.

negative growth *n* croissance *f* négative (du PIB).

negative sign *n* signe *m* moins *ou* négatif.

negatory [nɪ'geɪtərɪ] *adj* (US) *fam* négatif • **I guess that's negatory** je suppose que ça veut dire non • **did you fix it? — negatory** tu l'as réparé ? — négatif.

neglect [nɪ'glekt] *n* **1.** mauvais entretien *m* **2.** manque *m* de soin **3.** manquement *m* (au devoir) • **to be in a state of neglect** être à l'abandon. ❏ *vt* **1.** négliger **2.** laisser à l'abandon.

neglected [nɪ'glektɪd] *adj* **1.** (personne) délaissé, abandonné **2.** (lieu) laissé à l'abandon.

neglectful [nɪ'glektfʊl] *adj* négligent • **to be neglectful of sthg/sb** négliger qqn/qqch.

negligee ['neglɪʒeɪ] *n* déshabillé *m*, négligé *m*.

negligence ['neglɪdʒəns] *n* négligence *f*.

negligent ['neglɪdʒənt] *adj* négligent.

negligently ['neglɪdʒəntlɪ] *adv* avec négligence.

negligible ['neglɪdʒəbl] *adj* négligeable.

negotiable [nɪ'gəʊʃjəbl] *adj* **1.** négociable **2.** (prix, conditions) à débattre.

negotiate [nɪ'gəʊʃɪeɪt] *vt* **1.** COMM & POLIT négocier **2.** franchir (un obstacle) **3.** prendre, négocier (un virage). ❏ *vi* négocier • **to negotiate with sb (for sthg)** engager des négociations avec qqn (pour obtenir qqch).

negotiating table [nɪ'gəʊʃɪeɪtɪŋ-] *n* table *f* des négociations.

negotiation [nɪ,gəʊʃɪ'eɪʃn] *n* négociation *f*.

negotiator [nɪ'gəʊʃɪeɪtər] *n* négociateur *m*, -trice *f*.

Negress ['niːgrɪs] *n* négresse *f* (attention : le terme "Negress" est considéré comme raciste).

Negro ['niːgrəʊ] *adj* noir. ❏ *n* (pl -es) Noir *m* (attention : le terme "Negro" est considéré comme raciste).

neigh [neɪ] *vi* hennir.

neighbour (UK), **neighbor** (US) ['neɪbər] *n* voisin *m*, -e *f*.

neighbourhood (UK), **neighborhood** (US) ['neɪbəhʊd] *n* **1.** voisinage *m*, quartier *m* • **in the neighbourhood** dans le quartier **2.** • **in the neighbourhood of £300** environ 300 livres, dans les 300 livres.

neighbourhood watch *n* (UK) système de surveillance d'un quartier par tous ses habitants (pour prévenir les cambriolages et autres crimes).

neighbouring (UK), **neighboring** (US) ['neɪbərɪŋ] *adj* avoisinant.

neighbourly (UK), **neighborly** (US) ['neɪbəlɪ] *adj* bon voisin.

neither ['naɪðər *ou* 'niːðər] *adv* • **I don't drink — me neither** je ne bois pas — moi non plus • **she can't swim — neither can I** elle ne sait pas nager — moi non plus • **the food was neither good nor bad** le repas n'était ni bon ni mauvais. ❏ *pron & adj* ni l'un ni l'autre, l'une ni l'autre *f* • **neither of us/them** aucun d'entre nous/d'eux. ❏ *adj* • **neither cup is blue** aucune des deux tasses n'est bleue. ❏ *conj* • **neither… nor…** ni… ni… • **she could neither eat nor sleep** elle ne pouvait ni manger ni dormir • **to be neither here nor there** être sans importance, n'être pas la question • **neither do I** moi non plus.

neither

Lorsque *neither* est un adjectif, il apparaît toujours devant des noms dénombrables **(neither dictionary ; neither alternative)**. Lorsque *neither* est le sujet de la phrase, ou qu'il accompagne un nom qui est le sujet, le verbe est toujours au singulier **(neither film appeals to me ; neither appeals to me)**. Notez que le verbe est toujours à la forme affirmative.

Neither of peut être suivi d'un verbe, soit au singulier soit au pluriel **(neither of** *us* **like/likes** *blue*).

Lorsque *neither... nor* accompagne le sujet de la phrase, le verbe est toujours au singulier **(neither** *John* **nor** *Deborah* **is** *coming tonight***).**

nemesis ['neməsɪs] *n littéraire* **1.** • **it's nemesis** c'est un juste retour des choses **2.** • **to see sthg as one's nemesis** voir dans qqch l'instrument de sa vengeance.

neoclassic(al) [,niːəʊ'klæsɪk(l)] *adj* néo-classique.

neofascism [,niːəʊ'fæʃɪzm] *n* néofascisme *m.*

neolithic [,niːə'lɪθɪk] *adj* néolithique.

neologism [niː'ɒlədʒɪzm] *n* néologisme *m.*

neon ['niːɒn] *n* néon *m.*

neonatal [,niːəʊ'neɪtl] *adj* néonatal.

neo-Nazi [,niːəʊ'nɑːtsɪ] *n* néonazi *m,* -e *f.* □ *adj* néonazi.

neon light *n* néon *m,* lumière *f* au néon.

neon sign *n* enseigne *f* lumineuse au néon.

neorealist [nɪə'rɪːəlɪst] *adj* néoréaliste.

Nepal [nɪ'pɔːl] *n* Népal *m* • **in Nepal** au Népal.

Nepalese [,nepə'liːz] *adj* népalais. □ *n (pl inv)* Népalais *m,* -e *f.*

Nepali [nɪ'pɔːlɪ] *n (langue)* népalais *m,* népali *m.*

nephew ['nefjuː] *n* neveu *m.*

nepotism ['nepətɪzm] *n* népotisme *m.*

Neptune ['neptjuːn] *n* Neptune *f.*

nerd [nɜːd] *n fam & péj* binoclard *m* • **computer nerd** accro *m* d'informatique.

nerdy ['nɜːdɪ] *adj fam & péj* ringard.

nerve [nɜːv] *n* **1.** ANAT nerf *m* **2.** courage *m,* sang-froid *m inv* • **to keep one's nerve** garder son sang-froid • **to lose one's nerve** se dégonfler, flancher • **he didn't have the nerve to tell her the truth** il n'a pas eu le courage de lui dire la vérité **3.** culot *m,* toupet *m* • **to have the nerve to do sthg** avoir le culot *ou* le toupet de faire qqch. ■ **nerves** *npl* nerfs *mpl* • **she had an attack of nerves before the show** elle a fait une crise de nerfs avant le spectacle • **to get on sb's nerves** taper sur les nerfs de qqn.

nerve cell *n* cellule *f* nerveuse.

nerve centre (UK), **nerve center** (US) *n litt & fig* centre *m* nerveux.

nerve ending *n* terminaison *f* nerveuse.

nerve gas *n* gaz *m* neurotoxique.

nerve-racking [-,rækɪŋ] *adj* angoissant, éprouvant.

nervous ['nɜːvəs] *adj* **1.** nerveux • **she's a nervous driver** elle a la conduite nerveuse **2.** inquiet • **to be nervous about sthg** appréhender qqch **3.** qui a le trac • **I'm nervous about speaking in public** j'ai peur *ou* j'appréhende de parler en public.

nervous breakdown *n* dépression *f* nerveuse.

nervously ['nɜːvəslɪ] *adv* **1.** *(gén)* nerveusement **2.** avec inquiétude.

nervousness ['nɜːvəsnəs] *n (indén)* **1.** inquiétude *f* **2.** trac *m* **3.** nervosité *f,* tension *f.*

nervous system *n* système *m* nerveux.

nervous wreck *n* • **to be a nervous wreck** être à bout de nerfs.

nervy ['nɜːvɪ] *(comp* nervier, *superl* nerviest) *adj* **1.** *(UK) fam* énervé **2.** *(US)* culotté.

nest [nest] *n* nid *m* • **a bird's nest** un nid d'oiseau • **nest of tables** tables *fpl* gigognes. □ *vi* faire son nid, nicher.

nested ['nestɪd] *adj* imbriqué *(en typographie).*

nest egg *n* pécule *m,* bas *m* de laine.

nestle ['nesl] *vi* se blottir.

net¹ [net] *adj* **1.** *(revenu, prix, poids)* net, nette *f* • **we made a net loss/profit of £500** nous avons enregistré une perte sèche/réalisé un bénéfice net de 500 livres • **to earn £500 net** gagner 500 livres net **2.** *(résultat)* final. □ *n* **1.** filet *m* • **to slip through the net** glisser *ou* passer à travers les mailles du filet **2.** voile *m,* tulle *m.* □ *vt* **1.** prendre au filet **2.** *(revenu)* toucher net, gagner net **3.** *(affaire)* rapporter net • **we netted over $10,000** nous avons réalisé un bénéfice net de plus de 10 000 dollars.

net², **Net** [net] *n* • **the net** le Net • **to surf the net** surfer sur le Net.

netball ['netbɔl] *n* SPORT netball *m.*

net curtains *npl* (UK) voilage *m.*

nethead ['nethed] *n fam* accro *mf* d'Internet.

Netherlands ['neðələndz] *npl* • **the Netherlands** les Pays-Bas *mpl.*

netiquette, **Netiquette** ['netiket] *n* nétiquette *f.*

netizen ['netizən] *n* cybercitoyen *m,* -enne *f.*

net profit *n* bénéfice *m* net.

net receipts *n* recettes *fpl* nettes.

net revenue *n (US)* chiffre *m* d'affaires.

netspeak ['netspiːk] *n* INFORM langage *m* du Net, cyberjargon *m.*

net surfer, **Net surfer** *n* internaute *mf.*

nett [net] *adj* (UK) = **net¹**

netting ['netɪŋ] *n* **1.** grillage *m* **2.** voile *m,* tulle *m.*

nettle ['netl] *n* ortie *f.*

network ['netwɜːk] *n* réseau *m* • **a computer network** un réseau informatique. □ *vt* **1.** RADIO & TV diffuser **2.** INFORM mettre en réseau. □ *vi* établir un réseau de contacts professionnels, réseauter • **I've been networking like mad** je n'ai pas arrêté de faire du réseautage.

networking ['netwɜːkɪŋ] *n* **1.** mise *f* en réseau *(d'ordinateurs)* • **networking tool** outil *m* de réseautage **2.** *(gén)* COMM établissement *m* d'un réseau de liens *ou* de contacts • **to be**

ideal for networking bien se prêter à la prise de contacts **3.** *(via un réseau social en ligne)* networking *m*, réseautage *m*.

neuralgia [njʊəˈrældʒə] *n* névralgie *f*.

neurological [ˌnjʊərəˈlɒdʒɪkl] *adj* neurologique.

neurologist [ˌnjʊəˈrɒlədʒɪst] *n* neurologue *mf*.

neurology [ˌnjʊəˈrɒlədʒɪ] *n* neurologie *f*.

neuron [ˈnjʊərɒn], **neurone** [ˈnjʊərəʊn] *n* neurone *m*.

neuroscientist [ˌnjʊərəʊˈsaɪəntɪst] *n* spécialiste *mf* en neurosciences.

neurosis [ˌnjʊəˈrəʊsɪs] *n* (*pl* **-ses**) *n* névrose *f*.

neurosurgeon [ˈnjʊərəʊˌsɜːdʒən] *n* neurochirurgien *m*, -enne *f*.

neurosurgery [ˌnjʊərəʊˈsɜːdʒərɪ] *n* neurochirurgie *f*.

neurotic [ˌnjʊəˈrɒtɪk] *adj* névrosé. ❏ *n* névrosé *m*, -e *f*.

neurotoxic [ˌnjʊərəʊˈtɒksɪk] *adj* neurotoxique.

neurotoxin [ˈnjʊərəʊˌtɒksɪn] *n* neurotoxine *f*.

neuter [ˈnjuːtə*ʳ*] *adj* neutre. ❏ *vt* châtrer.

neutral [ˈnjuːtrəl] *adj* neutre. ❏ *n* AUTO point *m* mort.

neutrality [njuːˈtrælətɪ] *n* neutralité *f*.

neutralize, -ise (UK) [ˈnjuːtrəlaɪz] *vt* neutraliser.

neutron [ˈnjuːtrɒn] *n* neutron *m*.

neutron bomb *n* bombe *f* à neutrons.

never [ˈnevə*ʳ*] *adv* jamais... ne, ne... jamais • **I've never done it** je ne l'ai jamais fait • **never again** plus jamais • **never ever** jamais, au grand jamais • **I never knew** je n'en ai jamais rien su • **well I never!** ça par exemple !

never-ending *adj* interminable.

never-never *n* (UK) *fam* • **on the never-never** à crédit, à tempérament.

nevertheless [ˌnevəðəˈles] *adv* néanmoins, pourtant.

new *adj* [njuː] **1.** nouveau • **this is my new address** ceci est ma nouvelle adresse • **what's new?** quoi de neuf ? • **to be new to sthg** être nouveau pour • **there's nothing new under the sun** *prov* (il n'y a) rien de nouveau sous le soleil **2.** neuf • **I have a brand new bike** j'ai un vélo tout neuf • **as good as new** comme neuf. ■ **news** *n* [njuːz] **1.** nouvelles *fpl* (*information*) • **a piece of news** une nouvelle • **an interesting piece of news** une nouvelle intéressante • **is there any more news about** *ou* **on the explosion?** est-ce qu'on a plus d'informations sur l'explosion ? • **that's good/bad news** c'est une bonne/mauvaise nouvelle **2.** TV journal *m* télévisé **3.** RADIO informations *fpl* • **the 10 o'clock news a)** TV le journal (télévisé) *ou* les informations de 22 h **b)** RADIO le journal (parlé) *ou* les informations de 22 h • **I heard it on the news** je l'ai entendu aux informations

• **the sports/financial news** la page sportive/financière • **news desk** (salle *f* de) rédaction *f* **4.** *(locution)* • **bad news travels fast** les mauvaises nouvelles vont vite • **to break the news (of sthg) to sb** annoncer la nouvelle (de qqch) à qqn • **he's bad news** *fam* on a toujours des ennuis avec lui • **no news is good news** *prov* pas de nouvelles, bonnes nouvelles *prov* • **that's news to me** première nouvelle.

New Age *n* New Age *m* (*mouvement des années 1980*).

New Age traveller *n* (UK) nomade *m* New Age (*personne menant une vie itinérante et non conventionnelle*).

NEway abrév de **anyway**.

newbie [ˈnjuːbɪ] *n fam* **1.** néophyte *mf* **2.** internaute *mf* novice, cybernovice *mf*.

new blood *n fig* sang *m* neuf *ou* frais.

newborn [ˈnjuːbɔːn] *adj* nouveau-né • **a newborn baby** un nouveau-né.

new-build *adj* neuf • **new-build flats** des (programmes de) logements neufs.

newcomer [ˈnjuːˌkʌmə*ʳ*] *n* nouveau-venu *m*, nouvelle-venue *f* • **newcomer (to)** nouveau-venu *m*, nouvelle-venue *f* (dans).

New Delhi *n* New Delhi.

newfangled [ˌnjuːˈfæŋgld] *adj fam* & *péj* ultramoderne, trop moderne.

newfound *adj* récent, de fraîche date.

new-look *adj* new-look (*inv*).

newly [ˈnjuːlɪ] *adv* récemment, fraîchement • **newly arrived** récemment arrivé • **newly qualified** fraîchement diplômé • **newly elected** nouvellement élu • **a newly discovered galaxy** une galaxie récemment découverte • **the gate has been newly painted** la barrière vient d'être peinte.

newlyweds [ˈnjuːlɪwedz] *npl* nouveaux *ou* jeunes mariés *mpl*.

new media *npl* • **the new media** les nouveaux médias.

new moon *n* nouvelle lune *f*.

newness [ˈnjuːnɪs] *n* **1.** nouveauté *f* (*d'un bâtiment*) **2.** état *m* neuf (*de chaussures, d'un tapis*) **3.** nouveauté *f*, originalité *f*.

news agency *n* agence *f* de presse.

newsagent (UK) [ˈnjuːzeɪdʒənt], **newsdealer** (US) [ˈnjuːzdiːlər] *n* marchand *m* de journaux.

news bulletin *n* bulletin *m* d'informations.

newscast [ˈnjuːzkɑːst] *n* (*surtout* US) **1.** RADIO informations *fpl* **2.** TV actualités *fpl*.

newscaster [ˈnjuːzkɑːstə*ʳ*] *n* présentateur *m*, -trice *f*.

newscasting [ˈnjuːzˌkɑːstɪŋ] *n* RADIO & TV présentation *f* du journal.

news conference *n* conférence *f* de presse.

newsdealer (US) = **newsagent**.

newsfeed [ˈnjuːzfiːd] *n* newsfeed *m* (*sur Internet*).

newsflash ['nju:zflæʃ] *n* flash *m* d'information.

newsgroup ['nju:zgru:p] *n (sur Internet)* news-group *m*, groupe *m* de discussion.

newshound ['nju:zhaund] *n* reporter *m*.

newsletter ['nju:z,letər] *n* bulletin *m*.

newspaper ['nju:z,peɪpə] *n* journal *m*.

newsprint ['nju:zprɪnt] *n* papier *m* journal.

newsreader ['nju:z,ri:də] *n* (UK) présentateur *m*, -trice *f*.

newsreel ['nju:zri:l] *n* actualités *fpl* filmées.

news report *n* bulletin *m* d'informations.

newsroom ['nju:zru:m] *n* **1.** PRESSE salle *f* de rédaction **2.** RADIO & TV studio *m*.

newsstand ['nju:zstænd] *n* kiosque *m* à journaux.

newsworthy ['nju:z,wɜ:ðɪ] *adj* qui vaut la peine d'être publié *ou* qu'on en parle.

newt [nju:t] *n* ZOOL triton *m*.

new technology *n* nouvelle technologie *f*, technologie de pointe.

New Testament *n* • the New Testament le Nouveau Testament.

new town *n* ville *f* nouvelle.

new wave *n* CINÉ nouvelle vague *f*.

New World *n* • the New World le Nouveau Monde.

New Year *n* nouvel an *m*, nouvelle année *f* • Happy New Year! Bonne Année ! • New Year's Resolution bonnes résolutions du Nouvel An.

New Year's Day *n* jour *m* de l'An, premier *m* de l'An.

New Year's Eve *n* la Saint-Sylvestre.

New York [-'jɔ:k] *n* **1.** • New York (City) New York **2.** • New York (State) l'État *m* de New York.

New Yorker [-'jɔ:kə] *n* New-Yorkais *m*, -e *f*.

New Zealand [-'zi:lənd] *n* Nouvelle-Zélande *f*.

New Zealander [-'zi:ləndə] *n* Néo-Zélandais *m*, -e *f*.

next [nekst] *adj* **1.** prochain • next Tuesday mardi prochain • next time la prochaine fois • next time I see him la prochaine fois que je le verrai • next week la semaine prochaine **2.** d'à côté **3.** suivant • the next week la semaine suivante *ou* d'après. ❏ *adv* **1.** ensuite, après • what shall we do next? qu'est-ce qu'on fait après ? • it's my go next ensuite, c'est mon tour **2.** la prochaine fois **3.** *(avec superlatif)* • he's the next biggest after Dan c'est le plus grand après *ou* à part Dan. ❏ *pron* prochain • who's next? à qui le tour ? • next, please! au suivant ! • the day after next le surlendemain • the week after next dans quinze jours. ■ next to *prép* à côté de • it cost next to nothing cela a coûté une bagatelle *ou* trois fois rien • I know next to nothing je ne sais presque *ou* pratiquement rien • in next to no time en un rien de temps.

next door *adv* à côté. ■ next-door *adj* • next-door neighbour voisin *m*, -e *f* d'à côté.

next of kin *n* plus proche parent *m* • to inform the next of kin prévenir la famille.

NF *n* (abrév de National Front) ≃ FN *m*.

NFL (abrév de National Football League) *n* fédération nationale de football américain.

NG abrév de **National Guard**.

NGO (abrév de non-governmental organization) *n* ONG *f*.

NHS (abrév de National Health Service) *n* service national de santé en Grande-Bretagne ; ≈ Sécurité sociale *f*.

NI *n* abrév de **National Insurance**.

Niagara [naɪ'ægrə] *n* • Niagara Falls les chutes *fpl* du Niagara.

nib [nɪb] *n* plume *f*.

nibble ['nɪbl] *vt* grignoter, mordiller.

Nicaragua [,nɪkə'rægjuə] *n* Nicaragua *m*.

Nicaraguan [,nɪkə'rægjuən] *adj* nicaraguayen. ❏ *n* Nicaraguayen *m*, -enne *f*.

nice [naɪs] *adj* **1.** bon • it smells nice ça sent bon **2.** beau **3.** joli • she looks nice elle est jolie **4.** bien • it would be nice if... ce serait bien si... **5.** gentil, sympathique • that was nice of you c'était gentil de ta part • to be nice to sb être gentil *ou* aimable avec qqn **6.** agréable, sympathique • to have a nice time passer du bon temps • have a nice time! amusez-vous bien ! • have a nice day! bonne journée !

nice-looking [-'lukɪŋ] *adj* joli, beau.

nicely ['naɪslɪ] *adv* **1.** bien • that will do nicely cela fera très bien l'affaire **2.** joliment **3.** poliment, gentiment **4.** *(se comporter)* bien.

nicety ['naɪsətɪ] *(pl -ies)* *n* délicatesse *f*, subtilité *f*.

niche [ni:ʃ] *n* **1.** niche *f* • niche product produit *m* de niche **2.** *fig* bonne situation *f*, voie *f* • to find one's niche *fig* trouver sa voie.

niche market *n* COMM niche *f*.

niche marketing *n* marketing *m* ciblé.

niche product *n* produit *m* ciblé.

niche publishing *n* publication d'ouvrages destinés à un public restreint.

nick [nɪk] *n* **1.** entaille *f*, coupure *f* **2.** • in the nick of time juste à temps. ❏ *vt* **1.** couper, entailler **2.** (UK) *fam* piquer, faucher **3.** (UK) *fam* pincer, choper.

nickel ['nɪkl] *n* **1.** nickel *m* (métal) **2.** (US) pièce *f* de cinq cents • it only costs a nickel ça ne coûte que 5 cents • to do sthg on one's own nickel payer qqch de sa poche • they gave us the nickel tour (US) ils nous ont fait faire le tour du propriétaire.

nickname ['nɪkneɪm] *n* sobriquet *m*, surnom *m*. ❏ *vt* surnommer.

nicotine ['nɪkəti:n] *n* nicotine *f*.

nicotine patch n patch m ou timbre m anti-tabac.

niece [niːs] n nièce f.

nifty ['nɪftɪ] (comp niftier, superl niftiest) adj fam génial, super (inv).

Nigeria [naɪˈdʒɪərɪə] n Nigeria m.

Nigerian [naɪˈdʒɪərɪən] adj nigérian. ❏ n Nigérian m, -e f.

niggardly ['nɪɡədlɪ] adj **1.** pingre, avare **2.** (somme d'argent) mesquin, chiche.

niggle ['nɪɡl] vt **1.** (UK) tracasser **2.** faire des réflexions à, critiquer.

niggling ['nɪɡlɪŋ] adj **1.** (personne) tatillon **2.** (détail) insignifiant **3.** (douleur, doute) tenace. ❏ n chicanerie f, pinaillerie f.

nigh [naɪ] adv littéraire près, proche • **well nigh** presque.

night [naɪt] n **1.** nuit f • **at night** la nuit • **all night (long)** toute la nuit • **during** ou **in the night** pendant la nuit • **what you need is a good night's sleep** ce qu'il vous faut, c'est une bonne nuit de sommeil ou de repos • **I had a bad night** j'ai passé une mauvaise nuit, j'ai mal dormi • **let's make a night of it!** faisons la fête toute la nuit ! • **to have an early night** se coucher de bonne heure • **to have a late night** veiller, se coucher tard • **the night is young a)** litt la nuit n'est pas très avancée **b)** hum on a toute la nuit devant nous **2.** soir m • **ten o'clock at night** dix heures du soir • **tomorrow night** demain soir • **(on) Tuesday night a)** mardi soir **b)** dans la nuit de mardi à mercredi • **last night a)** hier soir **b)** cette nuit • **the night before a)** la veille au soir **b)** la nuit précédente. ■ **nights** adv **1.** (US) la nuit **2.** (UK) • **to work nights** travailler ou être de nuit.

nightcap ['naɪtkæp] n boisson alcoolisée que l'on prend avant de se coucher.

night class n (US) = evening class.

nightclothes ['naɪtkləʊðz] npl vêtements mpl de nuit.

nightclub ['naɪtklʌb] n boîte f (de nuit).

nightdress ['naɪtdres] n chemise f de nuit.

nightfall ['naɪtfɔːl] n tombée f de la nuit ou du jour.

nightgown ['naɪtɡaʊn] n chemise f de nuit.

nightie ['naɪtɪ] n fam chemise f de nuit.

nightingale ['naɪtɪŋɡeɪl] n rossignol m.

nightlife ['naɪtlaɪf] n vie f nocturne, activités fpl nocturnes.

nightlight ['naɪtlaɪt] n veilleuse f.

nightly ['naɪtlɪ] adj & adv toutes les nuits, tous les soirs.

nightmare ['naɪtmeər] n litt & fig cauchemar m • **to have a nightmare** faire un cauchemar.

nightmarish ['naɪtmeərɪʃ] adj cauchemardesque, de cauchemar.

night owl n fig couche-tard m inv, noctambule mf.

night porter n (UK) veilleur m de nuit.

night safe n coffre m de nuit.

night school n cours mpl du soir.

night shift n poste m de nuit.

nightshirt n chemise f de nuit d'homme.

nightspot ['naɪtspɒt] n boîte f de nuit.

nightstick ['naɪtstɪk] n (US) matraque f.

nighttime ['naɪttaɪm] n nuit f • **at nighttime** la nuit.

night vision n vision f nocturne.

night watchman n gardien m de nuit.

nightwear ['naɪtweər] n (indén) vêtements mpl de nuit.

nihilism ['naɪəlɪzm] n nihilisme m.

nihilistic [ˌnaɪə'lɪstɪk] adj nihiliste.

nil [nɪl] n **1.** néant m **2.** (UK) SPORT zéro m • **to win three nil** gagner trois à zéro.

Nile [naɪl] n • **the Nile** le Nil.

nimble ['nɪmbl] adj **1.** agile, leste **2.** fig (esprit) vif, vive f.

nimbly ['nɪmblɪ] adv agilement, lestement.

nimbus ['nɪmbəs] (pl nimbi ['nɪmbaɪ] ou nimbuses) n **1.** nimbus m **2.** (halo) nimbe m, auréole f.

NIMBY (abrév de not in my back yard) pas près de chez moi.

nine [naɪn] num neuf. Voir aussi **six**.

nineteen [ˌnaɪn'tiːn] num dix-neuf. Voir aussi **six**.

nineteenth [ˌnaɪn'tiːnθ] num dix-neuvième. Voir aussi **sixth**.

ninetieth ['naɪntɪəθ] num quatre-vingt-dixième. Voir aussi **sixth**.

nine-to-five adj • **to work nine-to-five** avoir des horaires de bureau.

ninety ['naɪntɪ] num quatre-vingt-dix. Voir aussi **sixty**.

ninja ['nɪndʒə] n ninja m.

ninny ['nɪnɪ] (pl -ies) n fam & vieilli nigaud m, -e f.

ninth [naɪnθ] num neuvième. Voir aussi **sixth**.

ninth grade n (US) SCOL classe de lycée pour les 13-14 ans.

ninth grader ['naɪnθ ˌɡreɪdər] n (US) lycéen en première année.

nip [nɪp] n **1.** pinçon m **2.** morsure f **3.** goutte f, doigt m (d'alcool). ❏ vt **1.** pincer **2.** mordre **3.** • **to nip sthg in the bud** tuer ou écraser ou étouffer qqch dans l'œuf.

nipper ['nɪpər] n fam & vieilli gamin m, -e f, gosse mf.

nipple ['nɪpl] n **1.** bout m de sein, mamelon m **2.** (US) tétine f.

nippy ['nɪpɪ] (comp nippier, superl nippiest) adj fam **1.** froid, frisquet **2.** (UK) (personne) vif, vive f ; (voiture) nerveux.

NIST (abrév de National Institute of Standards and Technology) n service américain des poids et mesures.

nit [nɪt] n **1.** lente f **2.** (UK) fam idiot m, -e f, crétin m, -e f.

nitpick ['nɪtpɪk] vi fam couper les cheveux en quatre, chercher la petite bête, pinailler.

nitpicker ['nɪt,pɪkə] n fam chipoteur m, -euse f.

nitpicking ['nɪtpɪkɪŋ] n fam ergotage m, pinaillage m.

nitrate ['naɪtreɪt] n nitrate m.

nitric acid ['naɪtrɪk-] n acide m nitrique.

nitrogen ['naɪtrədʒən] n azote m.

nitty-gritty [,nɪtɪ'grɪtɪ] n fam • **to get down to the nitty-gritty** en venir à l'essentiel ou aux choses sérieuses.

nitwit ['nɪtwɪt] n fam imbécile mf, idiot m, -e f.

nix [nɪks] (US) fam n rien. ❑ adv non. ❑ vt mettre son veto à.

Njoy abrév de **enjoy**.

NLP n (abrév de natural language processing) TAL m.

NLRB (abrév de National Labor Relations Board) n commission américaine d'arbitrage en matière d'emploi.

no [nəʊ] adv **1.** non **2.** mais non • **do you like spinach? — no, I don't** aimez-vous les épinards ? — non • **to say no** dire non **3.** • **no bigger/smaller** pas plus grand/petit • **no better** pas mieux. ❑ adj **1.** aucun, pas de • **I have no idea** je n'en ai aucune idée • **there's no telling what will happen** impossible de dire ce qui va se passer • **that's no excuse** ce n'est pas une excuse • **he's no friend of mine** je ne le compte pas parmi mes amis **2.** (introduction d'une interdiction) • **'no smoking'** 'défense de fumer' • **'no swimming'** 'baignade interdite'. ❑ n (pl **noes** [nəʊz]) non m • **she won't take no for an answer** elle n'accepte pas qu'on lui dise non. ❑ interj non • **I'm getting married — no!** (surprise) je me marie — non !

No., no. (abrév de number) N°, n°.

No1 abrév de **no one**.

Noah's ark ['nəʊə-] n l'arche f de Noé.

no-ball n balle f nulle (en sport).

nobble ['nɒbl] vt (UK) fam **1.** (un cheval de course) droguer **2.** soudoyer, acheter **3.** accrocher (quelqu'un au passage).

Nobel prize [nəʊ'bel-] n prix m Nobel.

nobility [nə'bɪlətɪ] n noblesse f.

noble ['nəʊbl] adj noble. ❑ n noble m.

nobleman ['nəʊblmən] (pl **-men**) n noble m, aristocrate m.

noblewoman ['nəʊbl,wʊmən] (pl **-women**) n (femme) noble f, aristocrate f.

nobly ['nəʊblɪ] adv noblement.

nobody ['nəʊbədɪ] pron personne, aucun. ❑ n péj rien-du-tout mf, moins que rien f.

no-brainer [nəʊ'breɪnə] n (US) fam décision facile • **it's a no-brainer!** la solution est claire !

nocebo [nəʊsi:bəʊ] n substance inoffensive que l'on associe néanmoins à des effets nocifs ou gênants.

no-claims bonus n (UK) bonus m.

nocturnal [nɒk'tɜ:nl] adj nocturne.

nocturnal emission n pollution f nocturne.

nod [nɒd] vt • **to nod one's head** incliner la tête, faire un signe de tête. ❑ vi **1.** faire un signe de tête affirmatif, faire signe que oui **2.** faire un signe de tête (pour indiquer qqch) **3.** • **to nod to sb** saluer qqn d'un signe de tête. ■ **nod off** vi fam somnoler, s'assoupir.

noddy ['nɒdɪ] (pl **noddies**) (UK) fam n bêta m, -asse f. ❑ adj • **to have a noddy job** faire un boulot peinard.

node [nəʊd] n nœud m.

nodule ['nɒdju:l] n nodule m.

no-fault adj (US) DR • **no-fault divorce** divorce m par consentement mutuel • **no-fault insurance** assurance f à remboursement automatique.

no-frills [-'frɪlz] adj **1.** (service) minimum (inv) **2.** (compagnie aérienne) à bas prix.

no-go area n (UK) zone f interdite.

no-good fam adj propre à rien. ❑ n bon m à rien.

no-holds-barred adj sans fard.

no-hoper [-'həʊpə] n fam raté m, -e f, minable mf.

noise [nɔɪz] n bruit m • **to make too much noise** faire trop de bruit. ■ **noises** npl fam (indication d'une intention) • **she made vague noises about emigrating** elle a vaguement parlé d'émigrer.

noiseless ['nɔɪzlɪs] adj silencieux.

noiselessly ['nɔɪzlɪslɪ] adv sans bruit, silencieusement.

noisily ['nɔɪzɪlɪ] adv bruyamment.

noisy ['nɔɪzɪ] adj bruyant.

nomad ['nəʊmæd] n nomade mf.

nomadic [nə'mædɪk] adj nomade.

no-man's-land n no man's land m.

nomenclature [(UK) nəʊ'menklətʃər, (US) 'nəʊmənkleɪtʃər] n nomenclature f.

nominal ['nɒmɪnl] adj **1.** de nom seulement, nominal **2.** nominal, insignifiant.

nominally ['nɒmɪnəlɪ] adv nominalement, de nom.

nominate ['nɒmɪneɪt] vt **1.** • to nominate sb (for/as sthg) proposer qqn (pour/comme qqch) **2.** • to nominate sb (as sthg) nommer qqn (qqch) • to nominate sb (to sthg) nominer qqn (à qqch).

nomination [ˌnɒmɪ'neɪʃn] n nomination f.

nominee [ˌnɒmɪ'niː] n personne f nommée ou désignée.

non- [nɒn] préf non-.

nonaccidental [ˌnɒnæksɪ'dentl] adj • nonaccidental injury blessures fpl dues à de mauvais traitements (d'un enfant, d'une femme).

nonaddictive [ˌnɒnə'dɪktɪv] adj qui ne provoque pas d'accoutumance ou de dépendance.

non-adopter n consommateur qui n'essaie jamais de nouveaux produits.

nonaffiliated [ˌnɒnə'fɪlɪeɪtɪd] adj non affilié, indépendant.

nonalcoholic [ˌnɒnælkə'hɒlɪk] adj non alcoolisé.

nonaligned [ˌnɒnə'laɪnd] adj non aligné.

nonattendance [ˌnɒnə'tendəns] n absence f.

nonavailable [ˌnɒnə'veɪləbl] adj non disponible.

nonbeliever [ˌnɒnbɪ'liːvər] n incroyant m, -e f, athée mf.

nonbinding [ˌnɒn'baɪndɪŋ] adj sans obligation, non contraignant.

nonbiodegradable ['nɒn,baɪəʊdɪ'greɪdəbl] adj non biodégradable.

nonchalance [(UK) 'nɒnʃələns, (US) ˌnɒnʃə'lɑːns] n nonchalance f.

nonchalant [(UK) 'nɒnʃələnt, (US) ˌnɒnʃə'lɑːnt] adj nonchalant.

nonchalantly [(UK) 'nɒnʃələntlɪ, (US) ˌnɒnʃə'lɑːntlɪ] adv nonchalamment.

noncombatant [(UK) ˌnɒn'kɒmbətənt, (US) ˌnɒnkəm'bætənt] n non-combattant m, -e f.

noncommittal [ˌnɒnkə'mɪtl] adj évasif.

noncompetitive [ˌnɒnkəm'petɪtɪv] adj qui n'est pas basé sur la compétition.

noncompliance [ˌnɒnkəm'plaɪəns] n non-respect m, non-observation f • noncompliance with the treaty le non-respect du traité.

non compos mentis [-ˌkɒmpəs'mentɪs] adj • to be non compos mentis ne pas avoir toute sa raison.

nonconformist [ˌnɒnkən'fɔːmɪst] adj non conformiste ❏ n non-conformiste.

nonconformity [ˌnɒnkən'fɔːmətɪ] n non-conformité f.

noncontributory [ˌnɒnkən'trɪbjʊtərɪ] adj sans versements de la part des bénéficiaires.

noncooperation [ˌnɒnkəʊ,ɒpə'reɪʃn] n refus m de coopération.

non-dairy adj qui ne contient aucun produit laitier.

nondescript [(UK) 'nɒndɪskrɪpt, (US) ˌnɒndɪ'skrɪpt] adj quelconque, terne.

nondrinker [ˌnɒn'drɪŋkər] n personne f qui ne boit pas d'alcool.

nondrip [ˌnɒn'drɪp] adj qui ne coule pas.

nondriver [ˌnɒn'draɪvər] n personne f qui n'a pas le permis de conduire.

none [nʌn] pron **1.** aucun • there was none left il n'y en avait plus, il n'en restait plus • none at all aucune ou pas une seule • I'll have none of your nonsense je ne tolérerai pas de bêtises de ta part **2.** personne, nul, nulle f. ❏ adv • none the worse/wiser pas plus mal/avancé • none the better pas mieux. ■ none too adv pas tellement ou trop.

nonentity [nɒ'nentətɪ] n nullité f, zéro m.

nonessential [ˌnɒnɪ'senʃl] adj non essentiel, peu important.

nonetheless [ˌnʌnðə'les] adv néanmoins, pourtant.

non-event n événement m raté ou décevant.

nonexecutive director [ˌnɒnɪgsekjətɪv-] n administrateur m, -trice f.

nonexistent [ˌnɒnɪg'zɪstənt] adj inexistant.

nonfat ['nɒnfæt] adj sans matière grasse ou matières grasses.

nonfattening [ˌnɒn'fætnɪŋ] adj qui ne fait pas grossir.

nonfiction [ˌnɒn'fɪkʃn] n ouvrages mpl non romanesques.

nonflammable [ˌnɒn'flæməbl] adj ininflammable.

non-habit-forming [-ˌfɔːmɪŋ] adj qui ne crée pas de phénomène d'accoutumance.

noninfectious [ˌnɒnɪn'fekʃəs] adj qui n'est pas infectieux.

noninterventionist [ˌnɒnɪntə'venʃənɪst] adj (politique) non interventionniste, de non-intervention.

non-iron adj qui ne se repasse pas.

nonmalignant [ˌnɒnmə'lɪgnənt] adj bénin.

non-member n (d'un club) personne f qui n'est pas membre.

non-native adj non indigène • **non-native speaker** locuteur m étranger ou non natif, locutrice f étrangère ou non native.

non-negotiable adj qu'on ne peut pas négocier ou débattre • **the terms are non-negotiable** les termes sont non négociables.

no-no n fam • **it's a no-no** c'est interdit ou défendu • **that subject is a no-no** ce sujet est tabou.

no-nonsense adj direct, sérieux.

nonoperational [ˌnɒnɒpəˈreɪʃənl] adj non-opérationnel.

nonpayment [ˌnɒnˈpeɪmənt] n non-paiement m.

nonplussed, nonplused (US) [ˌnɒnˈplʌst] adj déconcerté, perplexe.

nonpolluting [ˌnɒnpəˈluːtɪŋ] adj non polluant, propre.

non-profit, non-profitmaking (UK) adj à but non lucratif.

non-reflecting adj antireflet (inv).

nonrefundable [ˌnɒnrɪˈfʌndəbl] adj non remboursable.

nonrenewable [ˌnɒnrɪˈnjuːəbl] adj non renouvelable.

nonresident [ˌnɒnˈrezɪdənt] n 1. (d'un pays) non-résident m, -e f 2. (d'un hôtel) client m, -e f de passage.

nonreturnable [ˌnɒnrɪˈtɜːnəbl] adj non consigné.

nonsense [ˈnɒnsəns] n 1. charabia m 2. • it was nonsense to suggest… il était absurde de suggérer… 3. bêtises fpl, idioties fpl • **to talk nonsense** dire des bêtises • **to make (a) nonsense of sthg** gâcher ou saboter qqch. ❏ interj quelles bêtises ou foutaises !

nonsensical [nɒnˈsensɪkl] adj absurde, qui n'a pas de sens.

non sequitur [-ˈsekwɪtəʳ] n remarque f qui manque de suite.

nonskid [ˌnɒnˈskɪd] adj antidérapant.

nonslip [ˌnɒnˈslɪp] adj antidérapant.

nonsmoker [ˌnɒnˈsməʊkəʳ] n non-fumeur m, -euse f, personne f qui ne fume pas.

nonsmoking [ˌnɒnˈsməʊkɪŋ] adj (pour les) non-fumeurs.

nonspecialist [nɒnˈspeʃəlɪst] adj non spécialiste mf❏ n non-spécialiste.

nonstandard [ˌnɒnˈstændəd] adj 1. (usage d'un mot) critiqué 2. (produit, taille, format) nonstandard (inv).

nonstarter [ˌnɒnˈstɑːtəʳ] n 1. (UK) fam (plan) • **this is a nonstarter** ceci n'a aucune chance de réussir 2. (dans une course) non-partant m.

nonstick [ˌnɒnˈstɪk] adj (poêle) qui n'attache pas, téflonisé.

nonstop, non-stop [ˌnɒnˈstɒp] adj 1. (vol) direct, sans escale 2. (activité) continu 3. (pluie) continuel. ❏ adv 1. sans arrêt 2. sans discontinuer • **they were chatting non-stop** ils bavardaient sans interruption.

nontoxic [ˌnɒnˈtɒksɪk] adj non toxique.

nontransferable [ˌnɒntrænzˈfɜːrəbl] adj non transmissible.

nonverbal [nɒnˈvɜːbl] adj non verbal • **nonverbal communication** communication f par les gestes.

nonviolent [ˌnɒnˈvaɪələnt] adj non violent.

nonvoter [ˌnɒnˈvəʊtəʳ] n abstentionniste mf, personne f qui ne vote pas.

nonvoting [ˌnɒnˈvəʊtɪŋ] adj 1. abstentionniste, qui ne vote pas 2. (parts d'une société) sans droit de vote.

noodle [ˈnuːdl] n 1. • **chicken noodle soup** soupe f de poulet aux vermicelles 2. (US) fam tronche f.

noodles [ˈnuːdlz] npl nouilles fpl.

nook [nʊk] n coin m, recoin m • **every nook and cranny** tous les coins, les coins et les recoins.

noon [nuːn] n midi m.

no one pron = **nobody**.

noose [nuːs] n nœud m coulant.

nope [nəʊp] adv fam non.

noplace (US) [ˈnəʊpleɪs] = **nowhere**.

nor [nɔːʳ] conj • **nor do I** moi non plus → neither.

norm [nɔːm] n norme f.

normal [ˈnɔːml] adj normal • **at the normal time** à l'heure habituelle. ❏ n normale f • **to return to normal** revenir à la normale.

normality [nɔːˈmælɪtɪ], **normalcy** (US) [ˈnɔːmlsɪ] n normalité f.

normalization, -isation (UK) [ˌnɔːməlaɪˈzeɪʃn] n normalisation f.

normalize, -ise (UK) [ˈnɔːməlaɪz] vt normaliser. ❏ vi se normaliser, redevenir normal.

normally [ˈnɔːməlɪ] adv normalement.

Normandy [ˈnɔːməndɪ] n Normandie f.

north [nɔːθ] n 1. nord m 2. • **the North** le Nord. ❏ adj 1. nord (inv) 2. du nord • **the north coast** la côte nord. ❏ adv au nord, vers le nord • **north of** au nord de.

North Africa n Afrique f du Nord.

North America n Amérique f du Nord.

North American adj nord-américain. ❏ n Nord-Américain m, -e f.

northbound [ˈnɔːθbaʊnd] adj en direction du nord • **northbound carriageway** (UK) chaussée (du) nord.

northeast [ˌnɔːθˈiːst] n 1. (direction) nord-est m 2. (région) • **the Northeast** le Nord-Est. ❏ adj 1. nord-est (inv) 2. (vent) du nord-est. ❏ adv au nord-est, vers le nord-est • **northeast of** au nord-est de.

northeasterly[ˌnɔːθ'iːstəli] adj au nord-est, du nord-est • **in a northeasterly direction** vers le nord-est.

northerly['nɔːðəli] adj du nord • **in a northerly direction** vers le nord, en direction du nord.

northern['nɔːðən] adj du nord, nord (inv).

Northerner['nɔːðənər] n habitant m, -e f du Nord.

northern hemisphere n hémisphère m Nord ou boréal.

Northern Ireland n Irlande f du Nord.

Northern Lights npl • **the Northern Lights** l'aurore f boréale.

northernmost['nɔːðənməʊst] adj le plus au nord, la plus au nord f, à l'extrême nord.

Northern Territory n Territoire m du Nord • **in Northern Territory** dans le Territoire du Nord.

North Korea n Corée f du Nord.

North Pole n • **the North Pole** le pôle Nord.

North Sea n • **the North Sea** la mer du Nord.

North Star n • **the North Star** l'étoile f polaire.

northward ['nɔːθwəd] adj au nord. ❑ adv = **northwards**.

northwards['nɔːθwədz] adv au nord, vers le nord.

northwest[ˌnɔːθ'west] n 1.(direction) nord-ouest m 2.(région) • **the Northwest** le Nord-Ouest. ❑ adj 1.nord-ouest (inv) 2.(vent) du nord-ouest. ❑ adv au nord-ouest, vers le nord-ouest • **northwest of** au nord-ouest de.

northwesterly[ˌnɔːθ'westəli] adj au nord-ouest, du nord-ouest • **in a northwesterly direction** vers le nord-ouest.

Norway['nɔːweɪ] n Norvège f.

Norwegian[nɔː'wiːdʒən] adj norvégien. ❑ n 1.Norvégien m, -enne f 2.(langue) norvégien m.

Nos, nos. (abrév de numbers) nᵒˢ.

nose[nəʊz] n nez m • **to blow one's nose** se moucher • **keep your nose out of my business** occupe-toi ou mêle-toi de tes affaires • **to look down one's nose at sb** fig prendre qqn de haut • **to look down one's nose at sthg** fig considérer qqch avec mépris • **on the nose** (US) fam dans le mille • **to poke** ou**stick one's nose into sthg** mettre ou fourrer son nez dans qqch • **to turn up one's nose at sthg** dédaigner qqch. ■ **nose about** (UK), **nose around** (US) vi fouiner, fureter.

nosebleed['nəʊzbliːd] n • **to have a nosebleed** saigner du nez.

-nosed[nəʊzd] suffixe au nez... • **red-nosed** au nez rouge.

nosedive['nəʊzdaɪv] n AÉRON piqué m. ❑ vi 1.AÉRON descendre en piqué, piquer du nez 2.fig dégringoler 3.fig s'écrouler.

nose job n fam intervention f de chirurgie esthétique sur le nez • **to have a nose job** se faire refaire le nez.

nose stud n piercing m de nez.

nosey['nəʊzi] = **nosy**.

nostalgia[nɒ'stældʒə] n • **nostalgia (for sthg)** nostalgie f (de qqch).

nostalgic[nɒ'stældʒɪk] adj nostalgique.

nostril['nɒstrəl] n narine f.

no-strings adj 1. fam (contrat, accord) sans pièges 2.(relation) sans lendemain.

not[nɒt] adv ne pas, pas • **not that...** ce n'est pas que..., non pas que... • **this is not the first time** ce n'est pas la première fois • **it's green, isn't it?** c'est vert, n'est-ce pas ? • **not me** pas moi • **I hope/think not** j'espère que non • **not a chance** aucune chance • **not even a...** même pas un, une f... • **not all** ou **every** pas tous, toutes f • **not always** pas toujours • **not that...** ce n'est pas que..., non pas que... • **not at all a)** pas du tout **b)** (réponse à un remerciement) de rien, je vous en prie.

notable['nəʊtəbl] adj notable, remarquable • **to be notable for sthg** être célèbre pour qqch.

notably['nəʊtəbli] adv 1.notamment, par-ticulièrement 2.sensiblement, nettement.

notary['nəʊtəri] n • **notary (public)** notaire m.

notation[nəʊ'teɪʃn] n notation f.

notch[nɒtʃ] n 1.entaille f, encoche f 2.fig cran m. ■ **notch up** vt insép marquer.

note[nəʊt] n 1.note f 2.mot m • **to take note of sthg** prendre note de qqch 3. (UK) billet m (de banque). ❑ vt 1.remarquer, constater • **please note that...** merci de noter que... 2.mentionner, signaler. ■ **note down** vt sép noter, inscrire. ■ **notes** npl notes • **to take notes** prendre des notes.

notebook['nəʊtbʊk] n 1.carnet m, calepin m 2.ordinateur m portable compact.

noted['nəʊtɪd] adj célèbre, éminent.

notepad['nəʊtpæd] n bloc-notes m.

notepaper['nəʊtpeɪpər] n papier m à lettres.

noteworthy['nəʊtˌwɜːði] adj remarquable, no-table.

not-for-profit adj (US) à but non lucratif • **not-for-profit organization** société f ou orga-nisation f à but non lucratif.

nothing['nʌθɪŋ] pron rien • **I've got nothing to do** je n'ai rien à faire • **for nothing** pour rien • **nothing but** ne... que, rien que • **nothing but** ne... que, rien que. ❑ adv • **you're nothing like your brother** tu ne ressembles pas du tout *ou* en rien à ton frère • **I'm nothing like finished** je suis loin d'avoir fini.

nothingness ['nʌθɪŋnɪs] *n* néant *m*.

notice ['nəʊtɪs] *n* **1.** affiche *f*, placard *m* **2.** • **to take notice (of sb/sthg)** faire *ou* prêter attention (à qqn/qqch) • **to take no notice (of sb/sthg)** ne pas faire attention (à qqn/qqch) **3.** avis *m*, avertissement *m* • **at short notice** dans un bref délai • **until further notice** jusqu'à nouvel ordre **4.** • **to be given one's notice** recevoir son congé, être renvoyé • **to hand in one's notice** donner sa démission, demander son congé. ❏ *vt* remarquer, s'apercevoir de • **to notice sb doing sthg** remarquer que qqn fait qqch.

noticeable ['nəʊtɪsəbl] *adj* sensible, perceptible.

noticeably ['nəʊtɪsəblɪ] *adv* sensiblement, nettement.

notice board *n* (UK) panneau *m* d'affichage.

notifiable ['nəʊtɪfaɪəbl] *adj* (*maladie*) à déclaration obligatoire.

notification [,nəʊtɪfɪ'keɪʃn] *n* notification *f*, avis *m*.

notify ['nəʊtɪfaɪ] *vt* • **to notify sb (of sthg)** avertir *ou* aviser qqn (de qqch).

notion ['nəʊʃn] *n* idée *f*, notion *f*. ◼ **notions** *npl* (US) mercerie *f*.

notional ['nəʊʃənl] *adj* imaginaire, fictif.

notoriety [,nəʊtə'raɪətɪ] *n* mauvaise *ou* triste réputation *f*.

notorious [nəʊ'tɔːrɪəs] *adj* **1.** (*criminel*) notoire **2.** (*endroit*) mal famé.

notoriously [nəʊ'tɔːrɪəslɪ] *adv* notoirement.

notwithstanding [,nɒtwɪð'stændɪŋ] *sout prép* malgré, en dépit de. ❏ *adv* néanmoins, malgré tout.

nougat ['nuːgɑː] *n* nougat *m*.

nought [nɔːt] *num* zéro *m*.

noun [naʊn] *n* nom *m*.

nourish ['nʌrɪʃ] *vt* nourrir.

nourishing ['nʌrɪʃɪŋ] *adj* nourrissant.

nourishment ['nʌrɪʃmənt] *n* nourriture *f*, aliments *mpl*.

Nov. (abrév de November) nov.

novel ['nɒvl] *adj* nouveau, original. ❏ *n* roman *m*.

novelist ['nɒvəlɪst] *n* romancier *m*, -ère *f*.

novelty ['nɒvltɪ] *n* **1.** nouveauté *f* **2.** gadget *m*.

November [nə'vembər] *n* novembre *m*. Voir aussi **September**.

novice ['nɒvɪs] *n* novice *mf*.

now [naʊ] *adv* **1.** maintenant • **do it now** faites-le maintenant/tout de suite • **he's been away for two weeks now** ça fait deux semaines qu'il est parti • **for now** pour le moment • **now and then** *ou* **again** de temps en temps, de temps à autre • **right now** tout de suite • **any day/**time now d'un jour/moment à l'autre **2.** à ce moment-là, alors **3.** • **now let's just calm down** bon, on se calme maintenant. ❏ *conj* • **now (that)** maintenant que. ❏ *n* • **for now** pour le présent • **from now on** à partir de maintenant, désormais • **up until now** jusqu'à présent • **by now** déjà.

nowadays ['naʊədeɪz] *adv* actuellement, aujourd'hui.

nowhere ['nəʊweər], **noplace** (US) ['nəʊpleɪs] *adv* nulle part • **nowhere else** nulle part ailleurs • **to appear out of/from nowhere** apparaître tout d'un coup • **(to be) nowhere near (as… as…)** (ne pas être) plus près (de… que) • **nowhere near** loin de • **we're getting nowhere** on n'avance pas, on n'arrive à rien.

no-win situation *n* impasse *f*.

noxious ['nɒkʃəs] *adj* toxique.

nozzle ['nɒzl] *n TECHNOL* ajutage *m*, buse *f*.

NP¹ (abrév de notary public) = **notary**.

NP² SMS (abrév de no problem) pas de problème.

NQT *n* (UK) (abrév de newly qualified teacher) = **teacher**.

NRN (abrév de no reply necessary) pas la peine de répondre.

NSC (abrév de National Security Council) *n conseil national américain de sécurité*.

NSPCC (abrév de National Society for the Prevention of Cruelty to Children) *n association britannique de protection de l'enfance*.

nth [enθ] *adj fam* énième.

nuance ['njuːɒns] *n* nuance *f*.

nub [nʌb] *n* nœud *m*, fond *m*.

nubile [(UK) 'njuːbaɪl, (US) 'nuːbəl] *adj* nubile.

nuclear ['njuːklɪər] *adj* nucléaire.

nuclear bomb *n* bombe *f* nucléaire.

nuclear capability *n* puissance *f ou* potentiel *m* nucléaire.

nuclear disarmament *n* désarmement *m* nucléaire.

nuclear energy *n* énergie *f* nucléaire.

nuclear family *n* famille *f* nucléaire.

nuclear fission *n* fission *f* nucléaire.

nuclear-free zone *n* zone *f* antinucléaire.

nuclear fusion *n* fusion *f* nucléaire.

nuclear physics *n* physique *f* nucléaire.

nuclear power *n* énergie *f* nucléaire.

nuclear-powered *adj* à propulsion nucléaire • **nuclear-powered submarine** sous-marin *m* nucléaire.

nuclear reactor *n* réacteur *m* nucléaire.

nuclear weapon *n* arme *f* nucléaire.

nuclear winter *n* hiver *m* nucléaire.

nucleus ['njuːklɪəs] (*pl* -**lei**) *n litt & fig* noyau *m*.

nude [njuːd] *adj* nu. ❏ *n* nu *m* • **in the nude** nu.

nudge [nʌdʒ] *vt* **1.** pousser du coude **2.** *fig* encourager, pousser.

nudist ['nju:dɪst] adj & n nudiste.

nudity ['nju:dətɪ] n nudité f.

nugget ['nʌgɪt] n pépite f.

nuisance ['nju:sns] n ennui m, embêtement m • **it's a nuisance having to attend all these meetings** c'est pénible de devoir assister à toutes ces réunions • **to make a nuisance of o.s.** embêter le monde • **what a nuisance!** quelle plaie !

NUJ (abrév de National Union of Journalists) n syndicat britannique des journalistes.

nuke [nju:k] fam n bombe f nucléaire. ❑ vt **1.** atomiser **2.** hum cuire au micro-ondes.

null [nʌl] adj • **null and void** nul et non avenu.

nullify ['nʌlɪfaɪ] (prét & pp nullified) vt annuler.

numb [nʌm] adj engourdi • **to be numb with a)** être paralysé par **b)** être transi de • **to go numb** s'engourdir. ❑ vt engourdir.

number ['nʌmbər] n **1.** chiffre m **2.** numéro m **3.** nombre m • **a number of** un certain nombre de, plusieurs • **any number of** un grand nombre de, bon nombre de **4.** chanson f. ❑ vt **1.** compter **2.** numéroter. ❑ vi • **to number among...** compter parmi...

number-crunching [-,krʌntʃ] n fam calcul m numérique.

number one adj premier, principal. ❑ n fam soi, sa pomme.

numberplate ['nʌmbəpleɪt] n (UK) plaque f d'immatriculation.

number portability n portage m du numéro.

number shop n (US) ≃ kiosque f de loterie.

Number Ten n la résidence officielle du Premier ministre britannique.

numbness ['nʌmnɪs] n engourdissement m.

numeracy ['nju:mərəsɪ] n compétence f en calcul.

numeral ['nju:mərəl] n chiffre m.

numerate ['nju:mərət] adj qui sait compter.

numerical [nju:'merɪkl] adj numérique.

numerically [nju:'merɪklɪ] adv numériquement.

numeric keypad n pavé m numérique.

numero uno [,nu:mərəʊ'u:nəʊ] (US) fam n • **the numero uno a)** (chose) le top du top **b)** (personne) le meilleur. ❑ adj • **she's the numero uno actress in Bollywood** c'est l'actrice la plus en vogue à Bollywood.

numerous ['nju:mərəs] adj nombreux.

nun [nʌn] n religieuse f, sœur f.

nuptial ['nʌpʃl] adj sout nuptial.

nurse [nɜːs] n infirmière f • (male) **nurse** infirmier m. ❑ vt **1.** soigner **2.** fig nourrir (un espoir, une ambition). ❑ allaiter.

nursery ['nɜːsərɪ] n **1.** garderie f **2.** pépinière f.

nursery nurse n (UK) puéricultrice f.

nursery rhyme n comptine f.

nursery school n (école f) maternelle f.

nursery slopes npl (UK) pistes fpl pour débutants.

nursing ['nɜːsɪŋ] n métier m d'infirmière.

nursing home n **1.** maison f de retraite privée **2.** (UK) maternité f privée.

nurture ['nɜːtʃər] vt **1.** élever (des enfants) **2.** bien s'occuper de (ses plantes) **3.** fig nourrir (un désir, un espoir).

nurturing ['nɜːtʃərɪŋ] adj attentionné, maternel.

NUS (abrév de National Union of Students) n union nationale des étudiants de Grande-Bretagne.

nut [nʌt] n **1.** terme générique désignant les fruits tels que les noix, noisettes, etc • **nut allergy** allergie f aux fruits à coque **2.** écrou m • **nuts and bolts** des écrous et des boulons **3.** fam cinglé m, -e f. ∎ **nuts** adj fam • **to be nuts** être dingue. ❑ interj (US) fam zut !

nutcase ['nʌtkeɪs] n fam cinglé m, -e f.

nutcrackers ['nʌt,krækəz] npl casse-noix m inv, casse-noisettes m inv.

nutmeg ['nʌtmeg] n **1.** (noix f de) muscade f **2.** (football) petit pont m. ❑ vt (football) • **to nutmeg a player** faire un petit pont à un joueur.

nutrient ['nju:trɪənt] n élément m nutritif.

nutrition [nju:'trɪʃn] n nutrition f.

nutritional [nju:'trɪʃənl] adj nutritif.

nutritionist [nju:'trɪʃənɪst] n nutritionniste mf.

nutritious [nju:'trɪʃəs] adj nourrissant.

nutshell ['nʌtʃel] n • **in a nutshell** en un mot.

nutter ['nʌtər] n (UK) fam cinglé m, -e f.

nutty ['nʌtɪ] (comp nuttier, superl nuttiest) adj **1.** aux noix (aux amandes, aux noisettes, etc) • **a nutty flavour** un goût de noix (de noisette, etc) **2.** fam dingue, timbré • **as nutty as a fruitcake** complètement dingue.

nuzzle ['nʌzl] *vt* frotter son nez contre. ❑ *vi*
• **to nuzzle (up) against** se frotter contre, frotter son nez contre.

NVQ (abrév de National Vocational Qualification)
n (**UK**) *examen sanctionnant une formation professionnelle.*

NWO (abrév de no way out) pas de sortie.

NY abrév de **New York.**

NYC abrév de **New York City.**

nylon ['naɪlɒn] *n* Nylon® *m.* ❑ *en apposition* en Nylon®.

nymph [nɪmf] *n* nymphe *f.*

nymphomaniac [,nɪmfə'meɪnɪæk] *n* nymphomane *f.*

NYPD [,enwaɪpi:'di:] *n* (abrév de New York Police Department) police *f* new-yorkaise.

o[əʊ] (pl **o's** ou **os**), **O**(pl **O's** ou **Os**) n **1.**o m inv, O m inv **2.**zéro m.

O4U(abrév de *only for you*) rien que pour toi.

oak[əʊk] n chêne m. ❑ en apposition de ou en chêne • **an oak table** une table en chêne.

OAP(abrév de *old age pensioner*) n (UK)retraité m, -e f.

oar[ɔr] n rame f, aviron m.

oarsman[ˈɔːzmən] (pl -men) n rameur m.

oasis[əʊˈeɪsɪs] (pl oases[əʊˈeɪsiːz]) n oasis f.

oat[əʊt] n avoine f.

oatcake[ˈəʊtkeɪk] n galette f d'avoine.

oath[əʊθ] n **1.**serment m • **on** ou**under oath** sous serment **2.**juron m.

oatmeal[ˈəʊtmiːl] n (indén) flocons mpl d'avoine.

oats[əʊts] npl avoine f.

OBE (abrév de *Order of the British Empire*) n distinction honorifique britannique.

obedience[əˈbiːdjəns] n obéissance f.

obedient[əˈbiːdjənt] adj obéissant, docile.

obediently[əˈbiːdjəntlɪ] adv docilement.

obelisk[ˈɒbəlɪsk] n obélisque m.

obese[əʊˈbiːs] adj soutobèse.

obesity[əʊˈbiːsətɪ] n soutobésité f.

obey[əˈbeɪ] vt obéir à • **to obey the rules** obéir aux règles. ❑vi obéir.

obituary[əˈbɪtʃʊərɪ] n nécrologie f.

objectn[ˈɒbdʒɪkt] **1.**objet m **2.**objectif m, but m **3.**complément m d'objet. ❑ vt [əbˈdʒekt] objecter. ❑ vi [əbˈdʒekt] protester • **to object to sthg** faire objection à qqch, s'opposer à qqch • **to object to doing sthg** se refuser à faire qqch.

objection[əbˈdʒekʃn] n objection f • **to have no objection to sthg/to doing sthg** ne voir aucune objection à qqch/à faire qqch.

objectionable[əbˈdʒekʃənəbl] adj **1.**désagréable **2.**choquant.

objective[əbˈdʒektɪv] adj objectif. ❑n objectif m.

objectively[əbˈdʒektɪvlɪ] adv d'une manière objective.

objectivity[ˌɒbdʒekˈtɪvətɪ] n objectivité f.

obligation[ˌɒblɪˈgeɪʃn] n obligation f.

obligatory[əˈblɪgətrɪ] adj obligatoire.

oblige[əˈblaɪdʒ] vt • **to oblige sb to do sthg** forcer ouobliger qqn à faire qqch.

obliging[əˈblaɪdʒɪŋ] adj obligeant.

obligingly[əˈblaɪdʒɪŋlɪ] adv aimablement, obligeamment.

oblique[əˈbliːk] adj **1.**oblique **2.**(allusion) indirect. ❑n barre f oblique.

obliterate[əˈblɪtəreɪt] vt détruire, raser.

oblivion[əˈblɪvɪən] n oubli m.

oblivious[əˈblɪvɪəs] adj • **to be oblivious to** ou**of** être inconscient de.

oblong[ˈɒblɒŋ] adj rectangulaire. ❑n rectangle m.

obnoxious[əbˈnɒkʃəs] adj **1.**(personne) odieux **2.**(odeur) infect, fétide **3.**(remarque) désobligeant.

oboe[ˈəʊbəʊ] n hautbois m.

obscene[əbˈsiːn] adj obscène.

obscenely[əbˈsiːnlɪ] adv d'une manière obscène • **he's obscenely rich** figil est tellement riche que c'en est indécent.

obscenity[əbˈsenətɪ] (pl -ies) n obscénité f.

obscure[əbˈskjʊər] adj obscur. ❑vt **1.**obscurcir **2.**masquer.

obscurely[əbˈskjʊəlɪ] adv obscurément.

obscurity[əbˈskjʊərətɪ] n obscurité f.

obsequious[əbˈsiːkwɪəs] adj sout& péjobséquieux.

observable[əbˈzɜːvəbl] adj **1.**notable, sensible **2.**qu'on peut observer.

observance[əbˈzɜːvəns] n observation f.

observant[əbˈzɜːvnt] adj observateur.

observation[ˌɒbzəˈveɪʃn] n observation f.

observatory[əbˈzɜːvətrɪ] n observatoire m.

observe[əbˈzɜːv] vt **1.**observer **2.**remarquer, faire observer.

observer[əbˈzɜːvər] n observateur m, -trice f.

obsess [əb'ses] vt obséder • **to be obsessed by** ou **with sb/sthg** être obsédé par qqn/qqch. ❑ vi • **to obsess about** ou **over sthg** être obsédé par qqch.

obsession [əb'seʃn] n obsession f.

obsessive [əb'sesɪv] adj 1. (personne) obsessionnel 2. (souvenir, sentiment) obsédant.

obsessive-compulsive adj obsessionnel-compulsif • **obsessive-compulsive disorder** troubles mpl obsessionnels compulsifs.

obsessively [əb'sesɪvlɪ] adv d'une manière obsessionnelle • **he's obsessively cautious** il est d'une prudence obsessionnelle.

obsolescent [,ɒbsə'lesnt] adj 1. qui tombe en désuétude 2. obsolescent.

obsolete ['ɒbsəliːt] adj obsolète.

obstacle ['ɒbstəkl] n obstacle m • **an obstacle race** une course d'obstacles.

obstacle course, **obstacle race** n course f d'obstacles.

obstetrics [ɒb'stetrɪks] n (indén) obstétrique f.

obstinacy ['ɒbstɪnəsɪ] n obstination f.

obstinate ['ɒbstɪnət] adj 1. obstiné 2. (toux) persistant 3. tenace.

obstinately ['ɒbstɪnətlɪ] adv obstinément.

obstruct [əb'strʌkt] vt 1. obstruer 2. entraver, gêner.

obstruction [əb'strʌkʃn] n 1. encombrement m (sur la route) 2. engorgement m (d'un tuyau) 3. SPORT obstruction f.

obstructive [əb'strʌktɪv] adj 1. (tactique) d'obstruction 2. (personne) contrariant.

obtain [əb'teɪn] vt obtenir.

obtainable [əb'teɪnəbl] adj que l'on peut obtenir.

obtrusive [əb'truːsɪv] adj 1. qui attire l'attention 2. (odeur) fort.

obtuse [əb'tjuːs] adj obtus.

obvious ['ɒbvɪəs] adj évident.

obviously ['ɒbvɪəslɪ] adv 1. bien sûr 2. manifestement.

occasion [ə'keɪʒn] n 1. occasion f • **on several occasions** à plusieurs occasions, à plusieurs reprises 2. événement m • **to rise to the occasion** se montrer à la hauteur de la situation. ❑ vt provoquer, occasionner.

occasional [ə'keɪʒənl] adj 1. passager 2. occasionnel • **I have the occasional drink** je bois un verre de temps à autre.

occasionally [ə'keɪʒnəlɪ] adv de temps en temps, quelquefois.

occult [ɒ'kʌlt] adj occulte.

occupancy ['ɒkjʊpənsɪ] n occupation f.

occupant ['ɒkjʊpənt] n 1. occupant m, -e f 2. passager m (d'un véhicule).

occupation [,ɒkjʊ'peɪʃn] n 1. profession f • **what is his occupation?** qu'est-ce qu'il fait

comme travail ?, qu'est-ce qu'il fait comme métier ? 2. occupation f.

occupational [,ɒkjʊ'peɪʃənl] adj 1. (accident) du travail 2. professionnel.

occupational hazard n risque m du métier.

occupational therapy n thérapeutique f occupationnelle, ergothérapie f.

occupied ['ɒkjʊpaɪd] adj occupé.

occupier ['ɒkjʊpaɪəʳ] n occupant m, -e f.

occupy ['ɒkjʊpaɪ] vt occuper • **to occupy o.s.** s'occuper.

occur [ə'kɜːʳ] vi 1. avoir lieu, se produire 2. se présenter 3. se trouver, être présent 4. • **to occur to sb** venir à l'esprit de qqn.

occurrence [ə'kʌrəns] n événement m, circonstance f.

OCD (abrév de obsessive compulsive disorder) n PSYCHO TOC m.

ocean ['əʊʃn] n océan m • **oceans of** fam & fig des tonnes de.

oceangoing ['əʊʃn,gəʊɪŋ] adj au long cours.

ocean liner n paquebot m.

oceanography [,əʊʃə'nɒgrəfɪ] n océanographie f.

ochre (UK), **ocher** (US) ['əʊkəʳ] adj ocre (inv).

o'clock [ə'klɒk] adv • **two o'clock** deux heures.

Oct. (abrév de October) oct.

octagon ['ɒktəgən] n octogone m.

octagonal [ɒk'tægənl] adj octogonal.

octane ['ɒkteɪn] n octane m.

octave ['ɒktɪv] n octave f.

October [ɒk'təʊbəʳ] n octobre m. Voir aussi September.

octopus ['ɒktəpəs] (pl -puses ou -pi) n pieuvre f.

OD abr 1. abrév de overdose 2. abrév de overdraft.

odd [ɒd] adj 1. bizarre, étrange 2. • **I play the odd game of tennis** je joue au tennis de temps en temps • **twenty odd years** une vingtaine d'années 3. dépareillé 4. (nombre) impair. ■ **odds** npl • **the odds** les chances fpl • **the odds are that...** il y a des chances pour que..., il est probable que... • **against the odds** envers et contre tout • **odds and sods** fam (UK) ou **odds and ends a)** objets mpl divers, bric-à-brac m inv **b)** restes mpl • **to be at odds with sb** être en désaccord avec qqn.

oddball ['ɒdbɔːl] n fam excentrique mf.

oddity ['ɒdɪtɪ] n 1. personne f bizarre 2. chose f bizarre 3. étrangeté f.

odd-job man (UK), **odd jobber** (US) n homme m à tout faire.

odd jobs npl petits travaux mpl.

oddly ['ɒdlɪ] adv curieusement • **oddly enough** chose curieuse.

oddments ['ɒdmənts] npl fins fpl de série.

odds-on [ˈɒdz-] *adj fam* • **odds-on favourite** grand favori.

ode [əʊd] *n* ode *f*.

odometer [əʊˈdɒmɪtər] *n* odomètre *m*.

odor (US) = odour.

odorless (US) = odourless.

odour (UK), **odor** (US) [ˈəʊdər] *n* odeur *f*.

odourless (UK), **odorless** (US) [ˈəʊdələs] *adj* inodore.

oesophagus (UK), **esophagus** (US) [ɪˈsɒfəgəs] *n* œsophage *m*.

oestrogen (UK) [ˈiːstrədʒən], **estrogen** (US) *n* œstrogène *m*.

of (accentué [ɒv], non accentué [əv]) *prép* **1.** de • **the cover of a book** la couverture d'un livre • **to die of cancer** mourir d'un cancer • **thousands of people** des milliers de gens • **a piece of cake** un morceau de gâteau • **a cup of coffee** une tasse de café • **a pound of tomatoes** une livre de tomates • **a child of five** un enfant de cinq ans **2.** en • **a ring of solid gold** une bague en or massif **3.** • **the 12th of February** le 12 février.

OFCOM (abrév de Office of Communications) *n* organisme d'agrément et de coordination des stations de radio et chaînes de télévision en Grande-Bretagne.

off

■ **off** [ɒf] *adv*

1. INDIQUE UN ÉLOIGNEMENT DANS L'ESPACE
• **we're off to Japan today** nous partons pour le Japon aujourd'hui • **the station is 10 miles off** la gare est à 10 miles

2. INDIQUE UN ÉLOIGNEMENT DANS LE TEMPS
• **my holiday is two days off** je suis en vacances dans deux jours

3. INDIQUE UNE SÉPARATION
• **take your coat off** enlève ton manteau • **the lid was off** le couvercle n'était pas mis

4. INDIQUE UNE INTERRUPTION, UN NON-FONCTIONNEMENT
• **don't forget to switch off the light** n'oubliez pas d'éteindre la lumière • **the TV is off** la télévision est éteinte

5. AVEC DES PRIX, EXPRIME UNE RÉDUCTION
• **I had £10 off** j'ai eu 10 livres de remise *ou* réduction • **she gave me 30% off** elle m'a fait une remise *ou* réduction de 30 %

6. POUR PARLER DES CONGÉS
• **I've got my afternoon off** je ne travaille pas cet après-midi • **she's got a week off next month** elle a une semaine de vacances le mois prochain

7. EXPRIME UNE IDÉE D'ACHÈVEMENT
• **I'll finish off this work over the weekend** je terminerai ce travail pendant le week-end • **climate change killed off a variety of mammals about 11,000 years ago** un changement de climat a entraîné l'extinction d'un grand nombre de mammifères il y a environ 11 000 ans

■ **off** [ɒf] *prép*

1. EXPRIME UN MOUVEMENT DE HAUT EN BAS
• **he got off the bus at the next stop** il descendit du bus à l'arrêt suivant • **he stood up and took a book off the shelf** il se leva et prit un livre sur l'étagère

2. INDIQUE UNE PROXIMITÉ DANS L'ESPACE
• **the hotel is located off the main street** l'hôtel se trouve près de la rue principale • **the island is just off the coast** l'île est au large de la côte

3. POUR INDIQUER L'ABSENCE
• **he's off work today** il ne travaille pas aujourd'hui • **she's been off school for weeks** cela fait des semaines qu'elle est absente de l'école

4. INDIQUE UN REFUS, UN ABANDON
• **she's off her food** elle n'a pas d'appétit • **he's off drugs now** il ne prend plus de drogue maintenant

5. DANS DES EXPRESSIONS
• **to buy sthg off sb** *fam* acheter qqch à qqn

■ **off** [ɒf] *adj*

1. EXPRIME UNE DÉTÉRIORATION
• **the milk is off** le lait a tourné • **this meat is off** cette viande est avariée

2. EXPRIME UNE INTERRUPTION, UN NON-FONCTIONNEMENT
• **are the lights off?** est-ce que les lumières sont éteintes ?

3. EXPRIME UNE ANNULATION
• **the match is off** le match est annulé

4. INDIQUE UNE ABSENCE
• **he's off this week** il est absent cette semaine

5. DANS DES EXPRESSIONS
• **he was a bit off with me** (UK) *fam* il n'a pas été sympa avec moi

off-air *adj* hors-antenne. ❏ *adv* hors antenne.

offal [ˈɒfl] *n* (indén) abats *mpl*.

offbeat [ˈɒfbiːt] *adj fam* original, excentrique.

off-centre, **off-center** (US) *adj* décentré, décalé. ❏ *adv* de côté.

off-chance *n* • **on the off-chance that...** au cas où...

off colour *adj* (UK) patraque.

offcut [ˈɒfkʌt] *n* chute *f*.

off duty *adj* **1.** qui n'est pas de service **2.** (médecin, infirmière) qui n'est pas de garde.

offence (UK), **offense** (US) [ə'fens] n **1.** délit m **2.** • **to cause sb offence** vexer qqn • **to take offence** se vexer.

offend [ə'fend] vt offenser.

offended [ə'fendɪd] adj offensé, froissé.

offender [ə'fendər] n **1.** criminel m, -elle f **2.** coupable mf.

offending [ə'fendɪŋ] adj qui est la cause ou à l'origine du problème.

offense ['ɒfens] (US) n **1.** = offence **2.** attaque f.

offensive [ə'fensɪv] adj **1.** (comportement, remarque) blessant **2.** (arme, action) offensif. ❏ n offensive f.

offensively [ə'fensɪvlɪ] adv **1.** d'une manière offensante ou blessante **2.** MIL & SPORT offensivement.

offer ['ɒfər] n **1.** offre f, proposition f • **to be under offer** faire l'objet d'une proposition d'achat **2.** promotion f • **on offer a)** en vente **b)** en réclame, en promotion. ❏ vt **1.** offrir • **to offer sthg to sb, to offer sb sthg** offrir qqch à qqn • **to offer to do sthg** proposer ou offrir de faire qqch **2.** proposer **3.** donner. ❏ vi s'offrir.

offering ['ɒfərɪŋ] n offrande f.

off-guard adv au dépourvu.

offhand [,ɒf'hænd] adj **1.** désinvolte, cavalier **2.** brusque. ❏ adv tout de suite.

office ['ɒfɪs] n **1.** bureau m **2.** office equipment matériel m de bureau **2.** département m, service m **3.** fonction f, poste m • **in office** en fonction • **to take office** entrer en fonction.

office administrator n chef m de bureau.

office assistant n assistant m, -e f.

office automation n bureautique f.

office block n (UK) immeuble m de bureaux.

office boy n garçon m de bureau.

office hours npl heures fpl de bureau.

officer ['ɒfɪsər] n **1.** officier m **2.** agent mf, fonctionnaire mf **3.** (poste dans une société) responsable mf • **marketing officer** responsable mf du marketing **4.** officier m (de police).

office worker n employé m, -e f de bureau.

official [ə'fɪʃl] adj officiel. ❏ n fonctionnaire mf.

officialdom [ə'fɪʃəldəm] n bureaucratie f.

officially [ə'fɪʃəlɪ] adv **1.** officiellement **2.** en principe.

officiate [ə'fɪʃɪeɪt] vi officier • **to officiate at a wedding** célébrer un mariage.

officious [ə'fɪʃəs] adj péj trop zélé.

offing ['ɒfɪŋ] n • **in the offing** en vue, en perspective.

off-key adj faux, fausse f. ❏ adv faux.

off-licence n (UK) magasin autorisé à vendre des boissons alcoolisées à emporter.

off-limits adj interdit.

off-line adj INFORM non connecté. ❏ adv • **to be/work off-line** être/travailler hors ligne • **to go off-line** (site Internet, contact) se mettre hors ligne.

offload [ɒf'ləʊd] vt fam • **to offload sthg (onto sb)** se décharger de qqch (sur qqn).

off-message adj • **to be off-message** ne pas être dans la ligne officielle.

off-peak adj **1.** (électricité) utilisé aux heures creuses **2.** (tarif) réduit aux heures creuses.

off-piste adj & adv hors-piste (ski).

off-putting [-,pʊtɪŋ] adj désagréable, rébarbatif.

off-road adj inv & adv hors route (inv) (en voiture, à vélo) • **off-road vehicle** véhicule m tout-terrain.

off-road vehicle n véhicule m tout terrain.

offscreen [,ɒf'skri:n] (voix) hors champ (hors caméra), off. ❏ adv [ɒf'skri:n] **1.** (voix) hors champ (hors caméra), off **2.** dans le privé.

off-season n • **the off-season** la morte-saison.

offset [,ɒf'set] (prét & pp offset) vt compenser.

offshoot ['ɒfʃu:t] n • **to be an offshoot of sthg** être né ou provenir de qqch.

offshore ['ɒfʃɔː] adj **1.** (plate-forme pétrolière) en mer, offshore (inv) **2.** (île) proche de la côte **3.** (pêche) côtier. ❏ adv au large.

offshore fund n fonds m off-shore.

offside (UK) adj [,ɒf'saɪd] **1.** AUTO de droite, de gauche **2.** SPORT hors-jeu (inv). ❏ adv [,ɒf'saɪd] SPORT hors-jeu.

offspring ['ɒfsprɪŋ] (pl inv) n rejeton m.

offstage [,ɒf'steɪdʒ] adj & adv dans les coulisses.

off-the-cuff adj impromptu, improvisé. ❏ adv au pied levé, à l'improviste.

off-the-peg (UK), **off-the-rack** (US) adj de prêt-à-porter.

off-the-record adj officieux. ❏ adv confidentiellement.

off-the-shoulder adj qui dégage les épaules.

off-the-wall adj fam loufoque.

off-white adj blanc cassé (inv).

OFSTED ['ɒfsted] (abrév de Office for Standards in Education) n organisme britannique chargé de contrôler les établissements scolaires.

OFTEL ['ɒftel] (abrév de Office of Telecommunications) n organisme britannique chargé de contrôler les activités des compagnies de télécommunications.

often ['ɒfn ou 'ɒftn] adv souvent, fréquemment • **how often do you visit her?** vous la voyez tous les combien ? • **as often as not** assez souvent • **every so often** de temps en temps • **more often than not** le plus souvent, la plupart du temps.

OFWAT ['ɒfwɒt] (abrév de Office of Water Supply) n organisme britannique chargé de contrôler les activités des compagnies régionales de la distribution de l'eau.

ogle ['əʊgl] vt reluquer.

ogre[ˈəʊgər] n ogre m.

oh[əʊ] interj **1.**oh ! **•oh no!** oh non ! **2.**euh !

OIC(abrév de oh, I see) ah, je vois !

oil[ɔɪl] n **1.**huile f **2.**mazout m **3.**pétrole m. ◻vt graisser, lubrifier. ■ **oils**npl ART huiles fpl.

oilcan[ˈɔɪlkæn] n burette f d'huile.

oilfield[ˈɔɪlfiːld] n gisement m pétrolifère.

oil filtern filtre m à huile.

oil-fired[-ˌfaɪəd] adj au mazout.

oil paintingn peinture f à l'huile.

oil-producing countryn pays m pétrolier.

oilrig[ˈɔɪlrɪg] n **1.**(en mer) plate-forme f de forage ou pétrolière **2.**(sur terre) derrick m.

oilskins[ˈɔɪlskɪnz] npl ciré m.

oil slickn marée f noire.

oil tankern **1.**pétrolier m, tanker m **2.**camion-citerne m.

oil welln puits m de pétrole.

oily[ˈɔɪlɪ] adj **1.**(chiffon) graisseux **2.**(nourriture, peau, cheveux) gras.

ointment[ˈɔɪntmənt] n pommade f.

OK, okay[ˌəʊˈkeɪ] fam adj **•is it OK with** ou **by you?** ça vous va ?, vous êtes d'accord ? **•are you OK?** ça va ? ◻interj **1.**d'accord, OK **2. •OK, can we start now?** bon, on commence ? ◻vt (prét & pp OKed, cont OKing) approuver, donner le feu vert à.

okra[ˈəʊkrə] n gombo m.

old[əʊld] adj **1.**vieux, âgé **•how old are you?** quel âge as-tu ? **•I'm 20 years old** j'ai 20 ans **2.**ancien **3.**fam **•any old** n'importe quel. ◻npl **•the old** les personnes fpl âgées.

old agen vieillesse f.

old age pensionn (UK) pension f de vieillesse.

old age pensionern (UK)retraité m, -e f.

Old Bailey[-ˈbeɪlɪ] n **•the Old Bailey** la cour d'assises de Londres.

old-fashioned[-ˈfæʃnd] adj **1.**démodé, passé de mode **2.**vieux jeu (inv).

old flamen fig ancien flirt m.

old handn vieux routier m, vétéran m.

old hatadj fam& péj dépassé.

old median anciens médias mpl.

old people's home n hospice m de vieillards.

old schooln **•of the old school** de la vieille école.

Old Testamentn **•the Old Testament** l'Ancien Testament m.

old-timern **1.**vieux routier m, vétéran m **2.** (surtout US)vieillard m.

O leveln (UK)examen optionnel destiné, jusqu'en 1988, aux élèves de niveau seconde ayant obtenu de bons résultats.

oligarchy[ˈɒlɪgɑːkɪ] (pl -ies) n oligarchie f.

olive[ˈɒlɪv] adj inv & n olive.

olive branchn rameau m d'olivier **•to hold out an olive branch to sb** proposer à qqn de faire la paix.

olive greenadj vert olive (inv).

olive oiln huile f d'olive.

ollie[ˈɒlɪ] n ollie m (en skateboard).

Olympic[əˈlɪmpɪk] adj olympique. ■ **Olympics** npl **•the Olympics** les jeux mpl Olympiques.

Olympic Gamesnpl **•the Olympic Games** les jeux mpl Olympiques.

ombudsman[ˈɒmbʊdzmən] (pl -men) n ombudsman m.

omelette (UK) **omelet** (US)[ˈɒmlɪt] n omelette f **•mushroom omelette** omelette aux champignons.

omen[ˈəʊmen] n augure m, présage m.

OMG(abrév de oh, my God) oh, mon Dieu.

ominous[ˈɒmɪnəs] adj **1.**(événement, situation) de mauvais augure **2.**(signe) inquiétant **3.**(regard, silence) menaçant.

ominously[ˈɒmɪnəslɪ] adv **1.**d'un ton menaçant **2.**de façon inquiétante.

omission[əˈmɪʃn] n omission f.

omit[əˈmɪt] vt omettre **•to omit to do sthg** oublier de faire qqch.

omnibus[ˈɒmnɪbəs] n **1.**recueil m **2.** (UK) RADIO & TV diffusion groupée des épisodes de la semaine.

omnipotence[ɒmˈnɪpətəns] n omnipotence f.

omnipotent[ɒmˈnɪpətənt] adj tout-puissant, omnipotent.

omnipresent[ˌɒmnɪˈprezənt] adj omniprésent.

omnivorous[ɒmˈnɪvərəs] adj omnivore.

on

■ **on**[ɒn] prép

1.INDIQUE UNE LOCALISATION

•your book is on the chair ton livre est sur la chaise **•there were posters on the walls** il y avait des posters au mur **•the information is on disk** l'information est sur disquette **•the museum is on the left/right** le musée est sur la gauche/droite ou à gauche/droite

2.EN PARLANT DES MÉDIAS OU DES TÉLÉCOMMUNICATIONS

•the video was shown on TV for the first time on Thursday le clip est passé à la télé pour la première fois jeudi **•I heard on the radio that Chet Baker had died** j'ai appris la mort de Chet Baker à la radio **•you're on the air** vous êtes en direct ou à l'antenne **•she's on the telephone at the moment** elle est au téléphone

3.POUR INDIQUER UN MOYEN DE TRANSPORT

•they travelled on a bus/train/ship ils ont voyagé en bus/en train/en bateau

• **I was on the bus** j'étais dans le bus • **are you on foot?** êtes-vous à pied ?

4. INDIQUE UN THÈME, UN SUJET

• **he's fond of books on astronomy** il aime les livres sur l'astronomie • **have you heard him on this project?** l'avez-vous entendu parler de ce projet ?

5. INTRODUIT UNE DATE

• **I have an appointment on Thursday** j'ai rendez-vous jeudi • **on the 10th of February, we will fly to Cuba** le 10 février, nous prendrons l'avion pour Cuba • **it was snowing on my birthday** il neigeait le jour de mon anniversaire

6. SUIVI D'UN GÉRONDIF, INDIQUE UNE QUASI-SIMULTANÉITÉ

• **on hearing the news, she burst into tears** en apprenant la nouvelle, elle fondit en larmes

7. INDIQUE UN MOYEN DE SUBSISTANCE OU UNE DÉPENDANCE

• **one cannot live on water alone** on ne peut pas vivre d'amour et d'eau fraîche • **the robin lives on fruit** le rouge-gorge vit *ou* se nourrit de fruits • **the car runs on petrol** la voiture marche à l'essence • **he's on tranquilizers** il prend des tranquillisants • **I think she's on drugs again** je pense qu'elle se drogue à nouveau

8. POUR PARLER D'UN REVENU

• **how much are you on?** combien gagnez-vous ? • **he's on £25,000 a year** il gagne 25 000 livres par an • **housing benefit helps people on a low income to pay their rent** l'allocation logement aide les personnes à faible revenu à payer leur loyer • **his grandmother is on social security** sa grand-mère reçoit l'aide sociale

9. INDIQUE UNE PROPORTION

• **25 cents on the dollar** 25 cents par dollar

10. AVEC DES INSTRUMENTS DE MUSIQUE

• **he played the tune on the violin/flute** il a joué l'air au violon/à la flûte

11. *fam* INDIQUE CELUI QUI PAIE

• **the drinks are on me** c'est moi qui régale, c'est ma tournée • **we had a drink on the house** nous avons bu un verre aux frais du patron *ou* de la maison

■ **on** [ɒn] *adv*

1. INDIQUE QUE QQCH EST À SA PLACE

• **I left the lid on the pot** j'ai laissé le couvercle sur la casserole

2. EN PARLANT DE VÊTEMENTS

• **it's cold outside, you should put a sweater on** il fait froid dehors, tu devrais mettre un pull • **what did she have on?** qu'est-ce

qu'elle portait ? • **he had nothing on** il était tout nu

3. INDIQUE UNE MISE SOUS TENSION, UN BRANCHEMENT

• **switch the light on, please** allume la lumière, s'il te plaît • **turn the power on** mets le courant

4. EXPRIME LA CONTINUATION

• **if you read on, you'll find this book very interesting** si tu continues à lire, tu trouveras ce livre très intéressant • **they walked on for hours** ils marchèrent des heures sans s'arrêter

5. INDIQUE UN CHEMINEMENT

• **send my mail on (to me)** faites suivre mon courrier

6. DANS DES EXPRESSIONS

• **later on** plus tard • **earlier on** plus tôt

■ **on** [ɒn] *adj*

1. INDIQUE LA MISE SOUS TENSION, LE FONCTIONNEMENT

• **the radio was on** la radio était allumée • **the washing machine is on** le lave-linge est en marche • **the lights are on** les lumières sont allumées • **the tap is on** le robinet est ouvert

2. POUR PARLER DE LA TENUE D'UN ÉVÉNEMENT

• **there's a conference on next week** il y a une conférence la semaine prochaine • **it's on at the local cinema** ça passe au cinéma du quartier • **your favourite TV programme is on tonight** il y a ton émission préférée à la télé ce soir • **is our deal still on?** est-ce que notre affaire tient toujours ?

3. *fam* INDIQUE UNE POSSIBILITÉ

• **we'll never be ready by tomorrow: it just isn't on** nous ne serons jamais prêts pour demain, c'est tout simplement impossible • **are you still on for dinner?** ça marche toujours pour le dîner ? • **shall we say £10? — you're on!** disons 10 livres ? — d'accord *ou* tope là !

■ **from... on** *adv*

• **from now on** dorénavant, désormais • **from then on** à partir de ce moment-là

■ **on and off** *adv*

DE FAÇON IRRÉGULIÈRE

• **I worked on and off for about a year** j'ai travaillé par intermittence pendant à peu près un an

■ **on and on** *adv*

• **to go on and on (about)** parler sans arrêt (de) • **the list goes on and on** la liste n'en finit plus

on-air adj & adv TV & RADIO à l'antenne • **on-air (warning) light** voyant m de passage à l'antenne.

on-board adj (souris, modem) intégré.

on-camera adj & adv TV & CINÉ à l'image.

once [wʌns] adv 1. une fois • **once a day** une fois par jour • **once again** ou **more** encore une fois • **once and for all** une fois pour toutes • **once in a while** de temps en temps • **once or twice** une ou deux fois • **for once** pour une fois 2. autrefois, jadis • **once upon a time** il était une fois. ❏ conj dès que. ■ **at once** adv 1. immédiatement 2. en même temps • **all at once** tout d'un coup.

once-over n fam • **to give sb the once-over** jauger qqn d'un coup d'œil • **to give sthg the once-over** jeter un coup d'œil à qqch.

oncologist [ɒŋˈkɒlədʒɪst] n oncologue mf, oncologiste mf.

oncoming [ˈɒn,kʌmɪŋ] adj 1. (circulation) venant en sens inverse 2. (danger) imminent.

one [wʌn] num un, une f • **page one** page un • **one of my friends** l'un de mes amis, un ami à moi • **one fifth** un cinquième. ❏ adj 1. seul, unique • **it's her one ambition/love** c'est son unique ambition/son seul amour 2. • **one of these days** un de ces jours. ❏ pron 1. • **which one do you want?** lequel voulez-vous ? • **this one** celui-ci m, celle-ci f • **that one** celui-là m, celle-là f • **she's the one I told you about** c'est celle dont je vous ai parlé 2. (surtout UK) sout on • **one can only do one's best** on fait ce qu'on peut • **to do one's duty** faire son devoir. ■ **at one** adv • **to be at one with sb/sthg** être d'accord avec qqn/en accord avec qqch. ■ **for one** adv • **I for one remain unconvinced** pour ma part je ne suis pas convaincu. ■ **one another** pron l'un l'autre, l'une l'autre, les uns les autres, les unes les autres • **they didn't dare talk to one another** ils n'ont pas osé se parler • **we love one another** nous nous aimons.

one

Attention à ne pas confondre l'article indéfini (a/an) et le chiffre **one**. Comparez par exemple **an ice box** is no good - you need a deep freeze (ice box contraste avec deep freeze) et **one ice box** is no good - we've got enough food to fill three (one contraste avec three).
Le pronom **one** est d'un registre très élevé lorsqu'on l'utilise pour parler de soi ou des gens en général (how does one spell "focused"?). Dans ces cas-là, on le remplace généralement par **you** (how do you spell "focused"?).

one-armed bandit n fam machine f à sous.
one-dimensional adj unidimensionnel.

one-hit wonder n groupe ou chanteur qui n'a eu qu'un seul tube.

one-liner n bon mot m.

one-man adj (entreprise) dirigé par un seul homme.

one-man band n homme-orchestre m.

one-night stand n 1. représentation f unique (au théâtre) 2. fam aventure f d'un soir.

one-off (UK) fam adj unique. ❏ n • **a one-off a)** un exemplaire unique **b)** un événement unique.

one-on-one (US) = one-to-one.

one-parent family n famille f monoparentale.

onerous [ˈəʊnərəs] adj sout 1. (tâche) pénible 2. (responsabilité) lourd, pesant.

oneself [wʌnˈself] pron (surtout UK) sout 1. (réfléchi) se • **to enjoy oneself** s'amuser 2. (précédé d'une préposition) soi 3. (emphatique) soi-même.

one-sided [-ˈsaɪdɪd] adj 1. inégal 2. partial.

one-stop shopping n (indén) achats mpl regroupés.

one-to-one (UK) **one-on-one** (US) adj en tête-à-tête • **one-to-one tuition** cours mpl particuliers. ❏ n entretien m (individuel).

one-touch dialling (UK) **one-touch dialing** (US) n numérotation f rapide.

one-upmanship [,wʌnˈʌpmənʃɪp] n art m de faire toujours mieux que les autres.

one-way adj 1. (rue) à sens unique 2. • **a one-way ticket** un aller simple.

ongoing [ˈɒn,gəʊɪŋ] adj en cours, continu.

onion [ˈʌnjən] n oignon m.

online [ˈɒnlaɪn] adj & adv en ligne • **to shop online** faire des achats en ligne.

online banking n (indén) banque f en ligne.

online community n communauté f en ligne.

online retailer n détaillant m en ligne.

online shopping n (indén) achats mpl par Internet.

onlooker [ˈɒn,lʊkər] n spectateur m, -trice f.

only [ˈəʊnlɪ] adj seul, unique • **an only child** un enfant unique. ❏ adv 1. ne... que, seulement • **he only reads science fiction** il ne lit que de la science-fiction • **it's only a scratch** c'est juste une égratignure • **he left only a few minutes ago** il est parti il n'y a pas deux minutes 2. • **I only wish I could** je voudrais bien • **it's only natural (that)...** c'est tout à fait normal que... • **the only way I'll go is if it's free** je n'irai que si c'est gratuit • **I was only too willing to help** je ne demandais qu'à aider • **not only... but also...** non seulement... mais encore... • **I only just caught the train** j'ai eu le train de justesse. ❏ conj seulement, mais.

on-message adj • **to be on-message** être dans la ligne officielle.

on-screen adj & adv à l'écran.

onset ['ɒnset] n début m, commencement m.

onshore ['ɒnʃɔ:] adj & adv **1.** du large **2.** à terre.

on-site adj sur place.

onslaught ['ɒnslɔ:t] n attaque f.

onstage ['ɒnsteɪdʒ] adj & adv sur scène.

on-target earnings npl salaire m de base plus commissions.

on-the-job adj (formation) sur le tas.

on-the-spot adj sur place.

onto (accentué ['ɒntu:], non accentué devant une consonne ['ɒntə], non accentué devant une voyelle ['ɒntu]) prép sur, dans • he jumped onto his bicycle il a sauté sur sa bicyclette • she got onto the bus elle est montée dans le bus • stick the photo onto the page with glue colle la photo sur la page • to be onto sb être sur la piste de qqn • get onto the factory (UK) contactez l'usine.

on-trend adj dans le vent, branché.

onus ['əʊnəs] n responsabilité f, charge f.

onward ['ɒnwəd] adj & adv en avant.

onwards ['ɒnwədz] adv en avant • from now onwards dorénavant, désormais • from then onwards à partir de ce moment-là.

oops [ʊps ou u:ps] interj fam houps !, hop là !

ooze [u:z] vt fig • he oozes confidence il déborde d'assurance. ■ vi • to ooze from ou out of sthg suinter de qqch.

opaque [əʊ'peɪk] adj **1.** opaque **2.** fig obscur.

OPEC ['əʊpek] (abrév de Organization of Petroleum Exporting Countries) n OPEP f.

open ['əʊpn] adj **1.** ouvert **2.** dégagé **3.** découvert **4.** public **5.** ouvert à tous **6.** • to be open (to) être réceptif à **7.** manifeste, ouvert **8.** non résolu. ❏ n **1.** • in the open a) à la belle étoile b) au grand air • to bring sthg out into the open divulguer qqch, exposer qqch au grand jour **2.** TENNIS • the British Open l'open m ou le tournoi open de Grande-Bretagne. ❏ vt **1.** ouvrir **2.** inaugurer. ❏ vi **1.** s'ouvrir **2.** ouvrir • what time do you open? à quelle heure ouvrez-vous ? **3.** commencer. ■ open on to vt insép (pièce) donner sur. ■ open up vt sép **1.** ouvrir **2.** exploiter, développer. ❏ vi **1.** s'offrir, se présenter **2.** ouvrir.

open-air adj en plein air.

open-and-shut adj clair, évident.

open book test ['əʊpn bʊk ˌtest] n (US) test pour lequel les élèves peuvent utiliser leurs notes ou leurs livres.

open day n journée f portes ouvertes.

open-door adj (politique) de la porte ouverte.

open-ended [-'endɪd] adj sans limite de durée.

opener ['əʊpnə^r] n **1.** ouvre-boîtes m inv **2.** ouvre-bouteilles m inv, décapsuleur m.

open-heart surgery n chirurgie f à cœur ouvert.

open house n **1.** (US) = open day **2.** (US) grande fête f **3.** • to keep open house (UK) tenir table ouverte **4.** (US) réunion f parents professeurs.

opening ['əʊpnɪŋ] adj **1.** premier **2.** préliminaire. ❏ n **1.** commencement m, début m **2.** trou m, percée f **3.** trouée f, déchirure f (dans les nuages) **4.** occasion f **5.** débouché m **6.** poste m.

opening balance n solde m d'ouverture.

opening hours npl heures fpl d'ouverture.

opening night n première f.

opening time n (UK) heure f d'ouverture.

openly ['əʊpnlɪ] adv ouvertement, franchement.

open-minded [-'maɪndɪd] adj qui a l'esprit large.

open-mindedness [-'maɪndɪdnɪs] n ouverture f d'esprit.

open-mouthed [-'maʊðd] adj & adv bouche bée (inv).

open-necked [-'nekt] adj à col ouvert.

openness ['əʊpnnɪs] n franchise f (honnêteté).

open-plan adj non cloisonné.

open prison n prison f ouverte.

open sandwich n canapé m.

open source adj (logiciel) à code source libre, open-source.

open-toe, open-toed [-'təʊd] adj ouvert.

open-top adj décapotable.

open-topped bus n autobus m à impériale.

Open University n (UK) • the Open University ≃ centre m national d'enseignement à distance.

open verdict n (UK) jugement qui enregistre un décès sans en spécifier la cause.

opera ['ɒprə] n opéra m.

operable ['ɒprəbl] adj (maladie) opérable.

operagoer ['ɒprəˌgəʊə^r] n amateur m d'opéra.

opera house n Opéra m.

opera singer n chanteur m, -euse f d'opéra.

operate ['ɒpəreɪt] vt **1.** faire marcher, faire fonctionner **2.** COMM diriger. ❏ vi **1.** (règle, loi) jouer, être appliqué **2.** (machine) fonctionner, marcher **3.** COMM opérer, travailler **4.** MÉD opérer • to operate on sb/sthg opérer qqn/ de qqch.

operatic [ˌɒpə'rætɪk] adj d'opéra.

operating room ['ɒpəreɪtɪŋ-] n (US) = operating theatre.

operating system ['ɒpəreɪtɪŋ-] n système m d'exploitation.

operating theatre (UK), **operating room** (US) ['ɒpəreɪtɪŋ-] n salle f d'opération.

operation [ˌɒpəˈreɪʃn] n **1.**opération f •**to have an operation (for)** se faire opérer (de) **2.**marche f, fonctionnement m •**to be in operation a)** (machine) être en marche ou en service **b)** (loi) être en vigueur **3.**exploitation f **4.**administration f, gestion f.

operational [ˌɒpəˈreɪʃənl] adj en état de marche.

operations manager n directeur m, -trice f des opérations.

operative [ˈɒprətɪv] adj en vigueur. ❏ n ouvrier m, -ère f.

operator [ˈɒpəreɪtə] n **1.**standardiste mf **2.**opérateur m, -trice f **3.**directeur m, -trice f.

ophthalmic [ɒfˈθælmɪk] adj **1.**(nerf) ophtalmique **2.**(chirurgie) ophtalmologique.

ophthalmologist [ˌɒfθælˈmɒlədʒɪst] n ophtalmologue mf, ophtalmologiste mf.

opinion [əˈpɪnjən] n opinion f, avis m •**to be of the opinion that** être d'avis que, estimer que •**in my opinion** à mon avis •**it's a matter of opinion** chacun son opinion.

opinionated [əˈpɪnjəneɪtɪd] adj péj dogmatique.

opinion poll n sondage m d'opinion.

opponent [əˈpəʊnənt] n adversaire mf.

opportune [ˈɒpətjuːn] adj opportun.

opportunism [ˌɒpəˈtjuːnɪzm] n opportunisme m.

opportunist [ˌɒpəˈtjuːnɪst] n opportuniste mf.

opportunistic [ˌɒpətjuːˈnɪstɪk] adj opportuniste.

opportunity [ˌɒpəˈtjuːnətɪ] n **1.**occasion f •**to take the opportunity to do** ou **of doing sthg** profiter de l'occasion pour faire qqch **2.**•**opportunities and threats** COMM opportunités fpl et menaces fpl **3.**chance f •**opportunity knocks!** voilà ta chance !

oppose [əˈpəʊz] vt s'opposer à.

opposed [əˈpəʊzd] adj opposé •**to be opposed to** être contre, être opposé à •**as opposed to** par opposition à.

opposing [əˈpəʊzɪŋ] adj opposé.

opposite [ˈɒpəzɪt] adj **1.**opposé **2.**d'en face. ❏ adv en face. ❏ prép en face de. ❏ n contraire m.

opposite number n homologue mf.

opposite sex n •**the opposite sex** le sexe opposé.

opposition [ˌɒpəˈzɪʃn] n **1.**opposition f **2.**adversaire mf. ■ **Opposition** n (UK) •**the Opposition** l'opposition.

oppress [əˈpres] vt **1.**opprimer **2.**oppresser.

oppressed [əˈprest] adj opprimé. ❏ npl •**the oppressed** les opprimés mpl.

oppression [əˈpreʃn] n oppression f.

oppressive [əˈpresɪv] adj **1.**oppressif **2.**étouffant, lourd **3.**oppressant.

oppressively [əˈpresɪvlɪ] adv d'une manière oppressante ou accablante •**to be oppressively hot** faire une chaleur étouffante ou accablante.

oppressor [əˈpresə] n oppresseur m.

opt [ɒpt] vt •**to opt to do sthg** choisir de faire qqch. ❏ vi •**to opt for** opter pour. ■ **opt in** vi •**to opt in (to)** choisir de participer (à). ■ **opt out** vi •**to opt out (of) a)** choisir de ne pas participer (à) **b)** se dérober (à) **c)** (UK) ne plus faire partie (de).

optic [ˈɒptɪk] adj optique.

optical [ˈɒptɪkl] adj optique.

optical disc (drive) n disque m optique.

optical fibre (UK), optical fiber (US) n fibre f optique.

optical illusion n illusion f d'optique.

optical media npl supports mpl optiques.

optical zoom n zoom m optique.

optician [ɒpˈtɪʃn] n **1.**opticien m, -enne f **2.**ophtalmologiste mf.

optimism [ˈɒptɪmɪzm] n optimisme m.

optimist [ˈɒptɪmɪst] n optimiste mf.

optimistic [ˌɒptɪˈmɪstɪk] adj optimiste.

optimistically [ˌɒptɪˈmɪstɪklɪ] adv avec optimisme, d'une manière optimiste.

optimize , -ise (UK) [ˈɒptɪmaɪz] vt optimaliser.

optimum [ˈɒptɪməm] adj optimum (inv).

option [ˈɒpʃn] n option f, choix m •**to have the option to do** ou **of doing sthg** pouvoir faire qqch, avoir la possibilité de faire qqch.

optional [ˈɒpʃənl] adj facultatif.

opt-out n (UK) décision de choisir l'autonomie vis-à-vis des pouvoirs publics.

opt-out clause n clause f d'exemption.

opulent [ˈɒpjʊlənt] adj **1.**opulent **2.**magnifique.

or [ɔː] conj **1.**ou **2.**•**he can't read or write** il ne sait ni lire ni écrire **3.**sinon **4.**ou plutôt.

OR abrév de **Oregon**

oracle [ˈɒrəkl] n oracle m.

oral [ˈɔːrəl] adj **1.**oral **2.**MÉD par voie orale, par la bouche ; buccal. ❏ n SCOL & UNIV oral m, épreuve f orale.

orally [ˈɔːrəlɪ] adv **1.**oralement **2.**MÉD par voie orale.

orange [ˈɒrɪndʒ] adj orange (inv). ❏ n **1.**(fruit) orange f •**orange juice** jus d'orange **2.**(couleur) orange m.

orator [ˈɒrətə] n orateur m, -trice f.

orbit [ˈɔːbɪt] n orbite f. ❏ vt décrire une orbite autour de.

orchard [ˈɔːtʃəd] n verger m •**apple orchard** champ m de pommiers, pommeraie f.

orchestra [ˈɔːkɪstrə] n orchestre m.

orchestral [ɔːˈkestrəl] adj orchestral.

orchestrate [ˈɔːkɪstreɪt] vt litt & fig orchestrer.

orchid [ˈɔːkɪd] n orchidée f.

ordain [ɔːˈdeɪn] vt **1.** ordonner, décréter **2.** • **to be ordained** être ordonné prêtre.

ordeal [ɔːˈdiːl] n épreuve f.

order [ˈɔːdə(r)] n **1.** ordre m • **to be under orders to do sthg** avoir (reçu) l'ordre de faire qqch **2.** commande f • **to place an order with sb for sthg** passer une commande de qqch à qqn • **to order** sur commande **3.** ordre m • **in order** dans l'ordre • **in order of importance** par ordre d'importance **4.** • **in working order** en état de marche • **out of order a)** en panne **b)** (comportement) déplacé • **in order** en ordre **5.** (indén) ordre m ; discipline f **6.** • (money) **order** mandat m • **pay to the order of A. Jones** payez à l'ordre de A. Jones **7.** (surtout US) part f. ❏ vt **1.** ordonner • **to order sb to do sthg** ordonner à qqn de faire qqch • **to order that** ordonner que **2.** commander. ■ **order about** (UK), **order around** vt sép commander.

order form n bulletin m de commande.

orderly [ˈɔːdəlɪ] adj **1.** ordonné **2.** discipliné **3.** en ordre. ❏ n MÉD garçon m de salle.

ordinarily [ˈɔːdənrəlɪ] adv d'habitude, d'ordinaire.

ordinary [ˈɔːdənrɪ] adj **1.** ordinaire **2.** péj ordinaire, quelconque. ❏ n • **out of the ordinary** qui sort de l'ordinaire, exceptionnel.

ordnance [ˈɔːdnəns] n (indén) **1.** matériel m militaire **2.** artillerie f.

ore [ɔː(r)] n minerai m.

oregano [ˌɒrɪˈgɑːnəʊ] n origan m.

Oregon [ˈɒrɪɡən] npr Oregon • **in Oregon** dans l'Oregon.

organ [ˈɔːɡən] n **1.** organe m **2.** orgue m.

organ grinder n joueur m, -euse f d'orgue de Barbarie • **I want to speak to the organ-grinder, not his monkey** fig je veux parler au chef, pas à un de ses sous-fifres.

organic [ɔːˈɡænɪk] adj **1.** organique **2.** biologique, bio (inv) • **organic vegetables** légumes bio.

organically [ɔːˈɡænɪklɪ] adv sans engrais chimiques.

organization, -isation (UK) [ˌɔːɡənaɪˈzeɪʃn] n organisation f.

organize, -ise (UK) [ˈɔːɡənaɪz] vt organiser.

organized, -ised (UK) [ˈɔːɡənaɪzd] adj organisé.

organized labour (UK), **organized labor** (US) n main d'œuvre f syndiquée.

organizer, -iser (UK) [ˈɔːɡənaɪzə(r)] n **1.** organisateur m, -trice f **2.** (agenda) organiseur m, agenda m électronique.

orgasm [ˈɔːɡæzm] n orgasme m.

orgasmic [ɔːˈɡæzmɪk] adj orgasmique, orgastique.

orgy [ˈɔːdʒɪ] n litt & fig orgie f.

orient [ˈɔːrɪənt], **orientate** (UK) [ˈɔːrɪənteɪt] vt • **to be oriented towards** viser, s'adresser à • **to orient o.s.** s'orienter.

Orient [ˈɔːrɪənt] n • **the Orient** l'Orient m.

oriental [ˌɔːrɪˈentl] adj oriental.

orientate [ˈɔːrɪənteɪt] = **orientate.**

orientation [ˌɔːrɪenˈteɪʃn] n orientation f • **sexual orientation** orientation f sexuelle.

orienteering [ˌɔːrɪənˈtɪərɪŋ] n (indén) course f d'orientation.

origami [ˌɒrɪˈɡɑːmɪ] n origami m.

origin [ˈɒrɪdʒɪn] n **1.** source f **2.** origine f **3.** • **country of origin** pays m d'origine. ■ **origins** npl origines fpl.

original [əˈrɪdʒənl] adj **1.** original **2.** originel **3.** premier. ❏ n original m.

originality [əˌrɪdʒəˈnælətɪ] n originalité f.

originally [əˈrɪdʒənəlɪ] adv à l'origine, au départ.

originate [əˈrɪdʒəneɪt] vt être l'auteur de, être à l'origine de. ❏ vi • **to originate (in)** prendre naissance (dans) • **to originate from** provenir de.

Orkney Islands [ˈɔːknɪ-], **Orkneys** [ˈɔːknɪz] npl • **the Orkney Islands** les Orcades fpl.

ornament [ˈɔːnəmənt] n **1.** bibelot m **2.** (indén) ornement m.

ornamental [ˌɔːnəˈmentl] adj **1.** d'agrément **2.** décoratif.

ornate [ɔːˈneɪt] adj orné.

ornithology [ˌɔːnɪˈθɒlədʒɪ] n ornithologie f.

orphan [ˈɔːfn] n orphelin m, -e f. ❏ vt • **to be orphaned** devenir orphelin.

orphanage [ˈɔːfənɪdʒ] n orphelinat m.

orthodox [ˈɔːθədɒks] adj **1.** orthodoxe **2.** traditionaliste.

orthopaedic (UK), **orthopedic** (US) [ˌɔːθəˈpiːdɪk] adj orthopédique.

Oscar-winning adj • **an Oscar-winning picture** un film primé aux Oscars • **to put on an Oscar-winning performance!** fam & fig faire un numéro d'anthologie.

oscillate [ˈɒsɪleɪt] vi litt & fig osciller.

Oslo [ˈɒzləʊ] n Oslo.

ossified [ˈɒsɪfaɪd] adj **1.** ossifié **2.** fig (esprit, idées) sclérosé.

ostensible [ɒˈstensəbl] adj prétendu.

ostensibly [ɒˈstensəblɪ] adv en apparence, soi-disant.

ostentatious [ˌɒstənˈteɪʃəs] adj ostentatoire.

osteopath [ˈɒstɪəpæθ] n ostéopathe mf.

ostracize, -ise (UK) [ˈɒstrəsaɪz] vt frapper d'ostracisme, mettre au ban.

ostrich [ˈɒstrɪtʃ] n autruche f.

other [ˈʌðə(r)] adj autre • **the other one** l'autre • **the other day/week** l'autre jour/semaine. ❏ adv • **there was nothing to do other than**

confess il ne pouvait faire autrement que d'avouer •**other than John** John à part. ❏*pron* •**the other** l'autre •**others** d'autres •**the others** les autres •**one after the other** l'un après l'autre, l'une après l'autre *f* •**one or other of you** l'un, l'une *f* de vous deux •**none other than** nul, nulle *f* autre que. ■ **something or other** *pron* quelque chose, je ne sais quoi. ■ **somehow or other** *adv* d'une manière ou d'une autre.

otherwise ['ʌðəwaɪz] *adv* autrement •**or otherwise** ou non. ❏*conj* sinon.

otherworldliness [ˌʌðə'wɜːldlɪnɪs] *n* **1.** détachement *m* (des choses de ce monde) **2.** caractère *m* mystique.

otherworldly [ˌʌðə'wɜːldlɪ] *adj* détaché des biens de ce monde.

OTOH abrév de **on the other hand**

otter ['ɒtə] *n* loutre *f*.

ouch [aʊtʃ] *interj* aïe !, ouïe !

ought

■ **ought** [ɔːt] *aux modal*

1. POUR FORMULER UNE RECOMMANDATION

•**you ought to see a doctor** tu devrais aller chez le docteur •**I really ought to go** il faudrait vraiment que je m'en aille

2. POUR FORMULER UN REPROCHE

•**you ought not to have done that** tu n'aurais pas dû faire ça •**you ought to look after your children better** tu devrais t'occuper un peu mieux de tes enfants

3. POUR EXPRIMER UNE PROBABILITÉ

•**she ought to be here soon** elle devrait être là bientôt •**she ought to pass her exam** elle devrait réussir à son examen

À PROPOS DE

ought

Ought to suivi du participe passé peut servir à exprimer des regrets (*I ought to have called on her birthday*, j'aurais dû l'appeler pour son anniversaire) ou un reproche (*you ought to have been more careful*, tu aurais dû faire plus attention).

ounce [aʊns] *n* once *f* (= 28,35 g).

our ['aʊə] *adj poss* notre, nos (*pl*) •**our money/house** notre argent/maison •**our children** nos enfants •**it wasn't our fault** ce n'était pas de notre faute.

ours ['aʊəz] *pron poss* le nôtre, la nôtre, les nôtres •**that money is ours** cet argent est à nous *ou* est le nôtre •**it wasn't their fault, it was ours** ce n'était pas de leur faute, c'était de notre faute à nous *ou* de la nôtre •**a friend of ours** un ami à nous, un de nos amis.

À PROPOS DE

our

Si vous parlez d'une partie du corps, n'oubliez pas d'utiliser l'adjectif possessif *our*, et non pas *the* (*we washed* our *hair*, nous nous sommes lavé les cheveux).

ourselves [aʊə'selvz] *pron* **1.** (*réfléchi*) nous **2.** (*forme emphatique*) nous-mêmes •**we did it by ourselves** nous l'avons fait tous seuls.

oust [aʊst] *vt* •**to oust sb (from)** évincer qqn (de).

out [aʊt] *adv* **1.** dehors •**I'm going out for a walk** je sors me promener •**to run out** sortir en courant •**out here** ici •**out there** là-bas **2.** sorti •**John's out at the moment** John est sorti, John n'est pas là en ce moment •**an afternoon out** une sortie l'après-midi **3.** éteint •**the lights went out** les lumières se sont éteintes **4.** •**the tide is out** la marée est basse **5.** démodé, passé de mode **6.** en fleur **7.** •**before the year is out** avant la fin de l'année **8.** •**to be out to do sthg** être résolu *ou* décidé à faire qqch **9.** •**to be out to lunch** *fam* être à côté de la plaque. ■ **out of** *prép* **1.** en dehors de •**to go out of the room** sortir de la pièce •**to be out of the country** être à l'étranger **2.** par •**out of spite/love/boredom** par dépit/amour/ennui **3.** de, dans •**a page out of a book** une page d'un livre •**it's made out of plastic** c'est en plastique **4.** sans •**out of petrol/money** à court d'essence/d'argent **5.** à l'abri de •**we're out of the wind here** nous sommes à l'abri du vent ici **6.** sur •**one out of ten people** une personne sur dix •**ten out of ten** dix sur dix.

out-and-out *adj* **1.** (*menteur*) fieffé **2.** (*succès, échec*) total.

outback ['aʊtbæk] *n* •**the outback** l'intérieur *m* du pays (*en Australie*).

outboard (motor) ['aʊtbɔːd-] *n* (moteur *m*) hors-bord *m*.

outbreak ['aʊtbreɪk] *n* **1.** début *m*, déclenchement *m* **2.** éruption *f* (*cutanée*).

outburst ['aʊtbɜːst] *n* explosion *f*.

outcast ['aʊtkɑːst] *n* paria *m*.

outcome ['aʊtkʌm] *n* issue *f*, résultat *m*.

outcrop ['aʊtkrɒp] *n* affleurement *m*.

outcry ['aʊtkraɪ] *n* tollé *m*.

outdated [ˌaʊt'deɪtɪd] *adj* démodé, vieilli.

outdid [ˌaʊt'dɪd] *passé* → **outdo**

outdo [ˌaʊt'duː] (*prét* **outdid** *pp* **outdone** [-'dʌn]) *vt* surpasser.

outdoor ['aʊtdɔː] *adj* **1.** en plein air •**an outdoor swimming pool** une piscine en plein air **2.** (*sports, activités*) de plein air.

outdoors [aʊt'dɔːz] *adv* dehors.

outer ['aʊtə] *adj* extérieur.

outer space *n* cosmos *m*.

outfit ['aʊtfɪt] n **1.** tenue f **2.** fam équipe f.

outfitters ['aʊt,fɪtəz] n (UK) vieilli magasin m spécialisé de confection pour hommes.

outgoing ['aʊt,gəʊɪŋ] adj **1.** (président, directeur) sortant **2.** (courrier) à expédier **3.** (train) en partance **4.** (personne) ouvert. ■ **outgoings** npl (UK) dépenses fpl.

outgrow [,aʊt'grəʊ] (prét **outgrew**, pp **outgrown**) vt **1.** devenir trop grand pour **2.** se défaire de.

outhouse ['aʊthaʊs] (pl [-haʊzɪz]) n **1.** (UK) remise f **2.** (US) toilettes fpl extérieures.

outing ['aʊtɪŋ] n sortie f.

outlandish [aʊt'lændɪʃ] adj bizarre.

outlaw ['aʊtlɔː] n hors-la-loi m inv. ❏ vt proscrire.

outlay ['aʊtleɪ] n dépenses fpl.

outlet ['aʊtlet] n **1.** exutoire m **2.** sortie f (d'un tunnel) **3.** • **retail outlet** point m de vente **4.** (US) prise f (de courant).

outline ['aʊtlaɪn] n **1.** grandes lignes fpl • **in outline** en gros **2.** silhouette f. ❏ vt exposer les grandes lignes de.

outlive [,aʊt'lɪv] vt survivre à.

outlook ['aʊtlʊk] n **1.** attitude f, conception f **2.** perspective f.

outlying ['aʊt,laɪɪŋ] adj **1.** reculé **2.** écarté.

outmoded [,aʊt'məʊdɪd] adj démodé.

outnumber [,aʊt'nʌmbə'] vt surpasser en nombre.

out-of-body experience n expérience f hors du corps.

out-of-bounds adj **1.** interdit • **out-of-bounds to civilians** interdit aux civils **2.** (US) hors (du) terrain.

out-of-date adj **1.** périmé **2.** démodé **3.** dépassé.

out of doors adv dehors.

out-of-pocket adj **1.** • **I'm £5 out-of-pocket** j'en suis pour 5 livres de ma poche **2.** • **out-of-pocket expenses** frais mpl.

out-of-pocket expenses npl frais mpl (dépenses).

out-of-shot adj TV & CINÉ en dehors du champ.

out-of-sync adj désynchronisé, hors synchronisation.

out-of-the-way adj **1.** perdu **2.** peu fréquenté.

out-of-town adj situé à la périphérie d'une ville.

outpatient ['aʊt,peɪʃnt] n malade mf en consultation externe.

outperform [,aʊtpə'fɔːm] vt avoir de meilleures performances que, être plus performant que.

outplay [,aʊt'pleɪ] vt dominer (dans un match).

outpost ['aʊtpəʊst] n avant-poste m.

output ['aʊtpʊt] n **1.** production f **2.** INFORM sortie f.

outrage ['aʊtreɪdʒ] n **1.** indignation f **2.** atrocité f. ❏ vt outrager.

outraged ['aʊtreɪdʒd] adj outré.

outrageous [aʊt'reɪdʒəs] adj **1.** scandaleux, monstrueux **2.** choquant **3.** (US) fam extravagant.

outrageously [aʊt'reɪdʒəslɪ] adv **1.** de façon scandaleuse, scandaleusement **2.** atrocement, monstrueusement **3.** de façon extravagante.

outright adj ['aʊtraɪt] absolu, total. ❏ adv [,aʊt'raɪt] **1.** carrément, franchement **2.** complètement, totalement.

outsell [,aʊt'sel] (prét & pp **outsold**) vt dépasser les ventes de.

outset ['aʊtset] n • **at the outset** au commencement, au début • **from the outset** depuis le commencement ou début.

outside adj ['aʊtsaɪd] **1.** extérieur • **an outside opinion** une opinion indépendante **2.** (chance, possibilité) faible. ❏ adv [,aʊt'saɪd] à l'extérieur • **to go/run/look outside** aller/courir/regarder dehors. ❏ prép [,aʊtsaɪd] **1.** à l'extérieur de, en dehors de **2.** • **outside office hours** en dehors des heures de bureau. ❏ n [,aʊt'saɪd] extérieur m. ■ **outside of** prép à part • **nobody, outside of a few close friends, was invited** personne, en dehors de ou à part quelques amis intimes, n'était invité.

outside lane n **1.** (au Royaume-Uni) voie f de droite **2.** (en Europe, aux États-Unis) voie f de gauche.

outside line n TÉLÉCOM ligne f extérieure.

outsider [,aʊt'saɪdə'] n **1.** outsider m **2.** étranger m, -ère f.

outsize ['aʊtsaɪz], **outsized** ['aʊtsaɪzd] adj **1.** énorme, colossal **2.** grande taille (inv).

outskirts ['aʊtskɜːts] npl • **the outskirts** la banlieue.

outsmart [,aʊt'smɑːt] vt être plus malin que.

outspoken [,aʊt'spəʊkn] adj franc, franche f.

outstanding [,aʊt'stændɪŋ] adj **1.** exceptionnel, remarquable **2.** marquant **3.** impayé **4.** en suspens.

outstay [,aʊt'steɪ] vt • **I don't want to outstay my welcome** je ne veux pas abuser de votre hospitalité.

outstretched [,aʊt'stretʃt] adj **1.** (bras) tendu **2.** (aile) déployé.

outstrip [,aʊt'strɪp] vt devancer.

outward ['aʊtwəd] adj **1.** • **outward journey** aller m **2.** extérieur. ❏ adv = **outwards**.

outwardly ['aʊtwədlɪ] adv en apparence.

outwards ['aʊtwədz] adv vers l'extérieur.

outweigh [,aʊt'weɪ] vt fig primer sur.

outwit [,aʊt'wɪt] vt se montrer plus malin que.

oval['əʊvl] *adj & n* ovale.

Oval Office *n* •**the Oval Office** bureau du président des États-Unis à la Maison-Blanche.

ovary['əʊvərɪ] *n* ovaire *m*.

ovation[əʊ'veɪʃn] *n* ovation *f* •**the audience gave her a standing ovation** le public l'a ovationnée.

oven['ʌvn] *n* four *m*.

oven chips, oven fries *npl* frites *fpl* au four.

ovenproof['ʌvnpruːf] *adj* qui va au four.

over

■ **over**['əʊvə*r*] *prép*

1.INDIQUE UNE LOCALISATION
•**there's a lamp over the table** il y a une lampe au-dessus de la table •**it would be nicer if you put a cloth over the table** ce serait plus joli si tu mettais une nappe sur la table •**they live over the road** ils habitent en face

2.INDIQUE UN FRANCHISSEMENT, UN DÉPASSEMENT
•**he jumped over the fence** il a sauté par-dessus la clôture •**the water came over his waist** l'eau lui arrivait au-dessus de la taille •**to go over the border** franchir la frontière •**she's over forty** elle a plus de quarante ans •**he's over me at work** il occupe un poste plus élevé que le mien

3.INDIQUE UN THÈME, UN SUJET
•**they argued over the price** ils ont débattu le prix •**they fell out over politics** ils se sont brouillés pour une question de politique

4.INDIQUE UNE PÉRIODE, UNE DURÉE
•**it happened over the Christmas holiday** cela s'est passé pendant les fêtes de Noël •**I haven't seen him much over the last few years** je ne l'ai pas vu beaucoup ces dernières années

■ **over**['əʊvə*r*] *adv*

1.INDIQUE UN MOUVEMENT D'ÉLOIGNEMENT OU DE RAPPROCHEMENT
•**they flew over to America** ils se sont envolés pour les États-Unis •**we invited them over** nous les avons invités chez nous •**over here** ici •**over there** là-bas

2.INDIQUE UN DÉPASSEMENT
•**I would recommend this book to children aged 7 and over** je recommanderais ce livre aux enfants âgés de 7 ans et plus

3.EXPRIME UNE NOTION D'EXCÈS
•**don't be over-anxious** ne sois pas trop anxieux

4.S'UTILISE POUR PARLER DE CE QUI RESTE
•**there is some meat over** il reste de la viande •**there's nothing (left) over** il ne reste rien

5.EN MATHÉMATIQUES
•**three into twenty-two goes seven and one over** vingt-deux divisé par trois font sept et il reste un

6.INDIQUE UN MOUVEMENT EFFECTUÉ POUR FAIRE TOMBER QQCH OU QQN
•**don't knock the bottle over** ne renversez pas la bouteille •**he pushed me and I fell over** il m'a poussé et je suis tombé à la renverse

7.EXPRIME UNE RÉPÉTITION
•**he did it ten times over** il l'a fait dix fois de suite •**over and over again** à maintes reprises, maintes fois

8.EXPRIME UNE IDÉE D'ATTENTION, DE RIGUEUR
•**think it over** réfléchissez-y bien •**you'd better read it over** vous feriez mieux de le lire avec attention

■ **over**['əʊvə*r*] *adj*

INDIQUE LA FIN, L'ACHÈVEMENT DE QQCH
•**the party's over** la fête est terminée •**the repression of dissidents continued after the war was over** la répression des dissidents continua après la fin de la guerre •**I'll be glad when this is all over** je serai heureux quand tout cela sera fini

■ **all over** *prép*
•**all over the world** dans le monde entier

■ **all over** *adv*
•**the house was painted green all over** la maison était peinte tout en vert

■ **all over** *adj*
fini •**that's all over now** c'est fini, maintenant

overall *adj* ['əʊvərɔl] d'ensemble. ❏ *adv* [,əʊvər'ɔl] en général. ❏ *n* ['əʊvərɔl] **1.** (UK) tablier *m* **2.** (US) bleu *m* de travail. ■ **overalls** *npl* **1.** (UK) bleu *m* de travail **2.** (US) salopette *f*.

overambitious [,əʊvəræm'bɪʃəs] *adj* trop ambitieux.

overawe [,əʊvər'ɔ] *vt* impressionner.

overbalance [,əʊvə'bæləns] *vi* basculer.

overbearing [,əʊvə'beərɪŋ] *adj* autoritaire.

overboard ['əʊvəbɔd] *adv* •**to fall overboard** tomber par-dessus bord.

overbook [,əʊvə'bʊk] *vi* surréserver.

overborrow [,əʊvə'bɒrəʊ] *vi* emprunter de façon excessive (pour une entreprise).

overcame [,əʊvə'keɪm] *passé* → **overcome**

overcast [,əʊvə'kɑːst] *adj* (temps, ciel) couvert.

overcharge [,əʊvə'tʃɑːdʒ] *vt* •**to overcharge sb (for sthg)** faire payer (qqch) trop cher à qqn.

overclocking [,əʊvə'klɒkɪŋ] *n* surfréquençage *m* (processeur).

overcoat ['əʊvəkəʊt] *n* pardessus *m*.

overcome [ˌəʊvəˈkʌm] (*prét* **overcame**, *pp* **overcome**) *vt* **1.** surmonter **2.** • **to be overcome (by** *ou* **with) a)** être submergé (de) **b)** être accablé (de).

overcomplicated [ˌəʊvəˈkɒmplɪkeɪtɪd] *adj* trop *ou* excessivement compliqué.

overconfident [ˌəʊvəˈkɒnfɪdənt] *adj* **1.** trop sûr de soi **2.** suffisant *(arrogant)*.

overconsume [ˌəʊvəkənˈsjuːm] *vt* consommer trop de.

overcook [ˌəʊvəˈkʊk] *vt* faire trop cuire.

overcritical [ˌəʊvəˈkrɪtɪkəl] *adj* trop critique.

overcrowded [ˌəʊvəˈkraʊdɪd] *adj* bondé.

overcrowding [ˌəʊvəˈkraʊdɪŋ] *n* surpeuplement *m*.

overdo [ˌəʊvəˈduː] (*prét* **overdid** [-ˈdɪd], *pp* **overdone**) *vt* **1.** exagérer **2.** trop faire • **to overdo it** se surmener **3.** trop cuire.

overdone [ˌəʊvəˈdʌn] *pp* → **overdo**. ❏ *adj* trop cuit.

overdose *n* [ˈəʊvədəʊs] overdose *f*.

overdraft [ˈəʊvədrɑːft] *n* découvert *m* • **overdraft limit** plafond *m* de découvert.

overdraft facility *n* autorisation *f* de découvert, facilités *fpl* de caisse.

overdrawn [ˌəʊvəˈdrɔːn] *adj* à découvert.

overdue [ˌəʊvəˈdjuː] *adj* **1.** • **overdue (for)** en retard (pour) **2.** • **(long) overdue** attendu (depuis longtemps) **3.** arriéré, impayé.

overegg [ˌəʊvərˈeg] *vt* (UK) • **to overegg the pudding** en faire trop.

overemphasis [ˌəʊvəˈremfəsɪs] *n* accentuation *f* excessive.

overengineered [ˌəʊvərendʒɪˈnɪəd] *adj* d'une conception très complexe.

overenthusiastic [ˈəʊvərɪnˌθjuːzɪˈæstɪk] *adj* trop enthousiaste.

overestimate [ˌəʊvərˈestɪmeɪt] *vt* surestimer.

overexcited [ˌəʊvərɪkˈsaɪtɪd] *adj* surexcité.

overexpose [ˌəʊvərɪkˈspəʊz] *vt* litt & fig surexposer.

overfeeding [ˌəʊvəˈfiːdɪŋ] *n* suralimentation *f*.

overfish [ˌəʊvəˈfɪʃ] *vt* surexploiter *(les ressources de poissons pêchés)*.

overfishing [ˌəʊvəˈfɪʃɪŋ] *n* surpêche *f*.

overflow *vi* [ˌəʊvəˈfləʊ] **1.** déborder **2.** • **to be overflowing (with)** regorger (de). ❏ *n* [ˈəʊvəfləʊ] trop-plein *m*.

overgrown [ˌəʊvəˈɡrəʊn] *adj* envahi par les mauvaises herbes.

overhaul *n* [ˈəʊvəhɔːl] **1.** révision *f (d'une voiture, d'une machine)* **2.** *fig* refonte *f*, remaniement *m*. ❏ *vt* [ˌəʊvəˈhɔːl] **1.** réviser *(une voiture, une machine)* **2.** *fig* refondre, remanier.

overhead *adj* [ˈəʊvəhed] aérien. ❏ *adv* [ˌəʊvəˈhed] au-dessus. ❏ *n* [ˈəʊvəhed] *(indén)* (US)

frais *mpl* généraux. ■ **overheads** *npl* (UK) frais *mpl* généraux.

overhead projector *n* rétroprojecteur *m*.

overhear [ˌəʊvəˈhɪər] (*prét & pp* **overheard** [-ˈhɜːd]) *vt* entendre par hasard.

overheat [ˌəʊvəˈhiːt] *vt* surchauffer. ❏ *vi (moteur)* chauffer.

overjoyed [ˌəʊvəˈdʒɔɪd] *adj* • **overjoyed (at)** transporté de joie (à).

overkill [ˈəʊvəkɪl] *n* • **that would be overkill** ce serait de trop.

overladen [ˌəʊvəˈleɪdn] *pp* → **overload**. ❏ *adj* surchargé.

overland [ˈəʊvəlænd] *adj & adv* par voie de terre.

overlap *vi litt & fig* se chevaucher.

overlapping [ˌəʊvəˈlæpɪŋ] *adj* **1.** qui se chevauchent **2.** qui se recoupent.

overleaf [ˌəʊvəˈliːf] *adv* au verso, au dos.

overload [ˌəʊvəˈləʊd] (*pp* **overloaded** *ou* **overladen**) *vt* surcharger.

overlook [ˌəʊvəˈlʊk] *vt* **1.** donner sur **2.** oublier, négliger **3.** passer sur, fermer les yeux sur.

overnight *adj* [ˈəʊvənaɪt] **1.** de nuit **2.** d'une nuit **3.** *fig* • **overnight success** succès *m* immédiat. ❏ *adv* [ˌəʊvəˈnaɪt] **1.** la nuit • **to stay overnight** rester la nuit **2.** du jour au lendemain • **to change overnight** changer du jour au lendemain.

overoptimism [ˌəʊvəˈrɒptɪmɪzm] *n* optimisme *m* exagéré.

overoptimistic [ˌəʊvəˌrɒptɪˈmɪstɪk] *adj* excessivement optimiste.

overpass [ˈəʊvəpɑːs] *n* (US) ≃ saut-de-mouton *m*.

overpolite [ˌəʊvəpəˈlaɪt] *adj* trop poli.

overpower [ˌəʊvəˈpaʊər] *vt* **1.** vaincre **2.** *fig* accabler, terrasser.

overpowering [ˌəʊvəˈpaʊərɪŋ] *adj* **1.** irrésistible **2.** *(parfum)* entêtant.

overpricing [ˌəʊvəˈpraɪsɪŋ] *n* fixation *f* d'un prix trop élevé.

overran [ˌəʊvəˈræn] *passé* → **overrun**.

overrated [ˌəʊvəˈreɪtɪd] *adj* surfait.

override [ˌəʊvəˈraɪd] (*prét* **overrode**, *pp* **overridden**) *vt* **1.** l'emporter sur, prévaloir sur **2.** annuler.

overriding [ˌəʊvəˈraɪdɪŋ] *adj* primordial.

overrode [ˌəʊvəˈrəʊd] *passé* → **override**.

overrule [ˌəʊvəˈruːl] *vt* **1.** prévaloir contre **2.** annuler *(une décision, un jugement)* **3.** rejeter *(une objection)*.

overrun [ˌəʊvəˈrʌn] (*prét* **overran**, *pp* **overrun**) *vt* **1.** occuper **2.** *fig* • **to be overrun with a)** être envahi de **b)** être infesté de. ❏ *vi* dépasser *(le temps alloué)*. ❏ *npl* • **cost overruns** surcoûts *mpl*.

oversaw [,əuvə'sɔː] *passé* → **oversee.**

overseas *adj* ['əuvəsiːz] **1.** à l'étranger **2.** *(marché)* extérieur **3.** étranger • **overseas students** étudiants étrangers • **overseas aid** aide *f* aux pays étrangers. ❑ *adv* [,əuvə'siːz] à l'étranger • **to live overseas** habiter à l'étranger.

oversee [,əuvə'siː] *(prét* **oversaw**, *pp* **overseen** [-'siːn]) *vt* surveiller.

overseer ['əuvə,siːə] *n* contremaître *m*.

overshadow [,əuvə'ʃædəu] *vt* **1.** dominer **2.** *fig* éclipser.

overshoot [,əuvə'ʃuːt] *(prét & pp* **overshot**) *vt* dépasser, rater.

oversight ['əuvəsait] *n* oubli *m* • **through oversight** par mégarde.

oversleep [,əuvə'sliːp] *(prét & pp* **overslept** [-'slept]) *vi* ne pas se réveiller à temps.

overspending [,əuvə'spendiŋ] *n* **1.** dépense *f* excessive **2.** dépassement *m* budgétaire.

overspill ['əuvəspil] *n* excédent *m* de population.

overstep [,əuvə'step] *vt* dépasser • **to overstep the mark** dépasser la mesure.

oversubscribed [,əuvəsʌb'skraibd] *adj* • **to be oversubscribed** *(concert)* être en surlocation • **the trip is oversubscribed** il y a trop d'inscriptions pour l'excursion.

overt ['əuvɜːt] *adj* déclaré, non déguisé.

overtake [,əuvə'teik] *(prét* **overtook**, *pp* **overtaken** [-'teikn]) *vt* **1.** *(UK) AUTO* doubler, dépasser **2.** frapper. ❑ *vi* *(UK) AUTO* doubler.

over-the-counter *adj* vendu sans ordonnance, en vente libre.

overthrow *n* ['əuvəθrəu] coup *m* d'État. ❑ *vt* [,əuvə'θrəu] *(prét* **overthrew** [-'θruː], *pp* **overthrown** [-'θrəun]) renverser.

overtime ['əuvətaim] *n* (*indén*) **1.** heures *fpl* supplémentaires **2.** *(US) SPORT* prolongations *fpl*. ❑ *adv* • **to work overtime** faire des heures supplémentaires.

overtones ['əuvətəunz] *npl* notes *fpl*, accents *mpl*.

overtook [,əuvə'tuk] *passé* → **overtake.**

overture ['əuvə,tjuə] *n* ouverture *f*.

overturn [,əuvə'tɜːn] *vt* **1.** renverser **2.** annuler *(une décision)*. ❑ *vi* **1.** se renverser **2.** chavirer.

overwater [,əuvə'wɔːtə] *vt* trop arroser *(une plante)*.

overweight [,əuvə'weit] *adj* trop gros, grosse *f*.

overwhelm [,əuvə'welm] *vt* **1.** accabler • **to be overwhelmed with joy** être au comble de la joie **2.** *MIL* écraser.

overwhelming [,əuvə'welmiŋ] *adj* **1.** irrésistible, irrépressible **2.** *(victoire, défaite)* écrasant.

overwhelmingly [,əuvə'welmiŋli] *adv* **1.** immensément **2.** en masse.

overwork [,əuvə'wɜːk] *n* surmenage *m*. ❑ *vt* surmener.

overwrought [,əuvə'rɔt] *adj* excédé, à bout.

owe [əu] *vt* • **to owe sthg to sb, to owe sb sthg** devoir qqch à qqn.

owing ['əuiŋ] *adj* dû, due *f*. ■ **owing to** *prép* à cause de, en raison de.

owl [aul] *n* hibou *m*.

own [əun] *adj* propre • **my own car** ma propre voiture • **she has her own style** elle a son style à elle. ❑ *pron* • **I've got my own** j'ai le mien • **he has a house of his own** il a une maison à lui, il a sa propre maison • **on one's own** tout seul, toute seule *f* • **to get one's own back** *fam* prendre sa revanche. ❑ *vt* posséder. ■ **own up** *vi* • **to own up (to sthg)** avouer *ou* confesser (qqch).

owner ['əunə] *n* propriétaire *mf*.

owner-occupancy *n* fait d'être propriétaire du logement qu'on occupe.

ownership ['əunəʃip] *n* propriété *f*.

ox [ɒks] *(pl* **oxen** ['ɒksn]) *n* bœuf *m* • **as strong as an ox** fort comme un bœuf.

Oxbridge ['ɒksbridʒ] *n* désignation collective des universités d'Oxford et de Cambridge.

Oxbridge

L'université d'**Oxford** et celle de **Cambridge**, qui datent toutes deux du XIIIe siècle, sont les plus anciennes et les plus prestigieuses de Grande-Bretagne. Elles sont divisées en **colleges**, dont certains occupent de très beaux bâtiments ; elles observent encore aujourd'hui certaines traditions très anciennes. Le fait d'avoir fait ses études à **Oxford** ou **Cambridge** est considéré comme un avantage dans la vie professionnelle, et il n'est pas rare que les diplômés occupent à leur sortie des postes importants au gouvernement, dans les médias, etc. Il existe une rivalité très marquée entre les deux universités, notamment dans le domaine du sport.

oxen ['ɒksn] *npl* → **ox.**

oxtail soup ['ɒksteil-] *n* soupe *f* à la queue de bœuf.

oxygen ['ɒksidʒən] *n* oxygène *m*.

oxygen mask *n* masque *m* à oxygène.

oxygen tent *n* tente *f* à oxygène.

oyster ['ɔistə] *n* huître *f*.

oz. *abrév de* **ounce.**

ozone ['əuzəun] *n* ozone *m*.

ozone-friendly *adj* qui préserve la couche d'ozone.

ozone layer *n* couche *f* d'ozone.

p¹ (*pl* p's *ou* ps), **P** (*pl* P's *ou* Ps) [piː] *n* p *m inv*, P *m inv*.

p² **1.** (abrév de **page**) p **2.** abrév de **penny**, abrév de **pence**.

p&p (UK) abrév de **postage and packing**.

pa [pɑː] *n* (surtout US) *fam* papa *m*.

PA *n* **1.** (UK) abrév de **personal assistant 2.** (abrév de public address system) sono *f*.

pace [peɪs] *n* **1.** vitesse *f*, allure *f* ● **to keep pace (with sb)** marcher à la même allure (que qqn) ● **to keep pace (with sthg)** se maintenir au même niveau (que qqch) ● **I can't take the pace** je n'arrive pas à suivre le rythme **2.** pas *m*. ❑ *vi* ● **to pace (up and down)** faire les cent pas.

pacemaker ['peɪsˌmeɪkər] *n* **1.** *MÉD* stimulateur *m* cardiaque **2.** *SPORT* meneur *m*, -euse *f*.

pacesetter ['peɪsˌsetər] *n* (US) *SPORT* meneur *m*, -euse *f*.

Pacific [pə'sɪfɪk] *adj* du Pacifique. ❑ *n* ● **the Pacific (Ocean)** l'océan *m* Pacifique, le Pacifique.

pacifier ['pæsɪfaɪər] *n* (US) tétine *f*.

pacifist ['pæsɪfɪst] *n* pacifiste *mf*.

pacify ['pæsɪfaɪ] *vt* **1.** apaiser **2.** pacifier (un pays).

pack [pæk] *n* **1.** sac *m* **2.** (surtout US) paquet *m* **3.** jeu *m* (de cartes) **4.** meute *f* **5.** bande *f* (de loups, de voleurs). ❑ *vt* **1.** emballer ● **to pack one's bags** faire ses bagages **2.** remplir ● **to be packed into** être entassé dans. ❑ *vi* faire ses bagages *ou* sa valise. ■ **pack away** *vt sép* **1.** ranger **2.** *fam* bouffer ● **he really packs it away!** qu'est-ce qu'il bouffe ! ■ **pack in** (UK) *fam vt sép* plaquer ● **pack it in!** **a)** arrête !, ça suffit maintenant ! **b)** la ferme ! ❑ *vi* tomber en panne. ■ **pack off** *vt sép fam* expédier. ■ **pack up** *vt* mettre dans une valise (des vêtements, des effets personnels). ❑ *vi* **1.** faire sa valise **2.** *fam* se casser (finir son travail) ● **I'm packing up for today** j'arrête pour aujourd'hui **3.** (UK) *fam* (voiture, appareil électroménager) tomber en panne.

package ['pækɪdʒ] *n* **1.** paquet *m* **2.** *fig* ensemble *m*, série *f* **3.** *INFORM* progiciel *m*. ❑ *vt* conditionner.

package deal *n* forfait *m* global.

package holiday *n* (UK) vacances *fpl* organisées.

package tour *n* vacances *fpl* organisées.

packaging ['pækɪdʒɪŋ] *n* conditionnement *m*.

packed [pækt] *adj* ● **packed (with)** bourré (de).

packed lunch *n* (UK) panier-repas *m*.

packet ['pækɪt] *n* **1.** paquet *m* ● **a packet of biscuits** un paquet de biscuits **2.** ● **packet soup** soupe *f* en sachet **3.** ● **to cost a packet** coûter un paquet d'argent.

packing ['pækɪŋ] *n* emballage *m*.

packing case *n* (UK) caisse *f* d'emballage.

pact [pækt] *n* pacte *m*.

pad [pæd] *n* **1.** morceau *m* (de coton) **2.** bloc *m* (de papier) **3.** ● **(launch) pad** pas *m* de tir **4.** *ZOOL* coussinet *m* **5.** *fam* pénates *mpl*. ❑ *vt* **1.** rembourrer **2.** tamponner. ❑ *vi* marcher à pas feutrés.

padded ['pædɪd] *adj* rembourré.

padding ['pædɪŋ] *n* **1.** rembourrage *m* **2.** *fig* délayage *m*.

paddle ['pædl] *n* **1.** pagaie *f* **2.** (UK) ● **to have a paddle** faire trempette. ❑ *vi* **1.** avancer en pagayant **2.** (UK) faire trempette.

paddle steamer, paddle boat (US) *n* bateau *m* à aubes.

paddling pool ['pædlɪŋ-] *n* (UK) **1.** pataugeoire *f* **2.** piscine *f* gonflable.

paddock ['pædək] *n* **1.** enclos *m* **2.** paddock *m*.

paddy field ['pædɪ-] *n* rizière *f*.

paddy wagon ['pædɪ-] *n* (US) *fam* panier *m* à salade (de police).

padlock ['pædlɒk] *n* cadenas *m*. ❑ *vt* cadenasser.

paediatric (UK), **pediatric** (US) [ˌpiːdɪ'ætrɪk] *adj* pédiatrie.

paediatrician (UK), **pediatrician** (US) [ˌpiːdɪə'trɪʃn] *n* pédiatre *mf*.

paediatrics (UK), **pediatrics** (US) [ˌpiːdɪ'ætrɪks] *n* pédiatrie *f*.

paedophile (UK) ['piːdəfaɪl], **pedophile** (US) ['pedəfaɪl] *n* pédophile *m*.

pagan['peɪgən] adj païen. ❏n païen m, -enne f.

page[peɪdʒ] n 1.page f •turn the page tournez la page •to be on the same page ou to be reading from the same page (US)être sur la même longueur d'onde 2.feuille f. ❏vt appeler au micro (dans un lieu public).

pageant['pædʒənt] n 1.spectacle m historique 2.concours m de beauté.

pageantry['pædʒəntrɪ] n apparat m.

pager['peɪdʒə] n récepteur m de poche.

page setupn INFORM mise f en page.

page-turnern fam livre m captivant.

paid[peɪd] passé & pp → pay. ❏adj rémunéré, payé.

paid-upadj (UK)qui a payé sa cotisation.

pail[peɪl] n vieilli seau m.

pain[peɪn] n 1.douleur f •a sharp pain une douleur aiguë •to be in pain souffrir •to cry out in pain crier ou hurler de douleur •I feel your pain fig je compatis •no pain no gain on n'a rien sans rien 2.fam it's/he is such a pain c'est/il est vraiment assommant •pains npl •to take pains to do sthg se donner beaucoup de mal ou peine pour faire qqch.

pained[peɪnd] adj peiné.

painful['peɪnfʊl] adj 1.douloureux 2.pénible.

painfully['peɪnfʊlɪ] adv 1.douloureusement 2.péniblement.

painkiller['peɪn,kɪlə] n calmant m.

painless['peɪnlɪs] adj 1.indolore, sans douleur 2.fig sans heurt.

pain reliefn soulagement m •for fast pain relief pour soulager rapidement la douleur.

painstaking ['peɪnz,teɪkɪŋ] adj 1.assidu 2.soigné.

painstakingly['peɪnz,teɪkɪŋlɪ] adv assidûment, avec soin.

paint[peɪnt] n peinture f •it's like watching paint dry c'est à mourir d'ennui. ❏vt peindre.

paintball['peɪntbɔːl] n paintball m.

paintbox['peɪntbɒks] n ART boîte f de couleurs.

paintbrush['peɪntbrʌʃ] n pinceau m.

painter['peɪntə] n peintre mf.

painting['peɪntɪŋ] n tableau m.

paint strippern décapant m.

paintwork['peɪntwɜːk] n (indén) surfaces fpl peintes.

pair[peə] n 1.paire f •a pair of trousers un pantalon 2.couple m.

pajamas[pə'dʒɑːməz] (US) = pyjamas

Pakistan[(UK),pɑːkɪ'stɑːn, (US),pækɪ'stæn] n Pakistan m.

Pakistani[(UK),pɑːkɪ'stɑːnɪ, (US)'pækɪstænɪ] adj pakistanais. ❏n Pakistanais m, -e f.

pal[pæl] n fam 1.copain m, copine f 2.mon vieux m.

palace['pælɪs] n palais m.

palatable['pælətəbl] adj 1.agréable au goût 2.fig acceptable, agréable.

palate['pælət] n palais m.

palatial[pə'leɪʃl] adj pareil à un palais.

palaver[pə'lɑːvə] n (indén) fam 1.palabres fpl 2.histoire f, affaire f.

pale[peɪl] adj pâle •to go pale pâlir, devenir pâle.

Palestine['pælə,staɪn] n Palestine f.

Palestinian[,pælə'stɪnɪən] adj palestinien. ❏n Palestinien m, -enne f.

palette['pælət] n palette f.

palings['peɪlɪŋz] npl palissade f.

pall[pɔl] n 1.voile m (de fumée) 2.cercueil m. ❏vi perdre de son charme.

pallet['pælɪt] n palette f.

palliative caren (indén) soins mpl palliatifs.

pallid['pælɪd] adj pâle, blafard.

pallor['pælə] n pâleur f.

palm[pɑːm] n 1.palmier m 2.paume f. ■ palm off vt sép fam •to palm sthg off on sb refiler qqch à qqn.

Palm Sundayn dimanche m des Rameaux.

palmtopn ordinateur m de poche.

palm treen palmier m.

palpable['pælpəbl] adj évident.

palpably ['pælpəblɪ] adv de façon évidente, manifestement.

paltry['pɔltrɪ] adj dérisoire.

pamper['pæmpə] vt choyer, dorloter.

pamphlet['pæmflɪt] n brochure f.

pan[pæn] n 1.casserole f 2. (US)moule m (à gâteau) 3. •to go down the pan fam : it went down the pan ça a complètement foiré. ❏vt fam démolir. ❏vi CINÉ faire un panoramique.

panacea[,pænə'sɪə] n panacée f.

panama[,pænə'mɑː] n •panama (hat) panama m.

Panama['pænəmɑː] n Panama m.

Panama Canaln •the Panama Canal le canal de Panama.

pan-Americanadj panaméricain.

pancake['pænkeɪk] n crêpe f.

Pancake Dayn Mardi gras m.

Pancake Tuesdayn Mardi gras m.

pancreas['pæŋkrɪəs] n pancréas m.

panda['pændə] (pl inv ou -s) n panda m.

panda carn (UK) fam & vieilli voiture f de patrouille.

pandemic[pæn'demɪk] adj 1.MÉD pandémique 2.universel, général. ❏n MÉD pandémie f.

pandemonium[,pændɪ'məʊnjəm] n tohubohu m inv.

pander['pændə] vi •to pander to sb se prêter aux exigences de qqn •to pander to sthg se plier à qqch.

pane [peɪn] n vitre f, carreau m.

panel ['pænl] n **1.** invités mpl **2.** comité m **3.** panneau m (en bois) **4.** tableau m de bord.

panelling (UK), **paneling** (US) ['pænəlɪŋ] n (indén) lambris m.

panellist (UK), **panelist** (US) ['pænəlɪst] n invité m, -e f.

pan-fry vt (faire) sauter • **pan-fried potatoes** pommes fpl (de terre) sautées.

pang [pæŋ] n tiraillement m.

panic ['pænɪk] n panique f. □ vi (prét & pp panicked, cont panicking) paniquer • **don't panic!** pas de panique !

panic button n signal m d'alarme • **to hit the panic button** fam perdre les pédales.

panic buying n (indén) achats mpl en catastrophe ou de dernière minute.

panicky ['pænɪkɪ] adj **1.** paniqué **2.** (sentiment) de panique.

panic selling n ventes fpl de panique.

panic-stricken adj affolé.

panini [pæ'niːniː] (pl inv ou paninis) n panini m.

panorama [ˌpænə'rɑːmə] n panorama m.

panoramic [ˌpænə'ræmɪk] adj panoramique.

pansy ['pænzɪ] n pensée f.

pant [pænt] vi haleter.

panther ['pænθə] (pl inv ou -s) n panthère f.

panties ['pæntɪz] npl fam culotte f.

pantihose ['pæntɪhəʊz] (US) = pantyhose.

panto ['pæntəʊ] (pl -s) (UK) fam, **pantomime** ['pæntəmaɪm] n (UK) spectacle de Noël pour enfants, généralement inspiré de contes de fées.

pantry ['pæntrɪ] n garde-manger m inv.

pants [pænts] npl **1.** (UK) (pour homme) slip m ; (pour femme) culotte f, slip **2.** (US) pantalon m.

pantyhose ['pæntɪhəʊz] npl (US) collant m.

papa [(UK) pə'pɑː, (US) 'pæpə] n papa m.

papal ['peɪpl] adj papal.

paparazzi [ˌpæpə'rætsɪ] npl péj paparazzi mpl.

papaya [pə'paɪə] n papaye f.

paper ['peɪpə] n **1.** (indén) papier m • **a piece of paper a)** une feuille de papier • **on paper a)** par écrit **2.** journal m **3.** épreuve f **4.** copie f **5.** • **paper (on)** essai m (sur). □ adj en papier. □ vt tapisser. • **paper over** vt insép fig dissimuler • **they tried to paper over the cracks** ils ont essayé de masquer les désaccords. ■ **papers** npl papiers mpl (documents officiels).

paperback ['peɪpəbæk] n • **paperback (book)** livre m de poche.

paperboy ['peɪpəbɔɪ] n livreur m de journaux.

paper clip n trombone m.

paper handkerchief n mouchoir m en papier.

paper knife n coupe-papier m inv.

paperless ['peɪpəlɪs] adj (communication, archives) informatique • **the paperless office** le bureau entièrement informatisé.

paper money n (indén) papier-monnaie m.

paper round (UK), **paper route** (US) n • **to do a paper round** livrer les journaux à domicile.

paper shop n (UK) marchand m de journaux.

paper-thin adj extrêmement mince ou fin.

paperweight ['peɪpəweɪt] n presse-papiers m inv.

paperwork ['peɪpəwɜːk] n paperasserie f.

paprika ['pæprɪkə] n paprika m.

Pap smear [pæp-] (US) = cervical smear.

par [pɑː] n **1.** • **on a par with** à égalité avec **2.** GOLF par m, normale f **3.** • **below** ou **under par** pas en forme.

parable ['pærəbl] n parabole f.

paracetamol [ˌpærə'siːtəmɒl] n (UK) paracétamol m.

parachute ['pærəʃuːt] n parachute m. □ vi sauter en parachute.

parade [pə'reɪd] n **1.** parade f, revue f **2.** MIL défilé m. □ vt **1.** faire défiler **2.** montrer **3.** fig afficher. □ vi défiler.

paradigm ['pærədaɪm] n paradigme m.

paradise ['pærədaɪs] n paradis m.

paradox ['pærədɒks] n paradoxe m.

paradoxical [ˌpærə'dɒksɪkl] adj paradoxal.

paradoxically [ˌpærə'dɒksɪklɪ] adv paradoxalement.

paraffin ['pærəfɪn] n (UK) paraffine f.

paraglider ['pærəglaɪdə] n **1.** parapentiste mf **2.** parapente m.

paragliding ['pærəˌglaɪdɪŋ] n parapente m.

paragon ['pærəgən] n modèle m, parangon m.

paragraph ['pærəgrɑːf] n paragraphe m.

Paraguay ['pærəgwaɪ] n Paraguay m.

parallel ['pærəlel] adj litt & fig • **parallel (to** ou **with)** parallèle (à). □ n **1.** GÉOM parallèle f **2.** GÉOGR parallèle m **3.** fig parallèle m, équivalent m.

parallel processing n traitement m en parallèle ou en simultanéité.

Paralympics [ˌpærə'lɪmpɪks] npl • **the Paralympics** les jeux mpl Paralympiques.

paralyse (UK), **paralyze** (US) ['pærəlaɪz] vt litt & fig paralyser.

paralysed (UK), **paralyzed** (US) ['pærəlaɪzd] adj litt & fig paralysé.

paralysis [pə'rælɪsɪs] (pl -lyses) n litt & fig paralysie f.

paralytic [ˌpærə'lɪtɪk] adj **1.** MÉD paralytique **2.** (UK) fam ivre mort. □ n paralytique mf.

paramedic [ˌpærə'medɪk] n auxiliaire médical m, auxiliaire médicale f.

parameter [pə'ræmɪtə] n paramètre m.

paramilitary [ˌpærə'mɪlɪtrɪ] adj paramilitaire.

paramount['pærəmaunt] adj primordial •**of paramount importance** d'une importance suprême.

paranoia[,pærə'nɔɪə] n paranoïa f.

paranoid['pærənɔɪd] adj paranoïaque.

paranormal[,pærə'nɔːml] adj paranormal.

paraphernalia[,pærəfə'neɪljə] n (indén) attirail m, bazar m.

paraphrase['pærəfreɪz] n paraphrase f. ◻vt paraphraser. ◻vi faire une paraphrase.

paraplegic[,pærə'pliːʤɪk] adj paraplégique. ◻n paraplégique mf.

parasite['pærəsaɪt] n litt& figparasite m.

parasol['pærəsɒl] n **1.**parasol m **2.**ombrelle f.

paratrooper['pærətruːpə] n parachutiste mf.

parboil['pɑːbɔɪl] vt faire bouillir ou cuire à demi.

parcel['pɑːsl] (UK)n paquet m. ■ **parcel up** vt sép empaqueter.

parched[pɑːtʃt] adj desséché.

parchment['pɑːtʃmənt] n parchemin m.

pardon['pɑːdn] n **1.**grâce f **2.**(indén) pardon m •**I beg your pardon?** comment ?, pardon ? •**I beg your pardon!** je vous demande pardon ! ◻vt **1.**pardonner •**to pardon sb for sthg** pardonner qqch à qqn •**pardon me!** pardon !, excusez-moi ! **2.**gracier. ◻interj comment ?

pared-down [peəd-] adj (style, forme) dépouillé, épuré.

parent['peərənt] n père m, mère f. ■ **parents** npl parents mpl.

parent actn loi-cadre f.

parental [pə'rentl] adj parental •**parental consent** accord m des parents ou parental •**parental control** autorité f parentale •**parental responsibility** responsabilité f des parents ouparentale •**parental rights** droits mpl parentaux.

parental advisoryn (US)TV avertissement m parental.

parent companyn société f mère.

parent directory n INFORM répertoire m parent.

parenthesis[pə'renθɪsɪs] (pl -theses) n parenthèse f.

parenthood['peərənthʊd] n condition f de parent.

parenting ['peərəntɪŋ] n éducation f des enfants.

Paris['pærɪs] n Paris.

parish['pærɪʃ] n **1.**paroisse f **2.** (UK)commune f.

Parisian[pə'rɪʒən] adj parisien. ◻n Parisien m, -enne f.

parity['pærətɪ] n égalité f.

park[pɑːk] n parc m, jardin m public. ◻vt garer. ◻vi se garer, stationner.

parking['pɑːkɪŋ] n stationnement m •**'no parking'** 'défense de stationner'.

parking deckn (US)parking m (à plusieurs étages).

parking lotn (US)parking m.

parking metern parcmètre m.

parking ticketn contravention f, PV m.

parlance['pɑːləns] n •**in common/legal parlance** en langage courant/juridique.

parliament['pɑːləmənt] n parlement m.

parliamentary[,pɑːlə'mentərɪ] adj parlementaire.

parlour (UK) **parlor** (US)['pɑːlə] n vieillisalon m.

parochial[pə'rəʊkjəl] adj péjde clocher.

parody['pærədɪ] n parodie f. ◻vt parodier.

parole[pə'rəʊl] n (indén) parole f •**on parole** en liberté conditionnelle.

parquet['pɑːkeɪ] n parquet m.

parrot['pærət] n perroquet m.

parrot fashionadv comme un perroquet.

parry['pærɪ] vt **1.**parer **2.**éluder.

parsimonious[,pɑːsɪ'məʊnjəs] adj sout& péj parcimonieux.

parsley['pɑːslɪ] n persil m.

parsnip['pɑːsnɪp] n panais m.

parson['pɑːsn] n pasteur m.

part[pɑːt] n **1.**partie f •**for the most part** dans l'ensemble **2.**épisode m (d'une série télévisée) **3.**pièce f **4.**mesure f **5.**THÉÂTRE rôle m **6.** •**to play an important part in** jouer un rôle important dans •**to take part in** participer à •**for my part** en ce qui me concerne **7.**(US)(cheveux) raie f. ◻adv en partie. ◻vt •**to part one's hair** se faire une raie. ◻vi **1.**se séparer **2.**s'écarter, s'ouvrir. ■ **parts**npl •**in these parts** dans cette région. ■ **part with**vt insép **1.**débourser **2.**se défaire de.

part exchangen (UK)reprise f •**to take sthg in part exchange** reprendre qqch.

partial['pɑːʃl] adj **1.**partiel **2.**partial **3.** •**to be partial to** avoir un penchant pour.

partially sightedadj malvoyant. ◻npl •**the partially sighted** les malvoyants mpl.

participant[pɑː'tɪsɪpənt] n participant m, -e f.

participate[pɑː'tɪsɪpeɪt] vi •**to participate (in)** participer (à).

participation[pɑː,tɪsɪ'peɪʃn] n participation f.

participle['pɑːtɪsɪpl] n participe m.

particle['pɑːtɪkl] n particule f.

particle acceleratorn accélérateur m de particules.

particle physicsn (indén) physique f des particules.

parti-coloured (UK) **parti-colored** (US) ['pɑːtɪ-] adj bariolé.

particular [pə'tɪkjʊləʳ] adj **1.** particulier **2.** pointilleux • **particular about** exigeant à propos de. ■ **in particular** adv en particulier. ■ **particulars** npl renseignements mpl.

particularly [pə'tɪkjʊlɑlɪ] adv particulièrement.

partied out ['pɑːtɪd-] adj fam • **I'm partied out!** **a)** (par fatigue) j'ai trop fait la fête, je suis crevé ! **b)** (par lassitude) ras le bol de faire la fête !

parting ['pɑːtɪŋ] n **1.** séparation f **2.** (UK) raie f.

parting shot n flèche f du Parthe.

partisan [,pɑːtɪ'zæn] adj partisan. ❏ n partisan m, -e f.

partition [pɑː'tɪʃn] n cloison f. ❏ vt **1.** cloisonner **2.** partager.

partly ['pɑːtlɪ] adv partiellement, en partie.

partner ['pɑːtnəʳ] n **1.** partenaire mf **2.** conjoint m, -e f **3.** compagnon m, compagne f **4.** associé m, -e f. ❏ vt être le, la f partenaire de.

partnership ['pɑːtnəʃɪp] n **1.** association f **2.** partenariat m (d'entreprise) • **to work in partnership with sb/sthg** travailler en association ou en partenariat avec qqn/qqch • **to go into partnership with sb** s'associer avec qqn • **they offered him a partnership** ils lui ont proposé de devenir leur associé.

part payment n paiement m partiel.

partridge ['pɑːtrɪdʒ] n perdrix f.

part-time adj & adv à temps partiel • **to work part-time** travailler à temps partiel.

part-timer n travailleur m, -euse f à temps partiel.

party ['pɑːtɪ] n **1.** POLIT parti m **2.** fête f, réception f • **to have** ou **throw a party** donner une fête **3.** groupe m **4.** • **rescue party** équipe f de secours **5.** DR partie f. ❏ vi fam faire la fête.

party animal n fam fêtard m • **to be a real party animal** adorer faire la fête.

partygoer ['pɑːtɪɡəʊə] n fêtard m, -e f.

party line n **1.** POLIT ligne f du parti **2.** TÉLÉCOM ligne f commune à deux abonnés.

pashmina [pæʃ'miːnə] n pashmina f.

pass [pɑːs] n **1.** SPORT passe f **2.** laissez-passer m inv **3.** carte f d'abonnement **4.** (UK) mention f passable **5.** col m **6.** • **to make a pass at sb** faire du plat à qqn. ❏ vt **1.** passer • **to pass sthg to sb, to pass sb sthg** passer qqch à qqn **2.** croiser **3.** passer devant **4.** AUTO dépasser, doubler **5.** réussir (un examen) **6.** recevoir, admettre **7.** voter **8.** émettre **9.** rendre, prononcer. ❏ vi **1.** passer **2.** AUTO doubler, dépasser **3.** SPORT faire une passe **4.** réussir, être reçu. ■ **pass around** vt sép **1.** (faire) passer **2.** (faire) circuler **3.** distribuer. ■ **pass as** vt insép passer pour. ■ **pass away** vi euphém s'éteindre. ■ **pass by** vt sép • **the news passed him by** la nouvelle ne l'a pas affecté. ❏ vi passer à côté. ■ **pass for** vt insép = **pass as**. ■ **pass off** vt sép • **to pass sb/sthg off as** faire passer qqn/qqch

pour • **he passes himself off as an actor** il se fait passer pour un acteur. ■ **pass on** vt sép • **to pass sthg on (to)** **a)** faire passer qqch (à) **b)** transmettre qqch (à). ❏ vi **1.** continuer son chemin **2.** euphém = **pass away**. ■ **pass out** vi s'évanouir. ■ **pass over** vt insép passer sous silence. ■ **pass round** vt insép (UK) = **pass around**. ■ **pass up** vt sép laisser passer.

passable ['pɑːsəbl] adj **1.** passable **2.** praticable **3.** franchissable.

passage ['pæsɪdʒ] n **1.** passage m **2.** couloir m **3.** NAUT traversée f.

passageway ['pæsɪdʒweɪ] n **1.** passage m **2.** couloir m.

passbook ['pɑːsbʊk] n (UK) livret m (d'épargne).

passé [pæ'seɪ] adj péj démodé.

passenger ['pæsɪndʒəʳ] n passager m, -ère f.

passerby [,pɑːsə'baɪ] (pl **passersby** [,pɑːsəz'baɪ]) n passant m, -e f.

passing ['pɑːsɪŋ] adj **1.** en passant **2.** passager. ■ **in passing** adv en passant.

passing lane n (US) AUTO voie f de dépassement.

passion ['pæʃn] n passion f • **to have a passion for sthg** avoir une passion pour qqch.

passionate ['pæʃənət] adj passionné.

passionately ['pæʃənətlɪ] adv avec passion.

passion killer n tue-l'amour m inv • **that dressing gown's a real passion killer** ce peignoir est un vrai tue-l'amour.

passive ['pæsɪv] adj passif.

passive-aggressive adj PSYCHO passif-agressif.

passively ['pæsɪvlɪ] adv passivement.

passive smoking n tabagisme m passif.

Passover ['pɑːs,əʊvə] n • **(the) Passover** la Pâque juive.

passport ['pɑːspɔːt] n passeport m.

passport control n contrôle m des passeports.

password ['pɑːswɜːd] n mot m de passe.

password-protected adj INFORM protégé par mot de passe.

past [pɑːst] adj **1.** passé • **for the past five years** ces cinq dernières années • **the past week** la semaine dernière **2.** fini. ❏ adv **1.** • **it's ten past** il est dix **2.** • **to drive past** passer (devant) en voiture. ❏ n passé m • **in the past** dans le temps. ❏ prép **1.** • **it's half past eight** il est huit heures et demie • **it's five past nine** il est neuf heures cinq **2.** devant • **we drove past them** nous les avons dépassés **3.** après, au-delà de • **just past the church** juste après l'église.

pasta ['pæstə] n (indén) pâtes fpl.

paste [peɪst] n **1.** pâte f **2.** CULIN pâté m **3.** (indén) colle f. ❏ vt coller.

pastel ['pæstl] adj pastel (inv). ❏ n pastel m.

pasteurize - **ise** (UK)['pɑ:stʃəraɪz] vt pasteuriser.

pasteurized - **ised** (UK)['pɑ:stʃəraɪzd] adj (lait, beurre) pasteurisé.

pastille['pæstɪl] n pastille f.

pastime['pɑ:staɪm] n passe-temps m inv.

pastor['pɑ:stə] n pasteur m.

pastoral['pɑ:stərəl] adj pastoral.

past participlen participe m passé.

past perfectn plus-que-parfait m.

pastry['peɪstrɪ] n 1.pâte f 2.pâtisserie f.

past tensen passé m.

pasture['pɑ:stʃə] n pâturage m, pré m.

pasty[1]['peɪstɪ] adj blafard, terreux.

pasty[2]['pæstɪ] n (UK)petit pâté m, friand m.

pasty-faced['peɪstɪ,feɪst] adj au teint blafard ou terreux.

pat[pæt] n 1.petite tape f 2.caresse f (à un animal). ❑vt 1.tapoter, donner une tape à 2.caresser (un animal).

patch [pætʃ] n 1.pièce f 2.bandeau m 3.plaque f (de verglas) 4.parcelle f •vegetable patch carré m de légumes 5.MÉD patch m 6. •a difficult patch une mauvaise passe. ❑vt rapiécer. ■ patch up vt sép 1.rafistoler 2.fig régler, arranger •to patch up a relationship se raccommoder.

patch programn INFORM rustine f.

patchwork['pætʃwɜ:k] n patchwork m.

patchy['pætʃɪ] adj 1.inégal 2.(connaissances) insuffisant, imparfait.

pâté['pæteɪ] n pâté m.

patent[(UK) 'peɪtənt, (US) 'pætənt] adj évident, manifeste. ❑n brevet m (d'invention). ❑vt faire breveter.

patent leathern cuir m verni.

paternal[pə'tɜ:nl] adj paternel.

paternity[pə'tɜ:nətɪ] n paternité f.

paternity leaven congé m parental (pour pères).

paternity testn test m de recherche de paternité.

path[pɑ:θ] (pl [pɑ:ðz]) n 1.chemin m, sentier m 2.voie f, chemin m 3.trajectoire f 4.INFORM chemin m (d'accès).

pathetic[pə'θetɪk] adj 1.pitoyable, attendrissant 2.pitoyable, minable •that's pathetic! c'est lamentable !

pathetically[pə'θetɪklɪ] adv 1.(pleurer, gémir) pitoyablement 2.(agir, échouer) lamentablement.

pathname['pɑ:θneɪm] n chemin m (d'accès).

pathological[,pæθə'lɒdʒɪkl] adj pathologique.

pathologist[pə'θɒlədʒɪst] n pathologiste mf.

pathology[pə'θɒlədʒɪ] n pathologie f.

pathos['peɪθɒs] n pathétique m.

pathway['pɑ:θweɪ] n chemin m.

patience['peɪʃns] n 1.patience f 2. (UK)(jeu de cartes) réussite f.

patient['peɪʃnt] adj patient. ❑n 1.patient m, -e f, malade mf 2.patient.

patiently['peɪʃntlɪ] adv patiemment.

patio['pætɪəʊ] (pl -s) n patio m.

patio doorsnpl portes vitrées coulissantes.

patriarch['peɪtrɪɑ:k] n patriarche m.

patriarchal[,peɪtrɪ'ɑ:kl] adj patriarcal.

patriarchy['peɪtrɪɑ:kɪ] (pl -ies) n patriarcat m.

patriot[(UK)'pætrɪət, (US)'peɪtrɪət] n patriote mf.

patriotic[(UK),pætrɪ'ɒtɪk, (US),peɪtrɪ'ɒtɪk] adj 1.patriotique 2.patriote.

patriotically[(UK),pætrɪ'ɒtɪklɪ, (US),peɪtrɪ'ɒtɪklɪ] adv patriotiquement, en patriote.

patriotism[(UK)'pætrɪətɪzm, (US)'peɪtrɪətɪzm] n patriotisme m.

patrol[pə'trəʊl] n patrouille f. ❑vt patrouiller dans, faire une patrouille dans.

patrol carn voiture f de police.

patrolman[pə'trəʊlmən] (pl -men) n (US)agent m de police.

patrol wagonn (US)fourgon m cellulaire.

patrolwoman[pə'trəʊl,wʊmən] (pl -women) n (US)femme f agent de police.

patron['peɪtrən] n 1.mécène m, protecteur m, -trice f 2. (UK)parrain m, marraine f (d'une fondation, d'une œuvre caritative) 3. sout client m, -e f.

patronize - **ise** (UK)['pætrənaɪz] vt 1.traiter avec condescendance 2. sout patronner, protéger.

patronizing - **ising** (UK)['pætrənaɪzɪŋ] adj condescendant.

patron saintn saint patron m, sainte patronne f.

patter['pætə] n crépitement m. ❑vi trottiner.

pattern ['pætən] n 1.motif m, dessin m 2.schéma m 3.mode m 4.COUT •(sewing) pattern patron m 5.modèle m.

patterned['pætənd] adj à motifs.

paunch[pɒntʃ] n bedaine f.

pauper['pɔ:pə] n vieilli indigent m, -e f.

pause[pɔ:z] n 1.pause f, silence m 2.pause f, arrêt m. ❑vi 1.marquer un temps 2.faire une pause, s'arrêter.

pave[peɪv] vt paver •to pave the way for sb/sthg ouvrir la voie à qqn/qqch.

paved[peɪvd] adj pavé.

pavement['peɪvmənt] n 1. (UK)trottoir m 2. (US)chaussée f.

pavilion[pə'vɪljən] n pavillon m.

paving['peɪvɪŋ] n (indén) pavé m.

paving stonen pavé m.

paw[pɔ:] n patte f.

pawn [pɔːn] *n litt & fig* pion *m*. ❑ *vt* mettre en gage.

pawnbroker ['pɔːn,brəʊkə[r]] *n* prêteur *m*, -euse *f* sur gages.

pawnshop ['pɔːnʃɒp] *n* boutique *f* de prêteur sur gages.

pay [peɪ] *vt (prét & pp paid)* **1.** payer • **to pay money into an account** verser de l'argent sur un compte • **to pay a cheque into an account** déposer un chèque sur un compte • **to be well paid** être bien payé • **to pay a lot of money for sthg** payer qqch cher **2.** rapporter à **3.** • **to pay attention (to sb/sthg)** prêter attention (à qqn/qqch) • **to pay sb a compliment** faire un compliment à qqn • **to pay sb a visit** rendre visite à qqn. ❑ *vi (prét & pp paid)* payer • **to pay dearly for sthg** *fig* payer qqch cher. ❑ *n* salaire *m*. ■ **pay back** *vt sép* **1.** rembourser **2.** revaloir • **I'll pay you back for that** tu me le paieras. ■ **pay off** *vt sép* **1.** s'acquitter de, régler **2.** rembourser **3.** licencier **4.** soudoyer. ❑ *vi* être payant. ■ **pay out** *vt sép* **1.** dépenser, débourser *(argent)* **2.** laisser filer, lâcher *(corde)*. ❑ *vi* dépenser, débourser. ■ **pay up** *vi* payer.

payable ['peɪəbl] *adj* **1.** payable **2.** *(sur un chèque)* • **payable to** à l'ordre de.

pay-and-display *adj* • **pay-and-display car park** parking *m* à horodateur • **pay-and-display machine** horodateur *m*.

pay-as-you-go [,peɪəzjʊ'gəʊ] *n (téléphonie mobile)* système *m* sans forfait.

pay channel *n* chaîne *f* payante.

paycheck ['peɪtʃek] *n* (US) paie *f*.

payday ['peɪdeɪ] *n* jour *m* de paie.

payee [peɪ'iː] *n* bénéficiaire *mf*.

pay envelope *n* (US) salaire *m*.

PAYG *n abrév de* **pay-as-you-go**.

paying guest ['peɪɪŋ-] *n* hôte *m* payant.

payment ['peɪmənt] *n* paiement *m* • **payment facilities** facilités *fpl* de paiement • **payment schedule** échéancier *m* (de paiement).

payoff ['peɪɒf] *n* **1.** paiement *m (d'une facture)* **2.** résultat *m (d'une action)* **3.** *(dans une entreprise)* indemnité *f* de licenciement.

pay packet *n* (UK) **1.** enveloppe *f* de paie **2.** paie *f*.

pay-per-view *n TV* système *m* de télévison à la carte *ou* à la séance. ❑ *adj* à la carte, à la séance.

pay-per-view channel *n* chaîne *f* à la carte *ou* à la séance.

pay phone *n* cabine *f* téléphonique.

pay rise (UK), **pay raise** (US) *n* augmentation *f* de salaire.

payroll ['peɪrəʊl] *n* registre *m* du personnel.

payroll giving *n* système de prélèvement automatique de dons caritatifs sur les salaires.

payslip ['peɪslɪp] *n* (UK) feuille *f ou* bulletin *m* de paie.

pay television, **pay TV** *n* chaîne *f* à péage.

pc (*abrév de* per cent) p. cent.

PC *n* **1.** (*abrév de* personal computer) PC *m*, micro *m* **2.** (UK) *abrév de* **police constable**.

PC-compatible *adj* INFORM compatible PC.

PCM SMS (*abrév de* please call me) appelle-moi s'il te plaît.

PDF (*abrév de* portable document format) *n* INFORM PDF *m*.

PE (*abrév de* physical education) *n* EPS *f*.

pea [piː] *n* pois *m*.

peace [piːs] *n (indén)* **1.** paix *f* **2.** calme *m*, tranquillité *f*.

peaceable ['piːsəbl] *adj* paisible, pacifique.

peace agreement *n* accord *m* de paix.

peaceful ['piːsfʊl] *adj* **1.** paisible, calme **2.** pacifique **3.** non violent.

peacefully ['piːsfʊlɪ] *adv* paisiblement.

peacefulness ['piːsfʊlnɪs] *n* paix *f*, calme *m*.

peacekeeper ['piːs,kiːpə[r]] *n* **1.** soldat *m* de la paix **2.** Casque *m* bleu *(des Nations unies)*.

peacekeeping ['piːs,kiːpɪŋ] *n* maintien *m* de la paix. ❑ *adj* de maintien de la paix • **a United Nations peacekeeping force** des forces des Nations unies pour le maintien de la paix.

peace negotiations *npl* négociations *fpl* pour la paix.

peace offering *n fam* gage *m* de paix, cadeau *m* (pour faire la paix).

peace talks *npl* pourparlers *mpl* de paix.

peacetime ['piːstaɪm] *n* temps *m* de paix.

peach [piːtʃ] *adj* couleur pêche *(inv)*. ❑ *n* pêche *f*.

peacock ['piːkɒk] *n* paon *m*.

peak [piːk] *n* **1.** sommet *m*, cime *f* **2.** *fig* apogée *m*, sommet *m*. ❑ *adj* optimum *(inv)*. ❑ *vi* atteindre un niveau maximum.

peaked [piːkt] *adj* à visière.

peak hours *npl* heures *fpl* de pointe.

peak period *n* période *f* de pointe.

peak rate *n* tarif *m* normal.

peak viewing time *n* heures *fpl* de grande écoute.

peaky ['piːkɪ] (*comp* peakier, *superl* peakiest) *adj* (UK) *fam* souffrant, fatigué.

peal [piːl] *n* **1.** carillon *m* **2.** éclat *m (de rire)* **3.** coup *m (de tonnerre)*. ❑ *vi* carillonner.

peanut ['piːnʌt] *n* cacahuète *f*.

peanut butter *n* beurre *m* de cacahuètes.

pear [peə[r]] *n* poire *f*.

pearl [pɜːl] *n* perle *f*.

pear-shaped adj **1.** en forme de poire, piriforme **2.** (femme) • **to be pear-shaped** avoir de fortes hanches **3.** • **to go pear-shaped** fam tourner mal.

peasant ['peznt] n paysan m, -anne f.

peat [pi:t] n tourbe f.

pebble ['pebl] n galet m, caillou m.

pecan [(UK)'pi:kən, (US)pɪ'kæn] n **1.** (noix f de) pécan m, (noix f de) pacane f **2.** pacanier m. ❑ adj (glace, gâteau) à la noix de pécan.

peck [pek] n **1.** coup m de bec **2.** bise f. ❑ vt **1.** picoter **2.** • **to peck sb on the cheek** faire une bise à qqn.

pecking order ['pekɪŋ-] n hiérarchie f.

peckish ['pekɪʃ] adj (UK) fam • **to feel peckish** avoir un petit creux.

pecs [peks] npl fam pectoraux mpl.

peculiar [pɪ'kju:ljər] adj **1.** bizarre **2.** • **to feel peculiar** se sentir tout drôle **3.** • **peculiar to** propre à, particulier à.

peculiarity [pɪ,kju:lɪ'ærətɪ] n **1.** bizarrerie f **2.** particularité f, caractéristique f.

peculiarly [pɪ'kju:lɪjəlɪ] adv **1.** particulièrement **2.** curieusement, bizarrement **3.** typiquement.

pedagogical [,pedə'gɒdʒɪkl] adj pédagogique.

pedal ['pedl] n pédale f. ❑ vi ((UK) prét & pp pedalled cont pedalling (US) prét & pp pedaled cont pedaling pédaler.

pedal bin n (UK) poubelle f à pédale.

pedalo ['pedələʊ] n (UK) Pédalo® m.

pedant ['pedənt] n péj pédant m, -e f.

pedantic [pɪ'dæntɪk] adj péj pédant • **don't be so pedantic!** arrête de pinailler !

pedantically [pɪ'dæntɪklɪ] adv péj de manière pédante, avec pédantisme.

peddle ['pedl] vt **1.** (drogue) faire le trafic de **2.** colporter, répandre.

pedestal ['pedɪstl] n piédestal m.

pedestrian [pɪ'destrɪən] n piéton m.

pedestrian crossing n (UK) passage m (pour) piétons.

pedestrian precinct (UK), **pedestrian zone** (US) n zone f piétonne.

pediatric [,pi:dɪ'ætrɪk] (US) = paediatric

pediatrician [,pi:dɪə'trɪʃn] (US) = paediatrician

pediatrics [,pi:dɪ'ætrɪks] (US) = paediatrics

pedicure ['pedɪ,kjʊər] n pédicurie f.

pedigree ['pedɪgri:] adj de race. ❑ n **1.** pedigree m **2.** ascendance f.

pedlar (UK), **peddler** (US) ['pedlər] n colporteur m.

pedophile ['pedəfaɪl] (US) = paedophile

pee [pi:] fam n pipi m. ❑ vi faire pipi.

peek [pi:k] fam n coup m d'œil furtif. ❑ vi jeter un coup d'œil furtif.

peel [pi:l] n **1.** peau f (de pomme de terre) **2.** écorce f (d'orange, de citron). ❑ vt éplucher, peler. ❑ vi **1.** (peinture) s'écailler **2.** (papier peint) se décoller **3.** (peau) peler. ■ peel off vt sép **1.** enlever **2.** décoller, détacher (étiquette).

peelings ['pi:lɪŋz] npl épluchures fpl.

peep [pi:p] n **1.** coup m d'œil **2.** fam bruit m. ❑ vi jeter un coup d'œil furtif. ■ peep out vi apparaître, se montrer.

peephole ['pi:phəʊl] n judas m.

peer [pɪər] n pair m. ❑ vi scruter.

peerage ['pɪərɪdʒ] n pairie f • **the peerage** les pairs mpl.

peer group n pairs mpl.

peer pressure n influence f de ses pairs.

peer review n évaluation f par les pairs.

peeved [pi:vd] adj fam fâché, irrité.

peevish ['pi:vɪʃ] adj grincheux.

peg [peg] n **1.** cheville f **2.** (UK) pince f à linge **3.** piquet m (de tente). ❑ vt fig bloquer (les prix).

pejorative [pɪ'dʒɒrətɪv] adj péjoratif.

pekinese [,pi:kə'ni:z], **pekingese** [,pi:kɪŋ'i:z] n (pl inv) pékinois m.

Peking [pi:'kɪŋ] n Pékin.

pelican ['pelɪkən] (pl inv ou -s) n pélican m.

pelican crossing n (UK) passage pour piétons avec feux de circulation.

pellet ['pelɪt] n **1.** boulette f **2.** plomb m (pour fusil).

pelmet ['pelmɪt] n (UK) lambrequin m.

pelt [pelt] n peau f, fourrure f. ❑ vt • **to pelt sb (with sthg)** bombarder qqn (de qqch). ❑ vi • **to pelt along** courir ventre à terre • **to pelt down the stairs** dévaler l'escalier. ■ pelt down v impers • **it's pelting down** il pleut à verse.

pelvis ['pelvɪs] (pl -vises ou -ves) n pelvis m, bassin m.

pen [pen] n **1.** stylo m **2.** parc m, enclos m **3.** (US) fam (abrév de penitentiary) taule f. ❑ vt parquer.

penal ['pi:nl] adj pénal.

penalize - **ise** (UK) ['pi:nəlaɪz] vt **1.** pénaliser **2.** désavantager.

penalty ['penltɪ] n **1.** pénalité f • **to pay the penalty (for sthg)** fig supporter ou subir les conséquences (de qqch) **2.** • **the death penalty** la peine de mort **3.** amende f **4.** SPORT (au rugby) pénalité f • **penalty (kick) a)** FOOTBALL penalty m • **to award a penalty a)** (au football) accorder un penalty **b)** (au rugby) accorder une pénalité.

penalty area n (UK) FOOTBALL surface f de réparation.

penalty box n **1.** (UK) FOOTBALL = penalty area **2.** (au hockey) banc m des pénalités.

penalty clause n clause f pénale.

penalty kick → penalty.

penalty spot n (au football) point m de penalty.

penance ['penəns] n **1.** pénitence f **2.** fig corvée f, pensum m.

pence [pens] (UK) npl → **penny**.

penchant [(UK) 'pãnʃãn, (US) 'pentʃənt] n • **to have a penchant for sthg** avoir un faible pour qqch • **to have a penchant for doing sthg** avoir tendance à ou bien aimer faire qqch.

pencil ['pensl] n crayon m. ❏ vt ((UK) prét & pp **pencilled**, cont **pencilling**, (US) prét & pp **penciled**, cont **penciling**) griffonner au crayon, crayonner.

pencil case n trousse f (d'écolier).

pencil sharpener n taille-crayon m.

pendant ['pendənt] n pendentif m.

pending ['pendɪŋ] sout adj **1.** imminent **2.** DR en instance. ❏ prép en attendant.

pen drive n INFORM clé f USB.

pendulum ['pendjʊləm] (pl -s) n balancier m.

penetrate ['penɪtreɪt] vt **1.** pénétrer dans **2.** percer **3.** s'infiltrer dans **4.** (espion) infiltrer.

penetrating ['penɪtreɪtɪŋ] adj **1.** pénétrant **2.** (voix, cri) perçant.

penetration [,penɪ'treɪʃn] n pénétration f.

pen friend n (UK) correspondant m, -e f.

penguin ['peŋgwɪn] n manchot m.

penicillin [,penɪ'sɪlɪn] n pénicilline f.

peninsula [pə'nɪnsjʊlə] (pl -s) n péninsule f.

penis ['piːnɪs] (pl penises ['piːnɪsɪz]) n pénis m.

penitence ['penɪtəns] n pénitence f.

penitent ['penɪtənt] adj repentant, contrit.

penitentiary [,penɪ'tenʃərɪ] n (US) prison f.

penknife ['pennaɪf] (pl -knives) n canif m.

pen name n pseudonyme m.

pennant ['penənt] n fanion m, flamme f.

penniless ['penɪlɪs] adj sans le sou.

penny ['penɪ] n **1.** (pl -ies) (UK) penny m **2.** (US) cent m **3.** (pl pence [pens]) (UK) pence m.

penny-pinching [-,pɪntʃɪŋ] adj **1.** (personne) radin, pingre **2.** (attitude) mesquin. ❏ n (indén) économies fpl de bouts de chandelle.

pen pal n fam correspondant m, -e f.

pension ['penʃn] n **1.** retraite f **2.** pension f. ■ **pension off** vt sép mettre à la retraite.

pensionable ['penʃənəbl] adj • **to be of pensionable age** avoir l'âge de la retraite.

pensioner ['penʃənə] n (UK) • **(old-age) pensioner** retraité m, -e f.

pension fund n caisse f de retraite.

pension plan, pension scheme (UK) n plan m ou régime m de retraite.

pensive ['pensɪv] adj songeur.

pentagon ['pentəgən] n pentagone m.

Pentagon n (US) • **the Pentagon** le Pentagone (siège du ministère américain de la Défense).

pentathlon [pen'tæθlən] (pl -s) n pentathlon m.

Pentecost ['pentɪkɒst] n Pentecôte f.

penthouse ['penthaʊs] (pl [-haʊzɪz]) n appartement m de luxe (au dernier étage).

pent-up ['pent-] adj **1.** (émotions) refoulé **2.** (énergie) contenu.

penultimate [pe'nʌltɪmət] adj avant-dernier.

people ['piːpl] n nation f, peuple m. ❏ npl **1.** personnes fpl • **few/a lot of people** peu/beaucoup de monde ou de gens **2.** gens mpl • **people say that...** on dit que... **3.** habitants mpl **4.** • **the people** le peuple. ❏ vt • **to be peopled by** ou **with** être peuplé de.

people carrier n (UK) monospace m.

pep [pep] n (indén) fam entrain m, punch m. ■ **pep up** vt sép fam **1.** remonter, requinquer **2.** animer.

pepper ['pepə] n **1.** poivre m **2.** poivron m.

pepperbox ['pepəbɒks] n (US) = pepper pot.

peppercorn ['pepəkɔːn] n grain m de poivre.

pepper mill n moulin m à poivre.

peppermint ['pepəmɪnt] n **1.** bonbon m à la menthe **2.** menthe f poivrée.

pepper pot (UK), **pepperbox** (US) ['pepəbɒks], **peppershaker** [pepə'ʃeɪkə] (US) n poivrier m.

peppershaker = pepper pot.

peppery ['pepərɪ] adj poivré.

pep rally n (US) SCOL série d'événements : danses, chants, démonstrations de cheerleading et jeux organisés avant une grande rencontre sportive afin de stimuler l'esprit d'école.

pep talk n fam paroles fpl d'encouragement.

per [pɜːr] prép • **per person** par personne • **to be paid £10 per hour** être payé 10 livres de l'heure • **per kilo** le kilo • **as per instructions** conformément aux instructions.

per annum adv par an.

per capita [pə'kæpɪtə] adj & adv par personne.

perceive [pə'siːv] vt **1.** percevoir **2.** remarquer, s'apercevoir de **3.** • **to perceive sb/sthg as** considérer qqn/qqch comme.

percent [pə'sent] adv pour cent.

percentage [pə'sentɪdʒ] n pourcentage m.

perceptible [pə'septəbl] adj sensible.

perception [pə'sepʃn] n **1.** perception f **2.** perspicacité f, intuition f.

perceptive [pə'septɪv] adj perspicace.

perch[pɜːtʃ] n 1.littéraire & fig perchoir m 2.(pl inv ou -es) (poisson) perche f. ❏ vi se percher.

percolator['pɜːkəleɪtər] n cafetière f à pression.

percussion[pəˈkʌʃn] n percussion f.

percussion instrument n MUS instrument m à percussion.

perennial[pəˈrenjəl] adj 1.permanent, perpétuel 2.BOT vivace. ❏ n plante f vivace.

perfect adj [ˈpɜːfɪkt] 1.parfait • it's less than perfect cela laisse à désirer 2. iron véritable • he's a perfect nuisance il est absolument insupportable. ❏ n [ˈpɜːfɪkt] • perfect (tense) parfait m. ❏ vt [pəˈfekt] parfaire.

perfection[pəˈfekʃn] n perfection f • to perfection parfaitement (bien).

perfectionist[pəˈfekʃənɪst] n perfectionniste mf.

perfectly[ˈpɜːfɪktlɪ] adv parfaitement • you know perfectly well tu sais très bien.

perfect pitch n MUS • to have perfect pitch avoir l'oreille absolue.

perfect storm [ˈpɜːfekt stɔːrm] n survenance simultanée d'événements de moindre importance mais dont la combinaison engendre une situation catastrophique.

perforate[ˈpɜːfəreɪt] vt perforer.

perforated[ˈpɜːfəreɪtɪd] adj perforé, percé • to have a perforated eardrum avoir un tympan perforé ou crevé • tear along the perforated line détacher suivant les pointillés.

perforation[ˌpɜːfəˈreɪʃn] n perforation f.

perforations[ˌpɜːfəˈreɪʃnz] npl pointillés mpl.

perform[pəˈfɔm] vt 1.exécuter 2.remplir (une fonction) 3.jouer. ❏ vi 1.fonctionner 2. • perform well/badly avoir de bons/mauvais résultats 3.jouer 4.chanter.

performance [pəˈfɔːməns] n 1.exécution f 2.représentation f 3.interprétation f (d'un acteur, d'un chanteur) 4.performance f (d'une voiture, d'un moteur).

performance appraisal n 1.système m d'évaluation 2.évaluation f.

performance art n art m de représentation.

performance-enhancing drug n produit m dopant.

performance pay n prime f de résultat.

performance-related adj en fonction du mérite ou résultat • performance-related pay salaire m au mérite.

performer[pəˈfɔːmər] n artiste mf, interprète mf.

performing arts[pəˈfɔːmɪŋ-] npl • the performing arts les arts mpl du spectacle.

perfume[ˈpɜːfjuːm] n parfum m.

perfumed[(UK)ˈpɜːfjuːmd, (US)pərˈfjuːmd] adj parfumé.

perfunctory[pəˈfʌŋktərɪ] adj rapide, superficiel.

perhaps[pəˈhæps] adv peut-être.

peril[ˈperɪl] n danger m, péril m.

perilous[ˈperələs] adj dangereux, périlleux.

perilously[ˈperələslɪ] adv dangereusement.

perimeter [pəˈrɪmɪtər] n périmètre m • perimeter fence clôture f • perimeter wall mur m d'enceinte.

period [ˈpɪərɪəd] n 1.période f 2.SCOL ≃ heure f 3.règles fpl (menstruation) 4.(US) point m (ponctuation). ❏ en apposition d'époque.

periodic [ˌpɪərɪˈɒdɪk] adj périodique.

periodical[ˌpɪərɪˈɒdɪkl] adj = periodic. ❏ n périodique m.

periodically [ˌpɪərɪˈɒdɪklɪ] adv périodiquement, de temps en temps.

periodic table n table m de Mendeleïev.

period pains npl règles fpl douloureuses.

peripheral [pəˈrɪfərəl] adj 1.secondaire 2.périphérique. ❏ n INFORM périphérique m.

periphery[pəˈrɪfərɪ] (pl -ies) n périphérie f.

periscope[ˈperɪskəʊp] n périscope m.

perish[ˈperɪʃ] vi 1.périr, mourir 2.pourrir, se gâter 3.se détériorer.

perishable[ˈperɪʃəbl] adj périssable. ■ perishables npl denrées fpl périssables.

perjure[ˈpɜːdʒər] vt DR • to perjure o.s. se parjurer.

perjury [ˈpɜːdʒərɪ] n (indén) parjure m, faux témoignage m.

perk[pɜːk] n fam à-côté m, avantage m. ■ perk up vi se ragaillardir.

perky [ˈpɜːkɪ] adj fam 1.guilleret 2.plein d'entrain.

perm[pɜːm] n permanente f.

permalink[ˈpɜːməlɪŋk] n INFORM lien m permanent, permalien m.

permanent [ˈpɜːmənənt] adj permanent. ❏ n (US) permanente f.

permanently[ˈpɜːmənəntlɪ] adv 1.(handicapé, abîmé) définitivement, de manière permanente 2.(fermé, disponible) en permanence.

permeable[ˈpɜːmjəbl] adj perméable.

permeate[ˈpɜːmɪeɪt] vt 1.s'infiltrer dans 2.(idée, sentiment) se répandre dans.

permissible[pəˈmɪsəbl] adj sout acceptable, admissible.

permission [pəˈmɪʃn] n permission f, autorisation f • to give sb permission to do sthg donner à qqn l'autorisation de faire qqch.

permissive[pəˈmɪsɪv] adj permissif.

permit vt [pəˈmɪt] permettre • to permit sb to do sthg permettre à qqn de faire qqch, autoriser qqn à faire qqch • to permit sb sthg permettre qqch à qqn. ❏ n [ˈpɜːmɪt] permis m.

permutation[ˌpɜːmjuːˈteɪʃn] n permutation f.

pernicious [pə'nɪʃəs] *adj sout* pernicieux.

pernickety [pə'nɪkətɪ] *adj* (UK) *fam* tatillon, pointilleux.

peroxide [pə'rɒksaɪd] *n* peroxyde *m*.

peroxide blonde *n* blonde *f* décolorée.

perpendicular [ˌpɜːpən'dɪkjʊləʳ] *adj* perpendiculaire. ❑ *n* perpendiculaire *f*.

perpetrate ['pɜːpɪtreɪt] *vt* perpétrer, commettre.

perpetration [ˌpɜːpɪ'treɪʃn] *n* perpétration *f*.

perpetrator ['pɜːpɪtreɪtəʳ] *n* auteur *m*.

perpetual [pə'petʃʊəl] *adj* **1.** *péj* continuel, incessant **2.** perpétuel.

perpetually [pə'petʃʊəlɪ] *adv* toujours, constamment.

perpetuate [pə'petʃʊeɪt] *vt* perpétuer.

perpetuity [ˌpɜːpɪ'tjuːətɪ] *n* • **in perpetuity** *sout* à perpétuité.

perplex [pə'pleks] *vt* rendre perplexe.

perplexed [pə'plekst] *adj* perplexe.

perplexing [pə'pleksɪŋ] *adj* déroutant.

per se [pɜː'seɪ] *adv sout* en tant que tel, telle *f*, en soi.

persecute ['pɜːsɪkjuːt] *vt* persécuter, tourmenter.

persecution [ˌpɜːsɪ'kjuːʃn] *n* persécution *f*.

persecutor ['pɜːsɪkjuːtəʳ] *n* persécuteur *m*, -trice *f*.

perseverance [ˌpɜːsɪ'vɪərəns] *n* persévérance *f*, ténacité *f*.

persevere [ˌpɜːsɪ'vɪəʳ] *vi* **1.** persévérer, persister • **to persevere with** persévérer *ou* persister dans **2.** • **to persevere in doing sthg** persister à faire qqch.

Persian ['pɜːʃn] *adj* **1.** persan **2.** *HIST* perse.

persist [pə'sɪst] *vi* • **to persist (in doing sthg)** persister *ou* s'obstiner (à faire qqch).

persistence [pə'sɪstəns] *n* persistance *f*.

persistent [pə'sɪstənt] *adj* **1.** continuel **2.** constant **3.** tenace, obstiné.

persistently [pə'sɪstəntlɪ] *adv* **1.** continuellement, constamment **2.** obstinément, avec persévérance.

person ['pɜːsn] (*pl* **people** ['piːpl] *ou* **persons**) *sout n* **1.** personne *f* **2.** *sout* • **about one's person** sur soi.

personable ['pɜːsnəbl] *adj* sympathique.

personal ['pɜːsənl] *adj* **1.** personnel • **personal effects** *ou* **belongings** effets *mpl* personnels **2.** *péj* désobligeant.

personal assistant *n* secrétaire *mf* de direction.

personal call *n* communication *f* téléphonique privée.

personal column *n* petites annonces *fpl*.

personal computer *n* ordinateur *m* personnel *ou* individuel.

personal hygiene *n* hygiène *f* corporelle.

personality [ˌpɜːsə'nælətɪ] *n* personnalité *f*.

personality disorder *n* trouble *m* de la personnalité.

personality profile *n* profil *m* de personnalité.

personalize, -ise (UK) ['pɜːsənəlaɪz] *vt* **1.** personnaliser **2.** marquer à son nom (*vêtements, bagage*) **3.** rendre personnel (*attaque, critique*).

personalized, -ised (UK) ['pɜːsənəlaɪzd] *adj* **1.** personnalisé **2.** (*vêtements, bagage*) marqué à son nom **3.** (*attaque, critique*) personnel.

personally ['pɜːsnəlɪ] *adv* personnellement • **to take sthg personally** se sentir visé par qqch.

personal organizer, -iser (UK) *n* organiseur *m*.

personal pension plan *n* retraite *f* personnelle.

personal pronoun *n* pronom *m* personnel.

personal property *n* (*indén*) biens *mpl* personnels.

personal shopper *n* styliste *mf* privé (e).

personal stereo *n* baladeur *m*, Walkman® *m*.

personal trainer *n* coach *m* personnel.

persona non grata [-'grɑːtə] (*pl* **personae non gratae** [-'grɑːtiː]) *n* persona non grata.

person-hour *n* = **man-hour**.

personification [pəˌsɒnɪfɪ'keɪʃn] *n* personnification *f*.

personify [pə'sɒnɪfaɪ] *vt* personnifier.

personnel [ˌpɜːsə'nel] *n* (*indén*) service *m* du personnel. ❑ *npl* personnel *m*.

personnel department *n* service *m* du personnel.

perspective [pə'spektɪv] *n* **1.** perspective *f* **2.** point *m* de vue, optique *f*.

Perspex® ['pɜːspeks] *n* (UK) ≃ Plexiglas® *m*.

perspiration [ˌpɜːspə'reɪʃn] *n* **1.** sueur *f* **2.** transpiration *f*.

persuade [pə'sweɪd] *vt* • **to persuade sb to do sthg** persuader *ou* convaincre qqn de faire qqch • **to persuade sb that** convaincre qqn que • **to persuade sb of** convaincre qqn de.

persuasion [pə'sweɪʒn] *n* **1.** persuasion *f* **2.** *RELIG* confession *f* **3.** *POLIT* conviction *f*.

persuasive [pə'sweɪsɪv] *adj* **1.** persuasif **2.** convaincant.

persuasively [pə'sweɪsɪvlɪ] *adv* d'un ton persuasif, d'une manière convaincante.

persuasiveness [pə'sweɪsɪvnəs] *n* force *f* de persuasion.

pert [pɜːt] *adj* mutin, coquin.

pertain [pə'teɪn] *vi sout* • **pertaining to** concernant, relatif à.

pertinence ['pɜːtɪnəns] *n* pertinence *f*.

pertinent ['pɜːtɪnənt] *adj* pertinent, approprié.

perturb [pə'tɜːb] *vt* inquiéter, troubler.

perturbed [pə'tɜːbd] *adj* *sout* inquiet, troublé.

perturbing [pə'tɜːbɪŋ] *adj* inquiétant, troublant.

Peru [pə'ruː] *n* Pérou *m*.

peruse [pə'ruːz] *vt* *sout* lire attentivement.

pervade [pə'veɪd] *vt* *sout* 1. (odeur) se répandre dans 2. (sentiment) envahir.

perverse [pə'vɜːs] *adj* 1. contrariant 2. malin.

perversely [pə'vɜːslɪ] *adv* par esprit de contradiction.

perversion [(UK) pə'vɜːʃn, (US) pə'vɜːrʒn] *n* 1. perversion *f* 2. travestissement *m*.

pervert *n* ['pɜːvɜːt] pervers *m*, -e *f*. ❑ *vt* [pə'vɜːt] 1. travestir, déformer 2. entraver (le cours de la justice) 3. pervertir.

perverted [pə'vɜːtɪd] *adj* pervers.

pesky ['peskɪ] (*comp* peskier, *superl* peskiest) *adj* (surtout US) *fam* fichu.

pessimism ['pesɪmɪzm] *n* pessimisme *m*.

pessimist ['pesɪmɪst] *n* pessimiste *mf*.

pessimistic [,pesɪ'mɪstɪk] *adj* pessimiste.

pest [pest] *n* 1. insecte *m* nuisible 2. animal *m* nuisible 3. *fam* casse-pieds *mf inv*.

pester ['pestər] *vt* harceler, importuner.

pesticide ['pestɪsaɪd] *n* pesticide *m*.

pesto ['pestəʊ], **pesto sauce** *n* pesto *m*.

pet [pet] *adj* • **pet subject** dada *m* • **pet hate** bête *f* noire. ❑ *n* 1. animal *m* (familier) 2. chouchou *m*, -oute *f*. ❑ *vt* caresser, câliner. ❑ *vi* se peloter *fam*, se caresser.

petal ['petl] *n* pétale *m*.

peter ['piːtər] ■ **peter out** *vi* 1. (chemin) s'arrêter, se perdre 2. (intérêt) diminuer.

petfood ['petfuːd] *n* aliments *mpl* pour animaux de compagnie.

petite [pə'tiːt] *adj* menu.

petition [pɪ'tɪʃn] *n* pétition *f*. ❑ *vt* adresser une pétition à.

pet name *n* petit nom *m*.

petrified ['petrɪfaɪd] *adj* paralysé *ou* pétrifié de peur.

petrify ['petrɪfaɪ] (*prét & pp* petrified) *vt* paralyser *ou* pétrifier de peur.

petrol ['petrəl] *n* (UK) essence *f*.

petrol bomb *n* (UK) cocktail *m* Molotov.

petrol can *n* (UK) bidon *m* à essence.

petroleum [pɪ'trəʊljəm] *n* pétrole *m*.

petrol pump *n* (UK) pompe *f* à essence.

petrol station *n* (UK) station-service *f*.

petrol tank *n* (UK) réservoir *m* d'essence.

pet shop *n* animalerie *f*.

petticoat ['petɪkəʊt] *n* jupon *m*.

petty ['petɪ] *adj* 1. mesquin 2. insignifiant, sans importance.

petty cash *n* (indén) caisse *f* des dépenses courantes.

petty-minded *adj* borné, mesquin.

petty officer *n* second maître *m*.

petulant ['petjʊlənt] *adj* irritable.

pew [pjuː] *n* banc *m* d'église.

pewter ['pjuːtər] *n* étain *m*.

PG (abrév de parental guidance) en Grande-Bretagne, désigne un film pour lequel l'avis des parents est recommandé.

pH *n* pH *m*.

phallic ['fælɪk] *adj* phallique.

phantom ['fæntəm] *adj* fantomatique, spectral. ❑ *n* fantôme *m*.

pharmaceutical [,fɑːmə'sjuːtɪkl] *adj* pharmaceutique.

pharmacist ['fɑːməsɪst] *n* pharmacien *m*, -enne *f*.

pharmacy ['fɑːməsɪ] *n* pharmacie *f*.

pharming ['fɑːmɪŋ] *n* INFORM pharming *m*.

phase [feɪz] *n* phase *f*. ■ **phase in** *vt sép* introduire progressivement. ■ **phase out** *vt sép* supprimer progressivement.

PhD (abrév de Doctor of Philosophy) *n* (titulaire d'un) doctorat de 3ᵉ cycle.

pheasant ['feznt] (*pl inv ou* -s) *n* faisan *m*.

phenomena [fɪ'nɒmɪnə] *npl* → phenomenon.

phenomenal [fɪ'nɒmɪnl] *adj* phénoménal, extraordinaire.

phenomenally [fɪ'nɒmɪnəlɪ] *adv* phénoménalement.

phenomenon [fɪ'nɒmɪnən] (*pl* -mena) *n* phénomène *m*.

phew [fjuː] *interj* ouf !

phial ['faɪəl] *n* fiole *f*.

philanderer [fɪ'lændərə] *n* coureur *m*, don Juan *m*.

philandering [fɪ'lændərɪŋ] *n* donjuanisme *m*.

philanthropist [fɪ'lænθrəpɪst] *n* philanthrope *mf*.

philately [fɪ'lætəlɪ] *n* philatélie *f*.

Philippine ['fɪlɪpiːn] *adj* philippin. ■ **Philippines** *npl* • **the Philippines** les Philippines *fpl*.

philistine [(UK) 'fɪlɪstaɪn, (US) 'fɪlɪstiːn] *n* philistin *m*, béotien *m*, -enne *f*.

philosopher [fɪ'lɒsəfər] *n* philosophe *mf*.

philosophical [,fɪlə'sɒfɪkl] *adj* 1. philosophique 2. philosophe.

philosophically [,fɪlə'sɒfɪklɪ] *adv* 1. (en philosophie) philosophiquement 2. (avec calme) philosophiquement, avec philosophie.

philosophy [fɪ'lɒsəfɪ] *n* philosophie *f*.

phishing ['fɪʃɪŋ] *n* INFORM phishing *m*.

phlegm [flem] *n* flegme *m*.

phlegmatic [fleg'mætɪk] *adj* flegmatique.

phobia ['fəubjə] *n* phobie *f*.

phobic ['fəubɪk] *adj* phobique. ❏ *n* phobique *mf*.

phone [fəun] *n* téléphone *m*. ❏ *en apposition* téléphonique. ❏ *vt* téléphoner à, appeler. ❏ *vi* téléphoner. ■ **phone back** *vt sép* & *vi* rappeler • **I'll phone back tonight** je rappellerai ce soir. ■ **phone in** *vi* téléphoner, appeler • **to phone in sick** appeler pour dire qu'on est malade et qu'on ne peut pas venir travailler. ❏ *vt* • **phone in your answers** donnez vos réponses par téléphone. ■ **phone up** *vt sép* & *vi* téléphoner.

phone book *n* annuaire *m* (du téléphone).

phone booth, phone box (UK) *n* cabine *f* téléphonique.

phone call *n* coup *m* de téléphone *ou* fil • **to make a phone call** passer *ou* donner un coup de fil.

phonecard ['fəunkɑːd] *n* ≃ Télécarte® *f*.

phonecasting ['fəunkɑːstɪŋ] *n* phonecasting *m*.

phone-in *n* (UK) RADIO & TV programme *m* à ligne ouverte.

phone line *n* **1.** câble *m* téléphonique **2.** ligne *f* téléphonique.

phone number *n* numéro *m* de téléphone.

phone-tapping [-ˌtæpɪŋ] *n* écoute *f* téléphonique.

phonetic [fə'netɪk] *adj* phonétique.

phonetically [fə'netɪklɪ] *adv* phonétiquement.

phonetics [fə'netɪks] *n* (indén) phonétique *f*.

phoney, phony *fam* ['fəunɪ] *adj* **1.** bidon (*inv*) **2.** hypocrite, pas franc. ❏ *n* poseur *m*, -euse *f*.

phone zap *n* zapping *m* (par un groupe de pression).

phosphorus ['fɒsfərəs] *n* phosphore *m*.

photo ['fəutəu] *n* photo *f* • **to take a photo of sb/sthg** photographier qqn/qqch, prendre qqn/qqch en photo.

photo album *n* album *m* de photos.

photobooth ['fəutəubuːð] *n* Photomaton®.

photocall ['fəutəukɔːl] *n* (UK) séance *f* de photos.

photocopier ['fəutəuˌkɒpɪə] *n* photocopieur *m*, copieur *m*.

photocopy ['fəutəuˌkɒpɪ] *n* photocopie *f*. ❏ *vt* photocopier.

photocopying ['fəutəuˌkɒpɪɪŋ] *n* (indén) reprographie *f*, photocopie *f*.

photo frame *n* cadre *m* photo.

photogenic [ˌfəutəu'dʒenɪk] *adj* photogénique.

photograph ['fəutəgrɑːf] *n* photographie *f* • **to take a photograph (of sb/sthg)** prendre (qqn/qqch) en photo. ❏ *vt* photographier.

photographer [fə'tɒgrəfə] *n* photographe *mf*.

photographic [ˌfəutə'græfɪk] *adj* photographique.

photographic memory *n* mémoire *f* photographique.

photography [fə'tɒgrəfɪ] *n* photographie *f*.

photoshoot ['fəutəusuːt] *n* prise *f* de vue.

phrasal verb ['freɪzl-] *n* verbe *m* à postposition.

phrase [freɪz] *n* expression *f*. ❏ *vt* exprimer, tourner (*une phrase*).

phrasebook ['freɪzbuk] *n* guide *m* de conversation (*pour touristes*).

physical ['fɪzɪkl] *adj* **1.** physique **2.** matériel. ❏ *n* visite *f* médicale.

physical chemistry *n* chimie *f* physique.

physical education *n* éducation *f* physique.

physical geography *n* géographie *f* physique.

physically ['fɪzɪklɪ] *adv* physiquement.

physically handicapped *adj* • **to be physically handicapped** être handicapé physique. ❏ *npl* • **the physically handicapped** les handicapés *mpl* physiques.

physical therapist *n* (US) kinésithérapeute *mf*.

physical therapy *n* (US) **1.** kinésithérapie *f* **2.** rééducation *f* (*après un accident, une maladie*).

physician [fɪ'zɪʃn] *n* sout médecin *m*.

physicist ['fɪzɪsɪst] *n* physicien *m*, -enne *f*.

physics ['fɪzɪks] *n* (indén) physique *f*.

physio ['fɪzɪəu] (*pl* -s) (UK) *fam* **1.** (abrév de physiotherapist) kiné *mf* **2.** (abrév de physiotherapy) kiné *f*.

physiotherapist [ˌfɪzɪəu'θerəpɪst] *n* (UK) kinésithérapeute *mf*.

physiotherapy [ˌfɪzɪəu'θerəpɪ] *n* (UK) kinésithérapie *f*.

physique [fɪ'ziːk] *n* physique *m*.

pianist ['pɪənɪst] *n* pianiste *mf*.

piano [pɪ'ænəu] (*pl* -s) *n* piano *m*.

pick [pɪk] *n* **1.** pioche *f*, pic *m* **2.** • **to take one's pick** choisir **3.** • **the pick of** le meilleur, la meilleure *f* de. ❏ *vt* **1.** choisir, sélectionner **2.** cueillir **3.** enlever **4.** • **to pick one's nose** se curer le nez • **to pick one's teeth** se curer les dents **5.** chercher • **to pick a fight** chercher la bagarre **6.** crocheter. ■ **pick at** *vt insép* picorer (*nourriture*). ■ **pick on** *vt insép* s'en prendre à, être sur le dos de. ■ **pick out** *vt sép* **1.** repérer, reconnaître **2.** choisir, désigner. ■ **pick up** *vt sép* **1.** ramasser **2.** aller chercher **3.** apprendre **4.** prendre (*une habitude*) **5.** découvrir • **to pick up speed** prendre de la vitesse **6.** *fam* draguer **7.** RADIO & TÉLÉCOM capter **8.** reprendre (*son travail*), continuer (*une conversation*). ❏ *vi* reprendre.

pickaxe (UK), **pickax** (US) ['pɪkæks] *n* pioche *f*, pic *m*.

picket['pɪkɪt] n piquet m de grève. ❑vt mettre un piquet de grève devant.

picket line n piquet m de grève.

pickle['pɪkl] n 1.(UK)pickles mpl 2.(US)cornichon m 3.•**to be in a pickle** fam& vieilli être dans le pétrin. ❑ vt conserver dans du vinaigre, de la saumure, etc.

pickled['pɪkld] adj au vinaigre.

pick-me-up n fam remontant m.

pick-'n'-mix n assortiment m (de bonbons, de fromage, composé par l'acheteur lui-même).

pickpocket['pɪk,pɒkɪt] n pickpocket m, voleur m à la tire.

pick-up n camionnette f.

picky['pɪkɪ] (comp pickier, superl pickiest) adj fam difficile.

pick-your-own adj 1.(ferme) où l'on peut cueillir soi-même ses fruits et ses légumes 2.(fruits, légumes) cueilli à la ferme.

picnic['pɪknɪk] n pique-nique m •**to have a picnic** faire un pique-nique, pique-niquer. ❑ vi (prét & pp **picnicked**, cont **picnicking**) pique-niquer.

picnic basket, picnic hamper n panier m à pique-nique.

pictorial[pɪk'tɔːrɪəl] adj illustré.

picture['pɪktʃər] n 1.tableau m, peinture f 2.dessin m 3.photo f, photographie f 4.image f 5.film m 6.tableau m, image f 7.fig tableau m 8.(locution) •**to get the picture** fam piger •**to put sb in the picture** mettre qqn au courant. ❑ vt 1.imaginer, s'imaginer, se représenter 2.photographier 3.représenter, peindre. ■ **pictures** npl (UK) vieilli •**the pictures** le cinéma.

picture book n livre m d'images.

picture frame n cadre m (pour tableaux).

picture messaging n messagerie f photo.

picturesque[,pɪktʃə'resk] adj pittoresque.

piddling['pɪdlɪŋ] adj fam& péj dérisoire, insignifiant.

pie[paɪ] n 1.tourte f (salée) 2.tarte f (sucrée).

piece[piːs] n 1.morceau m •**a piece of furniture** un meuble •**a piece of clothing** un vêtement •**a piece of advice** un conseil •**to fall to pieces** tomber en morceaux •**to take sthg to pieces** démonter qqch •**in pieces** en morceaux •**in one piece a)** intact **b)** sain et sauf 2.bout m 3.pièce f (de monnaie, de jeu d'échecs). 4.pièce m 5.PRESSE article m. ■ **piece together** vt sép coordonner.

pièce de résistance [,pjesdərezɪs'tãs] (pl **pièces de résistance** [,pjesdərezɪs'tãs]) n pièce f de résistance.

piecemeal['piːsmiːl] adj fait petit à petit. ❑ adv petit à petit, peu à peu.

piecework['piːswɜːk] n (indén) travail m à la pièce ou aux pièces.

pieceworker ['piːswɜːkər] n travailleur m, -euse f à la pièce.

pie chart n camembert m (schéma), graphique m rond.

pied-à-terre [,pɪeɪdæ'teər] (pl **pieds-à-terre** [,pɪeɪdæ'teər]) n pied-à-terre m inv.

pier[pɪər] n jetée f.

pierce[pɪəs] vt percer, transpercer •**to have one's ears pierced** se faire percer les oreilles.

pierced[pɪəst] adj percé.

piercing['pɪəsɪŋ] adj 1.perçant 2.pénétrant. ❑ n •(**body) piercing** piercing m.

piety['paɪətɪ] n piété f.

piffling['pɪflɪŋ] adj fam insignifiant.

pig[pɪg] n 1.porc m, cochon m 2.fam& péj goinfre m 3.fam& péj sale type m 4.•**in a pig's eye!** (US) fam jamais de la vie ! •**to be like a pig in mud** (US)être comme un poisson dans l'eau. ■ **pig out** vi fam s'empiffrer.

pigeon['pɪdʒɪn] (pl inv ou -s) n pigeon m.

pigeon-chested [-,tʃestɪd] adj à la poitrine bombée.

pigeonhole['pɪdʒɪnhəʊl] n casier m. ❑vt étiqueter, cataloguer.

pigeon-toed [-,təʊd] adj qui a les pieds en dedans.

piggyback['pɪgɪbæk] n •**to give sb a piggyback** porter qqn sur son dos.

piggybacking['pɪgɪbækɪŋ] n FIN portage m.

piggy bank['pɪgɪbæŋk] n tirelire f.

pigheaded[,pɪg'hedɪd] adj têtu.

pigment['pɪgmənt] n pigment m.

pigpen (US) = pigsty.

pigskin['pɪgskɪn] n (peau f de) porc m.

pigsty['pɪgstaɪ], **pigpen** (US)['pɪgpen] n litt& fig porcherie f.

pigtail['pɪgteɪl] n natte f.

pig-ugly adj (UK) fam moche comme un pou.

pike[paɪk] (pl -s ou 1.(pl inv) brochet m 2.pique f.

Pilates[pɪ'lɑːtiːz] n (gymnastique) Pilates f.

pilchard['pɪltʃəd] n pilchard m.

pile[paɪl] n 1.tas m •**a pile of, piles of** un tas ou des tas de 2.pile f 3.(indén) poils mpl (de tapis). ❑ vt empiler. ■ **pile in** vi fam s'empiler. ■ **pile into** vt insép fam s'entasser dans, s'empiler dans. ■ **pile on** fam vi insép s'entasser, monter en s'entassant (dans un bus, un train). ❑ vt sép 1.faire durer (suspense) ; augmenter (pression) 2. •**to pile it on** exagérer, en rajouter 3. •**to pile on the pounds** ou **pile it on** fam grossir. ■ **pile out** vi fam sortir en se bousculant. ■ **piles** npl hémorroïdes fpl. ■ **pile up** vt sép empiler, entasser. ❑ vi 1.s'entasser 2.fig s'accumuler •**the work is piling up** le travail s'accumule.

pileup['paɪlʌp] n carambolage m.

pilfer ['pɪlfə'] *vt* chaparder. ❑ *vi* • **to pilfer (from)** faire du chapardage (dans).

pilgrim ['pɪlgrɪm] *n* pèlerin *m*.

pilgrimage ['pɪlgrɪmɪdʒ] *n* pèlerinage *m*.

pill [pɪl] *n* **1.** pilule *f* **2.** • **the pill** la pilule • **to be on the pill** prendre la pilule.

pillage ['pɪlɪdʒ] *vt* piller.

pillar ['pɪlə'] *n litt & fig* pilier *m*.

pillar box *n* (UK) boîte *f* aux lettres.

pillbox ['pɪlbɒks] *n* boîte *f* à pilules.

pillion ['pɪljən] *n* siège *m* arrière • **to ride pillion** monter derrière.

pillock ['pɪlək] *n* (UK) *fam* imbécile *mf*.

pillow ['pɪləʊ] *n* **1.** oreiller *m* **2.** (US) coussin *m*.

pillowcase ['pɪləʊkeɪs], **pillowslip** ['pɪləʊslɪp] *n* taie *f* d'oreiller.

pilot ['paɪlət] *n* **1.** AÉRON & NAUT pilote *mf* **2.** TV émission *f* pilote. ❑ *en apposition* pilote. ❑ *vt* piloter.

pilot burner, pilot light *n* veilleuse *f*.

pilot scheme *n* (UK) projet-pilote *m*.

pilot study *n* étude *f* pilote *ou* expérimentale.

pimp [pɪmp] *n fam* maquereau *m*.

pimple ['pɪmpl] *n* bouton *m*.

pimply ['pɪmplɪ] *(comp* pimplier, *superl* pimpliest*) adj* boutonneux.

pin [pɪn] *n* **1.** épingle *f* **2.** (US) broche *f* **3.** (UK) punaise *f* **4.** épingle *f* à nourrice **5.** ÉLECTR fiche *f* **6.** TECHNOL goupille *f*, cheville *f*. ❑ *vt* • **to pin sthg to/on sthg** épingler qqch à/sur qqch • **to pin sb against** *ou* **to** clouer qqn contre • **to pin sthg on sb** mettre *ou* coller qqch sur le dos de qqn • **to pin one's hopes on sb/sthg** mettre tous ses espoirs en qqn/dans qqch. ■ **pin down** *vt sép* **1.** définir, identifier **2.** • **to pin sb down** obliger qqn à prendre une décision. ■ **pin up** *vt sép* épingler.

PIN [pɪn] (abrév de personal identification number) *n* code *m* confidentiel.

pinafore ['pɪnəfɔː'] *n* tablier *m*.

pinball ['pɪnbɔl] *n* flipper *m*.

pincers ['pɪnsəz] *npl* **1.** tenailles *fpl* **2.** pinces *fpl (de crabe)*.

pinch [pɪntʃ] *n* **1.** pincement *m* **2.** pincée *f*. ❑ *vt* **1.** pincer **2.** serrer **3.** (UK) *fam* piquer, faucher. ■ **at a pinch** (UK), **in a pinch** (US) *adv* à la rigueur.

pinched [pɪntʃt] *adj (traits)* tiré • **to be pinched for time/money** être à court de temps/ d'argent • **pinched with cold** transi de froid.

pincushion ['pɪn,kʊʃn] *n* pelote *f* à épingles.

pine [paɪn] *n* pin *m*. ❑ *vi* • **to pine for** désirer ardemment. ■ **pine away** *vi* languir.

pineapple ['paɪnæpl] *n* ananas *m*.

pine cone *n* pomme *f* de pin.

pinetree ['paɪntriː] *n* pin *m*.

ping [pɪŋ] *n* **1.** tintement *m* **2.** bruit *m* métallique.

Ping-Pong® [-pɒŋ] *n* ping-pong *m*.

pinhole ['pɪnhəʊl] *n* trou *m* d'épingle.

pink [pɪŋk] *adj* rose • **to go** *ou* **turn pink** rosir, rougir. ❑ *n* rose *m*.

pink economy *n activités économiques générées par le pouvoir d'achat des homosexuels.*

pinkeye (US) = **conjunctivitis**.

pink pound *n* (UK) • **the pink pound** *le pouvoir d'achat des homosexuels.*

pin money *n fam* argent *m* de poche.

pinnacle ['pɪnəkl] *n* **1.** pic *m*, cime *f* **2.** *fig* apogée *m*.

pin number *n* code *m* confidentiel.

pinpoint ['pɪnpɔɪnt] *vt* **1.** définir, mettre le doigt sur **2.** localiser.

pinprick ['pɪnprɪk] *n* piqûre *f* d'épingle.

pins and needles *n* **1.** *(indén) fam* fourmillements *mpl* • **I have pins and needles in my arm** j'ai des fourmis dans le bras **2.** • **to be on pins and needles** (US) trépigner d'impatience, ronger son frein.

pin-striped [-,straɪpt] *adj* à très fines rayures.

pint [paɪnt] *n* **1.** (UK) = 0,568 litre ; ≃ demi-litre *m* **2.** (US) = 0,473 litre ; ≃ demi-litre *m* **3.** (UK) ≃ demi *m*.

pint-size(d) *adj fam* minuscule.

pinup ['pɪnʌp] *n* pin-up *f inv*.

pioneer [,paɪə'nɪə'] *n litt & fig* pionnier *m*. ❑ *vt* • **to pioneer sthg** être un des premiers, une des premières *f* à faire qqch.

pioneering [,paɪə'nɪərɪŋ] *adj (travaux, recherches)* de pionnier.

pious ['paɪəs] *adj* **1.** pieux, pieuse *f* **2.** *péj* moralisateur.

pip [pɪp] *n* **1.** pépin *m* **2.** (UK) TÉLÉCOM top *m*.

pipe [paɪp] *n* **1.** tuyau *m* **2.** pipe *f*. ❑ *vt* acheminer par tuyau. ■ **pipe down** *vi fam* se taire, la fermer. ■ **pipes** *npl* cornemuse *f*. ■ **pipe up** *vi fam* se faire entendre.

pipe cleaner *n* cure-pipe *m*.

pipe dream *n* projet *m* chimérique.

pipeline ['paɪplaɪn] *n* **1.** gazoduc *m* **2.** oléoduc *m*, pipeline *m*.

piper ['paɪpə'] *n* joueur *m*, -euse *f* de cornemuse.

piping hot ['paɪpɪŋ-] *adj* bouillant.

piquant ['piːkənt] *adj* piquant.

pique [piːk] *n* dépit *m*.

piracy ['paɪrəsɪ] *n* **1.** piraterie *f (en mer)* **2.** piratage *m (de programme, de données)*.

pirate ['paɪrət] *adj* pirate. ❑ *n* pirate *m*. ❑ *vt* pirater.

pirate radio *n* (UK) radio *f* pirate.

pirouette [,pɪru'et] *n* pirouette *f*. ❑ *vi* pirouetter.

Pisces ['paɪsiːz] n Poissons mpl.

piss [pɪs] vulgn pisse f. ◻vi pisser. ■ **piss down** v impers (UK) vulg pleuvoir comme vache qui pisse. ■ **piss off** vulgvt sép emmerder. ◻vi (UK) foutre le camp • **piss off!** fous le camp !

pissed [pɪst] adj vulg **1.** (UK) bourré **2.** (US) en rogne, furax.

pissed off adj vulg en rogne, furax.

piss-take n **1.** (UK) vulg mise f en boîte (de personne) **2.** parodie f (dans un livre, un film).

piss-up n (UK) tfam • **to go on** ou **to have a piss-up** se biturer, se soûler la gueule • **he couldn't organise a piss-up in a brewery** il n'est pas foutu d'organiser quoi que ce soit.

pistachio [pɪˈstɑːʃɪəʊ] (pl -s) n pistache f.

piste [piːst] n piste f (de ski).

pistol ['pɪstl] n pistolet m.

piston ['pɪstən] n piston m.

pit [pɪt] n **1.** trou m **2.** petit trou **3.** marque f **4.** fosse f (d'orchestre) **5.** mine f **6.** (US) noyau m. ◻vt • **to pit sb against sb** opposer qqn à qqn. ■ **pits** npl • **the pits** les stands mpl.

pitch [pɪtʃ] n **1.** (UK) SPORT terrain m • **a football pitch** un terrain de foot **2.** MUS ton m **3.** degré m **4.** (UK) place f **5.** fam baratin m. ◻vt **1.** lancer **2.** fixer **3.** adapter (un discours) **4.** dresser (une tente) **5.** établir (un camp). ◻vi **1.** rebondir **2.** • **to pitch forward** être projeté en avant **3.** tanguer. ■ **pitch in** vi s'y mettre • **everybody is expected to pitch in** on attend de chacun qu'il mette la main à la pâte.

pitch-black adj • **it's pitch-black in here** il fait noir comme dans un four.

pitched battle n bataille f rangée.

pitcher ['pɪtʃər] n **1.** (US) cruche f **2.** (au base-ball) lanceur m.

pitchfork ['pɪtʃfɔːk] n fourche f.

pitch invasion n SPORT invasion f de terrain.

piteous ['pɪtɪəs] adj pitoyable.

pitfall ['pɪtfɔːl] n piège m.

pith [pɪθ] n **1.** BOT moelle f **2.** peau f blanche (d'un fruit).

pithy ['pɪθɪ] adj **1.** concis **2.** piquant.

pitiful ['pɪtɪful] adj **1.** pitoyable **2.** lamentable.

pitiless ['pɪtɪlɪs] adj sans pitié, impitoyable.

pit stop n **1.** (courses automobiles) arrêt m aux stands **2.** (surtout US) hum arrêt m pipi.

pitta bread ['pɪtə-] n (UK) pain m grec, pita m.

pittance ['pɪtəns] n salaire m de misère.

pitter-patter ['pɪtəˌpætər] n crépitement m (de la pluie).

pituitary [pɪˈtjuːɪtrɪ] (pl -ies) n • **pituitary (gland)** glande f pituitaire.

pity ['pɪtɪ] n pitié f • **what a pity!** quel dommage ! • **it's a pity** c'est dommage. ◻vt plaindre.

pitying ['pɪtɪɪŋ] adj compatissant.

pivot ['pɪvət] n litt & fig pivot m.

pivotal ['pɪvətl] adj crucial, central.

pixel ['pɪksl] n INFORM pixel m.

pixelate ['pɪksəleɪt], **pixelize** ['pɪksəlaɪz] vt pixeliser.

pixelisation, pixelization [ˌpɪksəlaɪˈzeɪʃn] n **1.** pixelisation f **2.** TV mosaïquage m.

pixellated ['pɪksəleɪtɪd] adj INFORM (image) pixélisé, bitmap, en mode point.

pixilated ['pɪksɪleɪtɪd] adj (US) fam bourré, pété.

pizza ['piːtsə] n pizza f.

placard ['plækɑːd] n affiche f.

placate [pləˈkeɪt] vt calmer, apaiser.

place [pleɪs] n **1.** endroit m, lieu m • **place of birth** lieu de naissance **2.** place f • **to take the place of** prendre la place de, remplacer **3.** • **at/to my place** chez moi **4.** • **to lose one's place** perdre sa page (en lisant) **5.** • **decimal place** décimale f **6.** • **in the first place... and in the second place...** premièrement... et deuxièmement... • **to take place** avoir lieu. ◻vt **1.** placer, mettre **2.** • **to place the responsibility for sthg on sb** tenir qqn pour responsable de qqch **3.** remettre **4.** passer (un ordre) • **to place a bet** parier **5.** • **to be placed** être placé. ■ **all over the place** adv partout. ■ **in place** adv **1.** à sa place **2.** mis en place. ■ **in place of** prép à la place de. ■ **out of place** adv **1.** pas à sa place **2.** fig déplacé.

placebo [pləˈsiːbəʊ] (pl -s ou -es) n placebo m.

place mat n set m (de table).

placement ['pleɪsmənt] n placement m.

place setting n couvert m.

placid ['plæsɪd] adj **1.** placide **2.** calme.

plagiarism ['pleɪdʒərɪzm] n plagiat m.

plagiarize, -ise (UK) ['pleɪdʒəraɪz] vt plagier.

plague [pleɪg] n **1.** peste f **2.** fig fléau m. ◻vt • **to be plagued by a)** être poursuivi par **b)** être rongé par • **to plague sb with questions** harceler qqn de questions.

plaice [pleɪs] (pl inv) n carrelet m.

plaid [plæd] n plaid m.

Plaid Cymru [ˌplaɪdˈkʌmrɪ] n parti nationaliste gallois.

plain [pleɪn] adj **1.** uni **2.** simple **3.** clair, évident **4.** franc **5.** pur (et simple) **6.** quelconque. ◻adv complètement. ◻n plaine f.

plain chocolate n (UK) chocolat m à croquer.

plain-clothes adj en civil.

plain flour n (UK) farine f (sans levure).

plainly ['pleɪnlɪ] adv **1.** manifestement **2.** clairement **3.** sans détours **4.** simplement.

plain-paper adj (fax, imprimante) à papier ordinaire.

plain sailing n • **it should be plain sailing from now on** ça devrait aller comme sur des roulettes maintenant.

plain text n INFORM texte seul.

plaintiff ['pleɪntɪf] n DR demandeur m, -eresse f.

plait [plæt] n natte f. ❑ vt natter, tresser.

plan [plæn] n plan m, projet m • **to go according to plan** aller comme prévu. ❑ vt **1.** préparer **2.** • **to plan to do sthg** projeter de faire qqch, avoir l'intention de faire qqch **3.** concevoir. ❑ vi • **to plan (for sthg)** faire des projets (pour qqch). ■ **plan on** vt insép • **to plan on doing sthg** prévoir de faire qqch. ■ **plan out** vt sép préparer dans le détail. ■ **plans** npl plans mpl, projets mpl • **have you any plans for tonight?** avez-vous prévu quelque chose pour ce soir ?

plane [pleɪn] adj plan. ❑ n **1.** avion m **2.** GÉOM plan m **3.** fig niveau m **4.** rabot m **5.** platane m.

planet ['plænɪt] n planète f.

planetarium [,plænɪ'teərɪəm] (pl -riums ou -ria) n planétarium m.

planetary ['plænɪtrɪ] adj planétaire.

plank [plæŋk] n planche f.

plankton ['plæŋktən] n plancton m.

planned [plænd] adj **1.** (crime) prémédité **2.** (économie) planifié, dirigé.

planning ['plænɪŋ] n **1.** planification f **2.** préparation f, organisation f.

planning period ['plænɪŋ ,pɪərɪəd] n (us) SCOL heure que le professeur doit consacrer, au sein de l'établissement, à la préparation des cours, à des corrections ou à des tâches administratives.

planning permission n (UK) permis m de construire.

plan of action n plan m d'action.

plant [plɑːnt] n **1.** plante f **2.** usine f **3.** (indén) matériel m. ❑ vt **1.** planter **2.** poser (une bombe).

plantation [plæn'teɪʃn] n plantation f.

plaque [plɑːk] n **1.** plaque f **2.** (indén) plaque f dentaire.

plasma TV n télévision f à plasma.

plaster ['plɑːstər] n **1.** plâtre m **2.** (UK) pansement m adhésif. ❑ vt **1.** plâtrer **2.** • **to plaster sthg (with)** couvrir qqch (de).

plasterboard ['plɑːstəbɔːd] n placoplâtre® m.

plaster cast n **1.** plâtre m **2.** moule m.

plastered ['plɑːstəd] adj fam bourré.

plasterer ['plɑːstərər] n plâtrier m.

plaster of Paris n plâtre m de moulage.

plastic ['plæstɪk] adj plastique • **a plastic bag** un sac en plastique. ❑ n plastique m.

Plasticine® (UK) ['plæstɪsiːn] n pâte f à modeler.

plastic surgeon n spécialiste mf en chirurgie esthétique.

plastic surgery n chirurgie f esthétique ou plastique.

plastic wrap n (us) film m alimentaire.

plate [pleɪt] n **1.** assiette f **2.** tôle f **3.** (indén) • **gold/silver plate** plaqué m or/argent

4. planche f (illustration d'un livre) **5.** dentier m. ❑ vt • **to be plated (with)** être plaqué (de).

plateau ['plætəʊ] (pl -s ou -x) n **1.** plateau m **2.** fig phase f ou période f de stabilité.

plateful ['pleɪtfʊl] n assiettée f.

plate-glass adj vitré.

platform ['plætfɔːm] n **1.** estrade f **2.** tribune f **3.** plate-forme f **4.** RAIL quai m.

platform-agnostic adj multiplateformes.

platform shoes npl chaussures fpl à semelle compensée.

platform ticket n (UK) ticket m de quai.

platinum ['plætɪnəm] n platine m.

platinum blonde n blonde f platinée.

platitude ['plætɪtjuːd] n platitude f.

platonic [plə'tɒnɪk] adj platonique.

platoon [plə'tuːn] n MIL section f.

platter ['plætər] n plat m.

platypus ['plætɪpəs] (pl -es) n ornithorynque m.

plausible ['plɔːzəbl] adj plausible.

play [pleɪ] n **1.** (indén) jeu m, amusement m **2.** pièce f (de théâtre) • **a radio play** une pièce radiophonique **3.** • **play on words** jeu m de mots **4.** TECHNOL jeu m. ❑ vt **1.** jouer • **to play a part** ou **role** in fig jouer un rôle dans **2.** jouer à (un jeu, un sport) **3.** jouer contre (une équipe, un adversaire) **4.** MUS jouer de **5.** • **to play it safe** ne pas prendre de risques. ❑ vi jouer. ■ **play along** vi • **to play along (with sb)** entrer dans le jeu (de qqn). ■ **play at** vt insép jouer à • **what's he playing at?** fam à quoi joue-t-il ? ■ **play back** vt sép **1.** réécouter (enregistrement) **2.** repasser (film). ■ **play down** vt sép minimiser. ■ **play up** vt sép insister sur.

play-act vi jouer la comédie.

play-acting n (dans l'attitude) (pure) comédie f, cinéma m.

playboy ['pleɪbɔɪ] n playboy m.

player ['pleɪər] n **1.** joueur m, -euse f **2.** acteur m, -trice f.

playful ['pleɪfʊl] adj **1.** taquin **2.** joueur.

playfulness ['pleɪfʊlnɪs] n enjouement m, espièglerie f.

playground ['pleɪgraʊnd] n **1.** (UK) cour f de récréation **2.** aire f de jeu.

playgroup ['pleɪgruːp] n (UK) jardin m d'enfants.

playing card ['pleɪɪŋ-] n carte f à jouer.

playing field ['pleɪɪŋ-] n terrain m de sport.

playlist ['pleɪlɪst] n (UK) liste f de disques à passer (à la radio).

playmate ['pleɪmeɪt] n camarade mf.

playoff n **1.** SPORT belle f **2.** (us) finale f de championnat.

playpen ['pleɪpen] n parc m.

playroom ['pleɪrʊm] n salle f de jeu.

playschool ['pleɪskuːl] n (UK) jardin m d'enfants.

plaything ['pleɪθɪŋ] n litt & fig jouet m.

playtime ['pleɪtaɪm] n récréation f.

playwright ['pleɪraɪt] n dramaturge m.

plc (UK) abrév de **public limited company**.

plea [pliː] n **1.** supplication f **2.** appel m **3.** • **to enter a plea of not guilty** plaider non coupable.

plead [pliːd] (prét & pp **pleaded** ou **pled**) vt **1.** DR plaider **2.** invoquer. ◯ vi **1.** • **to plead with sb** supplier qqn • **to plead for sthg** implorer qqch **2.** DR plaider.

pleasant ['pleznt] adj agréable.

pleasantly ['plezntlɪ] adv **1.** (sourire, parler) aimablement **2.** (être surpris) agréablement.

pleasantry ['plezntrɪ] n • **to exchange pleasantries** échanger des propos aimables.

please [pliːz] vt plaire à, faire plaisir à • **to please o.s.** faire comme on veut • **please yourself!** comme vous voulez ! ◯ vi plaire, faire plaisir • **to do as one pleases** faire comme on veut. ◯ adv s'il vous plaît.

pleased [pliːzd] adj **1.** • **to be pleased (with)** être content (de) **2.** • **to be pleased (about)** être heureux (de) • **pleased to meet you!** enchanté ! !

pleasing ['pliːzɪŋ] adj plaisant.

pleasurable ['pleʒərəbl] adj agréable.

pleasure ['pleʒər] n plaisir m • **to do sthg for pleasure** faire qqch par plaisir • **with pleasure** avec plaisir, volontiers • **it's a pleasure, my pleasure** je vous en prie.

pleat [pliːt] n pli m. ◯ vt plisser.

pleated ['pliːtɪd] adj plissé.

plectrum ['plektrəm] (pl -s) n plectre m.

pled [pled] passé & pp → **plead**.

pledge [pledʒ] n **1.** promesse f • **pledge of allegiance** serment m de fidélité **2.** gage m. ◯ vt **1.** promettre **2.** • **to pledge o.s. to s'engager à** • **to pledge sb to secrecy** faire promettre le secret à qqn **3.** mettre en gage.

plenary powers npl POLIT pleins pouvoirs mpl.

plenary session n séance f plénière • **in plenary session** en séance plénière.

plentiful ['plentɪful] adj abondant.

plenty ['plentɪ] n (indén) abondance f. ◯ pron • **plenty of** beaucoup de. ◯ adv (US) très.

À PROPOS DE **plenty**

Dans les questions et les tournures négatives, **plenty (of)** est remplacé par **much** (avec des noms indénombrables) ou **many** (avec des noms au pluriel) (I've plenty of time - I haven't much time ; there were plenty of people I knew at the party - were there many people you knew at the party?).

plethora ['pleθərə] n pléthore f.

pliable ['plaɪəbl], **pliant** ['plaɪənt] adj **1.** pliable, souple **2.** fig docile.

pliers ['plaɪəz] npl tenailles fpl, pinces fpl.

plight [plaɪt] n condition f critique.

plimsoll ['plɪmsəl] n (UK) tennis m.

plinth [plɪnθ] n socle m.

PLO (abrév de Palestine Liberation Organization) n OLP f.

plod [plɒd] vi **1.** marcher lentement ou péniblement **2.** peiner.

plodder ['plɒdər] n fam & péj bûcheur m, -euse f.

plodding ['plɒdɪŋ] adj **1.** péj (pas, rythme, style) lourd, pesant **2.** (ouvrier) lent.

plonk [plɒŋk] n (UK) fam & (indén) pinard m. ■ **plonk down** vt sép poser brutalement.

plonker ['plɒŋkər] n (UK) tfam (injure) andouille f.

plot [plɒt] n **1.** complot m, conspiration f **2.** intrigue f (d'un roman, d'un film) **3.** • **to lose the plot : he's completely lost the plot** il est complètement à l'ouest **4.** (parcelle f de) terrain m. ◯ vt **1.** comploter • **to plot to do sthg** comploter de faire qqch **2.** NAUT déterminer, marquer (une route) **3.** tracer (un diagramme). ◯ vi comploter.

plotter ['plɒtər] n conspirateur m, -trice f.

plotting ['plɒtɪŋ] n (indén) **1.** complots mpl, conspirations fpl **2.** INFORM & MATH traçage m.

plough (UK), **plow** (US) [plaʊ] n charrue f. ◯ vt labourer. ■ **plough into** vt sép investir. ◯ vt insép rentrer dans. ■ **plough on** vi continuer péniblement ou laborieusement.

ploughman's ['plaʊmənz] (pl inv) n (UK) • **ploughman's (lunch)** repas de pain, fromage et pickles.

plow etc (US) = **plough** etc

ploy [plɔɪ] n stratagème m, ruse f.

pls (abrév de please) adv svp.

pluck [plʌk] vt **1.** cueillir **2.** arracher **3.** plumer (un poulet) **4.** épiler **5.** pincer (les cordes d'une guitare). ◯ n (indén) courage m, cran m. ■ **pluck up** vt insép • **to pluck up the courage to do sthg** rassembler son courage pour faire qqch.

plucky ['plʌkɪ] adj qui a du cran, courageux.

plug [plʌg] n **1.** prise f de courant **2.** (US) INFORM jack m **3.** bonde f. ◯ vt boucher, obturer. ■ **plug away** vi insép travailler dur. ■ **plug in** vt sép brancher.

plug-and-play n INFORM plug-and-play m. ◯ adj INFORM plug-and-play.

plughole ['plʌɡhəʊl] n (UK) bonde f, trou m d'écoulement.

plug-in adj **1.** (radio) qui se branche sur le secteur **2.** (accessoire) qui se branche sur l'appareil. ◯ n INFORM périphérique m prêt à brancher.

plum [plʌm] adj **1.** prune (inv) **2.** • **a plum job** un poste en or. ◯ n prune f.

plumb [plʌm] adv **1.** (UK) exactement, en plein **2.** (US) complètement. ❑ vt • **to plumb the depths of** toucher le fond de. ■ **plumb in** vt sép (UK) raccorder.

plumber ['plʌmər] n plombier m.

plumbing ['plʌmɪŋ] n (indén) **1.** plomberie f, tuyauterie f **2.** plomberie f.

plume [pluːm] n **1.** plume f **2.** panache m **3.** fig • **a plume of smoke** un panache de fumée.

plummet ['plʌmɪt] vi **1.** plonger **2.** fig dégringoler.

plump [plʌmp] adj bien en chair. ■ **plump for** vt insép opter pour, choisir. ■ **plump up** vt sép secouer (coussin, oreiller).

plum pudding n (UK) vieilli pudding m de Noël.

plum tomato n olivette f.

plunder ['plʌndər] n (indén) **1.** pillage m **2.** butin m. ❑ vt piller.

plunge [plʌndʒ] n **1.** plongeon m • **to take the plunge** se jeter à l'eau **2.** fig dégringolade f, chute f. ❑ vt • **to plunge sthg into** plonger qqch dans. ❑ vi **1.** plonger, tomber **2.** fig dégringoler.

plunge pool n mini-piscine f.

plunger ['plʌndʒər] n déboucholr m à ventouse.

plunging ['plʌndʒɪŋ] adj (décolleté) plongeant.

pluperfect [ˌpluːˈpɜːfɪkt] n • **pluperfect (tense)** plus-que-parfait m.

plural ['pluərəl] adj **1.** pluriel **2.** collectif **3.** multiculturel. ❑ n pluriel m.

pluralism ['pluərəlɪzm] n sout pluralisme m.

plus [plʌs] adj • **30 plus** 30 ou plus. ❑ n (pl **pluses** ou **plusses** [plʌsɪz]) **1.** signe m plus **2.** fam plus m, atout m. ❑ prép et. ❑ conj de plus.

plush [plʌʃ] adj luxueux, somptueux.

plus sign n signe m plus.

pluto (US) [pluːtəʊ] v dévaluer (qqn ou qqch) • **be plutoed** se faire dévaluer.

Pluto ['pluːtəʊ] n Pluton f.

plutonium [pluːˈtəʊnɪəm] n plutonium m.

ply [plaɪ] n **1.** fil m (de laine) **2.** pli m. ❑ vt **1.** exercer **2.** • **to ply sb with drink** ne pas arrêter de remplir le verre de qqn. ❑ vi faire la navette.

plywood ['plaɪwʊd] n contreplaqué m.

p.m., pm (abrév de post meridiem) • **at 3 p.m.** à 15 h.

PM abrév de **Prime Minister**.

PMT (UK) abrév de **premenstrual tension**.

pneumatic [njuːˈmætɪk] adj pneumatique.

pneumatic drill n (UK) marteau piqueur m.

pneumonia [njuːˈməʊnjə] n (indén) pneumonie f.

poach [pəʊtʃ] vt **1.** pêcher sans permis **2.** chasser sans permis **3.** fig voler **4.** CULIN pocher. ❑ vi braconner.

poacher ['pəʊtʃər] n braconnier m.

poaching ['pəʊtʃɪŋ] n braconnage m.

PO Box (abrév de Post Office Box) n BP f.

pocket ['pɒkɪt] n **1.** litt & fig poche f • **a pocket of resistance** une poche de résistance **2.** (locution) • **to have deep pockets** avoir de gros moyens • **to be out of pocket** (UK) en être de sa poche • **to pick sb's pocket** faire les poches à qqn. ❑ adj de poche. ❑ vt empocher.

pocketbook ['pɒkɪtbʊk] n **1.** carnet m **2.** (US) sac m à main.

pocket calculator n calculatrice f de poche, calculette f

pocketful ['pɒkɪtfʊl] n pleine poche f.

pocketknife ['pɒkɪtnaɪf] (pl **-knives**) n canif m.

pocket money n (UK) argent m de poche.

pocket-size(d) adj de poche.

pockmark ['pɒkmɑːk] n marque f de la petite vérole.

pod [pɒd] n **1.** cosse f **2.** nacelle f (d'engin spatial).

podcast ['pɒdkæst] n INFORM podcast m.

podgy ['pɒdʒɪ] adj (UK) fam boulot, rondelet.

podiatrist [pəˈdaɪətrɪst] n (US) pédicure mf.

podiatry [pəˈdaɪətrɪ] n (US) pédicure f.

podium ['pəʊdɪəm] (pl **-s** ou **-dia**) n podium m.

poem ['pəʊɪm] n poème m.

poet ['pəʊɪt] n poète m.

poetic [pəʊˈetɪk] adj poétique.

poetic justice n justice f immanente.

poetic licence (UK), **poetic license** (US) n licence f poétique.

poet laureate n poète m lauréat.

poetry ['pəʊɪtrɪ] n poésie f.

po-faced ['pəʊfeɪst] adj (UK) fam à l'air pincé.

pogrom ['pɒgrəm] n pogrom m, pogrome m.

poignancy ['pɔɪnjənsɪ] n caractère m poignant.

poignant ['pɔɪnjənt] adj poignant.

poignantly ['pɔɪnjəntlɪ] adv de façon poignante.

point [pɔɪnt] n **1.** pointe f **2.** endroit m, point m **3.** stade m, moment m **4.** question f, détail m • **you have a point** il y a du vrai dans ce que vous dites • **to make a point** faire une remarque • **to make one's point** dire son mot **5.** point m essentiel • **to get** ou **come to the point** en venir au fait • **to miss the point** ne pas comprendre • **beside the point** à côté de la question **6.** • **good point** qualité f • **bad point** défaut m **7.** • **what's the point in buying a new car?** à quoi bon acheter une nouvelle voiture ? • **there's no point in having a meeting** cela ne sert à rien d'avoir une réunion • **to make a point of doing sthg** ne pas manquer de faire qqch **8.** point m (de ponctuation) **9.** MATH • **two point six** deux virgule six **10.** aire f du vent **11.** (UK) prise f (de courant) **12.** point...

❑ *vt* • **to point sthg (at) a)** braquer qqch (sur) **b)** pointer qqch (sur). ❑ *vi* **1.** • **to point (at sb/sthg), to point (to sb/sthg)** montrer (qqn/qqch) du doigt **2.** *fig* • **to point to sthg** suggérer qqch, laisser supposer qqch. ■ **point out** *vt sép* **1.** montrer **2.** signaler. ■ **points** *npl* (UK) RAIL aiguillage *m*. ■ **on the point of** *prép* sur le point de. ■ **up to a point** *adv* jusqu'à un certain point.

point-and-click *n* pointer-cliquer *m*.

point-blank *adv* **1.** catégoriquement **2.** de but en blanc **3.** *(tirer)* à bout portant.

pointed ['pɔɪntɪd] *adj* **1.** pointu **2.** *fig* mordant, incisif.

pointedly ['pɔɪntɪdlɪ] *adv* d'un ton mordant.

pointer ['pɔɪntə*] *n* **1.** *fam* tuyau *m*, conseil *m* **2.** aiguille *f* **3.** baguette *f* **4.** INFORM pointeur *m*.

pointing device *n* INFORM dispositif *m* de pointage.

pointless ['pɔɪntlɪs] *adj* **1.** inutile, vain **2.** gratuit.

pointlessly ['pɔɪntlɪslɪ] *adv* **1.** inutilement, vainement **2.** *(pour un délit)* gratuitement.

point-of-purchase *adj* sur le lieu de vente • **point-of-purchase advertising** publicité *f* sur le lieu de vente, PLV *f* • **point-of-purchase display** exposition *f* sur le lieu de vente.

point-of-sale *adj* sur le lieu de vente • **point-of-sale advertising** publicité *f* sur le lieu de vente, PLV *f*.

point of view (*pl* points of view) *n* point *m* de vue.

poise [pɔɪz] *n* calme *m*, sang-froid *m* inv.

poised [pɔɪzd] *adj* **1.** • **poised (for)** prêt (pour) • **to be poised to do sthg** se tenir prêt à faire qqch **2.** *fig* calme, posé.

poison ['pɔɪzn] *n* poison *m*. ❑ *vt* **1.** empoisonner **2.** polluer.

poisoning ['pɔɪznɪŋ] *n* empoisonnement *m* • **food poisoning** intoxication *f* alimentaire.

poisonous ['pɔɪznəs] *adj* **1.** toxique **2.** vénéneux **3.** venimeux.

poke [pəʊk] *vt* **1.** pousser, donner un coup de coude à **2.** fourrer **3.** attiser **4.** INTERNET envoyer un poke à *(une personne)*. ❑ *vi* sortir, dépasser. ❑ *n* INTERNET poke *m*. ■ **poke about** (UK), **poke around** *vi fam* fouiller, fourrager.

poker ['pəʊkə*] *n* **1.** poker *m* **2.** tisonnier *m*.

poker-faced [-,feɪst] *adj* au visage impassible.

poky ['pəʊkɪ] *adj péj* exigu, minuscule.

Poland ['pəʊlənd] *n* Pologne *f*.

polar ['pəʊlə*] *adj* polaire.

polar bear *n* ours *m* polaire *ou* blanc.

polarization, -isation (UK) [,pəʊləraɪ'zeɪʃn] *n* polarisation *f*.

Polaroid® ['pəʊlərɔɪd] *n* **1.** Polaroïd® *m* **2.** photo *f* polaroïd.

pole [pəʊl] *n* **1.** perche *f*, mât *m* **2.** ÉLECTR & GÉOGR pôle *m*.

Pole [pəʊl] *n* Polonais *m*, -e *f*.

pole dancing *n* danse *f* de poteau.

polenta [pə'lentə] *n* polenta *f*.

pole vault *n* • **the pole vault** le saut à la perche. ■ **pole-vault** *vi* sauter à la perche.

police [pə'liːs] *npl* **1.** • **the police** la police **2.** agents *mpl* de police. ❑ *vt* maintenir l'ordre dans.

police car *n* voiture *f* de police.

police constable *n* (UK) agent *m* de police.

police department *n* (US) service *m* de police.

police dog *n* chien *m* policier.

police force *n* police *f*.

police inspector *n* (UK) inspecteur *m*, -trice *f* de police.

policeman [pə'liːsmən] (*pl* -men) *n* agent *m* de police.

police officer *n* policier *m*.

police record *n* casier *m* judiciaire.

police state *n* état *m* policier.

police station *n* commissariat *m* (de police).

policewoman [pə'liːs,wʊmən] (*pl* -women) *n* femme *f* agent de police.

policy ['pɒləsɪ] *n* **1.** politique *f* **2.** police *f* *(d'assurance)*.

policy-holder *n* assuré *m*, -e *f*.

polio ['pəʊlɪəʊ] *n* polio *f*.

polish ['pɒlɪʃ] *n* **1.** cirage *m* **2.** cire *f*, encaustique *f* **3.** brillant *m*, lustre *m* **4.** *fig* raffinement *m*. ❑ *vt* **1.** cirer **2.** astiquer **3.** faire briller. ■ **polish off** *vt sép fam* expédier. ■ **polish up** *vt sép* **1.** perfectionner **2.** peaufiner.

Polish ['pəʊlɪʃ] *adj* polonais. ❑ *n* polonais *m*. ❑ *npl* • **the Polish** les Polonais *mpl*.

polished ['pɒlɪʃt] *adj* **1.** raffiné **2.** accompli, parfait.

polite [pə'laɪt] *adj* poli.

politely [pə'laɪtlɪ] *adv* poliment.

politeness [pə'laɪtnɪs] *n* (indén) politesse *f*.

politic ['pɒlətɪk] *adj* *sout* politique.

political [pə'lɪtɪkl] *adj* politique.

political parties

En Grande-Bretagne et aux États-Unis, il y a beaucoup moins de grands partis politiques qu'en France. En Grande-Bretagne, les deux principaux partis sont le **Conservative Party** (parti des conservateurs, dont l'emblème est une torche bleue) et le **Labour Party** (parti travailliste, dont l'emblème est une rose rouge) ; on compte également le **Liberal Democratic Party** (parti libéral, dont l'emblème est un oiseau jaune), ainsi que des partis nationalistes en Écosse, au pays de Galles et en Irlande du Nord.

Aux États-Unis, les deux grands partis sont le **Democratic Party** (parti démocrate, dont l'emblème est un âne) et le **Republican Party**, plus conservateur (parti républicain, dont l'emblème est un éléphant).

political asylum n droit m d'asile (politique).

political correctness n le politiquement correct.

politically [pə'lɪtɪklɪ] adv politiquement.

politically correct [pə‚lɪtɪklɪ-] adj conforme au mouvement qui préconise de remplacer les termes jugés discriminants par d'autres « politiquement corrects ».

CULTURE

politically correct

Le **politically correct**, ou « politiquement correct », est un ensemble d'attitudes et de principes né dans les milieux libéraux, notamment de gauche, aux États-Unis. L'objectif de cette tendance linguistique est de faire en sorte que tous soient traités de façon plus juste, notamment en boycottant les mots qui sont le signe d'une discrimination à l'encontre d'une frange particulière de la société. Il est PC de dire, par exemple, **Native American** au lieu de **American Indian**, et **differently abled** au lieu de **disabled**.

political prisoner n prisonnier m politique.

politician [‚pɒlɪ'tɪʃn] n homme m politique, femme f politique.

politics ['pɒlətɪks] n (indén) politique f. ❏ npl **1. • what are his politics?** de quel bord est-il ? **2.** politique f.

polka ['pɒlkə] n polka f.

polka dot n pois m.

poll [pəʊl] n vote m, scrutin m. ❏ vt **1.** interroger, sonder **2.** obtenir. ■ **polls** npl **• to go to the polls** aller aux urnes.

pollen ['pɒlən] n pollen m **• the pollen count** le taux de pollen.

pollen count n taux m de pollen.

pollinate ['pɒləneɪt] vt féconder avec du pollen.

pollination [‚pɒlɪ'neɪʃn] n pollinisation f.

polling ['pəʊlɪŋ] n (indén) élections fpl.

polling booth n (UK) isoloir m.

polling day n (UK) jour m du scrutin.

polling station n bureau m de vote.

pollock ['pɒlək] n colin m.

pollutant [pə'luːtnt] n polluant m.

pollute [pə'luːt] vt polluer.

polluter [pə'luːtə^r] n pollueur m, -euse f.

pollution [pə'luːʃn] n pollution f.

polo ['pəʊləʊ] n polo m.

polo neck n (UK) **1.** col m roulé **2.** pull m à col roulé. ■ **polo-neck** adj (UK) à col roulé.

polyamory [‚pɒli'æmərɪ] n amour m libre.

polyethylene (US) = polythene.

polygon ['pɒlɪgɒn] n polygone m.

Polynesia [‚pɒlɪ'niːzjə] n Polynésie f.

polystyrene [‚pɒlɪ'staɪriːn] n polystyrène m.

polytechnic [‚pɒlɪ'teknɪk] n (UK) établissement d'enseignement supérieur : en 1993, les « polytechnics » ont été transformés en universités.

polythene (UK) ['pɒliθiːn], **polyethylene** (US) [‚pɒlɪ'eθiliːn] n polyéthylène m.

polythene bag n (UK) sac m en plastique.

polytunnel ['pɒlɪtʌnəl] n AGRIC polytunnel m.

polyunsaturated [‚pɒlɪʌn'sætʃəreɪtɪd] adj polyinsaturé.

pomegranate ['pɒmɪ‚grænɪt] n grenade f.

pomp [pɒmp] n pompe f, faste m.

pompom ['pɒmpɒm] n pompon m.

pompous ['pɒmpəs] adj **1.** fat, suffisant **2.** pompeux.

pompously ['pɒmpəslɪ] adv pompeusement.

pond [pɒnd] n étang m, mare f.

ponder ['pɒndə^r] vt considérer, peser.

ponderous ['pɒndərəs] adj **1.** lourd **2.** pesant.

pong [pɒŋ] (UK) fam n puanteur f.

pontificate [pɒn'tɪfɪkeɪt] vi péj **• to pontificate (on)** pontifier (sur).

pontoon [pɒn'tuːn] n **1.** ponton m **2.** (UK) (jeu de cartes) vingt-et-un m.

pony ['pəʊnɪ] n poney m.

ponytail ['pəʊnɪteɪl] n queue-de-cheval f.

pony-trekking [-‚trekɪŋ] n (UK) randonnée f à cheval ou en poney.

pooch [puːtʃ] n fam toutou m.

poodle ['puːdl] n caniche m.

pooh-pooh vt fam dédaigner.

pool [puːl] n **1.** mare f **2.** flaque f **3.** piscine f **• pool party** fête organisée autour d'une piscine **4.** billard m américain. ❏ vt mettre en commun. ■ **pools** npl (UK) **• the pools** ≃ le loto sportif.

pool table n (table f de) billard m.

pooped [puːpt] adj fam crevé.

poor [pɔː^r] adj **1.** pauvre **2.** médiocre, mauvais. ❏ npl **• the poor** les pauvres mpl.

poorly ['pɔːlɪ] adj (UK) fam souffrant. ❏ adv mal, médiocrement.

poor relation n fig parent m pauvre.

pop [pɒp] n **1.** (indén) MUS pop m **2.** (indén) fam boisson f gazeuse **3.** (surtout US) fam papa m **4.** (bruit) pan m. ❏ vt **1.** faire éclater, crever **2.** mettre, fourrer. ❏ vi **1.** (ballon) éclater, crever **2.** (bouchon) sauter **3. • his eyes popped** il a écarquillé les yeux. ■ **pop in** *vi* faire une petite visite. ■ **pop up** *vi* surgir.

pop art *n* pop art *m*.

pop concert *n* concert *m* pop.

popcorn ['pɒpkɔːn] *n* pop-corn *m*.

pope [pəʊp] *n* pape *m*.

pop group *n* groupe *m* pop.

poplar ['pɒplə'] *n* peuplier *m*.

poppadom ['pɒpədəm] *n* poppadum *m*.

poppy ['pɒpɪ] *n* coquelicot *m*, pavot *m*.

Popsicle® ['pɒpsɪkl] *n* (US) sucette *f* glacée.

pop singer *n* chanteur *m*, -euse *f* pop.

populace ['pɒpjʊləs] *n sout* • **the populace** le peuple.

popular ['pɒpjʊlə'] *adj* **1.** populaire **2.** à la mode.

popularity [,pɒpjʊ'lærətɪ] *n* popularité *f*.

popularize, -ise (UK) ['pɒpjʊləraɪz] *vt* **1.** populariser **2.** vulgariser.

populated ['pɒpjʊleɪtɪd] *adj* peuplé.

population [,pɒpjʊ'leɪʃn] *n* population *f*.

population explosion *n* explosion *f* démographique.

pop-up *adj* **1.** (grille-pain) automatique **2.** (livre) dont les images se déplient. ❑ *n* INFORM pop-up *m*.

pop-up menu *n* INFORM menu *m* local.

porcelain ['pɔːsəlɪn] *n* porcelaine *f*.

porch [pɔːtʃ] *n* **1.** (UK) porche *m* **2.** (US) véranda *f*.

porcini (mushroom) *n* cèpe *m*.

porcupine ['pɔːkjʊpaɪn] *n* porc-épic *m*.

pore [pɔː'] ■ **pore over** *vt insép* examiner de près.

pork [pɔːk] *n* porc *m*.

pork chop *n* côtelette *f* de porc.

pork pie *n* (UK) pâté *m* de porc en croûte.

porky ['pɔːkɪ] (comp porkier, superl porkiest) *adj fam* & *péj* gros, gras, adipeux *péj*. ❑ *n* (UK) *fam* bobard *m*.

porn [pɔːn] (abrév de pornography) *n* (indén) *fam* porno *m*.

pornographic [,pɔːnə'græfɪk] *adj* pornographique.

pornography [pɔː'nɒgrəfɪ] *n* pornographie *f*.

porous ['pɔːrəs] *adj* poreux.

porridge ['pɒrɪdʒ] *n* porridge *m*, gruau *m*.

port [pɔːt] *n* **1.** port *m* **2.** bâbord *m* **3.** porto *m* **4.** INFORM port *m*.

portable ['pɔːtəbl] *adj* portatif.

portal ['pɔːtl] *n* **1.** INFORM portal *m* **2.** portail *m*.

portent ['pɔːtənt] *n* présage *m*.

porter ['pɔːtə'] *n* **1.** (UK) concierge *m*, portier *m* **2.** porteur *m* **3.** (US) *vieilli* employé *m*, -e *f* des wagons-lits.

portfolio [,pɔːt'fəʊljəʊ] (pl -s) *n* **1.** serviette *f* **2.** portfolio *m* **3.** FIN portefeuille *m*.

porthole ['pɔːthəʊl] *n* hublot *m*.

portion ['pɔːʃn] *n* portion *f*, part *f*.

portly ['pɔːtlɪ] *adj* corpulent.

port of call *n fig* endroit *m*.

portrait ['pɔːtreɪt] *n* portrait *m*.

portray [pɔː'treɪ] *vt* **1.** jouer, interpréter **2.** dépeindre **3.** faire le portrait de.

portrayal [pɔː'treɪəl] *n* CINÉ & THÉÂTRE interprétation *f*.

Portugal ['pɔːtʃʊgl] *n* Portugal *m*.

Portuguese [,pɔːtʃʊ'giːz] *adj* portugais. ❑ *n* portugais *m*. ❑ *npl* • **the Portuguese** les Portugais *mpl*.

pose [pəʊz] *n* **1.** pose *f* **2.** *péj* pose *f*, affectation *f*. ❑ *vt* **1.** présenter **2.** poser. ❑ *vi* **1.** *péj* poser **2.** • **to pose as** se faire passer pour.

poser ['pəʊzə'] *n fam péj* (personne) poseur *m*, -euse *f*.

posh [pɒʃ] *adj fam* **1.** chic (inv) **2.** (UK) de la haute.

position [pə'zɪʃn] *n* **1.** position *f* **2.** poste *m*, emploi *m* **3.** situation *f* • **to be in a difficult position** être dans une situation difficile **4.** SPORT poste *m*, place *f* • **what position does he play?** à quel poste joue-t-il ? ❑ *vt* placer, mettre en position.

positive ['pɒzətɪv] *adj* **1.** positif • **to have a positive attitude** avoir une attitude positive **2.** sûr, certain • **I'm positive about it** j'en suis sûr, j'en suis certain **3.** positif, optimiste **4.** formel, précis **5.** irréfutable, indéniable • **positive ID** (US) papiers *mpl* d'identité (avec photo) **6.** véritable.

positively ['pɒzətɪvlɪ] *adv* **1.** avec optimisme, de façon positive **2.** formellement **3.** favorablement **4.** d'une manière irréfutable **5.** absolument, complètement.

positive thinking *n* idées *fpl* constructives.

posse ['pɒsɪ] *n* (US) détachement *m*, troupe *f*.

possess [pə'zes] *vt* posséder.

possessed [pə'zest] *adj* possédé (fou).

possession [pə'zeʃn] *n* possession *f*. ■ **possessions** *npl* possessions *fpl*, biens *mpl*.

possessive [pə'zesɪv] *adj* possessif. ❑ *n* possessif *m*.

possessively [pə'zesɪvlɪ] *adv* d'une manière possessive.

possessiveness [pə'zesɪvnɪs] *n* caractère *m* possessif, possessivité *f*.

possibility [,pɒsə'bɪlətɪ] *n* **1.** possibilité *f*, chances *fpl* • **there is a possibility that...** il se peut que... **2.** option *f*.

possible ['pɒsəbl] *adj* possible • **as much as possible** autant que possible • **as soon as possible** dès que possible. ❑ *n* possible *m*.

possibly ['pɒsəblɪ] *adv* **1.** peut-être **2.** • **how could he possibly have known?** mais comment a-t-il pu le savoir ? **3.** • **I can't possibly accept your money** je ne peux vraiment pas accepter cet argent.

post [pəʊst] *n* **1.** (UK) • **the post** la poste • **by post** par la poste **2.** (UK) courrier *m* **3.** (UK) levée *f* **4.** poteau *m* **5.** poste *m*, emploi *m* **6.** MIL poste *m*. ❏ *vt* **1.** (UK) poster, mettre à la poste **2.** muter **3.** INFORM envoyer sur Internet • **to post sthg on a blog** poster *ou* publier qqch sur un blog.

post- [pəʊst] *préf* post-.

postage ['pəʊstɪdʒ] *n* affranchissement *m* • **postage and packing** (UK) frais *mpl* de port et d'emballage.

postage stamp *n sout* timbre-poste *m*.

postal ['pəʊstl] *adj* postal.

postal order *n* (UK) mandat *m* postal.

postbox ['pəʊstbɒks] *n* (UK) boîte *f* aux lettres.

postcard ['pəʊstkɑːd] *n* carte *f* postale.

postcode ['pəʊstkəʊd] *n* (UK) code *m* postal.

postdate [,pəʊst'deɪt] *vt* postdater.

poster ['pəʊstə*r*] *n* **1.** affiche *f* **2.** poster *m*.

poster boy, poster child, poster girl *n* **1.** *litt* enfant malade dont l'image est reproduite sur les affiches d'une association caritative **2.** *fig* • **he's the poster boy of the revolutionary movement** il symbolise à lui seul le mouvement révolutionnaire.

poster campaign *n* campagne *f* d'affichage.

poste restante [,pəʊst'restɑːnt] *n* (UK) poste *f* restante.

posterior [pɒ'stɪərɪə*r*] *adj* postérieur. ❏ *n hum* postérieur *m*, derrière *m*.

posterity [pɒ'sterətɪ] *n* postérité *f*.

post-free *adj* (surtout UK) franco (de port) *(inv)*.

postgraduate [,pəʊst'grædʒʊət] *adj* de troisième cycle. ❏ *n* étudiant *m*, -e *f* de troisième cycle.

posthumous ['pɒstjʊməs] *adj* posthume.

posthumously ['pɒstjʊməslɪ] *adv* à titre posthume.

Post-it (note)® *n* Post-it® *m*, becquet *m*.

postman ['pəʊstmən] (*pl* -men) *n* (UK) facteur *m*, -trice *f*.

postmark ['pəʊstmɑːk] *n* cachet *m* de la poste. ❏ *vt* timbrer, tamponner.

postmaster ['pəʊst,mɑːstə*r*] *n* receveur *m* des postes.

postmistress ['pəʊst,mɪstrɪs] *n vieilli* receveuse *f* des postes.

postmodern *n* postmoderne.

postmodernism *n* postmodernisme *m*.

postmodernist *n* postmoderniste *mf*. ❏ *adj* postmoderniste.

postmortem [,pəʊst'mɔːtəm] *n litt & fig* autopsie *f*.

postnatal [,pəʊst'neɪtl] *adj* post-natal.

post office *n* **1.** • **the Post Office** la Poste *f* **2.** (bureau *m* de) poste *f*.

post-office box *n* boîte *f* postale.

postoperative [,pəʊst'ɒpərətɪv] *adj* postopératoire.

postpaid [,pəʊst'peɪd] *adj* port payé.

postpone [,pəʊst'pəʊn] *vt* reporter, remettre.

postponement [,pəʊst'pəʊnmənt] *n* renvoi *m*, report *m*.

postproduction [,pəʊstprə'dʌkʃn] *n* postproduction *f*.

postscript ['pəʊstskrɪpt] *n* **1.** post-scriptum *m inv* **2.** *fig* supplément *m*, addenda *m inv*.

post-traumatic stress disorder *n* (indén) névrose *f* post-traumatique.

postulate *sout vt* ['pɒstjʊleɪt] *(théorie)* avancer.

posture ['pɒstʃə*r*] *n* **1.** (indén) position *f*, posture *f* **2.** *fig* attitude *f*.

posturing ['pɒstʃərɪŋ] *n* pose *f*, affectation *f*.

postwar [,pəʊst'wɔː*r*] *adj* d'après-guerre.

posy ['pəʊzɪ] *n* petit bouquet *m* de fleurs.

pot [pɒt] *n* **1.** marmite *f*, casserole *f* **2.** théière *f* **3.** cafetière *f* **4.** pot *m* **5.** (indén) *fam* herbe *f*. ❏ *vt* mettre en pot *(une plante)*.

potassium [pə'tæsɪəm] *n* potassium *m*.

potato [pə'teɪtəʊ] (*pl* -es) *n* pomme *f* de terre.

potato peeler [-,piːlə*r*] *n* (couteau *m*) éplucheur *m*.

pot-bellied [-,belɪd] *adj* **1.** ventru *(d'excès de nourriture)* **2.** au ventre gonflé *(de malnutrition)*.

potboiler ['pɒt,bɔɪlə*r*] *n* œuvre *f* alimentaire.

potency ['pəʊtənsɪ] *(indén) n* **1.** puissance *f* **2.** teneur *f* en alcool.

potent ['pəʊtənt] *adj* **1.** puissant **2.** fort **3.** viril.

potential [pə'tenʃl] *adj* **1.** potentiel **2.** possible **3.** en puissance. ❏ *n* **1.** (indén) capacités *fpl* latentes • **to have potential** promettre **2.** avoir de l'avenir **3.** offrir des possibilités.

potentially [pə'tenʃəlɪ] *adv* potentiellement.

pothole ['pɒthəʊl] *n* nid-de-poule *m*.

potholing ['pɒt,həʊlɪŋ] *n* (UK) • **to go potholing** faire de la spéléologie.

potion ['pəʊʃn] *n* breuvage *m* • **love potion** philtre *m*.

potluck [,pɒt'lʌk] *n* • **to take potluck a)** choisir au hasard **b)** manger à la fortune du pot.

potpourri [,pəʊ'pʊərɪ] *n* **1.** (indén) fleurs *fpl* séchées *(dans un vase)* **2.** pot-pourri *m (de chansons)*.

pot roast *n* rôti *m* braisé.

potshot ['pɒt,ʃɒt] *n* • **to take a potshot (at sthg)** tirer (sur qqch) sans viser.

potted ['pɒtɪd] *adj* (UK) conservé en pot.

potted plant *n* plante *f* d'appartement.

potter ['pɒtər] n potier m, -ère f. ■ **potter about, potter around** vi (UK) bricoler.

pottery ['pɒtərɪ] n poterie f.

potty ['pɒtɪ] fam adj • **potty (about)** toqué (de). ❑ n (UK) pot m (de chambre).

potty-train vt • **to potty-train a child** apprendre à un enfant à aller sur son pot.

potty-trained adj propre.

pouch [paʊtʃ] n 1. petit sac m 2. poche f ventrale.

poultry ['pəʊltrɪ] n (indén) volaille f. ❑ npl volailles fpl.

pounce [paʊns] vi • **to pounce (on)** a) fondre (sur) b) se jeter (sur).

pound [paʊnd] n 1. (UK) livre f (devise) 2. = 453,6 grammes ; ≃ livre f 3. fourrière f. ❑ vt 1. marteler 2. piler, broyer. ❑ vi 1. • **to pound on** donner de grands coups à 2. battre fort • **my head is pounding** j'ai des élancements dans la tête.

pounding ['paʊndɪŋ] n (indén) 1. martèlement m (de poings) 2. battement m violent (de cœur) • **to get** ou **take a pounding** a) (ville) être pilonné b) (équipe) être battu à plate couture ou à plates coutures.

pound sign n symbole m de la livre sterling.

pound sterling n livre f sterling.

pour [pɔːr] vt verser • **shall I pour you a drink?** je te sers quelque chose à boire ? ❑ vi 1. couler à flots 2. fig • **to pour in/out** entrer/sortir en foule. ❑ v impers pleuvoir à verse. ■ **pour in** vi affluer. ■ **pour out** vt sép 1. vider 2. verser, servir.

pouring ['pɔːrɪŋ] adj torrentiel.

pout [paʊt] vi faire la moue.

poverty ['pɒvətɪ] n 1. pauvreté f 2. fig indigence f, manque m.

poverty line n seuil m de pauvreté.

poverty-stricken adj 1. dans la misère 2. misérable, très pauvre.

poverty trap n (UK) arrêt des prestations sociales lié à une légère augmentation des revenus.

POW abrév de **prisoner of war**.

powder ['paʊdər] n poudre f. ❑ vt poudrer.

powder compact n poudrier m.

powdered ['paʊdəd] adj 1. en poudre 2. poudré.

powdered sugar n (US) sucre m en poudre.

powder puff n houppette f.

powder room n vieilli toilettes fpl pour dames.

powdery ['paʊdərɪ] adj (neige) poudreux.

power ['paʊər] n 1. (indén) pouvoir m • **to take power** prendre le pouvoir • **to come to power** parvenir au pouvoir • **to be in power** être au pouvoir • **to be in** ou **within one's power to do sthg** être en son pouvoir de faire qqch 2. puis-

sance f, force f 3. (indén) énergie f 4. courant m, électricité f. ❑ vt faire marcher, actionner.

power-assisted adj assisté.

power base n support m politique.

powerboat ['paʊəbəʊt] n hors-bord m inv.

power cut n (UK) coupure f de courant.

-powered ['paʊəd] suffixe • **high/low-powered** de haute/faible puissance • **a high-powered executive** un cadre très haut placé • **steam/wind-powered** mû par la vapeur/le vent.

power failure n panne f de courant.

powerful ['paʊəfʊl] adj 1. puissant 2. fort 3. émouvant.

powerfully ['paʊəfʊlɪ] adv puissamment • **he's powerfully built** il est d'une stature imposante.

powerless ['paʊəlɪs] adj impuissant.

power of attorney n procuration f.

power plant n centrale f électrique.

power point n (UK) prise f de courant.

power-sharing [-,ʃeərɪŋ] n partage m du pouvoir.

power station n (UK) centrale f électrique.

power steering n direction f assistée.

power tool n outil m électrique.

PPL SMS abrév de **people**.

PR n 1. abrév de **proportional representation** 2. abrév de **public relations**.

practicable ['præktɪkəbl] adj sout réalisable, faisable.

practical ['præktɪkl] adj 1. pratique 2. réalisable. ❑ n épreuve f pratique.

practicality [,præktɪ'kælətɪ] n (indén) aspect m pratique. ■ **practicalities** npl détails mpl pratiques.

practical joke n farce f.

practical joker n farceur m, -euse f.

practically ['præktɪklɪ] adv 1. d'une manière pratique 2. presque, pratiquement.

practice ['præktɪs] n 1. (indén) entraînement m • **to be out of practice** être rouillé 2. MUS répétition f • **to do one's piano practice** faire ses exercices de piano 3. séance f d'entraînement • **football practice** entraînement de foot 4. • **to put sthg into practice** mettre qqch en pratique • **in practice** en réalité, en fait 5. pratique f, coutume f 6. (indén) exercice m 7. cabinet m (de médecin, d'avocat) 8. étude f (de notaire). ❑ vt & vi (US) = **practise**.

practicing (US) = **practising**.

practise (UK), **practice** (US) ['præktɪs] vt 1. s'entraîner à (un sport) 2. s'exercer à (un instrument de musique) 3. suivre, pratiquer 4. pratiquer 5. exercer. ❑ vi 1. SPORT s'entraîner 2. MUS s'exercer 3. exercer.

practising (UK), **practicing** (US) ['præktısıŋ] adj **1.** (médecin, avocat) en exercice **2.** RELIG pratiquant.

practitioner [præk'tıʃnər] n praticien m, -enne f.

pragmatic [præg'mætık] adj pragmatique.

pragmatism ['prægmətızm] n pragmatisme m.

pragmatist ['prægmətıst] n pragmatiste mf.

Prague [prɑːg] n Prague.

prairie ['preərı] n prairie f.

praise [preɪz] n louange f, louanges fpl. ❑ vt louer, faire l'éloge de.

praiseworthy ['preɪz,wɜːðı] adj louable, méritoire.

praline ['prɑːliːn] n praline f.

pram [præm] n (UK) landau m.

prance [prɑːns] vi **1.** se pavaner **2.** (cheval) caracoler.

prang [præŋ] (UK) fam & vieilli n accrochage m (de voiture). ❑ vt emboutir, bousiller.

prank [præŋk] n tour m, niche f.

prat [præt] n (UK) tfam & péj crétin m, -e f.

prattish ['prætıʃ] adj (UK) fam crétin, idiot.

prattle ['prætl] péj n (indén) bavardage m, babillage m. ❑ vi babiller • to prattle on about sthg parler sans fin de qqch.

prawn [prɔːn] n crevette f rose.

pray [preɪ] vi • to pray (to sb) prier (qqn).

prayer [preər] n litt & fig prière f.

prayer book n livre m de messe.

prayer mat n tapis m de prière.

pre- [priː] préf pré-.

preach [priːtʃ] vt **1.** prêcher **2.** prononcer (un sermon). ❑ vi **1.** • to preach (to sb) prêcher (qqn) **2.** péj • to preach (at sb) sermonner (qqn).

preacher ['priːtʃər] n prédicateur m, -trice f, pasteur m, -e f.

precarious [prı'keərıəs] adj précaire.

precariously [prı'keərıəslı] adv d'une manière précaire.

precaution [prı'kɔːʃn] n précaution f • to take precautions prendre des précautions.

precautionary [prı'kɔːʃənərı] adj de précaution, préventif.

precede [prı'siːd] vt précéder.

precedence ['presıdəns] n • to take precedence over sthg avoir la priorité sur qqch • to have ou take precedence over sb avoir la préséance sur qqn.

precedent ['presıdənt] n précédent m.

preceding [prı'siːdıŋ] adj précédent.

precinct ['priːsıŋkt] n **1.** (UK) • pedestrian precinct zone f piétonne • shopping precinct centre m commercial **2.** (US) circonscription f (administrative). ■ **precincts** npl enceinte f.

precious ['preʃəs] adj **1.** précieux **2.** fam & iron sacré **3.** affecté.

precipice ['presıpıs] n précipice m, paroi f à pic.

precipitate sout vt [prı'sıpıteıt] hâter, précipiter.

precise [prı'saıs] adj **1.** précis **2.** exact.

precisely [prı'saıslı] adv précisément, exactement.

precision [prı'sıʒn] n précision f, exactitude f.

precision-engineered, precision-made adj de (haute) précision.

preclude [prı'kluːd] vt sout **1.** empêcher • to preclude sb from doing sthg empêcher qqn de faire qqch **2.** écarter (une possibilité).

precocious [prı'kəʊʃəs] adj précoce.

preconceived [priːkən'siːvd] adj préconçu.

preconception [priːkən'sepʃn] n préjugé m, idée f préconçue.

precondition [priːkən'dıʃn] n sout condition f sine qua non.

precooked [priː'kʊkt] adj précuit.

precursor [priː'kɜːsər] n sout précurseur m.

precut [priː'kʌt] adj (jambon, fromage, pain) prétranché.

predate [priː'deıt] vt précéder.

predator ['predətər] n **1.** prédateur m, rapace m **2.** fig corbeau m.

predatory ['predətrı] adj **1.** (animal, oiseau) prédateur **2.** fig (personne) rapace.

predecessor ['priːdısesər] n **1.** prédécesseur m **2.** précédent m, -e f.

predetermine [priːdı'tɜːmın] vt **1.** déterminer d'avance **2.** organiser ou fixer à l'avance.

predetermined [priːdı'tɜːmınd] adj **1.** (modalités) déterminé d'avance **2.** (rendez-vous) organisé ou fixé à l'avance.

predicament [prı'dıkəmənt] n situation f difficile • to be in a predicament être dans de beaux draps.

predict [prı'dıkt] vt prédire.

predictability [prı,dıktə'bılətı] n prévisibilité f.

predictable [prı'dıktəbl] adj prévisible.

predictably [prı'dıktəblı] adv d'une manière prévisible • predictably, he was late comme c'était à prévoir, il est arrivé en retard.

prediction [prı'dıkʃn] n prédiction f.

predictive texting [prı'dıktıv-] n TÉLÉCOM (sur téléphone portable) écriture f prédictive, T9 m.

predispose [priːdıs'pəʊz] vt • to be predisposed to sthg/to do sthg être prédisposé à qqch/à faire qqch.

predominance [prı'dɒmınəns] n prédominance f.

predominant [prı'dɒmınənt] adj prédominant.

predominantly [prı'dɒmınəntlı] adv principalement, surtout.

predominate [prı'dɒmıneıt] vi prédominer.

preempt [priː'empt] vt devancer, prévenir.

preemptive [priː'emptıv] adj préventif.

preen [priːn] *vt* **1.** *(oiseau)* lisser, nettoyer *(ses plumes)* **2.** *fig* • **to preen o.s.** se faire beau, belle *f*.

prefab ['priːfæb] *n* (UK) *fam* maison *f* préfabriquée.

prefabricated [ˌpriːˈfæbrɪkeɪtɪd] *adj* • **prefabricated houses** maisons *fpl* en préfabriqué.

preface ['prefɪs] *n* • **preface (to)** préface *f* (de), préambule *m* (de).

prefect ['priːfekt] *n* (UK) élève de terminale qui aide les professeurs à maintenir la discipline.

prefer [prɪˈfɜːr] *vt* préférer.

preferable ['prefrəbl] *adj* • **preferable (to)** préférable (à).

preferably ['prefrəblɪ] *adv* de préférence.

preference ['prefərəns] *n* préférence *f*.

preferential [ˌprefəˈrenʃl] *adj* préférentiel.

preferential rate *n* tarif *m* préférentiel.

prefix ['priːfɪks] *n* préfixe *m*.

pregaming (US) [ˌpriːˈgeɪmɪŋ] *n* consommation d'alcool avant d'assister à un événement sportif.

pregnancy ['pregnənsɪ] *n* grossesse *f*.

pregnancy test *n* test *m* de grossesse.

pregnant ['pregnənt] *adj* **1.** *(femme)* enceinte **2.** *(animal)* pleine.

preheat [ˌpriːˈhiːt] *vt* préchauffer.

preheated [ˌpriːˈhiːtɪd] *adj* préchauffé.

prehistoric [ˌpriːhɪˈstɒrɪk] *adj* préhistorique.

pre-installed *adj* *(logiciel)* préinstallé.

prejudge [ˌpriːˈdʒʌdʒ] *vt* **1.** préjuger de *(situation, problème)* **2.** juger d'avance *(personne)*.

prejudice ['predʒʊdɪs] *n* **1.** • **prejudice (in favour of/against)** préjugé *m* (en faveur de/contre), préjugés *mpl* (en faveur de/contre) **2.** *(indén)* préjudice *m*, tort *m*. ❑ *vt* **1.** • **to prejudice sb (in favour of/against)** prévenir qqn (pour/contre), influencer qqn (pour/contre) **2.** porter préjudice à.

prejudiced ['predʒʊdɪst] *adj* **1.** qui a des préjugés **2.** *(idée)* préconçu • **to be prejudiced in favour of/against** avoir des préjugés en faveur de/contre.

prejudicial [ˌpredʒʊˈdɪʃl] *adj* • **prejudicial (to)** préjudiciable (à), nuisible (à).

preliminary [prɪˈlɪmɪnərɪ] *adj* préliminaire.

prelude ['preljuːd] *n* • **prelude to sthg** prélude *m* de qqch.

premarital [ˌpriːˈmærɪtl] *adj* avant le mariage.

premature ['premə,tjʊər] *adj* prématuré.

prematurely ['premə,tjʊəlɪ] *adv* prématurément.

premeditated [ˌpriːˈmedɪteɪtɪd] *adj* prémédité.

premenstrual [priːˈmenstrʊəl] *adj* prémenstruel.

premenstrual syndrome, premenstrual tension (UK) [priːˈmenstrʊəl-] *n* syndrome *m* prémenstruel.

premier ['premjər] *adj* primordial, premier. ❑ *n* Premier ministre *m*.

premiere ['premɪeər] *n* THÉÂTRE & CINÉ première *f*.

Premier League *n* en Angleterre, ligue indépendante regroupant les meilleurs clubs de football.

premise ['premɪs] *n* prémisse *f*. ■ **premises** *npl* local *m*, locaux *mpl* • **on the premises** sur place, sur les lieux.

premium ['priːmjəm] *n* prime *f* • **at a premium a)** à prix d'or **b)** très recherché *ou* demandé.

premium bond *n* (UK) ≃ billet *m* de loterie.

premonition [ˌpremə'nɪʃn] *n* prémonition *f*, pressentiment *m*.

prenatal [ˌpriːˈneɪtl] *adj* prénatal.

pre nup *n* *fam* contrat *m* de mariage.

prenuptial [ˌpriːˈnʌpʃl] *adj* prénuptial • **prenuptial agreement** *ou* **contract** contrat *m* de mariage.

preoccupation [priːˌɒkjʊˈpeɪʃn] *n* préoccupation *f* • **preoccupation with sthg** souci *m* de qqch.

preoccupied [priːˈɒkjʊpaɪd] *adj* • **preoccupied (with)** préoccupé (de).

pre-owned *adj* d'occasion.

prep [prep] *n* *(indén)* (UK) *fam* devoirs *mpl*.

pre-packaged *adj* préconditionné, préemballé.

prepaid ['priːpeɪd] *adj* **1.** payé d'avance **2.** *(enveloppe)* affranchi.

preparation [ˌprepəˈreɪʃn] *n* préparation *f*. ■ **preparations** *npl* préparatifs *mpl*.

preparatory [prɪˈpærətrɪ] *adj* **1.** préparatoire **2.** préliminaire.

preparatory school *n* **1.** école *f* primaire privée **2.** école privée qui prépare à l'enseignement supérieur.

prepare [prɪˈpeər] *vt* préparer. ❑ *vi* • **to prepare for sthg/to do sthg** se préparer à qqch/à faire qqch.

prepared [prɪˈpeəd] *adj* **1.** préparé d'avance **2.** • **to be prepared to do sthg** être prêt *ou* disposé à faire qqch **3.** • **to be prepared for sthg** être prêt pour qqch.

preposition [ˌprepəˈzɪʃn] *n* préposition *f*.

preposterous [prɪˈpɒstərəs] *adj* ridicule, absurde.

preppie, preppy [(surtout US) 'prepɪ] *fam n* (pl -ies) • **he's a preppie** il est BCBG. ❑ *adj* BCBG.

pre-press *n* TYPO prépresse *m*.

prep school abrév de **preparatory school**.

prerecord [ˌpriːrɪˈkɔːd] *vt* préenregistrer.

prerecorded [ˌpriːrɪˈkɔːdɪd] *adj* enregistré à l'avance, préenregistré.

prerequisite [ˌpriːˈrekwɪzɪt] *n* condition *f* préalable.

prerogative [prɪˈrɒgətɪv] *n* prérogative *f*, privilège *m*.

Presbyterian [ˌprezbɪ'tɪərɪən] adj presbytérien. ❑ n presbytérien m, -enne f.

preschool [ˌpriː'skuːl] adj préscolaire. ❑ n (US) école f maternelle.

prescribe [prɪ'skraɪb] vt 1. prescrire 2. ordonner, imposer.

prescription [prɪ'skrɪpʃn] n 1. ordonnance f 2. médicament m.

prescriptive [prɪ'skrɪptɪv] adj normatif.

preselect [ˌpriːsə'lekt] vt (chaînes) prérégler.

presence ['prezns] n présence f • to be in sb's presence ou in the presence of sb être en présence de qqn.

presence of mind n présence f d'esprit.

present adj ['preznt] 1. actuel 2. présent • to be present at assister à. ❑ n ['preznt] 1. • the present le présent • at present actuellement, en ce moment 2. cadeau m 3. GRAMM • present (tense) présent m. ❑ vt [prɪ'zent] 1. présenter 2. donner, remettre • to present sb with sthg, to present sthg to sb donner ou remettre qqch à qqn 3. représenter, décrire 4. • to present o.s. se présenter.

presentable [prɪ'zentəbl] adj présentable.

presentation [ˌprezn'teɪʃn] n 1. présentation f 2. remise f (de récompense/de prix) 3. exposé m 4. THÉÂTRE représentation f.

present day n • the present day aujourd'hui. ■ present-day adj d'aujourd'hui, contemporain.

presenter [prɪ'zentə] n (UK) présentateur m, -trice f.

presently ['prezntlɪ] adv 1. bientôt, tout à l'heure 2. actuellement, en ce moment.

present perfect n passé m composé.

present tense n présent m.

preservation [ˌprezə'veɪʃn] n (indén) 1. maintien m 2. protection f, conservation f.

preservative [prɪ'zɜːvətɪv] n conservateur m.

preserve [prɪ'zɜːv] vt 1. maintenir 2. conserver 3. mettre en conserve. ❑ n confiture f.

preserved [prɪ'zɜːvd] adj conservé.

preset [ˌpriː'set] (prét & pp preset) vt prérégler.

presidency ['prezɪdənsɪ] (pl -ies) n présidence f.

president ['prezɪdənt] n 1. président m 2. (US) P-DG m.

presidential [ˌprezɪ'denʃl] adj présidentiel.

President's Day n jour férié aux États-Unis, le troisième lundi de février, en l'honneur des anniversaires des présidents George Washington et Abraham Lincoln.

press [pres] n 1. pression f 2. • the press a) la presse, les journaux mpl b) les journalistes mpl 3. presse f (imprimerie) 4. pressoir m (pour le vin, les olives). ❑ vt 1. appuyer sur • to press sthg against sthg appuyer qqch sur qqch 2. serrer 3. repasser 4. • to press sb (to do sthg ou into doing sthg) presser qqn (de faire qqch) 5. insister sur. ❑ vi 1. • to press (on sthg) appuyer (sur qqch) 2. • to press (on sthg) serrer (qqch) 3. se presser. ■ press for vt insép demander avec insistance. ■ press on vi • to press on (with sthg) continuer (qqch), ne pas abandonner (qqch).

press agency n agence f de presse.

press conference n conférence f de presse.

press corps n journalistes mpl.

press coverage n couverture f presse.

press cutting (UK), **press clipping** (US) n coupure f de journal.

pressed [prest] adj • to be pressed for time/money être à court de temps/d'argent.

pressgang ['presɡæŋ] n enrôleurs mpl, racoleurs mpl. ❑ vt (UK) • to pressgang sb into doing sthg forcer la main à qqn pour qu'il fasse qqch.

pressing ['presɪŋ] adj urgent.

press officer n attaché m de presse.

press release n communiqué m de presse.

press stud n (UK) pression f.

press-up n (UK) pompe f, traction f.

pressure ['preʃə] n (indén) 1. pression f • to put pressure on sb (to do sthg) faire pression sur qqn (pour qu'il fasse qqch) 2. tension f.

pressure cooker n Cocotte-Minute® f, autocuiseur m.

pressure gauge n manomètre m.

pressure group n groupe m de pression.

pressurize, -ise (UK) ['preʃəraɪz] vt 1. pressuriser 2. (UK) • to pressurize sb to do ou into doing sthg forcer qqn à faire qqch.

pressurized, -ised (UK) ['preʃəraɪzd] adj 1. (récipient) pressurisé 2. (liquide, gaz) sous pression.

prestige [pre'stiːʒ] n prestige m.

prestigious [pre'stɪdʒəs] adj prestigieux.

presumably [prɪ'zjuːməblɪ] adv vraisemblablement.

presume [prɪ'zjuːm] vt présumer • to presume (that)... supposer que... • missing, presumed dead porté disparu, présumé mort.

presumption [prɪ'zʌmpʃn] n 1. supposition f 2. (indén) (audace) présomption f.

presumptuous [prɪ'zʌmptʃʊəs] adj présomptueux.

pretence (UK), **pretense** (US) [prɪ'tens] n prétention f • under false pretences sous des prétextes fallacieux.

pretend [prɪ'tend] vt • to pretend to do sthg faire semblant de faire qqch. ❑ vi faire semblant.

pretense (US) = pretence.

pretension [prɪ'tenʃn] n prétention f.

pretentious [prɪ'tenʃəs] adj prétentieux.

pretentiously [prɪ'tenʃəslɪ] adv de façon prétentieuse.

pretentiousness [prɪˈtenʃəsnɪs] n (indén) prétention f.

pretext [ˈpriːtekst] n prétexte m • **on** ou **under the pretext that...** sous prétexte que...

prettify [ˈprɪtɪfaɪ] (prét & pp **prettified**) vt enjoliver.

prettily [ˈprɪtɪlɪ] adv joliment.

pretty [ˈprɪtɪ] adj 1. joli 2. péj précieux. ❑ adv plutôt • **pretty much** ou **well** pratiquement, presque.

pretzel [ˈpretsl] n bretzel m.

prevail [prɪˈveɪl] vi 1. avoir cours, régner 2. • **to prevail (over)** prévaloir (sur), l'emporter (sur).

prevailing [prɪˈveɪlɪŋ] adj 1. actuel 2. dominant.

prevalence [ˈprevələns] n (indén) fréquence f.

prevalent [ˈprevələnt] adj courant, répandu.

prevent [prɪˈvent] vt empêcher.

preventable [prɪˈventəbl] adj qui peut être évité.

preventative [prɪˈventətɪv] = **preventive**.

prevention [prɪˈvenʃn] n (indén) prévention f.

preventive [prɪˈventɪv] adj préventif.

preview [ˈpriːvjuː] n avant-première f.

previous [ˈpriːvjəs] adj 1. antérieur 2. précédent.

previously [ˈpriːvjəslɪ] adv avant, auparavant.

prewar [ˌpriːˈwɔː] adj d'avant-guerre.

prey [preɪ] n proie f. ■ **prey on** vt insép 1. faire sa proie de 2. • **to prey on sb's mind** ronger qqn, tracasser qqn.

price [praɪs] n prix m • **at any price** à tout prix. ❑ vt fixer le prix de. ■ **price down** vt sép baisser le prix de, démarquer. ■ **price up** vt sép augmenter le prix de.

price bubble n bulle f des prix.

price ceiling n plafond m de prix.

price cut n rabais m, réduction f (de prix).

price differential n écart m de prix.

price discrimination n tarif m discriminatoire.

price-fixing [-fɪksɪŋ] n (indén) contrôle m des prix.

price freeze n gel m des prix.

price increase n hausse f ou augmentation f des prix.

priceless [ˈpraɪslɪs] adj sans prix, inestimable.

price list n tarif m.

price tag n étiquette f.

price war n guerre f des prix.

pricey [ˈpraɪsɪ] adj fam chérot (inv).

pricing [ˈpraɪsɪŋ] n détermination f du prix, fixation f du prix • **pricing policy** politique f de (s) prix.

prick [prɪk] n 1. piqûre f 2. vulg bite f 3. vulg con m, conne f. ❑ vt piquer. ■ **prick up** vt insép • **to**

prick up one's ears a) (animal) dresser les oreilles **b)** (personne) dresser ou tendre l'oreille.

prickle [ˈprɪkl] n 1. épine f 2. picotement m. ❑ vi picoter.

prickly [ˈprɪklɪ] adj 1. épineux 2. fig irritable.

prickly heat n (indén) boutons mpl de chaleur.

pride [praɪd] n (indén) 1. fierté f • **to take pride in sthg/in doing sthg** être fier de qqch/de faire qqch 2. amour-propre m 3. péj orgueil m. ❑ vt • **to pride o.s. on sthg** être fier de qqch.

priest [priːst] n prêtre m.

priestess [ˈpriːstɪs] n prêtresse f.

priesthood [ˈpriːsthʊd] n 1. • **the priesthood** le sacerdoce 2. • **the priesthood** le clergé.

prig [prɪg] n péj petit saint m, petite sainte f.

prim [prɪm] adj péj guindé.

prima donna [ˌpriːməˈdɒnə] (pl -s) n prima donna f inv • **to be a prima donna** fig & péj se prendre pour le nombril du monde.

primarily [ˈpraɪmərɪlɪ] adv principalement.

primary [ˈpraɪmərɪ] adj 1. premier, principal 2. SCOL primaire. ❑ n (US) POLIT primaire f.

primary carer, primary caregiver n personne qui s'occupe d'un proche dépendant.

primary colour (UK), **primary color** (US) n couleur f primaire.

primary market n marché m primaire.

primary school n école f primaire.

primate [ˈpraɪmeɪt] n 1. primate m 2. RELIG primat m.

prime [praɪm] adj 1. principal, primordial 2. excellent • **prime quality** première qualité. ❑ n • **to be in one's prime** être dans la fleur de l'âge. ❑ vt • **to prime sb about sthg** mettre qqn au courant de qqch.

Prime Minister n Premier ministre m.

primer [ˈpraɪmə] n 1. apprêt m 2. introduction f.

prime time n (indén) RADIO & TV heures fpl de grande écoute. ■ **prime-time** adj aux heures de grande écoute.

primeval [praɪˈmiːvl] adj primitif.

primitive [ˈprɪmɪtɪv] adj primitif.

primrose [ˈprɪmrəʊz] n primevère f.

Primus stove® [ˈpraɪməs-] n (UK) réchaud m de camping.

prince [prɪns] n prince m.

princess [prɪnˈses] n princesse f.

principal [ˈprɪnsəpl] adj principal. ❑ n 1. (surtout UK) SCOL directeur m, -trice f 2. UNIV doyen m, -enne f.

principally [ˈprɪnsəplɪ] adv principalement.

principle [ˈprɪnsəpl] n principe m • **on principle, as a matter of principle** par principe. ■ **in principle** adv en principe.

principled [ˈprɪnsəpld] adj 1. (attitude) dicté par des principes 2. (personne) qui a des principes.

print [prɪnt] *n* **1.** *(indén)* caractères *mpl* • **to be in print** être disponible • **to be out of print** être épuisé **2.** gravure *f* **3.** PHOTO épreuve *f* **4.** imprimé *m* **5.** empreinte *f*. ❑ *vt* **1.** imprimer **2.** publier **3.** écrire en caractères d'imprimerie • **print your name** écrivez votre nom en caractères d'imprimerie. ❑ *vi* imprimer. ■ **print out** *vt sép* INFORM imprimer.

printed ['prɪntɪd] *adj* **1.** *(gén)* imprimé • **printed matter** imprimés *mpl* • **the printed word** l'écrit *m* **2.** *(papier)* à en-tête.

printed matter ['prɪntɪd-] *n (indén)* imprimés *mpl*.

printer ['prɪntər] *n* **1.** imprimeur *mf* **2.** imprimante *f*.

printing ['prɪntɪŋ] *n (indén)* **1.** impression *f* **2.** imprimerie *f*.

printout ['prɪntaʊt] *n* INFORM sortie *f* d'imprimante, listing *m*.

print preview *n* INFORM aperçu *m* avant impression.

print queue *n* INFORM queue *f* d'impression.

prior ['praɪər] *adj* antérieur, précédent. ❑ *n* prieur *m*. ■ **prior to** *prép* avant • **prior to doing sthg** avant de faire qqch.

prioritize, -ise (UK) [praɪ'ɒrɪtaɪz] *vt* donner la priorité à.

priority [praɪ'ɒrəti] *n* priorité *f* • **to have** *ou* **take priority (over)** avoir la priorité (sur). ■ **priorities** *npl* priorités *fpl*.

prise [praɪz] *vt* • **to prise sthg away from sb** arracher qqch à qqn • **to prise sthg open** forcer qqch.

prison ['prɪzn] *n* prison *f*.

prisoner ['prɪznər] *n* prisonnier *m*, -ère *f*.

prisoner of war *(pl* **prisoners of war**) *n* prisonnier *m*, -ère *f* de guerre.

prissy ['prɪsɪ] *(comp* **prissier**, *superl* **prissiest**) *adj péj* prude, guindé.

pristine ['prɪstiːn] *adj* **1.** *(santé)* parfait **2.** *(objet)* immaculé.

privacy [(UK) 'prɪvəsɪ, (US) 'praɪvəsɪ] *n* **1.** intimité *f* **2.** confidentialité *f* • **on-line privacy** confidentialité *f* en ligne.

private ['praɪvɪt] *adj* **1.** privé • **private screening** *ou* **showing** CINÉ projection *ou* séance *f* privée **2.** confidentiel **3.** personnel **4.** secret. ❑ *n* (simple) soldat *m*.

private detective *n* détective *m* privé.

private enterprise *n (indén)* entreprise *f* privée.

private eye *n* détective *m* privé.

private income *n* revenu *m* personnel.

private life *n* vie *f* privée • **in (his) private life** dans sa vie privée, en privé.

privately ['praɪvɪtlɪ] *adv* **1.** • **privately owned** du secteur privé **2.** en privé **3.** intérieurement, dans son for intérieur.

private pension *n* retraite *f* complémentaire.

private practice *n (indén)* (UK) cabinet *m* de médecin non conventionné.

private property *n* propriété *f* privée.

private school *n* école *f* privée.

private sector *n* • **the private sector** le secteur privé.

privatization, -isation (UK) [ˌpraɪvɪtaɪ'zeɪʃn] *n* privatisation *f*.

privatize, -ise (UK) ['praɪvɪtaɪz] *vt* privatiser.

privet ['prɪvɪt] *n* troène *m*.

privilege ['prɪvɪlɪdʒ] *n* privilège *m*.

privileged ['prɪvɪlɪdʒd] *adj* privilégié.

privy ['prɪvɪ] *adj* • **to be privy to sthg** être dans le secret de qqch.

Privy Council *n* (UK) • **the Privy Council** le Conseil privé.

prize [praɪz] *adj* **1.** très précieux **2.** *(animal)* primé **3.** parfait. ❑ *n* prix *m* • **to win first prize** gagner le premier prix. ❑ *vt* priser.

prize-giving [-ˌgɪvɪŋ] *n* (UK) distribution *f* des prix.

prize money *n* prix *m* en argent.

prizewinner ['praɪzˌwɪnər] *n* gagnant *m*, -e *f* • **a lottery prizewinner** un gagnant au loto.

pro [prəʊ] *(pl* **-s**) *n* **1.** *fam* pro *mf* **2.** • **the pros and cons** le pour et le contre.

proactive [prəʊ'æktɪv] *adj* **1.** *(entreprise, personne)* dynamique **2.** PSYCHO proactif.

proactively [ˌprəʊ'æktɪvlɪ] *adv* de manière dynamique.

probability [ˌprɒbə'bɪlətɪ] *n* probabilité *f*.

probable ['prɒbəbl] *adj* probable.

probably ['prɒbəblɪ] *adv* probablement.

probation [prə'beɪʃn] *n (indén)* **1.** DR mise *f* à l'épreuve • **to put sb on probation** mettre qqn en sursis avec mise à l'épreuve **2.** essai *m* • **to be on probation** être à l'essai.

probationary [prə'beɪʃnrɪ] *adj* **1.** *(personne)* à l'essai **2.** *(période)* d'essai.

probation officer *n* agent *m* de probation.

probe [prəʊb] *n* **1.** • **probe (into)** enquête *f* (sur) **2.** MÉD & TECHNOL sonde *f*. ❑ *vt* sonder.

probing ['prəʊbɪŋ] *adj* **1.** *(question)* pénétrant **2.** *(regard)* inquisiteur.

problem ['prɒbləm] *n* problème *m* • **to cause problems** poser des problèmes • **no problem!** *fam* pas de problème ! ❑ *en apposition* difficile.

problematic(al) [ˌprɒblə'mætɪk(l)] *adj* problématique, incertain.

problem-solving [-ˌsɒlvɪŋ] *n* résolution *f* de problèmes.

procedure [prə'siːdʒər] *n* procédure *f*.

proceed *vt* [prə'siːd] • **to proceed to do sthg** se mettre à faire qqch. ❑ *vi* [prə'siːd] **1.** • **proceed (with sthg)** continuer (qqch), poursuivre (qqch) **2.** *sout* avancer. ■ **proceeds** *npl* ['prəʊsiːdz] FIN recette *f*.

proceedings [prə'siːdɪŋz] *npl* **1.** débats *mpl* **2.** DR poursuites *fpl*.

process ['prəʊses] *n* **1.** processus *m* • **in the process** ce faisant • **to be in the process of doing sthg** être en train de faire qqch • **the peace process** le processus de paix **2.** procédé *m*. ❏ *vt* **1.** traiter **2.** *fig* faire face à.

processing ['prəʊsesɪŋ] *n* traitement *m*, transformation *f*.

procession [prə'seʃn] *n* cortège *m*, procession *f*.

pro-choicer *n* personne favorable à la loi légalisant l'avortement et/ou l'euthanasie.

proclaim [prə'kleɪm] *vt* proclamer.

proclamation [,prɒklə'meɪʃn] *n* proclamation *f*.

procrastinate [prə'kræstɪneɪt] *vi* *sout* faire traîner les choses.

procrastination [prə,kræstɪ'neɪʃn] *n* *sout* procrastination *f*.

procreate ['prəʊkrɪeɪt] *vi* *sout* procréer.

procreation [,prəʊkrɪ'eɪʃn] *n* *sout* procréation *f*.

procure [prə'kjʊə] *vt* *sout* **1.** se procurer **2.** procurer, obtenir.

procurement [prə'kjʊəmənt] *n* *sout* obtention *f*.

prod [prɒd] *vt* pousser doucement.

prodigal ['prɒdɪgl] *adj* *sout* prodigue.

prodigious [prə'dɪdʒəs] *adj* prodigieux.

prodigy ['prɒdɪdʒɪ] *n* prodige *m*.

produce *n* ['prɒdjuːs] (*indén*) produits *mpl*. ❏ *vt* [prə'djuːs] **1.** produire **2.** provoquer, causer **3.** présenter (*un spectacle*) **4.** (UK) THÉÂTRE mettre en scène.

producer [prə'djuːsə] *n* **1.** producteur *m*, -trice *f* **2.** (UK) THÉÂTRE metteur *m* en scène.

-producing [prə,djuːsɪŋ] *suffixe* producteur de • **oil-producing** producteur de pétrole.

product ['prɒdʌkt] *n* produit *m*.

product awareness *n* notoriété *f* ou mémorisation *f* du produit.

production [prə'dʌkʃn] *n* **1.** (*indén*) production *f* **2.** (*indén*) rendement *m* **3.** (*indén*) (UK) THÉÂTRE mise *f* en scène **4.** représentation *f* (*spectacle*) **5.** THÉÂTRE pièce *f*.

production line *n* chaîne *f* de fabrication.

productive [prə'dʌktɪv] *adj* **1.** productif **2.** fructueux.

productively [prə'dʌktɪvlɪ] *adv* **1.** (*utiliser*) de façon productive **2.** (*passer du temps*) de façon fructueuse.

productivity [,prɒdʌk'tɪvətɪ] *n* productivité *f*.

product placement *n* CINÉ & TV placement *m* de produits.

product range *n* gamme *f* de produits.

profane [prə'feɪn] *adj* *sout* impie.

profess [prə'fes] *vt* *sout* professer • **to profess to do/be** prétendre faire/être.

profession [prə'feʃn] *n* profession *f* • **by profession** de son métier.

professional [prə'feʃənl] *adj* **1.** professionnel **2.** de (haute) qualité. ❏ *n* professionnel *m*, -elle *f*.

professionalism [prə'feʃnəlɪzm] *n* professionnalisme *m*.

professionally [prə'feʃnəlɪ] *adv* **1.** (*par son métier*) en professionnel • **professionally qualified** diplômé **2.** (*consciencieusement*) de façon professionnelle.

professor [prə'fesə] *n* **1.** (UK) professeur *m*, -e *f* (de faculté) **2.** (US & CANADA) professeur *m*.

proffer ['prɒfə] *vt* *sout* • **to proffer sthg (to sb)** offrir qqch (à qqn).

proficiency [prə'fɪʃənsɪ] *n* • **proficiency (in)** compétence *f* (en).

proficient [prə'fɪʃənt] *adj* • **proficient (in** ou **at sthg)** compétent (en qqch).

profile ['prəʊfaɪl] *n* profil *m*.

profit ['prɒfɪt] *n* **1.** bénéfice *m*, profit *m* • **to make a profit** faire un bénéfice **2.** profit *m* (*avantage*). ❏ *vi* **1.** être le bénéficiaire **2.** tirer avantage ou profit.

profitability [,prɒfɪtə'bɪlətɪ] *n* rentabilité *f*.

profitable ['prɒfɪtəbl] *adj* **1.** rentable, lucratif **2.** fructueux, profitable.

profitably ['prɒfɪtəblɪ] *adv* **1.** de façon rentable **2.** utilement.

profit-driven *adj* COMM poussé par les profits.

profiteering [,prɒfɪ'tɪərɪŋ] *n* affairisme *m*, mercantilisme *m*.

profit-making *adj* à but lucratif. ❏ *n* réalisation *f* de bénéfices.

profit margin *n* marge *f* bénéficiaire.

profit-sharing *n* participation *f* ou intéressement *m* aux bénéfices.

pro forma [-'fɔːmə] *adj* pro forma.

profound [prə'faʊnd] *adj* profond.

profoundly [prə'faʊndlɪ] *adv* profondément.

profusely [prə'fjuːslɪ] *adv* abondamment • **to apologize profusely** se confondre en excuses.

profusion [prə'fjuːʒn] *n* *sout* profusion *f*.

progeny ['prɒdʒənɪ] *n* *sout* progéniture *f*.

prognosis [prɒg'nəʊsɪs] (*pl* -**ses**) *n* pronostic *m*.

program ['prəʊgræm] *n* **1.** programme *m* • **a computer program** un programme informatique **2.** (US) = **programme**. ❏ *vt* (*prét* & *pp* **programmed** ou **programed**, *cont* **programming** ou **programing**) **1.** programmer **2.** (US) = **programme**.

programmable [prəʊ'græməbl] *adj* programmable.

programme (UK), **program** (US) ['prəʊɡræm] n **1.** programme m **2.** RADIO & TV émission f. ❑ vt programmer • **to programme sthg to do sthg** programmer qqch pour faire qqch.

programmer ['prəʊɡræmər] n INFORM programmeur m, -euse f.

programming ['prəʊɡræmɪŋ] n programmation f.

programming language n langage m de programmation.

progress n ['prəʊɡres] progrès m • **to make progress** faire des progrès • **to make progress in sthg** avancer dans qqch • **in progress** en cours. ❑ vi [prə'ɡres] **1.** progresser, avancer **2.** faire des progrès.

progression [prə'ɡreʃn] n progression f.

progressive [prə'ɡresɪv] adj **1.** progressiste **2.** progressif.

progressively [prə'ɡresɪvlɪ] adv progressivement.

progress report ['prəʊɡres rɪ'pɔːt] n **1.** bulletin m de santé **2.** bulletin m scolaire **3.** compterendu m.

prohibit [prə'hɪbɪt] vt prohiber • **to prohibit sb from doing sthg** interdire ou défendre à qqn de faire qqch.

prohibitive [prə'hɪbɪtɪv] adj prohibitif.

prohibitively [prə'hɪbɪtɪvlɪ] adv • **prohibitively expensive** d'un coût prohibitif.

project n ['prɒdʒekt] **1.** projet m, plan m **2.** • **project (on)** dossier m (sur), projet m (sur). ❑ vt [prə'dʒekt] **1.** projeter **2.** prévoir. ❑ vi [prə'dʒekt] faire saillie.

project administrator n administrateur m, -trice f de projet.

project coordinator n coordinateur m, - trice f de projet.

projected [prə'dʒektɪd] adj (visite, chiffres) prévu.

projectile [prə'dʒektaɪl] n projectile m.

projection [prə'dʒekʃn] n **1.** prévision f **2.** saillie f **3.** (indén) projection f.

project manager n **1.** (gén) chef m de projet **2.** CONSTR maître m d'œuvre.

projector [prə'dʒektər] n projecteur m.

proletariat [,prəʊlɪ'teərɪət] n prolétariat m.

pro-life adj pour le respect de la vie.

pro-lifer [prəʊ'laɪfər] n personne hostile à la loi légalisant l'avortement et/ou l'euthanasie.

proliferate [prə'lɪfəreɪt] vi sout proliférer.

proliferation [prə,lɪfə'reɪʃn] n sout prolifération f.

prolific [prə'lɪfɪk] adj prolifique.

prologue, prolog (US) ['prəʊlɒɡ] n litt & fig prologue m.

prolong [prə'lɒŋ] vt prolonger.

prolonged [prə'lɒŋd] adj long, longue f.

prom [prɒm] n **1.** (UK) fam (abrév de promenade) promenade f, front m de mer **2.** (US) bal m d'étudiants.

promenade [,prɒmə'nɑːd] n (UK) promenade f, front m de mer.

promenade concert n (UK) concert m promenade.

prominence ['prɒmɪnəns] n **1.** importance f **2.** proéminence f.

prominent ['prɒmɪnənt] adj **1.** important **2.** proéminent.

prominently ['prɒmɪnəntlɪ] adv au premier plan, bien en vue.

promiscuity [,prɒmɪs'kjuːətɪ] n promiscuité f.

promiscuous [prɒ'mɪskjʊəs] adj **1.** aux mœurs légères **2.** immoral.

promise ['prɒmɪs] n promesse f. ❑ vt • **to promise (sb) to do sthg** promettre (à qqn) de faire qqch • **to promise sb sthg** promettre qqch à qqn. ❑ vi promettre.

promising ['prɒmɪsɪŋ] adj prometteur.

promisingly ['prɒmɪsɪŋlɪ] adv d'une façon prometteuse • **France started the match promisingly** la France a bien débuté la partie.

promontory ['prɒməntrɪ] n promontoire m.

promote [prə'məʊt] vt promouvoir.

promoter [prə'məʊtər] n **1.** organisateur m, -trice f **2.** promoteur m, -trice f.

promotion [prə'məʊʃn] n promotion f, avancement m • **to get promotion** être promu.

promotional [prə'məʊʃənl] adj promotionnel, publicitaire.

promotional material n matériel m de promotion.

promotional offer n offre f promotionnelle.

promotional price n prix m promotionnel.

prompt [prɒmpt] adj rapide, prompt. ❑ adv • **at nine o'clock prompt** à neuf heures précises. ❑ vt **1.** • **to prompt sb (to do sthg)** inciter qqn (à faire qqch) **2.** THÉÂTRE souffler sa réplique à. ❑ n THÉÂTRE réplique f.

prompter ['prɒmptər] n THÉÂTRE souffleur m, -euse f.

promptly ['prɒmptlɪ] adv **1.** rapidement, promptement **2.** ponctuellement.

prone [prəʊn] adj **1.** • **to be prone to sthg** être sujet à qqch • **to be prone to do sthg** avoir tendance à faire qqch **2.** étendu face contre terre.

prong [prɒŋ] n dent f (d'une fourchette, d'une fourche).

pronoun ['prəʊnaʊn] n pronom m.

pronounce [prə'naʊns] vt prononcer. ❑ vi • **to pronounce on** se prononcer sur.

pronounced [prə'naʊnst] adj prononcé.

pronouncement [prə'naʊnsmənt] n déclaration f.

pronunciation [prə,nʌnsɪ'eɪʃn] *n* prononciation *f*.

proof [pruːf] *n* **1.** preuve *f* **2.** épreuve *f (d'un livre)* **3.** teneur *f* en alcool.

-proof [pruːf] *suffixe* à l'épreuve de • **acid-proof** à l'épreuve des acides • **an idiot-proof mechanism** un mécanisme (totalement) indéréglable.

proofread ['pruːfriːd] *(prét & pp* proofread [-red]) *vt* corriger les épreuves de.

proofreader ['pruːf,riːdər] *n* correcteur *m*, -trice *f* d'épreuves.

proofreading ['pruːf,riːdɪŋ] *n* correction *f* (d'épreuves) • **proofreading mark** *ou* **symbol** signe *m* de correction.

prop [prɒp] *n* **1.** support *m*, étai *m* **2.** *fig* soutien *m*. ❏ *vt* • **to prop sthg against** appuyer qqch contre *ou* à. ▪ **props** *npl* accessoires *mpl*. ▪ **prop up** *vt sép* **1.** soutenir, étayer **2.** *fig* soutenir.

propaganda [,prɒpə'gændə] *n* propagande *f*.

propel [prə'pel] *vt* **1.** propulser **2.** *fig* pousser.

propeller [prə'pelər] *n* hélice *f*.

propelling pencil [prə'pelɪŋ-] *n* (UK) porte-mine *m*.

propensity [prə'pensətɪ] *n* • **propensity (for** *ou* **to)** propension *f* (à).

proper ['prɒpər] *adj* **1.** vrai **2.** correct, bon **3.** convenable.

properly ['prɒpəlɪ] *adv* **1.** correctement **2.** convenablement, comme il faut • **eat properly a)** manger proprement **b)** manger de manière équilibrée.

proper name, proper noun *n* nom *m* propre.

property ['prɒpətɪ] *n* **1.** *(indén)* biens *mpl*, propriété *f* **2.** bien *m* immobilier **3.** terres *fpl* **4.** CHIM & PHYS propriété *f*.

property developer *n* promoteur *m* immobilier.

property ladder *n* • **to get a foot on the property ladder** devenir propriétaire.

property owner *n* propriétaire *m* (foncier).

prophecy ['prɒfɪsɪ] *n* prophétie *f*.

prophesy ['prɒfɪsaɪ] *vt* prédire.

prophet ['prɒfɪt] *n* prophète *m*.

proportion [prə'pɔːʃn] *n* **1.** part *f*, partie *f* **2.** proportion *f* **3.** • **in proportion** proportionné • **out of proportion** mal proportionné • **a sense of proportion** *fig* le sens de la mesure.

proportional [prə'pɔːʃənl] *adj* proportionnel.

proportionally [prə'pɔːʃnəlɪ] *adv* proportionnellement.

proportional representation *n* représentation *f* proportionnelle.

proportionate [prə'pɔːʃnət] *adj* proportionnel.

proportionately [prə'pɔːʃnətlɪ] *adv* proportionnellement, en proportion.

proposal [prə'pəʊzl] *n* **1.** proposition *f*, offre *f* • **to make a proposal** faire une proposition **2.** demande *f* en mariage.

propose [prə'pəʊz] *vt* **1.** proposer **2.** • **to propose to do** *ou* **doing sthg** avoir l'intention de faire qqch, se proposer de faire qqch **3.** porter *(un toast)*. ❏ *vi* faire une demande en mariage • **to propose to sb** demander qqn en mariage.

proposed [prə'pəʊzd] *adj* proposé.

proposition [,prɒpə'zɪʃn] *n* proposition *f*.

proprietary [prə'praɪətrɪ] *adj* de marque déposée • **proprietary brand** marque *f* déposée.

proprietor [prə'praɪətər] *n* propriétaire *mf*.

propriety [prə'praɪətɪ] *sout n (indén)* bienséance *f*.

pro rata [-'rɑːtə] *adj* proportionnel. ❏ *adv* au prorata.

prose [prəʊz] *n (indén)* prose *f*.

prosecute ['prɒsɪkjuːt] *vt* poursuivre (en justice). ❏ *vi* **1.** engager des poursuites judiciaires **2.** *(avocat)* représenter la partie plaignante.

prosecution [,prɒsɪ'kjuːʃn] *n* poursuites *fpl* judiciaires, accusation *f* • **the prosecution a)** la partie plaignante **b)** *(dans un procès d'assises)* ≃ le ministère public.

prosecutor ['prɒsɪkjuːtər] *n* (surtout US) plaignant *m*, -e *f*.

prospect *n* ['prɒspekt] **1.** possibilité *f*, chances *fpl* **2.** perspective *f*. ▪ **prospects** *npl* • **prospects (for)** chances *fpl* (de), perspectives *fpl* (de) • **good promotion prospects** de réelles possibilités d'avancement • **the prospects for the automobile industry** les perspectives d'avenir de l'industrie automobile.

prospecting [prə'spektɪŋ] *n* prospection *f*.

prospective [prə'spektɪv] *adj* éventuel.

prospector [prə'spektər] *n* prospecteur *m*, -trice *f*.

prospectus [prə'spektəs] *(pl -es) n* prospectus *m*.

prosper ['prɒspər] *vi* prospérer.

prosperity [prɒ'sperətɪ] *n* prospérité *f*.

prosperous ['prɒspərəs] *adj* prospère.

prostate (gland) ['prɒsteɪt-] *n* prostate *f*.

prostitute ['prɒstɪtjuːt] *n* prostituée *f*.

prostitution [,prɒstɪ'tjuːʃn] *n* prostitution *f*.

prostrate *adj* ['prɒstreɪt] **1.** à plat ventre **2.** prostré.

protagonist [prə'tægənɪst] *n* protagoniste *mf*.

protect [prə'tekt] *vt* protéger.

protected [prə'tektɪd] *adj* protégé • **protected species** espèce *f* protégée.

protection [prə'tekʃn] *n* protection *f*.

protective [prə'tektɪv] *adj* **1.** de protection **2.** protecteur.

protégé ['prɒteʒeɪ] n protégé m.
protégée ['prɒteʒeɪ] n protégée f.
protein ['prəʊtiːn] n protéine f.
protest n ['prəʊtest] protestation f. ❑ vt [prə'test] **1.** protester de **2.** (US) protester contre. ❑ vi [prə'test] • **to protest (about/against)** protester (à propos de/contre).
Protestant ['prɒtɪstənt] adj protestant. ❑ n protestant m, -e f.
protester [prə'testər] n manifestant m, -e f.
protest march n manifestation f, marche f de protestation.
protocol ['prəʊtəkɒl] n protocole m.
prototype ['prəʊtətaɪp] n prototype m.
protracted [prə'træktɪd] adj prolongé.
protrude [prə'truːd] vi avancer, dépasser.
protruding [prə'truːdɪŋ] adj **1.** (rebord de fenêtre) en saillie **2.** (menton, côtes) saillant **3.** (yeux) globuleux **4.** (dentition) proéminent, protubérant **5.** (ventre) protubérant.
protuberance [prə'tjuːbərəns] n sout protubérance f.
proud [praʊd] adj **1.** fier **2.** péj orgueilleux, fier.
proudly ['praʊdlɪ] adv **1.** fièrement, avec fierté **2.** péj orgueilleusement.
prove [pruːv] (pp proved ou proven) vt prouver • **to prove o.s. to be sthg** se révéler être qqch. ❑ vi • **to prove (to be) false/useful** s'avérer faux/utile.
proven ['pruːvn ou 'prəʊvn] pp → prove. ❑ adj avéré, établi.
Provence [prɒ'vɑːns] n Provence f.
proverb ['prɒvɜːb] n proverbe m.

proverbial [prə'vɜːbjəl] adj proverbial.
provide [prə'vaɪd] vt fournir • **to provide sb with sthg** fournir qqch à qqn • **to provide sthg for sb** fournir qqch à qqn. ■ **provide for** vt insép **1.** subvenir aux besoins de **2.** sout prévoir.
provided [prə'vaɪdɪd] ■ **provided (that)** conj à condition que, pourvu que.
provider [prə'vaɪdər] n pourvoyeur m, -euse f.
providing [prə'vaɪdɪŋ] ■ **providing (that)** conj à condition que, pourvu que.
province ['prɒvɪns] n **1.** province f **2.** domaine m, compétence f. ■ **provinces** npl • **the provinces** la province.

provincial [prə'vɪnʃl] adj **1.** de province **2.** péj provincial.
provision [prə'vɪʒn] n **1.** (indén) • **provision (of)** approvisionnement m (en) **2.** réserve f **3.** (indén) • **to make provision for a)** prendre des mesures pour **b)** pourvoir aux besoins de **4.** clause f, disposition f. ■ **provisions** npl provisions fpl • **the US sent medical provisions** les États-Unis envoyèrent des stocks de médicaments.
provisional [prə'vɪʒənl] adj provisoire.
provisional licence n (UK) permis m de conduire provisoire (jusqu'à l'obtention du permis de conduire).
provisionally [prə'vɪʒnəlɪ] adv provisoirement, à titre provisoire.
proviso [prə'vaɪzəʊ] (pl -s) n condition f, stipulation f • **with the proviso that** à (la) condition que (+ subjonctif).
provocation [ˌprɒvə'keɪʃn] n provocation f.
provocative [prə'vɒkətɪv] adj provocant.
provocatively [prə'vɒkətɪvlɪ] adv d'une manière provocante.
provoke [prə'vəʊk] vt **1.** agacer, contrarier **2.** provoquer **3.** susciter.
provoking [prə'vəʊkɪŋ] adj agaçant, énervant.
prow [praʊ] n proue f.
prowess ['praʊɪs] n prouesse f.
prowl [praʊl] n • **to be on the prowl** rôder. ❑ vt rôder dans. ❑ vi rôder.
prowler ['praʊlər] n rôdeur m, -euse f.
proximity [prɒk'sɪmətɪ] n • **proximity (to)** proximité f (de) • **in the proximity of** à proximité de.
proxy ['prɒksɪ] n **1.** • **by proxy** par procuration **2.** INFORM proxy m.
PRP n abrév de **performance-related pay**.
prude [pruːd] n péj prude f.
prudence ['pruːdns] n prudence f.
prudent ['pruːdnt] adj prudent.
prudently ['pruːdntlɪ] adv prudemment, avec prudence.
prudish ['pruːdɪʃ] adj péj prude.
prune [pruːn] n pruneau m. ❑ vt BOT tailler.
pruning ['pruːnɪŋ] n **1.** taille f (de haie, d'arbre) **2.** élagage m (de branches) **3.** fig réduction m (d'un budget, d'une équipe).
pry [praɪ] vi se mêler de ce qui ne nous regarde pas • **to pry into sthg** chercher à découvrir qqch.
prying ['praɪɪŋ] adj indiscret • **away from prying eyes** à l'abri des regards indiscrets.
PS (abrév de postscript) n PS m.
psalm [sɑːm] n psaume m.
pseudo- [ˌsjuːdəʊ] préf pseudo-.
pseudonym ['sjuːdənɪm] n pseudonyme m.
PSHE (abrév de personal, social and health education) n (UK) SCOL éducation f civique et sexuelle.

psych [saɪk] ■ **psych up** vt sép fam préparer psychologiquement • **to psych o.s. up** se préparer psychologiquement.

psyche ['saɪkɪ] n psyché f.

psychedelic [,saɪkɪ'delɪk] adj psychédélique.

psychiatric [,saɪkɪ'ætrɪk] adj psychiatrique.

psychiatric nurse n infirmier m, -ère f en psychiatrie.

psychiatrist [saɪ'kaɪətrɪst] n psychiatre mf.

psychiatry [saɪ'kaɪətrɪ] n psychiatrie f.

psychic ['saɪkɪk] adj **1.** doué de seconde vue **2.** (phénomène) parapsychologique **3.** psychique. ❏ n médium m.

psycho ['saɪkəʊ] fam n (pl -s) psychopathe mf. ❏ adj psychopathe.

psychoanalyse (UK), **-yze** (US) [,saɪkəʊ'ænəlaɪz] vt psychanalyser.

psychoanalysis [,saɪkəʊə'næləsɪs] n psychanalyse f.

psychoanalyst [,saɪkəʊ'ænəlɪst] n psychanalyste mf.

psychological [,saɪkə'lɒdʒɪkl] adj psychologique.

psychologically [,saɪkə'lɒdʒɪklɪ] adv psychologiquement.

psychologist [saɪ'kɒlədʒɪst] n psychologue mf.

psychology [saɪ'kɒlədʒɪ] n psychologie f.

psychopath ['saɪkəpæθ] n psychopathe mf.

psychopathic [,saɪkə'pæθɪk] adj **1.** (personne) psychopathe **2.** (personnalité) psychopathique.

psychosis [saɪ'kəʊsɪs] (pl -ses) n psychose f.

psychosomatic [,saɪkəʊsə'mætɪk] adj psychosomatique.

psychotherapist [,saɪkəʊ'θerəpɪst] n psychothérapeute mf.

psychotherapy [,saɪkəʊ'θerəpɪ] n psychothérapie f.

psychotic [saɪ'kɒtɪk] adj psychotique. ❏ n psychotique mf.

pt abrév de **pint**, abrév de **point**.

PT (abrév de physical training) n (UK) EPS f.

PTA ['piː 'tiː 'eɪ] (abrév de Parent-Teacher Association) n (US) SCOL association f de parents d'élèves et de professeurs.

PTB SMS (abrév de please text back) réponds-moi (par SMS), s'il te plaît.

PTO (abrév de please turn over) TSVP.

pub [pʌb] n pub m.

pub

Véritable institution sociale, le pub est au cœur de la vie communautaire dans les villages britanniques. Soumis jusqu'à une période récente à une réglementation stricte quant aux heures d'ouverture et aux conditions d'admission, les pubs peuvent désormais ouvrir 24 heures sur 24 s'ils en font la demande, même si la plupart restent actuellement ouverts de 11 heures à 23 heures. Ils offrent, en plus des boissons, un choix de plats simples. Il est aujourd'hui interdit de fumer dans les pubs, mais on trouve souvent un espace extérieur réservé aux fumeurs.

pub-crawl n (UK) fam • **to go on a pub-crawl** faire la tournée des pubs.

puberty ['pjuːbətɪ] n puberté f.

pubes [pjuːbz] npl fam poils mpl (pubiens).

pubic ['pjuːbɪk] adj pubien.

public ['pʌblɪk] adj **1.** public **2.** municipal. ❏ n • **the public** le public • **to be in the public eye** ou **public's eye** (US) occuper le devant de la scène (publique).

public-address system n système m de sonorisation.

publican ['pʌblɪkən] n (UK & AUSTRALIE) gérant m, -e f d'un pub.

publication [,pʌblɪ'keɪʃn] n publication f.

public bar n (UK) bar m.

public company n société f anonyme (cotée en Bourse).

public convenience n (UK) toilettes fpl publiques.

public holiday n (UK) jour m férié.

public house n (UK) pub m.

publicist ['pʌblɪsɪst] n agent m de publicité.

publicity [pʌb'lɪsɪtɪ] n (indén) publicité f.

publicity campaign n campagne f publicitaire ou de publicité.

publicity stunt n coup m publicitaire.

publicize, -ise (UK) ['pʌblɪsaɪz] vt faire connaître au public.

public limited company n (UK) société f anonyme (cotée en Bourse).

publicly ['pʌblɪklɪ] adv publiquement, en public.

public opinion n (indén) opinion f publique.

public prosecutor n (UK) ≃ procureur m de la République.

public relations n (indén) relations fpl publiques.

public relations officer n responsable mf des relations publiques.

public school n **1.** (UK) école f privée **2.** (US & ÉCOSSE) école f publique.

public sector n secteur m public.

public servant n fonctionnaire mf.

public's eye (US) = public.

public spending n (indén) dépenses fpl publiques ou de l'État.

public-spirited adj qui fait preuve de civisme.

public transport (UK), **public transportation** (US) n (indén) transports mpl en commun.

publish ['pʌblɪʃ] vt publier.

publisher ['pʌblɪʃə'] n éditeur m, -trice f.

publishing ['pʌblɪʃɪŋ] n (indén) édition f.

pub lunch n (UK) repas de midi servi dans un pub.

puce [pjuːs] adj puce (inv).

pucker ['pʌkə'] vt plisser.

pudding ['pudɪŋ] n **1.** entremets m **2.** pudding m **3.** (indén) (UK) dessert m.

puddle ['pʌdl] n flaque f.

puff [pʌf] n **1.** bouffée f (de cigarette) **2.** souffle m. ◘ vt tirer sur (une cigarette). ◘ vi **1. • to puff at** ou **on sthg** fumer qqch **2.** haleter. ■ **puff out** vt sép gonfler. ■ **puff up** vi se gonfler.

Puffa jacket® ['pʌfə-] n blouson m de rappeur.

puffed [pʌft] adj • **puffed (up)** gonflé.

puffed sleeve n manche f ballon.

puffin ['pʌfɪn] n macareux m.

puff pastry n (indén) pâte f feuilletée.

puffy ['pʌfɪ] adj gonflé, bouffi.

pugnacious [pʌɡ'neɪʃəs] adj sout querelleur, batailleur.

puke [pjuːk] vi fam dégobiller.

Pulitzer Prize [pulɪtsə-] n prix m Pulitzer.

pull [pul] vt **1.** tirer **2.** se froisser **3.** arracher (une dent) **4.** attirer **5.** sortir (une arme) **6.** retirer (un jeu) de la vente. ◘ vi tirer. ◘ n **1. • to give sthg a pull** tirer sur qqch **2.** (indén) influence f. ■ **pull apart** vt sép séparer. ■ **pull at** vt insép tirer sur. ■ **pull away** vi **1.** AUTO démarrer **2.** prendre de l'avance. ■ **pull down** vt sép démolir. ■ **pull in** vi AUTO se ranger. ■ **pull off** vt sép **1.** enlever, ôter **2.** réussir. ■ **pull out** vt sép retirer. ◘ vi **1.** RAIL partir, démarrer **2.** AUTO déboîter **3.** se retirer. ■ **pull over** vi AUTO se ranger. ■ **pull through** vi s'en sortir, s'en tirer. ■ **pull together** vt sép • **to pull o.s. together** se ressaisir, se reprendre. ■ **pull up** vt sép **1.** remonter **2.** avancer. ◘ vi s'arrêter.

pulley ['pulɪ] (pl -s) n poulie f.

pulling power ['pulɪŋ-] n (UK) fam pouvoir m de séduction.

pullover ['pul,əuvə'] n pull m.

pulp [pʌlp] adj de quatre sous. ◘ n **1.** pâte f à papier **2.** pulpe f.

pulpit ['pulpɪt] n chaire f.

pulsate [pʌl'seɪt] vi **1.** battre fort **2.** vibrer.

pulse [pʌls] n **1.** pouls m **2.** TECHNOL impulsion f. ◘ vi battre, palpiter. ■ **pulses** npl légumes mpl secs.

puma ['pjuːmə] (pl inv ou -s) n puma m.

pumice (stone) ['pʌmɪs-] n pierre f ponce.

pummel ['pʌml] ((UK) prét & pp **pummelled**, cont **pummelling**, (US) prét & pp **pummeled**, cont **pummeling**) vt bourrer de coups.

pump [pʌmp] n pompe f. ◘ vt **1.** pomper **2.** fam essayer de tirer les vers du nez à. ◘ vi battre fort. ■ **pumps** npl escarpins mpl.

pumped [pʌmpt] adj (US) fam excité.

pumpkin ['pʌmpkɪn] n potiron m.

pun [pʌn] n jeu m de mots, calembour m.

punch [pʌntʃ] n **1.** coup m de poing **2.** poinçonneuse f **3.** punch m (boisson). ◘ vt **1.** donner un ou des coups de poing à **2.** poinçonner **3.** perforer. ■ **punch in** vi (US) pointer (en arrivant). ■ **punch out** vi (US) pointer (en partant).

Punch-and-Judy show [-'dʒuːdɪ-] n guignol m.

punch bag (UK), **punchball** (UK), **punching bag** (US) ['pʌntʃɪŋ-] n punching-ball m.

punch(ed) card n carte f perforée.

punch line n chute f (d'une histoire drôle).

punch-up n (UK) fam bagarre f.

punchy ['pʌntʃɪ] adj fam incisif.

punctual ['pʌŋktʃʊəl] adj ponctuel.

punctuation [,pʌŋktʃʊ'eɪʃn] n ponctuation f.

punctuation mark n signe m de ponctuation.

puncture ['pʌŋktʃə'] n crevaison f. ◘ vt **1.** crever (un pneu, un ballon) **2.** piquer (la peau).

pundit ['pʌndɪt] n pontife m.

pungent ['pʌndʒənt] adj **1.** âcre **2.** piquant **3.** fig caustique, acerbe.

punish ['pʌnɪʃ] vt punir • **to punish sb for doing sthg** punir qqn pour avoir fait qqch.

punishable ['pʌnɪʃəbl] adj punissable.

punishing ['pʌnɪʃɪŋ] adj **1.** épuisant, éreintant **2.** (défaite) cuisant.

punishment ['pʌnɪʃmənt] n punition f, châtiment m.

punitive ['pjuːnətɪv] adj **1.** (action) punitif **2.** (taxe) très lourd.

punk [pʌŋk] adj punk (inv). ◘ n **1.** (indén) • **punk (rock)** punk m **2.** fam loubard m.

punnet ['pʌnɪt] n (UK) barquette f.

punt [pʌnt] n bateau m à fond plat.

punter ['pʌntə'] n (UK) **1.** parieur m, -euse f **2.** fam client m, -e f.

puny ['pjuːnɪ] adj chétif.

pup [pʌp] n 1. chiot m 2. bébé phoque m.

pupil ['pjuːpl] n 1. élève mf 2. pupille f.

puppet ['pʌpɪt] n 1. marionnette f • **puppet theatre** théâtre m de marionnettes 2. péj fantoche m, pantin m.

puppet government n gouvernement m fantoche.

puppet show n spectacle m de marionnettes.

puppy ['pʌpɪ] n chiot m.

puppy fat n (indén) fam rondeurs fpl d'adolescence.

purchase ['pɜːtʃəs] n achat m. ❏ vt acheter.

purchaser ['pɜːtʃəsər] n acheteur m, -euse f.

purchasing power ['pɜːtʃəsɪŋ-] n pouvoir m d'achat.

pure [pjʊər] adj pur.

puree ['pjʊəreɪ] n purée f.

purely ['pjʊəlɪ] adv purement.

purge [pɜːdʒ] n MÉD & POLIT purge f. ❏ vt MÉD & POLIT purger.

purify ['pjʊərɪfaɪ] vt purifier, épurer.

purist ['pjʊərɪst] n puriste mf.

puritan ['pjʊərɪtən] adj puritain. ❏ n puritain m, -e f.

purity ['pjʊərətɪ] n pureté f.

purl [pɜːl] n maille f à l'envers. ❏ vt tricoter à l'envers.

purple ['pɜːpl] adj violet. ❏ n violet m.

purple state n (US) POLIT État où les deux partis sont à égalité dans le suffrage populaire.

purport [pə'pɔːt] vi sout • **to purport to do/be sthg** prétendre faire/être qqch.

purpose ['pɜːpəs] n 1. raison f, motif m 2. but m, objet m • **to no purpose** en vain, pour rien 3. détermination f. • **on purpose** adv exprès.

purpose-built adj (UK) construit spécialement.

purposeful ['pɜːpəsfʊl] adj résolu, déterminé.

purposefully ['pɜːpəsfʊlɪ] adv 1. dans un but précis, délibérément 2. d'un air résolu.

purr [pɜːr] vi ronronner.

purse [pɜːs] n 1. porte-monnaie m inv, bourse f 2. (US) sac m à main. ❏ vt pincer.

purser ['pɜːsər] n NAUT commissaire m de bord.

purse strings npl • **to hold the purse strings** tenir les cordons de la bourse.

pursue [pə'sjuː] vt 1. poursuivre, pourchasser 2. poursuivre (un objectif) 3. continuer à débattre (d'une question) 4. approfondir (un sujet) 5. donner suite à (un projet) • **to pursue an interest in sthg** se livrer à qqch.

pursuer [pə'sjuːər] n poursuivant m, -e f.

pursuit [pə'sjuːt] n 1. (indén) recherche f, poursuite f 2. (course) poursuite f 3. occupation f, activité f.

pus [pʌs] n pus m.

push [pʊʃ] vt 1. pousser 2. appuyer sur (un bouton) 3. • **to push sb (to do sthg)** inciter ou pousser qqn (à faire qqch) 4. • **to push sb (into doing sthg)** obliger qqn (à faire qqch) 5. fam faire de la réclame pour 6. (locution) • **he pushed all my buttons** fam il a fait tout ce qu'il fallait pour m'énerver • **it pushes all my buttons** c'est tout ce que j'aime. ❏ vi 1. pousser 2. appuyer (sur un bouton) 3. • **to push for sthg** faire pression pour obtenir qqch. ❏ n 1. poussée f 2. effort m. ■ **push around** vt sép fam & fig marcher sur les pieds de. ■ **push in** vi resquiller. ■ **push off** vi fam filer, se sauver. ■ **push on** vi continuer. ■ **push through** vt sép faire accepter (une loi, une réforme).

pushchair ['pʊʃtʃeər] n (UK) poussette f.

pushed [pʊʃt] adj fam • **to be pushed for sthg** être à court de qqch • **to be hard pushed to do sthg** avoir du mal ou de la peine à faire qqch.

pusher ['pʊʃər] n arg drogue dealer m.

pushover ['pʊʃ,əʊvər] n fam • **it's a pushover** c'est un jeu d'enfant.

push-up n (surtout US) pompe f, traction f.

pushy ['pʊʃɪ] adj péj qui se met toujours en avant.

puss [pʊs], **pussy (cat)** ['pʊsɪ-] n fam minet m, minou m.

pussyfoot ['pʊsɪfʊt] vi fam atermoyer, tergiverser.

put [pʊt] (prét & pp put) vt 1. mettre 2. poser, placer • **to put the children to bed** coucher les enfants 3. dire, exprimer 4. poser (une question) 5. estimer, évaluer 6. • **to put money into** investir de l'argent dans. ■ **put across** vt sép faire comprendre. ■ **put away** vt sép 1. ranger 2. fam enfermer. ■ **put back** vt sép 1. remettre (à sa place ou en place) 2. remettre (ajourner) 3. retarder. ■ **put by** vt sép mettre de côté. ■ **put down** vt sép 1. poser, déposer 2. réprimer 3. inscrire, noter 4. (UK) • **to have a dog/cat put down** faire piquer un chien/chat. ■ **put down to** vt sép attribuer à. ■ **put forward** vt sép 1. proposer 2. avancer (un rendez-vous). ■ **put in** vt sép 1. passer (du temps) 2. présenter. ■ **put off** vt sép 1. remettre (à plus tard) 2. décommander 3. dissuader 4. déconcerter 5. dégoûter 6. éteindre. ■ **put on** vt sép 1. mettre, enfiler 2. organiser, monter 3. • **to put on weight** prendre du poids, grossir 4. allumer, mettre (la radio, la télé) • **to put the light on** allumer (la lumière) 5. mettre le frein ou freiner 5. mettre (un CD, un DVD) 6. mettre à cuire 7. feindre 8. parier, miser 9. ajouter. ■ **put out** vt sép 1. mettre dehors 2. publier (un livre) 3. sortir (un CD, un DVD) 4. éteindre • **to put the light out** éteindre (la lumière) 5. tendre (la main) 6. • **to be put out** être contrarié 7. déranger. ■ **put through** vt sép TÉLÉCOM passer. ■ **put together** vt sép 1. monter, assembler (machine, *meuble)* • **to put sthg (back) together again** remonter qqch **2.** réunir *(équipe)* **3.** rédiger *(rapport)* **4.** mettre ensemble • **more than all the others put together** plus que tous les autres réunis **5.** monter, organiser. ■ **put up** *vt sép* **1.** ériger **2.** dresser *(une tente)* **3.** ouvrir *(un parapluie)* **4.** hisser *(un drapeau)* **5.** accrocher **6.** fournir **7.** proposer **8.** (UK) augmenter **9.** loger. ❑ *vt insép* • **to put up a fight** se défendre. ■ **put up to** *vt sép* • **to put sb up to sthg** pousser *ou* inciter qqn à faire qqch. ■ **put up with** *vt insép* supporter.

putrid ['pjuːtrɪd] *adj* putride.

putt [pʌt] *n* putt *m*. ❑ *vt & vi* putter.

putting green ['pʌtɪŋ-] *n* green *m*.

putty ['pʌtɪ] *n* mastic *m*.

put-upon *adj fam* qui se laisse marcher sur les pieds.

puzzle ['pʌzl] *n* **1.** puzzle *m* **2.** devinette *f* **3.** mystère *m*, énigme *f*. ❑ *vt* rendre perplexe. ❑ *vi* • **to puzzle over sthg** essayer de comprendre qqch. ■ **puzzle out** *vt sép* comprendre.

puzzled ['pʌzld] *adj* perplexe.

puzzling ['pʌzlɪŋ] *adj* curieux.

PVC (abrév de polyvinyl chloride) *n* PVC *m*.

pwn [pəun] *v fam* vaincre *(qqn)*.

pyjamas [pə'dʒɑːməz] *npl* (UK) pyjama *m* • **a pair of pyjamas** un pyjama.

pylon ['paɪlən] *n* pylône *m*.

pyramid ['pɪrəmɪd] *n* pyramide *f*.

pyramid scheme *n* opération *f* de vente pyramidale.

Pyrenees [,pɪrə'niːz] *npl* • **the Pyrenees** les Pyrénées *fpl*.

Pyrex® ['paɪreks] *n* Pyrex® *m*.

pyromaniac [,paɪrə'meɪnɪæk] *n* pyromane *mf*.

python ['paɪθn] *(pl inv ou -s)* *n* python *m*.

pzazz [pə'zæz] *n fam* punch *m inv*.

q [kjuː] (*pl* q's *ou* qs), **Q** (*pl* Q's *ou* Qs) n q m inv, Q m inv.

QED (abrév de quod erat demonstrandum) CQFD.

QT *SMS* (abrév de cutie) beau mec, belle nana.

Q-tip® n (US) Coton-Tige® m.

qty (abrév de quantity) qté.

quack [kwæk] n **1.** coin-coin m inv **2.** *fam & péj* charlatan m.

quad [kwɒd] n *fam* quadruplé m, -e f.

quad bike n (moto f) quad m.

quadrangle ['kwɒdræŋgl] n **1.** quadrilatère m **2.** cour f.

quadrilateral [ˌkwɒdrɪ'lætərəl] adj quadrila-téral. ❑ n quadrilatère m.

quadriplegic [ˌkwɒdrɪ'pliːdʒɪk] adj tétraplé-gique. ❑ n tétraplégique mf.

quadruple [kwɒ'druːpl] adj quadruple. ❑ vt & vi quadrupler.

quadruplet ['kwɒdruplɪt] n quadruplé m, -e f.

quaff [kwɒf] vt *littéraire* boire *(à longs traits)*.

quagmire ['kwægmaɪə'] n bourbier m.

quail [kweɪl] n (pl inv ou -s) caille f.

quaint [kweɪnt] adj **1.** pittoresque ; au charme désuet **2.** bizarre, étrange.

quaintly ['kweɪntlɪ] adv **1.** de façon pitto-resque **2.** • they dress very quaintly ils s'ha-billent à l'ancienne *(mode)*.

quake [kweɪk] n *fam* (abrév de earthquake) trem-blement m de terre. ❑ vi trembler.

Quaker ['kweɪkə'] n quaker m, -eresse f.

qualification [ˌkwɒlɪfɪ'keɪʃn] n **1.** diplôme m **2.** compétence f **3.** réserve f (restriction).

qualified ['kwɒlɪfaɪd] adj **1.** diplômé **2.** • to be qualified to do sthg avoir la compétence néces-saire pour faire qqch **3.** restreint, modéré.

qualifier ['kwɒlɪfaɪə'] n **1.** *SPORT* (personne) qualifié m, -e f **2.** (dans une compétition) (épreuve f) élimi-natoire f **3.** *GRAMM* qualificatif m.

qualify ['kwɒlɪfaɪ] vt **1.** apporter des réserves à **2.** • to qualify sb to do sthg qualifier qqn pour faire qqch. ❑ vi **1.** obtenir un diplôme **2.** • to qualify (for sthg) avoir droit (à qqch), remplir les conditions requises (pour qqch) **3.** *SPORT* se qualifier.

qualifying ['kwɒlɪfaɪɪŋ] adj **1.** nuancé **2.** (dans une école, une université) • qualifying exam examen m d'entrée **3.** *SPORT* (temps, performance) qui per-met de se qualifier • qualifying round série f éliminatoire.

qualitative ['kwɒlɪtətɪv] adj qualitatif.

quality ['kwɒlətɪ] n qualité f. ❑ en apposition de qualité.

quality control n contrôle m de qualité.

quality time n temps m de qualité • I only spend an hour in the evening with my kids, but it's quality time je ne passe qu'une heure avec mes gosses le soir, mais je profite bien d'eux.

qualms [kwɑːmz] npl doutes mpl.

quandary ['kwɒndərɪ] n embarras m • to be in a quandary about ou over sthg être bien embarrassé à propos de qqch.

quantify ['kwɒntɪfaɪ] vt quantifier.

quantity ['kwɒntətɪ] n quantité f.

quantity surveyor n (UK) métreur m, -euse f.

quantum computer n ordinateur m quan-tique.

quantum leap ['kwɒntəm-] n *fig* bond m en avant.

quantum theory ['kwɒntəm-] n théorie f des quanta.

quarantine ['kwɒrəntiːn] n quarantaine f. ❑ vt mettre en quarantaine.

quark [kwɑːk] n *PHYS* quark m.

quarrel ['kwɒrəl] n querelle f, dispute f. ❑ vi ((UK) prét & pp quarrelled, cont quarrelling, (US) prét & pp quarreled, cont quarreling) • to quar-rel (with) se quereller (avec), se disputer (avec).

quarrelsome ['kwɒrəlsəm] adj querelleur.

quarry ['kwɒrɪ] n **1.** carrière f **2.** proie f.

quart [kwɔːt] n **1.** (UK) = 1,136 litre **2.** (US) = 0,946 litre ; ≃ litre m.

quarter ['kwɔːtə'] n **1.** quart m • a quarter past two ou after two (US) deux heures et quart • a quarter to two ou of two (US) deux heures moins le quart **2.** trimestre m **3.** (us) pièce f de 25 cents **4.** quartier m (d'une ville) **5.** • **from all quarters** de tous côtés. ■ **at close quarters** adv de près.

quarterback ['kwɔːtəbæk] n SPORT quarterback m, quart-arrière mf.

quarterfinal [,kwɔːtə'faɪnl] n quart m de finale.

quarterly ['kwɔːtəlɪ] adj trimestriel. ❏ adv trimestriellement. ❏ n publication f trimestrielle.

quartermaster ['kwɔːtə,mɑːstə] n MIL intendant m.

quartet [kwɔː'tet] n quatuor m.

quartz [kwɔːts] n quartz m.

quartz watch n montre f à quartz.

quash [kwɒʃ] vt **1.** annuler, casser (un jugement) **2.** réprimer.

quasi- ['kweɪzaɪ] préf quasi-.

quaver ['kweɪvə] n **1.** (UK) MUS croche f **2.** tremblement m, chevrotement m. ❏ vi trembler, chevroter.

quavering ['kweɪvərɪŋ] adj tremblant, chevrotant.

quay [kiː] n quai m.

quayside ['kiːsaɪd] n bord m du quai.

queasiness ['kwiːzɪnɪs] n (indén) nausée f.

queasy ['kwiːzɪ] adj • **to feel queasy** avoir mal au cœur.

Quebec [kwɪ'bek] n Québec m.

queen [kwiːn] n **1.** reine f **2.** (aux jeux de cartes) dame f.

Queen Mother n • **the Queen Mother** la reine mère.

Queen's English n (UK) • **the Queen's English** l'anglais m correct.

queen-size bed n grand lit m double (de 2 mètres sur 1,50 mètre).

queer [kwɪə] adj étrange, bizarre. ❏ n injur pédé m, homosexuel m.

queer-bashing [-,bæʃɪŋ] n (UK) injur chasse f aux pédés.

quell [kwel] vt réprimer, étouffer.

quench [kwentʃ] vt • **to quench one's thirst** se désaltérer.

querulous ['kwerʊləs] adj sout **1.** ronchonneur **2.** plaintif.

query ['kwɪərɪ] n question f. ❏ vt mettre en doute, douter de.

quest [kwest] n littéraire • **quest (for)** quête f (de).

question ['kwestʃn] n **1.** question f • **to ask (sb) a question** poser une question (à qqn) **2.** • **there's no question of...** il n'est pas question de... **3.** doute m • **to call** ou **bring sthg into question** mettre qqch en doute • **without question** sans aucun doute • **beyond question** sans aucun doute. ❏ vt **1.** questionner

2. mettre en question. ■ **in question** adv • **the... in question** le/la/les... en question. ■ **out of the question** adv hors de question.

questionable ['kwestʃənəbl] adj **1.** discutable **2.** douteux.

questioning ['kwestʃənɪŋ] adj interrogateur. ❏ n (indén) interrogation f.

questioningly ['kwestʃənɪŋlɪ] adv de manière interrogative.

question mark n point m d'interrogation.

question master (UK), **quizmaster** (surtout US) ['kwɪz,mɑːstə] n meneur m de jeu.

questionnaire [,kwestʃə'neə] n questionnaire m.

queue [kjuː] (UK) n queue f, file f. ❏ vi faire la queue.

queue-jump vi (UK) resquiller.

quibble ['kwɪbl] péj n chicane f. ❏ vi • **to quibble (over** ou **about)** chicaner (à propos de).

quiche [kiːʃ] n quiche f.

quick [kwɪk] adj rapide, prompt. ❏ adv fam vite, rapidement.

quick-acting, quick-action adj (drogue, mécanisme) à action rapide.

quicken ['kwɪkn] vt accélérer, presser. ❏ vi s'accélérer.

quickie divorce n divorce m rapide.

quickly ['kwɪklɪ] adv **1.** vite, rapidement **2.** promptement, immédiatement.

quicksand ['kwɪksænd] n sables mpl mouvants.

quick-tempered adj emporté.

quick-witted [-'wɪtɪd] adj à l'esprit vif.

quid [kwɪd] (pl inv) n (UK) fam livre f.

quid pro quo [-'kwəʊ] (pl quid pro quos [-'kwəʊz]) n contrepartie f.

quiet ['kwaɪət] adj **1.** tranquille **2.** (voix) bas **3.** silencieux • **be quiet!** taisez-vous ! • **to keep quiet about sthg** ne rien dire à propos de qqch, garder qqch secret **4.** calme **5.** intime **6.** discret, sobre. ❏ n tranquillité f • **on the quiet** fam en douce. ❏ vt (US) calmer. ■ **quiet down** vt sép calmer, apaiser. ❏ vi se calmer.

quieten ['kwaɪətn] (UK) ■ **quieten down** vt sép calmer, apaiser. ❏ vi se calmer.

quietly ['kwaɪətlɪ] adv **1.** sans faire de bruit, silencieusement **2.** doucement **3.** tranquillement **4.** discrètement.

quietness ['kwaɪətnɪs] (indén) n calme m, tranquillité f.

quilt [kwɪlt] n édredon m • **(continental)** (UK) quilt couette f.

quilted ['kwɪltɪd] adj matelassé.

quin (UK) [kwɪn], **quint** (US) [kwɪnt] n fam quintuplé m, -e f.

quinine [kwɪ'niːn] n quinine f.

quinoa [kiː'nəʊə] n BOT & CULIN quinoa m.

quintessential [kwɪntə'senʃl] adj typique.

quintet [kwɪn'tet] n quintette m.

quintuplet [kwɪn'tjuːplɪt] n quintuplé m, -e f.

quintuplets [kwɪn'tjuːplɪts] npl quintuplés mpl.

quip [kwɪp] n raillerie f. ❏ vi railler.

quirk [kwɜːk] n bizarrerie f.

quirky ['kwɜːkɪ] (comp quirkier, superl quirkiest) adj étrange, bizarre.

quit [kwɪt] ((UK) prét & pp quit ou quitted, (US) prét & pp quit) vt **1.** quitter • to quit one's job quitter son emploi **2.** • to quit smoking arrêter de fumer **3.** INFORM quitter • to quit an application quitter une application. ❏ vi **1.** démissionner **2.** abandonner.

quite [kwaɪt] adv **1.** tout à fait, complètement • I quite agree je suis entièrement d'accord • not quite pas tout à fait • I don't quite understand je ne comprends pas bien **2.** assez, plutôt **3.** • she's quite a singer c'est une chanteuse formidable **4.** (UK) • quite (so)! exactement !

quits [kwɪts] adj fam • to be quits être quitte • to call it quits en rester là.

quitter ['kwɪtər] n fam & péj dégonflé m, -e f.

quiver ['kwɪvər] n **1.** frisson m **2.** carquois m. ❏ vi frissonner.

quivering ['kwɪvərɪŋ] adj frissonnant.

quixotic [kwɪk'sɒtɪk] adj littéraire chevaleresque.

quiz [kwɪz] n (pl quizzes) **1.** quiz m, jeu-concours m **2.** (US) SCOL interrogation f. ❏ vt

A PROPOS DE

quite

Même s'il peut sembler étrange que *quite* puisse vouloir dire à la fois **tout à fait**, **complètement**, **assez** et **plutôt**, on s'y retrouve en fait très facilement si l'on examine le type d'ajectif qui suit. Comparez par exemple *it's quite cold today* ; *the movie was quite good* (il fait assez froid aujourd'hui ; le film était plutôt bien) et *he's quite right* ; *the tree seems quite dead* (il a tout à fait raison ; l'arbre a l'air complètement mort).

• to quiz sb (about sthg) interroger qqn (au sujet de qqch).

quizmaster (surtout US) = question master.

quizzical ['kwɪzɪkl] adj **1.** interrogateur **2.** ironique, narquois.

quota ['kwəʊtə] n quota m.

quotation [kwəʊ'teɪʃn] n **1.** citation f **2.** devis m.

quotation marks npl guillemets mpl • in quotation marks entre guillemets.

quote [kwəʊt] n **1.** citation f **2.** devis m. ❏ vt **1.** citer **2.** COMM indiquer, spécifier. ❏ vi **1.** • to quote (from sthg) citer (qqch) **2.** • to quote for sthg établir un devis pour qqch.

quotient ['kwəʊʃnt] n quotient m.

QWERTY keyboard ['kwɜːtɪ-] n clavier m QWERTY.

R

r¹ [ɑːr] (pl **r's** ou **rs**), **R** (pl **R's** ou **Rs**) n r m inv, R m inv.

R² **1.** (abrév de right) dr. **2.** abrév de River **3.** SMS abrév de are **4.** (abrév de restricted) aux États-Unis, indique qu'un film est interdit aux moins de 17 ans **5.** (US) abrév de Republican **6.** (UK) (abrév de Rex) suit le nom d'un roi **7.** (UK) (abrév de Regina) suit le nom d'une reine.

R&B (abrév de rhythm and blues) n R & B m.

R&D (abrév de research and development) n R&D f.

rabbi ['ræbaɪ] n rabbin m.

rabbit ['ræbɪt] n lapin m.

rabbit hole n terrier m.

rabbit hutch n clapier m.

rabble ['ræbl] n cohue f.

rabble-rousing adj qui incite à la violence.

rabid ['ræbɪd ou 'reɪbɪd] adj litt & fig enragé.

rabies ['reɪbiːz] n rage f.

RAC (abrév de Royal Automobile Club) n club automobile britannique ; ≃ TCF m ; ≃ ACF m.

raccoon [rə'kuːn] n raton m laveur, chat m sauvage.

race [reɪs] n **1.** course f **2.** race f • **race issue** question f raciale. ❑ vt **1.** faire la course avec **2.** faire courir. ❑ vi **1.** courir • **to race against sb** faire la course avec qqn **2.** • **to race in/out** entrer/sortir à toute allure **3.** être très rapide **4.** (moteur) s'emballer.

race car (US) = racing car.

racecourse ['reɪskɔːs] n champ m de courses.

race driver (US) = racing driver.

racehorse ['reɪshɔːs] n cheval m de course.

race relations npl relations fpl interraciales.

racetrack ['reɪstræk] n **1.** piste f **2.** (US) champ m de course.

racewalking ['reɪswɔːkɪŋ] n marche f athlétique.

racial ['reɪʃl] adj **1.** racial (qui porte sur l'ethnie), ethnique **2.** racial (interethnique).

racial discrimination ['reɪʃl-] n discrimination f raciale.

racially ['reɪʃəlɪ] adv du point de vue racial • **a racially motivated attack** une agression raciste • **racially prejudiced** raciste.

racing ['reɪsɪŋ] n (indén) • **(horse) racing** les courses fpl.

racing car (UK), **race car** (US) n voiture f de course.

racing driver (UK), **race driver** (US) n coureur m automobile, pilote m de course.

racism ['reɪsɪzm] n racisme m.

racist ['reɪsɪst] adj & n raciste.

rack [ræk] n **1.** casier m (à bouteilles) **2.** porte-bagages m inv **3.** égouttoir m • **toast rack** porte-toasts m inv **4.** • **rack of lamb** carré m d'agneau.

racket ['rækɪt] n **1.** fam boucan m **2.** racket m **3.** raquette f.

racketeering [,rækə'tɪərɪŋ] n (indén) racket m.

raconteur [,rækɒn'tɜːr] n conteur m, -euse f.

racquet ['rækɪt] n (UK) SPORT raquette f.

racy ['reɪsɪ] adj osé.

radar ['reɪdɑːr] n radar m • **to slip under the radar** passer inaperçu.

radiance ['reɪdjəns] n (indén) rayonnement m, éclat m.

radiant ['reɪdjənt] adj radieux.

radiantly ['reɪdjəntlɪ] adv **1.** avec éclat **2.** d'un air radieux • **radiantly beautiful** d'une beauté éclatante.

radiate ['reɪdɪeɪt] vt **1.** émettre, dégager **2.** respirer. ❑ vi **1.** irradier **2.** rayonner.

radiation [,reɪdɪ'eɪʃn] n radiation f.

radiation sickness n mal m des rayons.

radiator ['reɪdɪeɪtər] n radiateur m.

radical ['rædɪkl] adj **1.** radical **2.** (US) fam génial. ❑ n POLIT radical m, -e f.

radical chic n ≃ gauche f caviar.

radicalism ['rædɪkəlɪzm] n radicalisme m.

radicalize ['rædɪkəlaɪz] vt radicaliser.

radically ['rædɪklɪ] adv radicalement.

radicchio [rə'diːkɪəʊ] n trévise f.

radii ['reɪdɪaɪ] npl → radius.

radio ['reidiəʊ] n (pl -s) radio f • **on the radio** à la radio. ❑ en apposition de radio. ❑ vt **1.** appeler par radio **2.** envoyer par radio.

radioactive [,reidiəʊ'æktiv] adj radioactif.

radioactive waste n (indén) déchets mpl radioactifs.

radioactivity [,reidiəʊæk'tivəti] n radioactivité f.

radio alarm n radio-réveil m.

radio cassette n radiocassette f.

radio-controlled [-kən'trəʊld] adj téléguidé.

radio frequency n radiofréquence f.

radiographer [,reidi'ɒgrəfər] n radiologue mf.

radiography [,reidi'ɒgrəfi] n radiographie f.

radiologist [,reidi'ɒlədʒist] n radiologue mf, radiologiste mf.

radiology [,reidi'ɒlədʒi] n radiologie f.

radio station n station f de radio.

radiotherapy [,reidiəʊ'θerəpi] n radiothérapie f.

radio wave n onde f hertzienne ou radioélectrique.

radish ['rædiʃ] n radis m.

radius ['reidiəs] (pl **radii** ['reidiai]) n **1.** MATH rayon m **2.** ANAT radius m.

RAF n (UK) abrév de Royal Air Force.

raffle ['ræfl] n tombola f. ❑ vt mettre en tombola.

raft [rɑːft] n radeau m.

rafter ['rɑːftər] n chevron m.

rag [ræg] n **1.** chiffon m **2.** péj (journal) torchon m. ◼ **rags** npl guenilles fpl.

ragamuffin ['rægə,mʌfin] n littéraire galopin m.

rag-and-bone man n (UK) chiffonnier m.

ragbag ['rægbæg] n fig ramassis m.

rag doll n poupée f de chiffon.

rage [reidʒ] n **1.** rage f, fureur f **2.** fam • **to be (all) the rage** faire fureur. ❑ vi **1.** être furieux **2.** faire rage.

ragged ['rægid] adj **1.** en haillons **2.** en lambeaux **3.** inégal.

raging ['reidʒiŋ] adj **1.** (soif, migraine) atroce **2.** (tempête) déchaîné.

rag-roll vt peindre au chiffon.

ragtop ['rægtɒp] n (US) fam AUTO décapotable f.

rag trade n fam • **the rag trade** la confection.

rag week n (UK) semaine de carnaval organisée par des étudiants afin de collecter des fonds pour des œuvres caritatives.

raid [reid] n **1.** raid m **2.** hold-up m inv **3.** descente f (de police). ❑ vt **1.** MIL faire un raid sur **2.** faire un hold-up dans **3.** faire une descente dans.

raider ['reidər] n **1.** agresseur m **2.** braqueur m.

rail [reil] n **1.** bastingage m **2.** rampe f **3.** garde-fou m **4.** barre f **5.** rail m • **by rail** en train.

❑ en apposition **1.** par le train **2.** (grève) des cheminots.

railcard ['reilkɑːd] n (UK) carte donnant droit à des tarifs préférentiels sur les chemins de fer.

railing ['reiliŋ] n **1.** grille f **2.** bastingage m **3.** rampe f **4.** garde-fou m.

railway (UK) ['reilwei], **railroad** (US) ['reilrəʊd] n **1.** chemin m de fer **2.** voie f ferrée.

railway carriage n (UK) wagon m, voiture f.

railway crossing n (UK) passage m à niveau.

railway line (UK), **railroad line** (US) n **1.** ligne f de chemin de fer **2.** voie f ferrée.

railwayman ['reilweimən] (pl -men) n (UK) cheminot m.

railway station (UK), **railroad station** (US) n gare f.

railway track (UK), **railroad track** (US) n voie f ferrée.

rain [rein] n pluie f. ❑ v impers pleuvoir • **it's raining** il pleut. ❑ vi pleuvoir. ◼ **rain down** vi pleuvoir. ◼ **rain off** (UK), **rain out** (US) vt sép annuler à cause de la pluie.

rainbow ['reinbəʊ] n arc-en-ciel m.

rain check n (US) • **I'll take a rain check (on that)** une autre fois peut-être.

raincoat ['reinkəʊt] n imperméable m.

raindrop ['reindrɒp] n goutte f de pluie.

rainfall ['reinfɔːl] n **1.** chute f de pluie **2.** précipitations fpl.

rain forest n forêt f tropicale humide.

rainhat ['reinhæt] n chapeau m pour la pluie.

rainhood ['reinhʊd] n capuche f.

rainproof ['reinpruːf] adj imperméable.

rainwater ['rein,wɔːtər] n eau f de pluie.

rainy ['reini] adj pluvieux.

raise [reiz] vt **1.** lever • **to raise o.s.** se lever • **to raise the bar** fig placer la barre plus haut **2.** augmenter **3.** élever • **to raise one's voice** élever la voix **4.** soulever (des doutes) **5.** évoquer (des souvenirs) **6.** élever (des enfants) **7.** cultiver **8.** ériger. ❑ n (US) augmentation f (de salaire).

raised [reizd] adj **1.** surélevé **2.** en relief **3.** (pâte) levé, à la levure.

raisin ['reizn] n raisin m sec.

rake [reik] n râteau m. ❑ vt **1.** ratisser **2.** râteler. ◼ **rake in** vt sép fam amasser (de l'argent). ◼ **rake up** vt sép fouiller dans (le passé).

rakish ['reikiʃ] adj dissolu.

rally ['ræli] n **1.** rassemblement m **2.** rallye m **3.** SPORT échange m. ❑ vt rallier. ❑ vi **1.** se rallier **2.** (patient) aller mieux **3.** (prix) remonter. ◼ **rally around**, **rally round** (UK) vt insép apporter son soutien à.

rallying ['ræliiŋ] n (indén) rallye m.

rallying cry n cri m de ralliement.

ram [ræm] n bélier m. ❑ vt **1.** percuter contre, emboutir **2.** tasser.

RAM [ræm] (abrév de random access memory) n RAM f.

Ramadan [ˌræmə'dæn] n ramadan m.

ramble ['ræmbl] n randonnée f. ❏ vi **1.** faire une promenade à pied **2.** péj radoter. ■ **ramble on** vi péj radoter.

rambler ['ræmblə'] n randonneur m, -euse f.

rambling ['ræmblɪŋ] adj **1.** plein de coins et recoins **2.** décousu. ❏ n • **to go rambling** faire de la randonnée.

ramekin ['ræmɪkɪn] n ramequin m.

ramification [ˌræmɪfɪ'keɪʃn] n ramification f.

ramp [ræmp] n **1.** rampe f **2.** (UK) ralentisseur m **3.** (US) bretelle f (d'autoroute). ■ **ramp up** vt sép augmenter.

rampage [ræm'peɪdʒ] n • **to go on the rampage** tout saccager.

rampant ['ræmpənt] adj **1.** qui sévit **2.** • **rampant inflation** inflation f galopante.

ramparts ['ræmpɑːts] npl rempart m.

ramraider ['ræmˌreɪdə'] n personne qui pille les magasins en fracassant les vitrines avec sa voiture.

ramshackle ['ræmˌʃækl] adj branlant.

ran [ræn] passé → run.

ranch [rɑːntʃ] n ranch m.

rancher ['rɑːntʃə'] n propriétaire mf de ranch.

ranch house n (US) ranch m.

rancid ['rænsɪd] adj rance.

rancour (UK), **rancor** (US) ['ræŋkə'] n sout rancœur f.

random ['rændəm] adj **1.** fait au hasard **2.** aléatoire **3.** fam dégage • **to do sthg totally random** faire un truc de ouf. ❏ n • **at random** au hasard.

random access memory n mémoire f vive.

randomly ['rændəmlɪ] adv au hasard.

random sampling n échantillonnage m aléatoire.

R and R (abrév de rest and recreation) n (surtout US) permission f.

randy ['rændɪ] adj (surtout UK) fam excité.

rang [ræŋ] passé → ring.

range [reɪndʒ] n **1.** portée f • **at close range** à bout portant **2.** COMM gamme f • **price range** éventail m des prix **3.** chaîne f **4.** champ m de tir **5.** MUS tessiture f. ❏ vt mettre en rang. ❏ vi **1.** • **to range between... and...** varier entre... et... • **to range from... to...** varier de... à... **2.** • **to range over sthg** couvrir qqch.

ranger ['reɪndʒə'] n (US) gardien m, -enne f de parc national.

rank [ræŋk] adj **1.** (qualifie une personne) complet **2.** flagrant • **he's a rank outsider** il n'a aucune chance **3.** fétide. ❏ n **1.** grade m **2.** rang m **3.** rangée f **4.** • **the rank and file a)** la masse **b)** la base. ❏ vt classer. ❏ vi • **to rank among** compter parmi • **to rank as** être aux rangs

de. ■ **ranks** npl **1.** MIL • **the ranks** le rang **2.** fig rangs mpl.

ranking ['ræŋkɪŋ] n classement m. ❏ adj (US) du plus haut rang.

rankle ['ræŋkl] vi • **it rankled with him** ça lui est resté sur l'estomac ou le cœur.

ransack ['rænsæk] vt **1.** mettre tout sens dessus dessous dans **2.** saccager.

ransom ['rænsəm] n rançon f • **to hold sb to ransom a)** mettre qqn à rançon **b)** fig exercer un chantage sur qqn.

rant [rænt] vi déblatérer.

rap [ræp] n **1.** coup m sec **2.** MUS rap m. ❏ vt **1.** frapper sur **2.** taper sur.

rapacious [rə'peɪʃəs] adj sout rapace.

rape [reɪp] n **1.** viol m **2.** fig destruction f **3.** colza m. ❏ vt violer.

rapeseed ['reɪpsiːd] n graine f de colza.

rapid ['ræpɪd] adj rapide. ■ **rapids** npl rapides mpl.

rapid eye movement n mouvement des globes oculaires pendant le sommeil paradoxal.

rapid-fire adj à tir rapide (arme) • **rapid-fire questions** un feu roulant de questions.

rapidity [rə'pɪdətɪ] n rapidité f.

rapidly ['ræpɪdlɪ] adv rapidement.

rapist ['reɪpɪst] n violeur m.

rapper ['ræpə'] n rappeur m, -euse f.

rapport [ræ'pɔː'] n rapport m.

rapt [ræpt] adj littéraire (intérêt, attention) profond • **to be rapt in thought** être plongé dans ses pensées.

rapture ['ræptʃə'] n littéraire ravissement m.

rapturous ['ræptʃərəs] adj enthousiaste.

rapturously ['ræptʃərəslɪ] adv **1.** d'un air ravi, avec ravissement **2.** avec enthousiasme.

rare [reə'] adj **1.** rare **2.** (viande) saignant.

rarefied ['reərɪfaɪd] adj (air) raréfié.

rarely ['reəlɪ] adv rarement.

rareness ['reənɪs] n rareté f.

raring ['reərɪŋ] adj • **to be raring to go** être impatient de commencer.

rarity ['reərətɪ] n rareté f.

rascal ['rɑːskl] n polisson m, -onne f.

rash [ræʃ] adj irréfléchi, imprudent. ❏ n **1.** MÉD éruption f **2.** succession f, série f.

rasher ['ræʃə'] n tranche f.

rashly ['ræʃlɪ] adv sans réfléchir.

rashness ['ræʃnɪs] n imprudence f.

rasp [rɑːsp] n grincement m.

raspberry ['rɑːzbərɪ] n framboise f.

rasping ['rɑːspɪŋ] adj **1.** (voix) âpre **2.** grinçant.

Rastafarian [ˌræstə'feərɪən] n & adj inv rastafari.

rat [ræt] n **1.** rat m **2.** fam & péj ordure f, salaud m.

ratbag ['rætbæg] n (UK) fam & péj salope f.

rate [reɪt] n **1.** vitesse f **2.** fréquence f • at this rate à ce train-là **3.** taux m **4.** tarif m. ❏ vt **1.** • I rate her very highly je la tiens en haute estime • to rate sb/sthg as considérer qqn/qqch comme • to rate sb/sthg among classer qqn/qqch parmi **2.** mériter. ■ at any rate adv en tout cas. ■ rates npl (UK) vieilli impôts mpl locaux.

rate of exchange n taux m ou cours m du change.

rate of return n taux m de rendement.

ratepayer ['reɪt,peɪə] n (UK) vieilli contribuable mf.

rather ['rɑːðə] adv **1.** plutôt **2.** un peu **3.** • I'd rather wait je préférerais attendre • she'd rather not go elle préférerait ne pas y aller **4.** • (but) rather… au contraire… ■ rather than conj plutôt que.

rather

Lorsque *rather* signifie **plutôt** ou **un peu**, il se place devant le verbe ou l'adjectif qu'il qualifie (*I rather like him actually* ; *she's really rather nice*).
Rather than peut être suivi d'un nom (*it's a comedy rather than an action movie*) ou d'un verbe (*I prefer to go on my own rather than going with my brother*). Notez que c'est le participe présent du verbe que l'on utilise dans ce cas.
Would rather se contracte habituellement en *-'d rather*. Notez que l'expression est suivie de la forme de base du verbe sans *to* (*I'd rather stay a bit longer*).

ratification [,rætɪfɪ'keɪʃn] n ratification f.

ratify ['rætɪfaɪ] vt ratifier, approuver.

rating ['reɪtɪŋ] n cote f (de popularité). ■ ratings npl RADIO & TV indice m d'écoute.

ratings war n course f à l'Audimat®.

ratio ['reɪʃɪəʊ] (pl -s) n rapport m.

ration ['ræʃn] n ration f. ❏ vt rationner. ■ rations npl vivres mpl.

rational ['ræʃənl] adj rationnel.

rationale [,ræʃə'nɑːl] n logique f.

rationalist ['ræʃənəlɪst] adj & n rationaliste.

rationality [,ræʃə'nælɪtɪ] n **1.** rationalité f **2.** raison f.

rationalize, -ise (UK) ['ræʃənəlaɪz] vt rationaliser.

rationally ['ræʃənəlɪ] adv rationnellement.

rationing ['ræʃənɪŋ] n rationnement m.

rat race n jungle f.

rattle ['rætl] n **1.** cliquetis m **2.** bruit m de ferraille **3.** hochet m. ❏ vt **1.** faire s'entrechoquer (des bouteilles) **2.** faire cliqueter (des clés) **3.** secouer. ❏ vi **1.** (bouteilles) s'entrechoquer **2.** (clés) cliqueter **3.** (moteur) faire un bruit de ferraille. ■ rattle off vt sép réciter à toute vitesse.

■ **rattle through** vt insép **1.** expédier (un travail) **2.** lire à toute allure (discours, liste).

rattlesnake ['rætlsneɪk], **rattler** ['rætlə] fam serpent m à sonnettes.

ratty ['rætɪ] (comp rattier, superl rattiest) adj fam **1.** (UK) de mauvais poil **2.** (US) pourri (en mauvais état).

raucous ['rɔːkəs] adj **1.** rauque **2.** bruyant.

raucously ['rɔːkəslɪ] adv **1.** bruyamment **2.** d'une voix rauque.

raunchy ['rɔːntʃɪ] (comp raunchier, superl raunchiest) adj d'un sensualité brute.

ravage ['rævɪdʒ] vt ravager. ■ ravages npl ravages mpl.

ravaged ['rævɪdʒd] adj ravagé.

rave [reɪv] adj élogieux. ❏ n (UK) fam rave f. ❏ vi **1.** • to rave at ou against tempêter ou fulminer contre **2.** • to rave about parler avec enthousiasme de.

raven ['reɪvn] n corbeau m.

ravenous ['rævənəs] adj **1.** affamé **2.** vorace.

raver ['reɪvə] n fam **1.** vieilli fêtard m, -e f **2.** raver m (qui sort en rave).

rave-up n (UK) fam & vieilli fête f.

ravine [rə'viːn] n ravin m.

raving ['reɪvɪŋ] adj fam • raving lunatic fou furieux, folle furieuse f. ■ ravings npl délire m.

ravioli [,rævɪ'əʊlɪ] n (indén) ravioli mpl.

ravish ['rævɪʃ] vt littéraire ravir, enchanter.

ravishing ['rævɪʃɪŋ] adj littéraire ravissant, enchanteur.

ravishingly ['rævɪʃɪŋlɪ] adv littéraire **1.** de façon ravissante **2.** • ravishingly beautiful d'une beauté éblouissante.

raw [rɔː] adj **1.** cru • raw vegetables **a)** légumes mpl crus **b)** crudités fpl (hors d'œuvre) **2.** brut **3.** à vif **4.** novice **5.** (temps) froid **6.** (vent) âpre.

raw deal n • to get a raw deal être défavorisé.

raw material n matière f première.

ray [reɪ] n **1.** rayon m **2.** fig lueur f • to catch some rays (US) fam prendre le soleil.

rayon ['reɪɒn] n rayonne f.

raze [reɪz] vt raser.

razor ['reɪzə] n rasoir m.

razor blade n lame f de rasoir.

razor-sharp adj **1.** coupant comme un rasoir **2.** fig (personne, esprit) vif.

razzle ['ræzl] n (UK) fam • to go on the razzle faire les quatre cents coups.

razzmatazz ['ræzmətæz] n fam tape-à-l'œil m inv.

Rd abrév de **Road**.

RDA n abrév de **recommended daily allowance**.

re [riː] prép concernant.

RE n (abrév de religious education) instruction f religieuse.

reacclimate [ˌriːˈæklɪmeɪt] *vt* (US) • **I was getting reacclimated** j'étais en train de retrouver mes repères.

reach [riːtʃ] *vt* **1.** joindre, contacter **2.** atteindre. ❑ *n* portée *f* • **within reach a)** à portée **b)** à proximité • **out of** *ou* **beyond sb's reach a)** hors de portée **b)** difficilement accessible. ■ **reaches** *npl* étendue *f* • **the upper/the lower reaches of a river** l'amont/l'aval d'une rivière. ■ **reach out** *vt sép* tendre, étendre *(bras, main)* • **he reached out his hand and took the money** il étendit la main et prit l'argent. ❑ *vi insép* tendre *ou* étendre le bras • **to reach out to the poor** tendre la main vers les pauvres.

reachable [ˈriːtʃəbl] *adj* **1.** accessible **2.** à portée **3.** joignable.

react [rɪˈækt] *vi* réagir.

reaction [rɪˈækʃn] *n* réaction *f*.

reactionary [rɪˈækʃənrɪ] *adj* & *n* réactionnaire.

reactivate [rɪˈæktɪveɪt] *vt* réactiver.

reactor [rɪˈæktər] *n* réacteur *m*.

read [riːd] *vt* *(prét & pp* read [red]) **1.** lire **2.** dire **3.** interpréter **4.** *(thermomètre)* indiquer **5.** (UK) *UNIV* étudier. ❑ *vi* *(prét & pp* read [red]) lire. ■ **read into** *vt sép* • **to read a lot into sthg** attacher beaucoup d'importance à qqch • **you shouldn't read too much into their silence** vous ne devriez pas accorder trop d'importance à leur silence. ■ **read out** *vt sép* lire à haute voix. ■ **read up on** *vt insép* étudier.

readable [ˈriːdəbl] *adj* agréable à lire.

reader [ˈriːdər] *n* lecteur *m*, -trice *f*.

readership [ˈriːdəʃɪp] *n* nombre *m* de lecteurs.

readies [ˈredɪz] *npl* (UK) *fam* fric *m*, liquide *m* • **£500 in readies** 500 livres en liquide.

readily [ˈredɪlɪ] *adv* **1.** volontiers **2.** facilement.

readiness [ˈredɪnɪs] *n* **1.** • **to be in readiness** être prêt *m*. **2.** empressement *m*.

reading [ˈriːdɪŋ] *n* **1.** *(indén)* lecture *f* **2.** interprétation *f* **3.** indications *fpl*.

reading age *n* (UK) niveau *m* de lecture.

reading lamp *n* lampe *f* de lecture *ou* de bureau.

reading list *n* **1.** liste *f* des ouvrages au programme **2.** liste *f* des ouvrages recommandés.

readjust [ˌriːəˈdʒʌst] *vt* **1.** régler *(de nouveau)* **2.** rajuster **3.** rectifier. ❑ *vi* • **to readjust (to)** se réadapter (à).

readjustment [ˌriːəˈdʒʌstmənt] *n* **1.** réadaptation *f* **2.** rajustement *m*, réajustement *m*.

read-me file *n* fichier *m* ouvrez-moi *ou* lisez-moi.

read-only [riːd-] *adj* en lecture seule.

readout [ˈriːdaʊt] *n* *INFORM* affichage *m*.

read-through [riːd-] *n* • **to have a read-through of sthg** parcourir qqch.

ready [ˈredɪ] *adj* **1.** prêt • **to be ready to do sthg** être prêt à faire qqch • **to get ready** se préparer • **to get sthg ready** préparer qqch **2.** • **to be ready to do sthg** être prêt *ou* disposé à faire qqch. ❑ *vt* préparer.

ready cash *n* liquide *m*.

ready-made *adj* *litt & fig* tout fait, toute faite *f*.

ready meal *n* (UK) plat *m* préparé.

ready money *n* liquide *m*.

ready-to-wear *adj* prêt-à-porter.

reaffirm [ˌriːəˈfɜːm] *vt* réaffirmer.

reafforestation [ˈriːəˌfɒrɪˈsteɪʃn] *n* (UK) reboisement *m*.

real [ˈrɪəl] *adj* **1.** vrai, véritable • **real life** réalité *f* • **for real** pour de vrai • **this is the real thing a)** c'est de l'authentique **b)** c'est pour de bon **2.** réel • **in real terms** dans la pratique • **real wage** salaire *m* réel. ❑ *adv* (US) très.

real estate *n* *(indén)* biens *mpl* immobiliers.

realign [ˌriːəˈlaɪn] *vt* *POLIT* regrouper.

realignment [ˌriːəˈlaɪnmənt] *n* regroupement *m* *(politique)*.

realism [ˈrɪəlɪzm] *n* réalisme *m*.

realist [ˈrɪəlɪst] *n* réaliste *mf*.

realistic [ˌrɪəˈlɪstɪk] *adj* réaliste.

realistically [ˌrɪəˈlɪstɪklɪ] *adv* d'une manière réaliste, avec réalisme.

reality [rɪˈælətɪ] *n* réalité *f*.

reality TV *n* *(indén)* télévision *f* réalité.

realization, -isation (UK) [ˌrɪəlaɪˈzeɪʃn] *n* réalisation *f*.

realize, -ise (UK) [ˈrɪəlaɪz] *vt* **1.** se rendre compte de **2.** réaliser *(un rêve, une ambition)*.

real-life *adj* vrai.

really [ˈrɪəlɪ] *adv* **1.** vraiment **2.** en réalité. ❑ *interj* **1.** vraiment ? **2.** pas possible ! **3.** franchement !, ça alors !

realm [relm] *n* **1.** *fig* domaine *m* **2.** royaume *m*.

real-time *adj* en temps réel.

realtor [ˈrɪəltər] *n* (US) agent *m* immobilier.

ream [riːm] *n* (UK) rame *f* *(de papier)*. ■ **reams** *npl fam* des pages et des pages.

reap [riːp] *vt* **1.** moissonner **2.** *fig* récolter.

reappear [ˌriːəˈpɪər] *vi* réapparaître.

reappearance [ˌriːəˈpɪərəns] *n* réapparition *f*.

reapply [ˌriːəˈplaɪ] *(prét & pp* reapplied) *vi* • **to reapply (for a job)** postuler de nouveau (à un emploi).

reappraisal [ˌriːəˈpreɪzl] *n* réévaluation *f*.

reappraise [ˌriːəˈpreɪz] *vt* réévaluer.

rear [rɪər] *adj* arrière *(inv)*, de derrière. ❑ *n* **1.** arrière *m* **2.** *fam* derrière *m*. ❑ *vt* élever *(des enfants)*. ❑ *vi* *(cheval)* • **to rear (up)** se cabrer.

rear-end *vt* (US) emboutir.

rear light *n* feu *m* arrière.

rearm [ˌriːˈɑːm] vt & vi réarmer.

rearmost [ˈrɪəməʊst] adj dernier.

rearrange [ˌriːəˈreɪndʒ] vt **1.** réarranger **2.** changer **3.** changer l'heure de **4.** changer la date de.

rearview mirror [ˈrɪəvjuː-] n rétroviseur m.

rear-wheel drive n traction f arrière.

reason [ˈriːzn] n **1.** • reason (for) raison f (de) • for some reason pour une raison ou pour une autre • the reason why… la raison pour laquelle… **2.** (indén) • to have reason to do sthg avoir de bonnes raisons de faire qqch **3.** bon sens m • he won't listen to reason on ne peut pas lui faire entendre raison. ❑ vt déduire. ❑ vi raisonner. ■ reason with vt insép raisonner.

reasonable [ˈriːznəbl] adj **1.** raisonnable **2.** acceptable • the food's reasonable la cuisine n'est pas mal.

reasonably [ˈriːznəblɪ] adv **1.** assez **2.** raisonnablement.

reasoned [ˈriːznd] adj raisonné.

reasoning [ˈriːznɪŋ] n raisonnement m.

reassemble [ˌriːəˈsembl] vt **1.** remonter (reconstruire) **2.** rassembler. ❑ vi se rassembler.

reassert [ˌriːəˈsɜːt] vt réaffirmer.

reassess [ˌriːəˈses] vt réexaminer.

reassessment [ˌriːəˈsesmənt] n réexamen m.

reassign [ˌriːəˈsaɪn] vt réaffecter.

reassurance [ˌriːəˈʃʊərəns] n **1.** réconfort m **2.** assurance f.

reassure [ˌriːəˈʃʊəʳ] vt rassurer.

reassuring [ˌriːəˈʃʊərɪŋ] adj rassurant.

reassuringly [ˌriːəˈʃʊərɪŋlɪ] adv d'une manière rassurante • reassuringly simple d'une grande simplicité.

reawaken [ˌriːəˈweɪkn] vt faire renaître.

reawakening [ˌriːəˈweɪknɪŋ] n **1.** réveil m (d'une personne qui dort) **2.** réveil m (d'un intérêt).

rebate [ˈriːbeɪt] n rabais m • tax rebate ≃ dégrèvement m fiscal.

rebel n [ˈrebl] rebelle mf. ❑ adj [ˈrebl] **1.** rebelle **2.** (camp, territoire) des rebelles **3.** (attaque) de rebelles • rebel MP parlementaire mf rebelle. ❑ vi [rɪˈbel] • to rebel (against) se rebeller (contre).

rebellion [rɪˈbeljən] n rébellion f.

rebellious [rɪˈbeljəs] adj rebelle.

rebirth [ˌriːˈbɜːθ] n renaissance f.

reboot [ˌriːˈbuːt] vi INFORM redémarrer, réamorcer recomm off.

reborn [ˌriːˈbɔːn] adj réincarné • to be reborn renaître • I feel reborn je me sens renaître.

rebound n [ˈriːbaʊnd] rebond m. ❑ vi [rɪˈbaʊnd] rebondir.

rebrand [ˌriːˈbrænd] vt effectuer le rebranding de.

rebranding [ˌriːˈbrændɪŋ] n rebranding m, changement m de marque.

rebuff [rɪˈbʌf] n rebuffade f.

rebuild [ˌriːˈbɪld] (prét & pp rebuilt [ˌriːˈbɪlt]) vt reconstruire.

rebuke [rɪˈbjuːk] sout n réprimande f. ❑ vt réprimander.

rebuttal [riːˈbʌtl] n sout réfutation f.

recalcitrant [rɪˈkælsɪtrənt] adj sout récalcitrant.

recall [rɪˈkɔːl] n **1.** rappel m **2.** INFORM • recall rate taux m de mémorisation. ❑ vt **1.** se rappeler, se souvenir de **2.** rappeler.

recant [rɪˈkænt] vi **1.** sout se rétracter **2.** abjurer.

recap [ˈriːkæp] n récapitulation f. ❑ vt & vi récapituler.

recapitulate [ˌriːkəˈpɪtjuleɪt] vt & vi sout récapituler.

recapture [ˌriːˈkæptʃəʳ] n reprise f. ❑ vt **1.** retrouver (un sentiment) **2.** reprendre (un territoire).

recede [rɪˈsiːd] vi **1.** s'éloigner **2.** (espoirs) s'envoler.

receding [rɪˈsiːdɪŋ] adj **1.** dégarni **2.** (menton) fuyant.

receipt [rɪˈsiːt] n **1.** reçu m **2.** (indén) réception f. ■ receipts npl recettes fpl.

receive [rɪˈsiːv] vt **1.** recevoir **2.** apprendre (une nouvelle) **3.** accueillir, recevoir.

Received Pronunciation [rɪˈsiːvd-] n (UK) prononciation f standard (de l'anglais).

receiver [rɪˈsiːvəʳ] n **1.** TÉLÉCOM récepteur m, combiné m **2.** RADIO & TV récepteur m **3.** receleur m, -euse f.

receiving end [rɪˈsiːvɪŋ-] n • to be on the receiving end (of sthg) faire les frais (de qqch).

recent [ˈriːsnt] adj récent.

recently [ˈriːsntlɪ] adv récemment • until recently jusqu'à ces derniers temps.

receptacle [rɪˈseptəkl] n sout récipient m.

reception [rɪˈsepʃn] n réception f.

reception class n (UK) cours m préparatoire.

reception desk n réception f.

receptionist [rɪˈsepʃənɪst] n réceptionniste mf.

reception room n (UK) salon m.

receptive [rɪˈseptɪv] adj **1.** réceptif **2.** • receptive knowledge of a language connaissance passive ou réceptive d'une langue.

receptiveness [rɪˈseptɪvnɪs] n réceptivité f.

recess [ˈriːses ou rɪˈses] n **1.** niche f **2.** recoin m **3.** (Parlement) • to be in recess être en vacances **4.** (US) SCOL récréation f.

recessed [ˈriːsest ou rɪˈsest] adj **1.** dans un renfoncement **2.** encastré.

recession [rɪˈseʃn] n récession f.

recessive [rɪˈsesɪv] adj récessif.

recharge [ˌriːˈtʃɑːdʒ] vt recharger.

rechargeable [ˌriːˈtʃɑːdʒəbl] adj rechargeable.

rechip [,ri:'tʃɪp] *vt* reprogrammer la puce de *(téléphone portable).*

recipe ['resɪpɪ] *n litt & fig* recette *f.*

recipient [rɪ'sɪpɪənt] *n* **1.** destinataire *mf (d'une lettre)* **2.** bénéficiaire *mf (d'un chèque)* **3.** récipiendaire *mf (d'un prix).*

reciprocal [rɪ'sɪprəkl] *adj* réciproque.

reciprocate [rɪ'sɪprəkeɪt] *sout vt* rendre, retourner. ❑ *vi* en faire autant.

recital [rɪ'saɪtl] *n* récital *m.*

recite [rɪ'saɪt] *vt* **1.** réciter **2.** énumérer.

reckless ['reklɪs] *adj* **1.** imprudent • **reckless driving** conduite *f* imprudente **2.** irréfléchi **3.** téméraire.

recklessly ['reklɪslɪ] *adv* **1.** imprudemment **2.** sans réflechir • **to spend recklessly** dépenser sans compter **3.** avec témérité • **to drive recklessly** conduire dangereusement.

reckon ['rekn] *vt fam* penser • **what do you reckon?** qu'est-ce que tu en penses ? **2.** considérer **3.** calculer *(un cube, une somme).* ■ **reckon on** *vt insép* compter sur. ■ **reckon with** *vt insép* s'attendre à.

reckoning ['rekənɪŋ] *n (indén)* calculs *mpl.*

reclaim [rɪ'kleɪm] *vt* **1.** réclamer **2.** mettre en valeur *(des terres)*, assécher *(des marécages).*

reclassify [,ri:'klæsɪfaɪ] *(prét & pp reclassified) vt* reclasser.

recline [rɪ'klaɪn] *vi* être allongé.

recliner [rɪ'klaɪnər] *n* **1.** chaise *f* longue **2.** fauteuil *m* à dossier inclinable.

reclining [rɪ'klaɪnɪŋ] *adj (fauteuil, chaise)* à dossier réglable.

recluse [rɪ'klu:s] *n* reclus *m*, -e *f.*

recognition [,rekəg'nɪʃn] *n* reconnaissance *f* • **in recognition of** en reconnaissance de • **beyond ou out of all recognition** méconnaissable.

recognizable ['rekəgnaɪzəbl], **-isable** (UK) ['rekəgnaɪzəbl] *adj* reconnaissable • **barely recognizable** à peine reconnaissable.

recognizably, -isably (UK) [,rekəg'naɪzəblɪ] *adv* d'une manière *ou* façon reconnaissable • **the car was not recognizably Japanese** on n'aurait pas dit une voiture japonaise.

recognize, -ise (UK) ['rekəgnaɪz] *vt* reconnaître.

recognized, -ised (UK) ['rekəgnaɪzd] *adj* **1.** reconnu, admis **2.** reconnu *(identifié)* **3.** officiel, attitré.

recoil *vi* [rɪ'kɔɪl] • **to recoil (from)** reculer (devant). ❑ *n* ['ri:kɔɪl] recul *m.*

recollect [,rekə'lekt] *vt* se rappeler.

recollection [,rekə'lekʃn] *n* souvenir *m.*

recommend [,rekə'mend] *vt* **1.** *(dire du bien de)* • **to recommend sb/sthg (to sb)** recommander qqn/qqch (à qqn) • **to recommend that...** recommander que... *(+subjonctif)* **2.** conseiller, recommander.

recommendation [,rekəmen'deɪʃn] *n* recommandation *f.*

recommended daily allowance *n* apport *m* quotidien recommandé.

recommended retail price [,rekə'mendɪd-] *n* prix *m* de vente conseillé.

recompense ['rekəmpens] *sout n* dédommagement *m.* ❑ *vt* dédommager.

reconcilable ['rekənsaɪləbl] *adj* **1.** *(opinions)* conciliable, compatible **2.** *(personnes)* compatible.

reconcile ['rekənsaɪl] *vt* **1.** concilier **2.** réconcilier **3.** • **to reconcile o.s. to sthg** se faire à l'idée de qqch.

reconciliation [,rekənsɪlɪ'eɪʃn] *n* **1.** conciliation *f* **2.** réconciliation *f.*

reconditioned [,ri:kən'dɪʃnd] *adj* remis en état.

reconfigure [,ri:kən'fɪgər] *vt* reconfigurer.

reconnaissance [rɪ'kɒnɪsəns] *n* MIL reconnaissance *f.*

reconnect [,ri:kə'nekt] *vt* rebrancher.

reconnoitre (UK), **reconnoiter** (US) [,rekə'nɔɪtər] *vt* MIL reconnaître. ❑ *vi* MIL aller en reconnaissance.

reconsider [,ri:kən'sɪdər] *vt* reconsidérer. ❑ *vi* reconsidérer la question.

reconstitute [,ri:'kɒnstɪtju:t] *vt* reconstituer.

reconstituted [,ri:'kɒnstɪtju:tɪd] *adj* reconstitué.

reconstruct [,ri:kən'strʌkt] *vt* **1.** reconstruire **2.** reconstituer *(un crime).*

reconstruction [,ri:kən'strʌkʃn] *n* **1.** reconstruction *f* **2.** reconstitution *f (d'un crime).*

reconstructive surgery [ri:kən'strʌktɪv-] *n* chirurgie *f* réparatrice.

reconvene [,ri:kən'vi:n] *vt* convoquer de nouveau.

record *n* ['rekɔd] **1.** rapport *m* **2.** dossier *m* • **to keep sthg on record** archiver qqch • (police) **record** casier *m* judiciaire • **off the record** non officiel **3.** MUS disque *m* **4.** record *m.* ❑ *adj* ['rekɔd] record *(inv).* ❑ *vt* [rɪ'kɔd] **1.** noter **2.** enregistrer *(sur cassette vidéo, CD, DVD).*

record-breaker *n* personne *f* qui bat le record.

record-breaking *adj* qui bat tous les records.

recorded [rɪ'kɔ:dɪd] *adj* **1.** enregistré **2.** préenregistré **3.** transmis en différé **4.** écrit • **throughout recorded history** pendant toute la période couverte par les écrits historiques **5.** *(vote)* exprimé.

recorded delivery [rɪ'kɔdɪd-] *n* recommandé *m.*

recorder [rɪ'kɔdər] *n* flûte *f* à bec.

record holder *n* détenteur *m*, -trice *f* du record.

recording [rɪ'kɔdɪŋ] *n* enregistrement *m.*

recording studio n studio m d'enregistrement.

record player n tourne-disque m.

recount n ['riːkaʊnt] deuxième dépouillement m du scrutin. ◆ vt **1.** [rɪ'kaʊnt] raconter **2.** [,riː'kaʊnt] recompter.

recoup [rɪ'kuːp] vt récupérer.

recourse [rɪ'kɔːs] n ● **to have recourse to** avoir recours à.

recover [rɪ'kʌvər] vt **1.** récupérer ● **to recover sthg from sb** reprendre qqch à qqn **2.** retrouver (son équilibre) **3.** reprendre (connaissance). ◆ vi **1.** se rétablir **2.** se remettre **3.** reprendre **4.** (économie, affaires) se redresser.

recoverable [riː'kʌvrəbl] adj (créance) recouvrable.

recovery [rɪ'kʌvərɪ] n **1.** guérison f, rétablissement m **2.** fig redressement m, reprise f **3.** récupération f.

recovery position n position f latérale de sécurité.

recovery vehicle n (UK) dépanneuse f.

recreate [,riːkrɪ'eɪt] vt recréer.

recreation [,rekrɪ'eɪʃn] n (indén) récréation f, loisirs mpl.

recreational [,rekrɪ'eɪʃənl] adj de récréation.

recrimination [rɪ,krɪmɪ'neɪʃn] n récrimination f.

recruit [rɪ'kruːt] n recrue f. ◆ vt recruter ● **to recruit sb to do sthg** fig embaucher qqn pour faire qqch. ◆ vi recruter.

recruitment [rɪ'kruːtmənt] n recrutement m.

recruitment agency cabinet m de recrutement.

rectangle ['rek,tæŋgl] n rectangle m.

rectangular [rek'tæŋgjʊlər] adj rectangulaire.

rectification [,rektɪfɪ'keɪʃn] n sout rectification f.

rectify ['rektɪfaɪ] vt sout rectifier.

rector ['rektər] n **1.** pasteur m **2.** (ÉCOSSE) SCOL directeur m ; UNIV président élu par les étudiants.

rectory ['rektərɪ] n presbytère m.

rectum ['rektəm] n rectum m.

recuperate [rɪ'kuːpəreɪt] vi se rétablir.

recuperation [rɪ,kuːpə'reɪʃn] n rétablissement m.

recur [rɪ'kɜːr] vi **1.** se reproduire **2.** revenir **3.** réapparaître.

recurrence [rɪ'kʌrəns] n répétition f.

recurrent [rɪ'kʌrənt] adj **1.** qui se reproduit souvent **2.** qui revient souvent.

recurring [rɪ'kɜːrɪŋ] adj **1.** qui se reproduit souvent **2.** qui revient souvent **3.** (fonction) périodique.

recyclable [,riː'saɪkləbl] adj recyclable.

recycle [,riː'saɪkl] vt recycler.

recycle bin n poubelle f, corbeille f.

recycled [,riː'saɪkld] adj recyclé.

recycling [,riː'saɪklɪŋ] n recyclage m.

recycling facility n installation f de recyclage.

red [red] adj **1.** rouge **2.** roux. ◆ n rouge m ● **to be in the red** fam être à découvert, être dans le rouge.

red alert n alerte f maximale ● **to be on red alert** être en état d'alerte maximale.

red blood cell n globule m rouge.

red-blooded [-'blʌdɪd] adj hum viril.

red-brick adj (UK) en brique rouge.

red card n FOOTBALL ● **to be shown the red card, to get a red card** recevoir un carton rouge.

red carpet n ● **to roll out the red carpet for sb** dérouler le tapis rouge pour qqn. ■ **red-carpet** adj ● **to give sb the red-carpet treatment** recevoir qqn en grande pompe.

Red Cross n ● **the Red Cross** la Croix-Rouge.

redcurrant ['red,kʌrənt] n **1.** groseille f **2.** groseillier m.

redden ['redn] vt & vi rougir.

redecorate [,riː'dekəreɪt] vt **1.** refaire les peintures de **2.** retapisser. ◆ vi **1.** refaire les peintures **2.** refaire les papiers peints.

redeem [rɪ'diːm] vt **1.** FIN & RELIG racheter **2.** dégager (un objet en gage).

redeemable [rɪ'diːməbl] adj **1.** (bon) remboursable **2.** (dette) remboursable, amortissable **3.** expiable, rachetable.

redeeming [rɪ'diːmɪŋ] adj qui rachète (les défauts).

redefine [,riːdɪ'faɪn] vt redéfinir.

redemption [rɪ'dempʃn] n rédemption f ● **beyond ou past redemption** fig irrémédiable.

redeploy [,riːdɪ'plɔɪ] vt **1.** MIL redéployer **2.** réorganiser, réaffecter.

redeployment [,riːdɪ'plɔɪmənt] n **1.** redéploiement m **2.** réorganisation f, réaffectation f (du personnel).

redesign [,riːdɪ'zaɪn] vt **1.** redessiner **2.** réorganiser.

redevelop [,riːdɪ'veləp] vt réaménager.

redevelopment [,riːdɪ'veləpmənt] n réaménagement m.

redeye ['redaɪ] n fam vol m de nuit.

red-eyed adj aux yeux rouges.

red-faced [-'feɪst] adj **1.** rougeaud, rubicond **2.** rouge de confusion.

red-haired [-'heəd] adj roux, rousse f.

red-handed [-'hændɪd] adj ● **to catch sb red-handed** prendre qqn en flagrant délit.

redhead ['redhed] n roux m, rousse f.

red-headed = red-haired.

red herring n fig fausse piste f.

red-hot adj **1.** brûlant **2.** chauffé au rouge **3.** ardent.

redial [ˌriːˈdaɪəl] *vt* • **to redial a number** refaire un numéro. ❏ *n* • **automatic redial** système *m* de rappel du dernier numéro.

redid [ˌriːˈdɪd] *passé* → redo.

redirect [ˌriːdɪˈrekt] *vt* **1.** réorienter *(de l'argent)* **2.** détourner *(la circulation)* **3.** (UK) faire suivre *(le courrier)*.

rediscover [ˌriːdɪˈskʌvə'] *vt* redécouvrir.

rediscovery [ˌriːdɪˈskʌvrɪ] *(pl* -ies) *n* redécouverte *f*.

redistribute [ˌriːdɪˈstrɪbjuːt] *vt* redistribuer.

redistribution [ˈriːˌdɪstrɪˈbjuːʃn] *n* redistribution *f*.

red-letter day *n* jour *m* mémorable, jour à marquer d'une pierre blanche.

red light *n* feu *m* rouge.

red-light district *n* quartier *m* chaud.

red meat *n* viande *f* rouge.

redneck [ˈrednek] (US) *fam & péj n* Américain *d'origine modeste qui a des idées réactionnaires et des préjugés racistes.*

redness [ˈrednɪs] *n* rougeur *f*.

redo [ˌriːˈduː] *(prét* redid, *pp* redone) *vt* refaire.

redolent [ˈredələnt] *adj littéraire* **1.** • **redolent of** qui rappelle, évocateur de **2.** • **redolent of lemon** qui sent le citron.

redone [ˌriːˈdʌn] *pp* → redo.

redouble [ˌriːˈdʌbl] *vt* • **to redouble one's efforts (to do sthg)** redoubler d'efforts (pour faire qqch).

redraft [ˌriːˈdrɑːft] *vt* rédiger à nouveau.

redress [rɪˈdres] *n (indén) sout* réparation *f*. ❏ *vt* • **to redress the balance** rétablir l'équilibre.

Red Sea *n* • **the Red Sea** la mer Rouge.

red tape *n fig* paperasserie *f* administrative.

reduce [rɪˈdjuːs] *vt* réduire • **to be reduced to doing sthg** en être réduit à faire qqch • **to reduce sb to tears** faire pleurer qqn.

reduced [rɪˈdjuːst] *adj* réduit • **in reduced circumstances** dans la gêne.

reduction [rɪˈdʌkʃn] *n* **1.** • **reduction (in)** réduction *f* (de), baisse *f* (de) **2.** rabais *m*, réduction *f*.

redundancy [rɪˈdʌndənsɪ] *n* (UK) **1.** licenciement *m* **2.** chômage *m*.

redundancy payment *n* (UK) indemnité *f* de licenciement.

redundant [rɪˈdʌndənt] *adj* **1.** (UK) • **to be made redundant** être licencié **2.** superflu.

reed [riːd] *n* **1.** roseau *m* **2.** MUS anche *f*.

reeducate [ˌriːˈedjʊkeɪt] *vt* rééduquer.

reef [riːf] *n* récif *m*, écueil *m*.

reek [riːk] *n* relent *m*. ❏ *vi* • **to reek (of sthg)** puer (qqch), empester (qqch).

reel [riːl] *n* **1.** bobine *f* **2.** *(pour la pêche)* moulinet *m*. ❏ *vi* chanceler. ■ **reel in** *vt sép* remonter. ■ **reel off** *vt sép* débiter.

re-elect [ˌriːɪˈlekt] *vt* • **to re-elect sb (as) sthg** réélire qqn qqch.

re-election [ˌriːɪˈlekʃn] *n* réélection *f*.

re-emerge [ˌriːɪˈmɜːdʒ] *vi* **1.** ressortir *(nouveaux faits)* **2.** *(problème, questions)* se reposer **3.** ressortir *(d'un tunnel)*, ressurgir.

re-emergence [ˌriːɪˈmɜːdʒəns] *n* réapparition *f*.

re-enact [ˌriːɪˈnækt] *vt* **1.** reproduire **2.** reconstituer.

re-enter [ˌriːˈentə'] *vt* **1.** rentrer dans **2.** retourner dans.

re-entry [ˌriːˈentrɪ] *n* **1.** rentrée *f* **2.** retour *m*.

re-establish [ˌriːɪˈstæblɪʃ] *vt* **1.** rétablir • **the team have re-established themselves as the best** l'équipe s'est imposée de nouveau comme la meilleure **2.** restaurer **3.** remettre en vigueur **4.** réhabiliter, réintégrer.

re-examine [ˌriːɪgˈzæmɪn] *vt* examiner de nouveau.

ref [ref] *n* **1.** *fam* (abrév de referee) arbitre *m* **2.** (abrév de reference) réf. *f*.

refectory [rɪˈfektərɪ] *n* réfectoire *m*.

refer [rɪˈfɜː'] *vt* **1.** • **to refer sb to a)** envoyer qqn à **b)** adresser qqn à **c)** renvoyer qqn à **2.** • **to refer sthg to** soumettre qqch à. ■ **refer to** *vt insép* **1.** parler de, faire allusion à **2.** concerner **3.** se référer à.

referee [ˌrefəˈriː] *n* **1.** SPORT arbitre *mf* **2.** (UK) répondant *m*, -e *f*. ❏ *vt* SPORT arbitrer. ❏ *vi* SPORT être arbitre.

reference [ˈrefrəns] *n* **1.** • **reference (to)** allusion *f* (à), mention *f* (de) • **with reference to** comme suite à **2.** *(indén)* • **reference (to)** consultation *f* (de), référence *f* (à) **3.** référence *f (d'un produit)* **4.** renvoi *m (dans un livre)* • **map reference** coordonnées *fpl* **5.** *(pour un emploi)* références *fpl* • **to give sb a reference** fournir des références à qqn.

reference book *n* ouvrage *m* de référence.

reference library *n* bibliothèque *f* d'ouvrages à consulter sur place.

reference number *n* numéro *m* de référence.

referendum [ˌrefəˈrendəm] *(pl* -s *ou* -da) *n* référendum *m*.

referral [rɪˈfɜːrəl] *n sout* **1.** *(indén)* envoi *m* **2.** malade envoyé *m*, malade envoyée *f* **3.** (US) rapport *m* d'incident *(à l'école)*.

refill *n* [ˈriːfɪl] **1.** recharge *f* **2.** *fam* • **would you like a refill?** vous voulez encore un verre ? ❏ *vt* [ˌriːˈfɪl] remplir à nouveau.

refillable [ˌriːˈfɪləbl] *adj* **1.** rechargeable **2.** *(bouteille)* qu'on peut faire remplir à nouveau.

refinance [ˌriːfaɪˈnæns] *vt* refinancer. ❏ *vi* se refinancer.

refinancing [ˈriːfaɪˈnænsɪŋ] *n* refinancement *m*.

refine [rɪˈfaɪn] *vt* **1.** raffiner **2.** *fig* peaufiner.

refined [rɪˈfaɪnd] adj **1.** raffiné **2.** perfectionné.
refinement [rɪˈfaɪnmənt] n **1.** perfectionnement m **2.** (indén) raffinement m.
refinery [rɪˈfaɪnərɪ] (pl -ies) n raffinerie f.
refit n [ˈriːfɪt] réparation f, remise f en état (d'un bateau). □ vt [ˌriːˈfɪt] (prét & pp refitted, cont refitting) réparer, remettre en état (un bateau).
reflect [rɪˈflekt] vt **1.** (être le signe de) refléter **2.** refléter, refléter (une image, de la lumière) **3.** réverbérer (de la chaleur) **4.** • to reflect that… se dire que… □ vi • to reflect (on ou upon) réfléchir (sur), penser (à).
reflection [rɪˈflekʃn] n **1.** indication f, signe m **2.** • reflection on critique f de **3.** reflet m **4.** (indén) PHYS réflexion f **5.** réflexion f (pensée) • on reflection réflexion faite.
reflective [rɪˈflektɪv] adj **1.** (surface) réfléchissant **2.** pensif.
reflector [rɪˈflektər] n réflecteur m.
reflex [ˈriːfleks] n • reflex (action) réflexe m. ■ reflexes npl réflexes mpl.
reflexive [rɪˈfleksɪv] adj GRAMM réfléchi.
reflexively [rɪˈfleksɪvlɪ] adv **1.** GRAMM au sens réfléchi **2.** GRAMM à la forme réfléchie.
reflexive verb n verbe m réfléchi.
reflexologist [ˌriːflekˈsɒlədʒɪst] n réflexologiste mf.
reflexology [ˌriːflekˈsɒlədʒɪ] n réflexothérapie f.
reflux [ˈriːflʌks] n reflux m.
reforestation [riːˌfɒrɪˈsteɪʃn] (US) = reafforestation.
reform [rɪˈfɔːm] n réforme f. □ vt **1.** réformer **2.** corriger. □ vi se corriger, s'amender.
re-form [ˌriːˈfɔːm] vt **1.** remettre en rang, reformer (les rangs) **2.** reformer. □ vi **1.** se remettre en rangs **2.** se reformer (rangs, groupe).
reformat [ˌriːˈfɔːmæt] (prét & pp reformatted, cont reformatting) vt reformater.
Reformation [ˌrefəˈmeɪʃn] n • the Reformation la Réforme.
reformatory [rɪˈfɔːmətrɪ] n (US) centre m d'éducation surveillée (pour jeunes délinquants).
reformed [rɪˈfɔːmd] adj qui s'est corrigé ou amendé.
reformer [rɪˈfɔːmər] n réformateur m, -trice f.
refraction [rɪˈfrækʃn] n sout **1.** réfraction f **2.** réfringence f.
refrain [rɪˈfreɪn] n refrain m. □ vi • to refrain from doing sthg s'abstenir de faire qqch.
reframe [ˌriːˈfreɪm] vt **1.** reformuler (question) **2.** réencadrer (tableau).
refresh [rɪˈfreʃ] vt **1.** rafraîchir, revigorer **2.** INFORM • to refresh the screen rafraîchir l'écran • to refresh the page réactualiser la page (Internet).
refreshed [rɪˈfreʃt] adj reposé.

refresher course [rɪˈfreʃər-] n cours m de remise à niveau.
refreshing [rɪˈfreʃɪŋ] adj **1.** agréable, réconfortant **2.** rafraîchissant.
refreshingly [rɪˈfreʃɪŋlɪ] adv • it's refreshingly different c'est un changement agréable.
refreshments [rɪˈfreʃmənts] npl rafraîchissements mpl.
refrigerate [rɪˈfrɪdʒəreɪt] vt réfrigérer.
refrigeration [rɪˌfrɪdʒəˈreɪʃn] n réfrigération f.
refrigerator [rɪˈfrɪdʒəreɪtər] n réfrigérateur m, Frigidaire® m.
refuel [ˌriːˈfjuəl] ((UK) prét & pp refuelled, cont refuelling, (US) prét & pp refueled, cont refueling) vi se ravitailler en carburant.
refuelling (UK), **refueling** (US) [ˌriːˈfjuəlɪŋ] n ravitaillement m (en carburant). □ en apposition de ravitaillement.
refuge [ˈrefjuːdʒ] n litt & fig refuge m, abri m • to take refuge in se réfugier dans.
refugee [ˌrefjuˈdʒiː] n réfugié m, -e f.
refugee camp n camp m de réfugiés.
refund n [ˈriːfʌnd] remboursement m. □ vt [rɪˈfʌnd] • to refund sthg to sb, to refund sb sthg rembourser qqch à qqn.
refundable [rɪˈfʌndəbl] adj remboursable.
refurbish [ˌriːˈfɜːbɪʃ] vt remettre à neuf.
refurbishment [ˌriːˈfɜːbɪʃmənt] n rénovation f.
refurnish [ˌriːˈfɜːnɪʃ] vt remeubler.
refusal [rɪˈfjuːzl] n • refusal (to do sthg) refus m (de faire qqch).
refuse[1] [rɪˈfjuːz] vt refuser • to refuse to do sthg refuser de faire qqch. □ vi refuser.
refuse[2] [ˈrefjuːs] n (indén) sout ordures fpl.
refuse collection [ˈrefjuːs-] n (UK) sout enlèvement m des ordures ménagères.
refuse collector [ˈrefjuːs-] n (UK) sout éboueur m.
refuse dump [ˈrefjuːs-] n (UK) sout décharge f (publique).
refute [rɪˈfjuːt] vt sout réfuter.
regain [rɪˈgeɪn] vt **1.** retrouver (son équilibre) **2.** reprendre (son titre, une initiative).
regal [ˈriːgl] adj majestueux, royal.
regale [rɪˈgeɪl] vt • to regale sb with sthg divertir qqn en lui racontant qqch.
regalia [rɪˈgeɪlɪə] n insignes mpl.
regard [rɪˈgɑːd] n **1.** (indén) estime f, respect m **2.** • in this/that regard à cet égard. □ vt considérer • to regard o.s. as se considérer comme • to be highly regarded être tenu en haute estime. ■ as regards prép en ce qui concerne. ■ in regard to, with regard to prép en ce qui concerne, relativement à. ■ regards npl • (with best) regards bien amicalement • give her my regards faites-lui mes amitiés.

regarding [rɪˈɡɑːdɪŋ] *prép* concernant, en ce qui concerne.

regardless [rɪˈɡɑːdlɪs] *adv* quand même. ■ **regardless of** *prép* sans tenir compte de.

regatta [rɪˈɡætə] *n* régate *f*.

regenerate [rɪˈdʒenəreɪt] *vt* **1.** relancer *(l'économie, un projet)* **2.** réhabiliter.

regeneration [rɪˌdʒenəˈreɪʃn] *n* relance *f (de l'économie).*

reggae [ˈreɡeɪ] *n* reggae *m*.

Reggaeton [reˈɡeɪtɒn] *n* style musical latino-américain mélangeant reggae, hip-hop et rap.

regift [riːˈɡɪft] *vt* offrir à quelqu'un d'autre.

regime [reɪˈʒiːm] *n POLIT* régime *m*.

regiment [ˈredʒɪmənt] *n* régiment *m*.

regimented [ˈredʒɪmentɪd] *adj* **1.** *(organisation)* trop rigide **2.** *(mode de vie)* strict.

region [ˈriːdʒən] *n* région *f* • **in the region of** environ.

regional [ˈriːdʒənl] *adj* régional.

regionalism [ˈriːdʒənəlɪzm] *n* régionalisme *m*.

regionally [ˈriːdʒnəlɪ] *adv* à l'échelle régionale.

register [ˈredʒɪstər] *n* registre *m*. ❏ *vt* **1.** indiquer **2.** exprimer. ❏ *vi* **1.** s'inscrire **2.** signer le registre *(à l'hôtel)* **3.** *fam* • **it didn't register** je n'ai pas compris.

registered [ˈredʒɪstəd] *adj* **1.** inscrit **2.** *(véhicule)* immatriculé **3.** agréé par le gouvernement **4.** *(lettre, paquet)* recommandé.

registered post (UK), **registered mail** (US) *n* • **to send sthg by registered post** envoyer qqch en recommandé.

Registered Trademark *n* marque *f* déposée.

register office (UK) = registry office.

registrar [ˌredʒɪˈstrɑːr] *n* **1.** officier *m* de l'état civil **2.** UNIV secrétaire *m* général.

registration [ˌredʒɪˈstreɪʃn] *n* **1.** enregistrement *m*, inscription *f* **2.** = registration number.

registration number *n* numéro *m* d'immatriculation.

registry [ˈredʒɪstrɪ] *n* (UK) bureau *m* de l'enregistrement.

registry office *n* (UK) bureau *m* de l'état civil.

regress [rɪˈɡres] *vi* • **to regress (to)** régresser (au stade de).

regret [rɪˈɡret] *n* regret *m*. ❏ *vt* regretter.

regretful [rɪˈɡretfʊl] *adj* **1.** *(personne)* plein de regrets **2.** *(regard)* de regret.

regretfully [rɪˈɡretfʊlɪ] *adv* à regret.

regrettable [rɪˈɡretəbl] *adj* regrettable, fâcheux.

regrettably [rɪˈɡretəblɪ] *adv* malheureusement.

regroup [ˌriːˈɡruːp] *vi* se regrouper.

regular [ˈreɡjʊlər] *adj* **1.** régulier **2.** *(client)* fidèle **3.** habituel **4.** standard *(inv)*. ❏ *n* **1.** COMM habitué *m*, -e *f* **2.** COMM client *m*, -e *f* fidèle.

regularity [ˌreɡjʊˈlærətɪ] *n* régularité *f*.

regularly [ˈreɡjʊləlɪ] *adv* régulièrement.

regulate [ˈreɡjʊleɪt] *vt* régler.

regulation [ˌreɡjʊˈleɪʃn] *adj* réglementaire. ❏ *n* **1.** règlement *m* **2.** *(indén)* réglementation *f*.

regurgitate [rɪˈɡɜːdʒɪteɪt] *vt sout* **1.** régurgiter **2.** *fig & péj* ressortir, répéter.

rehab [ˈriːhæb] *n* (US) *fam* • **to be in rehab** faire une cure de désintoxication • **rehab center** centre *m* de désintoxication.

rehabilitate [ˌriːəˈbɪlɪteɪt] *vt* **1.** réinsérer, réhabiliter **2.** rééduquer.

rehabilitation [ˈriːəˌbɪlɪˈteɪʃn] *n* **1.** réinsertion *f*, réhabilitation *f (d'un criminel)* **2.** rééducation *f*.

rehash [ˌriːˈhæʃ] *vt fam & péj* remanier.

rehearsal [rɪˈhɜːsl] *n THÉÂTRE* répétition *f*.

rehearse [rɪˈhɜːs] *vt & vi THÉÂTRE* répéter.

reheat [ˌriːˈhiːt] *vt* réchauffer.

re-heel *vt* remettre des talons à.

rehome [ˌriːˈhəʊm] *vt* trouver un nouveau foyer pour.

rehouse [ˌriːˈhaʊz] *vt* reloger.

rehousing [ˌriːˈhaʊzɪŋ] *n* relogement *m*.

reign [reɪn] *n* règne *m*. ❏ *vi* • **to reign (over)** *litt & fig* régner (sur).

reigning [ˈreɪnɪŋ] *adj (champion)* actuel.

reimburse [ˌriːɪmˈbɜːs] *vt* • **to reimburse sb (for)** rembourser qqn (de).

reimbursement [ˌriːɪmˈbɜːsmənt] *n sout* remboursement *m*.

rein [reɪn] *n fig* • **to give (a) free rein to sb, to give sb free rein** laisser la bride sur le cou à qqn. ■ **rein in** *vt sép* **1.** serrer la bride à *(cheval)* **2.** *fig* modérer. ■ **reins** *npl* rênes *fpl*.

reincarnate *vt* [riːˈɪnkɑːneɪt] réincarner. ❏ *adj* [ˌriːɪnˈkɑːnt] réincarné.

reincarnation [ˌriːɪnkɑːˈneɪʃn] *n* réincarnation *f*.

reindeer [ˈreɪnˌdɪər] *(pl inv)* *n* renne *m*.

reinforce [ˌriːɪnˈfɔːs] *vt* **1.** renforcer **2.** appuyer, étayer.

reinforced concrete [ˌriːɪnˈfɔːst-] *n* béton *m* armé.

reinforcement [ˌriːɪnˈfɔːsmənt] *n* **1.** *(indén)* renforcement *m* **2.** renfort *m*. ■ **reinforcements** *npl* renforts *mpl*.

reinstall *vt* réinstaller.

reinstate [ˌriːɪnˈsteɪt] *vt* **1.** réintégrer *(un employé)* **2.** rétablir *(une méthode, une politique)*.

reinstatement [ˌriːɪnˈsteɪtmənt] *n* **1.** réintégration *f (d'un employé)* **2.** rétablissement *m (d'une politique, d'une méthode)*.

reintegrate [ˌriːˈɪntɪɡreɪt] *vt* réintégrer.

reintegration ['riː,ɪntɪ'greɪʃn] n réintégration f.

reinterpret [,riːɪn'tɜːprɪt] vt réinterpréter.

reintroduce ['riː,ɪntrə'djuːs] vt réintroduire.

reintroduction [,riːɪntrə'dʌkʃn] n réintroduction f.

reinvent [,riːɪn'vent] vt réinventer • **to reinvent the wheel** réinventer la roue.

reissue [riː'ɪʃuː] n 1. réédition f 2. rediffusion f. ❑ vt 1. rééditer (un livre) 2. ressortir (un CD, un DVD).

reiterate [riː'ɪtəreɪt] vt sout réitérer.

reject n ['riːdʒekt] article m de rebut. ❑ vt [rɪ'dʒekt] 1. rejeter 2. refuser.

rejection [rɪ'dʒekʃn] n 1. rejet m 2. refus m.

rejig [,riː'dʒɪg] (prét & pp rejigged, cont rejigging) vt (UK) fam réorganiser.

rejoice [rɪ'dʒɔɪs] vi • **to rejoice (at** ou **in)** se réjouir (de).

rejuvenate [rɪ'dʒuːvəneɪt] vt rajeunir.

rekindle [,riː'kɪndl] vt fig ranimer, raviver.

relapse [rɪ'læps] n rechute f. ❑ vi • **to relapse into** retomber dans.

relate [rɪ'leɪt] vt 1. • **to relate sthg to sthg** établir un lien ou rapport entre qqch et qqch 2. raconter. ❑ vi 1. • **to relate to** avoir un rapport avec 2. • **to relate to** se rapporter à 3. • **to relate (to sb)** s'entendre (avec qqn). ■ **relating to** prép concernant.

related [rɪ'leɪtɪd] adj 1. apparenté 2. lié.

-related suffixe lié à • **business-related activities** des activités liées ou ayant rapport aux affaires • **performance-related bonus** prime f d'encouragement.

relation [rɪ'leɪʃn] n 1. • **relation (to/between)** rapport m (avec/entre) 2. parent m, -e f. ■ **relations** npl relations fpl, rapports mpl.

relationship [rɪ'leɪʃnʃɪp] n 1. relations fpl, rapports mpl 2. liaison f (amoureuse) 3. rapport m, lien m.

relative ['relətɪv] adj relatif. ❑ n parent m, -e f. ■ **relative to** prép 1. relativement à 2. se rapportant à, relatif à.

relatively ['relətɪvlɪ] adv relativement.

relativity [,relə'tɪvətɪ] n relativité f.

relax [rɪ'læks] vt 1. détendre, relaxer 2. décontracter 3. desserrer (son emprise) 4. relâcher (son attention, ses efforts) 5. défriser (cheveux). ❑ vi 1. se détendre 2. se desserrer.

relaxation [,riːlæk'seɪʃn] n 1. relaxation f, détente f 2. relâchement m.

relaxed [rɪ'lækst] adj détendu, décontracté.

relaxing [rɪ'læksɪŋ] adj relaxant.

relay ['riːleɪ] n 1. SPORT • **relay (race)** course f de relais 2. RADIO & TV retransmission f. ❑ vt 1. RADIO & TV relayer 2. transmettre, communiquer.

release [rɪ'liːs] n 1. libération f 2. délivrance f 3. communiqué m 4. échappement m 5. (indén) sortie f (d'un film, d'un CD) 6. nouveauté f (nouveau film, CD, DVD). ❑ vt 1. libérer 2. • **to release sb from** dégager qqn de 3. libérer 4. débloquer 5. lâcher 6. desserrer 7. déclencher 8. • **to be released (from/into)** se dégager (de/ dans), s'échapper (de/dans) 9. sortir (un film, un CD) 10. publier (un rapport).

relegate ['relɪgeɪt] vt reléguer.

relegation [,relɪ'geɪʃn] n relégation f.

relent [rɪ'lent] vi 1. se laisser fléchir 2. (vent, tempête) se calmer.

relentless [rɪ'lentlɪs] adj implacable.

relentlessly [rɪ'lentlɪslɪ] adv implacablement.

relevance ['reləvəns] (indén) n 1. • **relevance (to)** rapport m (avec) 2. • **relevance (to)** importance f (pour).

relevant ['reləvənt] adj 1. • **relevant (to)** qui a un rapport (avec) 2. • **relevant (to)** important (pour) 3. utile.

reliability [rɪ,laɪə'bɪlətɪ] n fiabilité f.

reliable [rɪ'laɪəbl] adj 1. fiable 2. sérieux.

reliably [rɪ'laɪəblɪ] adv de façon fiable.

reliance [rɪ'laɪəns] n • **reliance (on)** dépendance f (de).

reliant [rɪ'laɪənt] adj • **to be reliant on** être dépendant de.

relic ['relɪk] n 1. relique f 2. vestige m.

relief [rɪ'liːf] n 1. soulagement m 2. aide f, assistance f 3. (US) aide f sociale.

relieve [rɪ'liːv] vt 1. soulager • **to relieve sb of sthg** délivrer qqn de qqch 2. relayer 3. secourir, venir en aide à.

relieved [rɪ'liːvd] adj soulagé.

religion [rɪ'lɪdʒn] n religion f • **to get religion** (us) litt découvrir Dieu.

religious [rɪ'lɪdʒəs] adj 1. religieux 2. (livre) de piété.

religiously [rɪ'lɪdʒəslɪ] adv litt & fig religieusement.

relinquish [rɪ'lɪŋkwɪʃ] vt 1. abandonner (le pouvoir) 2. renoncer à (un projet) 3. quitter (son poste).

relish ['relɪʃ] n 1. • **with (great) relish** avec délectation 2. condiment m. ❑ vt prendre plaisir à • **I don't relish the thought** ou **idea of seeing him** la perspective de le voir ne m'enchante guère.

relive [,riː'lɪv] vt revivre.

reload [,riː'ləʊd] vt recharger.

relocate [,riːləʊ'keɪt] vt installer ailleurs, transférer. ❑ vi s'installer ailleurs, déménager.

relocation [,riːləʊ'keɪʃn] n transfert m, déménagement m.

relocation expenses npl frais mpl de déménagement.

reluctance [rɪ'lʌktəns] n répugnance f.

reluctant [rɪ'lʌktənt] *adj* peu enthousiaste • **to be reluctant to do sthg** être peu disposé à faire qqch.

reluctantly [rɪ'lʌktəntlɪ] *adv* à contrecœur.

rely [rɪ'laɪ] ■ **rely on** *vt insép* **1.** compter sur • **to rely on sb to do sthg** compter sur qqn pour faire qqch **2.** dépendre de.

REM (abrév de *rapid eye movement*) *n* activité oculaire intense durant le sommeil paradoxal.

remain [rɪ'meɪn] *vt* rester • **to remain to be done** rester à faire. ❑ *vi* rester. ■ **remains** *npl* **1.** restes *mpl* **2.** ruines *fpl*, vestiges *mpl*.

remainder [rɪ'meɪndər] *n* reste *m*.

remaining [rɪ'meɪnɪŋ] *adj* qui reste.

remake *n* ['riːmeɪk] remake *m*. ❑ *vt* [ˌriː'meɪk] refaire.

remand [rɪ'mɑːnd] *n* • **on remand** en détention préventive. ❑ *vt* • **to remand sb (in custody)** placer qqn en détention préventive.

remark [rɪ'mɑːk] *n* remarque *f*, observation *f*. ❑ *vt* • **to remark that…** faire remarquer que…

remarkable [rɪ'mɑːkəbl] *adj* remarquable.

remarkably [rɪ'mɑːkəblɪ] *adv* remarquablement.

remarriage [ˌriː'mærɪdʒ] *n* remariage *m*.

remarry [ˌriː'mærɪ] *vi* se remarier.

remedial [rɪ'miːdjəl] *adj* **1.** *(cours)* de rattrapage **2.** *(exercices, traitement)* correctif **3.** *(mesures, action)* rectificatif.

remedy ['remədɪ] *n* • **remedy (for) a)** remède *m* (pour *ou* contre) **b)** *fig* remède (à *ou* contre). ❑ *vt* remédier à.

remember [rɪ'membər] *vt* se souvenir de, se rappeler • **to remember to do sthg** ne pas oublier de faire qqch, penser à faire qqch • **to remember doing sthg** se souvenir d'avoir fait qqch, se rappeler avoir fait qqch. ❑ *vi* se souvenir, se rappeler.

remembrance [rɪ'membrəns] *n* • **in remembrance of** en souvenir *ou* mémoire de.

Remembrance Day *n* (UK & CANADA) l'Armistice *m*.

remind [rɪ'maɪnd] *vt* • **to remind sb of** *ou* **about sthg** rappeler qqch à qqn • **to remind sb to do sthg** rappeler à qqn de faire qqch, faire penser à qqn à faire qqch.

reminder [rɪ'maɪndər] *n* **1.** • **to give sb a reminder (to do sthg)** faire penser à qqn (à faire qqch) **2.** *(administration)* COMM rappel *m* **3.** pense-bête *m*.

reminisce [ˌremɪ'nɪs] *vi* évoquer des souvenirs • **to reminisce about sthg** évoquer qqch.

reminiscent [ˌremɪ'nɪsnt] *adj* • **reminiscent of** qui rappelle, qui fait penser à.

remiss [rɪ'mɪs] *adj* négligent.

remission [rɪ'mɪʃn] *n* **1.** *(indén)* **1.** remise *f* *(de dette)* **2.** rémission *f* *(maladie)*.

remit[1] [rɪ'mɪt] *vt* envoyer, verser.

remit[2] ['riːmɪt] *n* (UK) attributions *fpl*.

remittance [rɪ'mɪtns] *n* **1.** versement *m* **2.** COMM règlement *m*, paiement *m*.

remnant ['remnənt] *n* **1.** reste *m*, restant *m* **2.** coupon *m* *(de tissu)*.

remodel [ˌriː'mɒdl] ((UK) *prét & pp* **remodelled**, *cont* **remodelling**, (us) *prét & pp* **remodeled**, *cont* **remodeling**) *vt* remodeler.

remorse [rɪ'mɔːs] *n (indén)* remords *m*.

remorseful [rɪ'mɔːsfʊl] *adj* plein de remords.

remorseless [rɪ'mɔːslɪs] *adj* implacable.

remortgage [ˌriː'mɔːgɪdʒ] *vt* hypothéquer de nouveau, prendre une nouvelle hypothèque sur.

remote [rɪ'məʊt] *adj* **1.** éloigné **2.** distant **3.** *(possibilité, chance)* vague **4.** INFORM & TÉLÉCOM • **remote access** accès *m* à distance.

remote access *n* accès *m* à distance.

remote control *n* télécommande *f*.

remote-controlled [-kən'trəʊld] *adj* télécommandé.

remotely [rɪ'məʊtlɪ] *adv* **1.** • **not remotely** pas le moins du monde, absolument pas **2.** au loin.

remote user *n* utilisateur *m* distant.

remould ['riːməʊld] *n* (UK) pneu *m* rechapé.

removable [rɪ'muːvəbl] *adj* détachable, amovible.

removal [rɪ'muːvl] *n* **1.** *(indén)* enlèvement *m* *(d'un meuble)* **2.** (UK) déménagement *m*.

removal van *n* (UK) camion *m* de déménagement.

remove [rɪ'muːv] *vt* **1.** enlever **2.** faire partir *(une tache)* **3.** résoudre *(un problème)* **4.** dissiper *(des doutes)* **5.** ôter, enlever *(ses vêtements)* **6.** renvoyer *(un employé)*.

remuneration [rɪˌmjuːnə'reɪʃn] *n sout* rémunération *f*.

renaissance [rə'neɪsns] *n* renaissance *f* • **enjoy a renaissance** connaître une renaissance. ■ **Renaissance** *n* • **the Renaissance** ART & HIST la Renaissance. ❑ *en apposition* **1.** *(art, peintre)* de la Renaissance **2.** *(palais, architecture, style)* Renaissance *(inv)*.

renal ['riːnl] *adj* rénal.

rename [ˌriː'neɪm] *vt* **1.** rebaptiser **2.** changer le nom de, renommer.

render ['rendər] *vt* **1.** rendre **2.** porter *(assistance)* **3.** COMM présenter *(le compte de qqch)*.

rendering ['rendərɪŋ] *n* interprétation *f*.

rendezvous ['rɒndɪvuː] *(pl inv)* *n* rendez-vous *m inv*.

rendition [ren'dɪʃn] *n* interprétation *f* *(d'un sens)*.

renegade ['renɪgeɪd] *n* renégat *m*, -e *f*.

renege [rɪ'niːg] *vi sout* • **to renege on** manquer à, revenir sur.

renegotiate [ˌriːnɪˈɡəʊʃɪeɪt] vt renégocier. ❏ vi négocier à nouveau.

renew [rɪˈnjuː] vt **1.** renouveler (un passeport) **2.** reprendre (des négociations, des forces) • **to renew acquaintance with sb** renouer connaissance avec qqn **3.** faire renaître (l'intérêt).

renewable [rɪˈnjuːəbl] adj renouvelable.

renewable resource n ressource f renouvelable.

renewal [rɪˈnjuːəl] n **1.** reprise f **2.** renouvellement m.

renounce [rɪˈnaʊns] vt renoncer à.

renovate [ˈrenəveɪt] vt rénover.

renovation [ˌrenəˈveɪʃn] n rénovation f.

renown [rɪˈnaʊn] n renommée f.

renowned [rɪˈnaʊnd] adj • **renowned (for)** renommé (pour).

rent [rent] n loyer m. ❏ vt louer • **'to rent'** (US) à louer. ▪ **rent out** vt sép louer (en tant que propriétaire).

rental [ˈrentl] adj de location. ❏ n **1.** prix m de location **2.** loyer m.

rental car n (US) voiture f de location.

rent boy n (UK) fam jeune garçon m qui se prostitue.

rent-free adj gratuit. ❏ adv sans payer de loyer.

renumber [ˌriːˈnʌmbər] vt renuméroter.

renunciation [rɪˌnʌnsɪˈeɪʃn] n renonciation f.

reoccurrence [ˌriːəˈkʌrəns] n • **if there's a reoccurrence...** si cela se reproduit...

reopen [ˌriːˈəʊpn] vt **1.** rouvrir **2.** reprendre. ❏ vi **1.** rouvrir **2.** reprendre **3.** (blessure) se rouvrir.

reorganization, -isation (UK) [ˈriːˌɔːɡənaɪˈzeɪʃn] n réorganisation f.

reorganize, -ise (UK) [ˌriːˈɔːɡənaɪz] vt réorganiser.

rep [rep] n fam **1.** (abrév de representative) VRP m **2.** abrév de **repertory**.

repackage [ˌriːˈpækɪdʒ] vt **1.** remballer (produits) **2.** redorer fig.

repaginate [ˌriːˈpædʒɪneɪt] vt **1.** remettre en pages **2.** repaginer.

repaid [riːˈpeɪd] passé & pp → **repay**.

repaint [ˌriːˈpeɪnt] vt repeindre.

repair [rɪˈpeər] n réparation f • **in good/bad repair** en bon/mauvais état. ❏ vt réparer.

repair kit n trousse f à outils.

reparcelling [riːˈpɑːslɪŋ] n remembrement m (d'un terrain).

repartee [ˌrepɑːˈtiː] n repartie f.

repatriate [ˌriːˈpætrɪeɪt] vt rapatrier.

repatriation [ˌriːpætrɪˈeɪʃn] n rapatriement m.

repay [riːˈpeɪ] (prét & pp **repaid**) vt **1.** • **to repay sb sthg, to repay sthg to sb** rembourser qqch à qqn **2.** récompenser.

repayment [riːˈpeɪmənt] n remboursement m • **repayment options** formules fpl de remboursement.

repayment mortgage n prêt-logement m.

repeal [rɪˈpiːl] n abrogation f. ❏ vt abroger.

repeat [rɪˈpiːt] vt **1.** répéter **2.** RADIO & TV rediffuser. ❏ n RADIO & TV reprise f, rediffusion f.

repeated [rɪˈpiːtɪd] adj répété.

repeatedly [rɪˈpiːtɪdlɪ] adv à maintes reprises, très souvent.

repeat sale n vente f répétée.

repel [rɪˈpel] vt repousser.

repellent [rɪˈpelənt] adj répugnant. ❏ n • **insect repellent** crème f anti-insecte.

repent [rɪˈpent] vt se repentir de. ❏ vi • **to repent (of)** se repentir (de).

repentance [rɪˈpentəns] n (indén) repentir m.

repentant [rɪˈpentənt] adj repentant.

repercussions [ˌriːpəˈkʌʃnz] npl répercussions fpl.

repertoire [ˈrepətwɑːr] n fig THÉÂTRE répertoire m.

repertory [ˈrepətrɪ] n THÉÂTRE répertoire m.

repetition [ˌrepɪˈtɪʃn] n répétition f.

repetitious [ˌrepɪˈtɪʃəs], **repetitive** [rɪˈpetɪtɪv] adj **1.** répétitif **2.** qui a des redites.

repetitive strain injury, repetitive stress injury → RSI.

rephrase [ˌriːˈfreɪz] vt réécrire, tourner autrement.

replace [rɪˈpleɪs] vt **1.** remplacer **2.** replacer, remettre (à sa place).

replacement [rɪˈpleɪsmənt] n **1.** remplacement m **2.** replacement m **3.** • **replacement (for sb)** remplaçant m, -e f (de qqn).

replaster [ˌriːˈplɑːstər] vt replâtrer.

replay n [ˈriːpleɪ] SPORT match m rejoué. ❏ vt [ˌriːˈpleɪ] **1.** SPORT rejouer (un match) **2.** repasser (un CD, un DVD).

replenish [rɪˈplenɪʃ] vt • **to replenish one's supply of sthg** se réapprovisionner en qqch.

replete [rɪˈpliːt] adj **1.** sout rempli **2.** rassasié.

replica [ˈreplɪkə] n copie f exacte, réplique f.

replicate [ˈreplɪkeɪt] vt sout reproduire.

reply [rɪˈplaɪ] n • **reply (to)** réponse f (à). ❏ vt & vi répondre.

reply coupon n coupon-réponse m.

repopulate [ˌriːˈpɒpjʊleɪt] vt repeupler.

repopulation [ˌriːpɒpjʊˈleɪʃn] n repeuplement m.

report [rɪˈpɔːt] n **1.** rapport m, compte m rendu **2.** PRESSE reportage m **3.** (UK) bulletin m (scolaire). ❏ vt **1.** rapporter, signaler (une nouvelle, un crime) **2.** • **to report that...** annoncer que... **3.** • **to report sb (to)** dénoncer qqn (à). ❏ vi **1.** • **to report on** faire un rapport (sur) **2.** PRESSE faire un reportage (sur) **3.** • **to report (to sb/for sthg)** se présenter (à qqn/

pour qqch). ■ **report back** *vi* • **to report back (to)** présenter son rapport (à) • **can you report back on what was discussed?** pouvez-vous rapporter ce qui a été dit ?

report card *n* (us) bulletin *m* (scolaire).

reported [rɪ'pɔːtɪd] *adj* • **there have been reported sightings of dolphins off the coast** on aurait vu des dauphins près des côtes.

reportedly [rɪ'pɔːtɪdlɪ] *adv* à ce qu'il paraît.

reported speech [rɪ'pɔːtɪd-] *n* style *m* indirect.

reporter [rɪ'pɔːtər] *n* reporter *m*.

repose [rɪ'pəʊz] *n* littéraire repos *m*.

reposition [ˌriːpə'zɪʃn] *vt* repositionner.

repositioning [ˌriːpə'zɪʃnɪŋ] *n* repositionnement *m*.

repossess [ˌriːpə'zes] *vt* saisir.

repossession [ˌriːpə'zeʃn] *n* saisie *f*.

reprehensible [ˌreprɪ'hensəbl] *adj* sout répréhensible.

represent [ˌreprɪ'zent] *vt* représenter.

representation [ˌreprɪzen'teɪʃn] *n* représentation *f*.

representative [ˌreprɪ'zentətɪv] *adj* représentatif. ❏ *n* représentant *m*, -e *f*.

repress [rɪ'pres] *vt* réprimer.

repressed [rɪ'prest] *adj* **1.** refoulé (*sexuellement*) **2.** (*sentiment*) réprimé, contenu.

repression [rɪ'preʃn] *n* **1.** répression *f* **2.** refoulement *m*.

repressive [rɪ'presɪv] *adj* répressif.

reprieve [rɪ'priːv] *n* **1.** sursis *m*, répit *m* **2.** DR sursis *m*. ❏ *vt* accorder un sursis à.

reprimand ['reprɪmɑːnd] *n* réprimande *f*. ❏ *vt* réprimander.

reprint *n* ['riːprɪnt] réimpression *f*. ❏ *vt* [ˌriː'prɪnt] réimprimer.

reprisal [rɪ'praɪzl] (*indén*) *n* représailles *fpl*.

reproach [rɪ'prəʊtʃ] *n* reproche *m*. ❏ *vt* • **to reproach sb for** *ou* **with sthg** reprocher qqch à qqn.

reproachful [rɪ'prəʊtʃfʊl] *adj* **1.** réprobateur **2.** (*regard, paroles*) de reproche.

reproachfully [rɪ'prəʊtʃfʊlɪ] *adv* avec reproche • **to look at sb reproachfully** lancer des regards réprobateurs à qqn.

reproduce [ˌriːprə'djuːs] *vt* reproduire. ❏ *vi* se reproduire.

reproduction [ˌriːprə'dʌkʃn] *n* reproduction *f*.

reproductive [ˌriːprə'dʌktɪv] *adj* reproducteur.

reprogram [ˌriː'prəʊgræm] (*prét & pp* reprogrammed, *cont* reprogramming) *vt* reprogrammer.

reprogrammable [ˌriːˌprəʊ'græməbəl] *adj* reprogrammable.

reproof [rɪ'pruːf] *n* sout reproche *m*, blâme *m*.

reprove [rɪ'pruːv] *vt* sout • **to reprove sb (for)** réprimander qqn (pour).

reproving [rɪ'pruːvɪŋ] *adj* sout réprobateur.

reptile ['reptaɪl] *n* reptile *m*.

republic [rɪ'pʌblɪk] *n* république *f*.

republican [rɪ'pʌblɪkən] *n* républicain *m*, -e *f*. ■ **Republican** *adj* républicain • **the Republican Party** (us) le parti républicain.

repudiate [rɪ'pjuːdɪeɪt] *vt* sout **1.** rejeter (*une offre*) **2.** renier (*un ami*).

repugnance [rɪ'pʌgnəns] *n* sout répugnance *f*.

repugnant [rɪ'pʌgnənt] *adj* sout répugnant.

repulse [rɪ'pʌls] *vt* repousser.

repulsion [rɪ'pʌlʃn] *n* répulsion *f*.

repulsive [rɪ'pʌlsɪv] *adj* repoussant.

repulsively [rɪ'pʌlsɪvlɪ] *adv* de façon repoussante *ou* répugnante.

reputable ['repjʊtəbl] *adj* de bonne réputation.

reputation [ˌrepjʊ'teɪʃn] *n* réputation *f*.

repute [rɪ'pjuːt] *n* • **of good repute** de bonne réputation.

reputed [rɪ'pjuːtɪd] *adj* réputé • **to be reputed to be sthg** être réputé pour être qqch, avoir la réputation d'être qqch.

reputedly [rɪ'pjuːtɪdlɪ] *adv* à *ou* d'après ce qu'on dit.

request [rɪ'kwest] *n* • **request (for)** demande *f* (de) • **on request** sur demande. ❏ *vt* demander • **to request sb to do sthg** demander à qqn de faire qqch.

request stop *n* (uk) (*bus*) arrêt *m* facultatif.

requiem (mass) ['rekwɪəm-] *n* messe *f* de requiem.

require [rɪ'kwaɪər] *vt* **1.** avoir besoin de **2.** nécessiter • **to require sb to do sthg** exiger de qqn qu'il fasse qqch.

required [rɪ'kwaɪəd] *adj* exigé, requis.

requirement [rɪ'kwaɪəmənt] *n* besoin *m*.

requisite ['rekwɪzɪt] *adj* sout requis.

requisition [ˌrekwɪ'zɪʃn] *vt* réquisitionner.

reran [ˌriː'ræn] *passé* → rerun.

reread [ˌriː'riːd] (*prét & pp* reread [ˌriː'red]) *vt* relire.

reroute [ˌriː'ruːt] *vt* dérouter.

rerun *n* ['riːrʌn] **1.** TV rediffusion *f*, reprise *f* **2.** *fig* répétition *f*. ❏ *vt* [ˌriː'rʌn] (*prét* reran, *pp* rerun) **1.** réorganiser **2.** TV rediffuser **3.** repasser (*un CD, un film*).

resat [ˌriː'sæt] *passé & pp* → resit.

reschedule [(uk) ˌriː'ʃedjuːl, (us) ˌriː'skedʒʊl] *vt* **1.** changer la date de **2.** changer l'heure de.

rescind [rɪ'sɪnd] *vt* sout **1.** annuler (*un contrat*) **2.** abroger (*une loi*).

rescue ['reskjuː] *n* **1.** (*indén*) secours *mpl* **2.** sauvetage *m*. ❏ *vt* sauver, secourir.

rescuer ['reskjuər] *n* sauveteur *m*, -euse *f*.

resealable [ˌriːˈsiːləbl] *adj* qui peut être re-cacheté.

research [ˌrɪˈsɜːtʃ] *n* (indén) • **research (on** *ou* **into)** recherche *f* (sur), recherches *fpl* (sur) • **research and development** recherche et développement *m*. ❏ *vt* faire des recherches sur.

researcher [rɪˈsɜːtʃər] *n* chercheur *m*, -euse *f*.

resemblance [rɪˈzembləns] *n* • **resemblance (to)** ressemblance *f* (avec).

resemble [rɪˈzembl] *vt* ressembler à.

resent [rɪˈzent] *vt* être indigné par.

resentful [rɪˈzentful] *adj* plein de ressentiment.

resentfully [rɪˈzentfulɪ] *adv* avec ressentiment.

resentment [rɪˈzentmənt] *n* ressentiment *m*.

reservation [ˌrezəˈveɪʃn] *n* **1.** réservation *f* • **to make a reservation** faire une réservation **2.** • **without reservation** sans réserve • **to have reservations about sthg** faire *ou* émettre des réserves sur qqch. **3.** (us) réserve *f* indienne.

reserve [rɪˈzɜːv] *n* **1.** réserve *f* • **in reserve** en réserve **2.** SPORT remplaçant *m*, -e *f*. ❏ *vt* garder, réserver.

reserved [rɪˈzɜːvd] *adj* réservé.

reservoir [ˈrezəvwɑːr] *n* réservoir *m*.

reset [ˌriːˈset] (*prét & pp* reset) *vt* **1.** remettre à l'heure **2.** remettre à zéro **3.** INFORM réinitialiser.

reset button *n* bouton *m* de réinitialisation.

reshape [ˌriːˈʃeɪp] *vt* réorganiser.

reshuffle [ˌriːˈʃʌfl] *n* remaniement *m* • **cabinet reshuffle** POLIT remaniement ministériel. ❏ *vt* remanier.

reside [rɪˈzaɪd] *vi* sout résider.

residence [ˈrezɪdəns] *n* résidence *f*.

residence hall (us) = hall of residence.

residence permit *n* permis *m* de séjour.

resident [ˈrezɪdənt] *adj* **1.** résidant **2.** (domestique) à demeure. ■ *n* résident *m*, -e *f*.

residential [ˌrezɪˈdenʃl] *adj* • **residential course** stage *ou* formation avec logement sur place • **residential institution** internat *m*.

residential area *n* quartier *m* résidentiel.

residual [rɪˈzɪdjuəl] *adj* **1.** restant **2.** résiduel.

residue [ˈrezɪdjuː] *n* **1.** reste *m* **2.** résidu *m*.

resign [rɪˈzaɪn] *vt* **1.** démissionner de **2.** • **to resign o.s.** to se résigner à. ❏ *vi* • **to resign (from)** démissionner (de).

resignation [ˌrezɪgˈneɪʃn] *n* **1.** démission *f* **2.** résignation *f*.

resigned [rɪˈzaɪnd] *adj* • **resigned (to)** résigné (à).

resilience [rɪˈzɪlɪəns] *n* **1.** élasticité *f* (*d'un matériau*) **2.** ressort *m* (*d'une personne*).

resilient [rɪˈzɪlɪənt] *adj* **1.** élastique **2.** qui a du ressort.

resin [ˈrezɪn] *n* résine *f*.

resist [rɪˈzɪst] *vt* résister à.

resistance [rɪˈzɪstəns] *n* résistance *f*.

resistant [rɪˈzɪstənt] *adj* **1.** • **to be resistant to a)** résister à (*être opposé*) **b)** s'opposer à (*un changement*) **2.** • **resistant (to)** rebelle (à) (*être immunisé*). ■ **-resistant** suffixe • **heat-resistant** qui résiste à la chaleur • **water-resistant** résistant à l'eau • **flame-resistant** ignifugé.

resit (uk) *n* [ˈriːsɪt] UNIV deuxième session *f*. ❏ *vt* [ˌriːˈsɪt] (*prét & pp* resat) repasser, se représenter à (*un examen*).

resize [ˌriːˈsaɪz] *vt* INFORM redimensionner (*fenêtre à l'écran*).

resolute [ˈrezəluːt] *adj* résolu.

resolutely [ˈrezəluːtlɪ] *adv* résolument.

resolution [ˌrezəˈluːʃn] *n* résolution *f*.

resolve [rɪˈzɒlv] *n* (indén) résolution *f*. ❏ *vt* **1.** • **to resolve (that)...** décider que... • **to resolve to do sthg** résoudre *ou* décider de faire qqch **2.** résoudre.

resonate [ˈrezəneɪt] *vi* résonner.

resort [rɪˈzɔːt] *n* **1.** lieu *m* de vacances **2.** recours *m* • **as a last resort, in the last resort** en dernier ressort. ■ **resort to** *vt insép* recourir à.

resound [rɪˈzaund] *vi* **1.** résonner **2.** • **to resound with** retentir de.

resounding [rɪˈzaundɪŋ] *adj* **1.** retentissant **2.** sonore **3.** violent.

resoundingly [rɪˈzaundɪŋlɪ] *adv* **1.** (*gagner*) d'une manière retentissante *ou* décisive • **to be resoundingly beaten** être battu à plate couture **2.** (*critiquer*) sévèrement.

resource [rɪˈsɔːs] *n* ressource *f*.

resourceful [rɪˈsɔːsful] *adj* plein de ressources, débrouillard.

resourcefully [rɪˈsɔːsfulɪ] *adv* ingénieusement.

resourcefulness [rɪˈsɔːsfulnɪs] *n* (indén) ressource *f*.

respect [rɪˈspekt] *n* **1.** • **respect (for)** respect *m* (pour) • **with respect** avec respect • **with respect,...** sauf votre respect,... **2.** • **in this** *ou* **that respect** à cet égard • **in some respects** à certains égards. ❏ *vt* respecter • **to respect sb for sthg** respecter qqn pour qqch. ■ **respects** *npl* respects *mpl*, hommages *mpl*. ■ **with respect to** *prép* en ce qui concerne.

respectability [rɪˌspektəˈbɪlətɪ] *n* respectabilité *f*.

respectable [rɪˈspektəbl] *adj* **1.** respectable **2.** raisonnable, honorable.

respectably [rɪˈspektəblɪ] *adv* convenablement.

respected [rɪˈspektɪd] *adj* respecté.

respectful [rɪˈspektful] *adj* respectueux.

respectfully [rɪˈspektfulɪ] *adv* avec respect, respectueusement.

respective [rɪˈspektɪv] *adj* respectif.

respectively [rɪ'spektɪvlɪ] *adv* respectivement.

respiration [ˌrespə'reɪʃn] *n* respiration *f*.

respiratory [(UK) rɪ'spɪrətrɪ, (US) 'respərətɔːrɪ] *adj* respiratoire.

respire [rɪ'spaɪə⟩] *vi* respirer.

respite ['respaɪt] *n* répit *m*.

resplendent [rɪ'splendənt] *adj littéraire* resplendissant.

respond [rɪ'spɒnd] *vi* • **to respond (to)** répondre (à).

response [rɪ'spɒns] *n* réponse *f*.

responsibility [rɪˌspɒnsə'bɪlətɪ] *n* • **responsibility (for)** responsabilité *f* (de).

responsible [rɪ'spɒnsəbl] *adj* 1. • **responsible (for sthg)** responsable (de qqch) • **to be responsible to sb** être responsable devant qqn 2. qui comporte des responsabilités.

responsibly [rɪ'spɒnsəblɪ] *adv* de façon responsable.

responsive [rɪ'spɒnsɪv] *adj* 1. qui réagit bien 2. • **responsive (to)** attentif (à).

rest [rest] *n* 1. • **the rest (of)** le reste (de) • **the rest (of them)** les autres *mf pl* 2. repos *m* • **to have a rest** se reposer 3. support *m*, appui *m*. ❏ *vt* 1. faire *ou* laisser reposer 2. • **to rest sthg on/against** appuyer qqch sur/contre. ❏ *vi* 1. se reposer 2. • **to rest on/against** s'appuyer sur/contre 3. *fig* • **to rest on** reposer sur 4. • **rest assured** soyez certain.

restart [ˌriː'stɑːt] *vt* 1. remettre en marche 2. reprendre *(le travail)*, recommencer 3. redémarrer *(ordinateur)*, relancer *(programme)*. ❏ *vi* 1. *(film)* reprendre 2. se remettre en marche.

restaurant ['restərɒnt] *n* restaurant *m*.

restaurant car *n* (UK) wagon-restaurant *m*.

rested ['restɪd] *adj* reposé.

restful ['restfʊl] *adj* reposant.

rest home *n* maison *f* de repos.

restive ['restɪv] *adj* agité.

restless ['restlɪs] *adj* agité.

restlessly ['restlɪslɪ] *adv* avec agitation.

restlessness ['restlɪsnɪs] *n* 1. nervosité *f*, agitation *f* 2. impatience *f*.

restoration [ˌrestə'reɪʃn] *n* 1. rétablissement *m* 2. restauration *f*.

restorative [rɪ'stɒrətɪv] *adj sout* fortifiant.

restore [rɪ'stɔː⟩] *vt* 1. rétablir *(l'ordre)* 2. redonner *(la confiance)* 3. restaurer *(un bâtiment, un tableau)* 4. rendre, restituer.

restrain [rɪ'streɪn] *vt* 1. contenir, retenir *(la foule)* 2. maîtriser, contenir *(ses émotions)* • **to restrain o.s. from doing sthg** se retenir de faire qqch.

restrained [rɪ'streɪnd] *adj* 1. mesuré 2. qui se domine.

restraint [rɪ'streɪnt] *n* 1. restriction *f*, entrave *f* 2. *(indén)* mesure *f*, retenue *f*.

restrict [rɪ'strɪkt] *vt* restreindre, limiter.

restricted [rɪ'strɪktɪd] *adj* 1. limité 2. confidentiel ; *(zone)* interdit.

restriction [rɪ'strɪkʃn] *n* restriction *f*, limitation *f*.

restrictive [rɪ'strɪktɪv] *adj* restrictif.

rest room *n* (US) toilettes *fpl*.

result [rɪ'zʌlt] *n* résultat *m* • **as a result** en conséquence • **as a result of a)** à la suite de **b)** à cause de. ❏ *vi* 1. • **to result in** aboutir à 2. • **to result (from)** résulter (de).

resume [rɪ'zjuːm] *vt & vi* reprendre.

résumé ['rezjuːmeɪ] *n* 1. résumé *m* 2. (US) curriculum vitae *m inv*, CV *m*.

resumption [rɪ'zʌmpʃn] *n* reprise *f*.

resurface [ˌriː'sɜːfɪs] *vt* regoudronner. ❏ *vi (problèmes)* réapparaître.

resurgence [rɪ'sɜːdʒəns] *n* réapparition *f*.

resurrect [ˌrezə'rekt] *vt fig* ressusciter.

resurrection [ˌrezə'rekʃn] *n fig* résurrection *f*.

resuscitate [rɪ'sʌsɪteɪt] *vt* réanimer.

resuscitation [rɪˌsʌsɪ'teɪʃn] *n* réanimation *f*.

retail ['riːteɪl] *n (indén)* détail *m*. ❏ *adv* au détail.

retailer ['riːteɪlə⟩] *n* détaillant *m*, -e *f*.

retail price *n* prix *m* de détail.

retail therapy *n* • **to do some retail therapy** *fam* faire du shopping pour se remonter le moral.

retain [rɪ'teɪn] *vt* conserver.

retainer [rɪ'teɪnə⟩] *n* provision *f*.

retake *vt* [ˌriː'teɪk] *(prét* retook [-'tʊk], *pp* retaken [-'teɪkn]) 1. reprendre *(une forteresse)* 2. repasser *(un examen)* 3. reprendre, refaire *(une scène sur le tournage)*. ❏ *n* ['riːteɪk] 1. nouvelle session *f (d'examens)* 2. nouvelle prise *f (de vues)*.

retaliate [rɪ'tælɪeɪt] *vi* rendre la pareille, se venger.

retaliation [rɪˌtælɪ'eɪʃn] *n (indén)* vengeance *f*, représailles *fpl*.

retarded [rɪ'tɑːdɪd] *adj injur* retardé.

retch [retʃ] *vi* avoir des haut-le-cœur.

retentive [rɪ'tentɪv] *adj (mémoire)* fidèle.

rethink *n* ['riːθɪŋk] • **to have a rethink (on** *ou* **about sthg)** repenser (qqch). ❏ *vt & vi* [ˌriː'θɪŋk] *(prét & pp* rethought [-'θɔːt]) repenser.

reticent ['retɪsənt] *adj* peu communicatif • **to be reticent about sthg** ne pas beaucoup parler de qqch.

retina ['retɪnə] *(pl* -nas *ou* -nae) *n* rétine *f*.

retinue ['retɪnjuː] *n (escorte)* suite *f*.

retire [rɪ'taɪə⟩] *vi* 1. prendre sa retraite 2. se retirer 3. *sout (aller)* se coucher.

retired [rɪ'taɪəd] *adj* à la retraite, retraité.

retirement [rɪ'taɪəmənt] *n* retraite *f*.

retirement age *n* âge *m* de la retraite.

retirement pension *n* retraite *f*.

retiring [rɪ'taɪərɪŋ] *adj* réservé.

retort [rɪ'tɔːt] *n* riposte *f*. ▢ *vt* riposter.

retouch [ˌriː'tʌtʃ] *vt* retoucher.

retrace [rɪ'treɪs] *vt* • **to retrace one's steps** revenir sur ses pas.

retract [rɪ'trækt] *vt* **1.** rétracter **2.** rentrer, escamoter *(un train d'atterrissage)* **3.** rentrer *(ses griffes)*.

retraction [rɪ'trækʃn] *n* rétractation *f*.

retrain [ˌriː'treɪn] *vt* recycler.

retraining [ˌriː'treɪnɪŋ] *n* recyclage *m*.

retread *n* ['riːtred] pneu *m* rechapé.

retreat [rɪ'triːt] *n* retraite *f*. ▢ *vi* **1.** se retirer **2.** MIL battre en retraite.

retribution [ˌretrɪ'bjuːʃn] *n* châtiment *m*.

retrieval [rɪ'triːvl] *n (indén)* INFORM recherche *f* et extraction *f*.

retrieve [rɪ'triːv] *vt* **1.** récupérer **2.** INFORM rechercher et extraire.

retriever [rɪ'triːvə] *n* retriever *m*.

retro ['retrəʊ] *adj* rétro *(inv)* • **retro fashion** la mode rétro.

retrograde ['retrəgreɪd] *adj sout* rétrograde.

retrogressive [ˌretrə'gresɪv] *adj sout* rétrograde.

retrospect ['retrəspekt] *n* • **in retrospect** après coup.

retrospective [ˌretrə'spektɪv] *adj* **1.** rétrospectif **2.** rétroactif.

retrospectively [ˌretrə'spektɪvlɪ] *adv* **1.** rétrospectivement **2.** rétroactivement.

return [rɪ'tɜːn] *n* **1.** *(indén)* retour *m* **2.** TENNIS • **return of service** retour *m* de service **3.** (UK) aller et retour *m* **4.** rapport *m*, rendement *m*. ▢ *vt* **1.** rendre **2.** rembourser **3.** rapporter **4.** renvoyer **5.** remettre. ▢ *vi* **1.** revenir **2.** retourner. ■ **in return** *adv* en retour, en échange. ■ **in return for** *prép* en échange de. ■ **returns** *npl* COMM recettes *fpl* • **many happy returns (of the day)!** bon anniversaire !

return key *n* touche *f* entrée.

return match *n* match *m* retour.

return ticket *n* (UK) aller et retour *m*.

reunification [ˌriːjuːnɪfɪ'keɪʃn] *n* réunification *f*.

reunify [ˌriː'juːnɪfaɪ] *(prét & pp* **reunified)** *vt* réunifier.

reunion [ˌriː'juːnjən] *n* réunion *f*.

reunite [ˌriːjuː'naɪt] *vt* • **to be reunited with sb** retrouver qqn.

reusable [riː'juːzəbl] *adj* réutilisable.

reuse *n* [ˌriː'juːs] réutilisation *f*. ▢ *vt* [ˌriː'juːz] réutiliser.

rev [rev] *fam n* (abrév de revolution) tour *m*. ▢ *vt* • **to rev the engine (up)** emballer le moteur.

revamp [ˌriː'væmp] *vt fam* **1.** réorganiser **2.** retaper.

reveal [rɪ'viːl] *vt* révéler.

revealing [rɪ'viːlɪŋ] *adj* **1.** décolleté **2.** qui laisse deviner le corps **3.** révélateur.

reveille [(UK) rɪ'væl, (US) 'revəli] *n* réveil *m*.

revel ['revl] [(UK) *prét & pp* **revelled**, *cont* **revelling,** (US) *prét & pp* **reveled,** *cont* **reveling)** *vi* • **to revel in sthg** se délecter de qqch.

revelation [ˌrevə'leɪʃn] *n* révélation *f*.

reveller (UK)**, reveler** (US) ['revələr] *n* fêtard *m, -e f*.

revenge [rɪ'vendʒ] *n* vengeance *f* • **to take revenge (on sb)** se venger (de qqn). ▢ *vt* venger • **to revenge o.s. on sb** se venger de qqn.

revenue ['revənjuː] *n* revenu *m*.

reverberate [rɪ'vɜːbəreɪt] *vi* **1.** retentir, se répercuter **2.** *fig* avoir des répercussions.

reverberations [rɪ,vɜːbə'reɪʃnz] *npl* **1.** réverbérations *fpl* **2.** *fig* répercussions *fpl*.

revere [rɪ'vɪər] *vt* révérer, vénérer.

reverence ['revərəns] *n* révérence *f*, vénération *f*.

Reverend ['revərənd] *n* révérend *m*.

reverent ['revərənt] *adj* respectueux.

reverie ['revərɪ] *n littéraire* rêverie *f*.

reversal [rɪ'vɜːsl] *n* **1.** revirement *m* **2.** revers *m* de fortune.

reverse [rɪ'vɜːs] *adj* inverse. ▢ *n* **1.** AUTO • **reverse (gear)** marche *f* arrière **2.** • **the reverse** le contraire **3.** • **the reverse a)** le verso, le dos **b)** le revers. ▢ *vt* **1.** inverser **2.** renverser **3.** retourner. ▢ *vi* AUTO faire marche arrière.

reverse-charge call *n* (UK) appel *m* en PCV.

reverse discrimination *n discrimination à l'encontre d'un groupe normalement privilégié.*

reversible [rɪ'vɜːsəbl] *adj* réversible.

reversing light [rɪ'vɜːsɪŋ-] *n* (UK) feu *m* de marche arrière.

revert [rɪ'vɜːt] *vi* • **to revert to** retourner à.

review [rɪ'vjuː] *n* **1.** révision *f* **2.** examen *m* **3.** critique *f*, compte rendu *m*. ▢ *vt* **1.** réviser **2.** examiner **3.** faire la critique de **4.** MIL passer en revue.

reviewer [rɪ'vjuːər] *n* critique *mf*.

revile [rɪ'vaɪl] *vt* injurier.

revise [rɪ'vaɪz] *vt* **1.** modifier **2.** corriger **3.** (UK) réviser • **to revise for an exam** réviser pour un examen.

revised [rɪ'vaɪzd] *adj* **1.** *(chiffres, estimations)* nouveau **2.** revu et corrigé.

revision [rɪ'vɪʒn] *n* révision *f (changement)* • **to do some revision** faire des révisions.

revisit [ˌriː'vɪzɪt] *vt* visiter de nouveau.

revitalize, -ise (UK) [ˌriː'vaɪtəlaɪz] *vt* revitaliser.

revival [rɪ'vaɪvl] *n* **1.** reprise *f (de l'économie)* **2.** regain *m (d'intérêt)*.

revive [rɪ'vaɪv] *vt* **1.** ranimer *(une personne)* **2.** relancer *(l'économie)* **3.** faire renaître *(l'intérêt)* **4.** rétablir *(une tradition)* **5.** reprendre *(un* *spectacle)* **6.** ranimer, raviver *(des souvenirs).* ❏ *vi* **1.** reprendre connaissance **2.** *(économie)* repartir, reprendre **3.** *(espoirs)* renaître.

revoke [rɪ'vəʊk] *vt* **1.** annuler *(décision, ordre)* **2.** révoquer, annuler *(testament)* **3.** retirer *(permis, droit).*

revolt [rɪ'vəʊlt] *n* révolte *f.* ❏ *vt* révolter, dégoûter. ❏ *vi* se révolter.

revolting [rɪ'vəʊltɪŋ] *adj* **1.** dégoûtant **2.** infect.

revolution [,revə'luːʃn] *n* **1.** révolution *f* **2.** *TECHNOL* tour *m*, révolution *f.*

revolutionary [,revə'luːʃnərɪ] *adj & n* révolutionnaire.

revolutionize, -ise (UK) [,revə'luːʃənaɪz] *vt* révolutionner.

revolve [rɪ'vɒlv] *vi* • **to revolve (around)** tourner (autour de).

revolver [rɪ'vɒlvəʳ] *n* revolver *m.*

revolving [rɪ'vɒlvɪŋ] *adj* **1.** tournant **2.** *(fauteuil, chaise)* pivotant.

revolving door *n* tambour *m.*

revue [rɪ'vjuː] *n* revue *f.*

revulsion [rɪ'vʌlʃn] *n* répugnance *f.*

reward [rɪ'wɔd] *n* récompense *f.* ❏ *vt* • **to reward sb (for/with sthg)** récompenser qqn (de/par qqch).

rewarding [rɪ'wɔdɪŋ] *adj* **1.** *(travail)* qui donne de grandes satisfactions **2.** *(livre)* qui vaut la peine d'être lu.

rewind [,riː'waɪnd] *(prét & pp rewound)* *vt* rembobiner.

rewire [,riː'waɪəʳ] *vt* refaire l'installation électrique de.

reword [,riː'wɜːd] *vt* reformuler.

rework [,riː'wɜːk] *vt* retravailler.

rewound [,riː'waʊnd] *passé & pp* → **rewind.**

rewritable [,riː'raɪtəbl] *adj* réinscriptible.

rewrite [,riː'raɪt] *(prét rewrote* [,riː'rəʊt]*, pp rewritten* [,riː'rɪtn]*)* *vt* récrire.

rewriting [,riː'raɪtɪŋ] *n* récriture *f*, rewriting *m.*

Reykjavik ['rekjəvɪk] *n* Reykjavik.

rhapsody ['ræpsədɪ] *n* rhapsodie *f* • **to go into rhapsodies about sthg** s'extasier sur qqch.

rhetoric ['retərɪk] *n* rhétorique *f.*

rhetorical question [rɪ'tɒrɪkl-] *n* question *f* pour la forme.

rheumatism ['ruːmətɪzm] *n (indén)* rhumatisme *m.*

Rhine [raɪn] *n* • **the (River) Rhine** le Rhin.

rhino ['raɪnəʊ] *(pl inv ou -s)*, **rhinoceros** [raɪ'nɒsərəs] *(pl inv ou -es)* *n* rhinocéros *m.*

rhododendron [,rəʊdə'dendrən] *n* rhododendron *m.*

Rhône [rəʊn] *n* • **the (River) Rhône** le Rhône.

rhubarb ['ruːbɑːb] *n* rhubarbe *f.*

rhyme [raɪm] *n* **1.** rime *f* **2.** poème *m.* ❏ *vi* • **to rhyme (with)** rimer (avec).

rhythm ['rɪðm] *n* rythme *m.*

rhythmic(al) ['rɪðmɪk(l)] *adj* rythmique.

rhythmically ['rɪðmɪklɪ] *adv* rythmiquement.

rib [rɪb] *n* **1.** *ANAT* côte *f* **2.** baleine *f (de parapluie)* **3.** membrure *f.*

ribbed [rɪbd] *adj* à côtes.

ribbon ['rɪbən] *n* ruban *m.*

rib cage *n* cage *f* thoracique.

rice [raɪs] *n* riz *m.*

rice field *n* rizière *f.*

rice pudding *n* riz *m* au lait.

rich [rɪtʃ] *adj* **1.** riche **2.** somptueux • **to be rich in** être riche en. ❏ *npl* • **the rich** les riches *mpl.* ■ **riches** *npl* richesses *fpl*, richesse *f.*

richly ['rɪtʃlɪ] *adv* **1.** largement **2.** très bien **3.** richement.

richness ['rɪtʃnɪs] *n (indén)* richesse *f.*

rickets ['rɪkɪts] *n (indén)* rachitisme *m.*

rickety ['rɪkətɪ] *adj* branlant.

rickshaw ['rɪkʃɔ] *n* pousse-pousse *m inv.*

ricochet ['rɪkəʃeɪ] *n* ricochet *m.* ❏ *vi (prét & pp* **ricocheted** *ou* **ricochetted**, *cont* **ricocheting** *ou* **ricochetting)** • **to ricochet (off)** ricocher (sur).

rid [rɪd] *vt (prét & pp* **ridded** *ou pp* **rid)** • **to rid sb/ sthg of** débarrasser qqn/qqch de • **to get rid of** se débarrasser de.

riddance ['rɪdəns] *n fam* • **good riddance!** bon débarras !

ridden ['rɪdn] *pp* → **ride.**

-ridden *suffixe* • **flea-ridden** infesté de puces • **debt-ridden** criblé de dettes.

riddle ['rɪdl] *n* énigme *f.*

riddled ['rɪdld] *adj* • **to be riddled with** être criblé de.

ride [raɪd] *n* **1.** promenade *f*, tour *m* • **to go for a ride a)** faire une promenade à cheval **b)** faire une promenade à vélo **c)** faire un tour en voiture • **to take sb for a ride** *fam & fig* faire marcher qqn **2.** • **to give sb a ride** emmener qqn en voiture. ❏ *vt (prét* **rode**, *pp* **ridden)** **1.** • **to ride a horse/a bicycle** monter à cheval/à bicyclette **2.** (US) prendre *(le bus, le métro, l'ascenseur)* **3.** parcourir. ❏ *vi (prét* **rode**, *pp* **ridden)** **1.** monter à cheval **2.** faire du vélo • **to ride in a car/bus** aller en voiture/bus **3.** • **to be riding high** *fig* avoir le vent en poupe.

rider ['raɪdəʳ] *n* **1.** cavalier *m*, -ère *f* **2.** cycliste *mf* **3.** motocycliste *mf.*

ridge [rɪdʒ] *n* **1.** crête *f*, arête *f* **2.** strie *f.*

ridicule ['rɪdɪkjuːl] *n* ridicule *m.* ❏ *vt* ridiculiser.

ridiculous [rɪ'dɪkjʊləs] *adj* ridicule.

ridiculously [rɪ'dɪkjʊləslɪ] *adv* ridiculement.

riding ['raɪdɪŋ] *n* équitation *f.*

riding school *n* école *f* d'équitation.

rife [raɪf] *adj* répandu.

riffraff ['rɪfræf] n racaille f.

rifle ['raɪfl] n fusil m. ❏ vt vider (un tiroir, un sac). ■ **rifle through** vt insép fouiller dans.

rifle range n **1.** stand m de tir **2.** champ m de tir.

rift [rɪft] n **1.** GÉOL fissure f. **2.** désaccord m.

rig [rɪɡ] n **1.** • (oil) rig a) derrick m b) (en mer) plate-forme f de forage **2.** (US) semi-remorque m. ❏ vt truquer. ■ **rig up** vt sép installer avec les moyens du bord.

rigging ['rɪɡɪŋ] n gréement m (d'un navire).

right [raɪt] adj **1.** juste, exact **2.** bon • **to be right (about)** avoir raison (au sujet de) **3.** bien (inv) • **to be right to do sthg** avoir raison de faire qqch **4.** qui convient **5.** droit **6.** (UK) fam véritable. ❏ n **1.** (indén) bien m • **to be in the right** avoir raison **2.** droit m • **by rights** en toute justice **3.** droite f. ❏ adv **1.** correctement **2.** à droite **3.** • **right down/up** tout en bas/en haut • **right here** ici (même) • **right in the middle** en plein milieu • **go right to the end of the street** allez tout au bout de la rue • **right now** tout de suite • **right away** immédiatement. ❏ vt **1.** réparer (une injustice) **2.** redresser (un bateau, une voiture). ❏ interj bon ! ■ **Right** n • **the Right** la droite.

right angle n angle m droit • **to be at right angles (to)** faire un angle droit (avec).

right-angled triangle n (UK) triangle m rectangle.

right-click vt & vi cliquer avec le bouton droit de la souris sur.

righteous ['raɪtʃəs] adj sout **1.** droit **2.** justifié.

rightful ['raɪtfʊl] adj sout légitime.

rightfully ['raɪtfʊlɪ] adv sout légitimement.

right-hand adj de droite • **right-hand side** droite f, côté m droit.

right-hand drive adj avec conduite à droite.

right-handed [-'hændɪd] adj droitier.

right-hand man n bras m droit.

rightly ['raɪtlɪ] adv **1.** correctement **2.** bien **3.** à juste titre.

right of asylum n droit m d'asile.

right of way n **1.** AUTO priorité f **2.** droit m de passage.

right-on adj (UK) fam idéologiquement correct.

rightsize ['raɪtsaɪz] vt réduire les effectifs de.

rightsizing ['raɪt,saɪzɪŋ] n réduction f des effectifs.

right wing n POLIT • **the right wing** la droite. ■ **right-wing** adj POLIT de droite.

rigid ['rɪdʒɪd] adj **1.** rigide **2.** strict.

rigidly ['rɪdʒɪdlɪ] adv **1.** rigidement **2.** strictement (durement).

rigmarole ['rɪɡmərəʊl] n péj **1.** comédie f **2.** galimatias m.

rigor (US) = rigour.

rigorous ['rɪɡərəs] adj rigoureux.

rigorously ['rɪɡərəslɪ] adv rigoureusement.

rigour (UK), **rigor** (US) ['rɪɡər] n rigueur f.

rile [raɪl] vt agacer.

rim [rɪm] n **1.** bord m **2.** jante f (d'une roue) **3.** monture f (de lunettes).

rind [raɪnd] n **1.** peau f (d'un fruit) **2.** croûte f (d'un fromage) **3.** couenne f (de lard).

ring [rɪŋ] n **1.** (UK) • **to give sb a ring** passer un coup de téléphone à qqn **2.** sonnerie f **3.** anneau m **4.** bague f **5.** rond m (de serviette) **6.** cercle m **7.** ring m **8.** réseau m. ❏ vt (prét rang, pp rung) **1.** (UK) téléphoner à **2.** (faire) sonner • **to ring the doorbell** sonner à la porte **3.** (prét & pp ringed) entourer. ❏ vi (prét rang, pp rung) **1.** (UK) téléphoner **2.** sonner • **to ring for sb** sonner qqn **3.** • **to ring with** résonner de. ■ **ring back** vt sép & vi (UK) rappeler. ■ **ring in** vi insép (UK) téléphoner • **listeners are encouraged to ring in** on encourage les auditeurs à téléphoner (au studio). ❏ vt sép • **to ring the New Year in** sonner les cloches pour annoncer la nouvelle année. ■ **ring off** vi (UK) raccrocher. ■ **ring up** vt sép (UK) appeler.

ring binder n classeur m à anneaux.

ring finger n annulaire m.

ringing ['rɪŋɪŋ] n **1.** sonnerie f. **2.** tintement m.

ringing tone n sonnerie f.

ringleader ['rɪŋ,liːdər] n chef m.

ringlet ['rɪŋlɪt] n (coiffure) anglaise f.

ring road n (UK) (route f) périphérique m.

ring tone n sonnerie f.

rink [rɪŋk] n **1.** patinoire f **2.** skating m.

rinse [rɪns] vt rincer • **to rinse one's mouth out** se rincer la bouche.

riot ['raɪət] n émeute f • **to run riot** se déchaîner. ❏ vi participer à une émeute.

rioter ['raɪətər] n émeutier m, -ère f.

rioting ['raɪətɪŋ] n (indén) émeutes fpl.

riotous ['raɪətəs] adj **1.** tapageur **2.** séditieux **3.** bruyant.

riot police npl ≃ CRS mpl.

rip [rɪp] n déchirure f, accroc m. ❏ vt **1.** déchirer **2.** arracher. ❏ vi se déchirer. ■ **rip off** vt sép fam **1.** arnaquer (une personne) **2.** copier (un produit, une idée). ■ **rip up** vt sép déchirer • **to rip up the rulebook** fig passer outre le règlement.

RIP (abrév de rest in peace) qu'il/elle repose en paix.

ripe [raɪp] adj (fruit) mûr.

ripen ['raɪpn] vt & vi mûrir.

rip-off n fam • **that's a rip-off!** c'est de l'escroquerie ou de l'arnaque !

ripped [rɪpt] adj (US) fam • **to be ripped, to have a ripped body** être super musclé.

ripple ['rɪpl] *n* ondulation *f*, ride *f* • **a ripple of applause** des applaudissements discrets. ❏ *vt* rider.

rise [raɪz] *n* **1.** augmentation *f*, hausse *f* **2.** (UK) augmentation *f* (de salaire) **3.** ascension *f* **4.** côte *f*, pente *f* **5.** • **to give rise to** donner lieu à. ❏ *vi* (*prét* rose, *pp* risen ['rɪzn]) **1.** s'élever, monter • **to rise to power** arriver au pouvoir • **to rise to fame** devenir célèbre • **to rise to the occasion** se montrer à la hauteur de la situation **2.** se lever **3.** augmenter **4.** (voix, niveau) s'élever **5.** (rebelles) se soulever. ■ **rise above** *vt insép* **1.** surmonter (problème) **2.** ne pas faire cas de (argument).

rising ['raɪzɪŋ] *adj* **1.** (marée) montant • **rising sea levels** la montée du niveau de la mer **2.** en hausse **3.** à l'avenir prometteur. ❏ *n* soulèvement *m*.

risk [rɪsk] *m* risque *m*, danger *m* • **to take risks** prendre des risques • **at one's own risk** à ses risques et périls • **at risk** en danger. ❏ *vt* risquer • **to risk doing sthg** courir le risque de faire qqch.

risk assessment *n* évaluation *f* des risques.

risky ['rɪskɪ] *adj* risqué.

risotto [rɪ'zɒtəʊ] (*pl* -s) *n* risotto *m*.

risqué ['riːskeɪ] *adj* risqué, osé.

rissole ['rɪsəʊl] *n* rissole *f*.

rite [raɪt] *n* rite *m*.

ritual ['rɪtʃʊəl] *adj* rituel. ❏ *n* rituel *m*.

rival ['raɪvl] *adj* rival, concurrent. ❏ *n* rival *m*, -e *f*. ❏ *vt* ((UK) *prét & pp* rivalled, *cont* rivalling, (US) *prét & pp* rivaled, *cont* rivaling) rivaliser avec.

rivalry ['raɪvlrɪ] *n* rivalité *f*.

river ['rɪvə^r] *n* rivière *f*, fleuve *m*.

river bank *n* berge *f*, rive *f*.

riverbed ['rɪvəbed] *n* lit *m* (de rivière *ou* de fleuve).

riverside ['rɪvəsaɪd] *n* • **the riverside** le bord de la rivière *ou* du fleuve.

rivet ['rɪvɪt] *n* rivet *m*. ❏ *vt* **1.** river, riveter **2.** *fig* • **to be riveted by** être fasciné par.

riveting ['rɪvɪtɪŋ] *adj fig* fascinant.

Riviera [ˌrɪvɪ'eərə] *n* • **the French Riviera** la Côte d'Azur • **the Italian Riviera** la Riviera italienne.

RLR *abrév de* **earlier**.

rly *abrév de* **really**.

RMT (*abrév de* National Union of Rail, Maritime and Transport Workers) *n* syndicat britannique des transports.

road [rəʊd] *n* **1.** route *f* • **road maintenance** voirie *f* • **by road** par la route **2.** chemin *m* • **on the road to** *fig* sur le chemin de **3.** rue *f*.

roadblock ['rəʊdblɒk] *n* barrage *m* routier.

road hog *n fam & péj* chauffard *m*.

road map *n* carte *f* routière.

road rage *n* accès de colère de la part d'un automobiliste, se traduisant parfois par un acte de violence.

road safety *n* sécurité *f* routière.

roadside ['rəʊdsaɪd] *n* • **the roadside** le bord de la route.

road sign *n* panneau *m* de signalisation.

road tax *n* (UK) ≃ vignette *f*.

roadtrip ['rəʊdtrɪp] *n* **1.** (US) promenade *f* en voiture (de courte durée) **2.** voyage *m* en voiture (long).

roadway ['rəʊdweɪ] *n* chaussée *f*.

roadwork ['rəʊdwɜːk] *n* (US) = **roadworks**.

roadworks ['rəʊdwɜːks] *npl* (UK) travaux *mpl* (de réfection des routes).

roadworthy ['rəʊdˌwɜːðɪ] *adj* en bon état de marche.

roam [rəʊm] *vt* errer dans. ❏ *vi* errer.

roaming ['rəʊmɪŋ] *adj* **1.** vagabond **2.** (animal) errant **3.** itinérant. ❏ *n* **1.** vagabondage *m* **2.** itinérance *f* (réseau mobile).

roar [rɔː^r] *vi* **1.** (lion) rugir **2.** (mer, vent) mugir **3.** (tonnerre) gronder **4.** (moteur) vrombir **5.** • **to roar with laughter** se tordre de rire. ❏ *vt* hurler. ❏ *n* **1.** rugissement *m* **2.** mugissement *m* **3.** grondement *m* **4.** vrombissement *m*.

roaring ['rɔːrɪŋ] *adj* • **a roaring fire** une belle flambée • **roaring drunk** complètement saoul.

roast [rəʊst] *adj* rôti. ❏ *n* rôti *m*. ❏ *vt* **1.** rôtir **2.** griller.

roast beef *n* rôti *m* de bœuf, rosbif *m*.

rob [rɒb] *vt* **1.** voler **2.** dévaliser • **to rob sb of sthg a)** voler *ou* dérober qqch à qqn **b)** enlever qqch à qqn.

robber ['rɒbə^r] *n* voleur *m*, -euse *f*.

robbery ['rɒbərɪ] *n* vol *m*.

robe [rəʊb] *n* **1.** robe *f* **2.** (surtout US) peignoir *m*.

robin ['rɒbɪn] *n* rouge-gorge *m*.

robot ['rəʊbɒt] *n* robot *m*.

robust [rəʊ'bʌst] *adj* robuste.

rock [rɒk] *n* **1.** (indén) roche *f* **2.** rocher *m* **3.** (US) caillou *m* **4.** rock *m* **5.** (UK) sucre *m* d'orge. ❏ *en apposition* de rock. ❏ *vt* **1.** bercer **2.** balancer **3.** secouer. ❏ *vi* **1.** (se) balancer **2.** *fam* être super • **this really rocks!** ça décoiffe ! ■ **on the rocks** *adv* **1.** avec des glaçons **2.** près de la rupture.

rock and roll *n* rock *m*, rock and roll *m*.

rock bottom *n* • **at rock bottom** au plus bas • **to hit rock bottom** toucher le fond. ■ **rock-bottom** *adj* sacrifié.

rock climbing *n* varappe *f* • **to go rock climbing** faire de la varappe.

rockery ['rɒkərɪ] *n* (UK) rocaille *f*.

rocket ['rɒkɪt] *n* fusée *f*, roquette *f*. ❏ *vi* monter en flèche.

rocket launcher [-ˌlɔːntʃə^r] *n* lance-fusées *m inv*, lance-roquettes *m inv*.

rocking chair *n* fauteuil *m* à bascule, rocking-chair *m*.

rocking horse *n* cheval *m* à bascule.

rock music *n* rock *m*.

rock'n'roll [ˌrɒkən'rəʊl] = rock and roll.

rock-solid *adj* inébranlable.

rock star *n* rock star *f*.

rocksteady [ˌrɒk'stedɪ] *n* rocksteady *m*.

rocky ['rɒkɪ] *adj* **1.** rocailleux, caillouteux **2.** *fig* précaire.

Rocky Mountains *npl* • **the Rocky Mountains** les montagnes *fpl* Rocheuses.

rod [rɒd] *n* **1.** tige *f* **2.** baguette *f* • **(fishing) rod** canne *f* à pêche.

rode [rəʊd] *passé* → ride.

rodent ['rəʊdənt] *n* rongeur *m*.

roe [rəʊ] *n* (*indén*) œufs *mpl* de poisson.

roe deer *n* chevreuil *m*.

ROFLOL *SMS* (abrév de rolling on the floor laughing out loud) MDR.

rogue [rəʊg] *n* **1.** coquin *m*, -e *f* **2.** *vieilli* filou *m*, crapule *f*.

roguishness ['rəʊgɪʃnɪs] *n* **1.** côté *m* farceur **2.** espièglerie *f*.

role [rəʊl] *n* rôle *m*.

roll [rəʊl] *n* **1.** rouleau *m* **2.** petit pain *m* **3.** liste *f* **4.** roulement *m* (de tambour, de tonnerre). ❑ *vt* **1.** rouler **2.** faire rouler. ❑ *vi* **1.** rouler **2.** (*us*) *fam* • **that's how I roll** je suis comme ça. ■ **roll around, roll about** (*uk*) *vi* **1.** (*personne*) se rouler **2.** (*objet*) rouler çà et là. ■ **roll out** *vi insép* sortir • **to roll out of bed** (*personne*) sortir du lit • **the ball rolled out from under the sofa** la balle est sortie de sous le canapé. ❑ *vt sép* **1.** faire rouler (dehors) (*balle*) **2.** étendre (au rouleau) (*pâte*) **3.** débiter (*produits, discours*) **4.** introduire (*produit, offre*). ■ **roll over** *vi* se retourner. ■ **roll up** *vt sép* **1.** rouler (*un tapis, un poster*) **2.** retrousser (*ses manches*).

roll call *n* *MIL* & *SCOL* appel *m*.

roller ['rəʊlə*] *n* rouleau *m*.

rollerblader ['rəʊlə,bleɪdə*] *n* patineur *m*, -euse *f* en rollers.

rollerblading ['rəʊləbleɪdɪŋ] *n* roller *m*.

roller blind *n* (*uk*) store *m*.

roller coaster *n* montagnes *fpl* russes.

roller skate *n* patin *m* à roulettes.

rolling ['rəʊlɪŋ] *adj* onduleux.

rolling pin *n* rouleau *m* à pâtisserie.

rolling stock *n* matériel *m* roulant.

rollneck ['rəʊlnek] *adj* (*uk*) à col roulé.

roll-on *adj* (*déodorant*) à bille.

roly-poly [ˌrəʊlɪ'pəʊlɪ] (*pl* -ies) *n* (*uk*) • **roly-poly (pudding)** roulé *m* à la confiture.

ROM [rɒm] (abrév de read only memory) *n* ROM *f*.

Roman ['rəʊmən] *adj* romain. ❑ *n* Romain *m*, -e *f*.

Roman Catholic *adj* & *n* catholique.

romance [rəʊ'mæns] *n* **1.** (*indén*) charme *m* **2.** idylle *f* **3.** roman *m* (d'amour).

Romania [ruː'meɪnjə] *n* Roumanie *f*.

Romanian [ruː'meɪnjən] *adj* roumain. ❑ *n* **1.** Roumain *m*, -e *f* **2.** roumain *m*.

romantic [rəʊ'mæntɪk] *adj* romantique.

romantically [rəʊ'mæntɪklɪ] *adv* de manière romantique, romantiquement *littéraire* • **we're romantically involved** nous avons une liaison amoureuse.

romanticism [rəʊ'mæntɪsɪzm] *n* romantisme *m*.

Rome [rəʊm] *n* Rome.

romp [rɒmp] *n* ébats *mpl*. ❑ *vi* s'ébattre.

rompers ['rɒmpəz] *npl* barboteuse *f*.

roof [ruːf] *n* **1.** toit *m* **2.** plafond *m* • **the roof of the mouth** *ANAT* la voûte du palais • **to go through** *ou* **hit the roof** *fig* exploser.

roofing ['ruːfɪŋ] *n* toiture *f*.

roof rack *n* (*uk*) galerie *f*.

rooftop ['ruːftɒp] *n* toit *m*.

rook [rʊk] *n* **1.** *ZOOL* freux *m* **2.** *ÉCHECS* tour *f*.

rookie ['rʊkɪ] *n* (surtout *us*) *fam* *MIL* bleu *m*.

room [ruːm *ou* rʊm] *n* **1.** pièce *f* **2.** chambre *f* **3.** (*indén*) place *f*.

roomer ['ruːmə*] *n* (*us*) locataire *mf*.

roomie ['ruːmɪ] *n* (*us*) *fam* colocataire *mf*.

rooming house ['ruːmɪŋ-] *n* (*us*) immeuble comportant des chambres à louer.

roommate ['ruːmmeɪt] *n* **1.** camarade *mf* de chambre **2.** (*us*) colocataire *mf*.

room service *n* (*hôtel*) service *m* dans les chambres.

room temperature *n* température *f* ambiante.

roomy ['ruːmɪ] *adj* spacieux.

roost [ruːst] *n* perchoir *m*, juchoir *m*. ❑ *vi* se percher, se jucher.

rooster ['ruːstə*] *n* (surtout *us*) coq *m*.

root [ruːt] *n* **1.** racine *f* **2.** *fig* origine *f* • **to take root** *litt* & *fig* prendre racine. ■ **root for** *vt insép* *fam* encourager. ■ **root out** *vt sép* extirper. ■ **roots** *npl* racines *fpl* • **their actual roots are in Virginia** en fait, ils sont originaires de Virginie • **to put down roots** (*personne*) s'enraciner.

root vegetable *n* racine *f*.

rope [rəʊp] *n* corde *f* • **to know the ropes** *fam* connaître son affaire, être au courant. ❑ *vt* **1.** corder **2.** encorder (*des alpinistes*). ■ **rope in** *vt sép* *fam* enrôler.

rop(e)y ['rəʊpɪ] (*comp* ropier, *superl* ropiest) *adj* (*uk*) *fam* **1.** pas fameux, pas brillant **2.** • **to feel ropey** se sentir patraque.

rosary ['rəʊzərɪ] *n* rosaire *m*.

rose [rəʊz] *passé* → rise. ❑ *adj* rose. ❑ *n* rose *f*.

rosé ['rəʊzeɪ] *n* rosé *m*.

rosebud ['rəʊzbʌd] *n* bouton *m* de rose.

rose bush n rosier m.

rosemary ['rəʊzməri] n romarin m.

rose-tinted adj teinté en rose.

rosette [rəʊ'zet] n rosette f.

roster ['rɒstər] n liste f, tableau m de service.

rostrum ['rɒstrəm] (pl **-trums** ou **-tra**) n tribune f.

rosy ['rəʊzi] adj rose.

rot [rɒt] n (indén) **1.** pourriture f **2.** (UK) fam & vieilli bêtises fpl, balivernes fpl. ◻ vt & vi pourrir.

rota ['rəʊtə] n (UK) liste f, tableau m de service.

rotary ['rəʊtəri] adj rotatif.

rotate [rəʊ'teɪt] vt faire tourner. ◻ vi tourner.

rotation [rəʊ'teɪʃn] n rotation f.

rote [rəʊt] n ● **by rote** de façon machinale, par cœur.

rote learning n apprentissage m machinal ou par cœur.

ROTG (abrév de rolling on the ground) MDR.

rotten ['rɒtn] adj **1.** pourri **2.** fam moche **3.** fam ● **to feel rotten** ne pas être dans son assiette.

rotting ['rɒtɪŋ] adj qui pourrit, pourri.

rouge [ruːʒ] n rouge m à joues.

rough [rʌf] adj **1.** rugueux ● **to be a bit rough around the edges** fig être un peu brut de décoffrage **2.** (route) accidenté **3.** (mer) agité **4.** (traversée) mauvais **5.** brutal **6.** rude **7.** (endroit) mal fréquenté **8.** approximatif ● **rough copy, rough draft** brouillon m ● **rough sketch** ébauche f **9.** (voix, vin) âpre **10.** (vie) dur ● **to have a rough time** en baver. ◻ n **1.** rough m **2.** ● **in rough** au brouillon. ◻ vt ● **to rough it** vivre à la dure. ■ **rough up** vt sép fam tabasser.

roughage ['rʌfɪdʒ] n (indén) fibres fpl alimentaires.

rough and ready adj rudimentaire.

rough-and-tumble n (indén) bagarre f.

roughcast ['rʌfkɑːst] n crépi m.

rough diamond n (UK) fig ● **he's a rough diamond** sous ses dehors frustes, il a beaucoup de qualités.

roughen ['rʌfn] vt rendre rugueux ou rêche.

rough justice n justice f sommaire.

roughly ['rʌfli] adv **1.** approximativement **2.** brutalement **3.** grossièrement.

roulette [ruː'let] n roulette f (jeu).

round [raʊnd] adj rond. ◻ prép (UK) autour de ● **round here** par ici ● **all round the country** dans tout le pays ● **just round the corner a)** au coin de la rue **b)** fig tout près ● **to go round sthg** contourner qqch ● **to go round a museum** visiter un musée. ◻ adv (UK) **1.** ● **all round** tout autour **2.** ● **round about** dans le coin **3.** ● **10 metres round** 10 mètres de diamètre **4.** ● **to go round** faire le tour ● **to turn round** se retourner ● **to look round** se retourner (pour regarder) **5.** ● **come round and see us** venez ou passez nous voir ● **he's round at her house** il est chez elle **6.** ● **round (about)** vers, environ. ◻ n **1.** série f ● **a round of applause** une salve d'applaudissements **2.** partie f (de cartes) **3.** visites fpl (du médecin) **4.** tournée f (du facteur) **5.** cartouche f **6.** tournée f (dans un bar) **7.** (boxe) reprise f, round m **8.** GOLF partie f. ◻ vt **1.** tourner **2.** prendre (un virage). ■ **round down** vt sép arrondir au chiffre inférieur. ■ **round off** vt sép terminer, conclure. ■ **rounds** npl visites fpl ● **to do** ou **go the rounds a)** circuler **b)** faire des ravages. ■ **round up** vt sép **1.** rassembler **2.** arrondir au chiffre supérieur.

roundabout ['raʊndəbaʊt] adj détourné. ◻ n (UK) **1.** rond-point m **2.** manège m (à la fête foraine).

rounded ['raʊndɪd] adj arrondi.

rounders ['raʊndəz] n (UK) sorte de base-ball.

roundly ['raʊndli] adv **1.** complètement **2.** franchement, carrément.

round-shouldered [-'ʃəʊldəd] adj voûté.

round the clock adv vingt-quatre heures sur vingt-quatre. ● **round-the-clock** adj vingt-quatre heures sur vingt-quatre.

round trip n aller et retour m.

roundup ['raʊndʌp] n résumé m.

rouse [raʊz] vt **1.** réveiller **2.** ● **to rouse o.s. to do sthg** se forcer à faire qqch ● **to rouse sb to action** pousser ou inciter qqn à agir **3.** susciter, provoquer.

rousing ['raʊzɪŋ] adj **1.** vibrant, passionné **2.** enthousiaste.

rout [raʊt] n déroute f. ◻ vt mettre en déroute.

route [(UK) ruːt, (US) raʊt] n **1.** itinéraire m **2.** fig chemin m, voie f. ◻ vt acheminer.

route map n **1.** croquis m d'itinéraire **2.** carte f du réseau.

router ['ruːtə, (US) 'raʊtər] n routeur m.

routine [ruː'tiːn] adj **1.** habituel, de routine **2.** péj routinier. ◻ n routine f.

routinely [ruː'tiːnli] adv de façon systématique.

roving ['rəʊvɪŋ] adj itinérant.

row[1] [rəʊ] n **1.** rangée f **2.** rang m **3.** fig série f ● **in a row** d'affilée, de suite. ◻ vt **1.** faire aller à la rame **2.** transporter en canot ou bateau. ◻ vi ramer.

row[2] [raʊ] (UK) n **1.** dispute f, querelle f **2.** fam vacarme m, raffut m. ◻ vi se disputer, se quereller.

rowboat ['rəʊbəʊt] n (US) canot m.

rowdiness ['raʊdɪnɪs] n chahut m, tapage m.

rowdy ['raʊdi] adj chahuteur, tapageur.

rower ['rəʊər] n rameur m, -euse f.

row house [rəʊ-] n (US) maison attenante aux maisons voisines.

rowing ['rəʊɪŋ] n SPORT aviron m.

rowing boat n (UK) canot m.

rowing machine n machine f à ramer.

royal ['rɔɪəl] adj royal. ◻ n fam membre m de la famille royale.

Royal Air Force n • the Royal Air Force l'armée f de l'air britannique.

royal family n famille f royale.

Royal Highness n • His Royal Highness, the Prince of Wales Son Altesse Royale, le prince de Galles.

Royal Mail n • the Royal Mail la Poste britannique.

Royal Navy n • the Royal Navy la marine de guerre (britannique).

royalty ['rɔɪəltɪ] n royauté f. ■ **royalties** npl droits mpl d'auteur.

rpm npl (abrév de revolutions per minute) tours mpl par minute, tr/min.

RSI n (abrév de repetitive strain ou stress injury) douleur de poignet provoquée par les mouvements effectués au clavier d'un ordinateur.

RSPCA n (abrév de Royal Society for the Prevention of Cruelty to Animals) société britannique protectrice des animaux ; ≃ SPA f.

RSVP (abrév de répondez s'il vous plaît) RSVP.

Rt Hon (abrév de Right Honourable) expression utilisée pour des titres nobiliaires.

RU abrév de **are you**.

rub [rʌb] vt frotter • to rub one's eyes/hands se frotter les yeux/les mains • to rub sthg in faire pénétrer qqch (en frottant) • to rub sb up the wrong way (UK) ou to rub sb the wrong way (US) prendre qqn à rebrousse-poil. ◻ vi frotter. ■ **rub off on** vt insép déteindre sur. ■ **rub out** vt sép effacer.

rubber ['rʌbər] adj en caoutchouc. ◻ n 1. caoutchouc m 2. (UK) gomme f 3. fam préservatif m 4. (au bridge) robre m, rob m.

rubber band n élastique m.

rubber cheque (UK), **rubber check** (US) n fam chèque m en bois.

rubber plant n BOT caoutchouc m.

rubber ring n 1. anneau m en caoutchouc 2. bouée f.

rubber stamp n tampon m. ■ **rubber-stamp** vt fig approuver sans discussion.

rubbish ['rʌbɪʃ] (surtout UK) n (indén) 1. détritus mpl 2. fam & fig camelote f • the play was rubbish la pièce était nulle 3. fam bêtises fpl • to talk rubbish dire des bêtises.

rubbish bin n (UK) poubelle f.

rubbish dump n (UK) dépotoir m.

rubbish tip = rubbish dump.

rubble ['rʌbl] n (indén) décombres mpl.

ruby ['ru:bɪ] n rubis m.

rucksack ['rʌksæk] n sac m à dos.

ructions ['rʌkʃnz] npl fam grabuge m.

rudder ['rʌdər] n gouvernail m.

ruddy ['rʌdɪ] adj 1. coloré 2. (UK) fam & vieilli sacré.

rude [ru:d] adj 1. impoli 2. grossier 3. incongru 4. • it was a rude awakening le réveil fut pénible.

rudely ['ru:dlɪ] adv impoliment.

rudeness ['ru:dnɪs] n 1. impolitesse f 2. grossièreté f.

rudimentary [,ru:dɪ'mentərɪ] adj rudimentaire.

rue [ru:] vt regretter (amèrement).

rueful ['ru:fʊl] adj triste.

ruffian ['rʌfjən] n vieilli voyou m.

ruffle ['rʌfl] vt 1. ébouriffer 2. troubler (la surface de l'eau) 3. froisser (contrarier).

ruffled ['rʌfld] adj décontenancé.

rug [rʌg] n 1. tapis m 2. couverture f.

rugby ['rʌgbɪ] n rugby m.

rugby tackle n plaquage m. ■ **rugby-tackle** vt plaquer.

rugged ['rʌgɪd] adj 1. (paysage) accidenté 2. (traits) rude 3. robuste.

rugger ['rʌgər] n (UK) fam rugby m.

rugrat ['rʌgræt] n (US) fam mioche mf.

ruin ['ru:ɪn] n ruine f. ◻ vt 1. ruiner 2. abîmer. ■ **in ruin(s)** adv litt & fig en ruine.

ruined ['ru:ɪnd] adj 1. en ruine, ruiné 2. abîmé 3. ruiné (financièrement).

ruinous ['ru:ɪnəs] adj ruineux.

rule [ru:l] n 1. règle f • as a rule en règle générale 2. règlement m 3. (indén) autorité f. ◻ vt 1. dominer 2. gouverner 3. • to rule (that)… décider que… 4. régner 5. gouverner • rule out vt sép exclure, écarter.

rulebook ['ru:lbʊk] n • the rulebook le règlement.

ruled [ru:ld] adj réglé.

rule-governed [-gʌvənd] adj qui suit des règles.

ruler ['ru:lər] n 1. règle f 2. chef m d'État.

ruling ['ru:lɪŋ] adj au pouvoir. ◻ n décision f.

rum [rʌm] n rhum m.

rumble ['rʌmbl] n 1. grondement m 2. gargouillement m. ◻ vi 1. gronder 2. gargouiller.

rummage ['rʌmɪdʒ] vi fouiller.

rummage sale n (US) vente f de charité.

rumour (UK), **rumor** (US) ['ru:mər] n rumeur f.

rumoured (UK), **rumored** (US) ['ru:məd] adj • he is rumoured to be very wealthy le bruit court qu'il est très riche.

rump [rʌmp] n 1. croupe f 2. fam derrière m.

rump steak n romsteck m.

rumpus ['rʌmpəs] n fam chahut m.

run [rʌn] n 1. course f • to go for a run faire un petit peu de course à pied • on the run en fuite **2.** tour *m (en voiture)* **3.** trajet *m* **4.** suite *f*, série *f* • **a run of bad luck** une période de déveine • **in the short/long run** à court/long terme **5.** *THÉÂTRE* • **to have a long run** tenir longtemps l'affiche **6.** • **run on** ruée *f* sur **7.** échelle *f* **8.** *(base-ball et cricket)* point *m* **9.** piste *f*. ❏ *vt (prét ran, pp run)* **1.** courir **2.** diriger **3.** tenir *(un hôtel, un magasin)* **4.** organiser **5.** faire marcher **6.** avoir, entretenir **7.** faire couler *(de l'eau, un bain)* **8.** publier **9.** *fam* • **can you run me to the station?** tu peux m'amener à la gare ? **10.** • **to run sthg along/over sthg** passer qqch le long de/sur qqch. ❏ *vi (prét ran, pp run)* **1.** courir **2.** passer • **to run through sthg** traverser qqch **3.** • **to run (for)** être candidat (à) **4.** marcher **5.** *(moteur)* tourner • **everything is running smoothly** tout va bien • **to run on sthg** marcher à qqch • **to run off sthg** marcher sur qqch **6.** *(bus, trains)* faire le service • **trains run every hour** il y a un train toutes les heures **7.** couler • **my nose is running** j'ai le nez qui coule **8.** *(couleur)* déteindre **9.** *(encre)* baver **10.** *(contrat, assurance)* être valide **11.** *(pièce de théâtre)* se jouer. ■ **run across** *vt insép* tomber sur. ■ **run away** *vi* • **to run away (from)** s'enfuir (de) • **to run away from home** faire une fugue. ■ **run down** *vt sép* **1.** *(véhicule)* renverser **2.** dénigrer **3.** restreindre **4.** réduire l'activité de. ❏ *vi* **1.** *(montre)* s'arrêter **2.** *(batterie)* se décharger. ■ **run into** *vt insép* **1.** se heurter à **2.** tomber sur **3.** rentrer dans. ■ **run off** *vt sép* tirer. ❏ *vi* • **to run off (with)** s'enfuir (avec). ■ **run out** *vi* **1.** s'épuiser • **time is running out** il ne reste plus beaucoup de temps **2.** *(licence, contrat)* expirer. ■ **run out of** *vt insép* manquer de • **to run out of petrol** tomber en panne d'essence. ■ **run over** *vt sép* renverser. ■ **run through** *vt insép* **1.** répéter **2.** parcourir. ■ **run to** *vt insép* monter à *(se chiffrer à)*, s'élever à. ■ **run up** *vt insép* laisser accumuler *(des factures, des dettes)*. ■ **run up against** *vt insép* se heurter à.

run-around *n fam* • **to give sb the run-around** faire des réponses de Normand à qqn.

runaway [ˈrʌnəweɪ] *adj* **1.** *(personne)* fugueur **2.** fou • **a runaway victory** une victoire remportée haut la main **3.** *(cheval)* emballé **4.** *(inflation)* galopant. ❏ *n* fuyard *m*, fugitif *m*, -ive *f*.

rundown [ˈrʌndaʊn] *n* **1.** bref résumé *m* **2.** réduction *f*. ■ **run-down** *adj* **1.** délabré **2.** épuisé.

rung [rʌŋ] *pp* → ring. ❏ *n* échelon *m*, barreau *m*.

run-in *n fam* prise *f* de bec.

runner [ˈrʌnər] *n* **1.** coureur *m*, -euse *f* **2.** contrebandier *m*, -ère *f* **3.** patin *m* **4.** glissière *f*.

runner bean *n (UK)* haricot *m* à rames.

runner-up *(pl runners-up)* *n* second *m*, -e *f* • **to be runner-up** finir second.

running [ˈrʌnɪŋ] *adj* **1.** continu **2.** • **three weeks running** trois semaines de suite**3.** *(eau)* courant **4.** • **to be up and running** être opérationnel. ❏ *n* **1.** *(indén)* *SPORT* course *f* • **to go running** faire de la course **2.** direction *f*, administration *f* **3.** marche *f*, fonctionnement *m* **4.** *(locution)* • **to be in the running (for)** avoir des chances de réussir (dans) • **to be out of the running (for)** n'avoir aucune chance de réussir (dans).

running commentary *n* commentaire *m* suivi.

running costs *npl* frais *mpl* d'exploitation.

running mate *n (US)* candidat *m* à la vice-présidence.

running order *n* ordre *m* de passage.

runny [ˈrʌnɪ] *adj* **1.** *(nourriture)* liquide **2.** *(nez)* qui coule.

run-of-the-mill *adj* banal, ordinaire.

runt [rʌnt] *n* avorton *m*.

run-through *n* répétition *f*.

runtime [ˈrʌntaɪm] *n* • **runtime system** système *m* en phase d'exécution • **runtime version** version *f* exécutable.

run-up *n* **1.** • **in the run-up to sthg** dans la période qui précède qqch **2.** *SPORT* course *f* d'élan.

runway [ˈrʌnweɪ] *n* piste *f*.

RUOK? (abrév de are you ok?) ça va?

rupture [ˈrʌptʃər] *n* rupture *f*.

rural [ˈrʊərəl] *adj* rural.

ruse [ruːz] *n* ruse *f*.

rush [rʌʃ] *n* **1.** hâte *f* **2.** ruée *f*, bousculade *f* • **to make a rush for sthg** se ruer *ou* se précipiter vers qqch • **a rush of air** une bouffée d'air **3.** • **rush (on *ou* for)** ruée *f* (sur). ❏ *vt* **1.** faire à la hâte **2.** bousculer **3.** expédier *(un repas)* **4.** transporter *ou* envoyer d'urgence **5.** prendre d'assaut. ❏ *vi* **1.** se dépêcher • **to rush into sthg** faire qqch sans réfléchir **2.** • **to rush into sthg** faire qqch sans réfléchir **2.** • **the blood rushed to her head** le sang lui monta à la tête. ■ **rushes** *npl* joncs *mpl*.

rushed [rʌʃt] *adj* **1.** pressé **2.** fait à la hâte.

rush hour *n* heures *fpl* de pointe *ou* d'affluence.

rush job *n* travail *m* d'urgence.

rush week *n (US)* *semaine pendant laquelle les associations d'étudiants américains essaient de recruter de nouveaux membres.*

rusk [rʌsk] *n (UK)* biscotte *f*.

Russia [ˈrʌʃə] *n* Russie *f*.

Russian [ˈrʌʃn] *adj* russe. ❏ *n* **1.** Russe *mf* **2.** russe *m*.

rust [rʌst] *n* rouille *f*. ❏ *vi* se rouiller.

rustic [ˈrʌstɪk] *adj* rustique.

rustle [ˈrʌsl] *vt* **1.** froisser *(du papier)* **2.** *(US)* voler *(du bétail)*. ❏ *vi* **1.** *(feuilles)* bruire **2.** *(papier)* produire un froissement.

rustproof [ˈrʌstpruːf] *adj* inoxydable.

rusty ['rʌstɪ] *adj litt & fig* rouillé.

rut [rʌt] *n* ornière *f* • **to get into a rut** s'encroûter • **to be in a rut** être prisonnier de la routine.

ruthless ['ruːθlɪs] *adj* impitoyable.

ruthlessly ['ruːθlɪslɪ] *adv* de façon impitoyable.

ruthlessness ['ruːθlɪsnɪs] *n* caractère *m* impitoyable.

RV *n* **(us)** (abrév de recreational vehicle) camping-car *m*.

rye [raɪ] *n* seigle *m*.

rye bread *n* pain *m* de seigle.

S

s¹ [es] (pl ss ou s's), **S** (pl Ss ou S's) n s m inv, S m inv.

S² (abrév de south) S.

S&M n abrév de sadomasochism.

Sabbath ['sæbəθ] n • the Sabbath le sabbat.

sabbatical [sə'bætɪkl] n année f sabbatique • to be on sabbatical faire une année sabbatique.

sabotage ['sæbətɑːʒ] n sabotage m. ❑ vt saboter.

saccharin(e) ['sækərɪn] n saccharine f.

sachet ['sæʃeɪ] n sachet m.

sack [sæk] n 1. sac m 2. fam • to get ou be given the sack être renvoyé, se faire virer. ❑ vt (UK) fam renvoyer, virer.

sackful ['sækful] n sac m.

sacking ['sækɪŋ] n 1. toile f à sac 2. (UK) fam licenciement m.

sacred ['seɪkrɪd] adj sacré.

sacrifice ['sækrɪfaɪs] litt & fig n sacrifice m. ❑ vt sacrifier.

sacrilege ['sækrɪlɪdʒ] n litt & fig sacrilège m.

sacrilegious [,sækrɪ'lɪdʒəs] adj litt & fig sacrilège.

sacrosanct ['sækrəʊsæŋkt] adj litt & fig sacro-saint.

sad [sæd] adj triste • to look sad avoir l'air triste.

SAD n abrév de seasonal affective disorder.

sadden ['sædn] vt attrister, affliger.

saddle ['sædl] n selle f. ❑ vt 1. seller 2. fig • to saddle sb with sthg coller qqch à qqn.

saddlebag ['sædlbæg] n sacoche f (de selle ou de bicyclette).

sadism ['seɪdɪzm] n sadisme m.

sadistic [sə'dɪstɪk] adj sadique.

sadly ['sædlɪ] adv 1. tristement 2. malheureusement.

sadness ['sædnɪs] n tristesse f.

sadomasochism [,seɪdəʊ'mæsəkɪzm] n sadomasochisme m.

sadomasochist [,seɪdəʊ'mæsəkɪst] n sadomasochiste mf.

sadomasochistic ['seɪdəʊ,mæsə'kɪstɪk] adj sadomasochiste.

s.a.e., sae abrév de stamped addressed envelope.

safari [sə'fɑːrɪ] n safari m.

safari park n réserve f.

safe [seɪf] adj 1. sans danger 2. prudent • it's safe to say (that)... on peut dire à coup sûr que... 3. hors de danger, en sécurité • safe and sound sain et sauf 4. (méthode) sans risque 5. (investissement) sûr • to be on the safe side par précaution. ❑ n coffre-fort m.

safe-conduct n sauf-conduit m.

safeguard ['seɪfgɑːd] n sauvegarde f (contre). ❑ vt sauvegarder, protéger.

safe haven n zone f protégée.

safe house n lieu m sûr.

safekeeping [,seɪf'kiːpɪŋ] n bonne garde f.

safely ['seɪflɪ] adv 1. sans danger 2. en toute sécurité, à l'abri du danger 3. à bon port, sain et sauf, saine et sauve f 4. • I can safely say (that)... je peux dire à coup sûr que...

safe seat n (UK) POLIT siège de député qui traditionnellement va toujours au même parti.

safe sex n sexe m sans risques, S.S.R. m.

safety ['seɪftɪ] n sécurité f.

safety belt n ceinture f de sécurité.

safety catch n cran m de sûreté.

safety-conscious adj • she's very safety-conscious elle se préoccupe beaucoup de tout ce qui a trait à la sécurité.

safety-deposit box n (surtout UK) coffre-fort m.

safety glass n verre m de sécurité.

safety net n filet m (de protection).

safety pin n épingle f de sûreté ou à nourrice.

saffron ['sæfrən] n safran m.

sag [sæg] vi s'affaisser, fléchir.

saga ['sɑːgə] n 1. saga f 2. fig & péj histoire f.

sage [seɪdʒ] adj sage. ❑ n 1. (indén) sauge f 2. sage m.

saggy ['sægɪ] (comp **saggier**, superl **saggiest**) adj (lit, matelas) affaissé.

Sagittarius [,sædʒɪ'teərɪəs] n Sagittaire m.

Sahara [sə'hɑːrə] n • the **Sahara (Desert)** le (désert du) Sahara.

said [sed] passé & pp → **say**.

sail [seɪl] n **1.** voile f • to set sail faire voile, prendre la mer **2.** tour m en bateau. ❑ vt **1.** piloter **2.** parcourir (les mers). ❑ vi **1.** aller en bateau **2.** faire de la voile **3.** naviguer **4.** partir, prendre la mer **5.** fig voler. ■ **sail through** vt insép fig réussir les doigts dans le nez.

sailboat (us) = **sailing boat**.

sailing ['seɪlɪŋ] n **1.** (indén) SPORT voile f • to go sailing faire de la voile **2.** départ m **3.** • it's plain sailing from now on, it's clear sailing from here on out (us) tout va marcher comme sur des roulettes à partir de maintenant.

sailing boat (UK), **sailboat** (us) ['seɪlbəʊt] n bateau m à voiles, voilier m.

sailing ship n voilier m.

sailor ['seɪlə] n marin m, matelot m.

saint [seɪnt] n saint m, -e f.

saintly ['seɪntlɪ] adj (vie, comportement) de saint • she was a saintly woman c'était une vraie sainte.

Saint Patrick's Day [-'pætrɪks-] n la Saint-Patrick.

Saint Patrick's Day

La Saint-Patrick (17 mars) est une fête célébrée par les Irlandais et descendants d'Irlandais du monde entier. De grands défilés serpentent dans les rues de Dublin, New York et Sydney. La coutume veut que chacun arbore une feuille de trèfle à la boutonnière, ou porte un vêtement de couleur verte, puisque le vert symbolise l'Irlande. À cette occasion, certains bars américains servent même de la bière verte.

saint's day n fête f (d'un saint).

sake [seɪk] n • **for the sake of sb** par égard pour qqn, pour (l'amour de) qqn • **for the children's sake** pour les enfants • **for the sake of argument** à titre d'exemple • **for God's sake** pour l'amour de Dieu.

salad ['sæləd] n salade f.

salad bar n **1.** restaurant où l'on mange des salades **2.** salad bar m.

salad bowl n saladier m.

salad cream n (UK) sorte de mayonnaise douce.

salad dressing n vinaigrette f.

salami [sə'lɑːmɪ] n salami m.

salaried ['sælərɪd] adj salarié.

salary ['sælərɪ] n salaire m, traitement m.

salary scale n échelle f des salaires.

sale [seɪl] n **1.** vente f • on sale (UK) ou for sale (us) en vente • (up) for sale à vendre **2.** soldes mpl. ■ **sales** npl **1.** ventes fpl **2.** • the sales les soldes mpl.

saleroom (UK) ['seɪlrʊm], **salesroom** (us) ['seɪlzrʊm] n salle f des ventes.

sales assistant ['seɪlz-] (UK), **salesclerk** ['seɪlzklɜːrk] (us) n vendeur m, -euse f.

sales conference n conférence f du personnel des ventes.

sales drive n campagne f de vente.

sales figures n chiffre m de ventes.

sales force n force f de vente.

sales forecast n prévision f des ventes.

salesman ['seɪlzmən] (pl -men) n **1.** vendeur m **2.** représentant m de commerce.

sales rep n fam représentant m de commerce.

sales representative n représentant m de commerce.

saleswoman ['seɪlz,wʊmən] (pl -women) n **1.** vendeuse f **2.** représentante f de commerce.

salient ['seɪljənt] adj sout saillant.

saliva [sə'laɪvə] n salive f.

salivate ['sælɪveɪt] vi saliver.

sallow ['sæləʊ] adj cireux.

salmon ['sæmən] (pl inv ou -s) n saumon m • smoked salmon du saumon fumé.

salmonella [,sælmə'nelə] n salmonelle f.

salon ['sælɒn] n salon m.

saloon [sə'luːn] n **1.** (UK) berline f **2.** (us) saloon m **3.** (UK) • saloon (bar) bar m **4.** salon m.

salt [sɔːlt ou sɒlt] n sel m. ❑ vt **1.** saler **2.** mettre du sel sur. ■ **salt away** vt sép mettre de côté.

saltcellar (UK) ['sɔːlt,selə], **saltshaker** (us) [-,ʃeɪkə] n salière f.

salted ['sɔːltɪd] adj salé.

saltwater ['sɔːlt,wɔːtə] n eau f de mer. ❑ adj de mer.

salty ['sɔːltɪ] adj **1.** salé **2.** (dépôt) de sel.

salubrious [sə'luːbrɪəs] adj sout salubre.

salutary ['sæljʊtrɪ] adj sout salutaire.

salute [sə'luːt] n salut m. ❑ vt saluer. ❑ vi faire un salut.

salvage ['sælvɪdʒ] n (indén) **1.** sauvetage m **2.** biens mpl sauvés. ❑ vt sauver.

salvation [sæl'veɪʃn] n salut m.

Salvation Army n • the **Salvation Army** l'Armée f du salut.

Samaritan [sə'mærɪtn] n • **good Samaritan** bon Samaritain m.

same [seɪm] adj même • she was wearing the same jumper as I was elle portait le même pull que moi • at the same time en même temps • one and the same un seul et même • it's the same old story! ou it's the same old, same old! fam c'est toujours la même histoire ! ❑ pron • the same le même, la même, les mêmes • I'll

have the same as you je prendrai la même chose que toi • **she earns the same as I do** elle gagne autant que moi • **the same old criticisms/complaints** les mêmes éternelles critiques/plaintes • **to do the same** faire de même • **all** *ou* **just the same** quand même, tout de même • **it's all the same to me** ça m'est égal • **it's not the same** ce n'est pas pareil. ❑ *adv* • **the same** de la même manière.

same-day *adj* COMM (*livraison*) dans la journée.

same-sex *adj* entre personnes du même sexe.

sample ['sɑːmpl] *n* échantillon *m*. ❑ *vt* goûter.

sanatorium, sanitorium (US) [ˌsænə'tɔːriəm] (*pl* **-riums** *ou* **-ria**) *n* sanatorium *m*.

sanctimonious [ˌsæŋktɪ'məʊnjəs] *adj* moralisateur.

sanction ['sæŋkʃn] *n* sanction *f*. ❑ *vt* sanctionner. ■ **sanctions** *npl* sanctions *fpl*.

sanctity ['sæŋktəti] *n* sainteté *f*.

sanctuary ['sæŋktʃʊəri] *n* **1.** sanctuaire *m* **2.** asile *m* **3.** • **wildlife sanctuary** réserve *f* animale.

sand [sænd] *n* sable *m* • **to draw a line in the sand** *fig* tracer une ligne dans le sable. ❑ *vt* poncer.

sandal ['sændl] *n* sandale *f*.

sandalwood ['sændlwʊd] *n* (bois *m* de) santal *m*.

sandbag ['sændbæg] *n* sac *m* de sable.

sandbox (US) = **sandpit**.

sandcastle ['sænd,kɑːsl] *n* château *m* de sable.

sand dune *n* dune *f*.

sandpaper ['sænd,peɪpə'] *n* (*indén*) papier *m* de verre. ❑ *vt* poncer (au papier de verre).

sandpit (UK) ['sændpɪt], **sandbox** (US) ['sændbɒks] *n* bac *m* à sable.

sandstone ['sændstəʊn] *n* grès *m*.

sandstorm ['sændstɔːm] *n* tempête *f* de sable.

sandwich ['sænwɪdʒ] *n* sandwich *m* • **a cheese sandwich** un sandwich au fromage • **to be two sandwiches short of a picnic** (UK) *fam* : **he's two sandwiches short of a picnic** il lui manque une case. ❑ *vt fig* • **to be sandwiched between** être (pris *ou* prise) en sandwich entre.

sandwich board *n* panneau *m* publicitaire (*d'homme sandwich ou posé comme un tréteau*).

sandwich course *n* (UK) stage *m* de formation professionnelle.

sandwich generation *n fig* génération s'occupant à la fois de leurs parents et de leurs propres enfants à charge.

sandy ['sændi] *adj* **1.** de sable **2.** (*sol*) sablonneux **3.** (*eau*) sableux **4.** (*couleur*) sable (*inv*).

sane [seɪn] *adj* **1.** sain d'esprit **2.** sensé.

sang [sæŋ] *passé* → **sing**.

sanitary ['sænɪtri] *adj* **1.** sanitaire **2.** hygiénique, salubre.

sanitary towel (UK), **sanitary napkin** (US) *n* serviette *f* hygiénique.

sanitation [ˌsænɪ'teɪʃn] *n* (*indén*) installations *fpl* sanitaires.

sanitize, -ise (UK) ['sænɪtaɪz] *vt fig* expurger.

sanity ['sænəti] *n* (*indén*) **1.** santé *f* mentale, raison *f* **2.** bon sens *m*.

sank [sæŋk] *passé* → **sink**.

Santa (Claus) ['sæntə(,klɔːz)] *n* le père Noël.

sap [sæp] *n* sève *f*. ❑ *vt* saper (*le moral*).

sapling ['sæplɪŋ] *n* jeune arbre *m*.

sapphire ['sæfaɪə'] *n* saphir *m*.

sarcasm ['sɑːkæzm] *n* sarcasme *m*.

sarcastic [sɑː'kæstɪk] *adj* sarcastique.

sarcastically [sɑː'kæstɪkli] *adv* d'un ton sarcastique.

sardine [sɑː'diːn] *n* sardine *f*.

Sardinia [sɑː'dɪnjə] *n* Sardaigne *f*.

sardonic [sɑː'dɒnɪk] *adj* sardonique.

SARS ['sɑːz] (*abrév de severe acute respiratory syndrome*) *n* MÉD SRAS *m*.

SAS (*abrév de Special Air Service*) *n* commando d'intervention spéciale de l'armée britannique.

SASE (US) *abrév de* **self-addressed stamped envelope**.

sash [sæʃ] *n* écharpe *f* (*sur un uniforme*).

sassy ['sæsi] *adj* (US) *fam* culotté.

sat [sæt] *passé & pp* → **sit**.

SAT [sæt] *n* **1.** (*abrév de Standard Assessment Test*) *examen national en Grande-Bretagne pour les élèves de 7 ans, 11 ans et 14 ans* **2.** (*abrév de Scholastic Aptitude Test*) *examen d'entrée à l'université aux États-Unis*.

Sat. (*abrév de Saturday*) sam.

Satan ['seɪtn] *n* Satan *m*.

satanic [sə'tænɪk] *adj* satanique.

satchel ['sætʃəl] *n* cartable *m*.

sated ['seɪtɪd] *adj* littéraire • **sated (with)** rassasié (de).

satellite ['sætəlaɪt] *n* satellite *m*. ❑ *en apposition* (par) satellite • **satellite broadcast** émission *f* retransmise par satellite • **satellite link** liaison *f* par satellite.

satellite dish *n* antenne *f* parabolique.

satellite link *n* liaison *f* par satellite.

satellite TV *n* télévision *f* par satellite.

satiate ['seɪʃɪeɪt] *vt* littéraire rassasier.

satin ['sætɪn] *n* satin *m*. ❑ *en apposition* **1.** de *ou* en satin **2.** satiné.

satire ['sætaɪə'] *n* satire *f*.

satirical [sə'tɪrɪkl] *adj* satirique.

satirically [sə'tɪrɪkli] *adv* satiriquement.

satirist ['sætərɪst] *n* satiriste *mf*.

satirize, -ise (UK) ['sætəraɪz] *vt* faire la satire de.

satisfaction [ˌsætɪs'fækʃn] *n* satisfaction *f*.

satisfactorily [ˌsætɪsˈfæktərəlɪ] *adv* de façon satisfaisante.

satisfactory [ˌsætɪsˈfæktərɪ] *adj* satisfaisant.

satisfied ['sætɪsfaɪd] *adj* • **satisfied (with)** satisfait (de).

satisfy ['sætɪsfaɪ] *vt* **1.** satisfaire **2.** convaincre, persuader • **to satisfy sb that** convaincre qqn que.

satisfying ['sætɪsfaɪɪŋ] *adj* satisfaisant.

satsuma [ˌsætˈsuːmə] *n* satsuma *f*.

saturate ['sætʃəreɪt] *vt* • **to saturate sthg (with)** saturer qqch (de).

saturated ['sætʃəreɪtɪd] *adj* **1.** CHIM saturé • **saturated fats** graisses *fpl* saturées **2.** trempé.

saturated fat ['sætʃəreɪtɪd-] *n* matière *f* grasse saturée.

saturation coverage *n* TV couverture *f* maximale.

saturation point *n* • **to reach saturation point** arriver à saturation *f*.

Saturday ['sætədɪ] *n* samedi *m* • **it's Saturday** on est samedi • **on Saturday** samedi • **on Saturdays** le samedi • **last Saturday** samedi dernier • **this Saturday** ce samedi • **next Saturday** samedi prochain • **every Saturday** tous les samedis • **every other Saturday** un samedi sur deux • **the Saturday before** l'autre samedi • **the Saturday before last** pas samedi dernier, mais le samedi d'avant • **the Saturday after next, Saturday week** (UK) *ou* **a week on Saturday** (UK) samedi en huit. ❏ *en apposition* du *ou* de samedi • **Saturday morning/afternoon/evening** samedi matin/après-midi/soir.

Saturday girl *n* vendeuse *f (travaillant le samedi)*.

Saturn ['sætən] *n (planète)* Saturne *f*.

sauce [sɔːs] *n* sauce *f*.

saucepan ['sɔːspən] *n* casserole *f*.

saucer ['sɔːsə'] *n* sous-tasse *f*, soucoupe *f*.

saucy ['sɔːsɪ] *adj fam* coquin.

Saudi Arabia ['saʊdɪ-] *n* Arabie *f* saoudite.

Saudi (Arabian) ['saʊdɪ-] *adj* saoudien. ❏ *n* Saoudien *m*, -enne *f*.

sauna ['sɔːnə] *n* sauna *m*.

saunter ['sɔːntə'] *vi* flâner.

sausage ['sɒsɪdʒ] *n* saucisse *f*.

sausage roll *n* (UK) feuilleté *m* à la saucisse.

sauté [(UK) 'saʊteɪ, (US) saʊ'teɪ] *adj* sauté. ❏ *vt (prét & pp sautéed ou sautéd)* **1.** faire sauter *(des pommes de terre)* **2.** faire revenir *(des oignons)*.

savage ['sævɪdʒ] *adj* féroce. ❏ *n* sauvage *mf*. ❏ *vt* attaquer avec férocité.

savagely ['sævɪdʒlɪ] *adv* sauvagement, brutalement.

save [seɪv] *vt* **1.** sauver • **to save sb's life** sauver la vie à *ou* de qqn **2.** mettre de côté **3.** économiser **4.** gagner *(du temps)* **5.** garder *(de la nourriture)* **6.** éviter, épargner • **to save sb sthg** épargner qqch à qqn • **to save sb from doing**

sthg éviter à qqn de faire qqch **7.** SPORT arrêter **8.** INFORM sauvegarder. ❏ *vi* **1.** mettre de l'argent de côté **2.** INFORM sauvegarder • '**save as**' 'enregistrer sous'. ❏ *n* SPORT arrêt *m*. ❏ *prép* **sout** • **save (for)** sauf, à l'exception de. ■ **save up** *vi* mettre de l'argent de côté.

saver ['seɪvə'] *n* **1.** épargnant *m*, -e *f* **2.** bonne affaire *f* • **super saver (ticket)** billet *m* à tarif réduit.

saving ['seɪvɪŋ] *n* **1.** épargne *f* **2.** économie *f* • **to make a saving** faire une économie.

saving grace ['seɪvɪŋ-] *n* • **its saving grace was…** ce qui le rachetait, c'était…

savings ['seɪvɪŋz] *npl* économies *fpl*.

savings account *n* (US) compte *m* d'épargne.

savings and loan association *n* (US) société *f* de crédit immobilier.

savings bank *n* caisse *f* d'épargne.

saviour (UK), **savior** (US) ['seɪvjə'] *n* sauveur *m*.

savour (UK), **savor** (US) ['seɪvə'] *vt litt & fig* savourer.

savoury (UK), **savory** (US) ['seɪvərɪ] *adj* **1.** *(surtout UK)* salé **2.** recommandable. ❏ *n* (UK) petit plat *m* salé.

saw [sɔː] *passé* → **see**. ❏ *n* scie *f*. ❏ *vt* ((UK) *prét* **sawed**, *pp* **sawn**, (US) *prét & pp* **sawed**) scier.

sawdust ['sɔːdʌst] *n* sciure *f* (de bois).

sawmill ['sɔːmɪl] *n* scierie *f*.

sawn [sɔːn] (UK) *pp* → **saw**.

sawn-off shotgun (UK), **sawed-off shotgun** ['sɔːd-] (US) *n* carabine *f* à canon scié.

saxophone ['sæksəfəʊn] *n* saxophone *m*.

saxophonist [(UK) sæk'sɒfənɪst, (US) 'sæksəfəʊnɪst] *n* saxophoniste *mf*.

say [seɪ] *vt (prét & pp said)* **1.** dire • **could you say that again?** vous pouvez répéter ce que vous venez de dire ? • **say what?** (US) quoi ? • **(let's) say you won the lottery…** supposons que tu gagnes le gros lot… • **it says a lot about him** cela en dit long sur lui • **she's said to be…** on dit qu'elle est… • **that goes without saying** cela va sans dire • **it has a lot to be said for it** cela a beaucoup d'avantages **2.** indiquer • **the clock says 11.40** la pendule indique 11 h 40. ❏ *n* • **to have a/no say** avoir/ne pas avoir voix au chapitre • **to have a say in sthg** avoir son mot à dire sur qqch • **to have one's say** dire ce que l'on a à dire, dire son mot. ■ **that is to say** *adv* c'est-à-dire.

saying ['seɪɪŋ] *n* dicton *m*.

say-so *n fam* autorisation *f*.

scab [skæb] *n* croûte *f (d'une blessure)*.

scaffold ['skæfəʊld] *n* échafaud *m*.

scaffolding ['skæfəldɪŋ] *n* échafaudage *m*.

scald [skɔːld] *n* brûlure *f*. ❏ *vt* ébouillanter • **to scald one's arm** s'ébouillanter le bras.

scalding ['skɔːldɪŋ] *adj* bouillant.

scale [skeɪl] n **1.** échelle f • **to scale** à l'échelle • **to be off the scale** ou **to go off the scale** fig atteindre des niveaux extrêmes **2.** graduation f **3.** MUS gamme f **4.** écaille f **5.** (US) = **scales**. ❏ vt **1.** escalader **2.** écailler. ■ **scale down** vt insép réduire.

scale diagram n plan m à l'échelle.

scale model n modèle m réduit.

scales npl balance f.

scallion ['skæljən] n (US) ciboule f.

scallop ['skɒləp] n coquille f Saint-Jacques. ❏ vt COUT festonner.

scallywag (UK) ['skælɪwæg], **scalawag** (US) ['skæləwæg] n fam polisson m, -onne f.

scalp [skælp] n **1.** cuir m chevelu **2.** scalp m. ❏ vt scalper.

scalpel ['skælpəl] n scalpel m.

scam [skæm] n fam arnaque f • **mail scam** arnaque f par mail.

scamp [skæmp] n fam coquin m, -e f.

scamper ['skæmpə'] vi trottiner.

scampi ['skæmpɪ] n (indén) (UK) scampi mpl.

scan [skæn] n **1.** MÉD scanographie f **2.** MÉD échographie f. ❏ vt **1.** scruter **2.** parcourir **3.** PHYS balayer **4.** INFORM scanner.

scandal ['skændl] n **1.** scandale m • **to cause a scandal** provoquer un scandale **2.** médisance f.

scandalize, -ise (UK) ['skændəlaɪz] vt scandaliser.

scandalous ['skændələs] adj scandaleux.

scandalously ['skændələslɪ] adv (agir) scandaleusement.

Scandinavia [,skændɪ'neɪvjə] n Scandinavie f.

Scandinavian [,skændɪ'neɪvjən] adj scandinave. ❏ n Scandinave mf.

scanner ['skænə'] n INFORM scanner m.

scant [skænt] adj insuffisant.

scantily ['skæntɪlɪ] adv **1.** (meublé) pauvrement, chichement **2.** (habillé, vêtu) légèrement.

scanty ['skæntɪ] adj **1.** insuffisant **2.** (revenu) maigre **3.** (robe) minuscule.

scapegoat ['skeɪpgəʊt] n bouc m émissaire.

scar [skɑːʳ] n cicatrice f.

scarce ['skeəs] adj rare, peu abondant.

scarcely ['skeəslɪ] adv à peine • **scarcely anyone** presque personne • **I scarcely ever go there now** je n'y vais presque ou pratiquement plus jamais.

scare [skeəʳ] n **1.** • **to give sb a scare** faire peur à qqn **2.** panique f • **beef/poultry scare** alerte f alimentaire à propos du bœuf/du poulet • **bomb scare** alerte f à la bombe. ❏ vt effrayer. ■ **scare away, scare off** vt sép faire fuir.

scarecrow ['skeəkrəʊ] n épouvantail m.

scared ['skeəd] adj apeuré • **to be scared** avoir peur • **to be scared stiff** ou **to death** être mort de peur.

scaremongering ['skeə,mʌŋgrɪŋ] n alarmisme m.

scare story n histoire f pour faire peur.

scarf [skɑːf] (pl **-s** ou **scarves** [skɑːvz]) n **1.** écharpe f **2.** foulard m.

scarlet ['skɑːlət] adj écarlate. ❏ n écarlate f.

scarlet fever n scarlatine f.

scarves [skɑːvz] npl → **scarf**.

scary [skeərɪ] (comp scarier, superl scariest) adj fam qui fait peur.

scathing ['skeɪðɪŋ] adj **1.** acerbe **2.** cinglant.

scatter ['skætə'] vt éparpiller. ❏ vi se disperser.

scatterbrained ['skætəbreɪnd] adj fam écervelé.

scattered ['skætəd] adj **1.** (débris, population) dispersé **2.** (papier) éparpillé **3.** (averses) intermittent **4.** (nuages) épars.

scatty ['skætɪ] (comp scattier, superl scattiest) adj (UK) fam écervelé.

scavenge ['skævɪndʒ] vt récupérer. ❏ vi • **to scavenge for sthg** faire les poubelles pour trouver qqch.

scavenger ['skævɪndʒə'] n **1.** animal m nécrophage **2.** personne f qui fait les poubelles.

scenario [sɪ'nɑːrɪəʊ] (pl **-s**) n **1.** hypothèse f, scénario m **2.** CINÉ scénario m.

scene [siːn] n **1.** scène f • **behind the scenes** dans les coulisses **2.** spectacle m, vue f **3.** tableau m **4.** lieu m, endroit m • **the scene of the crime** le lieu du crime **5.** • **the political scene** la scène politique • **the music scene** le monde de la musique **6.** (locution) • **to set the scene for sb** mettre qqn au courant de la situation • **to set the scene for sthg** préparer la voie à qqch.

scenery ['siːnərɪ] n (indén) **1.** paysage m **2.** THÉÂTRE décor m, décors mpl.

scenic ['siːnɪk] adj touristique • **a scenic view** un beau panorama.

scenic route n route f touristique.

scent [sent] n **1.** senteur f, parfum m **2.** odeur f, fumet m **3.** (indén) parfum m.

scented ['sentɪd] adj parfumé.

scepter (US) = **sceptre**.

sceptic (UK), **skeptic** (US) ['skeptɪk] n sceptique mf.

sceptical (UK), **skeptical** (US) ['skeptɪkl] adj • **sceptical (about)** sceptique (sur).

scepticism (UK), **skepticism** (US) ['skeptɪsɪzm] n scepticisme m.

sceptre (UK), **scepter** (US) ['septə'] n sceptre m.

schadenfreude ['ʃɑːdən,frɔɪdə] n joie maligne qu'on éprouve face au malheur d'autrui.

schedule [(UK) 'ʃedjuːl, (US) 'skedʒʊl] n **1.** programme m, plan m • **on schedule a)** à l'heure (prévue) **b)** à la date prévue • **ahead of/be-**

hind schedule en avance/en retard (sur le programme) **2.** horaire *m* **3.** tarif *m* **4.** (us) calendrier *m* **5.** emploi *m* du temps. ❑ *vt* • **to schedule sthg (for)** prévoir qqch (pour).

scheduled [(uk) ˈʃedjuːld, (us) ˈskedʒʊld] *adj* **1.** *(programmé)* prévu • **at the scheduled time** à l'heure prévue **2.** *(régulier - arrêt, changement)* habituel.

scheduled flight *n* vol *m* régulier.

scheduling [(uk) ˈʃedjuːlɪŋ,, (us) ˈskedʒuːlɪŋ] *n TV & RADIO* programmation *f* • **scheduling director** *TV & RADIO* directeur *m*, -trice *f* des programmes.

schematic [skɪˈmætɪk] *adj* schématique.

scheme [skiːm] *n* **1.** plan *m*, projet *m* **2.** *péj* combine *f* **3.** arrangement *m* • **colour scheme** combinaison *f* de couleurs. ❑ *vi péj* conspirer.

scheming [ˈskiːmɪŋ] *adj* intrigant.

schism [ˈsɪzm *ou* ˈskɪzm] *n* schisme *m*.

schizophrenia [,skɪtsəˈfriːnjə] *n* schizophrénie *f*.

schizophrenic [,skɪtsəˈfrenɪk] *adj* schizophrène. ❑ *n* schizophrène *mf*.

schlepp [ʃlep] *fam vt* trimbaler. ❑ *vi* • **to schlepp (around)** se trimbaler.

schmal(t)z [ʃmɔːlts] *n fam* sentimentalité *f* à la guimauve.

schmuck [ʃmʌk] *n* (us) *vulg* connard *m*.

scholar [ˈskɒləʳ] *n* **1.** érudit *m*, -e *f*, savant *m*, -e *f* **2.** *vieilli* écolier *m*, -ère *f*, élève *mf* **3.** boursier *m*, -ère *f*.

scholarly [ˈskɒləlɪ] *adj* **1.** *(personne)* érudit, cultivé **2.** *(article, ouvrage)* savant.

scholarship [ˈskɒləʃɪp] *n* **1.** bourse *f* (d'études) • **to get a scholarship** obtenir une bourse **2.** érudition *f*.

school [skuːl] *n* **1.** école *f* **2.** lycée *m*, collège *m* **3.** faculté *f* **4.** (us) université *f*.

school

En Grande-Bretagne, on va d'abord à la **primary school**, de 5 ans à 11 ans, ou à l'**infant school**, de 5 à 7 ans, puis à la **junior school**, de 7 à 11 ans. Les élèves âgés de 11 à 16 ans (ou de 11 à 18 ans) fréquentent l'école secondaire, la **secondary school**.

Aux États-Unis, on va d'abord à l'**elementary school** (ou **grade school** ou **grammar school**) de 6 à 12 ans, puis à la **junior high school**, de 12 à 14 ans, et ensuite à la **high school** à partir de 14 ans. Le CP correspond au **Year 1** en Grande-Bretagne et au **1ˢᵗ grade** aux États-Unis. L'équivalent de la terminale est le **Year 13** en Grande-Bretagne et le **12ᵗʰ grade** aux États-Unis.

Dans les deux pays, les écoles privées (**private schools**) sont assez répandues. Attention, en Grande-Bretagne, les plus prestigieuses d'entre elles sont appelées **public schools** ! Les écoles publiques, quant à elles, sont appelées **state schools** en Grande-Bretagne et **public schools** aux États-Unis.

school age *n* âge *m* scolaire. ▪ **school-age** *adj* d'âge scolaire • **school-age children** des enfants d'âge scolaire.

schoolbag [ˈskuːlbæg] *n* cartable *m*.

schoolbook [ˈskuːlbʊk] *n* manuel *m* scolaire, livre *m* de classe.

schoolboy [ˈskuːlbɔɪ] *n* écolier *m*, élève *m*.

school bus *n* car *m* de ramassage scolaire.

schoolchild [ˈskuːltʃaɪld] *(pl* -children*)* *n* écolier *m*, -ère *f*, élève *mf*.

schooldays [ˈskuːldeɪz] *npl* années *fpl* d'école.

school friend *n* camarade *mf* d'école.

schoolgirl [ˈskuːlgɜːl] *n* écolière *f*, élève *f*.

school holiday *n* (uk) jour *m* de congé scolaire • **during the school holidays** pendant les vacances *ou* congés scolaires.

school hours *npl* heures *fpl* de classe *ou* d'école • **out of school hours** en dehors des heures de classe.

schooling [ˈskuːlɪŋ] *n* instruction *f*.

schoolkid [ˈskuːlkɪd] *n fam* écolier *m*, -ère *f*, élève *mf*.

school-leaver [-,liːvəʳ] *n* (uk) *élève qui a fini ses études secondaires.*

school-leaving age [-ˈliːvɪŋ-] *n* (uk) âge *m* de fin de scolarité.

schoolmaster [ˈskuːl,mɑːstəʳ] *n vieilli* instituteur *m*.

schoolmate [ˈskuːlmeɪt] *n* camarade *mf* d'école.

schoolmistress [ˈskuːl,mɪstrɪs] *n vieilli* institutrice *f*.

school of thought *n* école *f* (de pensée).

school report *n* (uk) bulletin *m*.

school run *n* (uk) • **to do the school run** emmener les enfants à l'école.

school spirit [ˈskuːl spɪrɪt] *n* (us) *SCOL* esprit *m* d'école.

schoolteacher [ˈskuːl,tiːtʃəʳ] *n* **1.** instituteur *m*, -trice *f* **2.** professeur *m*.

school uniform *n* uniforme *m* scolaire.

schoolwork [ˈskuːlwɜːk] *n* (indén) travail *m* scolaire *ou* de classe.

schoolyard *n* (us) cour *f* de récréation.

school year *n* année *f* scolaire.

schooner [ˈskuːnəʳ] *n* **1.** schooner *m*, goélette *f* **2.** (uk) grand verre *m* à xérès.

schtum [ʃtʊm] *adj* • **(UK)** *fam* **to keep schtum** ne pas piper mot.

sciatica [saɪˈætɪkə] *n* sciatique *f*.

science [ˈsaɪəns] *n* science *f*.

science fiction *n* science-fiction *f*.

scientific [ˌsaɪənˈtɪfɪk] *adj* scientifique.

scientifically [ˌsaɪənˈtɪfɪklɪ] *adv* scientifiquement, de manière scientifique • **scientifically speaking** d'un *ou* du point de vue scientifique.

scientist [ˈsaɪəntɪst] *n* scientifique *mf*.

Scientologist [ˌsaɪənˈtɒlədʒɪst] *n* scientologiste *mf*, scientologue *mf*.

sci-fi [ˌsaɪˈfaɪ] (abrév de science fiction) *n fam* science-fiction *f*, S.F. *f*.

scintillating [ˈsɪntɪleɪtɪŋ] *adj* brillant.

scissors [ˈsɪzəz] *npl* ciseaux *mpl*.

sclerosis [sklɪˈrəʊsɪs] → **multiple sclerosis**.

scoff [skɒf] *vt* **(UK)** *fam* bouffer, s'empiffrer de. ❏ *vi* **to scoff (at)** se moquer (de).

scold [skəʊld] *vt* gronder, réprimander.

scone [skɒn] *n* scone *m*.

scoop [skuːp] *n* **1.** pelle *f* à main **2.** cuillère *f* à glace **3.** boule *f* (de glace) **4.** *PRESSE* exclusivité *f*, scoop *m*. ❏ *vt* **1.** prendre avec les mains **2.** prendre avec une pelle à main. ■ **scoop out** *vt sép* évider.

scoot [skuːt] *vi fam* filer.

scooter [ˈskuːtər] *n* **1.** trottinette *f* **2.** scooter *m*.

scope [skəʊp] *n* (indén) **1.** occasion *f*, possibilité *f* **2.** étendue *f*, portée *f*. ■ **scope out** *vt sép* **(US)** observer • **to scope out the neighborhood** repérer un peu le quartier.

scorch [skɔːtʃ] *vt* **1.** brûler légèrement, roussir (des vêtements) **2.** brûler (la peau) **3.** dessécher (de l'herbe, une région).

scorcher [ˈskɔːtʃər] *n fam* journée *f* torride.

scorching [ˈskɔːtʃɪŋ] *adj fam* **1.** torride **2.** brûlant.

score [skɔːr] *n* **1.** *SPORT* score *m* • **what's the score?** où en est le score ? **2.** *SCOL* note *f* **3.** *vieilli* vingt **4.** *MUS* partition *f* **5.** • **on that score** à ce sujet. ❏ *vt* **1.** marquer • **to score 100%** avoir 100 sur 100 • **to score a goal** marquer un but **2.** remporter **3.** entailler. ❏ *vi SPORT* marquer (un but/un point).

scoreboard [ˈskɔːbɔːd] *n* tableau *m* d'affichage (du score).

scorecard [ˈskɔːkɑːd] *n* carte *f* de score.

scorer [ˈskɔːrər] *n SPORT* marqueur *m*.

scorn [skɔːn] *n* (indén) mépris *m*, dédain *m*. ❏ *vt* **1.** mépriser **2.** rejeter, dédaigner.

scornful [ˈskɔːnfʊl] *adj* méprisant • **to be scornful of sth** dédaigner qqch.

scornfully [ˈskɔːnfʊlɪ] *adv* avec mépris, dédaigneusement.

Scorpio [ˈskɔːpɪəʊ] (pl -s) *n* Scorpion *m*.

scorpion [ˈskɔːpɪən] *n* scorpion *m*.

Scot [skɒt] *n* Écossais *m, -e f*.

scotch [skɒtʃ] *vt* **1.** étouffer (une rumeur) **2.** faire échouer (un projet).

Scotch [skɒtʃ] *adj* écossais. ❏ *n* scotch *m*, whisky *m*.

Scotch (tape)® *n* **(US)** Scotch® *m*.

scot-free *adj fam* • **to get off scot-free** s'en tirer sans être puni.

Scotland [ˈskɒtlənd] *n* Écosse *f*.

Scots [skɒts] *adj* écossais. ❏ *n* écossais *m*.

Scotsman [ˈskɒtsmən] (pl -men) *n* Écossais *m*.

Scotswoman [ˈskɒtswʊmən] (pl -women) *n* Écossaise *f*.

Scottish [ˈskɒtɪʃ] *adj* écossais.

Scottish Parliament *n* Parlement *m* écossais.

scoundrel [ˈskaʊndrəl] *n vieilli* gredin *m*.

scour [skaʊər] *vt* **1.** récurer **2.** parcourir **3.** battre (la campagne).

scourge [skɜːdʒ] *n sout* fléau *m*.

scout [skaʊt] *n* éclaireur *m*. ■ **Scout** *n* scout *m*. ■ **scout around** *vi* • **to scout around (for)** aller à la recherche (de).

scowl [skaʊl] *n* regard *m* noir. ❏ *vi* se renfrogner, froncer les sourcils • **to scowl at sb** jeter des regards noirs à qqn.

scrabble [ˈskræbl] *vi* **1.** • **to scrabble at sth** gratter qqch **2.** • **to scrabble around for sth** tâtonner pour trouver qqch.

scraggy [ˈskrægɪ] *adj* décharné, maigre.

scram [skræm] (prét & pp **scrammed**, cont **scramming**) *vi fam* filer, ficher le camp.

scramble [ˈskræmbl] *n* bousculade *f*, ruée *f*. ❏ *vi* **1.** • **to scramble up a hill** grimper une colline en s'aidant des mains *ou* à quatre pattes **2.** • **to scramble for sth** se disputer qqch.

scrambled eggs [ˈskræmbld-] *npl* œufs *mpl* brouillés.

scrap [skræp] *n* **1.** bout *m* **2.** fragment *m* **3.** bribe *f* (de conversation) **4.** ferraille *f* **5.** *fam* bagarre *f*. ❏ *vt* **1.** mettre à la ferraille **2.** abandonner, laisser tomber. ■ **scraps** *npl* restes *mpl*.

scrapbook [ˈskræpbʊk] *n* album *m* (de coupures de journaux).

scrap dealer *n* ferrailleur *m*.

scrape [skreɪp] *n* **1.** raclement *m*, grattement *m* **2.** *fam & vieilli* • **to get into a scrape** se fourrer dans le pétrin. ❏ *vt* **1.** gratter, racler • **to scrape sth off sth** enlever qqch de qqch en grattant *ou* raclant **2.** érafler. ❏ *vi* gratter. ■ **scrape through** *vt insép* réussir de justesse. ■ **scrape together, scrape up** *vt sép* • **to scrape some money together** réunir de l'argent en raclant les fonds de tiroirs.

scraper [ˈskreɪpər] *n* grattoir *m*, racloir *m*.

scrap heap *n* tas *m* de ferraille • **on the scrap heap** *fig* au rebut, au placard.

scrapings ['skreɪpɪŋz] *npl* raclures *fpl*.

scrap merchant *n* (UK) ferrailleur *m*, marchand *m* de ferraille.

scrap metal *n* ferraille *f*.

scrap paper, scratch paper (US) *n* (papier *m*) brouillon *m*.

scrappy ['skræpɪ] (*comp* **scrappier**, *superl* **scrappiest**) *adj* **1.** (*discours, travail*) décousu **2.** (US) *fam* (*personne*) bagarreur.

scrapyard ['skræpjɑːd] *n* parc *m* à ferraille.

scratch [skrætʃ] *n* **1.** égratignure *f* (*blessure*) **2.** éraflure *f* (*trace sur peinture, verre*) **3.** (*locution*) • **to be up to scratch** être à la hauteur • **to do sthg from scratch** faire qqch à partir de rien. ❑ *vt* **1.** écorcher, égratigner **2.** rayer **3.** gratter **4.** SPORT annuler (*un match*). ❑ *vi* **1.** gratter **2.** se gratter.

scratch card *n* carte *f* à gratter.

scratchpad ['skrætʃpæd] *n* (US) bloc-notes *m*.

scratchproof ['skrætʃpruːf] *adj* inrayable.

scrawl [skrɔːl] *n* griffonnage *m*, gribouillage *m*. ❑ *vt* griffonner, gribouiller.

scrawny ['skrɔːnɪ] *adj* **1.** efflanqué **2.** décharné.

scream [skriːm] *n* **1.** cri *m* perçant, hurlement *m* **2.** éclat *m* (*de rire*). ❑ *vt* hurler. ❑ *vi* crier, hurler.

screaming ['skriːmɪŋ] *adj* **1.** (*fans*) qui crie, qui hurle **2.** (*sirène, réacteur*) qui hurle.

scree [skriː] *n* éboulis *m*.

screech [skriːtʃ] *n* **1.** cri *m* perçant **2.** crissement *m*. ❑ *vt* hurler. ❑ *vi* **1.** pousser des cris perçants **2.** crisser.

screen [skriːn] *n* **1.** écran *m* **2.** paravent *m*. ❑ *vt* **1.** CINÉ & TV projeter **2.** cacher, masquer **3.** protéger **4.** passer au crible, filtrer. ■ **screen off** *vt sép* séparer par un paravent.

screen break *n* pause *f*.

screen dump *n* INFORM vidage *m* d'écran.

screening ['skriːnɪŋ] *n* **1.** CINÉ projection *f* **2.** TV passage *m* à la télévision **3.** sélection *f*, tri *m* **4.** MÉD dépistage *m*.

screenplay ['skriːnpleɪ] *n* scénario *m*.

screen saver *n* INFORM économiseur *m* (d'écran).

screenshot ['skriːnʃɑːt] *n* **1.** copie *f* d'écran **2.** capture *f* d'écran.

screen test *n* bout *m* d'essai.

screenwriter ['skriːnraɪtər] *n* scénariste *mf*.

screw [skruː] *n* vis *f*. ❑ *vt* **1.** • **to screw sthg to sthg** visser qqch à *ou* sur qqch **2.** visser **3.** *vulg* baiser. ❑ *vi* se visser. ■ **screw up** *vt sép* **1.** froisser, chiffonner **2.** plisser **3.** tordre **4.** *vulg* gâcher, bousiller.

screwball ['skruːbɔːl] *n fam* cinglé *m*, -e *f*.

screwdriver ['skruːˌdraɪvər] *n* tournevis *m*.

screwed-up *adj* **1.** froissé, chiffonné **2.** *fam* paumé **3.** perturbé, angoissé.

screwy ['skruːɪ] *adj fam* fou, cinglé.

scribble ['skrɪbl] *n* gribouillage *m*, griffonnage *m*. ❑ *vt & vi* gribouiller, griffonner.

scrimp [skrɪmp] *vi* • **to scrimp and save** économiser *ou* lésiner sur tout.

script [skrɪpt] *n* **1.** scénario *m*, script *m* **2.** écriture *f* **3.** (*écriture f*) script *m*.

scripted ['skrɪptɪd] *adj* préparé à l'avance.

Scriptures ['skrɪptʃəz] *npl* • **the Scriptures** les (Saintes) Écritures *fpl*.

scriptwriter ['skrɪptˌraɪtər] *n* scénariste *mf*.

scroll [skrəʊl] *n* rouleau *m*. ❑ *vt* INFORM faire défiler. ■ **scroll down** *vi* INFORM défiler vers le bas. ■ **scroll up** *vi* INFORM défiler vers le haut.

scroll bar *n* INFORM barre *f* de défilement.

scrooge [skruːdʒ] *n fam* & *péj* grippe-sou *m*.

scrounge [skraʊndʒ] *fam vt* • **to scrounge money off sb** taper qqn • **can I scrounge a cigarette off you?** je peux te piquer une cigarette ?

scrounger ['skraʊndʒər] *n fam* parasite *m*.

scrub [skrʌb] *n* **1.** • **to give sthg a scrub** nettoyer qqch à la brosse **2.** (*indén*) broussailles *fpl*. ❑ *vt* **1.** laver *ou* nettoyer à la brosse **2.** frotter **3.** récurer.

scruff [skrʌf] *n* • **by the scruff of the neck** par la peau du cou.

scruffily ['skrʌfɪlɪ] *adv* • **scruffily dressed** dépenaillé, mal habillé.

scruffy ['skrʌfɪ] *adj* mal soigné.

scrum(mage) ['skrʌm(ɪdʒ)] *n* RUGBY mêlée *f*.

scrumptious ['skrʌmpʃəs] *adj fam* délicieux, fameux.

scrunch [skrʌntʃ] *vt* écraser, faire craquer. ❑ *vi* craquer, crisser.

scrunchie, scrunchy ['skrʌntʃɪ] *n* chouchou *m*.

scruples ['skruːplz] *npl* scrupules *mpl*.

scrupulous ['skruːpjʊləs] *adj* scrupuleux.

scrupulously ['skruːpjʊləslɪ] *adv* scrupuleusement • **scrupulously clean** d'une propreté méticuleuse • **scrupulously honest** d'une honnêteté scrupuleuse.

scrutinize, -ise (UK) ['skruːtɪnaɪz] *vt* scruter, examiner attentivement.

scrutiny ['skruːtɪnɪ] *n* (*indén*) examen *m* attentif.

scuba dive *vi* faire de la plongée sous-marine.

scuba diver *n* plongeur *m* sous-marin, plongeuse *f* sous-marine.

scuba diving ['skuːbə-] *n* plongée *f* sous-marine (*avec bouteilles*).

scuff [skʌf] *vt* **1.** érafler **2.** • **to scuff one's feet** traîner les pieds.

scuffle ['skʌfl] *n* bagarre *f*.

scullery ['skʌlərɪ] *n* arrière-cuisine *f*.

sculptor ['skʌlptər] *n* sculpteur *m*, -e *fou* -trice.

sculptural ['skʌlptʃərəl] *adj* sculptural.

sculpture ['skʌlptʃər] n sculpture f. ❏ vt sculpter.

scum [skʌm] n (indén) **1.** écume f, mousse f **2.** tfam & péj salaud m **3.** tfam & péj déchets mpl.

scumbag ['skʌmbæg] n tfam salaud m, ordure f.

scummy ['skʌmɪ] (comp scummier, superl scummiest) adj **1.** (liquide) écumeux **2.** (objet) crade **3.** tfam (personne) salaud.

scupper ['skʌpər] vt **1.** NAUT couler **2.** (UK) fig saboter, faire tomber à l'eau.

scurrilous ['skʌrələs] adj sout calomnieux.

scurry ['skʌrɪ] vi se précipiter • **to scurry away** ou **off** se sauver, détaler.

scuttle ['skʌtl] n seau m à charbon. ❏ vi courir précipitamment ou à pas précipités.

scythe [saɪð] n faux f.

sea [siː] n mer f • **at sea** en mer • **by sea** par mer • **by the sea** au bord de la mer • **out to sea** au large • **to be all at sea** nager complètement. ❏ en apposition **1.** (voyage) en mer **2.** (animal) marin, de mer.

sea bass n ZOOL & CULIN loup m de mer.

seabed ['siːbed] n • **the seabed** le fond de la mer.

seaboard ['siːbɔːd] n littoral m, côte f.

sea bream n daurade f, dorade f.

sea breeze n brise f de mer.

seafood ['siːfuːd] n (indén) fruits mpl de mer.

seafront ['siːfrʌnt] n front m de mer.

seagull ['siːgʌl] n mouette f.

seahorse ['siːhɔːs] n hippocampe m.

seal [siːl] n (pl inv ou -s) **1.** phoque m **2.** cachet m, sceau m. ❏ vt **1.** coller, fermer **2.** sceller, cacheter **3.** obturer, boucher. ■ **seal off** vt sép interdire l'accès de.

sealable ['siːləbl] adj qui peut être fermé hermétiquement.

sealed [siːld] adj **1.** (document) scellé **2.** (enveloppe) cacheté **3.** (bocal) fermé hermétiquement.

sea level n niveau m de la mer.

sea lion (pl inv ou -s) n otarie f.

seam [siːm] n **1.** couture f **2.** couche f, veine f (de charbon).

seaman ['siːmən] (pl -men) n marin m.

seamless ['siːmlɪs] adj **1.** COUT sans coutures **2.** fig parfait, irréprochable.

seamstress ['semstrɪs] n couturière f.

seamy ['siːmɪ] adj sordide.

séance ['seɪɒns] n séance f de spiritisme.

seaplane ['siːpleɪn] n hydravion m.

seaport ['siːpɔːt] n port m de mer.

search [sɜːtʃ] n **1.** fouille f **2.** recherche f, recherches fpl • **search for** recherche de • **in search of** à la recherche de. ❏ vt **1.** fouiller (une maison, une personne) **2.** fouiller dans (un tiroir, ses souvenirs). ❏ vi • **to search (for sb/sthg)** chercher (qqn/qqch).

searchable ['sɜːtʃəbəl] adj interrogeable • **searchable database** base f de données interrogeable.

search engine n INFORM moteur m de recherche.

searching ['sɜːtʃɪŋ] adj **1.** (question) poussé, approfondi **2.** (regard) pénétrant **3.** (examen) minutieux.

searchlight ['sɜːtʃlaɪt] n projecteur m.

search party n équipe f de secours.

search warrant n mandat m de perquisition.

sea salt n sel m marin ou de mer.

seashell ['siːʃel] n coquillage m.

seashore ['siːʃɔː] n • **the seashore** le rivage, la plage.

seasick ['siːsɪk] adj • **to be** ou**feel seasick** avoir le mal de mer.

seasickness ['siːsɪknɪs] n mal m de mer.

seaside ['siːsaɪd] n • **the seaside** le bord de la mer.

seaside resort n station f balnéaire.

season ['siːzn] n **1.** saison f • **in season** de saison • **out of season** hors saison **2.** cycle m (de films). ❏ vt assaisonner.

seasonal ['siːzənl] adj saisonnier.

seasonal affective disorder n troubles mpl de l'humeur saisonniers.

seasonally ['siːznəlɪ] adv de façon saisonnière • **seasonally adjusted statistics** statistiques corrigées des variations saisonnières, statistiques désaisonnalisées.

seasoned ['siːznd] adj **1.** chevronné, expérimenté **2.** (soldat) aguerri.

seasoning ['siːznɪŋ] n assaisonnement m.

season ticket n carte f d'abonnement.

seat [siːt] n **1.** siège m **2.** fauteuil m • **take a seat!** asseyez-vous ! **3.** place f (dans le bus, le train) **4.** fond m (de pantalon). ❏ vt faire asseoir, placer • **please be seated** veuillez vous asseoir.

-seater ['siːtər] suffixe • **a two-seater (car)** une voiture à deux places.

seating ['siːtɪŋ] n (indén) sièges mpl, places fpl (assises).

seat-of-the-pants adj fam • **the project has been a bit of a seat-of-the-pants operation** le projet a été mené au pif.

seawater ['siːˌwɔːtər] n eau f de mer.

seaweed ['siːwiːd] n (indén) algue f.

seaworthy ['siːˌwɜːðɪ] adj en bon état de navigabilité.

sec. abrév de **second**.

secateurs [ˌsekəˈtɜːz] npl (UK) sécateur m.

secede [sɪˈsiːd] vi sout • **to secede (from)** se séparer (de), faire sécession (de).

secluded [sɪˈkluːdɪd] adj retiré, écarté.

seclusion [sɪˈkluːʒn] n solitude f, retraite f.

second [sɪˈkɒnd] *vt* **(UK)** affecter temporairement *(un employé)*.

second [ˈsekənd] *n* **1.** seconde *f* • **second (gear)** seconde **2.** **(UK)** *UNIV* ≃ licence *f* avec mention assez bien. ❑ *num* deuxième, second • **his score was second only to hers** il n'y a qu'elle qui ait fait mieux que lui. ❑ *vt* appuyer. Voir aussi **sixth**. ■ **seconds** *npl* **1.** *COMM* articles *mpl* de second choix **2.** rabiot *m*.

secondary [ˈsekəndrɪ] *adj* secondaire • **to be secondary to** être moins important que.

secondary market *n* marché *m* secondaire.

secondary school *n* **(UK)** école *f* secondaire, lycée *m*.

second best [ˈsekənd-] *adj* deuxième • **don't settle for second best** ne choisis que ce qu'il y a de mieux.

second-class [ˈsekənd-] *adj* **1.** *péj (citoyen)* de deuxième zone **2.** *péj (produit)* de second choix **3.** *(billet)* de seconde *ou* deuxième classe **4.** *(timbre)* à tarif réduit **5.** **(UK)** *UNIV* ≃ avec mention assez bien.

second cousin [ˈsekənd-] *n* petit cousin *m*, petite cousine *f*.

second-degree burn [ˈsekənd-] *n* brûlure *f* du deuxième degré.

second-generation [ˈsekənd-] *adj (immigré, ordinateur)* de la seconde génération.

second grade *n* **(US)** *SCOL classe de l'enseignement primaire correspondant au CE 1 (6-7 ans)*.

second-guess [ˈsekənd-] *vt fam* anticiper, prévoir.

second hand [ˈsekənd-] *n* trotteuse *f*.

second-hand [ˈsekənd-] *adj* **1.** d'occasion • **to buy sthg second-hand** acheter qqch d'occasion **2.** *fig (information)* de seconde main. ❑ *adv* d'occasion.

second-in-command [ˈsekənd-] *n* commandant *m* en second.

secondly [ˈsekəndlɪ] *adv* deuxièmement, en second lieu.

secondment [sɪˈkɒndmənt] *n* **(UK)** affectation *f* temporaire.

second name [ˈsekənd-] *n* nom *m* de famille.

second nature [ˈsekənd-] *n* seconde nature *f*.

second-rate [ˈsekənd-] *adj péj* médiocre.

second thought [ˈsekənd-] *n* • **to have second thoughts about sthg** avoir des doutes sur qqch • **on second thoughts (UK)** *ou* **on second thought (US)** réflexion faite, tout bien réfléchi.

secrecy [ˈsiːkrəsɪ] *n (indén)* secret *m*.

secret [ˈsiːkrɪt] *adj* secret. ❑ *n* secret *m* • **to keep a secret** garder un secret.

secret agent *n* agent *m* secret.

secretarial [ˌsekrəˈteərɪəl] *adj (école, formation)* de secrétariat, de secrétaire • **secretarial staff** secrétariat *m*.

secretary [**(UK)** ˈsekrətrɪ, **(US)** ˈsekrəˌterɪ] *n* **1.** secrétaire *mf* **2.** ministre *mf*.

secretary-general *(pl* secretaries-general) *n* secrétaire *m* général.

Secretary of State *n* **1.** **(UK)** • **Secretary of State (for)** ministre *m* (de) **2.** **(US)** ≃ ministre *m* des Affaires étrangères.

secretive [ˈsiːkrətɪv] *adj* secret, dissimulé.

secretively [ˈsiːkrətɪvlɪ] *adv* en cachette, secrètement.

secretly [ˈsiːkrɪtlɪ] *adv* secrètement.

sect [sekt] *n* secte *f*.

sectarian [sekˈteərɪən] *adj* d'ordre religieux.

section [ˈsekʃn] *n* **1.** section *f*, partie *f* **2.** tronçon *m (d'une route)* **3.** article *m (de loi)* **4.** *GÉOM* coupe *f*, section *f*. ❑ *vt* sectionner.

sector [ˈsektə] *n* secteur *m*.

secular [ˈsekjʊlə] *adj* **1.** *(vie)* séculier **2.** *(école)* laïque **3.** *(musique)* profane.

secure [sɪˈkjʊə] *adj* **1.** fixe **2.** bien fermé **3.** *(avenir)* sûr **4.** *(objets de valeur)* en sécurité **5.** *(enfance)* tranquille **6.** *(mariage)* solide. ❑ *vt* **1.** obtenir **2.** attacher **3.** bien fermer **4.** assurer la sécurité de.

secure electronic transaction *n* *INFORM* paiement *m* sécurisé.

secure server *n* *INFORM* serveur *m* sécurisé.

security [sɪˈkjʊərətɪ] *n* sécurité *f* • **to tighten security** renforcer la sécurité. ■ **securities** *npl* *FIN* titres *mpl*, valeurs *fpl*.

security-coded *adj* **1.** *(radio)* à code de sécurité **2.** *AUTO* • **security-coded immobilizer** antidémarrage *m* codé.

security gate *n* portique *m*.

security guard *n* garde *m* de sécurité.

security risk *n personne qui présente un risque pour la sécurité nationale ou d'une organisation*.

sedan [sɪˈdæn] *n* **(US)** berline *f*.

sedate [sɪˈdeɪt] *adj* posé, calme. ❑ *vt* donner un sédatif à.

sedation [sɪˈdeɪʃn] *n (indén)* sédation *f* • **under sedation** sous calmants.

sedative [ˈsedətɪv] *n* calmant *m*.

sedentary [ˈsedntrɪ] *adj* sédentaire.

sediment [ˈsedɪmənt] *n* sédiment *m*, dépôt *m*.

seduce [sɪˈdjuːs] *vt* séduire • **to seduce sb into doing sthg** amener *ou* entraîner qqn à faire qqch.

seduction [sɪˈdʌkʃn] *n* séduction *f*.

seductive [sɪˈdʌktɪv] *adj* séduisant.

seductively [sɪˈdʌktɪvlɪ] *adv* **1.** *(s'habiller)* d'une manière séduisante **2.** *(sourire)* d'une manière enjôleuse.

see [siː] *(prét* saw, *pp* seen) *vt* **1.** voir • **see you!** au revoir ! • **see you soon/later/tomorrow** *etc* à bientôt/tout à l'heure/demain *etc* **2.** • **I saw her to the door** je l'ai accompagnée jusqu'à la porte • **I saw her onto the train** je l'ai accompagnée au train **3.** • **to see (that)…** s'assurer que… ❑ vi voir • **you see,…** voyez-vous,… • **I see** je vois, je comprends • **let's see, let me see** voyons, voyons voir. ■ **see about** vt insép s'occuper de. ■ **seeing as, seeing that** conj fam vu que, étant donné que. ■ **see off** vt sép **1.** accompagner (pour dire au revoir) **2.** (UK) faire partir ou fuir. ■ **see out** vt sép raccompagner à la porte • **can you see yourself out?** pouvez-vous trouver la sortie tout seul ? ■ **see through** vt insép voir clair dans • **to see through sb** voir dans le jeu de qqn. ❑ vt sép mener à terme. ■ **see to** vt insép s'occuper de • **I'll see to it** je m'en occuperai.

seed [siːd] n graine f. ■ **seeds** npl fig germes mpl, semences fpl.

seedless ['siːdlɪs] adj sans pépins.

seedling ['siːdlɪŋ] n semis m.

seedy ['siːdɪ] adj miteux.

seeing ['siːɪŋ] n vue f, vision f • **seeing is believing** prov il faut le voir pour le croire.

seek [siːk] (prét & pp sought) vt **1.** chercher **2.** rechercher • **to seek to do sthg** chercher à faire qqch **3.** demander (un conseil, de l'aide). ■ **seek out** vt sép chercher.

seem [siːm] vi sembler, paraître • **to seem sad** avoir l'air triste. ❑ v impers • **it seems (that)…** il semble ou paraît que…

seeming ['siːmɪŋ] adj sout apparent.

seemingly ['siːmɪŋlɪ] adv apparemment.

seen [siːn] pp → **see**.

seep [siːp] vi suinter.

seesaw ['siːsɔː] n bascule f.

seethe [siːð] vi **1.** être furieux **2.** • **to be seething with** grouiller de.

seething ['siːðɪŋ] adj furieux.

see-through adj transparent.

segment ['segmənt] n **1.** partie f, section f **2.** quartier m (de fruit).

segregate ['segrɪgeɪt] vt séparer.

segregated ['segrɪgeɪtɪd] adj POLIT où la ségrégation raciale est pratiquée.

segregation [,segrɪ'geɪʃn] n ségrégation f.

Seine [seɪn] n • **the (River) Seine** la Seine.

seismic ['saɪzmɪk] adj sismique.

seize [siːz] vt **1.** saisir, attraper **2.** s'emparer de, prendre **3.** DR arrêter **4.** fig saisir. ■ **seize (up)on** vt insép saisir. ■ **seize up** vi **1.** s'ankyloser **2.** (moteur) se gripper.

seizure ['siːʒə'] n **1.** MÉD crise f, attaque f **2.** (indén) capture f (d'une ville, d'un criminel) **3.** prise f (de pouvoir).

seldom ['seldəm] adv peu souvent.

select [sɪ'lekt] adj **1.** choisi **2.** de premier ordre, d'élite. ❑ vt sélectionner.

selected [sɪ'lektɪd] adj choisi.

selection [sɪ'lekʃn] n sélection f, choix m • **to make a selection** faire une sélection.

selective [sɪ'lektɪv] adj **1.** sélectif **2.** (personne) difficile.

selectively [sɪ'lektɪvlɪ] adv sélectivement, de manière sélective.

self [self] (pl selves [selvz]) n moi m • **she's her old self again** elle est redevenue elle-même.

self- [self] préf auto-.

self-addressed envelope [-ə'drest-] n enveloppe portant ses propres nom et adresse.

self-addressed stamped envelope [-ə'drest-] n (US) enveloppe f affranchie pour la réponse.

self-adhesive adj autocollant.

self-adjusting adj à autoréglage • **self-adjusting tappet** poussoir m autorégleur.

self-apparent adj évident.

self-appointed [-ə'pɔɪntɪd] adj péj • **she's the self-appointed leader** elle se pose en chef.

self-appraisal n auto-évaluation f • **self-appraisal scheme** système m d'auto-évaluation.

self-assembly adj (UK) qu'on monte ou assemble soi-même.

self-assertion n affirmation f de soi.

self-assertiveness n affirmation f de soi.

self-assessment n **1.** auto-évaluation f **2.** (UK) (au fisc) système de déclaration des revenus pour le paiement des impôts, par opposition au prélèvement à la source.

self-assured adj sûr de soi.

self-awareness n conscience f de soi.

self-belief n confiance f en soi • **to have self-belief** croire en soi-même.

self-betterment n **1.** amélioration f de sa condition **2.** progrès mpl spirituels.

self-catering adj (UK) en maison louée ; en appartement loué.

self-censorship n autocensure f • **to practise self-censorship** s'autocensurer.

self-centred (UK), **self-centered** (US) [-'sentəd] adj égocentrique.

self-centredness (UK), **self-centeredness** (US) [-'sentədnɪs] n égocentrisme m.

self-check routine n INFORM routine f d'autotest.

self-cleaning adj autonettoyant.

self-composed adj posé, calme.

self-confessed [-kən'fest] adj de son propre aveu.

self-confidence n confiance f en soi, assurance f • **she is full of/she lacks self-confidence** elle a une grande/elle manque de confiance en elle.

self-confident adj sûr de soi.

self-confidently adv avec assurance ou aplomb.

self-conscious adj timide.

self-consciously adv timidement.

self-consciousness n timidité f, gêne f.

self-contained [-kən'teɪnd] adj (appartement) indépendant, avec entrée particulière.

self-contempt n mépris m de soi-même • **to be full of self-contempt** se mépriser.

self-contented adj content de soi.

self-contentment n contentement m de soi.

self-control n maîtrise f de soi • **to lose one's self-control** perdre son sang-froid.

self-correcting [-kə'rektɪŋ] adj autocorrecteur.

self-deceit, self-deception n aveuglement m • **it's pure self-deceit on his part** il se fait des illusions.

self-defence (UK), **self-defense** (US) n autodéfense f.

self-delusion n illusion f • **it is nothing but self-delusion on her part** elle se fait des illusions.

self-denying [-dɪ'naɪɪŋ] adj • **a self-denying life** une vie de sacrifice.

self-deprecating [-'deprɪkeɪtɪŋ] adj • **to be self-deprecating** se déprécier.

self-deprecation n 1.autodérision f 2.dénigrement m de soi-même.

self-destructive adj autodestructeur.

self-determination n autodétermination f.

self-discipline n 1.maîtrise f de soi 2.autodiscipline f.

self-disciplined adj 1. (dans une situation) maître de soi 2.(dans sa conduite) qui fait preuve d'autodiscipline.

self-doubt n manque m de confiance en soi.

self-educated adj autodidacte.

self-effacing [-ɪ'feɪsɪŋ] adj qui cherche à s'effacer.

self-elected adj nommé par soi-même.

self-employed [-ɪm'plɔɪd] adj qui travaille à son propre compte.

self-employment n travail m en indépendant.

self-esteem n respect m de soi, estime f de soi.

self-evident adj qui va de soi, évident.

self-explanatory adj évident.

self-expression n libre expression f.

self-government n autonomie f.

self-harm n automutilation f. ❏ vi s'automutiler.

self-hatred n haine f de soi.

self-help n (indén) initiative f personnelle.

self-ignition n AUTO autoallumage m.

self-importance n suffisance f.

self-important adj suffisant.

self-imposed [-ɪm'pəʊzd] adj que l'on s'impose à soi-même.

self-improvement n perfectionnement m des connaissances personnelles.

self-indulgence n complaisance f envers soi-même, habitude f de ne rien se refuser.

self-indulgent adj péj 1. qui ne se refuse rien 2.nombriliste.

self-inflicted [-ɪn'flɪktɪd] adj que l'on s'inflige à soi-même, volontaire.

self-interest n (indén) péj intérêt m personnel.

self-interested adj intéressé, qui agit par intérêt personnel.

selfish ['selfɪʃ] adj égoïste.

selfishness ['selfɪʃnɪs] n égoïsme m.

self-justification n autojustification f.

self-knowledge n connaissance f de soi.

selfless ['selflɪs] adj désintéressé.

selflessly ['selflɪslɪ] adv de façon désintéressée, avec désintéressement.

self-loathing n dégoût m de soi-même.

self-made adj • **self-made man** self-made-man m.

self-medication n automédication f.

self-motivated adj capable de prendre des initiatives.

self-motivation n motivation f.

self-obsessed adj obsédé par soi-même.

self-opinionated adj opiniâtre.

self-pity n apitoiement m sur son sort.

self-pitying adj qui s'apitoie sur son (propre) sort.

self-portrait n autoportrait m.

self-possessed adj maître, maîtresse f de soi.

self-praise n éloge m de soi-même.

self-preservation n instinct m de conservation.

self-protection n autoprotection f.

self-publicist n • **he is an accomplished self-publicist** il sait soigner sa publicité.

self-raising flour (UK) [-,reɪzɪŋ-], **self-rising flour** (US) n farine f avec levure incorporée.

self-realization n prise f de conscience de soi-même.

self-reliance n indépendance f.

self-reliant adj indépendant.

self-replicating [-'replɪkeɪtɪŋ] adj autoreproducteur.

self-respect n respect m de soi.

self-respecting [-rɪs'pektɪŋ] adj qui se respecte.

self-restraint n (indén) retenue f, mesure f.

self-righteous adj suffisant.

self-righteousness n suffisance f, pharisaïsme m sout.

self-rising flour (US) = self-raising flour.

self-rule n autonomie f.

self-sacrifice n abnégation f.

self-satisfaction n contentement m de soi.

self-satisfied adj suffisant, content de soi.

self-serve adj (US) = self-service.

self-service n libre-service m.

self-starter n 1. AUTO démarreur m automatique 2. • to be a self-starter être autonome.

self-study n autoformation f. ❑ adj d'auto-formation.

self-styled [-'staɪld] adj péj soi-disant (inv), prétendu.

self-sufficiency n 1. indépendance f; suffisance f 2. ÉCON autosuffisance f 3. POLIT • (economic) self-sufficiency autarcie f.

self-sufficient adj autosuffisant • to be self-sufficient in satisfaire à ses besoins en.

self-supporting [-sə'pɔːtɪŋ] adj (affaire, entreprise) financièrement indépendant.

self-taught adj autodidacte.

sell [sel] (prét & pp sold) vt vendre • to sell sthg for £100 vendre qqch 100 livres • to sell sthg to sb, to sell sb sthg a) vendre qqch à qqn b) fig faire accepter qqch à qqn. ◇ vi se vendre • it sells for ou at £10 il se vend 10 livres. ■ sell off vt sép vendre, liquider. ■ sell out vt sép • the performance is sold out il ne reste plus de places, tous les billets ont été vendus. ❑ vi 1. • we've sold out on n'en a plus 2. ne pas être fidèle à ses principes. ■ sell up vi (UK) vendre son affaire.

sellable ['seləbl] adj vendable.

sell-by date n (UK) date f limite de vente.

seller ['selər] n vendeur m, -euse f.

seller's market n marché m à la hausse.

selling point n avantage m, atout m, point m fort.

selling price n prix m de vente.

Sellotape® ['seləteɪp] n (UK) ≃ Scotch® m. ■ sellotape vt scotcher.

sell-out n • the match was a sell-out on a joué à guichets fermés.

selves [selvz] npl → self.

semaphore ['seməfɔːr] n (indén) signaux mpl à bras.

semblance ['sembləns] n semblant m.

semen ['siːmen] n (indén) sperme m.

semester [sɪ'mestər] n semestre m.

semi- [,semɪ] préf semi-, demi-.

semicircle ['semɪ,sɜːkl] n demi-cercle m.

semicolon [,semɪ'kəʊlən] n point-virgule m.

semiconscious [,semɪ'kɒnʃəs] adj à demi conscient.

semidetached [,semɪdɪ'tætʃt] (UK) adj jumelé. ❑ n maison f jumelée.

semifinal [,semɪ'faɪnl] n demi-finale f.

semifinalist [,semɪ'faɪnəlɪst] n demi-finaliste mf.

seminal ['semɪnl] adj qui fait école (par son influence).

seminar ['semɪnɑːr] n séminaire m.

seminary ['semɪnərɪ] n séminaire m.

semiofficial [,semɪə'fɪʃəl] adj semi-officiel.

semiprecious ['semɪ,preʃəs] adj semi-précieux.

semi-retirement n préretraite f progressive.

semiskilled [,semɪ'skɪld] adj spécialisé.

semi-skimmed [-skɪmd] adj (lait) demi-écrémé.

semolina [,semə'liːnə] n semoule f.

Senate ['senɪt] n • the Senate le Sénat • the United States Senate le Sénat américain.

senator ['senətər] n sénateur m, -trice f.

send [send] (prét & pp sent) vt envoyer, expédier • to send sb sthg, to send sthg to sb envoyer qqch à qqn • send her my love embrasse-la pour moi • to send sb for sthg envoyer qqn chercher qqch. ■ send for vt insép 1. faire venir 2. commander par correspondance. ■ send in vt sép envoyer, soumettre. ■ send off vt sép 1. expédier 2. (UK) expulser. ■ send off for vt insép commander par correspondance. ■ send up vt sép 1. (UK) fam parodier, ridiculiser 2. (US) coffrer (envoyer en prison).

sender ['sendər] n expéditeur m, -trice f.

send-off n fête f d'adieu.

send-up n (UK) fam parodie f.

senile ['siːnaɪl] adj sénile.

senile dementia n démence f sénile.

senior ['siːnjər] adj 1. plus haut placé 2. • senior to sb d'un rang plus élevé que qqn 3. grand. ❑ n 1. aîné m, -e f 2. grand m, -e f 3. (US) SCOL & UNIV élève mf (en quatrième année).

senior citizen n personne f âgée ou du troisième âge.

seniority [,siːnɪ'ɒrətɪ] n supériorité f, ancienneté f.

sensation [sen'seɪʃn] n sensation f.

sensational [sen'seɪʃənl] adj sensationnel.

sensationalist [sen'seɪʃənəlɪst] adj à sensation.

sensationally [sen'seɪʃənəlɪ] adv d'une manière sensationnelle.

sense [sens] n 1. sens m • to make sense avoir un sens • sense of smell odorat m 2. sentiment m 3. bon sens m, intelligence f • to make sense être logique 4. • to come to one's senses a) revenir à la raison b) reprendre connaissance. ❑ vt sentir.

senseless ['senslɪs] adj 1. stupide 2. sans connaissance.

senselessly ['senslɪslɪ] adv stupidement, de façon absurde.

sensibility [,sensɪ'bɪlətɪ] (pl -ies) n sensibilité f.

sensible ['sensəbl] *adj* raisonnable, judicieux.
sensibly ['sensəblı] *adv* raisonnablement, judicieusement.
sensitive ['sensıtıv] *adj* **1.** • **sensitive (to)** sensible (à) **2.** délicat **3.** • **sensitive (about)** susceptible (en ce qui concerne).
sensitively ['sensıtıvlı] *adv* avec sensibilité.
sensitivity [,sensı'tıvətı] *n* sensibilité *f*.
sensual ['sensjʊəl] *adj* sensuel.
sensuality [,sensjʊ'ælətı] *n* sensualité *f*.
sensuous ['sensjʊəs] *adj* qui affecte les sens.
sent [sent] *passé & pp* → **send**.
sentence ['sentəns] *n* **1.** phrase *f* **2.** condamnation *f*, sentence *f*. ❏ *vt* • **to sentence sb (to)** condamner qqn (à).
sentiment ['sentımənt] *n* **1.** sentiment *m* **2.** opinion *f*, avis *m*.
sentimental [,sentı'mentl] *adj* sentimental.
sentimentality [,sentımen'tælətı] *n* sentimentalité *f*, sensiblerie *f*.
sentry ['sentrı] *n* sentinelle *f*.
SEP *SMS* (abrév de *somebody else's problem*) c'est pas mon problème.
separate *adj* ['seprət] **1.** • **separate (from)** séparé (de) **2.** distinct. ❏ *vt* ['sepəreıt] **1.** • **to separate sb/sthg (from)** séparer qqn/qqch (de) • **to separate sthg into** diviser *ou* séparer qqch en **2.** • **to separate sb/sthg (from)** distinguer qqn/qqch (de). ❏ *vi* ['sepəreıt] se séparer • **to separate into** se diviser *ou* se séparer en. ■ **separates** ['seprəts] *npl* (*vêtements*) coordonnés *mpl*.
separated ['sepəreıtıd] *adj* (*couple*) séparé.
separately ['seprətlı] *adv* séparément.
separation [,sepə'reıʃn] *n* séparation *f*.
separatist ['seprətıst] *n* séparatiste *mf*.
Sept. (abrév de *September*) sept.
September [sep'tembə] *n* septembre *m* • **in September** en septembre • **last September** en septembre dernier • **this September** en septembre de cette année • **next September** en septembre prochain • **by September** en septembre, d'ici septembre • **every September** tous les ans en septembre • **during September** pendant le mois de septembre • **at the beginning of September** début septembre • **at the end of September** fin septembre • **in the middle of September** à la mi-septembre.
septic ['septık] *adj* infecté.
septic tank *n* fosse *f* septique.
sequel ['si:kwəl] *n* **1.** • **sequel (to)** suite *f* (de) (*livre, film*) **2.** • **sequel (to)** conséquence *f* (de).
sequence ['si:kwəns] *n* **1.** suite *f*, succession *f* **2.** ordre *m* **3.** *CINÉ* séquence *f*.
sequin ['si:kwın] *n* paillette *f*.
Serbia ['sɜːbjə] *n* Serbie *f*.
Serbian ['sɜːbjən], **Serb** [sɜːb] *adj* serbe. ❏ *n* **1.** Serbe *mf* **2.** serbe *m*.

serenade [,serə'neıd] *n* sérénade *f*. ❏ *vt* donner la sérénade à.
serene [sı'ri:n] *adj* serein, tranquille.
serenely [sı'ri:nlı] *adv* sereinement, avec sérénité.
serenity [sı'renətı] *n* sérénité *f*, tranquillité *f*.
sergeant ['sɑːdʒənt] *n* **1.** *MIL* sergent *m*, -e *f* **2.** (*dans la police*) brigadier *m*, -ère *f*.
sergeant major *n* sergent-major *m*.
serial ['sıərıəl] *n* feuilleton *m*.
serialization, -isation (UK) [,sıərıəlaı'zeıʃn] *n* **1.** publication *f* en feuilleton (*d'un livre*) **2.** adaptation *f* en feuilleton (*d'une pièce, d'un film*).
serialize, -ise (UK) ['sıərıəlaız] *vt* **1.** (*à la télévision*) diffuser en feuilleton **2.** (*dans un journal*) publier en feuilleton.
serial killer *n* tueur *m* en série.
serial monogamy *n* succession *f* de relations monogamiques.
serial number *n* numéro *m* de série.
series ['sıəri:z] (*pl inv*) *n* série *f* • **a series of problems** une série de problèmes.
serious ['sıərıəs] *adj* **1.** sérieux • **to be serious about doing sthg** songer sérieusement à faire qqch **2.** grave.
seriously ['sıərıəslı] *adv* **1.** sérieusement • **to take sb/sthg seriously** prendre qqn/qqch au sérieux **2.** (*malade*) gravement **3.** (*blessé*) grièvement.
seriousness ['sıərıəsnıs] *n* **1.** gravité *f* **2.** sérieux *m*.
sermon ['sɜːmən] *n* sermon *m*.
seronegativity [,sıərəʊnegə'tıvıtı] *n* séronégativité *f*.
seropositivity [,sıərəʊpɒzı'tıvıtı] *n* séropositivité *f*.
serrated [sı'reıtıd] *adj* en dents de scie.
servant ['sɜːvənt] *n* domestique *mf*.
serve [sɜːv] *vt* **1.** servir **2.** • **to serve to do sthg** servir à faire qqch • **to serve a purpose** servir à un usage **3.** desservir **4.** servir (*un repas, un client*) • **to serve sthg to sb, to serve sb sthg** servir qqch à qqn **5.** *DR* • **to serve sb with a summons/writ** signifier une assignation/une citation à qqn **6.** purger, faire (*une peine de prison*) **7.** faire (*un apprentissage*) **8.** *TENNIS* servir **9.** • **it serves him/you right** c'est bien fait pour lui/toi. ❏ *vi* servir • **to serve as** servir de. ❏ *n* *TENNIS* service *m*. ■ **serve out, serve up** *vt sép* servir.
server ['sɜːvə] *n* *INFORM* serveur *m*.
service ['sɜːvıs] *n* **1.** service *m* • **in/out of service** en/hors service • **to be of service (to sb)** être utile (à qqn), rendre service (à qqn) • **service is included** le service est compris **2.** révision *f* **3.** entretien *m* **4.** *TENNIS* service *m*. ❏ *vt* **1.** réviser **2.** assurer l'entretien de. ■ **services** *npl* **1.** (UK) aire *f* de services **2.** • **the services** les forces *fpl*

armées **3.** • **to offer one's services** proposer ses services.

serviceable ['sɜːvɪsəbl] *adj* pratique.

service area *n* (UK) aire *f* de services.

service charge *n* service *m*.

serviceman ['sɜːvɪsmən] (*pl* -men) *n* soldat *m*, militaire *m*.

service provider *n* INFORM fournisseur *m* d'accès.

service station *n* station-service *f*.

servicewoman ['sɜːvɪs,wʊmən] (*pl* -women) *n* femme *f* soldat.

serviette [,sɜːvɪ'et] *n* (UK) serviette *f* (de table).

sesame ['sesəmɪ] *n* sésame *m*.

session ['seʃn] *n* **1.** séance *f* **2.** (US) UNIV trimestre *m*.

set [set] *adj* **1.** fixe • **set expression** *ou* **phrase** expression *f* figée **2.** (UK) SCOL au programme **3.** • **set (for sthg/to do sthg)** prêt (à qqch/à faire qqch) **4.** • **to be set on sthg** vouloir absolument qqch • **to be set on doing sthg** être résolu à faire qqch • **to be dead set against sthg** s'opposer formellement à qqch. ❑ *n* **1.** ensemble *m* **2.** jeu *m* (de clés) **3.** collection *f* (de timbres) **4.** série *f* (de casseroles) • **a set of teeth a)** une dentition, une denture **b)** un dentier **5.** poste *m* **6.** CINÉ plateau *m* **7.** THÉÂTRE scène *f* **8.** manche *f*, set *m*. ❑ *vt* (*prét* & *pp* set) **1.** placer, poser, mettre **2.** sertir, monter **3.** • **to set sb free** libérer qqn, mettre qqn en liberté • **to set sthg in motion** mettre qqch en branle ou en route • **to set sthg on fire** mettre le feu à qqch **4.** tendre (*un piège*) **5.** mettre (*la table*) **6.** régler **7.** fixer (*une date, un délai*) **8.** donner (*l'exemple*) **9.** lancer (*une mode*) **10.** établir (*un record*) **11.** donner (*des devoirs*) **12.** poser (*un problème*) **13.** MÉD plâtrer **14.** • **to be set in** se passer à, se dérouler à. ❑ *vi* (*prét* & *pp* set) **1.** (*soleil*) se coucher **2.** (*mayonnaise*) prendre **3.** (*ciment*) durcir. ■ **set about** *vt insép* entreprendre, se mettre à • **to set about doing sthg** se mettre à faire qqch. ■ **set apart** *vt sép* distinguer • **her talent sets her apart from the other students** son talent la distingue des autres étudiants. ■ **set aside** *vt sép* **1.** mettre de côté **2.** rejeter, écarter. ■ **set back** *vt sép* retarder. ■ **set in** *vi* **1.** (*météo, sentiment*) commencer, s'installer **2.** (*infection*) se déclarer • **panic set in a)** la panique éclata **b)** la panique s'installa. ■ **set off** *vt sép* **1.** déclencher, provoquer **2.** faire exploser (*une bombe*) **3.** faire partir (*un feu d'artifice*). ❑ *vi* se mettre en route, partir. ■ **set out** *vt sép* **1.** disposer **2.** présenter, exposer. ❑ *vt insép* • **to set out to do sthg** entreprendre *ou* tenter de faire qqch. ❑ *vi* se mettre en route, partir. ■ **set up** *vt sép* **1.** créer, fonder **2.** constituer, mettre en place **3.** arranger, organiser **4.** dresser, ériger **5.** placer, installer **6.** préparer, installer **7.** *fam*

monter un coup contre. ■ **set upon** *vt insép* attaquer, s'en prendre à.

setback ['setbæk] *n* contretemps *m*, revers *m*.

SETE SMS (abrév de smiling ear to ear) sourire jusqu'aux oreilles.

set menu *n* menu *m* fixe.

set piece *n* ART & LITTÉR morceau *m* traditionnel.

settee [se'tiː] *n* canapé *m*.

setting ['setɪŋ] *n* **1.** décor *m*, cadre *m* **2.** réglage *m*.

settle ['setl] *vt* **1.** régler • **that's settled then** (c'est) entendu **2.** régler, payer **3.** calmer • **to settle one's stomach** calmer les douleurs d'estomac **4.** installer. ❑ *vi* **1.** s'installer **2.** (*poussière*) retomber **3.** (*sédiments*) se déposer **4.** (*oiseau, insecte*) se poser. ■ **settle down** *vi* **1.** • **to settle down to sthg/to doing sthg** se mettre à qqch/à faire qqch **2.** s'installer **3.** se ranger **4.** se calmer. ■ **settle for** *vt insép* accepter, se contenter de. ■ **settle in** *vi* s'adapter. ■ **settle on** *vt insép* fixer son choix sur, se décider pour. ■ **settle up** *vi* • **to settle up (with sb)** régler (qqn).

settlement ['setlmənt] *n* **1.** accord *m* **2.** colonie *f* **3.** règlement *m*.

settler ['setlər] *n* colon *m*.

set-to *n fam* bagarre *f*.

set-top box *n* boîtier *m* électronique.

set-up *n fam* **1.** • **what's the set-up?** comment est-ce que c'est organisé ? **2.** coup *m* monté.

set-up costs *n* frais *mpl* de lancement.

seven ['sevn] *num* sept. Voir aussi **six**.

seventeen [,sevn'tiːn] *num* dix-sept. Voir aussi **six**.

seventeenth [,sevn'tiːnθ] *num* dix-septième. Voir aussi **sixth**.

seventh ['sevnθ] *num* septième. Voir aussi **sixth**.

seventh grade *n* (US) SCOL classe de l'enseignement secondaire correspondant à la cinquième (11-12 ans).

seventh heaven *n* • **to be in seventh heaven** être au septième ciel.

seventieth ['sevntjəθ] *num* soixante-dixième. Voir aussi **sixth**.

seventy ['sevntɪ] *num* soixante-dix. Voir aussi **sixty**.

sever ['sevər] *vt* **1.** couper **2.** *fig* rompre.

several ['sevrəl] *adj* plusieurs. ❑ *pron* plusieurs *mf pl*.

severance ['sevrəns] *n sout* rupture *f*.

severance pay *n* indemnité *f* de licenciement.

severe [sɪ'vɪər] *adj* **1.** rude, rigoureux **2.** (*choc*) gros, grosse *f*, dur **3.** (*douleur*) violent **4.** (*maladie, blessure*) grave **5.** sévère.

severely [sɪˈvɪəlɪ] *adv* **1.** *(blessé)* grièvement **2.** *(endommagé)* sérieusement **3.** *(puni, critiqué)* sévèrement.

severity [sɪˈverətɪ] *n* **1.** violence *f* **2.** gravité *f* **3.** sévérité *f*.

sew [səʊ] ((UK) *pp* sewn, *prét & pp* sallied, (US) *pp* sewed *ou* sewn) *vt & vi* coudre. ■ **sew up** *vt sép* recoudre.

sewage [ˈsuːɪdʒ] *n (indén)* eaux usées.

sewer [ˈsʊə] *n* égout *m*.

sewing [ˈsəʊɪŋ] *n (indén)* **1.** couture *f* **2.** ouvrage *m*.

sewing machine *n* machine *f* à coudre.

sewn [səʊn] *pp* → sew.

sex [seks] *n* **1.** sexe *m* **2.** *(indén)* rapports *mpl* (sexuels) • **to have sex with** avoir des rapports (sexuels) avec.

sex appeal *n* sex-appeal *m*.

sex change *n* changement *m* de sexe.

sex ed [ˈseks ˌed] *(abrév de* sex education*) n* (US) SCOL cours *m* d'éducation sexuelle.

sex education *n* éducation *f* sexuelle.

sexism [ˈseksɪzm] *n* sexisme *m*.

sexist [ˈseksɪst] *adj* sexiste. ❑ *n* sexiste *mf*.

sex life *n* vie *f* sexuelle.

sex offender *n* auteur *m* d'un délit sexuel.

sex pest *n fam* dragueur *m* infernal.

sexploits [ˈseksplɔɪts] *npl fam & hum* aventures *fpl* sexuelles.

sex symbol *n* sex-symbol *m*.

sexting [ˈsekstɪŋ] *n* (US) *envoi de SMS à caractère sexuel*.

sexual [ˈsekʃʊəl] *adj* sexuel.

sexual abuse *n (indén)* sévices *mpl* sexuels.

sexual assault *n* agression *f* sexuelle.

sexual harassment *n* harcèlement *m* sexuel.

sexual intercourse *n (indén)* rapports *mpl* (sexuels).

sexuality [ˌsekʃʊˈælətɪ] *n* sexualité *f*.

sexually [ˈsekʃʊəlɪ] *adv* sexuellement.

sexy [ˈseksɪ] *adj fam* sexy *(inv)*.

SGML *(abrév de* Standard Generated Markup Language*) n* INFORM SGML *m*.

shabby [ˈʃæbɪ] *adj* **1.** *(vêtements)* élimé, râpé **2.** *(personne)* minable **3.** *(endroit)* miteux **4.** *(comportement)* méprisable.

shack [ʃæk] *n* cabane *f*, hutte *f*.

shackle [ˈʃækl] *vt* **1.** enchaîner **2.** *fig* entraver. ■ **shackles** *npl* **1.** fers *mpl* **2.** *fig* entraves *fpl*.

shade [ʃeɪd] *n* **1.** *(indén)* ombre *f* **2.** abat-jour *m inv* **3.** nuance *f*, ton *m (couleur)* **4.** *fig* nuance *f*. ❑ *vt* abriter. ■ **shades** *npl fam* lunettes *fpl* de soleil.

shadow [ˈʃædəʊ] *n* ombre *f* • **there's not a** *ou* **the shadow of a doubt** il n'y a pas l'ombre d'un doute.

shadow cabinet *n* (UK) cabinet *m* fantôme.

shadowy [ˈʃædəʊɪ] *adj* **1.** ombreux **2.** mystérieux.

shady [ˈʃeɪdɪ] *adj* **1.** ombragé **2.** qui donne de l'ombre **3.** *fam* louche • **a shady character** un individu louche.

shaft [ʃɑːft] *n* **1.** puits *m* **2.** cage *f (d'ascenseur)* **3.** AUTO & TECHNOL arbre *m* **4.** rayon *m (de lumière)* **5.** manche *m (d'un outil)*.

shag [ʃæg] *n* **1.** toison *f* • **shag (pile) carpet** moquette *f* à poils longs **2.** • **shag (tobacco)** tabac *m* (très fort) **3.** cormoran *m* huppé **4.** *vulg* • **to have a shag** baiser **5.** (US) ramasseur *m* de balles. ❑ *vt (prét & pp* shagged*)* **1.** *tfam (par fatigue)* crever • **to be shagged (out)** être complètement crevé *ou* HS **2.** *vulg* baiser *(sexuellement)* **3.** (US) aller chercher *(à la gare, à l'école)*. ❑ *vi (prét & pp* shagged*) vulg* baiser.

shaggy [ˈʃægɪ] *adj* hirsute.

shaggy-dog story *n* histoire *f* farfelue *ou* à dormir debout.

shake [ʃeɪk] *vt (prét* shook, *pp* shaken*)* **1.** secouer • **to shake one's head a)** secouer la tête **b)** faire non de la tête **2.** agiter • **to shake hands** se serrer la main **3.** *(choc)* ébranler, secouer. ❑ *vi (prét* shook, *pp* shaken*)* trembler. ■ **shake off** *vt sép* **1.** semer *(des poursuivants)* **2.** se débarrasser *(d'une maladie)*.

shaken [ˈʃeɪkn] *pp* → shake.

Shakespeare [ˈʃeɪkspɪə] *n* Shakespeare.

CULTURE

Shakespeare

Le dramaturge et poète **William Shakespeare** (1564-1616) est considéré comme le plus grand écrivain de langue anglaise. Il est né à **Stratford-upon-Avon**, ville du centre de l'Angleterre, aujourd'hui haut lieu du théâtre britannique, puisque la **Royal Shakespeare Company** s'y est établie et y joue notamment les œuvres de Shakespeare. Parmi ses pièces les plus célèbres, on peut citer les tragédies **Hamlet**, **Macbeth**, **Romeo and Juliet**, les comédies **A Midsummer Night's Dream** (le Songe d'une nuit d'été) ou **Much Ado about Nothing** (Beaucoup de bruit pour rien), ou encore les œuvres historiques **Julius Caesar** et **Richard III**. Shakespeare, à la fois auteur dramatique et comédien, jouait dans ses propres pièces.

shake-up *n fam* remaniement *m*.

shaky [ˈʃeɪkɪ] *adj* **1.** branlant **2.** tremblant **3.** faible **4.** incertain.

shall

■ **shall** *v aux*

forme non accentuée [ʃəl], *forme accentuée* [ʃæl]

1. POUR EXPRIMER LE FUTUR (1re PERS. SING. & 1re PERS. PL.)
• **I shall be in Ireland next week** je serai en Irlande la semaine prochaine • **we shall not** *ou* **shan't be there before 6** nous n'y serons pas avant 6 h

2. POUR FAIRE UNE SUGGESTION (1re PERS. SING. & 1re PERS. PL.)
• **let's go, shall we?** on y va ? • **shall we have lunch now?** tu veux qu'on déjeune maintenant ?

3. DANS DES QUESTIONS
• **where shall I put this?** où est-ce qu'il faut mettre ça ?

4. POUR DONNER UN ORDRE
• **you shall tell me!** tu vas *ou* dois me le dire !
• **thou shalt not kill** *(bible)* tu ne tueras point

À PROPOS DE

shall

Shall peut être associé à *I* ou *we* dans les phrases interrogatives, pour faire une suggestion **(shall I make you a cup of tea?)**, formuler une invitation **(shall we go for a picnic on Sunday?)** ou demander un conseil **(what shall I wear?)**.
En dehors de ces quelques cas, *shall* n'est pas très souvent utilisé, en particulier en anglais américain. La forme négative *shan't* l'est encore moins. *Should* est la forme passée de *shall*.

shallow ['ʃæləʊ] *adj* **1.** peu profond **2.** *péj* superficiel.

sham [ʃæm] *adj* feint. ❑ *n* comédie *f*.

shambles ['ʃæmblz] *n* pagaille *f*.

shame [ʃeɪm] *n* **1.** *(indén)* honte *f* • **to bring shame on** *ou* **upon sb** faire la honte de qqn **2.** • **it's a shame (that...)** c'est dommage (que...) *(+ subjonctif)* • **what a shame!** quel dommage ! ❑ *vt* faire honte à • **to shame sb into doing sthg** obliger qqn à faire qqch en lui faisant honte.

shamefaced [,ʃeɪm'feɪst] *adj* honteux, penaud.

shameful ['ʃeɪmfʊl] *adj* honteux, scandaleux.

shamefully ['ʃeɪmfʊlɪ] *adv* honteusement, indignement • **to treat sb shamefully** traiter qqn de façon honteuse.

shameless ['ʃeɪmlɪs] *adj* effronté, éhonté.

shamelessly ['ʃeɪmlɪslɪ] *adv* sans honte, sans vergogne, sans pudeur • **to lie shamelessly** mentir effrontément.

shampoo [ʃæm'puː] *n (pl -s)* shampooing *m*. ❑ *vt (prét & pp* shampooed, *cont* shampooing)
• **to shampoo sb** *ou* **sb's hair** faire un shampooing à qqn.

shamrock ['ʃæmrɒk] *n* trèfle *m*.

shandy ['ʃændɪ] *n* panaché *m*.

shan't [ʃɑːnt] = shall not.

shantytown ['ʃæntɪtaʊn] *n* bidonville *m*.

shape [ʃeɪp] *n* **1.** forme *f* • **to take shape** prendre forme *ou* tournure **2.** • **to be in good/bad shape** être en bonne/mauvaise forme. ❑ *vt* **1.** • **to shape sthg (into)** façonner *ou* modeler qqch (en) **2.** former *(le caractère de qqn)*. ■ **shape up** *vi* **1.** se développer, progresser **2.** prendre forme.

-shaped ['ʃeɪpt] *suffixe* en forme de.

shapeless ['ʃeɪplɪs] *adj* informe.

shapelessness ['ʃeɪplɪsnɪs] *n* absence *f* de forme, aspect *m* informe.

shapely ['ʃeɪplɪ] *adj* bien fait.

share [ʃeə^r] *n* part *f*. ❑ *vt* partager. ❑ *vi* • **to share (in sthg)** partager (qqch). ■ **shares** *npl* FIN actions *fpl*. ■ **share out** *vt sép* partager, répartir.

shareholder ['ʃeə,həʊldə^r] *n* actionnaire *mf*.

share prices *n* cours *mpl* des actions.

shareware ['ʃeəweə^r] *n* INFORM shareware *m*.

shark [ʃɑːk] *(pl inv ou* -s*) n* requin *m*.

sharp [ʃɑːp] *adj* **1.** tranchant, affilé **2.** pointu **3.** *(image, contours)* net **4.** *(esprit, personne)* vif **5.** *(vue)* perçant **6.** *(changement)* brusque, soudain **7.** *(coup)* sec **8.** *(ordre, parole)* cinglant **9.** *(cri)* perçant **10.** *(douleur, froid)* vif **11.** *(goût)* piquant **12.** dièse. ❑ *adv* **1.** • **at 8 o'clock sharp** à 8 heures pile **2.** • **sharp left/right** tout à fait à gauche/droite. ❑ *n* MUS dièse *m*.

sharpen ['ʃɑːpn] *vt* **1.** aiguiser **2.** tailler.

sharp end *n* (UK) *fig* • **to be at the sharp end** être en première ligne.

sharpener ['ʃɑːpnə^r] *n* **1.** taille-crayon *m* **2.** aiguisoir *m* (pour couteaux).

sharp-eyed [-'aɪd] *adj* • **she's very sharp-eyed** elle remarque tout.

sharply ['ʃɑːplɪ] *adv* **1.** nettement **2.** brusquement **3.** sévèrement, durement.

sharp-tongued [-'tʌŋd] *adj* qui a la langue acérée.

sharp-witted [-'wɪtɪd] *adj* à l'esprit vif.

shat [ʃæt] *passé & pp* → shit.

shatter ['ʃætə^r] *vt* **1.** briser, fracasser **2.** détruire. ❑ *vi* se fracasser, voler en éclats.

shattered ['ʃætəd] *adj* **1.** bouleversé **2.** (UK) *fam* crevé.

shattering ['ʃætərɪŋ] *adj* **1.** bouleversant **2.** (UK) *fam* crevant, épuisant.

shatterproof ['ʃætəpruːf] *adj* anti-éclats.

shave [ʃeɪv] n • **to have a shave** se raser. ◻ vt **1.** raser **2.** planer, raboter. ◻ vi se raser. ■ **shave off** vt sép se raser (la barbe, les cheveux).

shaver ['ʃeɪvər] n rasoir m électrique.

shaving ['ʃeɪvɪŋ] n rasage m. ■ **shavings** npl **1.** copeaux mpl **2.** rognures fpl.

shaving brush n blaireau m.

shaving cream n crème f à raser.

shaving foam n mousse f à raser.

shawl [ʃɔːl] n châle m.

she [ʃiː] pron pers **1.** elle • **she's tall** elle est grande • **she can't do it** elle, elle ne peut pas le faire • **there she is** la voilà • **if I were** ou **was she** sout si j'étais elle, à sa place **2.** • **she's a fine ship** c'est un bateau magnifique. ◻ en apposition • **she-elephant** éléphant m femelle • **she-wolf** louve f.

À PROPOS DE

she

She est le pronom personnel qui représente les personnes et les animaux familiers de sexe féminin (there's my sister - she's a nurse ; there's my cat - isn't she funny ?) ; he est son équivalent masculin (there's my brother - he's a teacher). It représente les objets, les concepts et les animaux non familiers (there's my car - it's a Ford).

On utilise parfois **she** pour représenter un navire (the Titanic was new but she sank the first time she left port).

Certains noms peuvent être soit masculins soit féminins, p. ex. **doctor**, **cousin**, **friend**. Le choix entre **he** et **she** dépend donc du sexe de la personne en question (there's my boss - do you know him/her?). On peut utiliser **it** pour les noms d'animaux ainsi que pour certains noms comme **baby**, si l'on ignore le sexe (listen to that baby - I wish it would be quiet!).

Lorsque l'on ignore le sexe d'une personne, l'usage classique et soutenu veut que l'on utilise le pronom masculin (if a student is sick, he must have a note from his parents). La langue moderne et soutenue préconise l'usage des pronoms masculin et féminin (if a student is sick, he or she must have a note from his or her parents). L'utilisation de **they**, autrefois considérée comme familière, est désormais acceptée (if a student is sick, they must have a note from their parents).

sheaf [ʃiːf] (pl **sheaves** [ʃiːvz]) n **1.** liasse f (de papiers) **2.** gerbe f (de blé).

shear [ʃɪər] (prét **sheared**, pp **sheared** ou **shorn**) vt tondre. ■ **shears** npl **1.** sécateur m, cisaille f **2.** ciseaux mpl. ■ **shear off** vt sép **1.** couper

(une branche) **2.** cisailler (un morceau de métal). ◻ vi se détacher.

sheath [ʃiːθ] (pl **sheaths** [ʃiːðz]) n **1.** gaine f **2.** (UK) vieilli préservatif m.

sheaves [ʃiːvz] npl → **sheaf**.

shed [ʃed] n **1.** remise f, cabane f **2.** hangar m. ◻ vt (prét & pp **shed**) **1.** perdre (ses cheveux, ses feuilles) **2.** verser **3.** se défaire de, congédier (ses employés).

she'd (forme non accentuée [ʃɪd], forme accentuée [ʃiːd]) = she had, she would.

sheen [ʃiːn] n lustre m, éclat m.

sheep [ʃiːp] (pl inv) n mouton m.

sheepdog ['ʃiːpdɒg] n chien m de berger.

sheepish ['ʃiːpɪʃ] adj penaud.

sheepishly ['ʃiːpɪʃlɪ] adv d'un air penaud.

sheepskin ['ʃiːpskɪn] n peau f de mouton.

sheer [ʃɪər] adj **1.** pur **2.** à pic, abrupt **3.** (tissu, bas) fin.

sheet [ʃiːt] n **1.** drap m **2.** feuille f (de papier, de bois) **3.** plaque f (de métal).

sheet ice n verglas m.

sheet music n (indén) partition f.

sheik(h) [ʃeɪk] n cheik m.

shelf [ʃelf] (pl **shelves** [ʃelvz]) n rayon m, étagère f.

shelf life n durée f de conservation.

shell [ʃel] n **1.** coquille f **2.** carapace f **3.** coquillage m **4.** carcasse f **5.** obus m. ◻ vt **1.** écosser **2.** décortiquer **3.** enlever la coquille de, écaler (des œufs) **4.** bombarder. ■ **shell out** fam vt sép débourser. ◻ vi • **to shell out (for)** casquer (pour).

she'll [ʃiːl] = she will, she shall.

shellfire ['ʃelfaɪər] n (indén) tirs mpl d'obus.

shellfish ['ʃelfɪʃ] (pl inv) n **1.** crustacé m, coquillage m **2.** (indén) fruits mpl de mer.

shell-shocked [-ˌʃɒkt] adj commotionné (après une explosion).

shell suit n (UK) survêtement en Nylon® imperméabilisé.

shelter ['ʃeltər] n abri m. ◻ vt **1.** abriter, protéger **2.** offrir un asile à **3.** cacher. ◻ vi s'abriter, se mettre à l'abri.

sheltered ['ʃeltəd] adj **1.** abrité **2.** protégé, sans soucis.

shelve [ʃelv] vt fig mettre au Frigidaire®, mettre en sommeil.

shelves [ʃelvz] npl → **shelf**.

shenanigans [ʃɪˈnænɪgənz] npl fam micmacs mpl, manigances fpl.

shepherd ['ʃepəd] n berger m. ◻ vt fig conduire.

shepherd's pie ['ʃepədz-] n ≃ hachis m Parmentier.

sherbet ['ʃɜːbət] n **1.** (UK) poudre f aromatisée **2.** (US) sorbet m.

sheriff ['ʃerɪf] n (US) shérif m.

sherry ['ʃerɪ] n xérès m, sherry m.

she's [ʃiːz] = she is, she has.

Shetland ['ʃetlənd] n • (the) Shetland (Islands) les (îles fpl) Shetland fpl.

shh [ʃ] interj chut !

shield [ʃiːld] n 1. bouclier m 2. trophée m. ❏ vt • to shield sb (from) protéger qqn (de ou contre).

shift [ʃɪft] n 1. changement m, modification f 2. poste m 3. équipe f. ❏ vt 1. déplacer 2. changer, modifier. ❏ vi 1. changer de place 2. (vent) tourner 3. (us) AUTO changer de vitesse.

shift key n touche f majuscules.

shiftless ['ʃɪftlɪs] adj fainéant, paresseux.

shift stick n (us) levier m de vitesse.

shift work n travail m en équipe • to do shift work faire les trois-huit.

shift worker n personne qui fait les trois-huit.

shifty ['ʃɪftɪ] adj fam sournois, louche.

shilling ['ʃɪlɪŋ] n shilling m.

shilly-shally ['ʃɪlɪˌʃælɪ] vi hésiter, être indécis.

shimmer ['ʃɪmər] n 1. chatoiement m, scintillement m 2. miroitement m. ❏ vi 1. chatoyer, scintiller 2. miroiter.

shimmering ['ʃɪmərɪŋ] adj 1. (lumière) scintillant 2. (eau) miroitant.

shin [ʃɪn] n tibia m.

shinbone ['ʃɪnbəʊn] n tibia m.

shine [ʃaɪn] n brillant m. ❏ vt 1. (prét & pp shone) • to shine a torch on sthg éclairer qqch 2. (prét & pp shined) faire briller, astiquer. ❏ vi (prét & pp shone) briller.

shingle ['ʃɪŋgl] n (indén) galets mpl. ■ shingles n (indén) zona m.

shiny ['ʃaɪnɪ] adj brillant.

ship [ʃɪp] n 1. bateau m 2. navire m. ❏ vt 1. expédier 2. transporter.

shipbuilding ['ʃɪpˌbɪldɪŋ] n construction f navale.

shipment ['ʃɪpmənt] n cargaison f, chargement m.

shipper ['ʃɪpər] n affréteur m, chargeur m.

shipping ['ʃɪpɪŋ] n (indén) 1. transport m maritime 2. navires mpl.

shipshape ['ʃɪpʃeɪp] adj en ordre.

shipwreck ['ʃɪprek] n 1. naufrage m 2. épave f. ❏ vt • to be shipwrecked faire naufrage.

shipwrecked ['ʃɪprekt] adj naufragé.

shipyard ['ʃɪpjɑːd] n chantier m naval.

shire [ʃaɪər] n comté m.

shirk [ʃɜːk] vt se dérober à.

shirker ['ʃɜːkər] n tire-au-flanc m inv.

shirt [ʃɜːt] n chemise f.

shirtsleeves ['ʃɜːtsliːvz] npl • to be in (one's) shirtsleeves être en manches ou en bras de chemise.

shirty ['ʃɜːtɪ] (comp shirtier, superl shirtiest) adj (uk) fam de mauvais poil, de mauvaise humeur.

shit [ʃɪt] vulg n 1. merde f 2. (indén) conneries fpl. ❏ vi (prét & pp shitted ou shat) chier. ❏ interj merde !

shitless ['ʃɪtlɪs] adj vulg • to be scared shitless avoir une trouille bleue • to be bored shitless se faire chier à mort.

shit-scared adj vulg • to be shit-scared avoir une trouille bleue.

shiver ['ʃɪvər] n frisson m. ❏ vi • to shiver (with) trembler (de), frissonner (de).

shivery ['ʃɪvərɪ] adj 1. frissonnant (de froid) 2. fiévreux, grelottant (de fièvre).

shoal [ʃəʊl] n banc m (de poissons).

shock [ʃɒk] n 1. choc m, coup m 2. (indén) • to be suffering from shock, to be in (a state of) shock être en état de choc 3. décharge f électrique. ❏ vt 1. bouleverser 2. choquer, scandaliser.

shock absorber [-əbˌzɔːbər] n amortisseur m.

shocked [ʃɒkt] adj 1. bouleversé 2. choqué, scandalisé.

shocker ['ʃɒkər] n fam 1. film m à sensation 2. nouvelle f sensationnelle.

shock-horror adj fam (histoire, presse) à sensation.

shocking ['ʃɒkɪŋ] adj 1. (uk) épouvantable, terrible 2. scandaleux.

shockingly ['ʃɒkɪŋlɪ] adv 1. (pour souligner) affreusement, atrocement • shockingly bad vraiment affreux 2. (uk) fam très mal, lamentablement.

shock tactics npl tactique f de choc.

shock wave n onde f de choc.

shod [ʃɒd] passé & pp → shoe. ❏ adj chaussé.

shoddy ['ʃɒdɪ] adj 1. de mauvaise qualité 2. indigne, méprisable.

shoe [ʃuː] n chaussure f, soulier m. ❏ vt (prét & pp shoed ou shod) ferrer.

shoebrush ['ʃuːbrʌʃ] n brosse f à chaussures.

shoehorn ['ʃuːhɔːn] n chausse-pied m.

shoelace ['ʃuːleɪs] n lacet m de soulier.

shoemaker ['ʃuːˌmeɪkər] n 1. cordonnier m 2. fabricant m, -e f de chaussures.

shoemender ['ʃuːˌmendər] n cordonnier m, -ère f.

shoe polish n cirage m.

shoe repairer [-rɪˌpeərər] n cordonnier m.

shoe shop n magasin m de chaussures.

shoestring ['ʃuːstrɪŋ] n fig • on a shoestring à peu de frais.

shone [ʃɒn] passé & pp → shine.

shoo [ʃuː] vt chasser. ❏ interj ouste !

shook [ʃʊk] passé → shake.

shoot [ʃuːt] vt (prét & pp shot) 1. tuer d'un coup de feu • to shoot o.s. se tuer avec une arme à feu **2.** blesser d'un coup de feu **3.** (UK) chasser **4.** tirer **5.** CINÉ tourner. ❏ vi (prét & pp shot) **1.** • **to shoot (at)** tirer (sur) **2.** (UK) chasser **3.** • **to shoot in/out/past** entrer/sortir/passer en trombe **4.** CINÉ tourner **5.** SPORT tirer. ❏ n **1.** (UK) partie f de chasse **2.** BOT pousse f. ■ **shoot down** vt sép abattre. ■ **shoot up** vi **1.** (enfant, plante) pousser vite **2.** (prix) monter en flèche.

shoot-em-up n jeu m vidéo violent.

shooting ['ʃuːtɪŋ] n **1.** meurtre m **2.** (indén) (UK) chasse f.

shooting star n étoile f filante.

shop [ʃɒp] n **1.** magasin m, boutique f **2.** atelier m. ❏ vi faire ses courses • **to go shopping** aller faire les courses. ■ **shop around** vi comparer les prix.

shopaholic [ˌʃɒpə'hɒlɪk] n fam • **he's a real shopaholic** il adore faire les boutiques.

shop assistant n (UK) vendeur m, -euse f.

shop floor n • **the shop floor** fig les ouvriers mpl.

shopfront ['ʃɒpfrʌnt] n (UK) devanture f (de magasin).

shopkeeper ['ʃɒpˌkiːpər] n (surtout UK) commerçant m, -e f.

shoplift ['ʃɒplɪft] vt voler à l'étalage.

shoplifter ['ʃɒpˌlɪftər] n voleur m, -euse f à l'étalage.

shoplifting ['ʃɒpˌlɪftɪŋ] n (indén) vol m à l'étalage.

shopper ['ʃɒpər] n personne f qui fait ses courses.

shopping ['ʃɒpɪŋ] n (indén) (UK) achats mpl.

shopping bag n sac m à provisions.

shopping basket n **1.** panier m de course **2.** (sur un site d'achat) panier m.

shopping cart (US) = shopping trolley.

shopping centre (UK), **shopping mall** (US), **shopping plaza** (US) [-ˌplɑːzə] n centre m commercial.

shopping channel n TV chaîne f de télé-achat.

shopping list n liste f des commissions.

shopping mall, shopping plaza (US) = shopping centre.

shopping trolley, shopping cart (US) n chariot m, Caddie® m.

shopsoiled (UK) ['ʃɒpsɔɪld], **shopworn** (US) ['ʃɒpwɔːn] adj qui a fait l'étalage, abîmé (en magasin).

shop steward n délégué m syndical, déléguée f syndicale.

shopwindow [ˌʃɒp'wɪndəʊ] n vitrine f.

shore [ʃɔːr] n rivage m, bord m • **on shore** à terre. ■ **shore up** vt sép **1.** étayer, étançonner **2.** fig consolider.

shorn [ʃɔːn] pp → shear. ❏ adj tondu.

short [ʃɔːt] adj **1.** (dans le temps) court, bref **2.** (dans l'espace) court **3.** petit **4.** brusque, sec **5.** • **time/money is short** nous manquons de temps/d'argent • **to be short of** manquer de **6.** • **to be short for** être le diminutif de. ❏ adv • **to be running short of** commencer à manquer de • **to cut sthg short** couper court à qqch • **to stop short** s'arrêter net. ❏ n **1.** (UK) alcool m fort **2.** CINÉ court métrage m. ■ **for short** adv • **he's called Bob for short** Bob est son diminutif. ■ **in short** adv (enfin) bref. ■ **nothing short of** prép rien moins que, pratiquement. ■ **short of** prép • **short of doing sthg** à moins de faire qqch, à part faire qqch. ■ **shorts** npl **1.** short m **2.** (US) caleçon m.

shortage ['ʃɔːtɪdʒ] n manque m, insuffisance f.

shortbread ['ʃɔːtbred] n sablé m.

short-change vt **1.** • **to short-change sb** ne pas rendre assez à qqn **2.** fig tromper, rouler.

short circuit n court-circuit m. ■ **short-circuit** vt court-circuiter. ❏ vi se mettre en court-circuit.

shortcomings ['ʃɔːtˌkʌmɪŋz] npl défauts mpl.

shortcrust pastry ['ʃɔːtkrʌst-] n pâte f brisée.

shortcut n **1.** raccourci m • **to take a shortcut** prendre un raccourci • **keyboard shortcut** INFORM raccourci m clavier **2.** solution f miracle.

shorten ['ʃɔːtn] vt **1.** écourter **2.** raccourcir. ❏ vi raccourcir.

shortfall ['ʃɔːtfɔːl] n déficit m.

shorthand ['ʃɔːthænd] n (indén) sténographie f.

shorthand typist n (UK) vieilli sténodactylo f.

short-haul adj court-courrier (inv).

short list n liste f des candidats sélectionnés. ■ **short-list** vt • **to be short-listed (for)** être au nombre des candidats sélectionnés (pour).

short-lived [-'lɪvd] adj de courte durée.

shortly ['ʃɔːtlɪ] adv bientôt.

short-range adj à courte portée.

short shrift [-'ʃrɪft] n • **to give sb short shrift** envoyer promener qqn.

shortsighted [ˌʃɔːt'saɪtɪd] adj **1.** (UK) myope **2.** fig imprévoyant.

shortsightedness [ˌʃɔːt'saɪtɪdnɪs] n **1.** (UK) MÉD myopie f **2.** fig myopie f, manque m de perspicacité ou de prévoyance.

short-sleeved adj à manches courtes.

short-staffed [-'stɑːft] adj • **to be short-staffed** manquer de personnel.

short story n nouvelle f.

short-tempered [-'tempəd] adj emporté, irascible.

short-term adj **1.** à court terme **2.** de courte durée.

short wave n (indén) ondes fpl courtes.

shot [ʃɒt] passé & pp → shoot. ❏ n **1.** coup m de feu • **like a shot** sans tarder **2.** tireur m **3.** coup m **4.** photo f **5.** plan m **6.** fam • **to have a shot at**

sthg essayer de faire qqch • **to give sthg one's best shot** faire ce qu'on peut • **to be worth a shot** valoir le coup d'essayer **7.** piqûre f.

shotgun ['ʃɒtɡʌn] n fusil m de chasse.

should

■ **should** [ʃʊd] aux modal

1. POUR DONNER UN CONSEIL, EXPRIMER CE QUI SERAIT SOUHAITABLE

• **you should go** tu devrais y aller • **should I go too?** est-ce que je devrais y aller aussi ? • **we should leave now** il faudrait partir maintenant

2. EXPRIME UNE DÉDUCTION, UNE PROBABILITÉ

• **she should be home soon** elle devrait être de retour bientôt • **that should be her at the door** ça doit être elle

3. SUIVI DE « HAVE » + PARTICIPE PASSÉ, EXPRIME UN REGRET, UN REPROCHE

• **they should have won the match** ils auraient dû gagner le match • **you should have helped your sister** tu aurais dû aider ta sœur

4. AVEC UNE VALEUR CONDITIONNELLE

• **I should be very sorry if they couldn't come** je serais navré s'ils ne pouvaient pas venir • **I should like to come with you** j'aimerais bien venir avec vous • **I should deny everything** moi, je nierais tout

5. APRÈS « IF », POUR EXPRIMER UNE ÉVENTUALITÉ

• **if anyone should call, please let met know** si par hasard quelqu'un appelle, veuillez me prévenir

shoulder ['ʃəʊldə'] n **1.** épaule f **2.** accotement m, bas côté m **3.** (us) bande f d'arrêt d'urgence. ❏ vt **1.** porter **2.** endosser.

shoulder bag n sac m en bandoulière.

shoulder blade n omoplate f.

shoulder strap n **1.** bretelle f **2.** bandoulière f.

shouldn't ['ʃʊdnt] = should not.

should've ['ʃʊdəv] = should have.

shout [ʃaʊt] n cri m. ❏ vt & vi crier. ■ **shout down** vt sép huer, conspuer.

shouting ['ʃaʊtɪŋ] n (indén) cris mpl.

shove [ʃʌv] n • **to give sb/sthg a shove** pousser qqn/qqch. ❏ vt pousser • **to shove clothes into a bag** fourrer des vêtements dans un sac. ■ **shove off** vi **1.** pousser au large **2.** fam ficher le camp, filer.

shovel ['ʃʌvl] n pelle f. ❏ vt ((uk) prét & pp **shovelled**, cont **shovelling**; (us) prét & pp **shoveled**, cont **shoveling**) enlever à la pelle.

show [ʃəʊ] n **1.** démonstration f, manifestation f **2.** spectacle m **3.** émission f **4.** séance f **5.** exposition f **6.** • **it's all over the show** (us) fam ça part dans tous les sens. ❏ vt (prét **showed**, pp **shown** ou **showed**) **1.** montrer • **to show sb sthg, to show sthg to sb** montrer qqch à qqn **2.** indiquer **3.** témoigner **4.** faire preuve de **5.** • **to show sb to his seat/table** conduire qqn à sa place/sa table **6.** projeter, passer *(un film)*. ❏ vi (prét **showed**, pp **shown** ou **showed**) *(un film)* se voir, être visible • **what's showing tonight?** qu'est-ce qu'on joue comme film ce soir ? ■ **show around, show round** (uk) vt sép • **to show sb around a town/a house** faire visiter une ville/une maison à qqn. ■ **show off** vt sép exhiber. ❏ vi faire l'intéressant(e), frimer. ■ **show round** vt sép (uk) = **show round**. ■ **show up** vt sép embarrasser. ❏ vi **1.** se voir, ressortir **2.** fam rappliquer.

showbiz ['ʃəʊbɪz] n fam show-biz m.

show business n (indén) monde m du spectacle, show-business m.

showcase ['ʃəʊkeɪs] n litt & fig vitrine f.

showdown ['ʃəʊdaʊn] n • **to have a showdown with sb** s'expliquer avec qqn, mettre les choses au point avec qqn.

shower ['ʃaʊə'] n **1.** douche f • **to have** (uk) ou **take a shower** prendre une douche, se doucher **2.** averse f **3.** fig avalanche f, déluge m. ❏ vt • **to shower sb with** couvrir qqn de. ❏ vi se doucher.

shower cap n bonnet m de douche.

shower curtain n rideau m de douche.

shower head n pomme f de douche.

shower room n salle f d'eau.

showing ['ʃəʊɪŋ] n projection f.

show jumping [-ˌdʒʌmpɪŋ] n jumping m.

showmanship ['ʃəʊmənʃɪp] n sens m du spectacle.

shown [ʃəʊn] pp → **show**.

show-off n fam m'as-tu-vu mf, -e f.

show of hands n • **to have a show of hands** voter à main levée.

showpiece ['ʃəʊpiːs] n joyau m, trésor m.

showroom ['ʃəʊrʊm] n **1.** salle f ou magasin m d'exposition **2.** salle de démonstration.

show-stopping adj sensationnel.

showy ['ʃəʊɪ] (comp **showier**, superl **showiest**) adj **1.** voyant **2.** prétentieux.

shrank [ʃræŋk] passé → **shrink**.

shrapnel ['ʃræpnl] *n (indén)* éclats *mpl* d'obus.

shred [ʃred] *n* **1.** lambeau *m*, brin *m* **2.** *fig* parcelle *f*, once *f*, grain *m*. ❑ *vt* **1.** râper **2.** déchirer en lambeaux.

shredder ['ʃredər] *n* destructeur *m* de documents.

shrewd [ʃruːd] *adj* fin, astucieux.

shrewdly ['ʃruːdlɪ] *adv (agir)* avec perspicacité *ou* sagacité.

shrewdness ['ʃruːdnɪs] *n* finesse *f*, perspicacité *f*.

shriek [ʃriːk] *n* **1.** cri *m* perçant, hurlement *m* **2.** éclat *m*. ❑ *vi* pousser un cri perçant.

shrill [ʃrɪl] *adj* **1.** aigu **2.** strident.

shrimp [ʃrɪmp] *n* crevette *f*.

shrine [ʃraɪn] *n* lieu *m* saint.

shrink [ʃrɪŋk] *n fam* & *hum psy mf*. ❑ *vt (prét shrank, pp shrunk)* rétrécir. ❑ *vi (prét shrank, pp shrunk)* **1.** rétrécir **2.** rapetisser **3.** *fig* baisser, diminuer **4.** • to shrink away from sthg reculer devant qqch • to shrink from doing sthg rechigner *ou* répugner à faire qqch.

shrinkage ['ʃrɪŋkɪdʒ] *n* **1.** rétrécissement *m* **2.** *fig* diminution *f*, baisse *f*.

shrink-wrap *vt* emballer sous film plastique.

shrink-wrapped *adj* emballé sous film plastique.

shrink-wrapping *n* **1.** *(processus)* emballage *m* sous film plastique **2.** *(matière)* film *m* plastique.

shrivel ['ʃrɪvl] ((UK) *prét & pp* shrivelled, *cont* shrivelling, (US) *prét & pp* shriveled, *cont* shriveling) *vt* • to shrivel (up) rider, flétrir. ❑ *vi* • to shrivel (up) se rider, se flétrir.

shrivelled ['ʃrɪvəld] *adj* ratatiné.

shroud [ʃraud] *n* linceul *m*. ❑ *vt* • to be shrouded in a) être enseveli sous *(l'obscurité, le brouillard)* b) être enveloppé de *(mystère)*.

Shrove Tuesday ['ʃrəuv-] *n* Mardi *m* gras.

shrub [ʃrʌb] *n* arbuste *m*.

shrubbery ['ʃrʌbərɪ] *n* massif *m* d'arbustes.

shrug [ʃrʌg] *vt* • to shrug one's shoulders hausser les épaules. ❑ *vi* hausser les épaules. ■ shrug off *vt sép* ignorer • to shrug off an illness se débarrasser d'une maladie.

shrunk [ʃrʌŋk] *pp* → shrink.

shtum = schtum.

shudder ['ʃʌdər] (US) *vi* **1.** • to shudder (with) frémir (de), frissonner (de) **2.** vibrer, trembler.

shuffle ['ʃʌfl] *vt* **1.** • to shuffle one's feet traîner les pieds **2.** battre *(les cartes)*.

shun [ʃʌn] *vt* fuir, éviter.

shunt [ʃʌnt] *vt* aiguiller.

shush [ʃuʃ] *interj* chut !

shut [ʃʌt] *adj* fermé. ❑ *vt (prét & pp* shut) *(magasin)* fermer. ❑ *vi (prét & pp* shut) **1.** se fermer **2.** fermer. ■ shut away *vt sép* mettre sous clef. ■ shut down *vt sép* & *vi* **1.** *(magasin)* fermer **2.** éteindre. ■ shut out *vt sép* **1.** supprimer *(un bruit)* **2.** ne pas laisser entrer *(la lumière)* • to shut sb out laisser qqn à la porte. ■ shut up *fam vt sép* faire taire. ❑ *vi* se taire.

shutdown ['ʃʌtdaun] *n* fermeture *f*.

shutter ['ʃʌtər] *n* **1.** volet *m* **2.** PHOTO obturateur *m*.

shuttle ['ʃʌtl] *adj* • shuttle service (service *m* de) navette *f*. ❑ *n* navette *f* • a space shuttle une navette spatiale.

shuttlecock ['ʃʌtlkɒk] *n* volant *m*.

shy [ʃaɪ] *adj* timide. ❑ *vi (cheval)* s'effaroucher.

Siberia [saɪ'bɪərɪə] *n* Sibérie *f*.

sibling ['sɪblɪŋ] *n* **1.** frère *m* **2.** sœur *f*.

Sicily ['sɪsɪlɪ] *n* Sicile *f*.

sick [sɪk] *adj* **1.** malade **2.** • to be sick a) être malade b) (UK) vomir • to be sick avoir mal au cœur **3.** • to be sick of en avoir marre de **4.** *(blague, humour)* macabre.

sickbay ['sɪkbeɪ] *n* infirmerie *f*.

sickbed ['sɪkbed] *n* lit *m* de malade.

sicken ['sɪkn] *vt* écœurer, dégoûter.

sickening ['sɪknɪŋ] *adj* écœurant, dégoûtant.

sickie ['sɪkɪ] *n* (UK & AUSTRALIE) *fam* • to take a sickie se faire porter pâle *(lorsqu'on est bien portant)*.

sickle ['sɪkl] *n* faucille *f*.

sick leave *n (indén)* congé *m* de maladie.

sickly ['sɪklɪ] *adj* **1.** maladif, souffreteux **2.** *(odeur, goût)* écœurant.

sickness ['sɪknɪs] *n* (UK) **1.** maladie *f* **2.** *(indén)* nausée *f*, nausées *fpl* **3.** vomissement *m*, vomissements *mpl*.

sick-out *n* (US) grève où tous les employés prétendent être malades le même jour.

sick pay *n (indén)* indemnité *f ou* allocation *f* de maladie.

side [saɪd] *n* **1.** côté *m* • at *ou* by my/her *etc* side à mes/ses *etc* côtés • on every side, on all sides de tous côtés • from side to side d'un côté à l'autre • side by side côte à côte **2.** bord *m* **3.** versant *m*, flanc *m* **4.** camp *m*, côté *m* **5.** SPORT équipe *f*, camp *m* **6.** point *m* de vue • to take sb's side prendre le parti de qqn **7.** aspect *m* **8.** facette *f* • to be on the safe side par précaution **9.** (US) *(accompagnement)* • a pork chop with a side of fries une côte de porc avec des frites *(servis à part)*. ❑ *adj* latéral. ■ side with *vt insép* prendre le parti de.

sideboard ['saɪdbɔd] *n* buffet *m*.

sideboards (UK) ['saɪdbɔdz], **sideburns** (surtout US) ['saɪdbɜnz] *npl* favoris *mpl*.

side dish *n* accompagnement *m*, garniture *f*.

side effect n **1.** MÉD effet m secondaire ou indésirable **2.** répercussion f.

side issue n question f secondaire.

sidekick ['saɪdkɪk] n **1.** fam copain m, copine f **2.** péj acolyte mf.

sidelight ['saɪdlaɪt] n (UK) feu m de position.

sideline ['saɪdlaɪn] n **1.** activité f secondaire **2.** SPORT ligne f de touche.

sidelong ['saɪdlɒŋ] adj & adv de côté.

side order n portion f • **I'd like a side order of fries** je voudrais aussi des frites.

side plate n assiette f à pain, petite assiette.

sidesaddle ['saɪd,sædl] adv • **to ride sidesaddle** monter en amazone.

side salad n salade f (pour accompagner un plat).

sideshow ['saɪdʃəʊ] n spectacle m forain.

sidesplittingly ['saɪd,splɪtɪŋlɪ] adv fam • **sidesplittingly funny** à se tordre de rire.

sidestep ['saɪdstep] vt **1.** faire un pas de côté pour éviter ou esquiver **2.** fig éviter.

side street n **1.** petite rue f **2.** rue transversale.

sidetrack ['saɪdtræk] vt • **to be sidetracked** se laisser distraire.

sidewalk ['saɪdwɔk] n (US) trottoir m.

sideways ['saɪdweɪz] adj & adv de côté.

sideyard ['saɪdjɑːd] n (US) jardin m (à côté d'une maison).

siding ['saɪdɪŋ] n voie f de garage.

sidle ['saɪdl] ■ **sidle up** vi • **to sidle up to sb** se glisser vers qqn.

siege [siːdʒ] n siège m.

sieve [sɪv] n **1.** tamis m **2.** passoire f. ❑ vt **1.** tamiser **2.** passer.

sift [sɪft] vt **1.** tamiser **2.** fig passer au crible. ❑ vi • **to sift through** examiner, éplucher.

sigh [saɪ] n soupir m • **to give a sigh of relief** pousser un soupir de soulagement. ❑ vi soupirer.

sight [saɪt] n **1.** vue f • **in/out of sight** en/hors de vue • **at first sight** à première vue **2.** spectacle m **3.** mire f (d'une arme). ❑ vt apercevoir. ■ **sights** npl attractions fpl touristiques.

sighting ['saɪtɪŋ] n • **there has been a sighting of the escaped criminal** on a vu le fugitif.

sightseeing ['saɪt,siːɪŋ] n tourisme m • **to go sightseeing** faire du tourisme.

sightseer ['saɪt,siːə'] n touriste mf.

sign [saɪn] n **1.** signe m • **no sign of** aucune trace de **2.** enseigne f **3.** AUTO panneau m. ❑ vt signer. ❑ vi communiquer par signes. ■ **sign away** vt sép signer la renonciation à • **I felt I was signing away my freedom** j'avais l'impression qu'en signant je renonçais à ma liberté. ■ **sign for** vt insép **1.** signer à la réception de (courrier, colis) **2.** SPORT signer un contrat avec. ■ **sign in** vi signer à l'arrivée

ou en arrivant. ■ **sign on** vi **1.** MIL s'engager **2.** s'inscrire **3.** (UK) s'inscrire au chômage. ■ **sign out** vi signer à la sortie ou en sortant. ■ **sign up** vt sép **1.** embaucher **2.** engager. ❑ vi **1.** MIL s'engager **2.** s'inscrire (à un cours).

signal ['sɪgnl] n signal m. ❑ vt ((UK) prét & pp **signalled**, cont **signalling**, (US) prét & pp **signaled**, cont **signaling**) **1.** indiquer **2.** • **to signal sb (to do sthg)** faire signe à qqn (de faire qqch). ❑ vi (UK) prét & pp **signalled**, cont **signalling**, (US) prét & pp **signaled**, cont **signaling**) **1.** AUTO mettre son clignotant **2.** • **to signal to sb (to do sthg)** faire signe à qqn (de faire qqch).

signalman ['sɪgnlmən] (pl -men) n RAIL aiguilleur m.

signature ['sɪgnətʃər] n signature f.

signature tune n (UK) indicatif m.

signet ring ['sɪgnɪt-] n chevalière f.

significance [sɪg'nɪfɪkəns] n **1.** importance f, portée f **2.** signification f.

significant [sɪg'nɪfɪkənt] adj **1.** considérable **2.** important **3.** significatif.

significantly [sɪg'nɪfɪkəntlɪ] adv **1.** considérablement, énormément **2.** d'une manière significative.

signify ['sɪgnɪfaɪ] vt signifier, indiquer.

sign language n langage m des signes.

signpost ['saɪnpəʊst] n poteau m indicateur.

Sikh [siːk] adj sikh (inv). ❑ n Sikh mf.

silence ['saɪləns] n silence m • **to break the silence** rompre le silence. ❑ vt réduire au silence, faire taire.

silencer ['saɪlənsər] n silencieux m.

silent ['saɪlənt] adj **1.** silencieux **2.** muet.

silent partner n (US) (associé m) commanditaire m, bailleur m de fonds.

silhouette [,sɪluː'et] n silhouette f.

silicon chip [,sɪlɪkən-] n puce f, pastille f de silicium.

silicone ['sɪlɪkəʊn] n silicone f.

silk [sɪlk] n soie f. ❑ en apposition en ou de soie.

silky ['sɪlkɪ] adj soyeux.

sill [sɪl] n rebord m.

silliness ['sɪlɪnɪs] n (indén) stupidité f, bêtise f.

silly ['sɪlɪ] adj stupide, bête.

silo ['saɪləʊ] (pl -s) n silo m.

silt [sɪlt] n vase f, limon m.

silver ['sɪlvə'] adj argenté. ❑ n (indén) **1.** argent m **2.** pièces fpl d'argent **3.** argenterie f. ❑ en apposition en argent, d'argent.

silver foil, silver paper n (indén) papier m d'argent ou d'étain.

silver medal n SPORT médaille f d'argent.

silver-plated [-'pleɪtɪd] adj plaqué argent.

silver screen n fam • **the silver screen** le grand écran.

silversmith ['sɪlvəsmɪθ] *n* orfèvre *mf*.

silver surfer *n fam* internaute *mf* senior.

silverware ['sɪlvəweə] *n (indén)* **1.** argenterie *f* **2.** (us) couverts *mpl*.

silver wedding *n* noces *fpl* d'argent.

SIM (abrév de *subscriber identity module*) *n* TÉLÉCOM • **SIM card** carte *f* SIM.

similar ['sɪmɪlə] *adj* • **similar (to)** semblable (à), similaire (à).

similarity [,sɪmɪ'lærətɪ] *(pl* -**ies)** *n* • **similarity (between/to)** similitude *f* (entre/avec), ressemblance *f* (entre/avec).

similarly ['sɪmɪləlɪ] *adv* de la même manière, pareillement.

simile ['sɪmɪlɪ] *n* comparaison *f*.

simmer ['sɪmə] *vt* mijoter. ■ **simmer down** *vi fam* se calmer.

simpering ['sɪmpərɪŋ] *adj* affecté.

simple ['sɪmpl] *adj* **1.** simple **2.** *vieilli* simplet, simple d'esprit.

simple-minded [-'maɪndɪd] *adj* simplet, simple d'esprit.

simplicity [sɪm'plɪsətɪ] *n* simplicité *f*.

simplification [,sɪmplɪfɪ'keɪʃn] *n* simplification *f*.

simplify ['sɪmplɪfaɪ] *vt* simplifier.

simplistic [sɪm'plɪstɪk] *adj* simpliste.

simply ['sɪmplɪ] *adv* **1.** simplement **2.** absolument • **quite simply** tout simplement.

simulate ['sɪmjʊleɪt] *vt* simuler.

simulated ['sɪmjʊleɪtɪd] *adj* simulé.

simulation [,sɪmjʊ'leɪʃn] *n* simulation *f*.

simultaneous [(UK) ,sɪməl'teɪnjəs, (US) ,saɪməl'teɪnjəs] *adj* simultané.

simultaneously [(UK) ,sɪməl'teɪnjəslɪ, (US) ,saɪməl'teɪnjəslɪ] *adv* simultanément, en même temps.

sin [sɪn] *n* péché *m*. ❑ *vi* • **to sin (against)** pécher (contre).

---

since

■ **since** [sɪns] *adv*

POUR INDIQUER UN POINT DE DÉPART DANS LE TEMPS

depuis • **he left home at 5.00 on Tuesday and we haven't heard from him since** il est parti de chez lui mardi à 5 heures et nous n'avons pas eu de ses nouvelles depuis

■ **since** [sɪns] *prép*

POUR INDIQUER UN POINT DE DÉPART DANS LE TEMPS

depuis • **I haven't seen her since Christmas** je ne l'ai pas vue depuis Noël

---

■ **since** [sɪns] *conj*

1. POUR INDIQUER UN POINT DE DÉPART DANS LE TEMPS

depuis que • **she hasn't stopped crying since you left her** depuis que tu l'as quittée, elle n'a pas arrêté de pleurer

2. INTRODUIT LA CAUSE

étant donné que • **since you are ill, you should stay at home** étant donné que tu es malade, tu devrais rester à la maison

---

À PROPOS DE since

Remarquez les temps employés avec *since* lorsque ce dernier est une préposition : **we have been** *friends* **since school** (passé composé) ; **we had been working** *together* **since the summer** (plus-que-parfait à la forme progressive) ; **we had been** *in contact* **since 1985** (plus-que-parfait).

Remarquez les temps employés avec *since* lorsque ce dernier est une conjonction : **I haven't read much since I left school** (prétérit) ; **his books sell very well since he's become famous** (passé composé).

---

sincere [sɪn'sɪə] *adj* sincère.

sincerely [sɪn'sɪəlɪ] *adv* sincèrement • **Yours sincerely** Veuillez agréer, Monsieur/Madame, l'expression de mes sentiments les meilleurs.

sincerity [sɪn'serətɪ] *n* sincérité *f*.

sinew ['sɪnjuː] *n* tendon *m*.

sinewy ['sɪnjuːɪ] *adj* musclé.

sinful ['sɪnfʊl] *adj* **1.** *(pensée)* mauvais **2.** *(désir, acte)* coupable • **sinful person** pécheur *m*, -eresse *f*.

sing [sɪŋ] *(prét* sang, *pp* sung) *vt & vi* chanter.

Singapore [,sɪŋə'pɔː] *n* Singapour *m*.

singe [sɪndʒ] *vt* **1.** brûler légèrement **2.** roussir.

singer ['sɪŋə] *n* chanteur *m*, -euse *f*.

singing ['sɪŋɪŋ] *n (indén)* chant *m*.

single ['sɪŋgl] *adj* **1.** seul, unique • **every single** chaque **2.** célibataire **3.** (UK) simple. ❑ *n* **1.** (UK) aller *m* (simple) **2.** *(CD)* single *m*. ■ **singles** *(pl inv)* n TENNIS simple *m*. ■ **single out** *vt sép* • **single sb out (for)** choisir qqn (pour).

single bed *n* lit *m* à une place.

single-breasted [-'brestɪd] *adj* droit.

single-click *n* clic *m*. ❑ *vi* • **to single-click on sthg** cliquer une fois sur qqch. ❑ *vi* cliquer une fois.

single cream *n* (UK) crème *f* liquide.

single currency *n* monnaie *f* unique.

single file *n* • **in single file** en file indienne.

skate

single-handed [-'hændɪd] *adv* tout seul, toute seule *f*.

single-handedly [-'hændɪdlɪ] *adv* **1.** tout seul, toute seule *f* **2.** d'une seule main.

single-lane *adj* (circulation) à voie unique.

single-minded [-'maɪndɪd] *adj* résolu.

single-mindedly [-'maɪndɪdlɪ] *adv* avec acharnement.

single parent *n* père *m* /mère *f* célibataire.

single-parent family *n* famille *f* monoparentale.

single-phase *adj* (courant) monophasé.

single room *n* chambre *f* pour une personne *ou* à un lit.

singles bar ['sɪŋglz] *n* club *m* pour célibataires.

single-sex *adj* SCOL non mixte.

singlet ['sɪŋglɪt] *n* (UK) **1.** tricot *m* de peau **2.** SPORT maillot *m*.

singsong ['sɪŋsɒŋ] *adj* (voix) chantant. ❑ *n* (UK) *fam* • **to have a singsong** chanter en chœur.

singular ['sɪŋgjʊlə] *adj* singulier. ❑ *n* singulier *m*.

sinister ['sɪnɪstə] *adj* sinistre.

sink [sɪŋk] *n* **1.** évier *m* **2.** lavabo *m*. ❑ *vt* (prét sank, pp sunk) **1.** couler **2.** • **to sink sthg into** enfoncer qqch dans. ❑ *vi* (prét sank, pp sunk) **1.** NAUT couler, sombrer **2.** (personne, objet) couler • **to sink into poverty/despair** sombrer dans la misère/le désespoir **3.** s'affaisser **4.** (soleil) se coucher **5.** (somme, valeur) baisser, diminuer **6.** (voix) faiblir. ■ **sink in** *vi* • **it hasn't sunk in yet** je n'ai pas encore réalisé.

sink unit *n* bloc-évier *m*.

sinner ['sɪnə] *n* pécheur *m*, -eresse *f*.

sinuous ['sɪnjʊəs] *adj* sinueux.

sinus ['saɪnəs] *n* (pl -es) *n* sinus *m* inv.

sip [sɪp] *n* petite gorgée *f*. ❑ *vt* siroter.

siphon ['saɪfn] *n* siphon *m*. ❑ *vt* **1.** siphonner **2.** *fig* canaliser **3.** détourner (des fonds). ■ **siphon off** *vt sép* **1.** siphonner **2.** *fig* canaliser **3.** *fig* détourner (des fonds).

sir [sɜː] *n* monsieur *m*.

siren ['saɪərən] *n* sirène *f*.

sirloin (steak) ['sɜːlɔɪn-] *n* bifteck *m* dans l'aloyau *ou* d'aloyau.

sissy ['sɪsɪ] *n fam* & *injur* poule *f* mouillée.

sister ['sɪstə] *n* **1.** sœur *f* **2.** RELIG sœur *f*, religieuse *f* **3.** (UK) infirmière *f* (en) chef.

sister company *n* société *f* sœur.

sister-in-law (*pl* sisters-in-law) *n* belle-sœur *f*.

sit [sɪt] (prét & pp sat) *vt* (UK) passer. ❑ *vi* **1.** s'asseoir • **to be sitting** être assis • **to sit on a committee** faire partie d'un comité **2.** siéger, être en séance. ■ **sit about** (UK), **sit around** *vi* rester assis à ne rien faire. ■ **sit down** *vi* s'asseoir. ■ **sit in on** *vt insép* assister à. ■ **sit out** *vt sép* **1.** rester jusqu'à la fin de (une réunion, une pièce) **2.** • **to sit out a dance** ne pas danser. ■ **sit through** *vt insép* rester jusqu'à la fin de. ■ **sit up** *vi* **1.** se redresser, s'asseoir **2.** veiller.

sitcom ['sɪtkɒm] *n fam* sitcom *f*.

SITD SMS abrév de **still in the dark**.

site [saɪt] *n* **1.** ARCHÉOL & INTERNET site *m* • **to visit the BBC site** visiter le site de la BBC **2.** emplacement *m* **3.** chantier *m*. ❑ *vt* situer, placer.

sit-in *n* sit-in *m*, occupation *f* des locaux.

sitting ['sɪtɪŋ] *n* **1.** (pour un repas) service *m* **2.** séance *f* (d'un comité, d'une assemblée).

sitting duck *n fam* cible *f* ou proie *f* facile.

sitting room *n* salon *m*.

situated ['sɪtjʊeɪtɪd] *adj* • **to be situated** être situé, se trouver.

situation [,sɪtjʊ'eɪʃn] *n* **1.** situation *f* **2.** situation *f*, emploi *m* • **'situations vacant'** (UK) 'offres d'emploi'.

sit-up *n* redressement *m* assis.

six [sɪks] *adj num* six (inv) • **she's six (years old)** elle a six ans. ❑ *num* six *m* f *pl* • **I want six** j'en veux six • **there were six of us** nous étions six. ❑ *n num* **1.** six *m* inv • **two hundred and six** deux cent six **2.** • **it's six** il est six heures • **we arrived at six** nous sommes arrivés à six heures.

six-pack *n* pack *m* de six.

sixteen [sɪks'tiːn] *num* seize. Voir aussi **six**.

sixteenth [sɪks'tiːnθ] *num* seizième. Voir aussi **sixth**.

sixth [sɪksθ] *adj num* sixième. ❑ *adv num* **1.** sixième, en sixième place **2.** sixièmement. ❑ *num* sixième *mf*. ❑ *n* **1.** sixième *m* **2.** • **the sixth (of September)** le six (septembre).

sixth form *n* (UK) ≃ (classe *f*) terminale *f*.

sixth form college *n* (UK) établissement préparant aux A-levels.

sixth grade *n* (US) SCOL classe du primaire pour les 10-11 ans.

sixth sense *n* sixième sens *m*.

sixtieth ['sɪkstɪɪθ] *num* soixantième. Voir aussi **sixth**.

sixty ['sɪkstɪ] *num* soixante. Voir aussi **six**. ■ **sixties** *npl* **1.** • **the sixties** les années *fpl* soixante **2.** • **to be in one's sixties** être sexagénaire.

size [saɪz] *n* **1.** taille *f* **2.** grandeur *f*, dimensions *fpl* **3.** ampleur *f* (d'un problème) **4.** pointure *f*. ■ **size up** *vt sép* **1.** jauger **2.** apprécier, peser.

sizeable ['saɪzəbl] *adj* assez important.

sizzle ['sɪzl] *vi* grésiller.

skanky ['skæŋkɪ] *adj* (US) *fam* moche.

skate [skeɪt] *n* **1.** patin *m* **2.** (pl inv ou -s) (poisson) raie *f*. ❑ *vi* **1.** faire du patin à glace, patiner **2.** faire du patin à roulettes.

skateboard ['skeɪtbɔd] n planche f à roulettes, skateboard m, skate m.

skateboarder ['skeɪtbɔːdər] n personne f qui fait du skate (board) ou de la planche à roulettes.

skateboarding ['skeɪtbɔːdɪŋ] n • **to go skateboarding** faire de la planche à roulettes ou du skateboard.

skater ['skeɪtər] n 1. patineur m, -euse f 2. patineur à roulettes.

skating ['skeɪtɪŋ] n 1. patinage m 2. patinage à roulettes.

skating rink n patinoire f.

skeletal ['skelɪtl] adj squelettique.

skeleton ['skelɪtn] n squelette m.

skeleton contract n contrat-type m.

skeleton key n passe m, passe-partout m inv.

skeleton staff n personnel m réduit.

skeptic (US) = sceptic.

skeptical (US) = sceptical.

skepticism etc (US) = scepticism.

sketch [sketʃ] n 1. croquis m, esquisse f 2. aperçu m, résumé m 3. sketch m (d'un comédien). ❏ vt 1. dessiner, faire un croquis de 2. décrire à grands traits. ■ **sketch out** vt sép esquisser, décrire à grands traits.

sketchbook ['sketʃbʊk] n carnet m à dessins.

sketchpad ['sketʃpæd] n bloc m à dessins.

sketchy ['sketʃɪ] adj incomplet.

skewed ['skelɪtl] adj (point de vue) partial.

skewer ['skjuər] n brochette f, broche f. ❏ vt embrocher.

skew-whiff [ˌskjuːˈwɪf] adj (UK) fam de guingois, de traviole.

ski [skiː] n ski m. ❏ vi (prét & pp skied, cont skiing) skier, faire du ski.

ski boots npl chaussures fpl de ski.

skid [skɪd] n dérapage m • **to go into a skid** déraper. ❏ vi déraper.

skid mark n trace f de frein ou dérapage.

skid row n (surtout US) fam • **to be on skid row** être sur le pavé.

skier ['skiːər] n skieur m, -euse f.

skies [skaɪz] npl → sky.

skiing ['skiːɪŋ] n (indén) ski m • **to go skiing** faire du ski.

ski instructor n moniteur m, -trice f de ski.

ski jump n 1. tremplin m 2. saut m à ou en skis.

skilful (UK), **skillful** (US) ['skɪlful] adj habile, adroit.

skilfully (UK), **skillfully** (US) ['skɪlfʊlɪ] adv habilement, adroitement.

ski lift n remonte-pente m.

skill [skɪl] n 1. (indén) habileté f, adresse f 2. technique f, art m.

skilled [skɪld] adj 1. • **skilled (in** ou **at doing sthg)** habile ou adroit (pour faire qqch) 2. qualifié.

skillet ['skɪlɪt] n (US) poêle f à frire.

skillful (US) = skilful.

skillfully (US) = skilfully.

skim [skɪm] vt 1. écrémer 2. écumer 3. effleurer, raser. ❏ vi • **to skim through sthg** parcourir qqch (un livre, un magazine).

skim(med) milk [skɪm(d)-] n lait m écrémé.

skimp [skɪmp] vt lésiner sur. ❏ vi • **to skimp on** lésiner sur.

skimpily ['skɪmpɪlɪ] adv • **skimpily dressed** légèrement vêtu.

skimpy ['skɪmpɪ] adj 1. (repas) maigre 2. (vêtements) étriqué, trop juste.

skin [skɪn] n peau f. ❏ vt 1. écorcher, dépouiller (un animal mort) 2. éplucher, peler (un fruit) 3. • **to skin one's knee** s'érafler ou s'écorcher le genou.

skincare ['skɪnkeər] n (indén) soins mpl pour la peau.

skincare product n produit m (de soin) pour la peau.

skin cream n crème f pour la peau.

skin-deep adj superficiel.

skin diving n (indén) plongée f sous-marine.

skinhead ['skɪnhed] n skinhead m, skin m.

skinny ['skɪnɪ] adj 1. maigre 2. (ceinture, cravate) très fin 3. (jean) très serré.

skint [skɪnt] adj (UK) fam fauché, à sec.

skin test n cuti f, cutiréaction f.

skin-tight adj moulant, collant • **skin-tight jeans** un jean moulant.

skip [skɪp] n 1. petit saut m 2. (UK) benne f. ❏ vt 1. sauter 2. • **to skip bail** (US) ne pas comparaître au tribunal. ❏ vi 1. sauter, sautiller 2. (UK) sauter à la corde.

ski pants npl fuseau m.

ski pole n bâton m de ski.

skipper ['skɪpər] n 1. NAUT capitaine m 2. (UK) SPORT capitaine m.

skipping ['skɪpɪŋ] n (indén) (UK) saut m à la corde.

skipping rope n (UK) corde f à sauter.

ski resort n station f de ski.

skirmish ['skɜːmɪʃ] n escarmouche f.

skirt [skɜːt] n jupe f. ❏ vt 1. contourner 2. éviter. ■ **skirt around** vt insép 1. contourner 2. éviter.

skirting board ['skɜːtɪŋ-] n (UK) plinthe f.

ski run n piste f de ski.

skit [skɪt] n sketch m.

skittish ['skɪtɪʃ] adj (personne) frivole.

skittle ['skɪtl] n (UK) quille f. ■ **skittles** n (indén) quilles fpl.

skive [skaɪv] vi (UK) fam • **to skive (off)** s'esquiver, tirer au flanc.

skivvy ['skɪvɪ] (UK) *fam n* (*pl* **-ies**) boniche f, bonne f à tout faire. ❏ *vi* (*prét & pp* **skivvied**) faire la boniche.

skulk [skʌlk] *vi* **1.** se cacher **2.** rôder.

skull [skʌl] *n* crâne m.

skull and crossbones *n* **1.** (*motif*) tête f de mort **2.** (*drapeau*) pavillon m à tête de mort.

skullcap ['skʌlkæp] *n* calotte f.

skunk [skʌŋk] *n* mouffette f.

sky [skaɪ] *n* ciel m.

skydiver ['skaɪˌdaɪvə] *n* parachutiste mf qui fait de la chute libre.

skydiving ['skaɪˌdaɪvɪŋ] *n* parachutisme m en chute libre.

sky-high *fam adj* (*prix*) astronomique, exorbitant. ❏ *adv* • **to blow sthg sky-high a)** faire sauter qqch (*immeuble, bâtiment*) **b)** démolir qqch (*argument, théorie*) • **to go sky-high** (*prix*) monter en flèche.

skylight ['skaɪlaɪt] *n* lucarne f.

skyline ['skaɪlaɪn] *n* ligne f d'horizon.

sky marshal *n* garde m de sécurité (*à bord d'un avion*).

skyscraper ['skaɪˌskreɪpə] *n* gratte-ciel m inv.

slab [slæb] *n* **1.** dalle f **2.** bloc m **3.** grosse tranche f (*de gâteau*).

slack [slæk] *adj* **1.** lâche **2.** calme **3.** négligent, pas sérieux.

slacken ['slækn] *vt* **1.** ralentir (*le pas, le rythme*) **2.** relâcher (*une corde*). ❏ *vi* ralentir.

slag [slæg] *n* (*indén*) scories fpl.

slagheap ['slæghiːp] *n* terril m.

slain [sleɪn] *pp* → **slay**.

slam [slæm] *vt* **1.** claquer **2.** • **to slam sthg on** *ou* **onto** jeter qqch brutalement sur, flanquer qqch sur. ❏ *vi* claquer.

slam dunk (US) *n* SPORT smash m au panier, slam-dunk m. ❏ *vt & vi* SPORT smasher.

slander ['slɑːndə] *n* **1.** calomnie f **2.** DR diffamation f. ❏ *vt* **1.** calomnier **2.** DR diffamer.

slanderous ['slɑːndrəs] *adj* **1.** calomnieux **2.** DR diffamatoire.

slang [slæŋ] *n* (*indén*) argot m.

slant [slɑːnt] *n* **1.** inclinaison f **2.** point m de vue. ❏ *vt* présenter d'une manière tendancieuse. ❏ *vi* pencher.

slanting ['slɑːntɪŋ] *adj* en pente.

slap [slæp] *n* **1.** claque f, tape f **2.** gifle f. ❏ *vt* **1.** gifler **2.** donner une claque à **3.** • **to slap sthg on** *ou* **onto** flanquer qqch sur. ❏ *adv fam* en plein.

slapdash ['slæpdæʃ] *adj fam* **1.** bâclé **2.** négligent.

slaphead ['slæphed] *n* t*fam* crâne m d'œuf.

slapstick ['slæpstɪk] *n* (*indén*) grosse farce f.

slap-up *adj* (UK) *fam* fameux.

slash [slæʃ] *n* **1.** entaille f **2.** barre f oblique. ❏ *vt* **1.** entailler **2.** *fam* casser (*les prix*) **3.** *fam* réduire considérablement.

slasher movie *n fam* film m d'horreur *fam*.

slat [slæt] *n* **1.** lame f **2.** latte f.

slate [sleɪt] *n* ardoise f. ❏ *vt fam* descendre en flammes.

slatternly ['slætənlɪ] *adj* **1.** (*personne*) mal soigné **2.** (*vêtement, tenue*) négligé.

slaughter ['slɔːtə] *n* **1.** abattage m **2.** massacre m, carnage m. ❏ *vt* **1.** abattre **2.** massacrer.

slaughterhouse ['slɔːtəhaus] (*pl* [-hauzɪz]) *n* abattoir m.

slave [sleɪv] *n* esclave mf. ❏ *vi* travailler comme un esclave *ou* un forçat • **to slave over sthg** peiner sur qqch.

slavery ['sleɪvərɪ] *n* esclavage m.

slave trade *n* • **the slave trade** la traite des Noirs.

slavish ['sleɪvɪʃ] *adj* servile.

slavishly ['sleɪvɪʃlɪ] *adv* **1.** (*travailler*) comme un forçat **2.** (*adorer, imiter*) servilement.

slay [sleɪ] (*prét* **slew**, *pp* **slain**) *vt littéraire* tuer.

sleaze [sliːz] *n* **1.** aspect m miteux, caractère m sordide **2.** POLIT corruption f • **sleaze factor** élément m de corruption.

sleazebag ['sliːzbæg], **sleazeball** ['sliːzbɔːl] *n fam* (*par mépris*) raclure f.

sleaziness ['sliːzɪnɪs] *n fam* sordide m.

sleazy ['sliːzɪ] *adj* mal famé.

sledge (UK) [sledʒ], **sled** (US) [sled] *n* **1.** luge f **2.** traîneau m.

sledgehammer ['sledʒˌhæmə] *n* masse f (*outil*).

sleek [sliːk] *adj* **1.** lisse, luisant **2.** aux lignes pures.

sleep [sliːp] *n* sommeil m • **to go to sleep** s'endormir. ❏ *vi* (*prét & pp* **slept**) **1.** dormir **2.** coucher. ■ **sleep around** *vi fam & péj* coucher à droite et à gauche. ■ **sleep in** *vi* (UK) faire la grasse matinée. ■ **sleep off** *vt sép* dormir pour faire passer • **he's sleeping it off** *fam* il cuve son vin. ■ **sleep through** *vt insép* • **I slept through the alarm** je n'ai pas entendu le réveil. ■ **sleep together** *vi* coucher ensemble. ■ **sleep with** *vt insép* coucher avec.

sleeper ['sliːpə] *n* **1.** • **to be a heavy/light sleeper** avoir le sommeil lourd/léger **2.** couchette f **3.** wagon-lit m **4.** train-couchettes m **5.** (UK) RAIL traverse f.

sleepily ['sliːpɪlɪ] *adv* d'un air endormi.

sleeping ['sliːpɪŋ] *adj* qui dort, endormi.

sleeping bag *n* sac m de couchage.

sleeping car *n* wagon-lit m.

sleeping pill *n* somnifère m.

sleeping policeman *n* (UK) *fam* ralentisseur m.

sleeping suit *n* (US) grenouillère f.

sleeping tablet n somnifère m.

sleepless ['sliːplɪs] adj • **to have a sleepless night** passer une nuit blanche.

sleep mode n INFORM mode m veille.

sleepsuit = sleeping suit.

sleepwalk ['sliːpwɔːk] vi être somnambule.

sleepwalker ['sliːpˌwɔːkər] n somnambule mf.

sleepwalking ['sliːpˌwɔːkɪŋ] n somnambulisme m.

sleepy ['sliːpɪ] adj qui a envie de dormir.

sleet [sliːt] n neige f fondue. ❏ v impers • **it's sleeting** il tombe de la neige fondue.

sleeve [sliːv] n 1. manche f • **to roll up one's sleeves** retrousser ses manches 2. pochette f (de disque).

sleeveless ['sliːvlɪs] adj sans manches.

sleeve notes npl (UK) texte figurant au dos des pochettes de disques.

sleigh [sleɪ] n traîneau m.

sleight of hand [ˌslaɪt-] n (indén) 1. habileté f 2. tour m de passe-passe.

slender ['slendər] adj 1. mince 2. (revenus) modeste, maigre 3. (espoir) faible.

slept [slept] passé & pp → sleep.

slew [sluː] passé → slay. ❏ vi déraper.

slice [slaɪs] n 1. tranche f • **a slice of bread** une tranche de pain 2. fig part f 3. SPORT slice m. ❏ vt 1. couper en tranches 2. trancher 3. SPORT slicer.

sliced bread [slaɪst-] n (indén) pain m en tranches.

slick [slɪk] adj 1. bien mené, habile 2. péj facile ; rusé. ❏ n nappe f de pétrole, marée f noire.

slickly ['slɪklɪ] adv 1. (répondre) habilement 2. (interpréter) brillamment.

slide [slaɪd] n 1. toboggan m 2. diapositive f, diapo f 3. (UK) barrette f (pour les cheveux) 4. déclin m 5. baisse f. ❏ vt (prét & pp slid [slɪd]) faire glisser. ❏ vi (prét & pp slid [slɪd]) glisser.

slide projector n projecteur m de diapositives.

slide show n diaporama m.

sliding door [ˌslaɪdɪŋ-] n porte f coulissante.

sliding scale [ˌslaɪdɪŋ-] n échelle f mobile.

slight [slaɪt] adj 1. léger • **the slightest** le moindre • **not in the slightest** pas du tout 2. mince. ❏ n affront m. ❏ vt offenser.

slightly ['slaɪtlɪ] adv légèrement.

slim [slɪm] adj 1. mince 2. faible. ❏ vi 1. maigrir 2. (UK) suivre un régime amaigrissant.

slime [slaɪm] n 1. (indén) substance f visqueuse 2. bave f.

slimeball ['slaɪmbɔːl] (US) tfam = sleazeball.

slimline ['slɪmlaɪn] adj 1. (beurre) allégé 2. (lait) sans matière grasse, minceur (inv) 3. (boisson) light (inv) 4. fig • **clothes for the new slimline you** des vêtements pour votre nouvelle silhouette amincie.

slimming ['slɪmɪŋ] n (UK) amaigrissement m. ❏ adj amaigrissant.

slimy ['slaɪmɪ] (comp slimier, superl slimiest) adj litt & fig visqueux.

sling [slɪŋ] n 1. écharpe f • **to have one's arm in a sling** avoir le bras en écharpe 2. NAUT élingue f. ❏ vt (prét & pp slung) 1. suspendre 2. fam lancer.

slingback ['slɪŋbæk] n chaussure f à talon ouvert.

slingshot ['slɪŋʃɒt] n (US) lance-pierres m inv.

slip [slɪp] n 1. erreur f • **a slip of the tongue** un lapsus 2. morceau m 3. bande f 4. combinaison f 5. • **to give sb the slip** fam fausser compagnie à qqn. ❏ vt glisser • **to slip sthg on** enfiler qqch. ❏ vi 1. glisser • **to slip into sthg** se glisser dans qqch 2. décliner. ■ **slip up** vi fig faire une erreur.

slip-on adj • **slip-on shoes** mocassins mpl. ■ **slip-ons** npl mocassins mpl.

slippage ['slɪpɪdʒ] n baisse f.

slipped disc (UK), **slipped disk** (US) [ˌslɪpt-] n hernie f discale.

slipper ['slɪpər] n pantoufle f, chausson m.

slippery ['slɪpərɪ] adj glissant.

slip road n (UK) bretelle f.

slipshod ['slɪpʃɒd] adj peu soigné.

slip-up n fam gaffe f.

slipway ['slɪpweɪ] n cale f de lancement.

slit [slɪt] n 1. fente f 2. incision f. ❏ vt (prét & pp slit) 1. fendre 2. inciser.

slither ['slɪðər] vi 1. (personne) glisser 2. (serpent) onduler.

sliver ['slɪvər] n 1. éclat m 2. lamelle f.

slob [slɒb] n fam 1. saligaud m 2. gros lard m.

slobber ['slɒbər] vi baver.

slog [slɒg] fam n corvée f. ❏ vi travailler comme un bœuf.

slogan ['sləʊgən] n slogan m.

slop [slɒp] vt renverser. ❏ vi déborder.

slope [sləʊp] n pente f. ❏ vi 1. être en pente 2. pencher.

sloping ['sləʊpɪŋ] adj 1. en pente 2. penché.

sloppy ['slɒpɪ] adj peu soigné.

slosh [slɒʃ] vt renverser. ❏ vi • **to slosh around a)** clapoter **b)** patauger.

slot [slɒt] n 1. fente f 2. rainure f 3. créneau m (horaire). ■ **slot in** (prét & pp slotted in, cont slotting in) vt sép insérer. ❏ vi s'emboîter.

slot-in card n INFORM carte f enfichable.

slot machine n 1. (UK) distributeur m automatique 2. machine f à sous.

slouch [slaʊtʃ] vi être avachi.

Slovakia [slə'vækɪə] n Slovaquie f.

slovenly ['slʌvnlɪ] adj négligé.

slow [sləʊ] *adj* **1.** lent **2.** • **to be slow** retarder. ❑ *adv* lentement • **to go slow a)** aller lentement **b)** faire la grève perlée. ❑ *vt & vi* ralentir. ■ **slow down, slow up** *vt sép & vi* ralentir.

slow-acting *adj* à action lente.

slow-burning *adj (carburant, détonateur)* à combustion lente • **slow-burning anger** *fig* colère *f* froide.

slowcoach (UK) [ˈsləʊkəʊtʃ], **slowpoke** (US) *n fam* lambin *m*, -e *f*.

slow-cook *vt* mitonner.

slowdown [ˈsləʊdaʊn] *n* ralentissement *m*.

slow handclap *n* applaudissements *mpl* rythmés *(pour montrer sa désapprobation).*

slowly [ˈsləʊlɪ] *adv* lentement.

slow motion *n* • **in slow motion** au ralenti *m.*

slowpoke [ˈsləʊpəʊk] (US) = **slowcoach**.

slow-release *adj* **1.** MÉD à libération prolongée **2.** AGRIC *(engrais)* à action lente.

sludge [slʌdʒ] *n* boue *f.*

slug [slʌg] *n* **1.** limace *f* **2.** *fam* rasade *f* **3.** *fam* balle *f.*

sluggish [ˈslʌgɪʃ] *adj* **1.** apathique **2.** lent **3.** calme, stagnant.

sluggishly [ˈslʌgɪʃlɪ] *adv* **1.** lentement **2.** mollement.

sluice [sluːs] *n* écluse *f.*

slum [slʌm] *n* quartier *m* pauvre.

slumber [ˈslʌmbər] *littéraire n* sommeil *m.* ❑ *vi* dormir paisiblement.

slumber party *n* (US) soirée *f* entre copines.

slump [slʌmp] *n* **1.** • **slump (in)** baisse *f* (de) **2.** SPORT crise *f* (économique). ❑ *vi litt & fig* s'effondrer.

slung [slʌŋ] *passé & pp →* **sling**.

slur [slɜːr] *n* **1.** • **slur (on)** atteinte *f* (à) **2.** affront *m*, insulte *f.* ❑ *vt* mal articuler.

slurp [slɜːp] *vt* boire avec bruit.

slurred [slɜːd] *adj* mal articulé.

slush [slʌʃ] *n* neige *f* fondue.

slush fund, slush money (US) *n* fonds *mpl* secrets, caisse *f* noire.

slut [slʌt] *n* **1.** *fam* souillon *f* **2.** *tfam* salope *f.*

sly [slaɪ] *adj (comp* **slyer** *ou* **slier**, *superl* **slyest** *ou* **sliest)* **1.** *(regard, sourire)* entendu **2.** rusé, sournois.

smack [smæk] *n* **1.** claque *f* **2.** gifle *f* **3.** claquement *m.* ❑ *vt* **1.** donner une claque à **2.** gifler **3.** poser violemment.

smacking [ˈsmækɪŋ] *n* fessée *f.*

small [smɔːl] *adj* **1.** petit **2.** insignifiant.

small ads [-ædz] *npl* (UK) petites annonces *fpl.*

small change *n* petite monnaie *f.*

small fry *n* menu fretin *m.*

smallholder [ˈsmɔːlˌhəʊldər] *n* (UK) petit cultivateur *m.*

smallholding [ˈsmɔːlˌhəʊldɪŋ] *n* (UK) petite exploitation *f* agricole.

small hours *npl* • **in the small hours** au petit jour *ou* matin.

small-minded *adj (attitude, personne)* mesquin.

smallpox [ˈsmɔːlpɒks] *n* variole *f*, petite vérole *f.*

small print *n* • **the small print** les clauses *fpl* écrites en petits caractères.

small-scale *adj (activité, organisation)* peu important.

small screen *n* • **the small screen** le petit écran.

small talk *n (indén)* papotage *m.*

small-time *adj* de second ordre.

smarmy [ˈsmɑːmɪ] *adj fam* mielleux.

smart [smɑːt] *adj* **1.** élégant **2.** intelligent **3.** à la mode, in *(inv)* **4.** vif, rapide. ❑ *vi (yeux, peau)* brûler, piquer **2.** être blessé.

smart card *n* carte *f* à mémoire.

smart drug *n* nootrope *m (médicament agissant comme un stimulant mental).*

smarten [ˈsmɑːtn] ■ **smarten up** *vt sép* arranger • **to smarten o.s. up** se faire beau, belle *f.*

smartly [ˈsmɑːtlɪ] *adv* **1.** *(s'habiller)* avec beaucoup d'allure *ou* de chic, élégamment **2.** *(plaider, défendre)* habilement, adroitement **3.** *(travailler, agir)* rapidement, promptement **4.** *(répliquer, répondre)* du tac au tac, sèchement.

smart money *n fam* • **all the smart money is on him to win** il est donné pour favori.

smash [smæʃ] *n* **1.** fracas *m* **2.** *fam* collision *f* **3.** SPORT smash *m.* ❑ *vt* **1.** briser **2.** *fig* détruire. ❑ *vi* **1.** se briser **2.** • **to smash into sthg** s'écraser contre qqch.

smash-and-grab (raid) *n* vol effectué après *avoir brisé une vitrine.*

smashed [smæʃt] *adj* (UK) *fam & vieilli* bourré.

smash hit *n* succès *m* fou.

smashing [ˈsmæʃɪŋ] *adj* (UK) *fam & vieilli* super *(inv).*

smash-up *n* collision *f*, accident *m.*

smattering [ˈsmætərɪŋ] *n* • **to have a smattering of German** savoir quelques mots d'allemand.

smear [smɪər] *n* **1.** tache *f* **2.** MÉD frottis *m* **3.** diffamation *f.* ❑ *vt* **1.** barbouiller, maculer **2.** • **to smear sthg onto sthg** étaler qqch sur qqch • **to smear sthg with sthg** enduire qqch de qqch **3.** calomnier.

smear campaign *n* campagne *f* de diffamation.

smear test *n* (UK) frottis *m.*

smell [smel] *n* **1.** odeur *f* **2.** odorat *m.* ❑ *vt (prét & pp* **smelled** *ou* **smelt)* sentir. ❑ *vi (prét & pp* **smelled** *ou* **smelt)* **1.** sentir • **to smell of sthg** sentir qqch • **to smell good/bad** sentir bon/mauvais **2.** puer.

smelly [ˈsmelɪ] *adj* qui sent mauvais.

smelt [smelt] passé & pp → smell. ❑ vt 1. extraire par fusion 2. fondre.

smile [smaɪl] n sourire m. ❑ vi sourire • **to smile at sb** sourire à qqn.

smiley ['smaɪlɪ] n smiley.

smiling ['smaɪlɪŋ] adj souriant.

smirk [smɜːk] n sourire m narquois.

smithereens [,smɪðə'riːnz] npl fam • **to be smashed to smithereens** être brisé en mille morceaux.

smitten ['smɪtn] adj hum • **to be smitten (with)** être fou de (de).

smock [smɒk] n blouse f.

smog [smɒg] n smog m.

smoke [sməʊk] n 1. (indén) fumée f 2. (locution) • **it's all smoke and mirrors** on n'y voit que du feu • **to end in smoke** se solder par un échec, tomber à l'eau. ❑ vt & vi fumer.

smoked [sməʊkt] adj fumé.

smokeless fuel ['sməʊklɪs-] n combustible qui ne produit pas de fumée.

smoker ['sməʊkər] n 1. fumeur m, -euse f • **a heavy smoker** un gros fumeur 2. RAIL compartiment m fumeurs.

smokescreen ['sməʊkskriːn] n fig couverture f.

smoke shop n (US) bureau m de tabac.

smoking ['sməʊkɪŋ] n tabagisme m • **'no smoking'** 'défense de fumer'.

smoking gun n l'arme f du crime fig.

smoky ['sməʊkɪ] adj 1. enfumé 2. fumé.

smolder (US) = smoulder.

smoldering (US) = smouldering.

smooch [smuːtʃ] vi fam se bécoter.

smooth [smuːð] adj 1. (surface) lisse 2. (sauce) homogène, onctueux 3. (mouvement) régulier 4. (goût) moelleux 5. confortable 6. (décollage, atterrissage) en douceur 7. péj (ton, personne) doucereux, mielleux 8. sans problèmes. ❑ vt 1. lisser (ses cheveux) 2. défroisser (une nappe, des vêtements). ■ smooth out vt sép défroisser.

smoothie ['smuːðɪ] n fam & péj • **he's a real smoothie** a) il roule les mécaniques.

smoothly ['smuːðlɪ] adv 1. sans heurt 2. sans problèmes.

smoothness ['smuːðnɪs] n (indén) 1. aspect m lisse (d'une surface) 2. onctuosité f (d'une crème, d'une sauce) 3. régularité f (d'un mouvement) 4. confort m (de vol, de voyage).

smooth sailing n • **it's smooth sailing from now on** maintenant, ça va marcher comme sur des roulettes.

smooth-talking [-,tɔːkɪŋ] adj doucereux, mielleux.

smother ['smʌðər] vt 1. • **to smother sb/sthg with** couvrir qqn/qqch de 2. étouffer 3. fig cacher, étouffer.

smother-love n fam amour m étouffant d'une mère.

smoulder, smolder (US) ['sməʊldər] vi litt & fig couver.

smouldering (UK), **smoldering** (US) ['sməʊldərɪŋ] adj 1. (feu, passion, colère) qui couve 2. (braises, ruines) fumant 3. (yeux) de braise.

SMS [,esem'es] (abrév de short message system) n sms m, texto m.

smudge [smʌdʒ] n 1. tache f 2. bavure f. ❑ vt 1. maculer 2. faire une marque ou trace sur 3. salir.

smug [smʌg] adj (content de soi) suffisant.

smuggle ['smʌgl] vt faire passer en contrebande.

smuggler ['smʌglər] n contrebandier m, -ère f.

smuggling ['smʌglɪŋ] n (indén) contrebande f.

smugly ['smʌglɪ] adv 1. (parler) d'un ton suffisant, avec suffisance 2. (regarder, sourire) d'un air suffisant, avec suffisance.

smugness ['smʌgnɪs] n suffisance f.

smut [smʌt] n 1. tache f de suie 2. (indén) péj obscénités fpl.

smutty ['smʌtɪ] adj péj cochon.

snack [snæk] n casse-croûte m inv.

snack bar n snack m, snack-bar m.

snag [snæg] n inconvénient m, écueil m. ❑ vi • **to snag (on)** s'accrocher (à).

snaggle-toothed ['snægl-] adj (US) aux dents mal placées.

snail [sneɪl] n escargot m • **at a snail's pace** à une allure d'escargot.

snail mail n fam INFORM poste f.

snake [sneɪk] n serpent m.

snake pit n (US) fig nid m de vipères.

snap [snæp] adj 1. subit 2. irréfléchi. ❑ n 1. craquement m (d'une branche) 2. claquement m (de doigts) 3. photo f 4. (UK) (jeu de cartes) ≃ bataille f 5. (US) fam • **it's a snap!** c'est simple comme bonjour ! 6. bouton-pression m. ❑ vt 1. casser net 2. dire d'un ton sec. ❑ vi 1. se casser net 2. • **to snap at** essayer de mordre 3. • **to snap (at sb)** parler (à qqn) d'un ton sec. ■ **snap up** vt sép sauter sur.

snap fastener n (US) pression f, bouton-pression m.

snappy ['snæpɪ] adj fam 1. chic 2. prompt • **make it snappy!** dépêche-toi !

snapshot ['snæpʃɒt] n photo f.

snare [sneər] n piège m, collet m. ❑ vt prendre au piège, attraper.

snarl [snɑːl] n grondement m. ❑ vi gronder.

snatch [snætʃ] n 1. bribe f (de conversation) 2. extrait m (de chanson). ❑ vt saisir.

snazzy ['snæzɪ] (comp snazzier, superl snazziest) adj 1. fam (vêtements, voiture) beau, super (inv) 2. (personne) qui s'habille chic.

sneak [sniːk] *n fam* rapporteur *m*, -euse *f*. ❑ *vt* ((us) *prét & pp* **snuck**) • **to sneak a look at sb/sthg** regarder qqn/qqch à la dérobée. ❑ *vi* ((us) *prét & pp* **snuck**) se glisser.

sneakers ['sniːkəz] *npl* (surtout us) tennis *fpl*, baskets *fpl*.

sneakily ['sniːkɪlɪ] *adv* **1.** sournoisement **2.** en cachette.

sneak preview *n* avant-première *f*.

sneaky ['sniːkɪ] *adj fam* sournois.

sneer [snɪə] *n* **1.** sourire *m* dédaigneux **2.** ricanement *m*. ❑ *vi* sourire dédaigneusement.

sneering ['snɪərɪŋ] *adj* ricaneur, méprisant. ❑ *n* (indén) ricanement *m*, ricanements *mpl*.

sneeze [sniːz] *n* éternuement *m*. ❑ *vi* éternuer.

sneezing ['sniːzɪŋ] *n* éternuement *m* • **sneezing fit** crise *f* d'éternuements.

snicker ['snɪkə] *vi* (us) ricaner • **to snicker at sb** se moquer de qqn.

snide [snaɪd] *adj* sournois.

sniff [snɪf] *vt* renifler. ❑ *vi* renifler.

sniffer dog ['snɪfə-] *n* (uk) chien *m* renifleur.

snigger ['snɪgə] (uk) *n* rire *m* en dessous. ❑ *vi* ricaner.

sniggering ['snɪgərɪŋ] (uk) *n* **1.** (indén) rires *mpl* en dessous **2.** ricanements *mpl*. ❑ *adj* ricaneur.

snip [snɪp] *n* (uk) *fam* bonne affaire *f*. ❑ *vt* couper.

sniper ['snaɪpə] *n* tireur *m* isolé.

snippet ['snɪpɪt] *n* fragment *m*.

snivel ['snɪvl] ((uk) *prét & pp* **snivelled**, *cont* **snivelling**, (us) *prét & pp* **sniveled**, *cont* **sniveling**) *vi* geindre.

snivelling (uk), **sniveling** (us) ['snɪvlɪŋ] *adj* pleurnicheur, larmoyant. ❑ *n* (indén) pleurnichements *mpl*.

snob [snɒb] *n* snob *mf*.

snobbery ['snɒbərɪ] *n* snobisme *m*.

snobbish ['snɒbɪʃ], **snobby** ['snɒbɪ] *adj* snob (*inv*).

snog [snɒg] (*prét & pp* **snogged**, *cont* **snogging**) (uk) *fam vi* se rouler une pelle. ❑ *vt* rouler une pelle à. ❑ *n* • **to have a snog** se rouler une pelle.

snogging ['snɒgɪŋ] *n* (uk) *fam* • **there was a lot of snogging going on** ça s'embrassait dans tous les coins.

snooker ['snuːkə] *n* ≃ jeu *m* de billard.

snoop [snuːp] *vi fam* fureter.

snooty ['snuːtɪ] *adj fam* prétentieux.

snooze [snuːz] *n* petit somme *m*. ❑ *vi* faire un petit somme.

snooze button *n* bouton *m* de veille.

snore [snɔː] *n* ronflement *m*. ❑ *vi* ronfler.

snoring ['snɔːrɪŋ] *n* (indén) ronflement *m*, ronflements *mpl*.

snorkel ['snɔːkl] *n* tuba *m*.

snorkelling (uk), **snorkeling** (us) ['snɔːklɪŋ] *n* • **to go snorkelling** faire de la plongée avec un tuba.

snort [snɔːt] *n* **1.** grognement *m* **2.** (cheval) ébrouement *m*. ❑ *vi* **1.** grogner **2.** (cheval) s'ébrouer.

snot [snɒt] *n fam* (dans le nez) morve *f*.

snotty ['snɒtɪ] (comp **snottier**, superl **snottiest**) *adj fam* **1.** prétentieux **2.** morveux.

snotty-nosed *adj fam*, litt & fig morveux.

snout [snaʊt] *n* groin *m*.

snow [snəʊ] *n* neige *f*. ❑ *v impers* neiger. ■ **snow under** *vt sép fig* • **to be snowed under (with)** être submergé (de).

snowball ['snəʊbɔl] *n* boule *f* de neige. ❑ *vi fig* faire boule de neige.

snowbank ['snəʊbæŋk] *n* congère *f*, banc *m* de neige.

snowboard ['snəʊbɔd] *n* surf *m* des neiges.

snowboarding ['snəʊbɔdɪŋ] *n* surf *m* (des neiges).

snowbound ['snəʊbaʊnd] *adj* bloqué par la neige.

snowdrift ['snəʊdrɪft] *n* congère *f*.

snowdrop ['snəʊdrɒp] *n* perce-neige *m inv*.

snowfall ['snəʊfɔl] *n* chute *f* de neige.

snowflake ['snəʊfleɪk] *n* flocon *m* de neige.

snowman ['snəʊmæn] (*pl* -**men**) *n* bonhomme *m* de neige.

snowmobile ['snəʊməbiːl] *n* scooter *m* des neiges, motoneige *f*.

snow pea *n* (us) mange-tout *m inv*.

snowplough (uk), **snowplow** (us) ['snəʊplaʊ] *n* chasse-neige *m inv*.

snowshoe ['snəʊʃuː] *n* raquette *f*.

snowstorm ['snəʊstɔm] *n* tempête *f* de neige.

SNP (abrév de Scottish National Party) *n parti nationaliste écossais*.

Snr, snr abrév de **senior**.

snub [snʌb] *n* rebuffade *f*. ❑ *vt* snober.

snuck [snʌk] (us) *passé & pp* → **sneak**.

snuff [snʌf] *n* tabac *m* à priser.

snug [snʌg] *adj* **1.** à l'aise, confortable **2.** bien au chaud **3.** (endroit) douillet **4.** (vêtement) bien ajusté.

snuggle ['snʌgl] *vi* se blottir.

snugly ['snʌglɪ] *adv* **1.** douillettement, confortablement **2.** • **to fit snugly** être très ajusté.

so [səʊ] *adv* **1.** si, tellement • **so difficult (that)**... si difficile que... • **don't be so stupid!** ne sois pas si bête ! • **we had so much work!** nous avions tant de travail ! • **I've never seen so much money** je n'ai jamais vu autant d'argent **2.** • **so what's the point then?** alors à quoi bon ? • **I don't think so** je n'y crois pas • **I'm afraid so** je crains bien que oui • **if so** si oui • **is that so?** vraiment ? • **so what have you**

been up to? alors, qu'est-ce que vous deve-nez ? • **so what?** *fam* et alors ? • **so there!** *fam* là !, et voilà ! **3.** aussi • **so can/do/would** *etc* I moi aussi • **she speaks French and so does her husband** elle parle français et son mari aussi **4.** • **(like) so** comme cela *ou* ça **5.** • **so there is** en effet, c'est vrai • **so I see** c'est ce que je vois **6.** • **they pay us so much a week** ils nous payent tant par semaine • **or so** environ. ❑ *conj* alors • **I'm away next week so I won't be there** je suis en voyage la semaine prochaine donc je ne serai pas là. ■ **so as** *conj* afin de, pour • **we didn't knock so as not to disturb them** nous n'avons pas frappé pour ne pas les déranger. ■ **so that** *conj* pour que *(+ subjonctif)*.

soak [sǝuk] *vt* laisser *ou* faire tremper • **to get soaked** être trempé. ❑ *vi* **1.** • **to leave sth to soak, to let sth soak** laisser *ou* faire trem-per qqch **2.** • **to soak into sth** tremper dans qqch • **to soak through (sth)** traverser (qqch). ■ **soak up** *vt sép* absorber.

soaked [sǝukt] *adj* trempé • **to be soaked through** être trempé (jusqu'aux os).

soaking [ˈsǝukɪŋ] *adj* trempé.

so-and-so *n fam* **1.** • **Mr so-and-so** monsieur Untel **2.** enquiquineur *m*, -euse *f*.

soap [sǝup] *n* **1.** *(indén)* savon *m* • **a bar of soap** une savonnette.

soap flakes *npl* savon *m* en paillettes.

soap opera *n* soap opera *m*.

soap powder *n* lessive *f*.

soapy [ˈsǝupɪ] *adj* **1.** savonneux **2.** de savon.

soar [sɔː] *vi* **1.** *(oiseau)* planer **2.** *(ballon, cerf-volant)* monter **3.** *(prix, température)* monter en flèche.

soaring [ˈsɔːrɪŋ] *adj* **1.** *(prix, température)* qui monte en flèche **2.** *(musique, voix)* qui monte.

sob [sɒb] *n* sanglot *m*. ❑ *vi* sangloter.

sobbing [ˈsɒbɪŋ] *n (indén)* sanglots *mpl*.

sober [ˈsǝubǝʳ] *adj* **1.** qui n'est pas ivre **2.** sé-rieux **3.** sobre. ■ **sober up** *vi* dessoûler.

sobering [ˈsǝubǝrɪŋ] *adj* qui donne à réfléchir.

sobriety [sǝuˈbraɪǝtɪ] *n sout* sérieux *m*.

sob story *n fam* & *péj* histoire *f* larmoyan-te, histoire *f* à vous fendre le cœur.

so-called [-kɔːld] *adj* soi-disant *(inv)*, prétendu.

soccer [ˈsɒkǝʳ] *n* football *m*.

sociable [ˈsǝuʃǝbl] *adj* sociable.

social [ˈsǝuʃl] *adj* social.

social climber *n péj* arriviste *mf*.

social club *n* club *m*.

social conscience *n* conscience *f* sociale.

socialism [ˈsǝuʃǝlɪzm] *n* socialisme *m*.

socialist [ˈsǝuʃǝlɪst] *adj* socialiste. ❑ *n* socia-liste *mf*.

socialite [ˈsǝuʃǝlaɪt] *n* mondain *m*, -e *f*.

socialize, -ise (UK) [ˈsǝuʃǝlaɪz] *vi* fréquenter des gens • **to socialize with sb** fréquenter qqn, frayer avec qqn.

socializing, -ising (UK) [ˈsǝuʃǝlaɪzɪŋ] *n* fait *m* de fréquenter des gens • **socializing be-tween teachers and pupils is discouraged** les relations entre élèves et professeurs ne sont pas encouragées.

social life *n* vie *f* sociale.

socially [ˈsǝuʃǝlɪ] *adv* **1.** socialement, en société **2.** en dehors du travail.

social networking *n* réseautage *m* social • **social networking site** site *m* de réseautage social.

social order *n* ordre *m* social.

social outcast *n* paria *m*.

social science *n* sciences *fpl* humaines.

social security *n* aide *f* sociale.

social security number *n* (US) numéro *m* de sécurité sociale.

social services *npl* services *mpl* sociaux.

social studies *n (indén)* sciences *fpl* sociales.

social welfare *n* protection *f* sociale.

social work *n (indén)* assistance *f* sociale.

social worker *n* assistant *m* social, assis-tante *f*.

society [sǝˈsaɪǝtɪ] *n* **1.** société *f* • **a multicultural society** une société multiculturelle **2.** asso-ciation *f*, club *m*.

sociologist [ˌsǝusɪˈɒlǝdʒɪst] *n* sociologue *mf*.

sociology [ˌsǝusɪˈɒlǝdʒɪ] *n* sociologie *f*.

sock [sɒk] *n* chaussette *f*.

socket [ˈsɒkɪt] *n* **1.** douille *f* **2.** prise *f* de cou-rant **3.** orbite *f* **4.** cavité *f* articulaire.

sod [sɒd] *n* **1.** motte *f* de gazon **2.** (UK) *tfam* con *m*.

soda [ˈsǝudǝ] *n* **1.** soude *f* **2.** eau *f* de Seltz **3.** (US) soda *m*.

soda water *n* eau *f* de Seltz.

sodden [ˈsɒdn] *adj* trempé, détrempé.

sodium [ˈsǝudɪǝm] *n* sodium *m*.

sofa [ˈsǝufǝ] *n* canapé *m*.

sofa bed *n* canapé-lit *m*.

Sofia [ˈsǝufjǝ] *n* Sofia.

soft [sɒft] *adj* **1.** doux, mou **2.** léger **3.** tendre **4.** faible, indulgent • **don't talk soft!** *fam* ne sois pas idiot !

soft-boiled *adj* à la coque.

soft-centre *n* chocolat *m* fourré.

soft drink *n* boisson *f* non alcoolisée.

soft drugs *npl* drogues *fpl* douces.

soften [ˈsɒfn] *vt* **1.** assouplir *(un tissu)* **2.** ramol-lir *(une substance)* **3.** adoucir *(la peau)* **4.** atténuer *(un choc, un coup)* **5.** modérer *(un comportement)*. ❑ *vi* **1.** se ramollir **2.** s'adoucir, se radoucir.

soft focus *n* flou *m* • **in soft focus** en flou.

soft furnishings npl (UK) tissus mpl d'ameublement.

softhearted [,sɒft'hɑ:tɪd] adj au cœur tendre.

softly ['sɒftlɪ] adv 1. doucement 2. faiblement 3. avec indulgence.

softness ['sɒftnɪs] n 1. mollesse f, moelleux m (d'un lit, du sol) 2. douceur f (de la peau, d'un son, d'une lumière) 3. indulgence f (d'une personne).

soft-spoken adj à la voix douce.

soft toy n jouet m en peluche.

software ['sɒftweər] n (indén) logiciel m.

software package n INFORM logiciel m, progiciel m.

softy ['sɒftɪ] (pl -ies) n fam • he's a big softy c'est un tendre.

soggy ['sɒgɪ] adj 1. trempé, détrempé 2. pâteux.

soil [sɔɪl] n (indén) 1. sol m, terre f 2. fig sol m, territoire m. ❏ vt souiller, salir.

soiled [sɔɪld] adj sale.

solace ['sɒləs] n littéraire consolation f, réconfort m.

solar ['səʊlər] adj solaire • solar energy l'énergie solaire.

solarium [sə'leərɪəm] (pl -riums ou -ria) n solarium m.

solar panel n panneau m solaire.

solar power n énergie f solaire.

solar system n système m solaire.

sold [səʊld] passé & pp → sell.

solder ['səʊldər] n soudure f. ❏ vt souder.

soldier ['səʊldʒər] n soldat m. ■ soldier on vi persévérer.

sold-out adj 1. (billets) qui ont tous été vendus 2. (pièce de théâtre) qui se joue à guichets fermés.

sole [səʊl] adj 1. seul, unique 2. exclusif. ❏ n 1. semelle f 2. (pl inv ou -s) sole f.

solely ['səʊllɪ] adv seulement, uniquement • solely responsible seul ou entièrement responsable.

solemn ['sɒləm] adj 1. solennel 2. sérieux.

solemnly ['sɒləmlɪ] adv (promettre, jurer) solennellement.

sole trader n (UK) COMM entreprise f unipersonnelle ou individuelle.

solicit [sə'lɪsɪt] vt sout solliciter. ❏ vi racoler.

soliciting [sə'lɪsɪtɪŋ] n racolage m.

solicitor [sə'lɪsɪtər] n (UK) notaire m.

solid ['sɒlɪd] adj 1. solide 2. plein 3. (bois, or) massif 4. • two hours solid deux heures d'affilée. ❏ n CHIM & PHYS solide m.

solidarity [,sɒlɪ'dærətɪ] n solidarité f.

solidify [sə'lɪdɪfaɪ] (prét & pp solidified) vi se solidifier.

solidly ['sɒlɪdlɪ] adv 1. solidement 2. sans s'arrêter, sans interruption.

soliloquy [sə'lɪləkwɪ] (pl -ies) n soliloque m.

solitaire [,sɒlɪ'teər] n 1. (diamant, jeu) solitaire m 2. (US) (jeu de cartes) réussite f.

solitary ['sɒlɪtrɪ] adj 1. solitaire 2. seul,

solitary confinement n isolement m cellulaire.

solitude ['sɒlɪtju:d] n solitude f.

solo ['səʊləʊ] adj solo (inv). ❏ n (pl -s) solo m. ❏ adv en solo.

soloist ['səʊləʊɪst] n soliste mf.

soluble ['sɒljʊbl] adj soluble.

solution [sə'lu:ʃn] n 1. • solution (to) solution f (de) • to find a solution trouver une solution 2. solution f.

solve [sɒlv] vt résoudre • to solve a problem résoudre un problème.

solvency ['sɒlvənsɪ] n solvabilité f.

solvent ['sɒlvənt] adj solvable. ❏ n dissolvant m, solvant m.

solvent abuse n usage m de solvants.

Somalia [sə'mɑːlɪə] n Somalie f.

sombre (UK), **somber** (US) ['sɒmbər] adj sombre.

some

■ **some** [sʌm] adj

1. AVEC DES INDÉNOMBRABLES AU SINGULIER OU DES DÉNOMBRABLES AU PLURIEL
• there is some milk left il reste du lait • I've brought you some sweets je vous ai apporté des bonbons

2. DANS DES PHRASES INTERROGATIVES
• will you have some more meat? voulez-vous encore de la viande ?

3. INDIQUE UNE INTENSITÉ OU UNE QUANTITÉ RELATIVEMENT IMPORTANTE
• I had some difficulty getting here j'ai eu quelque mal à venir ici • I've known him for some years je le connais depuis plusieurs années

4. EXPRIME UN CONTRASTE
• some jobs are better paid than others certains boulots sont mieux rémunérés que d'autres • some people like his music il y en a qui aiment sa musique

5. POUR PARLER D'UNE PERSONNE NON CONNUE OU NON SPÉCIFIÉE
• she married some writer or other elle a épousé un écrivain quelconque

6. fam DANS DES PHRASES EXCLAMATIVES, POUR EXPRIMER L'ENTHOUSIASME OU L'ADMIRATION
• that was some party! c'était une soirée formidable !, quelle soirée ! • she's some girl! c'est une fille fantastique !

■ **some** [sʌm] *pron*

• **can I have some?** est-ce que je peux en prendre (quelques-uns) ? • **some (of them) left early** quelques-uns (d'entre eux) sont partis tôt • **some of it is mine** une partie est à moi

■ **some** [sʌm] *adv*

INTRODUIT UNE APPROXIMATION

• **there were some 7,000 people there** il y avait quelque 7 000 personnes

some

Lorsque *some* est un adjectif ou un pronom, il n'apparaît que dans des contextes affirmatifs *(there are some cookies left ; some of my old school friends are married)* ; dans les phrases négatives il est remplacé par *no* lorsqu'il est adjectif, et par *none* lorsqu'il est pronom *(there are no cookies left ; none of my school friends are married)*. Lorsque le verbe est à la forme négative, *some* est remplacé par *any (I don't know if there are any cookies left ; there aren't any cookies left)*.
Il est possible d'utiliser *some* dans les questions, si l'on s'attend à une réponse affirmative *(would you like some soup?)*. Si ce n'est pas le cas, on remplace *some* par *any (are there any cookies left?)*.
Voir aussi *no*, *none*.

somebody ['sʌmbədɪ] *pron* quelqu'un • **somebody else** quelqu'un d'autre.
someday ['sʌmdeɪ] *adv* un jour, un de ces jours.
somehow ['sʌmhau], **someway** (US) ['sʌmweɪ] *adv* 1. d'une manière ou d'une autre 2. pour une raison ou une autre.
someone ['sʌmwʌn] *pron* quelqu'un.
someplace (US) = somewhere.
somersault ['sʌməsɔːlt] *n* cabriole *f*, culbute *f*. ❏ *vi* faire une cabriole.
something ['sʌmθɪŋ] *pron* quelque chose • **something odd/interesting** quelque chose de bizarre/d'intéressant • **or something** *fam* ou quelque chose comme ça. ❏ *adv* • **something like, something in the region of** environ, à peu près.
sometime ['sʌmtaɪm] *adj* ancien. ❏ *adv* un de ces jours • **sometime last week** dans le courant de la semaine dernière.
sometimes ['sʌmtaɪmz] *adv* quelquefois, parfois • **the museum is sometimes closed on Sundays** le musée est parfois fermé le dimanche.
someway (US) = somehow.
somewhat ['sʌmwɒt] *adv* quelque peu.

somewhere ['sʌmweər], **someplace** (US) ['sʌmpleɪs] *adv* 1. quelque part • **somewhere else** ailleurs • **somewhere near here** près d'ici 2. environ, à peu près • **he must be somewhere in his forties** il doit avoir entre 40 et 50 ans.
son [sʌn] *n* fils *m*.
song [sɒŋ] *n* 1. chanson *f* 2. chant *m* (d'un oiseau).

songs

Il existe de très nombreux chants traditionnels en Grande-Bretagne, parmi lesquels **Greensleeves** qui, selon la légende, aurait été composé par le roi Henri VIII, et **Amazing Grace**, l'un des hymnes anglais les plus populaires, qui a été repris par de nombreux artistes : **Elvis Presley, Ray Charles, Céline Dion, Boyz II Men, Destiny's Child...** « Amazing grace, how sweet the sound/ That saved a wretch like me/ I once was lost but now am found/ Was blind but now I see ». Certaines chansons populaires des États-Unis sont connues dans le monde entier, comme « For He's a Jolly Good Fellow », sur l'air de « Malbrough s'en va-t-en guerre », ou encore **Jingle Bells**, chant traditionnel de Noël, sur l'air de « Vive le vent » : « **Jingle bells, jingle bells, Jingle all the way – oh, what fun it is to ride – in a one-horse open sleigh! Hey! – Jingle bells, jingle bells – Jingle all the way – oh, what fun it is to ride – in a one-horse open sleigh!** »

songwriter ['sɒŋ,raɪtər] *n* 1. parolier *m*, -ère *f* 2. compositeur *m*, -trice *f* 3. auteur-compositeur *m*.
sonic ['sɒnɪk] *adj* sonique.
son-in-law (*pl* sons-in-law) *n* gendre *m*, beau-fils *m*.
sonnet ['sɒnɪt] *n* sonnet *m*.
sonny ['sʌnɪ] *n fam* fiston *m*.
soon [suːn] *adv* 1. bientôt • **soon after** peu après 2. tôt • **write back soon** réponds-moi vite • **too soon** trop tôt • **how soon will it be ready?** dans combien de temps est-ce que ce sera prêt ? • **as soon as** dès que, aussitôt que.
sooner ['suːnər] *adv* 1. plus tôt • **no sooner... than...** à peine... que... • **sooner or later** tôt ou tard • **the sooner the better** le plus tôt sera le mieux 2. • **I would sooner...** je préférerais..., j'aimerais mieux...
soot [sut] *n* suie *f*.
soothe [suːð] *vt* calmer, apaiser.
soothing ['suːðɪŋ] *adj* 1. (*pommade, remède*) calmant 2. (*musique, paroles*) apaisant.

sophisticated [sə'fɪstɪkeɪtɪd] adj **1.** (personne, tenue) raffiné, sophistiqué **2.** averti **3.** (mécanisme, technique) sophistiqué, très perfectionné.

sophistication [sə,fɪstɪ'keɪʃn] n **1.** raffinement m, sophistication f (d'une tenue, de manières) **2.** subtilité f (d'un raisonnement, d'une œuvre) **3.** sophistication f, perfectionnement m (d'un système, d'un mécanisme).

sophomore ['sɒfəmɔːʳ] n (US) étudiant m, -e f de seconde année • in my sophomore year lorsque j'étais en seconde année.

soporific [,sɒpə'rɪfɪk] adj soporifique.

sopping ['sɒpɪŋ] adj fam • sopping (wet) tout trempé, toute trempée f.

soppy ['sɒpɪ] adj fam **1.** à l'eau de rose **2.** sentimental **3.** bêta, bête.

soprano [sə'prɑːnəʊ] (pl -s) n **1.** soprano mf **2.** (voix) soprano m.

SOR abrév de **sale or return**.

sorbet ['sɔːbeɪ] n sorbet m.

sorcerer ['sɔːsərəʳ] n sorcier m.

sordid ['sɔːdɪd] adj sordide.

sore [sɔːʳ] adj **1.** douloureux • to have a sore throat avoir mal à la gorge **2.** (US) fâché, contrarié. ❑ n plaie f.

sorely ['sɔːlɪ] adv littéraire grandement.

sorority [sə'rɒrətɪ] n (US) UNIV association f d'étudiantes très sélective (au nom composé de lettres grecques et aux nombreux rites d'initiation).

sorrow ['sɒrəʊ] n peine f, chagrin m.

sorrowful ['sɒrəʊfʊl] adj littéraire triste, affligé.

sorrowfully ['sɒrəʊflɪ] adv tristement.

sorry ['sɒrɪ] adj **1.** désolé • to be sorry about sthg s'excuser pour qqch • to be sorry to do sthg être désolé ou regretter de faire qqch • to say (you're) sorry s'excuser • what can you do? les excuses, ça sert à quoi ? **2.** • in a sorry state en piteux état, dans un triste état. ❑ interj **1.** pardon ! **2.** excusez-moi ! **2.** (quand on n'a pas compris) pardon ?, comment ? **3.** (pour se corriger) non, pardon ou je veux dire.

sorry-ass, sorry-assed adj (US) tfam à la con.

sort [sɔːt] n genre m, sorte f, espèce f • a sort of une espèce ou sorte de. ❑ vt trier, classer • to sort sthg by name/date trier qqch selon le nom/la date. ■ **sort out** vt sép **1.** ranger, classer **2.** résoudre.

sort code n FIN code m guichet.

sorted ['sɔːtɪd] (UK) fam adj • to be sorted a) (sur le plan psychologique) être équilibré, être bien dans ses baskets b) (sur le plan matériel) être paré • to be sorted for sthg disposer de qqch. ❑ interj super !, génial !

sorting office ['sɔːtɪŋ-] n centre m de tri.

sort-out n (UK) fam • to have a sort-out faire du rangement.

SOS (abrév de **save our souls**) n SOS m.

so-so fam adj quelconque. ❑ adv comme ci comme ça.

soufflé ['suːfleɪ] n soufflé m.

sought [sɔːt] passé & pp >> **seek**.

sought-after adj recherché, demandé.

soul [səʊl] n **1.** âme f **2.** MUS soul m.

soul-destroying [-dɪ,strɔɪŋ] adj abrutissant.

soulful ['səʊlfʊl] adj **1.** expressif **2.** sentimental.

soulless ['səʊllɪs] adj **1.** (travail) abrutissant **2.** (endroit) sans âme.

soul mate n âme f sœur.

soul music n soul m.

soul-searching n (indén) examen m de conscience.

sound [saʊnd] adj **1.** sain, en bonne santé **2.** solide **3.** judicieux, sage **4.** (investissement) sûr. ❑ adv • to be sound asleep dormir d'un sommeil profond. ❑ n **1.** son m **2.** bruit m, son m • by the sound of it... d'après ce que j'ai compris... ❑ vt sonner. ❑ vi **1.** sonner, retentir **2.** sembler • to sound like sthg avoir l'air de qqch. ■ **sound out** vt sép • to sound sb out (on ou about) sonder qqn (sur).

sound barrier n mur m du son.

sound bite n petite phrase f (prononcée par un homme politique à la radio ou à la télévision pour frapper les esprits).

soundcard ['saʊndkɑːd] n INFORM carte f son.

sound effects npl bruitage m, effets mpl sonores.

sound engineer n ingénieur m du son.

sounding ['saʊndɪŋ] n fig sondage m.

sounding board n **1.** THÉÂTRE abat-voix m inv **2.** fig personne sur laquelle on peut essayer une nouvelle idée.

soundly ['saʊndlɪ] adv **1.** à plates coutures **2.** profondément.

soundproof ['saʊndpruːf] adj insonorisé.

soundproofing ['saʊndpruːfɪŋ] n insonorisation f.

sound system n **1.** chaîne f hifi **2.** sonorisation f.

soundtrack ['saʊndtræk] n bande-son f.

sound wave n onde f sonore.

soup [suːp] n soupe f, potage m.

souped-up [suːpt-] adj fam (moteur) gonflé, poussé.

soup kitchen n soupe f populaire.

soup plate n assiette f creuse ou à soupe.

soup spoon n cuiller f à soupe.

sour ['saʊəʳ] adj **1.** (fruit, goût) acide, aigre **2.** (personne, caractère) aigre, acerbe. ❑ vt fig faire tourner au vinaigre, faire mal tourner.

source [sɔːs] n **1.** source f **2.** origine f, cause f. ❑ vt • our paper is sourced from sustainable

forests notre papier provient de forêts gérées de façon durable.

sour cream n crème f aigre.

sour grapes n (indén) fam • what he said was just sour grapes il a dit ça par dépit.

south [saʊθ] n **1.** sud m **2.** • the South le Sud (d'un pays) • the South of France le sud de la France. ❑ adj **1.** sud (inv) **2.** du sud. ❑ adv au sud, vers le sud • south of au sud de.

South Africa n Afrique f du Sud.

South African adj sud-africain. ❑ n Sud-Africain m, -e f.

South America n Amérique f du Sud.

South American adj sud-américain. ❑ n Sud-Américain m, -e f.

southbound ['saʊθbaʊnd] adj (périphérique, autoroute) sud (inv).

southeast [,saʊθ'iːst] n **1.** sud-est m **2.** • the Southeast le Sud-Est. ❑ adj au sud-est, du sud-est. ❑ adv au sud-est, vers le sud-est • southeast of au sud-est de.

southerly ['sʌðəlɪ] adj au sud, du sud.

southern ['sʌðən] adj **1.** du sud **2.** du Midi.

South Korea n Corée f du Sud.

South Pole n • the South Pole le pôle Sud.

southward ['saʊθwəd] adj au sud, du sud. ❑ adv = southwards.

southwards ['saʊθwədz] adv vers le sud.

southwest [,saʊθ'west] n **1.** sud-ouest m **2.** • the Southwest le Sud-Ouest. ❑ adj au sud-ouest, du sud-ouest. ❑ adv au sud-ouest, vers le sud-ouest • southwest of au sud-ouest de.

souvenir [,suːvə'nɪəʳ] n souvenir m (objet).

sovereign ['sɒvrɪn] adj souverain. ❑ n **1.** souverain m, -e f **2.** (pièce d'or) souverain m.

soviet ['səʊvɪət] n soviet m. ■ Soviet adj soviétique. ❑ n Soviétique mf.

Soviet Union n • the (former) Soviet Union l'(ex-)Union f soviétique.

sow[1] [səʊ] (prét sowed, pp sown ou sowed) vt litt & fig semer.

sow[2] [saʊ] n truie f.

sown [səʊn] pp → sow[1]

soya ['sɔɪə] n soja m.

soy(a) bean ['sɔɪ(ə)-] n graine f de soja.

soy sauce [sɔɪ-] n sauce f (au) soja.

spa [spɑː] n station f thermale.

space [speɪs] n **1.** espace m **2.** blanc m **3.** place f **4.** • within ou in the space of ten minutes en l'espace de dix minutes. ❑ en apposition spatial. ❑ vt espacer. ■ space out vt sép espacer.

space age n • the space age l'ère f spatiale. ■ space-age adj de l'ère spatiale.

space bar n barre f d'espacement.

spacecraft ['speɪskrɑːft] (pl inv) n vaisseau m spatial.

spaceman ['speɪsmæn] (pl -men) n astronaute m, cosmonaute m.

spaceship ['speɪsʃɪp] n vaisseau m spatial.

space shuttle n navette f spatiale.

spacesuit ['speɪssuːt] n combinaison f spatiale.

spacing ['speɪsɪŋ] n espacement m.

spacious ['speɪʃəs] adj spacieux.

spade [speɪd] n **1.** pelle f **2.** (aux jeux de cartes) pique m. ■ spades npl pique m • the six of spades le six de pique.

spaghetti [spə'getɪ] n (indén) spaghettis mpl.

Spain [speɪn] n Espagne f.

spam [spæm] n fam **1.** spam m **2.** (CANADA) pourriel m.

spammer ['spæmə] n spammeur m.

spamming ['spæmɪŋ] n (indén) spam m, arrosage m recomm off.

span [spæn] passé → spin. ❑ n **1.** espace m de temps, durée f **2.** éventail m, gamme f **3.** envergure f **4.** travée f **5.** ouverture f. ❑ vt **1.** couvrir (une période) **2.** franchir.

Spaniard ['spænjəd] n Espagnol m, -e f.

spaniel ['spænjəl] n épagneul m.

Spanish ['spænɪʃ] adj espagnol. ❑ n espagnol m. ❑ npl • the Spanish les Espagnols.

spank [spæŋk] vt donner une fessée à.

spanner ['spænə] n (UK) clé f à écrous.

spar [spɑːʳ] n NAUT espar m. ❑ vi s'entraîner à la boxe.

spare [speəʳ] adj **1.** de trop **2.** de réserve, de rechange • spare bed lit m d'appoint **3.** disponible. ❑ n pièce f détachée ou de rechange. ❑ vt **1.** se passer de **2.** disposer de • to have an hour to spare avoir une heure de libre **3.** épargner, ménager • to spare no expense ne pas regarder à la dépense **4.** • to spare sb sthg épargner qqch à qqn.

spare part n pièce f détachée ou de rechange.

sparerib [speə'rɪb] n travers m de porc.

spare room n chambre f d'amis.

spare time n (indén) temps m libre, loisirs mpl.

spare tyre (UK), **spare tire** (US) n **1.** AUTO pneu m de rechange ou de secours **2.** hum bourrelet m (de graisse).

spare wheel n roue f de secours.

sparing ['speərɪŋ] adj • to be sparing with ou of sthg être économe de qqch.

sparingly ['speərɪŋlɪ] adv **1.** avec modération **2.** avec parcimonie.

spark [spɑːk] n litt & fig étincelle f.

sparking plug ['spɑːkɪŋ-] (UK) = spark plug.

sparkle ['spɑːkl] n **1.** (indén) éclat m **2.** scintillement m. ❑ vi étinceler, scintiller.

sparkler ['spɑːklə] n bougie f magique.

sparkling ['spɑːklɪŋ] adj **1.** (pierre, glace, givre, verre, toile) étincelant, scintillant **2.** (yeux) étincelant, pétillant **3.** (personne, conversation, esprit, spectacle) brillant **4.** (boisson, eau minérale) gazeux, pétillant. ❏ adv • **sparkling clean/white** d'une propreté/blancheur éclatante.

sparkling wine ['spɑːklɪŋ] n vin m mousseux.

spark plug n AUTO bougie f.

sparring partner n **1.** (boxe) sparring-partner m **2.** fig adversaire m.

sparrow ['spærəʊ] n moineau m.

sparse ['spɑːs] adj clairsemé, épars.

sparsely ['spɑːslɪ] adv peu (boisé, peuplé) • **to be sparsely furnished** contenir peu de meubles.

spartan ['spɑːtn] adj austère, de spartiate.

spasm ['spæzm] n **1.** spasme m **2.** quinte f **3.** accès m.

spasmodic [spæz'mɒdɪk] adj spasmodique.

spastic ['spæstɪk] n handicapé m, -e f moteur.

spat [spæt] passé & pp → **spit**.

spate [speɪt] n avalanche f (de lettres, de visiteurs).

spatial ['speɪʃl] adj spatial.

spatter ['spætə] vt éclabousser.

spatula ['spætjʊlə] n spatule f.

spawn [spɔːn] n (indén) frai m, œufs mpl. ❏ vt fig donner naissance à, engendrer. ❏ vi frayer.

speak [spiːk] (prét **spoke**, pp **spoken**) vt **1.** dire **2.** parler. ❏ vi parler • **to speak to** ou **with sb** parler à qqn • **to speak to sb about sthg** parler de qqch à qqn • **to speak about sb/sthg** parler de qqn/qqch • **speak now or forever hold your peace** parlez maintenant ou gardez le silence pour toujours. ■ **so to speak** adv pour ainsi dire. ■ **speak for** vt insép parler au nom de • **she's already spoken for** elle est déjà prise. ■ **speak out** vi oser prendre la parole • **to speak out for** parler en faveur de • **to speak out against** s'élever contre, se dresser contre • **she spoke out strongly against the scheme** elle a condamné le projet avec véhémence. ■ **speak up** vi **1.** • **to speak up for sb/sthg** parler en faveur de qqn/qqch, soutenir qqn/qqch **2.** parler plus fort.

speaker ['spiːkə] n **1.** personne f qui parle **2.** orateur m **3.** • **a German speaker** un germanophone **4.** haut-parleur m.

speaker phone n téléphone m avec haut-parleur.

speaking ['spiːkɪŋ] adv • **politically speaking** d'un point de vue politique.

-speaking suffixe **1.** (personne) • **they're both German/Spanish-speaking** ils sont tous deux germanophones/hispanophones **2.** (pays) • **French/English-speaking countries** les pays francophones/anglophones.

spear [spɪə] n lance f. ❏ vt transpercer d'un coup de lance.

spearhead ['spɪəhed] n fer m de lance. ❏ vt **1.** mener **2.** être le fer de lance de.

spearmint ['spɪəmɪnt] n **1.** (arôme) menthe f **2.** bonbon m à la menthe. ❏ adj **1.** (arôme,

goût) de menthe **2.** (dentifrice, chewing-gum) à la menthe.

spec [spek] n (UK) fam • **on spec** à tout hasard.

special ['speʃl] adj **1.** spécial • **nothing special** rien de spécial • **what's so special about him?** qu'est-ce qu'il a d'exceptionnel ? **2.** particulier • **this is a special case** c'est un cas particulier.

special agent n agent m secret.

special correspondent n envoyé m spécial.

special delivery n (indén) exprès m, envoi m par exprès • **by special delivery** en exprès.

special effects npl effets mpl spéciaux.

specialism ['speʃəlɪzm] n spécialisation f • **my specialism is maths** je me spécialise dans les maths.

specialist ['speʃəlɪst] adj spécialisé. ❏ n spécialiste mf.

speciality (UK) [,speʃɪ'ælətɪ], **specialty** (US) ['speʃltɪ] n spécialité f.

specialization [,speʃəlaɪ'zeɪʃn] n spécialisation f • **his specialization is computers** il est spécialisé en informatique.

specialize, -ise (UK) ['speʃəlaɪz] vi • **to specialize (in)** se spécialiser (dans).

specialized ['speʃəlaɪzd] adj spécialisé.

specially ['speʃəlɪ] adv **1.** spécialement **2.** exprès **3.** particulièrement.

special needs [-niːdz] n (UK) • **special needs children** enfants ayant des difficultés scolaires.

special offer n promotion f.

Special Olympics npr • **the Special Olympics** championnats sportifs pour handicapés mentaux.

specialty n (US) = **speciality**.

species ['spiːʃiːz] (pl inv) n espèce f.

specific [spə'sɪfɪk] adj **1.** particulier **2.** précis **3.** • **specific to** propre à. ■ **specifics** npl détails mpl.

specifically [spə'sɪfɪklɪ] adv **1.** particulièrement, spécialement **2.** précisément.

specification [,spesɪfɪ'keɪʃn] n stipulation f. ■ **specifications** npl TECHNOL caractéristiques fpl techniques, spécification f.

specify ['spesɪfaɪ] vt préciser, spécifier.

specimen ['spesɪmən] n **1.** exemple m, spécimen m **2.** BIOL & MÉD prélèvement m, échantillon m.

specimen copy n spécimen m.

specimen signature n spécimen m de signature.

speck [spek] n **1.** toute petite tache f **2.** grain m (de poussière, de suie).

speckled ['spekld] adj • **speckled (with)** tacheté de.

specs [speks] npl fam lunettes fpl.

spectacle ['spektəkl] n spectacle m. ■ spectacles npl lunettes fpl.

spectacular [spek'tækjulər] adj spectaculaire.

spectacularly [spek'tækjuləlɪ] adv spectaculairement.

spectate [spek'teɪt] vi regarder, être là en tant que spectateur.

spectator [spek'teɪtər] n spectateur m, -trice f.

spectator sport n sport m que l'on regarde en tant que spectateur.

spectre (UK), **specter** (US) ['spektər] n spectre m • to raise the spectre of unemployment/war agiter le spectre du chômage/de la guerre.

spectrum ['spektrəm] (pl -tra) n 1. spectre m 2. fig gamme f.

speculate ['spekjuleɪt] vt • to speculate that... émettre l'hypothèse que... ◻ vi 1. faire des conjectures 2. FIN spéculer.

speculation [,spekju'leɪʃn] n 1. spéculation f 2. conjectures fpl.

speculative ['spekjulətɪv] adj spéculatif.

sped [sped] passé & pp → speed.

speech [spiːtʃ] n 1. (indén) parole f 2. discours m • to give a speech faire un discours 3. THÉÂTRE texte m 4. façon f de parler 5. parler m.

speech-impaired adj muet.

speech impediment n défaut m d'élocution.

speechless ['spiːtʃlɪs] adj • speechless (with) muet (de).

speech recognition n INFORM reconnaissance f de la parole.

speech therapist n orthophoniste mf.

speech therapy n orthophonie f.

speed [spiːd] n 1. vitesse f 2. rapidité f 3. • to be up to speed être opérationnel • to bring sb up to speed rendre qqn opérationnel. ◻ vi (prét & pp speeded ou sped) 1. • to speed along aller à toute vitesse • to speed away démarrer à toute allure 2. rouler trop vite. ■ speed up vt sép 1. faire aller plus vite 2. accélérer. ◻ vi 1. aller plus vite 2. accélérer.

speedboat ['spiːdbəʊt] n hors-bord m inv.

speed bump n dos-d'âne m inv.

speed camera n cinémomètre m.

speed dating n rencontre organisée entre plusieurs partenaires potentiels ayant quelques minutes pour décider s'ils veulent se revoir.

speed-dialling (UK), **speed-dialing** (US) n (indén) numérotation f rapide.

speedily ['spiːdɪlɪ] adv vite, rapidement.

speeding ['spiːdɪŋ] n (indén) excès m de vitesse.

speed limit n limitation f de vitesse.

speedometer [spɪ'dɒmɪtər] n compteur m (de vitesse).

speedway ['spiːdweɪ] n 1. (indén) course f de motos 2. (US) voie f express.

speedy ['spiːdɪ] adj rapide.

spell [spel] n 1. période f 2. charme m 3. formule f magique • to cast ou put a spell on sb jeter un sort à qqn. ◻ vt ((UK) prét & pp spelt ou spelled, (US) prét & pp spelled) 1. écrire (son nom, un mot) 2. fig signifier. ◻ vi ((UK) prét & pp spelt ou spelled, (US) prét & pp spelled) épeler. ■ spell out vt sép 1. épeler 2. • to spell sthg out (for ou to sb) expliquer qqch clairement (à qqn).

spellbinding ['spel,baɪndɪŋ] adj ensorcelant, envoûtant.

spellbound ['spelbaʊnd] adj subjugué.

spell-check vt vérifier l'orthographe de. ◻ n vérification f orthographique.

spell-checker [-tʃekər] n correcteur m ou vérificateur m orthographique.

spelling ['spelɪŋ] n orthographe f • a spelling mistake une faute d'orthographe.

spelling bee n (US) concours m d'orthographe.

spelt [spelt] (UK) passé & pp → spell.

spelunking [spe'lʌŋkɪŋ] n (US) spéléologie f.

spend [spend] (prét & pp spent) vt 1. • to spend money (on) dépenser de l'argent (pour) 2. passer (du temps, sa vie) 3. consacrer (du temps).

spender ['spendər] n • to be a big spender être très dépensier, dépenser beaucoup.

spending ['spendɪŋ] n (indén) dépenses fpl.

spending money n argent m de poche.

spending power n (indén) pouvoir m d'achat.

spendthrift ['spendθrɪft] n dépensier m, -ère f.

spent [spent] passé & pp → spend. ◻ adj 1. utilisé 2. épuisé.

sperm [spɜːm] (pl inv ou -s) n sperme m.

sperm bank n banque f de sperme.

spermicide ['spɜːmɪsaɪd] n spermicide m.

spew [spjuː] vt & vi vomir.

SPF (abrév de sun protection factor) indice m de protection solaire.

sphere [sfɪər] n sphère f.

spherical ['sferɪkl] adj sphérique.

sphinx [sfɪŋks] (pl -es) n sphinx m.

spice [spaɪs] n 1. épice f 2. (indén) fig piment m.

spick-and-span [,spɪkən'spæn] adj impeccable, nickel (inv).

spicy ['spaɪsɪ] adj 1. épicé 2. fig pimenté, piquant.

spider ['spaɪdər] n araignée f.

spider's web, **spiderweb** (US) ['spaɪdəweb] n toile f d'araignée.

spiel [ʃpiːl] n fam baratin m.

spike [spaɪk] n pointe f, lance f.

spike heels npl (chaussures fpl à) talons mpl aiguilles.

spiky ['spaɪkɪ] (*comp* **spikier**, *superl* **spikiest**) *adj* **1.** (*plante*) hérissé de piquants **2.** (*cheveux*) en épi.

spill [spɪl] ((UK) *prét & pp* **spilt** *ou* **spilled**, (US) *prét & pp* **spilled**) *vt* renverser. □ *vi* se répandre.

spillage ['spɪlɪdʒ] *n* déversement *m* (*de pétrole*).

spillover ['spɪl‚əʊvəʳ] *n* excédent *m*.

spilt [spɪlt] (UK) *passé & pp* → **spill**.

spin [spɪn] *n* **1.** • **to give sthg a spin** faire tourner qqch **2.** AÉRON vrille *f* **3.** *fam* tour *m* (*en voiture*) **4.** SPORT effet *m* **5.** (*manipulation de faits*) • **it was just spin** *fam* c'était de l'intox. □ *vt* (*prét* **span** *ou* **spun**, *pp* **spun**) **1.** faire tourner **2.** essorer **3.** filer (*de la laine, du coton*). □ *vi* (*prét* **span** *ou* **spun**, *pp* **spun**) **1.** tourner, tournoyer **2.** • **to spin out of control** déraper • **things are spinning out of control** *fig* les choses dérapent complètement *ou* partent en vrille. ■ **spin out** *vt sép* faire durer (*une somme d'argent, une histoire*).

spinach ['spɪnɪdʒ] *n* (*indén*) épinards *mpl*.

spinal ['spaɪnl] *adj* **1.** (*nerf, muscle*) spinal **2.** (*disque*) vertébral • **a spinal injury** une blessure à la colonne vertébrale.

spinal column ['spaɪnl-] *n* colonne *f* vertébrale.

spinal cord ['spaɪnl-] *n* moelle *f* épinière.

spindly ['spɪndlɪ] *adj* grêle, chétif.

spin doctor *n péj* personne qui au sein d'un parti politique est chargée de promouvoir l'image de celui-ci.

spin-dryer *n* (UK) essoreuse *f*.

spine [spaɪn] *n* **1.** colonne *f* vertébrale **2.** dos *m* (*d'un livre*) **3.** piquant *m*, épine *f*.

spine-chilling *adj* qui glace le sang.

spineless ['spaɪnlɪs] *adj* faible, qui manque de cran.

spinelessness ['spaɪnlɪsnɪs] *n* lâcheté *f*.

spinning ['spɪnɪŋ] *n* filage *m*.

spinning top *n* toupie *f*.

spin-off *n* dérivé *m*.

spinster ['spɪnstəʳ] *n* **1.** célibataire *f* **2.** *péj* vieille fille *f*.

spiral ['spaɪrəl] *adj* spiral. □ *n* spirale *f*. □ *vi* ((UK) *prét & pp* **spiralled**, *cont* **spiralling**, (US) *prét & pp* **spiraled**, *cont* **spiraling**) monter en spirale.

spiral staircase *n* escalier *m* en colimaçon.

spire ['spaɪəʳ] *n* flèche *f*.

spirit ['spɪrɪt] *n* **1.** esprit *m* **2.** (*indén*) caractère *m*, courage *m*. ■ **spirits** *npl* **1.** humeur *f* • **to be in high spirits** être gai • **to be in low spirits** être déprimé **2.** spiritueux *mpl*.

spirited ['spɪrɪtɪd] *adj* **1.** fougueux **2.** interprété avec brio.

spirit level *n* niveau *m* à bulle d'air.

spiritual ['spɪrɪtʃʊəl] *adj* spirituel.

spirituality [‚spɪrɪtʃʊˈælətɪ] *n* spiritualité *f*.

spiritually ['spɪrɪtʃʊəlɪ] *adv* spirituellement, en esprit.

spit [spɪt] *n* **1.** (*indén*) crachat *m* **2.** salive *f* **3.** CULIN broche *f*. □ *vi* ((UK) *prét & pp* **spat**, (US) *prét & pp* **spit**) cracher. □ *v impers* (*prét & pp* **spat**) (UK) • **it's spitting** il tombe quelques gouttes. ■ **spit out** *vt sép* cracher • **spit it out!** *fam* accouche !

spite [spaɪt] *n* rancune *f*. □ *vt* contrarier. ■ **in spite of** *prép* en dépit de, malgré.

spiteful ['spaɪtfʊl] *adj* malveillant.

spitefully ['spaɪtfʊlɪ] *adv* par dépit, par méchanceté, méchamment.

spit roast *n* rôti *m* à la broche. ■ **spit-roast** *vt* faire rôtir à la broche.

spitting ['spɪtɪŋ] *n* • **'no spitting'** 'défense de cracher' • **to be within spitting distance of sb** *fam* être à deux pas de qqn.

spitting image ['spɪtɪŋ-] *n* • **to be the spitting image of sb** être le portrait (tout) craché de qqn.

spittle ['spɪtl] *n* (*indén*) crachat *m*.

splash [splæʃ] *n* **1.** plouf *m* **2.** tache *f* (*de couleur, de lumière*). □ *vt* éclabousser. □ *vi* **1.** • **to splash about** *ou* **around** barboter **2.** jaillir. ■ **splash out** *fam vi* • **to splash out (on)** dépenser une fortune (pour).

splatter ['splætəʳ] *vt* éclabousser • **splattered with mud/blood** éclaboussé de boue/sang. □ *vi* **1.** (*pluie*) crépiter **2.** (*boue*) éclabousser. □ *n* éclaboussure *f* (*de boue, d'encre*).

spleen [spliːn] *n* **1.** rate *f* **2.** (*indén*) *fig* mauvaise humeur *f*.

splendid ['splendɪd] *adj* **1.** splendide **2.** excellent.

splendidly ['splendɪdlɪ] *adv* de façon splendide, splendidement.

splendour (UK), **splendor** (US) ['splendəʳ] *n* splendeur *f*.

spliff [splɪf] *n arg drogue* joint *m*.

splint [splɪnt] *n* attelle *f*.

splinter ['splɪntəʳ] *n* éclat *m*. □ *vi* **1.** (*bois*) se fendre en éclats **2.** (*verre*) se briser en éclats.

splinter group *n* groupe *m* dissident.

split [splɪt] *n* **1.** fente *f* **2.** déchirure *f* **3.** échancrure *f* **4.** POLIT • **split (in)** division *f ou* scission *f* (au sein de) **5.** • **split between** écart *m* entre. □ *vt* (*prét & pp* **split**, *cont* **splitting**) **1.** fendre (*du bois*) **2.** déchirer (*des vêtements*) **3.** POLIT diviser **4.** partager • **shall we split a taxi/a dessert?** on partage un taxi/un dessert ? • **to split the difference** *fig* couper la poire en deux. □ *vi* (*prét & pp* **split**, *cont* **splitting**) **1.** se fendre **2.** se déchirer **3.** POLIT (*route, chemin*) se diviser. ■ **split up** *vi* se séparer. ■ **splits** *npl* • **to do the splits** faire le grand écart. ■ **split off** *vt sép* • **to split sthg off (from)** enlever *ou* détacher qqch (de). □ *vi* • **to split off (from)** se détacher (de).

split end *n* (*dans les cheveux*) fourche *f*.

split-level *adj* (*maison*) à deux niveaux.

split personality n • **to have a split personality** souffrir d'un dédoublement de la personnalité.

split screen n écran m divisé.

split second n fraction f de seconde.

splurge [splɜːdʒ] fam n **1.** folie f, folles dépenses fpl **2.** fla-fla m, tralala m • **a great splurge of colour** une débauche de couleur. ❑ vt **1.** dépenser **2.** dissiper. ■ **splurge out** vi insép faire une folie ou des folies • **to splurge out on sthg** se payer qqch.

splutter ['splʌtər] vi **1.** bredouiller, bafouiller **2.** tousser **3.** crépiter.

spoil [spɔɪl] (prét & pp **spoiled**, (UK) prét & pp **spoilt**) vt gâcher, gâter, abîmer. ■ **spoils** npl butin m.

spoiled [spɔɪld] adj = **spoilt**.

spoiler ['spɔɪlər] n PRESSE tactique utilisée pour s'approprier le scoop d'un journal rival.

spoiler campaign n campagne lancée par une entreprise pour minimiser l'impact d'une campagne publicitaire menée par une société concurrente.

spoilsport ['spɔɪlspɔːt] n trouble-fête mfinv.

spoilt [spɔɪlt] passé & pp (UK) → **spoil**. ❑ adj gâté.

spoke [spəʊk] passé → **speak**. ❑ n rayon m.

spoken ['spəʊkn] pp → **speak**.

spokesman ['spəʊksmən] (pl -men) n porte-parole m inv.

spokesperson ['spəʊks,pɜːsn] n porte-parole mfinv.

spokeswoman ['spəʊks,wʊmən] (pl -women) n porte-parole finv.

sponge [spʌndʒ] n **1.** éponge f **2.** gâteau m ou biscuit m de Savoie. ❑ vt ((UK) cont **sponging**, (US) cont **sponging**) éponger. ❑ vi ((UK) cont **sponging**, (US) cont **sponging**) fam • **to sponge off sb** taper qqn.

sponge bag n (UK) trousse f de toilette.

sponge bath n toilette f d'un malade.

sponge cake n gâteau m ou biscuit m de Savoie.

spongy ['spʌndʒɪ] (comp **spongier**, superl **spongiest**) adj spongieux.

sponsor ['spɒnsər] n sponsor m. ❑ vt **1.** sponsoriser, parrainer **2.** soutenir.

sponsored walk [,spɒnsəd-] n (UK) marche organisée pour recueillir des fonds.

sponsorship ['spɒnsəʃɪp] n parrainage m.

sponsorship deal n contrat m de sponsoring.

spontaneity [,spɒntə'neɪətɪ] n spontanéité f.

spontaneous [spɒn'teɪnjəs] adj spontané.

spontaneously [spɒn'teɪnjəslɪ] adv spontanément.

spoof [spuːf] n • **spoof (of** ou **on)** parodie f (de).

spooky ['spuːkɪ] adj fam qui donne la chair de poule.

spool [spuːl] n bobine f (de fil, de film).

spoon [spuːn] n cuillère f, cuiller f.

spoon-feed vt nourrir à la cuillère • **to spoon-feed sb** fig mâcher le travail à qqn.

spoonful ['spuːnfʊl] (pl **-s** ou **spoonsful** ['spuːnsfʊl]) n cuillerée f.

sporadic [spə'rædɪk] adj sporadique.

sporadically [spə'rædɪklɪ] adv sporadiquement.

sport [spɔːt] n **1.** sport m **2.** vieilli chic type m, chic fille f. ■ **sports** en apposition de sport.

sporting ['spɔːtɪŋ] adj **1.** sportif **2.** chic (inv) • **to have a sporting chance of doing sthg** avoir des chances de faire qqch.

sports car ['spɔːts-] n voiture f de sport.

sports day n (UK) réunion f sportive scolaire.

sports jacket n veste f sport.

sportsman ['spɔːtsmən] (pl -men) n sportif m.

sportsmanlike ['spɔːtsmənlaɪk] adj sportif.

sportsmanship ['spɔːtsmənʃɪp] n sportivité f, esprit m sportif.

sports personality ['spɔːts-] n personnalité f sportive.

sportswear ['spɔːtsweər] n (indén) vêtements mpl de sport.

sportswoman ['spɔːts,wʊmən] (pl -women) n sportive f.

sporty ['spɔːtɪ] adj fam sportif.

spot [spɒt] n **1.** tache f **2.** (UK) bouton m **3.** goutte f **4.** endroit m • **on the spot** sur place • **to do sthg on the spot** faire qqch immédiatement ou sur-le-champ **5.** numéro m (d'artiste). ❑ vt apercevoir.

spot check n contrôle m au hasard ou intermittent.

spotless ['spɒtlɪs] adj impeccable.

spotlessly ['spɒtlɪslɪ] adv • **spotlessly clean** reluisant de propreté, d'une propreté impeccable.

spotlight ['spɒtlaɪt] n projecteur m, spot m • **to be in the spotlight** fig être en vedette.

spotlit [-lɪt] adj éclairé par des projecteurs.

spot-on adj (UK) fam absolument exact ou juste, dans le mille.

spotted ['spɒtɪd] adj à pois.

spotty ['spɒtɪ] adj (UK) boutonneux.

spouse [spaʊs] n époux m, épouse f.

spout [spaʊt] n bec m (d'une théière, d'une carafe). ❑ vi • **to spout from** ou **out of** jaillir de.

sprain [spreɪn] n entorse f. ❑ vt • **to sprain one's ankle/wrist** se faire une entorse à la cheville/au poignet.

sprang [spræŋ] passé → **spring**.

sprawl [sprɔːl] vi **1.** être affalé **2.** s'étaler.

sprawling ['sprɔːlɪŋ] adj (ville) tentaculaire.

spray [spreɪ] n 1. (indén) gouttelettes fpl 2. embruns mpl 3. bombe f, pulvérisateur m 4. gerbe f (de fleurs). ❏ vt 1. pulvériser 2. pulvériser de l'insecticide sur.

spray-on adj en bombe, en aérosol • **spray-on deodorant** déodorant m en bombe ou en spray.

spray paint n peinture f en bombe.

spread [spred] n 1. (indén) pâte f à tartiner 2. propagation f 3. gamme f (de prix, de marques). ❏ vt (prét & pp **spread**) 1. étaler, étendre 2. écarter (les doigts, les bras, les jambes) 3. • **to spread** (on) étaler qqch (sur) 4. répandre, propager • **to spread the news** répandre la nouvelle 5. distribuer. ❏ vi (prét & pp **spread**) 1. se propager 2. s'étaler. ■ **spread out** vi se disperser • **the search party spread out** l'équipe de secours s'est dispersée.

spread-eagled [-,iːgld] adj affalé.

spreadsheet ['spredʃiːt] n INFORM tableur m.

spree [spriː] n • **to go on a spending** ou **shopping spree** faire des folies.

sprig [sprɪg] n brin m.

sprightly ['spraɪtlɪ] adj alerte, fringant.

spring [sprɪŋ] n 1. printemps m • **in spring** au printemps 2. ressort m 3. source f. ❏ vi (prét **sprang**, pp **sprung**) 1. sauter, bondir 2. • **to spring from** provenir de. ■ **spring up** vi 1. (problème) surgir 2. (amitié) naître 3. (vent) se lever.

springboard ['sprɪŋbɔːd] n litt & fig tremplin m.

spring-clean vt nettoyer de fond en comble.

spring-cleaning n nettoyage m de printemps.

spring onion n (UK) ciboule f.

spring roll n rouleau m de printemps.

springtime ['sprɪŋtaɪm] n • **in (the) springtime** au printemps.

springy ['sprɪŋɪ] adj 1. moelleux 2. élastique.

sprinkle ['sprɪŋkl] vt • **to sprinkle sthg with water** asperger qqch d'eau • **to sprinkle sthg with salt** saupoudrer qqch de sel.

sprinkler ['sprɪŋklə] n arroseur m.

sprinkling ['sprɪŋklɪŋ] n 1. quelques gouttes fpl (d'eau) 2. couche f légère (de neige).

sprint [sprɪnt] n sprint m. ❏ vi sprinter.

sprinter ['sprɪntə] n sprinter m.

sprout [spraʊt] n 1. • **(Brussels) sprouts** choux mpl de Bruxelles 2. pousse f. ❏ vt produire • **to sprout shoots** germer. ❏ vi pousser.

spruce [spruːs] adj net, pimpant. ❏ n épicéa m. ■ **spruce up** vt sép astiquer, briquer • **to spruce o.s. up** se faire tout beau.

sprung [sprʌŋ] pp → **spring**.

spry [spraɪ] adj vif, vive f.

spun [spʌn] passé & pp → **spin**.

spur [spɜː] n 1. incitation f 2. éperon m. ❏ vt • **to spur sb to do sthg** encourager ou inciter qqn à faire qqch. ■ **on the spur of the moment** adv sur un coup de tête, sous l'impulsion du moment. ■ **spur on** vt sép encourager.

spurious ['spʊərɪəs] adj 1. feint 2. faux, fausse f.

spurn [spɜːn] vt repousser.

spurt [spɜːt] n 1. jaillissement m 2. sursaut m 3. accélération f. ❏ vi • **to spurt (out of** ou **from)** jaillir (de).

spy [spaɪ] n espion m. ❏ vt fam apercevoir. ❏ vi espionner, faire de l'espionnage • **to spy on sb** espionner qqn.

spying ['spaɪɪŋ] n (indén) espionnage m.

Sq., sq. abrév de **square**.

squabble ['skwɒbl] n querelle f. ❏ vi • **to squabble (about** ou **over)** se quereller (à propos de).

squad [skwɒd] n 1. brigade f (de police) 2. MIL peloton m 3. SPORT équipe f (parmi laquelle la sélection sera faite).

squadron ['skwɒdrən] n escadron m.

squalid ['skwɒlɪd] adj sordide, ignoble.

squall [skwɔːl] n bourrasque f.

squalor ['skwɒlə] n (indén) conditions fpl sordides.

squander ['skwɒndə] vt gaspiller.

square [skweə] adj carré • **one square metre** (UK) un mètre carré • **three metres square** trois mètres sur trois. ❏ n 1. carré m 2. place f 3. fam • **he's a square** il est vieux jeu. ❏ vt 1. MATH élever au carré 2. accorder. ■ **square up** vi • **to square up with sb** régler ses comptes avec qqn.

square bracket n TYPO crochet m • **in square brackets** entre crochets.

squared ['skweəd] adj quadrillé.

squarely ['skweəlɪ] adv 1. carrément 2. honnêtement.

square meal n bon repas m.

square root n racine f carrée.

squash [skwɒʃ] n 1. squash m 2. (UK) • **orange squash** orangeade f 3. courge f. ❏ vt écraser.

squat [skwɒt] adj courtaud, ramassé. ❏ vi • **squat (down)** s'accroupir.

squatter ['skwɒtə] n squatter m.

squawk [skwɔːk] n cri m strident.

squeak [skwiːk] n 1. petit cri m aigu 2. grincement m.

squeaky clean adj fam 1. (mains, cheveux) extrêmement propre 2. (réputation) sans tache.

squeal [skwiːl] vi pousser des cris aigus.

squeamish ['skwiːmɪʃ] adj facilement dégoûté.

squeeze [skwiːz] n pression f. ❏ vt 1. presser 2. fig soutirer (de l'argent, des informations) 3. • **to squeeze sthg into sthg** entasser qqch dans qqch.

squelch [skweltʃ] *vi* • **to squelch through mud** patauger dans la boue.

squid [skwɪd] (*pl inv ou* **-s**) *n* calmar *m*.

squidgy ['skwɪdʒɪ] (*comp* **squidgier**, *superl* **squidgiest**) *adj* (UK) *fam* mou, spongieux.

squiggle ['skwɪgl] *n* gribouillis *m*.

squint [skwɪnt] *n* • **to have a squint** être atteint de strabisme. ❏ *vi* • **to squint at sthg** regarder qqch en plissant les yeux.

squire ['skwaɪə'] *n* propriétaire *m* terrien.

squirm [skwɜ:m] *vi* se tortiller.

squirrel [(UK) 'skwɪrəl, (US) 'skwɜ:rəl] *n* écureuil *m*.

squirt [skwɜ:t] *vt* faire jaillir. ❏ *vi* • **to squirt (out of)** jaillir (de).

Sr *abrév de* **senior**, *abrév de* **sister**.

Sri Lanka [ˌsri:'læŋkə] *n* Sri Lanka *m*.

SSN *n abrév de* **social security number**.

St 1. (*abrév de* **saint**) St, Ste **2.** *abrév de* **Street**.

stab [stæb] *n* **1.** coup *m* de couteau **2.** *fam* • **to have a stab (at sthg)** essayer (qqch), tenter (qqch) **3.** • **stab of pain** élancement *m* • **stab of guilt** remords *m*. ❏ *vt* **1.** poignarder **2.** piquer (*avec sa fourchette*).

stabbing ['stæbɪŋ] *adj* (*douleur*) lancinant. ❏ *n* agression *f* à coups de couteau.

stability [stə'bɪlətɪ] *n* stabilité *f*.

stabilize, -ise (UK) ['steɪbəlaɪz] *vt* stabiliser. ❏ *vi* se stabiliser.

stable ['steɪbl] *adj* stable. ❏ *n* écurie *f*.

stack [stæk] *n* pile *f*. ❏ *vt* empiler. ■ **stack up** *vi* (US) *fam* être à la hauteur.

stackable ['stækəbl] *adj* empilable.

stadium ['steɪdjəm] (*pl* **-diums** *ou* **-dia**) *n* stade *m*.

staff [stɑ:f] *n* **1.** personnel *m* **2.** SCOL personnel enseignant, professeurs *mpl*. ❏ *vt* pourvoir en personnel.

staffing ['stɑ:fɪŋ] *n* dotation *f* en personnel • **staffing levels** les besoins *mpl* en personnel.

staff room *n* (UK) salle *f* des professeurs.

stag [stæg] (*pl inv ou* **-s**) *n* cerf *m*.

stage [steɪdʒ] *n* **1.** étape *f*, phase *f*, stade *m* **2.** scène *f* **3.** • **the stage** le théâtre. ❏ *vt* **1.** THÉÂTRE monter, mettre en scène **2.** organiser.

stagecoach ['steɪdʒkəʊtʃ] *n* diligence *f*.

stage fright *n* trac *m*.

stage-manage *vt litt & fig* mettre en scène.

stage manager *n* THÉÂTRE régisseur *m*.

stage name *n* nom *m* de scène.

stagflation [stæg'fleɪʃn] *n* stagflation *f*.

stagger ['stægə'] *vt* **1.** stupéfier **2.** échelonner (*des heures de travail*) **3.** étaler (*des congés*). ❏ *vi* tituber.

staggering ['stægərɪŋ] *adj* stupéfiant.

staging ['steɪdʒɪŋ] *n* mise *f* en scène.

stagnant ['stægnənt] *adj* stagnant.

stagnate [stæg'neɪt] *vi* stagner.

stagnation [stæg'neɪʃn] *n* stagnation *f*.

stag night, stag party *n* **1.** soirée *f* entre hommes **2.** (*avant le mariage*) • **to have a stag night** enterrer sa vie de garçon.

staid [steɪd] *adj* guindé, collet monté.

stain [steɪn] *n* tache *f*. ❏ *vt* tacher.

stained [steɪnd] *adj* **1.** taché **2.** coloré.

stained glass [ˌsteɪnd-] *n* (*indén*) vitraux *mpl*.

stainless steel ['steɪnlɪs-] *n* acier *m* inoxydable, Inox® *m*.

stain remover [-ˌrɪmu:və'] *n* détachant *m*.

stair [steə'] *n* marche *f*. ■ **stairs** *npl* escalier *m*.

staircase ['steəkeɪs] *n* escalier *m*.

stairway ['steəweɪ] *n* escalier *m*.

stairwell ['steəwel] *n* cage *f* d'escalier.

stake [steɪk] *n* **1.** • **to have a stake in sthg** avoir des intérêts dans qqch **2.** poteau *m* **3.** enjeu *m*. ❏ *vt* • **to stake money (on** *ou* **upon)** jouer *ou* miser de l'argent (sur) • **to stake one's reputation (on)** jouer *ou* risquer sa réputation (sur). ■ **at stake** *adv* en jeu. ■ **stakes** *npl* enjeux *mpl* • **the promotion stakes** *fig* la course à l'avancement.

stakeholder pension ['steɪkhəʊldə'] *n* plan *de retraite à coût réduit conçu pour les travailleurs indépendants ou à temps partiel*.

stakeout ['steɪkaʊt] *n* (*surtout* US) surveillance *f*.

stalactite ['stæləktaɪt] *n* stalactite *f*.

stalagmite ['stæləgmaɪt] *n* stalagmite *f*.

stale [steɪl] *adj* **1.** (*nourriture, eau*) pas frais **2.** (*pain*) rassis **3.** (*air*) confiné.

stalemate ['steɪlmeɪt] *n* **1.** impasse *f* **2.** ÉCHECS pat *m*.

stalk [stɔk] *n* **1.** tige *f* **2.** queue *f* (*d'un fruit*). ❏ *vt* traquer. ❏ *vi* • **to stalk in/out** entrer/sortir d'un air hautain.

stalker ['stɔ:kə'] *n* criminel suivant sa victime à la trace.

stall [stɔ:l] *n* **1.** éventaire *m*, étal *m* **2.** stand *m* **3.** stalle *f*. ❏ *vt* AUTO caler. ❏ *vi* **1.** AUTO caler **2.** essayer de gagner du temps. ■ **stalls** *npl* (UK) THÉÂTRE orchestre *m*.

stallholder ['stɔ:lˌhəʊldə'] *n* (UK) marchand *m* qui possède un éventaire.

stalling ['stɔ:lɪŋ] *n* (*indén*) atermoiements *mpl*, manœuvres *fpl* dilatoires. ❏ *adj* • **stalling tactic** manœuvre *f* dilatoire.

stallion ['stæljən] *n* étalon *m*.

stalwart ['stɔlwət] *n* pilier *m*.

stamen ['steɪmən] *n* étamine *f*.

stamina ['stæmɪnə] *n* (*indén*) résistance *f*.

stammer ['stæmə'] *n* bégaiement *m*. ❏ *vi* bégayer.

stammering ['stæmərɪŋ] *n* bégaiement *m*, balbutiement *m*.

stamp [stæmp] *n* **1.** timbre *m* **2.** tampon *m* **3.** *fig* marque *f*. ❏ *vt* **1.** tamponner **2.** • **to stamp one's**

foot taper du pied. ❏ vi **1.** taper du pied **2.** • **to stamp on sthg** marcher sur qqch. ■ **stamp out** vt sép **1.** éteindre en piétinant (un feu) **2.** éliminer (opposition) **3.** supprimer (corruption, crime) **4.** éradiquer (une maladie).

stamp album n album m de timbres.

stamp-collecting [-kə,lektɪŋ] n philatélie f.

stamp collector n collectionneur m, -euse f de timbres, philatéliste mf.

stamp duty n (UK) droit m de timbre.

stamped addressed envelope [ˈstæmptə,drest-] n enveloppe f timbrée à son adresse.

stampede [stæmˈpiːd] n débandade f.

stance [stæns] n litt & fig position f.

stand [stænd] n **1.** stand m **2.** kiosque m **3.** SPORT tribune f **4.** MIL résistance f • **to make a stand** résister **5.** position f **6.** (US) DR barre f. ❏ vt (prét & pp **stood**) **1.** mettre (debout), poser (debout) **2.** supporter • **I can't stand racism** je ne supporte pas le racisme. ❏ vi (prét & pp **stood**) **1.** être ou se tenir debout **2.** se trouver **3.** se dresser • **stand still!** ne bouge pas ! **4.** se lever **5.** reposer **6.** tenir toujours **7.** demeurer valable **8. as things stand...** vu l'état actuel des choses... **9.** (UK) POLIT se présenter. ■ **stand aside** vi s'écarter • **to stand aside in favour of sb a)** laisser la voie libre à qqn **b)** POLIT se désister en faveur de qqn. ■ **stand back** vi reculer. ■ **stand by** vt insép **1.** soutenir **2.** s'en tenir à. ❏ vi rester là (sans rien faire). ■ **stand down** vi (UK) démissionner. ■ **stand for** vt insép **1.** représenter, vouloir dire • **what does FAQ stand for?** que veut dire FAQ ? **2.** supporter, tolérer. ■ **stand in** vi • **to stand in for sb** remplacer qqn. ■ **stand out** vi ressortir. ■ **stand up** vt sép fam poser un lapin à. ❏ vi se lever • **stand up!** debout ! ■ **stand up for** vt insép défendre. ■ **stand up to** vt insép **1.** résister à. **2.** tenir tête à.

stand-alone [ˈstændələun] adj INFORM autonome. ❏ n application f autonome.

standard [ˈstændəd] adj **1.** normal **2.** standard (inv) **3.** correct. ❏ n **1.** niveau m **2.** critère m **3.** TECHNOL norme f **4.** étendard m. ■ **standards** npl valeurs fpl.

standardization [,stændədaɪˈzeɪʃn] n **1.** standardisation f **2.** normalisation f (de dimensions, de termes) **3.** TECHNOL (vérification) étalonnage m.

standardize, -ise (UK) [ˈstændədaɪz] vt standardiser.

standard lamp n (UK) lampadaire m.

standard of living (pl **standards of living**) n niveau m de vie.

standby [ˈstændbaɪ] n (pl -s) remplaçant m, -e f • **on standby** prêt à intervenir. ❏ en apposition stand-by (inv).

stand-in n remplaçant m, -e f.

standing [ˈstændɪŋ] adj **1.** permanent **2.** continuel. ❏ n **1.** importance f, réputation f **2.** • **of long standing** de longue date.

standing charges n frais mpl d'abonnement.

standing order n (UK) prélèvement m automatique.

standing ovation n • **to give sb a standing ovation** se lever pour applaudir qqn.

standing room n (indén) places fpl debout.

standoff [ˈstændɒf] n **1.** POLIT (dans un débat) affrontement m indécis **2.** (dans une négociation) impasse f.

standoffish [,stændˈɒfɪʃ] adj distant.

standpoint [ˈstændpɔɪnt] n point m de vue.

standstill [ˈstændstɪl] n • **at a standstill a)** (circulation, train) à l'arrêt **b)** (négociations, travail) paralysé • **to come to a standstill a)** (circulation, train) s'immobiliser **b)** (négociations, travail) cesser.

stand-up adj **1.** (col) droit **2.** (repas) (pris) debout.

stand-up comic, stand-up comedian n comique mf (qui se produit seul en scène).

stand-up counter, stand-up diner (US) n buvette f.

stank [stæŋk] passé → stink.

staple [ˈsteɪpl] adj principal, de base. ❏ n **1.** agrafe f **2.** produit m de base. ❏ vt agrafer.

staple diet n nourriture f de base.

staple gun n agrafeuse f (professionnelle).

stapler [ˈsteɪplər] n agrafeuse f.

star [stɑːr] n **1.** étoile f **2.** vedette f, star f. ❏ en apposition de star • **star performer** vedette f. ❏ vi • **to star (in)** être la vedette (de). ■ **stars** npl horoscope m.

star attraction n attraction f principale, clou m.

starboard [ˈstɑːbəd] adj de tribord. ❏ n • **to starboard** à tribord.

starch [stɑːtʃ] n amidon m.

starchy [ˈstɑːtʃɪ] (comp **starchier**, superl **starchiest**) adj féculent.

stardom [ˈstɑːdəm] n (indén) célébrité f.

stare [steər] n regard m fixe. ❏ vi • **to stare at sb/sthg** fixer qqn/qqch du regard.

starfish [ˈstɑːfɪʃ] (pl inv ou **-es**) n étoile f de mer.

starfruit [ˈstɑːfruːt] n carambole f.

staring [ˈsteərɪŋ] adj (spectateur) curieux • **with staring eyes** aux yeux écarquillés. ❏ adv → **stare**.

stark [stɑːk] adj **1.** austère **2.** (paysage) désolé **3.** à l'état brut **4.** (réalité) dur. ❏ adv • **stark naked** à poil.

starlight [ˈstɑːlaɪt] n lumière f des étoiles.

starling [ˈstɑːlɪŋ] n étourneau m.

starlit [ˈstɑːlɪt] adj **1.** (nuit) étoilé **2.** (campagne) illuminé par les étoiles.

starry ['stɑːrɪ] *adj* étoilé.

starry-eyed [-'aɪd] *adj* innocent.

Stars and Stripes *n* • the Stars and Stripes le drapeau des États-Unis, la bannière étoilée.

the Stars and Stripes

C'est l'un des nombreux noms donnés par les Américains à leur drapeau. Les cinquante étoiles (**stars**) représentent les cinquante États du pays. Les treize rayures (**stripes**) rouges et blanches symbolisent les treize premières colonies qui furent les premiers États des États-Unis. Les Américains sont très fiers de leur drapeau et beaucoup en mettent un à l'entrée de leur maison.

star sign *n* signe *m* du zodiaque.

star-studded *adj* avec de nombreuses vedettes.

start [stɑːt] *n* **1.** début *m* **2.** sursaut *m* **3.** départ *m* **4.** avance *f.* ❏ *vt* **1.** commencer • to start doing *ou* to do sthg commencer à faire qqch **2.** démarrer **3.** créer. ❏ *vi* **1.** commencer • to start with pour commencer, d'abord **2.** *(machine)* se mettre en marche **3.** *(voiture)* démarrer **4.** partir **5.** sursauter. ■ **start off** *vt sép* **1.** ouvrir *(des débats)*, commencer *(une réunion)* **2.** faire naître *(une rumeur)* **3.** entamer. ❏ *vi* **1.** commencer **2.** débuter **3.** partir. ■ **start out** *vi* **1.** débuter **2.** partir. ■ **start up** *vt sép* **1.** créer **2.** ouvrir **3.** mettre en marche. ❏ *vi* **1.** commencer **2.** *(machine)* se mettre en route **3.** *(voiture)* démarrer.

starter ['stɑːtər] *n* **1.** *(UK)* hors-d'œuvre *m inv* **2.** démarreur *m* **3.** *SPORT* starter *m.*

starter pack *n* **1.** *informations de base nécessaires pour commencer une activité* **2.** kit *m* de base.

starting block ['stɑːtɪŋ-] *n* starting-block *m*, bloc *m* de départ.

starting point ['stɑːtɪŋ-] *n* point *m* de départ.

starting salary ['stɑːtɪŋ-] *n* salaire *m ou* rémunération *f* de départ.

startle ['stɑːtl] *vt* faire sursauter.

startled ['stɑːtld] *adj* **1.** *(personne)* étonné **2.** *(expression, cri, regard)* de surprise **3.** *(animal)* effarouché.

startling ['stɑːtlɪŋ] *adj* surprenant.

start-up *n* *(indén)* création *f* (d'entreprise) • start-up costs frais *mpl* de création d'une entreprise.

starvation [stɑː'veɪʃn] *n* faim *f.*

starve [stɑːv] *vt* affamer. ❏ *vi* **1.** être affamé • to starve to death mourir de faim **2.** *fam* avoir très faim.

starving ['stɑːvɪŋ] *adj* affamé.

stash [stæʃ] *fam vt* **1.** planquer, cacher **2.** ranger. ❏ *n* **1.** réserve *f* • a stash of money un ma-

got **2.** planque *f*, cachette *f* **3.** *tfam* & *arg* drogue cache *f*. ■ **stash away** *vt sép fam* = **stash** (*vt*).

state [steɪt] *n* état *m* • to be in a state être dans tous ses états. ❏ *en apposition* d'État. ❏ *vt* **1.** donner *(une raison)* **2.** décliner *(son identité)* **3.** • to state that... déclarer que... **4.** préciser. ■ **State** *n* • the State l'État *m* • state police police *f* de l'État. ■ **States** *npl* • the States *fam* les États-Unis *mpl.*

State Department *n* *(US)* ≃ ministère *m* des Affaires étrangères.

state education *n* *(UK)* enseignement *m* public.

state-funded education

Ce terme désigne les deux systèmes d'écoles secondaires financées par l'État au Royaume-Uni. Les **comprehensive schools** (« établissements généraux »), créées en 1965 par le gouvernement travailliste, sont les plus nombreuses : elles dispensent une éducation équitable sans tenir compte des aptitudes scolaires générales. Pour les familles britanniques qui font le choix d'une éducation centrée sur des matières plus traditionnelles, les **Grammar Schools** (« écoles grammaticales ») qui existent toujours dans certaines agglomérations sont une autre possibilité. L'enfant peut y être admis à 11 ans après avoir passé un examen. 5 % des élèves intègrent ces établissements.

stately ['steɪtlɪ] *adj* majestueux.

statement ['steɪtmənt] *n* **1.** déclaration *f* **2.** *DR* déposition *f* **3.** relevé *m* de compte.

state of affairs *n* état *m* des choses.

state of emergency *n* état *m* d'urgence.

state of mind *(pl* states of mind*) n* humeur *f.*

state-of-the-art *adj* **1.** tout dernier, toute dernière *f* **2.** *(technologie)* de pointe.

state-owned [-'əʊnd] *adj* national, d'État.

state pension *n* pension *f* de l'État.

state school *n* *(UK)* école *f* publique.

state secret *n* secret *m* d'État.

stateside ['steɪtsaɪd] *(US) adj* des États-Unis. ❏ *adv* aux États-Unis.

statesman ['steɪtsmən] *(pl* -men*) n* homme *m* d'État.

state visit *n* *POLIT* visite *f* officielle • he's on a state visit to Japan il est en voyage officiel au Japon.

static ['stætɪk] *adj* statique. ❏ *n* *(indén)* parasites *mpl.*

static electricity *n* électricité *f* statique.

station ['steɪʃn] *n* **1.** gare *f* **2.** *(pour les cars)* gare routière **3.** *RADIO* station *f* **4.** *MIL* poste *m* **5.** *sout* rang *m.* ❏ *vt* poster.

stationary ['steɪʃnərɪ] *adj* immobile.

stationer ['steɪʃnə^r] *n* papetier *m*, -ère *f*.

stationery ['steɪʃnərɪ] *n* **1.** *(indén)* fournitures *fpl* de bureau. **2.** papier *m* à lettres.

stationmaster ['steɪʃn,mɑːstə^r] *n* chef *m* de gare.

station wagon *n* (us) break *m*.

statistic [stə'tɪstɪk] *n* statistique *f*. ■ **statistics** *n (indén)* statistique *f*.

statistical [stə'tɪstɪkl] *adj* **1.** *(analyse)* statistique **2.** *(erreur)* de statistique.

statistically [stə'tɪstɪklɪ] *adv* statistiquement.

statue ['stætʃuː] *n* statue *f*.

statuesque [,stætjʊ'esk] *adj* sculptural.

stature ['stætʃə^r] *n* **1.** stature *f*, taille *f* **2.** envergure *f*.

status ['steɪtəs] *n (indén)* **1.** statut *m* **2.** prestige *m*.

status bar *n* INFORM barre *f* d'état.

status quo [-'kwəʊ] *n* • **the status quo** le statu quo.

status symbol *n* signe *m* extérieur de richesse.

statute ['stætjuːt] *n* loi *f*.

statutory ['stætjʊtrɪ] *adj* statutaire.

staunch [stɔːntʃ] *adj* loyal. ❏ *vt* **1.** arrêter *(un flux)* **2.** étancher *(du sang)*.

staunchly ['stɔːntʃlɪ] *adv* **1.** loyalement, avec dévouement **2.** avec constance, fermement • **their house is in a staunchly Republican area** ils habitent un quartier résolument républicain.

stave [steɪv] ■ **stave off** *(prét & pp* staved *ou* stove) *vt sép* **1.** éviter *(le danger)* **2.** tromper *(la faim, la soif)*.

stay [steɪ] *vi* **1.** rester, demeurer • **to stay at home** rester à la maison • **to stay out of sthg** ne pas se mêler de qqch **2.** passer quelques jours **3.** séjourner • **to stay in a hotel** descendre à l'hôtel. ❏ *n* séjour *m*. ■ **stay in** *vi* rester chez soi, ne pas sortir. ■ **stay on** *vi* rester (plus longtemps). ■ **stay out** *vi* ne pas rentrer. ■ **stay up** *vi* veiller • **to stay up late** se coucher tard.

staying power ['steɪɪŋ-] *n* endurance *f*.

stay-ups *npl* bas *mpl* autofixants.

STD *n* **1.** (uk) (abrév de subscriber trunk dialling) *téléphone interurbain* **2.** (abrév de sexually transmitted disease) MST *f*.

stead [sted] *n* • **to stand sb in good stead** être utile à qqn.

steadfast ['stedfɑːst] *adj* **1.** ferme, résolu **2.** loyal.

steadily ['stedɪlɪ] *adv* **1.** progressivement **2.** régulièrement **3.** sans arrêt **4.** de manière imperturbable.

steady ['stedɪ] *adj* **1.** *(rythme)* progressif **2.** *(progrès, revenu)* régulier **3.** *(mains)* ferme **4.** *(caractère)* calme **5.** imperturbable **6.** *(emploi)* stable • **to have a steady job** avoir un emploi stable **7.** *(copain, liaison)* sérieux. ❏ *vt* **1.** empêcher de bouger **2.** calmer **3.** • **to steady o.s.** se remettre d'aplomb.

steak [steɪk] *n* **1.** steak *m*, bifteck *m* **2.** darne *f (de poisson)*.

steakhouse ['steɪkhaʊs] *(pl* [-haʊzɪz]) *n* grill *m*, grill-room *m*.

steal [stiːl] *(prét* stole, *pp* stolen) *vt* voler, dérober. ❏ *vi* se glisser.

stealing ['stiːlɪŋ] *n (indén)* vol *m*.

stealth [stelθ] *n* • **by stealth** en secret, discrètement.

Stealth bomber, **Stealth plane** *n* avion *m* furtif.

stealth tax *n* *mesure visant à augmenter les recettes du gouvernement par un moyen détourné, afin d'éviter une hausse directe et visible des impôts qui mécontenterait les citoyens.*

stealthy ['stelθɪ] *adj* furtif.

steam [stiːm] *n (indén)* vapeur *f*. ❏ *vt* cuire à la vapeur. ❏ *vi (soupe, bouilloire)* fumer. ■ **steam up** *vt sép* embuer. ❏ *vi* se couvrir de buée.

steamboat ['stiːmbəʊt] *n (bateau m* à) vapeur *m*.

steam engine *n* locomotive *f* à vapeur.

steamer ['stiːmə^r] *n (bateau m* à) vapeur *m*.

steamroller ['stiːm,rəʊlə^r] *n* rouleau *m* compresseur.

steamroom ['stiːmruːm] *n* hammam *m*.

steamy ['stiːmɪ] *adj* **1.** embué **2.** *fam* érotique.

steel [stiːl] *n (indén)* acier *m*. ❏ *en apposition* en acier, d'acier.

steelworks ['stiːlwɜːks] *(pl inv)* n aciérie *f*.

steely ['stiːlɪ] *(comp* steelier, *superl* steeliest) *adj* **1.** *(couleur)* acier *(inv)* **2.** *(ferme-personne)* dur ; *(-détermination, volonté)* de fer.

steep [stiːp] *adj* **1.** *(colline, route)* raide, abrupt **2.** *(augmentation, chute)* énorme **3.** *fam* excessif.

steeple ['stiːpl] *n* clocher *m*, flèche *f*.

steeplechase ['stiːpltʃeɪs] *n* **1.** steeple-chase *m* **2.** *(athlétisme)* steeple *m*.

steer ['stɪə^r] *n* bœuf *m*. ❏ *vt* **1.** gouverner **2.** conduire, diriger. ❏ *vi* • **to steer clear of sb/ sthg** éviter qqn/qqch.

steering ['stɪərɪŋ] n (indén) direction f.

steering wheel n volant m.

stellar ['stelər] adj stellaire.

stem [stem] n 1. BOT tige f 2. pied m (d'un verre) 3. tuyau m (d'une pipe) 4. GRAMM radical m. ❑ vt arrêter, endiguer. ■ **stem from** vt insép provenir de.

stem cell n cellule f souche.

stench [stentʃ] n puanteur f.

stencil ['stensl] n pochoir m. ❑ vt ((UK) prét & pp stencilled, cont stencilling, (US) prét & pp stenciled, cont stenciling) faire au pochoir.

stenographer [stə'nɒgrəfər] n (US) sténographe mf.

step [step] n 1. pas m • **one step at a time** petit à petit • **in/out of step with** fig en accord/désaccord avec 2. mesure f 3. étape f 4. marche f (d'escalier) 5. barreau m (d'une échelle), échelon m. ❑ vi 1. • **step forward** avancer • **to step off** ou **down from sthg** descendre de qqch 2. • **to step on/in sthg** marcher sur/dans qqch. ■ **step aside** vi 1. s'écarter 2. démissionner. ■ **step back** vi 1. litt reculer 2. prendre du recul. ■ **step down** vi démissionner. ■ **step in** vi intervenir. ■ **steps** npl 1. marches fpl 2. (UK) escabeau m. ■ **step up** vt sép intensifier.

stepbrother ['step,brʌðər] n demi-frère m.

step-by-step adv pas à pas, petit à petit. ❑ adj • **a step-by-step guide to...** un guide détaillé pour...

stepdaughter ['step,dɔːtər] n belle-fille f.

stepfather ['step,fɑːðər] n beau-père m.

stepladder ['step,lædər] n escabeau m.

stepmother ['step,mʌðər] n belle-mère f.

stepping-stone ['stepɪŋ-] n 1. pierre f de gué 2. fig tremplin m.

stepsister ['step,sɪstər] n demi-sœur f.

stepson ['stepsʌn] n beau-fils m.

stereo ['sterɪəʊ] adj stéréo (inv). ❑ n (pl -s) 1. chaîne f stéréo 2. • **in stereo** en stéréo.

stereophonic [,sterɪə'fɒnɪk] adj stéréophonique.

stereotype ['sterɪətaɪp] n stéréotype m.

stereotyped ['sterɪətaɪpt] adj stéréotypé.

stereotypical [,sterɪəʊ'tɪpɪkl] adj stéréotypé.

stereotyping ['sterɪəʊ,taɪpɪŋ] n • **we want to avoid sexual stereotyping** nous voulons éviter les stéréotypes sexuels.

sterile ['steraɪl] adj stérile.

sterilization [,sterəlaɪ'zeɪʃn] n stérilisation f.

sterilize, -ise (UK) ['sterəlaɪz] vt stériliser.

sterilized ['sterəlaɪzd] adj (lait) stérilisé.

sterling ['stɜːlɪŋ] adj 1. sterling (inv) 2. exceptionnel. ❑ n (indén) livre f sterling.

sterling silver n argent m fin.

stern [stɜːn] adj sévère. ❑ n NAUT arrière m.

sternly ['stɜːnlɪ] adv sévèrement.

steroid ['stɪərɔɪd] n stéroïde m • **steroid abuse** abus m de stéroïdes anabolisants.

stethoscope ['steθəskəʊp] n stéthoscope m.

stew [stjuː] n ragoût m. ❑ vt 1. cuire en ragoût 2. faire cuire. ❑ vi • **to stew over sthg** fig ruminer qqch.

steward ['stjʊəd] n 1. steward m 2. (UK) membre m du service d'ordre.

stewardess ['stjʊədɪs] n vieilli hôtesse f.

stewed [stjuːd] adj 1. CULIN • **stewed meat** ragoût m • **stewed fruit** compote f de fruits 2. (thé) trop infusé.

stick [stɪk] n 1. bâton m • **to get the wrong end of the stick** être du mauvais côté du manche 2. canne f 3. SPORT crosse f 4. (UK) fam • **to give sb stick** se moquer de qqn • **he really gave it some stick** il s'y est donné à fond. ❑ vt (prét & pp stuck) 1. • **to stick sthg in** ou **into** planter qqch dans 2. • **to stick sthg (on** ou **to)** coller qqch (sur) 3. fam mettre. ❑ vi (prét & pp stuck) 1. • **to stick (to)** coller (à) 2. se coincer. ■ **stick around** vi fam rester dans les parages. ■ **stick at** vt insép persévérer dans • **to stick at a job** rester dans un emploi. ■ **stick by** vt insép 1. s'en tenir à (une déclaration) 2. ne pas abandonner (une personne) • **don't worry, I'll always stick by you** sois tranquille, je serai toujours là pour te soutenir. ■ **stick out** vt sép 1. sortir (la tête) 2. lever (la main) 3. tirer (la langue) 4. fam • **to stick it out** tenir le coup. ❑ vi 1. dépasser 2. fam se remarquer. ■ **stick to** vt insép 1. suivre 2. rester fidèle à (ses principes) 3. s'en tenir à (une décision) 4. tenir (une promesse). ■ **stick together** vi 1. rester ensemble 2. fig se serrer les coudes. ■ **stick up for** vt insép défendre. ■ **stick with** vt insép 1. s'en tenir à (une décision, un choix) 2. rester avec.

sticker ['stɪkər] n autocollant m.

sticking plaster ['stɪkɪŋ-] n (UK) sparadrap m.

sticking point n fig point m de friction.

stick insect n phasme m.

stick-in-the-mud n fam réac mf.

stickler ['stɪklər] n • **to be a stickler for** être à cheval sur.

stick-on adj autocollant, adhésif.

stick shift n (US) levier m de vitesses.

stick-up n fam vol m à main armée.

sticky ['stɪkɪ] adj 1. poisseux 2. adhésif • **a sticky label** une étiquette adhésive 3. fam délicat.

sticky tape n (UK) ruban m adhésif.

stiff [stɪf] adj 1. rigide 2. dur 3. raide 4. dur (à ouvrir/fermer) 5. ankylosé • **to have a stiff back** avoir des courbatures dans le dos • **to have a stiff neck** avoir le torticolis 6. guindé 7. sévère. ❑ adv fam • **to be bored stiff** s'ennuyer à mourir • **to be frozen/scared stiff** mourir de froid/peur.

stiffen ['stɪfn] vt **1.** raidir **2.** empeser **3.** renforcer. ❏ vi **1.** se raidir **2.** s'ankyloser.

stifle ['staɪfl] vt & vi étouffer.

stifling ['staɪflɪŋ] adj étouffant.

stigma ['stɪgmə] n **1.** honte f, stigmate m **2.** BOT stigmate m.

stigmatize, -ise (UK) ['stɪgmətaɪz] vt stigmatiser.

stile [staɪl] n échalier m.

stiletto heel [stɪ'letəʊ-] n talon m aiguille.

still

■ **still** [stɪl] adv

1. INDIQUE QU'UN ÉTAT PERDURE, CONTINUE
• he was still sleeping when I arrived il dormait encore quand je suis arrivé • she **still** lives in New York elle habite toujours à New York

2. INTRODUIT L'IDÉE QU'IL RESTE QQCH
• I've still got £5 left il me reste encore 5 livres • we still have got time nous avons encore le temps • there are many questions still to be answered il reste encore beaucoup de questions sans réponses

3. EXPRIME UNE OPPOSITION
• you may not approve of what he did, still he is your brother tu peux très bien ne pas cautionner ce qu'il a fait, mais c'est tout de même ton frère • even though she didn't have much time, she still offered her help même si elle n'avait pas beaucoup de temps, elle a quand même offert son aide

4. AVEC DES COMPARATIFS, POUR MARQUER L'INTENSITÉ
• he was angrier still after we talked après notre discussion, il était encore plus énervé • still more worrying is the problem of corruption plus préoccupant encore est le problème de la corruption

■ **still** [stɪl] adj

1. EXPRIME L'ABSENCE DE MOUVEMENT
• the lizard was perfectly still le lézard était parfaitement immobile • it's difficult to stand still c'est difficile de rester sans bouger

2. EXPRIME L'ABSENCE DE BRUIT
• all was still tout était calme

3. (UK) INDIQUE L'ABSENCE DE GAZ DANS UNE BOISSON
• I usually drink still water je bois généralement de l'eau plate • still drinks are getting more and more popular les boissons non gazeuses deviennent de plus en plus populaires

■ **still** [stɪl] n

photo f

stillbirth ['stɪlbɜːθ] n **1.** mort f à la naissance **2.** enfant m mort-né, enfant f mort-née.

stillborn ['stɪlbɔːn] adj mort-né.

still life (pl -s) n nature f morte.

stillness ['stɪlnɪs] n tranquillité f.

stilted ['stɪltɪd] adj emprunté, qui manque de naturel.

stilts [stɪlts] npl **1.** échasses fpl **2.** pilotis mpl.

stimulant ['stɪmjʊlənt] n stimulant m.

stimulate ['stɪmjʊleɪt] vt stimuler.

stimulating ['stɪmjʊleɪtɪŋ] adj stimulant.

stimulation [ˌstɪmjʊ'leɪʃn] n stimulation f.

stimulus ['stɪmjʊləs] (pl -li) n **1.** stimulant m **2.** stimulus m.

sting [stɪŋ] n **1.** piqûre f **2.** dard m **3.** brûlure f. ❏ vt (prét & pp stung) piquer. ❏ vi (prét & pp stung) piquer.

stinging ['stɪŋɪŋ] adj **1.** (blessure, douleur) cuisant **2.** (piqûre, yeux) qui pique **3.** (humour, critique) cinglant, mordant.

stinging nettle ['stɪŋɪŋ-] n (UK) ortie f.

stingray ['stɪŋreɪ] n pastenague f.

stingy ['stɪndʒɪ] adj fam radin.

stink [stɪŋk] n puanteur f. ❏ vi (prét stank ou stunk, pp stunk) puer, empester.

stink-bomb n boule f puante.

stinking ['stɪŋkɪŋ] fam adj **1.** (froid) gros **2.** (temps) pourri **3.** (endroit) infect.

stint [stɪnt] n part f de travail. ❏ vi • to stint on lésiner sur.

stipend ['staɪpend] n traitement m, salaire m.

stipulate ['stɪpjʊleɪt] vt stipuler.

stipulation [ˌstɪpjʊ'leɪʃn] n **1.** stipulation f **2.** condition f.

stir [stɜːr] n sensation f. ❏ vt **1.** remuer **2.** agiter **3.** émouvoir. ❏ vi bouger, remuer. ■ stir up vt sép **1.** soulever **2.** provoquer **3.** susciter **4.** faire naître (une rumeur).

stir-fry vt faire sauter à feu très vif.

stirrup ['stɪrəp] n étrier m.

stitch [stɪtʃ] n **1.** COUT point m, maille f **2.** point m de suture **3.** • to have a stitch avoir un point de côté. ❏ vt **1.** coudre **2.** MÉD suturer.

stitching ['stɪtʃɪŋ] n (indén) points mpl, piqûres fpl.

stoat [stəʊt] n hermine f.

stock [stɒk] n **1.** réserve f **2.** (indén) COMM stock m, réserve f • in stock en stock • out of stock épuisé • to keep sthg in stock stocker qqch **3.** FIN valeurs fpl (us), actions fpl (UK) • stocks and shares titres mpl **4.** (ancêtres) souche f **5.** CULIN bouillon m **6.** cheptel m **7.** • to take stock (of) faire le point (de). ❏ adj classique. ❏ vt **1.** vendre, avoir en stock **2.** approvisionner. ■ stock up vi • to stock up (with) faire des provisions (de).

stockboy ['stɒkbɔɪ] n magasinier m.

stockbroker ['stɒk,brəʊkər] n agent m de change.

stock cube n (UK) bouillon-cube m.

stock exchange n Bourse f.

stockgirl ['stɒkgɜːl] n magasinière f.

stockholder ['stɒk,həʊldər] n (US) actionnaire mf.

Stockholm ['stɒkhəʊm] n Stockholm.

stocking ['stɒkɪŋ] n bas m (en Nylon, en soie).

stockist ['stɒkɪst] n (UK) dépositaire m, stockiste m.

stocklist ['stɒklɪst] n inventaire m.

stock market n Bourse f.

stock phrase n cliché m.

stockpile ['stɒkpaɪl] n stock m. ❑ vt 1. amasser (des armes) 2. stocker (des provisions).

stockpiling ['stɒkpaɪlɪŋ] n • to accuse sb of stockpiling a) accuser qqn de faire des réserves de nourriture b) accuser qqn de faire des réserves d'armes.

stocktaking ['stɒk,teɪkɪŋ] n (UK) (indén) inventaire m.

stocky ['stɒkɪ] adj trapu.

stodgy ['stɒdʒɪ] adj lourd (à digérer).

stoic ['stəʊɪk] adj stoïque. ❑ n stoïque mf.

stoical ['stəʊɪkl] adj stoïque.

stoically ['stəʊɪklɪ] adv stoïquement, avec stoïcisme.

stoicism ['stəʊɪsɪzm] n stoïcisme m.

stoke [stəʊk] vt entretenir (un feu).

stole [stəʊl] passé → steal. ❑ n étole f.

stolen ['stəʊln] pp → steal. ❑ adj (biens, voiture) volé • a stolen kiss un baiser volé.

stolid ['stɒlɪd] adj impassible.

stomach ['stʌmək] n 1. estomac m • to do sthg on an empty stomach faire qqch l'estomac vide 2. ventre m. ❑ vt encaisser, supporter.

stomachache ['stʌməkeɪk] n • to have stomachache (UK) ou a stomachache (US) avoir mal au ventre.

stomach ulcer n ulcère m de l'estomac.

stomach upset n embarras m gastrique.

stomp [stɒmp] vi • to stomp in/out entrer/sortir d'un pas lourd.

stomping ground ['stɒmpɪŋ-] = stamping ground.

stone [stəʊn] n 1. pierre f 2. caillou m 3. (UK) noyau m (d'un fruit) 4. (pl inv ou -s) (UK) = 6,348 kg. ❑ en apposition de ou en pierre. ❑ vt jeter des pierres sur.

stone-cold adj complètement froid ou glacé.

stonewall [,stəʊn'wɔːl] vi être évasif. ❑ vt bloquer, faire barrage à.

stonewashed ['stəʊnwɒʃt] adj délavé.

stonework ['stəʊnwɜːk] n maçonnerie f.

stonking ['stɒŋkɪŋ] adj (UK) fam super, d'enfer • to score a stonking goal marquer un but d'enfer.

stony ['stəʊnɪ] (comp stonier, superl stoniest) adj 1. (sol) pierreux 2. (cœur, attitude) froid.

stony-broke adj (UK) fam fauché (comme les blés), à sec.

stony-faced adj au visage impassible.

stood [stʊd] passé & pp → stand.

stool [stuːl] n tabouret m.

stoop [stuːp] n • to walk with a stoop marcher le dos voûté. ❑ vi 1. se pencher 2. être voûté.

stop [stɒp] n 1. arrêt m • to put a stop to sthg mettre un terme à qqch 2. (ponctuation) point m. ❑ vt 1. arrêter • to stop doing sthg arrêter de faire qqch • to stop work arrêter de travailler 2. mettre fin à 3. • to stop sb/sthg (from doing sthg) empêcher qqn/qqch (de faire qqch) 4. boucher. ❑ vi s'arrêter, cesser. ■ stop off vi s'arrêter. ■ stop over vi s'arrêter un jour/quelques jours. ■ stop up vt sép boucher.

stop-and-search n fouilles fpl dans la rue.

stopcock ['stɒpkɒk] n robinet m d'arrêt.

stopgap ['stɒpgæp] n bouche-trou m.

stopover ['stɒp,əʊvər] n halte f.

stoppage ['stɒpɪdʒ] n 1. grève f 2. (UK) FIN retenue f.

stopper ['stɒpər] n bouchon m.

stop press n nouvelles fpl de dernière heure.

stop sign n (signal m de) stop m.

stopwatch ['stɒpwɒtʃ] n chronomètre m.

storage ['stɔːrɪdʒ] n 1. entreposage m, emmagasinage m 2. rangement m 3. INFORM stockage m, mémorisation f.

storage heater n (UK) radiateur m à accumulation.

storage room n 1. cagibi m 2. débarras m.

storage unit n meuble m de rangement.

store [stɔːr] n 1. (surtout US) magasin m 2. provision f 3. réserve f. ❑ vt 1. mettre en réserve 2. entreposer, emmagasiner 3. INFORM stocker, mémoriser. ■ in store adv • who knows what the future holds in store? qui sait ce que nous réserve l'avenir ? • there's a shock in store for him un choc l'attend. ■ store up vt sép 1. mettre en réserve 2. emmagasiner 3. mettre en mémoire, noter.

storekeeper ['stɔː,kiːpər] n (US) commerçant m, -e f.

storeroom ['stɔːrʊm] n magasin m.

storey (UK) (pl -s), **story** (US) (pl -ies) ['stɔːrɪ] n étage m.

stork [stɔːk] n cigogne f.

storm [stɔːm] n 1. tempête f 2. orage m 3. fig torrent m, tempête f. ❑ vt prendre d'assaut. ❑ vi 1. • to storm in/out entrer/sortir comme un ouragan 2. fulminer.

stormy ['stɔːmɪ] *adj litt & fig* orageux.

story ['stɔːrɪ] *n* **1.** histoire *f* • **to tell sb a story** raconter une histoire à qqn **2.** *PRESSE* article *m* **3.** (us) = **storey**.

storybook ['stɔːrɪbʊk] *adj* de conte de fées.

story line *n* intrigue *f*, scénario *m*.

storyteller ['stɔːrɪˌtelər] *n* **1.** conteur *m*, -euse *f* **2.** *euphém* menteur *m*, -euse *f*.

storytelling ['stɔːrɪˌtelɪŋ] *n* **1.** art *m* de conter • **to be good at storytelling** avoir l'art de raconter des histoires **2.** *euphém* mensonges *mpl*.

stout [staʊt] *adj* **1.** corpulent **2.** solide **3.** ferme, résolu. ◻ *n* (*indén*) stout *m*, bière *f* brune.

stove [stəʊv] *passé & pp* → **stave**. ◻ *n* **1.** cuisinière *f* **2.** poêle *m*.

stow [stəʊ] *vt* • **to stow sthg (away)** ranger qqch. ▪ **stow away** *vi* embarquer clandestinement.

stowaway ['stəʊəweɪ] *n* passager *m* clandestin.

straddle ['strædl] *vt* **1.** enjamber **2.** s'asseoir à califourchon sur.

straggle ['strægl] *vi* **1.** (*bâtiments*) s'étendre, s'étaler **2.** (*cheveux*) être en désordre **3.** traîner, lambiner.

straggler ['stræglər] *n* traînard *m*, -e *f*.

straggly ['strægli] (*comp* **stragglier**, *superl* **straggliest**) *adj* (*cheveux*) en désordre.

straight [streɪt] *adj* **1.** (*ligne*) droit **2.** (*cheveux*) raide **3.** franc, honnête • **to be straight with sb** être franc avec qqn **4.** en ordre **5.** • **to get sthg straight** comprendre qqch **6.** simple **7.** *fam* hétéro *fam* **8.** (*boisson alcoolisée*) sans eau. ◻ *adv* **1.** droit **2.** tout de suite **3.** franchement. ▪ **straight off** *adv* tout de suite, sur-le-champ. ▪ **straight out** *adv* sans mâcher ses mots.

straightaway [ˌstreɪtəˈweɪ] *adv* tout de suite, immédiatement.

straighten ['streɪtn] *vt* **1.** arranger **2.** mettre de l'ordre dans **3.** redresser. ▪ **straighten out** *vt sép* résoudre.

straight face *n* • **to keep a straight face** garder son sérieux.

straightforward [ˌstreɪtˈfɔːwəd] *adj* **1.** simple **2.** honnête, franc.

straight-to-video *adj* sorti directement sur cassette vidéo.

strain [streɪn] *n* **1.** tension *f*, stress *m* **2.** foulure *f* **3.** *TECHNOL* contrainte *f*, effort *m*. ◻ *vt* **1.** plisser (*œil*) • **to strain one's ears** tendre l'oreille **2.** se froisser (*un muscle*) **3.** se fatiguer (*les yeux*) • **to strain one's back** se faire un tour de reins **4.** mettre à rude épreuve (*sa patience*) **5.** grever (*un budget*) **6.** *CULIN* passer (*de la soupe*). ◻ *vi* • **to strain to do sthg** faire un gros effort pour faire qqch. ▪ **strains** *npl* accords *mpl*, airs *mpl*.

strained [streɪnd] *adj* **1.** contracté, tendu **2.** forcé.

strainer ['streɪnər] *n* passoire *f*.

strait [streɪt] *n* détroit *m*. ▪ **straits** *npl* • **in dire** *ou* **desperate straits** dans une situation désespérée.

straitjacket ['streɪtˌdʒækɪt] *n* camisole *f* de force.

straitlaced [ˌstreɪtˈleɪst] *adj* collet monté *(inv)*.

strand [strænd] *n* **1.** brin *m* **2.** mèche *f* (*de cheveux*) **3.** *fig* fil *m* (*conducteur*).

stranded ['strændɪd] *adj* **1.** (*bateau*) échoué **2.** abandonné, en rade.

strange [streɪndʒ] *adj* **1.** étrange, bizarre • **it's strange that…** c'est étrange que… **2.** inconnu.

strangely ['streɪndʒlɪ] *adv* étrangement, bizarrement • **strangely (enough)** chose curieuse.

stranger ['streɪndʒər] *n* **1.** inconnu *m*, -e *f* **2.** étranger *m*, -ère *f*.

strangle ['stræŋgl] *vt* **1.** étrangler **2.** *fig* étouffer.

stranglehold ['stræŋglhəʊld] *n* **1.** étranglement *m* **2.** *fig* • **stranglehold (on)** domination *f* (de).

strap [stræp] *n* **1.** sangle *f*, courroie *f* **2.** bandoulière *f* **3.** bretelle *f* **4.** bracelet *m* (*d'une montre*). ◻ *vt* attacher.

strapless ['stræpləs] *adj* sans bretelles.

strapline ['stræplaɪn] *n* **1.** signature *f*, base line *f* **2.** (uk) slogan *m*.

strapping ['stræpɪŋ] *adj* bien bâti, robuste.

Strasbourg ['stræzbɜːg] *n* Strasbourg.

strategic [strəˈtiːdʒɪk] *adj* stratégique.

strategically [strəˈtiːdʒɪklɪ] *adv* stratégiquement, du point de vue de la stratégie • **to be strategically placed** être placé à un endroit stratégique.

strategy ['strætɪdʒɪ] *n* stratégie *f*.

straw [strɔː] *n* paille *f* • **that's the last straw!** ça c'est le comble !

strawberry ['strɔːbərɪ] *n* fraise *f*. ◻ *en apposition* **1.** aux fraises **2.** de fraises.

straw poll *n* sondage *m* d'opinion.

stray [streɪ] *adj* **1.** (*animal*) errant, perdu **2.** (*balle*) perdu **3.** (*exemple*) isolé. ◻ *vi* **1.** (*personne, animal*) errer, s'égarer **2.** (*pensées*) vagabonder, errer.

streak [striːk] *n* **1.** bande *f*, marque *f* • **streak of lightning** éclair *m*.

streaky bacon *n* (uk) bacon *m* assez gras.

stream [striːm] *n* **1.** ruisseau *m* **2.** flot *m*, jet *m* **3.** *fig* flot *m* (*de personnes, de voitures*) **4.** *fig* torrent *m* (*de plaintes*). ◻ *vi* **1.** couler à flots, ruisseler **2.** (*lumière*) entrer à flots **3.** affluer • **to stream past** passer à flots. ◻ *vt* *INFORM* télécharger en streaming.

streamer ['striːmər] *n* serpentin *m*.

streaming ['striːmɪŋ] *n* **1.** (uk) *SCOL* répartition *f* en classes de niveau **2.** *INFORM* streaming *m*. ◻ *adj* **1.** (*surface, fenêtre*) ruisselant **2.** • **to have a streaming cold** (uk) attraper un gros rhume.

streamline ['stri:mlaɪn] *vt* **1.** caréner, donner un profil aérodynamique à **2.** rationaliser.

streamlined ['stri:mlaɪnd] *adj* **1.** au profil aérodynamique **2.** rationalisé.

streamlining ['stri:mlaɪnɪŋ] *n* **1.** AUTO & AÉRON carénage *m* **2.** ÉCON & INDUST *(dans le travail)* rationalisation *f* **3.** *(dans le personnel)* dégraissage *m*, restructuration *f*.

street [stri:t] *n* rue *f*. ❑ *adj* (US) *fam* dégourdi.

streetcar ['stri:tkɑ:r] *n* (US) tramway *m*.

street-credibility *n* *(indén)* *fam* image *f* (de marque).

street lamp, **street light** *n* réverbère *m*.

street lighting *n* éclairage *m* des rues.

street map *n* plan *m*.

street plan *n* plan *m* (de la ville).

streetsmart ['stri:tsmɑ:t] *adj* *fam* dégourdi.

street value *n* valeur *f* à la revente *(de drogues)*.

streetwise ['stri:twaɪz] *adj* *fam* futé.

strength [streŋθ] *n* **1.** force *f* • **not to have the strength to do sthg** ne pas avoir la force de faire qqch **2.** puissance *f* **3.** solidité *f*.

strengthen ['streŋθn] *vt* **1.** renforcer **2.** consolider **3.** fortifier **4.** enhardir.

strenuous ['strenjʊəs] *adj* **1.** *(exercice, activité)* fatigant, dur **2.** *(effort)* acharné.

stress [stres] *n* **1.** • **stress (on)** accent *m* (sur) **2.** stress *m*, tension *f* • **to be under a lot of stress** être très stressé **3.** TECHNOL • **stress (on)** contrainte *f* (sur), effort *m* (sur) **4.** LING accent *m*. ❑ *vt* **1.** souligner, insister sur **2.** LING accentuer. ❑ *vi* *fam* stresser. ◼ **stress out** *vt* *fam* stresser.

stress-buster *n* *fam* éliminateur *m* de stress.

stressed [strest] *adj* stressé.

stressed-out *adj* *fam* stressé.

stressful ['stresfʊl] *adj* stressant.

stress management *n* gestion *f* du stress.

stressor ['stresər] *n* (US) facteur *m* de stress.

stress-related *adj* dû au stress • **stress-related illnesses** maladies *fpl* dues au stress.

stretch [stretʃ] *n* **1.** étendue *f* **2.** partie *f*, section *f* **3.** période *f*. ❑ *vt* **1.** allonger *(les bras)* **2.** se dégourdir *(les jambes)* **3.** distendre *(ses muscles)* **4.** étirer **5.** surmener **6.** grever *(un budget)* **7.** • **to stretch sb** pousser qqn à la limite de ses capacités. ❑ *vi* **1.** • **to stretch over** s'étendre sur • **to stretch from... to** s'étendre de... à **2.** *(personne, animal)* s'étirer **3.** *(matériau, élastique)* se tendre. ◼ **stretch out** *vt* *sép* tendre *(la main, le bras, la jambe)*. ❑ *vi* s'étendre. ◼ **at a stretch** *adv* d'affilée, sans interruption.

stretcher ['stretʃər] *n* brancard *m*, civière *f*.

stretchmarks ['stretʃmɑ:ks] *npl* vergetures *fpl*.

strew [stru:] *(prét* **strewed**, *pp* **strewn** [stru:n] *ou* **strewed)** *vt* • **to be strewn with** être jonché de.

stricken ['strɪkn] *adj* • **to be stricken by** *ou* **with panic** être pris de panique • **to be stricken by an illness** souffrir *ou* être atteint d'une maladie.

strict [strɪkt] *adj* strict.

strictly ['strɪktlɪ] *adv* **1.** strictement • **strictly speaking** à proprement parler **2.** d'une manière stricte, sévèrement.

strictness ['strɪktnɪs] *n* sévérité *f*.

stride [straɪd] *n* grand pas *m*, enjambée *f*. ❑ *vi* *(prét* **strode**, *pp* **stridden** ['strɪdn]) marcher à grandes enjambées.

strident ['straɪdnt] *adj* **1.** strident **2.** véhément, bruyant.

strife [straɪf] *n* *(indén)* conflit *m*, lutte *f*.

strike [straɪk] *n* **1.** grève *f* • **to be (out) on strike** être en grève • **to go on strike** faire grève **2.** MIL raid *m* **3.** découverte *f*. ❑ *vt* *(prét* & *pp* **struck)** **1.** frapper **2.** heurter **3.** venir à l'esprit de **4.** conclure **5.** frotter *(une allumette)*. ❑ *vi* *(prét* & *pp* **struck)** **1.** faire grève **2.** frapper **3.** attaquer **4.** sonner. ◼ **strike down** *vt* *sép* terrasser. ◼ **strike off** *vt* *sép* • **to be struck off** être radié *ou* rayé. ◼ **strike out** *vt* *sép* rayer, barrer. ❑ *vi* se mettre en route, partir. ◼ **strike up** *vt* *insép* commencer, engager *(une conversation)* • **to strike up a friendship (with)** se lier d'amitié (avec).

striker ['straɪkər] *n* **1.** gréviste *mf* **2.** FOOTBALL buteur *m*.

striking ['straɪkɪŋ] *adj* **1.** frappant, saisissant **2.** d'une beauté frappante.

striking distance *n* • **to be within striking distance (of)** être à deux pas (de).

strikingly ['straɪkɪŋlɪ] *adv* remarquablement • **strikingly beautiful** d'une beauté saisissante.

string [strɪŋ] *n* **1.** *(indén)* ficelle *f* **2.** bout *m* de ficelle • **to pull strings** faire jouer le piston **3.** rang *m* • **a string of pearls** un collier de perles **4.** série *f*, suite *f* **5.** corde *f (d'un instrument de musique)*. ◼ **string along** *(prét* & *pp* **strung along)** *vt* *sép* *fam* faire marcher, tromper. ◼ **string out** *(prét* & *pp* **strung out)** *vt* *insép* échelonner. ◼ **strings** *npl* MUS • **the strings** les cordes *fpl*. ◼ **string together** *(prét* & *pp* **strung together)** *vt* *sép* *fig* aligner • **she can barely string two words together in French** c'est à peine si elle peut aligner deux mots en français. ◼ **string up** *vt* *sép* *fam* pendre.

string bean *n* haricot *m* vert.

stringed instrument [,strɪŋd-] *n* MUS instrument *m* à cordes.

stringent ['strɪndʒənt] *adj* strict, rigoureux.

string quartet *n* quatuor *m* à cordes.

strip [strɪp] *n* **1.** bande *f* **2.** (UK) tenue *f* **3.** • **to tear sb off a strip** sonner les cloches à qqn. ❑ *vt* **1.** déshabiller, dévêtir **2.** enlever. ❑ *vi* se déshabiller, se dévêtir. ◼ **strip off** *vi* se déshabiller, se dévêtir.

strip cartoon *n* (UK) bande *f* dessinée.

stripe [straip] n **1.** rayure f **2.** MIL galon m.

striped [straipt] adj à rayures, rayé.

strip lighting n éclairage m au néon.

stripper ['stripə'] n **1.** strip-teaseuse f, effeuilleuse f **2.** décapant m.

strip-search n fouille f d'une personne dévêtue. ❑ vt • **to strip-search sb** obliger qqn à se déshabiller pour le fouiller.

striptease ['stripti:z] n strip-tease m.

stripy ['straipi] (comp **stripier**, superl **stripiest**) adj à rayures, rayé.

strive [straiv] (prét **strove**, pp **striven** ['strivn]) vi • **to strive for sthg** essayer d'obtenir qqch • **to strive to do sthg** s'efforcer de faire qqch.

strode [strəud] passé → stride.

stroke [strəuk] n **1.** attaque f cérébrale **2.** coup m (de crayon, de pinceau) **3.** mouvement m des bras **4.** nage f **5.** coup m d'aviron **6.** GOLF & TENNIS coup m **7.** (UK) TYPO barre f oblique **8.** • **a stroke of genius** un trait de génie • **a stroke of luck** un coup de chance ou de veine • **at a stroke** d'un seul coup. ❑ vt caresser.

stroll [strəul] n petite promenade f, petit tour m • **to go for a stroll** faire une petite promenade. ❑ vi se promener, flâner.

stroller ['strəulə'] n (US) poussette f.

strong [strɒŋ] adj **1.** fort **2.** solide **3.** robuste, vigoureux **4.** énergique **5.** qui a des chances de gagner.

strongbox ['strɒŋbɒks] n coffre-fort m.

stronghold ['strɒŋhəuld] n fig bastion m.

strong language n (indén) euphém grossièretés fpl • **to use strong language** dire des grossièretés.

strongly ['strɒŋli] adv **1.** fortement **2.** solidement.

strong-minded [-'maindid] adj résolu.

strong room n chambre f forte.

strong-willed [-'wild] adj têtu, volontaire.

stroppy ['strɒpi] (comp **stroppier**, superl **stroppiest**) adj (UK) fam difficile.

strove [strəuv] passé → strive.

struck [strʌk] passé & pp → strike.

structural ['strʌktʃərəl] adj de construction.

structurally ['strʌktʃərəli] adv du point de vue de la construction.

structure ['strʌktʃə'] n **1.** structure f **2.** construction f.

structured query language n INFORM langage m d'interrogation structuré.

struggle ['strʌgl] n **1.** • **struggle (for sthg/to do sthg)** lutte f (pour qqch/pour faire qqch) **2.** bagarre f. ❑ vi **1.** • **to struggle (for)** lutter (pour) • **to struggle to do sthg** s'efforcer de faire qqch **2.** se débattre **3.** se battre. ■ **struggle on** vi • **to struggle on (with)** persévérer (dans).

strum [strʌm] vt **1.** MUS gratter de (la guitare) **2.** MUS jouer (un air).

strung [strʌŋ] passé & pp → string.

strung-out adj tfam & arg drogue • **to be strung-out a)** (dépendant) être accroché, être accro **b)** (sous emprise) être shooté, planer.

strut [strʌt] n CONSTR étai m, support m. ❑ vi se pavaner.

stub [stʌb] n **1.** mégot m **2.** morceau m (de crayon) **3.** talon m (de chèque, de billet). ❑ vt • **to stub one's toe** se cogner le doigt de pied. ■ **stub out** vt sép écraser.

stubble ['stʌbl] n (indén) **1.** chaume m **2.** barbe f de plusieurs jours.

stubborn ['stʌbən] adj **1.** têtu, obstiné **2.** (tache) qui ne veut pas partir, rebelle.

stubbornly ['stʌbənli] adv obstinément.

stuck [stʌk] passé & pp → stick. ❑ adj **1.** coincé **2.** bloqué, en rade.

stuck-up adj fam & péj bêcheur.

stud [stʌd] n **1.** clou m décoratif **2.** clou m d'oreille **3.** (UK) (sur des chaussures) clou m **4.** (UK) (sur des chaussures de sport) crampon m **5.** haras m.

studded ['stʌdid] adj • **studded (with)** parsemé (de), constellé (de).

student ['stju:dnt] n étudiant m, -e f. ❑ en apposition **1.** estudiantin **2.** des étudiants **3.** pour étudiants.

student card n carte f d'étudiant.

student loan n prêt bancaire pour étudiants.

studio ['stju:diəu] (pl -s) n **1.** studio m **2.** atelier m.

studio flat (UK), **studio apartment** (US) n studio m.

studious ['stju:djəs] adj studieux.

studiously ['stju:djəsli] adv studieusement.

study ['stʌdi] n **1.** étude f **2.** bureau m (pièce). ❑ vt **1.** étudier, faire des études de **2.** examiner, étudier.

stuff [stʌf] n (indén) **1.** fam choses fpl **2.** substance f **3.** fam affaires fpl. ❑ vt **1.** • **to stuff sthg (with)** remplir ou bourrer qqch (de) **3.** CULIN farcir. ■ **stuff up** vt sép boucher.

stuffed [stʌft] adj **1.** • **stuffed with** bourré de **2.** fam gavé **3.** CULIN farci **4.** en peluche • **he loves stuffed animals** il adore les peluches **5.** empaillé.

stuffed shirt n prétentieux m, -euse f.

stuffing ['stʌfɪŋ] n (indén) **1.** bourre f, rembourrage m **2.** CULIN farce f.

stuffy ['stʌfi] adj **1.** (pièce) mal aéré, qui manque d'air **2.** vieux jeu (inv).

stumble ['stʌmbl] vi trébucher. ■ **stumble across, stumble on** vt insép tomber sur.

stumbling block ['stʌmblɪŋ-] n pierre f d'achoppement.

stump [stʌmp] n **1.** souche f (d'un arbre) **2.** moignon m. ❑ vt dérouter. ■ **stump up** vt insép (UK) fam cracher, payer.

stun [stʌn] vt **1.** étourdir, assommer **2.** stupéfier, renverser.

stung [stʌŋ] passé & pp → sting.

stunk [stʌŋk] passé & pp → stink.

stunned [stʌnd] adj fig abasourdi, stupéfait.

stunner ['stʌnər] n fam fille f superbe.

stunning [stʌnɪŋ] adj **1.** ravissant **2.** merveilleux **3.** stupéfiant.

stunningly ['stʌnɪŋlɪ] adv remarquablement, incroyablement • **stunningly beautiful** d'une beauté éblouissante

stunt [stʌnt] n **1.** coup m **2.** CINÉ cascade f. ❑ vt retarder, arrêter.

stunted ['stʌntɪd] adj rabougri.

stunt man n cascadeur m.

stupefied ['stju:pɪfaɪd] adj stupéfait.

stupefy ['stju:pɪfaɪ] vt **1.** abrutir **2.** stupéfier, abasourdir.

stupendous [stju:'pendəs] adj extraordinaire, prodigieux.

stupid ['stju:pɪd] adj **1.** stupide, bête **2.** fam fichu.

stupidity [stju:'pɪdətɪ] n (indén) bêtise f, stupidité f.

stupidly ['stju:pɪdlɪ] adv stupidement.

stupor ['stju:pər] n stupeur f, hébétude f.

sturdy ['stɜ:dɪ] adj **1.** robuste **2.** solide.

stutter ['stʌtər] vi bégayer.

sty [staɪ] n porcherie f.

stye [staɪ] n orgelet m, compère-loriot m.

style [staɪl] n **1.** style m **2.** (indén) chic m, élégance f **3.** genre m, modèle m.

style bar n INFORM barre f de style.

stylish ['staɪlɪʃ] adj chic (inv), élégant.

stylishly ['staɪlɪʃlɪ] adv (s'habiller) avec chic, avec allure, élégamment.

stylist ['staɪlɪst] n coiffeur m, -euse f.

stylized, -ised (UK) ['staɪlaɪzd] adj stylisé.

stylus ['staɪləs] (pl -es) n pointe f de lecture, saphir m.

suave [swɑ:v] adj doucereux.

sub [sʌb] n fam **1.** SPORT (abrév de substitute) remplaçant m, -e f **2.** (abrév de submarine) sous-marin m.

subcommittee ['sʌbkə,mɪtɪ] n sous-comité m.

subconscious [,sʌb'kɒnʃəs] adj inconscient. ❑ n • **the subconscious** l'inconscient m.

subconsciously [,sʌb'kɒnʃəslɪ] adv inconsciemment.

subcontract [,sʌbkən'trækt] vt sous-traiter.

subcontractor [,sʌbkən'træktər] n sous-traitant m.

subculture ['sʌb,kʌltʃər] n sous-culture f.

subcutaneous [,sʌbkju:'teɪnjəs] adj sous-cutané.

subdivide [,sʌbdɪ'vaɪd] vt subdiviser.

subdue [səb'dju:] vt **1.** soumettre, subjuguer **2.** maîtriser, réprimer.

subdued [səb'dju:d] adj **1.** abattu **2.** (émotion, colère) contenu **3.** (couleur) doux, douce f **4.** (lumière) tamisé.

subedit [,sʌb'edɪt] (UK) vt corriger, préparer pour l'impression. ❑ vi travailler comme secrétaire de rédaction.

subeditor [,sʌb'edɪtər] n (UK) secrétaire mf de rédaction.

subfolder ['sʌb,fəʊldər] n INFORM sous-dossier m.

subheading ['sʌb,hedɪŋ] n sous-titre m.

subject adj ['sʌbdʒekt] soumis • **to be subject to** **a)** être soumis à **b)** être sujet à. ❑ n ['sʌbdʒekt] **1.** sujet m **2.** SCOL & UNIV matière f. ❑ vt [səb'dʒekt] **1.** soumettre, assujettir **2.** • **to subject sb to sthg** exposer ou soumettre qqn à qqch. ■ **subject to** prép ['sʌbdʒekt] sous réserve de.

subjective [səb'dʒektɪv] adj subjectif.

subjectively [səb'dʒektɪvlɪ] adv subjectivement.

subject matter n (indén) sujet m.

subjunctive [səb'dʒʌŋktɪv] n • **subjunctive (mood)** subjonctif m.

sublet [,sʌb'let] (prét & pp sublet) vt sous-louer.

sublime [sə'blaɪm] adj sublime.

subliminal [,sʌb'lɪmɪnl] adj subliminal.

submachine gun [,sʌbmə'ʃi:n-] n mitraillette f.

submarine [,sʌbmə'ri:n] n sous-marin m.

submerge [səb'mɜ:dʒ] vt immerger, plonger. ❑ vi s'immerger, plonger.

submerged [səb'mɜ:dʒd] adj submergé.

submission [səb'mɪʃn] n **1.** soumission f **2.** présentation f, soumission f.

submissive [səb'mɪsɪv] adj soumis, docile.

submit [səb'mɪt] vt soumettre. ❑ vi • **to submit (to)** se soumettre (à).

subnormal [,sʌb'nɔ:ml] adj arriéré, attardé.

subordinate adj [sə'bɔ:dɪnət] sout • **subordinate (to)** subordonné (à), moins important (que). ❑ n [sə'bɔ:dɪnət] subordonné m, -e f.

subordinate clause n proposition f subordonnée.

subpoena [sə'pi:nə] n citation f, assignation f. ❑ vt (prét & pp subpoenaed) citer ou assigner à comparaître.

subprime [,sʌbpraɪm] n (us) FIN • **subprime (loan** ou **mortgage)** subprime m (type de crédit immobilier à risque).

subscribe [səb'skraɪb] vi **1.** s'abonner, être abonné **2.** • **to subscribe to** souscrire à.

subscriber [səb'skraɪbər] n abonné m, -e f.

subscription [səb'skrɪpʃn] n **1.** abonnement m **2.** (UK) souscription f **3.** (UK) cotisation f.

subsection ['sʌb,sekʃn] n subdivision f, paragraphe m.

subsequent ['sʌbsɪkwənt] adj ultérieur, suivant.

subsequently ['sʌbsɪkwəntlɪ] adv par la suite, plus tard.

subservient [səb'sɜːvjənt] adj servile, obséquieux.

subside [səb'saɪd] vi **1.** se calmer, s'atténuer **2.** diminuer **3.** (bâtiment) s'affaisser **4.** (fondations) se tasser.

subsidence [səb'saɪdns ou 'sʌbsɪdns] n **1.** affaissement m **2.** tassement m.

subsidiary [səb'sɪdjərɪ] adj subsidiaire. ❑ n
• **subsidiary (company)** filiale f.

subsidize, -ise (UK) ['sʌbsɪdaɪz] vt subventionner.

subsidy ['sʌbsɪdɪ] n subvention f, subside m.

subsist [səb'sɪst] vi • **to subsist (on)** vivre (de).

subsistence [səb'sɪstəns] n subsistance f, existence f.

subsistence farming n agriculture f d'autoconsommation.

substance ['sʌbstəns] n **1.** substance f **2.** importance f.

substance abuse n sout abus m de stupéfiants.

substandard [,sʌb'stændəd] adj de qualité inférieure.

substantial [səb'stænʃl] adj **1.** considérable, important **2.** substantiel **3.** solide.

substantially [səb'stænʃəlɪ] adv **1.** considérablement **2.** en grande partie.

substantiate [səb'stænʃɪeɪt] vt sout prouver, établir.

substitute ['sʌbstɪtjuːt] n remplaçant m, -e f
❑ vt substituer.

substitute teacher n (US) suppléant m, -e f.

subterranean [,sʌbtə'reɪnjən] adj souterrain.

subtext ['sʌb,tekst] n message m sous-jacent (de livre, de film).

subtitle ['sʌb,taɪtl] n sous-titre m.

subtitled ['sʌb,taɪtld] adj sous-titré, avec sous-titrage.

subtle ['sʌtl] adj (différence) subtil.

subtlety ['sʌtltɪ] n subtilité f.

subtly ['sʌtlɪ] adv subtilement.

subtotal ['sʌb,təʊtl] n total m partiel.

subtract [səb'trækt] vt • **to subtract sthg (from)** soustraire qqch. (de).

subtraction [səb'trækʃn] n soustraction f.

subtropical [,sʌb'trɒpɪkl] adj subtropical.

suburb ['sʌbɜːb] n faubourg m. ■ **suburbs** npl
• **the suburbs** la banlieue.

suburban [sə'bɜːbn] adj de banlieue.

suburbia [sə'bɜːbɪə] n (indén) la banlieue.

subversion [səb'vɜːʃn] n subversion f.

subversive [səb'vɜːsɪv] adj subversif. ❑ n personne f qui agit de façon subversive.

subvert [səb'vɜːt] vt subvertir, renverser.

subway ['sʌbweɪ] n **1.** (UK) passage m souterrain **2.** (US) métro m • **to take the subway** prendre le métro.

sub-zero adj au-dessous de zéro.

succeed [sək'siːd] vt succéder à. ❑ vi réussir
• **to succeed in doing sthg** réussir à faire qqch.

succeeding [sək'siːdɪŋ] adj sout **1.** à venir **2.** suivant.

success [sək'ses] n succès m, réussite f.

successful [sək'sesfʊl] adj **1.** couronné de succès **2.** à succès **3.** qui a du succès.

successfully [sək'sesfʊlɪ] adv avec succès.

succession [sək'seʃn] n succession f.

successive [sək'sesɪv] adj successif.

successively [sək'sesɪvlɪ] adv successivement, tour à tour, l'un/l'une après l'autre.

successor [sək'sesər] n successeur m.

success story n réussite f.

succinct [sək'sɪŋkt] adj succinct.

succinctly [sək'sɪŋktlɪ] adv succinctement, de façon succincte.

succulent ['sʌkjʊlənt] adj succulent.

succumb [sə'kʌm] vi • **to succumb (to)** succomber (à).

such [sʌtʃ] adj tel, pareil • **such nonsense** de telles inepties • **do you have such a thing as a tin-opener?** est-ce que tu aurais un ouvre-boîtes par hasard ? • **such money/books as I have** le peu d'argent/de livres que j'ai • **such... that** tel... que. ❑ adv **1.** si, tellement • **it's such a horrible day!** quelle journée épouvantable ! • **such a lot of books** tellement de livres • **such a long time** si longtemps **2.** aussi • **such tall buildings** des immeubles aussi hauts. ❑ pron
• **and such (like)** et autres choses de ce genre.
■ **as such** adv en tant que tel, telle f, en soi.
■ **such and such** adj tel et tel.

suck [sʌk] vt **1.** sucer **2.** aspirer. ■ **suck up** vi (UK) fam • **to suck up (to sb)** faire de la lèche (à qqn).

sucker ['sʌkər] n **1.** ventouse f **2.** fam poire f, gogo m.

suction ['sʌkʃn] n succion f.

Sudan [su:'dɑ:n] n Soudan m.

sudden ['sʌdn] adj soudain, brusque • **all of a sudden** tout d'un coup, soudain.

sudden death n SPORT jeu pour départager les ex aequo (le premier point perdu entraîne l'élimination immédiate).

suddenly ['sʌdnlɪ] adv soudainement, tout d'un coup.

suddenness ['sʌdnnɪs] n soudaineté f.

sudoku [su:'dəʊku:] n sudoku m.

suds [sʌdz] npl mousse f de savon.

sue [su:] vt • **to sue sb (for)** poursuivre qqn en justice (pour).

suede [sweɪd] n daim m.

suet ['sʊɪt] n graisse f de rognon.

suffer ['sʌfər] vt **1.** souffrir de **2.** subir. ◻ vi souffrir • **to suffer from** souffrir de.

sufferer ['sʌfrər] n malade mf.

suffering ['sʌfrɪŋ] n souffrance f.

suffice [sə'faɪs] vi sout suffire.

sufficient [sə'fɪʃnt] adj suffisant.

sufficiently [sə'fɪʃntlɪ] adv suffisamment.

suffocate ['sʌfəkeɪt] vt & vi suffoquer.

suffocating ['sʌfəkeɪtɪŋ] adj **1.** (chaleur, pièce) suffocant, étouffant **2.** (fumée) asphyxiant, suffocant **3.** fig étouffant.

suffocation [,sʌfə'keɪʃn] n suffocation f.

suffrage ['sʌfrɪdʒ] n suffrage m.

suffragette [sʌfrə'dʒet] n POLIT suffragette f.

suffuse [sə'fju:z] vt baigner.

sugar ['ʃʊgər] n sucre m. ◻ vt sucrer.

sugar beet n betterave f à sucre.

sugar bowl n sucrier m.

sugarcane ['ʃʊgəkeɪn] n (indén) canne f à sucre.

sugar-coated [-'kəʊtɪd] adj dragéifié.

sugar-free adj sans sucre.

sugar lump n morceau m de sucre.

sugarsnap peas ['ʃʊgəsnæp-] npl pois mpl gourmands.

sugary ['ʃʊgərɪ] adj sucré.

suggest [sə'dʒest] vt **1.** proposer, suggérer **2.** insinuer.

suggestion [sə'dʒestʃn] n proposition f, suggestion f.

suggestion box n boîte f à suggestions.

suggestive [sə'dʒestɪv] adj suggestif • **to be suggestive of sthg** suggérer qqch.

suggestively [sə'dʒestɪvlɪ] adv de façon suggestive.

suicidal [sʊɪ'saɪdl] adj suicidaire.

suicide ['sʊɪsaɪd] n suicide m • **to commit suicide** se suicider.

suicide attempt n tentative f de suicide.

suit [su:t] n **1.** costume m, complet m **2.** (pour femmes) tailleur m **3.** (dans un jeu de cartes) couleur f **4.** procès m, action f. ◻ vt **1.** aller à **2.** convenir à. ◻ vi convenir.

suitable ['su:təbl] adj qui convient, qui va.

suitably ['su:təblɪ] adv convenablement.

suitcase ['su:tkeɪs] n valise f • **to pack one's suitcase** faire sa valise.

suite [swi:t] n **1.** (dans un hôtel) MUS suite f **2.** ensemble m.

suited ['su:tɪd] adj **1.** • **to be suited to/for** convenir à/pour, aller à/pour **2.** • **well suited** très bien assortis.

suitor ['su:tər] n vieilli soupirant m.

sulfur (us) = sulphur.

sulfuric acid (us) = sulphuric acid.

sulk [sʌlk] vi bouder.

sulky ['sʌlkɪ] adj boudeur.

sullen ['sʌlən] adj maussade.

sulphur (UK), **sulfur** (US) ['sʌlfər] n soufre m.

sulphuric acid [sʌl'fjʊərɪk] n acide m sulfurique.

sultana [səl'tɑ:nə] n (UK) raisin m sec.

sultry ['sʌltrɪ] adj **1.** (temps) lourd **2.** sensuel.

sum [sʌm] n **1.** somme f **2.** calcul m. ■ **sum up** vt sép résumer. ◻ vi récapituler.

SUM1 SMS (abrév de someone) kelk1.

summarize, -ise (UK) ['sʌməraɪz] vt résumer. ◻ vi récapituler.

summary ['sʌmərɪ] n résumé m.

summer ['sʌmər] n été m • **in summer** en été. ◻ en apposition d'été • **the summer holidays** (UK) ou **vacation** (US) les grandes vacances fpl.

summer camp n (US) colonie f de vacances.

summerhouse ['sʌməhaʊs] (pl [-haʊzɪz]) n pavillon m (de jardin).

summer school n université f d'été.

summertime ['sʌmətaɪm] n été m.

summery ['sʌmərɪ] adj estival.

summit ['sʌmɪt] n sommet m.

summon ['sʌmən] vt appeler, convoquer. ■ **summon up** vt sép rassembler.

summons ['sʌmənz] n (pl -es) DR assignation f. ◻ vt DR assigner.

sumo (wrestling) ['su:məʊ-] n sumo m.

sump [sʌmp] n (UK) carter m.

sumptuous ['sʌmptʃʊəs] adj somptueux.

sumptuously ['sʌmptʃʊəslɪ] adv somptueusement.

sun [sʌn] n soleil m • **in the sun** au soleil.

Sun. (abrév de Sunday) dim.

sunbathe ['sʌnbeɪð] vi prendre un bain de soleil.

sunbathing ['sʌnbeɪðɪŋ] n (indén) bains mpl de soleil.

sunbed ['sʌnbed] n lit m à ultra-violets.

sunburn ['sʌnbɜːn] n (indén) coup m de soleil.

sunburned ['sʌnbɜːnd], **sunburnt** ['sʌnbɜːnt] adj brûlé par le soleil, qui a attrapé un coup de soleil.

sun cream n crème f solaire.

Sunday ['sʌndɪ] n dimanche m ● Sunday lunch déjeuner m du dimanche ou dominical Voir aussi Saturday.

Sunday school n catéchisme m.

sundial ['sʌndaɪəl] n cadran m solaire.

sundown ['sʌndaʊn] n coucher m du soleil.

sundried ['sʌndraɪd] adj séché au soleil ● sun-dried tomatoes tomates fpl séchées.

sundries ['sʌndrɪz] npl sout articles mpl divers, objets mpl divers.

sundry ['sʌndrɪ] adj sout divers ● all and sundry tout le monde, n'importe qui.

sunflower ['sʌn,flaʊər] n tournesol m.

sung [sʌŋ] pp → sing.

sunglasses ['sʌn,glɑːsɪz] npl lunettes fpl de soleil.

sunk [sʌŋk] pp → sink.

sunlight ['sʌnlaɪt] n lumière f du soleil.

sunlounger ['sʌn,laʊndʒər] n (UK) chaise f longue (où l'on s'allonge pour bronzer).

sunny ['sʌnɪ] adj **1.** ensoleillé ● it's sunny il y a du soleil **2.** radieux.

sunrise ['sʌnraɪz] n lever m du soleil.

sunroof ['sʌnruːf] n toit m ouvrant.

sunscreen ['sʌnskriːn] n écran m ou filtre m solaire.

sunseeker n touriste qui part dans un pays chaud à la recherche du soleil, notamment en hiver.

sunset ['sʌnset] n coucher m du soleil.

sunshade ['sʌnʃeɪd] n parasol m.

sunshine ['sʌnʃaɪn] n lumière f du soleil.

sunstroke ['sʌnstrəʊk] n (indén) insolation f.

sunstruck ['sʌnstrʌk] adj ● to be sunstruck avoir attrapé un coup de soleil.

suntan ['sʌntæn] n bronzage m. ❑ en apposition solaire.

suntanned ['sʌntænd] adj bronzé.

suntrap ['sʌntræp] n (UK) endroit très ensoleillé.

super ['suːpər] adj fam génial, super (inv).

the Super Bowl

Événement sportif parmi les plus importants aux États-Unis, le **Super Bowl** est un match de football américain qui oppose les vainqueurs des deux principaux championnats professionnels, ou **conferences**. Il a lieu chaque année à la clôture de la saison, fin janvier, et sa retransmission télévisée attire des millions de spectateurs.

superannuation ['suːpə,rænjuˈeɪʃn] n (indén) pension f de retraite.

superb [suːˈpɜːb] adj superbe.

superbrat ['suːpə,bræt] n fam sale gosse mf.

superbug ['suːpəbʌg] n germe résistant aux traitements antibiotiques.

supercilious [,suːpəˈsɪliəs] adj hautain.

supercool ['suːpəkuːl] vt surfondre. ❑ adj **1.** fam (à la mode) super branché **2.** (détendu) super génial.

superficial [,suːpəˈfɪʃl] adj superficiel.

superficially [,suːpəˈfɪʃəlɪ] adv superficiellement.

superfluous [suːˈpɜːfluəs] adj superflu.

superhighway ['suːpə,haɪweɪ] n **1.** (US) autoroute f **2.** = information highway.

superhuman [,suːpəˈhjuːmən] adj surhumain.

superimpose [,suːpərɪmˈpəʊz] vt ● to superimpose sthg (on) superposer qqch (à).

superintendent [,suːpərɪnˈtendənt] n **1.** (UK) ≃ commissaire m (de police) **2.** directeur m, -trice f.

superior [suːˈpɪərɪər] adj **1.** ● superior (to) supérieur (à) **2.** de qualité supérieure. ❑ n supérieur m, -e f.

superiority [suː,pɪərɪˈɒrɪtɪ] n supériorité f.

superlative [suːˈpɜːlətɪv] adj exceptionnel, sans pareil. ❑ n GRAMM superlatif m.

supermarket ['suːpə,mɑːkɪt] n supermarché m.

supermodel ['suːpəmɒdl] n top model m.

supernatural [,suːpəˈnætʃrəl] adj surnaturel.

superpower ['suːpə,paʊər] n superpuissance f.

supersede [,suːpəˈsiːd] vt remplacer.

supersonic [,suːpəˈsɒnɪk] adj supersonique.

superstar ['suːpəstɑːr] n superstar f.

superstitious [,suːpəˈstɪʃəs] adj superstitieux.

superstore ['suːpəstɔːr] n hypermarché m.

supertanker ['suːpə,tæŋkər] n supertanker m, pétrolier m géant.

superuser ['suːpəˌjuːzər] n INFORM gros utilisateur m.

supervise ['suːpəvaɪz] vt **1.** surveiller **2.** superviser.

supervision [,suːpəˈvɪʒn] n **1.** surveillance f **2.** supervision f (de travail).

supervisor ['suːpəvaɪzər] n surveillant m, -e f.

supper ['sʌpər] n dîner m.

supple ['sʌpl] adj souple.

supplement n ['sʌplɪmənt] supplément m. ❑ vt ['sʌplɪment] compléter.

supplementary [,sʌplɪˈmentərɪ] adj supplémentaire.

supplementary benefit n (UK) ancien nom des allocations supplémentaires accordées aux personnes ayant un faible revenu.

supplier [səˈplaɪər] n fournisseur m, -euse f.

supply [sə'plaɪ] n **1.** réserve f, provision f **2.** alimentation f **3.** (indén) ÉCON offre f. ❑ vt **1.** • **to supply sthg (to sb)** fournir qqch (à qqn) **2.** • **to supply sb (with)** approvisionner qqn (en). ■ **supplies** npl **1.** vivres mpl **2.** MIL approvisionnements mpl **3.** • **office supplies** fournitures fpl de bureau.

supply teacher n (UK) suppléant m, -e f.

support [sə'pɔːt] n **1.** (indén) appui m **2.** (indén) soutien m **3.** (objet) support m **4.** (indén) assistance f. ❑ vt **1.** soutenir, supporter **2.** soutenir (psychologiquement) **3.** subvenir aux besoins de **4.** être partisan de **5.** appuyer (un candidat, un parti) **6.** SPORT être un supporter de.

supporter [sə'pɔːtər] n **1.** partisan m, -e f **2.** SPORT supporter m.

support group n groupe m d'entraide.

supportive [sə'pɔːtɪv] adj qui est d'un grand secours, qui soutient.

suppose [sə'pəʊz] vt supposer. ❑ vi supposer • **I suppose (so)** je suppose que oui • **I suppose not** je suppose que non.

supposed [sə'pəʊzd] adj **1.** supposé **2.** • **to be supposed to be** être censé être.

supposedly [sə'pəʊzɪdlɪ] adv soi-disant.

supposing [sə'pəʊzɪŋ] conj et si, à supposer que (+ subjonctif).

suppress [sə'pres] vt **1.** réprimer (une révolte) **2.** interdire (un journal, une publication) **3.** réprimer, étouffer (ses sentiments).

suppressant [sə'presənt] n inhibiteur m.

suppression [sə'preʃn] n **1.** répression f (d'émotions, d'une révolte) **2.** suppression f (d'informations).

supremacy [sʊ'preməsɪ] n suprématie f.

supreme [sʊ'priːm] adj suprême.

Supreme Court n • **the Supreme Court** la Cour suprême.

supremely [sʊ'priːmlɪ] adv suprêmement.

surcharge ['sɜːtʃɑːdʒ] n **1.** surcharge f **2.** surtaxe f.

sure [ʃʊər] adj **1.** sûr • **to be sure of o.s.** être sûr de soi **2.** • **to be sure (of sthg/of doing sthg)** être sûr (de qqch/de faire qqch) • **to make sure (that)...** : **we made sure that no one was listening** nous nous sommes assurés ou nous avons vérifié que personne n'écoutait • **I'm sure (that)...** je suis bien certain que..., je ne doute pas que... ❑ adv **1.** fam bien sûr **2.** (US) vraiment. ■ **for sure** adv sans aucun doute, sans faute. ■ **sure enough** adv en effet, effectivement.

surely ['ʃʊəlɪ] adv sûrement.

surety ['ʃʊərətɪ] n (indén) caution f.

surf [sɜːf] n ressac m. ❑ vt surfer • **to surf the Net** INFORM naviguer sur Internet.

surface ['sɜːfɪs] n surface f • **on the surface** fig à première vue, vu de l'extérieur. ❑ vi **1.** remonter à la surface **2.** faire surface **3.** (problème, rumeur) apparaître ou s'étaler au grand jour.

surface area n surface f, superficie f.

surface mail n courrier m par voie de terre/de mer.

surface-to-air adj sol-air (inv).

surfboard ['sɜːfbɔːd] n planche f de surf.

surfboarding ['sɜːfbɔːdɪŋ] n surf m.

surfeit ['sɜːfɪt] n sout excès m.

surfer ['sɜːfər] n surfeur m, -euse f.

surfing ['sɜːfɪŋ] n surf m.

surge [sɜːdʒ] n **1.** déferlement m **2.** ÉLECTR surtension f **3.** vague f (d'émotion, d'intérêt), montée f **4.** bouffée f (de colère) **5.** afflux m (de ventes). ❑ vi déferler.

surgeon ['sɜːdʒən] n chirurgien m, -enne f.

surgery ['sɜːdʒərɪ] n **1.** (indén) chirurgie f **2.** (UK) cabinet m de consultation.

surgical ['sɜːdʒɪkl] adj chirurgical • **surgical stocking** bas m orthopédique.

surgically ['sɜːdʒɪklɪ] adv par intervention chirurgicale.

surgical spirit n (UK) alcool m à 90°.

surly ['sɜːlɪ] adj revêche, renfrogné.

surmise [sɜː'maɪz] vt sout présumer.

surmount [sɜː'maʊnt] vt surmonter.

surname ['sɜːneɪm] n nom m de famille.

surpass [sə'pɑːs] vt sout dépasser.

surplus ['sɜːpləs] adj en surplus. ❑ n surplus m.

surprise [sə'praɪz] n surprise f • **what a surprise!** quelle surprise ! ❑ vt surprendre.

surprised [sə'praɪzd] adj surpris.

surprising [sə'praɪzɪŋ] adj surprenant.

surprisingly [sə'praɪzɪŋlɪ] adv étonnamment.

surreal [sə'rɪəl] adj surréaliste.

surrealism [sə'rɪəlɪzm] n surréalisme m.

surrender [sə'rendər] n reddition f, capitulation f. ❑ vi **1.** • **to surrender (to)** se rendre (à) **2.** fig • **to surrender (to)** se laisser aller (à), se livrer (à).

surreptitious [ˌsʌrəp'tɪʃəs] adj subreptice, clandestin.

surreptitiously [ˌsʌrəp'tɪʃəslɪ] adv subrepticement, furtivement, à la dérobée.

surrogate ['sʌrəgeɪt] adj de substitution. ❑ n substitut m.

surrogate mother n mère f porteuse.

surround [sə'raʊnd] vt **1.** entourer **2.** (police, armée) cerner.

surrounding [sə'raʊndɪŋ] adj environnant.

surroundings [sə'raʊndɪŋz] npl environnement m.

surtitle ['sɜːtaɪtl] n surtitre m.

surveillance [sɜː'veɪləns] n surveillance f.

survey n ['sɜːveɪ] **1.** étude f **2.** sondage m **3.** levé m (de terrain) **4.** inspection f. ❑ vt [sə'veɪ] **1.** passer en revue **2.** faire une étude de, enquêter sur **3.** faire le levé (d'un terrain) **4.** inspecter.

surveyor [səˈveɪə^r] n **1.** expert m, -e f **2.** géomètre m.

survival [səˈvaɪvl] n survie f.

survive [səˈvaɪv] vt survivre à. ❑ vi survivre. ■ survive on vt insép vivre de.

survivor [səˈvaɪvə^r] n **1.** survivant m, -e f **2.** fig battant m, -e f.

susceptible [səˈseptəbl] adj • susceptible (to) sensible (à).

sushi [ˈsuːʃi] n sushi m.

suspect adj [ˈsʌspekt] suspect. ❑ n [ˈsʌspekt] suspect m, -e f. ❑ vt [səˈspekt] **1.** douter de **2.** soupçonner.

suspected [səˈspektɪd] adj présumé.

suspend [səˈspend] vt **1.** suspendre **2.** SCOL renvoyer temporairement.

suspended sentence [səˈspendɪd-] n condamnation f avec sursis.

suspender belt [səˈspendə^r-] n (UK) porte-jarretelles m inv.

suspenders [səˈspendəz] npl **1.** (UK) jarretelles fpl **2.** (US) bretelles fpl.

suspense [səˈspens] n suspense m.

suspension [səˈspenʃn] n **1.** suspension f **2.** SCOL renvoi m temporaire.

suspension bridge n pont m suspendu.

suspicion [səˈspɪʃn] n soupçon m.

suspicious [səˈspɪʃəs] adj **1.** soupçonneux **2.** suspect, louche • to look suspicious avoir l'air louche.

suspiciously [səˈspɪʃəslɪ] adv **1.** de façon soupçonneuse, avec méfiance **2.** de façon suspecte ou louche.

suss [sʌs] ■ suss out vt sép (UK) fam piger, comprendre.

sustain [səˈsteɪn] vt **1.** soutenir **2.** sout subir (une attaque) ; recevoir (des coups).

sustainable [səˈsteɪnəbl] adj viable, durable • sustainable resources ressources fpl renouvelables.

sustenance [ˈsʌstɪnəns] n (indén) sout nourriture f.

SUV (abrév de sport utility vehicle) n AUTO 4 x 4 m.

swab [swɒb] n MÉD tampon m.

swagger [ˈswægə^r] vi parader.

Swahili [swɑːˈhiːli] n swahili m.

swallow [ˈswɒləʊ] n hirondelle f. ❑ vt **1.** avaler **2.** fig ravaler. ❑ vi avaler.

swam [swæm] passé → swim.

swamp [swɒmp] n marais m. ❑ vt submerger, inonder.

swan [swɒn] n cygne m.

swap [swɒp] vt échanger.

swarm [swɔːm] n essaim m. ❑ vi fig • to be swarming (with) grouiller (de).

swarthy [ˈswɔːðɪ] adj basané.

swastika [ˈswɒstɪkə] n croix f gammée.

swat [swɒt] vt écraser.

sway [sweɪ] vt influencer. ❑ vi se balancer.

swear [sweə^r] (prét swore, pp sworn) vt jurer • to swear to do sthg jurer de faire qqch. ❑ vi jurer. ■ swear by vt insép (avoir confiance) jurer par. ■ swear in vt sép DR assermenter.

swearing [ˈsweərɪŋ] n jurons mpl, gros mots mpl.

swearing in n • after the swearing in of the jury DR après que le jury eut prêté serment.

swearword [ˈsweəwɜːd] n gros mot m.

sweat [swet] n **1.** transpiration f, sueur f **2.** sweat m (vêtement). ❑ vi **1.** transpirer, suer **2.** fam se faire du mouron **3.** CULIN faire suer.

sweater [ˈswetə^r] n pullover m.

sweatshirt [ˈswetʃɜːt] n sweat-shirt m.

sweatshop [ˈswetʃɒp] n ≃ atelier m clandestin.

sweaty [ˈswetɪ] adj **1.** (personne) (tout) en sueur **2.** (vêtement) trempé de sueur.

swede [swiːd] n (UK) rutabaga m.

Swede [swiːd] n Suédois m, -e f.

Sweden [ˈswiːdn] n Suède f.

Swedish [ˈswiːdɪʃ] adj suédois. ❑ n suédois m. ❑ npl • the Swedish les Suédois mpl.

sweep [swiːp] n **1.** grand geste m **2.** • to give sthg a sweep balayer qqch. ❑ vt (prét & pp swept) **1.** balayer **2.** parcourir des yeux. ■ sweep away vt sép emporter, entraîner. ■ sweep up vt sép & vi balayer.

sweeping [ˈswiːpɪŋ] adj **1.** radical **2.** hâtif.

sweet [swiːt] adj **1.** doux **2.** sucré **3.** gentil **4.** adorable, mignon. ❑ n (UK) **1.** bonbon m **2.** dessert m. ❑ interj (US) fam génial.

sweet corn n maïs m.

sweeten [ˈswiːtn] vt sucrer.

sweetener [ˈswiːtnə^r] n **1.** édulcorant m **2.** fam pot-de-vin m.

sweetheart [ˈswiːthɑːt] n **1.** chéri m, -e f **2.** petit ami, petite amie f.

sweetness [ˈswiːtnɪs] n **1.** douceur f **2.** goût m sucré, douceur **3.** charme m.

sweet pea n pois m de senteur.

sweet-smelling adj **1.** (fleur) odorant **2.** (parfum) sucré.

sweet-tempered adj doux, agréable.

sweet tooth n • to have a sweet tooth aimer les sucreries.

swell [swel] vi (prét swelled, pp swollen ou swelled) **1.** enfler **2.** se gonfler • to swell with pride se gonfler d'orgueil **3.** grossir, augmenter **4.** s'enfler. ❑ vt (prét swelled, pp swollen ou swelled) grossir, augmenter. ❑ n houle f. ❑ adj (US) fam & vieilli chouette.

swelling [ˈswelɪŋ] n enflure f.

sweltering [ˈsweltərɪŋ] adj étouffant.

swept [swept] passé & pp → sweep.

swerve [swɜːv] vi faire une embardée.

swift [swɪft] adj **1.** rapide **2.** prompt. ❑ n martinet m.

swig [swɪg] fam n lampée f.

swill [swɪl] n (indén) pâtée f (pour les porcs). ❑ vt (UK) laver à grande eau.

swim [swɪm] n • **to have a swim** nager • **to go for a swim** aller se baigner, aller nager. ❑ vi (prét **swam**, pp **swum**) **1.** nager • **can you swim?** tu sais nager ? **2.** tourner • **my head was swimming** j'avais la tête qui tournait.

SWIM SMS (abrév de see what I mean) tu me suis.

swimmer ['swɪmə'] n nageur m, -euse f.

swimming ['swɪmɪŋ] n natation f • **to go swimming** aller nager.

swimming cap n bonnet m de bain.

swimming costume n (UK) maillot m de bain.

swimming pool n piscine f.

swimming trunks npl maillot m ou slip m de bain.

swimsuit ['swɪmsuːt] n maillot m de bain.

swimwear ['swɪmweə'] n (indén) maillots mpl de bain.

swindle ['swɪndl] n escroquerie f. ❑ vt escroquer, rouler • **to swindle sb out of sthg** escroquer qqch à qqn.

swine [swaɪn] n fam salaud m.

swing [swɪŋ] n **1.** balançoire f **2.** revirement m **3.** changement m, saute f (d'humeur) **4.** balancement m • **to be in full swing** battre son plein. ❑ vt (prét & pp **swung**) **1.** balancer **2.** faire virer. ❑ vi (prét & pp **swung**) **1.** se balancer **2.** (véhicule) virer, tourner • **to swing round** (UK) ou **around** (US) se retourner **3.** changer.

swing bridge n pont m tournant.

swing door (UK), **swinging door** (US) n porte f battante.

swingeing ['swɪndʒɪŋ] adj (UK) très sévère.

swipe [swaɪp] vt fam faucher, piquer. ❑ vi • **to swipe at** donner un coup à.

swirl [swɜːl] n tourbillon m. ❑ vi tourbillonner, tournoyer.

swish [swɪʃ] vt • **the horse swished its tail** le cheval donna un coup de queue.

Swiss [swɪs] adj suisse. ❑ n Suisse mf. ❑ npl • **the Swiss** les Suisses mpl.

Switch ® n système de paiement non différé par carte bancaire.

switch [swɪtʃ] n **1.** interrupteur m, commutateur m **2.** bouton m **3.** changement m. ❑ vt **1.** échanger • **to switch places with sb** échanger sa place avec qqn **2.** changer de. ■ **switch off** vt sép éteindre. ■ **switch on** vt sép allumer.

switchboard ['swɪtʃbɔːd] n TÉLÉCOM standard m.

Switzerland ['swɪtsələnd] n Suisse f • **in Switzerland** en Suisse.

swivel ['swɪvl] ((UK) prét & pp **swivelled**, cont **swivelling**, (US) prét & pp **swiveled**, cont **swiveling**) vt faire pivoter, faire tourner. ❑ vi pivoter, tourner.

swivel chair n fauteuil m pivotant ou tournant.

swollen ['swəʊln] pp → **swell**. ❑ adj **1.** (partie du corps) enflé **2.** (fleuve) en crue.

swoop [swuːp] n descente f. ❑ vi **1.** (oiseau, avion) piquer **2.** faire une descente.

swop [swɒp] = **swap**.

sword [sɔːd] n épée f.

swordfish ['sɔːdfɪʃ] (pl inv ou -es) n espadon m.

swore [swɔː'] passé → **swear**.

sworn [swɔːn] pp → **swear**. ❑ adj sous serment.

swot [swɒt] (UK) fam n péj bûcheur m, -euse f. ❑ vi • **to swot (for)** bûcher (pour).

swum [swʌm] pp → **swim**.

swung [swʌŋ] passé & pp → **swing**.

sycamore ['sɪkəmɔː'] n sycomore m.

sycophantic [ˌsɪkə'fæntɪk] adj (personne) flatteur, flagorneur.

syllable ['sɪləbl] n syllabe f.

syllabus ['sɪləbəs] (pl -buses ou -bi) n SCOL & UNIV programme m.

symbol ['sɪmbl] n symbole m.

symbolic [sɪm'bɒlɪk] adj symbolique • **to be symbolic of** être le symbole de.

symbolism ['sɪmbəlɪzm] n symbolisme m.

symbolize, -ise (UK) ['sɪmbəlaɪz] vt symboliser.

symmetrical [sɪ'metrɪkl] adj symétrique.

symmetry ['sɪmətrɪ] n symétrie f.

sympathetic [ˌsɪmpə'θetɪk] adj **1.** compatissant, compréhensif **2.** • **sympathetic (to)** bien disposé (à l'égard de).

sympathize, -ise (UK) ['sɪmpəθaɪz] vi compatir • **to sympathize with sb** a) plaindre qqn.

sympathizer, -iser (UK) ['sɪmpəθaɪzə'] n sympathisant m, -e f.

sympathy ['sɪmpəθɪ] n (indén) **1.** • **sympathy (for)** compassion f (pour), sympathie f (pour) **2.** approbation f. ■ **sympathies** npl condoléances fpl.

symphony ['sɪmfənɪ] n symphonie f.

symposium [sɪm'pəʊzjəm] (pl -siums ou -sia) n symposium m.

symptom ['sɪmptəm] n symptôme m.

synagogue ['sɪnəgɒg] n synagogue f.

synchronize, -ise (UK) ['sɪŋkrənaɪz] vt synchroniser. ❑ vi être synchronisés.

syndicate n ['sɪndɪkət] syndicat m, consortium m.

syndrome ['sɪndrəʊm] n syndrome m.

synonym ['sɪnənɪm] n • **synonym (for ou of)** synonyme m (de).

synonymous [sɪˈnɒnɪməs] *adj* • **synonymous (with)** synonyme (de).

synopsis [sɪˈnɒpsɪs] (*pl* -ses) *n* **1.** résumé *m* **2.** synopsis *m*.

syntax [ˈsɪntæks] *n* syntaxe *f.*

synthesis [ˈsɪnθəsɪs] (*pl* -ses) *n* synthèse *f.*

synthetic [sɪnˈθetɪk] *adj* **1.** synthétique **2.** *péj* artificiel, forcé.

syphilis [ˈsɪfɪlɪs] *n* syphilis *f.*

syphon [ˈsaɪfn] = **siphon**.

Syria [ˈsɪrɪə] *n* Syrie *f.*

syringe [sɪˈrɪndʒ] *n* seringue *f.*

syrup [ˈsɪrəp] *n (indén)* **1.** sirop *m* **2.** (UK) mélasse *f* raffinée.

SYS *SMS* (abrév de see you soon) à bientôt.

system [ˈsɪstəm] *n* **1.** système *m* • **road/railway system** réseau *m* routier/de chemins de fer **2.** installation *f* **3.** appareil *m* **4.** *(indén)* système *m*, méthode *f* **5.** *INFORM* • **system requirements** matériel *m* requis.

systematic [ˌsɪstəˈmætɪk] *adj* systématique.

systematically [ˌsɪstəˈmætɪklɪ] *adv* systématiquement.

system disk *n INFORM* disque *m* système.

system error *n INFORM* erreur *f* système.

system failure *n INFORM* panne *f* du système.

systems analyst [ˈsɪstəmz-] *n* analyste fonctionnel *m*, analyste fonctionnelle *f.*

t [tiː] (pl t's ou ts), **T** (pl T's ou Ts) n t m inv, T m inv.

T2Go SMS (abrév de time to go) faut y aller.

T2ul SMS (abrév de talk to you later) @+.

T+ SMS (abrév de think positive) sois positif.

ta [taː] interj (UK) fam merci !

tab [tæb] n **1.** étiquette f (sur des vêtements, des bagages) **2.** languette f **3.** (US) addition f **4.** (locution) • **to keep tabs on sb** tenir ou avoir qqn à l'œil, surveiller qqn.

tabbouleh [təˈbuːlɪ] n (indén) taboulé m.

tabby [ˈtæbɪ] n • **tabby (cat)** chat tigré m, chatte tigrée f.

table [ˈteɪbl] n table f.

tablecloth [ˈteɪblklɒθ] n nappe f.

table lamp n lampe f.

table manners npl • **to have good/bad table manners** savoir/ne pas savoir se tenir à table.

tablemat [ˈteɪblmæt] n dessous-de-plat m inv.

tablespoon [ˈteɪblspuːn] n **1.** cuiller f de service **2.** cuillerée f à soupe.

tablespoonful [ˈteɪbl.spuːnfʊl] n grande cuillerée f, cuillerée f à soupe.

tablet [ˈtæblɪt] n **1.** comprimé m, cachet m **2.** plaque f commémorative **3.** savonnette f, pain m de savon.

table tennis n ping-pong m.

tableware [ˈteɪblweə] n vaisselle f.

table wine n vin m de table.

tabloid [ˈtæblɔɪd] n • **tabloid (newspaper)** tabloïd m, tabloïde m • **the tabloid press** la presse populaire.

taboo [təˈbuː] adj tabou. ❑ n (pl -s) tabou m.

tabulate [ˈtæbjʊleɪt] vt présenter sous forme de tableau.

tacit [ˈtæsɪt] adj tacite.

tacitly [ˈtæsɪtlɪ] adv tacitement.

taciturn [ˈtæsɪtɜːn] adj taciturne.

tack [tæk] n **1.** clou m **2.** (US) punaise f. ❑ vt **1.** clouer **2.** punaiser **3.** COUT faufiler. ■ **tack on** vt sép fam ajouter, rajouter.

tackle [ˈtækl] n **1.** FOOTBALL tacle m **2.** RUGBY plaquage m **3.** équipement m, matériel m **4.** NAUT palan m, appareil m de levage. ❑ vt **1.** s'attaquer à **2.** FOOTBALL tacler **3.** RUGBY plaquer.

tacky [ˈtækɪ] adj **1.** fam (film, remarque) d'un goût douteux **2.** fam (bijoux) de pacotille **3.** collant, pas encore sec, sèche f.

tact [tækt] n (indén) tact m, délicatesse f.

tactful [ˈtæktfʊl] adj **1.** plein de tact **2.** qui a du tact ou de la délicatesse.

tactfully [ˈtæktfʊlɪ] adv avec tact, avec délicatesse.

tactic [ˈtæktɪk] n tactique f. ■ **tactics** n (indén) MIL tactique f.

tactical [ˈtæktɪkl] adj tactique.

tactically [ˈtæktɪklɪ] adv du point de vue tactique • **to vote tactically** voter utile.

tactical voter n POLIT personne qui fait un vote utile.

tactical voting n (indén) (UK) vote m tactique.

tactile [ˈtæktaɪl] adj tactile.

tactless [ˈtæktlɪs] adj qui manque de tact ou de délicatesse.

tactlessly [ˈtæktlɪslɪ] adv sans tact, sans délicatesse.

tad [tæd] n fam • **a tad** un peu • **the coat is a tad expensive** le manteau est un chouia trop cher.

tadpole [ˈtædpəʊl] n têtard m.

TAFN SMS (abrév de that's all for now) c'est tout pour le moment.

tag [tæg] n **1.** marque f (de vêtements) **2.** étiquette f. ■ **tag along** vi fam suivre.

tail [teɪl] n **1.** queue f **2.** basque f (d'un manteau), pan m (d'une chemise). ❑ vt fam filer. ■ **tails** n (monnaie) pile f. ❑ npl queue-de-pie f, habit m. ■ **tail off** vi **1.** s'affaiblir **2.** diminuer.

tailback [ˈteɪlbæk] n (UK) bouchon m.

tailcoat [ˌteɪlˈkəʊt] n habit m, queue-de-pie f.

tail end n fin f.

tailfin [ˈteɪlfɪn] n NAUT dérive f.

tailgate [ˈteɪlgeɪt] n AUTO hayon m.

taillight [ˈteɪllaɪt] n feu m arrière.

tailor [ˈteɪlə] n tailleur m. ❑ vt fig adapter.

tailor-made adj fig sur mesure.

tailwind [ˈteɪlwɪnd] n vent m arrière.

taint [teɪnt] n souillure f. ❑ vt souiller, entacher (une réputation).

tainted ['teɪntɪd] adj **1.** souillé, entaché **2. (us)** avarié.

Taiwan [ˌtaɪ'wɑːn] n Taïwan.

take [teɪk] (prét took, pp taken) vt **1.** prendre • to take a bath/photo prendre un bain/une photo • to take an exam passer un examen • let's take the bus prenons le bus • to take a walk se promener, faire une promenade • to take offence se vexer, s'offenser **2.** emmener **3.** accepter **4.** contenir **5.** supporter **6.** prendre, demander • how long will it take? combien de temps cela va-t-il prendre ? • it takes two hours to get there il faut deux heures pour y aller • it takes patience il faut de la patience **7.** • what size do you take? a) quelle taille faites-vous ? b) quelle pointure faites-vous ? **8.** • I take it (that)... je suppose que..., je pense que... **9.** prendre, louer. ❑ n CINÉ prise f de vues. ■ **take after** vt insép tenir de, ressembler à • she takes after her grandmother elle tient de sa grand-mère. ■ **take apart** vt sép démonter. ■ **take away** vt sép **1.** enlever • she took the plates away elle a enlevé les assiettes **2.** • a chicken curry to take away un curry de poulet à emporter **3.** retrancher, soustraire. ■ **take back** vt sép **1.** rendre, rapporter **2.** • I took the jeans back to the shop j'ai rapporté le jean au magasin **3.** reprendre **4.** retirer **5.** (locution) • he took back what he said il retira ce qu'il a dit. ■ **take aback** vt sép **1.** surprendre, décontenancer • to be taken aback être décontenancé ou surpris. ■ **take down** vt sép **1.** démonter • they took the tent down ils ont démonté la tente **2.** prendre • he took down her name and address il a noté son nom et son adresse **3.** baisser. ■ **take in** vt sép **1.** rouler, tromper **2.** comprendre **3.** englober **4.** recueillir. ■ **take off** vt sép **1.** enlever, ôter **2.** • to take a day off prendre un jour de congé. ❑ vi **1.** décoller (avion) **2.** partir. ■ **take on** vt sép **1.** accepter, prendre **2.** embaucher **3.** s'attaquer à **4.** faire concurrence à **5.** SPORT jouer contre. ■ **take out** vt sép **1.** emmener, sortir avec **2.** sortir (d'un endroit) • he took the gun out of the drawer il a sorti l'arme du tiroir. ■ **take out on** vt sép • to take sthg out on sb passer qqch sur qqn • don't take it out on me! ne t'en prends pas à moi ! ■ **take over** vt sép **1.** reprendre, prendre la direction de **2.** • to take over sb's job remplacer qqn, prendre la suite de qqn. ❑ vi **1.** prendre le pouvoir **2.** prendre la relève. ■ **take to** vt insép **1.** éprouver de la sympathie pour **2.** prendre goût à **3.** • to take to doing sthg se mettre à faire qqch. ■ **take up** vt sép **1.** prendre (un emploi) • to take up singing se mettre au chant **2.** occuper (de la place). ■ **take up on** vt sép • to take sb up on an offer accepter l'offre de qqn. ■ **take upon** vt sép • to take it

upon o.s. to do sthg prendre sur soi de faire qqch • he took it upon himself to organize the meeting il s'est chargé d'organiser la réunion.

takeaway (UK) ['teɪkəˌweɪ], **takeout (us)** ['teɪkaʊt] n plat m à emporter.

take-home pay n salaire m net (après déductions).

taken ['teɪkn] pp → take.

takeoff ['teɪkɒf] n décollage m.

takeout (us) = takeaway.

takeover ['teɪkˌəʊvər] n **1.** FIN prise f de contrôle, rachat m **2.** prise f de pouvoir.

takeover bid n offre f publique d'achat, OPA f.

takeup ['teɪkʌp] n souscription f (d'actions, de parts).

takings ['teɪkɪŋz] npl COMM recette f.

talc [tælk], **talcum (powder)** ['tælkəm-] n talc m.

tale [teɪl] n **1.** histoire f, conte m **2.** récit m.

talent ['tælənt] n • talent (for) talent m (pour).

talented ['tæləntɪd] adj talentueux.

talent scout n dénicheur m, -euse f de talents.

talk [tɔːk] n **1.** discussion f, conversation f **2.** (indén) bavardages mpl, racontars mpl **3.** conférence f, causerie f • he gave a talk on environment il a fait un exposé sur l'environnement. ❑ vi **1.** • to talk (to sb) parler (à qqn) **2.** bavarder, jaser **3.** faire un discours, parler. ❑ vt parler, dire. ■ **talk down to** vt insép parler avec condescendance à. ■ **talk into** vt sép • to talk sb into doing sthg persuader qqn de faire qqch. ■ **talk out of** vt sép • to talk sb out of doing sthg dissuader qqn de faire qqch. ■ **talk over** vt sép discuter de. ■ **talks** npl entretiens mpl, pourparlers mpl. ■ **talk up** vt sép vanter les mérites de, faire de la publicité pour.

talkathon ['tɔːkəθɒn] n (us) hum (au Congrès, au Parlement, à la télévision) débat-marathon m.

talkative ['tɔːkətɪv] adj bavard, loquace.

talking point ['tɔːkɪŋ-] n sujet m de conversation ou discussion.

talking-to ['tɔːkɪŋ-] n fam savon m, réprimande f • to give sb a good talking-to passer un bon savon à qqn.

talk show n talk-show m, débat m télévisé.

talk time n (indén) crédit m de communication.

tall [tɔːl] adj grand • how tall are you? combien mesurez-vous ? • she's 5 feet tall elle mesure 1,50 m.

tall order n • that's a tall order c'est demander beaucoup, cela va être difficile.

tall story n histoire f à dormir debout.

tally ['tælɪ] n compte m. ❑ vi correspondre, concorder.

talon ['tælən] n serre f, griffe f.

tambourine [ˌtæmbə'riːn] n tambourin m.

tame [teɪm] *adj* **1.** apprivoisé **2.** *péj* docile **3.** *péj* terne, morne. ❑ *vt* **1.** apprivoiser **2.** mater, dresser.

tamper ['tæmpər] ■ **tamper with** *vt insép* **1.** trafiquer *(une machine)* **2.** altérer, falsifier *(des dossiers, des fichiers)* **3.** essayer de crocheter *(une serrure)*.

tamper-evident *adj* qui révèle toute tentative d'effraction.

tampon ['tæmpɒn] *n* tampon *m (périodique)*.

tan [tæn] *adj* brun clair *(inv)*. ❑ *n* bronzage *m*, hâle *m*. ❑ *vi* bronzer.

tang [tæŋ] *n* **1.** saveur *f* forte *ou* piquante **2.** odeur *f* forte *ou* piquante.

tangent ['tændʒənt] *n GÉOM* tangente *f* • **to go off at a tangent** *fig* changer de sujet, faire une digression.

tangerine [,tændʒə'riːn] *n* mandarine *f*.

tangible ['tændʒəbl] *adj* tangible.

Tangier [tæn'dʒɪər] *n* Tanger.

tangle ['tæŋgl] *n* **1.** enchevêtrement *m*, emmêlement *m* **2.** *fig* • **to get into a tangle** s'empêtrer, s'embrouiller.

tangled ['tæŋgld] *adj* **1.** emmêlé **2.** *fig* embrouillé.

tangy ['tæŋɪ] *(comp* tangier, *superl* tangiest) *adj* piquant, fort.

tank [tæŋk] *n* **1.** réservoir *m* • **fish tank** aquarium *m* **2.** *MIL* tank *m*.

tanker ['tæŋkər] *n* **1.** pétrolier *m* **2.** camion-citerne *m* **3.** wagon-citerne *m*.

tank top *n* débardeur *m*.

tan line *n* marque *f* de bronzage.

tanned [tænd] *adj* bronzé, hâlé.

tanning cream *n* **1.** crème *f* autobronzante **2.** crème *f* solaire.

Tannoy® ['tænɔɪ] *n* système *m* de haut-parleurs.

tantalize, -ise (UK) ['tæntəlaɪz] *vt* mettre au supplice.

tantalizing ['tæntəlaɪzɪŋ] *adj* **1.** très appétissant **2.** très tentant.

tantalizingly ['tæntəlaɪzɪŋlɪ] *adv* cruellement • **victory was tantalizingly close** nous étions si près de la victoire que c'en était frustrant.

tantamount ['tæntəmaunt] *adj* • **tantamount to** équivalent à.

tantrum ['tæntrəm] *(pl* -s*) n* crise *f* de colère • **to have** *ou* **throw a tantrum** faire *ou* piquer une colère.

Tanzania [,tænzə'nɪə] *n* Tanzanie *f*.

tap [tæp] *n* **1.** (UK) robinet *m* **2.** petite tape *f*, petit coup *m*. ❑ *vt* **1.** tapoter, taper **2.** exploiter, utiliser **3.** mettre sur écoute.

tapafication (US) ['tæpəfɪkeɪʃn] *n* tendance à servir les plats en de nombreuses petites portions.

tap dance *n (indén)* claquettes *fpl*.

tap dancer *n* danseur *m*, -euse *f* de claquettes.

tape [teɪp] *n* **1.** bande *f* magnétique **2.** cassette *f* **3.** ruban *m*. ❑ *vt* **1.** enregistrer **2.** enregistrer au magnétoscope **3.** scotcher.

tape measure *n* centimètre *m*, mètre *m*.

taper ['teɪpər] *vi* **1.** s'effiler **2.** *(pantalon)* se terminer en fuseau. ■ **taper off** *vi* diminuer.

tape recorder *n* magnétophone *m*.

tapered ['teɪpəd] *adj* **1.** *(doigts)* effilé, fuselé **2.** *(pantalon)* en fuseau.

tapestry ['tæpɪstrɪ] *n* tapisserie *f*.

tapeworm ['teɪpwɜːm] *n* ténia *m*.

tap water *n* eau *f* du robinet.

tar [tɑːr] *n (indén)* goudron *m*.

tarantula [tə'ræntjulə] *n* tarentule *f*.

tardy ['tɑːdɪ] *n* (US) *SCOL* élève *mf* retardataire.

target ['tɑːgɪt] *n* **1.** objectif *m* **2.** cible *f*. ❑ *vt* **1.** viser **2.** *fig (police)* s'adresser à, viser **3.** *fig (publicité)* cibler.

target audience *n* audience *f* cible.

targeted ['tɑːgɪtɪd] *adj* ciblé.

target market *n* marché *m* cible.

tariff ['tærɪf] *n* **1.** tarif *m* douanier **2.** tableau *m ou* liste *f* des prix.

Tarmac® ['tɑːmæk] *n* macadam *m*. ■ **tarmac** *n* • **the tarmac** *AÉRON* la piste.

tarnish ['tɑːnɪʃ] *vt litt & fig* ternir.

tarnished ['tɑːnɪʃt] *adj litt & fig* terni.

tarot card *n* tarot *m*.

tarpaulin [tɑː'pɔːlɪn] *n* **1.** toile *f* goudronnée **2.** bâche *f*.

tart [tɑːt] *adj* **1.** acide **2.** *fig* acide, acerbe. ❑ *n* **1.** *CULIN* tarte *f* **2.** *tfam* pute *f*. ■ **tart up** *vt sép* (UK) *fam & péj* retaper, rénover *(une pièce)* • **to tart o.s. up** *fig* se faire beau.

tartan ['tɑːtn] *n* tartan *m*. ❑ *en apposition* écossais.

tartar(e) sauce ['tɑːtə-] *n* sauce *f* tartare.

tase [teɪz] *vt* • **to tase sb** utiliser un taser contre qqn.

taser ['teɪzə] *n* pistolet *m* à impulsion électronique, taser *m*.

task [tɑːsk] *n* tâche *f*, besogne *f*.

taskbar ['tɑːskbɑː] *n INFORM* barre *f* des tâches.

task force *n MIL* corps *m* expéditionnaire.

taskmaster ['tɑːsk,mɑːstə] *n* • **hard taskmaster** tyran *m*.

tassel ['tæsl] *n* pompon *m*, gland *m*.

tasselled ['tæsld] *adj* orné de glands.

taste [teɪst] *n* **1.** goût *m* • **have a taste!** goûte ! • **in good/bad taste** de bon/mauvais goût **2.** *fig* • **taste (for)** penchant *m* (pour), goût *m* (pour) **3.** *fig* aperçu *m*. ❑ *vt* **1.** sentir **2.** déguster, goûter **3.** *fig* tâter de, goûter de. ❑ *vi* • **to taste good** avoir bon goût • **to taste of/like** avoir le goût de.

taste bud n papille f gustative.

tasteful ['teɪstfʊl] adj de bon goût.

tastefully ['teɪstfʊlɪ] adv avec goût.

tasteless ['teɪstlɪs] adj **1.** de mauvais goût **2.** qui n'a aucun goût, fade.

tastelessly ['teɪstlɪslɪ] adv (habillé, décoré) sans goût.

taster ['teɪstə'] n dégustateur m, -trice f.

tasty ['teɪstɪ] adj délicieux, succulent.

tattered. ['tætəd] adj en lambeaux.

tatters ['tætəz] npl ■ **in tatters a)** en lambeaux **b)** (confiance) brisé **c)** (réputation) ruiné.

tattle-tale ['tætl-] (us) = **telltale** (nom).

tattoo [tə'tuː] n (pl -s) tatouage m. ◻ vt tatouer.

tattooist [tə'tuːɪst] n tatoueur m.

tatty ['tætɪ] adj (uk) fam & péj **1.** défraîchi, usé **2.** miteux, minable.

taught [tɔt] passé & pp → teach.

taunt [tɔnt] vt railler, se moquer de. ◻ n raillerie f, moquerie f.

Taurus ['tɔːrəs] n Taureau m.

taut [tɔt] adj (corde, personne, muscle) tendu.

tautological [ˌtɔːtə'lɒdʒɪkl] adj tautologique, pléonastique.

tawdry ['tɔːdrɪ] adj péj **1.** clinquant **2.** voyant, criard.

tax [tæks] n taxe f, impôt m. ◻ vt **1.** taxer **2.** imposer **3.** mettre à l'épreuve.

taxable ['tæksəbl] adj imposable.

taxable income n revenu m imposable, assiette f fiscale ou de l'impôt.

tax allowance n (uk) abattement m fiscal.

taxation [tæk'seɪʃn] n (indén) **1.** imposition f **2.** impôts mpl.

tax avoidance [-ə'vɔɪdəns] n évasion f fiscale.

tax band n tranche f d'imposition.

tax benefit n avantage m fiscal.

tax bracket n tranche f d'imposition.

tax break n réduction f d'impôt.

tax collector n percepteur m.

tax cut n baisse f de l'impôt.

tax-deductible [-dɪ'dʌktəbl] adj déductible des impôts.

tax disc n (uk) vignette f automobile.

tax evasion n fraude f fiscale.

tax-exempt (us) = **tax-free**.

tax exile n (uk) personne qui vit à l'étranger pour échapper au fisc.

tax-free, tax-exempt (us) adj exonéré (d'impôt).

tax haven n paradis m fiscal.

taxi ['tæksɪ] n taxi m. ◻ vi (avion) rouler au sol.

taxi driver n chauffeur m de taxi.

tax incentive n incitation f fiscale.

taxing ['tæksɪŋ] adj éprouvant.

tax inspector n inspecteur m des impôts.

taxi rank (uk), **taxi stand** (us) n station f de taxis.

taxman ['tæksmæn] (pl -men) n percepteur m.

taxpayer ['tæks,peɪə'] n contribuable mf.

tax rebate n dégrèvement m d'impôts.

tax relief n dégrèvement m fiscal.

tax return n déclaration f d'impôts.

tax year n année f fiscale.

TB¹ n abrév de **tuberculosis**.

TB², TXT BAC sms (abrév de text back) réponds-moi.

TDTU sms (abrév de totally devoted to you) je te suis entièrement dévoué.

tea [tiː] n **1.** thé m **2.** (uk) goûter m **3.** (uk) dîner m.

teabag ['tiːbæg] n sachet m de thé.

tea break n (uk) pause pour prendre le thé ; ≃ pause-café f.

teach [tiːtʃ] (prét & pp taught) vt **1.** apprendre • to teach sb sthg, to teach sthg to sb apprendre qqch à qqn **2.** enseigner.

teacher ['tiːtʃə'] n **1.** instituteur m, -trice f, maître m, maîtresse f **2.** professeur m • newly qualified fraîchement diplômé.

teacher's pet n péj chouchou m, chouchoute f.

teachers' planning room ['tiːtʃəz ,plænɪŋ ruːm] n (us) scol salle f des professeurs.

teacher training college (uk), **teacher's college** (us) n ≃ institut m universitaire de formation des maîtres ; ≃ IUFM m.

teaching ['tiːtʃɪŋ] n enseignement m.

teaching aid n support m pédagogique.

teaching hospital n (uk) centre m hospitalo-universitaire, CHU m.

tea cloth n (uk) **1.** nappe f **2.** torchon m.

tea cosy, tea cozy (us) n couvre-théière m inv, cosy m.

teacup ['tiːkʌp] n tasse f à thé.

teak [tiːk] n teck m.

team [tiːm] n équipe f. ■ **team up** vi • to team up (with sb) faire équipe (avec qqn).

teammate ['tiːmmeɪt] n coéquipier m, -ère f.

team player n • to be a (good) team player avoir l'esprit d'équipe.

team spirit n esprit m d'équipe.

teamwork ['tiːmwɜːk] n (indén) travail m d'équipe, collaboration f.

teapot ['tiːpɒt] n théière f.

tear¹ [tɪə'] n larme f • he was in tears il était en larmes.

tear² [teə'] vt (prét tore, pp torn) **1.** déchirer **2.** arracher. ◻ vi (prét tore, pp torn) **1.** se déchirer **2.** aller à toute allure. ◻ n déchirure f, accroc m. ■ **tear apart** vt sép **1.** déchirer **2.** fig diviser. ■ **tear down** vt sép démolir • **they're**

going to tear the old factory down ils vont démolir la vieille usine. ■ **tear out** vt sép **1.** arracher *(une page)* • **I tore the page out** j'ai arraché la page **2.** détacher *(un chèque, un coupon)*. ■ **tear up** vt sép déchirer • **he tore up the letter** il a déchiré la lettre. ■ **tear off** vt sép enlever à la hâte *(vêtements)* • **to tear sb off a strip** *fam* , **to tear a strip off sb** (UK) *fam* passer un savon à qqn, enguirlander qqn.

tearaway ['teərəˌweɪ] n (UK) *fam* casse-cou mf inv.

teardrop ['tɪədrɒp] n larme f.

tear duct [tɪə-] n canal m lacrymal.

tearful ['tɪəfʊl] adj en larmes.

tearfully ['tɪəfʊlɪ] adv en pleurant, les larmes aux yeux.

tear gas [tɪə-] n *(indén)* gaz m lacrymogène.

tearjerker ['tɪəˌdʒɜːkə] n *hum* roman m ou film m qui fait pleurer dans les chaumières.

tearoom ['tɪːruːm] n salon m de thé.

tease [tiːz] n taquin m, -e f. ❑ vt • **to tease sb (about sthg)** taquiner qqn (à propos de qqch).

teaser campaign ['tiːzə-] n campagne f teasing.

tea service, **tea set** n service m à thé.

tea shop n (UK) salon m de thé.

teaspoon ['tiːspuːn] n **1.** petite cuillère f, cuillère à café **2.** cuillerée f à café.

teaspoonful ['tiːspuːnˌfʊl] n cuiller f ou cuillère f à café *(mesure)*.

tea strainer n passoire f.

teat [tiːt] n tétine f.

teatime ['tiːtaɪm] n (UK) l'heure f du thé.

tea towel n (UK) torchon m.

techie ['tekɪ] n *fam* technicien m, -enne f.

technical ['teknɪkl] adj technique.

technical college n (UK) collège m technique.

technical drawing n *(indén)* dessin m industriel.

technicality [ˌteknɪˈkælətɪ] n **1.** technicité f **2.** détail m technique.

technically ['teknɪklɪ] adv **1.** techniquement **2.** en théorie.

technician [tekˈnɪʃn] n technicien m, -enne f.

technique [tekˈniːk] n technique f.

techno ['teknəʊ] n *MUS* techno f.

technological [ˌteknəˈlɒdʒɪkl] adj technologique.

technology [tekˈnɒlədʒɪ] n technologie f.

technophile ['teknəʊfaɪl] n technophile mf.

technophobe ['teknəfəʊb] n technophobe mf.

teddy ['tedɪ] n • **teddy (bear)** ours m en peluche, nounours m.

tedious ['tiːdjəs] adj ennuyeux.

tedium ['tiːdjəm] n *sout* ennui m.

tee [tiː] n *GOLF* tee m. ■ **tee off** vi *GOLF* partir du tee.

teem [tiːm] vi **1.** pleuvoir à verse **2.** • **to be teeming with** grouiller de.

teen [tiːn] adj **1.** *fam (mode)* pour ados **2.** *(musique, problèmes)* d'ados.

teenage ['tiːneɪdʒ] adj adolescent.

teenager ['tiːnˌeɪdʒə] n adolescent m, -e f.

teens [tiːnz] npl adolescence f.

teeny (weeny) [ˌtiːnɪ('wiːnɪ)], **teensy (weensy)** [ˌtiːnzɪ('wiːnzɪ)] adj *fam* minuscule, tout petit, toute petite f.

tee-shirt n tee-shirt m.

teeter ['tiːtə] vi vaciller • **to teeter on the brink of** *fig* être au bord de.

teeth [tiːθ] npl → tooth.

teethe [tiːð] vi percer ses dents.

teething ['tiːðɪŋ] n poussée f dentaire, dentition f.

teething troubles ['tiːðɪŋ-] npl *fig* difficultés fpl initiales.

teetotal [tiːˈtəʊtl] adj qui ne boit jamais d'alcool.

teetotaller (UK), **teetotaler** (US) [tiːˈtəʊtlə] n personne f qui ne boit jamais d'alcool.

TEFL ['tefl] *(abrév de teaching of English as a foreign language)* n enseignement de l'anglais langue étrangère.

tel. *(abrév de telephone)* tél.

telebanking ['telɪˌbæŋkɪŋ] n *(indén)* télébanque f.

telecom ['telɪkɒm] n *(indén)* (UK) *fam* télécommunications fpl.

telecommunications ['telɪkəˌmjuːnɪˈkeɪʃnz] npl télécommunications fpl.

telecommuting [ˌtelɪkəˈmjuːtɪŋ] n télétravail m.

telecon ['telɪkɒn] n *fam* conversation f téléphonique.

teleconference ['telɪˌkɒnfərəns] n téléconférence f.

telegram ['telɪgræm] n télégramme m.

telegraph ['telɪgrɑːf] n télégraphe m. ❑ vt télégraphier.

telegraph pole (UK), **telegraph post** (UK), **telephone pole** (US) n poteau m télégraphique.

telemark ['telɪmɑːk] n *SPORT* télémark m • **telemark landing** atterrissage m jambes fléchies • **telemark skiing** télémark m • **telemark skis** skis mpl pour télémark.

telenovela [telenəʊvelæ] n *soap opera produit et diffusé dans les pays d'Amérique latine*.

telepathic [ˌtelɪˈpæθɪk] adj télépathique.

telepathy [tɪˈlepəθɪ] n télépathie f.

telepayment ['telɪˌpeɪmənt] n télépaiement m.

telephone ['telɪfəʊn] n téléphone m • **to be on the telephone a)** (UK) avoir le téléphone

b) être au téléphone. ❏ *vt* téléphoner à. ❏ *vi* téléphoner.

telephone banking *n* FIN banque *f* au téléphone.

telephone book *n* annuaire *m*.

telephone booth *n* cabine *f* téléphonique.

telephone box *n* (UK) cabine *f* téléphonique.

telephone call *n* appel *m* téléphonique.

telephone directory *n* annuaire *m*.

telephone exchange *n* central *m* téléphonique.

telephone number *n* numéro *m* de téléphone.

telephone operator *n* standardiste *mf*.

telephonist [tɪ'lefənɪst] *n* (UK) standardiste *mf*.

telephoto lens [,telɪ'fəʊtəʊ-] *n* téléobjectif *m*.

telesales ['teliseɪlz] *npl* vente *f* par téléphone.

telesalesperson ['telɪ'seɪlzpɜːsn] *n* télévendeur *m*, -euse *f*.

telescope ['teliskəʊp] *n* télescope *m*.

telescopic [,telɪ'skɒpɪk] *adj* télescopique.

teleshopping [,telɪ'ʃɒpɪŋ] *n* téléachat *m*.

teletext ['telɪtekst] *n* télétexte *m*.

telethon ['telɪθɒn] *n* téléthon *m*.

televangelism [,telɪ'vændʒəlɪzm] *n* émissions télévisées d'évangélisation.

televise ['telɪvaɪz] *vt* téléviser.

television ['telɪ,vɪʒn] *n* **1.** (indén) télévision *f* • **on television** à la télévision **2.** (poste *m* de) télévision *f*, téléviseur *m*.

television licence *n* (UK) redevance *f*.

television programme (UK), **television program** (US) *n* émission *f* de télévision.

television set *n* (poste *m* de) télévision *f*, téléviseur *m*.

teleworker ['telɪwɜːkər] *n* télétravailleur *m*, -euse *f*.

teleworking ['telɪ,wɜːkɪŋ] *n* télétravail *m*.

telex ['teleks] *n* télex *m*. ❏ *vt* **1.** envoyer par télex **2.** envoyer un télex à.

tell [tel] (prét & pp **told**) *vt* **1.** dire • **to tell sb sthg, to tell sthg to sb** dire qqch à qqn • **to tell sb to do sthg** dire *ou* ordonner à qqn de faire qqch **2.** raconter **3.** savoir, voir • **could you tell me the time?** tu peux me dire l'heure (qu'il est) ? ❏ *vi* **1.** parler **2.** savoir **3.** se faire sentir • **the strain is beginning to tell** la tension commence à se faire sentir. ■ **tell apart** *vt sép* distinguer. ■ **tell off** *vt sép* gronder.

telling ['telɪŋ] *adj* révélateur.

tellingly ['telɪŋlɪ] *adv* **1.** efficacement **2.** • **tellingly, he didn't invite his best friend** il n'a pas invité son meilleur ami, ce qui en dit long.

telling-off (pl tellings-off) *n* réprimande *f*.

telltale ['telteɪl] *adj* révélateur. ❏ *n* rapporteur *m*, -euse *f*.

telly ['telɪ] (abrév de television) *n* (UK) fam télé *f* • **on telly** à la télé.

temp [temp] fam *n* (abrév de temporary (employee)) intérimaire *mf*. ❏ *vi* (UK) travailler comme intérimaire.

temper ['tempər] *n* **1.** • **to be in a temper** être en colère • **to lose one's temper** se mettre en colère **2.** humeur *f* **3.** tempérament *m*. ❏ *vt* tempérer.

temperament ['temprəmənt] *n* tempérament *m*.

temperamental [,temprə'mentl] *adj* capricieux.

temperate ['temprət] *adj* tempéré.

temperature ['temprətʃər] *n* température *f*.

temper tantrum *n* crise *f* de colère • **to have** *ou* **to throw a temper tantrum** piquer une colère.

tempest ['tempɪst] *n* littéraire tempête *f*.

tempestuous [tem'pestjʊəs] *adj* littéraire & fig orageux.

temping ['tempɪŋ] *n* intérim *m* • **to do some temping** faire de l'intérim • **temping agency** société *f* d'intérim.

template ['templɪt] *n* gabarit *m*.

temple ['templ] *n* **1.** temple *m* **2.** tempe *f*.

temporarily [,tempə'rerəlɪ] *adv* temporairement, provisoirement.

temporary ['tempərərɪ] *adj* temporaire.

tempt [tempt] *vt* tenter • **to tempt sb to do sthg** donner à qqn l'envie de faire qqch.

temptation [temp'teɪʃn] *n* tentation *f*.

tempting ['temptɪŋ] *adj* tentant.

tempura [tem'pʊərə] *n* tempura *m* (beignet japonais de légumes ou de poisson).

ten [ten] *num* dix. Voir aussi **six**.

tenable ['tenəbl] *adj* défendable.

tenacious [tɪ'neɪʃəs] *adj* tenace.

tenaciously [tɪ'neɪʃəslɪ] *adv* avec ténacité, obstinément.

tenacity [tɪ'næsətɪ] *n* (indén) ténacité *f*.

tenancy ['tenənsɪ] *n* location *f*.

tenant ['tenənt] *n* locataire *mf*.

tend [tend] *vt* **1.** • **to tend to do sthg** avoir tendance à faire qqch **2.** s'occuper de.

tendency ['tendənsɪ] *n* • **tendency (to do sthg)** tendance *f* (à faire qqch).

tender ['tendər] *adj* **1.** tendre **2.** sensible, douloureux. ❏ *n* COMM soumission *f* (à un appel d'offres).

tenderize, -ise (UK) ['tendəraɪz] *vt* attendrir.

tenderly ['tendəlɪ] *adv* tendrement.

tenderness ['tendənɪs] (indén) *n* **1.** tendresse *f* (sentiment) **2.** sensibilité *f* (de la peau).

tendon ['tendən] *n* tendon *m*.

tenement ['tenəmənt] *n* immeuble *m*.

Tenerife [,tenə'riːf] *n* Tenerife.

tenet ['tenɪt] *n sout* principe *m*.

tenner ['tenər] *n* **1.** (UK) *fam (somme)* dix livres **2.** billet *m* de dix livres.

tennis ['tenɪs] *n (indén)* tennis *m*.

tennis ball *n* balle *f* de tennis.

tennis court *n* court *m* de tennis.

tennis racket *n* raquette *f* de tennis.

tenor ['tenər] *n* ténor *m*.

tenpin bowling (UK) ['tenpɪn-], **tenpins** (US) ['tenpɪnz] *n (indén)* bowling *m* (à dix quilles).

tense [tens] *adj* tendu. □ *n* temps *m*. □ *vt* tendre.

tensed up [tenst-] *adj* contracté, tendu.

tensely ['tenslɪ] *adv* **1.** *(agir, réagir)* de façon tendue • **they waited tensely for the doctor to arrive** ils ont attendu le médecin dans un état de grande tension nerveuse **2.** *(s'exprimer)* d'une voix tendue.

tension ['tenʃn] *n* tension *f*.

tent [tent] *n* tente *f*.

tentacle ['tentəkl] *n* tentacule *m*.

tentative ['tentətɪv] *adj* **1.** hésitant **2.** provisoire.

tentatively ['tentətɪvlɪ] *adv* **1.** de façon hésitante **2.** provisoirement.

tenterhooks ['tentəhʊks] *npl* • **to be on tenterhooks** être sur des charbons ardents.

tenth [tenθ] *num* dixième. Voir aussi **sixth**.

tenth grade *n* (US) *SCOL* classe de l'enseignement secondaire correspondant à la seconde (14-15 ans).

tenth grader ['tenθ ,greɪdər] *n* (US) *SCOL* lycéen en deuxième année.

tent peg *n* piquet *m* de tente.

tent pole *n* mât *m* de tente.

tenuous ['tenjʊəs] *adj* ténu.

tenuously ['tenjʊəslɪ] *adv* de façon ténue.

tenure ['tenjər] *n (indén) sout* **1.** bail *m* **2.** • **to have tenure** être titulaire.

tepid ['tepɪd] *adj* tiède.

term [tɜːm] *n* **1.** terme *m* **2.** (UK) *SCOL & UNIV* trimestre *m* **3.** durée *f*, période *f* • **in the long/ short term** à long/court terme. □ *vt* qualifier de. ■ **terms** *npl* • conditions *fpl* **2.** • **in real terms** en termes réels • **to be on good terms (with sb)** être en bons termes (avec qqn) • **to come to terms with sthg** accepter qqch. ■ **in terms of** *prép* sur le plan de, en termes de • **in terms of profits, we're doing well** pour ce qui est des bénéfices, tout va bien.

terminal ['tɜːmɪnl] *adj MÉD* en phase terminale. □ *n* **1.** *AÉRON, INFORM & RAIL* terminal *m* **2.** *ÉLECTR* borne *f*.

terminally ['tɜːmɪnəlɪ] *adv* • **to be terminally ill** être en phase terminale.

terminate ['tɜːmɪneɪt] *vt* **1.** *sout* terminer, mettre fin à ; résilier *(un contrat)* **2.** interrompre *(une grossesse)*. □ *vi* **1.** *(bus, train)* s'arrêter **2.** *(contrat)* se terminer.

termination [,tɜːmɪ'neɪʃn] *n (indén) sout* **1.** conclusion *f* **2.** résiliation *f (de contrat)* **3.** interruption *f* (volontaire) de grossesse.

terminology [,tɜːmɪ'nɒlədʒɪ] *n* terminologie *f*.

terminus ['tɜːmɪnəs] *(pl* -ni *ou* -nuses*) n* terminus *m*.

termly ['tɜːmlɪ] *adj* trimestriel. □ *adv* trimestriellement, par trimestre.

terrace ['terəs] *n* **1.** terrasse *f* **2.** (UK) rangée *f* de maisons. ■ **terraces** *npl* • **the terraces** *FOOTBALL* les gradins *mpl*.

terraced ['terəst] *adj* en terrasses.

terraced house *n* (UK) *maison attenante aux maisons voisines*.

terrain [te'reɪn] *n* terrain *m*.

terrible ['terəbl] *adj* **1.** terrible **2.** affreux, épouvantable.

terribly ['terəblɪ] *adv* **1.** terriblement **2.** affreusement mal.

terrier ['terɪər] *n* terrier *m*.

terrific [tə'rɪfɪk] *adj* **1.** *fam* fantastique, formidable **2.** énorme.

terrifically [tə'rɪfɪklɪ] *adv fam* **1.** extrêmement, très **2.** merveilleusement (bien).

terrified ['terɪfaɪd] *adj* terrifié • **to be terrified of** avoir une terreur folle *ou* peur folle de.

terrify ['terɪfaɪ] *(prét & pp* terrified*) vt* terrifier.

terrifying ['terɪfaɪɪŋ] *adj* terrifiant.

terrifyingly ['terɪfaɪɪŋlɪ] *adv* de façon terrifiante *ou* effroyable.

territorial [,terɪ'tɔːrɪəl] *adj* territorial.

territorial waters *npl* eaux *fpl* territoriales.

territory ['terətrɪ] *n* territoire *m*.

terror ['terər] *n* terreur *f*.

terrorism ['terərɪzm] *n* terrorisme *m*.

terrorist ['terərɪst] *n* terroriste *mf* • **a terrorist attack** un attentat terroriste.

terrorize, -ise (UK) ['terəraɪz] *vt* terroriser.

terse [tɜːs] *adj* brusque.

tersely ['tɜːslɪ] *adv* avec brusquerie.

tertiary education *n* enseignement *m* supérieur.

Terylene® ['terəliːn] *n* Térylène® *m*.

test [test] *n* **1.** essai *m* **2.** épreuve *f* **3.** test *m* **4.** *SCOL* interrogation *f* écrite/orale **5.** (examen *m* du) permis *m* de conduire **6.** *MÉD* analyse *f* ; examen *m* • **a blood test** une analyse de sang. □ *vt* **1.** essayer **2.** mettre à l'épreuve **3.** *SCOL* faire faire une interrogation écrite/ orale à **4.** *MÉD* analyser ; faire un examen de.

testament ['testəmənt] *n* testament *m*.

test case *n DR* affaire-test *f*.

test-drive *vt (prét* test-drove, *pp* test-driven*)* essayer.

tester ['testər] n **1.** contrôleur m, -euse f **2.** échantillon m.

test flight n vol m d'essai.

testicles ['testiklz] npl testicules mpl.

testify ['testifai] vt • to testify that... témoigner que... ❑ vi **1.** témoigner **2.** • to testify to sthg témoigner de qqch.

testimonial [ˌtestɪ'məʊnjəl] n **1.** recommandation f (pour un emploi) **2.** témoignage m d'estime.

testimony [(UK) 'testɪmənɪ, (US) 'testəməʊnɪ] n témoignage m.

testing ['testɪŋ] adj éprouvant.

testing ground n banc m d'essai.

test match n (UK) match m international.

test pilot n pilote m d'essai.

test tube n éprouvette f.

test-tube baby n bébé-éprouvette m.

tetanus ['tetənəs] n tétanos m.

tether ['teðər] vt attacher.

text [tekst] n **1.** texte m **2.** TÉLÉCOM SMS m. ❑ vi TÉLÉCOM envoyer un SMS (à qqn).

textbook ['tekstbʊk] n livre m ou manuel m scolaire.

texter [tekstɜː] n TÉLÉCOM personne qui envoie des SMS.

textile ['tekstaɪl] n textile m.

texting ['tekstɪŋ] n (indén) TÉLÉCOM service m de mini-messages.

text message n TÉLÉCOM SMS m.

text messaging n (indén) TÉLÉCOM service m de mini-messages.

texture ['tekstʃər] n **1.** texture f **2.** grain m.

Thai [taɪ] adj thaïlandais. ❑ n **1.** Thaïlandais m, -e f **2.** thaï m.

Thailand ['taɪlænd] n Thaïlande f.

Thames [temz] n • the Thames la Tamise.

than (forme non accentuée [ðən], forme accentuée [ðæn]) conj (dans des comparaisons) • Sarah is younger than her sister Sarah est plus jeune que sa sœur • it lasted more than three days ça a duré plus de trois jours • I had no other choice than to accept je n'avais pas d'autre choix que d'accepter.

À PROPOS DE

than

Lorsque l'on compare deux choses en anglais courant, on fait généralement suivre *than* d'un pronom objet tel que *me, him, them*, etc. *(he's bigger than me ; Keith has a faster car than me)*. Dans la langue plus soutenue, en revanche, c'est le pronom sujet *(I, he, they*, etc.) qui suit *than*, même lorsque le verbe qui suit est omis *(he's bigger than I ; Keith has a faster car than I)*.
Lorsque *than* introduit un pronom sujet *(I, he, they*, etc.), celui-ci peut être suivi

de la forme contractée de *be* ou de *have*, à condition que le verbe soit lui-même suivi d'au moins un autre mot. Comparez par exemple *she's quicker than she's ever been* et *she's quicker than you are* (et non pas *you're*).

thank [θæŋk] vt remercier • to thank sb (for) remercier qqn (pour ou de) • thank God ou goodness ou heavens! Dieu merci ! ■ thanks npl remerciements mpl. ❑ interj merci ! ■ thanks to prép grâce à.

thankful ['θæŋkfʊl] adj **1.** • thankful (for) reconnaissant (de) **2.** soulagé.

thankfully ['θæŋkfʊlɪ] adv **1.** avec soulagement **2.** avec reconnaissance.

thankless ['θæŋklɪs] adj ingrat.

thanksgiving ['θæŋksˌgɪvɪŋ] n action f de grâce. ■ **Thanksgiving (Day)** n fête nationale américaine commémorant l'installation des premiers colons en Amérique.

Thanksgiving

CULTURE

Le quatrième jeudi de novembre, jour férié, les Américains se retrouvent en famille pour fêter **Thanksgiving**, l'une des plus importantes fêtes du pays. On commémore l'action de grâce rendue par les colons britanniques après leur première récolte de maïs en 1621.

thank you interj • thank you (for) merci (pour ou de). ■ **thankyou** n merci m.

thank-you letter ['θæŋkjuː-] n lettre f de remerciement.

THANQ SMS abrév de **thank you.**

that

■ **that** [ðæt] pron (pl those [ðəʊz])

forme non accentuée [ðət], *forme accentuée* [ðæt]

1. EN OPPOSITION À « THIS », S'UTILISE POUR DÉSIGNER DES ÉLÉMENTS ÉLOIGNÉS DU LOCUTEUR
• who's that? qui est-ce ? • is that Maureen? c'est Maureen ? • what's that? qu'est-ce que c'est que ça ? • which shoes are you going to wear, these or those? quelles chaussures vas-tu mettre, celles-ci ou celles-là ?

2. POUR EFFECTUER UNE REPRISE
• we came to a path that led into the woods nous arrivâmes à un sentier qui menait dans les bois • show me the book that you bought montre-moi le livre que tu as acheté • it started raining on the day that we left il s'est mis à pleuvoir le jour où nous sommes partis

3. DANS DES EXPRESSIONS
• that's a shame c'est dommage

that [ðæt] adj

1. EN OPPOSITION À « THIS », S'UTILISE POUR DÉSIGNER DES ÉLÉMENTS ÉLOIGNÉS DU LOCUTEUR
- **that cake is delicious** ce gâteau est délicieux • **he arrived later that day** il arriva plus tard ce jour-là • **I prefer that book** je préfère ce livre-là • **I'll have that one** je prendrai celui-là

2. POUR EXPRIMER L'EXASPÉRATION
- **that man again! we're sick of him!** encore cet homme ! nous l'avons assez vu !

3. DANS DES EXPRESSIONS
- **it's just one of those things** ce sont des choses qui arrivent

that [ðæt] adv

EXPRIME LE DEGRÉ ÉLEVÉ
- **I can't go that far** je ne peux pas aller aussi loin • **I was that hungry I could have eaten a horse** (UK) fam j'avais tellement faim que j'aurais pu manger un cheval • **it wasn't that bad/good** ce n'était pas si mal/bien que ça

that [ðət] conj

- **tell him that I'm sick** dites-lui que je suis malade • **he recommended that I phone you** il m'a conseillé de vous appeler

that is (to say) adv

c'est-à-dire • **approximately 50,000 people have visited the museum, that is to say an average of 500 people a day** environ 50 000 personnes ont visité le musée, c'est-à-dire 500 personnes par jour en moyenne

that's it adv

c'est tout • **that's it, I'm leaving** ça y est, je m'en vais

that's that adv

- **and that's that** un point c'est tout • **well, that's that!** eh bien voilà !

À PROPOS DE — that

On omet très souvent **that** à l'intérieur d'une phrase. Lorsque **that** est un pronom, il peut être omis (**are you the person** [that] **the teacher's looking for?**), du moment qu'il n'est pas le sujet de la proposition qui suit (**she's the girl that got the job**).
Lorsque **that** relie deux parties de la phrase, après des verbes tels que **believe, say, think** et **tell**, il est aussi très fréquemment omis (**he said** [that] **he liked her ; she told him** [that] **she was getting married**). Voir aussi **this**.

thatched [θætʃt] adj de chaume.

that's [ðæts] = that is.

thaw [θɔː] vt **1.** faire fondre ou dégeler **2.** décongeler. ❒ vi **1.** dégeler, fondre **2.** décongeler **3.** fig se dégeler. ❒ n dégel m.

the

the art déf

forme non accentuée [ðə], devant une voyelle [ðɪ], forme accentuée [ðiː]

1. INDIQUE UN ÉLÉMENT DÉFINI OU DÉJÀ MENTIONNÉ
- **the book you bought is very interesting** le livre que tu as acheté est très intéressant • **we were getting fed up with the situation** nous commencions à en avoir assez de cette situation • **the Joneses are coming to supper** les Jones viennent dîner

2. EN PARLANT D'UNE CHOSE UNIQUE
- **the world is not flat** la Terre n'est pas plate • **the sun is shining** le soleil brille

3. POUR FORMULER UNE GÉNÉRALITÉ
- **the lion is a wild animal** le lion est un animal sauvage

4. POUR INDIQUER UNE OPPOSITION
- **the English drink a lot of tea, the French prefer to drink coffee** les Anglais boivent beaucoup de thé, les Français boivent plutôt du café

5. DEVANT DES ADJECTIFS SUBSTANTIVÉS
- **the old/young** les vieux/jeunes • **the impossible** l'impossible

6. AVEC DES INSTRUMENTS DE MUSIQUE
- **he plays the piano very well** il joue très bien du piano

7. DANS DES EXPRESSIONS DE TEMPS
- **the Fourth of July is the American celebration of independence** le 4 juillet est la fête de l'indépendance américaine • **the forties were the golden age for movies** les années quarante étaient l'âge d'or du cinéma

8. DANS SA FORME ACCENTUÉE, INDIQUE LE CARACTÈRE UNIQUE OU EXCEPTIONNEL DE QQCH OU DE QQN
- **it's THE book right now** c'est le livre à lire en ce moment • **are you talking about THE Professor Baxter?** êtes-vous en train de parler du célèbre professeur Baxter ? • **he's THE specialist** c'est lui le grand spécialiste

9. DANS UNE CORRÉLATION
- **the more he talks, the more I feel like listening** plus il parle, plus j'ai envie d'écouter • **the more I see him, the less I like him** plus je le vois, moins je l'aime • **the sooner the better** le plus tôt sera le mieux

10. AVEC UN NOM DE ROI OU D'EMPEREUR
- **Alexander the Great** Alexandre le Grand
- **Attila the Hun** Attila le Hun

À PROPOS DE

the

The n'apparaît pas devant les noms indé-nombrables *(work, beer, money)* et les noms dénombrables au pluriel *(children, cats, houses)*, lorsque ceux-ci inter-viennent dans des phrases où l'on parle de choses ou d'idées de façon générale *(money isn't important to me ; I don't like modern houses)*.

The est aussi parfois omis devant certains noms se rapportant à des lieux *(to go to school/church ; to be in bed/hospital/prison ; to come home)*. En revanche, l'ar-ticle est indispensable lorsque le nom se rapporte à un endroit précis *(we go to the school at the end of the road ; the church is very pretty)*.

En règle générale, on n'emploie pas *the* lorsque l'on parle des repas *(to have breakfast ; to meet for lunch)*. Il en va de même lorsque l'on parle d'une saison ou d'une époque *(in spring ; next year ; last term)*.

On n'emploie pas *the* devant les titres de personnes *(President Kennedy ; Doctor Allen)*.

theatre (UK), **theater** (US) ['θɪətər] n **1.** théâtre m **2.** (UK) MÉD salle f d'opération **3.** (US) cinéma m.

theatregoer (UK), **theatergoer** (US) ['θɪətə,ɡəʊər] n habitué m, -e f du théâtre.

theatrical [θɪ'ætrɪkl] adj **1.** théâtral **2.** de théâtre.

theft [θeft] n vol m.

their [ðeər] adj poss leur, leurs • **their house** leur maison • **their children** leurs enfants • **it wasn't their fault** ce n'était pas de leur faute.

À PROPOS DE

their

Si vous parlez d'une partie du corps, n'oubliez pas d'utiliser l'adjectif posses-sif *their*, et non pas *the* *(they had their ears pierced*, elles se sont fait percer les oreilles)*. Voir aussi *its*.

theirs [ðeəz] pron poss le leur, la leur, les leurs • **that house is theirs** cette maison est la leur • **it wasn't our fault, it was theirs** ce n'était pas de notre faute, c'était de la leur • **a friend of theirs** un de leurs amis, un ami à eux/elles.

them (forme non accentuée [ðəm], forme accentuée [ðem]) pron pers pl **1.** (complément d'objet direct) les • **I know them** je les connais • **if I were ou was them** si j'étais eux/elles ou à leur place **2.** (complément d'objet indirect) leur • **we spoke to**
them nous leur avons parlé • **she sent them a letter** elle leur a envoyé une lettre • **I gave it to them** je le leur ai donné **3.** (précédé d'une préposition) eux, elles • **with them** avec eux/elles • **without them** sans eux/elles • **we're not as wealthy as them** nous ne sommes pas aussi riches qu'eux/qu'elles.

theme [θiːm] n **1.** thème m, sujet m **2.** MUS thème m **3.** MUS indicatif m.

themed [θiːmd] adj (restaurant, pub) à thème.

theme park n parc m à thème.

theme song n chanson f principale, thème m principal.

theme tune n chanson f principale.

themselves [ðem'selvz] pron **1.** (réfléchi) se • **they're enjoying themselves** ils s'amusent **2.** (précédé d'une préposition) eux, elles **3.** (forme emphatique) eux-mêmes, elles-mêmes • **they did it themselves** ils l'ont fait tout seuls • **they often talk about themselves** ils parlent sou-vent d'eux.

then [ðen] adv **1.** alors, à cette époque **2.** puis, ensuite **3.** alors, dans ce cas **4.** donc **5.** d'ailleurs, et puis.

theologian [θɪə'ləʊdʒən] n théologien m, -ienne f.

theological [θɪə'lɒdʒɪkl] adj théologique • **theological college** séminaire m.

theology [θɪ'ɒlədʒɪ] n théologie f.

theoretical [θɪə'retɪkl] adj théorique.

theoretically [θɪə'retɪklɪ] adv théoriquement.

theorize, -ise (UK) ['θɪəraɪz] vi • **to theorize (about)** théoriser (sur).

theory ['θɪərɪ] n théorie f • **in theory** en théo-rie.

therapeutic [,θerə'pjuːtɪk] adj thérapeutique.

therapist ['θerəpɪst] n thérapeute mf, psycho-thérapeute mf.

therapy ['θerəpɪ] n (indén) thérapie f.

there

■ **there** [ðeər] pron

PRÉSENTATIF
• **there is/are** il y a • **there's someone at the door** il y a quelqu'un à la porte • **there are some nice flowers** il y a de belles fleurs • **there was a good movie on TV yesterday** il y avait un bon film à la télévision hier • **there must be some mistake** il doit y avoir erreur

■ **there** [ðeər] adv

1. INDIQUE UN ENDROIT ÉLOIGNÉ DU LOCUTEUR
• **I'm going there next week** j'y vais la se-maine prochaine • **he lives over there** il vit là-bas • **is anybody there?** il y a quelqu'un ? • **is John there, please?** est-ce que John est là, s'il vous plaît ?
2. POUR SIGNALER L'ARRIVÉE DE QQCH OU DE QQN
• **there it is** c'est là • **there he is!** le voilà !

■ **there** [ðeəʳ] *interj*

• there, I knew he'd turn up! tiens *ou* voilà, je savais bien qu'il s'amènerait ! • there, there, stop crying now! allons, allons, arrête de pleurer maintenant !

■ **there again** *adv*

après tout • but there again, no one really knows mais après tout, personne ne sait vraiment

■ **there and then, then and there** *adv*

immédiatement, sur-le-champ

■ **there you are** *adv*

1. EN TENDANT UN OBJET

voilà

2. POUR INSISTER

vous voyez bien • there you are, what did I tell you! tu vois, qu'est-ce que je t'avais dit !

3. POUR EXPRIMER LE FAIT D'ACCEPTER QQCH À CONTRECŒUR

c'est comme ça, que voulez-vous ? • it wasn't the ideal solution, but there you are *ou* go ce n'était pas l'idéal, mais enfin *ou* mais qu'est-ce que vous voulez

thereabouts [ˌðeərə'bauts], **thereabout** (US) [ˌðeərə'baut] *adv* • or thereabouts a) par là b) environ.

thereafter [ˌðeər'ɑːftəʳ] *adv sout* après cela, par la suite.

thereby [ˌðeər'bai] *adv sout* ainsi, de cette façon.

therefore ['ðeəfɔːʳ] *adv* donc, par conséquent.

there's [ðeəz] = there is.

thermal ['θɜːml] *adj* thermique.

thermal imaging *n* thermographie f.

thermal underwear *n (indén)* sous-vêtements *mpl* en thermolactyl.

thermodynamics [ˌθɜːmoʊdaɪ'næmɪks] *n (indén)* thermodynamique f.

thermometer [θə'mɒmɪtəʳ] *n* thermomètre m.

Thermos (flask)® ['θɜː-məs-] *n* (bouteille f) Thermos® *m ou* f.

thermostat ['θɜːməstæt] *n* thermostat m.

thesaurus [θɪ'sɔːrəs] (*pl* -es) *n* dictionnaire *m* de synonymes.

these [ðiːz] *pron* → this.

thesis ['θiːsɪs] (*pl* theses ['θiːsiːz]) *n* thèse f.

they [ðeɪ] *pron pers pl* **1.** ils, elles, eux, elles • they're pleased ils sont contents, elles sont contentes • they're pretty earrings ce sont de jolies boucles d'oreilles • they can't do it eux/elles, ils/elles ne peuvent pas le faire • there they are les voilà **2.** on, ils • they say it's going to snow on dit qu'il va neiger.

they'd [ðeɪd] = they had, they would.

they'll [ðeɪl] = they shall, they will.

they're [ðeəʳ] = they are.

they've [ðeɪv] = they have.

thick [θɪk] *adj* **1.** épais **2.** *(forêt, brouillard)* dense **3.** *(voix)* indistinct **4.** *fam (stupide)* bouché. ■ thick and fast *adv* • questions came thick and fast les questions pleuvaient. ■ through thick and thin *adv* envers et contre tout, quoi qu'il advienne.

thicken ['θɪkn] *vt* épaissir. ❑ *vi* s'épaissir.

thicket ['θɪkɪt] *n* fourré m.

thickly ['θɪklɪ] *adv* **1.** *(étalé)* en couche épaisse **2.** *(coupé)* en tranches épaisses **3.** *(peuplé, boisé)* très **4.** *(prononcé)* d'une voix indistincte.

thickness ['θɪknɪs] *n* épaisseur f.

thickset [ˌθɪk'set] *adj* trapu.

thick-skinned [-'skɪnd] *adj* qui a la peau dure.

thief [θiːf] (*pl* thieves) *n* voleur m, -euse f.

thieve [θiːv] *vt & vi* voler.

thieves [θiːvz] *npl* → thief.

thieving ['θiːvɪŋ] *adj* voleur. ❑ *n (indén)* vol m.

thigh [θaɪ] *n* cuisse f.

thigh-length *adj (robe, manteau)* qui descend jusqu'à mi-cuisse • thigh-length boots cuissardes *fpl*.

thimble ['θɪmbl] *n* dé m (à coudre).

thin [θɪn] *adj* **1.** mince **2.** léger **3.** maigre **4.** *(sauce)* clair **5.** *(foule)* épars **6.** *(végétation)* clairsemé. ■ thin down *vt sép* **1.** délayer, diluer **2.** éclaircir *(une sauce)*.

thin air *n* • to disappear into thin air disparaître complètement, se volatiliser.

thing [θɪŋ] *n* **1.** chose f • the (best) thing to do would be... le mieux serait de... • the thing is... le problème, c'est que... • this is just the thing (US) *fam* c'est exactement *ou* tout à fait ce qu'il faut **2.** • I don't know a thing je n'y connais absolument rien **3.** chose f, objet m **4.** • you poor thing! mon pauvre ! ■ things *npl* **1.** affaires *fpl* **2.** *fam* • how are things? comment ça va ?

thingamabob ['θɪŋəmə.bɒb], **thingamajig** ['θɪŋəmədʒɪg], **thingummy(jig)** (UK) ['θɪŋəmi-], **thingie** (UK), **thingy** (UK) ['θɪŋɪ] *n fam* truc m, machin m.

think [θɪŋk] *vt (prét & pp thought)* **1.** • to think (that) croire que, penser que • I think so/not je crois que oui/non **2.** penser à **3.** s'imaginer. ❑ *vi (prét & pp thought)* **1.** réfléchir, penser **2.** • what do you think of *ou* about his new film? que pensez-vous de son dernier film ? • to think a lot of sb/sthg penser beaucoup de bien de qqn/qqch **3.** *(locution)* • to think twice y réfléchir à deux fois. ■ think about *vt insép* • to think about sb/sthg songer à *ou* penser à qqn/qqch • I'll think about it je vais y réfléchir. ■ think back *vi* • to think back (to) repenser (à). ■ think of *vt insép* **1.** = think about **2.** se rappeler **3.** penser à • to think of doing sthg avoir l'idée de faire qqch • what do you think of her? que penses-tu d'elle ? ■ **think out**, **think through** *vt sép* bien étudier, bien considérer • **a well-thought-out plan** un projet bien conçu *ou* ficelé. ■ **think over** *vt sép* réfléchir à. ■ **think up** *vt sép* imaginer.

thinker ['θɪŋkə] *n* penseur *m*, -euse *f*.

thinking ['θɪŋkɪŋ] *adj* qui pense, qui réfléchit. ❏ *n* (*indén*) opinion *f*, pensée *f* • **to do some thinking** réfléchir • **to my way of thinking** à mon avis.

think tank *n* comité *m* d'experts.

thinly ['θɪnlɪ] *adv* **1.** (*étalé*) en couche mince **2.** (*coupé*) en tranches minces **3.** (*peuplé, boisé*) peu.

thinner ['θɪnə] *n* diluant *m*.

thinness ['θɪnnɪs] *n* (*indén*) **1.** minceur *f* (*d'une tranche, d'une couche, d'une feuille*) **2.** maigreur *f* (*d'une personne*) **3.** légèreté *f* (*d'un vêtement*).

thin-skinned [-'skɪnd] *adj* susceptible, très sensible.

third [θɜːd] *num* troisième. ❏ *n UNIV* ≃ licence *f* mention passable. Voir aussi **sixth**.

third base *n* (*au baseball*) troisième base *f*.

third-class *adj* (UK) UNIV • **third-class degree** ≃ licence *f* mention passable.

third degree *n fam* • **to give sb the third degree a)** passer qqn à tabac (*torture*) **b)** cuisiner qqn (*interrogatoire*).

third-degree burns *npl* brûlures *fpl* du troisième degré.

third-generation *adj* INFORM & TÉLÉCOM de troisième génération, 3G.

third grade *n* (us) SCOL classe de l'enseignement primaire correspondant au CE 2 (7-8 ans).

thirdly ['θɜːdlɪ] *adv* troisièmement, tertio.

third party *n* tiers *m*, tierce personne *f*.

third-party insurance *n* assurance *f* au tiers.

third-rate *adj péj* de dernier *ou* troisième ordre.

Third World *n* • **the Third World** le tiersmonde.

thirst [θɜːst] *n* soif *f* • **thirst for** *fig* soif de.

thirst-quenching [-kwentʃɪŋ] *adj* désaltérant.

thirsty ['θɜːstɪ] *adj* **1.** • **to be** *ou* **feel thirsty** avoir soif **2.** qui donne soif.

thirteen [ˌθɜː'tiːn] *num* treize. Voir aussi **six**.

thirteenth [ˌθɜː'tiːnθ] *num* treizième. Voir aussi **sixth**.

thirtieth ['θɜːtɪəθ] *num* trentième. Voir aussi **sixth**.

thirty ['θɜːtɪ] *num* trente. Voir aussi **sixty**.

thirty-something *adj* caractéristique de certaines personnes ayant la trentaine et issues d'un milieu aisé.

this [ðɪs] *pron* (*pl* **these** [ðiːz]) **1.** (*démonstratif*) ce, ceci • **this is for you** c'est pour vous • **who's this?** qui est-ce ? • **what's this?**

qu'est-ce que c'est ? • **this is Daphne Logan** je vous présente Daphne Logan, Daphne Logan à l'appareil **2.** (*par opposition à « that »*) celui-ci, celle-ci, ceux-ci, celles-ci • **which sweets does she prefer, these or those?** quels bonbons préfère-t-elle, ceux-ci ou ceux-là ? ❏ *adj* **1.** (*démonstratif*) ce, cette, cet, ces • **these chocolates are delicious** ces chocolats sont délicieux • **I prefer this book** je préfère ce livre-ci • **this afternoon** cet après-midi • **this morning** ce matin • **this week** cette semaine **2.** (*par opposition à « that »*) ce, cette...-ci, ces...-ci • **I'll have this one** je prendrai celui-ci. ❏ *adv* aussi • **it was this big** c'était aussi grand que ça • **you'll need about this much** il vous en faudra à peu près comme ceci.

À PROPOS DE   this

This et *these* désignent des choses qui sont perçues comme proches dans l'espace ou dans le temps (*is this your coat on the floor here?* ; *this music is excellent*). Ils sont associés à *here* et *now*. *That* et *those* désignent des choses qui sont perçues comme plus éloignées (*isn't that your father over there?* ; *he was born in 1915 – that's a long time ago*). Ils sont associés à *there* et *then*.

This/these et *that/those* sont parfois employés ensemble pour comparer deux choses (*which skirt should I wear?* ; *this one or that one?*), mais si l'on veut faire ressortir le contraste entre deux possibilités, il est plus naturel d'utiliser *this/these* en conjonction avec *the other/the others* (*Agassi is serving from* this *end and Sampras receiving at* the other).

Seuls *this* et *these* servent à parler de quelque chose auquel il n'a pas encore été fait allusion (*listen to this – you'll never believe it!*).

En ce qui concerne les pronoms, seul *those* (et non *this/these* ou *that*) peut servir à désigner directement des personnes. *Those* est alors généralement suivi d'une expression qui apporte des précisions (*those of you who agree, please put up your hands*).

---

thistle ['θɪsl] *n* chardon *m*.

THNQ SMS abrév de **thank you**.

thong [θɒŋ] *n* lanière *f*.

thorn [θɔːn] *n* épine *f*.

thorny ['θɔːnɪ] *adj litt* & *fig* épineux.

thorough ['θʌrə] *adj* **1.** minutieux **2.** approfondi **3.** méticuleux **4.** complet, absolu.

thoroughbred ['θʌrəbred] *n* pur-sang *m inv*.

thoroughfare ['θʌrəfeə] *n sout* rue *f*, voie *f* publique.

thoroughly ['θʌrəlɪ] adv **1.** à fond **2.** absolument, complètement.

those [ðəʊz] pron → that.

though [ðəʊ] conj bien que (+ subjonctif), quoique (+ subjonctif) • though the car's old, it's still in good condition bien que la voiture soit vieille, elle est encore en bon état. ❏ adv pourtant, cependant • we lost! — it was a good game though on a perdu ! — c'était pourtant un bon match.

thought [θɔt] passé & pp → think. ❏ n **1.** pensée f **2.** idée f • after much thought après avoir mûrement réfléchi **3.** intention f. ■ thoughts npl **1.** pensées fpl, réflexions fpl **2.** opinions fpl.

thoughtful ['θɔtfʊl] adj **1.** pensif **2.** attentionné **3.** plein de gentillesse.

thoughtfully ['θɔtfʊlɪ] adv **1.** avec prévenance ou délicatesse, gentiment **2.** pensivement **3.** d'une manière réfléchie.

thoughtfulness ['θɔtfʊlnɪs] (indén) n **1.** air m pensif **2.** prévenance f; délicatesse f.

thoughtless ['θɔtlɪs] adj **1.** qui manque d'égards (pour les autres) **2.** irréfléchi.

thoughtlessly ['θɔtlɪslɪ] adv **1.** sans aucun égard, sans aucune considération **2.** hâtivement, sans réfléchir.

thoughtlessness ['θɔtlɪsnɪs] n (indén) manque m d'égards ou de prévenance.

thought-provoking adj qui pousse à la réflexion, stimulant.

thousand ['θaʊznd] num mille • a ou one thousand mille • thousands of des milliers de. Voir aussi six.

thousandth ['θaʊznθ] num millième. Voir aussi sixth.

thrash [θræʃ] vt **1.** battre, rosser **2.** fam écraser. ■ thrash about, thrash around vi s'agiter. ■ thrash out vt sép **1.** débrouiller, démêler **2.** débattre de, discuter de.

thrashing ['θræʃɪŋ] n **1.** rossée f, correction f **2.** fam déculottée f.

thread [θred] n **1.** fil m **2.** TECHNOL filet m, pas m. ❏ vt enfiler (une aiguille, des perles).

threadbare ['θredbeə'] adj usé jusqu'à la corde.

threat [θret] n • threat (to) menace f (pour).

threaten ['θretn] vt • to threaten sb (with) menacer qqn (de) • to threaten to do sthg menacer de faire qqch. ❏ vi menacer.

threatening ['θretnɪŋ] adj **1.** menaçant **2.** (lettre) de menace.

threateningly ['θretnɪŋlɪ] adv **1.** (agir) de manière menaçante, d'un air menaçant **2.** (parler) d'un ton ou sur un ton menaçant.

three [θriː] num trois. Voir aussi six.

three-course adj (repas) complet.

three-D adj (film, image) en relief.

three-dimensional [-dɪ'menʃənl] adj **1.** en relief **2.** en trois dimensions.

threefold ['θriːfəʊld] adj triple. ❏ adv • to increase threefold tripler.

three-legged race [-'legɪd-] n course f à trois pieds.

three-piece adj • three-piece suit (costume m) trois pièces m • three-piece suite canapé m et deux fauteuils assortis.

three-ply adj (laine) à trois fils.

three-point turn n (UK) demi-tour m en trois manœuvres.

three-quarters npl (fraction) trois quarts mpl.

threesome ['θriːsəm] n trio m, groupe m de trois personnes.

three-star adj trois étoiles.

thresh [θreʃ] vt AGRIC battre.

threshold ['θreʃhəʊld] n seuil m.

threw [θruː] passé → throw.

thrift [θrɪft] n (indén) **1.** économie f, épargne f **2.** (US) (Caisse d'Épargne) = thrift institution.

thrift institution n caisse f d'épargne.

thrift shop, thrift store n (US) magasin vendant des articles d'occasion au profit d'œuvres charitables.

thrifty ['θrɪftɪ] adj économe.

thrill [θrɪl] n **1.** frisson m, sensation f **2.** plaisir m. ❏ vt transporter, exciter.

thrilled [θrɪld] adj • thrilled (with sthg/to do sthg) ravi (de qqch/de faire qqch).

thriller ['θrɪlə'] n (film, roman) thriller m.

thrilling ['θrɪlɪŋ] adj saisissant, palpitant.

thrive [θraɪv] (prét thrived ou throve, pp thrived) vi **1.** bien se porter **2.** (plante) pousser bien **3.** (économie, affaires) prospérer.

thriving ['θraɪvɪŋ] adj **1.** bien portant **2.** (plante) qui pousse bien **3.** (économie, affaires) prospère.

throat [θrəʊt] n gorge f.

throaty ['θrəʊtɪ] (comp throatier, superl throatiest) adj guttural.

throb [θrɒb] vi **1.** (cœur) palpiter, battre fort **2.** (batterie) battre (en rythme) • my head is throbbing j'ai des élancements dans la tête.

throbbing ['θrɒbɪŋ] adj **1.** (rythme) battant **2.** (instrument) qui bat rythmiquement **3.** (engin, machine) vibrant, vrombissant **4.** (cœur) battant, palpitant **5.** (douleur) lancinant.

throes [θrəʊz] npl • to be in the throes of être en proie à • to be in the throes of an argument être en pleine dispute.

thrombosis [θrɒm'bəʊsɪs] (pl -boses) n thrombose f.

throne [θrəʊn] n trône m.

throng [θrɒŋ] n foule f, multitude f. ❏ vt remplir, encombrer.

throttle ['θrɒtl] n AUTO papillon m des gaz. ❏ vt étrangler.

through [θruː] adj • are you through? tu as fini ? • to be through with sthg avoir fini qqch. □ *prép* **1.** à travers • **to travel through sthg** traverser qqch • **to cut through sthg** couper qqch • **the bullet went through the wall** la balle est passée à travers le mur **2.** pendant **3.** à cause de **4.** par l'intermédiaire de • **I got the job through a friend** j'ai eu le poste par un ami **5.** (US) • **Monday through Friday** du lundi au vendredi • **she talked all through the film** elle a parlé pendant tout le film. ■ **through and through** *adv* **1.** jusqu'au bout des ongles **2.** par cœur, à fond.

throughout [θru:'aut] *prép* **1.** pendant, durant • **throughout the meeting** pendant toute la réunion **2.** partout dans • **throughout the world** partout dans le monde entier. □ *adv* **1.** tout le temps **2.** partout.

throve [θrəʊv] *passé* → thrive.

throw [θrəʊ] *vt* (*prét* threw, *pp* thrown) **1.** jeter **2.** lancer **3.** désarçonner **4.** *fig* déconcerter, décontenancer. □ *n* lancement *m*, jet *m*. ■ **throw away** *vt sép* **1.** jeter **2.** gaspiller (*de l'argent*) **3.** perdre (*une occasion*). ■ **throw in** *vt sép* donner en plus *ou* en prime (*inclure*) • **with a special trip to Stockholm thrown in** avec en prime une excursion à Stockholm. ■ **throw out** *vt sép* **1.** jeter **2.** *fig* rejeter **3.** mettre à la porte **4.** expulser, renvoyer. ■ **throw up** *vi fam* vomir.

throwaway ['θrəʊəweɪ] *adj* **1.** jetable, à jeter **2.** désinvolte.

throwback ['θrəʊbæk] *n* • **throwback (to)** retour *m* (à).

throw-in *n* (UK) FOOTBALL rentrée *f* en touche.

thrown [θrəʊn] *pp* → throw.

thru [θru:] *fam* (US) = through.

thrush [θrʌʃ] *n* **1.** grive *f* **2.** muguet *m*.

thrust [θrʌst] *n* **1.** poussée *f* **2.** coup *m* (*de couteau*) **3.** idée *f* principale, aspect *m* principal. □ *vt* enfoncer, fourrer.

thud [θʌd] *n* bruit *m* sourd. □ *vi* tomber en faisant un bruit sourd.

thug [θʌg] *n* brute *f*, voyou *m*.

thumb [θʌm] *n* pouce *m*. □ *vt fam* • **to thumb a lift** faire du stop *ou* de l'auto-stop. ■ **thumb through** *vt insép* feuilleter.

thumb index *n* répertoire *m* à onglets.

thumbnail ['θʌmneɪl] *adj* bref, concis. □ *n* ongle *m* du pouce.

thumbnail sketch *n* croquis *m* rapide.

thumbs down [,θʌmz-] *n* • **to get** *ou* **be given the thumbs down** être rejeté.

thumbs up [,θʌmz-] *n* • **to give sb the thumbs up** donner le feu vert à qqn.

thumbtack ['θʌmtæk] *n* (US) punaise *f*.

thump [θʌmp] *n* **1.** grand coup *m* **2.** bruit *m* sourd. □ *vt* cogner, taper sur. □ *vi* battre fort.

thumping ['θʌmpɪŋ] (UK) *fam adj* énorme, immense, phénoménal. □ *adv* vieilli (*pour intensifier*) • **a thumping great meal** un repas énorme.

thunder ['θʌndər] *n* (*indén*) **1.** tonnerre *m* **2.** *fig* vacarme *m* **3.** *fig* tonnerre *m*. □ *v impers* tonner.

thunderbolt ['θʌndəbəʊlt] *n* coup *m* de foudre.

thunderclap ['θʌndəklæp] *n* coup *m* de tonnerre.

thundercloud ['θʌndəklaʊd] *n* nuage *m* orageux.

thundering ['θʌndərɪŋ] *adj* (UK) *fam & vieilli* terrible, monstre.

thunderous ['θʌndərəs] *adj* assourdissant • **thunderous applause** un tonnerre d'applaudissements.

thunderstorm ['θʌndəstɔːm] *n* orage *m*.

thunderstruck ['θʌndəstrʌk] *adj fig* stupéfait, sidéré.

thunderthighs ['θʌndəθaɪz] *n fam & hum* terme péjoratif désignant une femme aux grosses cuisses.

thundery ['θʌndərɪ] *adj* orageux.

Thur., Thurs. (abrév de Thursday) jeu.

Thursday ['θɜːzdɪ] *n* jeudi *m*. Voir aussi **Saturday**.

thus [ðʌs] *adv sout* **1.** par conséquent, donc, ainsi **2.** ainsi, de cette façon.

thwart [θwɔːt] *vt* contrecarrer, contrarier.

Thx, Thnx SMS abrév de **thanks**.

thyme [taɪm] *n* thym *m*.

thyroid ['θaɪrɔɪd] *n* thyroïde *f*.

tiara [tɪ'ɑːrə] *n* diadème *m*.

Tibet [tɪ'bet] *n* Tibet *m*.

tic [tɪk] *n* tic *m*.

TIC SMS abrév de **tongue in cheek**.

tick [tɪk] *n* **1.** (UK) coche *f* **2.** tic-tac *m* **3.** ZOOL tique *f*. □ *vt* (UK) cocher. □ *vi* faire tic-tac. ■ **tick off** *vt sép* **1.** (UK) cocher **2.** (UK) *fam* enguirlander. ■ **tick over** *vi* (UK) (*moteur*) tourner au ralenti.

ticket ['tɪkɪt] *n* **1.** billet *m* **2.** ticket *m* (*de métro, de bus*) **3.** étiquette *f* (*sur un produit*) **4.** P.-V. *m*.

ticket collector *n* (UK) contrôleur *m*, -euse *f*.

ticket holder *n* personne *f* munie d'un billet.

ticket inspector *n* (UK) contrôleur *m*, -euse *f*.

ticketless ['tɪkɪtlɪs] *adj* • **ticketless travel** AÉRON système permettant de voyager sans billet papier.

ticket machine *n* distributeur *m* de billets.

ticket office *n* bureau *m* de vente des billets.

ticket tout *n* (UK) revendeur *m*, -euse *f* de billets (*sur le marché noir*).

ticking off (*pl* tickings off ['tɪkɪŋz-]) *n* (UK) *fam* • **to give sb a ticking off** passer un savon à qqn, enguirlander qqn.

tickle ['tɪkl] *vt* **1.** chatouiller **2.** *fig* amuser. □ *vi* chatouiller.

ticklish ['tɪklɪʃ] *adj* chatouilleux.

tickly ['tɪklɪ] *adj* **1.** *fam* (*sensation*) de chatouillis **2.** (*tissu*) qui chatouille **3.** (*barbe*) qui pique.

tick-tack-toe *n* (US) (*jeu*) ≃ morpion *m*.

tidal ['taɪdl] *adj* **1.** de la marée **2.** *(fleuve, estuaire)* à marées.

tidal wave *n* raz-de-marée *m inv.*

tidbit (us) = **titbit.**

tiddly ['tɪdlɪ] *(comp* **tiddlier,** *superl* **tiddliest)** *adj (uk) fam* **1.** pompette, gai **2.** minuscule.

tiddlywinks ['tɪdlɪwɪŋks], **tiddledywinks** (us) ['tɪdldɪwɪŋks] *n* jeu *m* de puce.

tide [taɪd] *n* **1.** marée *f* **2.** *fig* courant *m*, tendance *f* **3.** *fig* vague *f*. ■ **tide over** *vt sép* dépanner.

tidily ['taɪdɪlɪ] *adv* soigneusement, avec ordre.

tidiness ['taɪdɪnɪs] *n (indén)* ordre *m.*

tidy ['taɪdɪ] *adj* **1.** en ordre, bien rangé **2.** soigné **3.** ordonné **4.** soigné. ❏ *vt* ranger, mettre de l'ordre dans. ■ **tidy away** *vt sép* ranger. ■ **tidy up** *vt sép* ranger, mettre de l'ordre dans. ❏ *vi* ranger.

tie [taɪ] *n* **1.** cravate *f* **2.** *(dans un jeu, une compétition sportive)* égalité *f* de points. ❏ *vt (prét & pp* **tied,** *cont* **tying) 1.** attacher **2.** nouer • **to tie a knot** faire un nœud **3.** *fig* • **to be tied to** être lié à. ❏ *vi (prét & pp* **tied,** *cont* **tying)** être à égalité. ■ **tie down** *vt sép fig* restreindre la liberté de. ■ **tie in with** *vt insép* concorder avec, coïncider avec. ■ **tie up** *vt sép* **1.** attacher **2.** nouer **3.** *fig* immobiliser **4.** *fig* • **to be tied up with** être lié à.

tiebreak(er) ['taɪbreɪk(ə)] *n* **1.** TENNIS tie-break *m*, jeu *m* décisif **2.** question *f* subsidiaire.

tied up *adj* occupé, pris.

tie-in *n* **1.** lien *m*, rapport *m* **2.** • **the book is a tie-in with the TV series** le livre est tiré de la série télévisée.

tiepin ['taɪpɪn] *n* épingle *f* de cravate.

tier [tɪə] *n* **1.** gradin *m* **2.** étage *m (d'une pièce montée).*

tiff [tɪf] *n* bisbille *f*, petite querelle *f.*

tiger ['taɪgə] *n* tigre *m.*

tight [taɪt] *adj* **1.** serré **2.** tendu **3.** *(emploi du temps)* serré, minuté **4.** strict **5.** raide **6.** *fam* soûl **7.** *fam* radin. ❏ *adv* **1.** bien, fort • **to hold tight** tenir bien • **to shut** *ou* **close sthg tight** bien fermer qqch **2.** à fond. ■ **tights** *npl* (uk) collants *mpl.*

tighten ['taɪtn] *vt* **1.** resserrer • **to tighten one's hold** *ou* **grip on** resserrer sa prise sur **2.** tendre **3.** renforcer. ❏ *vi* **1.** se tendre **2.** se resserrer. ■ **tighten up** *vt sép* **1.** resserrer *(ceinture, écrou)* **2.** renforcer *(sécurité, mesure).*

tightfisted [,taɪt'fɪstɪd] *adj péj* radin.

tight-fitting *adj* **1.** *(vêtement)* moulant **2.** *(couvercle)* qui ferme bien.

tightknit [,taɪt'nɪt] *adj (famille, communauté)* uni.

tight-lipped [-'lɪpt] *adj* **1.** les lèvres serrées *(par la colère)* **2.** qui ne dit rien, qui garde le silence.

tightly ['taɪtlɪ] *adv* bien, fort.

tightness ['taɪtnɪs] *n* **1.** étroitesse *f (d'un vêtement)* **2.** oppression *f (de poitrine)* **3.** sévérité *f*, rigueur *f (dans le comportement).*

tightrope ['taɪtrəʊp] *n* corde *f* raide.

tile [taɪl] *n* **1.** tuile *f* **2.** carreau *m (d'un carrelage).*

tiled [taɪld] *adj* **1.** carrelé **2.** *(toit)* couvert de tuiles.

till [tɪl] *prép* jusqu'à • **from six till ten o'clock** de six heures à dix heures. ❏ *conj* **1.** jusqu'à ce que *(+ subjonctif)* • **wait till I come back** attends que je revienne **2.** *(après une négation)* avant *(que (+ subjonctif))* • **it won't be ready till tomorrow** ça ne sera pas prêt avant demain. ❏ *n* tiroir-caisse *m.*

tiller ['tɪlə] *n* barre *f.*

tilt [tɪlt] *vt* incliner, pencher. ❏ *vi* s'incliner, pencher.

timber ['tɪmbə] *n (indén)* bois *m* de charpente *ou* de construction.

time [taɪm] *n* **1.** temps *m* • **a long time** longtemps • **in a short time** dans peu de temps, sous peu • **to be time for sthg** être l'heure de qqch • **to have a good time** s'amuser bien • **to be in good time** être de bonne heure • **ahead of time** en avance • **for the time being** pour le moment • **on time** à l'heure • **to have no time for sb/sthg** ne pas supporter qqn/qqch • **to play for time** essayer de gagner du temps **2.** heure *f* • **what time is it?, what's the time?** quelle heure est-il ? • **in a week's/year's time** dans une semaine/un an **3.** époque *f* • **before my time** avant que j'arrive ici **4.** fois *f* • **from time to time** de temps en temps • **time after time, time and again** à maintes reprises, maintes et maintes fois **5.** MUS mesure *f.* ❏ *vt* **1.** fixer, prévoir **2.** chronométrer **3.** choisir le moment de. ■ **about time** *adv* • **it's about time (that)...** il est grand temps que... • **about time too!** ce n'est pas trop tôt ! ■ **at (any) one time** *adv* à la fois. ■ **at a time** *adv* d'affilée • **one at a time** un par un • **months at a time** des mois et des mois. ■ **at the same time** *adv* en même temps. ■ **at times** *adv* quelquefois, parfois. ■ **for the time being** *adv* pour le moment. ■ **in time** *adv* **1.** • **in time (for)** à l'heure (pour) **2.** à la fin, à la longue. ■ **times** *npl* fois *fpl* • **four times as much as me** quatre fois plus que moi. ❏ *prép* MATH fois.

time bomb *n litt &fig* bombe *f* à retardement.

time check *n (à la radio)* rappel *m* de l'heure.

time-consuming [-kən,sju:mɪŋ] *adj* qui prend beaucoup de temps.

timed [taɪmd] *adj (course, épreuve)* chronométré • **well timed** opportun.

time difference *n* décalage *m* horaire.

time frame *n* délai *m* • **what's our time frame?** de combien de temps disposons-nous ?

time-honoured (uk), **time-honored** (us) [-,ɒnəd] *adj* consacré.

timekeeping ['taɪm,kiːpɪŋ] *n* ponctualité *f*.

time lag *n* décalage *m*.

time lapse *n* décalage *m* horaire.

timeless ['taɪmlɪs] *adj* éternel.

time limit *n* délai *m*.

timeline ['taɪm,laɪn] *n* frise *f* chronologique.

timely ['taɪmlɪ] *adj* opportun.

time off *n* temps *m* libre.

time out *n* SPORT temps *m* mort.

timer ['taɪmə*r*] *n* minuteur *m*.

time-saver *n* • a dishwasher is a great time-saver on gagne beaucoup de temps avec un lave-vaisselle.

timesaving ['taɪm,seɪvɪŋ] *adj* qui fait gagner du temps.

time scale *n* **1.** période *f* **2.** délai *m*.

time-share *n* logement *m* en multipropriété.

timespan ['taɪmspæn] *n* intervalle *m* de temps.

time switch *n* minuterie *f*.

timetable ['taɪm,teɪbl] *n* **1.** (UK) SCOL emploi *m* du temps **2.** horaire *m* **3.** (UK) calendrier *m*.

time travel *n* voyage *m* dans le temps.

timewaster ['taɪm,weɪstə*r*] *n* fainéant *m*, -e *f* • no timewasters please *(dans une annonce)* pas sérieux s'abstenir.

timewasting ['taɪmweɪstɪŋ] *n* perte *f* de temps • the team was accused of timewasting on a reproché à l'équipe d'avoir joué la montre.

time zone *n* fuseau *m* horaire.

timid ['tɪmɪd] *adj* timide.

timidly ['tɪmɪdlɪ] *adv* timidement.

timing ['taɪmɪŋ] *n (indén)* **1.** à-propos *m inv* **2.** • the timing of the election le moment choisi pour l'élection **3.** chronométrage *m*.

timpani ['tɪmpənɪ] *npl* timbales *fpl*.

tin [tɪn] *n* **1.** *(indén)* étain *m* **2.** fer-blanc *m* **3.** (UK) boîte *f* de conserve **4.** (UK) boîte *f*.

tin can *n* boîte *f* de conserve.

tinfoil ['tɪnfɔɪl] *n (indén)* papier *m* (d')aluminium.

tinge [tɪndʒ] *n* teinte *f*, nuance *f*.

tinged [tɪndʒd] *adj* • tinged with teinté de.

tingle ['tɪŋgl] *vi* picoter.

tingling ['tɪŋglɪŋ] *n (indén)* picotement *m*.

tinker ['tɪŋkə*r*] *n* (UK) *péj* romanichel *m*, -elle *f*. *vi* • to tinker (with sthg) bricoler (qqch).

tinkle ['tɪŋkl] *vi* tinter.

tinned [tɪnd] *adj* (UK) en boîte.

tinnitus [tɪ'naɪtəs] *n* acouphène *m*.

tinny ['tɪnɪ] *(comp tinnier, superl tinniest) adj* **1.** *(son)* métallique **2.** *fam & péj (de mauvaise qualité)* • a tinny car un tas de ferraille, une vraie casserole. □ *n fam* (AUSTRALIE) canette de bière *f*.

tin opener *n* (UK) ouvre-boîtes *m inv*.

tin-pot *adj* (UK) *fam & péj* de rien du tout.

tinsel ['tɪnsl] *n (indén)* guirlandes *fpl* de Noël.

tint [tɪnt] *n* **1.** teinte *f*, nuance *f* **2.** *(pour les cheveux)* rinçage *m*.

tinted ['tɪntɪd] *adj* teinté.

tiny ['taɪnɪ] *adj* minuscule.

tiny tot *n* petit enfant *m*, petite enfant *f* • games for tiny tots des jeux pour les tout-petits.

tip [tɪp] *n* **1.** bout *m* **2.** (UK) décharge *f* **3.** pourboire *m* **4.** tuyau *m (conseil)*. □ *vt* **1.** faire basculer **2.** (UK) renverser **3.** donner un pourboire à. ■ tip over *vt sép* renverser. □ *vi* se renverser. ■ tip off *vt sép* prévenir.

tip-off *n* **1.** tuyau *m* **2.** dénonciation *f*.

tipped ['tɪpt] *adj* à bout filtre.

tipple ['tɪpl] *n fam* • what's your tipple? qu'est-ce que tu aimes boire d'habitude ?

tipsy ['tɪpsɪ] *adj fam* gai.

tiptoe ['tɪptəʊ] *n* • on tiptoe sur la pointe des pieds. □ *vi* marcher sur la pointe des pieds.

tip-top *adj fam & vieilli* excellent.

tirade [taɪ'reɪd] *n* diatribe *f*.

tiramisu [,tɪrəmɪ'suː] *n* CULIN tiramisu *m*.

tire ['taɪə*r*] *n* (US) = tyre. □ *vt* fatiguer. □ *vi* **1.** se fatiguer **2.** • to tire of se lasser de. ■ tire out *vt sép* épuiser.

tired ['taɪəd] *adj* **1.** fatigué, las **2.** • to be tired of sthg/of doing sthg en avoir assez de qqch/de faire qqch.

tiredness ['taɪədnɪs] *n* fatigue *f*.

tireless ['taɪəlɪs] *adj* infatigable.

tirelessly ['taɪəlɪslɪ] *adv* infatigablement, inlassablement, sans ménager ses efforts.

tiresome ['taɪəsəm] *adj* ennuyeux.

tiring ['taɪərɪŋ] *adj* fatigant.

tissue ['tɪʃuː] *n* **1.** mouchoir *m* en papier **2.** *(indén)* BIOL tissu *m*.

tissue paper *n (indén)* papier *m* de soie.

tit [tɪt] *n* **1.** mésange *f* **2.** *vulg* nichon *m*.

titbit (UK) ['tɪtbɪt], **tidbit** (US) ['tɪdbɪt] *n* **1.** bon morceau *m* **2.** *fig* petite nouvelle *f*.

tit for tat [-'tæt] *n* un prêté pour un rendu.

titillate ['tɪtɪleɪt] *vt* titiller.

titillating ['tɪtɪleɪtɪŋ] *adj* titillant.

title ['taɪtl] *n* titre *m*.

titled ['taɪtld] *adj* titré.

title deed *n* titre *m* de propriété.

titleholder ['taɪtl,həʊldə*r*] *n* SPORT tenant *m*, -e *f* du titre.

title role *n* rôle *m* principal.

titter ['tɪtə*r*] *vi* rire bêtement.

tittle-tattle ['tɪtl,tætl] *n (indén) fam & péj* ragots *mpl*, cancans *mpl*.

TM *n* (abrév de transcendental meditation) MT *f*.

TMB SMS (abrév de text me back) réponds-moi.

TMI SMS abrév de too much information.

to

■ **to** *prép*

forme accentuée [tuː], *forme non accentuée devant une consonne* [tə], *forme non accentuée devant une voyelle* [tʊ]

1. INDIQUE UNE DIRECTION

• **she went to Liverpool/to Spain/to school** elle est allée à Liverpool/en Espagne/à l'école • **I'm going to the butcher's** je vais chez le boucher • **turn to the left/right** tourner à gauche/droite

2. INDIQUE UN DESTINATAIRE

• **to give sthg to sb** donner qqch à qqn • **I'm writing a letter to my daughter** j'écris une lettre à ma fille

3. POUR EXPRIMER UNE ÉMOTION

• **to my delight/surprise, my parcel arrived very quickly** à ma grande joie/surprise, mon colis est arrivé très vite

4. POUR EXPRIMER UNE OPINION

• **to me, it is a real miracle** d'après moi, c'est un vrai miracle • **it seemed quite unnecessary to me/him** cela me/lui semblait tout à fait inutile

5. JUSQU'À

• **she can already count to 10** elle sait déjà compter jusqu'à 10 • **we work from 9 to 5** nous travaillons de 9 h à 17 h • **I didn't stay to the end of the film** je ne suis pas resté jusqu'à la fin du film • **she sang the baby to sleep** elle a endormi le bébé en chantant

6. EXPRIME UN CONTACT PHYSIQUE

• **they were dancing cheek to cheek** ils dansaient joue contre joue • **stand back to back** mettez-vous dos à dos

7. POUR EXPRIMER L'HEURE

• **it's ten to three/quarter to one** il est trois heures moins dix/une heure moins le quart

8. INDIQUE UNE PROPORTION

• **this car does 40 miles to the gallon** ≃ cette voiture consomme 7 litres aux cent (km) • **there are 200 people to the square kilometre** il y a 200 habitants au km² • **the odds against it happening are a million to one** il y a une chance sur un million que cela se produise

9. INDIQUE UNE RELATION ENTRE DEUX ÉLÉMENTS

• **he gave me the key to his car** il m'a donné la clé de sa voiture

■ **to** + *infinitif*

forme accentuée [tuː], *forme non accentuée devant une consonne* [tə], *forme non accentuée devant une voyelle* [tʊ]

1. APRÈS CERTAINS VERBES

• **I'd like to be on holiday** j'aimerais être en vacances • **she tried to help her brother** elle a essayé d'aider son frère • **she wants to go to the movies** elle veut aller au cinéma

2. APRÈS CERTAINS ADJECTIFS

• **it's difficult to do** c'est difficile à faire • **we're ready to go** nous sommes prêts à partir

3. POUR EXPRIMER LE BUT

• **he worked hard to pass his exam** il a travaillé dur pour réussir son examen • **they left early to catch the train** ils sont partis tôt pour ne pas rater leur train • **to be honest,…** pour être honnête,… • **to sum up,…** en résumé,…

4. REMPLACE UNE PROPOSITION SUBORDONNÉE CONJONCTIVE

• **he told me to leave** il m'a dit de partir

5. POUR FAIRE UNE REPRISE

• **I meant to call him but I forgot to** je voulais l'appeler, mais j'ai oublié

À PROPOS DE : to

Notez que dans certaines expressions, *to* est suivi directement du nom, sans *the* (*he's gone* to *work/school/prison/hospital/bed/church*).

Avec le mot *home*, dans des phrases telles que *I'm going home*, *to* n'apparaît pas du tout.

toad [təʊd] *n* crapaud *m*.

toadstool ['təʊdstuːl] *n* champignon *m* vénéneux.

to and fro *adv* • **to go to and fro** aller et venir • **to walk to and fro** marcher de long en large. ■ **to-and-fro** *adj* (*mouvement*) de va-et-vient.

toast [təʊst] *n* **1.** (*indén*) pain *m* grillé, toast *m* **2.** toast *m* (*à la santé de*). ❑ *vt* **1.** (faire) griller **2.** porter un toast à.

toasted ['təʊstɪd] *adj* • **toasted sandwich** sandwich *m* grillé • **toasted cheese** fromage *m* fondu.

toaster ['təʊstər] *n* grille-pain *m inv*.

toastie ['təʊstɪ] *n fam* sandwich *m* grillé.

toast rack *n* porte-toasts *m inv*.

toasty ['təʊstɪ] *fam adj* (**US**) (*température*) • **it's toasty in here** il fait bon ici. ❑ *n* (*sandwich*) = **toastie**.

tobacco [tə'bækəʊ] *n* (*indén*) tabac *m*.

tobacconist [tə'bækənɪst] *n* (**UK**) buraliste *mf*. **-to-be** *suffixe* à venir • **mother-to-be** future mère *f*.

toboggan [tə'bɒɡən] *n* luge *f*.

today [tə'deɪ] *n* aujourd'hui *m*. ❑ *adv* aujourd'hui.

toddler ['tɒdlər] *n* tout-petit *m* (*enfant qui commence à marcher*).

toddy ['tɒdɪ] *n* grog *m*.

to-die-for *adj fam* de rêve.

to-do (pl -s) n fam & vieilli histoire f.

toe [təʊ] n 1. orteil m, doigt m de pied 2. bout m (de chaussure, de chaussette). ❏ vt • **to toe the line** se plier.

TOEFL [təfl] (abrév de Test of English as a Foreign Language) n test d'anglais passé par les étudiants étrangers.

toehold [ˈtəʊhəʊld] n prise f • **to have a toehold in a market** fig avoir un pied dans un marché.

toenail [ˈtəʊneɪl] n ongle m d'orteil.

toffee [ˈtɒfɪ] n (UK) caramel m.

tofu [ˈtəʊfuː] n tofu m.

toga [ˈtəʊgə] n toge f.

together [təˈgeðər] adv 1. ensemble 2. en même temps. ■ **together with** prép ainsi que.

togetherness [təˈgeðənɪs] n (indén) unité f.

toggle switch n ÉLECTRON & INFORM interrupteur m à bascule.

toil [tɔɪl] littéraire n labeur m. ❏ vi travailler dur. ■ **toil away** vi • **to toil away (at sthg)** travailler dur (à qqch).

toilet [ˈtɔɪlɪt] n toilettes fpl, cabinets mpl • **to go to the toilet** aller aux toilettes.

toilet bag n trousse f de toilette.

toilet humour n humour m scatologique.

toilet paper n (indén) papier m hygiénique.

toiletries [ˈtɔɪlɪtrɪz] npl articles mpl de toilette.

toilet roll n rouleau m de papier hygiénique.

toilet seat n siège m des cabinets ou W.-C. ou toilettes.

toilet-trained [-ˌtreɪnd] adj propre.

toilet water n eau f de toilette.

to-ing and fro-ing [ˌtuːɪŋənˈfrəʊɪŋ] n (indén) allées fpl et venues.

token [ˈtəʊkn] adj symbolique. ❏ n 1. bon m (coupon) 2. marque f (témoignage). ■ **by the same token** adv de même.

told [təʊld] passé & pp → tell.

tolerable [ˈtɒlərəbl] adj passable.

tolerance [ˈtɒlərəns] n tolérance f.

tolerant [ˈtɒlərənt] adj tolérant.

tolerate [ˈtɒləreɪt] vt 1. supporter 2. tolérer.

toll [təʊl] n 1. nombre m 2. péage m 3. (locution) • **to take its toll** se faire sentir. ❏ vt & vi sonner.

toll bridge n pont m à péage.

tollfree (US) adv • **to call tollfree** appeler un numéro vert.

tollroad [ˈtəʊlrəʊd] n route f à péage.

tomato [(UK) təˈmɑːtəʊ, (US) təˈmeɪtəʊ] (pl -es) n tomate f.

tomb [tuːm] n tombe f.

tombola [tɒmˈbəʊlə] n (surtout UK) tombola f.

tomboy [ˈtɒmbɔɪ] n garçon m manqué.

tombstone [ˈtuːmstəʊn] n pierre f tombale.

tomcat [ˈtɒmkæt] n matou m.

tomorrow [təˈmɒrəʊ] n demain m, lendemain m. ❏ adv demain.

ton [tʌn] (pl inv ou -s) n 1. (UK) = 1016 kg 2. (US) ≃ tonne f (= 907,2 kg) 3. tonne f (= 1000 kg). ■ **tons** npl fam • **tons (of)** des tas (de), plein (de).

tone [təʊn] n 1. ton m 2. tonalité f 3. bip m sonore. ■ **tone down** vt sép modérer. ■ **tone up** vt sép tonifier.

tone-deaf adj qui n'a aucune oreille.

tongs [tɒŋz] npl 1. pinces fpl 2. fer m à friser.

tongue [tʌŋ] n 1. langue f • **to hold one's tongue** fig tenir sa langue • **to stick one's tongue out (at sb)** tirer la langue (à qqn) 2. languette f (d'une chaussure).

tongue-in-cheek adj ironique.

tongue-tied [-ˌtaɪd] adj muet.

tongue twister [-ˌtwɪstər] n phrase f difficile à dire.

tonic [ˈtɒnɪk] n 1. Schweppes® m 2. tonique m.

tonic water n Schweppes® m.

tonight [təˈnaɪt] n 1. ce soir m 2. cette nuit f. ❏ adv 1. ce soir 2. cette nuit.

tonnage [ˈtʌnɪdʒ] n tonnage m.

tonne [tʌn] (pl inv ou -s) n tonne f.

tonsil [ˈtɒnsl] n amygdale f.

tonsil(l)itis [ˌtɒnsɪˈlaɪtɪs] n (indén) amygdalite f.

too [tuː] adv 1. aussi 2. trop • **too many people** trop de gens • **it was over all too soon** ça s'était terminé bien trop tôt • **I'd be only too happy to help** je serais trop heureux de vous aider • **I wasn't too impressed** ça ne m'a pas impressionné outre mesure.

took [tʊk] passé → take.

tool [tuːl] n litt & fig outil m.

tool bar n INFORM barre f d'outils.

tool box n boîte f à outils.

tool kit n trousse f à outils.

toot [tuːt] n coup m de Klaxon®. ❏ vi klaxonner.

tooth [tuːθ] (pl teeth [tiːθ]) n dent f.

toothache [ˈtuːθeɪk] n mal m ou rage f de dents • **to have toothache** (UK), **to have a toothache** (US) avoir mal aux dents.

toothbrush [ˈtuːθbrʌʃ] n brosse f à dents.

toothless [ˈtuːθlɪs] adj édenté.

toothpaste [ˈtuːθpeɪst] n dentifrice m.

toothpick ['tuːθpɪk] *n* cure-dents *m inv*.

top [tɒp] *adj* **1.** du haut **2.** important **3.** supérieur **4.** fameux **5.** meilleur **6.** premier **7.** maximum. ❑ *n* **1.** sommet *m* **2.** haut *m* • **on top** dessus • **at the top of one's voice** à tue-tête **3.** cime *f* **4.** début *m*, tête *f* **5.** bouchon *m* **6.** capuchon *m (de stylo)* **7.** couvercle *m* **8.** dessus *m* **9.** *(vêtement)* haut *m* **10.** toupie *f* **11.** tête *f* **12.** haut *m* **13.** *SCOL* premier *m*, -ère *f*. ❑ *vt* **1.** être en tête de **2.** surpasser **3.** dépasser. ■ **on top of** *prép* **1.** sur **2.** en plus de. ■ **top up** (UK), **top off** (US) *vt sép* remplir.

top-bracket *adj* de première catégorie.

top brass *n* (indén) *fam* • **the top brass** les gros bonnets *mpl*.

top copy *n* original *m*.

top dog *n fam* chef *m*.

top-down *adj* hiérarchisé.

top floor *n* dernier étage *m*.

top gear *n* (UK) quatrième/cinquième vitesse *f*.

top hat *n* haut-de-forme *m*.

top-heavy *adj* mal équilibré.

topic ['tɒpɪk] *n* sujet *m*.

topical ['tɒpɪkl] *adj* d'actualité.

topless ['tɒplɪs] *adj* aux seins nus.

top-level *adj* au plus haut niveau.

topmost ['tɒpməʊst] *adj* le plus haut, la plus haute *f*.

top-notch *adj fam* de premier choix.

top-of-the-range *adj* haut de gamme *(inv)*.

topping ['tɒpɪŋ] *n CULIN* garniture *f*.

topple ['tɒpl] *vt* renverser. ❑ *vi* basculer. ■ **topple over** *vi* tomber.

top-quality *adj* de qualité supérieure.

top-secret *adj* top secret.

top-shelf *adj* • **top-shelf magazines** (UK) revues *fpl* érotiques.

topspin ['tɒpspɪn] *n* lift *m*.

topsy-turvy [,tɒpsɪ'tɜːvɪ] *adj* **1.** sens dessus dessous **2.** • **to be topsy-turvy** ne pas tourner rond.

top table *n* table *f* d'honneur *(à un mariage)*.

top-up card *n* recharge *f* de téléphone mobile.

torch [tɔːtʃ] *n* **1.** (UK) lampe *f* électrique **2.** torche *f*.

tore [tɔː] *passé* → **tear²**

torment *n* ['tɔːment] tourment *m*. ❑ *vt* [tɔː'ment] tourmenter.

torn [tɔːn] *pp* → **tear²**

tornado [tɔː'neɪdəʊ] *(pl -es ou -s) n* tornade *f*.

torpedo [tɔː'piːdəʊ] *n (pl -es)* torpille *f*.

torpor ['tɔːpə] *n* torpeur *f*.

torrent ['tɒrənt] *n* torrent *m*.

torrential [tə'renʃl] *adj* torrentiel.

torrid ['tɒrɪd] *adj* **1.** torride **2.** *fig* ardent.

torso ['tɔːsəʊ] *(pl -s) n* torse *m*.

tortilla [tɔː'tiːjə] *n* tortilla *f (galette de maïs)* • **tortilla chips** chips *fpl* de maïs.

tortoise ['tɔːtəs] *n* tortue *f*.

tortoiseshell ['tɔːtəʃel] *adj* • **tortoiseshell cat** chat *m* roux tigré. ❑ *n (indén)* écaille *f*.

tortuous ['tɔːtʃʊəs] *adj* **1.** *(chemin)* tortueux **2.** *(raisonnement)* alambiqué.

torture ['tɔːtʃə] *n* torture *f*. ❑ *vt* torturer.

Tory ['tɔːrɪ] (UK) *adj* tory, conservateur. ❑ *n* tory *mf*, conservateur *m*, -trice *f*.

toss [tɒs] *vt* **1.** jeter • **to toss a coin** jouer à pile ou face • **to toss one's head** rejeter la tête en arrière **2.** remuer *(la salade)* **3.** faire sauter *(des crêpes)* **4.** ballotter. ❑ *vi* • **to toss and turn** se tourner et se retourner. ■ **toss up** *vi* jouer à pile ou face.

toss-up *n fam* • **it was a toss-up who'd win** il était impossible de savoir qui allait gagner.

tot [tɒt] *n* **1.** *fam* tout-petit *m* **2.** larme *f*, goutte *f (d'une boisson alcoolisée)*. ■ **tot up** *vt sép fam* additionner.

total ['təʊtl] *adj* **1.** total **2.** complet. ❑ *n* total *m*. ❑ *vt* ((UK) *prét & pp* **totalled**, *cont* **totalling**, (US) *prét & pp* **totaled**, *cont* **totaling**) **1.** additionner **2.** s'élever à.

totalitarian [,təʊtælɪ'teərɪən] *adj* totalitaire.

totally ['təʊtəlɪ] *adv* totalement • **I totally agree** je suis entièrement d'accord.

tote bag [təʊt-] *n* (US) sac *m* (à provisions).

totter ['tɒtə] *vi litt & fig* chanceler.

totty ['tɒtɪ] *n* (UK) *fam* belles nanas *fpl*, belles gonzesses *fpl*.

touch [tʌtʃ] *n* **1.** *(indén)* toucher *m* **2.** touche *f* **3.** *(indén)* marque *f*, note *f* **4.** • **to keep in touch (with sb)** rester en contact (avec qqn) • **to get in touch with sb** entrer en contact avec qqn • **to lose touch with sb** perdre qqn de vue • **to be out of touch with** ne plus être au courant de **5.** *SPORT* en touche **6.** • **a touch** un petit peu. ❑ *vt* toucher. ❑ *vi* se toucher. ■ **touch down** *vi AÉRON* atterrir. ■ **touch on** *vt insép* effleurer.

touch-and-go *adj* incertain.

touchdown ['tʌtʃdaʊn] *n* **1.** *AÉRON* atterrissage *m* **2.** but *m*.

touché ['tuːʃeɪ] *interj* **1.** touché *(en escrime)* **2.** *fig* très juste.

touched [tʌtʃt] *adj* **1.** touché **2.** *fam* fêlé.

touching ['tʌtʃɪŋ] *adj* touchant.

touchline ['tʌtʃlaɪn] *n SPORT* ligne *f* de touche.

touchpaper ['tʌtʃ,peɪpə] *n* papier *m* nitraté.

touch screen *n* écran *m* tactile.

touch-sensitive *adj* **1.** *(écran)* tactile **2.** *(interrupteur, touche)* à effleurement.

touch-type *vi* taper au toucher.

touchy ['tʌtʃi] adj **1.** susceptible **2.** délicat.

touchy-feely ['fiːli] adj péj qui affectionne les contacts physiques.

tough [tʌf] adj **1.** solide **2.** dur **3.** difficile **4.** dangereux **5.** sévère.

toughen ['tʌfn] vt **1.** endurcir **2.** renforcer.

toughened ['tʌfnd] adj (verre) trempé.

toughness ['tʌfnɪs] (indén) n **1.** dureté f (de caractère) **2.** solidité f (du verre, du bois) **3.** difficulté f (d'un problème, d'une tâche) **4.** sévérité f (d'une personne).

toupee ['tuːpeɪ] n postiche m.

tour [tuər] n **1.** voyage m **2.** tournée f **3.** visite f, tour m. ❑ vt visiter.

Tourette's Syndrome [tə'rets-], **Tourette syndrome** [tə'ret-] n MÉD syndrome m Gilles de la Tourette.

touring ['tuərɪŋ] n tourisme m.

tourism ['tuərɪzm] n tourisme m.

tourist ['tuərɪst] n touriste mf.

tourist (information) office n office m de tourisme.

touristy ['tuərɪsti] adj péj touristique.

tournament ['tɔnəmənt] n tournoi m.

tour operator n voyagiste m.

tousle ['tauzl] vt ébouriffer.

tout [taut] n revendeur m de billets. ❑ vt **1.** revendre (au marché noir) **2.** vendre (en vantant sa marchandise). ❑ vi • **to tout for trade** racoler les clients.

tow [təu] vt remorquer.

towards [tə'wɔdz], **toward** (US) [tə'wɔd] prép **1.** vers **2.** envers **3.** pour.

towel ['tauəl] n **1.** serviette f **2.** torchon m.

towelling (UK), **toweling** (US) ['tauəlɪŋ] n (indén) tissu m éponge.

towel rail n porte-serviettes m inv.

tower ['tauər] n tour f. ❑ vi s'élever • **to tower over sb/sthg** dominer qqn/qqch.

tower block n (UK) tour f.

towering ['tauərɪŋ] adj imposant.

town [taun] n ville f • **to go out on the town** faire la tournée des grands ducs.

town centre n (UK) centre-ville m.

town council n (UK) conseil m municipal.

town hall n (UK) mairie f.

town house n hôtel m particulier.

town plan n (UK) plan m de ville.

town planner n (UK) urbaniste mf.

town planning n (UK) urbanisme m.

townsfolk ['taunzfəuk], **townspeople** ['taunz,piːpl] npl citadins mpl.

township ['taunʃɪp] n **1.** (aux États-Unis) ≃ canton m **2.** (en Afrique du Sud) township f.

towpath ['təupɑːθ] (pl [-pɑːðz]) n chemin m de halage.

towrope ['təurəup] n câble m de remorquage.

tow truck n (US) dépanneuse f.

toxic ['tɒksɪk] adj toxique.

toxic waste n déchets mpl toxiques.

toy [tɔɪ] n jouet m. ■ **toy with** vt insép **1.** caresser (une idée) **2.** jouer avec • **to toy with one's food** manger du bout des dents.

toy boy n fam jeune amant d'une femme plus âgée, étalon m.

toy shop n magasin m de jouets.

TPTB SMS (abrév de the powers that be) les autorités constituées.

trace [treɪs] n trace f. ❑ vt **1.** retrouver **2.** suivre **3.** retracer **4.** tracer.

traceable ['treɪsəbl] adj (objet) retrouvable, qui peut être retrouvé.

tracing paper ['treɪsɪŋ-] n (indén) papier-calque m.

track [træk] n **1.** chemin m **2.** SPORT piste f **3.** voie f ferrée **4.** trace f **5.** piste f (magnétique) **6.** (locution) • **to keep track of sb** rester en contact avec qqn • **to lose track of sb** perdre contact avec qqn • **to be on the right track** être sur la bonne voie • **to be on the wrong track** être sur la mauvaise piste. ❑ vt suivre la trace de. ■ **track down** vt sép **1.** dépister **2.** retrouver.

track and field n (US) athlétisme m.

tracklist ['træklɪst] n liste f des morceaux.

trackpad ['trækpæd] n INFORM tablette f tactile.

track record n palmarès m.

tracksuit ['træksuːt] n survêtement m.

tract [trækt] n **1.** tract m **2.** étendue f.

traction ['trækʃn] n (indén) **1.** traction f **2.** MÉD • **in traction** en extension.

tractor ['træktər] n tracteur m.

trade [treɪd] n **1.** (indén) commerce m **2.** métier m • **by trade** de son état. ❑ vt • **to trade sthg (for)** échanger qqch (contre). ❑ vi • **to trade (with sb)** commercer (avec qqn). ■ **trade in** vt sép échanger.

trade fair n exposition f commerciale.

trade-in n reprise f.

trademark ['treɪdmɑːk] n **1.** marque f de fabrique **2.** fig marque f.

trade name n nom m de marque.

trade-off n compromis m.

trader ['treɪdər] n marchand m, -e f, commerçant m, -e f.

trade route n route f commerciale.

trade secret n secret m de fabrication.

tradesman ['treɪdzmən] (pl -men) n commerçant m.

trade(s) union n (UK) syndicat m.

Trades Union Congress n (UK) • **the Trades Union Congress** la Confédération des syndicats britanniques.

trade(s) unionist [-'ju:njənɪst] *n* (UK) syndicaliste *mf*.

trading ['treɪdɪŋ] *n* (*indén*) commerce *m*.

trading estate *n* (UK) zone *f* industrielle.

tradition [trə'dɪʃn] *n* tradition *f*.

traditional [trə'dɪʃənl] *adj* traditionnel.

traditionally [trə'dɪʃnəli] *adv* traditionnellement.

traffic ['træfɪk] *n* (*indén*) **1.** circulation *f* **2.** • **traffic (in)** trafic *m* (de). ❑ *vi* (*prét & pp* **trafficked,** *cont* **trafficking**) • **to traffic in** faire le trafic de.

traffic circle *n* (US) rond-point *m*.

traffic jam *n* embouteillage *m*.

trafficker ['træfɪkər] *n* • **trafficker (in)** trafiquant *m*, -e *f* (de).

traffic lights *npl* feux *mpl* de signalisation.

traffic police *n* **1.** police *f* de la route **2.** police *f* de la circulation.

traffic policeman *n* **1.** agent *m* de police **2.** agent *m* de la circulation.

traffic warden *n* (UK) contractuel *m*, -elle *f*.

tragedy ['trædʒədi] *n* tragédie *f*.

tragic ['trædʒɪk] *adj* tragique.

tragically ['trædʒɪkli] *adv* tragiquement, de façon tragique.

trail [treɪl] *n* **1.** sentier *m* **2.** piste *f*. ❑ *vt* **1.** traîner **2.** suivre. ❑ *vi* **1.** traîner **2.** SPORT • **to be trailing** être mené. ■ **trail away, trail off** *vi* s'estomper.

trailblazer ['treɪl,bleɪzər] *n fig* pionnier *m*, -ère *f*.

trailblazing ['treɪl,bleɪzɪŋ] *adj* de pionnier.

trailer ['treɪlər] *n* **1.** remorque *f* **2.** caravane *f* **3.** CINÉ bande-annonce *f*.

trailer park *n* (US) *terrain aménagé pour les camping-cars.*

train [treɪn] *n* **1.** train *m* **2.** traîne *f*. ❑ *vt* **1.** • **to train sb to do sthg** apprendre à qqn à faire qqch **2.** former • **to train sb as/in** former qqn comme/dans **3.** SPORT • **to train sb (for)** entraîner qqn (pour). ❑ *vi* **1.** • **to train (as)** recevoir *ou* faire une formation (de) **2.** SPORT • **to train (for)** s'entraîner (pour).

trained [treɪnd] *adj* formé.

trainee [treɪ'niː] *n* stagiaire *mf*.

traineeship [treɪ'niːʃɪp] *n* stage *m*.

trainer ['treɪnər] *n* **1.** dresseur *m*, -euse *f* **2.** SPORT entraîneur *m*. ■ **trainers** *npl* (UK) chaussures *fpl* de sport.

training ['treɪnɪŋ] *n* (*indén*) **1.** • **training (in)** formation *f* (de) **2.** SPORT entraînement *m*.

training college *n* (UK) école *f* professionnelle.

training course *n* cours *m ou* stage *m* de formation.

training shoes *npl* (UK) chaussures *fpl* de sport.

training video *n* vidéo *f* d'entraînement.

train of thought *n* • **my/his train of thought** le fil de mes/ses pensées.

train station *n* (US) gare *f*.

traipse [treɪps] *vi* traîner.

trait [treɪt] *n* trait *m*.

traitor ['treɪtər] *n* traître *m*.

trajectory [trə'dʒektəri] *n* trajectoire *f*.

tram [træm], **tramcar** ['træmkɑːr] *n* (UK) tram *m*, tramway *m*.

tramp [træmp] *n* clochard *m*, -e *f*. ❑ *vi* marcher d'un pas lourd.

trample ['træmpl] *vt* piétiner.

trampoline ['træmpəliːn] *n* trampoline *m*.

trance [trɑːns] *n* transe *f*.

tranquil ['træŋkwɪl] *adj* tranquille.

tranquillity (UK), **tranquility** (US) [træŋ'kwɪləti] *n* tranquillité *f*.

tranquillize, -ise (UK), **tranquilize** (US) ['træŋkwɪlaɪz] *vt* mettre sous tranquillisants *ou* calmants.

tranquillizer (UK), **tranquilizer** (US) ['træŋkwɪlaɪzər] *n* tranquillisant *m*.

transaction [træn'zækʃn] *n* transaction *f*.

transatlantic [,trænzət'læntɪk] *adj* **1.** (*vol, traversée*) transatlantique **2.** (*politique*) d'outre-Atlantique.

transcend [træn'send] *vt* transcender.

transcendental meditation [,trænsen'dentl-] *n* méditation *f* transcendantale.

transcribe [træn'skraɪb] *vt* transcrire.

transcript ['trænskrɪpt] *n* (US) SCOL livret *m* scolaire.

transcript ['trænskrɪpt] *n* transcription *f*.

trans fat ['trænz-] *n* BIOL & CHIM acide *m* gras trans.

transfer *n* ['trænsfɜːr] **1.** transfert *m* **2.** passation *f* (*de pouvoir*) **3.** FIN virement *m* **4.** (UK) décalcomanie *f*. ❑ *vt* [træns'fɜːr] **1.** transférer **2.** virer (*de l'argent*) **3.** transférer, muter (*un employé*). ❑ *vi* [træns'fɜːr] être transféré.

transferable [træns'fɜːrəbl] *adj* transférable, transmissible • **not transferable** (*ticket, billet*) non cessible.

transfer fee *n* (UK) SPORT prix *m* d'un transfert.

transfix [træns'fɪks] *vt* • **to be transfixed with fear** être paralysé par la peur.

transform [træns'fɔːm] *vt* • **to transform sb/sthg (into)** transformer qqn/qqch (en).

transformation [,trænsfə'meɪʃn] *n* transformation *f*.

transfusion [træns'fjuːʒn] *n* transfusion *f*.

transgender [,træns'dʒendər] *adj* transgenre, transsexuel.

transient ['trænzɪənt] *adj* passager.

transistor [træn'zɪstər] *n* transistor *m*.

transistor radio n transistor m.

transit ['trænsɪt] n • **in transit** en transit.

transition [træn'zɪʃn] n transition f.

transitional [træn'zɪʃənl] adj de transition.

transitive ['trænzɪtɪv] adj transitif.

transitory ['trænzɪtrɪ] adj transitoire.

translate [træns'leɪt] vt traduire.

translation [træns'leɪʃn] n traduction f.

translator [træns'leɪtər] n traducteur m, -trice f.

translucent [trænz'luːsnt] adj translucide.

transmission [trænz'mɪʃn] n **1.** RADIO & TV transmission f **2.** émission f **3.** (US) AUTO boîte f de vitesses.

transmit [trænz'mɪt] vt transmettre.

transmitter [trænz'mɪtər] n émetteur m.

transparency [træns'pærənsɪ] n **1.** diapositive f **2.** transparent m.

transparent [træns'pærənt] adj transparent.

transpire [træn'spaɪər] sout vt • **it transpires that...** on a appris que... □ vi se passer, arriver.

transplant n ['trænsplɑːnt] greffe f, transplantation f. □ vt [træns'plɑːnt] **1.** greffer, transplanter **2.** repiquer.

transport n ['trænspɔːt] transport m. □ vt [træn'spɔːt] transporter.

transportable [træn'spɔːtəbl] adj transportable.

transportation [ˌtrænspɔː'teɪʃn] n (surtout US) transport m.

transport cafe n (UK) restaurant m de routiers, routier m.

transpose [træns'pəʊz] vt transposer.

transsexual [træns'seksʃʊəl] n transsexuel.

transvestite [trænz'vestaɪt] n travesti m, -e f.

trap [træp] n piège m. □ vt prendre au piège • **to be trapped** être coincé.

trapdoor [ˌtræp'dɔːr] n trappe f.

trapeze [trə'piːz] n trapèze m.

trappings ['træpɪŋz] npl signes mpl extérieurs.

trash [træʃ] n (indén) **1.** (US) ordures fpl **2.** fam & péj camelote f.

trash bag n (US) sac-poubelle m.

trashcan ['træʃkæn] n (US) poubelle f.

trash collector n (US) éboueur m, éboueuse f.

trashed [træʃt] adj fam bourré (par l'alcool) • **to get trashed** se bourrer la gueule.

trashy ['træʃɪ] (comp **trashier**, superl **trashiest**) adj fam qui ne vaut rien, nul.

trauma ['trɔːmə] n **1.** MÉD trauma m **2.** fig traumatisme m.

traumatic [trɔː'mætɪk] adj traumatisant.

traumatize, **-ise** (UK) ['trɔːmətaɪz] vt traumatiser.

travel ['trævl] n (indén) voyage m, voyages mpl. □ vt ((UK) prét & pp **travelled**, cont travelling, (US) prét & pp **traveled**, cont traveling) parcourir. □ vi ((UK) prét & pp **travelled**, cont travelling, (US) prét & pp **traveled**, cont traveling) **1.** voyager **2.** (courant, signal) aller, passer **3.** (nouvelle) se répandre, circuler. ■ **travels** npl voyages mpl.

travel agency n agence f de voyages.

travel agent n agent m de voyages • **to/at the travel agent's** à l'agence f de voyages.

travelator ['trævəleɪtər] = **travolator**.

travel brochure n dépliant m touristique.

Travelcard ['trævlkɑːd] n carte f d'abonnement (pour les transports en commun à Londres).

traveler etc (US) = **traveller** etc

travel insurance n (indén) • **to take out travel insurance** prendre une assurance-voyage.

traveller (UK), **traveler** (US) ['trævlər] n **1.** voyageur m, -euse f **2.** représentant m.

traveller's cheque (UK), **traveler's check** (US) n chèque m de voyage.

travelling (UK), **traveling** (US) ['trævlɪŋ] adj **1.** ambulant **2.** (sac) de voyage **3.** (indemnité) de déplacement.

travelling expenses (UK), **traveling expenses** (US) npl frais mpl de déplacement.

travelling rug n plaid m.

travelsick ['trævəlsɪk] adj • **to be travelsick** avoir le mal de la route/de l'air/de mer.

travel sickness n mal m de la route/de l'air/de mer.

travel-size adj (shampoing, flacon) de voyage.

travel-weary adj fatigué par le voyage.

travesty ['trævəstɪ] n parodie f.

travolator ['trævəleɪtər] n tapis m ou trottoir m roulant.

trawler ['trɔːlər] n chalutier m.

tray [treɪ] n plateau m.

treacherous ['tretʃərəs] adj traître, traîtresse f.

treachery ['tretʃərɪ] n traîtrise f.

treacle ['triːkl] n (UK) mélasse f.

tread [tred] n **1.** AUTO bande f de roulement **2.** pas m. □ vi (prét **trod**, pp **trodden**) • **to tread (on)** marcher (sur).

treadmill ['tredmɪl] n **1.** trépigneuse f **2.** fig routine f, train-train m.

treason ['triːzn] n trahison f.

treasure ['treʒər] n trésor m. □ vt **1.** garder précieusement **2.** chérir.

treasure hunt n chasse f au trésor.

treasurer ['treʒərər] n trésorier m, -ère f.

treasury ['treʒərɪ] n trésorerie f. ■ **Treasury** n • **the Treasury** le ministère des Finances.

treat [triːt] vt **1.** traiter **2.** • **to treat sb to sthg** offrir ou payer qqch à qqn. □ n **1.** cadeau m **2.** plaisir m.

treatise ['triːtɪz] n • **treatise (on)** traité m (de).

treatment ['triːtmənt] n traitement m.

treaty ['triːtɪ] *n* traité *m*.

treble ['trebl] *adj* **1.** *(voix)* de soprano **2.** *(son)* aigu **3.** triple. ❑ *n (voix, chanteur)* soprano *m*. ❑ *vt & vi* tripler.

treble clef *n* clef *f* de sol.

tree [triː] *n* **1.** arbre *m* **2.** INFORM arbre *m*, arborescence *f*.

tree-hugger *n fam, hum & péj* écolo *mf*.

tree-lined *adj* bordé d'arbres.

treetop ['triːtɒp] *n* cime *f*.

tree trunk *n* tronc *m* d'arbre.

trek [trek] *n* randonnée *f*.

trekking ['trekɪŋ] *n* randonnée *f*, trekking *m* • **I went on a trekking holiday in Nepal** je suis allé faire de la randonnée au Népal.

trellis ['trelɪs] *n* treillis *m*.

tremble ['trembl] *vi* trembler.

tremendous [trɪ'mendəs] *adj* **1.** énorme **2.** terrible **3.** *fam* formidable.

tremendously [trɪ'mendəslɪ] *adv* **1.** extrêmement *(cher, énervant)* **2.** terriblement *(fort)*.

tremor ['tremər] *n* tremblement *m*.

trench [trentʃ] *n* tranchée *f*.

trench coat *n* trench-coat *m*.

trend [trend] *n* tendance *f*.

trendily ['trendɪlɪ] *adv fam (vêtement, tenue)* branché *(adv)*.

trendsetter ['trend,setər] *n* personne *f* qui lance une mode.

trendy [trendɪ] *fam adj* branché, à la mode.

trepidation [,trepɪ'deɪʃn] *n sout* • **in** *ou* **with trepidation** avec inquiétude.

trespass ['trespəs] *vi* entrer sans permission • **'no trespassing'** 'défense d'entrer'.

trespasser ['trespəsər] *n* intrus *m*, -e *f*.

trestle ['tresl] *n* tréteau *m*.

trestle table *n* table *f* à tréteaux.

triage ['triːɑːʒ] *n* MÉD triage *m (des malades, des blessés)*.

trial ['traɪəl] *n* **1.** procès *m* • **to be on trial (for)** passer en justice (pour) **2.** essai *m* • **on trial** à l'essai • **by trial and error** en tâtonnant **3.** épreuve *f (expérience pénible)*.

trial basis *n* • **on a trial basis** à l'essai.

trial period *n* période *f* d'essai.

trial run *n* essai *m*.

trial-size(d) *adj (dose)* d'essai.

triangle ['traɪæŋgl] *n* triangle *m*.

triathlon [traɪ'æθlɒn] *(pl -s) n* triathlon *m*.

tribe [traɪb] *n* tribu *f*.

tribunal [traɪ'bjuːnl] *n* tribunal *m*.

tributary ['trɪbjʊtrɪ] *n* affluent *m*.

tribute ['trɪbjuːt] *n* tribut *m*, hommage *m* • **to pay tribute to** payer tribut à, rendre hommage à.

trice [traɪs] *n* • **in a trice** en un clin d'œil.

triceps ['traɪseps] *(pl inv ou* **-es***) n* triceps *m*.

trick [trɪk] *n* **1.** tour *m*, farce *f* • **to play a trick on sb** jouer un tour à qqn **2.** truc *m* • **that will do the trick** *fam* ça fera l'affaire. ❑ *vt* attraper, rouler • **to trick sb into doing sthg** amener qqn à faire qqch (par la ruse).

trickery ['trɪkərɪ] *n (indén)* ruse *f*.

trickle ['trɪkl] *n* filet *m*. ❑ *vi* dégouliner • **to trickle in/out** entrer/sortir par petits groupes.

trickle-down *adj* • **trickle-down economics** *théorie selon laquelle le bien-être des riches finit par profiter aux classes sociales défavorisées.*

trick or treat *n* une gâterie ou une farce *(phrase rituelle des enfants déguisés qui font la quête le soir de Hallowe'en).*

trick question *n* question-piège *f*.

tricky ['trɪkɪ] *adj* difficile.

tricycle ['traɪsɪkl] *n* tricycle *m*.

tried [traɪd] *adj* • **tried and tested** qui a fait ses preuves.

trifle ['traɪfl] *n* **1.** (UK) CULIN ≃ diplomate *m* **2.** bagatelle *f*. ■ **a trifle** *adv* un peu, un tantinet.

trifling ['traɪflɪŋ] *adj* insignifiant.

trigger ['trɪgər] *n* détente *f*, gâchette *f*. ■ **trigger off** *vt sép* déclencher, provoquer.

trigger-happy *adj* **1.** *fam (personne)* qui a la gâchette facile **2.** *(état)* prêt à déclencher la guerre pour un rien, belliqueux.

trilingual [traɪ'lɪŋgwəl] *adj* trilingue.

trill [trɪl] *n* trille *m*.

trilogy ['trɪlədʒɪ] *(pl -ies) n* trilogie *f*.

trim [trɪm] *adj* **1.** net **2.** svelte. ❑ *n* coupe *f (de cheveux)*. ❑ *vt* **1.** couper **2.** tailler **3.** • **to trim sthg (with)** garnir *ou* orner qqch (de).

trimester [traɪ'mestər] *n* **1.** (US) trimestre *m* **2.** trois mois *mpl*.

trimmed [trɪmd] *adj* • **trimmed with** orné de.

trimming ['trɪmɪŋ] *n* **1.** COUT parement *m* **2.** CULIN garniture *f*.

trinket ['trɪŋkɪt] *n* bibelot *m*.

trio ['triːəʊ] *(pl -s) n* trio *m*.

trip [trɪp] *n* **1.** voyage *m* **2.** *arg drogue* trip *m*. ❑ *vt* faire un croche-pied à. ❑ *vi* • **to trip (over)** trébucher (sur). ■ **trip up** *vt sép* faire un croche-pied à.

tripe [traɪp] *n (indén)* **1.** tripe *f* **2.** *fam* bêtises *fpl*, idioties *fpl*.

triple ['trɪpl] *adj* triple. ❑ *vt & vi* tripler.

triple jump *n* • **the triple jump** le triple saut.

triplets ['trɪplɪts] *npl* triplés *mpl*, triplées *fpl*.

triplicate ['trɪplɪkət] *n* • **in triplicate** en trois exemplaires.

tripod ['traɪpɒd] *n* trépied *m*.

trip switch *n* interrupteur *m*.

trite [traɪt] *adj péj* banal.

triumph [ˈtraɪəmf] n triomphe m. ❏ vi • **to triumph (over)** triompher (de).

triumphant [traɪˈʌmfənt] adj triomphant.

triumphantly [trɪˈʌmfəntlɪ] adv de façon triomphante, triomphalement.

trivia [ˈtrɪvɪə] n (indén) vétilles fpl, riens mpl.

trivial [ˈtrɪvɪəl] adj insignifiant.

trivialize, -ise (UK) [ˈtrɪvɪəlaɪz] vt banaliser.

trod [trɒd] passé → tread.

trodden [ˈtrɒdn] pp → tread.

trolley [ˈtrɒlɪ] (pl -s) n 1. (UK) chariot m, Caddie® m 2. (UK) table f roulante.

trolley case n (UK) valise f à roulettes.

trollop [ˈtrɒləp] n 1. vieilli & péj putain f 2. souillon f.

trombone [trɒmˈbəʊn] n MUS trombone m.

troop [truːp] n bande f, troupe f. ❏ vi • **to troop in/out/off** entrer/sortir/partir en groupe. ■ **troops** npl troupes fpl.

trooper [ˈtruːpər] n 1. MIL soldat m 2. (US) policier m (appartenant à la police d'un État).

trophy [ˈtrəʊfɪ] n trophée m.

tropical [ˈtrɒpɪkl] adj tropical.

tropics [ˈtrɒpɪks] npl • **the tropics** les tropiques mpl.

trot [trɒt] n trot m. ❏ vi trotter. ■ **on the trot** adv fam de suite, d'affilée. ■ **trot out** vt sép péj débiter.

trotter [ˈtrɒtər] n pied m de porc.

trouble [ˈtrʌbl] n (indén) 1. problème m, difficulté f • **to be in trouble** avoir des ennuis 2. peine f, mal m • **to take the trouble to do sthg** se donner la peine de faire qqch • **it's no trouble!** ça ne me dérange pas ! 3. ennui m 4. bagarre f 5. troubles mpl, conflits mpl. ❏ vt 1. peiner, troubler 2. déranger 3. faire mal à. ■ **troubles** npl 1. ennuis mpl 2. POLIT troubles mpl, conflits mpl.

troubled [ˈtrʌbld] adj 1. inquiet 2. (période) de troubles, agité 3. (pays) qui connaît une période de troubles.

trouble-free adj sans problèmes.

troublemaker [ˈtrʌbl.meɪkər] n provocateur m, -trice f.

troubleshoot [ˈtrʌbl.ʃuːt] vi 1. régler un problème 2. localiser une panne.

troubleshooter [ˈtrʌbl.ʃuːtər] n expert m, spécialiste mf.

troublesome [ˈtrʌblsəm] adj 1. pénible 2. gênant 3. qui fait souffrir.

trouble spot n point m chaud.

troubling [ˈtrʌblɪŋ] adj (nouvelles) inquiétant.

trough [trɒf] n 1. abreuvoir m 2. auge f 3. creux m (d'une vague) 4. fig point m bas.

trounce [traʊns] vt fam écraser.

troupe [truːp] n troupe f.

trousers [ˈtraʊzəz] npl pantalon m.

trouser suit [ˈtraʊzə-] n (UK) tailleur-pantalon m.

trousseau [ˈtruːsəʊ] (pl -x ou -s) n trousseau m.

trout [traʊt] (pl inv ou -s) n truite f.

trowel [ˈtraʊəl] n 1. déplantoir m 2. truelle f.

truancy [ˈtruːənsɪ] n absentéisme m.

truant [ˈtruːənt] n élève mf absentéiste.

truce [truːs] n trêve f.

truck [trʌk] n 1. (surtout US) camion m 2. wagon m à plate-forme.

truck driver n (surtout US) routier m.

trucker [ˈtrʌkər] n (US) routier m, -ère f.

truck farm n (US) jardin m maraîcher.

truculent [ˈtrʌkjʊlənt] adj agressif.

trudge [trʌdʒ] vi marcher péniblement.

true [ˈtruː] adj 1. vrai • **to come true** se réaliser 2. vrai, authentique • **true love** le grand amour 3. exact 4. fidèle, loyal.

true-life adj vrai, vécu.

truffle [ˈtrʌfl] n truffe f.

truism [ˈtruːɪzm] n truisme m.

truly [ˈtruːlɪ] adv 1. vraiment 2. (pour accentuer) vraiment, sincèrement 3. (locution) • **yours truly** je vous prie de croire à l'expression de mes sentiments distingués.

trump [trʌmp] n atout m.

trump card n fig atout m.

trumped-up [ˈtrʌmpt-] adj péj inventé de toutes pièces.

trumpet [ˈtrʌmpɪt] n trompette f.

truncate [trʌŋˈkeɪt] vt tronquer.

truncated [trʌŋˈkeɪtɪd] adj tronqué.

truncheon [ˈtrʌntʃən] n (UK) matraque f.

trundle [ˈtrʌndl] vi aller lentement.

trunk [trʌŋk] n 1. tronc m 2. trompe f (d'éléphant) 3. malle f 4. (US) coffre m (de voiture). ■ **trunks** npl maillot m de bain.

trunk call n (UK) communication f interurbaine.

trunk road n (UK) (route f) nationale f.

truss [trʌs] n bandage m herniaire.

trust [trʌst] vt 1. avoir confiance en, se fier à • **to trust sb to do sthg** compter sur qqn pour faire qqch 2. • **to trust sb with sthg** confier qqch à qqn 3. sout • **to trust (that)**... espérer que... ❏ n 1. (indén) • **trust (in sb/sthg)** confiance f (en qqn/dans qqch) 2. (indén) responsabilité f 3. COMM trust m.

trusted [ˈtrʌstɪd] adj 1. (personne) de confiance 2. (méthode) qui a fait ses preuves.

trustee [trʌsˈtiː] n 1. fidéicommissaire mf 2. administrateur m, -trice f.

trust fund n fonds m en fidéicommis.

trusting [ˈtrʌstɪŋ] adj confiant.

trustworthiness [ˈtrʌst.wɜːðɪnɪs] n 1. (qualité) loyauté f, sérieux m (d'une personne) 2. fiabilité f *(d'une information, d'une source)* **3.** *(exactitude)* fiabilité f, justesse f *(d'un rapport, d'un calcul)* **4.** honnêteté f.

trustworthy ['trʌst,wɜːðɪ] *adj* digne de confiance.

trusty ['trʌstɪ] *(comp* **trustier***, superl* **trustiest)** *adj hum* fidèle.

truth [truːθ] *n* vérité f • **in (all) truth** à dire vrai, en vérité.

truther ['truːθər] *n personne contestant la version officielle sur les attentats terroristes du 11 septembre 2001 aux États-Unis, et soutenant la thèse d'une conspiration.*

truthful ['truːθʊl] *adj* **1.** honnête **2.** véridique.

truthfully ['truːθʊlɪ] *adv* **1.** *(répondre, parler)* honnêtement, sans mentir **2.** *(agir)* sincèrement, vraiment.

truthfulness ['truːθʊlnɪs] *n* **1.** honnêteté f *(d'une personne)* **2.** fidélité f *(d'un portrait)* **3.** véracité f *(de faits, de récits).*

try [traɪ] *vt* **1.** essayer • **to try to do sthg** essayer de faire qqch **2.** goûter **3.** *DR* juger **4.** éprouver, mettre à l'épreuve. ❏ *vi* essayer • **to try for sthg** essayer d'obtenir qqch. ❏ *n* **1.** essai *m*, tentative f • **to give sthg a try** essayer qqch **2.** *RUGBY* essai *m*. ■ **try on** *vt sép* essayer *(un vêtement).* ■ **try out** *vt sép* essayer *(une machine, une méthode).*

try

Dans la langue parlée, le verbe **try** est souvent suivi de **and** puis de la forme de base du verbe, au lieu de **to** et de la forme de base **(try and come tonight** = **try to come tonight).**

trying ['traɪɪŋ] *adj* pénible, éprouvant.

try-out *n fam* essai *m*.

tsar [zɑː] *n* tsar *m*.

T-shirt *n* tee-shirt *m*.

T-square *n* té *m*.

TSS *(abrév de* toxic shock syndrome*) n* SCT *m*.

tsunami [tsuː'nɑːmɪ] *n* tsunami *m*.

TTYL *SMS* (abrév de talk to you later) @+.

tub [tʌb] *n* **1.** boîte f **2.** petit pot *m* **3.** barquette f **4.** baignoire f.

tuba ['tjuːbə] *n* tuba *m*.

tubby ['tʌbɪ] *adj fam* boulot.

tube [tjuːb] *n* **1.** tube *m* **2.** (UK) métro *m* • **the tube** le métro • **by tube** en métro.

tuberculosis [tjuː,bɜːkjʊ'ləʊsɪs] *n* tuberculose f.

tube station *n* (UK) station f de métro.

tubing ['tjuːbɪŋ] *n (indén)* tubes *mpl*, tuyaux *mpl*.

tubular ['tjuːbjʊlər] *adj* tubulaire.

tuck [tʌk] *vt* ranger. ■ **tuck away** *vt sép* mettre de côté *ou* en lieu sûr. ■ **tuck in** *vt* **1.** border

(un enfant) **2.** rentrer *(sa chemise dans son pantalon).* ❏ *vi fam* bouffer. ■ **tuck up** *vt sép* border.

tuck shop *n* (UK) *petite boutique qui vend des bonbons et des gâteaux.*

Tudor ['tjuːdər] *adj* **1.** *HIST* des Tudors **2.** *ARCHIT* Tudor *(inv).*

Tue., **Tues.** (abrév de Tuesday) mar.

Tuesday ['tjuːzdeɪ] *n* mardi *m*. Voir aussi **Saturday.**

tuft [tʌft] *n* touffe f.

tug [tʌg] *n* **1.** • **to give sthg a tug** tirer sur qqch **2.** remorqueur *m*. ❏ *vt* tirer. ❏ *vi* • **to tug (at)** tirer *(sur).*

tug-of-war *n* **1.** lutte f de traction à la corde **2.** *fig* lutte acharnée.

tuition [tjuː'ɪʃn] *n (indén)* cours *mpl*.

TUL *SMS* (abrév de tell you later) je te raconterai.

tulip ['tjuːlɪp] *n* tulipe f.

tumble ['tʌmbl] *vi* **1.** tomber, faire une chute **2.** *(eau)* tomber en cascades **3.** *fig* tomber, chuter. ❏ *n* chute f, culbute f. ■ **tumble to** *vt insép* (UK) *fam* piger.

tumbledown ['tʌmbldaʊn] *adj* délabré, qui tombe en ruine.

tumble-dry *vt* faire sécher en machine.

tumble-dryer [-,draɪər] *n* sèche-linge *m inv*.

tumbler ['tʌmblər] *n* verre *m* (droit).

tummy ['tʌmɪ] *n fam* ventre *m*.

tumour (UK), **tumor** (US) ['tjuːmər] *n* tumeur f.

tumultuous [tjuː'mʌltjuəs] *adj* **1.** tumultueux **2.** frénétique.

tuna [(UK) 'tjuːnə, (US) 'tuːnə] *(pl inv ou* **-s***) n* thon *m*.

tune [tjuːn] *n* **1.** air *m* **2.** • **in tune a)** accordé **b)** juste • **out of tune a)** mal accordé **b)** faux • **to be in/out of tune (with)** *fig* être en accord/désaccord (avec). ❏ *vt* **1.** *MUS* accorder **2.** *AUTO*, *RADIO & TV* régler. ■ **tune in** *vi* être à l'écoute • **to tune in to** se mettre sur. ■ **tune up** *vi* accorder son instrument.

tuned-in [tjuːnd-] *adj fam* branché.

tuneful ['tjuːnfʊl] *adj* mélodieux.

tunefully ['tjuːnfʊlɪ] *adv* mélodieusement.

tuneless ['tjuːnlɪs] *adj* discordant.

tunelessly ['tjuːnlɪslɪ] *adv* **1.** de manière peu mélodieuse **2.** faux *(adv).*

tuner ['tjuːnər] *n* **1.** *RADIO & TV* syntoniseur *m*, tuner *m* **2.** accordeur *m*.

tunic ['tjuːnɪk] *n* tunique f.

tuning fork ['tjuːnɪŋ-] *n* diapason *m*.

Tunisia [tjuː'nɪzɪə] *n* Tunisie f.

tunnel ['tʌnl] *n* tunnel *m*. ❏ *vi* ((UK) *prét &* *pp* **tunnelled**, *cont* **tunnelling**, (US) *prét &* *pp* **tunneled**, *cont* **tunneling**) faire *ou* creuser un tunnel.

tunnel vision *n* **1.** rétrécissement *m* du champ visuel **2.** *fig &péj* vues *fpl* étroites.

turban ['tɜːbən] n turban m.

turbine ['tɜːbaɪn] n turbine f.

turbo ['tɜːbəʊ] (pl -s) n turbo m.

turbocharged ['tɜːbəʊtʃɑːdʒd] adj turbo (inv).

turbot ['tɜːbət] (pl inv ou -s) n turbot m.

turbulence ['tɜːbjʊləns] n (indén) **1.** turbulence f **2.** fig agitation f.

turbulent ['tɜːbjʊlənt] adj **1.** agité **2.** fig tumultueux, agité.

turd [tɜːd] n tfam **1.** (excrément) merde f **2.** péj (personne) con m, salaud m.

tureen [təˈriːn] n soupière f.

turf [tɜːf] n (pl -s, (UK) pl turves [tɜːvz]) **1.** gazon m **2.** (US) fam territoire m réservé **3.** motte f de gazon. ■ **turf out** vt sép (UK) fam **1.** virer **2.** balancer, bazarder.

turgid ['tɜːdʒɪd] adj sout pompeux, ampoulé.

Turk [tɜːk] n Turc m, Turque f.

turkey ['tɜːkɪ] (pl -s) n dinde f.

Turkey ['tɜːkɪ] n Turquie f.

Turkish ['tɜːkɪʃ] adj turc. ❑ n turc m. ❑ npl • **the Turkish** les Turcs mpl.

Turkish delight n loukoum m.

turmoil ['tɜːmɔɪl] n agitation f, trouble m.

turn [tɜːn] n **1.** virage m, tournant m **2.** méandre m **3.** tour m **4.** tournure f, tour m **5.** (dans un jeu) tour m • **it's my turn** c'est (à) mon tour • **in turn** tour à tour, chacun (à) son tour **6.** (UK) numéro m (dans un spectacle) **7.** (UK) MÉD crise f, attaque f **8.** (locution) • **to do sb a good turn** rendre (un) service à qqn. ❑ vt **1.** tourner • **to turn one's attention to sthg** tourner son attention vers qqch **2.** retourner • **to turn sthg inside out** retourner qqch **3.** • **to turn sthg into** changer qqch en **4.** • **to turn red** rougir. ❑ vi **1.** tourner **2.** se retourner **3.** • **to turn to a page** se reporter ou aller à une page **4.** • **to turn to sb/sthg** se tourner vers qqn/qqch **5.** • **to turn into** se transformer en. ■ **turn against** vt insép se retourner contre. ■ **turn around** vt sép = **turn round**. ■ **turn away** vt sép refuser. ❑ vi se détourner. ■ **turn back** vt sép **1.** replier **2.** refouler. ❑ vi rebrousser chemin. ■ **turn down** vt sép **1.** rejeter, refuser **2.** baisser. ■ **turn in** vi fam se pieuter. ■ **turn off** vt insép quitter. ❑ vt sép **1.** éteindre **2.** fermer. ❑ vi tourner. ■ **turn on** vt sép **1.** allumer • **to turn the light on** allumer la lumière **2.** ouvrir **3.** fam exciter. ❑ vt insép attaquer. ■ **turn out** vt sép **1.** éteindre **2.** retourner, vider. ❑ vt insép • **to turn out to be** s'avérer • **it turns out that...** il s'avère ou se trouve que... ❑ vi **1.** finir **2.** venir. ■ **turn over** vt sép **1.** retourner (une carte à jouer, une pierre) **2.** tourner (une page) **3.** retourner dans sa tête **4.** rendre. ❑ vi **1.** se retourner **2.** (UK) (TV) changer de chaîne. ■ **turn round** (UK), **turn around** (US) vt sép **1.** retourner (une carte à jouer, une pierre) **2.** tourner (une page). ❑ vi se retourner. ■ **turn up** vt sép **1.** mettre plus fort **2.** monter. ❑ vi **1.** arriver **2.** être retrouvé **3.** (occasion) se présenter.

turnabout ['tɜːnəbaʊt] n **1.** revirement m (de situation) **2.** changement m (de politique).

turnaround (US) = **turnround**.

turncoat ['tɜːnkəʊt] n péj renégat m.

turned-on adj fam **1.** branché, câblé (à la mode) **2.** excité (sexuellement) • **to get turned-on** s'exciter.

turning ['tɜːnɪŋ] n (UK) route f latérale.

turning point n tournant m, moment m décisif.

turnip ['tɜːnɪp] n navet m.

turn-off n **1.** sortie f (de route), route f transversale, embranchement m **2.** fam perte d'intérêt • **it's a real turn-off a)** (gén) c'est vraiment à vous dégoûter **b)** (sexuellement) ça vous coupe vraiment l'envie.

turn-on n fam • **he finds leather a turn-on** il trouve le cuir excitant, le cuir l'excite.

turnout ['tɜːnaʊt] n **1.** taux m de participation **2.** (à un concert, un meeting) assistance f.

turnover ['tɜːnˌəʊvə] n (indén) **1.** renouvellement m **2.** chiffre m d'affaires.

turnpike ['tɜːnpaɪk] n (US) autoroute f à péage.

turnround (UK) ['tɜːnraʊnd], **turnaround** (US) ['tɜːnəraʊnd] n **1.** COMM • **turnround (time)** délai m **2.** retournement m (de situation).

turnstile ['tɜːnstaɪl] n tourniquet m.

turntable ['tɜːnˌteɪbl] n platine f (d'un électrophone).

turn-up n (UK) revers m inv (de pantalon) • **a turn-up for the books** fam une sacrée surprise.

turpentine ['tɜːpəntaɪn] n térébenthine f.

turquoise ['tɜːkwɔɪz] n **1.** (pierre fine) turquoise f **2.** (couleur) turquoise m.

turret ['tʌrɪt] n tourelle f.

turtle ['tɜːtl] (pl inv ou -s) n tortue f de mer.

turtleneck ['tɜːtlnek] n **1.** pull m à col montant **2.** col m montant.

tusk [tʌsk] n défense f (d'éléphant).

tussle ['tʌsl] n lutte f. ❑ vi se battre • **to tussle over sthg** se disputer qqch.

tutor ['tjuːtə] n **1.** professeur m particulier **2.** (UK) UNIV directeur m, -trice f d'études.

tutorial [tjuːˈtɔːrɪəl] n travaux mpl dirigés.

tutu ['tuːtuː] n tutu m.

tux [tʌks] n (US) fam smoking m.

tuxedo [tʌkˈsiːdəʊ] (pl -s) n smoking m.

TV (abrév de television) n (indén) télé f.

TV dinner n plateau-repas m (devant la télévision).

TV movie n téléfilm m.

twaddle ['twɒdl] n (indén) fam bêtises fpl, fadaises fpl.

twang [twæŋ] n **1.** bruit m de pincement **2.** nasillement m.

tweak [twi:k] vt **1.** fam tirer (les oreilles) **2.** tordre (le nez).

twee [twi:] adj (UK) péj mièvre.

tweed [twi:d] n tweed m.

tweenage ['twi:neɪdʒ] adj fam préadolescence f.

tweenager ['twi:neɪdʒə] n fam préadolescent m, -e f.

tweezers ['twi:zəz] npl pince f à épiler.

twelfth [twelfθ] num douzième. Voir aussi **sixth**.

twelfth grade n (US) SCOL classe de l'enseignement secondaire correspondant à la terminale (17-18 ans).

twelfth grader ['twelfθ ,greɪdə] n (US) SCOL lycéen en troisième année.

twelve [twelv] num douze. Voir aussi **six**.

twentieth ['twentɪəθ] num vingtième. Voir aussi **sixth**.

twenty ['twentɪ] num vingt. Voir aussi **six**.

twenty-twenty vision n vision f de dix dixièmes à chaque œil.

twerp [twɜ:p] n fam crétin m, -e f, andouille f.

twice [twaɪs] adv deux fois • **twice a day** deux fois par jour • **he earns twice as much as me** il gagne deux fois plus que moi • **twice as big** deux fois plus grand • **twice my age** le double de mon âge.

twiddle ['twɪdl] vt jouer avec. ❑ vi • **to twiddle with sthg** jouer avec qqch.

twig [twɪg] n brindille f, petite branche f.

twilight ['twaɪlaɪt] n crépuscule m.

twin [twɪn] adj **1.** jumeau • **twin beds** lits mpl jumeaux **2.** (UK) jumelé. ❑ n jumeau m, jumelle f.

twin-bedded [-'bedɪd] adj à deux lits.

twin beds npl lits m jumeaux.

twine [twaɪn] n (indén) ficelle f. ❑ vt • **to twine sthg round** (UK) ou **around** (US) **sthg** enrouler qqch autour de qqch.

twin-engined [-'endʒɪnd] adj bimoteur.

twinge [twɪndʒ] n élancement m • **a twinge of guilt** un remords.

twinkle ['twɪŋkl] vi **1.** (étoiles, lumières) scintiller **2.** (yeux) briller, pétiller.

twinkling ['twɪŋklɪŋ] adj **1.** (étoile, mer, pierre) scintillant, brillant **2.** (yeux) pétillant, brillant **3.** fig (pied) agile. ❑ n (indén) **1.** scintillement m (d'étoile, de lumière, de pierre) **2.** pétillement m (dans les yeux) • **in the twinkling of an eye** en un clin d'œil.

twin room n chambre f à deux lits.

twin set n (UK) twin-set m.

twin town n (UK) ville f jumelée.

twirl [twɜ:l] vt faire tourner. ❑ vi tournoyer.

twist [twɪst] n **1.** zigzag m, tournant m **2.** méandre m, coude m (d'une rivière) **3.** entortillement m **4.** fig rebondissement m. ❑ vt **1.** entortiller **2.** tordre **3.** tourner **4.** dévisser **5.** visser **6.** • **to twist one's ankle** se tordre ou se fouler la cheville **7.** déformer (des paroles).

❑ vi **1.** zigzaguer **2.** se tordre **3.** • **to twist round** (UK) ou **around** (US) se retourner.

twisted ['twɪstɪd] adj péj tordu.

twit [twɪt] n (UK) fam crétin m, -e f.

twitch [twɪtʃ] n tic m. ❑ vi (muscle, visage) se contracter.

twitchy ['twɪtʃɪ] adj agité, nerveux.

twitter ['twɪtə] vi **1.** (oiseau) gazouiller **2.** péj (personne) jacasser.

two [tu:] num deux • **in two** en deux. Voir aussi **six**.

two-bit adj péj de pacotille.

two-dimensional adj **1.** à deux dimensions **2.** péj superficiel, simpliste.

two-door adj à deux portes.

twofaced [,tu:'feɪst] adj péj fourbe.

twofold ['tu:fəʊld] adj double. ❑ adv doublement • **to increase twofold** doubler.

two-handed [-'hændɪd] adj à deux poignées.

two-hander n CINÉ & THÉÂTRE film m à deux personnages.

two-piece adj • **two-piece swimsuit** deux-pièces m inv • **two-piece suit** costume m (deux-pièces).

two-ply adj **1.** (fil) à deux fils **2.** (bois) à deux épaisseurs.

twosome ['tu:səm] n fam couple m.

two-time vt fam tromper.

two-timing adj fam infidèle.

two-tone adj de deux tons.

two-way adj dans les deux sens.

two-way street n rue f à circulation dans les deux sens.

tycoon [taɪ'ku:n] n magnat m.

type [taɪp] n **1.** genre m, sorte f **2.** modèle m **3.** type m **4.** (indén) TYPO caractères mpl. ❑ vt taper (à la machine). ❑ vi taper (à la machine).

-type suffixe du type, genre.

typecast ['taɪpkɑ:st] (prét & pp typecast) vt • **to be typecast** être cantonné aux mêmes rôles • **to be typecast as** être cantonné dans le rôle de.

typeface ['taɪpfeɪs] n TYPO œil m de caractère.

typescript ['taɪpskrɪpt] n texte m dactylographié.

typeset ['taɪpset] (prét & pp typeset) vt (chez l'imprimeur) composer.

typesetter ['taɪp,setə] n **1.** (ouvrier) compositeur m, -trice f **2.** (machine) linotype f.

typewriter ['taɪp,raɪtə] n machine f à écrire.

typhoid (fever) ['taɪfɔɪd-] n typhoïde f.

typhoon [taɪ'fu:n] n typhon m.

typical ['tɪpɪkl] adj • **typical (of)** typique (de), caractéristique (de) • **that's typical (of him/her)!** c'est bien de lui/d'elle !

typically ['tɪpɪklɪ] adv typiquement.

typify ['tɪpɪfaɪ] (*prét & pp* **typified**) *vt* **1.** être caractéristique de **2.** représenter.

typing ['taɪpɪŋ] *n* dactylo *f*, dactylographie *f*.

typing error *n* faute *f* de frappe.

typist ['taɪpɪst] *n* dactylo *mf*, dactylographe *mf*.

typo ['taɪpəʊ] *n fam* coquille *f*.

typography [taɪ'pɒgrəfɪ] *n* typographie *f*.

tyrannical [tɪ'rænɪkl] *adj* tyrannique.

tyranny ['tɪrənɪ] *n* tyrannie *f*.

tyrant ['taɪrənt] *n* tyran *m*.

tyre (UK), **tire** (US) ['taɪər] *n* pneu *m*.

tyre pressure (UK), **tire pressure** (US) *n* pression *f* (de gonflage).

TYVM *SMS* (abrév de thank you very much) merci beaucoup.

tzar [zɑːr] = **tsar.**

u [juː] (*pl* u's *ou* us), **U** (*pl* U's *ou* Us) *n* u *m inv*, U *m inv*.

U2 *SMS* (abrév de you too) toi aussi.

U4E *SMS* (abrév de yours forever) à toi pour toujours.

U-bend *n* siphon *m*.

ubiquitous [juːˈbɪkwɪtəs] *adj* omniprésent.

udder [ˈʌdər] *n* mamelle *f*.

UFO (abrév de unidentified flying object) *n* OVNI *m*, ovni *m*.

ufologist [juːˈfɒlədʒɪst] *n* spécialiste *mf* d'ufologie.

Uganda [juːˈɡændə] *n* Ouganda *m*.

ugh [ʌɡ] *interj* pouah !, beurk !

ugly [ˈʌɡlɪ] *adj* **1.** laid **2.** *fig* pénible, désagréable.

UHF (abrév de ultra-high frequency) *n* UHF.

UHT (abrév de ultra-heat treated) UHT.

UK (abrév de United Kingdom) *n* Royaume-Uni *m*, R.-U. *m*.

Ukraine [juːˈkreɪn] *n* ▪ the Ukraine l'Ukraine *f*.

ulcer [ˈʌlsər] *n* ulcère *m*.

ulcerated [ˈʌlsəreɪtɪd] *adj* ulcéré.

Ulster [ˈʌlstər] *n* Ulster *m*.

ulterior [ʌlˈtɪərɪər] *adj* ▪ ulterior motive arrière-pensée *f*.

ultimate [ˈʌltɪmət] *adj* **1.** final, ultime **2.** suprême. □ *n* ▪ the ultimate in le fin du fin dans.

ultimately [ˈʌltɪmətlɪ] *adv* finalement.

ultimatum [ˌʌltɪˈmeɪtəm] (*pl* -tums *ou* -ta) *n* ultimatum *m*.

ultra- [ˈʌltrə] *préf* ultra-.

ultraleft [ˌʌltrəˈleft] *adj POLIT* d'extrême gauche. □ *n POLIT* extrême gauche *f*.

ultraright [ˌʌltrəˈraɪt] *adj POLIT* d'extrême droite. □ *n POLIT* extrême droite *f*.

ultrasound [ˈʌltrəsaʊnd] *n* (*indén*) ultrasons *mpl*.

ultraviolet [ˌʌltrəˈvaɪələt] *adj* ultraviolet.

umbilical cord [ʌmˈbɪlɪkl-] *n* cordon *m* ombilical.

umbrella [ʌmˈbrelə] *n* **1.** parapluie *m* **2.** parasol *m*. □ *adj* qui en regroupe plusieurs autres.

umpire [ˈʌmpaɪər] *n* arbitre *m*. □ *vt* arbitrer.

umpteen [ˌʌmpˈtiːn] *adj num fam* je ne sais combien de.

umpteenth [ˌʌmpˈtiːnθ] *adj num fam* énième.

UN (abrév de United Nations) *n* ▪ the UN l'ONU *f*, l'Onu *f*.

unabashed [ˌʌnəˈbæʃt] *adj* nullement décontenancé.

unabated [ˌʌnəˈbeɪtɪd] *adj* ▪ the rain continued unabated la pluie continua de tomber sans répit.

unable [ʌnˈeɪbl] *adj* ▪ to be unable to do sthg ne pas pouvoir faire qqch.

unabridged [ˌʌnəˈbrɪdʒd] *adj* intégral.

unacceptable [ˌʌnəkˈseptəbl] *adj* inacceptable.

unaccompanied [ˌʌnəˈkʌmpənɪd] *adj* **1.** non accompagné **2.** sans surveillance.

unaccountable [ˌʌnəˈkaʊntəbl] *adj* **1.** inexplicable **2.** ▪ to be unaccountable for sthg ne pas être responsable de qqch ▪ to be unaccountable to sb ne pas être responsable envers *ou* devant qqn.

unaccountably [ˌʌnəˈkaʊntəblɪ] *adv* de façon inexplicable, inexplicablement.

unaccounted [ˌʌnəˈkaʊntɪd] *adj* ▪ to be unaccounted for manquer, avoir disparu.

unaccustomed [ˌʌnəˈkʌstəmd] *adj* ▪ to be unaccustomed to sthg/to doing sthg ne pas être habitué à qqch/à faire qqch.

unacknowledged [ˌʌnəkˈnɒlɪdʒd] *adj* **1.** (*vérité, fait*) non reconnu **2.** (*qualités, découverte*) non reconnu, méconnu **3.** (*lettre*) resté sans réponse.

unacquainted [ˌʌnəˈkweɪntɪd] *adj* ▪ to be unacquainted with sb/sthg ne pas connaître qqn/qqch.

unadulterated [ˌʌnəˈdʌltəreɪtɪd] *adj* **1.** non frelaté **2.** naturel **3.** (*joie*) sans mélange **4.** pur et simple, pure *f* simple.

unadventurous [ˌʌnədˈventʃərəs] *adj* pas très aventureux.

unadvisable [ˌʌnədˈvaɪzəbl] *adj* imprudent, à déconseiller ▪ it is unadvisable for her to travel les voyages lui sont déconseillés, il vaut mieux qu'elle évite de voyager.

unafraid [ˌʌnəˈfreɪd] adj sans crainte, sans peur.

unambiguous [ˌʌnæmˈbɪɡjʊəs] adj non équivoque.

unambitious [ˌʌnæmˈbɪʃəs] adj sans ambition, peu ambitieux.

unanimity [ˌjuːnəˈnɪmətɪ] n unanimité f.

unanimous [juːˈnænɪməs] adj unanime.

unanimously [juːˈnænɪməslɪ] adv à l'unanimité.

unannounced [ˌʌnəˈnaʊnst] adj sans tambour ni trompette.

unanswered [ˌʌnˈɑːnsəd] adj sans réponse.

unappealing [ˌʌnəˈpiːlɪŋ] adj peu attirant.

unappetizing, -ising (UK) [ˌʌnˈæpɪtaɪzɪŋ] adj peu appétissant.

unappreciative [ˌʌnəˈpriːʃɪətɪv] adj • **unappreciative (of)** indifférent (à).

unapproachable [ˌʌnəˈprəʊtʃəbl] adj inabordable, d'un abord difficile.

unarguably [ʌnˈɑːɡjʊəblɪ] adv incontestablement.

unarmed [ʌnˈɑːmd] adj non armé.

unarmed combat n combat m sans armes.

unashamed [ˌʌnəˈʃeɪmd] adj **1.** insolent **2.** effronté, éhonté.

unassuming [ˌʌnəˈsjuːmɪŋ] adj modeste, effacé.

unattached [ˌʌnəˈtætʃt] adj **1.** • **unattached (to)** indépendant (de) **2.** libre, sans attaches.

unattended [ˌʌnəˈtendɪd] adj **1.** (bagages, magasin) sans surveillance **2.** (enfant) seul.

unattractive [ˌʌnəˈtræktɪv] adj **1.** peu attrayant **2.** déplaisant.

unauthorized, -ised (UK) [ˌʌnˈɔːθəraɪzd] adj non autorisé.

unavailable [ˌʌnəˈveɪləbl] adj indisponible.

unavoidable [ˌʌnəˈvɔɪdəbl] adj inévitable.

unaware [ˌʌnəˈweər] adj ignorant, inconscient • **to be unaware of sthg** ne pas avoir conscience de qqch, ignorer qqch.

unawares [ˌʌnəˈweəz] adv • **to catch** ou **take sb unawares** prendre qqn au dépourvu.

unbalanced [ˌʌnˈbælənst] adj **1.** tendancieux, partial **2.** déséquilibré.

unbearable [ʌnˈbeərəbl] adj insupportable.

unbearably [ʌnˈbeərəblɪ] adv insupportablement • **it's unbearably hot** il fait une chaleur insupportable.

unbeatable [ˌʌnˈbiːtəbl] adj imbattable.

unbeaten [ˌʌnˈbiːtn] adj **1.** (boxeur, équipe) invaincu **2.** (record, prix) non battu.

unbeknown(st) [ˌʌnbɪˈnəʊn(st)] adv • **unbeknownst to** à l'insu de.

unbelievable [ˌʌnbɪˈliːvəbl] adj incroyable.

unbending [ˌʌnˈbendɪŋ] adj inflexible, intransigeant.

unbia(s)sed [ˌʌnˈbaɪəst] adj impartial.

unblemished [ˌʌnˈblemɪʃt] adj fig sans tache.

unblock [ˌʌnˈblɒk] vt déboucher.

unborn [ˌʌnˈbɔn] adj qui n'est pas encore né.

unbreakable [ˌʌnˈbreɪkəbl] adj incassable.

unbridled [ˌʌnˈbraɪdld] adj effréné.

unbroken [ˌʌnˈbrəʊkn] adj **1.** (ligne) continu **2.** (surface, étendue) continu, ininterrompu **3.** (sommeil, paix) ininterrompu **4.** (œufs, sceau) intact **5.** (record) non battu **6.** fig (promesse) tenu, non rompu • **despite all her troubles, her spirit remains unbroken** malgré tous ses ennuis, elle garde le moral ou elle ne se laisse pas abattre **7.** (voix) qui n'a pas (encore) mué **8.** (cheval) indompté.

unbuckle [ˌʌnˈbʌkl] vt déboucler.

unbutton [ˌʌnˈbʌtn] vt déboutonner.

uncalled-for [ˌʌnˈkɔːld-] adj **1.** (remarque) déplacé **2.** (critique) injustifié.

uncanny [ʌnˈkænɪ] adj **1.** étrange, mystérieux **2.** (ressemblance) troublant.

uncared-for [ˌʌnˈkeəd-] adj délaissé, négligé.

uncaring [ˌʌnˈkeərɪŋ] adj qui ne se soucie pas des autres.

unceasing [ˌʌnˈsiːsɪŋ] adj sout incessant.

uncensored [ˌʌnˈsensəd] adj non censuré.

unceremonious [ˈʌnˌserɪˈməʊnjəs] adj brusque.

uncertain [ʌnˈsɜːtn] adj incertain • **in no uncertain terms** sans mâcher ses mots.

uncertainty [ʌnˈsɜːtntɪ] (pl **-ies**) n incertitude f, doute m • **to be in a state of uncertainty** être dans le doute • **I am in some uncertainty as to whether I should tell him** je ne sais pas trop ou je ne suis pas trop sûr si je dois le lui dire ou non.

unchallenged [ˌʌnˈtʃælɪndʒd] adj incontesté, indiscuté.

unchanged [ˌʌnˈtʃeɪndʒd] adj inchangé.

unchanging [ˌʌnˈtʃeɪndʒɪŋ] adj invariable, immuable.

uncharacteristic [ˈʌnˌkærəktəˈrɪstɪk] adj inhabituel.

uncharitable [ˌʌnˈtʃærɪtəbl] adj peu charitable.

uncharted [ˌʌnˈtʃɑːtɪd] adj (territoire, mer) qui n'est pas sur la carte • **uncharted territory** fig domaine inexploré.

unchecked [ˌʌnˈtʃekt] adj non maîtrisé, sans frein.

uncivilized, -ised (UK) [ˌʌnˈsɪvɪlaɪzd] adj non civilisé, barbare.

unclassified [ˌʌnˈklæsɪfaɪd] adj **1.** (documents) non classé **2.** (information) non secret.

uncle [ˈʌŋkl] n oncle m.

unclean [ˌʌnˈkliːn] adj **1.** sale **2.** RELIG impur.

unclear [ˌʌn'klɪəʳ] *adj* **1.** qui n'est pas clair **2.** incertain.

uncluttered [ˌʌn'klʌtəd] *adj* **1.** *(pièce)* net, simple **2.** *(style)* sobre **3.** *(design)* dépouillé **4.** *(esprit, raisonnement)* clair.

uncomfortable [ˌʌn'kʌmftəbl] *adj* **1.** inconfortable **2.** *fig* désagréable **3.** mal à l'aise.

uncomfortably [ˌʌn'kʌmftəblɪ] *adv* **1.** inconfortablement **2.** *fig* avec gêne.

uncommitted [ˌʌnkə'mɪtɪd] *adj* non engagé.

uncommon [ʌn'kɒmən] *adj* **1.** rare **2.** *sout* extraordinaire.

uncommonly [ʌn'kɒmənlɪ] *adv* *sout* extraordinairement.

uncommunicative [ˌʌnkə'mjuːnɪkətɪv] *adj* peu expansif, peu communicatif.

uncomplaining [ˌʌnkəm'pleɪnɪŋ] *adj* qui ne se plaint pas.

uncomplicated [ˌʌn'kɒmplɪkeɪtɪd] *adj* simple, peu compliqué.

uncompromising [ˌʌn'kɒmprəmaɪzɪŋ] *adj* intransigeant.

unconcerned [ˌʌnkən'sɜːnd] *adj* qui ne s'inquiète pas.

unconditional [ˌʌnkən'dɪʃənl] *adj* inconditionnel.

unconfirmed [ˌʌnkən'fɜːmd] *adj* non confirmé.

unconnected [ˌʌnkə'nektɪd] *adj* sans rapport.

unconscious [ʌn'kɒnʃəs] *adj* **1.** sans connaissance **2.** *fig* • **to be unconscious of** ne pas avoir conscience de **3.** inconscient. ❑ *n* inconscient *m*.

unconsciously [ʌn'kɒnʃəslɪ] *adv* inconsciemment.

uncontaminated [ˌʌnkən'tæmɪneɪtɪd] *adj* non contaminé.

uncontested [ˌʌnkən'testɪd] *adj* **1.** incontesté **2.** *(élection)* sans opposition.

uncontrollable [ˌʌnkən'trəʊləbl] *adj* **1.** irrépressible, irrésistible **2.** qui ne peut être enrayé **3.** impossible, difficile.

uncontrollably [ˌʌnkən'trəʊləblɪ] *adv* **1.** irrésistiblement • **he was laughing uncontrollably** il avait le fou rire **2.** • **the boat rocked uncontrollably** on n'arrivait pas à maîtriser le tangage du bateau **3.** *(baisser, augmenter)* irrésistiblement.

uncontroversial [ˌʌn,kɒntrə'vɜːʃl] *adj* qui ne prête pas à controverse, incontestable.

unconventional [ˌʌnkən'venʃənl] *adj* peu conventionnel, original.

unconvinced [ˌʌnkən'vɪnst] *adj* qui n'est pas convaincu, sceptique.

unconvincing [ˌʌnkən'vɪnsɪŋ] *adj* peu convaincant.

uncooked [ˌʌn'kʊkt] *adj* non cuit, cru.

uncool [ˌʌn'kuːl] *adj* *fam* pas cool.

uncooperative [ˌʌnkəʊ'ɒpərətɪv] *adj* peu coopératif.

uncorroborated [ˌʌnkə'rɒbəreɪtɪd] *adj* non corroboré.

uncountable [ˌʌn'kaʊntəbl] *adj* **1.** incalculable, innombrable **2.** *GRAMM* indénombrable.

uncouth [ʌn'kuːθ] *adj* grossier.

uncover [ʌn'kʌvəʳ] *vt* découvrir.

uncritical [ˌʌn'krɪtɪkl] *adj* **1.** dépourvu d'esprit critique **2.** inconditionnel.

uncultured [ˌʌn'kʌltʃəd] *adj* **1.** inculte **2.** qui manque de raffinement.

uncut [ˌʌn'kʌt] *adj* **1.** *(film)* intégral, sans coupures **2.** *(pierre précieuse)* brut, non taillé.

undamaged [ˌʌn'dæmɪdʒd] *adj* non endommagé, intact.

undaunted [ˌʌn'dɔːntɪd] *adj* non découragé.

undecided [ˌʌndɪ'saɪdɪd] *adj* indécis.

undefeated [ˌʌndɪ'fiːtɪd] *adj* invaincu.

undemanding [ˌʌndɪ'mɑːndɪŋ] *adj* **1.** peu astreignant **2.** peu exigeant.

undemocratic ['ʌn,deməʊ'krætɪk] *adj* antidémocratique, peu démocratique.

undeniable [ˌʌndɪ'naɪəbl] *adj* indéniable.

undeniably [ˌʌndɪ'naɪəblɪ] *adv* incontestablement, indiscutablement.

under ['ʌndəʳ] *prép* **1.** sous **2.** moins de • **children under five** les enfants de moins de cinq ans **3.** sous • **under the circumstances** étant donné les circonstances • **to be under the impression that...** avoir l'impression que... **4.** • **under consideration** à l'étude • **under discussion** en discussion **5.** selon, conformément à. ❑ *adv* **1.** dessous **2.** sous l'eau • **to go under a)** couler **b)** *fig* faire faillite **3.** au-dessous.

under- *préf* sous-.

underachiever [ˌʌndərə'tʃiːvəʳ] *n* personne dont les résultats ne correspondent pas à ses possibilités.

underage [ˌʌndər'eɪdʒ] *adj* mineur.

undercarriage ['ʌndə,kærɪdʒ] *n* train *m* d'atterrissage.

undercharge [ˌʌndə'tʃɑːdʒ] *vt* faire payer insuffisamment à.

underclothes ['ʌndəkləʊðz] *npl* sous-vêtements *mpl*.

undercoat ['ʌndəkəʊt] *n* *(peinture)* couche *f* de fond.

undercook [ˌʌndə'kʊk] *vt* ne pas assez cuire.

undercover ['ʌndə,kʌvəʳ] *adj* secret.

undercurrent ['ʌndə,kʌrənt] *n* *fig* courant *m* sous-jacent.

undercut [ˌʌndə'kʌt] *(prét & pp undercut) vt* vendre moins cher que.

underdeveloped [ˌʌndədɪ'veləpt] *adj* *(pays)* sous-développé.

underdog ['ʌndədɒg] n • **the underdog a)** l'opprimé m **b)** SPORT celui, celle f que l'on donne perdant.

underdone [,ʌndə'dʌn] adj 1. pas assez cuit 2. (steak) saignant.

underestimate vt [,ʌndər'estɪmeɪt] sous-estimer.

underexposed [,ʌndərɪk'spəʊzd] adj PHOTO sous-exposé.

underfinanced [,ʌndə'faɪnænst] adj qui manque de fonds.

underfoot [,ʌndə'fʊt] adv sous les pieds.

underfunded [,ʌndə'fʌndɪd] = underfinanced.

undergo [,ʌndə'gəʊ] (prét underwent, pp undergone [-'gɒn]) vt 1. subir 2. éprouver.

undergraduate [,ʌndə'grædjʊət] n étudiant m, -e f qui prépare la licence.

underground adj ['ʌndəgraʊnd] 1. souterrain 2. fig clandestin. ❏ adv [,ʌndə'graʊnd] • **to go/be forced underground** entrer dans la clandestinité. ❏ n ['ʌndəgraʊnd] 1. (UK) métro m 2. résistance f.

undergrowth ['ʌndəgrəʊθ] n (indén) sous-bois m inv.

underhand [,ʌndə'hænd] adj 1. (personne) sournois 2. (action) en dessous.

underline [,ʌndə'laɪn] vt souligner.

underlying [,ʌndə'laɪɪŋ] adj sous-jacent.

undermine [,ʌndə'maɪn] vt fig saper.

underneath [,ʌndə'niːθ] prép sous, au-dessous de. ❏ adv 1. en dessous, dessous 2. fig au fond. ❏ adj fam d'en dessous. ❏ n • **the underneath** le dessous.

undernourished [,ʌndə'nʌrɪʃt] adj sous-alimenté.

underpaid adj ['ʌndəpeɪd] sous-payé.

underpants ['ʌndəpænts] npl slip m.

underpass ['ʌndəpɑːs] n 1. (pour voitures) passage m inférieur 2. (pour piétons) passage m souterrain.

underperform [,ʌndəpə'fɔːm] vi rester en deçà de ses possibilités.

underpin [,ʌndə'pɪn] (prét & pp underpinned, cont underpinning) vt étayer.

underprivileged [,ʌndə'prɪvɪlɪdʒd] adj défavorisé, déshérité.

underrated [,ʌndə'reɪtɪd] adj sous-estimé.

undershirt ['ʌndəʃɜːt] n (US) maillot m de corps.

underside ['ʌndəsaɪd] n • **the underside** le dessous.

undersigned ['ʌndəsaɪnd] n sout • **I, the undersigned** je soussigné.

underskirt ['ʌndəskɜːt] n jupon m.

understaffed [,ʌndə'stɑːft] adj à court de personnel.

understand [,ʌndə'stænd] (prét & pp understood) vt 1. comprendre 2. sout • **I understand (that)...** il paraît que... ❏ vi comprendre.

understandable [,ʌndə'stændəbl] adj compréhensible.

understandably [,ʌndə'stændəblɪ] adv 1. de façon compréhensible 2. naturellement.

understanding [,ʌndə'stændɪŋ] n 1. compréhension f 2. accord m, arrangement m. ❏ adj compréhensif.

understated [,ʌndə'steɪtɪd] adj discret.

understatement [,ʌndə'steɪtmənt] n 1. affirmation f en dessous de la vérité 2. (indén) euphémisme m.

understood [,ʌndə'stʊd] passé & pp → understand.

understudy ['ʌndə,stʌdɪ] n THÉÂTRE doublure f.

undertake [,ʌndə'teɪk] (prét undertook, pp undertaken [-'teɪkn]) vt 1. entreprendre 2. assumer (la responsabilité de).

undertaker ['ʌndə,teɪkə] n entrepreneur m des pompes funèbres.

undertaking [,ʌndə'teɪkɪŋ] n 1. entreprise f 2. engagement m.

undertone ['ʌndətəʊn] n 1. voix f basse 2. nuance f.

undertook [,ʌndə'tʊk] passé → undertake.

underwater [,ʌndə'wɔːtə] adj sous-marin. ❏ adv sous l'eau.

underwear ['ʌndəweə] n (indén) sous-vêtements mpl.

underweight [,ʌndə'weɪt] adj qui ne pèse pas assez, qui est trop maigre.

underwent [,ʌndə'went] passé → undergo.

underworld ['ʌndə,wɜːld] n • **the underworld** le milieu, la pègre.

underwrite ['ʌndəraɪt] (prét underwrote, pp underwritten) vt 1. FIN garantir 2. garantir.

underwriter ['ʌndə,raɪtə] n assureur m.

undeserved [,ʌndɪ'zɜːvd] adj immérité.

undesirable [,ʌndɪ'zaɪərəbl] adj indésirable.

undid [,ʌn'dɪd] passé → undo.

undies ['ʌndɪz] npl fam dessous mpl.

undignified [ʌn'dɪgnɪfaɪd] adj peu digne, qui manque de dignité.

undiluted [,ʌndaɪ'ljuːtɪd] adj 1. (émotion) sans mélange 2. (liquide) non dilué.

undiplomatic [,ʌndɪplə'mætɪk] adj peu diplomate.

undisciplined [ʌn'dɪsɪplɪnd] adj indiscipliné.

undiscovered [,ʌndɪ'skʌvəd] adj non découvert.

undisputed [,ʌndɪ'spjuːtɪd] adj incontesté.

undistinguished [,ʌndɪ'stɪŋwɪʃt] adj médiocre, quelconque.

undivided [,ʌndɪ'vaɪdɪd] adj indivisé, entier.

undo [ˌʌnˈduː] (*prét* undid, *pp* undone) *vt* **1.** défaire *(un nœud)* **2.** annuler, détruire.

undoing [ˌʌnˈduːɪŋ] *n* (indén) *sout* perte *f*, ruine *f*.

undone [ˌʌnˈdʌn] *pp* → undo. ❑ *adj* **1.** *(bouton, cheveux)* défait **2.** non accompli.

undoubted [ʌnˈdaʊtɪd] *adj* indubitable.

undoubtedly [ʌnˈdaʊtɪdlɪ] *adv* sans aucun doute.

undreamed-of [ʌnˈdriːmdɒv], **undreamt-of** [ʌnˈdremtɒv] *adj* inimaginable.

undress [ˌʌnˈdres] *vt* déshabiller. ❑ *vi* se déshabiller.

undressed [ˌʌnˈdrest] *adj* déshabillé • **to get undressed** se déshabiller.

undrinkable [ˌʌnˈdrɪŋkəbl] *adj* **1.** non potable **2.** imbuvable.

undue [ˌʌnˈdjuː] *adj sout* excessif.

undulate [ˈʌndjʊleɪt] *vi* onduler.

unduly [ˌʌnˈdjuːlɪ] *adv sout* trop, excessivement.

undying [ʌnˈdaɪɪŋ] *adj littéraire* éternel.

unearth [ˌʌnˈɜːθ] *vt* **1.** déterrer **2.** *fig* découvrir, dénicher.

unearthly [ʌnˈɜːθlɪ] *adj fam (heure)* indu, impossible.

unease [ʌnˈiːz] *n* (indén) malaise *m*.

uneasy [ʌnˈiːzɪ] *adj* **1.** mal à l'aise, gêné **2.** troublé, incertain.

uneconomic [ˈʌnˌiːkəˈnɒmɪk] *adj* peu économique, peu rentable.

uneducated [ˌʌnˈedjʊkeɪtɪd] *adj* sans instruction.

unemotional [ˌʌnɪˈməʊʃənl] *adj* qui ne se montre *ou* trahit aucune émotion.

unemployable [ˌʌnɪmˈplɔɪəbl] *adj* inapte au travail.

unemployed [ˌʌnɪmˈplɔɪd] *adj* au chômage, sans travail. ❑ *npl* • **the unemployed** les chômeurs *mpl*.

unemployment [ˌʌnɪmˈplɔɪmənt] *n* chômage *m*.

unemployment benefit (UK), **unemployment compensation** (US) *n* allocation *f* de chômage.

unending [ʌnˈendɪŋ] *adj* sans fin, interminable.

unenthusiastic [ˌʌnɪnˌθjuːzɪˈæstɪk] *adj* peu enthousiaste.

unenthusiastically [ˌʌnɪnθjuːzɪˈæstɪklɪ] *adv* **1.** sans enthousiasme **2.** tièdement.

unenviable [ˌʌnˈenvɪəbl] *adj* peu enviable.

unequalled (UK), **unequaled** (US) [ˌʌnˈiːkwəld] *adj* inégalé.

unequivocal [ˌʌnɪˈkwɪvəkl] *adj* sans équivoque.

unerring [ʌnˈɜːrɪŋ] *adj* sûr, infaillible.

unethical [ʌnˈeθɪkl] *adj* immoral.

uneven [ˌʌnˈiːvn] *adj* **1.** *(surface)* inégal **2.** *(sol)* accidenté **3.** *(jeu d'un acteur, œuvre)* inégal **4.** injuste.

uneventful [ˌʌnɪˈventfʊl] *adj* sans incidents.

unexceptional [ˌʌnɪkˈsepʃənl] *adj* qui n'a rien d'exceptionnel.

unexpected [ˌʌnɪkˈspektɪd] *adj* inattendu, imprévu.

unexpectedly [ˌʌnɪkˈspektɪdlɪ] *adv* subitement, d'une manière imprévue.

unexplained [ˌʌnɪkˈspleɪnd] *adj* inexpliqué.

unfailing [ʌnˈfeɪlɪŋ] *adj* constant.

unfair [ˌʌnˈfeər] *adj* injuste.

unfair dismissal *n* licenciement *m* injuste *ou* abusif.

unfaithful [ˌʌnˈfeɪθfʊl] *adj* infidèle.

unfamiliar [ˌʌnfəˈmɪljər] *adj* **1.** peu familier, peu connu **2.** • **to be unfamiliar with sb/sthg** mal connaître qqn/qqch, ne pas connaître qqn/qqch.

unfashionable [ˌʌnˈfæʃnəbl] *adj* **1.** démodé, passé de mode **2.** *(personne)* qui n'est plus à la mode.

unfasten [ˌʌnˈfɑːsn] *vt* défaire.

unfavourable (UK), **unfavorable** (US) [ˌʌnˈfeɪvrəbl] *adj* défavorable.

unfazed [ʌnˈfeɪzd] *adj fam* imperturbable, impassible.

unfeeling [ʌnˈfiːlɪŋ] *adj* impitoyable, insensible.

unfinished [ˌʌnˈfɪnɪʃt] *adj* inachevé.

unfit [ˌʌnˈfɪt] *adj* **1.** qui n'est pas en forme **2.** • **unfit (for) a)** impropre (à) **b)** inapte (à).

unflagging [ˌʌnˈflægɪŋ] *adj* inlassable, infatigable.

unflappable [ˌʌnˈflæpəbl] *adj* (surtout UK) imperturbable, flegmatique.

unflattering [ˌʌnˈflætərɪŋ] *adj* peu flatteur.

unflinching [ʌnˈflɪntʃɪŋ] *adj* inébranlable.

unfold [ʌnˈfəʊld] *vt* déplier. ❑ *vi* se dérouler.

unforeseen [ˌʌnfɔːˈsiːn] *adj* imprévu.

unforgettable [ˌʌnfəˈgetəbl] *adj* inoubliable.

unforgivable [ˌʌnfəˈgɪvəbl] *adj* impardonnable.

unforgivably [ˌʌnfəˈgɪvəblɪ] *adv* impardonnablement.

unfortunate [ʌnˈfɔːtʃnət] *adj* **1.** malheureux, malchanceux **2.** regrettable.

unfortunately [ʌnˈfɔːtʃnətlɪ] *adv* malheureusement.

unfounded [ˌʌnˈfaʊndɪd] *adj* sans fondement, dénué de tout fondement.

unfriendly [ˌʌnˈfrendlɪ] *adj* hostile, malveillant.

unfulfilled [ˌʌnfʊlˈfɪld] *adj* **1.** *(ambition, potentiel, prophétie)* non réalisé **2.** *(promesse)* non tenu **3.** *(personne, vie)* insatisfait, frustré.

unfurnished [ˌʌnˈfɜːnɪʃt] *adj* non meublé.

ungainly [ʌnˈɡeɪnlɪ] *adj* gauche.

ungenerous [ʌnˈdʒenərəs] *adj* **1.** peu généreux **2.** mesquin **3.** peu charitable.

ungodly [ˌʌnˈɡɒdlɪ] *adj fam* indu, impossible.

ungracious [ʌnˈɡreɪʃəs] *adj* désagréable.

ungrammatical [ˌʌnɡrəˈmætɪkl] *adj* agrammatical, non grammatical.

ungrateful [ʌnˈɡreɪtful] *adj* ingrat.

unhappiness [ʌnˈhæpɪnɪs] *n* (*indén*) tristesse *f*, chagrin *m*.

unhappy [ʌnˈhæpɪ] *adj* **1.** triste, malheureux **2.** • **to be unhappy (with** *ou* **about)** être inquiet (au sujet de) **3.** *(événement, circonstances)* malheureux.

unharmed [ʌnˈhɑːmd] *adj* indemne, sain et sauf, saine et sauve *f*.

unhealthy [ʌnˈhelθɪ] *adj* **1.** maladif **2.** insalubre, malsain **3.** *fig* malsain.

unheard-of [ʌnˈhɜːdɒv] *adj* **1.** inconnu **2.** sans précédent, inouï.

unhelpful [ˌʌnˈhelpful] *adj* **1.** peu serviable, peu obligeant **2.** qui n'aide en rien, peu utile.

unhinged [ˌʌnˈhɪndʒd] *adj* déséquilibré.

unhook [ˌʌnˈhuk] *vt* **1.** dégrafer **2.** décrocher.

unhurt [ˌʌnˈhɜːt] *adj* indemne, sain et sauf, saine et sauve *f*.

unhygienic [ˌʌnhaɪˈdʒiːnɪk] *adj* non hygiénique.

unidentified flying object [ˌʌnaɪˈdentɪfaɪd-] *n* objet *m* volant non identifié.

unification [ˌjuːnɪfɪˈkeɪʃn] *n* unification *f*.

uniform [ˈjuːnɪfɔm] *adj* **1.** uniforme **2.** même. ❑ *n* uniforme *m*.

unify [ˈjuːnɪfaɪ] *vt* unifier.

unilateral [ˌjuːnɪˈlætərəl] *adj* unilatéral.

unilaterally [ˌjuːnɪˈlætərəlɪ] *adv* **1.** unilatéralement **2.** *MÉD* • **to be paralysed unilaterally** être paralysé d'un seul côté, être hémiplégique.

unimaginable [ˌʌnɪˈmædʒɪnəbl] *adj* inimaginable, inconcevable.

unimaginative [ˌʌnɪˈmædʒɪnətɪv] *adj* qui manque d'imagination, peu imaginatif.

unimportant [ˌʌnɪmˈpɔtənt] *adj* sans importance, peu important.

unimpressed [ˌʌnɪmˈprest] *adj* qui n'est pas impressionné.

uninhabitable [ˌʌnɪnˈhæbɪtəbl] *adj* inhabitable.

uninhabited [ˌʌnɪnˈhæbɪtɪd] *adj* inhabité.

uninitiated [ˌʌnɪˈnɪʃɪeɪtɪd] *npl* • **the uninitiated** les non-initiés, les profanes.

uninjured [ˌʌnˈɪndʒəd] *adj* qui n'a pas été blessé, indemne.

uninspiring [ˌʌnɪnˈspaɪrɪŋ] *adj* qui n'a rien d'inspirant.

uninstall [ˌʌnɪnˈstɔl] *vt* désinstaller.

unintelligent [ˌʌnɪnˈtelɪdʒənt] *adj* inintelligent.

unintentional [ˌʌnɪnˈtenʃənl] *adj* involontaire, non intentionnel.

uninterested [ˌʌnˈɪntrəstɪd] *adj* indifférent.

uninterrupted [ˈʌnˌɪntəˈrʌptɪd] *adj* ininterrompu, continu.

uninvited [ˌʌnɪnˈvaɪtɪd] *adj* qui n'a pas été invité.

union [ˈjuːnjən] *n* **1.** syndicat *m* **2.** union *f*. ❑ *en apposition* syndical.

the Union Jack

CULTURE

Le drapeau officiel du Royaume-Uni est appelé **the Union Jack** ou **the Union Flag**. Les croix de saint Georges, de saint Andrew et de saint Patrick y représentent respectivement l'Angleterre, l'Écosse et l'Irlande du Nord. Le pays de Galles, bien qu'il fasse partie du Royaume-Uni, a son propre drapeau, représentant un dragon rouge sur fond vert et blanc.

Union Jack *n* (UK) • **the Union Jack** l'Union Jack *m*, le drapeau britannique.

unique [juːˈniːk] *adj* **1.** unique, exceptionnel **2.** • **unique to** propre à.

uniquely [juːˈniːklɪ] *adv* **1.** uniquement **2.** exceptionnellement.

unisex [ˈjuːnɪseks] *adj* unisexe.

unison [ˈjuːnɪzn] *n* unisson *m* • **in unison a)** à l'unisson **b)** en chœur, en même temps.

unit [ˈjuːnɪt] *n* **1.** unité *f* **2.** élément *m*, bloc *m* **3.** service *m* (*dans une entreprise*).

unite [juːˈnaɪt] *vt* unifier. ❑ *vi* s'unir.

united [juːˈnaɪtɪd] *adj* **1.** uni **2.** unifié.

United Kingdom *n* • **the United Kingdom** le Royaume-Uni.

United Nations *n* • **the United Nations** les Nations *fpl* unies.

United States *n* • **the United States (of America)** les États-Unis *mpl* (d'Amérique) • **in the United States** aux États-Unis.

unit trust *n* (UK) société *f* d'investissement à capital variable.

unity [ˈjuːnətɪ] *n* (*indén*) unité *f*.

universal [ˌjuːnɪˈvɜːsl] *adj* universel.

universally [ˌjuːnɪˈvɜːsəlɪ] *adv* universellement • **a universally held opinion** une opinion qui prévaut partout • **he is universally liked/admired** tout le monde l'aime bien/l'admire.

universe [ˈjuːnɪvɜːs] *n* univers *m*.

university [ˌjuːnɪˈvɜːsətɪ] *n* université *f*. ❑ *en apposition* **1.** universitaire **2.** (*professeur*) d'université • **university student** étudiant *m*, -e *f* à l'université.

unjust [ˌʌnˈdʒʌst] *adj* injuste.

unjustifiable [ʌnˈdʒʌstɪfaɪəbl] *adj* injustifiable.

unjustified [ʌnˈdʒʌstɪfaɪd] *adj* injustifié.

unkempt [ˌʌnˈkempt] *adj* **1.** négligé, débraillé **2.** mal peigné.

unkind [ʌnˈkaɪnd] *adj* méchant, pas gentil.

unknown [ʌnˈnəʊn] *adj* inconnu.

unlawful [ˌʌnˈlɔːfʊl] *adj* illégal.

unlawfully [ˌʌnˈlɔːfʊlɪ] *adv* illicitement, illégalement.

unleaded [ˌʌnˈledɪd] *adj* sans plomb. ❑ *n* essence *f* sans plomb.

unleash [ʌnˈliːʃ] *vt littéraire* déchaîner.

unless [ənˈles] *conj* à moins que (+ *subjonctif*).

unlicensed [ˌʌnˈlaɪsənst] *adj* **1.** *(personne)* qui ne détient pas de licence **2.** *(activité)* non autorisé, illicite **3.** *(véhicule)* sans vignette **4.** *(restaurant)* qui ne détient pas de licence de débit de boissons.

unlike [ˌʌnˈlaɪk] *prép* **1.** différent de **2.** contrairement à, à la différence de **3.** • **it's unlike you to complain** cela ne te ressemble pas de te plaindre.

unlikely [ʌnˈlaɪklɪ] *adj* **1.** peu probable, improbable **2.** *(histoire)* invraisemblable **3.** *(situation, tenue)* invraisemblable.

unlimited [ʌnˈlɪmɪtɪd] *adj* illimité.

unlisted [ˌʌnˈlɪstɪd] *adj* (US) TÉLÉCOM qui est sur la liste rouge.

unload [ˌʌnˈləʊd] *vt* décharger.

unlock [ˌʌnˈlɒk] *vt* ouvrir.

unloved [ˌʌnˈlʌvd] *adj* qui n'est pas aimé • **to feel unloved** ne pas se sentir aimé.

unlucky [ʌnˈlʌkɪ] *adj* **1.** malchanceux, qui n'a pas de chance **2.** *(expérience, choix)* malheureux **3.** qui porte malheur.

unmanageable [ʌnˈmænɪdʒəbl] *adj* **1.** *(véhicule, objet)* peu maniable **2.** *(cheveux)* difficiles à coiffer.

unmanned [ˌʌnˈmænd] *adj* sans équipage.

unmarried [ˌʌnˈmærɪd] *adj* célibataire.

unmask [ˌʌnˈmɑːsk] *vt* **1.** démasquer **2.** dévoiler.

unmentionable [ʌnˈmenʃnəbl] *adj* **1.** dont il ne faut pas parler **2.** qu'il ne faut pas dire.

unmistakable [ˌʌnmɪˈsteɪkəbl] *adj* facilement reconnaissable.

unmistakably [ˌʌnmɪˈsteɪkəblɪ] *adv* **1.** indéniablement, sans erreur possible **2.** visiblement, manifestement.

unmitigated [ʌnˈmɪtɪgeɪtɪd] *adj* **1.** total **2.** non mitigé.

unnatural [ʌnˈnætʃrəl] *adj* **1.** anormal, qui n'est pas naturel **2.** *(comportement)* peu naturel **3.** *(rire)* forcé.

unnecessary [ʌnˈnesəsərɪ] *adj* inutile.

unnerving [ˌʌnˈnɜːvɪŋ] *adj* troublant.

unnoticed [ˌʌnˈnəʊtɪst] *adj* inaperçu.

unobtainable [ˌʌnəbˈteɪnəbl] *adj* impossible à obtenir.

unobtrusive [ˌʌnəbˈtruːsɪv] *adj* **1.** effacé **2.** discret **3.** que l'on remarque à peine.

unofficial [ˌʌnəˈfɪʃl] *adj* non officiel.

unopened [ˌʌnˈəʊpənd] *adj* non ouvert, qui n'a pas été ouvert.

unorthodox [ʌnˈɔːθədɒks] *adj* peu orthodoxe.

unpack [ˌʌnˈpæk] *vt* **1.** défaire *(ses bagages)* **2.** vider *(des cartons)* **3.** déballer *(des vêtements)*. ❑ *vi* défaire ses bagages.

unpaid [ˌʌnˈpeɪd] *adj* **1.** *(personne)* bénévole **2.** *(travail)* sans rémunération, bénévole **3.** *(loyer)* non acquitté **4.** *(facture)* impayé.

unpalatable [ʌnˈpælətəbl] *adj* **1.** d'un goût désagréable **2.** *fig* dur à avaler.

unparalleled [ʌnˈpærəleld] *adj* **1.** sans précédent **2.** sans égal.

unplanned [ˌʌnˈplænd] *adj* **1.** imprévu **2.** *(grossesse)* accidentel.

unpleasant [ʌnˈpleznt] *adj* désagréable.

unpleasantness [ʌnˈplezntnɪs] *n* caractère *m* désagréable.

unplug [ʌnˈplʌg] *vt* débrancher.

unpolluted [ˌʌnpəˈluːtɪd] *adj* non pollué.

unpopular [ˌʌnˈpɒpjʊlə] *adj* impopulaire.

unprecedented [ʌnˈpresɪdəntɪd] *adj* sans précédent.

unpredictable [ˌʌnprɪˈdɪktəbl] *adj* imprévisible.

unprepared [ˌʌnprɪˈpeəd] *adj* non préparé • **to be unprepared for sthg** ne pas s'attendre à qqch.

unpretentious [ˌʌnprɪˈtenʃəs] *adj* sans prétention.

unprofessional [ˌʌnprəˈfeʃənl] *adj* **1.** peu professionnel **2.** *(attitude)* contraire à l'éthique de la profession.

unprovoked [ˌʌnprəˈvəʊkt] *adj* sans provocation.

unpunished [ˌʌnˈpʌnɪʃt] *adj* • **to go unpunished** rester impuni.

unqualified [ˌʌnˈkwɒlɪfaɪd] *adj* **1.** non qualifié **2.** non diplômé **3.** *(succès)* formidable **4.** *(soutien)* inconditionnel.

unquestionable [ʌnˈkwestʃənəbl] *adj* **1.** incontestable **2.** certain.

unquestioning [ʌnˈkwestʃənɪŋ] *adj* aveugle, absolu.

unravel [ʌnˈrævl] ((UK) *prét & pp* unravelled, *cont* unravelling, (US) *prét & pp* unraveled, *cont* unraveling) *vt* **1.** défaire *(un tricot)* **2.** effiler *(un tissu)* **3.** démêler *(des fils)* **4.** *fig* éclaircir.

unreadable [ˌʌnˈriːdəbl] *adj* illisible.

unreal [ˌʌnˈrɪəl] *adj* irréel.

unrealistic [ˌʌnrɪəˈlɪstɪk] *adj* irréaliste.

unreasonable [ʌnˈriːznəbl] *adj* qui n'est pas raisonnable, déraisonnable.

unrecognizable [ˌʌnˈrekəgnaɪzəbl] *adj* méconnaissable.

unrehearsed [ˌʌnrɪˈhɜːst] *adj* **1.** *(représentation)* sans répétition **2.** *(discours, réponse)* improvisé.

unrelated [ˌʌnrɪˈleɪtɪd] *adj* • **to be unrelated (to)** n'avoir aucun rapport (avec).

unrelenting [ˌʌnrɪˈlentɪŋ] *adj* implacable.

unreliable [ˌʌnrɪˈlaɪəbl] *adj* peu fiable.

unremitting [ˌʌnrɪˈmɪtɪŋ] *adj* inlassable.

unrepeatable [ˌʌnrɪˈpiːtəbl] *adj* qu'on ne peut pas répéter.

unrequited [ˌʌnrɪˈkwaɪtɪd] *adj* non partagé.

unreserved [ˌʌnrɪˈzɜːvd] *adj* sans réserve.

unresolved [ˌʌnrɪˈzɒlvd] *adj* non résolu.

unrest [ˌʌnˈrest] *n (indén)* troubles *mpl*.

unripe [ˌʌnˈraɪp] *adj* qui n'est pas mûr.

unrivalled (UK), **unrivaled** (US) [ʌnˈraɪvld] *adj* sans égal.

unroll [ˌʌnˈrəʊl] *vt* dérouler.

unruly [ʌnˈruːlɪ] *adj* turbulent • **unruly hair** les cheveux indisciplinés.

unsafe [ʌnˈseɪf] *adj* **1.** dangereux **2.** • **to feel unsafe** ne pas se sentir en sécurité.

unsaid [ʌnˈsed] *adj* • **to leave sthg unsaid** passer qqch sous silence.

unsatisfactory [ˈʌnˌsætɪsˈfæktərɪ] *adj* qui laisse à désirer, peu satisfaisant.

unsatisfied [ˌʌnˈsætɪsfaɪd] *adj* **1.** insatisfait, mécontent **2.** non convaincu **3.** insatisfait, inassouvi.

unsatisfying [ˌʌnˈsætɪsfaɪɪŋ] *adj* **1.** peu gratifiant, ingrat **2.** peu convaincant **3.** insuffisant, peu nourrissant **4.** décevant.

unsavoury (UK), **unsavory** (US) [ˌʌnˈseɪvərɪ] *adj* **1.** peu recommandable **2.** mal famé.

unscathed [ˌʌnˈskeɪðd] *adj* indemne.

unscheduled [(UK) ˌʌnˈʃedjuːld, (US) ˌʌnˈskedʒʊld] *adj* non prévu.

unscientific [ˈʌnˌsaɪənˈtɪfɪk] *adj* peu scientifique.

unscrew [ˌʌnˈskruː] *vt* dévisser.

unscrupulous [ʌnˈskruːpjʊləs] *adj* sans scrupule(s).

unseemly [ʌnˈsiːmlɪ] *adj* inconvenant.

unseen [ˌʌnˈsiːn] *adj* inaperçu.

unselfish [ʌnˈselfɪʃ] *adj* désintéressé.

unsettled [ˌʌnˈsetld] *adj* **1.** *(personne)* perturbé, troublé **2.** *(temps)* variable, incertain **3.** *(conflit)* qui n'a pas été résolu **4.** *(situation)* incertain.

unshak(e)able [ʌnˈʃeɪkəbl] *adj* inébranlable.

unshaven [ˌʌnˈʃeɪvn] *adj* non rasé.

unsightly [ʌnˈsaɪtlɪ] *adj* laid.

unskilled [ˌʌnˈskɪld] *adj* non qualifié.

unsociable [ʌnˈsəʊʃəbl] *adj* sauvage.

unsocial [ˌʌnˈsəʊʃl] *adj* • **to work unsocial hours** (UK) travailler en dehors des heures normales.

unsolved [ˌʌnˈsɒlvd] *adj* non résolu.

unsophisticated [ˌʌnsəˈfɪstɪkeɪtɪd] *adj* simple.

unsound [ˌʌnˈsaʊnd] *adj* **1.** mal fondé **2.** peu judicieux **3.** en mauvais état.

unspeakable [ʌnˈspiːkəbl] *adj* indescriptible.

unspent [ʌnˈspent] *adj* non dépensé, restant. ❑ *adv* • **the money went unspent** l'argent n'a pas été dépensé.

unspoken [ʌnˈspəʊkən] *adj* **1.** inexprimé **2.** tacite.

unstable [ˌʌnˈsteɪbl] *adj* instable.

unsteady [ˌʌnˈstedɪ] *adj* **1.** *(main)* tremblant **2.** *(table, échelle)* instable.

unstoppable [ʌnˈstɒpəbl] *adj* que l'on ne peut pas arrêter.

unstuck [ˌʌnˈstʌk] *adj* • **to come unstuck a)** se décoller **b)** *fig (projet)* s'effondrer.

unsubscribe [ˌʌnsəbˈskraɪb] *vi* • **to unsubscribe (from)** se désinscrire (de).

unsubstantiated [ˌʌnsəbˈstænʃɪeɪtɪd] *adj* sans fondement.

unsuccessful [ˌʌnsəkˈsesfʊl] *adj* **1.** vain **2.** infructueux **3.** *(candidat)* refusé.

unsuccessfully [ˌʌnsəkˈsesfʊlɪ] *adv* en vain, sans succès.

unsuitable [ˌʌnˈsuːtəbl] *adj* **1.** qui ne convient pas **2.** peu approprié • **to be unsuitable for** ne pas convenir à.

unsupervised [ʌnˈsuːpəvaɪzd] *adj* non surveillé • **'unsupervised minors not admitted'** 'interdit aux enfants non accompagnés'.

unsure [ʌnˈʃɔː] *adj* **1.** • **to be unsure (about/of)** ne pas être sûr (de) **2.** • **to be unsure (of o.s.)** ne pas être sûr de soi.

unsuspecting [ˌʌnsəˈspektɪŋ] *adj* qui ne se doute de rien.

unsustainable [ˌʌnsəˈsteɪnəbl] *adj* non viable.

unsympathetic [ˈʌnˌsɪmpəˈθetɪk] *adj* indifférent.

untangle [ˌʌnˈtæŋgl] *vt* démêler.

untapped [ˌʌnˈtæpt] *adj* inexploité.

untenable [ˌʌnˈtenəbl] *adj* indéfendable.

unthinkable [ʌnˈθɪŋkəbl] *adj* impensable.

untidy [ʌnˈtaɪdɪ] *adj* **1.** en désordre **2.** brouillon *(inv)* **3.** négligé.

untie [ˌʌnˈtaɪ] *(cont untying) vt* **1.** défaire **2.** détacher.

until [ənˈtɪl] *prép* **1.** jusqu'à • **until now** jusqu'ici **2.** *(après une négation)* avant • **not until tomorrow** pas avant demain. ❑ *conj* **1.** jusqu'à ce que *(+ subjonctif)* **2.** *(après une négation)* avant que *(+ subjonctif)*.

untimely [ʌn'taɪmlɪ] *adj* **1.** *(mort)* prématuré **2.** *(arrivée)* intempestif **3.** *(remarque)* mal à propos **4.** *(moment)* mal choisi.

untold [ˌʌn'təʊld] *adj* **1.** incalculable **2.** indescriptible.

untoward [ˌʌntə'wɔːd] *adj* malencontreux.

untrue [ˌʌn'truː] *adj* faux, fausse f, erroné.

unusable [ʌn'juːzəbl] *adj* inutilisable.

unused *adj* **1.** [ˌʌn'juːzd] neuf, neuve f **2.** qui n'a jamais servi **3.** *(terre)* qui n'est pas exploité **4.** [ʌn'juːst] • to be unused to sthg/to doing sthg ne pas avoir l'habitude de qqch/de faire qqch.

unusual [ʌn'juːʒl] *adj* rare, inhabituel.

unusually [ʌn'juːʒəlɪ] *adv* exceptionnellement.

unveil [ˌʌn'veɪl] *vt litt & fig* dévoiler.

unwanted [ˌʌn'wɒntɪd] *adj* **1.** dont on ne se sert pas **2.** non désiré • to feel unwanted se sentir mal-aimé.

unwavering [ʌn'weɪvərɪŋ] *adj* inébranlable.

unwelcome [ʌn'welkəm] *adj* **1.** fâcheux **2.** importun.

unwell [ˌʌn'wel] *adj* • to be/feel unwell ne pas être/se sentir bien.

unwieldy [ʌn'wiːldɪ] *adj* **1.** peu maniable **2.** *fig* lourd **3.** *fig* trop complexe.

unwilling [ˌʌn'wɪlɪŋ] *adj* • to be unwilling to do sthg ne pas vouloir faire qqch.

unwind [ˌʌn'waɪnd] *(prét & pp unwound) vt* dérouler. ❑ *vi fig* se détendre.

unwise [ˌʌn'waɪz] *adj* imprudent, peu sage.

unwitting [ʌn'wɪtɪŋ] *adj sout* involontaire.

unworkable [ˌʌn'wɜːkəbl] *adj* impraticable.

unworldly [ˌʌn'wɜːldlɪ] *adj* détaché de ce monde.

unworthy [ʌn'wɜːðɪ] *adj* • unworthy (of) indigne (de).

unwound [ʌn'waʊnd] *passé & pp* → unwind.

unwrap [ˌʌn'ræp] *vt* défaire.

unwritten law [ˌʌnrɪtn-] *n* droit *m* coutumier.

---

up

■ up [ʌp] *adv*

1. INDIQUE UN MOUVEMENT VERS LE HAUT, UN ENDROIT EN HAUTEUR

• we walked up to the top on est montés jusqu'en haut • she's up in her bedroom elle est en haut dans sa chambre • up there là-haut

2. INDIQUE UN MOUVEMENT DE REDRESSEMENT

• stand up! levez-vous ! • what time did you get up? à quelle heure t'es-tu levé ?

3. INDIQUE UN POINT SITUÉ AU NORD OU UN DÉPLACEMENT VERS UN POINT SITUÉ AU NORD

• up north dans le nord • I'm coming up to York next week je viens *ou* monte à York la semaine prochaine

4. PLUS LOIN

• their house is up the street from us leur maison est un peu plus loin dans notre rue

5. EXPRIME UNE IDÉE D'ACHÈVEMENT

• eat up your soup! finis ta soupe !

6. INDIQUE UNE INTENSITÉ ACCRUE

• speak up! parlez plus fort !

■ up [ʌp] *prép*

1. INDIQUE UN LIEU ÉLEVÉ

• he lives up a hill/mountain il habite en haut d'une colline/d'une montagne • he was up a ladder picking cherries il était sur une échelle et cueillait des cerises

2. PLUS LOIN

• they live up the road from us ils habitent un peu plus haut *ou* loin dans notre rue

3. INDIQUE UN MOUVEMENT VERS LA SOURCE D'UN FLEUVE OU D'UN COURS D'EAU

• they sailed up the Amazon ils ont remonté l'Amazone en bateau

■ up [ʌp] *adj*

1. SE LEVER, ÊTRE DEBOUT

• I was up at six today je me suis levé à 6 h aujourd'hui • he was up all night playing video games il a passé toute la nuit à jouer à des jeux vidéo

2. EXPRIME UNE HAUSSE

• petrol is up again l'essence a encore augmenté

3. EXPRIME UNE IDÉE D'ACHÈVEMENT

• his leave is up sa permission est terminée • time's up c'est l'heure

4. *fam* POUR DEMANDER DES NOUVELLES LORSQUE QQCH N'A PAS L'AIR D'ALLER

• what's up? qu'est-ce qu'il y a ? • is something up? il y a quelque chose qui ne va pas ?

5. DANS DES EXPRESSIONS

• the road is up la route est en travaux • his blood is up il est fou de colère

■ up [ʌp] *n*

• ups and downs des hauts et des bas

■ up and down *adv*

• to jump up and down sauter • to walk up and down faire les cent pas

■ up and down *prép*

• we walked up and down the avenue nous avons arpenté l'avenue

■ up to *prép*

1. JUSQU'À

• **it could take up to six weeks** cela peut prendre jusqu'à six semaines

2. EXPRIME LA CAPACITÉ

• **to be up to doing sthg** être capable de faire qqch • **my French isn't up to much** mon français n'est pas fameux

3. *fam* FAIRE, COMBINER

• **what are you up to?** qu'est-ce que tu fabriques ? • **they're up to something** ils mijotent quelque chose, ils préparent un coup

4. POUR DÉSIGNER LA PERSONNE RESPONSABLE DE QQCH

• **it's not up to me to decide** ce n'est pas moi qui décide • **it's up to you** c'est à vous de voir

■ up until *prép*

jusqu'à • **up until last year, I worked for myself** jusqu'à l'année dernière, j'ai travaillé à mon compte

up-and-coming *adj* à l'avenir prometteur.

upbeat ['ʌpbiːt] *adj* optimiste.

upbringing ['ʌp,brɪŋɪŋ] *n* éducation *f*.

update [,ʌp'deɪt] *vt* mettre à jour.

upfront [,ʌp'frʌnt] *adj* • **upfront (about)** franc (au sujet de). ❑ *adv* d'avance.

upgradable [ʌp'greɪdəbl] *adj* INFORM extensible.

upgradeable = upgradable.

upheaval [ʌp'hiːvl] *n* bouleversement *m*.

upheld [ʌp'held] *passé & pp* → uphold.

uphill [,ʌp'hɪl] *adj* **1.** *(chemin)* qui monte **2.** *fig* ardu. ❑ *adv* • **to go uphill** monter.

uphold [ʌp'həʊld] *(prét & pp* uphold) *vt* **1.** maintenir **2.** soutenir.

upholstery [ʌp'həʊlstərɪ] *n* **1.** rembourrage *m* **2.** AUTO garniture *f* intérieure.

upkeep ['ʌpkiːp] *n* entretien *m (d'une voiture, d'une machine).*

uplifting [ʌp'lɪftɪŋ] *adj* édifiant.

upload ['ʌpləʊd] *n* INFORM téléchargement *m (vers le serveur).* ❑ *vt & vi* INFORM télécharger *(vers le serveur).*

up-market *adj* haut de gamme *(inv).*

upon [ə'pɒn] *prép sout* sur • **upon hearing the news...** à ces nouvelles... • **summer/the weekend is upon us** l'été/le week-end approche.

upper ['ʌpə] *adj* supérieur. ❑ *n* empeigne *f (de chaussure).*

upper-case *adj* • **an upper-case letter** une majuscule.

upper class *n* • **the upper class** la haute société. **■ upper-class** *adj* aristocratique.

upper hand *n* • **to have the upper hand** avoir le dessus • **to gain** *ou* **get the upper hand** prendre le dessus.

uppermost ['ʌpəməʊst] *adj* le plus haut, la plus haute *f* • **it was uppermost in his mind** c'était sa préoccupation majeure.

upright *adj* **1.** [,ʌp'raɪt] droit **2.** vertical **3.** *(fauteuil)* à dossier droit **4.** ['ʌpraɪt] *fig* droit. ❑ *adv* [,ʌp'raɪt] droit.

uprising ['ʌp,raɪzɪŋ] *n* soulèvement *m*.

uproar ['ʌprɔː] *n* **1.** *(indén)* tumulte *m* **2.** protestations *fpl*.

uproot [ʌp'ruːt] *vt litt & fig* déraciner.

upset [ʌp'set] *adj* **1.** peiné, triste **2.** vexé **3.** • **to have an upset stomach** avoir l'estomac dérangé. ❑ *n* • **to have a stomach upset** avoir l'estomac dérangé. ❑ *vt (prét & pp* upset) **1.** faire de la peine à **2.** déranger *(des projets, la routine)* **3.** renverser.

upshot ['ʌpʃɒt] *n* résultat *m*.

upside down [,ʌpsaɪd-] *adj* à l'envers. ❑ *adv* à l'envers • **to turn sthg upside down** *fig* mettre qqch sens dessus dessous.

upstairs [,ʌp'steəz] *adj* d'en haut, du dessus. ❑ *adv* en haut. ❑ *n* étage *m*.

upstart ['ʌpstɑːt] *n* parvenu *m*, -e *f*.

upstream [,ʌp'striːm] *adj* • **to be upstream (from)** être en amont (de). ❑ *adv* **1.** vers l'amont **2.** contre le courant.

upsurge ['ʌpsɜːdʒ] *n* • **upsurge (of/in)** recrudescence *f* (de).

uptake ['ʌpteɪk] *n* • **to be quick on the uptake** saisir vite • **to be slow on the uptake** être lent à comprendre.

uptight [ʌp'taɪt] *adj fam* tendu.

up-to-date *adj* **1.** moderne **2.** tout dernier **3.** • **to keep up-to-date with** se tenir au courant de.

upturn ['ʌptɜːn] *n* • **upturn (in)** reprise *f (de l'économie, de la production).*

upward ['ʌpwəd] *adj* **1.** ascendant **2.** vers le haut. ❑ *adv (US)* = upwards.

upwards ['ʌpwədz] *adv* vers le haut. **■ upwards of** *prép* plus de.

UR SMS abrév de you are.

uranium [jʊ'reɪnjəm] *n* uranium *m*.

urban ['ɜːbən] *adj* urbain.

urbane [ɜː'beɪn] *adj* courtois.

urchin ['ɜːtʃɪn] *n* vieilli polisson *m*.

Urdu ['ʊəduː] *n* ourdou *m*.

urge [ɜːdʒ] *n* forte envie *f* • **to have an urge to do sthg** avoir une forte envie de faire qqch. ❑ *vt* **1.** • **to urge sb to do sthg** presser qqn de faire qqch **2.** conseiller.

urgency ['ɜːdʒənsɪ] *n (indén)* urgence *f*.

urgent ['ɜːdʒənt] *adj* **1.** urgent **2.** *(besoin)* pressant.

urinal [ˌjuəˈraɪnl] n urinoir m.

urinate [ˈjuərineɪt] vi uriner.

urine [ˈjuərɪn] n urine f.

urn [ɜːn] n **1.** urne f **2.** • **tea urn** fontaine f à thé.

URT1 SMS (abrév de you are the one) tu es celui (celle) qu'il me faut.

Uruguay [ˈjuərəgwaɪ] n Uruguay m.

us [ʌs] pron pers nous • **can you see/hear us?** vous nous voyez/entendez ? • **it's us** c'est nous • **you can't expect us to do it** vous ne pouvez pas exiger que ce soit nous qui le fassions • **she gave it to us** elle nous l'a donné • **with/without us** avec/sans nous • **they are more wealthy than us** ils sont plus riches que nous • **some of us** quelques-uns d'entre nous.

US n abrév de **United States.**

USA n abrév de **United States of America.**

usage [ˈjuːzɪdʒ] n **1.** LING usage m **2.** (indén) traitement m.

USB (abrév de universal serial bus) n INFORM USB m.

use

■ **use** n [juːs]

1. INDIQUE UNE UTILISATION
• **to make use of sthg** utiliser qqch • **this machine is in use every day** on utilise cette machine tous les jours • **this machine is out of use** cette machine est hors d'usage • **nowadays this word is out of use** de nos jours, ce mot est obsolète

2. INDIQUE LA POSSIBILITÉ D'UTILISER QQCH
• **I have the use of his garage** j'ai accès à son garage • **he gave me the use of his car** il a mis sa voiture à ma disposition • **he's lost the use of his left arm** il a perdu l'usage de son bras gauche

3. EXPRIME L'UTILITÉ
• **to be of use** être utile • **it's no use crying** ça ne sert à rien de pleurer • **what's the use (of doing sthg)?** à quoi bon (faire qqch) ?

■ **use** v aux [juːs]

s'utilise uniquement au prétérit

INDIQUE UNE ACTION HABITUELLE DANS LE PASSÉ QUI N'A PLUS COURS DANS LE PRÉSENT
• **I used to live in London** avant, j'habitais à Londres • **there used to be a tree here** (autrefois) il y avait un arbre ici

■ **use** vt [juːz]

1. INDIQUE UNE UTILISATION
• **he used scissors to open the parcel** il s'est servi de ciseaux pour ouvrir le colis • **we used the money to buy a new car** nous avons utilisé l'argent pour acheter une nouvelle voiture • **someone is using the bathroom** il y a quelqu'un dans la salle de bains

2. péj INDIQUE UN ABUS
• **he used me** il s'est servi de moi

use

Il est très important de ne pas confondre les trois usages différents de *used to*.
Premièrement, *used to* suivi de la forme de base du verbe peut servir à parler de quelque chose qui s'est produit dans le passé de façon répétée ou qui a duré pendant un certain temps *(they used to live next door but they've moved now*, ils vivaient dans la maison à côté mais ils ont déménagé)*.
Deuxièmement, pour indiquer que l'on a l'habitude de faire quelque chose, on peut utiliser *used to* suivi du participe présent *(I don't mind leaving at 6 o'clock tomorrow morning – I'm used to getting up early)*.
Enfin, *used to* peut intervenir à l'intérieur d'une construction passive exprimant l'intention ou le but *(this part is used to increase the speed of the engine)*. Dans ce cas, l'expression est généralement précédée du verbe *be* et suivie de la forme de base du verbe principal.

use-by date n date f limite de consommation.

used [juːzd] adj **1.** usagé • **throw your used tissue in the dustbin** jette ton mouchoir sale à la poubelle **2.** d'occasion • **over 40 million used cars are sold each year** plus de 40 millions de voitures d'occasion sont vendues chaque année **3.** (exprime l'idée d'habitude) • **he's not used to getting up so early** il n'a pas l'habitude de se lever si tôt • **you'll soon get used to it** vous vous y ferez vite.

useful [ˈjuːsful] adj utile.

useless [ˈjuːslɪs] adj **1.** inutile **2.** fam incompétent, nul.

user [ˈjuːzər] n **1.** utilisateur m, -trice f **2.** usager m.

user-definable, **user-defined** [-dɪˈfaɪnd] adj INFORM (caractères, touches) définissable par l'utilisateur.

user-friendly adj facile à utiliser.

use up vt sép **1.** épuiser **2.** finir **3.** dépenser.

usher [ˈʌʃər] n placeur m, -euse f. ☐ vt • **to usher sb in/out** faire entrer/sortir qqn.

usherette [ˌʌʃəˈret] n ouvreuse f.

USSR (abrév de Union of Soviet Socialist Republics) n • **the (former) USSR** l'(ex-)URSS f.

usual [ˈjuːʒəl] adj habituel • **as usual** comme d'habitude.

usually [ˈjuːʒəlɪ] adv d'habitude.

usurp [juːˈzɜːp] vt usurper.

utensil [juːˈtensl] n ustensile m.

uterus [ˈjuːtərəs] (pl **-ri** ou **-ruses**) n utérus m.

utility [juːˈtɪlətɪ] *n* **1.** *(indén)* utilité *f* **2.** service *m* public **3.** INFORM utilitaire *m*.

utility room *n* buanderie *f*.

utilize, -ise (UK) [ˈjuːtəlaɪz] *vt* utiliser.

utmost [ˈʌtməʊst] *adj* le plus grand, la plus grande *f*. ❏ *n* • **to do one's utmost** faire tout son possible • **to the utmost** au plus haut point.

utter [ˈʌtər] *adj* total, complet. ❏ *vt* **1.** prononcer **2.** pousser *(un cri)*.

utterly [ˈʌtəlɪ] *adv* complètement.

U-turn *n* demi-tour *m*.

v¹ [viː] (pl **v's** ou **vs**), **V** (pl **V's** ou **Vs**) n v m inv, V m inv.

v² **1.** (abrév de verse) v. **2.** (abrév de volt) v.

vac (abrév de vacation) n (UK) fam vacances fpl.

vacancy ['veɪkənsɪ] n **1.** poste m vacant **2.** chambre f à louer • **'vacancies'** 'chambres à louer' • **'no vacancies'** 'complet'.

vacant ['veɪkənt] adj **1.** inoccupé **2.** libre **3.** (poste) vacant **4.** (regard) vide.

vacant lot n **1.** terrain m inoccupé **2.** (US) terrain m vague **3.** terrain m à vendre.

vacate [və'keɪt] vt quitter • **to vacate a post** démissionner.

vacation [və'keɪʃn] n (US) vacances fpl.

vacationer [və'keɪʃənər] n (US) vacancier m, -ère f.

vaccinate ['væksɪneɪt] vt vacciner.

vaccination [,væksɪ'neɪʃn] n vaccination f.

vaccine [(UK) 'væksiːn, (US) væk'siːn] n vaccin m.

vacillate ['væsəleɪt] vi hésiter.

vacuum ['vækjʊəm] n **1.** fig vide m **2.** aspirateur m. ❑ vt **1.** passer l'aspirateur dans (une pièce) **2.** passer l'aspirateur sur (un tapis).

vacuum cleaner n aspirateur m.

vacuum flask n (UK) (bouteille f) Thermos® f.

vacuum-packed adj emballé sous vide.

vagabond ['vægəbɒnd] n littéraire vagabond m, -e f.

vagina [və'dʒaɪnə] n vagin m.

vagrant ['veɪgrənt] n vagabond m, -e f.

vague [veɪg] adj **1.** vague, imprécis **2.** distrait.

vaguely ['veɪglɪ] adv vaguement.

vain [veɪn] adj **1.** vain **2.** péj vaniteux. ■ **in vain** adv en vain.

valentine card ['væləntaɪn-] n carte f de la Saint-Valentin.

Valentine's Day ['væləntaɪnz-] n • (St) Valentine's Day la Saint-Valentin.

valet ['væleɪ ou 'vælɪt] n valet m de chambre.

valet parking n • 'valet parking' 'voiturier'.

valiant ['væljənt] adj vaillant.

valid ['vælɪd] adj **1.** valable **2.** valide.

validate ['vælɪdeɪt] vt valider.

validation [,vælɪ'deɪʃn] n **1.** confirmation f, preuve f (de demande) **2.** validation f (d'un document).

validity [və'lɪdətɪ] n validité f.

valley ['vælɪ] (pl **-s**) n vallée f.

valour (UK), **valor** (US) ['vælər] n (indén) sout & littéraire bravoure f.

valuable ['væljʊəbl] adj **1.** précieux **2.** de valeur. ■ **valuables** npl objets mpl de valeur.

valuation [,væljʊ'eɪʃn] n **1.** (indén) estimation f, expertise f **2.** valeur f estimée.

value ['væljuː] n valeur f • **to be good value** être d'un bon rapport qualité-prix • **to get value for money** en avoir pour son argent. ❑ vt **1.** expertiser **2.** apprécier. ■ **values** npl valeurs fpl.

value-added tax [-ædɪd-] n taxe f sur la valeur ajoutée.

valued ['væljuːd] adj précieux.

value judg(e)ment n jugement m de valeur.

valve [vælv] n **1.** valve f **2.** soupape f.

vamoose [və'muːs] vi fam s'éclipser.

van [væn] n **1.** camionnette f **2.** (UK) fourgon m.

V and A (abrév de Victoria and Albert Museum) n grand musée londonien des arts décoratifs.

vandal ['vændl] n vandale mf.

vandalism ['vændəlɪzm] n vandalisme m.

vandalize, -ise (UK) ['vændəlaɪz] vt saccager.

vanguard ['vængɑːd] n avant-garde f • **in the vanguard of** à l'avant-garde de.

vanilla [və'nɪlə] n vanille f.

vanish ['vænɪʃ] vi disparaître.

vanity ['vænətɪ] n (indén) péj vanité f.

vanity publishing n publication f à compte d'auteur.

vantagepoint ['vɑːntɪdʒ,pɔɪnt] n **1.** bon endroit m **2.** fig position f avantageuse.

vaporizer ['veɪpəraɪzər] n **1.** (gén) vaporisateur m **2.** fig atomiseur m, pulvérisateur m (de parfum).

3. MÉD inhalateur m **4.** pulvérisateur m (pour la gorge).

vapour (UK), **vapor** (US) ['veɪpə'] n **1.** (indén) vapeur f **2.** buée f.

variable ['veərɪəbl] adj **1.** variable **2.** changeant.

variance ['veərɪəns] n sout • **at variance (with)** en désaccord (avec).

variant ['veərɪənt] adj différent. ❑ n variante f.

variation [,veərɪ'eɪʃn] n • **variation (in)** variation f (de).

varicose veins ['værɪkəʊs-] npl varices fpl.

varied ['veərɪd] adj varié.

variety [və'raɪətɪ] n **1.** variété f, diversité f **2.** variété f, sorte f.

variety show n spectacle m de variétés.

varifocals [veərɪ'fəʊkəlz] npl lunettes fpl à verres progressifs.

various ['veərɪəs] adj **1.** plusieurs **2.** divers.

varnish ['vɑːnɪʃ] n vernis m. ❑ vt vernir.

vary ['veərɪ] vt varier. ❑ vi • **to vary (in/with)** varier (en/selon), changer (en/selon) • **the weather varies from day to day** le temps varie d'un jour à l'autre.

vase [(UK) vɑːz, (US) veɪz] n vase m.

vasectomy [və'sektəmɪ] (pl -ies) n vasectomie f.

Vaseline ® ['væsəliːn] n vaseline f.

vast [vɑːst] adj vaste, immense.

vastly ['vɑːstlɪ] adv extrêmement, infiniment.

vat [væt] n cuve f.

VAT [væt ou viːeɪ'tiː] (abrév de value-added tax) n TVA f.

Vatican ['vætɪkən] n • **the Vatican** le Vatican.

vault [vɒlt] n **1.** chambre f forte **2.** voûte f **3.** caveau m. ❑ vt sauter. ❑ vi • **to vault over sthg** sauter (par-dessus) qqch.

vaulted ['vɔːltɪd] adj voûté.

VBG SMS (abrév de very big grin) très grand sourire.

VCR (abrév de video cassette recorder) n magnétoscope m.

VD (abrév de venereal disease) n (indén) MST f.

VDU (abrév de visual display unit) n INFORM moniteur m.

veal [viːl] n (indén) veau m.

veer [vɪə'] vi virer.

veg [vedʒ] n fam (indén) (abrév de vegetables) légumes mpl.

vegan ['viːgən] adj végétalien. ❑ n végétalien m, -enne f.

vegetable ['vedʒtəbl] n légume m. ❑ adj **1.** végétal **2.** de ou aux légumes.

vegetable garden n jardin m potager.

vegetarian [,vedʒɪ'teərɪən] adj végétarien. ❑ n végétarien m, -enne f.

vegetarianism [,vedʒɪ'teərɪənɪzm] n végétarisme m.

vegetate ['vedʒɪteɪt] vi péj végéter.

vegetation [,vedʒɪ'teɪʃn] n (indén) végétation f.

veggie ['vedʒɪ] (abrév de vegetarian) (UK) fam adj végétarien. ❑ n végétarien m, -enne f.

veggieburger ['vedʒɪ,bɜːgə'] n hamburger m végétarien.

vehement ['viːɪmənt] adj véhément.

vehemently ['viːɪməntlɪ] adv avec véhémence.

vehicle ['viːɪkl] n litt & fig véhicule m.

veil [veɪl] n litt & fig voile m.

veiled [veɪld] adj (menace, allusion) voilé.

vein [veɪn] n **1.** ANAT veine f **2.** nervure f **3.** filon m (d'un minerai).

Velcro ® ['velkrəʊ] n Velcro ® m.

velocity [vɪ'lɒsətɪ] n vélocité f.

velvet ['velvɪt] n velours m.

vendetta [ven'detə] n vendetta f.

vending machine ['vendɪŋ-] n distributeur m automatique.

vendor ['vendə'] n **1.** sout marchand m, -e f **2.** DR vendeur m, -euse f.

veneer [və'nɪə'] n **1.** placage m **2.** fig apparence f.

venerate ['venəreɪt] vt vénérer.

venereal disease [vɪ'nɪərɪəl-] n maladie f vénérienne.

venetian blind [vɪ,niːʃn-] n store m vénitien.

Venezuela [,venɪz'weɪlə] n Venezuela m.

vengeance ['vendʒəns] n vengeance f • **it began raining with a vengeance** il a commencé à pleuvoir très fort.

vengeful ['vendʒfʊl] adj vengeur.

venison ['venɪzn] n venaison f.

venom ['venəm] n litt & fig venin m.

venomous ['venəməs] adj litt & fig venimeux.

vent [vent] n **1.** tuyau m **2.** orifice m • **to give vent to** donner libre cours à. ❑ vt donner libre cours à • **to vent sthg on sb** décharger qqch sur qqn.

ventilate ['ventɪleɪt] vt ventiler.

ventilation [,ventɪ'leɪʃn] n ventilation f.

ventilator ['ventɪleɪtə'] n ventilateur m.

ventriloquist [ven'trɪləkwɪst] n ventriloque mf.

venture ['ventʃə'] n entreprise f. ❑ vt risquer • **to venture to do sthg** se permettre de faire qqch. ❑ vi s'aventurer.

venture capital n capital-risque m.

venture capitalist n spécialiste mf de la prise de risques.

venue ['venjuː] n lieu m.

Venus ['viːnəs] n (planète) Vénus f.

veranda(h) [və'rændə] n véranda f.

verb [vɜːb] n verbe m.

verbal ['vɜːbl] adj verbal.

verbally ['vɜːbəlɪ] *adv* verbalement.

verbatim [vɜː'beɪtɪm] *adj* & *adv* mot pour mot.

verbose [vɜː'bəʊs] *adj* verbeux.

verdict ['vɜːdɪkt] *n* **1.** DR verdict *m* **2.** • **verdict (on)** avis *m* (sur).

verge [vɜːdʒ] *n* **1.** bordure *f* **2.** (UK) bas-côté *m*, accotement *m* **3.** • **on the verge of sthg** au bord de qqch • **on the verge of doing sthg** sur le point de faire qqch. ■ **verge (up)on** *vt insép* approcher de.

verification [,verɪfɪ'keɪʃn] *n* vérification *f*.

verify ['verɪfaɪ] *vt* vérifier.

veritable ['verɪtəbl] *adj* hum & sout véritable.

vermilion [və'mɪljən] *adj* vermillon (inv). ❑ *n* vermillon *m*.

vermin ['vɜːmɪn] *npl* vermine *f*.

vermouth ['vɜːməθ] *n* vermouth *m*.

vernacular [və'nækjʊlə*r*] *adj* vernaculaire. ❑ *n* dialecte *m*.

verruca [və'ruːkə] (*pl* -cas *ou* -cae) *n* verrue *f* plantaire.

versatile ['vɜːsətaɪl] *adj* **1.** aux talents multiples **2.** (outil, logiciel) à usages multiples.

versatility [,vɜːsə'tɪlətɪ] *n* **1.** variété *f* de talents **2.** souplesse *f* d'emploi.

verse [vɜːs] *n* **1.** (indén) vers *mpl* **2.** strophe *f* **3.** (dans la Bible) verset *m*.

versed [vɜːst] *adj* • **to be well versed in sthg** être versé dans qqch.

version ['vɜːʃn] *n* version *f*.

versus ['vɜːsəs] *prép* **1.** contre **2.** par opposition à.

vertebra ['vɜːtɪbrə] (*pl* -brae) *n* vertèbre *f*.

vertebrate ['vɜːtɪbreɪt] *n* vertébré *m*.

vertical ['vɜːtɪkl] *adj* vertical.

vertically ['vɜːtɪklɪ] *adv* verticalement.

vertigo ['vɜːtɪgəʊ] *n* (indén) vertige *m*.

verve [vɜːv] *n* verve *f*.

very ['verɪ] *adv* **1.** très • **very much** beaucoup • **at the very least** tout au moins • **very last/ first** tout dernier/premier • **of one's very own** bien à soi **2.** • **not very** pas très. ❑ *adj* • **the very room/book** la pièce/le livre même • **the very man/thing I've been looking for** juste l'homme/ la chose que je cherchais. ■ **very well** *adv* très bien • **I can't very well tell him…** je ne peux tout de même pas lui dire que…

vessel ['vesl] *n* sout **1.** NAUT & ANAT vaisseau *m* **2.** récipient *m*.

vest [vest] *n* **1.** (UK) maillot *m* de corps **2.** (US) gilet *m*.

vested interest ['vestɪd-] *n* • **vested interest (in)** intérêt *m* particulier (à).

vestibule ['vestɪbjuːl] *n* sout vestibule *m*.

vestige ['vestɪdʒ] *n* vestige *m*.

vestry ['vestrɪ] *n* sacristie *f*.

vet [vet] *n* (UK) (abrév de veterinary surgeon) vétérinaire *mf*. ❑ *vt* (UK) examiner avec soin.

veteran ['vetrən] *adj* chevronné. ❑ *n* **1.** vétéran *mf* **2.** (personne expérimentée) vétéran *m*.

veterinarian [,vetərɪ'neərɪən] *n* (US) vétérinaire *mf*.

veterinary surgeon ['vetərɪnrɪ-] *n* (UK) sout vétérinaire *mf*.

veto ['viːtəʊ] *n* (*pl* -es) veto *m*. ❑ *vt* (prét & pp vetoed, cont vetoing) opposer son veto à.

vex [veks] *vt* contrarier.

vexed question [,vekst-] *n* question *f* controversée.

VHS (abrév de video home system) *n* VHS *m*.

via ['vaɪə] *prép* **1.** via, par **2.** au moyen de.

viability [,vaɪə'bɪlətɪ] *n* viabilité *f*.

viable ['vaɪəbl] *adj* viable.

viaduct ['vaɪədʌkt] *n* viaduc *m*.

vibes [vaɪbz] *npl* fam (abrév de vibrations) atmosphère *f*, ambiance *f* • **I get really bad vibes from her** je la sens vraiment mal.

vibrant ['vaɪbrənt] *adj* vibrant.

vibrate [vaɪ'breɪt] *vi* vibrer.

vibration [vaɪ'breɪʃn] *n* vibration *f*.

vicar ['vɪkə*r*] *n* pasteur *m*.

vicarage ['vɪkərɪdʒ] *n* presbytère *m*.

vicarious [vɪ'keərɪəs] *adj* • **to take a vicarious pleasure in sthg** prendre plaisir à qqch par procuration.

vice [vaɪs] *n* **1.** vice *m* **2.** étau *m*.

vice-chairman *n* vice-président *m*, -e *f*.

vice-chancellor *n* (UK) président *m*, -e *f*.

vicelike ['vaɪslaɪk] *adj* • **held in a vicelike grip** serré dans une poigne de fer.

vice-president *n* vice-président *m*, -e *f*.

vice versa [,vaɪs'vɜːsə] *adv* vice versa.

vicinity [vɪ'sɪnətɪ] *n* • **in the vicinity (of)** aux alentours (de), dans les environs (de).

vicious ['vɪʃəs] *adj* violent, brutal.

vicious circle *n* cercle *m* vicieux.

viciously ['vɪʃəslɪ] *adv* **1.** (attaquer, frapper) brutalement, violemment **2.** (critiquer) avec malveillance, méchamment.

vicissitudes [vɪ'sɪsɪtjuːdz] *npl* sout vicissitudes *fpl*.

victim ['vɪktɪm] *n* victime *f*.

victimization [,vɪktɪmaɪ'zeɪʃn] *n* **1.** fait *m* de prendre pour victime **2.** représailles *fpl* • **there must be no further victimization of workers** il ne doit pas y avoir d'autres représailles contre les ouvriers.

victimize, -ise (UK) ['vɪktɪmaɪz] *vt* faire une victime de.

victimless crime ['vɪktɪmlɪs-] *n* délit *m* sans victime.

victor ['vɪktə*r*] *n* vainqueur *m*.

Victoria Cross [vɪk'tɔːrɪə-] n croix f de Victoria.

Victorian [vɪk'tɔːrɪən] adj victorien.

victorious [vɪk'tɔːrɪəs] adj victorieux.

victory ['vɪktərɪ] n • **victory (over)** victoire f (sur).

video ['vɪdɪəʊ] n (pl -s) **1.** vidéo f **2.** (UK) magnétoscope m **3.** vidéocassette f. ❑ en apposition vidéo (inv). ❑ vt (prét & pp videoed, cont videoing) **1.** enregistrer sur magnétoscope **2.** faire une vidéo de, filmer.

video camera n caméra f vidéo.

video cassette n vidéocassette f.

video clip n clip m, vidéoclip m, clip m vidéo.

videoconference ['vɪdɪəʊ'kɒnfərəns] n vidéoconférence f.

video conferencing n vidéoconférence f.

video diary n journal m vidéo.

videodisc (UK), **videodisk** (US) ['vɪdɪəʊdɪsk] n vidéodisque m.

video game n jeu m vidéo.

video projector n vidéoprojecteur m.

videorecorder ['vɪdɪəʊrɪˌkɔːdə'] n magnétoscope m.

video recording n enregistrement m vidéo.

video shop (UK), **video store** (US) n vidéoclub m.

videotape ['vɪdɪəʊteɪp] n **1.** vidéocassette f **2.** (indén) bande f vidéo.

vie [vaɪ] (prét & pp vied, cont vying) vi • **to vie for** sthg lutter pour qqch • **to vie with sb (for sthg/ to do sthg)** rivaliser avec qqn (pour qqch/ pour faire qqch).

Vienna [vɪ'enə] n Vienne.

Vietnam [(UK) ,vjet'næm, (US) ,vjet'nɑːm] n Viêt Nam m.

Vietnamese [,vjetnə'miːz] adj vietnamien. ❑ n vietnamien m. ❑ npl • **the Vietnamese** les Vietnamiens.

view [vjuː] n **1.** opinion f, avis m • **in my view** à mon avis **2.** vue f • **to come into view** apparaître. ❑ vt **1.** considérer **2.** examiner **3.** visiter (une maison). ■ **in view of** prép vu, étant donné. ■ **with a view to** conj dans l'intention de, avec l'idée de.

viewable area ['vjuː-əbl-] adj INFORM zone f d'affichage (à l'écran).

viewer ['vjuːə'] n **1.** téléspectateur m, -trice f • **the programme attracts millions of viewers** l'émission attire des millions de téléspectateurs **2.** visionneuse f.

viewfinder ['vjuːˌfaɪndə'] n viseur m.

viewing ['vjuːɪŋ] n (indén) **1.** TV programme m, programmes mpl, émissions fpl • late-night viewing on BBC 2 émissions de fin de soirée sur BBC 2 • **his latest film makes exciting viewing** son dernier film est un spectacle passionnant **2.** visite f (d'une exposition)

3. ASTRON observation f. ❑ en apposition **1.** TV (temps, système) d'écoute • **viewing figures** taux m ou indice m d'écoute **2.** ASTRON & MÉTÉOR (conditions) d'observation.

viewpoint ['vjuːpɔɪnt] n point m de vue.

vigil ['vɪdʒɪl] n **1.** veille f **2.** RELIG vigile f.

vigilant ['vɪdʒɪlənt] adj vigilant.

vigilante [,vɪdʒɪ'læntɪ] n membre m d'un groupe d'autodéfense.

vigor (US) = vigour.

vigorous ['vɪgərəs] adj vigoureux.

vigorously ['vɪgərəslɪ] adv vigoureusement, énergiquement.

vigour (UK), **vigor** (US) ['vɪgə'] n vigueur f.

vile [vaɪl] adj **1.** (humeur) exécrable **2.** (personne, acte) vil, ignoble **3.** (nourriture) infect.

vilify ['vɪlɪfaɪ] (prét & pp vilified) vt calomnier.

villa ['vɪlə] n **1.** villa f **2.** pavillon m.

village ['vɪlɪdʒ] n village m.

villager ['vɪlɪdʒə'] n villageois m, -e f.

villain ['vɪlən] n **1.** méchant m, -e f **2.** traître m **3.** bandit m.

vinaigrette [,vɪnɪ'gret] n vinaigrette f.

vindicate ['vɪndɪkeɪt] vt justifier.

vindictive [vɪn'dɪktɪv] adj vindicatif.

vindictively [vɪn'dɪktɪvlɪ] adv vindicativement.

vine [vaɪn] n vigne f.

vinegar ['vɪnɪgə'] n vinaigre m.

vineyard ['vɪnjəd] n vignoble m.

vintage ['vɪntɪdʒ] adj **1.** (vin) de grand cru **2.** typique. ❑ n année f, millésime m.

vintage wine n vin m de grand cru.

vinyl ['vaɪnɪl] n vinyle m.

viola [vɪ'əʊlə] n alto m.

violate ['vaɪəleɪt] vt fig violer (une loi, un traité).

violation [,vaɪə'leɪʃn] n violation f.

violence ['vaɪələns] n violence f.

violent ['vaɪələnt] adj violent.

violet ['vaɪələt] adj violet. ❑ n **1.** violette f **2.** violet m.

violin [,vaɪə'lɪn] n violon m.

violinist [,vaɪə'lɪnɪst] n violoniste mf.

VIP (abrév de very important person) n VIP mf.

viper ['vaɪpə'] n vipère f.

viral ['vaɪrəl] adj viral.

virgin ['vɜːdʒɪn] adj littéraire vierge. ❑ n **1.** (femme) vierge f **2.** (homme) puceau m.

virginal ['vɜːdʒɪnl] n MUS • **virginals** virginal m. ❑ adj virginal.

virginity [və'dʒɪnətɪ] n virginité f.

Virgo ['vɜːgəʊ] (pl -s) n Vierge f.

virile ['vɪraɪl] adj viril.

virility [vɪ'rɪlətɪ] n virilité f.

virtual ['vɜ:tʃʊəl] *adj* virtuel • **it's a virtual certainty** c'est quasiment *ou* pratiquement certain.

virtually ['vɜ:tʃʊəli] *adv* virtuellement, pratiquement.

virtual memory *n* INFORM mémoire *f* virtuelle.

virtual reality *n* réalité *f* virtuelle.

virtue ['vɜ:tʃu:] *n* **1.** vertu *f* **2.** • **virtue (in doing sthg)** mérite *m* (à faire qqch). ■ **by virtue of** *prép sout* en vertu de.

virtuoso [,vɜ:tʃʊ'əʊzəʊ] (*pl* -**sos** *ou* -**si**) *n* virtuose *mf*.

virtuous ['vɜ:tʃʊəs] *adj* vertueux.

virulent ['vɪrʊlənt] *adj* virulent.

virus ['vaɪrəs] *n* virus *m*.

virus check *n* INFORM détection *f* de virus.

virus-free *adj* INFORM dépourvu de virus.

visa ['vi:zə] *n* visa *m*.

vis-à-vis [,vi:zɑ:'vi:] *prép sout* par rapport à.

visceral ['vɪsərəl] *adj* viscéral.

viscose ['vɪskəʊs] *n* viscose *f*.

viscosity [vɪ'skɒsəti] *n* viscosité *f*.

viscous ['vɪskəs] *adj* visqueux.

visibility [,vɪzɪ'bɪləti] *n* visibilité *f*.

visible ['vɪzəbl] *adj* visible.

vision ['vɪʒn] *n* **1.** (*indén*) vue *f* **2.** vision *f*.

visionary ['vɪʒənri] *adj* visionnaire. ❏ *n* (*pl* -**ies**) visionnaire *mf*.

visit ['vɪzɪt] *n* visite *f* • **on a visit** en visite • **visit of a website** visite d'un site. ❏ *vt* **1.** rendre visite à • **to pay s.o. a visit** rendre visite à qqn **2.** visiter (*un site sur Internet*).

visiting hours ['vɪzɪtɪŋ-] *npl* heures *fpl* de visite.

visitor ['vɪzɪtə'] *n* **1.** invité *m*, -e *f* **2.** visiteur *m*, -euse *f* **3.** client *m*, -e *f*.

visitors' book *n* (UK) **1.** livre *m* d'or **2.** (*à l'hôtel*) registre *m*.

visitor's passport *n* (UK) passeport *m* temporaire.

visor ['vaɪzə'] *n* visière *f*.

vista ['vɪstə] *n* vue *f*, perspective *f*.

visual ['vɪʒʊəl] *adj* visuel.

visual aids *npl* supports *mpl* visuels.

visual arts *npl* arts *mpl* plastiques.

visual display unit *n* écran *m* de visualisation.

visualize, -ise (UK) ['vɪʒʊəlaɪz] *vt* se représenter, s'imaginer.

visually ['vɪʒʊəli] *adv* visuellement • **visually handicapped** (UK), **visually impaired** (US) malvoyant.

vital ['vaɪtl] *adj* **1.** essentiel **2.** plein d'entrain.

vitality [vaɪ'tæləti] *n* vitalité *f*.

vitally ['vaɪtəli] *adv* absolument.

vital statistics *npl fam* mensurations *fpl*.

vitamin [(UK) 'vɪtəmɪn, (US) 'vaɪtəmɪn] *n* vitamine *f*.

vitiligo [,vɪtɪ'laɪgəʊ] *n* MÉD vitiligo *m*.

vitriolic [,vɪtrɪ'ɒlɪk] *adj* au vitriol.

vivacious [vɪ'veɪʃəs] *adj* enjoué.

viva voce [,vaɪvə'vəʊsɪ] *n* (UK) examen *m* oral.

vivid ['vɪvɪd] *adj* **1.** vif, vive *f* **2.** (*description*) vivant **3.** (*souvenir*) net, nette *f*, précis.

vividly ['vɪvɪdlɪ] *adv* **1.** d'une manière vivante **2.** clairement.

vivisection [,vɪvɪ'sekʃn] *n* vivisection *f*.

vixen ['vɪksn] *n* renarde *f*.

VLF (abrév de **very low frequency**) *n très basse fréquence.*

V-neck *n* **1.** décolleté *m* en V **2.** pull *m* à décolleté en V.

vocab ['vəʊkæb] *n fam* abrév de **vocabulary**.

vocabulary [və'kæbjʊlərɪ] *n* vocabulaire *m*.

vocal ['vəʊkl] *adj* **1.** qui se fait entendre **2.** vocal. ■ **vocals** *npl* chant *m*.

vocal cords *npl* cordes *fpl* vocales.

vocalist ['vəʊkəlɪst] *n* chanteur *m*, -euse *f* (*dans un groupe*).

vocation [vəʊ'keɪʃn] *n* vocation *f*.

vocational [vəʊ'keɪʃənl] *adj* professionnel.

vocational school [vəʊ'keɪʃənl ,sku:l] *n* (US) **1.** SCOL lycée *m* technique **2.** UNIV ≃ IUT.

vociferous [və'sɪfərəs] *adj* bruyant.

vociferously [və'sɪfərəslɪ] *adv* bruyamment, en vociférant.

vodka ['vɒdkə] *n* vodka *f*.

vogue [vəʊg] *n* vogue *f*, mode *f* • **in vogue** en vogue, à la mode.

voice [vɔɪs] *n* voix *f*. ❏ *vt* exprimer.

voice bank *n* TÉLÉCOM boîte *f* vocale.

voice box *n* larynx *m*.

voice mail *n* messagerie *f* vocale • **to send/ receive voice mail** envoyer/recevoir un message sur une boîte vocale.

voice-over *n* voix *f* off.

voice recognition *n* INFORM reconnaissance *f* de la parole.

void [vɔɪd] *adj* **1.** nul, nulle *f*; → **null 2.** *sout* • **void of** dépourvu de, dénué de. ❏ *n* vide *m*. ❏ *vt* annuler.

vol. (abrév de **volume**) vol.

volatile [(UK) 'vɒlətaɪl, (US) 'vɒlətl] *adj* **1.** (*situation*) explosif **2.** (*personne*) lunatique, versatile **3.** (*marché*) instable.

vol-au-vent ['vɒləʊvɑ̃] *n* vol-au-vent *m inv*.

volcanic [vɒl'kænɪk] *adj* volcanique.

volcano [vɒl'keɪnəʊ] (*pl* -**es** *ou* -**s**) *n* volcan *m*.

vole [vəʊl] *n* campagnol *m*.

volition [və'lɪʃn] *n sout* • **of one's own volition** de son propre gré.

volley ['vɒlɪ] n (pl -s) **1.** salve f **2.** fig torrent m **3.** fig volée f, pluie f (de coups) **4.** SPORT volée f. ❑ vt frapper à la volée, reprendre de volée.

volleyball ['vɒlɪbɔl] n volley-ball m.

volt [vəult] n volt m.

voltage ['vəultɪdʒ] n voltage m, tension f.

voluble ['vɒljubl] adj volubile, loquace.

volume ['vɒlju:m] n **1.** volume m • can you turn the volume up? tu peux augmenter le volume ? **2.** quantité f **3.** densité f.

volume control n réglage m du volume.

voluminous [və'lu:mɪnəs] adj sout **1.** (vêtement) immense **2.** (récipient) volumineux.

voluntarily [(UK) 'vɒləntrɪlɪ, (US) ˌvɒlən'terəlɪ] adv volontairement.

voluntary ['vɒləntrɪ] adj **1.** volontaire • a voluntary contribution une contribution volontaire **2.** bénévole.

voluntary-aided school n (UK) école religieuse financée par l'État et l'Église.

voluntary redundancy n (UK) départ m volontaire.

voluntary work n travail m bénévole, bénévolat m.

volunteer [ˌvɒlən'tɪə'] n **1.** volontaire mf **2.** bénévole mf. ❑ vt **1.** • to volunteer to do sthg se porter volontaire pour faire qqch **2.** donner spontanément. ❑ vi **1.** • to volunteer (for) proposer ses services (pour) **2.** s'engager comme volontaire.

voluptuous [və'lʌptʃuəs] adj voluptueux.

vomit ['vɒmɪt] n vomi m. ❑ vi vomir.

vomiting ['vɒmɪtɪŋ] n (indén) vomissements mpl.

voracious [və'reɪʃəs] adj vorace.

voraciously [və'reɪʃəslɪ] adv **1.** (manger, absorber) voracement, avec voracité **2.** (lire) avec voracité, avidement.

vortex ['vɔːteks] (pl -texes ou -tices) n **1.** vortex m **2.** fig tourbillon m (d'événements).

vote [vəut] n **1.** • vote (for/against) vote m (pour/contre), voix f (pour/contre) **2.** vote m **3.** droit m de vote • women got the vote in Britain in 1888 les femmes britanniques ont obtenu le droit de vote en 1888. ❑ vt **1.** élire **2.** • to vote to do sthg voter ou se prononcer pour faire qqch • they voted to return to work ils ont voté le retour au travail. ❑ vi • to vote (for/against) voter (pour/contre). ■ vote in vt sép **1.** (personne, majorité) élire **2.** (loi) voter, adopter. ■ vote out vt sép évincer par un vote.

vote-catching adj (projet, stratégie) électoraliste.

vote of confidence (pl votes of confidence) n vote m de confiance.

vote of no confidence (pl votes of no confidence) n motion f de censure.

vote of thanks (pl votes of thanks) n discours m de remerciement.

voter ['vəutə'] n électeur m, -trice f.

voting ['vəutɪŋ] n scrutin m.

voting booth n isoloir m.

vouch [vautʃ] ■ vouch for vt insép répondre de, se porter garant de.

voucher ['vautʃə'] n bon m, coupon m.

vow [vau] n vœu m, serment m. ❑ vt • to vow to do sthg jurer de faire qqch • to vow (that)... jurer que....

vowel ['vauəl] n voyelle f.

voyage ['vɔɪdʒ] n **1.** voyage m par mer, traversée f **2.** vol m.

voyeur [vwa:'jɜː'] n voyeur m, -euse f.

voyeurism [vwa:'jɜːrɪzm] n voyeurisme m.

VP n abrév de **vice-president**.

vs abrév de **versus**.

VSO (abrév de Voluntary Service Overseas) n organisation britannique envoyant des travailleurs bénévoles dans des pays en voie de développement pour contribuer à leur développement technique.

vulgar ['vʌlgə'] adj **1.** vulgaire **2.** grossier.

vulnerability [ˌvʌlnərə'bɪlətɪ] n vulnérabilité f.

vulnerable ['vʌlnərəbl] adj vulnérable • vulnerable to a) exposé à b) sensible à.

vulture ['vʌltʃə'] n litt & fig vautour m.

vulva ['vʌlvə] (pl -s ou vulvae [-vi:]) n vulve f.

w¹ [ˈdʌblju:] (*pl* **w's** *ou* **ws**), **W** (*pl* **W's** *ou* **Ws**) *n* w *m inv*, W *m inv*.

W² **1.** (abrév de *west*) O, W **2.** (abrév de *watt*) w.

W4u *SMS* (abrév de *waiting for you*) je t'attends.

W8 *SMS* abrév de **wait**.

W84M *SMS* (abrév de *wait for me*) attends-moi.

W8N *SMS* (abrév de *waiting*) j'attends.

W@ *SMS* (abrév de *what*) koi, koa, kwa.

WABOL *SMS* (abrév de *with a bit of luck*) avec un peu de chance.

wackiness [ˈwækɪnɪs] *n fam* loufoquerie *f*.

wacko [ˈwækəʊ] (*pl* **wackos**) *n fam* cinglé *m*, -e *f*, dingue *mf*. ❑ *adj* cinglé, dingue.

wacky [ˈwækɪ] (*comp* **wackier**, *superl* **wackiest**) *adj fam* loufoque, farfelu.

wad [wɒd] *n* **1.** tampon *m* (de tissu, de papier) **2.** liasse *f* **3.** chique *f* **4.** boulette *f* (de chewing-gum).

waddle [ˈwɒdl] *vi* se dandiner.

wade [weɪd] *vi* patauger. ■ **wade through** *vt insép fig* se taper, venir à bout de.

wadge [wɒdʒ] *n* **1.** (UK) *fam* morceau *m* **2.** tas *m*.

wading pool [ˈweɪdɪŋ-] *n* (US) pataugeoire *f*.

wafer [ˈweɪfər] *n* gaufrette *f*.

wafer-thin *adj* mince comme du papier à cigarette *ou* une pelure d'oignon.

waffle [ˈwɒfl] *n* **1.** gaufre *f* **2.** (UK) *fam* verbiage *m*. ❑ *vi* parler pour ne rien dire.

waft [wɑːft *ou* wɒft] *vi* flotter.

wag [wæg] *vt* remuer, agiter (la queue). ❑ *vi* (queue) remuer.

wage [weɪdʒ] *n* salaire *m*, paie *f*, paye *f*. ❑ *vt* • to **wage war against** faire la guerre à. ■ **wages** *npl* salaire *m*.

wage earner [-ˌɜːnər] *n* salarié *m*, -e *f*.

wage freeze *n* blocage *m* des salaires.

wage packet *n* (UK) **1.** enveloppe *f* de paye **2.** *fig* paie *f*, paye *f*.

wager [ˈweɪdʒər] *n* pari *m*.

wage slave *n* employé *m* très mal payé, employée *f* très mal payée.

waggle [ˈwægl] *fam vt* **1.** agiter, remuer (la queue) **2.** remuer (les oreilles).

waggon [ˈwægən] (UK) = **wagon**.

wagon [ˈwægən] *n* **1.** chariot *m*, charrette *f* **2.** (UK) *RAIL* wagon *m*.

wail [weɪl] *n* gémissement *m*. ❑ *vi* gémir.

waist [weɪst] *n* taille *f*.

waistband [ˈweɪstbænd] *n* ceinture *f*.

waistcoat [ˈweɪskəʊt] *n* (surtout UK) gilet *m*.

waistline [ˈweɪstlaɪn] *n* taille *f*.

wait [weɪt] *n* attente *f*. ❑ *vi* attendre • **I can't wait to see you** je brûle d'impatience de te voir • **wait and see!** tu vas bien voir ! • **I waited till he had left** *ou* **I waited for him to leave** j'ai attendu qu'il soit parti. ■ **wait for** *vt insép* attendre • **to wait for sb to do sthg** attendre que qqn fasse qqch. ■ **wait on** *vt insép* servir. ■ **wait up** *vi* veiller, ne pas se coucher.

waiter [ˈweɪtər] *n* garçon *m*, serveur *m*.

waiting game [ˈweɪtɪŋ-] *n* politique *f* d'attente.

waiting list [ˈweɪtɪŋ-] *n* liste *f* d'attente.

waiting room [ˈweɪtɪŋ-] *n* salle *f* d'attente.

waitlist [ˈweɪtlɪst] *vt* (US) mettre sur la liste d'attente • **I'm waitlisted for the next flight** je suis sur la liste d'attente pour le prochain vol.

waitperson [ˈweɪtpɜːsn] *n* (US) serveur *m*, -euse *f*.

waitress [ˈweɪtrɪs] *n* serveuse *f*.

waive [weɪv] *vt* **1.** renoncer à (un droit, une revendication) **2.** déroger à (une règle).

waiver [ˈweɪvər] *n* *DR* dérogation *f*.

wake [weɪk] *n* sillage *m*. ❑ *vt* (prét **woke** *ou* **waked**, *pp* **woken** *ou* **woked**) réveiller. ❑ *vi* (prét **woke** *ou* **waked**, *pp* **woken** *ou* **woked**) se réveiller. ■ **wake up** *vt sép* réveiller • **can you wake me up in the morning?** peux-tu me réveiller demain matin ? ❑ *vi* se réveiller • **I woke up at seven** je me suis réveillé à sept heures.

wakeboarding [ˈweɪkbɔːdɪŋ] *n* *SPORT* monoski *m* nautique.

waken ['weɪkən] *sout vt* réveiller. ❑ *vi* se réveiller.

waking ['weɪkɪŋ] *adj (heures)* de veille • **she spends her waking hours reading** elle passe tout son temps à lire. ❑ *n* (état *m* de) veille *f*.

Wales [weɪlz] *n* pays *m* de Galles.

walk [wɔk] *n* **1.** démarche *f* **2.** promenade *f* • **to go for a walk** aller se promener **3.** marche *f* • **it's a long walk** c'est loin à pied • **we walked for hours** nous avons marché pendant des heures. ❑ *vt* **1.** accompagner **2.** promener **3.** faire à pied. ❑ *vi* **1.** marcher **2.** se promener. ■ **walk away with** *vt insép fam & fig* gagner *ou* remporter haut la main • **she walked away with all the credit** c'est elle qui a reçu tous les honneurs. ■ **walk in** *vt insép* **1.** déranger *(interrompre)* **2.** prendre en flagrant délit • **we walked in on her as she was getting dressed** nous sommes entrés sans prévenir pendant qu'elle s'habillait. ■ **walk off with** *vt insép fam* **1.** faucher *(voler)* **2.** gagner *ou* remporter haut la main. ■ **walk out** *vi* **1.** partir • **he just got up and walked out** il s'est levé et il est parti **2.** faire grève. ■ **walk out on** *vt insép* quitter.

walkabout ['wɔːkə,baʊt] *n (UK)* bain *m* de foule.

walker ['wɔkər] *n* **1.** promeneur *m*, -euse *f* **2.** marcheur *m*, -euse *f*.

walkie-talkie [,wɔkɪ'tɔkɪ] *n* talkie-walkie *m*.

walk-in *adj* **1.** *(placard)* assez grand pour qu'on puisse y entrer **2.** *(US)* facile.

walking ['wɔkɪŋ] *n (indén)* promenade *f*.

walking shoes *npl* chaussures *fpl* de marche.

walking stick *n* canne *f*.

Walkman ® ['wɔkmən] *n* baladeur *m*, Walkman® *m*.

walk of life *(pl* walks of life*)* *n* milieu *m* • **people from all walks of life** des gens de tous les milieux.

walk-on *adj* de figurant.

walkout ['wɔkaʊt] *n* grève *f*, débrayage *m*.

walkover ['wɔk,əʊvər] *n* victoire *f* facile.

walkway ['wɔkweɪ] *n* **1.** passage *m* **2.** passerelle *f*.

wall [wɔl] *n* **1.** mur *m* **2.** paroi *f* **3.** *ANAT* paroi *f*.

wallchart ['wɔltʃɑːt] *n* planche *f* murale.

walled [wɔld] *adj* fortifié.

wallet ['wɔlɪt] *n* portefeuille *m*.

wallflower ['wɔl,flaʊər] *n fam & fig* • **to be a wallflower** faire tapisserie.

wall hanging *n* tenture *f*.

wall-mounted *adj* mural.

wallop ['wɒləp] *fam vt* **1.** flanquer un coup à **2.** taper fort dans.

wallow ['wɒləʊ] *vi* se vautrer.

wallpaper ['wɔl,peɪpər] *n* papier *m* peint. ❑ *vt* tapisser.

Wall Street *n* Wall Street *m (quartier financier de New York).*

wall-to-wall *adj* • **wall-to-wall carpet** moquette *f*.

wally ['wɒlɪ] *n (UK) fam* andouille *f*.

walnut ['wɔlnʌt] *n* **1.** noix *f* **2.** noyer *m*.

walrus ['wɔlrəs] *(pl inv ou -es) n* morse *m*.

waltz [wɔls] *n* valse *f*. ❑ *vi* valser.

wan [wɒn] *adj* pâle, blême.

WAN [wæn] *n abrév de* **wide area network**.

WAN2 *SMS abrév de* **want to**.

wand [wɒnd] *n* baguette *f*.

wander ['wɒndər] *vi* **1.** errer • **we wandered around the town** nous avons flâné dans la ville **2.** divaguer **3.** vagabonder.

wandering ['wɒndərɪŋ] *adj* ambulant.

wanderlust ['wɒndəlʌst] *n* bougeotte *f*, envie *f* de voyager.

wane [weɪn] *vi* **1.** faiblir **2.** décroître.

wangle ['wæŋgl] *vt fam* se débrouiller pour obtenir.

wank [wæŋk] *(UK) vulg vi* se branler. ❑ *n* branlette *f* • **to have a wank** se faire une branlette.

wanker ['wæŋkər] *n (UK) vulg* branleur *m*.

wanna ['wɒnə] *(surtout US)* = **want a**, **want to**.

wannabe ['wɒnə,biː] *n fam se dit de quelqu'un qui veut être ce qu'il ne peut pas être* • **a Britney Spears wannabe** un clone de Britney Spears.

want [wɒnt] *n* **1.** besoin *m* **2.** manque *m* • **for want of** faute de, par manque de **3.** pauvreté *f*, besoin *m*. ❑ *vt* **1.** vouloir • **to want to do sthg** vouloir faire qqch • **to want sb to do sthg** vouloir que qqn fasse qqch **2.** *fam* avoir besoin de.

wanted ['wɒntɪd] *adj* • **to be wanted (by the police)** être recherché (par la police).

wanting ['wɒntɪŋ] *adj* • **to be wanting in** manquer de • **to be found wanting** ne pas être à la hauteur • **not to be found wanting** être à la hauteur.

wanton ['wɒntən] *adj (acte, cruauté)* gratuit.

WAP [wæp] *n* (abrév de wireless application protocol) *n TÉLÉCOM* WAP *m* • **WAP phone** téléphone *m* WAP.

war [wɔr] *n* guerre *f* • **the two countries are at war** les deux pays sont en guerre.

warble ['wɔːbl] *vi* gazouiller.

war crime *n* crime *m* de guerre.

war criminal *n* criminel *m*, -elle *f* de guerre.

ward [wɔd] *n* **1.** salle *f* **2.** *(UK)* circonscription *f* électorale **3.** *DR* pupille *mf*. ■ **ward off** *vt insép* **1.** écarter **2.** éviter **3.** éloigner.

warden ['wɔdn] *n* **1.** directeur *m*, -trice *f (d'une institution)* **2.** *(UK)* surveillant *m*, -e *f* de prison **3.** *(US)* directeur *m*, -trice *f* de prison.

warder ['wɔdər] *n (UK)* surveillant *m*, -e *f* de prison.

ward of court n pupille mf sous tutelle judiciaire.

wardrobe ['wɔːdrəʊb] n garde-robe f.

wardrobe malfunction n incident m vestimentaire.

warehouse ['weəhaʊs] (pl [-haʊzɪz]) n entrepôt m, magasin m.

warehousing ['weəˌhaʊzɪŋ] n 1. entreposage m (de marchandises) 2. parcage m (d'actions) 3. ■ warehousing company société f d'entrepôts ■ warehousing costs frais mpl d'entreposage.

wares [weəz] npl marchandises fpl.

warfare ['wɔːfeəʳ] n (indén) litt & fig guerre f.

war game n 1. manœuvres fpl militaires 2. jeu m de stratégie militaire.

warhead ['wɔːhed] n ogive f, tête f.

warily ['weərəlɪ] adv avec précaution ou circonspection.

warm [wɔːm] adj 1. chaud ● it's warm today il fait chaud aujourd'hui 2. chaleureux ● he got a warm welcome il a reçu un accueil chaleureux. ◆ vt réchauffer. ■ warm to vt insép 1. se prendre de sympathie pour 2. se mettre à aimer. ■ warm up vt sép réchauffer. ◆ vi 1. se réchauffer 2. (un moteur, une machine) chauffer 3. s'échauffer.

warm-blooded [-'blʌdɪd] adj à sang chaud.

war memorial n monument m aux morts.

warm-hearted [-'hɑːtɪd] adj chaleureux, affectueux.

warmly ['wɔːmlɪ] adv 1. ● to dress warmly s'habiller chaudement 2. chaleureusement.

warmth [wɔːmθ] n chaleur f.

warm-up n SPORT échauffement m.

warn [wɔːn] vt avertir, prévenir ● to warn sb of sthg avertir qqn de qqch ● to warn sb not to do sthg conseiller à qqn de ne pas faire qqch.

warning ['wɔːnɪŋ] n avertissement m.

warning light n voyant m.

warning triangle n (UK) triangle m de signalisation.

warp [wɔːp] vt 1. gauchir, voiler 2. fausser, pervertir. ◆ vi gauchir, se voiler.

warpath ['wɔːpɑːθ] n ● to be on the warpath fig être sur le sentier de la guerre.

warped [wɔːpt] adj 1. (bois) gauchi 2. (personnalité, idée) perverti.

warrant ['wɒrənt] n DR mandat m. ◆ vt 1. justifier 2. garantir.

warranty ['wɒrəntɪ] n garantie f ● the computer is still under warranty l'ordinateur est encore sous garantie.

warren ['wɒrən] n terrier m.

warring ['wɔːrɪŋ] adj en guerre.

warrior ['wɒrɪəʳ] n guerrier m, -ère f.

Warsaw ['wɔːsɔː] n Varsovie ● the Warsaw Pact le pacte de Varsovie.

war-scarred adj dévasté par la guerre.

warship ['wɔːʃɪp] n navire m de guerre.

wart [wɔːt] n verrue f.

wartime ['wɔːtaɪm] n ● in wartime en temps de guerre.

war-torn adj déchiré par la guerre.

war widow n veuve f de guerre.

wary ['weərɪ] adj prudent, circonspect ● to be wary of se méfier de ● to be wary of doing sthg hésiter à faire qqch.

was (forme non accentuée [wəz], forme accentuée [wɒz]) passé → **be**.

wasabi [wəˈsɑːbɪ] n wasabi m.

wash [wɒʃ] n 1. lavage m ● to have a wash (UK) se laver ● to give sthg a wash laver qqch 2. lessive f 3. (sur un bateau) remous m. ◆ vt laver ● to wash one's hands se laver les mains. ◆ vi se laver. ■ wash away vt sép emporter. ■ wash down vt sép 1. arroser (boire) 2. laver à grande eau. ■ wash up vt sép (UK) ● to wash the dishes up faire ou laver la vaisselle ● can you wash up? tu peux faire la vaisselle ? ◆ vi 1. (UK) faire ou laver la vaisselle 2. (US) se laver.

washable ['wɒʃəbl] adj lavable.

washbasin (UK) ['wɒʃˌbeɪsn], **washbowl** (US) ['wɒʃbəʊl] n lavabo m.

washboard ['wɒʃbɔːd] n planche f à laver ● to have a washboard stomach avoir des abdos en tablette de chocolat.

washcloth ['wɒʃˌklɒθ] n (US) gant m de toilette.

washed-out [ˌwɒʃt-] adj 1. délavé 2. épuisé.

washed-up [ˌwɒʃt-] adj 1. fam (personne) fini 2. (projet) fichu.

washer ['wɒʃəʳ] n 1. CONSTR rondelle f 2. machine f à laver.

washing ['wɒʃɪŋ] n (indén) 1. lessive f (action de laver) 2. linge m, lessive f ● dirty washing du linge sale.

washing line n corde f à linge.

washing machine n machine f à laver.

washing powder n (UK) lessive f, détergent m.

Washington ['wɒʃɪŋtən] n ● Washington D.C. Washington.

washing-up n (UK) vaisselle f.

washing-up liquid n (UK) liquide m pour la vaisselle.

washline ['wɒʃlaɪn] n corde f à linge.

washload ['wɒʃləʊd] n 1. capacité f de lavage 2. lessive f (linge sale).

washout ['wɒʃaʊt] n fam fiasco m.

washroom ['wɒʃrʊm] n (US) toilettes fpl.

wash-wipe n AUTO lavage-balayage m.

wasn't [wɒznt] = was not.

wasp [wɒsp] n guêpe f.

wastage ['weɪstɪdʒ] n gaspillage m.

waste [weist] adj **1.** (matériau) de rebut **2.** (énergie) perdu **3.** (terres) en friche. ❑ n **1.** gaspillage m • **it's a waste of money** c'est du gaspillage • **a waste of time** une perte de temps • **industrial waste** les déchets industriels (indén) déchets mpl, ordures fpl. ❑ vt **1.** gaspiller **2.** perdre (du temps). ■ **wastes** npl littéraire étendues fpl désertes.

wastebasket (US) = wastepaper basket.

wasted [weistid] adj **1.** (matériau, argent) gaspillé **2.** (énergie, occasion, temps) perdu **3.** (tentative, efforts) inutile, vain • **a wasted journey** un voyage pour rien **4.** (nourriture) inutilisé **5.** (personne) décharné **6.** (membre) décharné ; atrophié.

waste disposal unit n broyeur m d'ordures.

wasteful [weistful] adj **1.** gaspilleur **2.** (activité, méthode) peu économique.

waste ground n (indén) (UK) terrain m vague.

wasteland [weist,lænd] n **1.** terre f à l'abandon **2.** (UK) terrain m vague.

waste matter n déchets mpl.

wastepaper basket, **wastepaper bin** (UK) [,weist'peipə-], **wastebasket** (US) [weist,bɑːskit] n corbeille f à papier.

watch [wɒtʃ] n **1.** montre f **2.** • **to keep watch** faire le guet, monter la garde • **to keep watch on sb/sthg** surveiller qqn/qqch **3.** garde f **4.** NAUT quart m. ❑ vt **1.** regarder **2.** surveiller • **I'm watching their luggage for them** je surveille leurs bagages **3.** faire attention à. ❑ vi regarder. ■ **watch out** vi faire attention, prendre garde • **watch out, there's a car coming!** fais attention, il y a une voiture ! ■ **watch over** vt insép veiller sur • **God will watch over you** Dieu vous protègera.

watchable [wɒtʃəbl] adj **1.** que l'on peut regarder **2.** qui se laisse regarder.

watchdog [wɒtʃdɒg] n **1.** chien m de garde **2.** fig organisation f de contrôle.

watchful [wɒtʃful] adj vigilant.

watchmaker [wɒtʃ,meikə] n horloger m, -ère f.

watchman [wɒtʃmən] (pl -men) n gardien m.

water [wɒtə] n eau f. ❑ vt arroser. ❑ vi **1.** pleurer, larmoyer **2.** • **my mouth was watering** j'en avais l'eau à la bouche. ■ **water down** vt sép **1.** diluer **2.** couper d'eau (de l'alcool) **3.** péj atténuer, modérer. ■ **waters** npl eaux fpl.

water bed n lit m d'eau.

water birth n accouchement m dans l'eau.

waterboarding [wɒtər,bɔːdiŋ] n technique d'interrogatoire où la victime est ligotée et inondée d'eau.

water bottle n gourde f, bidon m (à eau).

water closet n vieilli toilettes fpl, waters mpl.

watercolour (UK), **watercolor** (US) [wɒtə,kʌlə] n **1.** aquarelle f **2.** peinture f à l'eau, couleur f pour aquarelle.

watercress [wɒtəkres] n cresson m.

watered-down [,wɔːtəd-] adj **1.** péj modéré, atténué **2.** (version) édulcoré.

waterfall [wɒtəfɔːl] n chute f d'eau, cascade f.

water feature n fontaine f d'intérieur.

waterfront [wɒtəfrʌnt] n quais mpl.

water heater n chauffe-eau m inv.

waterhole [wɒtəhəul] n mare f, point m d'eau.

watering can [wɒtəriŋ-] n arrosoir m.

watering hole n **1.** point m d'eau **2.** fam & hum ≈ bistrot m ; ≈ bar m.

water level n niveau m de l'eau.

water lily n nénuphar m.

waterline [wɒtəlain] n ligne f de flottaison.

waterlogged [wɒtəlɒgd] adj **1.** (sol) détrempé **2.** (bateau) plein d'eau.

water main n conduite f principale d'eau.

watermark [wɒtəmɑːk] n **1.** filigrane m **2.** laisse f de haute mer **3.** (fleuve) ligne f des hautes eaux.

watermelon [wɒtə,melən] n pastèque f.

water pipe n conduite f d'eau.

water pistol n pistolet m à eau.

water polo n water-polo m.

waterproof [wɒtəpruːf] adj imperméable. ❑ n (UK) imperméable m.

water-resistant adj qui résiste à l'eau.

watershed [wɒtəʃed] n fig tournant m, moment m critique.

water skiing n ski m nautique.

water-soluble adj soluble dans l'eau.

water supply n alimentation f en eau, approvisionnement m d'eau.

water tank n réservoir m d'eau, citerne f.

watertight [wɒtətait] adj **1.** étanche **2.** (excuse, contrat) parfait **3.** (argument) irréfutable **4.** (plan) infaillible.

waterway [wɒtəwei] n voie f navigable.

waterworks [wɒtəwɜːks] (pl inv) n installation f hydraulique, usine f de distribution d'eau.

watery [wɒtəri] adj **1.** trop dilué **2.** (thé, café) pas assez fort **3.** pâle.

watt [wɒt] n watt m.

wave [weiv] n **1.** geste m, signe m • **he gave me a wave** il m'a fait un signe de la main **2.** vague f **3.** onde f **4.** bouffée f (de chaleur) **5.** (dans les cheveux) cran m, ondulation f. ❑ vt **1.** agiter **2.** brandir. ❑ vi **1.** faire signe de la main • **to wave at** ou **to sb** faire signe à qqn, saluer qqn de la main **2.** flotter.

wavelength [weivleŋθ] n longueur f d'onde • **to be on the same wavelength** fig être sur la même longueur d'onde.

waver [weivə] vi **1.** vaciller, chanceler **2.** hésiter **3.** fluctuer, varier.

wavy [weivi] adj **1.** (cheveux) ondulé **2.** (ligne) qui ondule.

wax [wæks] n (indén) **1.** cire f **2.** (pour le ski) fart m **3.** (dans les oreilles) cérumen m. ❑ vt **1.** cirer **2.** farter (des skis). ❑ vi (lune) croître.

wax paper n (us) papier m sulfurisé.

waxworks ['wæksɜ:ks] (pl inv) n musée m de cire.

way [weɪ] n **1.** façon f (moyen, méthode) • to get ou have one's way obtenir ce qu'on veut **2.** façon f, manière f • in the same way de la même manière ou façon • this/that way comme ça, de cette façon • try to see it my way mettez-vous à ma place **3.** chemin m • way in entrée f • way out sortie f • to be out of one's way ne pas être sur sa route • can you tell me the way to the museum? vous pouvez m'indiquer le chemin pour aller au musée ? • the quickest way to the town le chemin le plus court pour aller en ville • on the ou one's way sur le ou son chemin • to be under way a) faire route b) fig être en cours • to get under way a) se mettre en route b) fig démarrer • 'give way' (UK) 'vous n'avez pas la priorité' • to be in the way gêner • to go out of one's way to do sthg se donner du mal pour faire qqch • to keep out of sb's way éviter qqn • keep out of the way! restez à l'écart ! • to make way for faire place à **4.** • to go/look/come this way aller/regarder/venir par ici • the right/wrong way round dans le bon/mauvais ordre • she had her hat on the wrong way round elle avait mis son chapeau à l'envers • the right/wrong way up dans le bon/mauvais sens **5.** • all the way a) tout le trajet b) fig jusqu'au bout • a long way loin • (location) • to give way céder • no way! pas question ! ❑ adv fam largement • way better bien mieux. ■ by the way adv au fait. ■ by way of prép **1.** par **2.** en guise de • by way of illustration à titre d'exemple. ■ in the way of prép comme. ■ ways npl coutumes fpl.

waylay [,weɪ'leɪ] (prét & pp waylaid [-'leɪd]) vt arrêter (au passage), intercepter.

way of life n façon f de vivre.

wayward ['weɪwəd] adj **1.** qui n'en fait qu'à sa tête **2.** capricieux.

WB SMS **1.** (abrév de welcome back) content de te revoir **2.** (abrév de write back) réponds.

WBS SMS (abrév de write back soon) réponds-moi vite.

WC (abrév de water closet) n W.-C. mpl.

WDYT SMS (abrév de what do you think?) qu'est-ce-que tu en penses?

we [wi:] pron pers nous • we can't do it nous, nous ne pouvons pas le faire • as we say in France comme on dit en France • we British nous autres Britanniques.

WE SMS abrév de whatever.

weak [wi:k] adj **1.** faible **2.** fragile **3.** peu convaincant **4.** (café, thé) léger.

weaken ['wi:kn] vt **1.** affaiblir, fragiliser **2.** diminuer. ❑ vi faiblir.

weak-kneed [-ni:d] adj fam & péj lâche.

weakling ['wi:klɪŋ] n péj mauviette f.

weakly ['wi:klɪ] adv faiblement.

weak-minded [-'maɪndɪd] adj faible de caractère.

weakness ['wi:knɪs] n **1.** (indén) faiblesse f; fragilité f **2.** point m faible.

wealth [welθ] n **1.** (indén) richesse f **2.** • a wealth of une profusion de.

wealth-creating [-kri:'eɪtɪŋ] adj générateur de richesses.

wealthy ['welθɪ] adj riche.

wean [wi:n] vt sevrer.

weapon ['wepən] n arme f.

weaponize ['wepənaɪz] vt militariser.

weaponry ['wepənrɪ] n (indén) armement m.

wear [weə'] n (indén) **1.** tenue f **2.** usure f • wear and tear usure **3.** • these shoes have had a lot of wear ces chaussures ont beaucoup servi. ❑ vt (prét wore, pp worn) **1.** porter (un vêtement, des lunettes, une barbe) **2.** user. ❑ vi (prét wore, pp worn) **1.** s'user **2.** • to wear well durer longtemps • to wear badly ne pas durer longtemps. ■ wear away vt sép **1.** user **2.** abîmer. ❑ vi **1.** s'user **2.** s'abîmer. ■ wear down vt sép **1.** user **2.** épuiser. ■ wear off vi disparaître. ■ wear out vt sép **1.** user • I've worn out my shoes j'ai usé mes chaussures **2.** épuiser • that journey has worn me out ce voyage m'a épuisé. ❑ vi s'user.

wearable ['weərəbl] adj mettable.

wearily ['wɪərɪlɪ] adv péniblement • to sigh wearily pousser un soupir de lassitude.

weariness ['wɪərɪnɪs] n lassitude f.

wearing ['weərɪŋ] adj épuisant.

weary ['wɪərɪ] adj **1.** las, lasse f **2.** (soupir) de lassitude **3.** • to be weary of sthg/of doing sthg être las de qqch/de faire qqch.

weasel ['wi:zl] n belette f.

weather ['weðə'] n temps m • what's the weather like? quel temps fait-il ? • the weather is fine il fait beau • to be under the weather être patraque. ❑ vt surmonter.

weather-beaten [-,bi:tn] adj tanné.

weathercock ['weðəkɒk] n girouette f.

weathered ['weðəd] adj **1.** érodé **2.** qui a souffert des intempéries.

weather forecast n météo f, prévisions fpl météorologiques.

weathergirl ['weðəgɜ:l] n présentatrice f de la météo.

weatherman ['weðəmæn] (pl -men) n météorologue m.

weather vane [-veɪn] n girouette f.

weave [wi:v] vt (prét wove, pp woven) tisser. ❑ vi (prét wove, pp woven) se faufiler.

weaver ['wiːvə'] n tisserand m, -e f.

web, Web [web] n **1.** toile f (d'araignée) **2.** ▪ **the Web** le Web, la Toile **3.** fig tissu m.

web browser n navigateur m.

webcam ['webkæm] n webcam f.

webcast ['webkæst] n INFORM webcast m. ❑ vt diffuser sur l'Internet.

webcasting ['webkæstɪŋ] n INFORM webcasting m.

web designer n concepteur m de site Web.

webfeed ['webfiːd] n webfeed m.

web hosting n INFORM hébergement m de sites Web.

weblog ['weblɒg] n weblog m.

webmaster ['web,mɒstə'] n webmaster m, webmestre m.

web page, Web page n page f Web.

website, Web site ['websaɪt] n site m Internet ou Web ▪ **have you visited the Larousse website?** as-tu visité le site Web de Larousse ?

webzine ['webziːn] n INFORM webzine m.

wed [wed] (prét & pp wed ou wedded) littéraire vt épouser. ❑ vi se marier.

Wed. (abrév de Wednesday) mer.

we'd [wiːd] = we had, we would.

wedding ['wedɪŋ] n mariage m.

wedding anniversary n anniversaire m de mariage.

wedding band = wedding ring.

wedding cake n pièce f montée.

wedding day n jour m du mariage ▪ **on their wedding day** le jour de leur mariage.

wedding dress n robe f de mariée.

wedding reception n réception f de mariage.

wedding ring n alliance f.

wedge [wedʒ] n **1.** cale f (sous le pied d'une table) **2.** coin m (pour fendre des matériaux) **3.** morceau m (de gâteau, de fromage). ❑ vt caler.

wedge-heeled shoe [-hiːld] n chaussure f à semelle compensée.

wedgie ['wedʒiː] adj fam = wedge-heeled shoe. ❑ n (us) fam ▪ **to give sb a wedgie** remonter la culotte de qqn (afin qu'elle lui rentre dans les fesses).

Wednesday ['wenzdɪ] n mercredi m. Voir aussi Saturday.

wee [wiː] adj (ÉCOSSE) petit. ❑ n (UK) fam pipi m. ❑ vi (UK) fam faire pipi.

weed [wiːd] n **1.** mauvaise herbe f **2.** (UK) fam mauviette f. ❑ vt désherber. ■ **weed out** vt sép éliminer.

weedkiller ['wiːd,kɪlə'] n désherbant m.

weedy ['wiːdɪ] adj (UK) fam qui agit comme une mauviette.

week [wiːk] n semaine f ▪ **in a week's time** dans une semaine.

weekday ['wiːkdeɪ] n jour m de semaine.

weekend [,wiːk'end] n week-end m ▪ **on** ou **at the weekend** le week-end ▪ **what are you doing this weekend?** qu'est-ce que tu fais ce week-end ?

weekend bag n sac m de voyage.

weekly ['wiːklɪ] adj hebdomadaire. ❑ adv chaque semaine. ❑ n hebdomadaire m.

weeknight ['wiːk,naɪt] n soir m de la semaine ▪ **I can't go out on weeknights** je ne peux pas sortir le soir en semaine.

weep [wiːp] vt & vi (prét & pp wept) pleurer.

weeping willow [,wiːpɪŋ-] n saule m pleureur.

weepy ['wiːpɪ] (comp weepier, superl weepiest) adj **1.** (personne) pleurnicheur **2.** (film) sentimental.

weigh [weɪ] vt **1.** peser **2.** ▪ **to weigh anchor** lever l'ancre. ■ **weigh down** vt sép **1.** ▪ **to be weighed down with sthg** plier sous le poids de qqch **2.** ▪ **to be weighed down by** ou **with sthg** être accablé par qqch. ■ **weigh up** vt sép **1.** (UK) examiner **2.** juger, évaluer.

weight [weɪt] n litt & fig poids m ▪ **to put on** ou **gain weight** grossir ▪ **to lose weight** maigrir ▪ **to pull one's weight** faire sa part du travail.

weighted ['weɪtɪd] adj ▪ **to be weighted in favour of/against sthg** être favorable/défavorable à.

weighting ['weɪtɪŋ] n **1.** indemnité f **2.** SCOL coefficient m.

weightlifting ['weɪt,lɪftɪŋ] n haltérophilie f.

weight training n musculation f.

weighty ['weɪtɪ] adj important, de poids.

weir [wɪə'] n (UK) barrage m.

weird [wɪəd] adj bizarre.

weirdo ['wɪədəʊ] (pl -s) n fam drôle de type m.

welcome ['welkəm] adj **1.** bienvenu **2.** ▪ **you're welcome to...** n'hésitez pas à... **3.** ▪ **you're welcome** il n'y a pas de quoi, de rien. ❑ n accueil m ▪ **they gave me a warm welcome** ils m'ont fait un accueil chaleureux. ❑ vt **1.** accueillir **2.** se réjouir de. ❑ interj bienvenue !

welcome committee n comité m d'accueil.

welcome mat n paillasson m ▪ **they put out the welcome mat for him** ils l'ont accueilli à bras ouverts.

welcoming ['welkəmɪŋ] adj accueillant.

weld [weld] n soudure f. ❑ vt souder.

welder ['weldə'] n soudeur m, -euse f.

welfare ['welfeə'] adj social. ❑ n **1.** bien-être m **2.** (us) assistance f publique.

welfare state n État-providence m.

well [wel] adj (comp better, superl best) bien ▪ **I'm very well, thanks** je vais très bien, merci ▪ **all is well** tout va bien ▪ **just as well** aussi bien. ❑ adv bien ▪ **the team was well beaten** l'équipe a été battue à plates coutures ▪ **to go well** aller bien ▪ **well done!** bravo ! ▪ **well and truly** bel et bien. ❑ n puits m. ❑ interj

1. heu !, eh bien ! **2.** bon !, enfin ! **3.** • **oh well!** eh bien ! **4.** tiens ! ■ **as well** adv **1.** aussi, également **2.** • **I/you** etc **may** ou **might as well (do sthg)** je/tu etc ferais aussi bien (de faire qqch). ■ **as well as** conj en plus de, aussi bien que. ■ **well up** vi • **tears welled up in her eyes** les larmes lui montaient aux yeux.

we'll [wiːl] = **we shall, we will.**

well-adjusted adj bien dans sa peau.

well-advised [-əd'vaɪzd] adj sage • **you would be well-advised to do sthg** tu ferais bien de faire qqch.

well-attended [-ə'tendɪd] adj • **the meeting was well-attended** il y avait beaucoup de monde à la réunion.

well-balanced adj (bien) équilibré.

well-behaved [-bɪ'heɪvd] adj sage.

wellbeing [,wel'biːɪŋ] n bien-être m.

well-born adj de bonne famille • **she was not sufficiently well-born to marry him** elle n'était pas assez bien née pour l'épouser.

well-bred [-'bred] adj bien élevé.

well-brought-up adj bien élevé.

well-built adj bien bâti.

well-chosen adj bien choisi.

well-deserved [-dɪ'zɜːvd] adj bien mérité.

well-designed [-dɪ'zaɪnd] adj bien conçu.

well-documented [-'dɒkjʊmentɪd] adj bien documenté.

well-done adj bien cuit.

well-dressed [-'drest] adj bien habillé.

well-earned [-ɜːnd] adj bien mérité.

well-established adj bien établi.

well-fed adj bien nourri.

well-heeled [-'hiːld] adj fam nanti.

wellies ['welɪz] fam npl (UK) = **wellington boots.**

well-in adj fam **1.** (UK) • **to be well-in with sb** être bien avec qqn **2.** (AUSTRALIE) à l'aise (riche).

well-informed adj • **to be well-informed (about/on)** être bien informé (sur).

wellington boots ['welɪŋtən-], **wellingtons** ['welɪŋtənz] npl (UK) bottes fpl de caoutchouc.

well-intentioned [-ɪn'tenʃnd] adj bien intentionné.

well-kept adj **1.** (maison) bien tenu **2.** (secret) bien gardé.

well-known adj bien connu.

well-liked [-laɪkt] adj apprécié.

well-loved adj très aimé.

well-made adj bien fait.

well-mannered [-'mænəd] adj bien élevé.

well-meaning adj bien intentionné.

well-meant adj bien intentionné.

well-nigh [-naɪ] adv presque, pratiquement.

well-off adj **1.** riche **2.** • **to be well-off for sthg** être bien pourvu en qqch.

well-paid adj bien payé.

well-placed [-pleɪst] adj bien placé • **to be well-placed to do sthg** être bien placé pour faire qqch.

well-prepared adj bien préparé.

well-read [-'red] adj cultivé.

well-respected adj respecté.

well-rounded [-'raʊndɪd] adj complet.

well-spoken adj qui parle bien.

well-stocked [-stɒkt] adj bien approvisionné.

well-thought-of adj qui a une bonne réputation.

well-thought-out adj bien conçu.

well-timed [-'taɪmd] adj bien calculé.

well-to-do adj riche.

well-travelled (UK), **well-traveled** (US) adj qui a beaucoup voyagé • **he's well-travelled** il a beaucoup voyagé.

well-versed adj • **to be well-versed in sthg** bien connaître qqch.

wellwisher ['wel,wɪʃər] n admirateur m, -trice f.

Welsh [welʃ] adj gallois. ❏ n gallois m. ❏ npl • **the Welsh** les Gallois mpl.

Welsh Assembly n Assemblée f galloise ou du pays de Galles.

Welshman ['welʃmən] (pl -men) n Gallois m.

Welshwoman ['welʃ,wʊmən] (pl -women) n Galloise f.

went [went] passé → **go.**

wept [wept] passé & pp → **weep.**

were [wɜːr] → **be.**

we're [wɪər] = **we are.**

weren't [wɜːnt] = **were not.**

werewolf ['wɪəwʊlf] (pl -wolves) n loup-garou m.

west [west] n **1.** ouest m **2.** • **the West** l'ouest m. ❏ adj **1.** ouest (inv) **2.** d'ouest. ❏ adv de l'ouest, vers l'ouest • **west of** à l'ouest de. ■ **West** n • **the West** l'Occident m.

the West End

Le **West End** (la partie ouest du centre de Londres) est un quartier très animé et touristique, au cœur de la capitale britannique. On y trouve de nombreux magasins, beaucoup de cinémas, de restaurants et de théâtres où l'on joue des pièces à succès et des comédies musicales. Le West End comprend le quartier très vivant de **Soho**, **Oxford Street** et ses grands magasins, **Chinatown** (le quartier chinois), **Leicester Square** et ses cinémas, ainsi que **Picadilly Circus**, célèbre place où se dresse la statue d'Éros.

West Bank n • **the West Bank** la Cisjordanie.

westbound ['westbaʊnd] adj en direction de l'ouest.

West Country n (UK) • **the West Country** le sud-ouest de l'Angleterre.

West End n (UK) • **the West End** le West-End (quartier des grands magasins et des théâtres, à Londres).

westerly ['westəlɪ] adj **1.** à l'ouest **2.** de l'ouest • **in a westerly direction** vers l'ouest.

western ['westən] adj **1.** de l'ouest **2.** occidental. ❑ n western m.

Westerner ['westənə^r] n **1.** POLIT Occidental m, -e f **2.** personne habitant dans l'ouest du pays.

westernization [ˌwestənaɪ'zeɪʃn] n occidentalisation f.

westernize, -ise (UK) ['westənaɪz] vt occidentaliser.

West German adj ouest-allemand. ❑ n Allemand m, -e f de l'Ouest.

West Germany n • (former) **West Germany** (ex-)Allemagne f de l'Ouest.

West Indian adj antillais. ❑ n Antillais m, -e f.

West Indies [-'ɪndɪːz] npl • **the West Indies** les Antilles fpl.

Westminster ['westmɪnstə^r] n quartier de Londres où se situe le Parlement britannique.

Westminster

C'est dans ce quartier que se trouvent le Parlement et le palais de Buckingham. Le nom de **Westminster** est également employé pour désigner le Parlement lui-même. L'abbaye de Westminster (**Westminster Abbey**), dans le même quartier, est l'un des monuments les plus célèbres du pays. Cette immense église gothique a été construite aux XIIIe et XIVe siècles. C'est là que sont couronnés tous les monarques d'Angleterre depuis Guillaume le Conquérant. L'église renferme les tombeaux des rois, des reines et des grands hommes britanniques.

westward ['westwəd] adj & adv vers l'ouest.

westwards ['westwədz] adv vers l'ouest.

wet [wet] adj **1.** mouillé **2.** pluvieux **3.** (peinture) frais **4.** (UK) fam & péj ramolli. ❑ n (UK) fam POLIT modéré m, -e f. ❑ vt (prét & pp **wet** ou **wetted**) mouiller.

wet blanket n fam & péj rabat-joie m inv.

wet-look adj brillant.

wet suit n combinaison f de plongée.

wetware ['wetweə^r] n fam utilisateurs mpl (d'un système informatique).

we've [wiːv] = we have.

whack [wæk] fam n **1.** (UK) part f **2.** grand coup m. ❑ vt donner un grand coup à, frapper fort.

whacked [wækt] adj (UK) fam crevé (épuisé).

whacky ['wækɪ] adj = wacky.

whale [weɪl] n baleine f.

wharf [wɔːf] (pl **-s** ou **wharves** [wɔːvz]) n NAUT quai m.

what [wɒt] adj **1.** (dans des questions) quel, quelle, quels, quelles • **what colour is it?** c'est de quelle couleur ? • **he asked me what colour it was** il m'a demandé de quelle couleur c'était **2.** (dans des exclamations) quel, quelle, quels, quelles • **what a surprise!** quelle surprise ! • **what an idiot I am!** ce que je peux être bête ! ❑ pron **1.** qu'est-ce qui, qu'est-ce que, que, quoi • **what are they doing?** qu'est-ce qu'ils font ?, que font-ils ? • **what is going on?** qu'est-ce qui se passe ? • **what are they talking about?** de quoi parlent-ils ? • **what about another drink/going out for a meal?** et si on prenait un autre verre/allait manger au restaurant ? • **what about the rest of us?** et nous alors ? • **what if...?** et si... ? **2.** ce qui, ce que • **I saw what happened/fell** j'ai vu ce qui s'était passé/était tombé • **you can't have what you want** tu ne peux pas avoir ce que tu veux. ❑ interj comment !, quoi !

what

Attention à ne pas confondre **which** et **what**. On utilise **which** lorsque les possibilités sont en nombre restreint (which is your car? ; which one do you want?), alors que **what** suggère un choix beaucoup plus vaste (what is that? ; what songs do you know?).

Dans la langue familière, lorsque l'on pose une question, **what for** signifie la même chose que **why** (what did she tell me that for? ; I don't know what she told me that for).

Notez que dans les questions, **what** se place en début de phrase et, s'il est accompagné d'une préposition (about, for, etc.), celle-ci reste à sa place habituelle, après le verbe, du moins dans la langue de tous les jours (what are you thinking about? ; what did you do that for?).

what-d'ye-call-her ['wɒtjəkɔːlə^r] n fam Machine f (personne).

what-d'ye-call-him ['wɒtjəkɔːlɪm] n fam Machin m (personne).

what-d'ye-call-it ['wɒtjəkɔːlɪt] n fam machin m, truc m.

whatever [wɒt'evə^r] adj quel, quelle f que soit • **any book whatever** n'importe quel livre • **no chance whatever** pas la moindre chance • **nothing whatever** rien du tout. ❑ pron quoi que (+ subjonctif) • **I'll do whatever I can** je ferai tout ce que je peux • **whatever can this be?** qu'est-ce que cela peut bien être ?

• **whatever that may mean** quoi que cela puisse bien vouloir dire • **whatever happens, don't tell Joe** quoi qu'il arrive, ne dis rien à Joe • **whatever decision you make, I'll support you** quelle que soit la décision que tu prendras, je te soutiendrai • **or whatever** ou n'importe quoi d'autre.

whatsoever [ˌwɒtsəʊ'evər] *adj* • **I had no interest whatsoever** je n'éprouvais pas le moindre intérêt • **nothing whatsoever** rien du tout.

wheat [wiːt] *n* blé *m*.

wheat germ *n* germe *m* de blé.

wheatmeal ['wiːtmiːl] *n* farine *f* de blé.

wheedle ['wiːdl] *vt* enjôler.

wheel [wiːl] *n* **1.** roue *f* **2.** AUTO volant *m*. ❑ *vt* pousser. ❑ *vi* • **to wheel (round)** (UK) *ou* **around** (US) se retourner brusquement.

wheelbarrow ['wiːlˌbærəʊ] *n* brouette *f*.

wheelchair ['wiːlˌtʃeər] *n* fauteuil *m* roulant.

wheelclamp ['wiːlˌklæmp] *n* sabot *m* de Denver. ❑ *vt* • **my car was wheelclamped** on a mis un sabot à ma voiture.

wheeler-dealer ['wiːlər-] *n péj* combinard *m*.

wheelie bin ['wiːli-] *n* poubelle *f* (avec des roues).

wheeling and dealing ['wiːlɪŋ-] *n* (indén) péj combines *fpl*.

wheeze [wiːz] *n* respiration *f* sifflante. ❑ *vi* respirer avec un bruit sifflant.

wheezy ['wiːzɪ] (comp **wheezier**, superl **wheeziest**) *adj* **1.** (personne) poussif **2.** (toux) sifflant **3.** (voix) d'asthmatique.

whelk [welk] *n* bulot *m*, buccin *m*.

when [wen] *adv* (dans des questions) quand • **when does the plane arrive?** quand *ou* à quelle heure arrive l'avion ? • **he asked me when I would be in London** il m'a demandé quand je serais à Londres. ❑ *conj* **1.** quand, lorsque • **he came to see me when I was abroad** il est venu me voir quand j'étais à l'étranger • **one day when I was on my own** un jour *ou* où j'étais tout seul • **on the day when it happened** le jour où cela s'est passé **2.** alors que.

whenever [wen'evər] *conj* **1.** quand **2.** chaque fois que. ❑ *adv* n'importe quand.

where [weər] *adv* (dans des questions) où • **where do you live?** où habitez-vous ? • **do you know where he lives?** est-ce que vous savez où il habite ? ❑ *conj* **1.** où • **this is where…** c'est là que… **2.** alors que • **she described him as being lax where in fact he's quite strict** elle l'a décrit comme étant négligent alors qu'en fait il est assez strict.

whereabouts *adv* [ˌweərə'baʊts] où. ❑ *npl* ['weərəbaʊts] • **their whereabouts are still unknown** on ne sait toujours pas où ils se trouvent.

whereas [weər'æz] *conj* alors que.

whereby [weə'baɪ] *conj sout* par lequel, laquelle *f*, au moyen duquel, de laquelle *f*.

whereupon [ˌweərə'pɒn] *conj sout* après quoi, sur quoi.

wherever [weər'evər] *conj* où que (+ subjonctif). ❑ *adv* **1.** n'importe où **2.** où donc • **wherever did you hear that?** mais où donc as-tu entendu dire cela ?

wherewithal ['weəwɪðɔːl] *n sout* • **to have the wherewithal to do sthg** avoir les moyens de faire qqch.

whet [wet] *vt* • **to whet sb's appetite for sthg** donner à qqn envie de qqch.

whether ['weðər] *conj* **1.** si **2.** • **whether I want to or not** que je le veuille ou non.

which [wɪtʃ] *adj* **1.** (dans des questions) quel, quelle, quels, quelles • **which house is yours?** quelle maison est la tienne ? • **which one?** lequel/laquelle ? **2.** • **in which case** auquel cas. ❑ *pron* **1.** (dans des questions) lequel, laquelle, lesquels, lesquelles • **which do you prefer?** lequel préférez-vous ? • **I can't decide which to have** je ne sais vraiment pas lequel prendre **2.** (dans les propositions relatives) qui, que, lequel, laquelle, lesquels, lesquelles • **take the slice which is nearer to you** prends la tranche qui est le plus près de toi • **the television which we bought** le téléviseur que nous avons acheté • **the settee on which I am sitting** le canapé sur lequel je suis assis • **the film of which you spoke** le film dont vous avez parlé **3.** ce qui, ce que • **why did you say you were ill, which nobody believed?** pourquoi as-tu dit que tu étais malade, ce que personne n'a cru ?

> ## which
>
> À PROPOS DE
>
> Lorsque le mot **which** est le sujet de la phrase, le verbe qui suit se met soit au singulier soit au pluriel selon le contexte, bien que **which** soit lui-même invariable (**which is the right answer?** ; **which are our presents?**).
> Notez que dans les questions, **which** se place en début de phrase et, s'il est accompagné d'une préposition (**to, in,** etc.), celle-ci reste à sa place habituelle, après le verbe, du moins dans la langue de tous les jours (**which movie are you going to tonight?** ; **which department do you work in?**).
> Voir aussi **what**.

whichever [wɪtʃ'evər] *adj* quel, quelle *f* que soit. ❑ *pron* **1.** celui qui *m*, celle qui *f*, ceux qui *mpl*, celles qui **2.** n'importe lequel, laquelle *f*.

whiff [wɪf] *n* **1.** bouffée *f* **2.** odeur *f* (de nourriture).

while [waɪl] *n* moment *m* • **let's stay here for a while** restons ici un moment • **for a long while** longtemps • **after a while** après quelque temps. ❑ *conj* **1.** pendant que **2.** tant que **3.** alors que. ■ **while away** *vt sép* passer.

whilst [waɪlst] *conj* (US) = while.

whim [wɪm] *n* lubie *f*.

whimper ['wɪmpər] *vt & vi* gémir.

whimsical ['wɪmzɪkl] *adj* capricieux.

whine [waɪn] *vi* gémir.

whinge [wɪndʒ] *vi* (UK) • **to whinge (about)** se plaindre (de).

whingeing ['wɪndʒɪŋ] (UK) *fam n* **1.** *(indén)* gémissement *m* **2.** *péj* pleurnicherie *f*, plainte *f*. ❑ *adj* **1.** *(personne)* pleurnicheur **2.** *(voix)* plaintif.

whinger ['wɪndʒər] *n* râleur *m*, -euse *f*.

whiny ['waɪnɪ] *adj* pleurnichard.

whip [wɪp] *n* **1.** fouet *m* **2.** POLIT chef *m* de file *(d'un groupe parlementaire)*. ❑ *vt* **1.** fouetter **2.** • **to whip sthg out** sortir qqch brusquement • **to whip sthg off** ôter *ou* enlever qqch brusquement. ■ **whip up** *vt sép* stimuler, attiser.

whiplash injury ['wɪplæʃ-] *n* coup *m* du lapin.

whipped cream [wɪpt-] *n* crème *f* fouettée.

whip-round *n* (UK) *fam* • **to have a whip-round** faire une collecte.

whirl [wɜːl] *n litt & fig* tourbillon *m*. ❑ *vt* • **to whirl sb/sthg round** (UK) *ou* **around** (US) faire tourbillonner qqn/qqch. ❑ *vi* **1.** tourbillonner **2.** *fig* tourner.

whirlpool ['wɜːlpuːl] *n litt & fig* tourbillon *m*.

whirlwind ['wɜːlwɪnd] *n* tornade *f*.

whirr [wɜːr] *vi* ronronner.

whisk [wɪsk] *n* fouet *m*, batteur *m* (à œufs). ❑ *vt* **1.** emmener *ou* emporter rapidement **2.** CULIN battre.

whisker ['wɪskər] *n* moustache *f*. ■ **whiskers** *npl* favoris *mpl*.

whisky (UK), **whiskey** (US) ((IRLANDE) *pl* -s) ['wɪskɪ] *n* whisky *m*.

whisper ['wɪspər] *vt & vi* chuchoter.

whispering ['wɪspərɪŋ] *n* chuchotement *m*.

whispering campaign *n* campagne *f* de diffamation.

whistle ['wɪsl] *n* **1.** sifflement *m* **2.** sifflet *m*. ❑ *vt & vi* siffler.

whistle-blower *n fam* personne qui révèle l'existence de pratiques douteuses au sein de l'organisme, société, etc où elle travaille.

whistle-stop tour *n* • **to make a whistle-stop tour of** faire une tournée éclair dans.

white [waɪt] *adj* **1.** blanc **2.** (UK) *(café)* au lait. ❑ *n* **1.** blanc *m* **2.** Blanc *m*, Blanche *f*. ■ **whites** *npl* **1.** SPORT tenue *f* blanche **2.** linge *m* blanc.

white blood cell *n* globule *m* blanc.

whiteboard ['waɪtbɔːd] *n* tableau *m* blanc.

white-collar *adj* de bureau.

white elephant *n fig* objet *m* coûteux et inutile.

white goods *npl* **1.** articles *mpl* de blanc **2.** électroménager *m*.

white-haired [-'heəd] *adj* aux cheveux blancs.

Whitehall [ˈwaɪthɔːl] *n* rue de Londres, centre administratif du gouvernement britannique.

white heat *n fig* PHYS chaleur *f* incandescente • **in the white heat of passion** au plus fort de la passion • **anti-war feelings have reached white heat** le sentiment d'hostilité par rapport à la guerre a atteint son paroxysme.

white-hot *adj* chauffé à blanc.

White House *n* • **the White House** la Maison-Blanche.

white-knuckle *adj* • **white-knuckle ride** tour *m* de manège terrifiant.

white lie *n* pieux mensonge *m*.

white meat *n* viande *f* blanche.

whiten ['waɪtn] *vt & vi* blanchir.

whiteness ['waɪtnɪs] *n* blancheur *f*.

white noise *n* son *m* blanc.

white paper *n* POLIT livre *m* blanc.

white sauce *n* sauce *f* blanche.

white spirit *n* (UK) white-spirit *m*.

white supremacist *n* partisan *m*, -e *f* de la suprématie blanche.

white supremacy *n* suprématie *f* blanche.

white-tie *adj (dîner)* en habit.

white trash *n péj* Blancs *mpl* pauvres.

whitewash ['waɪtwɒʃ] *n* **1.** *(indén)* chaux *f* **2.** *péj* • **a government whitewash** une combine du gouvernement pour étouffer une affaire. ❑ *vt* blanchir à la chaux.

whitewater rafting ['waɪt,wɔːtər-] *n* raft *m*, rafting *m*.

white wedding *n* mariage *m* en blanc.

white wine *n* vin *m* blanc.

whiting ['waɪtɪŋ] (*pl inv ou* -s) *n* merlan *m*.

Whit Monday [wɪt-] *n* le lundi *m* de Pentecôte.

Whitsun ['wɪtsn] *n* Pentecôte *f*.

whittle ['wɪtl] *vt* • **to whittle sthg away** *ou* **down** *fig* réduire qqch.

whiz, whizz [wɪz] *vi* aller à toute allure.

whiz(z) kid *n fam* petit prodige *m*.

who [huː] *pron* **1.** *(dans des questions)* qui • **who are you?** qui êtes-vous ? • **I didn't know who she was** je ne savais pas qui c'était **2.** *(dans des propositions relatives)* qui • **he's the doctor who treated me** c'est le médecin qui m'a soigné • **I don't know the person who came to see you** je ne connais pas la personne qui est venue vous voir.

who

Lorsque le mot **who** est le sujet de la phrase, le verbe qui suit se met soit au singulier soit au pluriel selon le contexte, bien que **who** soit lui-même invariable *(who is coming to the concert?* ; *who are they?)*.

Notez que dans les questions, **who** se place en début de phrase et, s'il est accompagné d'une préposition (**at**, **from**, etc.), celle-ci reste à sa place habituelle, après le verbe, du moins dans la langue de tous les jours (**who are you staring at?** ; **who did you get the money from?**). On peut omettre **who** lorsqu'il n'est pas le sujet de la proposition qui suit (**I just met some friends [who] I know from university**). S'il est sujet, en revanche, il est impossible de l'omettre (**I have a brother who is a teacher**).

WHO (abrév de World Health Organization) *n* OMS *f*.

who'd [huːd] = who had, who would.

whodu(n)nit [ˌhuːˈdʌnɪt] *n fam* roman *m* policier à énigme.

whoever [huːˈevər] *pron* **1.** quiconque **2.** qui donc **3.** qui que (+ subjonctif) • **whoever you are** qui que vous soyez • **whoever wins** quel que soit qui gagne.

whole [həʊl] *adj* **1.** entier **2.** • **a whole lot bigger** bien plus gros • **a whole new idea** une idée tout à fait nouvelle. ❑ *n* **1.** • **the whole of the school** toute l'école • **the whole of the summer** tout l'été **2.** tout *m*. ■ **as a whole** *adv* dans son ensemble. ■ **on the whole** *adv* dans l'ensemble.

wholefood [ˈhəʊlfuːd] *n* (UK) aliments *mpl* complets.

wholegrain [ˈhəʊlɡreɪn] *adj* (pain, farine) complet.

whole-hearted [-ˈhɑːtɪd] *adj* sans réserve, total.

wholeheartedly [ˌhəʊlˈhɑːtɪdlɪ] *adv* de tout cœur • **I agree wholeheartedly** je suis entièrement d'accord • **he flung himself wholeheartedly into his new job** il s'est donné corps et âme à son nouveau travail.

wholemeal [ˈhəʊlmiːl] (UK), **whole wheat** (US) *adj* complet.

wholemeal bread *n* (indén) (UK) pain *m* complet.

wholesale [ˈhəʊlseɪl] *adj* **1.** COMM en gros **2.** COMM (prix) de gros **3.** péj en masse. ❑ *adv* **1.** COMM en gros **2.** péj en masse.

wholesaler [ˈhəʊlˌseɪlər] *n* marchand *m* de gros, grossiste *mf*.

wholesome [ˈhəʊlsəm] *adj* (alimentation, vie) sain.

whole wheat (US) = wholemeal.

who'll [huːl] = who will.

wholly [ˈhəʊlɪ] *adv* totalement.

whom [huːm] *pron sout* **1.** (dans des questions) qui • **whom did you phone?** qui avez-vous appelé au téléphone ? • **for/of/to whom** pour/de/à qui **2.** (dans des propositions relatives) que • **the girl whom he married** la jeune fille qu'il a épousée

• **the man of whom you speak** l'homme dont vous parlez • **the man to whom you were speaking** l'homme à qui vous parliez.

whom

On peut omettre **whom** lorsqu'il introduit une proposition relative (**I just met some friends [whom] I know from university**). En revanche, s'il est accompagné d'une préposition telle que **to**, **with**, etc., il est impossible de l'omettre (**these are the friends with whom I went to the theatre**). Voir aussi **qui** dans la partie français-anglais du dictionnaire.

whoopee cushion [ˈwʊpiː-] *n* coussin *m* péteur.

whooping cough [ˈhuːpɪŋ-] *n* MÉD coqueluche *f*.

whopper [ˈwɒpər] *n fam* **1.** • **it's a real whopper** c'est absolument énorme **2.** mensonge *m* énorme.

whopping [ˈwɒpɪŋ] *fam adj* énorme. ❑ *adv* • **a whopping great lorry/lie** un camion/mensonge absolument énorme.

whore [hɔːr] *n injur* putain *f*.

who're [ˈhuːər] = who are.

whose [huːz] *pron* (dans des questions) à qui • **whose is this?** à qui est ceci ? ❑ *adj* **1.** à qui • **whose car is that?** à qui est cette voiture ? • **whose son is he?** de qui est-il le fils ? **2.** (dans des propositions relatives) dont • **that's the boy whose father's an MP** c'est le garçon dont le père est député • **the girl whose mother you phoned yesterday** la fille à la mère de qui tu as téléphoné hier.

who's who [huːz-] *n* Bottin® *m* mondain.

who've [huːv] = who have.

why [waɪ] *adv* (dans des questions) pourquoi • **why did you lie to me?** pourquoi m'as-tu menti ? • **why don't you all come?** pourquoi ne pas tous venir ? • **why not?** pourquoi pas ? ❑ *conj* pourquoi • **I don't know why he said that** je ne sais pas pourquoi il a dit cela. ❑ *pron* • **there are several reasons why he left** il est parti pour plusieurs raisons • **I don't know the reason why** je ne sais pas pourquoi. ❑ *interj* tiens ! ■ **why ever** *adv* pourquoi donc.

why

Why, utilisé avec **not** ou **don't**, peut servir à émettre une suggestion (**why don't we try again?**) ou à donner un conseil (**why not take a little more exercise?**).

wick [wɪk] *n* mèche *f* (d'une bougie).

wicked [ˈwɪkɪd] *adj* **1.** mauvais **2.** malicieux.

wicker [ˈwɪkər] *adj* en osier.

wickerwork [ˈwɪkəwɜːk] n vannerie f.

wicket [ˈwɪkɪt] n **1.** CRICKET guichet m **2.** CRICKET terrain m entre les guichets.

wide [waɪd] adj **1.** large • **how wide is the room?** quelle est la largeur de la pièce ? • **to be six metres wide** faire six mètres de large ou de largeur **2.** grand **3.** vaste. ❏ adv **1.** largement • **open wide!** ouvrez grand ! **2.** • **the shot went wide** le coup est passé loin du but ou à côté.

wide-angle lens n objectif m grand angle.

wide area network n réseau m étendu.

wide-awake adj tout à fait réveillé.

wide boy n (UK) fam & péj escroc m.

wide-eyed [-ˈaɪd] adj **1.** aux yeux écarquillés **2.** aux yeux grands ouverts.

widely [ˈwaɪdlɪ] adv **1.** largement **2.** beaucoup • **to be widely read** avoir beaucoup lu • **it is widely believed that…** beaucoup pensent que…

widen [ˈwaɪdn] vt **1.** élargir **2.** agrandir.

wide open adj grand ouvert, grande ouverte f.

wide-ranging [-ˈreɪndʒɪŋ] adj **1.** varié **2.** (rapport, étude) de grande envergure.

wide-screen adj (télévision, film, format) 16/9.

widespread [ˈwaɪdspred] adj très répandu.

widow [ˈwɪdəʊ] n veuve f.

widowed [ˈwɪdəʊd] adj veuf, veuve f.

widower [ˈwɪdəʊə] n veuf m.

width [wɪdθ] n largeur f • **in width** de large.

widthways [ˈwɪdθweɪz] adv dans la largeur.

wield [wiːld] vt **1.** manier (une arme) **2.** exercer (le pouvoir).

wife [waɪf] (pl **wives** [waɪvz]) n femme f, épouse f.

WiFi [ˈwaɪfaɪ] (abrév de wireless fidelity) n INFORM WiFi m.

wig [wɪg] n perruque f.

wiggle [ˈwɪgl] fam vt remuer.

wild [waɪld] adj **1.** sauvage **2.** déchaîné **3.** fou **4.** fantaisiste • **I made a wild guess** j'ai dit ça au hasard. ◼ **wilds** npl • **the wilds of** le fin fond de • **to live in the wilds** habiter en pleine nature.

wild card n INFORM caractère m joker.

wildcat strike n grève f sauvage.

wilderness [ˈwɪldənɪs] n étendue f sauvage.

wildfire [ˈwaɪld,faɪə] n • **to spread like wildfire** se répandre comme une traînée de poudre.

wild-goose chase n fam • **it turned out to be a wild-goose chase** ça s'est révélé être totalement inutile.

wildlife [ˈwaɪldlaɪf] n (indén) faune f et flore f.

wildly [ˈwaɪldlɪ] adv **1.** frénétiquement **2.** au hasard **3.** (tirer avec une arme) dans tous les sens **4.** tout à fait.

wilful (UK), **willful** (US) [ˈwɪlful] adj **1.** obstiné **2.** délibéré.

will [wɪl] n **1.** volonté f • **against one's will** contre son gré **2.** testament m • **she made a will last year** elle a fait son testament l'année dernière.

will

◼ **will** [wɪl] aux modal

1. EXPRIME UNE IDÉE DE FUTUR
• **I will see you next week** je te verrai la semaine prochaine • **when will you have finished it?** quand est-ce que vous l'aurez fini ? • **will you be here next week? — yes I will/no I won't** est-ce que tu seras là la semaine prochaine ? — oui/non

2. EXPRIME UNE VOLONTÉ, UN CHOIX
• **will you have some more tea?** voulez-vous encore du thé ? • **I won't do it** je refuse de le faire

3. POUR DONNER UN ORDRE
• **you will leave this house at once!** tu vas quitter cette maison tout de suite ! • **close that window, will you?** ferme cette fenêtre, veux-tu ? • **will you be quiet!** veux-tu te taire !

4. EXPRIME UNE POSSIBILITÉ, UNE CAPACITÉ
• **the hall will hold up to 1,000 people** la salle peut abriter jusqu'à 1 000 personnes

5. EXPRIME UNE DÉDUCTION, UNE QUASI-CERTITUDE
• **that'll be your father** cela doit être ton père • **I can't tell you myself but he will know** je ne peux pas vous le dire moi-même, mais lui doit le savoir

6. EXPRIME UNE ACTION HABITUELLE, AVEC PARFOIS UNE POINTE D'OBSTINATION
• **he will ask silly questions!** il faut toujours qu'il pose ses questions stupides ! • **she will talk all the time** elle ne peut pas s'empêcher ou s'arrêter de parler !

7. DANS DES EXPRESSIONS
• **boys will be boys** il faut (bien) que jeunesse se passe

◼ **will** [wɪl] vt

INDIQUE UNE VOLONTÉ FORTE DE VOIR UNE ACTION SE PRODUIRE
• **you must will it really hard if you wish to succeed** tu dois le vouloir très fort si tu veux réussir • **he was willing her to accept** il souhaitait ardemment qu'elle accepte

À PROPOS DE will

Il existe une utilisation particulière de **will**, qui permet de décrire une habitude ou une vérité permanente (**cats won't eat vegetables**, les chats ne mangent pas de légumes). Cette tournure indique souvent la désapprobation du locuteur *(he will call when we're in the middle of dinner, il faut toujours qu'il appelle au milieu du repas)*.

Dans les questions et en conjonction avec *you*, *will* peut servir à formuler une demande *(will you cook dinner this evening?)*. *Would* s'utilise exactement de la même manière, mais donne un ton encore plus poli à la question *(would you cook dinner this evening?)*.

willful (US) = **wilful**.

willing ['wɪlɪŋ] *adj* **1.** • **if you're willing** si vous voulez bien • **to be willing to do sthg** être prêt à faire qqch **2.** enthousiaste.

willingly ['wɪlɪŋlɪ] *adv* volontiers.

willingness ['wɪlɪŋnɪs] *n* **1.** • **willingness to do sthg** bonne volonté f à faire qqch **2.** enthousiasme *m*.

willow (tree) ['wɪləʊ-] *n* saule *m*.

willpower ['wɪl,paʊə] *n* volonté f.

willy ['wɪlɪ] *(pl* -ies) *n* (UK) *fam* zizi *m*.

willy-nilly [,wɪlɪ'nɪlɪ] *adv* **1.** n'importe comment **2.** bon gré mal gré.

wilt [wɪlt] *vi* **1.** se faner **2.** *fig* dépérir.

wily ['waɪlɪ] *adj* rusé.

Wimbledon ['wɪmbəldn] *n* tournoi annuel de tennis à Londres.

wimp [wɪmp] *n fam & péj* mauviette f.

win [wɪn] *n* victoire f. □ *vt (prét & pp* won) **1.** gagner **2.** obtenir. □ *vi* gagner. ■ **win over**, **win round** (UK) *vt sép* convaincre.

wince [wɪns] *vi* • **to wince (at/with)** **a)** tressaillir (à/de) **b)** grimacer (à/de).

winch [wɪntʃ] *n* treuil *m*.

wind[1] [wɪnd] *n* **1.** vent *m* **2.** souffle *m* **3.** *(indén)* gaz *mpl*. □ *vt* couper le souffle à.

wind[2] [waɪnd] *(prét & pp* wound) *vt* **1.** enrouler **2.** remonter *(une pendule)*. □ *vi* serpenter. ■ **wind down** *vt sép* **1.** (UK) baisser *(une vitre de voiture)* **2.** cesser graduellement. □ *vi* se détendre. ■ **wind up** *vt sép* **1.** clôturer *(un compte)* **2.** liquider *(une entreprise)* **3.**(UK) remonter *(une montre, une vitre de voiture)* **4.** (UK) *fam* faire marcher **5.** *fam* • **to wind up doing sthg** finir par faire qqch.

winded ['wɪndɪd] *adj* essoufflé.

windfall ['wɪndfɔl] *n* aubaine f.

windfall tax *n* impôt *m* sur les gains exceptionnels.

windfarm ['wɪndfɑːm] *n* champ *m* d'éoliennes.

winding ['waɪndɪŋ] *adj* sinueux.

wind instrument [wɪnd-] *n* instrument *m* à vent.

windmill ['wɪndmɪl] *n* moulin *m* à vent.

window ['wɪndəʊ] *n* **1.** fenêtre f **2.** vitre f **3.** vitrine f.

window box *n* jardinière f.

window cleaner *n* laveur *m*, -euse f de carreaux.

window dressing *n (indén)* **1.** étalage *m* **2.** *fig* façade f.

window frame *n* châssis *m* de fenêtre.

window ledge *n* rebord *m* de fenêtre.

windowpane *n* vitre f.

window seat *n* **1.** banquette f sous la fenêtre **2.** place f côté fenêtre.

window-shopping *n* lèche-vitrines *m inv* • **to go window-shopping** (aller) faire du lèche-vitrines.

windowsill ['wɪndəʊsɪl] *n* **1.** rebord *m* de fenêtre **2.** *(à l'intérieur)* appui *m* de fenêtre.

windpipe ['wɪndpaɪp] *n* trachée f.

wind power [wɪnd-] *n* énergie f du vent *ou* éolienne.

windscreen (UK) ['wɪndskriːn], **windshield** (US) ['wɪndʃiːld] *n* pare-brise *m inv*.

windscreen washer *n* (UK) lave-glace *m*.

windscreen wiper [-,waɪpə] *n* (UK) essuie-glace *m*.

windshield (US) = **windscreen**.

windsurf ['wɪndsɜːf] *vi* faire de la planche à voile.

windsurfer ['wɪnd,sɜːfə] *n* **1.** véliplanchiste *mf* **2.** planche f à voile.

windsurfing ['wɪnd,sɜːfɪŋ] *n* • **to go windsurfing** faire de la planche à voile.

windswept ['wɪndswept] *adj* balayé par les vents.

wind turbine *n* éolienne f.

wind-up [waɪnd-] *adj* • **a wind-up toy/watch** un jouet/une montre à remontoir. □ *n* (UK) *fam* • **is this a wind-up?** tu me fais/vous me faites marcher ou quoi ?

windy ['wɪndɪ] *adj* venteux • **it's windy** il y a du vent.

wine [waɪn] *n* vin *m*.

wine bar *n* (UK) bar *m* à vin.

wine bottle *n* bouteille f de vin.

wine cellar *n* cave f (à vin).

wineglass ['waɪnɡlɑːs] *n* verre *m* à vin.

winegrower ['waɪn,ɡrəʊə] *n* viticulteur *m*, -trice f, vigneron *m*, -onne f.

wine list *n* carte f des vins.

wine merchant *n* (UK) marchand *m*, -e f de vins.

wine rack *n* casier *m* à vin.

wine tasting [-,teɪstɪŋ] *n* dégustation f (de vins).

wine waiter *n* sommelier *m*.

wing [wɪŋ] *n* aile f. ■ **wings** *npl* • **the wings** les coulisses *fpl*.

winger ['wɪŋə] *n* ailier *m*.

wingman ['wɪŋmæn] *n* (US) assistant *m*.

wing nut n vis f à ailettes.

wingspan ['wɪŋspæn] n envergure f.

wingwoman ['wɪŋwʊmən] n (US) assistante f.

wink [wɪŋk] n clin m d'œil. ❑ vi • **to wink (at sb)** faire un clin d'œil (à qqn).

winkle ['wɪŋkl] ■ **winkle out** vt sép extirper.

Winnebago® [,wɪnɪ'beɪgəʊ] n camping-car m, autocaravane f.

winner ['wɪnəʳ] n gagnant m, -e f.

winning ['wɪnɪŋ] adj gagnant. ■ **winnings** npl gains mpl.

winning post n poteau m d'arrivée.

wino ['waɪnəʊ] (pl -s) n fam ivrogne mf.

winter ['wɪntəʳ] n hiver m • **in winter** en hiver. ❑ en apposition d'hiver.

winter sports npl sports mpl d'hiver.

wintertime ['wɪntətaɪm] n (indén) hiver m.

wint(e)ry ['wɪntrɪ] adj d'hiver.

wipe [waɪp] n 1. • **to give sthg a wipe** essuyer qqch 2. lingette f. ❑ vt essuyer. ■ **wipe away** vt sép essuyer. ■ **wipe out** vt sép 1. effacer 2. anéantir. ■ **wipe up** vt sép & vi essuyer.

wiper ['waɪpəʳ] n essuie-glace m.

wire ['waɪəʳ] n 1. (indén) fil m de fer 2. ÉLECTR fil m 3. (surtout US) télégramme m. ❑ vt 1. ÉLECTR installer ; faire l'installation électrique de 2. (surtout US) télégraphier à.

wire cutters npl cisaille f.

wired ['waɪəd] adj 1. ÉLECTR relié à un système d'alarme 2. mis sur écoute 3. (soutien-gorge) à armatures 4. fam surexcité.

wirefree ['waɪəfriː] adj sans fil.

wireless ['waɪəlɪs] n vieilli T.S.F. f.

wiring ['waɪərɪŋ] n (indén) installation f électrique.

wiry ['waɪərɪ] adj 1. crépu 2. noueux.

wisdom ['wɪzdəm] n sagesse f.

wisdom tooth n dent f de sagesse.

wise [waɪz] adj sage. ■ **wise up** vi (surtout US) piger.

-wise suffixe 1. dans le sens de • **length-wise** dans le sens de la longueur 2. fam côté • **money-wise the job leaves a lot to be desired** le poste laisse beaucoup à désirer côté argent.

wisecrack ['waɪzkræk] n péj vanne f (plaisanterie).

wisecracking ['waɪz,krækɪŋ] adj fam blagueur.

wise guy n fam malin m.

wisely ['waɪzlɪ] adv sagement, avec sagesse.

wish [wɪʃ] n 1. souhait m, désir m • **wish for sthg/to do sthg** désir de qqch/de faire qqch 2. vœu m. ❑ vt 1. • **to wish to do sthg** souhaiter faire qqch • **I wish (that) he'd come** j'aimerais bien qu'il vienne • **I wish I could** si seulement je pouvais 2. • **to wish sb sthg** souhaiter qqch à qqn. ❑ vi • **to wish for sthg** souhaiter qqch. ■ **wishes** npl • **best wishes** meilleurs vœux • **(with) best wishes** bien amicalement.

À PROPOS DE

wish

À PROPOS DE
Lorsque **wish** est suivi du verbe **be**, on peut employer le subjonctif du verbe **be (were)** au lieu de **was** (**I wish I was/were rich**). Notez toutefois que dans ce cas, **were** est d'un registre plus soutenu que **was**.

wishbone ['wɪʃbəʊn] n bréchet m.

wishful thinking [,wɪʃfʊl-] n • **that's just wishful thinking** c'est prendre mes/ses etc désirs pour des réalités.

wishing well ['wɪʃɪŋ-] n puits où l'on jette une pièce en faisant un vœu.

wishy-washy ['wɪʃɪ,wɒʃɪ] adj fam & péj 1. sans personnalité 2. (idées) vague.

wisp [wɪsp] n 1. mèche f 2. mince filet m ou volute f.

wispy ['wɪspɪ] (comp wispier, superl wispiest) adj fin.

wistful ['wɪstfʊl] adj nostalgique.

wistfully ['wɪstfʊlɪ] adv d'un air triste et rêveur.

wit [wɪt] n 1. esprit m 2. • **to have the wit to do sthg** avoir l'intelligence de faire qqch. ■ **wits** npl • **to have** ou **keep one's wits about one** être attentif.

witch [wɪtʃ] n sorcière f.

witchcraft ['wɪtʃkrɑːft] n sorcellerie f.

witchdoctor ['wɪtʃ,dɒktəʳ] n sorcier m.

witch-hunt n péj chasse f aux sorcières.

with [wɪð] prép 1. avec (en compagnie de) • **I play tennis with his wife** je joue au tennis avec sa femme • **we stayed with them for a week** nous avons passé une semaine chez eux 2. (indique l'opposition) avec • **to argue with sb** discuter avec qqn • **the war with Germany** la guerre avec ou contre l'Allemagne 3. (indique le moyen, la manière, introduit les sentiments) avec • **I washed it with detergent** je l'ai lavé avec un détergent • **she was trembling with fright** elle tremblait de peur 4. (qui a, qui possède) avec • **a man with a beard** un barbu • **the man with the moustache** l'homme à la moustache 5. (en ce qui concerne) • **he's very mean with money** il est très avare • **the trouble with her is that...** l'ennui avec elle c'est que... 6. (indique la simultanéité) • **I can't do it with you watching me** je ne peux pas le faire quand tu me regardes 7. (à cause de) • **with my luck, I'll probably lose** avec ma chance habituelle, je suis sûr de perdre 8. (locution) • **I'm with you a)** je vous suis **b)** je suis des vôtres **c)** je suis d'accord avec vous.

withdraw [wɪð'drɔː] (prét withdrew, pp withdrawn) vt 1. sout • **to withdraw sthg (from)** enlever qqch (de) 2. retirer. ❑ vi 1. sout • **to withdraw (from)** se retirer (de) 2. se replier • **to withdraw from** évacuer 3. • **to withdraw (from)** se retirer (de).

withdrawal [wɪð'drɔːl] n 1. • withdrawal (from) retrait m (de). 2. MIL repli m.

withdrawal symptoms npl crise f de manque.

withdrawn [wɪð'drɔːn] pp → withdraw. ❑ adj renfermé.

withdrew [wɪð'druː] passé → withdraw.

wither ['wɪðər] vi 1. se flétrir 2. mourir.

withered ['wɪðəd] adj flétri.

withering ['wɪðərɪŋ] adj foudroyant.

withhold [wɪð'həʊld] (prét & pp withheld [-'held]) vt 1. refuser 2. cacher 3. retenir • they withhold 2% of the profits ils retiennent 2 % des bénéfices.

within [wɪ'ðɪn] prép 1. à l'intérieur de, dans • within her en elle, à l'intérieur d'elle-même 2. dans les limites de 3. dans 4. à moins de • we're within thirty miles of Paris nous sommes à moins de cinquante kilomètres de Paris 5. d'ici, en moins de • within the week avant la fin de la semaine. ❑ adv à l'intérieur.

with it adj fam 1. réveillé • get with it! réveille-toi !, secoue-toi ! 2. vieilli dans le vent.

without [wɪð'aʊt] prép sans • without a coat sans manteau • I left without seeing him je suis parti sans l'avoir vu • I left without him seeing me je suis parti sans qu'il m'ait vu • to go without sthg se passer de qqch. ❑ adv • to go on do without s'en passer.

withstand [wɪð'stænd] (prét & pp withstood [-'stʊd]) vt résister à.

witless ['wɪtlɪs] adj sot, stupide.

witness ['wɪtnɪs] n 1. témoin mf • to be witness to sthg être témoin de qqch 2. • to bear witness to sthg témoigner de qqch. ❑ vt 1. être témoin de 2. fig assister à 3. contresigner.

witness box (UK), **witness stand** (US) n barre f des témoins.

witter ['wɪtər] vi (UK) fam & péj parler pour ne rien dire.

witticism ['wɪtɪsɪzm] n mot m d'esprit.

witty ['wɪtɪ] adj plein d'esprit, spirituel.

wives [waɪvz] npl → wife.

wizard ['wɪzəd] n 1. magicien m 2. fig as m, champion m, -onne f.

wizened ['wɪznd] adj ratatiné.

WKD SMS abrév de wicked.

WKND SMS (abrév de weekend) we.

WMD (abrév de weapons of mass destruction) npl ADM fpl.

wobble ['wɒbl] vi 1. trembler 2. (chaise, table) branler.

wobbly ['wɒblɪ] (comp wobbier, superl wobbliest) adj 1. fam tremblant 2. branlant.

woe [wəʊ] n littéraire malheur m.

woeful ['wəʊfʊl] adj 1. (personne, air, nouvelle, situation) malheureux, très triste 2. (scène,

histoire) affligeant, très triste 3. (conditions de vie, erreur) lamentable, consternant.

woefully ['wəʊfʊlɪ] adv 1. très tristement 2. lamentablement • our funds are woefully inadequate nous manquons cruellement de fonds • the tests are woefully inefficient les tests sont d'une inefficacité consternante.

wok [wɒk] n wok m.

woke [wəʊk] passé → wake.

woken ['wəʊkn] pp → wake.

wolf [wʊlf] (pl wolves ['wʊlvz]) n loup m. ■ **wolf down** vt sép fam engloutir.

wolf whistle n sifflement m admiratif (à l'adresse d'une femme).

wolves ['wʊlvz] npl → wolf.

woman ['wʊmən] (pl women) n femme f. ❑ en apposition • woman doctor femme f médecin • woman teacher professeur m femme.

womanhood ['wʊmənhʊd] n (indén) 1. (époque de la vie) • to reach womanhood devenir une femme 2. femmes fpl.

womanize, -ise (UK) ['wʊmənaɪz] vi péj courir les femmes.

womanizer ['wʊmənaɪzər] n coureur m de jupons.

womanly ['wʊmənlɪ] adj féminin.

womb [wuːm] n utérus m.

women ['wɪmɪn] npl → woman.

women's lib n libération f de la femme.

women's liberation n libération f de la femme.

women's refuge n centre m d'accueil pour les femmes.

women's shelter = women's refuge.

won [wʌn] passé & pp → win.

wonder ['wʌndər] n 1. (indén) étonnement m 2. • it's a wonder (that)… c'est un miracle que… • it's no ou little wonder (that)… il n'est pas étonnant que… 3. merveille f. ❑ vt 1. • to wonder (if ou whether) se demander (si) 2. • I wonder whether you would mind shutting the window? cela ne vous ennuierait pas de fermer la fenêtre ? ❑ vi se demander • to wonder about sthg s'interroger sur qqch.

wonderful ['wʌndəfʊl] adj merveilleux.

wonderfully ['wʌndəfʊlɪ] adv 1. merveilleusement, à merveille 2. extrêmement.

wonky ['wɒŋkɪ] (comp wonier, superl wonkiest) adj (UK) fam bancal.

won't [wəʊnt] = will not.

woo [wuː] vt littéraire courtiser.

wood [wʊd] n bois m. ❑ en apposition en bois. ■ **woods** npl bois mpl.

wooded ['wʊdɪd] adj boisé.

wooden ['wʊdn] adj 1. en bois 2. péj raide.

wooden spoon n cuillère f en bois • to win ou get the wooden spoon (UK) fig être classé dernier.

woodland ['wʊdlənd] *n* région *f* boisée.

woodlouse ['wʊdlaʊs] (*pl* -lice) *n* cloporte *m*.

woodpecker ['wʊd,pekər] *n* pivert *m*.

woodwind ['wʊdwɪnd] *n* • the woodwind les bois *mpl*.

woodwork ['wʊdwɜːk] *n* menuiserie *f*.

woodworm ['wʊdwɜːm] *n* ver *m* du bois.

wool [wʊl] *n* laine *f* • to pull the wool over sb's eyes *fam* rouler qqn (dans la farine).

woollen (UK), **woolen** (US) ['wʊlən] *adj* en laine, de laine. ■ **woollens** *npl* lainages *mpl*.

woolly, wooly (UK) ['wʊlɪ] *adj* 1. en laine, de laine 2. *fam* confus.

woolly-headed [-'hedɪd] *adj fam* & *péj* confus.

woozy ['wuːzɪ] (*comp* woozier, *superl* wooziest) *adj fam* sonné (hébété).

word [wɜːd] *n* 1. mot *m* • too stupid for words vraiment trop bête • word for word a) (*répéter*) mot pour mot b) (*traduire*) mot à mot • in other words en d'autres mots • in a word en un mot • to have a word (with sb) parler (à qqn) • she doesn't mince her words elle ne mâche pas ses mots • I couldn't get a word in edgeways je n'ai pas réussi à placer un seul mot 2. (*indén*) nouvelles *fpl* • she brought them word of Tom elle leur a apporté des nouvelles de Tom 3. parole *f* • to give sb one's word donner sa parole à qqn. ❑ *vt* rédiger.

word-for-word *adj* 1. (*répétition, imitation*) mot pour mot 2. (*traduction*) littéral.

wording ['wɜːdɪŋ] *n* (*indén*) termes *mpl*.

word-of-mouth *adj* oral, verbal.

word-perfect *adj* • he had his lines word-perfect il connaissait ses répliques au mot près.

word processing *n* (*indén*) traitement *m* de texte.

word processor [-,prəʊsesər] *n* machine *f* à traitement de texte.

wordy ['wɜːdɪ] (*comp* wordier, *superl* wordiest) *adj péj* verbeux.

wore [wɔːr] *passé* → wear.

work [wɜːk] *n* 1. (*indén*) travail *m*, emploi *m* • out of work sans emploi, au chômage • at work au travail 2. (*activité*) travail *m* • she put a lot of work into that book elle a beaucoup travaillé sur ce livre 3. *ART* & *LITTER* œuvre *f*. ❑ *vi* 1. travailler • to work on sthg travailler à qqch 2. fonctionner, marcher 3. • to work loose se desserrer. ❑ *vt* 1. faire travailler 2. faire marcher 3. (*bois, métal*) travailler. ■ works *n* usine *f*. ❑ *npl* 1. mécanisme *m* 2. travaux *mpl*. ■ **work off** *vt sép* passer (*sa colère*). ■ **work on** *vt insép* 1. travailler à 2. se baser sur. ■ **work out** *vt sép* 1. mettre au point 2. trouver • have you worked out the answer? as-tu résolu le problème ? ❑ *vi* 1. • to work out at (UK) *ou* to (US) s'élever 2. se dérouler 3. (bien) marcher 4. s'entraîner. ■ **work up** *vt sép* 1. • to work o.s.

up into a rage se mettre en rage 2. • to work up an appetite s'ouvrir l'appétit • to work up enthusiasm s'enthousiasmer.

workable ['wɜːkəbl] *adj* 1. réalisable 2. fonctionnel.

workaday ['wɜːkədeɪ] *adj péj* ordinaire, commun.

workaholic [,wɜːkə'hɒlɪk] *n* bourreau *m* de travail.

workbench ['wɜːkbentʃ] *n* établi *m*.

workbook ['wɜːkbʊk] *n* cahier *m* d'exercices.

workday ['wɜːkdeɪ] *n* jour *m* ouvrable.

worked up [,wɜːkt-] *adj* dans tous ses états.

worker ['wɜːkər] *n* travailleur *m*, -euse *f*, ouvrier *m*, -ère *f*.

work ethic *n* exaltation des valeurs liées au travail.

work experience *n* • the course includes two months' work experience le programme comprend un stage en entreprise de deux mois.

workflow ['wɜːkfləʊ] *n* workflow *m* (modélisation de la gestion des processus opérationnels).

workforce ['wɜːkfɔːs] *n* main *f* d'œuvre.

working ['wɜːkɪŋ] *adj* 1. qui marche 2. qui travaille 3. (conditions, tenue, heures) de travail. ■ workings *npl* mécanisme *m*.

working class *n* • the working class la classe ouvrière. ■ **working-class** *adj* ouvrier.

working day *n* (UK) = workday.

working knowledge *n* connaissance *f* pratique.

working lunch *n* déjeuner *m* de travail.

working order *n* • in working order en état de marche.

working week *n* (UK) semaine *f* de travail.

work-in-progress *n* travail *m* en cours.

workload ['wɜːkləʊd] *n* quantité *f* de travail.

workman ['wɜːkmən] (*pl* -men) *n* ouvrier *m*.

workmanship ['wɜːkmənʃɪp] (*indén*) *n* 1. métier *m*, maîtrise *f* 2. travail *m*, fabrication *f*.

workmate ['wɜːkmeɪt] *n* camarade *mf ou* collègue *mf* de travail.

work of art *n litt* & *fig* œuvre *f* d'art.

workout ['wɜːkaʊt] *n* séance *f* d'entraînement.

work permit [-,pɜːmɪt] *n* permis *m* de travail.

workplace ['wɜːkpleɪs] *n* lieu *m* de travail.

workshare ['wɜːkʃeər] *n* emploi *m* en temps partagé • workshares are becoming more common le partage du travail devient de plus en plus courant 2. travailleur *m*, -euse *f* en temps partagé.

workshop ['wɜːkʃɒp] *n INDUST* atelier *m*.

workspace ['wɜːkspeɪs] *n INFORM* bureau *m*.

workstation ['wɜːk,steɪʃn] *n* poste *m* de travail.

worktop ['wɜːktɒp] *n* (UK) plan *m* de travail.

work-to-rule *n* (UK) grève *f* du zèle.

world [wɜːld] n **1.** monde m **2.** (locution) • **to think the world of sb** admirer qqn énormément • **a world of difference** une énorme différence. ❏ en apposition **1.** mondial **2.** universel **3.** du monde.

world-beating adj fam inégalé, qui surpasse tous les autres • **of world-beating quality** d'une qualité inégalée • **the new world-beating X52** le X52, nouveau leader mondial.

world-class adj de niveau international.

World Cup n • **the World Cup** la Coupe du monde. ❏ en apposition de Coupe du monde.

world economy n économie f mondiale.

world-famous adj de renommée mondiale.

worldly ['wɜːldlɪ] adj de ce monde, matériel.

world music n musiques fpl du monde, world music f.

World War I n la Première Guerre mondiale.

World War II n la Deuxième Guerre mondiale.

world-weary adj **1.** las de tout **2.** blasé.

worldwide ['wɜːldwaɪd] adj mondial. ❏ adv dans le monde entier.

World Wide Web n • **the World Wide Web** le World Wide Web.

worm [wɜːm] n ver m.

WORM (abrév de write once read many times) INFORM WORM.

worn [wɔːn] pp → **wear**. ❏ adj **1.** usé **2.** las, lassé f.

worn-out adj **1.** usé **2.** épuisé.

worried ['wʌrɪd] adj inquiet.

worry ['wʌrɪ] n **1.** souci m (inquiétude) **2.** souci m, ennui m. ❏ vt inquiéter, tracasser. ❏ vi s'inquiéter • **to worry about** se faire du souci au sujet de • **don't worry!** ou **not to worry!** ne vous en faites pas !

worrying ['wʌrɪɪŋ] adj inquiétant.

worse [wɜːs] adj **1.** pire • **to get worse** empirer **2.** • **he's worse today** il va plus mal aujourd'hui. ❏ adv plus mal • **they're even worse off** c'est encore pire pour eux • **worse off** plus pauvre. ❏ n pire m • **for the worse** pour le pire.

worsen ['wɜːsn] vt & vi empirer.

worship ['wɜːʃɪp] vt (US & UK) RELIG adorer. ❏ n **1.** (indén) culte m **2.** adoration f. ∎ **Worship** n • **Your/Her/His Worship** Votre/Son Honneur m.

worst [wɜːst] adj • **the worst** le pire, le plus mauvais. ❏ adv le plus mal • **the worst affected area** la zone la plus touchée. ❏ n • **the worst** le pire • **if the worst comes to the worst** au pire. ∎ **at (the) worst** adv au pire.

worst-case adj • **the worst-case scenario** le scénario catastrophe.

worth [wɜːθ] prép **1.** • **to be worth sthg** valoir qqch • **how much is it worth?** combien cela vaut-il ? **2.** • **it's worth a visit** cela vaut une visite • **to be worth doing sthg** valoir la peine de faire qqch. ❏ n valeur f • **a week's/£20 worth of groceries** pour une semaine/20 livres d'épicerie.

worthless ['wɜːθlɪs] adj **1.** sans valeur, qui ne vaut rien **2.** qui n'est bon à rien.

worthwhile [,wɜːθ'waɪl] adj **1.** qui en vaut la peine **2.** (cause, projet) louable.

worthy ['wɜːðɪ] adj **1.** digne **2.** • **to be worthy of sthg** mériter qqch **3.** péj brave.

WOT SMS (abrév de what) koi, koa, kwa.

would

∎ **would** [wʊd] aux modal

1. DANS UN DISCOURS RAPPORTÉ
• **she said she would come** elle a dit qu'elle viendrait

2. EXPRIME LE CONDITIONNEL
• **what would you do?** que ferais-tu ? • **what would you have done?** qu'aurais-tu fait ? • **he would do anything for her** il ferait n'importe quoi pour elle • **I would be most grateful** je vous en serais très reconnaissant

3. AVEC « IF », POUR DONNER UN CONSEIL
• **I wouldn't worry if I were you** à ta place, je ne m'inquiéterais pas • **I would report it if I were you** si j'étais vous, je préviendrais les autorités

4. POUR EXPRIMER LA VOLONTÉ
• **she wouldn't go** elle ne voulait pas y aller • **I tried to explain him the situation but he wouldn't listen to me** j'ai essayé de lui expliquer la situation, mais il n'a pas voulu m'écouter

5. DANS DES DEMANDES POLIES
• **would you like a drink?** voulez-vous ou voudriez-vous à boire ? • **would you mind closing the window?** cela vous ennuierait de fermer la fenêtre ?

6. POUR INDIQUER UNE CARACTÉRISTIQUE, UNE HABITUDE
• **he would say that** j'étais sûr qu'il allait dire ça, ça ne m'étonne pas de lui • **you would go and tell her!** il a fallu que tu ailles lui dire !

7. POUR EXPRIMER UNE ACTION QUI ÉTAIT HABITUELLE DANS LE PASSÉ
• **he would smoke a cigar after dinner** il fumait un cigare après le dîner • **she would often complain about the neighbours** elle se plaignait souvent des voisins • **the dinner would always be ready when they arrived home** le dîner était toujours prêt quand ils rentraient

8. POUR EXPRIMER UNE PROBABILITÉ
• **he'd be about 50 but he doesn't look it** il doit avoir 50 ans, mais il ne les fait pas

would-be *adj* prétendu.

wouldn't ['wʊdnt] = would not.

would've ['wʊdəv] = would have.

wound¹ [wuːnd] *n* blessure *f*. ❑ *vt* blesser.

wound² [waʊnd] *passé & pp* → **wind²**

wound-up [waʊnd-] *adj* **1.** *(pendule)* remonté **2.** *(fenêtre de voiture)* remonté, fermé **3.** *fam (personne)* crispé, très tendu.

wove [wəʊv] *passé* → **weave**

woven [wəʊvn] *pp* → **weave**

wow [waʊ] *interj fam* oh là là !

WP *n* (abrév de word processing, word processor) TTX *m*.

wrangle ['ræŋgl] *n* dispute *f*. ❑ *vi* • **to wrangle (with sb over sthg)** se disputer (avec qqn à propos de qqch).

wrap [ræp] *vt* • **to wrap sthg (in)** envelopper *ou* emballer qqch (dans) • **to wrap sthg around** *ou* **round sthg** enrouler qqch autour de qqch. ❑ *n* châle *m*. ■ **wrap up** *vt sép* envelopper, emballer. ❑ *vi* • **wrap up well** *ou* **warmly!** couvrez-vous bien !

wrapped up [ræpt-] *adj fam* • **to be wrapped up in sthg** être absorbé par qqch • **to be wrapped up in sb** ne penser qu'à qqn.

wrapper ['ræpər] *n* **1.** papier *m* **2.** *(UK)* jaquette *f*, couverture *f (d'un livre)*.

wrapping ['ræpɪŋ] *n* emballage *m*.

wrapping paper *n* (indén) papier *m* d'emballage.

wrath [rɒθ] *n* (indén) littéraire courroux *m*.

wreak [riːk] *vt* entraîner.

wreath [riːθ] *n* couronne *f*.

wreck [rek] *n* **1.** épave *f* **2.** *fam* loque *f*. ❑ *vt* **1.** détruire **2.** provoquer le naufrage de • **to be wrecked** s'échouer **3.** gâcher **4.** ruiner.

wreckage ['rekɪdʒ] *n* (indén) débris *mpl*.

wren [ren] *n* roitelet *m*.

wrench [rentʃ] *n* clef *f* anglaise. ❑ *vt* **1.** tirer violemment • **to wrench sthg off** arracher qqch **2.** se tordre *(la cheville, le bras)*.

wrestle ['resl] *vi* **1.** • **to wrestle (with sb)** lutter (contre qqn) **2.** *fig* • **to wrestle with sthg** se débattre *ou* lutter contre qqch.

wrestler ['reslər] *n* lutteur *m*, -euse *f*.

wrestling ['reslɪŋ] *n* SPORT lutte *f*.

wretch [retʃ] *n* pauvre diable *m*.

wretched ['retʃɪd] *adj* **1.** misérable **2.** *fam* fichu.

wriggle ['rɪgl] *vi* remuer, se tortiller. ■ **wriggle out of** *vt insép* • **to wriggle out of sthg** se tirer de qqch • **to wriggle out of doing sthg** éviter de faire qqch.

wring [rɪŋ] *(prét & pp wrung) vt* essorer.

wringing ['rɪŋɪŋ] *adj* • **wringing (wet) a)** trempé.

wrinkle ['rɪŋkl] *n* **1.** ride *f* **2.** pli *m*. ❑ *vt* plisser. ❑ *vi* se plisser, faire des plis.

wrinkled ['rɪŋkld], **wrinkly** ['rɪŋklɪ] *adj* **1.** ridé **2.** froissé.

wrist [rɪst] *n* poignet *m*.

wristwatch ['rɪstwɒtʃ] *n* montre-bracelet *f*.

writ [rɪt] *n* acte *m* judiciaire.

write [raɪt] *(prét wrote, pp written) vt* **1.** écrire **2.** *(US)* écrire à **3.** faire *(un chèque)*. ❑ *vi* écrire • **to write to sb a)** écrire à qqn. ■ **write back** *vi* répondre. ■ **write down** *vt sép* écrire, noter. ■ **write in** *vi* écrire • **hundreds wrote in to complain** des centaines de personnes ont écrit pour se plaindre. ■ **write into** *vt sép* • **write a clause into a contract** insérer une clause dans un contrat. ■ **write off** *vt sép* **1.** considérer comme fichu **2.** passer aux pertes et profits **3.** considérer comme fini **4.** *(UK) fam* bousiller. ■ **write up** *vt sép* mettre au propre.

write-off *n fam* • **to be a write-off** *(UK)* être complètement démoli.

write-protected *adj* INFORM protégé (en écriture).

writer ['raɪtər] *n* **1.** écrivain *m*, -e *f* **2.** auteur *m*, -e *f*.

writer's block *n* angoisse *f* de la page blanche.

write-up *n fam* critique *f*.

writhe [raɪð] *vi* se tordre.

writing ['raɪtɪŋ] *n* (indén) **1.** écriture *f* • **in writing** par écrit **2.** écrit *m*. ■ **writings** *npl* écrits *mpl*.

writing paper *n* (indén) papier *m* à lettres.

written ['rɪtn] *pp* → **write**. ❑ *adj* écrit.

wrong [rɒŋ] *adj* **1.** qui ne va pas • **is something wrong?** y a-t-il quelque chose qui ne va pas ? • **what's wrong?** qu'est-ce qui ne va pas ? • **there's something wrong with the switch** l'interrupteur ne marche pas bien **2.** qui ne convient pas **3.** faux **4.** mauvais • **to be wrong** avoir tort • **to be wrong to do sthg** avoir tort de faire qqch **5.** • **it's wrong to…** c'est mal de… ❑ *adv* mal • **to get sthg wrong** se tromper à propos de qqch • **to go wrong a)** se tromper, faire une erreur **b)** se détraquer. ❑ *n* mal *m* • **to be in the wrong** être dans son tort. ❑ *vt* faire du tort à.

wrong-foot *(UK) vt* **1.** SPORT prendre à contre-pied **2.** *fig* prendre par surprise *ou* au dépourvu.

wrongful ['rɒŋfʊl] *adj* **1.** injuste **2.** injustifié.

wrongfully ['rɒŋfʊlɪ] *adv* à tort.

wrongly ['rɒŋlɪ] *adv* **1.** mal **2.** à tort.

wrong number *n* faux numéro *m*.

wrote [rəʊt] *passé* → **write**.

wrought iron [rɔːt-] *n* fer *m* forgé.

WRT SMS abrév de **with respect to**.

WRU SMS (abrév de where are you?) t'es où ?

wrung [rʌŋ] *passé & pp* → **wring**.

wry [raɪ] *adj* **1.** amusé **2.** ironique **3.** désabusé.

WTG *SMS* (abrév de way to go) on n'est pas au bout de nos peines.

WTH *SMS* (abrév de what the hell) que... bon sang?

WTMPI *SMS* (abrév de way too much personal information) beaucoup trop de renseignements personnels.

WUF *SMS* abrév de **where are you from?**

wunderkind ['wʌndəkɪnd] *n* enfant *mf* prodige.

wuss [wʌs] *n* **(us)** *fam* mauviette *f*.

WUWH *SMS* (abrév de wish you were here) si seulement tu étais là!

WWW (abrév de World Wide Web) *n* WWW *m*.

WYS *SMS* (abrév de whatever you say) comme tu voudras.

WYSIWYG ['wɪzɪwɪg] (abrév de what you see is what you get) WYSIWYG, tel écran, tel écrit, ce qu'on voit à l'écran c'est ce qu'on obtient à l'impression.

X

x [eks] (pl **x's** ou **xs**), **X** (pl **X's** ou **Xs**) n **1. x** m inv, X m inv **2. x** m inv **3.** croix f **4.** (à la fin d'une lettre) • **XXX** grosses bises.

xenophobia [ˌzenəˈfəʊbjə] n xénophobie f.

xenophobic [ˌzenəˈfəʊbɪk] adj xénophobe.

XLNT SMS abrév de **excellent**.

Xmas ['eksməs] n Noël m.

XO SMS (abrév de kiss and a hug) je t'embrasse très fort.

X-rated [-reɪtɪd] adj vieilli (film) interdit aux mineurs ou aux moins de 18 ans.

X-ray n **1.** rayon m X **2.** radiographie f, radio f. ◻ vt radiographier • **they X-rayed her leg** ils lui ont fait une radio de la jambe.

xylophone ['zaɪləfəʊn] n xylophone m.

Y

y [waɪ] (pl **y's** ou **ys**), **Y** (pl **Y's** ou **Ys**) n y m inv, Y m inv.

yacht [jɒt] n yacht m.

yachting ['jɒtɪŋ] n yachting m.

yachtsman ['jɒtsmən] (pl -men) n yachtman m.

yachtswoman ['jɒts,wʊmən] (pl -women) n yachtwoman f.

yam [jæm] n igname f.

yank [jæŋk] vt tirer d'un coup sec.

Yank [jæŋk], **Yankee** ['jæŋkɪ], n (UK) fam Amerloque mf (terme péjoratif désignant un Américain).

yap [jæp] vi japper.

yard [jɑːd] n **1.** yard m (= 91,44 cm) **2.** cour f **3.** chantier m **4.** (US) jardin m.

Yardie ['jɑːdɪ] n truand m d'origine jamaïcaine.

yardman ['jɑːdmæn] n (US) jardinier m.

yardstick ['jɑːdstɪk] n mesure f.

yarn [jɑːn] n fil m.

yashmak ['jæʃmæk] n litham m.

yawn [jɔːn] n bâillement m. ◻ vi bâiller.

y-axis n axe m des y ou des ordonnées.

YBS SMS (abrév de you'll be sorry) tu vas le regretter.

Y chromosome n chromosome m Y.

yd abrév de **yard**.

yeah [jeə] adv fam ouais.

year [jɪər] n année f, an m • **to be 21 years old** avoir 21 ans • **all (the) year round** toute l'année • **the year 2010-11** FIN l'exercice 2010-11. ■ **years** npl années fpl.

yearbook ['jɪəbʊk] n annuaire m, almanach m.

year-end adj (UK) de fin d'année • **a year-end report** un rapport annuel. ◻ n • **at the year-end** à la fin de l'année, en fin d'année.

year-end profits n bénéfices mpl de fin d'exercice.

yearly ['jɪəlɪ] adj annuel. ◻ adv **1.** annuellement **2.** chaque année • **twice yearly** deux fois par an.

yearn [jɜːn] vi • **to yearn for sthg/to do sthg** aspirer à qqch/à faire qqch.

yearning ['jɜːnɪŋ] n • **yearning (for sb/sthg)** désir m ardent (pour qqn/de qqch).

year-on-year adj d'une année à l'autre. ◻ adv d'une année à l'autre.

year-round adj **1.** (activité, cours) qui dure toute l'année, sur toute l'année **2.** (service, garderie) qui fonctionne toute l'année.

yeast [jiːst] n levure f.

yell [jel] n hurlement m. ◻ vi & vt hurler.

yellow ['jeləʊ] adj jaune. ◻ n jaune m.

yellow card n FOOTBALL carton m jaune.

yellow fever n fièvre f jaune.

yelp [jelp] vi japper.

yeoman of the guard ['jəʊmən-] (pl **yeomen of the guard** ['jəʊmən-]) n (UK) hallebardier m de la garde royale.

yep [jep] adv fam ouais.

yes [jes] adv **1.** oui • **yes, please** oui, s'il te/vous plaît **2.** (en réponse à une question négative) si. ◻ n oui m inv.

yes-man n péj béni-oui-oui m inv.

yesterday ['jestədɪ] *n* hier *m* • **the day before yesterday** avant-hier. ❑ *adv* hier.

yet

■ **yet** [jet] *adv*

1. À LA FORME NÉGATIVE, INDIQUE QU'UNE ACTION N'A PAS ENCORE EU LIEU
• **he hasn't arrived yet** il n'est pas encore arrivé • **I have had no response to my ad as yet** je n'ai pas reçu de réponse à mon annonce jusqu'à maintenant *ou* jusqu'ici

2. DANS DES QUESTIONS, POUR DEMANDER SI UNE ACTION A DÉJÀ EU LIEU
• **have they finished yet?** est-ce qu'ils ont déjà fini ? • **are we there yet?** est-ce qu'on est arrivés ?

3. AVEC UN COMPARATIF, JOUE UN RÔLE D'INTENSIFICATEUR
• **she needs yet more time** elle a besoin d'encore plus de temps • **yet more people arrived at the party** encore plus de personnes arrivèrent à la fête • **she told us a yet sadder tale** elle nous raconta une histoire encore plus triste • **yet again** encore une fois

4. AVEC UN SUPERLATIF
• **it's the best film we've seen yet** c'est le meilleur film que nous ayons vu jusqu'à présent • **it's the greatest book yet written** c'est le meilleur livre jamais écrit

■ **yet** [jet] *conj*

INTRODUIT UNE OPPOSITION
• **they can't sing or play their instruments yet everyone buys their records** ils ne savent ni chanter ni jouer, et pourtant tout le monde achète leurs disques

yew [ju:] *n* if *m*.

Y-fronts [waɪ frʌnts] *npl* (UK) slip *m*.

YGM *SMS* (abrév de you got mail) tu as reçu un mail.

yield [ji:ld] *n* rendement *m*. ❑ *vt* **1.** produire **2.** céder. ❑ *vi* **1.** • **to yield (to)** céder (à) **2.** (US) *AUTO* • **'yield'** 'cédez le passage'.

yikes [jaɪks] *interj* mince !

yippee [(UK) jɪˈpi:, (US) ˈjɪpi] *interj* hourra !

YMCA (abrév de Young Men's Christian Association) *n* union chrétienne de jeunes gens (proposant notamment des services d'hébergement).

yob(bo) ['jɒb(əʊ)] *n* (UK) *fam* voyou *m*, loubard *m*.

yoga ['jəʊɡə] *n* yoga *m*.

yoghourt, yoghurt, yogurt [(UK) ˈjɒɡət, (US) ˈjəʊɡərt] *n* yaourt *m*.

yoke [jəʊk] *n* litt & fig joug *m*.

yolk [jəʊk] *n* jaune *m* (d'œuf).

you [ju:] *pron pers* **1.** tu, vous • **you're a good cook** tu es/vous êtes bonne cuisinière • **are you French?** tu es/vous êtes français ? • **you**

French **vous autres Français** • **you idiot!** espèce d'idiot ! • **if I were** *ou* **was you** si j'étais toi/vous, à ta/votre place • **there you are a)** te/vous voilà **b)** voilà, tiens/tenez • **that jacket really isn't you** cette veste n'est pas vraiment ton/votre style **2.** te, vous • **I can see you** je te/vous vois • **I gave it to you** je te/vous l'ai donné **3.** toi, vous • **I don't expect you to do it** je n'exige pas que ce soit toi qui le fasses/vous qui le fassiez **4.** *(après une préposition, dans les comparaisons)* toi, vous • **we shall go without you** nous irons sans toi/vous • **I'm shorter than you** je suis plus petit que toi/vous **5.** on • **you have to be careful** on doit faire attention • **exercise is good for you** l'exercice est bon pour la santé.

you

Notez que *you* peut être soit singulier soit pluriel, et qu'on l'utilise quel que soit le degré de familiarité avec l'interlocuteur/les interlocuteurs.
You sert à parler des gens en général, par exemple pour demander un renseignement, indiquer la route à prendre, etc. *(how do you get to the station?)*. Le style devient beaucoup plus soutenu si l'on utilise *one* à la place *(how does one get to the station?)*.

you'd [ju:d] = you had, you would.

you-know-what *n* *fam & euphém* • **does he know about the you-know-what?** est-ce qu'il est au courant du... tu vois de quoi je veux parler *ou* ce que je veux dire ?

you-know-who *n* *fam & euphém* qui tu sais, qui vous savez.

you'll [ju:l] = you will.

young [jʌŋ] *adj* jeune. ❑ *npl* **1.** • **the young** les jeunes *mpl* **2.** les petits *mpl* (des animaux).

younger ['jʌŋɡə] *adj* plus jeune • **my younger brother** mon plus jeune frère.

young man *n* jeune homme *m*.

youngster ['jʌŋstə] *n* jeune *m*.

young woman *n* jeune femme *f*.

your [jɔ:] *adj poss* **1.** *(se référant à une personne)* ton, ta, tes **2.** *(forme de politesse, pluriel)* votre, vos • **your dog** ton/votre chien • **your house** ta/votre maison • **your children** tes/vos enfants • **what's your name?** comment t'appelles-tu/vous appelez-vous ? • **it wasn't your fault** ce n'était pas de ta faute à toi/de votre faute à vous **3.** *(impersonnel)* son, sa *f*, ses *(pl)* • **your attitude changes as you get older** on change sa manière de voir en vieillissant • **it's good for your teeth/hair** c'est bon pour les dents/les cheveux • **your average Englishman** l'Anglais moyen.

your

Notez que **your** peut être soit singulier soit pluriel, et qu'on l'utilise quel que soit le degré de familiarité avec l'interlocuteur/les interlocuteurs.
Si vous parlez d'une partie du corps, n'oubliez pas d'utiliser **your**, et non pas le *the* : *Have you washed your hair?* Est-ce que tu t'es lavé les cheveux ?

you're [jɔː] = you are.

yours [jɔːz] *pron poss* **1.** *(se référant à une personne)* le tien, la tienne, les tiens, les tiennes • *is this yours?* c'est à toi ?, c'est à vous ? • *a friend of yours* un ami à toi, un de tes amis, un ami à vous, un de vos amis **2.** *(forme de politesse, pluriel)* le vôtre, la vôtre, les vôtres • *it wasn't her fault, it was yours* ce n'était pas de sa faute, c'était de ta faute à toi/de votre faute à vous. ▪ **Yours** *adv →* **faithfully, sincerely.**

yours

Notez que **yours** peut être soit singulier soit pluriel, et qu'on l'utilise quel que soit le degré de familiarité avec l'interlocuteur/les interlocuteurs : *That desk is yours.* Ce bureau est à toi/à vous, ce bureau est le tien/le vôtre.

yourself [jɔ'self] *(pl* -selves*) pron* **1.** *(réflexif)* te, vous • *are you enjoying yourself?* est-ce que tu t'amuses ?, est-ce que vous vous amusez ? **2.** *(après une préposition)* toi, vous **3.** toi-même, vous-même, vous-mêmes • *did you do it yourself?* tu l'as/vous l'avez fait tout seul ?

yours truly *pron fam* bibi, mézigue.

youth [juːθ] *n* **1.** *(indén) (période de la vie)* jeunesse *f* • *in his youth* dans sa jeunesse **2.** jeune homme *m* **3.** *(indén)* jeunesse *f*, jeunes *mpl*.

youth club *n* centre *m* de jeunes.

youth custody *n* (UK) détention *f* de mineurs, éducation *f* surveillée.

youthful ['juːθfʊl] *adj* **1.** de jeunesse, juvénile **2.** jeune.

youth hostel *n* auberge *f* de jeunesse.

youth hostelling [-'hɒstəlɪŋ] *n* (UK) • *to go youth hostelling* voyager en dormant dans des auberges de jeunesse.

YouTube ['juːˌtjuːb] *v INFORM* aller sur le site internet YouTube, poster une vidéo.

you've [juːv] = you have.

yo-yo ['jəʊjəʊ] *n* yo-yo *m*.

yr abrév de **year.**

YTS (abrév de *Youth Training Scheme*) *n programme gouvernemental britannique d'insertion des jeunes dans la vie professionnelle.*

yuck [jʌk] *interj fam* berk !

Yugoslavia [ˌjuːgə'slɑːvɪə] *n* Yougoslavie *f* • *the former Yugoslavia* l'ex-Yougoslavie.

Yugoslavian [ˌjuːgə'slɑːvɪən], **Yugoslav** [ˌjuːgə'slɑːv] *adj* yougoslave. ❏ *n* Yougoslave *mf*.

yummy ['jʌmɪ] *(comp* yummier*, superl* yummiest*) adj fam* délicieux.

yuppie, yuppy ['jʌpɪ] *n fam* yuppie *mf*.

YWCA (abrév de *Young Women's Christian Association*) *n* union chrétienne de jeunes filles *(proposant notamment des services d'hébergement).*

Z

z [(UK) zed, (US) ziː] *(pl* z's *ou* zs*)*, **Z** *(pl* Z's *ou* Zs*) n* z *m inv*, Z *m inv*.

Zambia ['zæmbɪə] *n* Zambie *f*.

zany ['zeɪnɪ] *adj fam* dingue.

zap [zæp] *vi* **1.** *fam* • *to zap (off) somewhere* foncer quelque part **2.** zapper.

zeal [ziːl] *n* zèle *m*.

zealous ['zeləs] *adj* zélé.

zebra [(UK) 'zebrə, (US) 'ziːbrə] *(pl inv ou* -s*) n* zèbre *m* • *zebras come from Africa* les zèbres sont originaires d'Afrique.

zebra crossing *n* (UK) passage *m* pour piétons.

zenith [(UK) 'zenɪθ, (US) 'ziːnəθ] *n litt & fig* zénith *m*.

zero [(UK) 'zɪərəʊ, (US) 'ziːrəʊ] *adj* zéro, aucun. ❏ *n (pl inv ou* -es*)* zéro *m* • *zero tolerance* tolérance *f* zéro • *the temperature is below zero* la température est au-dessous de zéro. ▪ **zero in on** *vt insép* **1.** *(arme)* se diriger droit sur **2.** *(personne)* s'attaquer (d'entrée de jeu) à.

zero growth *n* croissance *f* zéro.

zero-rated [-'reɪtɪd] *adj* (UK) exempt de TVA.

zero-rating *n* franchise *f* de TVA, taux *m* zéro.

zest [zest] *n (indén)* **1.** piquant *m* **2.** entrain *m* **3.** zeste *m (d'orange, de citron).*

zigzag ['zɪgzæg] *vi (prét & pp* zigzagged*, cont* zigzagging*)* zigzaguer.

zilch [zɪltʃ] *n* (US) *fam* zéro *m*, que dalle.

Zimbabwe [zɪm'bɑːbwɪ] *n* Zimbabwe *m*.

zinc [zɪŋk] *n* zinc *m*.

zinger ['zɪŋə] *n* (US) *fam* **1.** pique *f (méchanceté)* **2.** *(pour intensifier)* • *it was a real zinger* c'était impressionnant.

zip [zɪp] *n* (UK) fermeture *f* Éclair®. ▪ **zip up** *vt sép* **1.** remonter la fermeture Éclair® de **2.** fermer la fermeture Éclair® de.

zip code *n* (US) code *m* postal.

Zip drive® *n INFORM* lecteur *m* de zips.

zip fastener *n* (UK) = **zip.**

zipper ['zɪpə] *n* (US) = **zip.**

zip-up *adj* à fermeture Éclair®, zippé.

zit [zɪt] n (surtout US) *fam* bouton m.

zodiac ['zəʊdɪæk] n • **the zodiac** le zodiaque.

zombie ['zɒmbɪ] n *fig* & *péj* zombi m.

zone [zəʊn] n zone f.

zoo [zu:] n zoo m.

zoologist [zəʊ'ɒlədʒɪst] n zoologiste mf.

zoology [zəʊ'ɒlədʒɪ] n zoologie f.

zoom [zu:m] vi *fam* • **the car zoomed up/down the hill** la voiture a monté/descendu la côte à toute allure. ❑ n zoom m. ■ **zoom in** vi *CINÉ* • **to zoom in (on)** faire un zoom (sur). ■ **zoom off** vi *fam* partir en trombe.

zoom lens n zoom m.

zucchini [zu:'ki:nɪ] (pl inv) n (US) courgette f.

Achevé d'imprimer en Italie par La Tipografica Varese Srl
Dépôt légal : avril 2012 - 316243/05. Projet : 11035376 - avril 2017